Ami lecteur

Cette 87e édition du Guide Michelin France propose une sélection actualisée d'hôtels et de restaurants.

Réalisée en toute indépendance par nos Inspecteurs, elle offre au voyageur de passage un large choix d'adresses à tous les niveaux de confort et de prix.

Toujours soucieux d'apporter à nos lecteurs l'information la plus récente, nous avons mis à jour cette édition avec le plus grand soin.

C'est pourquoi, seul le Guide de l'année en cours mérite votre confiance.

Merci de vos commentaires toujours appréciés.

Bon voyage avec Michelin

Sommaire

5 *Comment se servir du guide*

28 *Les vins et les mets*

30 *Cartes des hôtels agréables, isolés, très tranquilles*

38 *Cartes des bonnes tables à étoiles, des repas soignés à prix modérés*

47 *Hôtels, restaurants, plans de ville, garagistes, curiosités*

1294 *Distances*

1296 *Atlas : principales routes et localisation des cartes de voisinage*

1303 *Calendrier des vacances scolaires*

1306 *D'où vient cette auto ?*

Pages bordées de bleu
Des conseils pour vos pneus

Pages bordées de rouge
Paris et environs

Le choix d'un hôtel, d'un restaurant

Ce guide vous propose une sélection d'hôtels et restaurants établie à l'usage de l'automobiliste de passage. Les établissements, classés selon leur confort, sont cités par ordre de préférence dans chaque catégorie.

Catégories

	XXXXX	*Grand luxe et tradition*
	XXXX	*Grand confort*
	XXX	*Très confortable*
	XX	*De bon confort*
	X	*Assez confortable*
		Simple mais convenable
M		*Dans sa catégorie, hôtel d'équipement moderne*
sans rest.		*L'hôtel n'a pas de restaurant*
	avec ch.	*Le restaurant possède des chambres*

Agrément et tranquillité

Certains établissements se distinguent dans le guide par les symboles rouges indiqués ci-après. Le séjour dans ces hôtels se révèle particulièrement agréable ou reposant.

Cela peut tenir d'une part au caractère de l'édifice, au décor original, au site, à l'accueil et aux services qui sont proposés, d'autre part à la tranquillité des lieux.

à	*Hôtels agréables*
XXXXX à X	*Restaurants agréables*
« Parc fleuri »	*Élément particulièrement agréable*
	Hôtel très tranquille ou isolé et tranquille
	Hôtel tranquille
mer	*Vue exceptionnelle*
	Vue intéressante ou étendue.

Les localités possédant des établissements agréables ou très tranquilles sont repérées sur les cartes pages 30 à 37.

Consultez-les pour la préparation de vos voyages et donnez-nous vos appréciations à votre retour, vous faciliterez ainsi nos enquêtes.

L'installation

Les chambres des hôtels que nous recommandons possèdent, en général, des installations sanitaires complètes. Il est toutefois possible que dans les catégories 🏘, 🏠 et ⛱, certaines chambres en soient dépourvues.

30 ch	*Nombre de chambres*
	Ascenseur
	Air conditionné
TV	*Télévision dans la chambre*
	Chambres réservées aux non-fumeurs
☎	*Téléphone dans la chambre, direct avec l'extérieur*
	Prise Modem-Minitel dans la chambre
♿	*Chambres accessibles aux handicapés physiques*
	Repas servis au jardin ou en terrasse
	Salle de remise en forme
	Piscine : de plein air ou couverte
	Plage aménagée – Jardin de repos
	Tennis à l'hôtel
25 à 150	*Salles de conférences : capacité des salles*
	Garage dans l'hôtel (généralement payant)
P	*Parking réservé à la clientèle*
P	*Parking clos réservé à la clientèle*
	Accès interdit aux chiens (dans tout ou partie de l'établissement)
Fax	*Transmission de documents par télécopie*
mai-oct.	*Période d'ouverture, communiquée par l'hôtelier*
sais.	*Ouverture probable en saison mais dates non précisées. En l'absence de mention, l'établissement est ouvert toute l'année.*

La table

Les étoiles

Certains établissements méritent d'être signalés à votre attention pour la qualité de leur cuisine. Nous les distinguons par **les étoiles de bonne table***. Nous indiquons, pour ces établissements, trois spécialités culinaires et des vins locaux qui pourront orienter votre choix.*

✿✿✿ **Une des meilleures tables, vaut le voyage**

20 *On y mange toujours très bien, parfois merveilleusement, grands vins, service impeccable, cadre élégant... Prix en conséquence.*

✿✿ **Table excellente, mérite un détour**

76 *Spécialités et vins de choix... Attendez-vous à une dépense en rapport.*

✿ **Une très bonne table dans sa catégorie**

438 *L'étoile marque une bonne étape sur votre itinéraire. Mais ne comparez pas l'étoile d'un établissement de luxe à prix élevés avec celle d'une petite maison où, à prix raisonnables, on sert également une cuisine de qualité.*

Repas soignés a prix modérés

Vous souhaitez parfois trouver des tables plus simples, à prix modérés ; c'est pourquoi nous avons sélectionné des restaurants proposant, pour un rapport qualité-prix particulièrement favorable, un repas soigné, souvent de type régional. Ces restaurants sont signalés par **Repas**
Ex. **Repas** 100/130.

Consultez les cartes des localités (étoiles de bonne table et **Repas** *) pages 38 à 45.*
Voir aussi ➜ *page suivante*
Les vins et les mets : voir p. 28 et 29

Les prix

Les prix indiqués dans ce guide ont été établis en automne 1995 et s'appliquent à la haute saison. Ils sont susceptibles de modifications, notamment en cas de variations des prix des biens et services. Ils s'entendent taxes et services compris. Aucune majoration ne doit figurer sur votre note, sauf éventuellement la taxe de séjour.

Les hôtels et restaurants figurent en gros caractères lorsque les hôteliers nous ont donné tous leurs prix et se sont engagés, sous leur propre responsabilité, à les appliquer aux touristes de passage porteurs de notre guide.

Hors saison, certains établissements proposent des conditions avantageuses, renseignez-vous lors de votre réservation.

Entrez à l'hôtel le guide à la main, vous montrerez ainsi qu'il vous conduit là en confiance.

Repas

enf. 60	*Prix du menu pour enfants*
←	*Établissement proposant un menu simple à* **moins de 80 F**
	Menus à prix fixe :
Repas 85 (déj.)	85 (déj.) *servi au déjeuner uniquement*
100/150	*minimum* 100, *maximum* 150
100/150	*Menu à prix fixe minimum* 100 *non servi les fins de semaine et jours fériés*
bc	*Boisson comprise*
⚗	*Vin de table en carafe*
	Repas à la carte :
Repas carte 160 à 310	*Le premier prix correspond à un repas normal comprenant : hors-d'œuvre, plat garni et dessert. Le 2e prix concerne un repas plus complet (avec spécialité) comprenant : deux plats, fromage et dessert (boisson non comprise)*

Chambres

ch 190/380	*Prix minimum* 190 *pour une chambre d'une personne et prix maximum* 380 *pour une chambre de deux personnes*
29 ch ☕ 210/450	*Prix des chambres petit déjeuner compris*
☕ 35	*Prix du petit déjeuner (généralement servi dans la chambre)*

Demi-pension

1/2 P 190/350	*Prix minimum et maximum de la demi-pension (chambre, petit déjeuner et un repas) par personne et par jour, en saison ; ces prix s'entendent pour une chambre double occupée par deux personnes, pour un séjour de trois jours minimum. Une personne seule occupant une chambre double se voit parfois appliquer une majoration.*

La plupart des hôtels saisonniers pratiquent également, sur demande, la pension complète. Dans tous les cas, il est indispensable de s'entendre par avance avec l'hôtelier pour conclure un arrangement définitif.

Les arrhes

Certains hôteliers demandent le versement d'arrhes. Il s'agit d'un dépôt-garantie qui engage l'hôtelier comme le client.
Bien faire préciser les dispositions de cette garantie. Demandez à l'hôtelier de vous fournir dans sa lettre d'accord toutes précisions utiles sur la réservation et les conditions de séjour.

Cartes de crédit

AE ⓓ GB JCB	*Cartes de crédit acceptées par l'établissement American Express. Diners Club. Carte Bancaire (Visa, Eurocard, MasterCard). Japan Credit Bureau*

Les villes

63300	*Numéro de code postal de la localité (les deux premiers chiffres correspondent au numéro du département)*
✉ 57130 Ars	*Numéro de code postal et nom de la commune de destination*
P SP	*Préfecture – Sous-préfecture*
80 ⑤	*Numéro de la Carte Michelin et numéro du pli*
G. Jura	*Voir le Guide Vert Michelin Jura*
1 057 h.	*Population*
alt. 75	*Altitude de la localité*
Stat. therm.	*Station thermale*
1 200/1 900	*Altitude de la station et altitude maximum atteinte par les remontées mécaniques*
2	*Nombre de téléphériques ou télécabines*
14	*Nombre de remonte-pentes et télésièges*
	Ski de fond
BY **B**	*Lettres repérant un emplacement sur le plan*
9	*Golf et nombre de trous*
	Panorama, point de vue
	Aéroport
	Localité desservie par train-auto. Renseignements au numéro de téléphone indiqué
	Transports maritimes
	Transports maritimes pour passagers seulement
A.C.	*Information touristique – Automobile Club*

Les curiosités

Intérêt

★★★	*Vaut le voyage*
★★	*Mérite un détour*
★	*Intéressant*

Les musées sont généralement fermés le mardi

Situation

Voir	*Dans la ville*
Env.	*Aux environs de la ville*
N, S, E, O	*La curiosité est située : au Nord, au Sud, à l'Est, à l'Ouest*
② ④	*On s'y rend par la sortie ② ou ④ repérée par le même signe sur le plan du Guide et sur la carte*
2 km	*Distance en kilomètres*

La voiture, les pneus

Garagistes, réparateurs, fournisseurs de pneus Michelin

RENAULT *Concessionnaire (ou succursale) de la marque Renault.*

PEUGEOT *Agent de la marque Peugeot.*

Gar. de la Côte *Garagiste qui ne représente pas de marque de voiture.*

(symbole pneu) *Spécialistes du pneu.*

Établissements généralement fermés samedi ou parfois lundi.

Dans nos agences, nous nous faisons un plaisir de donner à nos clients tous conseils pour la meilleure utilisation de leurs pneus.

Dépannage

N **La nuit** – *Cette lettre désigne des garagistes qui assurent, la nuit, les réparations courantes.*

Le dimanche – *Il existe dans toutes les régions un service de dépannage le dimanche. La Police, la Gendarmerie peuvent en général indiquer le garagiste de service le plus proche ou le numéro téléphonique d'appel du groupement départemental d'assistance routière.*

Les cartes de voisinage

Avez-vous pensé à les consulter ?

Vous souhaitez trouver une bonne adresse, par exemple, aux environs de Clermont-Ferrand ? Consultez la carte qui accompagne le plan de la ville.

La « carte de voisinage » (ci-contre) attire votre attention sur toutes les localités citées au Guide autour de la ville choisie, et particulièrement celles qui sont accessibles en automobile en moins de 30 minutes (limite de couleur).

Les « cartes de voisinage » vous permettent ainsi le repérage rapide de toutes les ressources proposées par le Guide autour des métropoles régionales.

Nota :

Lorsqu'une localité est présente sur une « carte de voisinage », sa métropole de rattachement est imprimée en BLEU sur la ligne des distances de ville à ville.

Exemple :

Vous trouverez Châtelguyon sur la carte de voisinage de Clermont-Ferrand.

CHÂTELGUYON **63140** P.-de-D. 73 ④ **G. Auvergne**
Voir Gorges d'Enval ★ 3 km par ③
Office de Tourisme parc E.-Clementel
Paris 375 ① – ◆Clermont-Fd 20 ② – Aubusson 99 ③

- *Localité possédant au moins un hôtel et un restaurant cités au Guide*
- *Localité possédant au moins un restaurant cité au Guide*
- *Localité possédant au moins un hôtel sans restaurant cité au Guide*

St-Eloy-les-Mines
Chouvigny
Arfeuilles
R Vichy
Cusset
Bellerive
Abrest R
le Mayet-de-Montagne
St-Priest-Bramefant
St-Yorre
St-Pardoux
St-Gervais-d'Auvergne
Châteauneuf-les-Bs
Randan
30 minutes
Allier
Pont-du-Bouchet
R Châtelguyon
Maringues
St-Rémy-s-Durolle
St-Hippolyte
Riom
Ennezat
R Pontaumur
Thiers
Pontgibaud
Chamalières
CLERMONT-FD-AULNAT
Pont-du-Château
Lezoux
Pont-de-Dore
Mazaye
la Baraque
Royat
CLERMONT-FERRAND
Bouzel
Bort-l'Etang
Herment
R Ceyrat
Pérignat-lès-S.
Courpière
Aubusson-d'A.
Saulzet-le-Chaud
le Brugeron
Orcival
Longues
St-Jean-des-Ollières
Laqueuille
Parent
Sallèdes
St-Sauves
le Genestoux
Avèze
la Bourboule
St-Nectaire
Champeix
le Mont-Dore
Murol
Issoire R
Sauxillanges
Ambert
la Tour-d'Auvergne
Chambon (Lac)
le Cheix
Perrier
Parentignat
Super-Besse
Besse-en-Ch.
St-Germain-l'Herm
Picherande
Pavin (Lac)
Boudes
Ste-Florine
Brassac-les-Mines
A 71
N 9
N 209
N 144
D 906
D 941
A 72
N 89
D 922
A 75
0 10 km

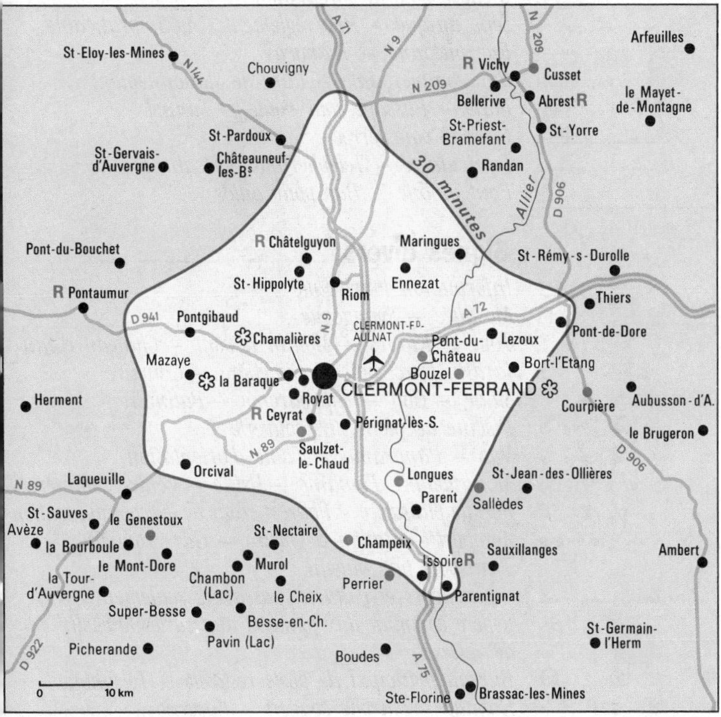

Toutes les « Cartes de voisinage » sont localisées sur l'Atlas en fin de Guide.

Les plans

Hôtels
Restaurants

Curiosités

Bâtiment intéressant et entrée principale
Édifice religieux intéressant :
- Catholique – Protestant

Voirie

Autoroute, double chaussée de type autoroutier
Échangeurs numérotés : complet, partiels
Grande voie de circulation
Sens unique – Rue réglementée ou impraticable
Rue piétonne – Tramway
R. Pasteur P *Rue commerçante – Parc de stationnement*
Porte – Passage sous voûte – Tunnel
Gare et voie ferrée
Funiculaire – Téléphérique, télécabine
B *Pont mobile – Bac pour autos*

Signes divers

Information touristique
Mosquée – Synagogue
Tour – Ruines – Moulin à vent – Château d'eau
Jardin, parc, bois – Cimetière – Calvaire
Stade – Golf – Hippodrome – Patinoire
Piscine de plein air, couverte
Vue – Panorama – Table d'orientation
Monument – Fontaine – Usine – Centre commercial
Port de plaisance – Phare – Tour de télécommunications
Aéroport – Station de métro – Gare routière
Transport par bateau :
- passagers et voitures, passagers seulement
3 *Repère commun aux plans et aux cartes Michelin détaillées*
Bureau principal de poste restante et Téléphone
Hôpital – Marché couvert – Caserne
Bâtiment public repéré par une lettre :
A C *- Chambre d'agriculture – Chambre de commerce*
G H J *- Gendarmerie – Hôtel de ville – Palais de justice*
M P T *- Musée – Préfecture, sous-préfecture – Théâtre*
U *- Université, grande école*
POL. *- Police (commissariat central)*
4m4 18T 18 *Passage bas (inf. à 4 m 50) – Charge limitée (inf. à 19 t)*
Garage : Peugeot, Citroën, Renault (Alpine)

Dear Reader

This 87th edition of the Michelin Guide to France offers the latest selection of hotels and restaurants.

Independently compiled by our inspectors, the Guide provides travellers with a wide choice of establishments at all levels of comfort and price.

We are committed to providing readers with the most up-to-date information and this edition has been produced with the greatest care.

That is why only this year's guide merits your complete confidence.

Thank you for your comments, which are always appreciated.

Bon voyage !

Contents

17 *How to use this guide*

28 *Food and wine*

30 *Map of pleasant, secluded and very quiet hotels*

38 *Map of star-rated restaurants and good food at moderate prices*

47 *Hotels, restaurants, town plans, garages, sights*

1294 *Distances*

1296 *Atlas: main roads and location of local maps*

1303 *School holidays calendar*

1306 *Where does that car come from?*

bordered in blue
Useful tips for your tyres

bordered in red
In and around Paris

Choosing a hotel or restaurant

This guide offers a selection of hotels and restaurants to help motorists on their travels. In each category establishments are listed in order of preference according to the degree of comfort they offer.

Categories

	XXXXX	*Luxury in the traditional style*
	XXXX	*Top class comfort*
	XXX	*Very comfortable*
	XX	*Comfortable*
	X	*Quite comfortable*
		Simple comfort
M		*In its category, hotel with modern amenities*
sans rest.		*The hotel has no restaurant*
	avec ch.	*The restaurant also offers accommodation*

Peaceful atmosphere and setting

Certain establishments are distinguished in the guide by the red symbols shown below.

Your stay in such hotels will be particularly pleasant or restful, owing to the character of the building, its decor, the setting, the welcome and services offered, or simply the peace and quiet to be enjoyed there.

to	*Pleasant hotels*
XXXXX *to* X	*Pleasant restaurants*
« Parc fleuri »	*Particularly attractive feature*
	Very quiet or quiet, secluded hotel
	Quiet hotel
< mer	*Exceptional view*
<	*Interesting or extensive view*

The maps on pages 30 to 37 indicate places with such very peaceful, pleasant hotels and restaurants.

By consulting them before setting out and sending us your comments on your return you can help us with our enquiries.

Hotel facilities

In general the hotels we recommend have full bathroom and toilet facilities in each room. However, this may not be the case for certain rooms in categories 🏘, 🏠 *and* ⛱.

30 ch	*Number of rooms*
🛗	*Lift (elevator)*
▤	*Air conditioning*
TV	*Television in room*
🚭	*Rooms reserved for non-smokers*
☎	*Direct-dial phone in room*
📞	*Minitel-modem point in the bedrooms*
♿	*Rooms accessible to disabled people*
⛱	*Meals served in garden or on terrace*
🚲	*Exercise room*
🏊 🏊	*Outdoor or indoor swimming pool*
🏖 🌳	*Beach with bathing facilities – Garden*
🎾	*Hotel tennis court*
25/150	*Equipped conference hall (minimum and maximum capacities)*
🚗	*Hotel garage (additional charge in most cases)*
P	*Car park for customers only*
P	*Enclosed car park for customers only*
🐕	*Dogs are not allowed in all or part of the hotel*
Fax	*Telephone document transmission*
mai-oct.	*Dates when open, as indicated by the hotelier*
sais.	*Probably open for the season – precise dates not available.*

Where no date or season is shown, establishments are open all year round.

Cuisine

Stars

Certain establishments deserve to be brought to your attention for the particularly fine quality of their cooking. ***Michelin stars*** *are awarded for the standard of meals served.*

For each of these restaurants we indicate three culinary specialities and a number of local wines to assist you in your choice.

✿✿✿ **Exceptional cuisine, worth a special journey**

20 *One always eats here extremely well, sometimes superbly. Fine wines, faultless service, elegant surroundings. One will pay accordingly !*

✿✿ **Excellent cooking, worth a detour**

76 *Specialities and wines of first class quality. This will be reflected in the price.*

✿ **A very good restaurant in its category**

438 *The star indicates a good place to stop on your journey. But beware of comparing the star given to an expensive "de luxe" establishment to that of a simple restaurant where you can appreciate fine cuisine at a reasonable price.*

Good food at moderate prices

You may also like to know of other restaurants with less elaborate, moderately priced menus that offer good value for money and serve carefully prepared meals, often of regional cooking.

In the guide such establishments are marked **Repas** *just before the price of the menu, for example* **Repas** 100/130.

Please refer to the map of star-rated restaurants and good food at moderate prices **Repas** *(pp 38 to 45).*

See also ➔ *on next page*

Food and wine: see pages 28 and 29

Prices

The prices indicated in this Guide, supplied in Autumn 1995, apply to high season. Changes may arise if goods and service costs are revised. The rates include tax and service and no extra charge should appear on your bill, with the possible exception of visitors' tax.
Hotels and restaurants in bold type have supplied details of all their rates and have assumed responsibility for maintaining them for all travellers in possession of this guide.
Out of season, certain establishments offer special rates. Ask when booking.
Your recommendation is self-evident if you always walk into a hotel Guide in hand.

Meals

enf. 60	*Price of children's menu*
✦	*Establishment serving a simple menu* **for less than 80 F**

Set meals:

Repas 85 (déj.)	85 (déj.) *served only at lunch time*
100/150	*Lowest* 100 *and highest* 150 *prices for set meals*
100/150	*The cheapest set meal* 100 *is not served on Saturdays, Sundays or public holidays*
bc	*House wine included*
🝰	*Table wine available by the carafe*

"A la carte" meals:

Repas carte 160 à 310	*The first figure is for a plain meal and includes hors-d'œuvre, main dish of the day with vegetables and dessert* *The second figure is for a fuller meal (with "spécialité") and includes 2 main courses, cheese, and dessert (drinks not included)*

Rooms

ch 190/380 *Lowest price* 190 *for a single room and highest price* 380 *for a double*

29 ch ☕ 210/450 *Price includes breakfast*

☕ 35 *Price of continental breakfast (generally served in the bedroom)*

Half board

1/2 P 190/350 *Lowest and highest prices of half board (room, breakfast and a meal) per person, per day in season. These prices are valid for a double room occupied by two people for a minimum stay of three days. When a single person occupies a double room he may have to pay a supplement.*
Most of the hotels also offer full board terms on request. It is essential to agree on terms with the hotelier before making a firm reservation.

Deposits

Some hotels will require a deposit, which confirms the commitment of customer and hotelier alike. Make sure the terms of the agreement are clear. Ask the hotelier to provide you, in his letter of confirmation, with all terms and conditions applicable to your reservation.

Credit cards

AE ⓓ GB JCB *American Express – Diners Club – Carte Bancaire (includes Eurocard, MasterCard and Visa) – Japan Credit Bureau*

Towns

63300	*Local postal number (the first two numbers represent the département number)*
✉ 57130 Ars	*Postal number and name of the postal area*
P ‹SP›	*Prefecture – Sub-prefecture*
80 ⑤	*Number of the appropriate sheet and section of the Michelin road map*
G. Jura	*See the Michelin Green Guide Jura*
1 057 h.	*Population*
alt. 75	*Altitude (in metres)*
Stat. therm.	*Spa*
Sports d'hiver	*Winter sports*
1 200/1 900	*Altitude (in metres) of resort and highest point reached by lifts*
2	*Number of cable-cars*
14	*Number of ski and chair-lifts*
	Cross country skiing
BY **B**	*Letters giving the location of a place on the town plan*
9	*Golf course and number of holes*
	Panoramic view. Viewpoint
	Airport
	Places with motorail pick-up point. Further information from phone no. listed
	Shipping line
	Passenger transport only
A.C.	*Tourist Information Centre – Automobile Club*

Sights

Star-rating

★★★	*Worth a journey*
★★	*Worth a detour*
★	*Interesting*

Museums and art galleries are generally closed on Tuesdays

Location

Voir	*Sights in town*
Env.	*On the outskirts*
N, S, E, O	*The sight lies north, south, east or west of the town*
② ④	*Sign on town plan and on the Michelin road map indicating the road leading to a place of interest*
2 km	*Distance in kilometres*

Car, tyres

Car dealers, repairers and Michelin tyre suppliers

RENAULT	*Renault main agent*
PEUGEOT	*Peugeot dealer*
Gar. de la Côte	*General repair garage*
(Michelin symbol)	*Tyre specialist*

These workshops are usually closed on Saturdays and occasionally on Mondays.
The staff at our depots will be pleased to give advice on the best way to look after your tyres.

Breakdown service

N **At night** – *Symbol indicating garage offering night breakdown service.*

On Sunday – *Each town has a breakdown service available on Sunday. In any event, the Gendarmerie, Police, etc., should usually be able to give the address of the garage on duty.*

Local maps

May we suggest that you consult them

Should you be looking for a hotel or restaurant not too far from Clermont-Ferrand, for example, you can consult the map along with the town plan.

The local map (opposite) draws your attention to all places around the town or city selected, provided they are mentioned in the Guide. Places located within a thirty minute drive are clearly identified by the use of a different coloured background.

The various facilities recommended near the different regional capitals can be located quickly and easily.

Note:

Entries in the Guide provide information on distances to nearby towns. Whenever a place appears on one of the local maps, the name of the town or city to which it is attached is printed in BLUE.

Example :

Châtelguyon is to be found on the local map Clermont-Ferrand.

CHÂTELGUYON **63140** P.-de-D. 73 ④ **G. Auvergne**
Voir Gorges d'Enval ★ 3 km par ③
Office de Tourisme parc E.-Clementel
Paris 375 ① – ♦Clermont-Fd **20** ② – **Aubusson 99** ③

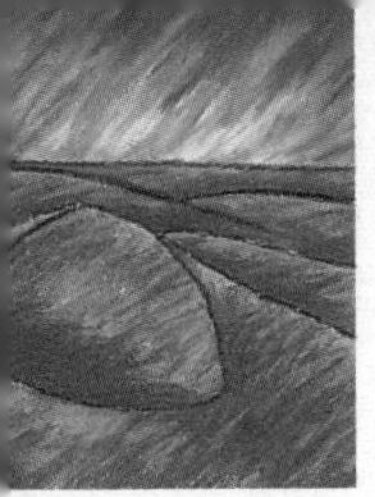

- *Place with at least one hotel and restaurant included in the Guide*
- *Place with at least one restaurant included in the Guide*
- *Place with at least one hotel, without restaurant, included in the Guide*

St-Eloy-les-Mines
N 144
Chouvigny
A 71
N 9
R Vichy
Cusset
N 209
Bellerive
Abrest R
Arfeuilles
le Mayet-de-Montagne
St-Priest-Bramefant
St-Yorre
Randan
St-Pardoux
St-Gervais-d'Auvergne
Châteauneuf-les-Bs
30 minutes
Allier
D 906
R Châtelguyon
Maringues
Pont-du-Bouchet
St-Rémy-s-Durolle
St-Hippolyte
Riom
Ennezat
R Pontaumur
Thiers
D 941
Pontgibaud
A 72
Pont-de-Dore
Chamalières
CLERMONT-Fd. AULNAT
Pont-du-Château
Lezoux
Mazaye
Bouzel
Bort-l'Etang
la Baraque
CLERMONT-FERRAND
Herment
Royat
Courpière
Aubusson-d'A.
R Ceyrat
Pérignat-lès-S.
le Brugeron
N 89
Saulzet-le-Chaud
D 906
Orcival
Longues
St-Jean-des-Ollières
N 89
Laqueuille
Parent
Sallèdes
St-Sauves
le Genestoux
Avèze
St-Nectaire
la Bourboule
Champeix
Sauxillanges
Ambert
le Mont-Dore
Murol
Issoire R
la Tour-d'Auvergne
Chambon (Lac)
Perrier
le Cheix
Parentignat
Super-Besse
Besse-en-Ch.
St-Germain-l'Herm
Pavin (Lac)
D 922
Picherande
Boudes
A 75
0 10 km
Ste-Florine
Brassac-les-Mines

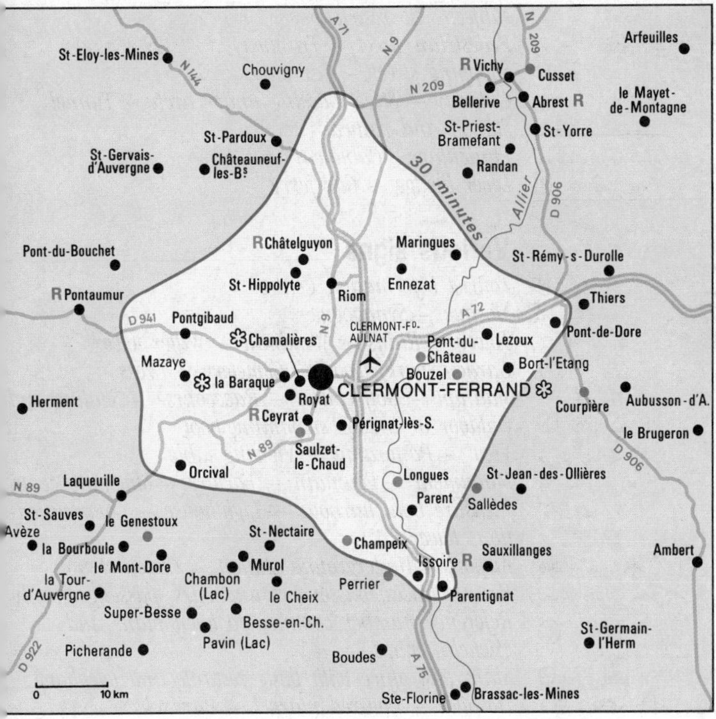

All towns with local maps are indicated on the Atlas at the end of the Guide.

Town plans

Hotels – Restaurants

Sights

Place of interest and its main entrance
Interesting place of worship:
- Catholic – Protestant

Roads

Motorway, dual carriageway
Numbered junctions: complete, limited
Major thoroughfare
One-way street – Unsuitable for traffic or street subject to restrictions
Pedestrian street – Tramway
R. Pasteur *Shopping street – Car park*
Gateway – Street passing under arch – Tunnel
Station and railway
Funicular – Cable-car
Lever bridge – Car ferry

Various signs

Tourist Information Centre
Mosque – Synagogue
Tower – Ruins – Windmill – Water tower
Garden, park, wood – Cemetery – Cross
Stadium – Golf course – Racecourse – Skating rink
Outdoor or indoor swimming pool
View – Panorama – Viewing table
Monument – Fountain – Factory – Shopping centre
Pleasure boat harbour – Lighthouse – Communications tower
Airport – Underground station – Coach station
Ferry services: passengers and cars, passengers only
(3) *Reference number common to town plans and Michelin maps*
Main post office with poste restante and telephone
Hospital – Covered market – Barracks
Public buildings located by letter:
A C *- Chamber of Agriculture – Chamber of Commerce*
G H J *- Gendarmerie – Town Hall – Law Courts*
M P T *- Museum – Prefecture or sub-prefecture – Theatre*
U *University, College*
POL. *- Police (in large towns police headquarters)*
4m4 18T (18) *Low headroom (15 ft. max.) – Load limit (under 19 t)*
Garage: Peugeot, Citroën, Renault (Alpine)

Les vins
Wines

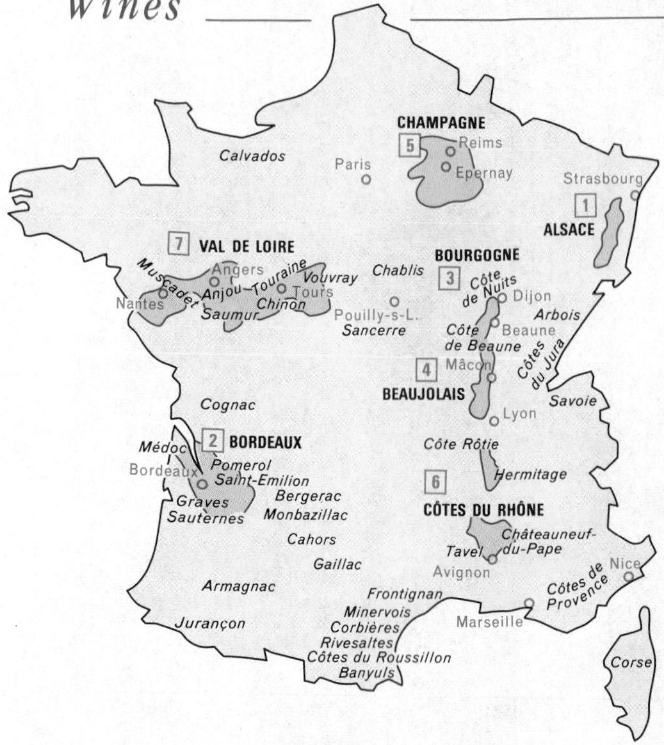

CHAMPAGNE
5
Reims
Epernay
Calvados
Paris
Strasbourg
1
ALSACE
7
VAL DE LOIRE
BOURGOGNE
Muscadet
Angers
Anjou–Touraine
Vouvray
Tours
Chablis
3
Côte de Nuits
Dijon
Nantes
Chinon
Saumur
Pouilly-s-L.
Sancerre
Arbois
Côte de Beaune
Beaune
Côtes du Jura
4
Mâcon
BEAUJOLAIS
Cognac
Savoie
Lyon
Médoc
2
BORDEAUX
Côte Rôtie
Bordeaux
Pomerol
Saint-Emilion
6
Hermitage
Graves
Sauternes
Bergerac
Monbazillac
CÔTES DU RHÔNE
Cahors
Châteauneuf-du-Pape
Tavel
Gaillac
Avignon
Nice
Armagnac
Frontignan
Côtes de Provence
Minervois
Corbières
Rivesaltes
Côtes du Roussillon
Banyuls
Jurançon
Marseille
Corse

Années Years	81	82	83	85	86	88	89	90	91	92	93	94
1 Alsace	Bonnes	Bonnes	Grandes	Grandes	Bonnes	Grandes	Grandes	Grandes	Bonnes	Bonnes	Bonnes	Bonnes
2 Bordeaux												
blancs/white	Bonnes	Bonnes	Bonnes	Bonnes	Bonnes	Grandes	Grandes	Grandes	Quelques réussites	Quelques réussites	Bonnes	Bonnes
rouges/claret	Bonnes	Grandes	Bonnes	Bonnes	Bonnes	Bonnes	Grandes	Grandes	Quelques réussites	Quelques réussites	Bonnes	Bonnes
3 Bourgogne												
blancs/white	Quelques réussites	Bonnes	Quelques réussites	Bonnes	Bonnes	Bonnes	Grandes	Bonnes	Bonnes	Bonnes	Bonnes	Bonnes
rouges/red	Quelques réussites	Bonnes	Quelques réussites	Grandes	Quelques réussites	Bonnes	Bonnes	Grandes	Bonnes	Bonnes	Bonnes	Bonnes
4 Beaujolais	Bonnes	Quelques réussites	Bonnes	Quelques réussites	Quelques réussites	Bonnes	Grandes	Bonnes	Grandes	Quelques réussites	Bonnes	Bonnes
5 Champagne	Quelques réussites	Grandes	Grandes	Grandes	Quelques réussites	Grandes	Bonnes	Grandes	Bonnes	Bonnes	Bonnes	Bonnes
6 Côtes du Rhône												
Septentrionales/northern	Quelques réussites	Bonnes	Bonnes	Grandes	Bonnes	Bonnes	Grandes	Grandes	Bonnes	Bonnes	Bonnes	Bonnes
Méridionales/southern	Quelques réussites	Bonnes	Quelques réussites	Bonnes	Bonnes	Bonnes	Bonnes	Grandes	Bonnes	Bonnes	Bonnes	Bonnes
7 Val de Loire												
Muscadet	Quelques réussites	Grandes	Quelques réussites	Quelques réussites	Quelques réussites	Bonnes	Bonnes	Grandes	Quelques réussites	Bonnes	Bonnes	Bonnes
Anjou – Touraine	Quelques réussites	Grandes	Bonnes	Grandes	Bonnes	Bonnes	Bonnes	Grandes	Quelques réussites	Quelques réussites	Bonnes	Bonnes
Pouilly – Sancerre	Quelques réussites	Bonnes	Quelques réussites	Grandes	Bonnes	Bonnes	Bonnes	Grandes	Bonnes	Bonnes	Bonnes	Bonnes

Les meilleures années

The best vintages

Quelques réussites
Some successful vintages

Bonnes années
Fine vintages

Grandes années
Great vintages

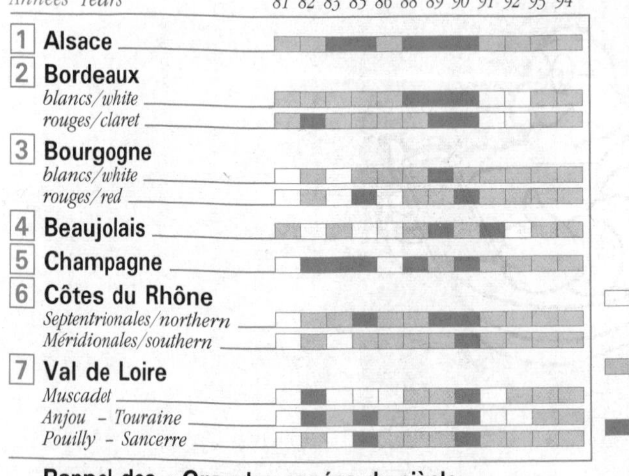

Rappel des « Grandes années du siècle »

1911 • 1921 • 1928 • 1929 • 1934 • 1945 • 1947 • 1949 • 1953 • 1955 • 1961

Les vins et les mets
Food and wine

Quelques suggestions de vins selon les mets...
A few hints on selecting the right wine with the right dish...

Vins blancs secs
Dry white wines

1 *Sylvaner, Riesling, Tokay, Pinot gris*
2 *Graves secs*
3 *Chablis, Meursault, Pouilly-Fuissé, Mâcon*
4 *Champagne (brut)*
5 *Condrieu, Hermitage, Provence*
6 *Muscadet, Pouilly-s.-L., Sancerre,*
7 *Vouvray sec, Montlouis*

Vins rouges légers
Light red wines

1 *Pinot noir, Riesling (blanc)*
2 *Graves, Médoc*
3 *Côtes de Beaune, Mercurey*
4 *Beaujolais*
5 *Coteaux champenois*
6 *Tavel (rosé), Côtes de Provence*
7 *Bourgueil, Chinon*

Vins rouges corsés
Full bodied red wines

2 *Pomerol, St-Émilion*
3 *Chambertin, Côte-de-Nuits, Pommard...*
6 *Châteauneuf-du-Pape, Cornas, Côte-Rotie*

Vins de dessert
Sweet wines

1 *Muscat, Gewurztraminer (vins secs)*
2 *Sauternes, Monbazillac*
5 *Champagne (demi-sec)*
6 *Beaumes-de-Venise*
7 *Anjou, Vouvray (demi-sec)*

Un mets préparé avec une sauce au vin s'accommode, si possible, du même vin. Vins et fromages d'une même région s'associent souvent avec succès.

En dehors des grands crus, il existe en maintes régions de France des vins locaux qui, bus sur place, vous réserveront d'heureuses surprises.

Dishes prepared with a wine sauce are best accompanied by the same kind of wine. Wines and cheeses from the same region usually go very well together.

In addition to the fine wines, there are many French wines, best drunk in their region of origin and which you will find extremely pleasant.

◇ =
◈ = ... ch
◆ = ... ch +

L'agrément
Peaceful atmosphere and setting

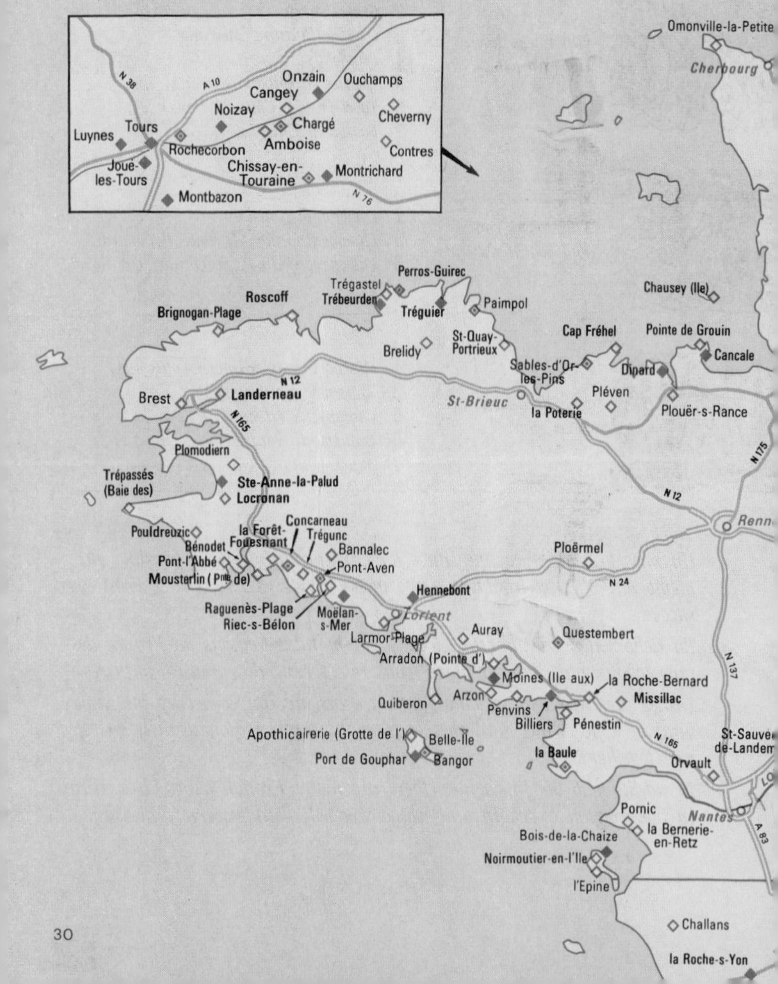

N 38
A 10
Onzain
Ouchamps
Cangey
Noizay
Cheverny
Chargé
Tours
Luynes
Rochecorbon
Amboise
Contres
Joué-les-Tours
Chissay-en-Touraine
Montrichard
Montbazon
N 76

Omonville-la-Petite
Cherbourg
Perros-Guirec
Trégastel
Trébeurden
Roscoff
Tréguier
Paimpol
Chausey (Ile)
Brignogan-Plage
Brelidy
St-Quay-Portrieux
Cap Fréhel
Pointe de Grouin
Cancale
Sables-d'Or-les-Pins
Dinard
Brest
N 12
Landerneau
St-Brieuc
Pléven
la Poterie
Plouër-s-Rance
N 165
N 175
Plomodiern
Trépassés (Baie des)
Ste-Anne-la-Palud
Locronan
N 12
Rennes
Pouldreuzic
la Forêt-Fouesnant
Concarneau
Trégunc
Bénodet
Bannalec
Pont-l'Abbé
Pont-Aven
Ploërmel
Mousterlin (Pte de)
N 24
Hennebont
Raguenès-Plage
Riec-s-Bélon
Moëlan-s-Mer
Lorient
Auray
Questembert
Larmor-Plage
Arradon (Pointe d')
N 137
Moines (Ile aux)
la Roche-Bernard
Missillac
Quiberon
Arzon
Penvins
Billiers
Pénestin
Apothicairerie (Grotte de l')
Belle-Ile
N 165
St-Sauveur-de-Landemont
Port de Goulphar
Bangor
la Baule
Orvault
Pornic
Nantes
A 83
la Bernerie-en-Retz
Bois-de-la-Chaize
Noirmoutier-en-l'Ile
l'Epine
Challans
la Roche-s-Yon

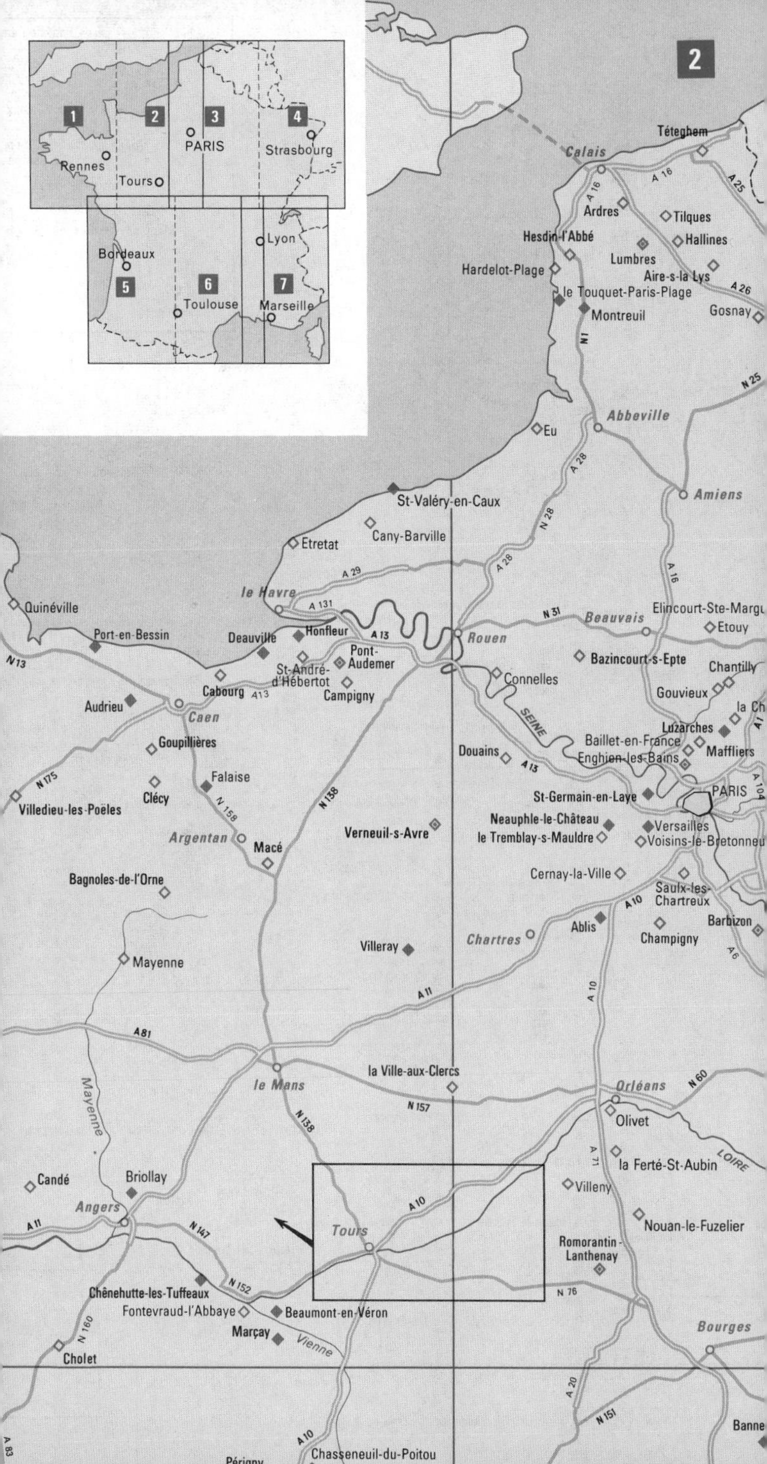

2
1
2
3
4
PARIS
Rennes
Tours
Strasbourg
Bordeaux
Lyon
5
6
7
Toulouse
Marseille
Calais
Téteghem
Ardres
Tilques
Hesdin-l'Abbé
Hallines
Lumbres
Hardelot-Plage
Aire-s-la Lys
le Touquet-Paris-Plage
Montreuil
Gosnay
Abbeville
Eu
Amiens
St-Valéry-en-Caux
Cany-Barville
Etretat
le Havre
Quinéville
Port-en-Bessin
Deauville
Honfleur
Pont-Audemer
St-André-d'Hébertot
Campigny
Rouen
Beauvais
Elincourt-Ste-Margu
Etouy
Bazincourt-s-Epte
Chantilly
Connelles
Gouvieux
Cabourg
Audrieu
Caen
SEINE
Luzarches
Baillet-en-France
Maffliers
Enghien-les-Bains
Goupillières
Douains
Falaise
Clécy
Villedieu-les-Poëles
St-Germain-en-Laye
PARIS
Neauphle-le-Château
Versailles
le Tremblay-s-Mauldre
Voisins-le-Bretonneu
Verneuil-s-Avre
Argentan
Macé
Cernay-la-Ville
Bagnoles-de-l'Orne
Saulx-les-Chartreux
Ablis
Barbizon
Chartres
Champigny
Villeray
Mayenne
le Mans
la Ville-aux-Clercs
Orléans
Olivet
Mayenne
la Ferté-St-Aubin
LOIRE
Candé
Briollay
Villeny
Angers
Tours
Nouan-le-Fuzelier
Romorantin-Lanthenay
Chênehutte-les-Tuffeaux
Fontevraud-l'Abbaye
Beaumont-en-Véron
Marçay
Vienne
Bourges
Cholet
Banne
Chasseneuil-du-Poitou
Périgny
A 16
A 25
A 26
N1
N 25
A 28
N 28
A 29
A 131
A 13
N 31
N13
A13
A 16
N 175
N 158
N 138
A 10
A6
A 11
A81
N 157
N 60
N 138
A 71
A 10
A 11
N 147
N 152
N 76
N 160
A 20
N 151
A 83

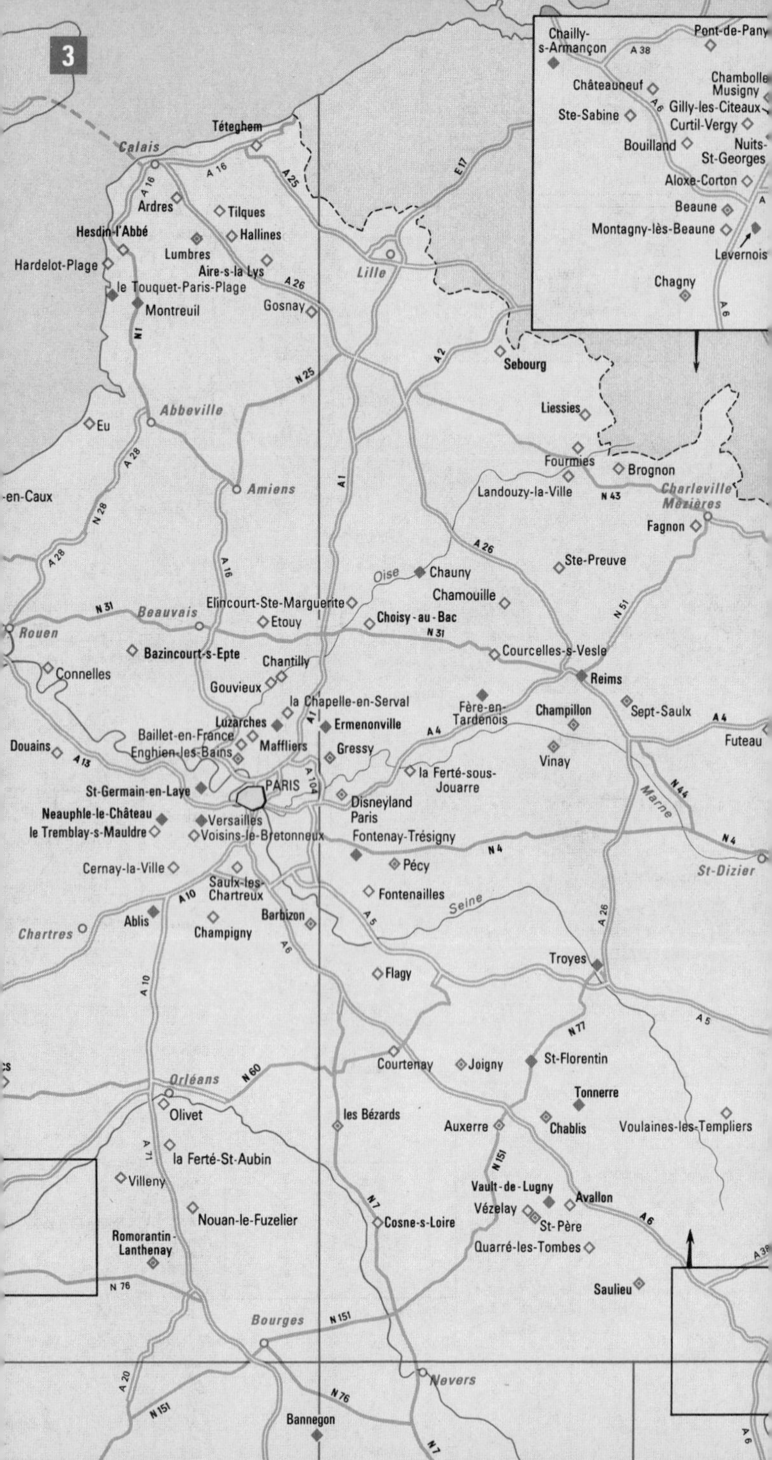
3
Calais
Téteghem
Ardres
Tilques
Hesdin-l'Abbé
Hallines
Lumbres
Hardelot-Plage
Aire-s-la Lys
le Touquet-Paris-Plage
Montreuil
Gosnay
Lille
Sebourg
Abbeville
Eu
Liessies
Fourmies
Brognon
Landouzy-la-Ville
Charleville Mézières
Amiens
-en-Caux
Fagnon
Ste-Preuve
Oise
Chauny
Chamouille
Elincourt-Ste-Marguerite
Beauvais
Etouy
Choisy-au-Bac
Rouen
Bazincourt-s-Epte
Chantilly
Courcelles-s-Vesle
Connelles
Reims
Gouvieux
la Chapelle-en-Serval
Fère-en-Tardenois
Champillon
Sept-Saulx
Luzarches
Ermenonville
Baillet-en-France
Douains
Maffliers
Gressy
Vinay
Futeau
Enghien-les-Bains
la Ferté-sous-Jouarre
PARIS
St-Germain-en-Laye
Disneyland Paris
Marne
Neauphle-le-Château
Versailles
le Tremblay-s-Mauldre
Voisins-le-Bretonneux
Fontenay-Trésigny
Pécy
St-Dizier
Cernay-la-Ville
Saulx-les-Chartreux
Fontenailles
Seine
Ablis
Barbizon
Chartres
Champigny
Troyes
Flagy
Courtenay
Joigny
St-Florentin
Orléans
Tonnerre
Olivet
les Bézards
Auxerre
Chablis
Voulaines-les-Templiers
la Ferté-St-Aubin
Villeny
Vault-de-Lugny
Avallon
Nouan-le-Fuzelier
Vézelay
Cosne-s-Loire
St-Père
Romorantin-Lanthenay
Quarré-les-Tombes
Saulieu
Bourges
Nevers
Bannegon
A 16
A 25
A 26
E 17
A 2
N 1
N 25
A 28
N 28
A 1
N 43
N 31
N 51
A 4
N 44
N 4
A 13
A 104
A 10
A 5
A 6
N 77
N 60
A 71
N 151
N 7
N 76
A 20
A 38
Chailly-s-Armançon
Pont-de-Pany
Châteauneuf
Chambolle Musigny
Ste-Sabine
Gilly-les-Citeaux
Curtil-Vergy
Bouilland
Nuits-St-Georges
Aloxe-Corton
Beaune
Montagny-lès-Beaune
Levernois
Chagny

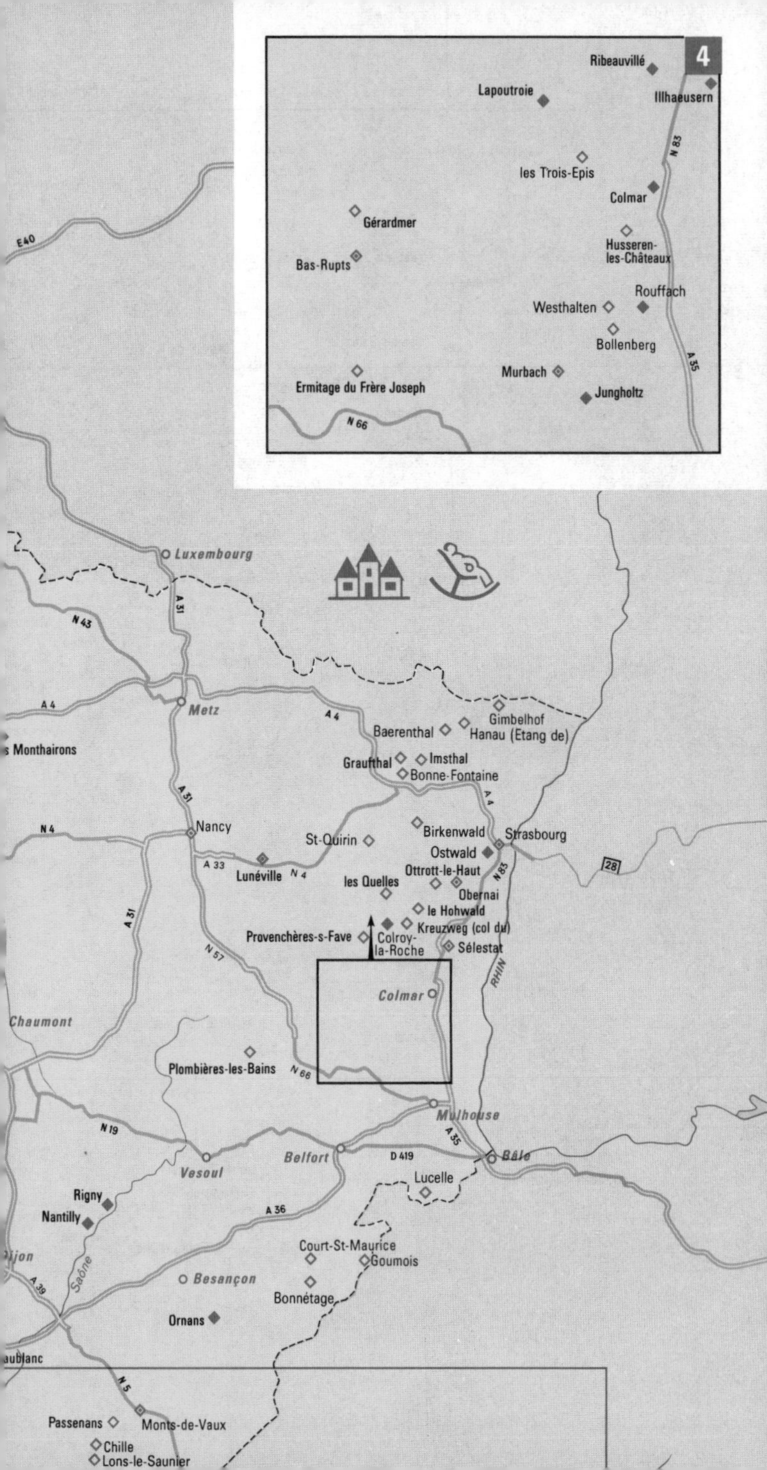
4
Ribeauvillé
Lapoutroie
Illhaeusern
N 83
les Trois-Epis
Colmar
Gérardmer
Bas-Rupts
Husseren-les-Châteaux
Rouffach
Westhalten
Bollenberg
A 35
Murbach
Ermitage du Frère Joseph
Jungholtz
N 66
E40
Luxembourg
A 31
N 43
A 4
Metz
A 4
Gimbelhof
Baerenthal
Hanau (Etang de)
s Monthairons
Graufthal
Imsthal
Bonne-Fontaine
A 4
A 31
N 4
Nancy
Birkenwald
Strasbourg
St-Quirin
Ostwald
28
A 33
Lunéville
N 4
Ottrott-le-Haut
N 83
les Quelles
Obernai
le Hohwald
Kreuzweg (col du)
Provenchères-s-Fave
Colroy-la-Roche
Sélestat
A 31
N 57
RHIN
Colmar
Chaumont
Plombières-les-Bains
N 66
Mulhouse
N 19
A 35
Belfort
D 419
Bâle
Vesoul
Lucelle
Rigny
Nantilly
A 36
Court-St-Maurice
Goumois
Dijon
Saône
Besançon
A 39
Bonnétage
Ornans
aublanc
N 5
Passenans
Monts-de-Vaux
Chille
Lons-le-Saunier

5

l'Epine
Challans
la Roche-s-Yon
N 160
A 83
Périgny
A 10
Chasseneuil-du-Poitc
les Sables-d'Olonne
Curzay-s-Vonne
Poitiers
le
N 151
St-Maixent-l'École
N 148
Niort
N 147
Ré (Ile de)
la Flotte
N 11
N 10
l'Isle-Jourdain
la Rochelle
Oléron (Ile d')
Vienne
la Cotinière
la Remigeasse
St-Trojan-les-Bains
Mansle
Nieuil
N 141
Saintes
Cognac
N 141
Montbron
Nauzan
Angoulême
Mosnac
Champagna
de-Bela
Mirambeau
Vieux-Mareuil
A 10
Verteillac
Brantôme
N 10
Gaillan-en-Médoc
Périgueux
Pauillac
Anton
Razac-s-l'Isle
et-Trigo
Margaux
St-Ciers-de-Canesse
Montign
Lugon-et-
N 89
l'Ile-du-Carnay
St-Michel-
St-Julien-
Tam
de-Montaigne
de-Crempse
Marquay
Bordeaux
Dordogne
Trémolat
le B
Pessac
St-Emilion
Mauzac
Créon
Ruch
le Buiss
Monestier
Cussac
GARONNE
A 63
N 21
Monpazier
A 62
Touzac
Pujols
Maur
St-Sylvestre-s-Lot
St-Beau
Agen
Puymir
N 10
Poudenas
Mont-de-Marsan
Grenade-
Eauze
s-l'Adour
Soustons
Magescq
N 124
Seignosse
Eugénie-les-Bains
N 124
Monta
Hossegor
A 63
St-Martin-d'Armagnac
Anglet
Auch
Gimont
N 124
Biarritz
Port-de-Lanne
Segos
St-Jean-de-Luz
Orthez
A 64
N 21
Col de St-Ignace
Ainhoa
Sare
Tarbes
Col d'Osquich
N 1
St-Etienne-de-Baïgorry
St-Jean-Pied-de-Port
Sévignacq-Meyracq
Lestelle-Betharram
Estérencuby
Bagnères-de-Bigorre
Sauveterre-
Barbazan
de-Comming
Beaucens
St-Savin
Gaudent
Estaing
Bourg-d'Oueil
Cauterets
Bagnères-
de-Luchon

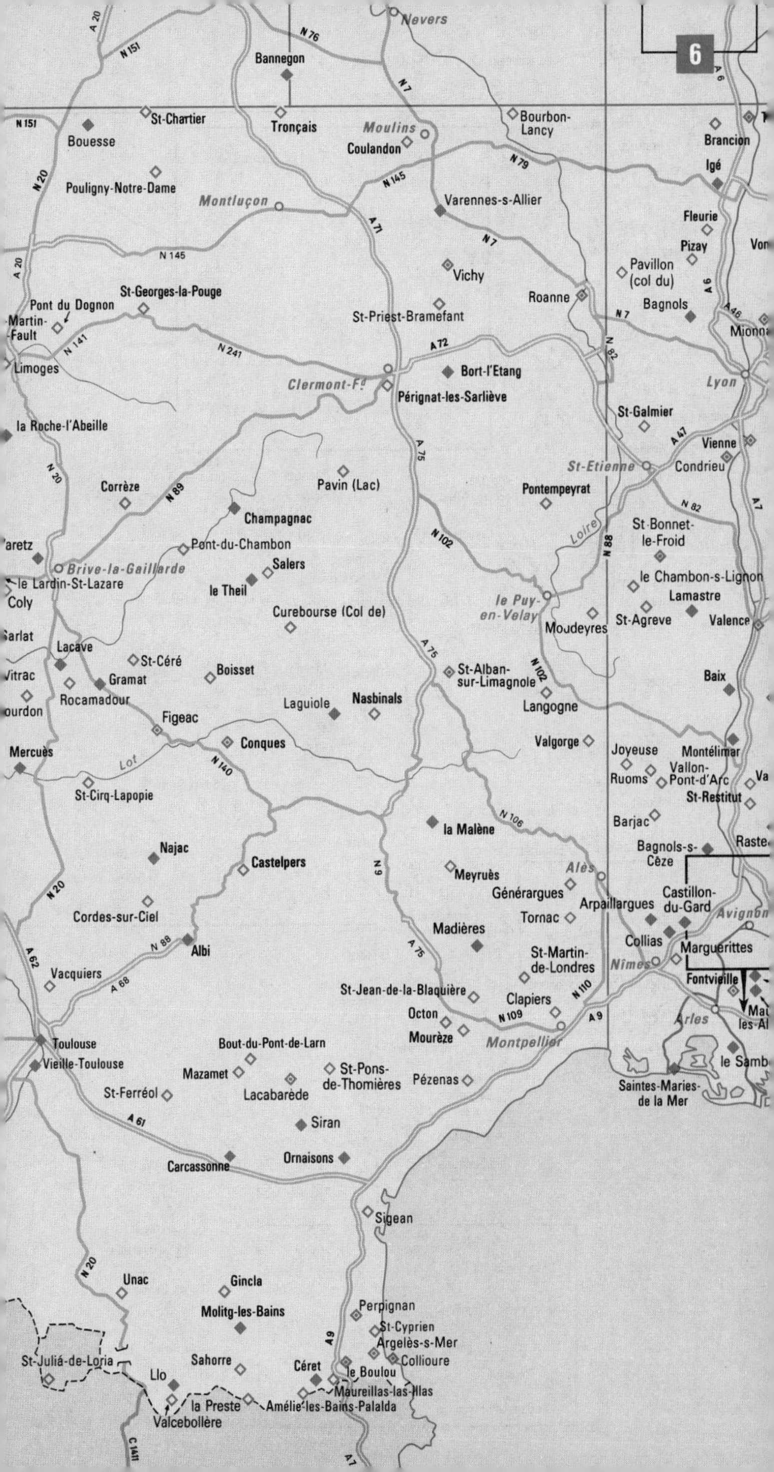

6
Nevers
Bannegon
St-Chartier
Bouesse
Tronçais
Moulins
Coulandon
Bourbon-Lancy
Brancion
Igé
Pouligny-Notre-Dame
Montluçon
Varennes-s-Allier
Fleurie
Pizay
Vichy
Pavillon (col du)
Roanne
Bagnols
St-Georges-la-Pouge
Pont du Dognon
St-Priest-Bramefant
Limoges
Bort-l'Etang
Clermont-Fd
Pérignat-les-Sarliève
Lyon
la Roche-l'Abeille
St-Galmier
Vienne
St-Etienne
Condrieu
Corrèze
Pavin (Lac)
Pontempeyrat
Champagnac
St Bonnet-le-Froid
Pont-du-Chambon
Loire
Brive-la-Gaillarde
Salers
le Chambon-s-Lignon
le Lardin-St-Lazare
le Theil
Lamastre
Coly
le Puy-en-Velay
Curebourse (Col de)
Moudeyres
St-Agreve
Valence
Lacave
St-Céré
Boisset
St-Alban-sur-Limagnole
Gramat
Baix
Rocamadour
Laguiole
Nasbinals
Langogne
Figeac
Conques
Valgorge
Mercuès
Lot
Joyeuse
Montélimar
Ruoms
Vallon-Pont-d'Arc
St-Cirq-Lapopie
St-Restitut
Barjac
la Malène
Najac
Castelpers
Bagnols-s-Cèze
Meyruès
Alès
Générargues
Castillon-du-Gard
Arpaillargues
Cordes-sur-Ciel
Tornac
Avignon
Madières
Collias
Albi
Marguerittes
St-Martin-de-Londres
Vacquiers
Nîmes
Fontvieille
St-Jean-de-la-Blaquière
Clapiers
Arles
Octon
Mourèze
Montpellier
Toulouse
Bout-du-Pont-de-Larn
Vieille-Toulouse
le Sambuc
Mazamet
St-Pons-de-Thomières
Pézenas
Saintes-Maries-de la Mer
St-Ferréol
Lacabarède
Siran
Carcassonne
Ornaisons
Sigean
Unac
Gincla
Perpignan
Molitg-les-Bains
St-Cyprien
Argelès-s-Mer
St-Juliá-de-Loria
Collioure
Sahorre
Céret
le Boulou
Llo
Maureillas-las-Illas
la Preste
Amélie-les-Bains-Palalda
Valcebollère
A 20
N 151
N 76
N 7
N 145
N 79
N 20
A 71
A 6
A 46
N 141
N 241
A 72
N 82
A 47
A 7
N 89
A 75
N 102
N 88
N 140
N 106
N 9
A 62
A 68
N 109
N 110
A 9
A 61
C 1411

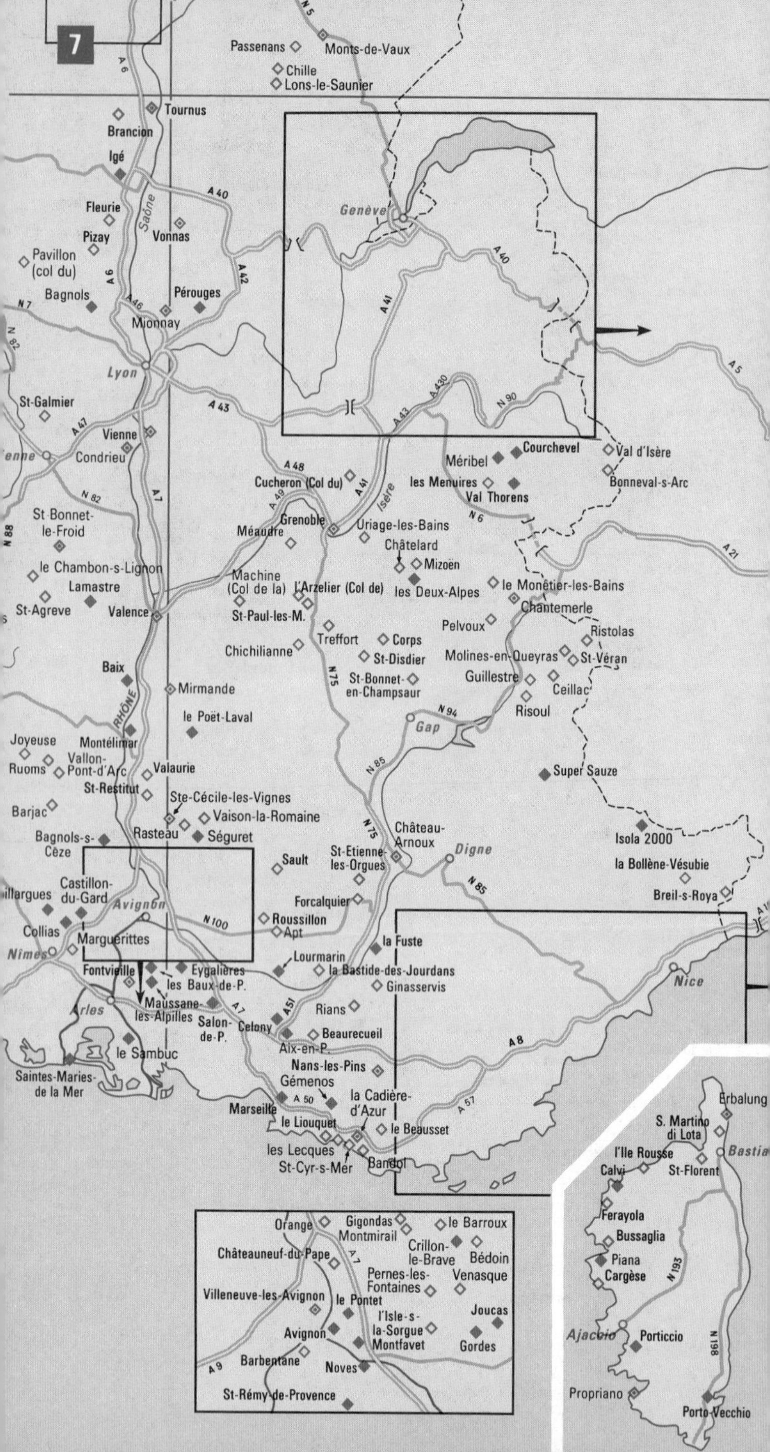

7
Passenans
Monts-de-Vaux
Chille
Lons-le-Saunier
Tournus
Brancion
Igé
Fleurie
Pizay
Vonnas
Pavillon (col du)
Bagnols
Pérouges
Mionnay
Lyon
Genève
St-Galmier
Vienne
Condrieu
Méribel
Courchevel
Val d'Isère
les Menuires
Val Thorens
Bonneval-s-Arc
Cucheron (Col du)
Grenoble
Méaudre
Uriage-les-Bains
Châtelard
Mizoën
les Deux-Alpes
St-Bonnet-le-Froid
le Chambon-s-Lignon
Lamastre
St-Agreve
Valence
Machine (Col de la)
l'Arzelier (Col de)
St-Paul-les-M.
le Monêtier-les-Bains
Chantemerle
Pelvoux
Treffort
Corps
Chichilianne
St-Disdier
St-Bonnet-en-Champsaur
Molines-en-Queyras
Ristolas
St-Véran
Guillestre
Ceillac
Risoul
Gap
Baix
Mirmande
le Poët-Laval
Montélimar
Joyeuse
Ruoms
Vallon-Pont-d'Arc
Valaurie
St-Restitut
Barjac
Ste-Cécile-les-Vignes
Vaison-la-Romaine
Rasteau
Séguret
Bagnols-s-Cèze
Super Sauze
Isola 2000
Château-Arnoux
Digne
St-Etienne-les-Orgues
Sault
la Bollène-Vésubie
Breil-s-Roya
Castillon-du-Gard
Collias
Avignon
Marguerittes
Nîmes
Forcalquier
Roussillon
Apt
la Fuste
Lourmarin
la Bastide-des-Jourdans
Ginasservis
Fontvieille
Eygalières
les Baux-de-P.
Maussane-les-Alpilles
Arles
Salon-de-P.
Celony
Rians
Beaurecueil
Aix-en-P.
Nice
le Sambuc
Saintes-Maries-de la Mer
Nans-les-Pins
Gémenos
Marseille
la Cadière-d'Azur
le Liouquet
le Beausset
les Lecques
St-Cyr-s-Mer
Bandol
Erbalunga
S. Martino di Lota
Bastia
l'Ile Rousse
Calvi
St-Florent
Ferayola
Bussaglia
Piana
Cargèse
Ajaccio
Porticcio
Propriano
Porto-Vecchio
Orange
Gigondas
Montmirail
le Barroux
Crillon-le-Brave
Bédoin
Châteauneuf-du-Pape
Pernes-les-Fontaines
Venasque
Villeneuve-les-Avignon
le Pontet
Joucas
l'Isle-s-la-Sorgue
Avignon
Montfavet
Gordes
Barbentane
Noves
St-Rémy-de-Provence

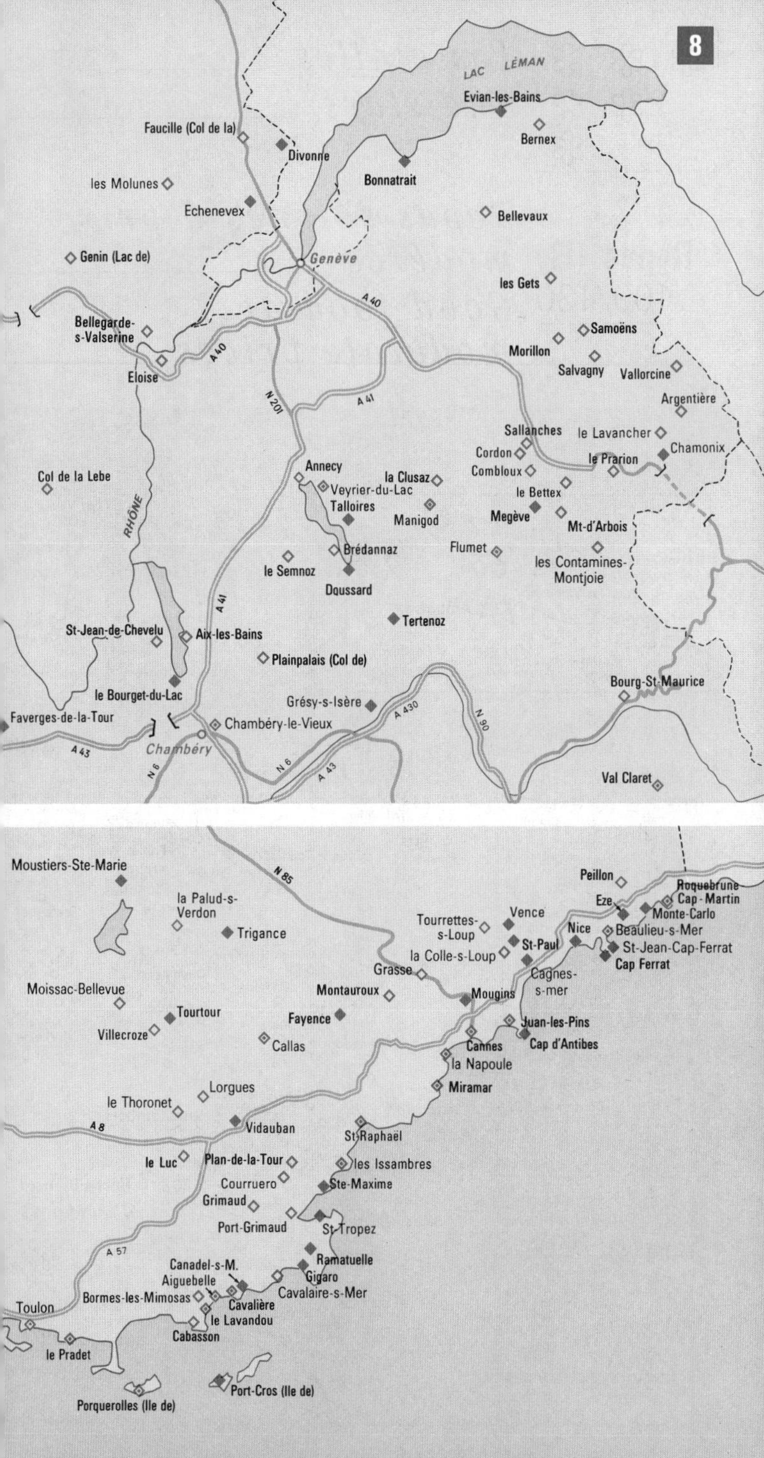
8
LAC LÉMAN
Evian-les-Bains
Bernex
Faucille (Col de la)
Divonne
Bonnatrait
les Molunes
Echenevex
Bellevaux
Genin (Lac de)
Genève
les Gets
A 40
Bellegarde-s-Valserine
Samoëns
Morillon
Salvagny
Vallorcine
Eloise
A 40
N 201
A 41
Argentière
Sallanches
le Lavancher
Cordon
Chamonix
le Prarion
Combloux
Col de la Lebe
Annecy
la Clusaz
Veyrier-du-Lac
le Bettex
Talloires
Manigod
Megève
Mt-d'Arbois
RHÔNE
Brédannaz
Flumet
le Semnoz
les Contamines-Montjoie
Doussard
A 41
Tertenoz
St-Jean-de-Chevelu
Aix-les-Bains
Plainpalais (Col de)
Bourg-St-Maurice
le Bourget-du-Lac
Grésy-s-Isère
A 430
N 90
Faverges-de-la-Tour
Chambéry-le-Vieux
A 43
Chambéry
N 6
N 6
A 43
Val Claret
Moustiers-Ste-Marie
N 85
Peillon
la Palud-s-Verdon
Roquebrune Cap-Martin
Eze
Vence
Monte-Carlo
Tourrettes-s-Loup
Trigance
Nice
Beaulieu-s-Mer
St-Paul
St-Jean-Cap-Ferrat
la Colle-s-Loup
Cap Ferrat
Cagnes-s-mer
Grasse
Moissac-Bellevue
Montauroux
Mougins
Tourtour
Fayence
Juan-les-Pins
Villecroze
Callas
Cannes
Cap d'Antibes
la Napoule
Miramar
Lorgues
le Thoronet
A 8
Vidauban
St-Raphaël
le Luc
Plan-de-la-Tour
les Issambres
Courruero
Ste-Maxime
Grimaud
Port-Grimaud
St-Tropez
A 57
Ramatuelle
Canadel-s-M.
Aiguebelle
Gigaro
Cavalaire-s-Mer
Bormes-les-Mimosas
Cavalière
Toulon
le Lavandou
Cabasson
le Pradet
Port-Cros (Ile de)
Porquerolles (Ile de)

✿ ✿ ✿ *Les étoiles*
✿ ✿ *The stars*
✿

Repas (R) *Repas soignés à prix modérés*
100/130 *Good food at moderate prices*

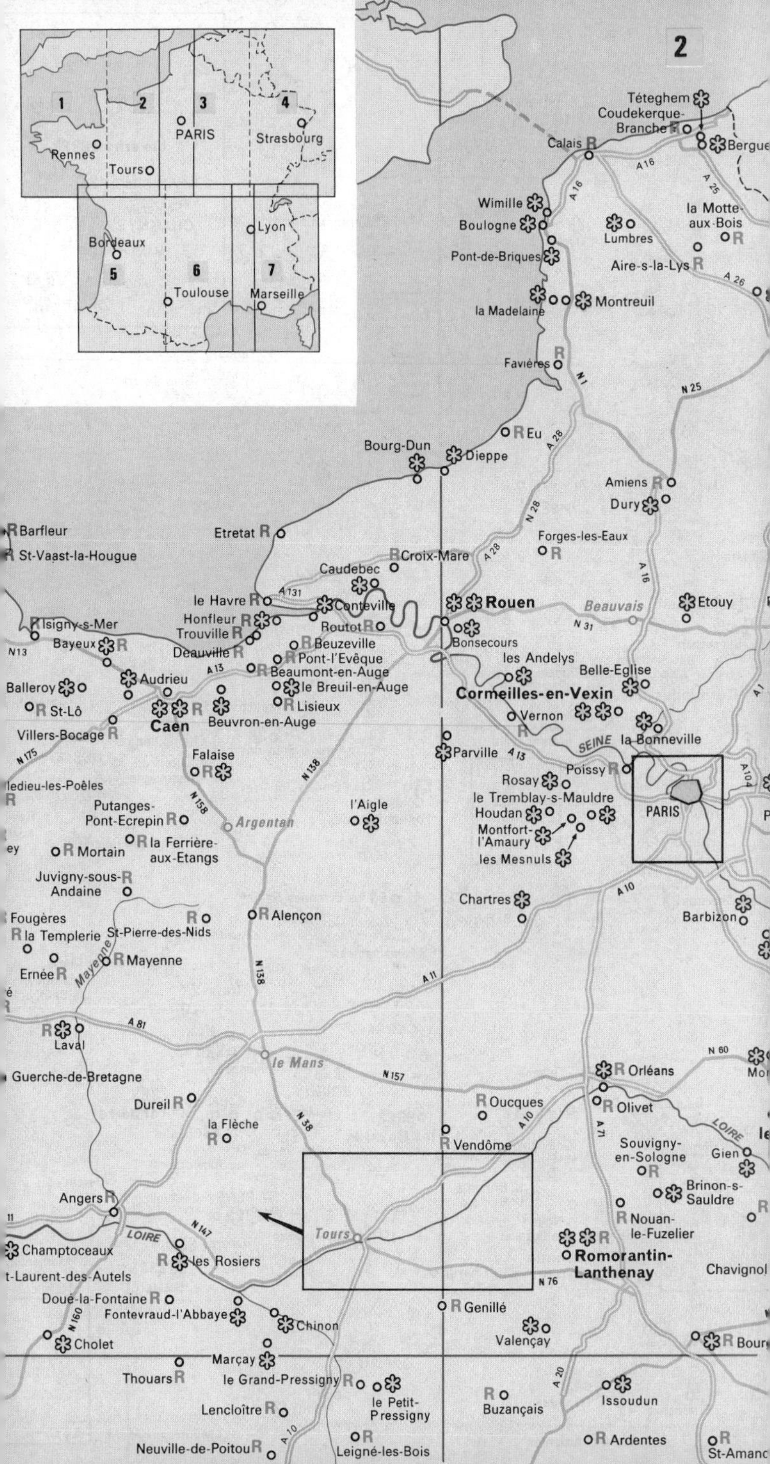

1
2
3
4
Rennes
Tours
PARIS
Strasbourg
Bordeaux
Lyon
5
6
7
Toulouse
Marseille
2
Téteghem
Coudekerque-Branche
Calais
Bergue
A 16
A 25
Wimille
Boulogne
Pont-de-Briques
la Motte-aux-Bois
Lumbres
Aire-s-la-Lys
A 26
la Madelaine
Montreuil
Favières
N1
N 25
Eu
A 28
Bourg-Dun
Dieppe
Amiens
Dury
N 28
Barfleur
St-Vaast-la-Hougue
Etretat
Forges-les-Eaux
Croix-Mare
Caudebec
le Havre
A 131
Conteville
Rouen
Etouy
Beauvais
Honfleur
Trouville
Routot
N 31
Isigny-s-Mer
Bayeux
N13
Beuzeville
Bonsecours
Deauville
Pont-l'Evêque
les Andelys
A 13
Beaumont-en-Auge
Belle-Eglise
Audrieu
Balleroy
le Breuil-en-Auge
Cormeilles-en-Vexin
A1
St-Lô
Lisieux
Vernon
Caen
Villers-Bocage
Beuvron-en-Auge
SEINE
la Bonneville
N 175
Falaise
Parville
Poissy
A 104
ledieu-les-Poëles
Rosay
le Tremblay-s-Mauldre
N 158
N 138
Putanges-Pont-Ecrepin
l'Aigle
Houdan
PARIS
Argentan
Montfort-l'Amaury
la Ferrière-aux-Etangs
Mortain
les Mesnuls
Juvigny-sous-Andaine
Chartres
A 10
Fougères
Alençon
Barbizon
la Templerie
St-Pierre-des-Nids
Mayenne
Ernée
A 11
A 81
Laval
le Mans
N 60
Guerche-de-Bretagne
N 157
Orléans
Dureil
Oucques
Olivet
A 71
la Flèche
N 38
Vendôme
LOIRE
Gien
Souvigny-en-Sologne
Brinon-s-Sauldre
Angers
N 147
Nouan-le-Fuzelier
Tours
Champtoceaux
les Rosiers
Romorantin-Lanthenay
t-Laurent-des-Autels
Chavignol
N 76
Doué-la-Fontaine
Genillé
Fontevraud-l'Abbaye
Chinon
N 160
Valençay
Cholet
Marçay
Thouars
le Grand-Pressigny
le Petit-Pressigny
A 20
Issoudun
Buzançais
Lencloître
Ardentes
Neuville-de-Poitou
Leigné-les-Bois

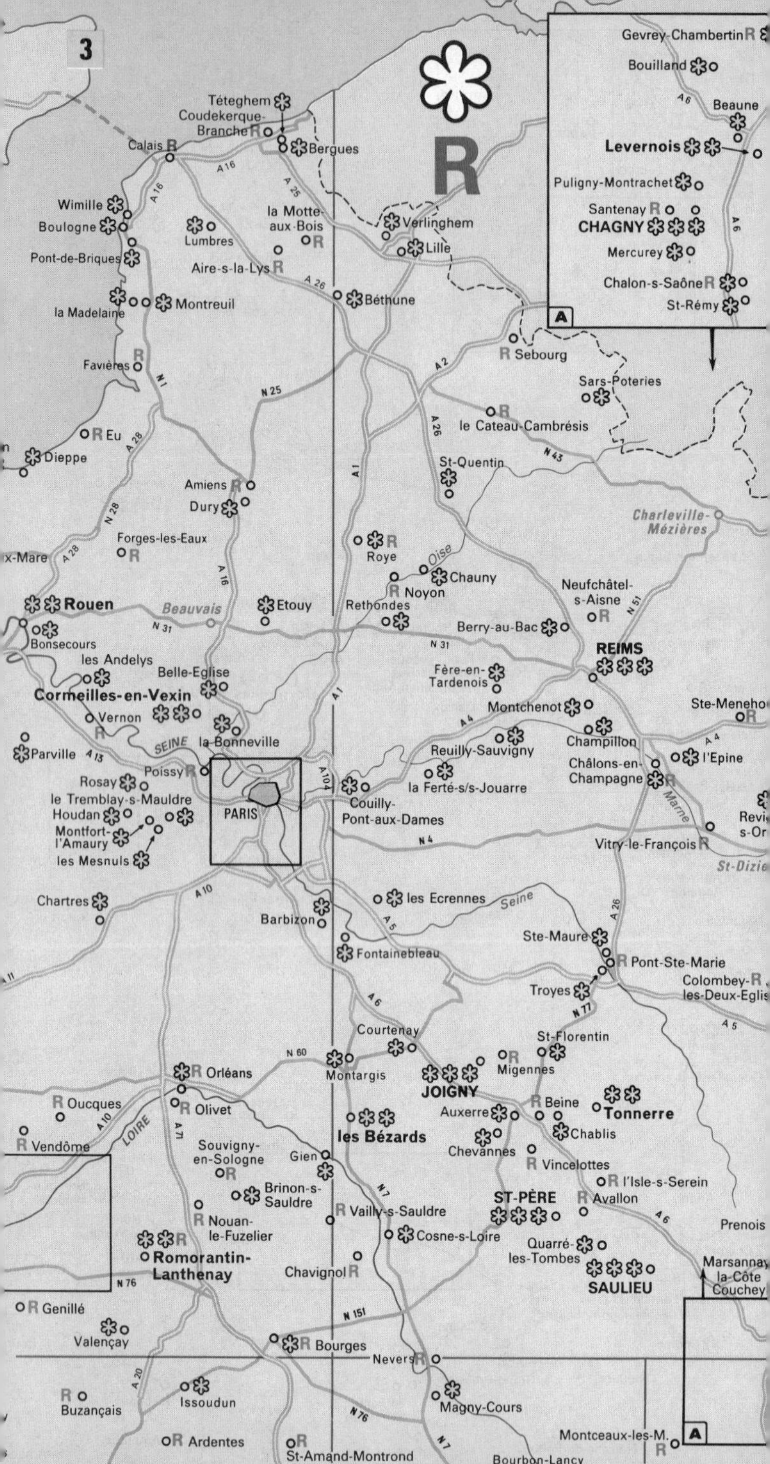
3
R
Gevrey-Chambertin
Bouilland
Beaune
Levernois
Puligny-Montrachet
Santenay
CHAGNY
Mercurey
Chalon-s-Saône
St-Rémy
A
Téteghem
Coudekerque-Branche
Calais
Bergues
Wimille
Boulogne
Pont-de-Briques
la Madelaine
Montreuil
Lumbres
la Motte-aux-Bois
Aire-s-la-Lys
Verlinghem
Lille
Béthune
Favières
Sebourg
Sars-Poteries
le Cateau-Cambrésis
Eu
Dieppe
Amiens
Dury
St-Quentin
Charleville-Mézières
Forges-les-Eaux
Roye
Oise
Chauny
Noyon
Rethondes
Neufchâtel-s-Aisne
Rouen
Beauvais
Etouy
Berry-au-Bac
Bonsecours
les Andelys
Belle-Eglise
REIMS
Fère-en-Tardenois
Cormeilles-en-Vexin
Vernon
Montchenot
Ste-Menehould
la Bonneville
Champillon
Parville
SEINE
Reuilly-Sauvigny
l'Epine
Poissy
Châlons-en-Champagne
Rosay
le Tremblay-s-Mauldre
Houdan
Montfort-l'Amaury
les Mesnuls
PARIS
Couilly-Pont-aux-Dames
la Ferté-s/s-Jouarre
Marne
Vitry-le-François
Chartres
les Ecrennes
Seine
Barbizon
Ste-Maure
Fontainebleau
Pont-Ste-Marie
Troyes
Colombey-les-Deux-Eglises
Courtenay
St-Florentin
Orléans
Montargis
JOIGNY
Migennes
Oucques
Olivet
Auxerre
Beine
Tonnerre
Chablis
les Bézards
Vendôme
LOIRE
Souvigny-en-Sologne
Gien
Chevannes
Vincelottes
l'Isle-s-Serein
Brinon-s-Sauldre
Vailly-s-Sauldre
ST-PÈRE
Avallon
Nouan-le-Fuzelier
Cosne-s-Loire
Prenois
Romorantin-Lanthenay
Chavignol
Quarré-les-Tombes
SAULIEU
Marsannay-la-Côte
Couchey
Genillé
Valençay
Bourges
Nevers
Buzançais
Issoudun
Magny-Cours
Ardentes
St-Amand-Montrond
Montceaux-les-M.
Bourbon-Lancy
A 16
A 25
A 26
A 2
N 25
N 1
A 28
N 28
N 43
A 1
A 16
N 31
N 51
A 4
A 13
A 104
N 4
A 10
A 5
A 6
N 77
N 60
A 71
N 7
N 76
N 151
A 20

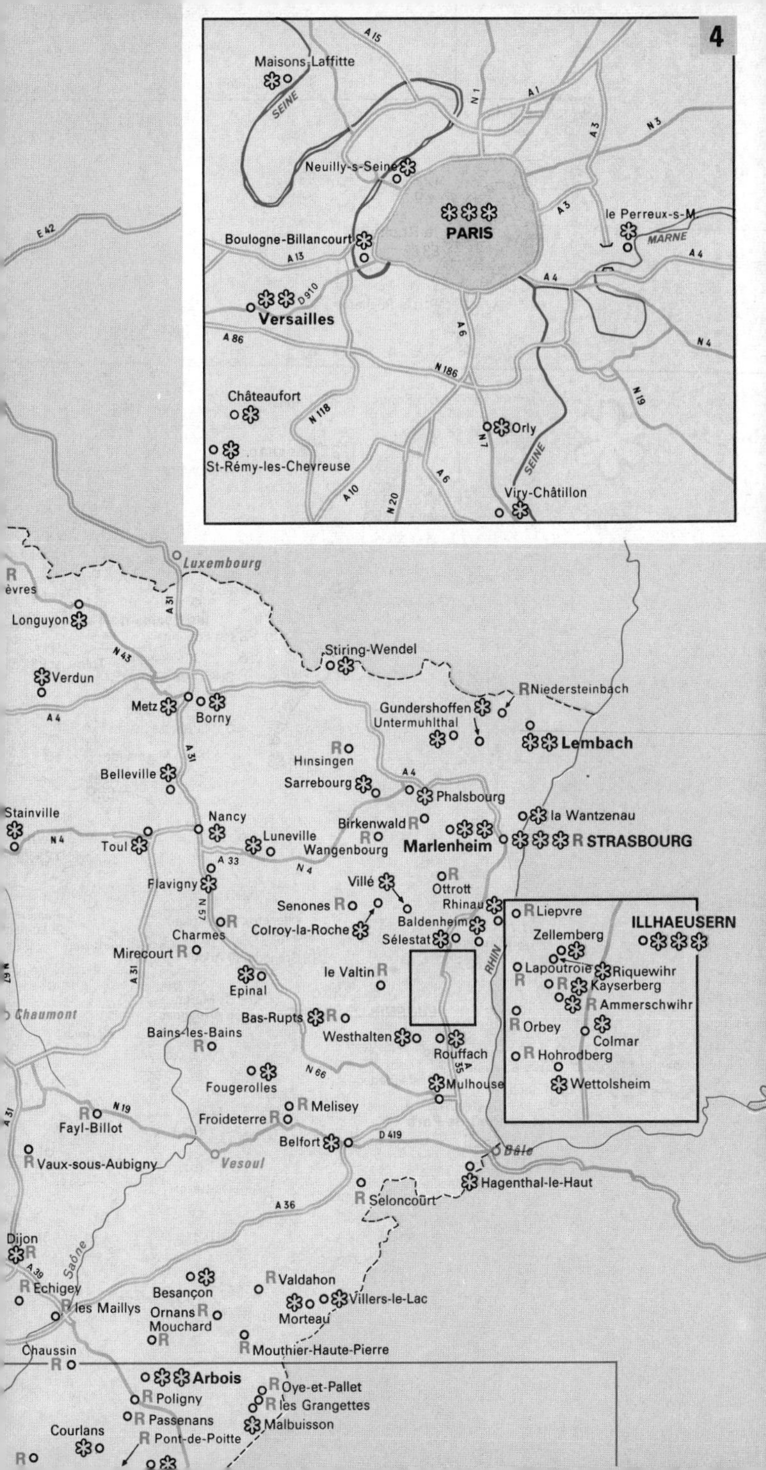

4
Maisons-Laffitte
SEINE
A 15
N 1
A 1
A 3
N 3
Neuilly-s-Seine
PARIS
le Perreux-s-M.
MARNE
A 4
Boulogne-Billancourt
A 13
D 910
Versailles
A 86
A 6
N 186
N 4
N 19
Châteaufort
N 118
Orly
N 7
St-Rémy-les-Chevreuse
A 10
N 20
Viry-Châtillon
E 42
Luxembourg
èvres
Longuyon
A 31
N 43
Stiring-Wendel
Verdun
Metz
Borny
Niedersteinbach
Gundershoffen
Untermuhlthal
Lembach
Hinsingen
Belleville
Sarrebourg
Phalsbourg
Stainville
Nancy
la Wantzenau
Birkenwald
Toul
Luneville
Wangenbourg
Marlenheim
STRASBOURG
A 33
Flavigny
Villé
Ottrott
N 57
Senones
Rhinau
Liepvre
Colroy-la-Roche
Baldenheim
ILLHAEUSERN
Charmes
Sélestat
Zellemberg
Mirecourt
RHIN
Lapoutroie
Riquewihr
le Valtin
Kayserberg
Epinal
Ammerschwihr
Chaumont
Bas-Rupts
Orbey
Bains-les-Bains
Westhalten
Colmar
Rouffach
Hohrodberg
A 35
Fougerolles
N 66
Mulhouse
Wettolsheim
Melisey
N 19
Fayl-Billot
Froideterre
Belfort
D 419
Vaux-sous-Aubigny
Vesoul
Bâle
Hagenthal-le-Haut
A 36
Seloncourt
Dijon
Saône
A 39
Valdahon
Echigey
Besançon
Villers-le-Lac
les Maillys
Ornans
Morteau
Mouchard
Chaussin
Mouthier-Haute-Pierre
Arbois
Oye-et-Pallet
Poligny
les Grangettes
Passenans
Malbuisson
Courlans
Pont-de-Poitte

5

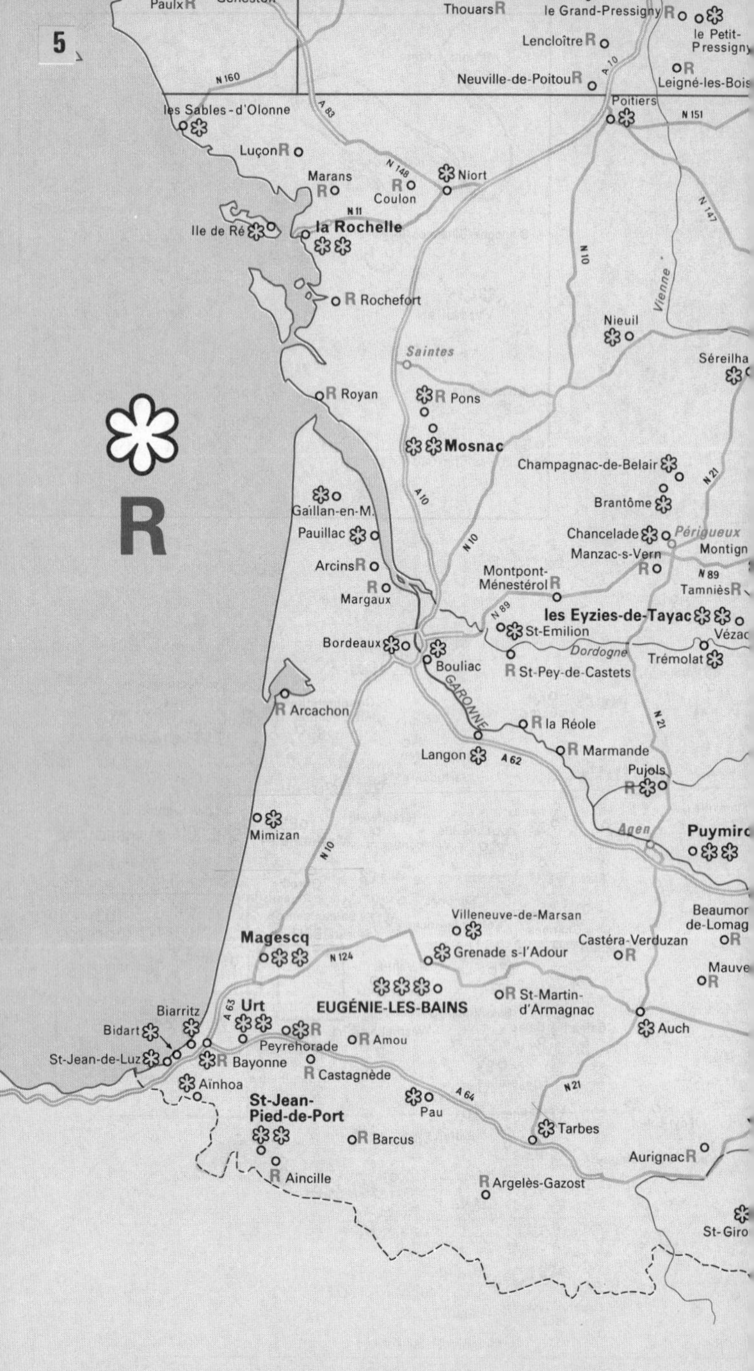

Paulx R
Thouars R
le Grand-Pressigny R
le Petit-Pressigny
Lencloître R
Neuville-de-Poitou R
Leigné-les-Bois
N 160
A 10
Poitiers
N 151
les Sables-d'Olonne
A 83
Luçon R
Marans R
N 148
R Coulon
Niort
N 11
Ile de Ré
la Rochelle
N 147
N 10
Vienne
R Rochefort
Nieuil
Saintes
Séreilha
R Royan
R Pons
Mosnac
Champagnac-de-Belair
N 21
Gaillan-en-M.
A 10
Brantôme
Pauillac
Chancelade
Périgueux
N 10
Manzac-s-Vern
Montign
Arcins R
R
Montpont-Ménestérol R
N 89
Tamniès R
R Margaux
N 89
les Eyzies-de-Tayac
St-Emilion
Vézac
Bordeaux
Bouliac
Dordogne
Trémolat
GARONNE
R St-Pey-de-Castets
R Arcachon
R la Réole
N 21
R Marmande
Langon
A 62
Pujols
R
Mimizan
Agen
Puymiro
N 10
Villeneuve-de-Marsan
Beaumor de-Lomag
Magescq
Castéra-Verduzan R
N 124
Grenade s-l'Adour
R
Mauve R
R St-Martin-d'Armagnac
Urt
EUGÉNIE-LES-BAINS
Biarritz
A 63
Bidart
R
Auch
R Amou
Peyrehorade
St-Jean-de-Luz
R Bayonne
R Castagnède
Aïnhoa
N 21
A 64
St-Jean-Pied-de-Port
Pau
Tarbes
R Barcus
Aurignac R
R Aincille
R Argelès-Gazost
St-Giro
R

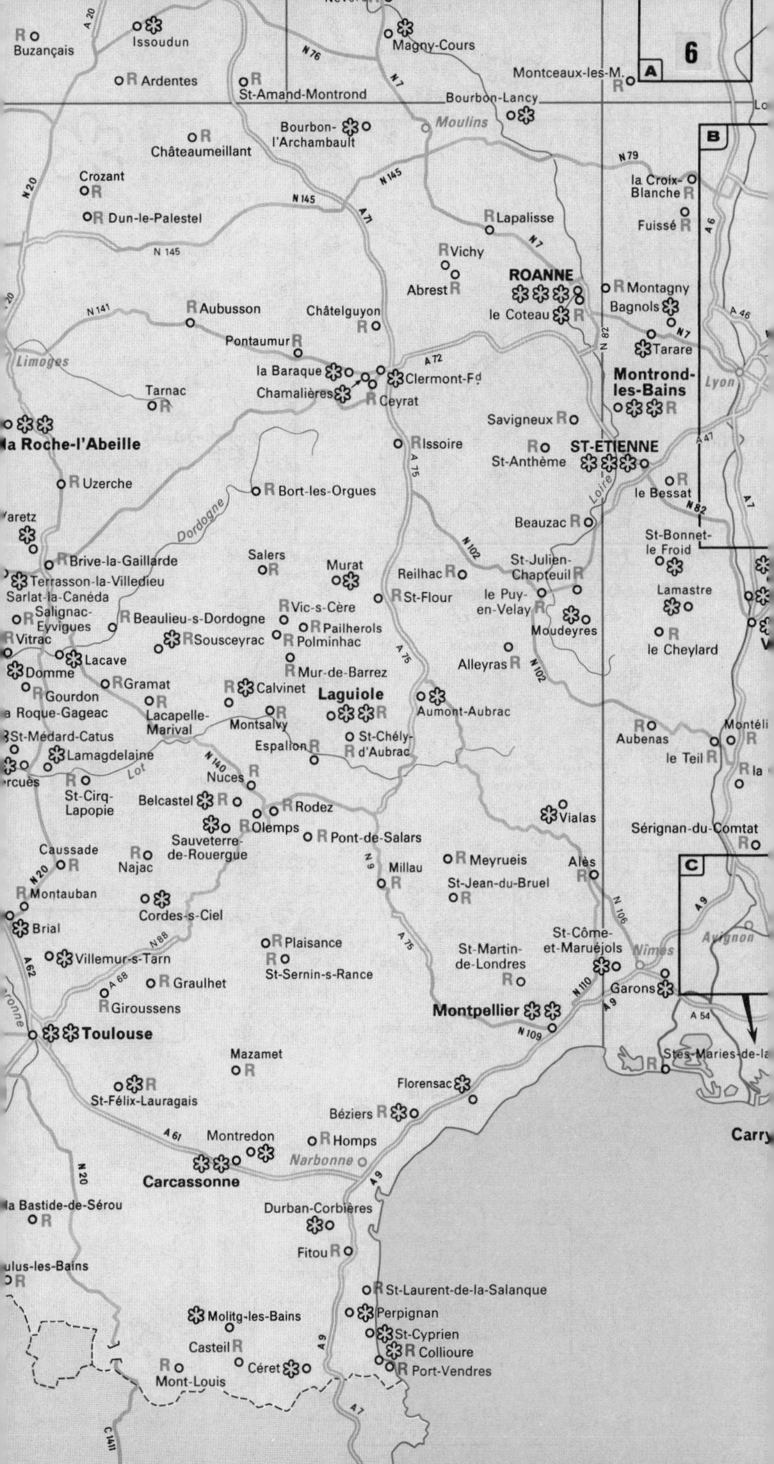

6
A
B
C
Buzançais
Issoudun
Magny-Cours
Ardentes
St-Amand-Montrond
Montceaux-les-M.
Bourbon-Lancy
Moulins
Bourbon-l'Archambault
Châteaumeillant
Crozant
Dun-le-Palestel
la Croix-Blanche
Fuissé
Lapalisse
Vichy
Abrest
ROANNE
le Coteau
Montagny
Bagnols
Tarare
Aubusson
Châtelguyon
Pontaumur
la Baraque
Clermont-Fd
Chamalières
Ceyrat
Limoges
Tarnac
Montrond-les-Bains
Lyon
Savigneux
la Roche-l'Abeille
Issoire
St-Anthème
ST-ETIENNE
Uzerche
Bort-les-Orgues
le Bessat
Beauzac
Brive-la-Gaillarde
Salers
Murat
Reilhac
St-Julien-Chapteuil
St-Bonnet-le Froid
Terrasson-la-Villedieu
Sarlat-la-Canéda
Salignac-Eyvigues
Beaulieu-s-Dordogne
Vic-s-Cère
St-Flour
le Puy-en-Velay
Lamastre
Pailherols
Moudeyres
Vitrac
Sousceyrac
Polminhac
le Cheylard
Lacave
Domme
Mur-de-Barrez
Alleyras
Gramat
Gourdon
Calvinet
Laguiole
Aumont-Aubrac
la Roque-Gageac
Lacapelle-Marival
Montsalvy
St-Médard-Catus
St-Chély-d'Aubrac
Aubenas
Montéli
Espalion
Lamagdelaine
le Teil
St-Cirq-Lapopie
Nuces
Belcastel
Rodez
Vialas
Olemps
Sérignan-du-Comtat
Sauveterre-de-Rouergue
Pont-de-Salars
Caussade
Najac
Meyrueis
Alès
Millau
St-Jean-du-Bruel
Montauban
Cordes-s-Ciel
Brial
St-Côme-et-Maruéjols
Plaisance
St-Martin-de-Londres
Nîmes
Avignon
Villemur-s-Tarn
St-Sernin-s-Rance
Graulhet
Garons
Giroussens
Montpellier
Toulouse
Mazamet
Stes-Maries-de-la
St-Félix-Lauragais
Florensac
Béziers
Carry
Montredon
Homps
Narbonne
Carcassonne
la Bastide-de-Sérou
Durban-Corbières
Fitou
Ax-les-Bains
St-Laurent-de-la-Salanque
Perpignan
Molitg-les-Bains
St-Cyprien
Casteil
Collioure
Céret
Port-Vendres
Mont-Louis

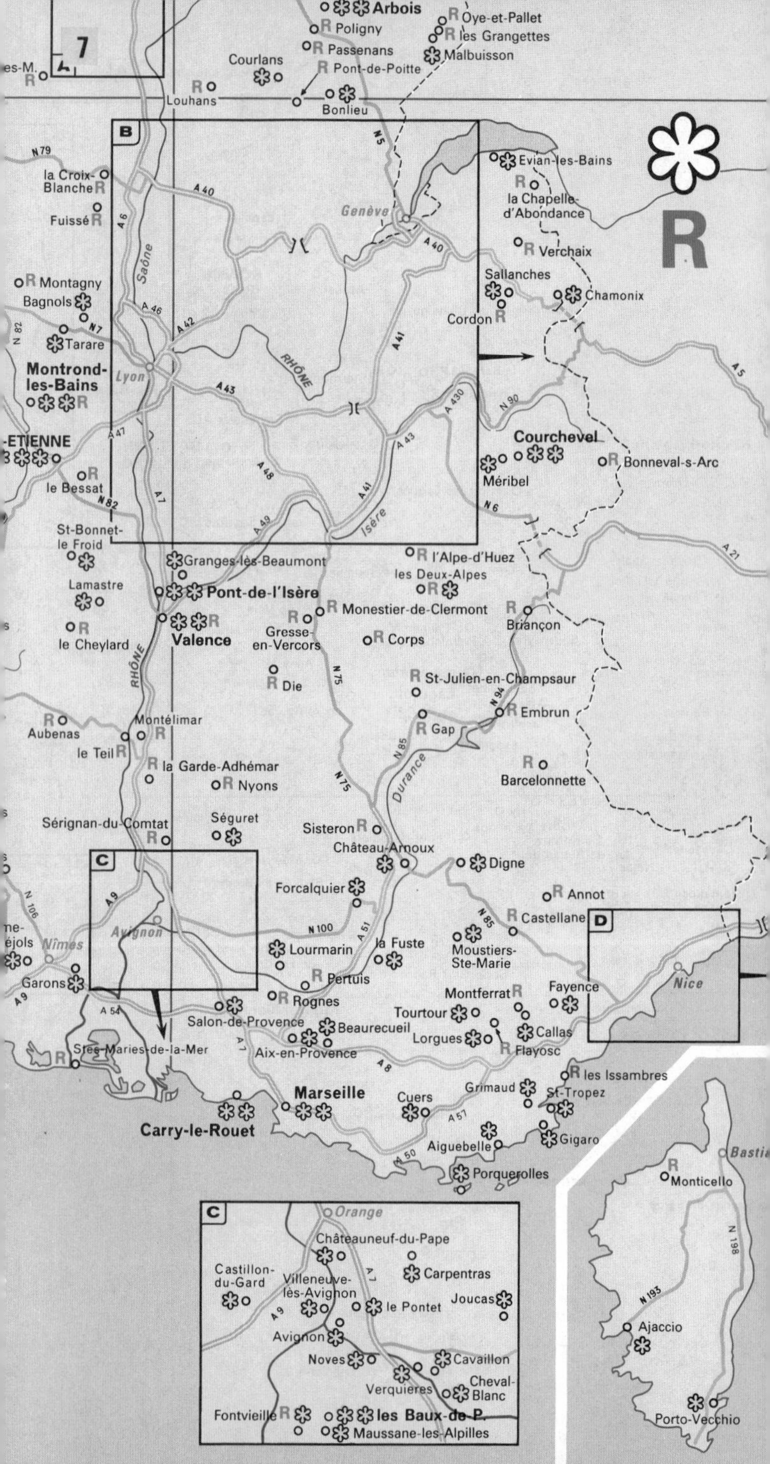

7
B
C
D
R
Arbois
Poligny
Passenans
Courlans
Pont-de-Poitte
Oye-et-Pallet
les Grangettes
Malbuisson
Louhans
Bonlieu
es-M.
Evian-les-Bains
la Chapelle-d'Abondance
Verchaix
Sallanches
Chamonix
Cordon
Genève
la Croix-Blanche
Fuissé
Montagny
Bagnols
Tarare
Montrond-les-Bains
Lyon
Saône
Rhône
-ETIENNE
le Bessat
St-Bonnet-le Froid
Lamastre
le Cheylard
Courchevel
Méribel
Bonneval-s-Arc
Isère
Granges-lès-Beaumont
Pont-de-l'Isère
Valence
Monestier-de-Clermont
Gresse-en-Vercors
l'Alpe-d'Huez
les Deux-Alpes
Corps
Briançon
Die
St-Julien-en-Champsaur
Embrun
Gap
Durance
Aubenas
Montélimar
le Teil
la Garde-Adhémar
Nyons
Barcelonnette
Sérignan-du-Comtat
Séguret
Sisteron
Château-Arnoux
Digne
Forcalquier
Annot
Castellane
Avignon
Nîmes
Garons
Lourmarin
la Fuste
Moustiers-Ste-Marie
Fayence
Nice
Pertuis
Rognes
Montferrat
Tourtour
Callas
Salon-de-Provence
Beaurecueil
Aix-en-Provence
Lorgues
Flayosc
Stes-Maries-de-la-Mer
les Issambres
Grimaud
St-Tropez
Marseille
Cuers
Carry-le-Rouet
Gigaro
Aiguebelle
Porquerolles
Bastia
Monticello
Ajaccio
Porto-Vecchio
Orange
Châteauneuf-du-Pape
Castillon-du-Gard
Carpentras
Villeneuve-lès-Avignon
le Pontet
Joucas
Noves
Cavaillon
Verquières
Cheval-Blanc
Fontvieille
les Baux-de-P.
Maussane-les-Alpilles
N 79
N 82
N 7
N 5
N 6
N 90
N 75
N 85
N 94
N 100
N 106
N 193
N 198
A 6
A 40
A 46
A 42
A 41
A 43
A 430
A 47
A 48
A 49
A 7
A 5
A 21
A 9
A 51
A 54
A 8
A 57
A 50

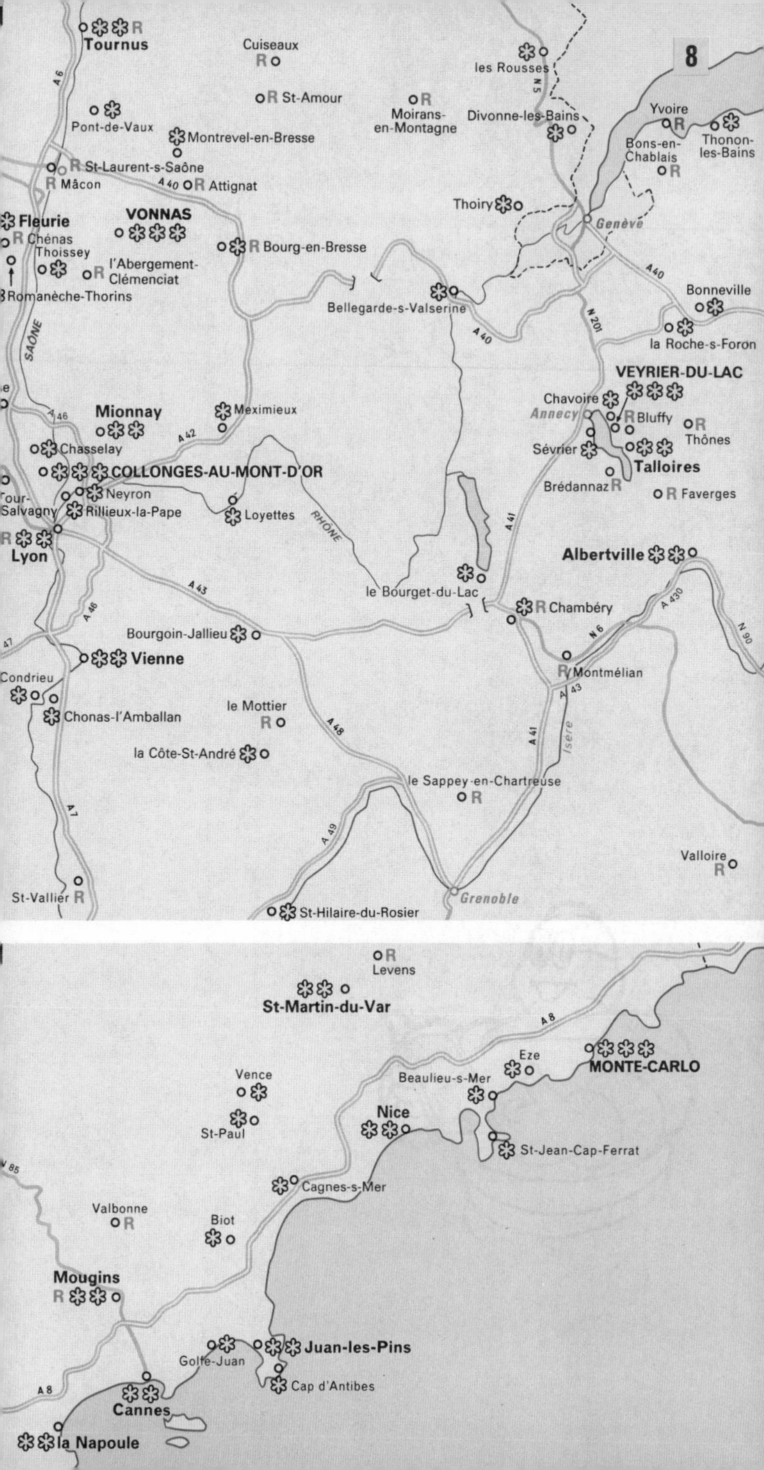
8
Tournus
Cuiseaux
les Rousses
St-Amour
Moirans-en-Montagne
Divonne-les-Bains
Yvoire
Thonon-les-Bains
Bons-en-Chablais
Pont-de-Vaux
Montrevel-en-Bresse
St-Laurent-s-Saône
Mâcon
Attignat
Thoiry
Genève
Fleurie
VONNAS
Chénas
Thoissey
l'Abergement-Clémenciat
Bourg-en-Bresse
Romanèche-Thorins
Bellegarde-s-Valserine
Bonneville
la Roche-s-Foron
SAÔNE
VEYRIER-DU-LAC
Chavoire
Annecy
Bluffy
Thônes
Mionnay
Meximieux
Chasselay
Sévrier
Talloires
COLLONGES-AU-MONT-D'OR
Neyron
Bredannaz
Faverges
Rillieux-la-Pape
Loyettes
RHÔNE
Lyon
Albertville
le Bourget-du-Lac
Chambéry
Bourgoin-Jallieu
Vienne
Montmélian
Condrieu
Chonas-l'Amballan
le Mottier
la Côte-St-André
Isère
le Sappey-en-Chartreuse
Valloire
St-Vallier
Grenoble
St-Hilaire-du-Rosier
Levens
St-Martin-du-Var
Eze
MONTE-CARLO
Vence
Beaulieu-s-Mer
Nice
St-Paul
St-Jean-Cap-Ferrat
Cagnes-s-Mer
Valbonne
Biot
Mougins
Juan-les-Pins
Golfe-Juan
Cap d'Antibes
Cannes
la Napoule

Localités
par ordre alphabétique

Places
in alphabetical order

ABBEVILLE 80100 Somme 52 ⑥ ⑦ **G. Flandres Artois Picardie** – 23 787 h alt. 8.

Voir Château de Bagatelle★ BZ – Façade★ de l'église St-Vulfran AZ – Vitraux★ de l'église St-Sépulcre BY – Musée Boucher de Perthes★ BY **M**.

Env. St-Riquier : intérieur★★ de l'église★ 9 km par ② – Vallée de la Somme★ SE.

18 ✆ 22 24 98 58 à Grand-Laviers, E : 4 km par ⑦.

Office de Tourisme 1 pl. Amiral Courbet ✆ 22 24 27 92, Fax 22 31 08 26 et pl. Gén.-de-Gaulle (juil.-août).

Paris 179 ③ – ♦Amiens 44 ② – Arras 77 ② – Beauvais 103 ③ – Béthune 85 ② – Boulogne-sur-Mer 79 ① – Diep 63 ④ – ♦Le Havre 161 ④ – ♦Rouen 103 ④ – St-Omer 87 ①.

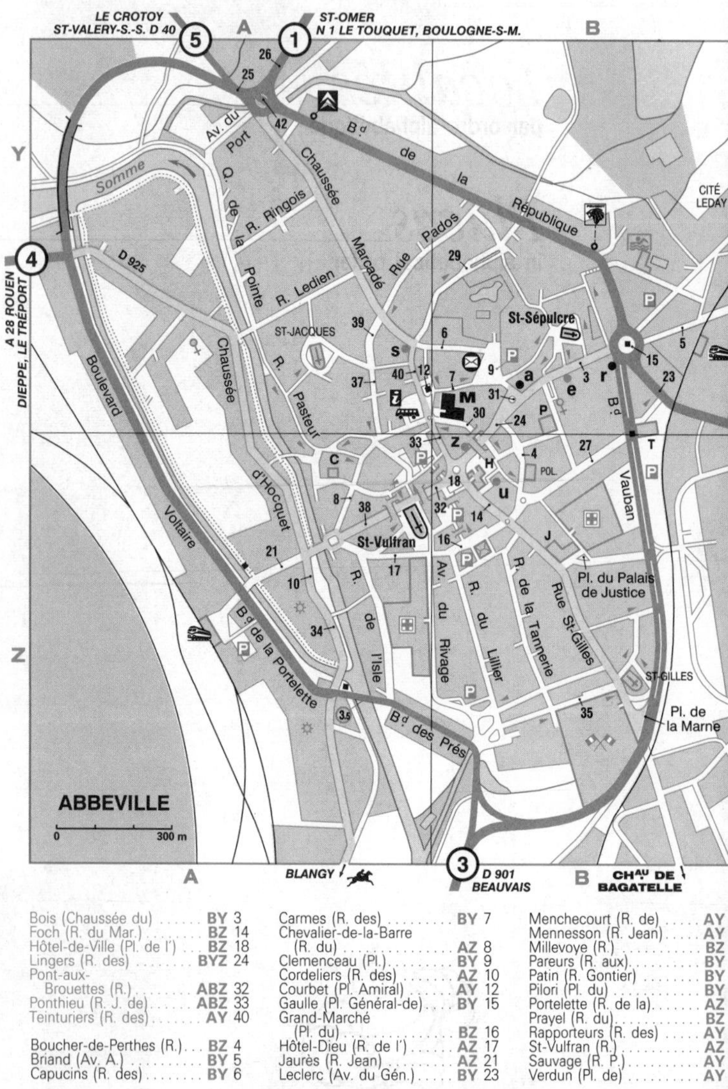

Bois (Chaussée du) .... BY 3	Carmes (R. des) .... BY 7	Menchecourt (R. de) ..... AY
Foch (R. du Mar.) .... BZ 14	Chevalier-de-la-Barre (R. du) .... AZ 8	Mennesson (R. Jean) ..... AY
Hôtel-de-Ville (Pl. de l') ... BZ 18	Clemenceau (Pl.) .... BY 9	Millevoye (R.) .... BZ
Lingers (R. des) .... BYZ 24	Cordeliers (R. des) .... AZ 10	Pareurs (R. aux) .... BY
Pont-aux-Brouettes (R.) .... ABZ 32	Courbet (Pl. Amiral) ...... AY 12	Patin (R. Gontier) .... BY
Ponthieu (R. J. de) ...... ABZ 33	Gaulle (Pl. Général-de) .... BY 15	Pilori (Pl. du) .... BY
Teinturiers (R. des) .... AY 40	Grand-Marché (Pl. du) .... BZ 16	Portelette (R. de la) .... AZ
	Hôtel-Dieu (R. de l') ...... AZ 17	Prayel (R. du) .... BZ
Boucher-de-Perthes (R.) ... BZ 4	Jaurès (R. Jean) .... AZ 21	Rapporteurs (R. des) ...... AY
Briand (Av. A.) .... BY 5	Leclerc (Av. du Gén.) ..... BY 23	St-Vulfran (R.) .... AZ
Capucins (R. des) .... BY 6		Sauvage (R. P.) .... AY
		Verdun (Pl. de) .... AY

France, 19 pl. Pilori ✆ 22 24 00 42, Fax 22 24 26 15 – 🛗 ▤ rest TV ☎ – 🅰 35 à 70. AE ⓓ GB. ✗ rest BY a
Repas *(fermé 22 déc. au 2 janv. et sam. midi)* 98/150 🍷, enf. 38 – ☕ 40 – **68 ch** 199/340 – ½ P 275.

Relais Vauban sans rest, 4 bd Vauban ✆ 22 25 38 00, Fax 22 31 75 97 – TV ☎. GB
☕ 30 – **22 ch** 240/280. BY r

Ibis, par ② et rte d'Amiens : 2 km ✆ 22 24 80 80, Fax 22 31 75 96, 🏖 – ✗ TV ☎ ♿ P – 🅰 40. AE ⓓ GB
Repas 99 bc/140 🍷, enf. 39 – ☕ 35 – **45 ch** 259/309.

Aub. de la Corne, 32 chaussée du Bois ✆ 22 24 06 34, Fax 22 24 03 65 – AE ⓓ GB
fermé dim. soir et lundi – **Repas** 98/280 🍷. BY e

Au Châteaubriant, 1 pl. Hôtel de Ville ✆ 22 24 08 23, Fax 22 24 22 64 – AE GB BYZ z
fermé 23 juil. au 11 août, dim. soir et lundi – **Repas** 85/140 🍷, enf. 40.

L'Escale en Picardie, 15 r. Teinturiers ✆ 22 24 21 51 – AE ⓓ GB. ✗ AY s
fermé 26 août au 9 sept., vacances de fév., dim. soir et lundi – **Repas** - poissons et coquillages - 125/275 🍷.

Condé, 14 pl. Libération ✆ 22 24 06 33 – GB BZ u
fermé dim. soir et mardi sauf fériés – **Repas** 85/195 🍷, enf. 44.

CITROEN Auto Diffusion de Picardie, 214 bd République ✆ 22 24 30 80
FORD Viking-Autom., 29 chaussée d'Hocquet ✆ 22 24 08 54
PEUGEOT Gds Gar. de l'Avenir, 8-22 bd de la République ✆ 22 24 77 55 N ✆ 22 31 53 25
RENAULT Palais Autom., ZI rte de Doullens par ② ✆ 22 24 29 80 N ✆ 22 31 52 23
Lagrange Pneus, 76 rte de Doullens ✆ 22 24 14 72

L'ABERGEMENT-CLÉMENCIAT 01 Ain 74 ② – rattaché à Châtillon-sur-Chalaronne.

ABLIS 78660 Yvelines 60 ⑨ 106 ㊵ – 2 033 h alt. 151.
Paris 63 – Chartres 31 – Étampes 29 – Mantes 61 – ♦Orléans 75 – Rambouillet 15 – Versailles 44.

à l'Ouest : 6 km par D 168 – ✉ **28700** St-Symphorien-le-Château :

Château d'Esclimont M ⛰, ✆ 37 31 15 15, Fax 37 31 57 91, ←, 🏖, « Parc, étang, forêt », 🏊, 🎾 – 🛗 TV ☎ P – 🅰 120. AE ⓓ GB JCB. ✗ rest
Repas 260 bc (déj.), 320/495, enf. 150 – ☕ 85 – **47 ch** 600/1850, 6 appart – ½ P 745/1345.

ABONDANCE 74360 H.-Savoie 70 ⑱ **G. Alpes du Nord** – 1 251 h alt. 930 – Sports d'hiver : 930/1 650 m ⛷1 ⛷8 ⛷.
Voir Abbaye★ : Fresques★★ du cloître.
Office de Tourisme ✆ 50 73 02 90.
Paris 597 – Thonon-les-Bains 27 – Annecy 102 – Évian-les-Bains 28 – Morzine 25.

Les Touristes, ✆ 50 73 02 15, Fax 50 73 04 20, 🏖, 🌳 – TV ☎ P. GB. ✗ rest
1er juin-30 sept. et vacances de Noël-début avril – **Repas** 95/250, enf. 48 – ☕ 35 – **21 ch** 200/350 – ½ P 205/290.

CITROEN Gar. Trincaz, à Richebourg ✆ 50 73 03 16
RENAULT, TOYOTA Gar. des Alpes, ✆ 50 73 01 41 N ✆ 50 73 01 41

ABRESCHVILLER 57560 Moselle 62 ⑧ – 1 233 h alt. 340.
Paris 435 – ♦Strasbourg 79 – Baccarat 47 – Lunéville 58 – Phalsbourg 23 – Sarrebourg 16.

Aub. de la Forêt, à Lettenbach : 0,5 km ✆ 87 03 71 78, Fax 87 03 79 96, 🏖 – P. GB
fermé 23 déc. au 12 janv. et lundi – **Repas** 57 (déj.), 80/190 🍷, enf. 65.

ABREST 03 Allier 73 ⑤ – rattaché à Vichy.

ACCOLAY 89460 Yonne 65 ⑤ – 377 h alt. 125.
Paris 190 – Auxerre 21 – Avallon 29 – Tonnerre 39.

Host. de la Fontaine ⛰ avec ch, ✆ 86 81 54 02, Fax 86 81 52 78, 🏖, 🌳 – ☎ P. AE GB
fermé dim. soir du 1er nov. au 1er mars – **Repas** 95/230 🍷, enf. 55 – ☕ 32 – **11 ch** 250 – ½ P 250.

ADÉ 65 H.-Pyr. 85 ⑧ – rattaché à Lourdes.

Les ADRETS-DE-L'ESTÉREL 83600 Var 84 ⑧ 114 ㉕ 115 ㉝ – 1 474 h alt. 295.
Env. Mt Vinaigre ✻★★★ S : 8 km puis 30 mn, **G. Côte d'Azur.**
Office de Tourisme pl. de la Mairie ✆ 94 40 93 57.
Paris 886 – Fréjus 18 – Cannes 27 – Draguignan 43 – Grasse 29 – Mandelieu-la-Napoule 15 – St-Raphaël 17.

Le Chrystalin ⛰, chemin des Philippons ✆ 94 40 97 56, Fax 94 40 94 66, ←, 🏖, 🏊 – TV ☎ ♿ P. AE GB
fév.-oct. – **Repas** 120/170, enf. 50 – ☕ 50 – **11 ch** 430/530, 3 duplex – ½ P 385/485.

La Verrerie ⛰ sans rest, ✆ 94 40 93 51, 🌳 – TV ☎ P. GB
1er avril-30 sept. – ☕ 36 – **7 ch** 230/300.

SE : 3 km par D 237 et N 7 – ✉ **83600** Les Adrets-de-l'Esterel :

XXX **Aub. des Adrets,** ✆ 94 40 36 24, Fax 94 40 34 06, ☂, ⛱, ⚘ – P. GB
fermé 1er nov. au 1er déc. et lundi sauf juil.-août et fériés – **Repas** 165.

AFA **2A** Corse-du-Sud **90** ⑯ – voir à Corse (Ajaccio).

AGAY **83530** Var **84** ⑧ **114** ㉖ **115** ㉝ ㉞ **G. Côte d'Azur.**

⛳ du Cap Estérel ✆ 94 82 58 14, S : 2 km par N 98.

ℹ Office de Tourisme bd de la Plage, N 98 ✆ 94 82 01 85, Fax 94 82 74 20.

Paris 886 – Fréjus 12 – Cannes 31 – Draguignan 41 – ♦Nice 63 – St-Raphaël 9.

🏨 **France-Soleil** sans rest, ✆ 94 82 01 93, Fax 94 82 73 95, ← – ⇆ TV ☎ P. AE GB JCB
Pâques-oct. – ☕ 48 – **18 ch** 420/550.

🏨 **Beau Site,** à Camp Long SO : 1 km par N 98 ✆ 94 82 00 45, Fax 94 82 71 02, ☂ – ⇆ TV ☎ P. AE ⓓ GB. ✂ rest
fermé 1er nov. au 15 déc. – **Repas** *(fermé mardi hors sais.)* (dîner seul.) 143 ♨ – ☕ 44 – **20 ch** 240/360 – ½ P 280/340.

AGDE **34300** Hérault **83** ⑮ ⑯ **G. Gorges du Tarn** (plan) – 17 583 h alt. 5 – Casino.

Voir Ancienne cathédrale St-Étienne★.

⛳ de St-Martin-Cap-d'Agde ✆ 67 26 54 40, S : 4 km par D 32E.

ℹ Office de Tourisme espace Molière ✆ 67 94 29 68, Fax 67 94 03 50.

Paris 771 – ♦Montpellier 53 – Béziers 23 – Lodève 67 – Millau 122 – Sète 23.

🏨 **Athéna** M sans rest, SE : 2 km par D 32E10, rte de Cap d'Agde ✆ 67 94 21 90, Fax 67 94 80 80, ⛱, ⚘ – ☎ ♿ 🚗 P. GB. ✂
☕ 35 – **23 ch** 400.

à La Tamarissière SO : 4 km par D 32E12 – ✉ **34300** Agde :

🏨 **La Tamarissière,** ✆ 67 94 20 87, Fax 67 21 38 40, ☂, « Jardin fleuri », ⛱ – TV ☎ – 🏛 25. AE ⓓ GB
fermé 2 janv. au 15 mars – **Repas** *(fermé lundi midi du 16 juin au 14 sept., dim. soir et lundi du 15 sept. au 15 juin)* 149/345 – ☕ 65 – **27 ch** 450/500 – ½ P 490/570.

au Grau d'Agde SO : 4 km par D 32E – ✉ **34300** :

XX **L'Adagio,** ✆ 67 21 13 00 – ▤. GB
fermé 15 nov. au 15 déc. – **Repas** 75 (déj.), 102/230.

au Cap d'Agde SE : 5 km par D 32E10 – ✉ **34300** Agde :

Voir Ephèbe d'Agde★ au musée de l'Ephèbe.

🏨 **St-Clair** M sans rest, pl. St-Clair ✆ 67 26 36 44, Fax 67 26 31 11, 🏋, ⛱ – 🛗 ▤ TV ☎ P – 🏛 30. AE ⓓ GB JCB
1er avril-30 oct. – ☕ 30 – **64 ch** 325/565, 18 duplex.

🏨 **Capaô,** av. Corsaires ✆ 67 26 99 44, Fax 67 26 55 41, ☂, 🏋, ⛱, 🎾, ⚘ – ▤ TV ☎ ♿ P – 🏛 45. AE ⓓ GB JCB
1er avril-15 oct. – **Repas** 95/195, enf. 45 – ☕ 45 – **47 ch** 600/700, 8 duplex – ½ P 445/495.

🏨 **du Golf,** Ile des Loisirs ✆ 67 26 87 03, Fax 67 26 26 89, ☂, ⛱, 🎾, ⚘ – ▤ ch TV ☎ P – 🏛 70. AE ⓓ GB JCB
15 mars-11 nov. – **Repas** 140 – ☕ 55 – **50 ch** 630/660 – ½ P 480/520.

🏨 **Les Pins** sans rest, Mont-St-Martin ✆ 67 26 00 11, Télex 480942, Fax 67 26 66 63, ⛱, ⚘ – TV ☎ ♿ P. AE ⓓ GB JCB
15 mars-15 oct. – ☕ 49 – **40 ch** 495/700.

🏨 **Azur** M sans rest, 18 av. Iles d'Amérique ✆ 67 26 98 22, Fax 67 26 48 14, ⛱ – TV ☎ ✆ ♿ P – 🏛 25. AE GB
☕ 32 – **34 ch** 350/400.

🏨 **Alizé** sans rest, av. Alizés ✆ 67 26 77 80, Fax 67 01 26 21, ⛱ – cuisinette TV ☎ ♿ P. AE GB
Pâques-1er oct. – ☕ 36 – **33 ch** 360/410.

CITROEN Agde Auto, 21 av. R.-Pitet ✆ 67 94 24 84
PEUGEOT Gar. Four, 12 av. Gén.-de-Gaulle ✆ 67 94 11 41 N ✆ 67 94 82 01
RENAULT Occitane Auto, ZI rte de Sète ✆ 67 94 22 81 N ✆ 05 05 15 15

Ⓖ Gautrand Pneus Vulcopneu, rte de Sète ✆ 67 94 30 60

AGEN P **47000** L.-et-G. **79** ⑮ **G. Pyrénées Aquitaine** – 30 553 h alt. 50.

Voir Musée★★ AXY M.

⛳ Agen-Bon Encontre ✆ 53 96 95 78, par ③.

✈ d'Agen-la-Garenne : ✆ 53 96 22 50, SO : 3 km.

ℹ Office de Tourisme 107 bd Carnot ✆ 53 47 36 09, Fax 53 47 29 98.

Paris 719 ① – Auch 72 ④ – ♦Bordeaux 139 ⑤ – Pau 157 ⑤ – Périgueux 139 ① – ♦Toulouse 115 ⑤.

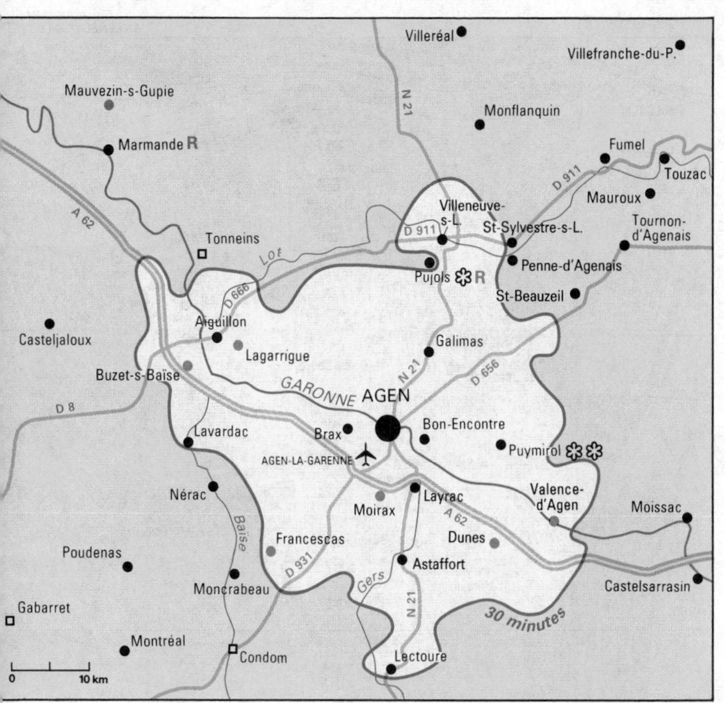

Host. des Jacobins sans rest, 1 ter pl. Jacobins ✆ 53 47 03 31, Fax 53 47 02 80 – TV P. AE GB JCB — AY f
60 – **15 ch** 400/650.

Provence sans rest, 22 cours 14 Juillet ✆ 53 47 39 11, Fax 53 68 26 24 – TV. AE GB — BX s
35 – **23 ch** 275/330.

Atlantic H. sans rest, 133 av. J. Jaurès par ③ ✆ 53 96 16 56, Fax 53 98 34 80, – TV. AE GB
fermé 24 déc. au 1er janv. – 32 – **44 ch** 230/300.

Ibis M sans rest, 16 r. C. Desmoulins ✆ 53 47 43 43, Fax 53 47 68 54 – TV P. AE GB — BX b
35 – **56 ch** 290/305.

Stim'Otel, 105 bd Carnot ✆ 53 47 31 23, Fax 53 47 48 70 – rest TV – 40. AE GB — BY a
Repas *(fermé sam. midi et dim. midi)* 68/120, enf. 45 – 35 – **58 ch** 290.

Campanile, par ⑤ : 3 km ✆ 53 68 08 08, Fax 53 98 32 46 – rest TV P – 25. AE GB
Repas 84 bc/107 bc, enf. 39 – 32 – **47 ch** 270.

Michel Latrille, 66 r. C. Desmoulins ✆ 53 66 24 35, Fax 53 66 77 57 – . AE GB
fermé 1er au 14 juil., 2 au 8 janv., sam. midi et dim. – **Repas** 100/310. — BX n

La Bohème, 14 r. E. Sentini ✆ 53 68 31 00, – GB — BX e
fermé 20 au 28 fév. et dim. – **Repas** 57 (déj.), 69/100.

à Galimas par ① : 11 km – ✉ **47340** La Croix-Blanche :

La Sauvagère, ✆ 53 68 81 21, Fax 53 68 82 19, – TV P. AE GB
fermé 22 déc. au 22 janv., lundi midi en sais. et dim. sauf le soir en sais. – **Repas** (dîner seul. du 15 oct. au 15 mars) 100/250 – **12 ch** 288/464 – ½ P 280/450.

à Bon-Encontre par ③ : 5 km – 5 362 h. alt. 80 – ✉ **47240** :

Parc avec ch, r. République ✆ 53 96 17 75, Fax 53 96 29 05, – rest TV P. AE GB
hôtel : fermé dim. soir en hiver – **Repas** *(fermé dim. soir et lundi)* 98/250, enf. 68 – 30 – **10 ch** 195/275 – ½ P 277/280.

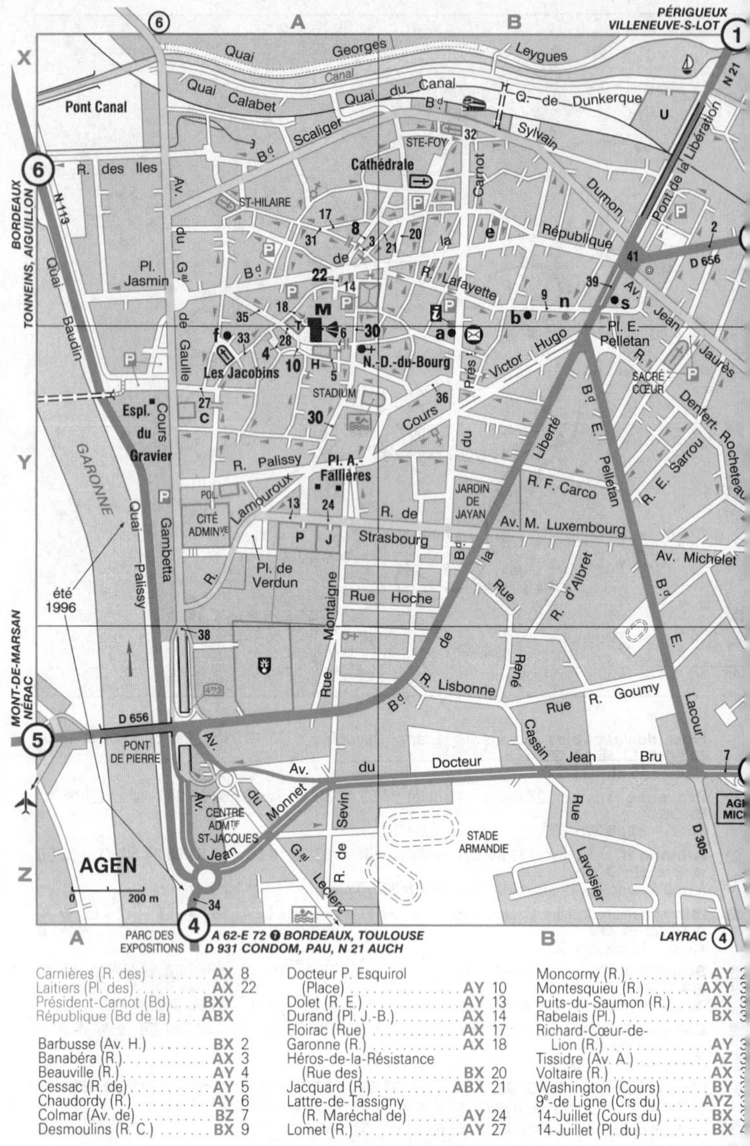

Carnières (R. des) . . . . AX 8
Laitiers (Pl. des) . . . . AX 22
Président-Carnot (Bd) . . . . BXY
République (Bd de la) . . . ABX

Barbusse (Av. H.) . . . . BX 2
Banabéra (R.) . . . . AX 3
Beauville (R.) . . . . AY 4
Cessac (R. de) . . . . AY 5
Chaudordy (R.) . . . . AY 6
Colmar (Av. de) . . . . BZ 7
Desmoulins (R. C.) . . . . BX 9

Docteur P. Esquirol (Place) . . . . AY 10
Dolet (R. E.) . . . . AY 13
Durand (Pl. J.-B.) . . . . AX 14
Floirac (Rue) . . . . AX 17
Garonne (R.) . . . . AX 18
Héros-de-la-Résistance (Rue des) . . . . BX 20
Jacquard (R.) . . . . ABX 21
Lattre-de-Tassigny (R. Maréchal de) . . . . AY 24
Lomet (R.) . . . . AY 27

Moncorny (R.) . . . . AY 2
Montesquieu (R.) . . . . AXY 3
Puits-du-Saumon (R.) . . . . . AX 3
Rabelais (Pl.) . . . . BX 3
Richard-Cœur-de-Lion (R.) . . . . AY 3
Tissidre (Av. A.) . . . . AZ 3
Voltaire (R.) . . . . AX 3
Washington (Cours) . . . . . . BY 3
9e-de Ligne (Crs du) . . . . . AYZ 3
14-Juillet (Cours du) . . . . . BX 3
14-Juillet (Pl. du) . . . . BX 4

rte de Toulouse par ③ : 6 km sur N 113 – ✉ **47550** Boé :

Château St Marcel Ⓜ, ✆ 53 96 61 30, Fax 53 96 94 33, ←, parc, « Demeure d 17e siècle, », – ▤ ☎ ♿ 🅿 – 60. AE ⓓ GB JCB
Repas *(fermé dim. soir et lundi du 1er oct. au 30 avril)* 160/250 – ☕ 65 – **25 ch** 600/950 1/2 P 525/975.

à l'Aéroport SO : 3 km - AZ – ✉ **47000** Agen :

Aéroport, ✆ 53 96 38 95, Fax 53 98 38 55, – ▤ 🅿. AE ⓓ GB
fermé août, dim. soir et sam. – **Repas** 95 (déj.), 155/175.

par ④ près échangeur A 62 : 6 km – ✉ **47520** Le Passage :

Primevère M, ☎ 53 96 36 35, Fax 53 96 37 36, – TV ☎ & P – 30. AE GB
Repas 81/104 , enf. 41 – 32 – **39 ch** 290.

à Moirax par ④, N 21 et D 268 : 9 km – 817 h. alt. 154 – ✉ **47310**.
Voir Église★.

Aub. de Moirax, ☎ 53 87 12 61 – GB
fermé 13 nov. au 4 déc., mardi au vend. midi du 31 oct. au 30 avril et lundi – **Repas** 85/140 , enf. 50.

à Brax par ⑤ et D 119 : 6 km – 1 370 h. alt. 49 – ✉ **47310** :

La Renaissance de l'Étoile, ☎ 53 68 69 23, Fax 53 68 62 89, , « Jardin fleuri » – TV ☎ P. GB
fermé vacances de fév. – **Repas** *(fermé dim. soir, lundi midi et sam.)* 105/305, enf. 59 – 42 – **10 ch** 225/305 – ½ P 288/298.

au Nord par av. Ch. de Gaulle AXY : 1,5 km – ✉ **47450** Colayrac :

La Corne d'Or avec ch, N 113 ☎ 53 47 02 76, Fax 53 66 87 23 – rest TV ☎ P – 30. AE GB
fermé 12 juil. au 12 août et dim. soir – **Repas** 95/230 – 30 – **14 ch** 250/380 – ½ P 220/280.

CITROEN S.A.G.G., bd E.-Lacour prolongé ☎ 53 77 55 55 N ☎ 53 77 55 55
HONDA Gar. Boudou, av. Gén.-Leclerc ☎ 53 68 34 34
JAGUAR Gar. Tastets, 182 bd Liberté ☎ 53 47 10 63
OPEL Palissy Garage, av. du Docteur Jean-Bru ☎ 53 98 17 77 N ☎ 53 98 11 11
RENAULT SAVRA, r. du Midi Agen Sud par ④ ☎ 53 77 70 20 N ☎ 53 68 94 61

Périphérie et environs

ALFA ROMEO, FIAT Pradat Auto, 25 av. de Bigorre à Boé ☎ 53 96 43 78
BMW Gar. Chollet, rte de Toulouse à Boé ☎ 53 96 29 55
FORD Malbet Autom., av. Gén.-Leclerc à Boé ☎ 53 77 15 40
MERCEDES Gar. TVI, rte de Toulouse à Bon Encontre ☎ 53 96 22 25
NISSAN Gar. Leberon, rte de Toulouse à Lafox ☎ 53 68 52 94

Euromaster, rte de Layrac à Boé ☎ 53 96 46 43
Faure Pneu, ZI J.-Malèze à Bon-Encontre ☎ 53 96 08 63
Villeneuve Pneus, N 113 Lafon à Bon Encontre ☎ 53 98 28 18

Le località sottolineate in rosso sulle carte stradali Michelin in scala 1/200 000 figurano in questa guida.

Approfittate di questa informazione, utilizzando una carta di edizione recente.

AGON-COUTAINVILLE 50230 Manche 54 ⑫ **G. Normandie Cotentin** – 2 510 h alt. 36 – Casino.
☎ 33 47 03 31.
Office de Tourisme pl. 28 Juillet 1944 ☎ 33 47 01 46.
Paris 349 – Barneville-Carteret 48 – Carentan 42 – ♦Cherbourg 75 – Coutances 13 – St-Lô 44.

Neptune sans rest, à Coutainville-centre ☎ 33 47 07 66, ← – ☎. AE GB
30 mars-30 sept. – 45 – **11 ch** 340/400.

Hardy avec ch, à Coutainville-centre ☎ 33 47 04 11, Fax 33 47 39 00 – TV ☎. AE GB
fermé 15 janv. au 10 fév., dim. soir et lundi d'oct. à avril sauf vacances scolaires et fériés – **Repas** 105/320 – 45 – **16 ch** 260/400 – ½ P 325/400.

AGOS-VIDALOS 65 H.-Pyr. 85 ⑰ – rattaché à Argelès-Gazost.

AGUESSAC 12520 Aveyron 80 ⑭ – 811 h alt. 375.
Paris 635 – Mende 85 – Rodez 59 – Florac 68 – Millau 7 – Sévérac-le-Château 25.

Le Rascalat, NO : 2 km sur N 9 ☎ 65 59 80 43, Fax 65 59 73 90, , – TV ☎ P. GB
fermé 1er janv. au 6 mars, dim. soir et lundi d'oct. à mars – **Repas** 95/160 – 35 – **20 ch** 130/350 – ½ P 170/275.

L'AIGLE 61300 Orne 60 ⑤ **G. Normandie Vallée de la Seine** – 9 466 h alt. 220.
Office de Tourisme pl. F.-de-Beina ☎ 33 24 12 40, Fax 33 34 23 77.
Paris 140 – Alençon 61 – Chartres 79 – Dreux 59 – Évreux 57 – Lisieux 57.

✿ **Dauphin** (Bernard), pl. Halle ☎ 33 84 18 00, Fax 33 34 09 28 – TV ☎ P – 25 à 100. AE GB JCB
Repas 134/440 bc et carte 240 à 440, enf. 70 - ***La Renaissance*** (brasserie) **Repas** 67/89 , enf. 49 – 59 – **30 ch** 359/461 – ½ P 339/388
Spéc. Feuilleté d'oeufs brouillés aux escargots. Langouste ou homard. "Millepomme" glacé et pommes confites au calvados.

à l'Est : 3,5 km par rte de Chartres – ✉ **61300** L'Aigle :

XX **Aub. St-Michel,** N 26 ✆ 33 24 20 12, 🌳 – 🅿. GB
fermé 4 au 20 janv., merc. soir et jeudi – **Repas** 87/168 🍷, enf. 46.

PEUGEOT BG Autom., à St-Sulpice-sur-Risle ✆ 33 24 14 66
RENAULT Gar. Pavard, rte de Paris à St-Sulpice-sur-Risle ✆ 33 24 18 99 🅽 ✆ 33 24 51 50
RENAULT Gar. Dano, 4 r. L.-Pasteur ✆ 33 24 00 34
VAG Gar. Poirier, N 26 à St-Michel-Tuboeuf ✆ 33 24 02 43
Lallemand Pneus, rte de Paris à St-Sulpice-sur-Risle ✆ 33 24 48 24

AIGUEBELETTE-LE-LAC **73 Savoie** 74 ⑮ **G. Alpes du Nord** – 170 h alt. 410.

Voir Lac★ – Site★ de la Combe.

Paris 539 – ◆ Grenoble 60 – Belley 36 – Chambéry 24 – Voiron 37.

à la Combe – ✉ **73610** Lépin-le-Lac :

XX **de la Combe "chez Michelon"** 🌀 avec ch, ✆ 79 36 05 02, Fax 79 44 11 93, ≤ Lac, 🌳 – ☎ 🅿. GB. 🚫
fermé 30 oct. au 3 déc., lundi soir et mardi sauf de juin. à août – **Repas** 130/240, enf. 72 – ☕ 36 – **9 ch** 204/310 – ½ P 258/330.

à Novalaise-Lac – 1 234 h. alt. 427 – ✉ **73470** :

🏠 **Novalaise-Plage** 🌀, ✆ 79 36 02 19, Fax 79 36 04 22, ≤ lac, 🌳, ⛱, 🌳 – 🚫 ☎ 🅿 GB. 🚫
1er avril-30 sept. et fermé mardi sauf du 15 juin au 31 août – **Repas** 98/160 – ☕ 35 – **10 ch** 250/350 – ½ P 270/340.

à St-Alban-de-Montbel – 418 h. alt. 400 – ✉ **73610** :

🏠 **St-Alban-Plage** 🌀 sans rest, NE : 1,5 km D 921 ✆ 79 36 02 05, Fax 79 44 10 37, ≤ Lac ⛱, 🌳 – ☎ 🅿. GB
Pâques-oct. – ☕ 38 – **16 ch** 220/380.

à Attignat-Oncin – 398 h. alt. 570 – ✉ **73610** :

XX **Mont-Grêle** 🌀 avec ch, ✆ 79 36 07 06, Fax 79 36 09 54, ≤, 🌳, 🏊, 🌳 – ☎ 🅿. GB
fermé 2 janv. au 15 fév., mardi soir et merc. sauf juil.-août – **Repas** 120/180, enf. 68 – ☕ 38 – **11 ch** 210/270 – ½ P 260/285.

AIGUEBELLE **83 Var** 84 ⑰, 114 ㊽ – rattaché au Lavandou.

AIGUES-MORTES **30220 Gard** 83 ⑧ **G. Provence** (plan) – 4 999 h alt. 3.

Voir Remparts★★ et tour de Constance★★ : ✳★★ – Tour Carbonnière ✳★ NE : 3,5 km.

🅸 Office de Tourisme porte de la Gardette ✆ 66 53 73 00, Fax 66 53 65 94.

Paris 750 – ◆ Montpellier 33 – Arles 48 – Nîmes 42 – Sète 54.

🏨 **Templiers** Ⓜ sans rest, 23 r. République ✆ 66 53 66 56, Fax 66 53 69 61, « Demeure du 17e siècle » – ▤ 📺 ☎ ♿ 🚗. AE ⓓ GB
fermé 15 janv. au 1er mars – ☕ 50 – **11 ch** 500/750.

🏨 **St-Louis,** 10 r. Amiral Courbet ✆ 66 53 72 68, Télex 485465, Fax 66 53 75 92, 🌳 – 📺 ☎ 🚗. AE ⓓ GB
hôtel : 15 mars-31 déc. ; rest. : 1er avril-31 déc. et fermé merc. midi du 1er oct. au 31 déc. et mardi – **Repas** 98/195, enf. 60 – ☕ 45 – **22 ch** 290/490 – ½ P 295/380.

🏠 **Croisades** sans rest, 2 r. Port ✆ 66 53 67 85, Fax 66 53 72 95 – ▤ 📺 ☎ ♿ 🅿. GB. 🚫
fermé 15 nov. au 15 déc. et 15 janv. au 15 fév. – ☕ 35 – **14 ch** 260/320.

XX **Arcades** Ⓜ avec ch, 23 bd Gambetta ✆ 66 53 81 13, Fax 66 53 75 46, 🌳, « Demeure du 16e siècle » – ▤ 📺 ☎. AE ⓓ GB JCB. 🚫 ch
fermé 12 au 28 nov., 11 au 27 fév., mardi midi sauf fériés et lundi sauf le soir en juil.-août – **Repas** 120/250, enf. 60 – **6 ch** ☕ 480/550.

XX **La Goulue,** 2 ter r. Denfert-Rochereau ✆ 66 53 69 45, Fax 66 53 69 45, 🌳
5 avril-29 sept. – **Repas** 62/160.

X **Maguelone,** 38 r. République ✆ 66 53 74 60, 🌳 – AE GB
fermé janv., fév. et merc. – **Repas** 99 (déj.)/105.

rte de Nîmes NE : 1,5 km – ✉ **30220** Aigues-Mortes :

🏠 **Royal H.** Ⓜ, ✆ 66 53 66 40, Fax 66 53 72 29, 🌳, 🏊 – ▤ ch 📺 ☎ ♿ 🅿. GB
Repas 64/170, enf. 36 – ☕ 30 – **44 ch** 263/286 – ½ P 228.

RENAULT Gar. Guyon Autom., ✆ 66 53 81 10 🅽 ✆ 66 53 81 10

AIGUILLON **47190 L.-et-G.** 79 ⑭ – 4 169 h alt. 35.

Paris 690 – Agen 30 – Houeillès 31 – Marmande 28 – Nérac 28 – Villeneuve-sur-Lot 33.

🏠 **Terrasse de l'Étoile,** cours A.-Lorraine ✆ 53 79 64 64, Fax 53 79 46 48, 🌳, 🏊 – 📺 ☎ ♿ – 🏢 25. AE GB
Repas 78/150 🍷, enf. 45 – ☕ 28 – **18 ch** 160/260 – ½ P 220.

à Lagarrigue E : 4,5 km par D 278 et rte secondaire – 280 h. alt. 105 – ✉ **47190** :

XX **Aub. des Quatre Vents,** ✆ 53 79 62 18, Fax 53 88 73 82, ← Aiguillon et environs,
–. P. GB
fermé vacances de fév., dim. soir et lundi sauf juil.-août – **Repas** 102/210, enf. 65.

AIGURANDE **36140** Indre 68 ⑲ – 1 932 h alt. 425.

Paris 316 – Argenton-sur-Creuse 33 – Châteauroux 47 – La Châtre 26 – Guéret 36 – La Souterraine 41.

X **Berry et rest. La Gourmandière** avec ch, ✆ **54 06 30 38**, – P. GB
fermé 1er au 15 sept., 1er au 15 janv., dim. soir et lundi – **Repas** 110/280 – ☕ 35 – **3 ch** 200/260.

FIAT Gar. Guillebaud, ✆ 54 06 31 12
PEUGEOT Gar. Buvat, ✆ 54 06 33 15 N ✆ 54 06 33 15
RENAULT Gar. Yvernault, 38 r. Marche ✆ 54 06 30 59 N ✆ 54 06 30 59
Tisseron, ✆ 54 06 30 54

AILEFROIDE **05** H.-Alpes 77 ⑰ – rattaché à Pelvoux (Commune de).

AIME **73210** Savoie 74 ⑱ **G. Alpes du Nord** – 2 963 h alt. 690.

Voir Ancienne basilique St-Martin★.

ℹ Office de Tourisme av. Tarentaise ✆ 79 09 79 79.

Paris 622 – Albertville 40 – Bourg-St-Maurice 12 – Chambéry 87 – Moutiers 13.

Palanbo sans rest, av. de Tarentaise ✆ 79 55 67 55, Fax 79 09 70 74 – TV ☎ ♿ P. AE GB
☕ 30 – **20 ch** 260/330.

du Cormet sans rest, av. de Tarentaise ✆ 79 09 71 14, Fax 79 55 53 26 – TV ☎ P. GB.
fermé 15 au 25 juin et dim. – ☕ 30 – **14 ch** 240/300.

XX **L'Atre,** av. de Tarentaise ✆ 79 09 75 93 – GB
fermé 3 au 18 juin et mardi sauf le soir en sais. – **Repas** 85/158 ₰.

AINCILLE **64** Pyr.-Atl. 85 ③ – rattaché à St-Jean-Pied-de-Port.

AINGERAY **54** M.-et-M. 64 ④ – rattaché à Liverdun.

AINHOA **64250** Pyr.-Atl. 85 ② **G. Pyrénées Aquitaine** – 539 h alt. 130.

Voir Rue principale★.

Paris 797 – Biarritz 26 – ♦Bayonne 25 – Cambo-les-Bains 11 – Pau 126 – St-Jean-de-Luz 22.

❀ **Ithurria** (Isabal), ✆ 59 29 92 11, Fax 59 29 81 28, « Joli décor rustique, jardin, », – rest TV ☎ P – 25. AE GB
fin mars-12 nov. et fermé mardi soir et merc. hors sais. – **Repas** (dim. prévenir) 165/240 et carte 230 à 360 – ☕ 48 – **27 ch** 520/600 – ½ P 550/580
Spéc. Foie gras des Landes au naturel. Salade tiède de queues de langoustines. Pigeon rôti à l'ail doux sur canapé. Vins Irouléguy, Jurançon.

Argi-Eder, ✆ 59 29 91 04, Fax 59 29 74 33, ←, , « Jardin », , – rest TV ☎ P – 30. AE GB JCB. ch
30 mars-15 nov. et fermé dim. soir et merc. hors sais. – **Repas** (dim. prévenir) 135/235, enf. 75 – ☕ 52 – **30 ch** 650/750, 6 appart – ½ P 610/620.

Oppoca, ✆ 59 29 90 72, Fax 59 29 81 03, , – ☎. AE GB JCB
31 mars-mi-nov. – **Repas** *(fermé lundi hors sais.)* 125/220, enf. 60 – ☕ 45 – **12 ch** 280/420 – ½ P 300/400.

AIRAINES **80270** Somme 52 ⑦ **G. Flandres Artois Picardie** – 2 175 h alt. 30.

Paris 150 – ♦Amiens 27 – Abbeville 21 – Beauvais 68 – Le Tréport 46.

X **Relais Forestier du Pont d'Hure,** O : 5 km sur D 936 (rte d'Oisemont) ✆ 22 29 42 10, Fax 22 29 89 73 – P. GB
fermé 1er au 15 août, 2 au 19 janv. et mardi – **Repas** 87/178, enf. 43.

Write us...

If you have any comments on the contents of this Guide.

Your praise as well as your criticisms will receive careful consideration and, with your assistance, we will be able to add to our stock of information and, where necessary, amend our judgments.

Thank you in advance!

AIRE-SUR-L'ADOUR 40800 Landes 82 ① ②
G. Pyrénées Aquitaine – 6 205 h alt. 80.

Voir Sarcophage de Ste-Quitterie★ dans l'église Ste-Quitterie **B**.

Office de Tourisme ✆ 58 71 64 70.

Paris 724 ① – Mont-de-Marsan 31 ① – Auch 83 ② – Condom 67 ② – Dax 77 ① – Orthez 58 ③ – Pau 50 ③ – Tarbes 70 ②.

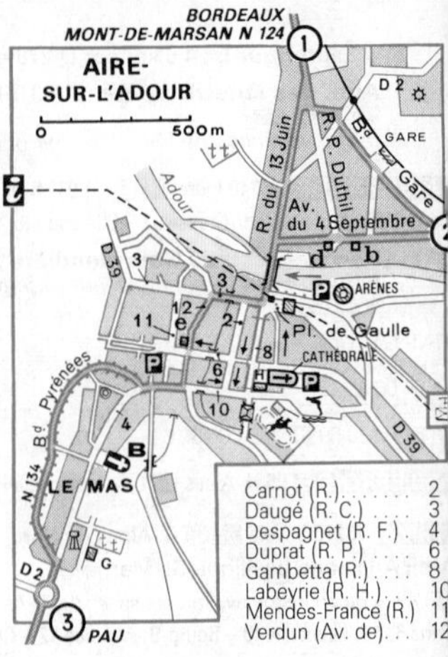

Adour H. sans rest, 28 av. 4 Septembre **(b)** ✆ 58 71 66 17, Fax 58 71 87 66, GB
fermé nov. – ☐ 30 – **31 ch** 205/240.

Les Platanes, 2 pl. Liberté **(d)** ✆ 58 71 60 36 – GB. ch
fermé 30 oct. au 30 nov. et vend. – **Repas** 70/200 ꝭ, enf. 45 – ☐ 24 – **12 ch** 195/290 – ½ P 160/220.

Les Bruyères avec ch, par ① : 1 km ✆ 58 71 80 90, Fax 58 71 87 21, – AE GB
fermé 15 au 30 oct. – **Repas** *(fermé dim. soir)* 65/225 ꝭ, enf. 38 – ☐ 30 – **8 ch** 195/235 – ½ P 190/220.

Chez l'Ahumat avec ch, 2 r. Mendès-France **(e)** ✆ 58 71 82 61 – GB. ch
fermé 14 au 28 mars et 2 au 15 sept. – **Repas** *(fermé merc.)* 54/140 ꝭ – ☐ 20 – **13 ch** 100/180 – ½ P 140/165.

à Ségos (32 Gers) par ③, N 134 et D 260 : 9 km – 248 h. alt. 111 – ✉ **32400** :

Domaine de Bassibé , ✆ 62 09 46 71, Fax 62 08 40 15, , parc, – AE GB
fermé 2 janv. au 20 mars, merc. midi et mardi sauf juil.-août – **Repas** 180 bc/250 – ☐ 75 – **11 ch** 650/825, 7 appart – ½ P 650/910.

rte de Bordeaux par ④ : 4,5 km – ✉ **40270** Cazères-sur-l'Adour :

Airotel , ✆ 58 71 72 72, Fax 58 71 81 94, , parc, , – – 25. GB
Repas 45/80 ꝭ – ☐ 28 – **34 ch** 195/230.

CITROEN Gar. Couralet, ZI rte de Bordeaux par ① ✆ 58 71 65 65 N ✆ 58 79 93 35
FORD Gar. Daudon-Sadra, 52 av. 4 Septembre ✆ 58 71 60 64
PEUGEOT Gar. Labarthe, ZI Cap de la Coste, N 124 par ① ✆ 58 71 71 95 N ✆ 58 06 75 19
RENAULT SADIA, 101 av. de Bordeaux par ① ✆ 58 71 60 01 N ✆ 58 06 73 20
VAG Auto Satisfaction, Cap Coste, rte de Bordeaux ✆ 58 71 61 62

Euromaster, 65, av. de Bordeaux ✆ 58 71 62 14

Le Guide change, changez de guide tous les ans.

AIRE-SUR-LA-LYS 62120 P.-de-C. 51 ⑭ G. Flandres Artois Picardie – 9 529 h alt. 30.

Voir Bailliage★ **B** – Collégiale St-Pierre★ **E**.

Office de Tourisme le Bailliage, Grand'Place (mars-déc.) ✆ 21 39 65 66.

Paris 239 ② – ♦Calais 61 ④ – Arras 58 ② – Béthune 24 ② – Boulogne-sur-Mer 66 ③ – ♦Lille 61 ① – Montreuil 55 ③.

Plan page ci-contre

Host. Trois Mousquetaires , Château de la Redoute **(a)** ✆ 21 39 01 11, Fax 21 39 50 10, « Parc avec pièce d'eau » – – 35. AE GB.
fermé mi-déc. à mi-janv. – **Repas** 115/340 ꝭ – ☐ 55 – **33 ch** 460/560 – ½ P 495/572.

à la gare de Berguette SE : 6 km par D 187 – ✉ **62330** Isbergues :

Le Buffet avec ch, ✆ 21 25 82 40, Fax 21 25 82 40, , – . GB
fermé 1er au 20 août, dim. soir et lundi sauf fériés – **Repas** 75/270 ꝭ – ☐ 25 – **4 ch** 140/180 – ½ P 180/230.

CITROEN Gar. Warmé, 14 r. Lyderic ✆ 21 39 00 31
RENAULT Gar. Noel, 5 pl. Jéhan-d'Aire ✆ 21 39 02 98 N ✆ 21 38 34 00
VAG Gar. Inglard, N 43 ✆ 21 38 00 11

Auto Pneu, 1 r. Alsace-Lorraine ✆ 21 39 07 08

AIRE-SUR-LA-LYS

Arras (R. d') 4
Bourg (R. du) 7
Grand-Place
St-Omer (R. de) 28
Vignette (R.) 37

Armes (Pl. d') 3
Béguines (Pl. des) 6
Carnot (Av.) 8
Château (Pl. du) 10
Château (R. du) 12
Clemenceau (Bd) 13
Doyen (R. du) 16
Fort Gassion (R. du) 17
Gaulle (Bd de) 18
Jehan-d'Aire (Pl.) 21
Leclerc (R. du Mar.) 23
Mardyck (R. de) 24
Notre-Dame (Pl.) 25
Paris (R. de) 26
St-Martin (R. de) 27
St-Pierre (Pl.) 29
St-Pierre (R.) 31
Tour Blanche (R. de la) 33
Vauban (Av.) 35

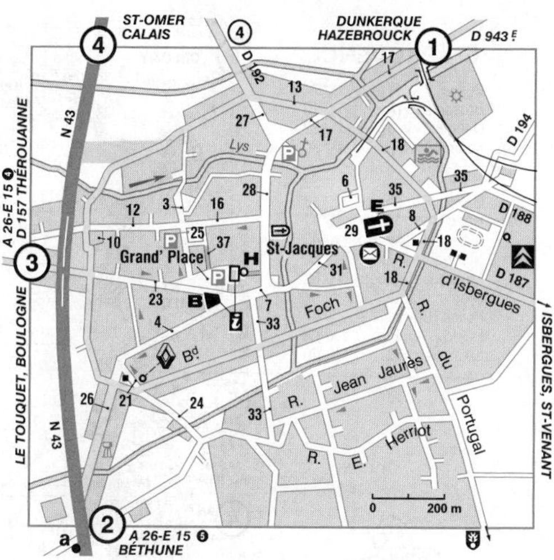

Demandez chez le libraire le catalogue des publications Michelin.

AISEY-SUR-SEINE **21400** Côte-d'Or 65 ⑧ – 172 h alt. 255.

Paris 252 – Chaumont 74 – Châtillon-sur-Seine 15 – ♦Dijon 69 – Montbard 27.

Roy , ☎ 80 93 21 63, Fax 80 93 25 74, – ☎ P. AE GB
fermé janv., lundi soir et mardi sauf juil.-août – **Repas** 70/230 , enf. 40 – ☐ 30 – **9 ch** 160/260 – ½ P 270.

AIX-EN-PROVENCE **13100** B.-du-R. 84 ③ 93 ⑬ 114 ⑮ **G. Provence** – 123 842 h alt. 206 – Stat. therm. (fermée) – Casino AZ.

Voir Le Vieil Aix★★ BXY : Cours Mirabeau★★ BY, Cathédrale St-Sauveur★ BX (Triptyque du Buisson Ardent★★) – Place de l'hôtel de ville★ BY 37, Cour★ de l'hôtel de ville BY **H** – Cloître St-Sauveur★ BX **N** – Quartier Mazarin★ BCY : fontaine des Quatre-Dauphins★ BY **S** – Musée Granet★ CY **M**[4] – Musée des Tapisseries★ BX **M**[2] – Fondation Vasarely★ AV **M**[5] O : 2,5 km.

18 d'Aix-Marseille ☎ 42 24 20 41, par ④ et D 9 : 8,5 km ; 18 du Château d'Arc à Fuveau ☎ 42 53 28 38, SE : 16 km par ② et D 6 ; 9 Set Golf International ☎ 42 64 11 82, O : 6 km par D 17 AV.

Office de Tourisme pl. Gén.-de-Gaulle ☎ 42 16 11 61, Télex 430466, Fax 42 16 11 62 – Automobile Club 7 bd J.-Jaurès ☎ 42 23 33 73, Fax 42 23 13 77.

Paris 759 ③ – ♦Marseille 31 ③ – Avignon 82 ④ – ♦Nice 176 ② – Sisteron 102 ① – ♦Toulon 81 ②.

Plans pages suivantes

Villa Gallici M , 18 bis av. Violette ☎ 42 23 29 23, Fax 42 96 30 45, ←, , – ▤ ch TV ☎ P – 25. AE O GB JCB BV **k**
Repas *(fermé vend. soir d'oct. à mai)* (résidents seul.) carte environ 270 – ☐ 95 – **15 ch** 880/1850, 4 appart – ½ P 850/1650.

Gd H. Roi René M, 24 bd Roi René ☎ 42 37 61 00, Télex 403328, Fax 42 37 61 11, , – ▤ TV ☎ – 150. AE O GB JCB BZ **b**
La Table du Roi : **Repas** 160, enf. 67 – ☐ 70 – **131 ch** 590/880, 3 appart – ½ P 500/575.

Mercure Paul Cézanne M sans rest, 40 av. V. Hugo ☎ 42 26 34 73, Fax 42 27 20 95, « Mobilier ancien » – ▤ TV ☎. AE O GB JCB BZ **h**
☐ 50 – **55 ch** 380/490.

Le Pigonnet , 5 av. Pigonnet ✉ 13090 ☎ 42 59 02 90, Télex 410629, Fax 42 59 47 77, , « Parc fleuri », – ▤ ch TV ☎ P – 60. AE O GB JCB AV **a**
Repas *(fermé sam. midi et dim. midi sauf juil.)* 250/320, enf. 150 – ☐ 95 – **52 ch** 500/1500 – ½ P 750/1000.

Holiday Inn Garden Court M, 5 rte Galice ✉ 13090 ☎ 42 20 22 22, Fax 42 59 96 61, , – ▤ TV ☎ – 100. AE O GB JCB. rest AV **u**
Repas 105/185 – ☐ 60 – **86 ch** 470/520, 4 appart – ½ P 400.

Novotel Beaumanoir M, Résidence Beaumanoir (sortie autoroute 3 Sautets) ☎ 42 27 47 50, Télex 400244, Fax 42 38 46 41, , – ▤ rest TV ☎ P – 100. AE O GB JCB BV **p**
Repas carte environ 160 , enf. 50 – ☐ 49 – **102 ch** 405/470.

AIX-EN-PROVENCE

Berger (Av. G.) . . . BV 7
Brossolette (Av.) . AV 13
Dalmas (Av. J.). . . AV 23
Ferrini (Av. F.) . . . . AV 30
Fourane (Av. de la). . . . . AV 32
Galice (Rte de) . . . AV 33
Isaac (Av. J.). . . . . BV 41
Malacrida (Av. H.) BV 48
Mauriat (Av. H.) . . BV 50
Minimes (Crs des) AV 52
Moulin (Av. J.) . . . BV 56
Poilus (Bd des) . . . BV 67
Prados (Av. E.) . . . AV 68
Solari (Av. Ph.) . . . AV 76

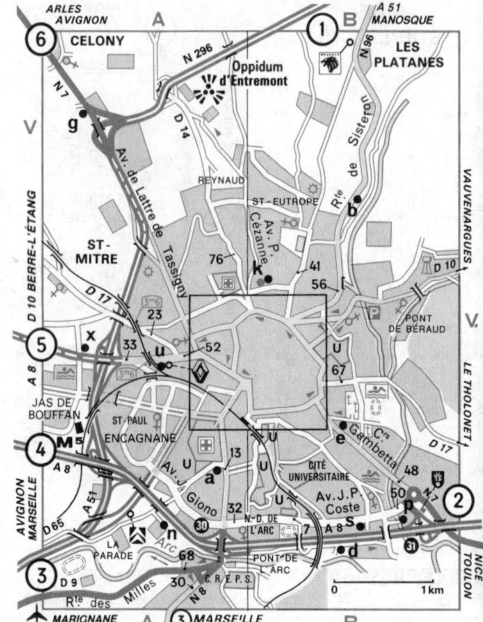

Bleu Marine [M], 42 rte Galice ✆ 42 95 04 41, Fax 42 59 47 29, 🍽, 🏋, 🏊 – |‡| ⚹ ▤ TV ☎ ♿ 🚗 – 🏛 50. AE ⦿ GB JCB — AV x
Repas 96/145, enf. 49 – ☕ 50 – **87 ch** 390/480.

Augustins [M] sans rest, 3 r. Masse ✆ 42 27 28 59, Fax 42 26 74 87 – |‡| ▤ TV ☎. AE ⦿ GB JCB. ⚹ — BY x
☕ 65 – **29 ch** 500/1200.

Gd H. Nègre Coste sans rest, 33 cours Mirabeau ✆ 42 27 74 22, Télex 440184, Fax 42 26 80 93 – |‡| TV ☎ P. AE ⦿ GB JCB — BY q
☕ 50 – **36 ch** 350/595.

Mascotte [M], av. Cible ✆ 42 37 58 58, Fax 42 37 58 59, 🍽, 🏊 – |‡| ⚹ ▤ TV ☎ ♿ P – 🏛 70. AE ⦿ GB — BV s
Repas 75/140 🍷, enf. 42 – ☕ 45 – **93 ch** 350/440 – ½ P 300/325.

St-Christophe [M], 2 av. V. Hugo ✆ 42 26 01 24, Télex 403608, Fax 42 38 53 17 – |‡| ▤ TV ☎ ♿ 🚗 – 🏛 30. AE GB JCB — BY a
Brasserie Léopold : **Repas** 100/150, 🍷, enf. 49 – ☕ 40 – **53 ch** 350/520, 4 duplex – ½ P 340/430.

Mozart 🔇 sans rest, 49 cours Gambetta ✆ 42 21 62 86, Fax 42 96 17 36 – |‡| TV ☎ 🚗 P. GB — BV e
48 ch ☕ 295/380.

Globe sans rest, 74 cours Sextius ✆ 42 26 03 58, Fax 42 26 13 68 – |‡| TV ☎ 🚗. AE ⦿ GB JCB — AY e
fermé 20 déc. au 1er fév. – ☕ 38 – **46 ch** 220/320.

Le Manoir 🔇 sans rest, 8 r. Entrecasteaux ✆ 42 26 27 20, Fax 42 27 17 97 – |‡| TV ☎ P. AE ⦿ GB JCB — AY d
fermé 12 janv. au 9 fév. – ☕ 35 – **42 ch** 310/499.

Campanile La Beauvalle, r. J. Andréani (par av. Pigonnet) ✉ 13090 ✆ 42 26 35 24, Fax 42 26 25 47, 🍽 – |‡| ⚹ ▤ TV ☎ 📞 ♿ P – 🏛 50. AE ⦿ GB — AV n
Repas 88 bc/114 bc, enf. 39 – ☕ 33 – **116 ch** 275.

Résidence Rotonde sans rest, 15 av. Belges ✆ 42 26 29 88, Fax 42 38 66 98 – |‡| TV ☎ P. AE ⦿ GB JCB — AZ u
fermé 25 nov. au 10 janv. – ☕ 35 – **42 ch** 250/380.

Quatre Dauphins sans rest, 54 r. Roux Alpheron ✆ 42 38 16 39, Fax 42 38 60 19 – TV ☎. AE GB — BY t
☕ 40 – **12 ch** 280/400.

AIX-EN-PROVENCE

Agard (Passage) . . . . CY 2
Bagniers (R. des) . . . . BY 4
Clemenceau (R.) . . . . BY 18
Cordeliers (R. des) . . . . BY 20
Espariat (R.) . . . . BY 26
Fabrot (R.) . . . . BY 28
Méjanes (R.) . . . . BY 51
Mirabeau (Cours) . . . . BY

Paul-Bert (R.) . . . . BX 66
Thiers (R.) . . . . CY 80

Bon-Pasteur (R.) . . . . BX 9
Boulégon (R.) . . . . BX 12
Brossolette (Av.) . . . . AZ 13
Cardeurs (Pl. des) . . . . BY 16
De-la-Roque (R. J.) . . . . BX 25
Hôtel-de-Ville (Pl.) . . . . BY 37
Italie (R. d') . . . . CY 42
Lattre-de-T. (Av.) . . . . AY 46
Matheron (R.) . . . . BY 49

Minimes (Crs. des) . . . . AY 52
Montigny (R. de) . . . . BY 55
Napoléon Bonaparte (Av.) . . . . . AY 57
Nazareth (R.) . . . . BY 58
Opéra (R. de l') . . . . CY 62
Pasteur (Av.) . . . . BX 64
Prêcheurs (Pl. des) . . . . CY 70
Richelme (Pl.) . . . . BY 72
Saporta (R. G.-de) . . . . BX 75
Verdun (Pl. de) . . . . CY 85
4-Septembre (R.) . . . . BZ 87

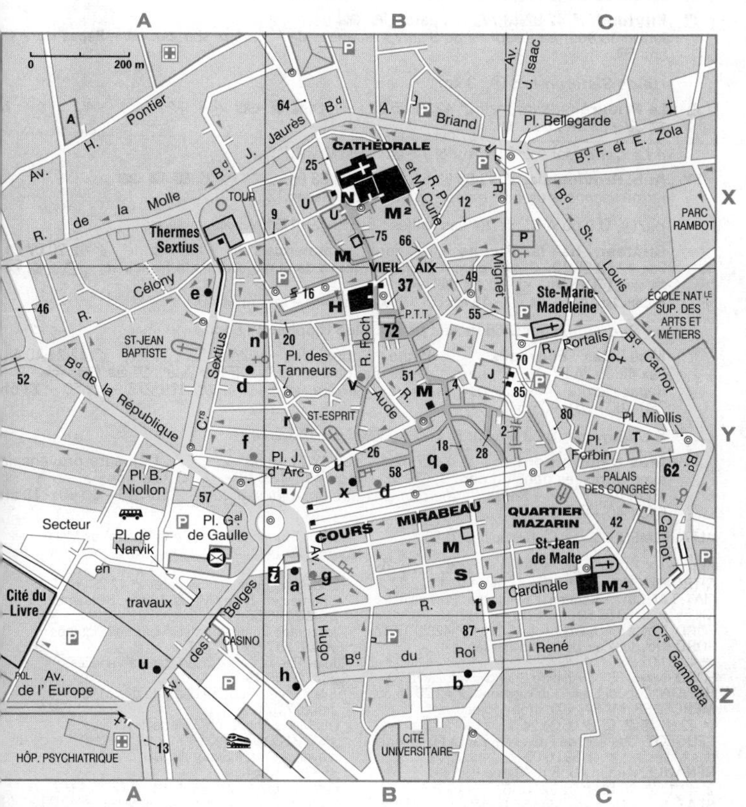

XXX ❀ **Clos de la Violette** (Banzo), 10 av. Violette ✆ 42 23 30 71, Fax 42 21 93 03, – ▤. AE GB. BV **k**
fermé lundi midi et dim. – **Repas** (nombre de couverts limité, prévenir) 200 (déj.), 350/470 et carte 400 à 520
Spéc. Barigoule de petits artichauts et ravioles de fenouil. Dos de loup rôti, paysanne de légumes façon pistou (mai à sept.). Canon d'agneau de lait en croûte d'herbes et jus au thym. **Vins** Coteaux d'Aix-en-Provence.

XXX **Les Frères Lani,** 22 r. Leydet ✆ 42 27 76 16, Fax 42 22 68 67 – ▤. AE GB JCB
fermé 1er au 20 août, 2 au 12 janv., lundi midi et dim. sauf fériés le midi – **Repas** 140 (déj.), 195/335 et carte 290 à 420. AY **f**

XX **Amphitryon,** 2 r. P. Doumer ✆ 42 26 54 10, Fax 42 38 36 15, – ▤. AE GB
Repas *(fermé lundi midi et dim.)* 92 (déj.), 130/280. BY **u**

XX **Abbaye des Cordeliers,** 21 r. Lieutaud ✆ 42 27 29 47, Fax 42 27 00 47, – GB
fermé 15 déc. au 15 janv., le midi en août, mardi sauf le soir en juil.-août et merc. midi – **Repas** 170/230. ABY **n**

XX **Côté Cour,** 19 cours Mirabeau ✆ 42 26 32 39, Fax 42 26 61 07, – AE ⓓ GB JCB
fermé 3 au 18 juin, 4 au 12 nov., dim. soir et lundi – **Repas** carte 170 à 230 🌡. BY **d**

X **Bistro Latin,** 18 r. Couronne ✆ 42 38 22 88, Fax 42 38 36 15 – ▤. AE ⓓ GB JCB
fermé lundi midi et dim. – **Repas** 99/150. BY

X **Chez Maxime,** 12 pl. Ramus ✆ 42 26 28 51, Fax 42 26 74 70, 余 – GB JCB. ✻ BY
fermé 15 au 31 janv., lundi midi et dim. – **Repas** 95 (déj.), 125/295 ♀.

X **Yôji,** 7 av. V. Hugo ✆ 42 38 48 76, 余 – ▤. AE GB JCB. ✻ BY
fermé lundi sauf le soir du 1er mai au 30 sept. – **Repas** - cuisine japonaise et coréenne - 5
(déj.), 119/198 ♀.

rte de St-Canadet par ① et D 13 : 9 km – ✉ **13100** Aix-en-Provence :

XX **Puyfond,** ✆ 42 92 13 77, 余, parc – P. GB
fermé 18 août au 8 sept., 2 au 9 janv., vacances de fév., dim. soir et lundi – **Repas** 130/200
enf. 60.

rte de Sisteron vers ① : 3 km :

Le Prieuré ⑤ sans rest, ✆ 42 21 05 23, ← – ☎ ✆ P. GB JCB. ✻ BV
▭ 39 – **23 ch** 298/400.

à Le Canet par ② : 8 km sur N 7 – ✉ **13590** Meyreuil :

XX **Aub. Provençale,** ✆ 42 58 68 54, Fax 42 58 68 05, 余 – ▤ P. AE ⓓ GB
fermé vacances de fév., mardi soir et merc. – **Repas** 125/250.

par ③, D 9 ou A 51, sortie Les Milles : 5 km – ✉ **13546** Aix-en-Provence :

Château de la Pioline ⑤, zone commerciale de la Pioline ✆ 42 20 07 81
Fax 42 59 96 12, ←, 余, parc, « Belle demeure dans un jardin à la française », ⛱ – |‡| ⇆
▤ rest TV ☎ P – 🏛 30. AE GB JCB
Repas 240/390 – ▭ 90 – **18 ch** 850/1300, 3 appart – ½ P 715/940.

au Sud-Ouest par D 65 (accès par av. Club Hippique) : 5 km :

Mas des Écureuils ⑤, Petite Route des Milles ✉ 13090 ✆ 42 24 40 48
Fax 42 39 24 57, ←, 余, parc, « Dans une pinède », ⛱ – TV ☎ ♿ P. AE ⓓ GB JCB
Repas *(fermé 24 au 29 déc., sam. midi et dim. sauf juil.-août)* 128/275 – ▭ 50 – **23 ch**
380/760 – ½ P 405/545.

à Celony par ⑥ : 3 km sur N 7 – ✉ **13090** Aix-en-Provence :

Mas d'Entremont ⑤, ✆ 42 17 42 42, Fax 42 21 15 83, ←, 余, « Demeure provençale
avec terrasses dans un parc », ⛱, ✻ – |‡| ▤ ch TV ☎ P – 🏛 50. GB JCB AV
15 mars-1er nov. – **Repas** *(fermé dim. soir et lundi midi sauf fériés)* 210/240 – ▭ 70 – **18 ch**
640/840 – ½ P 600/700.

ALFA ROMEO B B, av. Club Hippique, D 65 ✆ 42 59 01 32
BMW J.P.V. Diffusion, ZA la Pioline ✆ 42 16 20 70
CITROEN CNC, av. Club Hippique ✆ 42 17 22 22
FIAT, LANCIA Autorama, La Pioline, r. Boivoisin les Milles ✆ 42 59 52 52
FORD Novo, ZA la Pioline, les Milles ✆ 42 20 17 17
FORD Novo, 62 av. de Nice à Gardanne ✆ 42 51 02 84
FORD Novo, 39 bd Aristide Briand ✆ 42 23 16 20
HONDA Cogédis, av. Club Hippique ✆ 42 20 15 35
MERCEDES MASA, 40 r. Irma-Moreau ✆ 42 64 45 45 N ✆ 05 24 24 30
PEUGEOT Gds Gar. de Provence, ZA La Pioline, rte des Milles AV ✆ 42 39 00 00
RENAULT Verdun Aix, 5 rte Galice AV ✆ 42 17 26 26 N ✆ 91 97 08 15
SEAT Autos Nouveau Monde, la Pioline aux Milles ✆ 42 39 10 11
SKODA Arc Auto Racing, la Pioline aux Milles ✆ 42 39 10 19
VAG Touring Autom., ZA la Pioline, les Milles ✆ 42 20 14 08

Ⓜ Cambi Pneus, 9 r. Signoret ✆ 42 23 06 77
Euromaster, ZI des Milles, 128 av. Bessemer ✆ 42 24 46 56
Josserand Pneus, rte des Alpes, les Platanes ✆ 42 21 17 55
Jules Pneus, N 96, Quart Barry à Venelles ✆ 42 54 19 13
Jules Pneus, Pont de l'Arc, rte des Milles ✆ 42 27 67 02
Les Milles Pneus, ch. Valette, les Milles ✆ 42 24 30 90
Provence Pneus Sces, 15 bd J.-Jaurès ✆ 42 23 16 54
Pyrame, 122 cours Gambetta ✆ 42 26 40 62
Pyrame, 1230 r. Ampère ZI les Milles ✆ 42 39 91 48
Sornin, 7 cours Gambetta ✆ 42 21 29 93

AIX (Ile d') ★ **17123** Char.-Mar. **71** ⑬ **G. Poitou Vendée Charentes** – 199 h.

Accès par transports maritimes.

⛴ depuis la **Pointe de la Fumée** (2,5 km NO de Fouras). Traversée 25 mn - Renseignements et tarifs à Société Fouras-Aix, 14 bis cours des Dames (La Rochelle) ✆ 46 41 76 24.

⛴ depuis **La Rochelle.** Services saisonniers - Traversée 1 h - Renseignements : Croisières Inter Iles, 14 bis cours des Dames (La Rochelle) ✆ 46 50 51 88, Fax 46 41 16 96.

⛴ depuis **Boyardville** (Ile d'Oléron). Services saisonniers - Traversée 30 mn - Renseignements Inter Iles ✆ 46 47 01 45 (Boyarville).

AIX-LES-BAINS 73100 Savoie 74 ⑮ **G. Alpes du Nord** – 24 683 h alt. 200 – Stat. therm. (8 janv.-14 déc.) et Marlioz – Casinos Grand Cercle CZ, Nouveau Casino BZ.

Voir Esplanade au bord du Lac★ AX – Escalier★ de l'Hôtel de Ville CZ **H** – Musée Faure★ CY.

Env. Le tour du lac du Bourget★★ 51 km, en bateau★ : 4 h – Abbaye de Hautecombe★★ (Chant Grégorien), en bateau : 2 h – Renseignements sur excursions en bateau : Cie Savoyarde de Navigation, Grand Port ☎ 79 61 42 40 – ≤★★ sur lac du Bourget, à la Chambotte par ① : 14 km.

18 ☎ 79 61 23 35, par ③ : 3 km.

de Chambéry-Aix-les-Bains : ☎ 79 54 49 54, au Bourget-du-Lac par ④ : 8 km.

Office de Tourisme pl. M.-Mollard ☎ 79 35 05 92, Fax 79 88 89 69.

Paris 540 ④ – Annecy 33 ① – Bourg-en-Bresse 109 ④ – Chambéry 18 ④ – ◆Lyon 106 ④.

Plan page suivante

Park Hôtel du Casino M, av. Ch. de Gaulle ☎ 79 34 19 19, Fax 79 88 11 49, – – 400. AE GB CZ **x**
Brasserie du Parc : **Repas** 113/140, enf. 45 – 68 – **92 ch** 700/800, 10 appart – ½ P 470/520.

Ariana et Gd Café Adélaïde M, av. de Marlioz à Marlioz : 1,5 km ☎ 79 61 79 79, Fax 79 61 79 00, ≤, « Parc », – – 150. AE GB AX **a**
Repas 125/165, enf. 65 – 62 – **60 ch** 500/610 – P 480/535.

Le Manoir, 37 r. Georges-1er ☎ 79 61 44 00, Fax 79 35 67 67, – – 200. AE GB CZ **r**
fermé 22 déc. au 8 janv. – **Repas** 138/250 – 55 – **73 ch** 295/595 – ½ P 340/475.

Acquaviva M, av. de Marlioz à Marlioz : 1,5 km ☎ 79 61 77 77, Fax 79 61 77 00, ≤, « Parc » – cuisinette rest – 250. AE GB AX **s**
Repas 85/125 – 45 – **48 ch** 390/445, 52 studios – P 390/415.

Agora M, 1 av. Marlioz ☎ 79 34 20 20, Fax 79 34 20 30, – rest – 50. AE GB CZ **u**
Repas grill 78/148 – 45 – **60 ch** 295/415 – ½ P 285/325.

Palais des Fleurs M, 17 r. Isaline ☎ 79 88 35 08, Fax 79 35 42 79, – cuisinette – 40. GB. rest CZ **m**
hôtel : 1er fév.-30 nov. ; rest. : 1er mars-2 nov. – **Repas** 90 (dîner), 97/160 – 37 – **40 ch** 288/410 – P 346/365.

Vendôme, 12 av. Marlioz ☎ 79 61 23 16, Fax 79 88 93 77 – rest. AE GB. rest CZ **b**
15 mars-31 oct. – **Repas** 98/165 – 35 – **32 ch** 280/350 – P 320/340.

Beaulieu, 29 av. Ch. de Gaulle ☎ 79 35 01 02, Fax 79 34 04 82, – – 25. AE GB BCZ **r**
hôtel : 2 avril-20 déc. ; rest : 2 avril-15 nov. – **Repas** 95/250 – 37 – **31 ch** 210/275 – ½ P 298/313.

Eglantiers, 20 bd Berthollet ☎ 79 88 04 38, Fax 79 34 17 33 – rest – 25. AE GB JCB CZ **h**
fermé 15 fév. au 15 mars – ***Le Salon d'Elvire*** *(fermé merc. soir et dim. soir)* **Repas** 98/390 – 35 – **29 ch** 250/270 – ½ P 295/310.

Parc, 28 r. Chambéry ☎ 79 61 29 11, Fax 79 88 33 49, – rest. GB. rest CZ **n**
14 avril-30 oct. – **Repas** 100/135 – 35 – **47 ch** 290 – ½ P 280/290.

Cottage H., 9 r. Davat ☎ 79 35 00 55, Fax 79 88 22 85, – GB. rest CZ **k**
1er mars-11 nov. – **Repas** 85 (dîner), 95/110 – 30 – **50 ch** 270/290 – ½ P 250/310.

Cécil H. sans rest, 20 av. Victoria ☎ 79 35 04 12, Fax 79 61 32 08 – GB.
fermé 15 fév. au 15 mars – 30 – **21 ch** 200/280. CZ **a**

Revotel sans rest, 40 r. Genève ☎ 79 35 03 37, Fax 79 88 82 99 – AE GB. CZ **v**
fermé fin nov. à mi-janv. – 28 – **18 ch** 189/229.

Aub. St-Simond, 130 av. St-Simond ☎ 79 88 35 02, Fax 79 88 38 45, – AE GB AX **e**
fermé 26 déc. au 15 janv. – **Repas** *(fermé dim. soir de nov. à mars)* 78/148, enf. 50 – 38 – **25 ch** 190/290 – P 260/320.

Croix du Sud sans rest, 3 r. Dr Duvernay ☎ 79 35 05 87 – CZ **f**
début avril- mi-oct. – 30 – **16 ch** 138/230.

Brasserie de la Poste, 32 av. Victoria ☎ 79 35 00 65 – AE GB BZ **t**
fermé lundi – **Repas** 75/160, enf. 55.

au Grand Port : 3 km – 73100 Aix-les-Bains :

Adelphia M, 215 bd Barrier ☎ 79 88 72 72, Fax 79 88 27 77, ≤, centre de balnéo-thérapie, – AE GB JCB AX **d**
Repas 110/190 – 50 – **70 ch** 470/660 – ½ P 345/430.

La Pastorale, 221 av. Grand Port ☎ 79 63 40 60, Fax 79 63 44 26, « Jardin » – – 30. AE GB AX **u**
fermé 1er fév. au 15 mars – **Repas** 90/200 – 40 – **30 ch** 330/400 – ½ P 345.

AIX-LES-BAINS

Bains (R. des) . . . CZ 2
Carnot (Pl.) . . . . . CZ 6
Casino (R. du) . . . CZ 8
Chambéry (R. de) CZ 9
Davat (R.) . . . . . . CZ 15
Temple-de-Diane (Sq.) . . . . CZ 45

Berthollet (Bd) . . CZ 3
Boucher (Sq. A.) CY 5
Charcot (Bd J.) . . AX 10
Clemenceau (Pl.) BY 12
Dacquin (R.) . . . . CZ 13
Fleurs (Av. des) . CZ 16
Garrod (R. Sir-A.) CZ 18
Gaulle (Av. Ch.-de) . . CZ 19
Georges-1er (R.) . CZ 21
Lamartine (R.) . . . CZ 22
Lattre-de-Tassigny (Av. Mar.-de) . BY 23
Liège (R. de) . . . . CZ 24
Marlioz (Av. de) . AX 26
Mollard (Pl. M.) . CZ 27
Petit-Port (Av. du) AX 28
Pierpont-Morgan (Bd) . . . . BY 29
Prés-Riants (R.) . BY 30
République (R.) . CY 32
Revard (Pl. du) . . CZ 33
Roche-du-Roi (Bd de la) . . . . CZ 34
Rops (Av. D.) . . . AX 35
Roosevelt (Av. F.) AX 37
Russie (Bd de) . . AX 39
Seyssel (R. C.-de) CZ 40
Temple (R. du) . . CZ 43
Victoria (Av.) . . . . CZ 47
Zander (R. de l'Institut) CZ 48

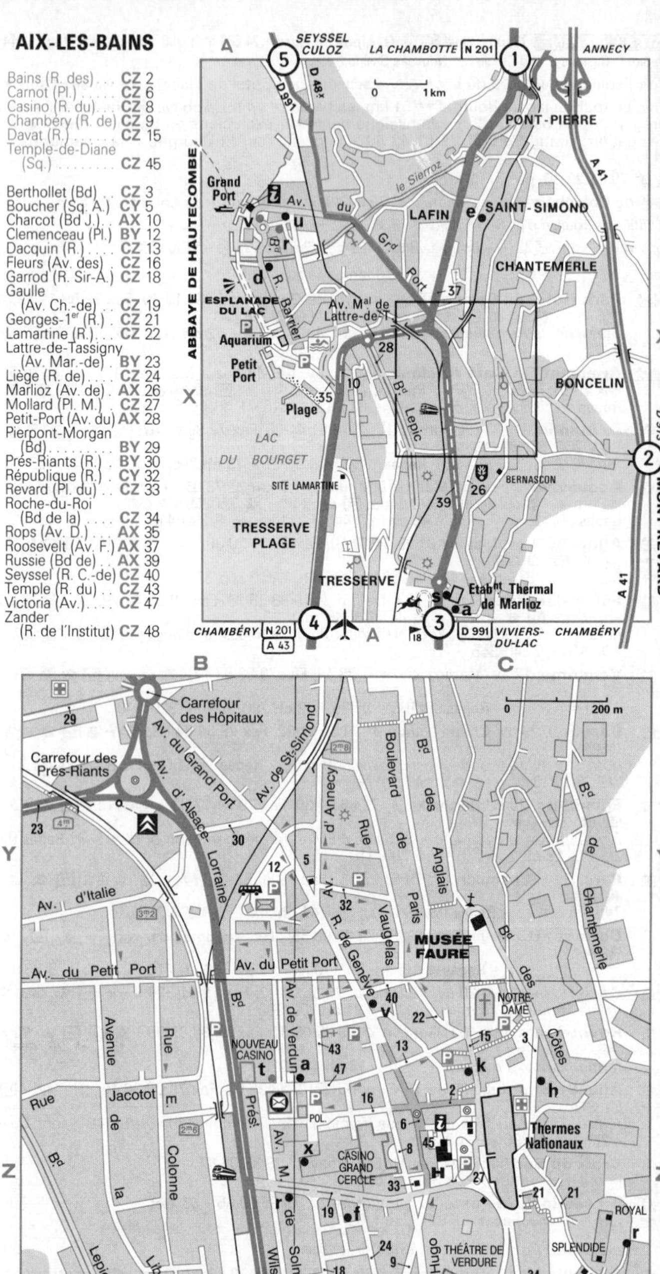

XXX **Lille** avec ch, ✆ 79 63 40 00, Fax 79 34 00 30, ☂, ⇌ – |‡| TV ☎ ♿ P – 🏛 25. AE ⓓ GB
fermé mardi soir et merc. de sept. à juil. – **Repas** (dim. et fêtes prévenir) 95/350 et carte 240 à 370 – ☕ 38 – **18 ch** 295/360. AX **v**

XX **Davat** 🔇 avec ch, à 100 m Grand Port ✆ 79 63 40 40, Fax 79 54 35 68, ☂, « Cadre de verdure, jardin fleuri » – TV ☎ P. AE GB AX **r**
fermé janv. et fév. – **Repas** *(fermé dim. soir et lundi sauf juil.-août)* (dim. prévenir) 88/250 – ☕ 35 – **20 ch** 215/280 – ½ P 370/400.

par la sortie ① :

à Grésy-sur-Aix : 5 km – 2 374 h. alt. 350 – ✉ 73100 :

X **Le Pont Neuf,** (près gare) ✆ 79 34 84 64 – P. GB
fermé 15 juil. au 5 août, vacances de fév., dim. soir et lundi – **Repas** 75/220 ₰.

par la sortie ③ :

à Viviers-du-Lac : 5 km – 1 144 h. alt. 270 – ✉ 73420 :

Chambaix H. sans rest, D 991 ✆ 79 61 31 11, Fax 79 88 43 69, ⛱, ⇌, 🎾 – |‡| TV ☎ ✆ P. AE ⓓ GB
☕ 35 – **29 ch** 250/320.

par la sortie ④ :

sur N 201 : 5 km – ✉ 73420 Viviers-du-Lac :

Assinie M sans rest, 85 rte du Bourget ✆ 79 54 40 07, Fax 79 54 40 76 – ▤ TV ☎ ♿ P – 🏛 30. GB
☕ 35 – **41 ch** 260/280.

XX **Week-end** 🔇 avec ch, ✆ 79 54 40 22, Fax 79 54 46 70, ≤, ☂ – ▤ rest TV ☎. GB
fermé 1er déc. au 15 janv. et lundi – **Repas** 98/230 ₰, enf. 50 – ☕ 35 – **13 ch** 160/290 – ½ P 265/275.

CITROEN Gar. Domenge, Les Prés Riants, 17 bd de Lattre-de-Tassigny ✆ 79 35 07 89
FORD Gar. Seigle, 41 av. Marlioz ✆ 79 61 09 55
LANCIA Gar. Coudurier-Curioz, 104 av. Marlioz ✆ 79 35 39 82
MITSUBISHI, PORSCHE Gar. du Mt-Blanc, 1 square A.-Boucher ✆ 79 35 22 60
PEUGEOT Gar. du Golf, D 991 à Drumettaz par ③ ✆ 79 61 12 88
ROVER Gar. de Savoie, 7 bd de Russie ✆ 79 61 26 80
TOYOTA Gar. Perrel, 11 square A.-Boucher ✆ 79 35 01 66
VAG SEAT Jean Lain Autom. Nord, ZAC Chauvets à Grésy-sur-Aix ✆ 79 34 80 00

Ⓜ Aix Pneus, 205 av. de St-Simond ✆ 79 88 11 56
Bollon Pneus, 11 av. de Marlioz ✆ 79 61 45 35

AIZENAY 85190 Vendée 67 ⑬ – 5 344 h alt. 62.

Office de Tourisme pl. de la Mutualité (saison) ✆ 51 94 62 72.

Paris 442 – La Roche-sur-Yon 17 – Challans 24 – ♦Nantes 59 – Les Sables-d'Olonne 32.

XX **La Sitelle,** 33 r. Mar. Leclerc ✆ 51 34 79 90 – P. GB
fermé 4 août au 1er sept., dim. soir et lundi – **Repas** 125 (déj.), 215 bc/280.

PEUGEOT Gar. Neau, ✆ 51 94 70 67
RENAULT Gar. Barre, 12 r. du Mar.-Leclerc ✆ 51 94 60 40

AJACCIO 2A Corse-du-Sud 90 ⑰ – voir à Corse.

ALBERT 80300 Somme 52 ⑨ G. Flandres Artois Picardie – 10 010 h alt. 65.

Office de Tourisme, 9 r. Gambetta ✆ 22 75 16 42, Fax 22 75 11 72.

Paris 151 – ♦Amiens 28 – Arras 39 – St-Quentin 56.

Royal Picardie M, rte Amiens ✆ 22 75 37 00, Fax 22 75 60 19 – ⇔ TV ☎ ♿ P – 🏛 80. GB
Repas *(fermé dim. soir)* 72/250 ₰ – ☕ 34 – **24 ch** 260/290 – ½ P 210.

Basilique, 3 r. Gambetta ✆ 22 75 04 71, Fax 22 75 10 47 – TV ☎ ✆ – 🏛 25. GB
fermé 11 au 25 août, 21 déc. au 11 janv., sam. soir hors sais. et dim. – **Repas** 76/230 ₰, enf. 50 – ☕ 33 – **10 ch** 290/300 – ½ P 260.

CITROEN Gar. Richard, 39-41 av. A.-France ✆ 22 75 27 76 N ✆ 05 05 24 24

ALBERTVILLE <SP> 73200 Savoie 74 ⑰ G. Alpes du Nord – 17 411 h alt. 344.

Voir à Conflans : Bourg★, Porte de Savoie ≤★ Y **B**.

Env. Route du fort du Mont ≤★★ E : 11 km par D 105 Y.

Office de Tourisme 11 r. Pargoud ✆ 79 32 04 22, Fax 79 32 87 09.

Paris 582 ① – Annecy 45 ① – Chambéry 50 ③ – Chamonix-Mont-Blanc 67 ① – ♦Grenoble 80 ③.

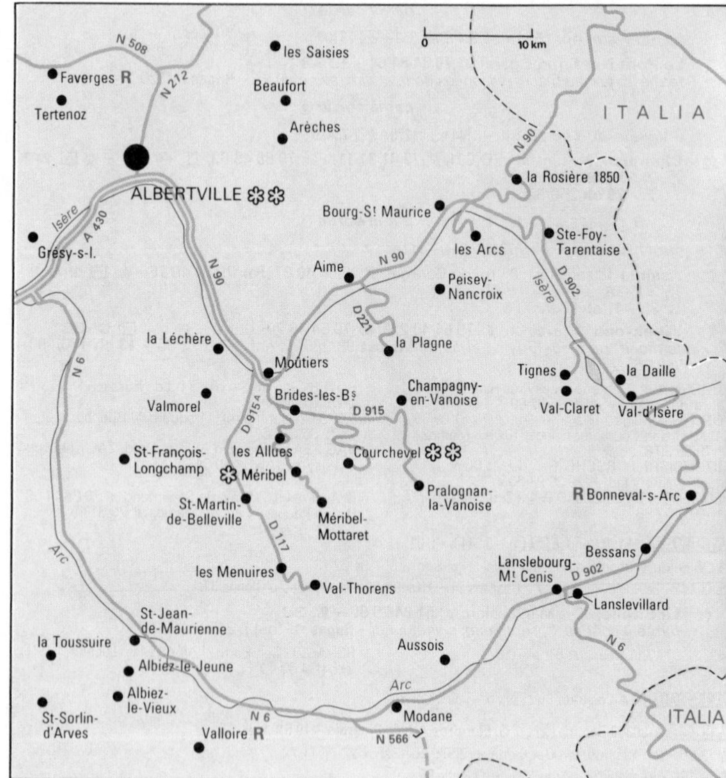

Million, 8 pl. Liberté ✆ 79 32 25 15, Fax 79 32 25 36, ... – ... rest ... – 30. AE GB JCB Y a
hôtel : fermé dim. soir du 1er sept. au 14 juil. ; rest : fermé dim. soir et lundi – **Repas** 170 bc/550 et carte 310 à 490 – ☕ 55 – **26 ch** 400/600 – ½ P 510/535
Spéc. Quenelles de langoustines, fleurette de crustacés. Blanc de féra grillé au blé grué. Abricots poêlés à la glace verveine (juil.-août). **Vins** Roussette de Savoie, Mondeuse.

Le Roma M, rte Chambéry par ③ : 4 km ✆ 79 37 15 56, Télex 980140, Fax 79 37 01 31 ... – ... rest ... – 450. AE GB
La Montgolfière : **Repas** 115/210, enf. 55 – ☕ 50 – **136 ch** 345/500, 10 appart – ½ P 320/445.

Albert 1er, 38 av. V. Hugo ✆ 79 37 77 33, Fax 79 37 89 01 – ... – 35. AE GB
Repas brasserie *(fermé dim. du 1er avril au 31 déc.)* 88/165, enf. 50 – ☕ 48 – **12 ch** 300/400 – ½ P 340. Y n

La Berjann sans rest, à l'Est par D 990, rte Tours ✆ 79 32 47 88, Fax 79 37 74 09, ... – ... GB.
☕ 35 – **11 ch** 200/300.

Ibis M, rte Chambéry par ③ : 4 km ✆ 79 37 89 99, Fax 79 37 89 98, ... – ... – 60. AE GB JCB
Repas 99 bc, enf. 39 – ☕ 35 – **75 ch** 270/310.

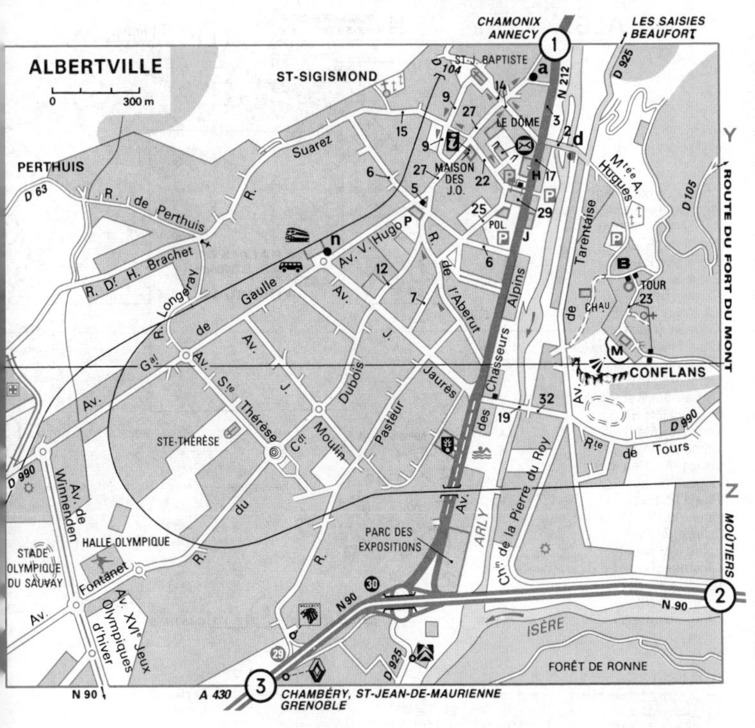

Gambetta (R.) . . . . Y 14
République (R. de la) . . . . Y 27

Adoubes (Pont des) . . . . Y 2
Allobroges (Quai des) . . . . . . Y 3
Bulle (Pl. Cdt) . . . . Y 5
Chautemps (R. F.) . . . . Y 6
Clemenceau (R.) . . . . Y 7
Coty (R. Président) . . . . Y 9
Docteur Mathias (R. J.-B.) . . . Y 12
Genoux (R. Cl.) . . . . Y 15
Hôtel-de-Ville (Crs) . . . . Y 17
Mirantin (Pont du) . . . . Z 19
Pargoud (R.) . . . . Y 22
Pérouse (R. G.) . . . . Y 23
Porraz (R. J.) . . . . Y 25
Soutiras (Square) . . . . Y 29
8 Mai 1945 (Av.) . . . . Z 32

XX **Bouchon des Adoubes,** Pont des Adoubes ✆ 79 32 27 43, Fax 79 31 21 41, ☂ – AE ⓓ GB — Y **d**
fermé 25 juin au 5 juil., vacances de Toussaint, mardi soir et merc. – **Repas** 70/85 ♁.

CITROEN Albertville Auto Diffusion, 9 rte de Grignon, pt. Albertin par D 925 ✆ 79 31 10 00
FIAT, LANCIA S.A.V.A., r. Lt Eysseric ✆ 79 32 06 82
FORD Tarentaise Auto, 1 rte de Grignon ✆ 79 32 04 98
PEUGEOT Arly Auto, 113 r. Pasteur ✆ 79 32 23 75 N ✆ 79 37 49 81
RENAULT S.A.G.A.M., N 90 ✆ 79 31 15 70 N ✆ 79 31 15 70
VAG Gar. Lain Autom., 1 r. R.-Piddat ✆ 79 32 31 97

Ⓦ Centrale du Pneu, ZI à La Bathie ✆ 79 31 02 98
Euromaster, ZI du Chiriac, 156 r. L.-Armand ✆ 79 32 04 60

En juin et en septembre,
les hôtels sont moins chers qu'en pleine saison, le service est plus soigné.

ALBI P **81000** Tarn 82 ⑩ **G. Pyrénées Roussillon** – **46 579 h alt. 174.**

Voir Cathédrale★★★ Y – Palais de la Berbie★ : musée Toulouse-Lautrec★★ Y **M** – Le vieil Albi★ YZ – Pont Vieux★ Y.

Env. Église St-Michel de Lescure★ 5,5 km par ①.

⛳18 de Las Bordes ✆ 63 54 98 07, O : 4 km par r. de la Berchère ; ⛳18 le Tilbury ✆ 63 55 20 50 à Florentin, O : 11 km par ⑤.

Autodrome 2 km par ⑤.

✈ Le Séquestre : T.A.T. ✆ 63 54 45 28, par ⑤.

i Office de Tourisme et Accueil de France Palais de la Berbie, pl. Ste-Cécile ✆ 63 49 48 80, Fax 63 49 48 98.

Paris 710 ⑤ – ♦Toulouse 75 ⑤ – Béziers 144 ④ – ♦Clermont-Ferrand 292 ① – ♦St-Étienne 358 ①.

ALBI

Lices G.-Pompidou . . . . YZ
Malroux (R. A.) . . . . Y 25
Mariès (R.) . . . . Y
Ste-Cécile (R.) . . . . Z 47
Timbal (R.) . . . . Z 58
Verdusse (R. de) . . . . Z 64
Vigan (Pl. du) . . . . Z

Alsace-Lorraine (Bd) V
Andrieu (Bd Ed.) . . . . X 2
Archevêché (Pl. de l') . . . . Y 3
Berchère (R. de la) . . . . Z
Bodin (Bd P.) . . . . X 5
Cantepau (R.) V
Carnot (Bd) X
Castelviel (R. du) . . . . Y 7
Choiseul (Quai) . . . . Y 8
Croix-Blanche (R. de la) . . . . Z 9
Croix-Verte (R. de la) . . . . . . V, YZ 12
Dembourg (Av.) . . . . V 13
Dr-Camboulives (R. du) . . . . Z 14
Empeyralots (R. d') . . . . Z 15
Foch (Av. Mar.) X
Gambetta (Av.) X
Gaulle (Av. Gén. de) X
Genève (R. de) . . . . Z 18
Grand (R. E.) . . . . Y
Hôtel-de-Ville (R. de l') . . . . Z 19
Jaurès (Pl. J.) . . . . Z
Joffre (Av. Mar.) . . . . X 22
Lacombe (Bd) . . . . X 23
Lamothe (R. de) . . . . V, Y
Lapérouse (Pl.) . . . . Z
Lattre-de-Tassigny (Av. de) . . . . . V 24

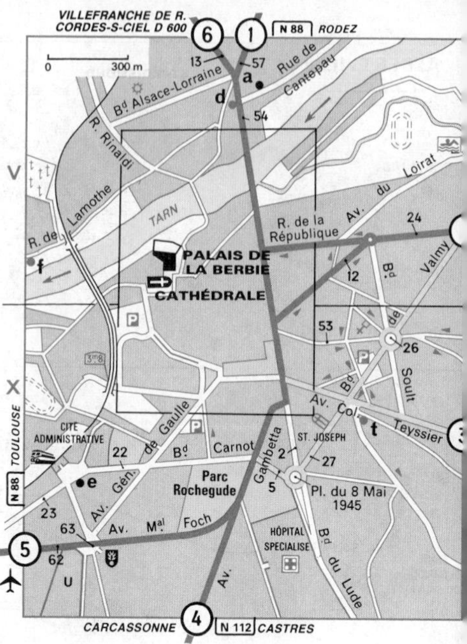

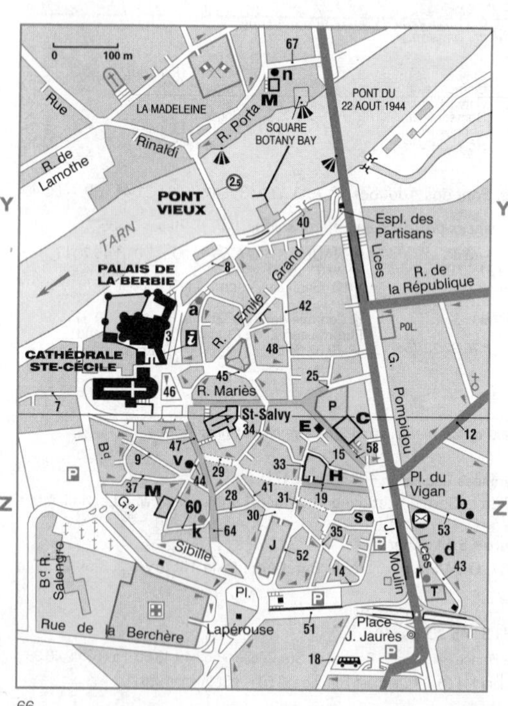

Lices Jean-Moulin . . . . Z
Loirat (Av. du) V
Lude (Bd du) X
Maquis (Pl. du) . . . . X 26
Montebello (Bd) . . . . X 27
Nobles (R. des) . . . . Z 28
Oulmet (R. de l') . . . . Z 29
Palais (Pl. du) . . . . Z 30
Palais (R. du) . . . . Z 31
Partisans (Espl. des) . . . . . . Y
Pénitents (R. des) . . . . Z 33
Peyrolière (R.) . . . . YZ 34
Porta (R.) . . . . Y
Porte Neuve (R.) . . . . Z 35
Puech-Bérenguier (R.) . . . . . Z 37
République (R. de la) . . . . . V, Y
Rinaldi (R.) . . . . Y
Rivière (R. de la) . . . . Y 40
Roquelaure (R.) . . . . Z 41
St-Afric (R.) . . . . Y 42
St-Antoine (R.) . . . . Z 43
St-Clair (R.) . . . . Z 44
St-Julien (R.) . . . . Y 45
Ste-Cécile (Pl.) . . . . Y 46
Ste-Claire (R.) . . . . Y 48
Savary (R. H.) . . . . Z 51
Sel (R. du) . . . . Z 52
Séré-de-Rivières (R.) . . . . . . Z 53
Sibille (Bd Gén.) . . . . Z
Soult (Bd) VX
Strasbourg (Bd de) . . . . V 54
Teyssier (Av. Col.) X
Thomas (Av. A.) . . . . V 57
Toulouse-Lautrec (R. H. de) . . . . Z 60
Valmy (Bd. de) VX
Verdier (Av. F.) . . . . X 62
Verdun (Pl. de) . . . . X 63
Visitation (R. de la) . . . . Y 67
8-Mai-1945 (Pl. du) X

La Réserve M, rte Cordes par ⑥ : 3 km ✆ 63 60 80 80, Fax 63 47 63 60, ←, « Dans un parc au bord du Tarn », – 50. AE GB JCB
mai-oct. – **Repas** 125 (déj.), 160/300, enf. 60 – 70 – **24 ch** 490/1000 – ½ P 580/900.

Host. St Antoine M, 17 r. St Antoine ✆ 63 54 04 04, Télex 520850, Fax 63 47 10 47, « Jardin, meubles anciens » – ch – 30 à 50. AE GB JCB
Repas *(fermé dim. sauf le soir de mai à sept. et sam. midi)* 140/280, enf. 60 – 60 – **44 ch** 360/850 – ½ P 390/590. Z **d**

Chiffre, 50 r. Séré-de-Rivières ✆ 63 54 04 60, Fax 63 47 20 61 – – 25 à 100. AE GB Z **b**
Repas *(fermé dim. de nov. à fin mars)* 95/210, enf. 55 – 38 – **40 ch** 270/470 – ½ P 335/395.

Mercure M, 41 bis r. Porta ✆ 63 47 66 66, Télex 532596, Fax 63 46 18 40, ← le Tarn et la cathédrale, – AE GB JCB Y **n**
Repas *(fermé 22 au 31 déc., dim. midi et sam.)* 100/180 – 55 – **56 ch** 395/520.

Gd H. Orléans, pl. Stalingrad ✆ 63 54 16 56, Fax 63 54 43 41, – – 50. AE GB JCB X **e**
fermé 19 déc. au 4 janv. – **Repas** *(fermé sam. midi et dim.)* 115/250, enf. 65 – 45 – **56 ch** 350/550 – ½ P 300/340.

Le Vigan, 16 pl. Vigan ✆ 63 54 01 23, Fax 63 47 05 42, – – 35. AE GB Z **s**
Repas 92/175, enf. 45 – 32 – **40 ch** 240/350 – ½ P 220/260.

Cantepau sans rest, 9 r. Cantepau ✆ 63 60 75 80, Fax 63 47 57 91 – . AE GB. V **a**
fermé 21 déc. au 6 janv. – 32 – **33 ch** 225/245.

St-Clair sans rest, 8 r. St-Clair ✆ 63 54 25 66 – . GB Z **v**
fermé 20 au 28 déc., 5 au 25 janv. et sam. de nov. à mars – 34 – **11 ch** 210/300.

Moulin de La Mothe, r. de la Mothe ✆ 63 60 38 15, Fax 63 60 38 15, ←, , parc, « Au bord du Tarn » – . AE GB V **f**
fermé vacances de Toussaint, de fév., dim. soir et merc. sauf juil.-août – **Repas** 140/180, enf. 60.

Bateau Ivre, 17 r. Engueysses ✆ 63 38 08 06, Fax 63 47 49 90 – AE GB JCB Y **a**
fermé jeudi – **Repas** 100/350, enf. 55.

Jardin des Quatre Saisons, 19 bd Strasbourg ✆ 63 60 77 76, Fax 63 60 77 76 – . AE GB V **d**
fermé lundi – **Repas** 130/160 bc.

Rest. Pujol, 22 av. Col. Teyssier ✆ 63 47 97 19, Fax 63 47 06 16 – . AE GB X **t**
fermé 22 juil. au 4 août, dim. soir et lundi midi – **Repas** 130/240.

Le Vieil Alby avec ch, 25 r. Toulouse-Lautrec ✆ 63 54 14 69, Fax 63 54 96 75, – rest . AE GB JCB. ch Z **k**
fermé 24 juin au 8 juil., 1er au 21 janv., dim. en juil.-août, dim. soir et lundi de sept. à juin – **Repas** 85/250, enf. 55 – 35 – **9 ch** 240/290 – ½ P 270/280.

Le Théâtre, 9 Lices J. Moulin ✆ 63 54 03 16, Fax 63 47 10 47, – . AE GB JCB Z **r**
fermé 4 au 15 août, lundi midi et dim. – **Repas** 75/100, enf. 42.

à Castelnau-de-Lévis par ⑥, D 600 et D 12 : 7 km – 1 308 h. alt. 221 – ✉ **81150** :

La Taverne, ✆ 63 60 90 16, Fax 63 60 96 73, – . AE GB
fermé 23 sept. au 13 oct., dim. soir en hiver et lundi – **Repas** 113/380.

ALFA ROMEO, FIAT Autom. Service, rte de Castres ✆ 63 54 03 02
CITROEN Gar. Marlaud, rte de Rodez, Lescure par ① ✆ 63 60 70 84
FORD Albi Auto, 22 av. A.-Thomas ✆ 63 60 79 03
LADA, VOLVO Gar. Grimal, 128 av. A.-Thomas ✆ 63 60 72 05
MERCEDES Antras Auto Albi, 900 r. du Roc Zone Albitech ✆ 63 47 19 40
NISSAN Mauries Autom., 101 av. Gambetta ✆ 63 54 06 75
PEUGEOT Gd Gar. Albigeois, 15 r. J.-Monod, Val de Caussels par ② ✆ 63 47 54 31 N ✆ 63 47 86 34

RENAULT Rossi Autom., 179 av. Gambetta par ④ ✆ 63 48 18 88 N ✆ 63 47 87 21
VAG Centre Auto Tarnais, rte de Castres ✆ 63 54 36 44

Bellet Pneus, rte de Castres ✆ 63 54 23 47
Escoffier Pneus Vulcopneu, 101 av. F.-Verdier ✆ 63 54 04 99
Euromaster, 30 r. Ampère, ZI de Jarlard ✆ 63 46 01 07
Soulet Vulcopneu, 51 av. A.-Thomas ✆ 63 60 71 98

ALBIEZ-LE-JEUNE 73300 Savoie 77 ⑦ – 61 h alt. 1350.
Paris 631 – Albertville 77 – Chambéry 87 – St-Jean-de-Maurienne 15 – St-Michel-de-Maurienne 22.

L'Escale ⑤, ☎ 79 59 85 08, Fax 79 64 32 40, ← – ☎. GB
fermé 12 nov. au 16 déc. et merc. hors sais. – **Repas** 85/250 – ☐ 30 – **12 ch** 210 – ½ P 260.

ALBIEZ-LE-VIEUX 73300 Savoie 77 ⑦ – 301 h alt. 1560.
Voir Col du Mollard ←* S : 3 km, **G. Alpes du Nord.**
Office de Tourisme ☎ 79 59 30 48, Fax 79 59 32 30.
Paris 635 – Albertville 81 – Chambéry 91 – St-Jean-de-Maurienne 17 – St-Sorlin-d'Arves 14.

La Rua ⑤, ☎ 79 59 30 76, Fax 79 59 33 15, ← – ☎ P. GB. ✻ rest
15 juin-15 sept. et 15 déc.-15 avril – **Repas** 80/145, enf. 50 – ☐ 32 – **22 ch** 217/268 – ½ P 285.

ALBIGNY-SUR-SAONE 69 Rhône 74 ① – rattaché à Neuville-sur-Saône.

Les ALBRES 12220 Aveyron 80 ① – 342 h alt. 450.
Paris 596 – Rodez 46 – Decazeville 10,5 – Figeac 19 – Villefranche-de-Rouergue 35.

Frechet, ☎ 65 80 42 46, ⛱ – TV ☎. GB
Repas 57/170 ♁, enf. 50 – ☐ 30 – **18 ch** 215 – ½ P 240.

ALBY-SUR-CHÉRAN 74540 H.-Savoie 74 ⑯ **G. Alpes du Nord** – 1 224 h alt. 397.
Paris 543 – Annecy 18 – Aix-les-Bains 20 – Chambéry 37.

Alb'H., ☎ 50 68 24 93, Fax 50 68 13 01, ⛱, 🌳 – TV ☎ ✆ ♿ P – 🏛 40. AE ⓓ GB
Repas grill *(fermé sam. midi et dim. sauf du 15 juin au 30 août)* 70/110 ♁, enf. 40 – ☐ 32 – **37 ch** 300/310 – ½ P 222/232.

ALENÇON P 61000 Orne 60 ③ **G. Normandie Cotentin** – 29 988 h alt. 135.
Voir Église N.-Dame* (vitraux*) – Musée des Beaux-Arts et de la Dentelle* : collection de dentelles** BZ **M** – Musée de la Dentelle : collection de dentelles** CZ **M**[1].
Env. Forêt de Perseigne* 9 km par ③.
Office de Tourisme Maison d'Ozé ☎ 33 26 11 36, Fax 33 32 10 53 – Automobile Club 2 cours Clemenceau ☎ 33 32 27 27.
Paris 192 ② – Chartres 119 ③ – Évreux 116 ② – Laval 92 ⑤ – ◆Le Mans 48 ④ – ◆Rouen 146 ①.

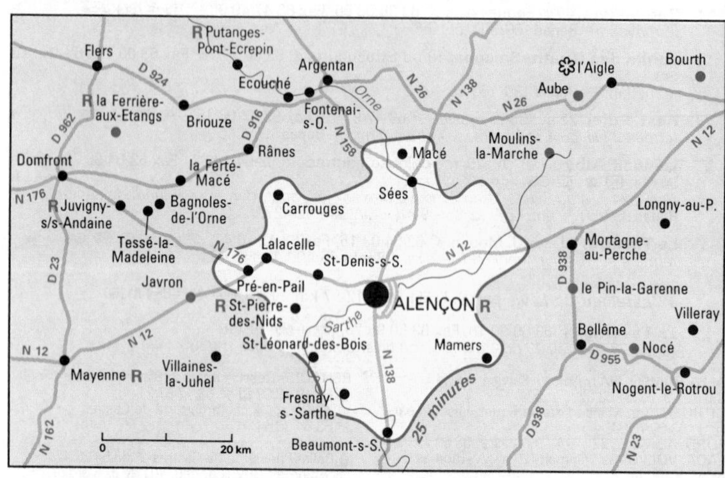

Arcade M sans rest, 187 av. Gén. Leclerc par ④ ☎ 33 28 64 64, Fax 33 28 64 72 – 🛗 ⇔ TV ☎ ✆ ♿ P – 🏛 50. AE GB
☐ 35 – **55 ch** 250/275.

Chapeau Rouge sans rest, 3 bd Duchamp ☎ 33 26 20 23, Fax 33 26 54 05 – TV ☎ ✆ P. AE GB AY **v**
☐ 30 – **16 ch** 160/280.

Ibis sans rest, 13 pl. Poulet Malassis ☎ 33 26 55 55, Fax 33 26 02 88 – 🛗 ⇔ TV ☎ ♿. AE ⓓ GB CZ **n**
☐ 35 – **52 ch** 250/270.

Marmotte, rte de Rouen par ① : 2 km ✉ 61250 Valframbert ☎ 33 27 42 64, Fax 33 27 52 62 – TV ☎ ♿ P – 🏛 50. GB
Repas 72/92 ♁, enf. 38 – ☐ 27 – **45 ch** 175/198.

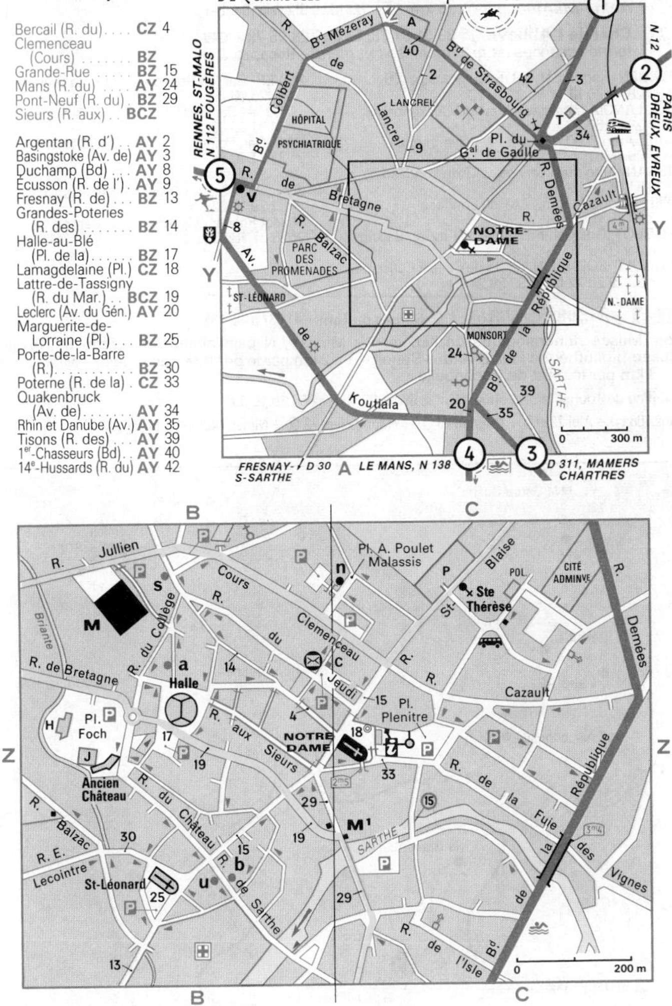

XXX **Au Petit Vatel,** 72 pl. Cdt Desmeulles ☎ 33 26 23 78, Fax 33 82 64 57 – AE ⓓ GB
fermé 29 juil. au 18 août, vacances de fév., dim. soir et merc. – **Repas** 118 (déj.), 198/238 et carte 240 à 320. BZ **s**

XX **Escargot Doré,** 183 av. Gén. Leclerc par ④ ☎ 33 28 67 67, Fax 33 27 77 39 – P. GB
fermé 15 juil. au 6 août, dim. soir et lundi – **Repas** 98/255, enf. 50.

XX **Au Jardin Gourmand,** 14 r. Sarthe ☎ 33 32 22 56, Fax 33 82 62 60 – GB BZ **u**
fermé 8 au 29 juil., dim. soir et lundi – **Repas** 90/160.

XX **Grand St-Michel** avec ch, 7 r. Temple ☎ 33 26 04 77, Fax 33 26 71 82 – TV ☎ ✆ 🚗. AE ⓓ GB BZ **a**
fermé 7 juil. au 5 août et vacances de fév. – **Repas** *(fermé dim. soir et lundi)* 95/265 ♁, enf. 50 – ☕ 28 – **13 ch** 145/260 – ½ P 180/230.

X **Le Bistrot,** 21 r. Sarthe ☎ 33 26 51 69 – GB BZ **b**
fermé vacances de printemps, 1er au 21 août, 24 déc. au 1er janv., dim. et lundi – **Repas** 69 ♁.

rte de Mamers par ③ : 5 km – ✉ **72610** Le Chevain (Sarthe) :

XX **Chai de l'Abbaye,** ✆ 33 31 81 78, Fax 33 28 95 79 – GB
fermé vacances de fév., mardi soir et merc. – **Repas** 89/225.

CITROEN Roques, N 138 rte du Mans par ④ ✆ 33 28 10 20 **N** ✆ 33 28 10 20
FIAT, LANCIA Kosellek, 45 av. de Quakenbruck ✆ 33 29 40 67
FORD Auto 3000, 132 av. de Quakenbruck ✆ 33 29 45 61
NISSAN Auto maxi service, ZAT du Londeau ✆ 33 31 06 06
OPEL Europe Autom., ZAT du Londeau ✆ 33 27 75 75
PEUGEOT Gds Gar. de l'Orne, 111 av. de Basingstoke par ① ✆ 33 29 22 22
RENAULT SODIAC, N 12, rte de Paris à Cerisé par ② ✆ 33 29 20 22 **N** ✆ 33 28 24 19
ROVER Gar. de Bretagne, 141 r. de Bretagne ✆ 33 26 08 27
TOYOTA Gar. Baroche, 136 av. Rhin-et-Danube ✆ 33 31 00 00
VAG Gar. Poirier, 36 r. Ampère, ZI Nord ✆ 33 31 10 74

Alençon Pneus, 71 av. de Basingstoke ✆ 33 29 16 22
Marsat Pneus, ZI Nord, 26 r. L.-Carnot ✆ 33 27 78 83

ALÈS SP **30100** Gard 80 ⑰ ⑱ **G. Gorges du Tarn** – 41 037 h alt. 136.

Voir Musée minéralogique de l'Ecole des Mines★, N par l'avenue de Lattre de Tassigny – Musée-bibliothèque Pierre-André-Benoit★, O : 2 km par le pont de Rochebelle – Mine-témoin★ O : 3 km par le pont de Rochebelle.

Office de Tourisme pl. Gabriel-Péri ✆ 66 52 32 15, Fax 66 30 15 90.

Paris 708 ② – Albi 231 ③ – Avignon 73 ③ – ◆Montpellier 72 ③ – Nîmes 44 ③ – Valence 147 ②.

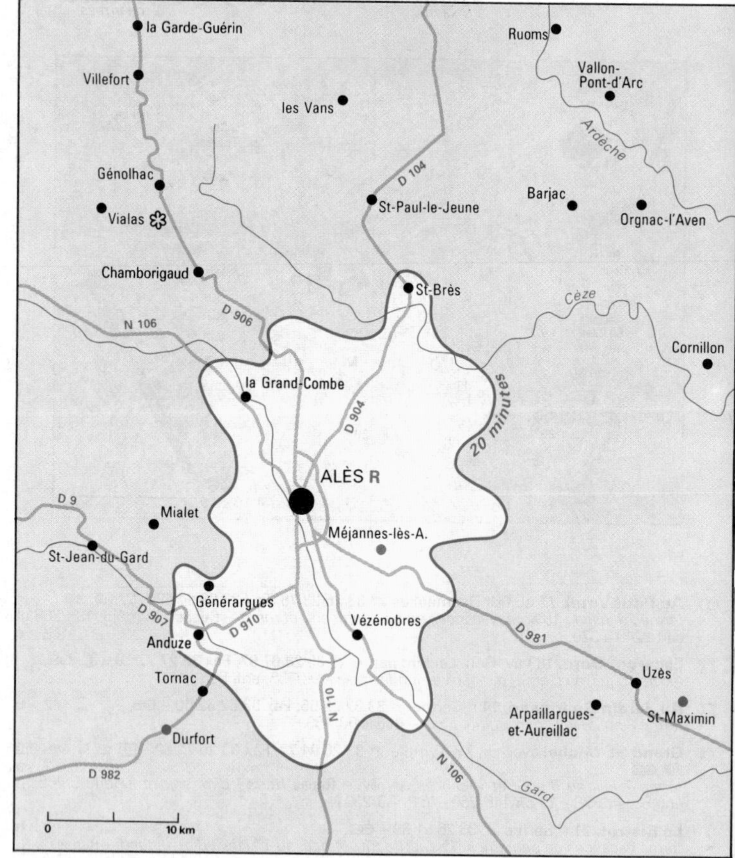

ALÈS

Avéjan (R. d') . . . . B
Docteur-Serres (R.) . . . . . B
Edgar-Quinet (R.) . . . . . . B
Louis-Blanc (Bd) . . . . B
St-Vincent (R.) . . . . B 15
Taisson (R.) . . . . B 19

Albert-1er (R.) . . . . B 2
Audibert (R. Cdt) . . . . A 3
Barbusse (Pl. Henri) . . . . . B 4
Hôtel-de-Ville (Pl. de l') . . A 5
Lattre de Tassigny (Av. de) . . . . . B 6
Leclerc (Pl. Gén.) . . . . B 8
Martyrs-de-la-Résistance (Pl.) . . . . . . B 9

Michelet (R.) . . . . B 10
Paul (R. Marcel) . . . . B 12
Péri (Pl. Gabriel) . . . . B 13
Rollin (R.) . . . . A 14
Semard (Pl. Pierre) . . . . . . B 16
Soleil (R. du Faubourg-du) . . B 17
Stalingrad (Av. de) . . . . . . B 18
Talabot (Bd) . . . . B 20

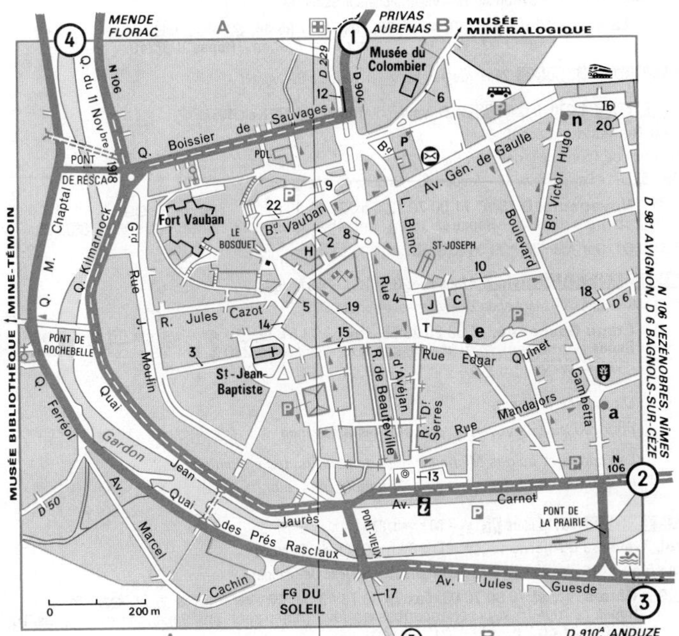

Ceven'H., 18 r. E. Quinet ☎ 66 52 27 07, Télex 480830, Fax 66 52 36 33 – 30 à 50. AE GB — B e
Repas *(fermé sam., dim. et fériés)* 67 (déj.), 89/145 – 45 – **75 ch** 300/320.

Le Riche avec ch, 42 pl. Sémard ☎ 66 86 00 33, Fax 66 30 02 63, salle 1900 – rest – 25. GB — B n
fermé 1er au 25 août – **Repas** 97/290 – 37 – **19 ch** 220/320 – ½ P 240/260.

Parc, 174 rte Nîmes par ② : 2 km ☎ 66 30 62 33, Fax 66 30 98 54, – P. AE GB
Repas *(fermé dim. soir et lundi)* 100/260.

Le Guévent, 12 bd Gambetta ☎ 66 30 31 98 – GB — B a
fermé 20 juil. au 19 août, sam. midi et dim. soir de sept. à mai, sam. et dim. de juin à août – **Repas** 128/250.

rte de Nîmes par ② : 4 km sur N 106 – ✉ **30560** St-Hilaire-de-Brethmas :

Aub. de St-Hilaire, ☎ 66 30 11 42, Fax 66 86 72 79, – P. GB
fermé dim. soir et lundi sauf fériés – **Repas** 170/390 et carte 240 à 340, enf. 70.

à Méjannes-lès-Alès par ② et D 981 : 7,5 km – 810 h. alt. 141 – ✉ **30340** Salindres :

Aub. des Voutins, ☎ 66 61 38 03, – P. AE GB
fermé vacances de fév., dim. soir et lundi sauf fériés – **Repas** 150/320.

BMW Méridional Autos, 571 ch. de la Tourtugue Rocade Est ☎ 66 30 14 14
CITROEN Rokad Auto, Rocade Est, Rd-Pt A.-Citroën ☎ 66 86 25 25 N ☎ 66 30 08 73
FIAT Cévennes Autom., rte d'Aubenas à St-Martin-de-Valgalgues ☎ 66 30 22 46
NISSAN Auto Hall, Rocade Sud ☎ 66 52 24 41
PEUGEOT Gar. Guiraud, 1165 rte d'Uzès par ② ☎ 66 56 28 28 N ☎ 66 78 01 15

RENAULT Auto Christol, Quai du Mas d'Hours ☎ 66 56 22 22 N ☎ 05 05 15 15

Ayme Pneus, av. Rameau, ZI Croupillac ☎ 66 30 22 10
Escoffier Pneus Vulcopneu, ZI av. Frères-Lumière ☎ 66 56 77 77
Rouveyran, rte de Nîmes à St-Hilaire-de-Brethmas ☎ 66 61 33 30

ALFORTVILLE 94 Val-de-Marne 61 ①, 101 ㉗ – voir à Paris, Environs.

ALGAJOLA **2B** H.-Corse 90 ⑬ – voir à Corse.

ALISE-STE-REINE **21** Côte-d'Or 65 ⑱ – rattaché à Venarey-les-Laumes.

ALISSAS **07** Ardèche 76 ⑲, 77 ⑪ – rattaché à Privas.

ALIX **69380** Rhône 73 ⑨ 74 ① – 665 h alt. 287.

Paris 447 – ♦Lyon 29 – L'Arbresle 12 – Villefranche-sur-Saône 13.

X **Le Vieux Moulin,** ✆ 78 43 91 66, Fax 78 47 98 46, ⛱ – 🅿. GB
fermé 12 août au 10 sept., lundi et mardi sauf fériés – **Repas** 103/240.

ALLAS-LES-MINES **24** Dordogne 75 ⑰ – rattaché à St-Cyprien.

ALLÈGRE **43270** H.-Loire 76 ⑥ **G. Vallée du Rhône** – 1 176 h alt. 1057.

Voir Ruines du château ✻★.

Office de Tourisme r. du Mont Bar ✆ 71 00 72 52.

Paris 527 – Le Puy-en-Velay 28 – Ambert 45 – Brioude 40 – Langeac 31.

Voyageurs, D 13 ✆ 71 00 70 12, Fax 71 00 20 67, 🏊 – TV ☎ 🅿. GB
15 mars-15 déc. – **Repas** 65/150 ♁, enf. 45 – ☕ 35 – **23 ch** 195/280 – ½ P 185/215.

PEUGEOT Gar. Marrel, ✆ 71 00 70 62 N ✆ 71 00 70 62

ALLEMANS-DU-DROPT **47800** L.-et-G. 79 ④ – 455 h alt. 44.

Paris 586 – Agen 66 – Marmande 29 – Villeneuve-sur-Lot 47.

Étape Gasconne, ✆ 53 20 23 55, Fax 53 93 51 42, 🏊, 🌳 – ▤ rest TV ☎ 📞. GB
Repas *(fermé sam. midi et dim. soir hors sais.)* 60 bc/230 ♁, enf. 48 – ☕ 30 – **27 ch** 180/290 – ½ P 210/260.

Un conseil Michelin :

pour réussir vos voyages, préparez-les à l'avance.

Les cartes et guides Michelin, vous donnent toutes indications utiles sur : itinéraires, visite des curiosités, logement, prix, etc.

ALLEMONT **38114** Isère 77 ⑥ – 600 h alt. 830.

Voir Traverse d'Allemont ✻★★ O : 6 km, **G. Alpes du Nord.**

Paris 615 – ♦Grenoble 45 – Le Bourg-d'Oisans 10 – St-Jean-de-Maurienne 60 – Vizille 27.

Giniès 🐎, ✆ 76 80 70 03, Fax 76 80 73 13, ≤, ⛱, 🌳 – TV ☎ ♿ 🅿. GB. ✗
Repas *(2 mai-15 sept. et vacances de fév.)* (dîner seul. aux vacances de fév.) 98/180 ♁ – ☕ 38 – **27 ch** 210/280 – ½ P 245/280.

ALLEVARD **38580** Isère 74 ⑯ 77 ⑥ **G. Alpes du Nord** – 2 558 h alt. 470 – Stat. therm. (17 mai-28 sept.) – Sports d'hiver au Collet d'Allevard : 1 450/1 700 m ⛷13.

Voir Route du Collet★★ par D 525^A – Route de Brame-Farine★ NE par Av. Louaraz.

Office de Tourisme pl. Résistance ✆ 76 45 10 11, Fax 76 97 59 32.

Paris 578 ① – ♦Grenoble 39 ② – Albertville 50 ① – Chambéry 34 ① – St-Jean-de-Maurienne 68 ①.

ALLEVARD

Rues piétonnes en saison thermale

Baroz (R. Emma)	2
Bir-Hakeim (R. de)	3
Charamil (R.)	5
Chataing (R. Laurent)	6
Chenal (R.)	7
Davallet (Av.)	8
Docteur-Mansord (R.)	9
Gerin (Av. Louis)	15
Grand-Pont (R. du)	19
Libération (R. de la)	21
Louaraz (Av.)	22
Niepce (R. Bernard)	23
Ponsard (R.)	24
Rambaud (Pl. P.)	25
Résistance (Pl. de la)	27
Savoie (Av. de)	28
Thermes (R. des)	29
Verdun (Pl. de)	32
8-Mai-1945 (R. du)	34

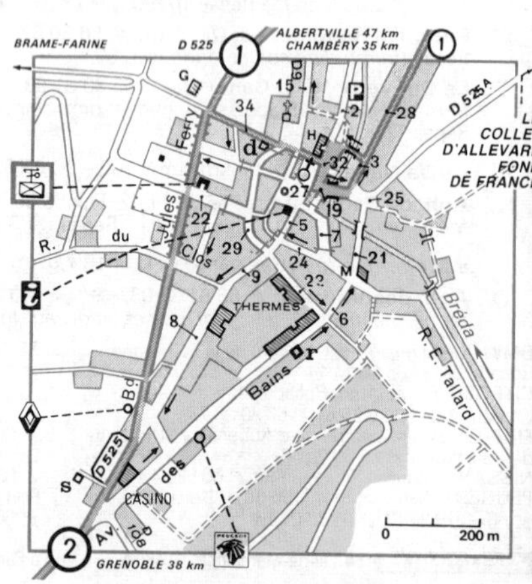

Les Pervenches ⑤, **(s)** ✆ 76 97 50 73, Fax 76 45 09 52, ≤, parc, ⛱, 🎾 – 📺 ☎ 🅿. AE ⓓ GB. ✻ rest
9 mai-10 oct. et 1er fév.-Pâques – **Repas** *(fermé dim. midi du 1er fév. à Pâques)* 110/220 – ☕ 42 – **30 ch** 298/370 – ½ P 290/325.

Speranza ⑤, rte Moutaret par ① et D 9 : 1 km ✆ 76 97 50 56, ≤, 🌳 – cuisinette ☎ 🅿. ✻ rest
13 mai-30 sept. et 4 fév.-15 mars – **Repas** 90/130 – ☕ 34 – **16 ch** 195/270, 4 studios – ½ P 225/265.

Continental, (r) ✆ 76 45 03 25, Fax 76 45 16 80, 🌳 – |♦| ☎ 🚗 🅿. GB. ✻ rest
début mai-fin sept. et vacances scolaires – **Repas** 90 – ☕ 26 – **40 ch** 180/270 – ½ P 236/266.

Alpes, (d) ✆ 76 97 51 18, Fax 76 45 80 81 – ⇜ ☎ ✆. GB
fermé 12 nov. au 15 déc. et dim. soir – **Repas** 65 (déj.), 79/180 ♁, enf. 38 – ☕ 36 – **19 ch** 245/315 – ½ P 218/250.

à Pinsot S : 7 km par D 525 A – 145 h. alt. 730 – ✉ **38580** :

Pic Belle Étoile ⑤, ✆ 76 45 89 45, Fax 76 45 89 46, ≤, 🏛, 🏋, 🏊, 🌳, 🎾 – |♦| 📺 ☎ 🅿 – 🏛 40. GB
fermé 11 avril au 12 mai et 26 oct. au 18 déc. – **Repas** 98/200, enf. 60 – ☕ 50 – **41 ch** 325/420 – ½ P 390.

CITROEN Auto B2, par ① ✆ 76 45 09 28 🅽 ✆ 76 45 08 31
PEUGEOT Gar. Tissot, ✆ 76 97 50 62
RENAULT Gar. des Alpes, ✆ 76 45 11 16 🅽 ✆ 76 97 56 27

ALLEYRAS 43580 H.-Loire 76 ⑯ – 232 h alt. 779.

Paris 552 – Le Puy-en-Velay 34 – Brioude 70 – Langogne 43 – St-Chély-d'Apcher 59.

Haut-Allier ⑤, au Pont d'Alleyras, N : 2 km par D 40 ✆ 71 57 57 63, Fax 71 57 57 99 – ▤ rest 📺 ☎. GB. ✻
1er mars-15 nov. – **Repas** *(fermé dim. soir et lundi sauf juil.-août)* 120/250 – ☕ 35 – **14 ch** 230/330 – ½ P 260/300.

Come districarsi nei sobborghi di Parigi?

Utilizzando la carta stradale Michelin n. 101

e le piante n. 17-18, 19-20, 21-22, 23-24 *: chiare, precise ed aggiornate.*

ALLIGNY-EN-MORVAN 58230 Nièvre 65 ⑰ – 679 h alt. 450.

Paris 261 – Autun 33 – Château-Chinon 32 – Clamecy 75 – Nevers 96 – Saulieu 11,5.

Aub. du Morvan, ✆ 86 76 13 90 – GB
1er mars-25 nov. et fermé jeudi et le soir (sauf sam.) hors sais. – **Repas** 78/205 ♁.

ALLONNE 60 Oise 55 ⑩ – rattache à Beauvais.

ALLOS 04260 Alpes-de-H.-P. 81 ⑧ **G. Alpes du Sud** – 705 h alt. 1425.

Env. ✻★★ du col d'Allos NO : 15 km.

Paris 773 – Digne-les-Bains 79 – Barcelonnette 35 – Colmars 8.

au Seignus O : 2 km par D 26 – alt. 1 50 – Sports d'hiver 1 400/2 426 m ⛷1 ⛷11 – ✉ **04260** Allos.

Office de Tourisme au Seignus ✆ 92 83 02 81 fax 92 83 06 66.

Altitude 1500 ⑤, ✆ 92 83 01 07, ≤, 🏛 – ☎ 🅿. GB. ✻ ch
1er juil.-10 sept. et 20 déc.-10 avril – **Repas** 75/150 bc, enf. 40 – ☕ 40 – **16 ch** 220/250 – ½ P 250/300.

à la Foux d'Allos NO : 9 km par D 908 – Sports d'hiver 1 800/2 600 m ⛷3 ⛷20 – ✉ **04260** Allos

du Hameau Ⓜ ⑤, ✆ 92 83 82 26, Fax 92 83 87 50, ≤, 🏛, 🏋, ⛱ – |♦| 📺 ☎ ♿ 🅿 – 🏛 35. AE ⓓ GB
8 juin-22 sept. et 30 nov.-20 avril – **Repas** 85/170, enf. 50 – ☕ 35 – **36 ch** 355/546 – ½ P 360/400.

Les ALLUES 73 Savoie 74 ⑰ – rattaché à Méribel-les-Allues.

ALOTZ 64 Pyr.-Atl. 78 ⑱ – rattaché à Biarritz.

ALOXE-CORTON 21 Côte-d'Or 70 ① – rattaché à Beaune.

L'ALPE D'HUEZ 38750 Isère 77 ⑥ **G. Alpes du Nord** – alt. 1860 – Sports d'hiver : 1 400/3 350 m ⛷14 ⛷67 ⛷.

Voir Pic du Lac Blanc ✻★★★ NE par téléphérique B – Route de Villars-Reculas★ 4 km par D 211[B].

Altiport ✆ **76 80 41 15, SE : 1,5 km.**

Office de Tourisme pl. Paganon ✆ 76 80 35 41, Fax 76 80 69 54.

Paris 632 ① – ◆Grenoble 62 ① – Le Bourg-d'Oisans 13 ① – Briançon 71 ①.

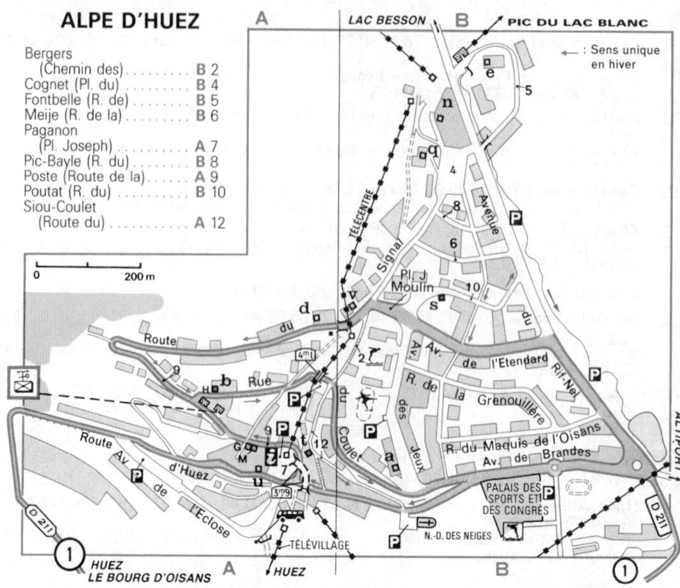

🏨 **Royal Ours Blanc** M, ✆ 76 80 35 50, Fax 76 80 34 50, ≤ massif de l'Oisans, 🏖, Fø, 🏊 – 🛗 📺 ☎ ♿ 🚗 – 🏋 40. AE ⓓ GB. 🚫 rest — B a
22 déc.-Pâques – **Repas** (fermé le midi sauf vacances scolaires) 220 – ☕ 100 – **45 ch** 1200/1450 – ½ P 940.

🏨 **Au Chamois d'Or** M 🐎, ✆ 76 80 31 32, Fax 76 80 34 90, ≤ pistes et montagnes, 🏖, Fø, 🏊, 🎾 – 🛗 📺 ☎ 🚗 P – 🏋 25. GB. 🚫 rest — B e
20 déc.-25 avril – **Repas** 150 (déj.), 230/290 – ☕ 80 – **45 ch** 850/1320 – ½ P 740/980.

🏨 **Les Grandes Rousses**, ✆ 76 80 33 11, Télex 308437, Fax 76 80 69 57, ≤ massif de l'Oisans, 🏖, 🏊, 🎾 – 🛗 📺 ☎ – 🏋 25. AE GB — A d
15 juin-15 sept. et 1er déc.-3 mai – **Repas** 200/240 🍷 – ☕ 68 – **45 ch** 690/860, 3 duplex – ½ P 780/920.

🏨 **Le Christina** M 🐎, ✆ 76 80 33 32, Fax 76 80 66 12, ≤ massif de l'Oisans, 🏖, 🎾 – 🛗 📺 ☎ 🚗. AE GB. 🚫 rest — B n
4 juil.-20 août (sauf rest.) et 16 déc.-20 avril – **Repas** 160 (déj.)/180 – ☕ 55 – **27 ch** 580/650 – ½ P 643/723.

🏨 **Le Dôme et rest. Grand Tétras**, ✆ 76 80 32 11, Fax 76 80 66 48, ≤ massif de l'Oisans, 🏖 – 🛗 📺 ☎ 🚗 P. AE GB. 🚫 rest — B q
juil.-août et 15 déc.-fin avril – **Repas** 110 (déj.), 150/200 – ☕ 55 – **20 ch** 570/715 – ½ P 590/620.

🏨 **Alp'Azur** sans rest, ✆ 76 80 34 02, ≤ – ☎. GB — B v
1er juil. au 30 sept. et 15 nov. au 3 mai – ☕ 40 – **24 ch** 345/430.

🏨 **Le Mariandre** sans rest, ✆ 76 80 66 03, Fax 76 80 31 50, ≤ – 🛗 📺 ☎. AE GB. 🚫 — A u
juil.-août et 1er déc.-30 avril – ☕ 45 – **21 ch** 315/630.

XX **Gérard Astic**, ✆ 76 80 68 92 – GB — A b
juil.-août et 1er déc.-1er mai – **Repas** (dîner seul. en hiver) 125/198.

XX **L'Outa** avec ch, ✆ 76 80 34 56, Fax 76 80 95 88, ≤, 🏖 – 📺 ☎. ⓓ GB — B s
20 déc.-31 mars – **Repas** 100 (déj.)/130, enf. 60 – ☕ 35 – **11 ch** 550/580 – ½ P 385/395.

X **Au P'tit Creux**, ✆ 76 80 62 80, Fax 76 80 39 37, ≤, 🏖 – ⓓ GB — A t
fermé 11 nov. au 1er déc., 1er mai au 10 juin et lundi en juin et de sept. à nov. – **Repas** 128/160, enf. 60.

X **La Cabane du Poutat** secteur des Bergers, accès piétons depuis gare départ télécabine des Marmottes ✆ 76 80 42 88, Fax 76 80 68 92, ≤ massif de l'Oisans, 🏖, « Restaurant d'altitude au milieu des pistes » – GB
1er déc.-1er mai – **Repas** (déj. seul.) carte environ 170.

ALTENSTADT **67** B.-Rhin **57** ⑲ – rattaché à Wissembourg.

ALTKIRCH <SP> **68130** H.-Rhin 66 ⑨ **G. Alsace Lorraine** – 5 090 h alt. 312.

Office de Tourisme, pl. Xavier Jourdain ☏ 89 40 02 90, Fax 89 08 86 90.

Paris 466 – ♦Mulhouse 19 – Basel 35 – Belfort 35 – Montbéliard 51 – Thann 28.

à Hirtzbach S : 4 km – 1 143 h. alt. 308 – ✉ **68118** :

XX **Ottié,** à la bifurcation D 432 et D 17 ☏ 89 40 93 22, Fax 89 08 85 19, – P. GB
fermé 20 juin au 12 juil., 20 déc. au 3 janv., lundi soir sauf août et mardi – **Repas** 58 (déj.), 88/240 ♀.

à Wahlbach : E : 10 km par D 419 et D 19B – 242 h. alt. 320 – ✉ **68130** :

XX **Aub. de la Gloriette** avec ch, ☏ 89 07 81 49, Fax 89 07 40 56, – rest TV ☎ P. AE GB
fermé 7 au 21 sept., vacances de fév., lundi et mardi – **Repas** 90 (déj.), 130/250 ♀ – 45 – **9 ch** 450 – ½ P 350.

CITROEN Gar. Ditner, 25 r. de Thann à Spechbach-le-Bas ☏ 89 25 40 52
PEUGEOT SIAM, 57 rte de Carspach ☏ 89 08 83 84
RENAULT Gar. Fritsch, 29 r. 3e Zouaves ☏ 89 40 01 07 N ☏ 89 26 71 17
Altkirch Pneus, 50 fg de Belfort ☏ 89 40 95 26

ALVIGNAC **46500** Lot 75 ⑲ – 473 h alt. 400.

Syndicat d'initiative r. Centrale (juil.-août) ☏ 65 33 66 42.

Paris 536 – Brive-la-Gaillarde 51 – Cahors 60 – Figeac 42 – Gourdon 41 – Rocamadour 8,5 – Tulle 80.

Nouvel H., ☏ 65 33 60 30, Fax 65 33 68 25, – ☎ P. GB
fermé 15 déc. au 1er mars, vend. soir et sam. sauf du 15 mars au 15 nov. – **Repas** 60/160 ♀, enf. 40 – 25 – **13 ch** 190/200 – ½ P 185/215.

X **Aub. Madeleine,** pl. église ☏ 65 33 61 47,
Pâques-fin sept. et fermé le soir sauf juil.-août – **Repas** 60/150 ♀.

AMBÉRIEUX-EN-DOMBES **01330** Ain 74 ① ② – 1 156 h alt. 296.

Paris 438 – ♦Lyon 37 – Bourg-en-Bresse 39 – Mâcon 42 – Villefranche-sur-Saône 16.

Aub. des Bichonnières , rte Ars-sur-Formans ☏ 74 00 82 07, Fax 74 00 89 61, « Ancienne ferme bressane », – ☎ P. AE GB
fermé vacances de Noël, dim. soir de sept. à juin et lundi (sauf hôtel en juil.-août) – **Repas** 98/250 ♀, enf. 70 – 40 – **9 ch** 210/320 – ½ P 260.

PEUGEOT Gar. Butillon, ☏ 74 00 84 02 N ☏ 74 00 84 02
RENAULT Vacheresse, ☏ 74 00 83 46 N ☏ 74 00 83 46

AMBERT <SP> **63600** P.-de-D. 73 ⑯ **G. Auvergne** – 7 420 h alt. 535.

Voir Église St-Jean★ Y – Vallée de la Dore★ N et S.

Env. Moulin Richard-de-Bas★ 5,5 km par ②.

Office de Tourisme 4 pl. Hôtel de Ville ☏ 73 82 61 90, Fax 73 82 44 00 et pl. G.-Courtial (saison) ☏ 73 82 14 15.

Paris 492 ① – ♦Clermont-Ferrand 75 ① – Brioude 60 ③ – Montbrison 46 ② – Le Puy-en-Velay 70 ③ – Thiers 55 ①.

AMBERT

Chabrier (Av. E.) Z 3
Château (R. du) Z 3
Cheix (Rue du Petit) Z
Clemenceau (Av. G.) Y 4
Courtial (Pl. G.) Y 6
Croves du Mas (Av. des) Y
Filéterie (R. de la) Z 7
Foch (Av. du Mar.) Y 8
Gaulle (Pl. Ch.-de) Z
Goye (R. de) Y 12
Henri IV (Bd) Z
Livradois (Pl. du) Z
Lyon (Av. de) Z 13
Nord (Bd du) YZ
Pontel (Pl. du) Z 16
Portette (Bd de la) Y 17
République (R. de la) Z 19
St-Jean (Pl.) Y 20
St-Joseph (R.) Z
Sully (Bd) Z 21
11-Novembre (Av. du) Z 23

Michelin n'accroche pas de panonceau aux hôtels et restaurants qu'il signale.

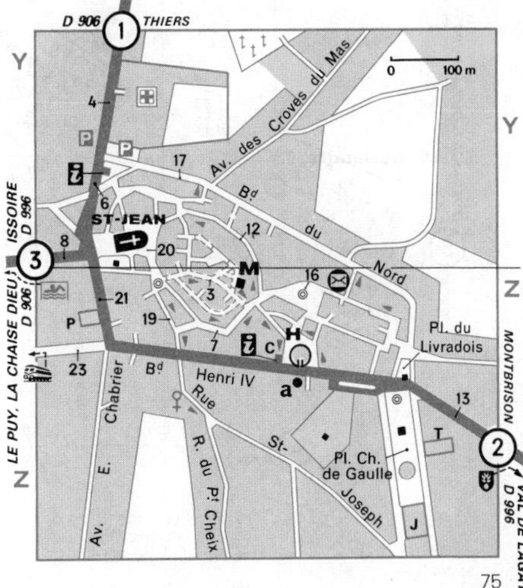

Chaumière, 41 av. Mar. Foch par ③ ℘ 73 82 14 94, Fax 73 82 33 52 – TV ☎ & P AE ⓓ GB
fermé 26 déc. au 31 janv. et sam. d'oct. à mai – **Repas** *(fermé vend. soir de nov. à mars, sam. d'oct. à mai et dim. soir sauf fêtes)* 90/195 ♁, enf. 60 – ☕ 40 – **23 ch** 260/350 – ½ P 260/280.

Copains, 42 bd Henri IV ℘ 73 82 01 02, Fax 73 82 67 34 – ☎. GB. ✂ ch Z
fermé sept., dim. soir et sam. sauf juil.-août et fêtes – **Repas** 65/160 ♁ – ☕ 32 – **12 ch** 170/300 – ½ P 190/240.

CITROEN Gar. Rigaud, rte de Clermont par ① ℘ 73 82 01 57
FORD Autos Services, 30 av. G.-Clémenceau ℘ 73 82 01 28

Ⓟ Arcis Pneus, 34 av. Dore ℘ 73 82 02 69

AMBIALET **81340** Tarn **80** ⑫ **G. Gorges du Tarn** – 386 h alt. 220.

Voir Site★.

Paris 704 – Albi 22 – Castres 54 – Lacaune 52 – Rodez 71 – St-Affrique 65.

Pont, ℘ 63 55 32 07, Fax 63 55 37 21, ≤, 🏞, 🏊, 🌳 – ▤ rest TV ☎ P. AE ⓓ GB
fermé 18 nov. au 15 déc., dim. soir et lundi du 1er nov. au 31 mars – **Repas** 100/280, enf. 65 – ☕ 40 – **20 ch** 265/300 – ½ P 285.

AMBIERLE **42820** Loire **73** ⑦ **G. Vallée du Rhône** – 1 763 h alt. 467.

Voir Église★.

Paris 376 – Roanne 19 – Lapalisse 34 – Thiers 65 – Vichy 51.

XX **Le Prieuré,** ℘ 77 65 63 24, Fax 77 65 69 90 – GB
fermé 18 août au 5 sept., vacances de fév., mardi soir et merc. – **Repas** 85/300 ♁.

Une réservation confirmée par écrit est toujours plus sûre.

AMBOISE **37400** I.-et-L. **64** ⑯ **G. Châteaux de la Loire** – 10 982 h alt. 60.

Voir Château★★ (spectacle son et lumière) B : ≤★★ de la terrasse, ≤★★ de la tour des Minimes – Clos-Lucé★ B – Pagode de Chanteloup★ 3 km par ④.

Env. Lussault-sur-Loire : aquarium de Touraine★ O : 8 km par ⑤.

ℹ Office de Tourisme quai Gén.-de-Gaulle ℘ 47 57 09 28, Fax 47 57 14 35.

Paris 222 ① – ♦Tours 24 ⑤ – Blois 34 ① – Loches 34 ④ – Vierzon 92 ③.

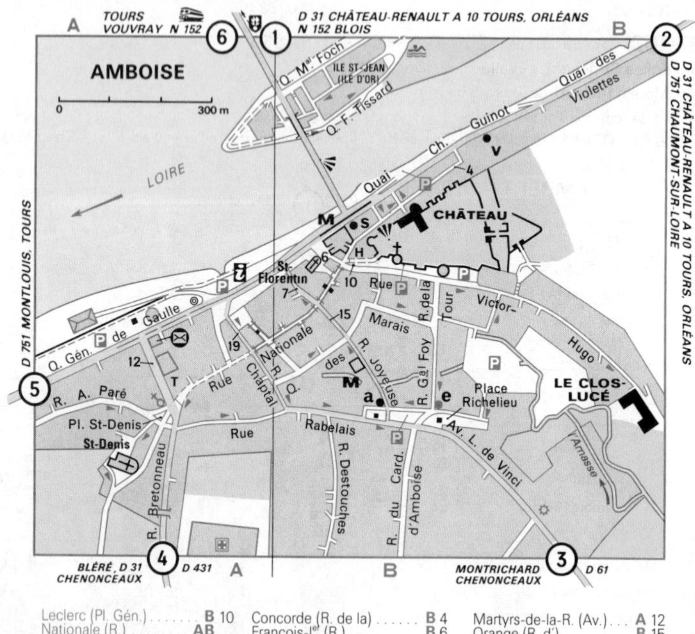

Leclerc (Pl. Gén.) . . . . B 10
Nationale (R.) . . . . AB
Victor-Hugo (R.) . . . . B
Concorde (R. de la) . . . . . . B 4
François-Ier (R.) . . . . B 6
J.-J. Rousseau (R.) . . . . . . B 7
Martyrs-de-la-R. (Av.) . . . A 12
Orange (R. d') . . . . B 15
Voltaire (R.) . . . . A 19

Le Choiseul, 36 quai Ch. Guinot ☎ 47 30 45 45, Fax 47 30 46 10, ≤, « Élégante installation, piscine et jardin fleuri » – rest TV ☎ P – 80. AE GB JCB
fermé 24 nov. au 18 janv. – **Repas** 200 bc (déj.), 220/400 et carte 300 à 420 – 80 – **28 ch** 700/1200 – 1/2 P 700/1020 B v
Spéc. Millefeuille de saumon fumé et radis noir. Caneton croisé à la soubise de navets. Sablés aux quetsches, glace au chèvre frais. **Vins** Touraine Amboise, Touraine Mesland.

Novotel M, S : 2 km par ③ rte de Chenonceaux ☎ 47 57 42 07, Fax 47 30 40 76, ≤, – TV ☎ P – 150. AE GB
Repas carte environ 180, enf. 50 – 50 – **121 ch** 520/560.

Belle Vue sans rest, 12 quai Ch. Guinot ☎ 47 57 02 26, Fax 47 30 51 23 – TV ☎. GB. B s
1er avril-31 déc. – 35 – **33 ch** 280/330.

Le Blason, 11 pl. Richelieu ☎ 47 23 22 41, Fax 47 57 56 18, – rest TV ☎. AE GB B a
fermé 5 janv. au 5 fév. – **Repas** *(fermé mardi sauf de juil. à sept. et sam. midi)* 75/215, enf. 49 – 30 – **28 ch** 295 – 1/2 P 245.

La Brèche, 26 r. J. Ferry par ① (rive droite de la Loire) ☎ 47 57 00 79, Fax 47 57 65 49, – ☎. GB. ch
fermé 23 déc. au 23 janv., dim. soir et lundi hors sais. – **Repas** 78/175, enf. 49 – 30 – **13 ch** 160/325 – 1/2 P 190/265.

Ibis, E : Z.I. La Boitardière par ② et D 31 : 3 km ☎ 47 23 10 23, Fax 47 57 31 41, – TV ☎ P – 120. AE GB
Repas 100 bc, enf. 39 – 37 – **70 ch** 270/320.

XXX **Le Manoir Saint Thomas,** pl. Richelieu ☎ 47 57 22 52, Fax 47 30 44 71, « Elégant pavillon Renaissance, jardin » – AE GB JCB B e
fermé 5 janv. au 5 mars et lundi – **Repas** 175/295.

XX **La Bonne Étape** avec ch, NE par ② : 2 km ☎ 47 57 08 09, Fax 47 57 12 33, – TV ☎ P. GB
fermé 21 déc. au 8 janv. et 18 fév. au 7 mars – **Repas** *(fermé dim. soir et lundi)* 76/255, enf. 55 – 29 – **7 ch** 220/280.

X **La Closerie,** 2 r. P.-L. Courier par ⑤ ☎ 47 23 10 76, Fax 47 57 67 31, – GB
fermé 29 juil. au 19 août, vacances de fév., sam. midi et lundi – **Repas** 78/230 bc.

à St-Ouen-les-Vignes par ① et D 431 : 6,5 km – 747 h. alt. 80 – ✉ **37530** :

XXX **L'Aubinière** (Arrayet), ☎ 47 30 15 29, Fax 47 30 02 44, – P. AE GB.
fermé vacances de fév., dim. soir du 1er nov. au 15 avril, mardi soir et merc. sauf juil.-août – **Repas** 98 (déj.), 190/340 et carte 230 à 350
Spéc. Dos de sandre au cabernet. Effeuillé de lapereau à la gelée de vouvray (mai à août). Mousseux aux deux chocolats (juil. à sept.). **Vins** Vouvray, Bourgueil.

à Chargé par ② et D 751 : 3 km – 862 h. alt. 60 – ✉ **37400** :

Château de Pray, ☎ 47 57 23 67, Fax 47 57 32 50, ≤, « Terrasse dominant la vallée, parc » – TV ☎ P. AE GB JCB
fermé 2 janv. au 2 fév. – **Repas** 145/295 – 50 – **19 ch** 560/750 – 1/2 P 490/576.

à Négron par ⑥ et N 152 : 2,5 km – ✉ **37530** Nazelles-Négron :

Le Petit Lussault sans rest, ☎ 47 57 30 30, Fax 47 57 77 80, – ☎ P. GB
30 mars-1er nov. – 29 – **23 ch** 255/320.

CITROEN Gar. Guérin, à Pocé sur Cisse ☎ 47 57 27 84
OPEL Gar. A.-France, 41 r. de Blois ☎ 47 57 11 30
PEUGEOT Gar. Forcet, 108 r. St-Denis par D 83 ☎ 47 57 42 82
SEAT, VAG Gar. du Relais des Châteaux, rte de Chenonceaux, Rocade Sud ☎ 47 57 07 64 N ☎ 43 96 36 42

Super Pneus, 27 quai Gén.-de-Gaulle ☎ 47 57 44 71

AMBONNAY 51150 Marne 56 ⑰ – 917 h alt. 95.

Paris 161 – Reims 29 – Châlons-en-Champagne 22 – Épernay 19 – Vouziers 66.

Aub. St Vincent, ☎ 26 57 01 98, Fax 26 57 81 48 – TV ☎. AE GB. ch
fermé dim. soir et lundi – **Repas** 95/300, enf. 50 – 45 – **10 ch** 300/380 – 1/2 P 350/365.

CITROEN Gar. Mirbel, ☎ 26 57 01 71

Besonders angenehme Hotels oder Restaurants
sind im Führer rot gekennzeichnet.
Sie können uns helfen,
wenn Sie uns die Häuser angeben,
in denen Sie sich besonders wohl gefühlt haben.
Jährlich erscheint eine komplett überarbeitete Ausgabe
aller Roten Michelin-Führer.

XXXXX ... X

AMÉLIE-LES-BAINS-PALALDA **66110** Pyr.-Or. 86 ⑱ ⑲ **G. Pyrénées Roussillon** – 3 239 h alt. 230 – Stat. therm. (19 janv.-21 déc.) – Casino.

Voir Vallée du Mondony★ S : voir plan.

de Falgos ✆ 68 39 51 42 à St-Laurent-de-Cerdans, S : 20 km par ③.

Office du Tourisme et du Thermalisme quai du 8 Mai 1945 ✆ 68 39 01 98, Fax 68 39 20 20.

Paris 899 ② – ◆ Perpignan 38 ② – Céret 8 ② – Prats-de-Mollo-la-Preste 23 ③ – Quillan 105 ②.

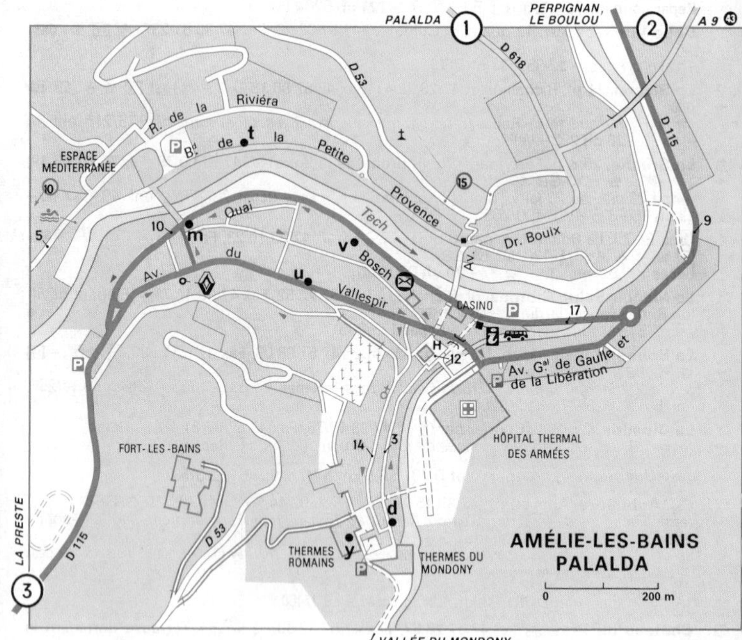

Vallespir (Av. du)	Corniche (Rte de la) 5	République (Pl. de la) 12
	Leclerc (Av. Gén.) 9	Thermes (R. des) 14
Castellane (R.) 3	Palmiers (Av. des) 10	8-Mai-1945 (Av.) 17

Gd H. Reine-Amélie, bd Petite Provence **(t)** ✆ 68 39 04 38, Fax 68 39 31 13, ≤, – AE GB
fermé 1er déc. au 1er janv. – **Repas** 95 (dîner), 105/180, enf. 60 – ☕ 39 – **69 ch** 340/450 – P 310/400.

Castel Émeraude, par rte de la Corniche - ouest du plan ✆ 68 39 02 83, Fax 68 39 03 09, ≤, – AE GB
fermé déc. et janv. – **Repas** 95/290, enf. 65 – ☕ 40 – **59 ch** 240/360 – P 295/370.

Palmarium H., av. Vallespir **(u)** ✆ 68 39 19 38, Fax 68 39 04 23 – GB
fermé 10 déc. au 17 janv. – **Repas** 95/160 – ☕ 34 – **65 ch** 220/310 – P 294/320.

Martinet, r. Herma-Bessière **(d)** ✆ 68 39 00 64, ≤ – rest
fermé 15 déc. au 2 fév. – **Repas** 90/130 – ☕ 28 – **42 ch** 240/250 – P 340.

Le Roussillon M, av. Beau Soleil par ② ✆ 68 39 34 39, Fax 68 39 81 21, – – 25. GB. rest
fermé 1er janv. au 15 fév. – **Repas** 85/175, enf. 45 – ☕ 45 – **30 ch** 220/280 – P 255/275.

Bains et Gorges, pl. Arago **(y)** ✆ 68 39 29 02 – GB
fermé 10 déc. au 1er fév. – **Repas** 85/90 – ☕ 32 – **44 ch** 200/270 – P 247/265.

Palm-Tech, quai G. Bosch **(v)** ✆ 68 83 98 00, Fax 68 39 04 23 – GB
fermé 10 déc. au 1er fév. – **Repas** 100/128, enf. 55 – ☕ 34 – **56 ch** 180/270 – P 270/290.

Ensoleillade La Rive sans rest, 70 r. J. Coste **(m)** ✆ 68 39 06 20, – cuisinette GB
☕ 25 – **14 ch** 150/255.

RENAULT Gar. du Vallespir, ✆ 68 39 05 05 — **Gar. Cédo,** ✆ 68 39 29 05 N ✆ 68 83 98 35

L'AMÉLIE-SUR-MER **33** Gironde **71** ⑯ – rattaché à Soulac-sur-Mer.

AMIENS P **80000** Somme **52** ⑧ **G. Flandres Artois Picardie** – 131 872 h alt. 34.

Voir Cathédrale*** CY – Hortillonnages* DY – Hôtel de Berny* CY **M1** – Musée de Picardie** BZ.

Env. Samara* NO : 10 km par D191.

18 ✆ 22 93 04 26, par ② : 7 km ; 9 de Salouël (privé) ✆ 22 95 40 49, S par D 210 : 4,5 km.

✆ 22 92 50 50.

Office de Tourisme 12 r. du Chapeau de Violettes ✆ 22 91 79 28, Fax 22 92 50 58, gare SNCF ✆ 22 92 65 04, pl. Notre-Dame (Pâques-oct.) ✆ 22 91 16 16 – Automobile Club de Picardie 472 av. 14 Juillet 1789 ✆ 22 89 15 20, Fax 22 89 15 58.

Paris 136 ③ – ♦Lille 121 ② – ♦Reims 170 ③ – ♦Rouen 114 ⑤ – St-Quentin 74 ③.

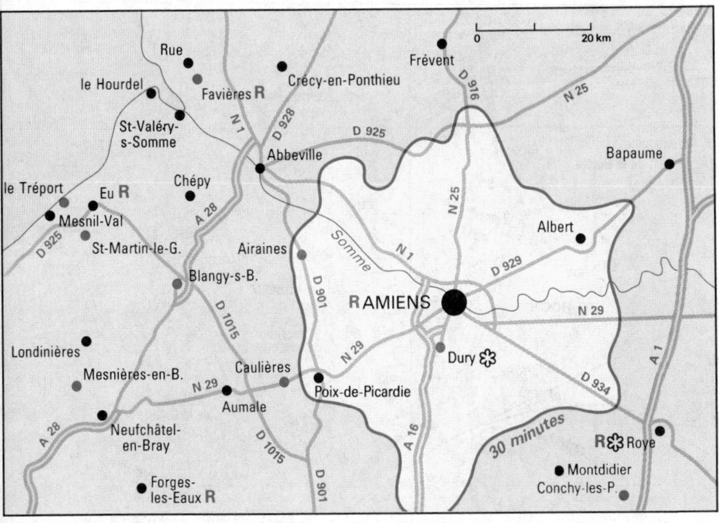

Carlton M, 42 r. Noyon ✆ 22 97 72 22, Fax 22 97 72 00 – rest TV ☎ & – 50. AE GB. ch — CZ **s**
fermé 5 août au 1er sept., Noël au Jour de l'An – **Le Baron** (grill) *(fermé dim. soir)* **Repas** 82bc/145, enf. 40 – 55 – **24 ch** 380/620.

Gd H. Univers sans rest, 2 r. Noyon ✆ 22 91 52 51, Fax 22 92 81 66 – TV ☎ – 35. AE GB JCB — CZ **a**
52 – **41 ch** 315/553.

Prieuré, 17 r. Porion ✆ 22 92 27 67, Fax 22 92 46 16 – TV ☎. AE GB — CY **d**
Repas *(fermé 2 au 18 nov., dim. soir et lundi)* 97/200 – 36 – **21 ch** 250/400 – ½ P 250/275.

Ibis, 4 r. Mar. de-Lattre-de-Tassigny ✆ 22 92 57 33, Fax 22 91 67 50 – TV ☎ – 40. AE GB — BY **e**
Repas 99 bc, enf. 39 – 37 – **94 ch** 295.

XXX **Les Marissons**, pont Dodane ✆ 22 92 96 66, Fax 22 91 50 50, – . AE GB JCB — CY **n**
fermé sam. midi et dim. – **Repas** 120/255 et carte 280 à 380.

XX **Le Vivier**, 593 rte Rouen ✆ 22 89 12 21, Fax 22 45 27 36 – P. AE GB — AZ **d**
fermé août, dim. et lundi – **Repas** - produits de la mer - 125/240.

XX **La Couronne**, 64 r. St Leu ✆ 22 91 88 57 – GB — CX **k**
fermé 15 juil. au 14 août, 2 au 12 janv., dim. soir et sam. – **Repas** 92/168.

par ③ et N 29 : 7 km – ✉ **80440** Boves :

Novotel M, ✆ 22 46 22 22, Fax 22 53 94 75, , , – rest TV ☎ & P – 25 à 150. AE GB
Repas carte environ 160, enf. 50 – 50 – **94 ch** 420/450.

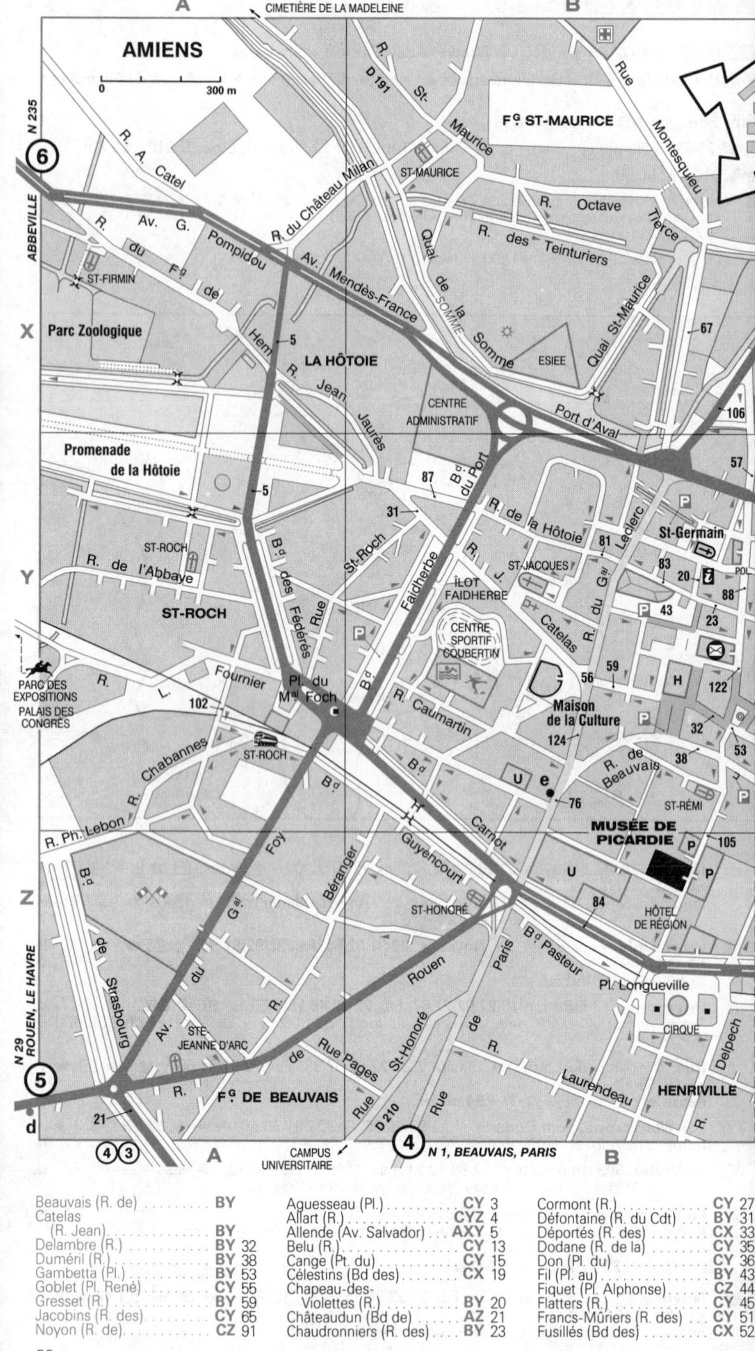

Beauvais (R. de) . . . . BY
Catelas (R. Jean) . . . . BY
Delambre (R.) . . . . BY 32
Duméril (R.) . . . . BY 38
Gambetta (Pl.) . . . . BY 53
Goblet (Pl. René) . . . . CY 55
Gresset (R.) . . . . BY 59
Jacobins (R. des) . . . . CY 65
Noyon (R. de) . . . . CZ 91

Aguesseau (Pl.) . . . . CY 3
Allart (R.) . . . . CYZ 4
Allende (Av. Salvador) . . . AXY 5
Belu (R.) . . . . CY 13
Cange (Pt. du) . . . . CY 15
Célestins (Bd des) . . . . CX 19
Chapeau-des-Violettes (R.) . . . . BY 20
Châteaudun (Bd de) . . . . AZ 21
Chaudronniers (R. des) . . . . BY 23

Cormont (R.) . . . . CY 27
Défontaine (R. du Cdt) . . . BY 31
Déportés (R. des) . . . . CX 33
Dodane (R. de la) . . . . CY 35
Don (Pl. du) . . . . CY 36
Fil (Pl. au) . . . . BY 43
Fiquet (Pl. Alphonse) . . . . . . CZ 44
Flatters (R.) . . . . CY 45
Francs-Mûriers (R. des) . . . CY 51
Fusillés (Bd des) . . . . CX 52

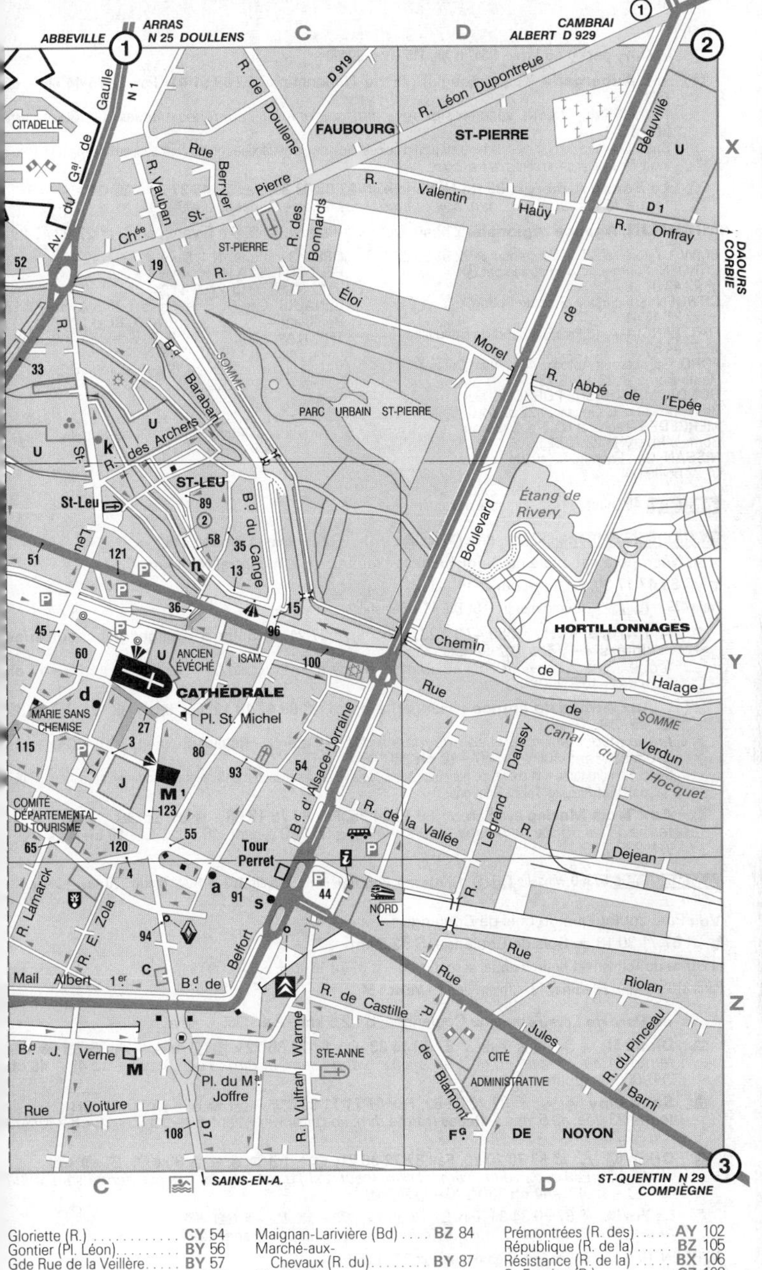

Gloriette (R.) . . . . **CY** 54
Gontier (Pl. Léon) . . . . **BY** 56
Gde Rue de la Veillère . . . . . **BY** 57
Granges (R. des) . . . . **CY** 58
Henri IV (R.) . . . . **CY** 60
Jardin-des-Plantes (Bd) . . . . **BX** 67
Lattre-de-T. (R. Mar. de) . . . **BY** 76
Lefèvre (R. Adéodat) . . . . . . **CY** 80
Leroux (R. Florimond) . . . . . **BY** 81
Lin (R. au) . . . . **BY** 83

Maignan-Larivière (Bd) . . . . **BZ** 84
Marché-aux-Chevaux (R. du) . . . . . **BY** 87
Marché-de-Lanselles (R. du) . . . . . **BY** 88
Motte (R.) . . . . **CY** 89
Oratoire (R. de l') . . . . **CY** 93
Otages (R. des) . . . . **CZ** 94
Parmentiers (Pl.) . . . . **CY** 96
Port-d'Amont . . . . **CY** 100

Prémontrées (R. des) . . . . . **AY** 102
République (R. de la) . . . . . **BZ** 105
Résistance (R. de la) . . . . . **BX** 106
St-Fuscien (R.) . . . . **CZ** 108
Sergents (R. des) . . . . **CY** 115
Trois-Cailloux (R. des) . . . . **CY** 120
Vanmarcke (R.) . . . . **CY** 121
Vergeaux (R. des) . . . . **BY** 122
Victor-Hugo (R.) . . . . **CY** 123
2e-D.-B. (R. de la) . . . . **BY** 124

à Dury par ④ : 6 km – 1 341 h. alt. 115 – ✉ **80480** :

XXX ✿ **L'Aubergade** (Grandmougin), 78 rte Nationale ✆ 22 89 51 41, Fax 22 95 44 05 – AE GB
fermé 1er au 21 août, vacances de fév., dim. soir et lundi sauf fériés – **Repas** 115/400 et carte 260 à 370
Spéc. Charlotte de pommes de terre au pain d'épices. Noix de Saint-Jacques grillées aux copeaux de marrons (oct. à avril). Nougat glacé au coulis de framboise.

XX **La Bonne Auberge,** 63 rte Nationale ✆ 22 95 03 33, Fax 22 45 37 38 – AE GB
fermé 16 juin au 8 juil., dim. soir et lundi sauf fériés – **Repas** 105/299.

MICHELIN, Agence régionale, 212 av. Défense-Passive, D 929 à Rivery par ② ✆ 22 92 47 28

BMW La Veillère, 12 r. Résistance ✆ 22 91 80 26
CITROEN Fournier, r. d'Australie par ⑥ ✆ 22 43 01 16
CITROEN Succursale, 3 bd de Belfort CZ ✆ 22 71 44 44
FIAT, LANCIA Auto Picardie, 7 bd de Beauville ✆ 22 44 53 12
FORD Gar. Leroux Autom., 49 r. Alain Colas ZI Haute Borne ✆ 22 70 23 23
HONDA, MITSUBISHI, PORSCHE Gar. La Bretèche, 33 q. C.-Tellier ✆ 22 52 04 61
MERCEDES Techstar 80, 5 r. A.-Bombard, ZA Hte Borne à Rivery ✆ 22 70 02 80
NISSAN Gar. Pechon, 89 av. de la Défense Passive ✆ 22 66 49 00
OPEL Gar. Renel, N 1, Dury ✆ 22 95 42 42
PEUGEOT S.I.A.N., 35 rte N 1 à Dury par ④ ✆ 22 33 88 00 N ✆ 05 44 24 24
RENAULT Gar. Gueudet Sarva, r. P.-E.-Victor ZA La Borne à Rivery CZ ✆ 22 97 70 00 N ✆ 22 45 76 71
TOYOTA Gar. Pruvost, r. P.-E.-Victor ZA la Borne à Rivery ✆ 22 70 27 00
VAG JPC Rivery Autom., 9 r. A.-Bombard ZA à Rivery ✆ 22 70 22 22

Euromaster, 120 chaussée J.-Ferry ✆ 22 53 95 50
Picardie Pneus Point S, 126 r. G.-de-Rumilly ✆ 22 95 33 89

AMILLY 45 Loiret 65 ② – rattaché à Montargis.

AMMERSCHWIHR 68770 H.-Rhin 62 ⑱ ⑲ **G. Alsace Lorraine** – 1 869 h alt. 215.

Voir Nécropole nationale de Sigolsheim ✶★ du terre-plein central N : 4 km.

18 ✆ 89 47 17 30, E : 2 km par D 11[1].

Paris 479 – Colmar 9 – Gérardmer 53 – St-Dié 48 – Sélestat 24.

A l'Arbre Vert, ✆ 89 47 12 23, Fax 89 78 27 21, « Salle à manger avec boiseries sculptées » – TV ☎. AE GB. ch
fermé 18 au 28 nov., 10 fév. au 25 mars et mardi – **Repas** 80/220, enf. 45 – ☕ 35 – **17 ch** 210/350 – ½ P 290/360.

XXX ✿ **Aux Armes de France** (Gaertner) avec ch, ✆ 89 47 10 12, Fax 89 47 38 12 – TV ☎ P. AE GB. ch
fermé jeudi (sauf rest. le soir de mars à déc.) et merc. – **Repas** (prévenir) 360/460 et carte 410 à 590, enf. 100 – ☕ 50 – **10 ch** 360/460
Spéc. Homard fumé à la crème de haricots blancs. Volaille fermière sautée au vinaigre et pommes paysannes. Gibier (saison). **Vins** Riesling, Tokay-Pinot gris.

XX **Aux Trois Merles** avec ch, ✆ 89 78 24 35, Fax 89 78 13 06 – ☎ P. AE GB. ch
fermé 1er au 15 fév., dim. soir et lundi – **Repas** 85/280, enf. 45 – ☕ 35 – **16 ch** 185/250 – ½ P 235/275.

AMNÉVILLE 57360 Moselle 57 ③ **G. Alsace Lorraine** – 8 926 h alt. 162 – Stat. therm. (20 fév.-12 déc.) – Casino .

Voir Parc zoologique du bois de Coulange★.

18 ✆ 87 71 30 13 au Bois de Coulange, S : 2,5 km.

Office de Tourisme Centre thermal et touristique ✆ 87 70 10 40, Fax 87 71 90 94.

Paris 318 – ◆ Metz 21 – Briey 13 – Thionville 17 – Verdun 64.

au Parc de Loisirs bois de Coulanges, S : 2,5 km – ✉ **57360** Amnéville :

Diane H. M sans rest, ✆ 87 70 16 33, Fax 87 72 36 72 – TV ☎ & – 35. AE GB
fermé 11 au 24 août, 16 déc. au 5 janv., vend., sam. et dim. d'oct. à avril – ☕ 45 – **48 ch** 280/300, 4 appart.

Saint Éloy M, ✆ 87 70 32 62, Fax 87 71 71 59, – TV ☎ & – 50. AE GB
fermé 23 déc. au 5 janv. – **Repas** *(fermé dim. soir)* 100/195, enf. 60 – ☕ 30 – **36 ch** 230/300 – ½ P 320.

Orion M, ✆ 87 70 20 20, Fax 87 72 36 21, – TV ☎ & – 30 à 60. AE GB
fermé 16 au 29 déc., vend., sam. et dim. (sauf rest.) d'oct. à mars – **Repas** *(fermé sam. midi)* 90/120 – ☕ 40 – **44 ch** 230/270 – ½ P 220.

XX **La Forêt,** ✆ 87 70 34 34, Fax 87 72 36 72, – . AE GB.
fermé 23 déc. au 8 janv., dim. soir, lundi et soirs fériés – **Repas** 120/200.

CITROEN Gar. du Centre, 17 r. Clemenceau ✆ 87 71 35 52

AMOU 40330 Landes 78 ⑦ – 1 481 h alt. 44.

Paris 769 – Mont-de-Marsan 46 – Aire-sur-l'Adour 51 – Dax 31 – Hagetmau 18 – Orthez 13 – Pau 49.

Commerce, ✆ 58 89 02 28, Fax 58 89 24 45, – TV ☎ P. AE GB
fermé 10 au 30 nov. – **Repas** 80/220 – ☕ 35 – **20 ch** 240/260.

AMPHION-LES-BAINS 74 H.-Savoie 70 ⑰ G. Alpes du Nord – alt. 375 – ✉ 74500 Évian-les-Bains.

Paris 575 – Thonon-les-Bains 5,5 – Annecy 80 – Évian-les-Bains 3,5 – Genève 42.

Princes, ☎ 50 75 02 94, Fax 50 75 59 93, ≤, port privé, ⛵, 🌳 – |♦| 📺 ☎ 🅿. AE ⓓ GB. ✂ rest
1er mai-30 sept. – **Repas** 85/240, enf. 50 – ☕ 35 – **35 ch** 300/500 – ½ P 250/400.

Tilleul, ☎ 50 70 00 39, Fax 50 70 05 57, 🌳 – |♦| 📺 ☎ 🅿. AE ⓓ GB
fermé 20 déc. au 1er fév. – **Repas** *(fermé dim. soir et lundi sauf juil.-août)* 90/250 🍷 – ☕ 35 – **20 ch** 190/350 – ½ P 240/360.

Parc et Beauséjour, ☎ 50 75 14 52, Fax 50 75 42 36, ≤, 🍽, port privé, ⛵, 🌳, 🎾 – |♦| ☎ – 🏛 100. GB
fermé 10 au 20 avril, 4 nov. au 1er fév., dim. soir et lundi hors sais. – **Repas** 72/185 – ☕ 36 – **50 ch** 200/370 – ½ P 240/305.

Chablais, à Publier S : 1 km ✉ 74500 Évian ☎ 50 75 28 06, Fax 50 74 67 32, ≤, 🍽, 🌳 – 📺 ☎ 🅿. ⓓ GB. ✂ rest
fermé 21 déc. au 21 janv. et dim. du 30 sept. au 15 mai – **Repas** 82/175 🍷, enf. 45 – ☕ 33 – **25 ch** 160/300 – ½ P 190/260.

Le Relais, ☎ 50 70 00 21, Fax 50 70 88 02, ≤, 🍽 – AE GB
fermé 24 déc. au 1er fév., lundi sauf le soir de sept. à juin et mardi – **Repas** 86/250 🍷.

AMPUIS 69420 Rhône 74 ⑪ – 2 051 h alt. 150.

Paris 495 – ♦Lyon 36 – Condrieu 5 – Givors 17 – Rive-de-Gier 33 – Vienne 7.

Le Côte Rôtie, pl. Église ☎ 74 56 12 05, Fax 74 56 00 20 – AE GB. ✂
fermé 26 août au 17 sept., 2 au 8 janv., dim. soir et lundi – **Repas** 108 (déj.), 160/290.

AMPUS 83111 Var 84 ⑥ 114 ㉒ G. Côte d'Azur – 622 h alt. 600.

Paris 838 – Castellane 58 – Draguignan 14 – ♦Toulon 93.

Roche Aiguille, ☎ 94 70 97 24, Fax 94 70 97 24, 🍽 – GB
fermé 18 nov. au 7 déc., 7 au 14 janv., lundi soir et mardi sauf juil.-août – **Repas** 100/180.

Fontaine d'Ampus, ☎ 94 70 97 74, 🍽 – GB
fermé 9 au 18 oct., fév., lundi et mardi sauf le soir en été – **Repas** (nombre de couverts limité, prévenir) 152.

ANCENIS <SP> 44150 Loire-Atl. 63 ⑱ G. Châteaux de la Loire – 6 896 h alt. 13.

⛳18 de l'Ile d'Or ☎ 40 98 58 00, au Cellier, O : 17 km par RN 23.

ℹ Office de Tourisme pl. Millénaire ☎ 40 83 07 44.

Paris 347 – ♦Nantes 37 – ♦Angers 53 – Châteaubriant 43 – Cholet 47 – Laval 92 – La Roche-sur-Yon 102.

Akwaba 🄼, bd Dr Moutel ☎ 40 83 30 30, Fax 40 83 25 10 – |♦| ≡ 📺 ☎ ✆ ♿ 🅿 – 🏛 50. AE ⓓ GB JCB
Repas *(fermé sam. soir et dim.)* 70/118 🍷, enf. 40 – ☕ 38 – **51 ch** 270/345 – ½ P 300/345.

Les Terrasses de Bel Air, E : 1 km rte Angers ☎ 40 83 02 87, Fax 40 83 33 46, 🍽, 🌳 – GB
fermé 1er au 15 août, dim. soir et lundi – **Repas** 95/280, enf. 55.

CITROEN Gar. Moderne, 339 av. F.-Robert ☎ 40 83 28 06
RENAULT Gar. Leroux, 765 r. des Maitres à St Géréon ☎ 40 96 40 40 🄽 ☎ 40 09 92 45

Ⓜ Clinique du Pneu, 151 r. de Barème ☎ 40 83 27 73

ANCY-LE-FRANC 89160 Yonne 65 ⑦ G. Bourgogne – 1 174 h alt. 180.

Voir Château★★.

ℹ Office de Tourisme ☎ 86 75 15 32 ou Mairie ☎ 86 75 13 21.

Paris 217 – Auxerre 54 – Châtillon-sur-Seine 37 – Montbard 27 – Tonnerre 19.

Host. du Centre, ☎ 86 75 15 11, Fax 86 75 14 13, 🍽, 🏊 – 📺 ☎ 🅿. AE GB
fermé 15 déc. au 8 janv., vend. soir et dim. soir hors sais. – **Repas** 78/260, enf. 48 – ☕ 40 – **20 ch** 195/250 – ½ P 200/250.

PEUGEOT Gar. Marquand, ☎ 86 75 12 21

RENAULT Gar. Royer, ☎ 86 75 15 29 🄽 ☎ 86 75 15 29

ANDELOT-EN-MONTAGNE 39110 Jura 70 ⑤ – 561 h alt. 600.

Voir Forêt de la Joux★★ : sapin Président★ E : 4 km, G. Jura.

Paris 416 – Arbois 18 – Champagnole 16 – Lons-le-Saunier 45 – Pontarlier 38 – Salins-les-Bains 14.

Bourgeois, ☎ 84 51 43 77 – ☎. ✂
fermé 15 nov. au 15 déc. – **Repas** 65/135 🍷 – ☕ 26 – **18 ch** 160/230 – ½ P 190/200.

Les ANDELYS <SP> 27700 Eure 55 ⑰ G. Normandie Vallée de la Seine – 8 455 h alt. 28.

Voir Ruines du Château Gaillard★★ A – Église N.-Dame★ B.

ℹ Office de Tourisme 24 r. Philippe-Auguste ☎ 32 54 41 93.

Paris 93 ② – ♦Rouen 38 ① – Beauvais 64 ② – Évreux 37 ③ – Gisors 29 ② – Mantes-la-Jolie 53 ③.

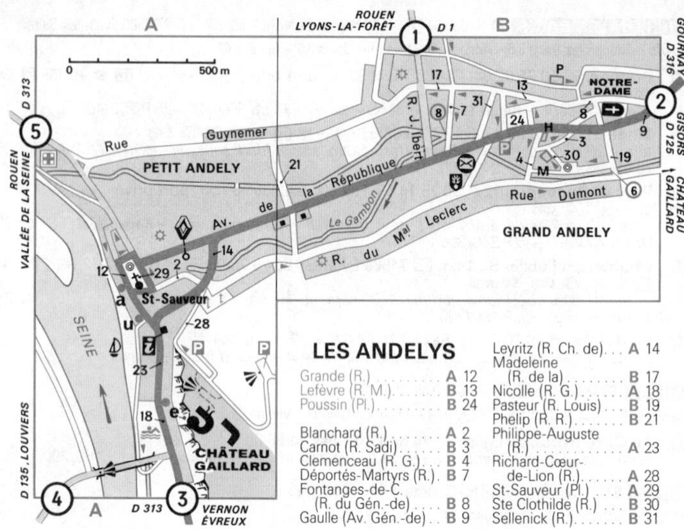

XXX ✿ **Chaîne d'Or** ⛱ avec ch, 27 r. Grande ✆ 32 54 00 31, Fax 32 54 05 68, ← – TV ☎ P. AE GB — A a
fermé 1er janv. au 2 fév., dim. soir et lundi – **Repas** 140/298 et carte 260 à 440 – ☕ 65 – **10 ch** 395/740
Spéc. Miroir d'huîtres normandes au raifort. Suprême de canette à la rouennaise. Tarte chaude aux pommes flambées au calvados.

XX **Villa du Vieux Château,** 78 r. G. Nicolle par ③ ✆ 32 54 30 10, Fax 32 54 30 06 – GB
fermé lundi et mardi – **Repas** 105/200. — A e

X **Normandie** avec ch, 1 r. Grande ✆ 32 54 10 52, Fax 32 54 25 84, ⛱ – TV ☎ P. AE GB
fermé déc., merc. soir et jeudi – **Repas** 100/260 – ☕ 38 – **11 ch** 270/370. — A u

PEUGEOT Gar. Berrier, 25 r. H.-Rémy ✆ 32 54 11 36
RENAULT Consortium Autom., 75 av. République ✆ 32 54 21 49 N ✆ 32 54 11 69
ROVER Gar. J.F.C. Autom., 44 av. République ✆ 32 54 12 80

ANDLAU 67140 B.-Rhin 62 ⑨ **G. Alsace Lorraine** – 1 632 h alt. 215.

Voir Église★ : porche★★ – Office de Tourisme 5 r. du Gén.-de-Gaulle ✆ 88 08 22 57, Fax 88 08 42 22.

Paris 501 – ♦Strasbourg 39 – Erstein 22 – Le Hohwald 8 – Molsheim 24 – Sélestat 17.

🏨 **Zinck** M sans rest, 13 r. Marne ✆ 88 08 27 30, Fax 88 08 42 50, 🌳 – ☎ ✆ ♿ P. GB. ✂
fermé fév. – ☕ 36 – **14 ch** 290/600.

🏨 **Kastelberg** ⛱, 10 r. Gén. Koenig ✆ 88 08 97 83, Fax 88 08 48 34, ⛱, 🌳 – TV ☎ P – 🎓 30. GB
Repas *(ouvert fin mars-début nov. et 20 déc.-3 janv.)* (dîner seul.) 98/280 🍷, enf. 55 – ☕ 39 – **28 ch** 295/340 – ½ P 295/320.

XX **Boeuf Rouge,** ✆ 88 08 96 26, Fax 88 08 99 29 – AE ⓓ GB
fermé 19 juin au 5 juil., 9 au 29 janv., merc. soir et jeudi – **Repas** 122/244 🍷, enf. 86.

RENAULT Gar. Roeder Liebmann, ✆ 88 08 93 31 N ✆ 88 08 93 31

ANDOLSHEIM 68 H.-Rhin 62 ⑲ – rattaché à Colmar.

ANDORRE (Principauté d') ★★ 86 ⑭ ⑮ **G. Pyrénées Roussillon** – 61 599 h – ☎ 19-376 interurbain avec la France.

Les prix sont indiqués en pesetas

Andorre-la-Vieille Capitale de la Principauté **G. Pyrénées Roussillon** (plan) – alt. 1029.

Voir Vallée du Valira del Orient★ NE – Vallée du Valira del Nord★ N.

Office de Tourisme r. du Dr.-Vilanova ✆ 82 02 14, Fax 82 58 23.

Paris 885 – Carcassonne 168 – Foix 105 – ♦Perpignan 166.

🏨 **Plaza,** r. Maria Pla 19 ✆ 86 44 44, Fax 82 17 21, 🏋 – 🛗 ▤ TV ☎ ♿ 🚗 – 🎓 25 à 150. AE ⓓ GB JCB
Repas carte 2 950 à 4 325 – ☕ 1200 – **101 ch** 13600/17000.

Andorra Park H. ⊗, r. Les Canals ☎ 82 09 79, Fax 82 09 83, ←, « Élégante décoration », ⛱, ⛯, ✂ – |♦| TV ☎ P. AE ⓓ GB. ✂
Repas carte 5 300 à 6 100 – **40 ch** ⊏ 11300/15400.

Andorra Palace, r. de la Roda ☎ 82 10 72, Télex 208, Fax 82 82 45, Ⅎ, ⊡, ✂ – |♦| cuisinette TV ☎ ⇔ – 🔔 25 à 250
El Jardi del Palace : – **116 ch**, 24 appart.

Andorra Center, r. Dr Nequi 12 ☎ 82 48 00, Fax 82 86 06, Ⅎ, ⊡ – |♦| ≡ rest TV ☎ ⇔ – 🔔 25 à 50. AE ⓓ GB. ✂ rest
Repas 1500 - ***La Dama Blanca :*** **Repas** carte 2500 à 3800 – **140 ch** ⊏ 10900/14100.

Novotel Andorra, r. Prat de la Creu ☎ 86 11 16, Télex 208, Fax 86 11 20, Ⅎ, ⊡, ✂ – |♦| ≡ TV ☎ ♿ ⇔ – 🔔 25 à 250
102 ch.

Mercure, av. Meritxell 58 ☎ 82 07 73, Télex 208, Fax 82 85 52, Ⅎ, ⊡, ✂ – |♦| TV ☎ ⇔ – 🔔 25 à 80
La Brasserie – **70 ch.**

President, av. Santa Coloma 44 ☎ 82 29 22, Fax 86 14 14, ←, ⊡ – |♦| TV ☎ ⇔ – 🔔 25 à 110. AE ⓓ GB. ✂
Repas 2000 - ***Panoramic :*** **Repas** carte 3000 à 3800 – **88 ch** ⊏ 10500/15000.

Eden Roc, av. Dr Mitjavila 1 ☎ 82 10 00, Fax 86 03 19 – |♦| TV ☎. AE ⓓ GB. ✂
Repas 2000 – **56 ch** ⊏ 10000/14000.

Flora sans rest, Antic Carrer Major 25 ☎ 82 15 08, Fax 86 20 85, ⛱, ✂ – |♦| TV ☎ ⇔. AE ⓓ GB JCB. ✂
45 ch ⊏ 6500/11000.

Pyrénées, av. Princep Benlloch 20 ☎ 86 00 06, Fax 82 02 65, ⛱, ✂ – |♦| ≡ rest TV ☎ ⇔. AE ⓓ GB. ✂ rest
Repas 2500 – **74 ch** ⊏ 5700/8500.

Cassany sans rest, av. Meritxell 28 ☎ 82 06 36, Fax 86 36 09 – |♦| TV ☎. GB
⊏ 800 – **54 ch** 6850/7800.

Xalet Sasplugas ⊗, r. La Creu Grossa 15 ☎ 82 03 11, Fax 82 86 98, ←, ⛯ – |♦| TV ☎ ⇔. AE GB. ✂ rest
Repas *(fermé dim. soir et lundi midi)* 2500 - ***Metropol :*** **Repas** carte 3350 à 4200 – **26 ch** ⊏ 6800/11000.

Font del Marge, Baixada del Moli 49 ☎ 82 34 43, Fax 82 31 82 – |♦| TV ☎ ⇔. GB. ✂ rest
Repas 2250 – ⊏ 750 – **42 ch** 6500/9500.

Florida sans rest, r. Llacuna 15 ☎ 82 01 05, Fax 86 19 25 – |♦| TV ☎. AE ⓓ GB. ✂
48 ch ⊏ 4400/8500.

de l'Isard, av. Meritxell 36 ☎ 82 00 96, Télex 377, Fax 86 66 95 – |♦| TV ☎ ⇔. AE ⓓ GB. ✂ rest
Repas 2400 – ⊏ 950 – **60 ch** 6100/7600.

XX **Borda Estevet,** rte de La Comella 2 ☎ 86 40 26, Fax 82 31 42, « Décor rustique » – AE GB
fermé dim. en août – **Repas** carte 3 050 à 3 850.

XX **Celler d'En Toni** avec ch, r. Verge del Pilar 4 ☎ 82 12 52, Fax 82 18 72 – |♦| TV ☎. AE ⓓ GB JCB. ✂ rest
Repas carte 3 630 à 5 350 – ⊏ 400 – **20 ch** 4000/5000.

Arinsal – alt. 1145 – Sports d'hiver 1 550/2 800 m ⛷ 15.
Andorra la Vella 12.

Solana, ☎ 83 51 27, Fax 83 73 95, ←, ⊡ – |♦| TV ☎ ⇔ – 🔔 25 à 40. AE ⓓ GB. ✂ rest
fermé 15 oct. au 15 nov. – **Repas** 3000 – ⊏ 800 – **95 ch** 4800/8000.

Pobladó, ☎ 83 51 22, Fax 83 71 74, ← – AE ⓓ GB JCB. ✂ rest
fermé 31 mai au 30 juin et 1er nov. au 4 déc. – **Repas** 1700 – **28 ch** ⊏ 3000/4800.

à Erts S : 1,5 km :

Janet sans rest, ☎ 83 50 88, Fax 83 76 78 – P. GB. ✂
fermé 15 oct. au 30 nov. – ⊏ 450 – **19 ch** 4500/6000.

Canillo – alt. 1531.
Voir Crucifixion★ dans l'église de Sant Joan de Caselles NE : 1 km.
Andorra la Vella 12.

Bonavida, pl. Major ☎ 85 13 00, Fax 85 17 22, ← – |♦| TV ☎ ⇔. AE ⓓ GB. ✂
fermé 15 oct. au 2 déc. – **Repas** *(fermé mai et juin)* 2100 – **40 ch** ⊏ 8300/11200.

Roc del Castell sans rest, rte General ☎ 85 18 25, Fax 85 17 07 – |♦| TV ☎. AE GB. ✂
⊏ 700 – **44 ch** 5000/8500.

Encamp – alt. 1313.

Voir Les Bons : site★ N : 1 km.

Andorra la Vella 6.

Coray, chemin dels Caballers 38 ✆ 83 15 13, Fax 83 18 06, ←, – TV ☎ . GB. *fermé 4 au 30 nov.* – **Repas** carte 1 000 à 2 400 – 300 – **85 ch** 5000/6000.

Univers, r. René Baulard 13 ✆ 83 10 05, Fax 83 19 70 – TV ☎ P. AE GB. *fermé nov.* – **Repas** 1400 – **36 ch** 4200/6000.

Les Escaldes-Engordany – alt. 1105.

Andorra la Vella 2.

Roc de Caldes, rte d'Engolasters ✆ 86 27 67, Télex 485, Fax 86 33 25, « A flanc de montagne, ← » – TV ☎ – 25 à 120. AE GB. rest **Repas** 3500 - ***Els Jardins de Hoste* : Repas** carte 4700 à 5500 – **45 ch** 13500/18000.

Roc Blanc, pl. dels Co-Princeps 5 ✆ 82 14 86, Télex 224, Fax 86 02 44, – TV ☎ – 25 à 600. AE GB. rest **Repas** 4600 - ***El Pí* : Repas** carte 3400 à 5900 – ***L'Entrecôte*** brasserie : **Repas** carte 2150 à 3250 – 1600 – **240 ch** 11000/17000.

Panorama, rte de l'Obac ✆ 86 18 61, Télex 478, Fax 86 17 42, « Terrasse avec ← vallée et montagnes », – rest TV ☎ – 25 à 600. AE GB. rest **Repas** 2950 – 1200 – **177 ch** 10200/12000.

Delfos, av. del Fener 17 ✆ 82 46 42, Télex 242, Fax 86 16 42 – rest TV ☎ . AE GB JCB. rest **Repas** 2700 – **200 ch** 7475/9600.

Comtes d'Urgell, av. Escoles 29 ✆ 82 06 21, Fax 82 04 65 – rest TV ☎ . AE GB JCB. rest **Repas** 2500 – **200 ch** 5550/8200.

Canut, av. Carlemany 107 ✆ 82 13 42, Fax 86 09 96 – TV ☎. AE GB JCB voir rest. ***Casa Canut*** ci-après – 800 – **50 ch** 5000/6000.

Valira, av. Carlemany 37 ✆ 82 05 65, Fax 86 67 80 – TV ☎. AE GB. **Repas** 2300 – **55 ch** 7000/9400.

Espel, pl. Creu Blanca 1 ✆ 82 08 55, Fax 82 80 56 – TV ☎ . AE GB. *fermé nov.* – **Repas** 1800 – **102 ch** 4500/6200.

Les Closes sans rest, av. Carlemany 93 ✆ 82 83 11, Fax 86 39 70 – TV ☎ . AE GB **78 ch** 6000/8000.

Casa Canut, av. Carlemany 107 ✆ 82 13 42, Fax 86 09 96 – AE GB JCB. **Repas** carte 3 200 à 5 500.

Don Denis, r. Isabel Sandy 3 ✆ 82 06 92, Fax 86 31 30 – . AE GB JCB. **Repas** carte 2 685 à 4 085.

La Massana – alt. 1241.

Andorra la Vella 5.

Xalet Ritz, rte de Sispony S : 1,8 km ✆ 83 78 77, Fax 83 77 20, ←, « Belle décoration intérieure », – TV ☎ . AE GB. rest **Repas** 3000 – **47 ch** 14000/19000.

Rutllan, rte d'Arinsal ✆ 83 50 00, Fax 83 51 80, ←, , , – TV ☎ . AE GB. rest **Repas** 3000 – 1300 – **100 ch** 6000/10000.

El Rusc, rte d'Arinsal : 1 km ✆ 83 82 00, Fax 83 51 80, élégant décor rustique – P. AE GB. *fermé dim. soir et lundi* – **Repas** carte 5 500 à 7 000.

La Borda de l'Avi, rte d'Arinsal ✆ 83 51 54, Fax 83 53 90 – P. AE GB **Repas** - viandes - carte 3 900 à 5 550.

*à **Sispony*** S : 2,5 km :

Xopluc, ✆ 83 56 45, Fax 86 01 30, ← – P. AE GB **Repas** - viandes - carte 3 300 à 4 500.

*à **La Aldosa*** NE : 2,7 km :

Del Bisset, rte d'Ordino ✆ 83 75 55, Fax 83 79 89, ← – TV ☎ P. GB **Repas** 2600 – 600 – **30 ch** 5800.

Ordino – alt. 1304.

Andorra la Vella 9.

Coma, ✆ 83 51 16, Fax 83 79 09, ←, , – rest TV ☎ . AE GB. *fermé nov.* – **Repas** 2500 – **48 ch** 7750/8500.

Prats sans rest, rte Coll d'Ordino ✆ 83 74 37, Fax 83 67 04, ← – TV ☎ P. GB. *fermé 1er nov. au 24 déc.* – **36 ch** 5000/8000.

à Ansalonga NO : 1,8 km :

Sant Miquel, ✆ 85 07 70, ← – |¤| TV ☎ P. GB. ✻
fermé juin – **Repas** 1300 – **19 ch** ☕ 5000/7000.

Pas-de-la-Case – alt. 2091 – Sports d'hiver.

Andorra la Vella 29.

Esqui d'Or, r. Catalunya 9 ✆ 85 51 27, Fax 85 51 78 – |¤| TV ☎ ⇔. AE ⓓ GB. ✻
1er déc.-1er mai – **Repas** 2500 – ☕ 775 – **62 ch** 15800.

Santa-Coloma – alt. 970.

Andorra la Vella 4.

Cerqueda ⊗, r. Mossen Lluis Pujol ✆ 82 02 35, Fax 86 19 09, ←, ⛱, ⛲ – |¤| TV ☎ P. AE ⓓ GB. ✻ rest
fermé 7 janv. au 7 fév. – **Repas** 2400 – ☕ 600 – **65 ch** 4400/8100.

Don Pernil, av. d'Enclar 94 ✆ 86 52 55, Fax 86 36 24, décor rustique – ▤. AE ⓓ GB
fermé nov. – **Repas** - viandes grillées - carte 2 100 à 2 800.

Sant-Julià-de-Lòria – alt. 909.

Andorra la Vella 7.

Pol, r. Verge de Canolich 52 ✆ 84 11 22, Fax 84 18 52 – |¤| ▤ rest TV ☎. GB. ✻
fermé 7 janv. au 9 fév. – **Repas** (dîner seul.) carte 2 100 à 4 600 – **80 ch** ☕ 8850/9400.

Imperial sans rest, av. Rocafort 27 ✆ 84 33 92, Fax 84 34 79 – |¤| ▤ TV ☎ P. AE GB
fermé mai – **44 ch** ☕ 7500/9500.

La Guingueta, rte de la Rabassa ✆ 84 29 45, ⛱, « Décor rustique » – ▤. AE GB
Repas carte 5 000 à 7 400.

au SE : 7 km :

Coma Bella ⊗, alt. 1 300 ✆ 84 12 20, Fax 84 14 60, ←, parc, « Dans la forêt de la Rabassa », Fö – TV ☎ P. AE GB
fermé 15 au 30 nov. et 8 au 30 janv. – **Repas** 1750 – **28 ch** ☕ 5800/7800.

Soldeu – alt. 1826 – Sports d'hiver 1700/2560 m. ⛷ 16.

Env. Port d'Envalira ✻★★ SE : 7,5 km.

Andorra la Vella 19.

à Incles O : 1,8 km :

Parador Canaro, ✆ 85 10 46, Fax 85 17 20, ← – TV ☎ ⇔ P. AE ⓓ GB JCB. ✻
fermé 8 mai au 15 juin – **Repas** 1850 – ☕ 500 – **18 ch** 3800/6500.

à El Tarter O : 3 km :

Del Tarter, ✆ 85 11 65, Fax 85 14 74, ← – |¤| TV ☎ ⇔ P. AE ⓓ GB. ✻
fermé 2 mai au 2 juin et 15 oct. au 3 déc. – **Repas** 2100 – ☕ 900 – **37 ch** 5500/8000.

Llop Gris ⊗, ✆ 85 15 59, Fax 85 12 29, ←, Fö, ⛲ – |¤| TV ☎ ⇔ – 🎭 30 à 80. AE GB. ✻ rest
Repas 2900 – **68 ch** ☕ 10080/16800.

Del Clos ⊗, ✆ 85 15 00, Fax 85 15 54, ← – |¤| TV ☎ ⇔. AE ⓓ GB. ✻
fermé 2 mai au 30 juin – **Repas** (dîner seul.) 1500 – **29 ch** ☕ 8000/9600.

de Sant Pere ⊗ avec ch, ✆ 85 10 87, Fax 85 10 87, ←, ⛱, « Décor rustique » – P. AE GB. ✻
Repas *(fermé dim. soir)* carte environ 4 100 – **6 ch** ☕ 8000/12000.

ANDRÉZIEUX-BOUTHÉON 42160 Loire 73 ⑱ – 9 407 h alt. 395.

Voir Lac de retenue de Grangent★★ S : 9 km, **G. Vallée du Rhône.**

ℹ Office de Tourisme 41 av. de St-Etienne ✆ 77 55 37 03.

Paris 511 – ♦St-Étienne 16 – ♦Lyon 76 – Montbrison 18 – Roanne 72.

Les Iris ⊗, 32 av. J. Martouret ✆ 77 36 09 09, Fax 77 36 09 00, ⛱, ⛱, ⛲ – ⇔ TV ☎ ✆ P – 🎭 25. ⓓ GB JCB
Repas *(fermé vacances de Toussaint, de fév., dim. soir et lundi sauf juin et juil.)* 105/295, enf. 65 – ☕ 45 – **10 ch** 405 – ½ P 330.

ANDUZE 30140 Gard 80 ⑰ **G. Gorges du Tarn** – 2 913 h alt. 135.

Voir Bambouseraie de Prafrance★ N : 3 km par D 129.

ℹ Office de Tourisme plan de Brie ✆ 66 61 98 17.

Paris 720 – Alès 13 – ♦Montpellier 61 – Florac 67 – Lodève 85 – Nîmes 43 – Le Vigan 52.

au NO : 3 km par rte de St-Jean-du-Gard – ✉ **30140** Anduze :

Porte des Cévennes ⊗, ✆ 66 61 99 44, Fax 66 61 73 65, ←, ⛱, ⛲ – TV ☎ P. AE ⓓ GB. ✻
1er avril-25 oct. – **Repas** (dîner seul.) 90/150 – ☕ 42 – **37 ch** 315 – ½ P 265.

La Régalière, ✆ 66 61 81 93, Fax 66 61 85 94, ⌂, ⛱, 🏊 – 📺 ☎ ✆ 🅿. AE ⓞ GB
fermé 1er déc. au 15 mars – **Repas** *(fermé merc. midi sauf juil.-août)* 90/230, enf. 38 – ☕ 3… – **12 ch** 270/300 – ½ P 280.

à Générargues NO : 5,5 km par D 129 et D 50 – 546 h. alt. 160 – ✉ **30140** :

Trois Barbus 🐦, rte Mialet ✆ 66 61 72 12, Fax 66 61 72 74, ≤ vallée des Camisards, ⌂, 🏊 – 📺 ☎ 🅿 – 🏛 30. AE GB
1er avril-3 nov. et fermé dim. soir et lundi du 15 sept. au 31 oct. – **Repas** 150 (déj.), 190/290 enf. 70 – ☕ 60 – **34 ch** 285/580 – ½ P 390/490.

à Tornac SE : 6 km par D 982 – 650 h. alt. 140 – ✉ **30140** :

Demeures du Ranquet Ⓜ 🐦, ✆ 66 77 51 63, Fax 66 77 55 62, ⌂, parc, 🏊 – ⇆ 📺 ☎ ✆ 🅿 – 🏛 30. GB. ✽ rest
1er mars-11 nov. et fermé mardi soir et merc. sauf du 15 juin au 15 sept. – **Repas** 150/360 enf. 70 – ☕ 75 – **10 ch** 640/860 – ½ P 620/650.

à Mialet NO : 10 km par D 129 et D 50 – 511 h. alt. 161 – ✉ **30140**.

Voir Le Mas Soubeyran : musée du Désert★ (souvenirs protestants 17e-18e s.) S : 3 km – Grotte de Trabuc★★.

Grottes de Trabuc 🐦, sur D 50 ✆ 66 85 02 81, Fax 66 85 02 04, ⌂ – ☎ 🅿. GB
1er avril-30 sept. – **Repas** 69/130, enf. 40 – ☕ 28 – **8 ch** 160/230 – ½ P 200/240.

Aub. du Fer à Cheval, ✆ 66 85 02 80, ⌂ – GB
ouvert : 15 mars-30 sept., sam. et dim. en oct. et nov. et fermé dim. soir et lundi – **Repas** 85/135, enf. 45.

à Durfort SO : 12 km par D 982 – 492 h. alt. 150 – ✉ **30170** :

Le Real, rte St-Hippolyte-du-Fort ✆ 66 77 50 68, ⌂ – 🅿
fermé 24 au 30 juin, 12 au 18 nov., dim. soir et lundi – **Repas** (déj. seul. sauf juil.-août) 95/200.

ANET 28260 E.-et-L. 55 ⑰ 106 ⑬ – 2 696 h alt. 73.

Voir Château★, G. Normandie Vallée de la Seine.

🅸 Syndicat d'initiative ✆ 37 41 49 09.

Paris 76 – Chartres 50 – Dreux 16 – Évreux 31 – Mantes-la-Jolie 27 – Versailles 56.

Dousseine 🐦 sans rest, rte Sorel-Moussel ✆ 37 41 49 93, Fax 37 41 90 54, « Jardin fleuri », 🎾 – 📺 ☎ ♿ 🅿 – 🏛 50. GB
☕ 40 – **20 ch** 250/280.

Aub. de la Rose avec ch, 6 r. Ch. Lechevrel ✆ 37 41 90 64 – GB
fermé dim. soir et lundi – **Repas** 153/240 – ☕ 35 – **7 ch** 180/240.

Manoir d'Anet, 3 pl. Château ✆ 37 41 91 05, Fax 37 41 91 04 – GB
fermé 2 au 24 janv., jeudi soir, mardi soir et merc. – **Repas** 145/238.

à Ézy-sur-Eure (27 Eure) NO : 2 km – ✉ **27530** :

Maître Corbeau, rte Ivry ✆ 37 64 73 29, Fax 37 64 68 98, ⌂ – 🅿. AE GB
fermé mardi soir et merc. – **Repas** 98/350 🍷.

PEUGEOT Gar. Dafeur, ✆ 37 41 91 02 🅽 ✆ 37 41 91 02
RENAULT Ezy Auto, rte de Dreux à Ezy-sur-Eure ✆ 37 64 74 33 🅽 ✆ 37 64 74 33
RENAULT Gar. Bonnin, ✆ 37 41 90 51

ANGERS 🅿 49000 M.-et-L. 63 ⑳ G. Châteaux de la Loire – 141 404 h Agglo. 208 282 h alt. 41.

Voir Château★★★ AYZ : tenture de l'Apocalypse★★★, tenture de la Passion et Tapisseries mille-fleurs★★ – Vieille ville★★ : cathédrale★★ BY, galerie romane★★ de la Préfecture★ BZ P, galerie David d'Angers★ BZ E – Maison d'Adam★ BYZ D, hôtel Pincé★ BY – Choeur★★ de l'église St-Serge★ CY – Musée Jean Lurçat et de la Tapisserie contemporaine★★ dans l'ancien hôpital St-Jean ABY – La Doutre★ AY.

⛳18 ✆ 41 91 96 56, par ④ : 8 km ; ⛳18 de la Perrière ✆ 41 69 22 50, à Avrillé : 5 km par ⑥.

🅸 Office de Tourisme pl. Kennedy ✆ 41 23 51 11, Fax 41 23 51 10 – Automobile Club pl. République (près Halles) ✆ 41 88 40 22.

Paris 294 ① – ♦Caen 240 ⑤ – Laval 78 ⑤ – ♦Le Mans 95 ① – ♦Nantes 89 ⑤ – ♦Rennes 127 ⑤ – Saumur 49 ② – ♦Tours 107 ①.

Plans pages suivantes

Anjou et rest. Salamandre, 1 bd Mar. Foch ✉ 49100 ✆ 41 88 24 82, Fax 41 87 22 21, « Belle décoration intérieure » – 🛗 📺 ☎ 🚗 – 🏛 60. AE ⓞ GB JCB. ✽ rest CZ h
Repas 120 (déj.), 165/210 – ☕ 59 – **53 ch** 365/620.

Mercure Centre Ⓜ, pl. Mendès-France (Centre des Congrès) ✉ 49100 ✆ 41 60 34 81, Télex 722139, Fax 41 60 57 84 – 🛗 ⇆ ≡ 📺 ☎ ♿ 🚗 – 🏛 30. AE ⓞ GB CY a
Repas 115/135 bc, enf. 48 – ☕ 55 – **83 ch** 445/485.

France et rest. Plantagenêts, 8 pl. Gare ✉ 49100 ℘ 41 88 49 42, Fax 41 86 76 70 – rest ☎ – 30. AE GB AZ **t**
Repas *(fermé 22 déc. au 5 janv., sam. midi et dim. soir)* 97/153 – 50 – **54 ch** 330/550 – ½ P 258/268.

Bleu Marine, 18 bd Mar. Foch ✉ 49100 ℘ 41 87 37 20, Fax 41 87 49 54, – ☎ – 100. AE GB JCB CZ **u**
Repas 89/145 – 60 – **70 ch** 390/480 – ½ P 347/433.

St Julien sans rest, 9 pl. Ralliement ✉ 49100 ℘ 41 88 41 62, Fax 41 20 95 19 – ☎. AE GB CY **e**
32 – **34 ch** 225/300.

Mail sans rest, 8 r. Ursules ✉ 49100 ℘ 41 88 56 22, Fax 41 86 91 20 – ☎ P. AE GB CY **b**
31 – **27 ch** 150/320.

Ibis, r. Poissonnerie ✉ 49100 ℘ 41 86 15 15, Fax 41 87 10 41 – ☎ – 40. AE GB BY **b**
Repas 99 bc, enf. 39 – 37 – **95 ch** 300/320.

Univers sans rest, 16 r. Gare ✉ 49100 ℘ 41 88 43 58, Fax 41 86 97 28 – ☎. AE GB AZ **m**
29 – **45 ch** 200/280.

Continental sans rest, 12 r. L. de Romain ✉ 49100 ℘ 41 86 94 94, Fax 41 86 96 60 – ☎. AE GB BYZ **n**
37 – **25 ch** 215/310.

Royalty sans rest, 21 bd Ayrault ✉ 49100 ℘ 41 43 78 76, Fax 41 60 37 51 – ☎. GB CY **z**
fermé 25 déc. au 1er janv. – 32 – **20 ch** 215/275.

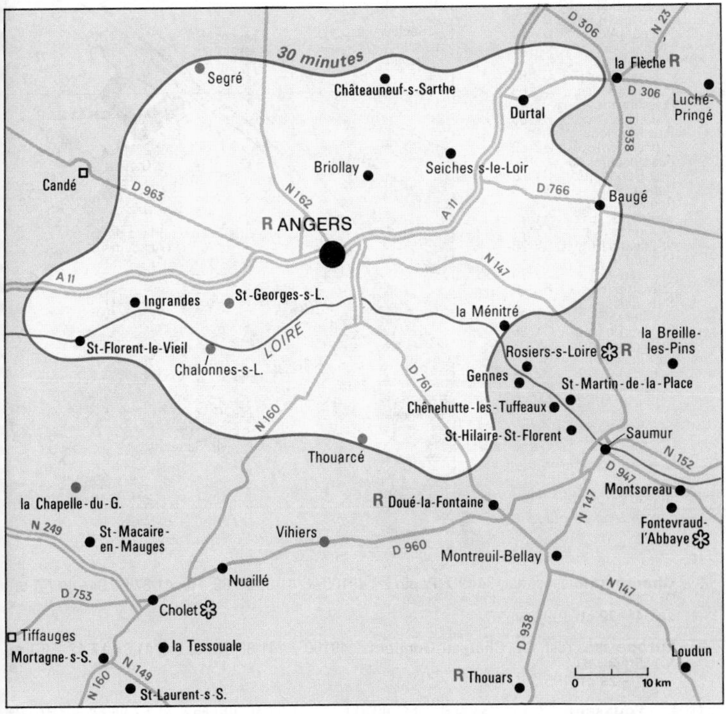

Ask your bookseller for the catalogue of Michelin publications.

ANGERS

Alsace (R. d') .... CZ
Beaurepaire (R.) .. AY
Bressigny (R.) .... CZ
Chaperonnière (Rue) .... BYZ 15
Foch (Bd Mar.) .. BCZ
Laiterie (Pl.) ...... AY
Lenepveu (R.) .... CY 40
Lices (R. des) .... BZ
Lionnaise (R.) .... AY
Plantagenêt (R.) .. BY 56
Ralliement (Pl. du) BY 66
Roë (R. de la) .... BY 70
St-Aubin (R.) .... BZ 73
St-Julien (R.) ... BCZ
Voltaire (R.) ...... BZ 93

Aragon (Av. Yolande d') AY 2
Bichat (R.) .... AY 7
Bon-Pasteur (Bd du) .... AY 9
Bout-du-Monde (Prom. du) ..... AY 12
Commerce (R. du) CY 19
David-d'Angers (Rue) .... CY 21
Denis-Papin (R.) .. BZ 22
Espine (R. de l') .. BY 27
Estoile (Sq.J. de l') .... AY 29
Freppel (Pl.) ...... BY 31
Gare (R. de la) .... BZ 32
La Rochefoucauld-Liancourt (Pl.) ABY 38
Lise (R. P.) ...... CY 43
Marceau (R.) ..... AZ 45
Mirault (Bd) ..... BY 49
Oisellerie (R.) .... BY 53
Pasteur (Av.) ..... CY 54
Pilori (Pl. du) ..... CY 55
Pocquet-de-Livonnières (R.) CY 57
Poëliers (R. des) .. CY 58
Poissonnerie (Pl.) .... BY 59
Prés.-Kennedy (Place du) ..... AZ 62
Résistance-et-de-la-Déport. (Bd) . CY 68
Robert (Bd) ...... BY 69
Ronceray (Bd du) .... AY 71
St-Aignan (R.) ... AY 72
St-Étienne (R.) ... CY 75
St-Laud (R.) ..... BY 77
St-Lazare (R.) .... AY 79
St-Martin (R.) .... BZ 80
St-Maurice (Mtée) .... BY 82
St-Maurille (R.) ... CY 85
St-Michel (Bd) ... CY 83
Ste-Croix (Pl.) .... BZ 86
Talot (R.) .... BZ 89
Tonneliers (Rue des) ..... AY 90

Pas de publicité payée dans ce guide

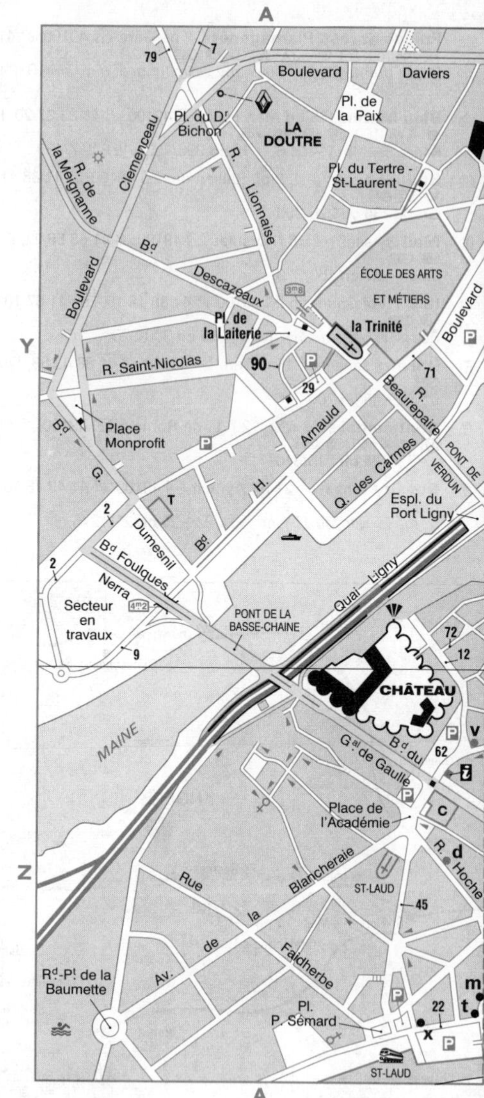

Champagne sans rest, 34 r. D. Papin ✉ 49100 ✆ 41 88 78 06, Fax 41 87 03 94 – AE GB
34 – **30 ch** 159/284. AZ x

Europe sans rest, 3 r. Château-Gontier ✉ 49100 ✆ 41 88 67 45, Fax 41 86 17 42 – AE GB
34 – **29 ch** 195/280. CZ a

XXX **Le Toussaint,** 7 pl. Kennedy ✉ 49100 ✆ 41 87 46 20, Fax 41 87 96 64 – AE GB
fermé vacances de fév., dim. soir et lundi – **Repas** 98 (déj.), 129/220 et carte 210 à 310, enf. 65. AZ v

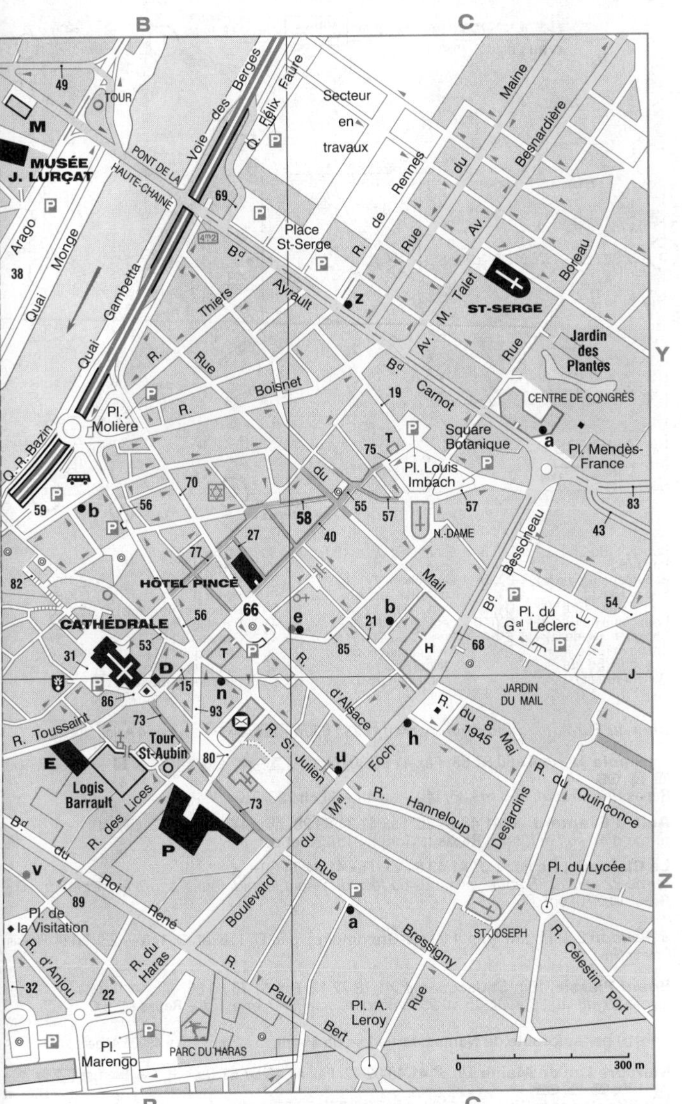

XX **Provence Caffé,** 9 pl. Ralliement ✆ 41 87 44 15, Fax 41 87 44 15 – AE GB. ✻ BCY **e**
fermé 4 au 27 août, dim. soir et lundi midi – **Repas** 89.

XX **Rose d'Or,** 21 r. Delaâge ✉ 49100 ✆ 41 88 38 38 – ▤. GB. ✻ BZ **v**
fermé dim. soir et lundi – **Repas** (nombre de couverts limité, prévenir) 105/175, enf. 60.

XX **Ma Campagne,** 14 prom. de Reculée ✉ 49100 ✆ 41 48 38 06, Fax 41 48 04 37, 余 – GB EV **f**
fermé dim. soir et lundi – **Repas** 85 (déj.), 105/185.

X **Lucullus,** 5 r. Hoche ✉ 49100 ✆ 41 87 00 44, Fax 41 87 00 44, « Salles voûtées » – AE ⓓ GB AZ **d**
fermé 1er au 20 août, 1er au 15 janv., dim. soir et lundi – **Repas** 98/200.

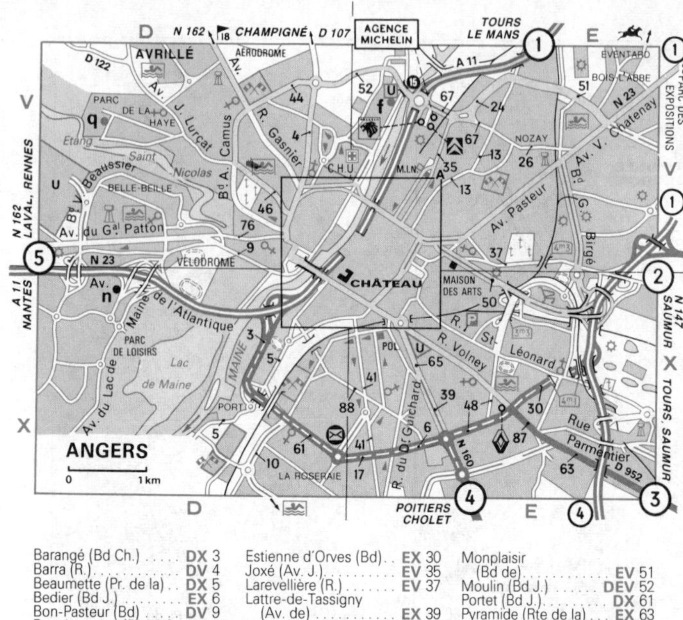

Barangé (Bd Ch.) . . . . . DX 3
Barra (R.) . . . . DV 4
Beaumette (Pr. de la) . . DX 5
Bedier (Bd J.) . . . . EX 6
Bon-Pasteur (Bd) . . . . . DV 9
Bouchemaine (Rte de) . DX 10
Chalouère (R. de la) . . . EV 13
Chaumin (Bd E.) . . . . . . EX 17
Doyenné (Bd du) . . . . . . EV 24
Dunant (Bd H.) . . . . EV 26
Estienne d'Orves (Bd) . . EX 30
Joxé (Av. J.) . . . . EV 35
Larevellière (R.) . . . . . . EV 37
Lattre-de-Tassigny (Av. de) . . . . EX 39
Letanduère (R. de) . . . . EX 41
Lizé (R. du Gén.) . . . . . DV 44
Meignanne (R. de la) . . DV 46
Millot (Bd J.) . . . . EX 48
Montaigne (Av.) . . . . . . EX 50
Monplaisir (Bd de) . . . . EV 51
Moulin (Bd J.) . . . . . . DEV 52
Portet (Bd J.) . . . . DX 61
Pyramide (Rte de la) . . . EX 63
Rabelais (R.) . . . . EX 65
Ramon (Bd G.) . . . . EV 67
St-Jacques (R.) . . . . DV 76
Saumuroise (R.) . . . . . . EX 87
Strasbourg (Bd de) . . DEX 88

près du Parc des Expositions par ① N 23 : 6 km – ✉ **49480** St Sylvain d'Anjou :

Acropole M, ℘ 41 60 87 88, Fax 41 60 30 03, ☂, ⛱, 🌳 – |‡| TV ☎ ♿ P – 🏫 50 à 100. AE ⊙ GB
Repas *(fermé sam. et dim.)* 85/140 – ☕ 43 – **50 ch** 290/310 – ½ P 225.

XXX **Aub. d'Éventard,** ℘ 41 43 74 25, Fax 41 34 89 20, ☂, 🌳 – ▤ P. AE ⊙ GB. ✂
fermé dim. soir et lundi – **Repas** 155 (déj.), 215/355 et carte 280 à 460.

XX **Le Clafoutis,** rte Paris ℘ 41 43 84 71, Fax 41 34 74 80 – ▤ P. AE GB
fermé 22 juil. au 18 août, vacances de fév., dim. sauf le midi fériés, sam. midi et lundi soir – **Repas** 90/270, enf. 65.

à Foudon E : 11 km (dir. Plessis-Grammoire) par D 116 et D 113 – ✉ **49124** Plessis-Grammoire :

XX **Boeuf Plessis,** 10 r. St-Jacques ℘ 41 76 72 12, Fax 41 76 80 85, ☂, 🌳 – GB
fermé 29 juil. au 20 août, 15 au 23 janv., dim. soir, lundi et mardi – **Repas** 80/200.

vers ⑤ par autoroute de Nantes sortie Lac de Maine O : 2 km – ✉ **49000** Angers :

Mercure Lac de Maine M, ℘ 41 48 02 12, Fax 41 48 57 51, 🏋 – |‡| ✕ ▤ rest TV ☎ P – 🏫 120. AE ⊙ GB DX **n**
Le Diffen : **Repas** 85/179bc, enf. 62 – ☕ 52 – **75 ch** 395/435.

au parc de la Haye NO : 4 km – ✉ **49240** Avrillé :

X **Aub. de la Haye,** av. Geoffroy-Martel, Parc de la Haye ℘ 41 69 33 58, Fax 41 69 66 74, ☂, 🌳 – AE ⊙ GB DV **q**
fermé dim. soir et lundi – **Repas** 100/200, enf. 50.

rte de Laval par N 162 : 8 km DV – ✉ **49240** Avrillé :

Le Cavier M, La Croix-Cadeau ℘ 41 42 30 45, Fax 41 42 40 32, ☂, « Salles à manger installées dans un ancien moulin », ⛱, 🌳 – TV ☎ ♿ P – 🏫 30. AE ⊙ GB
Repas *(fermé 24 déc. au 7 janv. et dim.)* 102/166 🍷 – ☕ 45 – **43 ch** 245/310 – ½ P 240/257.

MICHELIN, Agence, 18 bd G.-Ramon, ZI St-Serge EV ℘ 41 43 65 52

BMW Guitteny Autom., 2 av. Besnardière ☎ 41 43 72 88
CITROEN Sovam, 3 r. Vaucanson EV ☎ 41 21 22 23 N ☎ 41 60 96 04
MERCEDES Gar. Bretagne, 107 bd Bedier ☎ 41 44 51 51 N ☎ 41 66 82 66
PEUGEOT Gar. Lafayette, 21 pl. Lafayette ☎ 41 88 42 20
PEUGEOT SIAA, 9 quai F.-Faure, ZI St-Serge EV ☎ 41 60 56 05 N ☎ 07 09 55 66
RENAULT Gar. Plessis, 5 pl. Dr Bichon AY ☎ 41 87 46 86
RENAULT Succursale, 46 bd J.-Millot EX ☎ 41 54 55 56 N ☎ 07 82 49 76
ROVER Gar. Rallye-Service, 4 bis r. St-Maurille ☎ 41 88 03 39

Cailleau, 9 r. Thiers ☎ 41 88 73 20
Euromaster, 4 av. Besnardières ☎ 41 43 67 49
Euromaster, les Ponts de Cé ☎ 41 69 96 16
Rodier Pneus, 7 bd Romanerie ☎ 41 43 95 14
Sofrap Point S, les Ponts de Cé ☎ 41 44 97 87

ANGERVILLE 91670 Essonne 60 ⑲ – 3 012 h alt. 141.

Paris 68 – Chartres 44 – Ablis 28 – Étampes 19 – Évry 54 – ◆Orléans 52 – Pithiviers 27.

France, pl. du Marché ☎ (1) 69 95 11 30, Fax (1) 64 95 39 59 – 30. AE GB
Repas 140 – 40 – **16 ch** 300/350.

à La Poste de Boisseaux S : 7 km sur N 20 – ✉ 28310 (E.-et-L.) Barmainville :

La Panetière, ☎ 38 39 58 26, Fax 38 39 53 40, – P. GB
fermé 5 au 12 août, dim. soir et lundi – **Repas** 100/155.

Les ANGLES 30133 Gard 81 ⑪ – 6 838 h alt. 66.

Paris 683 – Avignon 7 – Alès 68 – Nîmes 44 – Remoulins 18.

Voir plan de Avignon agglomération..

Host. Ermitage, à Bellevue sur D 900 rte Nîmes ☎ 90 25 41 02, Fax 90 25 11 68, – P. AE GB
fermé janv. et fév. voir rest. ***Ermitage Meissonnier*** ci-après – 55 – **16 ch** 230/500 – ½ P 290/460.

Le Petit Manoir , av. J. Ferry ☎ 90 25 03 36, Fax 90 25 49 13, , – P – 35. GB. rest AV **s**
Repas 89/220, enf. 50 – 36 – **48 ch** 260/340 – ½ P 255/295.

Ermitage-Meissonnier, à Bellevue sur D 900 rte Nîmes ☎ 90 25 41 68, Fax 90 25 11 68, , , – P. AE GB JCB AV **r**
fermé dim. soir de nov. à mars et lundi sauf le soir en juil.-août – **Repas** 160/430, enf. 120 - ***Côté Bouchon :*** **Repas** 100 .

Les ANGLES 66210 Pyr.-Or. 86 ⑯ – 528 h alt. 1650 – Sports d'hiver : 1 600/2 400 m 2 21 .

Office de Tourisme av. de l'Aude ☎ 68 04 32 76, Fax 68 30 93 09.

Paris 881 – Font-Romeu-Odeillo-Via 20 – Mont-Louis 10,5 – ◆Perpignan 90 – Quillan 59.

Le Yaka, ☎ 68 04 46 46, Fax 68 04 39 56, <, – P. AE GB. rest
fermé mai et 15 oct. au 30 nov. – **Repas** 89/180 , enf. 43 – 40 – **35 ch** 265/285 – ½ P 284.

ANGLET 64600 Pyr.-Atl. 78 ⑱ **G. Pyrénées Aquitaine** – 33 041 h alt. 20.

de Chiberta ☎ 59 63 83 20, N : 5 km par D 5 ; Makila ☎ 59 42 43 52 à Bassussarry, S : 4 km par D 203 et D 932.

de Biarritz-Parme ☎ 59 43 83 83, SO : 2 km.

Office de Tourisme 1 av. Chambre-d'Amour ☎ 59 03 77 01, Fax 59 03 55 91.

Paris 775 – Biarritz 4 – ◆Bayonne 3 – Cambo-les-Bains 19 – Pau 118 – St-Jean-de-Luz 20.

Plan : voir Biarritz-Anglet-Bayonne.

Atlanthal M , 153 bd Plages - ABX ☎ 59 52 75 75, Fax 59 52 75 13, <, , centre de thalassothérapie, , , , – rest P – 110. AE GB. rest
fermé 10 au 25 déc. – **Repas** 170 – 60 – **99 ch** 700/1400, 4 appart – ½ P 650/960.

Novotel Biarritz Aéroport M, 68 av. Espagne, N 10 ☎ 59 58 50 50, Télex 572127, Fax 59 03 33 55, , , , – P – 25 à 130. AE GB BX **m**
Repas 108 , enf. 50 – 52 – **121 ch** 495/560.

Ibis, 64 av. Espagne, N 10 ☎ 59 03 45 45, Fax 59 03 27 97 – P – 30. AE GB. rest BX **m**
Repas 99 bc, enf. 39 – 35 – **83 ch** 320/350.

au lac de Brindos **SO : 3,5 km par N 10 - voir à Biarritz**

CITROEN C et C, bd du Bab BX ☎ 59 63 89 85
FIAT Gar. Côte Basque, 44 av. de Bayonne ☎ 59 63 04 04
FORD Auto Durruty, ZI des Pontots, bd du Bab ☎ 59 58 33 33 N ☎ 59 23 68 68
NISSAN Gar. Corro, 22 bis r. Lannebere ☎ 59 52 15 52
OPEL Gar. Lafontaine, BAB 2, les Pontots ☎ 59 52 26 46
RENAULT Gar. Aylies, 54 av. d'Espagne BX ☎ 59 03 98 13
VOLVO Darmendrail Autom., 1 r. du Col. M Lynch ☎ 59 31 43 43

ANGOULÊME P 16000 Charente 72 ⑬ ⑭ **G. Poitou Vendée Charentes** – 42 876 h Agglo. 102 908 h alt. 98.

Voir La ville haute★★ – Site★ – Promenade des Remparts★★ YZ – Cathédrale★ : façade★★ Y **F** – C.N.B.D.I. (Centre national de la bande dessinée et de l'image)★ Y

de l'Hirondelle ✆ 45 61 16 94, S : 2 km X.

d'Angoulême-Champniers, ✆ 45 69 88 09, par ① : 12 km.

Office de Tourisme 2 pl. St-Pierre ✆ 45 95 16 84, Fax 45 95 91 76 – Automobile Club de la Charente 8 r. Marcel-Paul ✆ 45 95 16 14.

Paris 444 ① – ♦Bordeaux 118 ⑤ – ♦Limoges 103 ② – Niort 106 ① – Périgueux 87 ③ – Royan 110 ⑥.

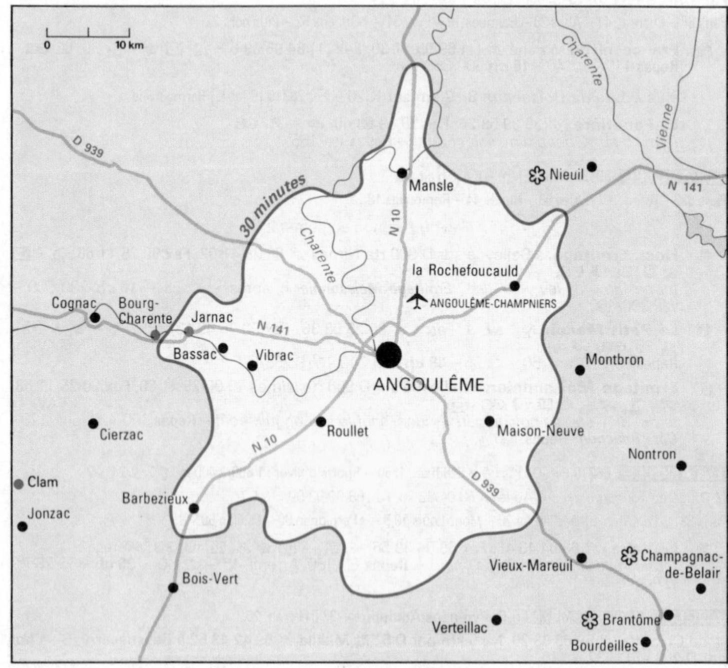

Mercure - H. de France M, 1 pl. Halles ✆ 45 95 47 95, Télex 799416, Fax 45 92 02 70, – 25 à 200. AE GB JCB — Y **e**
Repas *(fermé sam. midi, dim. midi et fériés le midi)* 152 , enf. 60 – 55 – **90 ch** 410/510.

Européen M sans rest, pl. G. Pérot ✆ 45 92 06 42, Fax 45 94 88 29 – 25. AE GB — Y **a**
45 – **32 ch** 320/480.

St Antoine, 31 r. St Antoine ✆ 45 68 38 21, Fax 45 69 10 31 – 25. AE GB — X **f**
Repas *(fermé sam. midi et dim. soir)* 83/190 – 37 – **32 ch** 280/310 – ½ P 255.

Épi d'Or sans rest, 66 bd René Chabasse ✆ 45 95 67 64, Fax 45 92 97 23 – 30. GB — X **v**
35 – **33 ch** 365/400.

Palais sans rest, 4 pl. F. Louvel ✆ 45 92 54 11, Fax 45 92 01 83 – AE GB JCB — Y **k**
38 – **49 ch** 180/370.

Les Gourmandines, 25 r. Genève ✆ 45 92 58 98 – GB — Y **d**
fermé dim. – **Repas** 79/169.

La Ruelle, 6 r. Trois Notre-Dame ✆ 45 95 15 19 – AE GB — Y **x**
fermé 8 au 14 avril, 5 au 18 août, 1er au 5 janv., sam. midi et dim. – **Repas** 155/260.

ANGOULÊME

Louvel (Pl. F.) . . . . Y 32
Marengo (R.) . . . . YZ 33
Monlogis (R.) . . . . X 35
Paris (R. de) . . . . Y
Périgueux (R. de) . . . . X, YZ 38
Postes (R. des) . . . . Y 39
St-Martial (Esp. et R.) . . . . Z 45
Saintes (R. de) X

Aguesseau (Rampe) . . . . Y 2
Barthou (R. L.) . . . . Y 3
Basseau (R. de) . . . . X 4
Beaulieu (Rempart de) . . . . Y 5
Bouillaud (Pl.) . . . . Z 6
Briand (Bd A.) . . . . Y 7
Chabasse (Bd) . . . . X 8
Champs-de-Mars (Pl.) . . . . Y 9
Churchill (Bd W.) . . . . Z 10
Cloche-Verte (R. de la) . . . . Y 12
Denis-Papin (R.) . . . . Y 16
Desaix (Rempart) . . . . Z 20
Fontaine-du-Lizier (R.) . . . . Y 23
Gambetta (Av.) . . . . Y 25
Gaulle (Av. Gén.-de) . . . . . Y 26
Halles (Pl. des) . . . . Y 27
La Rochefoucauld (R.) . . . . Y 29
Lattre-de-Tassigny (Av. de) . . . . X, Y 30
Liedot (Bd) . . . . X 31
Midi (Rempart du) . . . . Y 34
Pasteur (Bd) . . . . Y 37

St-André (R.) . . . . Y 42
St-Antoine (R.) . . . . X 44
Soleil (R. du) . . . . Y 49
Turenne (R.) . . . . Y 50
3-Fours (R. des) . . . . Y 53
8-Mai-1945 (Bd du) . . . . X 55

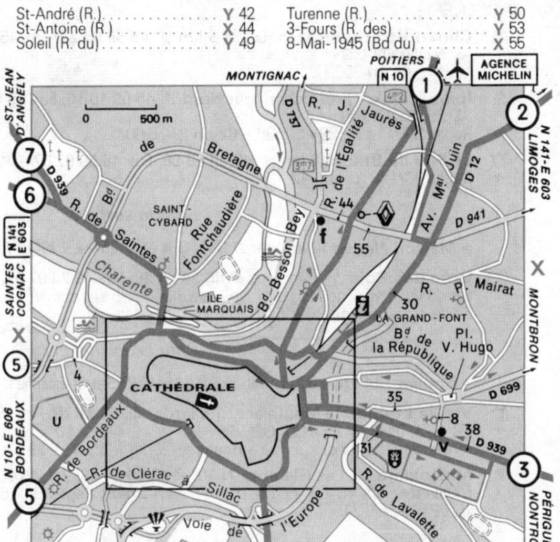

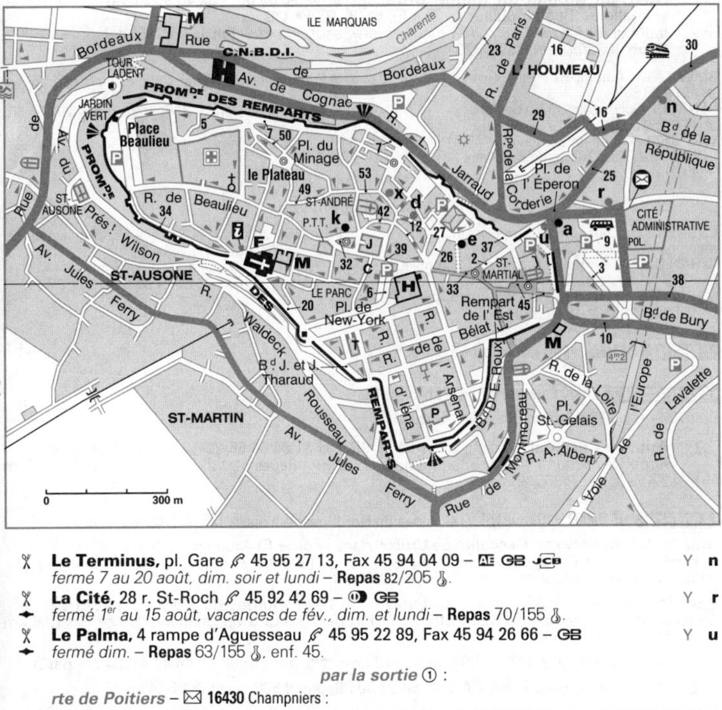

X	**Le Terminus,** pl. Gare ℘ 45 95 27 13, Fax 45 94 04 09 – AE GB JCB *fermé 7 au 20 août, dim. soir et lundi* – **Repas** 82/205 ♁.	Y **n**
X	**La Cité,** 28 r. St-Roch ℘ 45 92 42 69 – ⓓ GB *fermé 1er au 15 août, vacances de fév., dim. et lundi* – **Repas** 70/155 ♁.	Y **r**
X	**Le Palma,** 4 rampe d'Aguesseau ℘ 45 95 22 89, Fax 45 94 26 66 – GB *fermé dim.* – **Repas** 63/155 ♁, enf. 45.	Y **u**

***par la sortie* ① :**

rte de Poitiers – ✉ **16430** Champniers :

Relais Mercure Ⓜ, à 6 km près échangeur Nord ℘ 45 68 53 22, Fax 45 68 33 83, ☂, ⛱, – |♦| ⋟ ▤ TV ☎ ♿ P – 🏃 150. AE ⓓ GB
Repas 115, enf. 50 – ☕ 50 – **103 ch** 320/390.

Climat de France sans rest, à 8 km ✆ 45 68 03 22, Fax 45 69 07 67, – TV ☎ P – 50. AE O GB
36 – **41 ch** 300.

Ibis M, à 6 km près échangeur Nord ✆ 45 69 16 16, Fax 45 68 20 77 – TV ☎ P – 25. AE O GB
Repas 99 bc, enf. 39 – 36 – **62 ch** 270/290.

XX **Le Feu de Bois,** à 8 km ✆ 45 68 69 96, Fax 45 69 07 67 – P. AE O GB
Repas 80/170, enf. 42.

par la sortie ③ :

à Maison Neuve 17 km par D 939, D 4 et D 25 – ✉ **16410** Vouzan :

XXX **Orée des Bois** avec ch, ✆ 45 24 94 38, Fax 45 24 97 51, – TV ☎ P. GB
fermé vacances de fév., dim. soir et lundi du 15 sept. au 15 juin – **Repas** 95/250 et carte 210 à 320 – 30 – **7 ch** 200/280 – ½ P 250/280.

par la sortie ⑤ :

à Roullet : 14 km – 3 378 h. alt. 50 – ✉ **16440** Roullet-St-Estèphe :

Vieille Étable, rte Mouthiers : 1,5 km ✆ 45 66 31 75, Fax 45 66 47 45, parc, – TV ☎ P – 25 à 80. GB.
fermé dim. soir d'oct. à mai – **Repas** 80/285 – 35 – **29 ch** 290/370 – ½ P 320/360.

Marjolaine M, Les Glamots, N 10 ✆ 45 66 46 46, Fax 45 66 43 29 – TV ☎ P. GB.
L'Olivette : ✆ 45 66 47 55 *(fermé sam. midi)* **Repas** 65/150, enf. 46 – 25 – **30 ch** 160/215 – ½ P 215.

par la sortie ⑥ :

rte de Cognac par N 141 et D 120 : 10 km – ✉ **16290** Hiersac :

Host. du Moulin du Maine Brun, ✆ 45 90 83 00, Fax 45 96 91 14, ≤, Parc animalier, « Beau mobilier », – TV ☎ P. AE O GB
mai-oct. et fermé dim. soir et lundi en mai, sept. et oct. – **Repas** 98/195, enf. 55 – 60 – **18 ch** 400/750 – ½ P 520/620.

BMW Laujac Autom., 51 r. St-Antoine ✆ 45 69 38 88
RENAULT Succursale, 11 rte de Paris X ✆ 45 69 50 50 N ✆ 07 57 10 69
VAG MCA, 444 rte de Bordeaux ✆ 45 91 94 55
VOLVO Gar. Bris, 340 rte de Bordeaux ✆ 45 91 59 60

Euromaster, Port l'Houmeau, 37 bd Besson-Bey ✆ 45 92 06 04
Rogeon Pneus Point S, ZI de Rabion ✆ 45 91 35 36

Périphérie et environs

CITROEN Gar. Léger, rte de Bordeaux à la Couronne par ⑤ ✆ 45 67 26 03
CITROEN DAC, ZA les Montagnes à Champniers par ① ✆ 45 69 44 00 N ✆ 07 67 09 45
MERCEDES Savia, ZI N°3 à Gond-Pontouvre ✆ 45 68 00 11 N ✆ 45 68 00 11
PEUGEOT SCAA, ZI N°3 à l'Isle d'Espagnac par ② ✆ 45 68 78 33 N ✆ 05 44 24 24
PEUGEOT Gar. Bonetta, 82 rte de Bordeaux à La Couronne par ⑤ ✆ 45 67 21 38 N ✆ 51 82 92 41

ANIANE 34 Hérault 83 ⑥ – rattaché à Gignac.

ANNEBAULT 14430 Calvados 54 ⑰ – 317 h alt. 140.

Paris 206 – ♦Caen 35 – Cabourg 15 – Pont-l'Évêque 11,5.

XX **Aub. Le Cardinal** avec ch, ✆ 31 64 81 96, Fax 31 64 64 65, – TV ☎ P. GB
fermé fév., mardi soir et merc. sauf juil.-août – **Repas** 100/270, enf. 58 – 35 – **7 ch** 290/370 – ½ P 300/350.

ANNECY P 74000 H.-Savoie 74 ⑥ G. Alpes du Nord – 49 644 h Agglo. 126 729 h alt. 448 – Casino.

Voir Le Vieil Annecy★★ : Descente de Croix★ dans l'église St-Maurice EY **B**, Palais de l'Isle★ EY **R**, rue Ste-Claire★ DEY, pont sur le Thiou ≤★ EY **N** – Château★ EY – Les Jardins de l'Europe★ FY – Forêt du crêt du Maure★ : ≤★★ 3 km par D 41 CV.

Env. Tour du lac★★★ 39 km (ou en bateau 1 h 30) – Gorges du Fier★★ : 11 km par ⑤ – Collections★ du château de Montrottier : 11 km par ⑤ – Crêt de Châtillon ✻★★★ S : 18,5 km par D 41 CV puis 15 mn.

18 du Lac d'Annecy ✆ 50 60 12 89, par ② : 10 km ; 9 18 de Giez ✆ 50 44 48 41, 24 km par ③.

d'Annecy-Haute-Savoie : T.A.T ✆ 50 27 30 30, par N 508 BU et D 14 : 4 km.

Office de Tourisme clos Bonlieu 1 r. J.-Jaurès ✆ 50 45 00 33, Fax 50 51 87 20 – Automobile Club 15 r. Préfecture ✆ 50 45 09 12, Fax 50 23 61 31.

Paris 536 ⑤ – Aix-les-Bains 33 ⑤ – Genève 43 ① – ♦Lyon 137 ⑤ – ♦St-Étienne 191 ⑤.

Imperial Palace Ⓜ, 32 av. Albigny ☎ 50 09 30 00, Fax 50 09 33 33, ←, « Décor contemporain », – |\$| TV ☎ ♿. AE ① GB JCB — CV **s**
La Voile : **Repas** 160, enf. 100 – ☕ 120 – **91 ch** 900/1300, 7 appart – ½ P 735.

L'Abbaye sans rest, 15 chemin Abbaye à Annecy-le-Vieux ✉ 74940 ☎ 50 23 61 08, Fax 50 27 77 65, – TV ☎ P. AE ① GB JCB — CU **b**
☕ 50 – **18 ch** 400/800.

Novotel Atria Ⓜ, 1 av. Berthollet ☎ 50 33 54 54, Télex 309351, Fax 50 45 50 68 – |\$| TV ☎ ♿ – 140. AE ① GB JCB — DX **h**
Repas 85 (déj.), 120/150 ♂, enf. 50 – ☕ 55 – **93 ch** 480/550.

Carlton, 5 r. Glières ☎ 50 45 47 75, Fax 50 51 84 54 – |\$| TV ☎ – 30. AE ① GB JCB — DY **g**
Repas *(1er juin-30 sept.)* (dîner seul.) 95/140 – ☕ 44 – **55 ch** 440/565 – ½ P 397/431.

Splendid H. sans rest, 4 quai E. Chappuis ☎ 50 45 20 00, Fax 50 51 26 23 – |\$| TV ☎. AE ① GB — EY **s**
fermé 18 déc. au 8 janv. – ☕ 50 – **52 ch** 520/600.

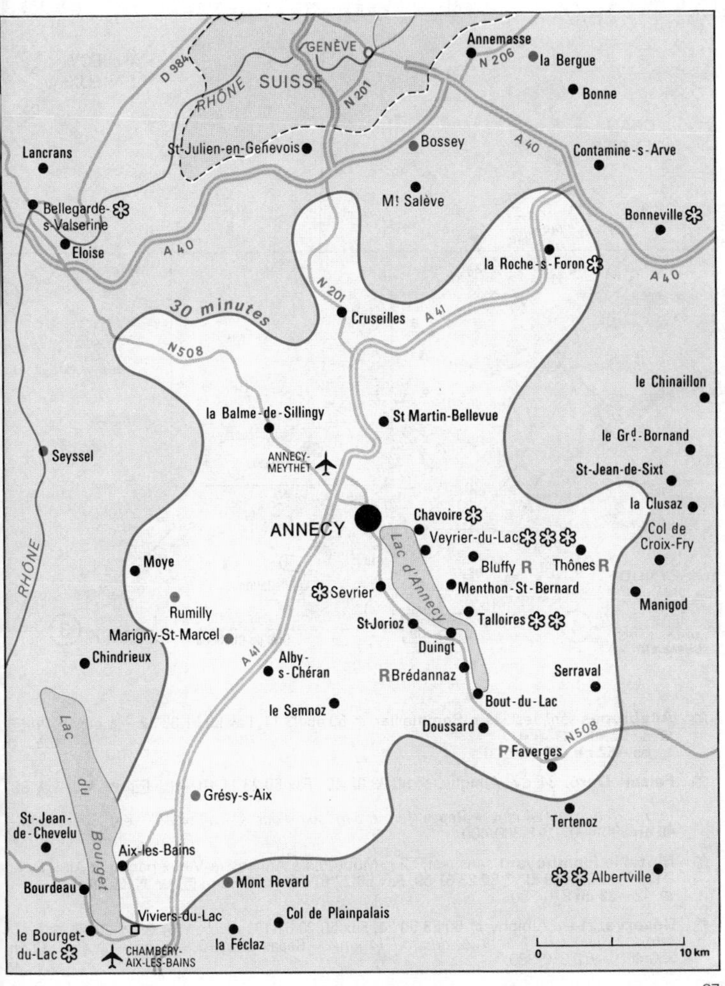

ANNECY

Abbaye (Ch. de l') . . . . **CU** 2
Aléry (Av. d') . . . . **BV** 4
Aléry (Gde-R. d') . . . . **BV** 7
Balmettes (Fg des) . . . . **CV** 10
Beauregard (Av. de) . . . . . . **BV** 13
Bel-Air (R. du) . . . . **CU** 15
Bordeaux (R. Henry) . . . . . . **CU** 18
Boschetti (Av. Lucien) . . . **BCV** 21
Chambéry (Av. de) . . . . **BV** 23
Chevênes (Av. de) . . . . **BV** 29
Corniche (Bd de la) . . . . **CV** 32
Crêt-du-Maure
(Av. du) . . . . **CV** 35
Crête (R. de la) . . . . **BU** 38
Creuses
(Route des) . . . . **BV** 40
Fins Nord (Ch. des) . . . . . **BCU** 45
Leclerc (R. du Mar.) . . . . . . **BU** 59
Loverchy (Av. de) . . . . **BV** 63
Mendès-France
(Av. Pierre) . . . . **BV** 65
Mouettes (R. des) . . . . **CU** 6
Novel (Av. de) . . . . **CU** 6
Perréard
(Av. Germain) . . . . **BU** 7
Prélevet (Av. de) . . . . **BV** 7
Prés-Riants (R. des) . . . . **CU** 8
Stade (Av. du) . . . . **BCU** 9
Theuriet (R. André) . . . . **CV** 9
Trésum (Av. du) . . . . **CV** 9
Trois Fontaines
(Av. des) . . . . **BV** 9
Val Vert (R. du) . . . . **BV** 9

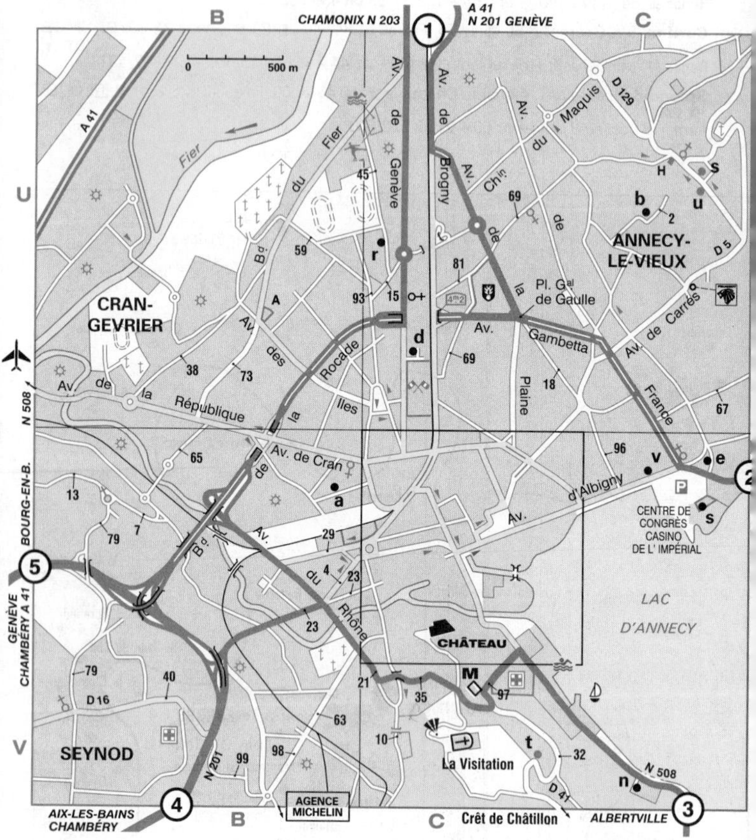

Allobroges sans rest, 11 r. Sommeiller ✆ 50 45 03 11, Fax 50 51 88 32 – cuisinette
AE GB JCB
65 – **52 ch** 490/550. DY **n**

Faisan Doré, 34 av. Albigny ✆ 50 23 02 46, Fax 50 23 11 10 – 30.
GB
fermé 20 déc. au 24 janv. – **Repas** *(fermé dim. soir d'oct. à avril)* 140/230, enf. 60 – 45 –
40 ch 390/490 – ½ P 380/400. CV **e**

Motel le Flamboyant sans rest, 52 r. Mouettes à Annecy-le-Vieux par av. d'Albigny et D129 -CU- 74940 ✆ 50 23 61 69, Fax 50 27 97 23 – cuisinette AE GB
42 – **32 ch** 370/390.

Réserve, 21 av. Albigny ✆ 50 23 50 24, Fax 50 23 51 17, – AE GB
fermé 23 juin au 7 juil. et 22 déc. au 14 janv. – **Repas** 115/270, enf. 55 – 40 – **12 ch**
350/450 – ½ P 350/380. CV **v**

ANNECY

Lac (R. du) . . . . EY 57
Pâquier (R. du) . . . . . . EY 71
République (R.) . . . . . . DY 83
Royale (R.) . . . . DY 85
Ste-Claire (Fg et R.) . . DY 91
Chambéry (Av. de) . . . . DY 23
Chappuis (Q. Eustache) EY 26
Filaterie (R.) . . . . EY 43
Grenette (R.) . . . . EY 51
Hôtel-de-Ville (Pl.) . . . . EY 53
Jean-Jacques-Rousseau (R.) . . . . . . DY 55
Libération (Pl. de la) . . . EY 61
Perrière (R.) . . . . EY 75
Poste (R. de la) . . . . DY 77
St-François-de-Sales (Pl.) . . . . EY 87
St-François-de-Sales (R.) . . . . DY 89
Tour-la-Reine (Ch.) . . . . EY 94

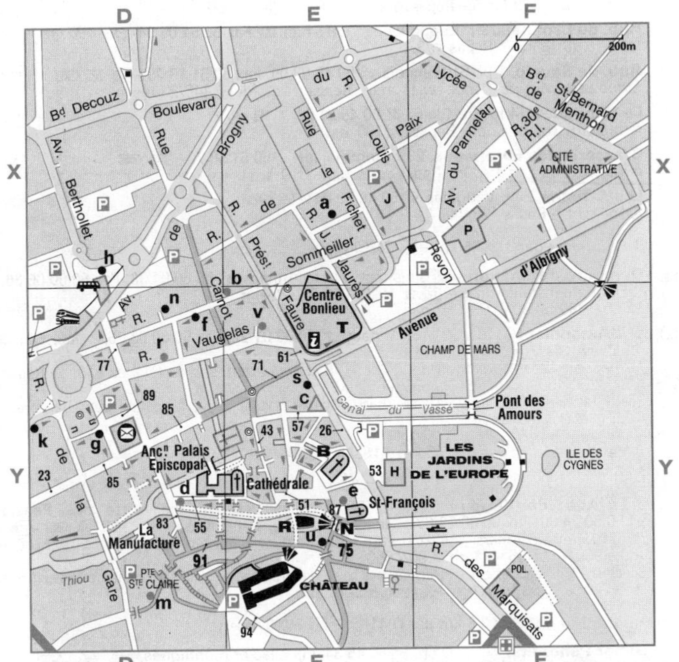

de **Bonlieu** M sans rest, 5 r. Bonlieu ℘ 50 45 17 16, Fax 50 45 11 48 – 25. AE GB EX **a**
38 – **35 ch** 324/388.

Marquisats sans rest, 6 chemin Colmyr ℘ 50 51 52 34, Fax 50 51 89 42 – P. AE GB CV **n**
45 – **22 ch** 360/580.

Palais de l'Isle M sans rest, 13 r. Perrière ℘ 50 45 86 87, Fax 50 51 87 15 – . AE GB. EY **u**
49 – **26 ch** 335/495.

d'Aléry sans rest, 5 av. d'Aléry ℘ 50 45 24 75, Fax 50 51 26 90 – . GB DY **k**
36 – **22 ch** 240/370.

Nord sans rest, 24 r. Sommeiller ℘ 50 45 08 78, Fax 50 51 22 04 – . GB DY **f**
33 – **31 ch** 238/298.

Crystal H. sans rest, 20 r. L. Chaumontel ℘ 50 57 33 90, Fax 50 67 86 43 – . AE GB – 30 – **22 ch** 270/296. BV **a**

Parc sans rest, 43 chemin des Fins, vers le parc des sports ℘ 50 57 02 98, – P. GB CU **r**
fermé 3 au 17 juin et 1er déc. au 15 janv. – 27 – **24 ch** 135/215.

Eden sans rest, 3 r. Alpins ℘ 50 57 14 64, Fax 50 67 00 87 – P. GB. CU **d**
fermé 17 nov. au 1er déc. – 30 – **10 ch** 220/280.

XXX **La Ciboulette,** 10 r. Vaugelas - impasse Pré Carré ℘ 50 45 74 57, Fax 50 45 76 75, – GB EY **v**
fermé 1er au 20 juil., dim. soir et lundi – **Repas** 135/190 et carte 240 à 310.

XXX **Clos des Sens,** 13 r. J. Mermoz à Annecy-le-Vieux par av. France et rte Thônes 74940 ℘ 50 23 07 90, Fax 50 66 56 54, – AE GB CU **u**
fermé vacances de fév., dim. soir et lundi du 1er sept. au 15 juil. – **Repas** 122 (déj.), 158/320 et carte 250 à 350, enf. 78.

XX **Belvédère** avec ch, rte Semnoz SE : 2 km par r. Marquisats et av. Trésum
50 45 04 90, Fax 50 45 67 25, ≤ Annecy et lac, – ☎ P. AE GB. CV t
hôtel : ouvert 15 mai-début oct. et fermé dim. soir et lundi sauf juil.-août – **Repas** *(fermé fir oct. à nov., dim. soir et lundi sauf juil.-août)* 220/360 – 35 – **8 ch** 190/240 – ½ P 270/300.

XX **Le Pré de la Danse,** 16 r. J. Mermoz à Annecy-le-Vieux, par av. France et rte Thônes ✉ 74940 50 23 70 41, Fax 50 09 90 83, – P. GB CU s
fermé dim. soir et lundi – **Repas** 98 (déj.), 120/230, enf. 55.

XX **Aub. du Lyonnais,** 9 r. République 50 51 26 10, Fax 50 51 05 04, – AE GB DY d
fermé 8 au 18 juin – **Repas** 98/375.

XX **Aub. de Savoie,** 1 pl. St-François 50 45 03 05, Fax 50 51 18 28 – ▤. AE GB EY e
fermé sam. midi du 1er oct. au 1er mai – **Repas** 115 bc (déj.), 145/230.

X **Le Bilboquet,** 14 fg Ste-Claire 50 45 21 68 – GB DY m
fermé dim. soir et lundi – **Repas** 94/180, enf. 60.

X **Brasserie des Européens,** 23 r. Sommeiller 50 51 30 70 – ▤. GB EXY b
fermé dim. de juin à août – **Repas** carte 190 à 310.

X **Les Artistes,** 26 r. Vaugelas 50 45 30 04 – AE GB DY r
fermé dim. – **Repas** 128/148.

à Chavoires par ② : 4,5 km – ✉ **74290** Veyrier :

Demeure de Chavoire M sans rest, 71 rte Annecy 50 60 04 38, Fax 50 60 05 36, ≤, « Élégante installation » – TV ☎ P. AE GB JCB
65 – **10 ch** 850/1000, 3 appart.

XXX ✿ **L'Amandier** (Cortési), 91 rte Annecy 50 60 01 22, Fax 50 60 03 25, ≤ lac, – P. AE GB JCB
fermé 2 au 12 janv., dim. et lundi d'oct. à Pâques et dim. soir de Pâques à juin – **Repas** 190 (déj.), 250/450 et carte 340 à 530, enf. 100
Spéc. "Farcettes" annéciennes en raviole. Poissons du lac (saison). Pot au feu de foie gras au gros sel. **Vins** Chignin-Bergeron, Mondeuse.

à Veyrier-du-Lac par ② : 5,5 km – 1 967 h. alt. 504 – ✉ **74290** :.

Office de Tourisme pl. Mairie 50 60 22 71.

XXXXX ✿✿✿ **Aub. de l'Éridan** (Veyrat) M avec ch, 13 Vieille rte des Pensières 50 60 24 00, Fax 50 60 23 63, ≤ lac, – ▤ TV ☎ P. AE GB JCB
fermé 19 fév. au 7 mars – **Repas** *(fermé merc. sauf de juin à sept.)* 365 (déj.), 595/995 et carte 700 à 900 – 195 – **11 ch** 1650/4850
Spéc. Ravioli de légumes aux senteurs de sous-bois. Carré d'agneau au pimpiolet. Les trois crèmes brûlées à la découverte des Aravis. **Vins** Chignin-Bergeron, Mondeuse.

rte du Semnoz SE : 3,5 km par D 41 CV – ✉ **74000** Annecy :

X **Super Panorama** avec ch, 50 45 34 86, ≤ lac et montagnes, – GB
fermé 20 déc. au 1er fév., lundi soir et mardi – **Repas** 114/167 – 36 – **5 ch** 232.

MICHELIN, Agence régionale, ZI de Vovray, 5 r. Sansy, Seynod par av. de Loverchy BV 50 51 59 70

ALFA ROMEO, FIAT Pont Neuf Autom., 1 av. Pont Neuf 50 51 40 30

Dupanloup, 119 av. de Genève 50 57 03 81
Pneus Rhône-Alpes Vulcopneu 3 r. de Rumilly 50 45 72 11

Périphérie et environs

BMW Aravis Autom., 100 av. d'Aix-les-Bains à Seynod 50 52 02 71
CITROEN Gar. Dieu, rte d'Aix, Seynod par ④ 50 69 16 72
FORD S.A.E.M., 140 av. d'Aix, Seynod 50 69 15 04
JAGUAR Gar. Ducros, 72 av. d'Aix, Seynod 50 52 03 81
LANCIA Astier Autom., rte d'Aix à Cran Gevrier 50 69 22 54
MAZDA Gar. Cochet, le Grand Epagny à Epagny 50 22 63 50
MERCEDES SEVI 74, ZAE des Césardes, ch. Croix-Seynod 50 69 17 40
OPEL Gar. du Parmelan Bocquet, 33 av. Petit Port, Annecy-le-Vieux 50 23 12 85
PEUGEOT Gar. Central, 28 av. Carrés à Annecy-le-Vieux CU 50 09 20 20 N 05 44 24 24
RENAULT Savoie Autom., av. d'Aix, Seynod par ④ 50 52 26 26 N 05 05 15 15
VAG SAT, ZI des Césardes, rte des Creuses à Seynod 50 69 06 79

Bollon Pneus, 1 r. de l'Egalité à Meythet 50 22 58 40
Bruyère, 8 bis r du Vieux Moulin à Meythet 50 22 07 22
Euromaster, 6 r. Césière, ZI de Vovray à Seynod 50 51 72 85

Routes enneigées
Pour tous renseignements pratiques, consultez
les cartes Michelin **« Grandes Routes »** 918, 919, 915 ou 989.

ANNEMASSE 74100 H.-Savoie 74 ⑥ **G. Alpes du Nord** – 27 669 h alt. 432.

Country Club de Bossey ☎ 50 43 75 25, 7 km par ③ ; d'Esery ☎ 50 36 58 70, 7 km par ③.

Office de Tourisme r. de la Gare ☎ 50 92 53 03, Fax 50 92 83 80.

Paris 540 ③ – Annecy 50 ③ – Thonon-les-Bains 29 ① – Bonneville 21 ③ – Genève 8 ③ – St-Julien-en-Genevois 15 ③.

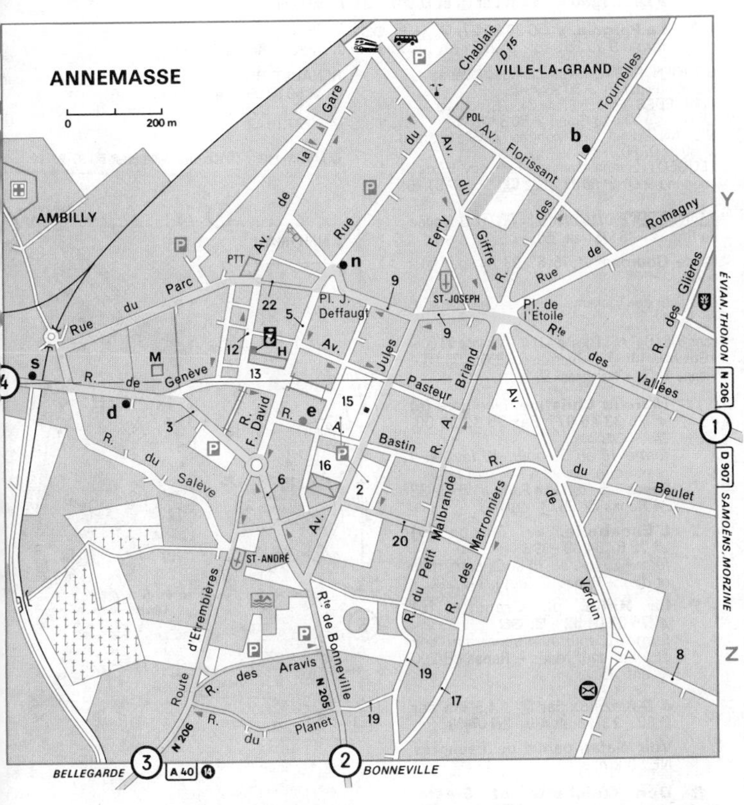

Commerce (R. du)	Y 5	Courriard (R. M.)	Z 6	Marché-de-Gros (Pl. du)	Z 16
Gare (R. de la)	Y 12	Dusonchet (R. Ph.)	Z 8	Massenet (R.)	Z 17
		Faucigny (R. du)	Y 9	Saget (R. du)	Z 19
Clemenceau (Pl. G.)	Z 2	Hôtel-de-Ville (Pl. de l')	Y 13	Vaillat (R. L.)	Z 20
Clos-Fleury (R. du)	Z 3	Libération (Pl. de la)	Z 15	Voirons (R. des)	Y 22

Mercure M, par ③ et rte Gaillard ✉ 74240 Gaillard ☎ 50 92 05 25, Fax 50 87 14 57, – 80. AE GB
Repas carte 160 à 240, enf. 52 – ☐ 52 – **78 ch** 465/498.

Arc-en-Ciel M sans rest, 21 r. Tournelles (à Ville-la-Grand) ☎ 50 92 66 00, Fax 50 87 06 88 – – 25. AE GB — Y **b**
☐ 33 – **41 ch** 280/390.

Hague sans rest, 42 r. Genève ☎ 50 38 47 14, Fax 50 37 36 10 – P. AE GB JCB — Y **s**
☐ 35 – **23 ch** 220/290.

Parc sans rest, 19 r. Genève ☎ 50 38 44 60, Fax 50 92 75 71 – AE GB
fermé 22 déc. au 8 janv. – ☐ 45 – **29 ch** 260/400. — Z **d**

National sans rest, 10 pl. J. Deffaugt ☎ 50 92 06 44, Fax 50 87 07 45 – P. AE GB — Y **n**
☐ 39 – **43 ch** 240/290.

XX **Le Temps de Vivre,** 47 chemin des Belosses à Ambilly par ④ et rte de Gaillard ✆ 50 92 36 06 – AE ⓓ GB
fermé 5 au 25 août, lundi midi, sam. midi et dim. – **Repas** (prévenir) 120 (déj.), 160/250 ♂.

X **Le Florence,** 7 r. A. Bastin ✆ 50 92 82 57 – ⓓ GB Z **e**
fermé dim. sauf le midi de sept. à juin et lundi – **Repas** 87 (déj.), 130/270 ♂.

à La Bergue E : 6 km par ① et D 907 – ✉ **74380** Bonne :

X **La Pergola,** ✆ 50 39 30 27, 🏞 – P. GB
fermé 9 au 26 sept., 9 au 21 fév., jeudi midi et merc. – **Repas** 92/185 ♂.

CITROEN SADAL, rte de Taninges à Vétraz Monthoux par ① ✆ 50 36 78 78
MERCEDES Espace Etoile 74, 5 R. coprins Chevelus à Ville La Grand ✆ 50 37 23 75
NISSAN Borgel, r. de Montréal, ZI Ville la Grand ✆ 50 37 07 60
PEUGEOT Lemuet Genevois Faucigny, 57 rte de Thonon par ① ✆ 50 37 70 22 N ✆ 50 87 91 86
RENAULT Renault Annemasse, 2 av. du Léman par ② ✆ 50 92 05 11 N ✆ 50 87 52 86
VAG Gar. Duchamp, r. Résistance, ZI ✆ 50 37 13 43

Ⓜ Euromaster, 75 rte des Vallées ✆ 50 37 27 11

ANNONAY **07100** Ardèche 77 ① **G. Vallée du Rhône** – 18 525 h alt. 350.

18 de Gourdan ✆ 75 67 03 84, par ① : 6 km.

Office de Tourisme pl. des Cordeliers ✆ 75 33 24 51.

Paris 535 ① – ◆St-Étienne 43 ④ – Valence 53 ① – ◆Grenoble 101 ① – Tournon-sur-Rhône 35 ① – Vienne 44 ① – Yssingeaux 56 ③.

XX **Marc et Christine,** face gare **(e)** ✆ 75 33 46 97, Fax 75 32 30 00, 🏞 – GB
fermé 16 au 30 août, 16 fév. au 4 mars, dim. soir et lundi sauf fériés – **Repas** 115/295 - ***Le Patio*** ✆ 75 32 33 34 **Repas** 72/95, ♂, enf. 49.

X **L'Escabelle,** av. Europe **(v)** ✆ 75 67 64 09 – GB
fermé 15 juil. au 15 août, sam. midi et dim. – **Repas** 84 (déj.), 112/280.

X **La Halle,** pl. Grenette **(a)** ✆ 75 32 04 62 – AE GB
fermé 28 août au 4 sept., dim. soir et lundi sauf fériés – **Repas** 88/290 ♂, enf. 45.

à Davézieux par ① : 4,5 km sur D 82 – 2 371 h. alt. 440 – ✉ **07430**.

Voir Safari-parc★ de Peaugres NE : 3 km.

Don Quichotte et Siesta, rte Valence ✆ 75 33 11 99, Fax 75 67 57 19, 🏞, ⛱, 🎾 – 🛗 TV ☎ P – 🏛 40. AE ⓓ GB
Repas 99/210 ♂, enf. 50 – ☕ 44 – **56 ch** 197/299 – ½ P 258.

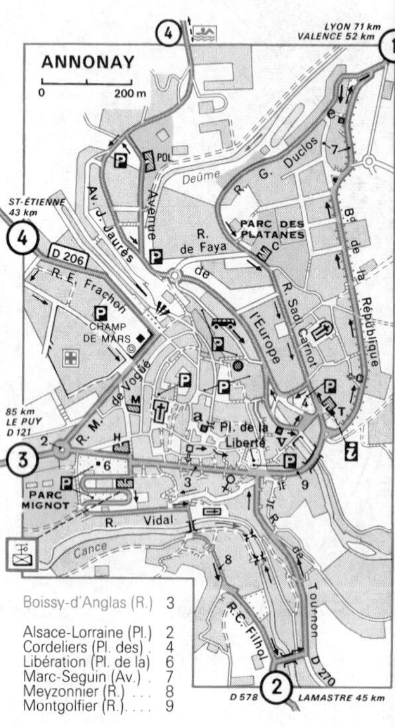

Boissy-d'Anglas (R.) 3

Alsace-Lorraine (Pl.) 2
Cordeliers (Pl. des) 4
Libération (Pl. de la) 6
Marc-Seguin (Av.) 7
Meyzonnier (R.) 8
Montgolfier (R.) 9

CITROEN Gar. du Vivarais, ZI La Lombardière, à Davézieux par ① ✆ 75 33 26 32 N ✆ 75 33 42 27
FIAT Gar. Dhennin, 47 bd République ✆ 75 33 24 43
FORD Gar. Caule, rte de Lyon, à Davézieux ✆ 75 33 22 98
NISSAN JMB Autom., Le Mas à Davezieux ✆ 75 33 43 96
PEUGEOT Desruol, N 82, St-Clair par ① ✆ 75 33 10 98
RENAULT Automobiles du Limony, rte de Lyon à Davézieux par ① ✆ 75 33 20 21
VAG Siterre, 33 bd République ✆ 75 33 42 10

Ⓜ Eyraud, Le Mas à Davezieux ✆ 75 33 42 19
Jurdit, 47 r. G.-Duclos ✆ 75 33 27 49

CONSTRUCTEUR : Renault Véhicules Industriels, rte de Roanne ✆ **75 33 11 11**

ANNOT **04240** Alpes-de-H.-P. 81 ⑱ 115 ⑫ **G. Alpes du Sud** – 1 053 h alt. 708.

Voir Vieille ville★ – Clue de Rouaine★ S : 4 km.

Office de Tourisme pl. Mairie ✆ 92 83 23 03, Fax 92 83 32 82.

Paris 820 – Digne-les-Bains 70 – Castellane 32 – Manosque 108.

Avenue, ✆ 92 83 22 07, Fax 92 83 34 07 – TV ☎. GB
1er avril-4 nov. – **Repas** 80/145 – ☕ 28 – **14 ch** 200/260 – ½ P 240/260.

ANOST 71550 S.-et-L. 69 ⑦ G. Bourgogne – 746 h alt. 454.

Voir ✻★ de Notre-Dame de l'Aillant : 30 mn.

Paris 275 – Autun 23 – Château-Chinon 19 – Mâcon 135 – Montsauche 17.

X **La Galvache,** ✆ 85 82 70 88, Fax 85 82 79 62, ☂ – GB
1er avril-12 nov. – **Repas** 55/165 ♁.

ANSE 69480 Rhône 74 ① – 4 458 h alt. 170.

18 du Beaujolais ✆ 74 67 04 44, S : 2 km par D 30.

Paris 438 – ♦Lyon 27 – L'Arbresle 20 – Bourg-en-Bresse 56 – Mâcon 46 – Villefranche-sur-Saône 6.

St-Romain ⛰, rte Graves ✆ 74 60 24 46, Fax 74 67 12 85, ☂, ☂ – TV ☎ P – ♟ 30. AE ① GB JCB
fermé 1er au 8 déc. et dim. soir du 3 nov. au 30 avril – **Repas** 98/300 ♁, enf. 67 – ☕ 33 – **24 ch** 225/306 – ½ P 248/260.

à Lachassagne SO : 4 km par D 39 – 605 h. alt. 368 – ✉ **69480** :

XX **Paul Clavel,** ✆ 74 67 14 99, Fax 74 67 14 99, ☂, terrasse avec ≤ les vignes – P. GB
fermé 14 juil. au 15 août, merc. soir en hiver, dim. soir et lundi – **Repas** 115 (déj.), 135/270, enf. 80.

ANTHY-SUR-LÉMAN 74 H.-Savoie 70 ⑰ – rattaché à Thonon-les-Bains.

Si vous êtes retardé sur la route, dès 18 h,
confirmez votre réservation par téléphone,
c'est plus sûr... et c'est l'usage.

ANTIBES 06600 Alpes-Mar. 84 ⑨ 115 ㉟ ㊵ G. Côte d'Azur – 70 005 h alt. 2 – Casino "la Siesta" bord de mer par ①.

Voir Vieille ville★ X : Av. Amiral-de-Grasse ≤★ – Château Grimaldi (Déposition de Croix★, Musée Picasso★) X B – Musée Peynet★ X M1 – Marineland★ 4 km par ①.

18 la Bastide du Roy (Biot) ✆ 93 65 08 48, NO : 4 km.

ℹ Office de Tourisme 11 pl. Gén.-de-Gaulle ✆ 92 90 53 00, Fax 92 90 53 01 et 50 bd Ch. Guillaumont ✆ 92 90 53 05.

Paris 915 ② – Cannes 9,5 ③ – Aix-en-Provence 159 ② – ♦Nice 26 ①.

Plan page suivante

Royal et rest. Le Dauphin, bd Mar. Leclerc ✆ 93 34 03 09, Fax 93 34 23 31, ≤, ☂, ▲ – |‡| ▤ TV ☎. AE ① GB JCB. ✂ rest — X q
Repas *(fermé 2 au 30 nov., 8 au 15 janv., dim. soir et lundi)* 90 (déj.), 158/195, enf. 55 – ☕ 48 – **37 ch** 440/740 – ½ P 360/410.

L'Étoile sans rest, 2 av. Gambetta ✆ 93 34 26 30, Fax 93 34 41 48 – |‡| ▤ TV ☎ 🚗. AE ① GB JCB — X m
☕ 33 – **31 ch** 310/350.

Petit Castel sans rest, 22 chemin des Sables ✆ 93 61 59 37, Fax 93 67 51 28 – ▤ TV ☎ P. AE ① GB JCB. ✂ — Z b
fermé vacances de fév. – ☕ 45 – **16 ch** 490/560.

XXX **Les Vieux Murs,** promenade Amiral de Grasse ✆ 93 34 06 73, Fax 93 34 81 08, ≤, ☂ – AE GB. ✂ — X b
fermé lundi du 1er oct. au 30 mars – **Repas** 200 et carte 310 à 480.

XX **La Jarre,** 14 r. St Esprit ✆ 93 34 50 12, ☂ – AE GB — X a
1er avril-10 oct. – **Repas** (dîner seul)(nombre de couverts limité, prévenir) carte 220 à 320.

XX **Aub. Provençale** avec ch, pl. Nationale ✆ 93 34 13 24, Fax 93 34 89 88, ☂ – TV ☎. AE GB — X k
fermé janv. – **Repas** *(fermé mardi midi et lundi)* 80/240 – ☕ 30 – **5 ch** 240/250.

X **Oscar's,** 8 r. Rostan ✆ 93 34 90 14 – GB. ✂ — X s
fermé le midi en juil.-août et dim. de sept. à juin – **Repas** 148.

X **L'Oursin,** 16 r. République ✆ 93 34 13 46 – ▤. GB — X z
fermé 26 juil. au 31 août, dim. soir et lundi – **Repas** - produits de la mer - 92 ♁.

X **Le Romantic,** 5 r. Rostan ✆ 93 34 59 39, Fax 93 34 70 98 – ▤. AE ① GB JCB — X v
fermé 25 nov. au 9 déc., le midi du 15 juin au 5 sept. sauf dim. et merc. midi et mardi – **Repas** 125/190.

X **Le Marquis,** 4 r. Sade ✆ 93 34 23 00 – AE ① GB — X r
fermé 1er au 10 juil., mardi midi et lundi – **Repas** 90/250.

rte de Nice par ① et N 7 – ✉ **06600** Antibes :

Bleu Marine M sans rest, 2,5 km chemin 4 Chemins (près hôpital) ✆ 93 74 84 84, Fax 93 95 90 26 – |‡| TV ☎ ✆ P. AE ① GB. ✂
☕ 35 – **18 ch** 310/360.

XXX **La Bonne Auberge,** à 4 km ✆ 93 33 36 65, Fax 93 33 48 52, ☂ – ▤ P. GB
fermé 15/11 au 15/12, mardi midi de mai à sept., dim. soir d'oct. à avril et lundi (sauf le soir en juil.-août) – **Repas** 188.

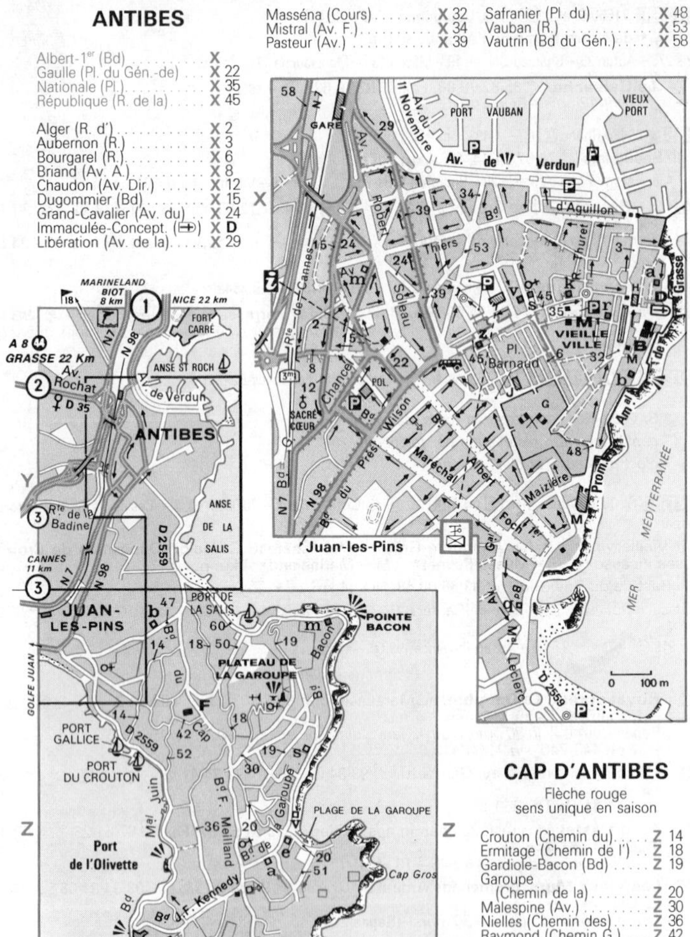

par ② 4,5 km – ✉ **06600** Antibes :

🏨 **Apogia** Ⓜ, 2599 rte de Grasse (près accès autoroute) ☎ 93 74 46 36, Fax 93 74 53 04, 🏊, 🏊, 🎾 – 🛗 ▤ 📺 ☎ ♿ 🅿 – 🏛 40 à 150. AE ⓪ GB JCB
Repas 78 bc (déj.), 89 bc/102 🍷, enf. 50 – ☕ 51 – **75 ch** 480 – ½ P 393.

CITROEN Gar. Riviera, bretelle autoroute par ② ☎ 92 91 23 23 🅽 ☎ 93 64 62 31
PEUGEOT Ortelli, rte de Grasse, bretelle autoroute par ② ☎ 93 33 29 88 🅽 ☎ 05 44 24 24
RENAULT SACA, bretelle autoroute par ② ☎ 92 91 23 91 🅽 ☎ 92 06 66 40
Sport Auto Route, 2329 rte de Grasse ☎ 93 33 28 59 🅽 ☎ 93 61 62 03

Cap d'Antibes – ✉ **06160** Juan-les-Pins.

Voir Plateau de la Garoupe ✳★★ Z – Jardin Thuret★ Z **F** – ⋞★ Pointe Bacon Z – ⋞★ de la plate-forme du bastion (musée naval) Z **M.**

🏨 **du Cap** 🐎, bd Kennedy ☎ 93 61 39 01, Télex 470763, Fax 93 67 76 04, ⋞ littoral et le large, « Grand parc fleuri face à la mer », 🏋, 🏊, 🏖, 🎾 – 🛗 ▤ ☎ 📞 🚗 – 🏛 140 🚫 Z x
avril-oct. – **Repas** voir rest *Pavillon Eden Roc* ci-après – ☕ 120 – **121 ch** 2300/3000, 9 appart.

Don César [M], 46 bd Garoupe ✆ 93 67 15 30, Fax 93 67 18 25, ≤, 斎, 🏊 – |$| ▤ 📺 ☎ ♿ 🚗 🅿. AE ⓓ GB Z **s**
1er avril-30 nov. – **Repas** *(fermé dim. soir, lundi sauf du 15 juil. au 15 sept. et fériés)* 155/180 – ☕ 70 – **19 ch** 1050 – ½ P 765.

La Baie Dorée [M], 579 bd Garoupe ✆ 93 67 30 67, Fax 92 93 76 39, ≤, 斎, 🏖 – ▤ 📺 ☎ 📞 🅿 – 🔬 60. AE ⓓ GB. ✻ ch Z **v**
Repas *(fermé 1er nov. au 15 déc., dim. soir et lundi du 1er sept. au 30 avril)* carte environ 190 – ☕ 70 – **17 ch** 550/1600 – ½ P 825.

Levant 🐦 sans rest, à la Garoupe, chemin plage ✆ 92 93 72 99, Fax 92 93 72 60, ≤, 🏖 – ▤ 📺 ☎ 🅿. AE GB. ✻ Z **e**
fin avril-début oct. – ☕ 48 – **27 ch** 540/870.

Castel Garoupe Axa 🐦 sans rest, 959 bd la Garoupe ✆ 93 61 36 51, Fax 93 67 74 88, « Jardin fleuri », 🏊, 🎾 – cuisinette 📺 ☎ 🅿. AE GB. ✻ Z **a**
15 mars-15 nov. – ☕ 60 – **22 ch** 705/795, 5 appart.

XXXX **Pavillon Eden Roc** - Hôtel du Cap, bd Kennedy ✆ 93 61 39 01, Télex 470763, Fax 93 67 76 04, ≤ littoral et les îles, 斎, parc, « Isolé sur un roc, en bordure de mer », 🏊 – ▤ 🅿. ✻ Z **z**
avril-oct. – **Repas** carte 480 à 590.

XXXX ✪ **Bacon,** bd Bacon ✆ 93 61 50 02, Fax 93 61 65 19, ≤ Antibes et baie des Anges, 斎 – ▤ 🅿. AE ⓓ GB. ✻ Z **m**
fév.-oct., et fermé lundi sauf le soir en juil.-août – **Repas** - produits de la mer - (dîner à la carte en juil.-août) 250/400 et carte 560 à 750
Spéc. Bouillabaisse. Chapon en papillote (mai à sept.). Fricassée de rougets tièdes à l'estragon. **Vins** Côtes de Provence.

ANTICHAN-DE-FRONTIGNES

31510 H.-Gar. 86 ① – 73 h alt. 580.

Paris 805 – Bagnères-de-Luchon 25 – Lannemezan 37 – St-Girons 60 – ◆Toulouse 109.

X **La Palombière** 🐦 avec ch, carrefour D 9 et D 618 ✆ 61 79 67 01, ≤, 斎, 🌳 – ☎ 🅿. GB
fermé nov., déc. et merc. du 1er janv. au 1er mai – **Repas** 50/170 🍷 – ☕ 20 – **6 ch** 165/240 – ½ P 170/180.

ANTONNE-ET-TRIGONANT

24 Dordogne 75 ⑥ – rattaché à Périgueux.

ANTONY

92 Hauts-de-Seine 60 ⑩, 101 ㉕ – Voir à Paris, Environs.

ANTRAIGUES-SUR-VOLANE

07530 Ardèche 76 ⑲ **G. Vallée du Rhône** – 506 h alt. 470.

Paris 642 – Le Puy-en-Velay 72 – Aubenas 13 – Lamastre 58 – Langogne 65 – Privas 41.

X **La Remise,** au pont de l'Huile ✆ 75 38 70 74 – 🅿. ✻
fermé 17 au 23 juin, nov., dim. soir et vend. sauf juil.-août – **Repas** 100/200, enf. 35.

AOSTE

38490 Isère 74 ⑭ – 1 548 h alt. 221.

Paris 516 – ◆Grenoble 56 – Belley 26 – Chambéry 35 – ◆Lyon 70.

à la Gare de l'Est NE : 2 km sur N 516 – ✉ **38490** Aoste :

Vieille Maison, ✆ 76 31 60 15, Fax 76 31 69 75, 斎, 🏊, 🌳 – 📺 ☎ 🅿. AE GB
fermé 15 sept. au 3 oct., 15 déc. au 2 janv., dim. soir et merc. sauf juil.-août – **Repas** 110/290 – ☕ 40 – **17 ch** 290/310 – ½ P 270/300.

XX **Au Coq en Velours** avec ch, ✆ 76 31 60 04, Fax 76 31 77 55, 斎, « Jardin fleuri » – 📺 ☎ 🚗 🅿. AE GB
fermé 2 au 25 janv., dim. soir et lundi sauf hôtel en juil.-août – **Repas** 98/270 – ☕ 35 – **7 ch** 240/350 – ½ P 250/330.

L'APOTHICAIRERIE

56 Morbihan 63 ⑪ ⑫ – voir à Belle-Ile-en-Mer.

APPOIGNY

89380 Yonne 65 ⑤ **G. Bourgogne** – 2 755 h alt. 110.

Paris 163 – Auxerre 9,5 – Joigny 17 – St-Florentin 27.

XX **Aub. Les Rouliers,** N 6 ✆ 86 53 20 09, Fax 86 53 02 61, 斎 – 🅿. AE GB
fermé mardi soir, merc. soir et lundi d'oct. à mai – **Repas** 69 (déj.), 89/230, enf. 40.

APREMONT

73190 Savoie 74 ⑮ – 781 h alt. 330.

Paris 572 – ◆Grenoble 52 – Albertville 51 – Chambéry 8 – St-Jean-de-Maurienne 74.

X **St-Vincent,** ✆ 79 28 21 85 – GB
fermé 16 au 26 août, 24 déc. au 1er janv., lundi soir, mardi soir, merc. soir et jeudi soir – **Repas** 80 bc (déj.), 98/145 🍷, enf. 45.

APT 84400 Vaucluse 81 ⑭ 114 ② **G. Provence** – 11 506 h alt. 250.

Office de Tourisme av. Ph.-de-Girard ☎ 90 74 03 18, Fax 90 04 64 30.

Paris 730 ③ – Digne-les-Bains 90 ① – Aix-en-Provence 51 ② – Avignon 51 ③ – Carpentras 49 ③ – Cavaillon 31 ③.

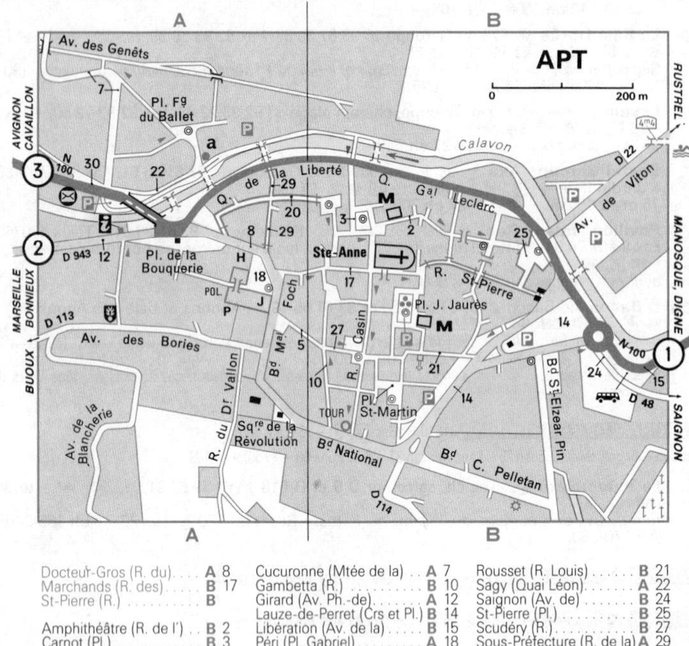

Docteur-Gros (R. du)	A	8	Cucuronne (Mtée de la)	A	7	Rousset (R. Louis)	B	21
Marchands (R. des)	B	17	Gambetta (R.)	B	10	Sagy (Quai Léon)	A	22
St-Pierre (R.)	B		Girard (Av. Ph.-de)	A	12	Saignon (Av. de)	B	24
			Lauze-de-Perret (Crs et Pl.)	B	14	St-Pierre (Pl.)	B	25
Amphithéâtre (R. de l')	B	2	Libération (Av. de la)	B	15	Scudéry (R.)	B	27
Carnot (Pl.)	B	3	Péri (Pl. Gabriel)	A	18	Sous-Préfecture (R. de la)	A	29
Cély (R.)	AB	5	République (R. de la)	A	20	Victor-Hugo (Av.)	A	30

XXX **Aub. du Luberon** avec ch, 17 quai Léon Sagy ☎ 90 74 12 50, Fax 90 04 79 49, – TV ☎ . AE ⓓ GB A a
fermé 30 juin au 8 juil., 22 au 27 déc. (sauf hôtel) et 2 au 21 janv. – **Repas** *(fermé dim. soir hors sais. et lundi sauf le soir en sais.)* (nombre de couverts limité, prévenir) 167/345 et carte 290 à 440 – ☐ 45 – **16 ch** 235/500 – ½ P 313/445.

à ***Saignon*** SE : 4 km par D 48 – 1 018 h. alt. 450 – ✉ 84400 Apt :

Aub. du Presbytère , ☎ 90 74 11 50, Fax 90 04 68 51, – AE GB
fermé 15 au 30 nov., 6 au 31 janv. et merc. – **Repas** (prévenir) 160 – ☐ 45 – **10 ch** 220/400 – ½ P 284/365.

par ③ – ✉ 84400 Apt :

Relais de Roquefure , à 6 km par N 100 et VO ☎ 90 04 88 88, Fax 90 74 14 86, ≤, , parc, – ☎ P. GB
fermé 5 janv. au 15 fév. – **Repas** (dîner seul. sauf dim.) 115/130 , enf. 50 – ☐ 35 – **15 ch** 210/360 – ½ P 260/340.

XXX **Bernard Mathys,** Le Chêne, 4,5 km par N 100 ☎ 90 04 84 64, Fax 90 74 69 78, « Parc » – P. AE GB
fermé mi-janv. à mi-fév., mardi et merc. – **Repas** 160/350 et carte 260 à 480.

CITROEN Gar. Aymard, 53 av. V.-Hugo par ③ ☎ 90 74 04 39 N ☎ 90 04 89 98
FORD Germain, 336 av. V.-Hugo ☎ 90 74 10 17
NISSAN Auto Soleil Levant, N 100, quartier Lançon ☎ 90 04 85 50
PEUGEOT Splendid Gar., quartier Lançon N 100 par ③ ☎ 90 74 02 11

RENAULT Autom., Cavaillonnaise, quartier Lançon, N 100 par ③ ☎ 90 04 46 00 N ☎ 05 05 15 15

Ayme Pneus, quartier Lançon, N 100 ☎ 90 74 07 78
Laggiard Vulcopneu, 483 av. V.-Hugo ☎ 90 74 31 04

ARBOIS 39600 Jura 70 ④ **G. Jura** (plan) – 3 900 h alt. 350.

Voir Maison paternelle de Pasteur★ – Reculée des Planches★★ et grottes des Planches★ E : 4,5 km par D 107.

Env. Cirque du Fer à Cheval★★ S : 7 km par D 469 puis 15 mn.

Office de Tourisme r. de l'Hôtel de ville ☎ 84 37 47 37, Fax 84 66 25 50.

Paris 398 – ◆Besançon 47 – Dole 35 – Lons-le-Saunier 39 – Salins-les-Bains 13.

Jean-Paul Jeunet [M], r. de l'Hôtel de Ville ✆ 84 66 05 67, Fax 84 66 24 20 – [lift] [TV] ☎ [garage] – [seminar] 40. AE ⊙ GB
fermé déc., janv., merc. midi et mardi sauf en sept. et vacances scolaires – **Repas** 180/480 et carte 310 à 450, enf. 85 – ☕ 65 – **13 ch** 360/500
Spéc. Foie gras poché, caramel de macvin. Saucisson d'écrevisses, crème à la caillette de brebis (juin à sept.). Gigot de poularde aux morilles et vin jaune. **Vins** Arbois, Arbois-Pupillin.

Annexe Le Prieuré sans rest,, – [TV] ☎ [P]. AE ⊙ GB
☕ 65 – **6 ch** 320/390.

des Cépages [M], rte Villette-les-Arbois ✆ 84 66 25 25, Fax 84 37 49 62 – [lift] [TV] ☎ ♿ [P] – [seminar] 30. AE ⊙ GB
Repas - buffet - *(fermé sam. et dim.)* (dîner seul.) 95 – ☕ 46 – **33 ch** 288/370 – ½ P 285.

Messageries sans rest, r. Courcelles ✆ 84 66 15 45, Fax 84 37 41 09 – [TV] ☎. GB
fermé déc. et janv. – ☕ 32 – **26 ch** 170/310.

XX **Caveau d'Arbois**, 3 rte Besançon ✆ 84 66 10 70, Fax 84 37 49 62 – [air] [P]. AE ⊙ GB.
Repas 82/280.

X **La Finette - Taverne d'Arbois**, 22 av. Pasteur ✆ 84 66 06 78, Fax 84 66 08 82 – [air] [P]. GB
Repas 83/140, enf. 41.

à ***Pupillin*** S : 3 km par D 246 – 213 h. alt. 450 – ✉ **39600** :

X **Aub. Le Grapiot**, ✆ 84 66 23 25 – [P]. GB
fermé 15 janv. au 15 fév., dim. soir et lundi sauf du 15 sept. au 15 juin – **Repas** 95/230, enf. 45.

PEUGEOT Gar. Ganeval, ✆ 84 66 02 78 [N]
✆ 84 35 94 06
RENAULT Gar. Dupré, ✆ 84 66 05 70

ARBOIS (Mont d') 74 H.-Savoie 74 ⑧ – rattaché à St-Gervais-les-Bains.

ARBONNE 64 Pyr.-Atl. 78 ⑱ – rattaché à Biarritz.

ARBONNE-LA-FORÊT 77630 S.-et-M. 61 ① – 762 h alt. 72.
Paris 58 – Fontainebleau 10 – Évry 30 – Melun 16 – Nemours 25.

XX **Aub. du Petit Corne Biche**, rte Étampes ✆ (1) 60 66 26 34, Fax (1) 60 69 22 93, [terrace] – AE GB
fermé 4 au 13 mars, 26 août au 6 sept., lundi soir, mardi soir et merc. – **Repas** 85 bc (déj.), 110/200.

ARCACHON 33120 Gironde 78 ② ⑫ **G. Pyrénées Aquitaine** – 11 770 h alt. 5 – Casino BZ.
Voir Boulevard de la Mer★ AX – Front de mer★ ABZ : ≤★ de la jetée – La Ville d'Hiver★ AZ – Musée de la maquette marine : port★ BZ **M.**
[golf] ✆ 56 54 44 00, 4 km ABX; [golf 18] de Gujan-Mestras ✆ 56 66 86 36, par ① N 250 puis D 652 : 11 km.
Office de Tourisme esplanade G.-Pompidou ✆ 56 83 01 69, Fax 57 52 22 10, accueil : Château Deganne et Aiguillon (juil.-août).
Paris 653 ① – ◆ Bordeaux 64 ① – Agen 193 ① – ◆Bayonne 182 ① – Dax 143 ① – Royan 194 ①.

Plan page suivante

Arc Hôtel sur Mer sans rest, 89 bd Plage ✆ 56 83 06 85, Télex 571044, Fax 56 83 53 72, ≤, [pool] – [lift] [air] [TV] ☎ [P]. AE ⊙ GB. BZ **b**
☕ 52 – **33 ch** 490/930.

Deganne [M] sans rest, 4 r. Prof. Jolyet ✆ 56 83 99 91, Fax 56 83 87 92, ≤ – [lift] [air] [TV] ☎ ♿ [garage]. AE ⊙ GB BZ **r**
fermé 15 nov. au 15 déc. – ☕ 60 – **57 ch** 490/1250.

Gd H. Richelieu sans rest, 185 bd Plage ✆ 56 83 16 50, Fax 56 83 47 78, ≤ – [lift] [TV] ☎ [P]. AE ⊙ GB BZ **n**
15 mars-2 nov. – ☕ 50 – **43 ch** 430/700.

Point France sans rest, 1 r. Grenier ✆ 56 83 46 74, Fax 56 22 53 24 – [lift] [TV] ☎ [garage]. AE ⊙ GB BZ **q**
1er mars-1er nov. – ☕ 53 – **34 ch** 480/695.

Les Vagues, 9 bd Océan ✆ 56 83 03 75, Fax 56 83 77 16, ≤ – [lift] [TV] ☎ [P] – [seminar] 35. AE ⊙ GB. rest AZ **b**
Repas *(29 mars-30 sept.)* (dîner seul.)(résidents seul.) 155/159, enf. 50 – ☕ 55 – **30 ch** 498/790 – ½ P 459/605.

Sémiramis, 4 allée Rebsomen ✆ 56 83 25 87, Fax 57 52 22 41, [pool] – [TV] ☎ [P]. AE GB. rest AZ **m**
fermé fév. – **Repas** (sur réservation seul.) 138/180 – ☕ 58 – **20 ch** 580/630 – ½ P 445/550.

Aquamarina [M] sans rest, 82 bd Plage ✆ 56 83 67 70, Fax 57 52 08 26 – [lift] [TV] ☎ ♿. AE ⊙ GB BZ **x**
fermé 22 déc. au 5 janv. – ☕ 50 – **33 ch** 399/565.

Le Nautic sans rest, 20 bd Plage ✆ 56 83 01 48, Fax 56 83 04 67 – [lift] [TV] ☎ [P] – [seminar] 80. AE ⊙ GB BX **y**
☕ 42 – **44 ch** 355/440.

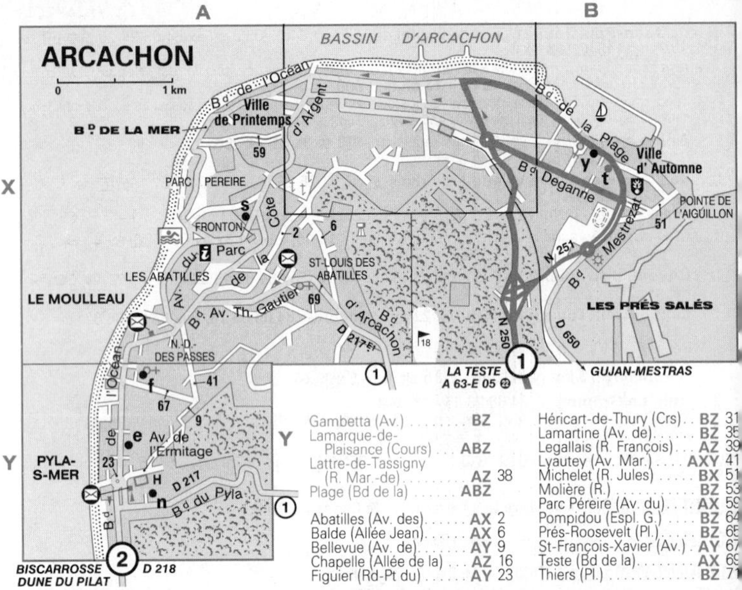

ARCACHON

Gambetta (Av.)	BZ	
Lamarque-de-Plaisance (Cours)	ABZ	
Lattre-de-Tassigny (R. Mar.-de)	AZ	38
Plage (Bd de la)	ABZ	
Abatilles (Av. des)	AX	2
Balde (Allée Jean)	AX	6
Bellevue (Av. de)	AY	9
Chapelle (Allée de la)	AZ	16
Figuier (Rd-Pt du)	AY	23
Héricart-de-Thury (Crs)	BZ	31
Lamartine (Av. de)	BZ	35
Legallais (R. François)	AZ	39
Lyautey (Av. Mar.)	AXY	41
Michelet (R. Jules)	BX	51
Molière (R.)	BZ	53
Parc Péreire (Av. du)	AX	59
Pompidou (Espl. G.)	BZ	64
Prés-Roosevelt (Pl.)	BZ	65
St-François-Xavier (Av.)	AY	67
Teste (Bd de la)	AX	69
Thiers (Pl.)	BZ	71

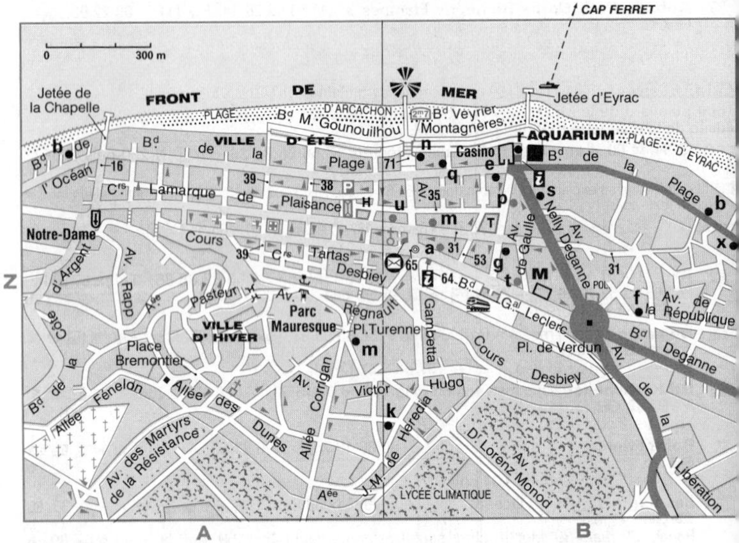

[hotel symbol] **Plage,** 10 av. N. Deganne [phone symbol] 56 83 06 23, Fax 56 83 41 47, [terrace symbol] – [lift symbol] [TV symbol] [telephone symbol] [wheelchair symbol] [garage symbol] [P symbol] – [conference symbol] 45. AE ① GB — BZ
Repas *(fermé dim. soir et lundi de Toussaint à Pâques)* 85/140, enf. 50 – [breakfast symbol] 38 – **50 ch** 420/440 – ½ P 375.

[hotel symbol] **Roc Hôtel et Moderne,** 200 bd Plage [phone symbol] 56 83 05 01, Fax 56 83 22 76 – [lift symbol] [TV symbol] [telephone symbol] – [conference symbol] 45. AE ① GB — BZ
hôtel : 1er avril-30 oct. ; rest. : 20 avril-15 oct. et fermé mardi sauf du 10 juil. au 26 août –
Repas 95/170 [wine symbol], enf. 70 – [breakfast symbol] 36 – **50 ch** 480/500.

Le Novel sans rest, 24 av. Gén. de Gaulle ☎ 56 83 40 11, Fax 57 52 26 47 – |‡| TV ☎. AE GB BZ g
fermé 7 au 31 janv. – ☐ 39 – **22 ch** 280/400.

Mimosas sans rest, 77 bis av. République ☎ 56 83 45 86, Fax 56 22 53 40 – TV ☎ P. GB BZ f
☐ 30 – **21 ch** 300/380.

Marinette sans rest, 15 allée J.-M. de Hérédia ☎ 56 83 06 67, Fax 56 83 09 59 – TV ☎ BZ k
15 mars-1er nov. – ☐ 30 – **23 ch** 300/380.

XX **Patio,** 10 bd Plage ☎ 56 83 02 72, Fax 56 54 89 98, – AE GB BX t
fermé 15 au 30 nov., 15 au 28 fév., mardi en hiver, lundi midi et mardi midi en juil.-août – **Repas** 160 bc.

XX **L'Ombrière et H. Gascogne** avec ch, 79 cours H. de Thury ☎ 56 83 42 52, Fax 56 83 15 55, – |‡| TV ☎. AE ◑ GB BZ m
Repas *(fermé merc. en hiver)* 95/180 – ☐ 35 – **27 ch** 199/370 – ½ P 232/313.

X **Le Cabestan,** 6 av. Gén. de Gaulle ☎ 56 83 18 62 – ▤. AE ◑ GB BZ p
fermé fév., dim. soir et lundi hors sais. – **Repas** - produits de la mer - 90/180.

X **Chez Yvette,** 59 bd Gén. Leclerc ☎ 56 83 05 11, Fax 56 22 51 62 – AE ◑ GB JCB
Repas - produits de la mer - 95 et carte 175 à 320, enf. 65. BZ a

X **Les Genêts,** 25 bd Gén. Leclerc ☎ 56 83 40 28, Fax 56 83 12 14 – ▤. AE ◑ GB BZ t
fermé 7 au 17 oct., 6 au 16 janv., lundi sauf le soir en juil.-août et dim. soir – **Repas** 78/160 ⅋.

X **Bayonne** avec ch, 9 cours Lamarque ☎ 56 83 33 82, Fax 56 83 73 06 – TV ☎. AE ◑ GB BZ u
25 mars-25 oct. – **Repas** *(fermé lundi sauf de juin à sept.)* 78/185, enf. 45 – ☐ 36 – **18 ch** 265/430 – ½ P 350/400.

aux Abatilles SO : 2 km – ✉ 33120 Arcachon :

Parc sans rest, 5 av. Parc ☎ 56 83 10 58, Fax 56 54 05 30 – |‡| ☎ P. GB. AX s
15 juin-1er oct. – ☐ 45 – **30 ch** 490/570.

au Moulleau SO : 5 km – ✉ 33120 Arcachon :

Les Buissonnets , 12 r. L. Garros ☎ 56 54 00 83, Fax 56 22 55 13, , « Jardin fleuri » – TV ☎. GB. AY f
fermé oct. – **Repas** 96/185 – ☐ 45 – **13 ch** 450 – ½ P 360.

ARCANGUES 64 Pyr.-Atl. 78 ⑱ – rattaché à Biarritz.

ARC-EN-BARROIS 52210 H.-Marne 66 ② **G. Champagne** – 874 h alt. 270.

9 du Château d'Arc ☎ 25 02 51 14, sortie S par D 6.

Office de Tourisme Hôtel de Ville ☎ 25 02 52 17.

Paris 273 – Chaumont 23 – Bar-sur-Aube 53 – Châtillon-sur-Seine 42 – Langres 30.

Parc, ☎ 25 02 53 07, Fax 25 02 42 84, – TV ☎ – 40. GB JCB
fermé fév., dim. soir et lundi du 15 sept. au 1er juin – **Repas** 95/220 ⅋, enf. 45 – ☐ 40 – **16 ch** 250 – ½ P 235.

ARCENS 07310 Ardèche 76 ⑱ – 479 h alt. 615.

Paris 602 – Le Puy-en-Velay 53 – Le Cheylard 16 – Privas 64 – St-Agrève 21.

Chalet des Cévennes , ☎ 75 30 41 90, <, – ☎ P. GB.
fermé 1er au 30 oct., dim. soir et vend. du 1er nov. au 15 mai – **Repas** 85/160 – ☐ 30 – **16 ch** 200/260 – ½ P 240/260.

ARC-ET-SENANS 25610 Doubs 70 ④ **G. Jura** – 1 277 h alt. 231.

Voir Saline Royale★★.

Paris 395 – ♦Besançon 36 – Pontarlier 61 – Salins-les-Bains 17.

X **Le Relais** avec ch, pl. Église ☎ 81 57 40 60, Fax 81 57 46 17, – GB
fermé 15 déc. au 20 janv. et dim. soir sauf juil.-août – **Repas** 55/170 ⅋, enf. 45 – ☐ 28 – **10 ch** 115/185 – ½ P 145/175.

ARCHES 15200 Cantal 76 ① – 174 h alt. 630.

Paris 496 – Aurillac 63 – Bort-les-Orgues 28 – Mauriac 11 – Ussel 44.

X **Le Donjon** avec ch, ☎ 71 69 74 00, , – ☎ P. GB
fév.-oct. et fermé dim. soir et lundi sauf juil.-août – **Repas** 65 (déj.), 88/110, enf. 38 – ☐ 30 – **7 ch** 250/290 – ½ P 230.

ARCINS 33 Gironde 71 ⑧ – rattaché à Margaux.

ARCIZANS-AVANT 65 H.-Pyr. 85 ⑰ – rattaché à Argelès-Gazost.

L'ARCOUEST (Pointe de) 22 C.-d'Armor 59 ② – rattaché à Paimpol.

Les ARCS 73 Savoie 74 ⑱ **G. Alpes du Nord** – alt. 1600 – Sports d'hiver : 1 600/3 226 m 5 74 –
✉ **73700** Bourg-St-Maurice.

Voir Arc 1800 ** – Arc 1600 ≤*.

18 des Arcs Le Chantel ✆ 79 07 43 95, NO : 5 km.

Office de Tourisme ✆ 79 07 12 57, Fax 79 07 45 96.

Paris 646 – Albertville 64 – Bourg-St-Maurice 11 – Chambéry 110 – Val-d'Isère 40.

Gd Hôtel Mercure M, S : 5 km - alt. 1800 m. ✆ 79 07 65 00, Fax 79 07 64 08, ≤, – – 60. AE GB
10 juin-30 sept. et 12 déc. au 1er mai – **Repas** carte 170 à 230 – 58 – **72 ch** 815/1330, 9 appart – ½ P 840.

Les ARCS **83460** Var 84 ⑦ 114 ㉓ **G. Côte d'Azur** – 4 744 h alt. 80.

Voir Polyptyque* dans l'église – Chapelle Ste-Roseline* NE : 4 km.

Office de Tourisme pl. Gén.-de-Gaulle ✆ 94 73 37 30, Fax 94 47 47 94.

Paris 851 – Fréjus 26 – Brignoles 41 – Cannes 59 – Draguignan 10 – St-Raphaël 29 – Ste-Maxime 29.

XXX **Logis du Guetteur** avec ch, au village médiéval, SE par D 57 ✆ 94 73 30 82, Fax 94 73 39 95, « Pittoresque installation dans un vieux fort », – P. AE GB JCB
fermé 15 janv. au 15 fév. – **Repas** 135/280 et carte 240 à 350 – 48 – **10 ch** 450 – ½ P 440.

XXX **Le Bacchus Gourmand,** au Sud sur N 7 ✆ 94 47 48 47, Fax 94 47 55 13, – P. AE GB
fermé 24 déc. au 15 janv., dim. soir de sept. à juin et lundi – **Repas** 150/250 et carte 320 à 420.

XX **Le Relais des Moines,** E : 1km par rte Ste-Roseline ✆ 94 47 40 93, Fax 94 47 52 51, ≤, « Ancienne bergerie », – P. GB
fermé 1er au 15 mars, 1er au 15 nov., dim. soir et lundi sauf juil.-août – **Repas** 118 (déj.) 169/300.

RENAULT Gar. des 4 Chemins, ✆ 94 47 40 43

ARCUEIL 94 Val-de-Marne 60 ⑩, 101 ㉖ – voir à Paris, Environs.

ARCY-SUR-CURE **89270** Yonne 65 ⑤ **G. Bourgogne** – 503 h alt. 133.

Paris 200 – Auxerre 31 – Avallon 21 – Vézelay 21.

X **Grottes** avec ch, N 6 ✆ 86 81 91 47, Fax 86 81 96 22, – P. GB
fermé 15 déc. au 25 janv. et merc. du 15 sept. au 30 avril – **Repas** 74/155, enf. 45 – 25 – **7 ch** 130/220.

RENAULT Gar. Teissier, ✆ 86 81 90 42

ARDENTES **36120** Indre 68 ⑨ **G. Berry Limousin** – 3 511 h alt. 172.

Paris 279 – Bourges 65 – Argenton-sur-Creuse 42 – Châteauroux 13 – La Châtre 22 – Issoudun 29 – St-Amand-Montrond 58.

XX **Gare,** ✆ 54 36 20 24 – P. GB
fermé août, vacances de fév., dim. soir et lundi – **Repas** 120/160.

XX **Chêne Vert** avec ch, av. Verdun ✆ 54 36 22 40, Fax 54 36 64 33 – AE GB
fermé 2 au 12 août, 2 au 21 janv., dim. soir et lundi – **Repas** 100/225, enf. 68 – 39 – **7 ch** 260/390 – ½ P 300/325.

CITROEN Godiard, 46 av. de Verdun ✆ 54 36 20 26
PEUGEOT Gar. Bucheron, 33 av. de Verdun ✆ 54 36 21 40
RENAULT Gar. du Chêne Vert, 30 av. de Verdun ✆ 54 36 22 47
Gar. Marteau, ✆ 54 36 22 95

ARDRES **62610** P.-de-C. 51 ② **G. Flandres Artois Picardie** – 3 936 h alt. 11.

Paris 276 – ◆ Calais 17 – Arras 95 – Boulogne-sur-Mer 35 – Dunkerque 44 – ◆Lille 89 – St-Omer 26.

La Chaumière sans rest, 67 av. Rouville ✆ 21 35 41 24, – P. GB
27 – **12 ch** 170/270.

CITROEN Gar. Carpentier, Champ de Foire ✆ 21 35 42 16
Euromaster, av. Alliés à Audruicq ✆ 21 82 75 81

ARÊCHES 73 Savoie 74 ⑰ **G. Alpes du Nord** – alt. 1080 – Sports d'hiver : 1 050/2 100 m 13 –
✉ **73270** Beaufort-sur-Doron.

Voir Hameau de Boudin* E : 2 km.

Office de Tourisme ✆ 79 38 15 33.

Paris 607 – Albertville 25 – Chambéry 75 – Megève 47.

Aub. du Poncellamont, ✆ 79 38 10 23, Fax 79 38 13 98, ≤, – P. GB ch
fermé 20 avril au 30 mai, 30 sept. au 22 déc., dim. soir et merc. sauf vacances scolaires – **Repas** 128/205, enf. 62 – 36 – **14 ch** 285/315 – ½ P 315/325.

ARÈS **33740** Gironde 71 ⑲ **G. Pyrénées Aquitaine** – 3 911 h alt. 6.

Paris 629 – ◆ Bordeaux 47 – Arcachon 45.

XX **St Éloi** avec ch, 11 bd Aérium ✆ 56 60 20 46, Fax 56 60 10 37, – AE GB
fermé vacances de fév., dim. soir et lundi en hiver – **Repas** 85/200, enf. 60 – 30 – **11 ch** 140/175 – ½ P 391/411.

ARETTE-PIERRE-ST-MARTIN 64570 Pyr.-Atl. 85 ⑮ **G. Pyrénées Aquitaine** – Sports d'hiver : 1 500/2 100 m ⛷16.

Voir Site★.

Office de Tourisme à Pierre-St-Martin ✆ 59 88 95 38.

Paris 859 – Pau 75 – Lourdes 96 – Oloron-Ste-Marie 40.

Pic d'Anie, ✆ 59 66 00 05, Fax 59 66 05 88, ≤ – ☎. GB
juil.-août et déc.-avril – **Repas** 60 – ☕ 35 – **16 ch** 300/350 – ½ P 265.

ARFEUILLES 03640 Allier 73 ⑥ – 843 h alt. 425.

Paris 357 – ◆Clermont-Ferrand 86 – Roanne 36 – Lapalisse 15 – Moulins 63 – Thiers 60 – Vichy 30.

Nord, ✆ 70 55 50 22, – P. AE GB JCB
fermé 1er au 15 fév., merc. soir et jeudi hors sais. – **Repas** 50/125 – ☕ 25 – **7 ch** 120/190 – ½ P 220.

ARGEIN 09800 Ariège 86 ② – 164 h alt. 548.

Paris 811 – Bagnères-de-Luchon 58 – Foix 59 – St-Girons 15.

Host. la Terrasse, ✆ 61 96 70 11, – ☎
fermé 15 nov. au 1er fév. – **Repas** 70/150, enf. 45 – ☕ 28 – **10 ch** 175/250 – ½ P 220.

ARGELÈS-GAZOST 65400 H.-Pyr. 85 ⑰ **G. Pyrénées Aquitaine** – 3 229 h alt. 462 – Stat. therm. (2 mai-31 oct.).

Voir Route du Hautacam★ à l'Est par D 100 Y – Office de Tourisme Grande Terrasse ✆ 62 97 00 25.

Paris 827 ① – Pau 55 ① – Lourdes 12 ① – Tarbes 32 ①.

Miramont, 44 av. Pyrénées ✆ 62 97 01 26, Fax 62 97 56 67, « Jardin fleuri » – rest ☎ P. GB. Z **n**
fermé 4 nov. au 10 déc. – **Repas** (dim. prévenir) 70/210 – ☕ 35 – **27 ch** 320 – P 300/340.

Les Cimes , pl. Ourout ✆ 62 97 00 10, Fax 62 97 10 19, – cuisinette rest ☎ P. GB. rest Z **a**
fermé 3 nov. au 18 déc. – **Repas** 85/210, enf. 45 – ☕ 34 – **27 ch** 230/305, 4 studios – P 278/302.

Soleil Levant, 17 av. Pyrénées ✆ 62 97 08 68, Fax 62 97 04 60, – ☎ P. AE GB Y **t**
fermé 1er au 25 déc. – **Repas** 55/200, enf. 40 – ☕ 30 – **33 ch** 200/230 – P 250/270.

Host. Le Relais, 25 r. Mar. Foch ✆ 62 97 01 27, – rest ☎ P. GB Y **h**
fév.-sept. – **Repas** 72/230, enf. 43 – ☕ 33 – **23 ch** 200/300 – P 242/292.

Printania, av. Pyrénées ✆ 62 97 06 57, Fax 62 97 50 14, – ☎ P – 30. AE GB Y **r**
Repas 60/250, enf. 45 – ☕ 32 – **23 ch** 240 – ½ P 235.

Gabizos, av. Pyrénées ✆ 62 97 01 36, Fax 62 97 02 70, – ☎ P. GB Z **x**
8 avril-20 oct. et vacances de fév. – **Repas** 60/140, enf. 40 – ☕ 33 – **26 ch** 185/220 – ½ P 260.

Le Temps de Vivre, rte Lourdes par ① ✆ 62 97 05 12, Fax 62 97 91 58, – P. AE GB
1er avril-31 oct. et fermé lundi sauf juil.-août – **Repas** 75/200 , enf. 45.

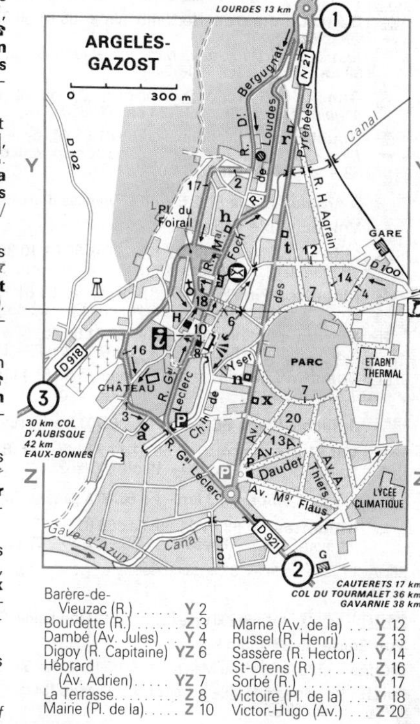

Barère-de-Vieuzac (R.) . . . . . Y 2
Bourdette (R.) . . . . . Z 3
Dambé (Av. Jules) . . Y 4
Digoy (R. Capitaine) YZ 6
Hébrard (Av. Adrien) . . . . YZ 7
La Terrasse . . . . Z 8
Mairie (Pl. de la) . . . . Z 10
Marne (Av. de la) . . . . Y 12
Russel (R. Henri) . . . . Z 13
Sassère (R. Hector) . . Y 14
St-Orens (R.) . . . . Z 16
Sorbé (R.) . . . . Y 17
Victoire (Pl. de la) . . . Y 18
Victor-Hugo (Av.) . . . Z 20

à Agos par ① : 5 km – 270 h. alt. 450 – ✉ 65400 Agos-Vidalos :

Chez Pierre d'Agos, ✆ 62 97 05 07, Fax 62 97 50 14, , , – rest ☎ P – 25. GB
fermé 1er au 22 déc. – **Repas** 55/210, enf. 47 – ☕ 33 – **70 ch** 240/264 – P 264.

à Beaucens SE : 5 km par D 100 - Y - et D 13 – 309 h. alt. 450 – Stat. therm. (13 mai-5 oct.) – ✉ 65400 :

Thermal ⛰, ☏ 62 97 04 21, Fax 62 97 16 60, ←, « Parc », 🏊 – ☎ 🅿. GB. ✻ rest
28 mai-30 sept. – **Repas** 90/155 – ☕ 32 – **28 ch** 200/320 – P 300.

à St-Savin S : 3 km par D 101 - Z – 331 h. alt. 580 – ✉ 65400 :

Voir Site★ de la chapelle de Piétat S : 1 km.

Rochers ⛰, ☏ 62 97 09 52, Fax 62 97 17 78, 🌳, 🌲 – 📺 ☎ 🅿. AE ◑ GB
1er avril-15 oct. – **Repas** 75/165, enf. 35 – ☕ 35 – **29 ch** 240/290 – ½ P 210/255.

Viscos avec ch, ☏ 62 97 02 28, Fax 62 97 04 95, 🌳 – AE GB
fermé 1er au 27 déc. – **Repas** *(fermé lundi sauf vacances scolaires)* 108/275, enf. 55 – ☕ 36 – **16 ch** 260/320 – ½ P 260/290.

à Arcizans-Avant S : 3,5 km par D 101 et D 13 – 258 h. alt. 640 – ✉ 65400 :

Aub. Le Cabaliros ⛰, ☏ 62 97 04 31, Fax 62 97 91 48, ←, 🌳, 🌲 – ☎ 🅿. GB. ✻
fermé 1 au 8/5, 30/9 au 15/12, 8 au 30/1, merc. (sauf hôtel) et mardi soir d'oct. à mai sauf vacances scolaires – **Repas** 87/143, enf. 45 – ☕ 35 – **8 ch** 250/280 – P 275/285.

Gar. Cappeleto et Lafaille, par D 100 ☏ 62 97 02 06 🅽 ☏ 62 97 00 76

ARGELÈS-SUR-MER 66700 Pyr.-Or. 86 ⑳ – 7 188 h alt. 19 – Casino à Argelès-Plage.

ℹ Office de Tourisme pl. de l'Europe ☏ 68 81 15 85, Fax 68 81 16 01.

Paris 884 – ♦Perpignan 20 – Céret 27 – Port-Vendres 10,5 – Prades 63.

Cottage et rest. L'Orangeraie Ⓜ ⛰, r. A. Rimbaud ☏ 68 81 07 33, Fax 68 81 59 69, 🌳, 🏊, 🌲 – 📺 ☎ ♿ 🅿. AE GB
1er mars-1er nov. – **Repas** 80 (déj.), 150/260, enf. 60 – ☕ 50 – **32 ch** 420/500 – ½ P 350/430.

Gd H. Commerce, rte Nationale ☏ 68 81 00 33, Fax 68 81 69 49 – |♦| ▤ rest 📺 ☎ 🅿. AE ◑ GB
fermé 25 déc. au 3 fév., dim. soir et lundi d'oct. à mai – **Repas** 68/185 🍷, enf. 47 – ☕ 37 – **38 ch** 225/295 – ½ P 248/271.

Annexe Le Parc Ⓜ ⛰ sans rest,, 🏊, 🌲 – |♦| ☎ 🅿 – 🏛 80
1er juin-30 sept. – ☕ 39 – **24 ch** 290/350.

Soubirana, rte Nationale ☏ 68 81 01 44, 🌳 – ▤ rest ☎ 🚗. GB
fermé 20 oct. au 20 nov., dim. soir et sam. sauf du 1er juin au 15 sept. – **Repas** 68/255 🍷, enf 38 – ☕ 35 – **17 ch** 175/250 – ½ P 210.

à Argelès-Plage E : 2,5 km **G. Pyrénées Roussillon** – ✉ 66700 Argelès-sur-Mer.

Voir SE : Côte Vermeille★★.

Lido Ⓜ, bd Mer ☏ 68 81 10 32, Fax 68 81 10 98, ←, 🌳, 🏊, 🏖 – |♦| 📺 ☎ ♿ 🅿. AE GB
18 mai-30 sept. – **Repas** 80 (déj.), 140/185, enf. 75 – ☕ 50 – **66 ch** 410/690 – ½ P 415/550.

Plage des Pins Ⓜ, ☏ 68 81 09 05, Fax 68 81 12 10, ←, 🏊, 🎾 – |♦| ▤ 📺 ☎ 🅿. AE GB. ✻
25 mai-1er oct. – **Repas** 120/170, enf. 60 – ☕ 45 – **50 ch** 440/520 – ½ P 395/435.

Maritime, bd des Albères ☏ 68 81 50 00, 🌳, 🏊 – ☎ ♿ 🚗. AE GB
5 avril-26 oct. – **Repas** 130 🍷, enf. 70 – ☕ 45 – **24 ch** 270/320 – ½ P 290.

Beau Rivage sans rest, av. Plage ☏ 68 81 11 29, Fax 68 95 90 16 – ☎. AE GB
10 juin-30 sept. – ☕ 38 – **26 ch** 290/325.

à Racou-Plage SE : 3 km – ✉ 66700 Argelès-sur-Mer :

Val Marie sans rest, ☏ 68 81 11 27, 🌲 – ☎ 🅿. GB
15 mai-30 sept. – ☕ 30 – **19 ch** 206/252.

rte de Collioure : 3 km – ✉ 66700 Argelès-sur-Mer :

Mouettes, ☏ 68 81 21 69, Fax 68 81 32 73, ←, 🌳, 🏊 – ⚹ 📺 ☎ 🅿. AE ◑ GB
1er avril-31 oct. – **Repas** 110/250 – ☕ 50 – **25 ch** 370/480 – ½ P 360/400.

RENAULT Gar. Cadmas, 3 bis rte de Collioure ☏ 68 81 12 29

Ⓜ Mallau Pneus, 80 rte de Collioure ☏ 68 81 43 90

ARGENTAN ⟨SP⟩ 61200 Orne 60 ② ③ G. Normandie Cotentin – 16 413 h alt. 160.

Voir Église St-Germain★.

ℹ Office de Tourisme pl. du Marché ☏ 33 67 12 48, Fax 33 39 96 61.

Paris 195 ② – Alençon 44 ③ – ♦Caen 51 ⑤ – Chartres 134 ② – Dreux 114 ② – Évreux 112 ② – Flers 43 ④ – Laval 107 ④ – Lisieux 56 ①.

Plan page ci-contre

France, 8 bd Carnot **(r)** ☏ 33 67 03 65, Fax 33 36 62 24, 🌲 – 📺 ☎. GB
fermé 1er au 14 juil., 23 au 29 déc. et 12 au 25 fév. – **Repas** *(fermé dim. soir et lundi)* 70/192 – ☕ 30 – **13 ch** 125/270 – ½ P 175/230.

Aub. de l'Ancienne Abbaye, 25 r. St-Martin **(a)** ☏ 33 39 37 42 – 🅿. ◑ GB
fermé dim. soir et lundi – **Repas** 80 (déj.), 105/240.

ARGENTAN

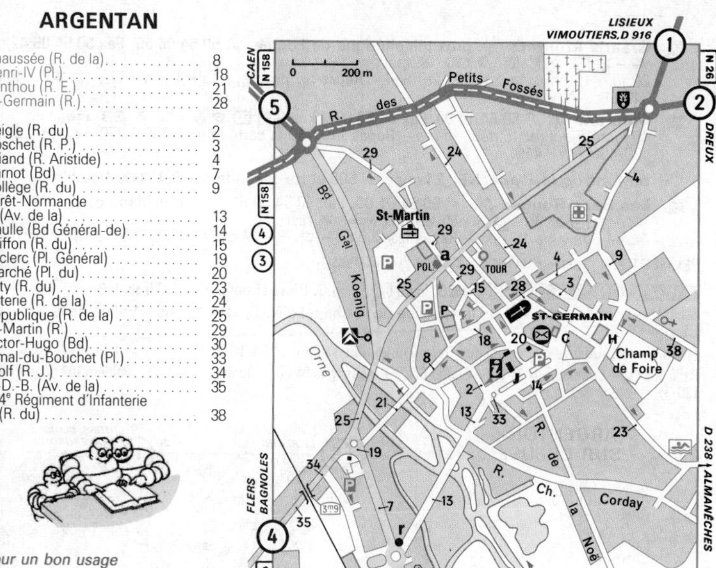

Pour un bon usage des plans de villes, voir les signes conventionnels dans l'introduction.

à Fontenai-sur-Orne par ④ : 4,5 km – 292 h. alt. 65 – ✉ **61200** :

🏨 **Faisan Doré,** ✆ 33 67 18 11, Fax 33 35 82 15, – TV ☎ P – 100. AE GB
fermé 6 au 23 janv. – **Repas** *(fermé dim. soir)* 90/280, enf. 60 – ☕ 40 – **15 ch** 255/310 – ½ P 265.

par ②, N 26 et D 16 : 10 km – ✉ **61310** Silly-en-Gouffern :

🏨 **Pavillon de Gouffern,** ✆ 33 36 64 26, Fax 33 36 53 81, , parc, « Ancien pavillon de chasse », – TV ☎ ♿ P – 60. AE ⓓ GB
Repas 80 (déj.), 90/200, enf. 50 – ☕ 45 – **19 ch** 200/450 – ½ P 325.

à Écouché par ④ : 9 km – 1 409 h. alt. 156 – ✉ **61150** :

XX **Lion d'Or** avec ch, 1 r. Pierre Pigot ✆ 33 35 16 92, Fax 33 36 60 48, – TV ☎ P – 60. GB
fermé dim. soir et lundi – **Repas** 88/171, enf. 55 – ☕ 35 – **9 ch** 240/350.

ITROEN Gar. Brunet, 21 r. République
' 33 36 79 99
EUGEOT Gar. Moderne, rte de Flers à Sarceaux
ar ④ ✆ 33 67 11 21
ENAULT SVDVA, bd Victor Hugo ✆ 33 67 09 87

VAG Poirier Autom., rte de Falaise ✆ 33 36 19 19

Ⓜ Fischer Pneus, 1 imp. Clos Menou ✆ 33 36 08 36
Marsat Pneus, 30 av. 2e-D.-B. ✆ 33 67 26 79

RGENTAT **19400** Corrèze **75** ⑩ **G. Berry Limousin** – 3 189 h alt. 183.

oir Site★.

nv. Tours de Merle★★ E : 23 km.

Office de Tourisme av. Pasteur (15 juin-15 sept.) ✆ 55 28 16 05 et à la Mairie (hors saison) ✆ 55 28 10 91.

aris 516 – Brive-la-Gaillarde 44 – Aurillac 55 – Mauriac 50 – St-Céré 39 – Tulle 32.

XX **St-Jacques,** 39 av. Foch ✆ 55 28 89 87, – GB
avril-nov. et fermé mardi sauf juil.-août – **Repas** 70/198, enf. 35.

ITROEN Gar. Frizon, 25 av. Xaintries ✆ 55 28 10 79

RGENTEUIL **95** Val-d'Oise **55** ⑳, **101** ⑭ – voir à Paris, Environs.

RGENTIÈRE **74** H.-Savoie **74** ⑨ **G. Alpes du Nord** – alt. 1253 – Sports d'hiver : voir Chamonix – ✉ **74400** hamonix-Mont-Blanc.

oir SE : Aiguille des Grands Montets ≤★★ par téléphérique – Trélechamp ≤★★ N : 2,5 km – éserve naturelle des Aiguilles Rouges★★ N : 3,5 km.

aris 620 – Chamonix-Mont-Blanc 8 – Annecy 102 – Vallorcine 8.

Grands Montets 🔇, près téléphérique de Lognan ✆ 50 54 06 66, Fax 50 54 05 42, ≤ – 🅿 TV ☎ P. AE ① GB. ✗ rest
20 juin-15 sept. et 23 déc.-25 avril – **Repas** 95 bc (déj.)/135 ♗, enf. 67 – ☕ 40 – **40 c**
640/686 – ½ P 485.

Montana M, ✆ 50 54 14 99, Fax 50 54 03 40, ≤ – 🅿 TV ☎ ♿ P. GB JCB
15 juin-15 oct. et 15 déc.-15 mai – **Repas** 110/140 et carte le midi 160 à 270 – ☕ 45 – **24 c**
420/490 – ½ P 410.

à Montroc-le-Planet NE : 2 km par N 506 et rte secondaire – ✉ **74400** Argentière :

Les Becs Rouges 🔇, ✆ 50 54 01 00, Fax 50 54 00 51, ≤ Mont-Blanc et aiguilles, – 🅿 TV ☎ P – 🏊 30. AE ① GB JCB. ✗ rest
fermé 5 nov. au 20 déc. – **Repas** 138/395 bc – ☕ 75 – **24 ch** 245/575 – ½ P 388/455.

PEUGEOT Gar. Costa, ✆ 50 54 04 30 N ✆ 50 54 04 30

ARGENTON-SUR-CREUSE **36200** Indre 68 ⑰ ⑱ **G. Berry Limousin** – 5 193 h alt. 100.

Voir Vieux pont ≤★ – ≤★ de la terrasse de la chapelle N.-D.-des-Bancs – Vallée de la Creuse★ SE par D 48.

ℹ Office de Tourisme pl. République (fermé lundi hors saison) ✆ 54 24 05 30.

Paris 302 ① – Châteauroux 31 ① – Guéret 67 ③ – ♦Limoges 94 ④ – Montluçon 103 ② – Poitiers 102 ⑤ – ♦Tou
130 ⑤.

ARGENTON-SUR-CREUSE

Acacias (Allée des) 2
Barbès (R.) 5
Chapelle-N.-D. (R. de la) 7
Châteauneuf (R.) 8
Chauvigny (R. A. de) 10
Coursière (R. de la) 12
Gare (R. de la) 14
Grande (Rue) 15
Merle-Blanc (R. du) 18
Point-du-Jour (R. du) 20
Pont-Neuf (R. du) 23
Raspail (R.) 24
République (Pl. de la) .. 25
Rochers-St-Jean (R. des) 27
Rosette (R.) 28
Rousseau (R. Jean-J.) .. 29
Victor-Hugo (R.) 30
Villers (Imp. de) 31

Les plans de villes sont orientés le Nord en haut.

Manoir de Boisvillers 🔇 sans rest, 11 r. Moulin de Bord **(e)** ✆ 54 24 13 88
Fax 54 24 27 83, 🏊, – TV ☎ P. AE GB
fermé 2 déc. au 6 janv. – ☕ 40 – **14 ch** 250/380.

Cheval Noir, 27 r. Auclert-Descottes **(n)** ✆ 54 24 00 06, Fax 54 24 11 22 – ▤ rest TV
P – 🏊 30. GB
fermé mi-janv. à mi-fév., dim. soir et lundi hors sais. – **Repas** 88/220, enf. 55 – ☕ 35 – **25 c**
240/280 – ½ P 240.

à St-Marcel par ① : 2 km – 1 687 h. alt. 146 – ✉ **36200** :

Voir Église★ – Musée archéologique d'Argentomagus★ – Théâtre du Virou★.

Le Prieuré, ✆ 54 24 05 19, Fax 54 24 32 28, ≤, – TV ☎ P – 🏊 30. GB
fermé mi-janv. à mi-fév. et lundi – **Repas** 75/255 ♗, enf. 45 – ☕ 30 – **12 ch** 230/260
½ P 280.

à Tendu par ① : 8 km – 446 h. alt. 171 – ✉ **36200** :

Moulin des Eaux Vives, SE : 4 km par D 30 et rte secondaire ✆ 54 24 12 2
Fax 54 24 34 62, « Moulin du 18e siècle au bord de l'eau » – AE GB
fermé 9 janv. au 6 fév., lundi soir et mardi – **Repas** (dim. prévenir) 90/290, enf. 58.

à Bouësse par ② : 11 km – 416 h. alt. 185 – ✉ **36200** :

Château de Bouesse ⊗, ☏ 54 25 12 20, Fax 54 25 12 30, ≤, ⛱, « Château du 13e siècle dans un parc » – ☎ P. AE GB. ✻
fermé 2 janv. au 1er fév. – **Repas** *(fermé lundi midi hors sais.)* 95 (déj.), 160/190, enf. 80 – ☕ 55 – **5 ch** 380/480, 3 appart – ½ P 395/475.

CITROEN Gar. Besson, N 20 à Tendu par ① ☏ 54 24 12 26
PEUGEOT Chavegrand, rte de Limoges par ④ ☏ 54 24 04 32 N ☏ 54 26 37 62
VAG Gar. Allignet, 15 bis bd G.-Sand ☏ 54 24 07 01 N ☏ 54 24 24 95
Gebhard Pneu, rte de Limoges, N 20 ☏ 54 24 13 08

ARGENT-SUR-SAULDRE **18410** Cher 65 ⑪ **G. Châteaux de la Loire** – 2 525 h alt. 171.
Env. Château★ de Blancafort : 8 km au SE.
Paris 174 – ♦Orléans 60 – Bourges 57 – Cosne-sur-Loire 45 – Gien 21 – Salbris 41 – Vierzon 53.

Relais de la Poste avec ch, ☏ 48 73 60 25, Fax 48 73 30 62 – TV ☎ P – 🏛 50. GB
fermé 15 janv. au 15 fév. et lundi hors sais. – **Repas** 90/310, enf. 65 – ☕ 35 – **10 ch** 235/290 – ½ P 220/330.

Relais du Cor d'Argent avec ch, ☏ 48 73 63 49, Fax 48 73 37 55 – TV ☎. GB
fermé 1er au 7 oct., 15 fév. au 1er mars – **Repas** *(fermé mardi soir et merc. sauf du 14 juil. au 1er sept.)* 78/250 ♁ – ☕ 28 – **7 ch** 180/260 – ½ P 190/220.

PEUGEOT Gar. Léger, ☏ 48 73 63 06
RENAULT Gar. Carlot, ☏ 48 73 61 83

ARGOULES **80120** Somme 51 ⑫ **G. Flandres Artois Picardie** – 363 h alt. 18.
Paris 202 – ♦Calais 89 – Abbeville 32 – ♦Amiens 66 – Hesdin 19 – Montreuil 20.

Aub. Coq-en-Pâte, ☏ 22 29 92 09, ⛱ – P. GB
fermé 23 sept. au 4 oct., 8 janv. au 1er fév., dim. soir et lundi sauf fériés – **Repas** (nombre de couverts limité, prévenir) 120 ♁.

ARINSAL 86 ⑭ – voir à Andorre (Principauté d').

ARLEMPDES **43490** H.-Loire 76 ⑰ **G. Vallée du Rhône** – 142 h alt. 840.
Voir Site★★ – ≤★★ de la chapelle.
Paris 568 – Le Puy-en-Velay 27 – Aubenas 66 – Langogne 27.

Manoir ⊗, ☏ 71 57 17 14, ≤, ⛱ – ☎. ✻ ch
9 mars-1er nov. – **Repas** 87/180, enf. 50 – ☕ 35 – **16 ch** 190/250 – ½ P 225.

ARLES SP **13200** B.-du-R. 83 ⑩ **G. Provence** – 52 058 h alt. 13.
Voir Arènes★★ YZ – Théâtre antique★★ Z – Cloître St-Trophime★★ et église★ Z : portail★★ – Les Alyscamps★ X – Palais Constantin★ Y F – Hôtel de ville : voûte★ du vestibule Z H – Cryptoportiques★ Z V – Musée de l'Arles antique★★ (sarcophages★★) X M1 – Museon Arlaten★ Z M3 – Musée Réattu★ Y M4 – Ruines de l'abbaye de Montmajour★ 5 km par ①.
Office de Tourisme 35 pl. de la République ☏ 90 18 41 20, Fax 90 93 17 17 , accueil gare SNCF ☏ 90 49 36 90 et esplanade des Lices.
Paris 728 ① – Avignon 36 ① – Aix-en-Provence 76 ② – Cavaillon 42 ① – ♦Marseille 95 ② – ♦Montpellier 77 ⑤ – Nîmes 31 ⑥ – Salon-de-Provence 44 ②.

Plan page suivante

Jules César, bd Lices ☏ 90 93 43 20, Télex 400239, Fax 90 93 33 47, ⛱, « Ancien couvent avec son cloître, jardins intérieurs », ⛱ – ▤ TV ☎ 🚗 – 🏛 30. AE ⓓ GB JCB — Z b
fermé 3 nov. au 23 déc. – ***Lou Marquès :*** **Repas** 150 (déj.) 195/380, enf. 65 – ***Le Cloître :*** *(déj. seul.)* **Repas** 98/120 bc, ♁, enf. 65 – ☕ 75 – **49 ch** 650/1150, 4 appart – ½ P 645/1030.

D'Arlatan ⊗ sans rest, 26 r. Sauvage (près pl. Forum) ☏ 90 93 56 66, Fax 90 49 68 45, « Ancien hôtel particulier, vestiges archéologiques », ⛱ – |‡| ▤ TV ☎ ✆ 🚗 – 🏛 25. AE ⓓ GB JCB — Y f
☕ 60 – **33 ch** 450/695, 7 appart.

Nord Pinus, pl. Forum ☏ 90 93 44 44, Fax 90 93 34 00, ⛱, « Décoration évoquant la tauromachie » – |‡| TV ☎ 🚗. AE ⓓ GB JCB — Z t
Repas brasserie *(fermé dim. midi)* 120 bc (déj.)/140 ♁ – ☕ 65 – **23 ch** 700/1500.

New H. Arles Camargue M, 45 av. Sadi-Carnot ☏ 90 99 40 40, Télex 403613, Fax 90 93 32 50, ⛱ – |‡| ▤ TV ☎ ♿ P – 🏛 70. AE ⓓ GB JCB — X a
Repas 92/115 ♁, enf. 50 – ☕ 45 – **63 ch** 360, 4 duplex – ½ P 323.

Mireille M, 2 pl. St Pierre ☏ 90 93 70 74, Fax 90 93 87 28, ⛱, ⛱ – ▤ TV ☎ 🚗. AE ⓓ GB JCB — Y h
début mars-mi-nov. – **Repas** 109/149, enf. 70 – ☕ 55 – **34 ch** 299/595 – ½ P 400/500.

St-Trophime sans rest, 16 r. Calade ☏ 90 96 88 38, Fax 90 96 92 19 – |‡| TV ☎. AE GB JCB — Z x
☕ 33 – **22 ch** 205/310.

Calendal sans rest, 22 pl. Pomme ☏ 90 96 11 89, Fax 90 96 05 84, « Jardin ombragé » – ▤ ☎. AE ⓓ GB JCB — Z s
☕ 46 – **27 ch** 250/420.

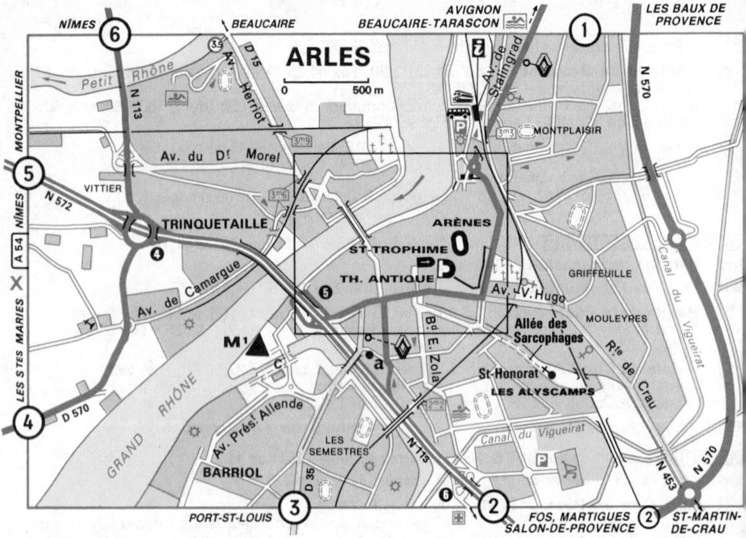

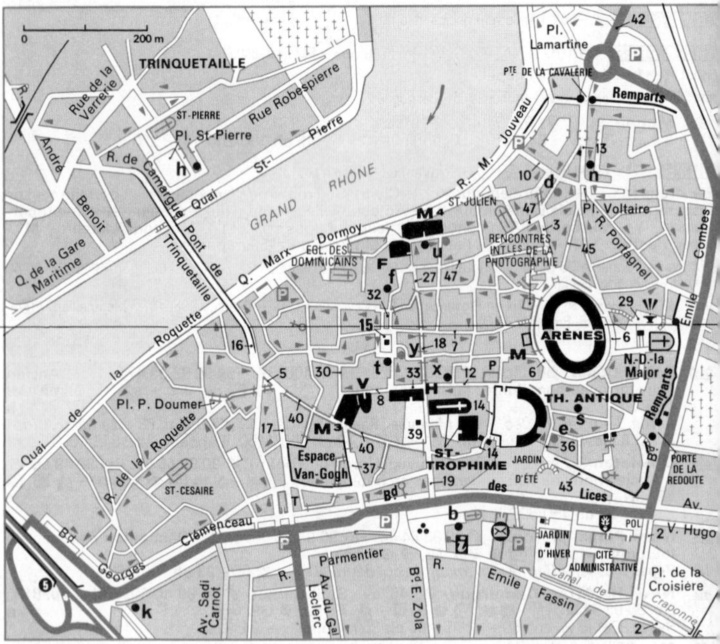

ARLES

0 500 m

Antonelle (Pl.) . . . . Z 5
Cavalerie (R. de la) . . . . Y 13
Forum (Pl. du) . . . . Z 15
Hôtel-de-Ville (R.) . . . . Z 18
Jaurès (R. Jean) . . . . Z 19
Lices (Bd des) . . . . Z
République (R. de la) . . . . . . Z 40
4-Septembre (R. du) . . . . Y 47

Alyscamps (Av. des) . . . . Z 2

Amphithéâtre (Pl. de l') . . . . . . Y 3
Arènes (Rd-Pt des) . . . . YZ 6
Arènes (R. des) . . . . YZ 7
Balze (R.) . . . . Z 8
Blum (R. Léon) . . . . Y 10
Calade (R. de la) . . . . Z 12
Cloître (R. du) . . . . Z 14
France (R. A.) . . . . Z 16
Gambetta (R.) . . . . Z 17
Maisto (R. D.) . . . . Y 27

Major (Pl. de la) . . . . Y 2
Mistral (R. Frédéric) . . . . Z 3
Place (R. de la) . . . . Y 3
Plan de la Cour . . . . Z 3
Porte-de-Laure (R.) . . . . Z 3
Président-Wilson (R. du) . . . . Z 3
République (Pl. de la) . . . . . . Z 3
Stalingrad (Av. de) . . . . Y 4
Vauban (Montée) . . . . Z 4
Voltaire (R.) . . . . Y 4

🏠 **La Roseraie** 🐎 sans rest, à Pont-de-Crau E : 2 km par N 453 - X ✆ 90 96 06 58 – P. ✈
15 mars-15 oct. – ☕ 33 – **12 ch** 270/330.

🏠 **Mirador** sans rest, 3 r. Voltaire ✆ 90 96 28 05, Fax 90 96 59 89 – TV ☎. AE ⓞ GB JCB
fermé 15 janv. au 15 fév. – ☕ 27 – **15 ch** 180/247. Y **n**

🏠 **Musée** sans rest, 11 r. Gd-Prieuré ✆ 90 93 88 88, Fax 90 49 98 15 – ▤ ☎. AE ⓞ GB JCB Y **u**
fermé 10 janv. au 15 fév. – ☕ 30 – **20 ch** 200/420.

🏠 **Constantin** sans rest, 59 bd Craponne ✆ 90 96 04 05, Fax 90 96 84 07 – ☎ P. AE GB
fermé 20 nov. au 20 déc., 10 janv. au 7 mars – ☕ 29 – **15 ch** 130/260. Z **k**

XXX **L'Olivier,** 1 bis r. Réattu ✆ 90 49 64 88, 🏡 – ▤. GB. ✈ Y **u**
fermé nov., dim. et lundi – **Repas** 138/258 et carte 240 à 340.

XX **Vaccarès,** pl. Forum (1er étage) ✆ 90 96 06 17, Fax 90 96 24 52, 🏡 – ▤. AE GB Z **y**
fermé 15 janv. au 15 fév., dim. soir et lundi d'oct. à juin, lundi midi et dim. de juil. à sept. – **Repas** 98 (déj.), 135/255.

XX **Côté Cour,** r. A. Pichot ✆ 90 49 77 76, Fax 90 93 12 23 – ▤. AE ⓞ GB JCB Y **d**
fermé 22 juil. au 7 août, 6 au 29 janv., lundi soir et mardi – **Repas** 125/175 🍷.

X **Jardin de Manon,** 14 av. Alyscamps ✆ 90 93 38 68, Fax 90 49 62 03, 🏡 – AE GB
fermé mi-janv. à mi fév., lundi midi et sam. midi en juil.-août et merc. – **Repas** 88/160. Z **r**

X **Lou Caleu,** 27 r. Porte de Laure ✆ 90 49 71 77, Fax 90 93 75 30 – ▤. AE ⓞ GB JCB
fermé 15 nov. au 15 déc. et jeudi sauf de juil. à sept. – **Repas** 105/190, enf. 60. Z **e**

à Fourques (Gard) par ⑥ : 4 km – 2 251 h. alt. 3 – ✉ **30300** :

🏠 **Le Mas des Piboules** M, N 113 ✆ 90 96 25 25, Fax 90 93 68 88, 🏡, 🏊, 🚗 – TV ☎ ✆ ♿ P – 🎤 30. AE GB
fermé 1er janv. au 28 fév., vend. et sam. du 1er nov. au 31 déc. – **Repas** 90/110 🍷 – ☕ 45 – **50 ch** 315/345 – ½ P 275/289.

BMW Meridional Auto, Parc activité "L'Aurélienne" ✆ 90 93 81 44
CITROEN Trébon Auto, 35 av. Libération par ① ✆ 90 96 42 83
PEUGEOT Gar. Roux, 12 av. de la Libération par ① ✆ 90 18 42 42 N ✆ 90 99 80 58
RENAULT Arles Autom. Services, rte de Tarascon ✆ 90 18 82 00 N ✆ 05 05 15 15

Gar. Lacoste, 27 av. Sadi-Carnot ✆ 90 96 37 76

Ⓜ Ayme Pneus, ZI Nord, r. Cotton ✆ 90 93 56 95
Gay Pneus, av. du Pont de Crau ✆ 90 93 60 13
Jauffret Pneus, 22 bd V.-Hugo ✆ 90 93 50 14
Vulcania, 8 bd V.-Hugo ✆ 90 96 02 03

ARMBOUTS-CAPPEL 59 Nord 51 ③ – rattaché à Dunkerque.

ARMENTIÈRES 59280 Nord 51 ⑮ 111 ⑪ G. Flandres Artois Picardie – 25 219 h alt. 16.

ℹ Office de Tourisme 33 r. de Lille ✆ 20 44 18 19, Fax 20 77 48 15 – Automobile-Club pl. St-Vaast ✆ 20 77 10 12.
Paris 238 ③ – ♦Lille 21 ③ – Dunkerque 59 ⑥ – Kortrijk 47 ② – Lens 33 ③ – St-Omer 50 ⑥.

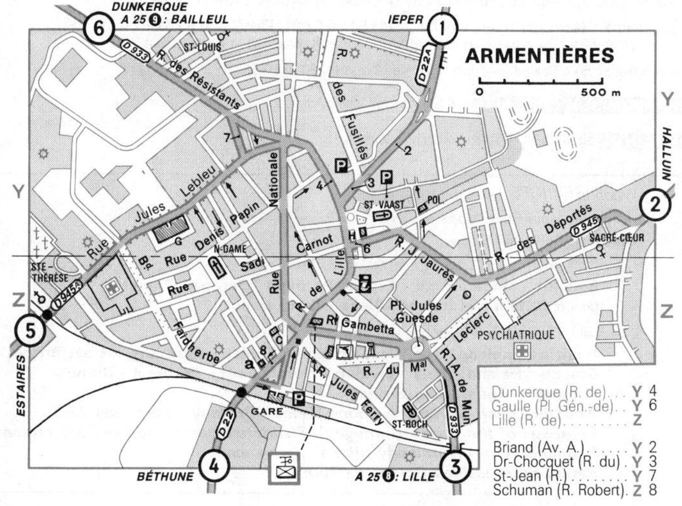

Dunkerque (R. de) . . . Y 4
Gaulle (Pl. Gén.-de) . . Y 6
Lille (R. de) . . . . Z
Briand (Av. A.) . . . . . Y 2
Dr-Chocquet (R. du) . Y 3
St-Jean (R.) . . . . Y 7
Schuman (R. Robert) . Z 8

Albert 1er sans rest, 28 r. Robert Schuman ☏ 20 77 31 02, Fax 20 77 05 16 – TV ☎. GB Z
☐ 30 – **20 ch** 165/270.

RENAULT Gar. de la Lys, 1797 r. d'Armentières, Nieppe par ⑥ ☏ 20 48 57 50 N ☏ 28 02 07 69

Hennette, 75 bis rte Nat. à Ennetières-en-Weppes ☏ 20 35 85 28
Hennette, 68 r. des Résistants ☏ 20 77 00 29

ARMOY 74 H.-Savoie 70 ⑰ – rattaché à Thonon-les-Bains.

ARNAC-POMPADOUR 19230 Corrèze 75 ⑧ G. Berry Limousin – 1 444 h alt. 413.

Paris 455 – Brive-la-Gaillarde 44 – ◆Limoges 62 – Périgueux 66 – St-Yrieix-la-Perche 24 – Uzerche 23.

Parc, pl. Vieux Lavoir ☏ 55 73 30 54, Fax 55 73 39 79, – TV ☎. AE GB
fermé 23 déc. au 15 janv., sam. et dim. du 1er nov. au 1er mars – **Repas** 60 (déj.), 98/170, enf. 45 – ☐ 32 – **10 ch** 240 – ½ P 235.

rte de Périgueux 5 km par D 7 – ✉ 19230 Arnac-Pompadour :

Aub. de la Mandrie , ☏ 55 73 37 14, Fax 55 73 67 13, , parc, – TV ☎ ♿ P
30. GB
Repas 66/209, enf. 43 – ☐ 34 – **22 ch** 210/235 – ½ P 210/250.

CITROEN Nouaille, à Pompadour ☏ 55 73 30 18 N ☏ 55 73 30 18

RENAULT Gar. Debernard, 14 av. du Limousin ☏ 55 73 30 57

ARNAY-LE-DUC 21230 Côte-d'Or 65 ⑱ G. Bourgogne – 2 040 h alt. 375.

Paris 287 – ◆Dijon 57 – Autun 28 – Beaune 36 – Chagny 41 – Montbard 72 – Saulieu 28.

Chez Camille, ☏ 80 90 01 38, Fax 80 90 04 64 – TV ☎ P. AE GB JCB
Repas 78/330 – ☐ 50 – **11 ch** 395 – ½ P 420.

Annexe Clair de Lune sans rest, ☏ 80 90 15 50, Fax 80 90 04 64 – TV ☎ P. AE GB JCB
☐ 25 – **13 ch** 180.

Poste sans rest, ☏ 80 90 00 76, – P. GB.
fin avril-1er oct. – ☐ 30 – **9 ch** 170/280.

Terminus avec ch, N 6 ☏ 80 90 00 33, Fax 80 90 01 30 – TV ☎ P. AE GB
fermé 6 janv. au 6 fév. et merc. – **Repas** 89/135, enf. 45 – ☐ 30 – **8 ch** 180/290 – ½ P 230/290.

PEUGEOT Gar. de l'Arquebuse, ☏ 80 90 05 16 N ☏ 80 61 02 23
RENAULT Gar. Contant, ☏ 80 90 07 09 N ☏ 80 90 07 09

VAG Gar. Binet, à St-Prix ☏ 80 90 10 07 N ☏ 80 90 27 03

ARPAILLARGUES-ET-AUREILLAC 30 Gard 80 ⑲ – rattaché à Uzès.

ARPAJON 91290 Essonne 60 ⑩ – 8 713 h alt. 51.

Office de Tourisme de la Région Arpajonnaise pl. Hôtel de Ville ☏ (1) 60 83 36 51, Fax (1) 60 83 80 00.

Paris 35 – Fontainebleau 49 – Chartres 71 – Évry 17 – Melun 40 – ◆Orléans 89 – Versailles 33.

Saint Clément, 16 av. Hoche ☏ (1) 64 90 21 01, Fax (1) 60 83 32 67 – ▤. GB
fermé 1er au 21 août, dim. soir et lundi soir – **Repas** 220 et carte 230 à 290.

Green Autos, 56 r. Salvador Allende à La Norville ☏ (1) 60 83 03 55

ARPAJON-SUR-CÈRE 15 Cantal 76 ⑫ – rattaché à Aurillac.

ARRADON 56 Morbihan 63 ③ – rattaché à Vannes.

ARRAS [P] 62000 P.-de-C. 53 ② G. Flandres Artois Picardie – 38 983 h alt. 72.

Voir Grand'Place★★ CY et Place des Héros★★ CY – Hôtel de Ville et beffroi★ BY H – Ancienne abbaye St-Vaast★ : musée★ BY.

[golf 18] à Anzin-Saint-Aubin ℘ 21 50 24 24, NO : 4 km par ⑤ et D 64 ; [golf 18] des Bruyères à Pelves ℘ 21 58 95 42, 14 km par N 39 et D 33.

[i] Office de Tourisme à l'Hôtel de Ville ℘ 21 51 26 95, Fax 21 71 07 34 – A.C. Centre Routier, Z.I. Arras Est ℘ 21 50 25 25.

Paris 180 ② – ♦Lille 51 ① – ♦Amiens 67 ④ – ♦Calais 112 ① – Charleville-Mézières 159 ② – Douai 25 ① – ♦Rouen 275 ④ – St-Quentin 80 ②.

Plan page suivante

L'Univers [M], 5 pl. Croix Rouge ℘ 21 71 34 01, Fax 21 71 41 42 – [lift] [no smoking] [TV] [phone] [direct line] [disabled access] [P] – [meeting rooms] 120. AE GB. [no dogs] BZ **v**
La Providence *(fermé dim. soir)* **Repas** 140/295, enf. 95 – ***Le Joyel*** *(fermé sam. et dim.)* **Repas** (déj. seul.) 99 – [breakfast] 50 – **38 ch** 290/490 – ½ P 410.

Mercure Atria [M], 58 bd Carnot ℘ 21 23 88 88, Télex 133066, Fax 21 23 88 89 – [lift] [no smoking] [air conditioning] [TV] [phone] [disabled access] – [meeting rooms] 300. AE ① GB JCB CZ **b**
Repas 110, enf. 45 – [breakfast] 53 – **80 ch** 430/530.

Moderne, 1 bd Faidherbe ℘ 21 23 39 57, Fax 21 71 55 42 – [lift] [air conditioning] rest [TV] [phone] – [meeting rooms] 30 à 50. AE ① GB JCB CZ **u**
hôtel : fermé 24 déc. au 2 janv. ; rest. fermé 1er au 10 août – **Repas** *(fermé dim. soir)* 78/98 [wine], enf. 49 – [breakfast] 35 – **54 ch** 200/340 – ½ P 255.

Les 3 Luppars [M] sans rest, 49 Grand'Place ℘ 21 07 41 41, Fax 21 24 24 80 – [lift] [TV] [phone]. AE ① GB CY **r**
[breakfast] 35 – **42 ch** 200/290.

Ibis [M] sans rest, 11 r. Justice ℘ 21 23 61 61, Fax 21 71 31 31 – [lift] [no smoking] [TV] [phone] [direct line] [disabled access]. AE ① GB CZ **n**
[breakfast] 35 – **63 ch** 285/300.

Astoria et rest. Carnot, 12 pl. Foch ℘ 21 71 08 14, Fax 21 71 60 95 – [air conditioning] rest [TV] [phone]. AE ① GB JCB CZ **s**
Repas 93/220 [wine], enf. 50 – [breakfast] 30 – **29 ch** 220/240 – ½ P 185/210.

La Belle Etoile, Z.A. Les Alouettes à St-Nicolas par ① et N 17 ✉ 62223 ℘ 21 58 59 00, Fax 21 48 86 49 – [no smoking] [TV] [phone] [direct line] [disabled access] [P] – [meeting rooms] 40. GB
Repas *(fermé dim. soir et soirs fériés)* 67/139 [wine], enf. 44 – [breakfast] 36 – **36 ch** 256 – ½ P 240.

La Faisanderie, 45 Grand'Place ℘ 21 48 20 76, Fax 21 50 89 18, « Cave du 17e siècle » – AE ① GB JCB CY **f**
fermé 5 au 26 août, 1er au 12 janv., dim. soir et lundi – **Repas** 185/395 et carte 370 à 520, enf. 80.

Le Victor Hugo, 11 pl. V. Hugo ℘ 21 71 84 00, Fax 21 71 84 00 – AE ① GB AZ **e**
fermé août, dim. soir et lundi – **Repas** (nombre de couverts limité, prévenir) 280 bc/320 et carte 250 à 430.

Ambassadeur (Buffet Gare), ℘ 21 23 29 80, Fax 21 71 17 07 – AE ① GB CZ
fermé dim. soir – **Repas** 100/225 et carte 170 à 310.

Le Régent avec ch, r. A. France à St-Nicolas ✉ 62223 ℘ 21 71 51 09, Fax 21 07 87 56, [garden], [terrace] – [TV] [phone] [P] – [meeting rooms] 25. AE GB JCB BY **d**
fermé dim. soir – **Repas** 115/300 et carte 260 à 340 [wine] – [breakfast] 40 – **11 ch** 250/300 – ½ P 250.

La Rapière, 44 Grand'Place ℘ 21 55 09 92, Fax 21 22 24 29 – AE GB JCB CY **a**
fermé dim. soir – **Repas** 80/160 [wine], enf. 50.

La Coupole, 26 bd Strasbourg ℘ 21 71 88 44, Fax 21 71 52 46, brasserie – AE ① GB CZ **x**
fermé sam. midi – **Repas** 112/178 [wine].

MICHELIN, Agence, rte de Béthune, D 63, Ste-Catherine-lès-Arras AY ℘ 21 71 12 08

ALFA ROMEO, FIAT Gar. Michonneau, 6 av. Michonneau ℘ 21 55 37 52
BMW Centre Autom. Artésien, Port Fluvial à St-Laurent-Blangy ℘ 21 58 11 44
CITROEN Citroën Arras, 2 r. des Rosati ℘ 21 55 39 10
FORD Autovale Bleu, 16 av. Michonneau ℘ 21 60 42 42 [N] ℘ 21 22 48 99
LANCIA Gar. Specq, 21 r. Saumon ℘ 21 73 59 20
PEUGEOT Gar. Cyr-Leroy, 75 rte de Cambrai par ② ℘ 21 73 26 26 [N] ℘ 05 44 24 24
RENAULT Arras Sud-Autom., 134 rte de Cambrai par ② ℘ 21 55 46 15
RENAULT Gar. de l'Artois, 40 voie N.-D.-de-Lorette ℘ 21 23 02 56
TOYOTA Autoleader, 95 av. W.-Churchill ℘ 21 51 75 74
VAG Willerval, 13 bis r. G.-Clémenceau à St-Laurent-Blangy ℘ 21 60 45 45

[tyre] Chamart Vulcopneu, 245 av. Kennedy ℘ 21 71 31 95
Delit Pneus, av. Michonneau Prolongée à St-Nicolas ℘ 21 55 38 25

ARRAS

Ernestale (R.) . . . . BZ 13
Gambetta (R.) . . . . BZ
Ronville (R.) . . . . CZ 35
St-Aubert (R.) . . . . BY
Théâtre (Pl. du) . . . . BZ 47

Adam (R. Paul) . . . . AY 2
Agaches (R. des) . . . . BY 3
Albert-1er-de-Belg. (Rue) . . . . BY 4
Ancien-Rivage (Pl. de l') . . . . BY 5
Barbot (R. Gén.) . . . . BY 6
Baudimont (Rond-Point) . . . . AY 7
Carabiniers d'Artois (R. des) . . . . AY 8
Cardinal (R. du) . . . . CZ 9
Delansorne (R. D.) . . . . . . BZ 10
Doumer (R. Paul) . . . . BY 12
Ferry (R. Jules) . . . . AY 15
Foch (R. Maréchal) . . . . . . CZ 16
Gouvernance (R.) . . . . BY 18
Guy Mollet (Pl.) . . . . CY 19
Jongleurs (R. des) . . . . BZ 21
Kennedy (Av. J.) . . . . AZ 24
Legrelle (R. E.) . . . . BCZ 25
Madeleine (Pl. de la) . . . . BY 28
Marché-au-Filé (R. du) . . . . BY 30
Marseille (Pl. de) . . . . BZ 31
Robespierre (R.) . . . . BZ 34
Ste-Claire (R.) . . . . AZ 37
Ste-Croix (R.) . . . . CY 39
Strasbourg (Bd de) . . . . . . CZ 42
Taillerie (R. de la) . . . . CY 43
Teinturiers (R. des) . . . . . . BY 45
Verdun (Cours de) . . . . AZ 49
Victor-Hugo (Pl.) . . . . AZ 51
Wacquez-Glasson (Rue) . . . . CZ 52
Wetz-d'Amain (Pl. du) . . . BY 53
29-Juillet (R. du) . . . . BY 54
33e (Pl. du) . . . . BY 55

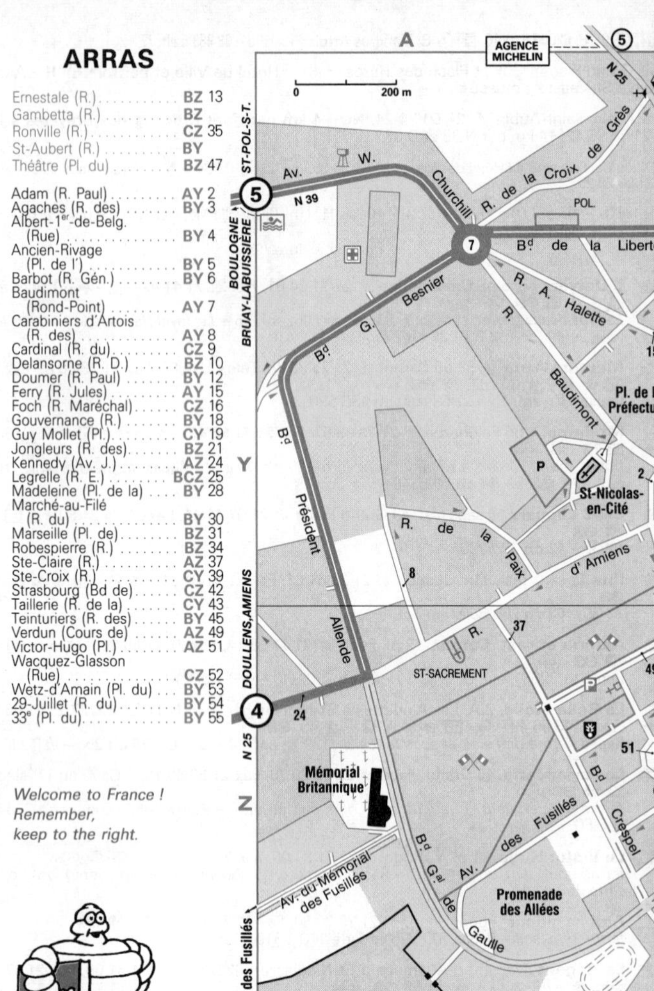

Welcome to France !
Remember,
keep to the right.

LES GUIDES MICHELIN :

Guides Rouges (hôtels et restaurants) :

Benelux - Deutschland - España Portugal - Europe - France - Great Britain and Ireland - Italia - Suisse

Guides Verts (Paysages, monuments et routes touristiques) :

Allemagne - Autriche - Belgique Luxembourg - Bruxelles - Californie - Canada - Écosse - Espagne - Florence et Toscane - Grande Bretagne - Grèce - Hollande - Irlande - Italie - Londres - Maroc - New York - Nouvelle Angleterre - Portugal - Le Québec - Rome - Suisse

et la collection sur la France.

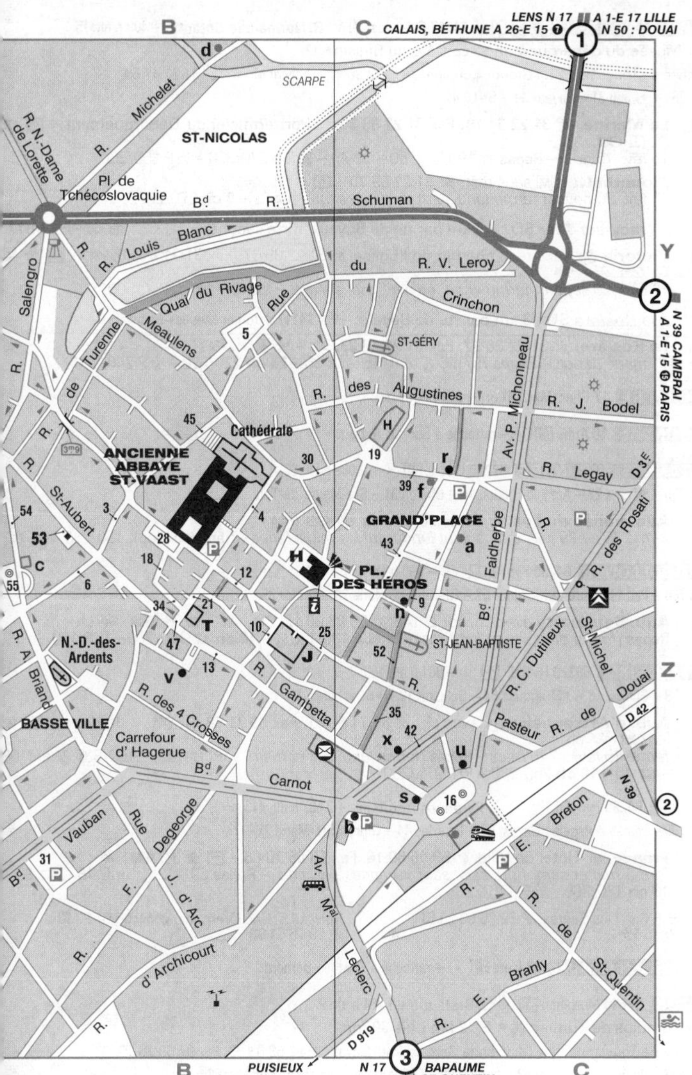

ARREAU 65240 H.-Pyr. 85 ⑲ **G. Pyrénées Aquitaine** – 853 h alt. 705.

Voir Vallée d'Aure★ S – **Env.** ☀★★★ du col d'Aspin NO : 13 km.

Syndicat d'Initiative pl. du quai de la Neste ☏ 62 98 63 15.

Paris 851 – Bagnères-de-Luchon 33 – Auch 91 – Lourdes 78 – St-Gaudens 53 – Tarbes 58.

Angleterre, rte Luchon ☏ 62 98 63 30, Fax 62 98 69 66, – TV ☎ P – 30. GB. *– 26 mai-6 oct., 26 déc.-7 janv., fév., week-ends de mars et fermé lundi sauf vacances scolaires* – **Repas** 70/185, enf. 45 – ☕ 38 – **24 ch** 250/320 – ½ P 275/300.

à Cadéac S : 3 km sur D 929 – 161 h. alt. 736 – ✉ **65240** :

Host. Val d'Aure, ☏ 62 98 60 63, Fax 62 98 68 99, – ☎ P. GB *1er mars-30 sept. et 20 déc.-28 fév.* – **Repas** 65 (déj.), 90/120, enf. 42 – ☕ 42 – **23 ch** 250 – ½ P 260.

RENAULT Gar. Buetas, ☏ 62 98 60 67 **N** ☏ 62 98 60 67

ARROMANCHES-LES-BAINS 14117 Calvados 54 ⑮ G. Normandie Cotentin – 409 h alt. 15.

Voir Musée du débarquement – La Côte du Bessin★ O.

Office de Tourisme pl. du Groupe Lorraine ✆ 31 22 36 45 et r. Mar. Joffre ✆ 31 21 47 56.

Paris 269 – ◆Caen 31 – Bayeux 11 – St-Lô 47.

La Marine, ✆ 31 22 34 19, Fax 31 22 98 80, ≤ Port artificiel du Débarquement – TV ☎ P. AE GB
15 fév.-15 nov. – **Repas** 90/190, enf. 50 – 40 – **30 ch** 270/350 – ½ P 350/360.

Mountbatten M sans rest, ✆ 31 22 59 70 – TV ☎ P. GB
1er fév.-30 nov. et fermé lundi sauf de juin à sept. – 32 – **9 ch** 270/280.

à Tracy-sur-Mer SO : 2,5 km par rte de Bayeux et rte secondaire – 252 h. alt. 60 – ✉ **14117** :

Victoria sans rest, chemin de l'Église ✆ 31 22 35 37, Fax 31 21 41 66, – TV ☎ P. GB JCB. ✱
1er avril-30 sept. et fermé vend. en avril, mai et sept. – 40 – **14 ch** 300/500.

à la Rosière SO : 3 km par rte de Bayeux – ✉ **14117** Arromanches-les-Bains :

La Rosière, ✆ 31 22 36 17, Fax 31 22 19 33, – ☎ ♿ P. GB
1er mars-10 oct. – **Repas** 75/195 , enf. 45 – 35 – **26 ch** 220/320 – ½ P 240/320.

ARS-EN-RÉ 17 Char.-Mar. 71 ⑫ – voir Ré (Ile de).

ARSONVAL 10 Aube 61 ⑱ – rattaché à Bar-sur-Aube.

ARTANNES-SUR-INDRE 37260 I.-et-L. 64 ⑭ – 2 089 h alt. 50.

Paris 255 – ◆Tours 22 – Azay-le-Rideau 10 – Chinon 31 – Ste-Maure-de-Touraine 25.

Aub. Vallée du Lys, ✆ 47 26 80 02 – AE GB JCB
fermé 15 au 29 juil., dim. soir et lundi sauf les midis fériés – **Repas** 90 (déj.), 130/230, enf. 60.

ARTIGUELOUVE 64230 Pyr-Atl. 85 ⑥ – 898 h alt. 156.

Paris 780 – Pau 11 – Aire-sur-l'Adour 57 – Oloron-Ste-Marie 28 – Orthez 35.

Aub. Semmarty avec ch, sur D 146 ✆ 59 83 00 12, – ☎ P. GB. ✱ ch
Repas *(fermé dim. soir et lundi)* 60 bc (déj.), 100/150 – **10 ch** 160/200 – ½ P 160.

ARTZENHEIM 68320 H.-Rhin 62 ⑲ – 607 h alt. 180.

Paris 488 – Colmar 16 – ◆Mulhouse 54 – Sélestat 19 – ◆Strasbourg 71.

Aub. d'Artzenheim avec ch, ✆ 89 71 60 51, Fax 89 71 68 21, , « Jardin » – TV ☎ P. GB. ✱ ch
fermé 15 fév. au 15 mars – **Repas** *(fermé lundi soir et mardi soir)* 110 (déj.), 165/335 , enf. 68 – 40 – **10 ch** 255/330 – ½ P 275/290.

ARUDY 64260 Pyr.-Atl. 85 ⑥ G. Pyrénées Aquitaine – 2 537 h alt. 413.

Paris 799 – Pau 25 – Argelès-Gazost 56 – Lourdes 44 – Oloron-Ste-Marie 21.

France, pl. Hôtel de Ville ✆ 59 05 60 16, Fax 59 05 70 06 – TV ☎ P. GB. ✱
fermé mai et sam. hors sais. sauf vacances scolaires – **Repas** 69/112 , enf. 48 – 30 – **19 ch** 120/265 – ½ P 170/220.

CITROEN Gar. Dos Santos, ✆ 59 05 60 23 N ✆ 59 05 75 16

RENAULT Gar. Orensanz, ✆ 59 05 61 93 N ✆ 59 05 61 93

L'ARZELIER (Col de) 38 Isère 77 ④ – rattaché à Château-Bernard.

ARZON 56640 Morbihan 63 ⑫ G. Bretagne – 1 754 h alt. 9.

Voir Tumulus de Tumiac ✱★ E : 2 km puis 30 mn.

Office de Tourisme pl. de l'Ancienne Gare de Port-Navalo ✆ 97 53 81 63, Fax 97 53 76 10.

Paris 487 – Vannes 32 – Auray 52 – Lorient 90 – Quiberon 80 – La Trinité-sur-Mer 62.

au Port du Crouesty SO : 2 km – ✉ **56640** Arzon :

Miramar M , ✆ 97 67 68 00, Fax 97 67 68 99, ≤, institut de thalassothérapie, « Architecture originale évoquant un paquebot », , – TV ☎ ♿ P – 80. AE GB. ✱ rest
fermé 24 nov. au 26 déc. – ***La Salle à Manger :*** **Repas** 195/270, enf.127 – ***Le Ruban Bleu*** (rest. diététique) *(non-fumeurs exclusivement)* **Repas** 270 – 92 – **108 ch** 1050/1650, 12 appart – ½ P 775/1122.

Le Crouesty M sans rest, ✆ 97 53 87 91, Fax 97 53 66 76 – TV ☎ P. AE GB
fermé 5 janv. au 5 fév. – 39 – **26 ch** 350/450.

à Port Navalo O : 3 km – ✉ **56640** Arzon :

Grand Largue, à l'embarcadère ✆ 97 53 71 58, Fax 97 53 92 20, ≤ golfe, – GB
fermé 13 nov. au 24 déc., 3 janv. au 1er fév., lundi midi en juil.-août, lundi soir et mardi hors sais. – **Repas** 95 (déj.), 145/320 et carte 260 à 350.

ASCAIN 64310 Pyr.-Atl. 85 ② G. Pyrénées Aquitaine – 2 653 h alt. 24.

Office de Tourisme ✆ 59 54 00 84.

Paris 800 – Biarritz 23 – Cambo-les-Bains 26 – Hendaye 20 – Pau 135 – St-Jean-de-Luz 7.

Oberena sans rest, chemin Carrières ✆ 59 54 03 60, Fax 59 54 41 67, – ✆ ♿ P. GB
fermé 5 janv. au 15 mars – ☕ 45 – **15 ch** 350/480, 9 appart.

Parc Trinquet-Larralde, ✆ 59 54 00 10, Fax 59 54 01 23, – ✆. AE GB
fermé 3 janv. au 15 fév., dim. soir et lundi d'oct. à juin – **Repas** 70/190, enf. 40 – ☕ 40 – **28 ch** 310/380 – ½ P 310/330.

au col de St-Ignace SE : 3,5 km – ✉ 64310 Ascain :

Voir Montagne de la Rhune ✱★★★, 1h par chemin de fer à crémaillère.

Les Trois Fontaines avec ch, ✆ 59 54 20 80, – P. ch
hôtel : 1er mai-31 oct. ; rest. : fermé fév. et merc. – **Repas** 75/135 – ☕ 28 – **5 ch** 220/250 – ½ P 245/255.

ASNIÈRES-SUR-SEINE 92 Hauts-de-Seine 55 ⑳, 101 ⑮ – voir à Paris, Environs.

ASPRES-SUR-BUËCH 05140 H.-Alpes 81 ⑤ G. Alpes du Sud – 743 h alt. 778.

Paris 666 – Gap 34 – ♦Grenoble 96 – Sisteron 45 – Valence 126.

Parc, ✆ 92 58 60 01, Fax 92 58 67 84, – ✆ P. AE ◑ GB JCB
Repas *(fermé merc. hors sais. et fériés)* 98/185 ♁, enf. 62 – ☕ 35 – **24 ch** 170/275 – ½ P 205/264.

Découvrez la France avec les ***guides Verts Michelin :***

24 titres illustrés en couleurs.

ASTAFFORT 47220 L.-et-G. 79 ⑮ – 1 828 h alt. 65.

Paris 728 – Agen 17 – Auvillar 28 – Condom 32 – Lectoure 19.

Le Square M, ✆ 53 47 20 40, Fax 53 47 10 38, « Bel aménagement intérieur » – ch TV ✆. ◑ GB
fermé janv. – **Repas** *(fermé dim. soir et lundi)* 92/186, enf. 50 – ☕ 32 – **8 ch** 295/480.

RENAULT Gar. Lala, 3 rte de Miradoux ✆ 53 67 11 83 N ✆ 53 67 11 83

ATHIS-MONS 91 Essonne 61 ①, 101 ㊱ – voir à Paris, Environs.

ATTICHY 60350 Oise 56 ③ – 1 651 h alt. 73.

Paris 98 – Compiègne 18 – Laon 60 – Noyon 23 – Soissons 23.

La Croix d'Or avec ch, ✆ 44 42 15 37 – TV. AE GB
Repas *(fermé lundi soir et mardi hors saison)* 85/240 ♁, enf. 45 – **5 ch** ☕ 210/250 – ½ P 210.

ATTIGNAT 01340 Ain 70 ⑫ ⑬ – 1 776 h alt. 227.

Paris 403 – Mâcon 33 – Bourg-en-Bresse 11 – Lons-le-Saunier 61 – Louhans 43 – Tournus 40.

Dominique Marcepoil M avec ch, D 975 ✆ 74 30 92 24, Fax 74 25 93 48, – TV ✆ P – 25. AE GB. ch
fermé dim. soir et lundi sauf juil.-août – **Repas** 120 bc/360 et carte 210 à 370, enf. 80 – ☕ 36 – **10 ch** 220/370 – ½ P 450.

ATTIGNAT-ONCIN 73 Savoie 74 ⑮ – rattaché à Aiguebelette-le-Lac.

ATTIN 62 P.-de-C. 51 ⑫ – rattaché à Montreuil.

AUBAGNE 13400 B.-du-R. 84 ⑬ 114 ㉙ G. Provence – 41 100 h alt. 102.

Voir Musée de la Légion Étrangère★.

Office de Tourisme av. A.-Boyer ✆ 42 03 49 98, Fax 42 03 83 62.

Paris 792 – ♦Marseille 17 – ♦Toulon 47 – Aix-en-Provence 36 – Brignoles 47.

à St-Pierre-lès-Aubagne N : 5 km par N 96 ou D 43 – ✉ 13400 :

Host. de la Source M, ✆ 42 04 09 19, Fax 42 04 58 72, ←, « Parc fleuri, » – TV ✆ ♿ P – 40. AE ◑ GB JCB
Repas *(fermé vacances de Toussaint, de fév., dim. soir et lundi)* 150 (déj.), 190/280 – ☕ 60 – **26 ch** 360/1000 – ½ P 410/700.

CITROEN Parascandola, CD 2, Camp Major ✆ 42 03 47 14
FORD Gar. Gargalian, 31 av. Goums ✆ 42 03 04 99
NISSAN Gar. Reybert, 99 r. de la République ✆ 42 70 32 16
PEUGEOT Gar. Richelme, rte de la Ciotat ✆ 42 82 13 10 N ✆ 91 97 36 65
RENAULT Gar. Viano St-Lambert, N 8, ZI St-Mitre ✆ 42 03 60 50

VAG Auto-Sud, ZI les Paluds 2 ✆ 42 70 03 06

Chivalier Point S, ZI St-Mitre ✆ 42 03 29 33
Chivalier Point S, 13 av. des Goums ✆ 42 03 12 31
Euromaster, N 8, quartier les Fyols ✆ 42 82 16 02
Gay Pneus, 153 av. des Paluds, ZI des Paluds ✆ 42 84 26 38
Pasero, ZI des Paluds Centre Agora ✆ 42 84 36 06

AUBAZINE **19190** Corrèze **75** ⑨ **G. Périgord Quercy** – 788 h alt. 345.

Voir Abbatiale★, clocher★, mobilier★ : tombeau de St-Étienne★★ au monastère d'hommes
Puy de Pauliac ≤★ NE : 3,5 km puis 15 mn.

18 du Coiroux ✆ 55 27 25 66, E : 4 km.

i Office de Tourisme ✆ 55 25 79 93.

Paris 500 – Brive-la-Gaillarde 14 – Aurillac 88 – St-Céré 54 – Tulle 17.

de la Tour, ✆ 55 25 71 17, Fax 55 84 61 83 – TV. GB
fermé 1er au 15 janv., dim. soir et lundi midi sauf de juin à sept. – **Repas** (dim. préveni 85/200, enf. 35 – 35 – **20 ch** 145/300 – ½ P 260.

Le Coiroux, ✆ 55 25 75 22, Fax 55 25 75 70, ≤, – rest TV. GB
fermé 1er au 15 nov. – **Repas** 60/160 – 40 – **38 ch** 230/260 – ½ P 260.

Le Saut de la Bergère avec ch, E : 2 km par D 48 ✆ 55 25 74 09, Fax 55 84 63 0
– TV. GB
fermé 1er janv. au 1er mars – **Repas** 78/185, enf. 42 – 30 – **9 ch** 200/280 – ½ P 138/23

AUBE **61270** Orne **60** ④ **G. Normandie Vallée de la Seine** – 1 681 h alt. 230.

Paris 147 – Alençon 55 – L'Aigle 7 – Argentan 48 – Mortagne-au-Perche 32.

Aub. St-James, 62 rte Paris ✆ 33 24 01 40 – GB
fermé 16 août au 1er sept., vacances de fév., dim. soir et lundi – **Repas** 65/148.

Les nouveaux Guides Verts touristiques Michelin, c'est :
– un texte descriptif plus riche,
– une information pratique plus claire,
– des plans, des schémas et des photos en couleurs,
... et, bien sûr, une actualisation détaillée et fréquente.
Utilisez toujours la dernière édition.

AUBENAS **07200** Ardèche **76** ⑲ **G. Vallée du Rhône** – 11 105 h alt. 330.

Voir Site★.

i Office de Tourisme 4 bd Gambetta ✆ 75 35 24 87, Fax 75 93 32 05 – Automobile Club 49 rte de Vals ✆ 75 9 47 83.

Paris 631 ② – Le Puy-en-Velay 89 ① – Alès 74 ④ – Mende 107 ④ – Montélimar 42 ③ – Privas 30 ②.

AUBENAS

Gambetta (Bd) . . . . Z
Gaulle (Pl. Gén.-de) . . . . Z 7
Grande-Rue . . . . Y 8
Vernon (Bd de) . . . . Z 33

Bouchet (R. Auguste) . . . Y 2
Champ-de-Mars (Pl.) . . . . Y 3
Couderc (R. G.) . . . . Z 5
Delichères (R.) . . . . Y 6
Grenette (Pl. de la) . . . . Y 9
Hoche (R.) . . . . Z 12
Hôtel-de-Ville (Pl.) . . . . Y 13
Jaurès (R. Jean) . . . . Y 15
Jourdan (R.) . . . . Y 16
Laprade (Bd C.) . . . . Z 18
Lasin-Lacoste (R.) . . . . Y 19
Montlaur (R.) . . . . Y 21
Nationale (R.) . . . . Y 22
Paix (Pl. de la) . . . . Z 23
Parmentier (Pl.) . . . . Y 24
Radal (R.) . . . . Z 25
République (R. de la) . . . . Y 26
Réservoirs (R. des) . . . . Y 27
Roure (Pl. Jacques) . . . . Y 29
St-Benoît (Rampe) . . . . Y 30
Silhol (R. Henri) . . . . Y 32
4-Septembre (R.) . . . . Y 35

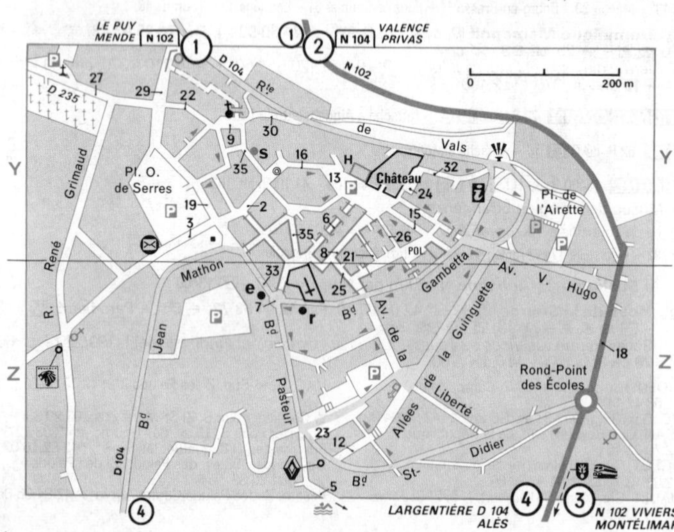

Le Cévenol sans rest, 77 bd Gambetta ✆ 75 35 00 10, Fax 75 35 03 29 – GB. Z r
35 – **45 ch** 180/280.

Ibis M, rte Montélimar ✆ 75 35 44 45, Fax 75 93 01 01, – 50. AE GB
Repas 99 bc, enf. 39 – 35 – **43 ch** 295/330.

Provence sans rest, 5 bd Vernon ✆ 75 35 28 43 – GB. Z e
27 – **21 ch** 140/245.

Le Fournil, 34 r. 4-Septembre ✆ 75 93 58 68, – AE GB Y s
fermé 17 au 25 mars, 9 au 26 juin, 17 au 25 nov., 22 déc. au 6 janv., dim. soir et lundi – **Repas** 100/260.

à Lavilledieu par ③ : 6 km – 1 264 h. alt. 226 – ✉ 07170 :

Persèdes, N 102 ✆ 75 94 88 08, Fax 75 94 29 02, ≤, – P. GB. rest
1er avril-15 oct. – **Repas** *(fermé dim. soir et lundi midi sauf juil.-août et fériés)* 85/180, enf. 60 – 40 – **24 ch** 280/360 – ½ P 290/330.

CITROEN Dumas Automobiles, rte de Montélimar par ③ ✆ 75 35 05 77 N ✆ 75 35 09 82
FIAT, LANCIA Gar. Gounon, 22 bd St-Didier ✆ 75 35 08 21 N ✆ 75 35 08 21
PEUGEOT Vivarais Automobiles, 2 r. Dr Saladin ✆ 75 35 30 30 N ✆ 75 35 09 82
RENAULT Diffusion Automobiles, 4 bd St-Didier ✆ 75 93 70 88 N ✆ 05 05 15 15
VOLVO Gar. Coudène, 28 rte de Vals ✆ 75 35 22 05

R.I.P.A., rte de Vals ✆ 75 35 40 66 N ✆ 75 35 40 66

AUBERVILLIERS 93 Seine-St-Denis 56 ⑪, 101 ⑯ – voir à Paris, Environs.

AUBIGNY-SUR-NÈRE 18700 Cher 65 ⑪ G. Châteaux de la Loire – 5 803 h alt. 180.

Voir Maisons anciennes★.

Office de Tourisme r. des Dames (mai-sept.) ✆ 48 58 40 20 et à la Mairie (hors saison) ✆ 48 81 50 00, Fax 48 58 38 30.

Paris 183 – Bourges 48 – ◆Orléans 66 – Cosne-sur-Loire 40 – Gien 30 – Salbris 32 – Vierzon 44.

La Fontaine, 2 av. Gén. Leclerc ✆ 48 58 34 41, Fax 48 58 36 80 – P. AE GB
fermé 1er au 21 mars et dim. soir – **Repas** 95/180, enf. 65 – 32 – **16 ch** 250/320 – ½ P 240/270.

La Chaumière avec ch, 2 r. Paul Lasnier ✆ 48 58 04 01, Fax 48 58 10 31 – GB
hôtel : fermé dim. soir de sept. à juin – **Repas** *(fermé dim. soir d'oct. à juin et lundi sauf le soir en juil.-août)* 90/210 – 30 – **10 ch** 195/235 – ½ P 235/245.

aux Naudins SE : 10 km par D 89 – ✉ 18700 :

Le Bien Aller, ✆ 48 58 03 92 – AE GB
fermé 1er au 7 juil., vacances de fév., mardi soir sauf juil.-août et merc. – **Repas** 65 (déj.)/135 ♁.

CITROEN Gar. Rafaitin, rte de Bourges ✆ 48 58 36 91 N ✆ 48 71 02 02
FORD Gar. Bouchet, ✆ 48 58 05 30 N ✆ 48 71 02 02
PEUGEOT Gar. Devailly, ✆ 48 58 00 43
RENAULT Gar. Petat, ✆ 48 58 00 26 N ✆ 48 58 00 26
RENAULT Gar. Goget, 10 pl. du Mail ✆ 48 58 10 95
Gar. Guérard, ✆ 48 58 00 64 N ✆ 48 58 00 64

AUBRAC 12 Aveyron 76 ⑭ G. Gorges du Tarn – alt. 1300 – ✉ 12470 St-Chély-d'Aubrac.

Paris 581 – Aurillac 99 – Rodez 58 – Mende 71 – St-Flour 75.

La Dômerie , ✆ 65 44 28 42, Fax 65 44 21 47 – P. GB. rest
10 mai-14 oct. – **Repas** *(fermé merc. midi sauf juil.-août)* 95/200, enf. 60 – 37 – **24 ch** 250/390 – ½ P 260/318.

AUBREVILLE 55120 Meuse 56 ⑳ – 387 h alt. 184.

Paris 240 – Bar-le-Duc 50 – Dun-sur-Meuse 35 – Ste-Menehould 20 – Verdun 26.

Commerce, ✆ 29 87 40 35, Fax 29 87 43 69 – P. GB. rest
fermé 1er au 20 oct. – **Repas** 65/120 ♁ – 25 – **10 ch** 120/220 – ½ P 160/250.

AUBRIVES 08320 Ardennes 53 ⑧ ⑨ – 1 139 h alt. 108.

Paris 275 – Charleville-Mézières 50 – Fumay 17 – Givet 7,5 – Rocroi 35.

Debette avec ch, ✆ 24 41 64 72, Fax 24 41 10 31, – . AE GB
fermé 20 déc. au 20 janv., dim. soir et lundi midi sauf fériés – **Repas** 75/250 – 38 – **18 ch** 240/300 – ½ P 310.

AUBUSSON 23200 Creuse 73 ① G. Berry Limousin – 5 097 h alt. 440.

Voir Musée départemental de la Tapisserie★ (centre culturel Jean-Lurçat).

Office de Tourisme r. Vieille ℘ 55 66 32 12, Fax 55 83 84 51.

Paris 394 ① – ♦Clermont-Ferrand 89 ③ – Guéret 43 ① – ♦Limoges 86 ④ – Montluçon 63 ① – Tulle 106 ③ – Ussel 59 ③.

AUBUSSON

Chapitre (R. du) 2
Chateaufavier (R.) 4
Dayras (Pl. M.) 5
Déportés (R. des) 7
Espagne (Pl. Gén.) 8
Fusillés (R. des) 10
Iles (Quai des) 12
Libération (Pl. de la) ... 15
Lissiers (Av. des) 16
Lurçat (Pl. J.) 18
Marché (Pl. du) 20
République (Av.) 23
St-Jean (R.) 24
Terrade (Pont de la) 27
Vaveix (R.) 29
Vieille (R.) 30

Pour un bon usage des plans de villes, voir les signes conventionnels dans l'introduction.

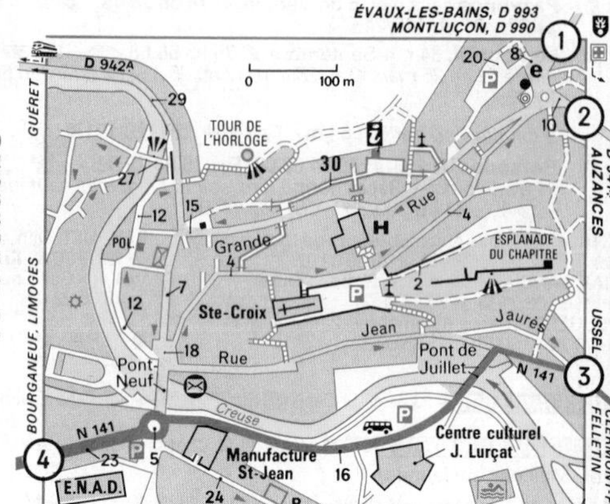

Le Lion d'Or, pl. Gén. Espagne **(e)** ℘ 55 66 13 88, Fax 55 66 84 73 – TV ☎. AE GB JCB
Repas *(fermé dim. soir du 15 sept. au 15 avril)* 90/240 – 35 – **11 ch** 250/300.

rte de Clermont-Ferrand par ③ : 2,5 km – ✉ **23200** Aubusson :

La Seiglière, ℘ 55 66 37 22, Fax 55 66 22 47, – TV ☎ P – 40. GB. ch
fermé 22 déc. au 15 fév. – **Repas** 100/220, enf. 50 – 38 – **42 ch** 320 – ½ P 290.

PEUGEOT Gar. Hirlemann, à Moutier-Rozeille par ③ ℘ 55 66 29 33
PEUGEOT Gar. Barraud, Pont d'Alleyrat par D 942A ℘ 55 66 19 91

RENAULT GAC, rte de Clermont par ② ℘ 55 66 14 54 N ℘ 55 66 38 38

Gar. Loulergue, 2 av. d'Auvergne ℘ 55 66 10 50

Avant de prendre la route, consultez la carte Michelin nº 911 "FRANCE – Grands Itinéraires".
Vous y trouverez :
– votre kilométrage,
– votre temps de parcours,
– les zones à "bouchons" et les itinéraires de dégagement,
– les stations-service ouvertes 24 h/24...
Votre route sera plus économique et plus sûre.

AUBUSSON D'AUVERGNE 63120 P.-de-D. 73 ⑯ – 191 h alt. 418.

Paris 467 – ♦Clermont-Ferrand 60 – Ambert 42 – Thiers 24.

Au Bon Coin avec ch, ℘ 73 53 55 78, Fax 73 53 56 29 – GB. ch
fermé 22 déc. au 1er fév. et lundi hors sais. – **Repas** 60/250 – 30 – **7 ch** 120/220 – ½ P 200/280.

AUCAMVILLE 31 H.-Gar. 82 ⑧ – rattaché à Toulouse.

AUCH P 32000 Gers 82 ⑤ G. Pyrénées Aquitaine – 23 136 h alt. 169.

Voir Cathédrale Ste-Marie★★ : stalles★★★, vitraux★★ AZ.

9 de Fleurance ℘ 62 06 26 26, par ① sur N 21 : 20 km ; 18 d'Auch-Embats ℘ 62 05 20 80, par ⑤ N 124 : 5 km.

Office de Tourisme 1 r. Dessoles ℘ 62 05 22 89, Fax 62 05 92 04.

Paris 785 ① – Agen 72 ① – ♦Bayonne 210 ④ – ♦Bordeaux 205 ① – Lourdes 92 ④ – Montauban 85 ② – Pau 105 ④ – St-Gaudens 74 ④ – Tarbes 75 ④ – ♦Toulouse 79 ②.

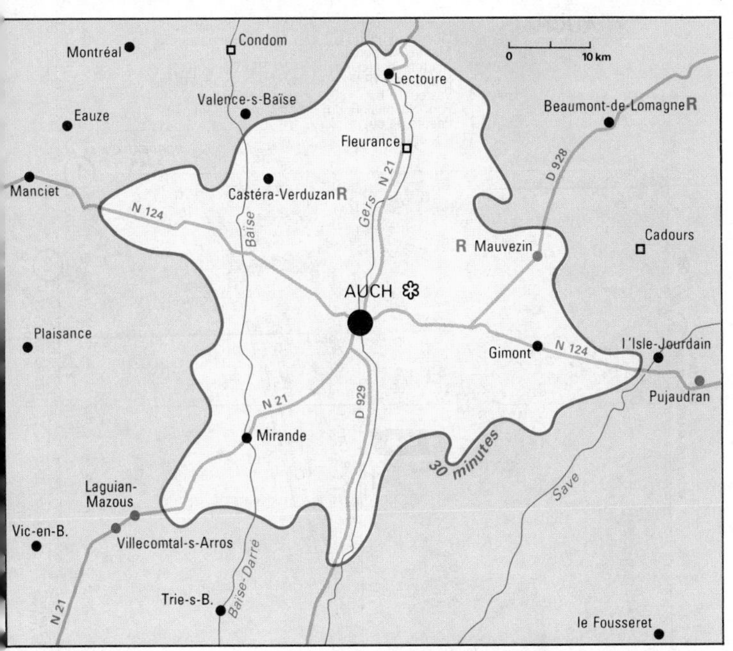

France (Daguin), pl. Libération ✆ 62 61 71 71, Fax 62 61 71 81 – 🛗 ▤ rest 📺 ☎ – 🏛 30. AE ⓓ GB — AZ **a**
Repas *(fermé 1er au 15 janv., dim. soir et lundi hors sais. sauf fêtes)* (dim. prévenir) 183/503 et carte 290 à 490 - ***Côté Jardin*** *(mai-mi-oct.)* **Repas** carte environ 180, enf. 60 – ***Le Neuvième :*** **Repas** 98, enf. 60 – ☕ 80 – **29 ch** 290/970 – ½ P 443/565
Spéc. Foie gras chaud au floc de Gascogne. Maigret rôti, petit jus. Gelée de fruits aux épices. **Vins** Colombelle, Madiran.

Relais de Gascogne, 5 av. Marne ✆ 62 05 26 81, Fax 62 63 30 22 – 📺 ☎ 🚗. GB
fermé 20 déc. au 13 janv. – **Repas** 88 (déj.), 92/220 🍷, enf. 57 – ☕ 33 – **38 ch** 260/400 – ½ P 262/299. — BY **s**

Claude Laffitte, 38 r. Dessoles ✆ 62 05 04 18, Fax 62 05 93 83 – AE ⓓ GB — AY **e**
fermé dim. soir et lundi – **Repas** 75 (déj.), 125/350 🍷, enf. 50.

Table d'Hôtes, 7 r. Lamartine ✆ 62 05 55 62, 🍽 – ▤. AE GB — AY **b**
fermé 15 au 30 mai, 15 au 30 sept., dim. soir et lundi – **Repas** (nombre de couverts limité, prévenir) 58 (déj.), 90/140, enf. 35.

rte d'Agen par ① : 7 km – ✉ **32810** Auch :

Le Papillon, N 21 ✆ 62 65 51 29, Fax 62 65 54 33, 🍽 – ▤ 🅿. GB
fermé 26 août au 8 sept., vacances de fév. et merc. – **Repas** 70 bc (déj.), 92/240, enf. 48.

rte de Toulouse par ② : 4 km – ✉ **32000** Auch :

Campanile, ✆ 62 63 63 05, Fax 62 60 02 92, 🍽 – ⇆ ▤ rest 📺 ☎ 📞 ♿ 🅿 – 🏛 25. AE ⓓ GB
Repas 84 bc/107 bc, enf. 39 – ☕ 32 – **47 ch** 270.

ALFA ROMEO, FIAT Beaulieu Auto Sce, rte de Tarbes ✆ 62 05 57 45
BMW, HONDA S.D.A. Sport, ZI Nord rte d'Agen ✆ 62 63 50 04
CITROEN Gd Gar. de Gascogne, ZI Nord rte d'Agen par ① ✆ 62 63 08 55
FORD Gar. Lamazouère, 52 av. des Pyrénées ✆ 62 05 63 07
MERCEDES, TOYOTA Gar. Dartus, ZI Nord ✆ 62 63 03 44
PEUGEOT Gar. Téchené, rte de Toulouse par ② ✆ 62 63 15 44 🅽 ✆ 05 44 24 24
RENAULT Gar. Darrous, rte de Toulouse par ② ✆ 62 60 14 14 🅽 ✆ 62 22 27 80
VAG Gar. Dambax, ZI du Sousson à Pavie ✆ 62 05 93 55

Ⓜ Euromaster, ZI Nord, rte d'Agen ✆ 62 63 14 41
Rivière Point S, 193 r. V.-Hugo ✆ 62 05 64 21

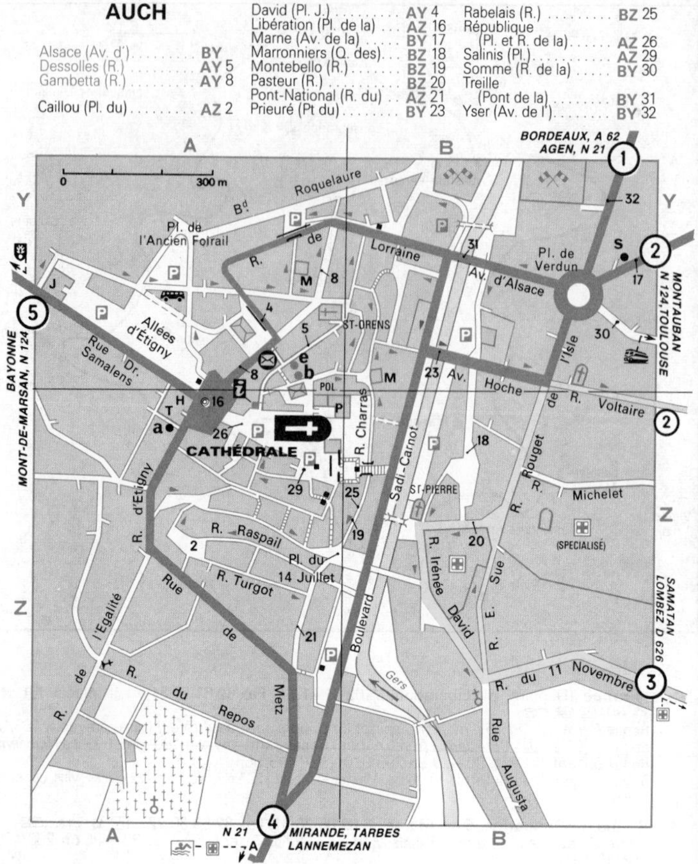

Ask your bookseller for the catalogue of Michelin publications.

AUDIERNE **29770** Finistère 58 ⑬ **G. Bretagne** – 2 746 h alt. 5.

Voir Site★ – Chapelle de St-Tugen★ O : 4,5 km.

Office de Tourisme pl. de la Liberté ☎ 98 70 12 20, Fax 98 75 01 11.

Paris 594 – Quimper 36 – Douarnenez 22 – Pointe du Raz 15 – Pont-l'Abbé 32.

❀ **Le Goyen** (Bosser), sur le port ☎ 98 70 08 88, Fax 98 70 18 77, ≤, – 30. AE GB
fermé début nov. à mi-déc. et mi-janv. à début fév. – **Repas** *(fermé lundi hors sais. sauf fériés)* 160 (déj.), 260/420 et carte 300 à 410 – 60 – **24 ch** 320/720, 3 appart – ½ P 395/700
Spéc. Biscuit d'araignée de mer. Tarte de homard en croustille d'écailles de pommes de terre. Filet de bar de ligne fumé, lasagnes de concombre.

Plage M sans rest, à la plage ☎ 98 70 01 07, Fax 98 75 04 69, ≤ – GB
5 avril-1er oct. – 40 – **27 ch** 250/390.

Roi Gradlon, sur la plage ☎ 98 70 04 51, Fax 98 70 14 73, ≤ – AE GB
Repas *(fermé dim. soir et lundi du 1er oct. à Pâques)* 115/230, enf. 80 – 40 – **19 ch** 300/350 – ½ P 380/410.

AUDINCOURT **25400** Doubs 66 ⑧ ⑱ **G. Jura** – 16 361 h alt. 323.

Voir Église du Sacré-Coeur : baptistère★ AY B.

Paris 481 – ◆Besançon 82 – ◆Mulhouse 58 – Basel 71 – Baume-les-Dames 48 – Belfort 22 – Montbéliard 9 – Morteau 71.

Voir plan de Montbéliard agglomération..

Les Tilleuls sans rest, 51 r. Foch 81 30 77 00, Fax 81 30 57 20, – TV. AE GB AY s
32 – **49 ch** 185/310.

à Taillecourt N : 1,5 km rte de Sochaux – 659 h. alt. 330 – ✉ **25400** :

Aub. La Gogoline, 81 94 54 82, Fax 81 95 20 42, – P. AE GB AY k
fermé vacances de fév., sam. midi, dim. soir et lundi sauf fériés – **Repas** 95/310 et carte 240 à 320.

à Séloncourt 3 km par ④ – 5 613 h. alt. 365 – ✉ **25230** :

Le Monarque, 23 r. Berne 81 37 12 39, Fax 81 35 45 85 – P. GB
fermé 29 juil. au 19 août, dim. soir et lundi – **Repas** 95/125.

ORD Gar. de l'Est, ZI à Exincourt 81 94 51 11
'AG S.M.D. Autom., ZI des Arbletiers 81 35 59 68
Kautzmann EPS, ZI des Arbletiers 81 35 56 32
Pneus et Services D.K., 33 r. d'Audincourt à Exincourt 81 94 51 36

AUDRESSEIN 09 Ariège 86 ② – rattaché à Castillon-en-Couserans.

AUDRIEU 14 Calvados 55 ⑪ – rattaché à Bayeux.

AULLÈNE 2A Corse-du-Sud 90 ⑦ – voir à Corse.

AULNAY-SOUS-BOIS 93 Seine-St-Denis 56 ⑪, 101 ⑱ – voir à Paris, Environs.

AULUS-LES-BAINS 09140 Ariège 86 ③ ④ **G. Pyrénées Aquitaine** – 210 h alt. 750 – Stat. therm. (fin vril-mi oct.).

/oir Vallée du Garbet★ N.

Office de Tourisme résidence de l'Ars 61 96 01 79.

'aris 827 – Foix 62 – Oust 15 – St-Girons 32.

Terrasse, 61 96 00 98, ←, – ☎. GB.
1er mai-30 sept. et vacances de fév. – **Repas** (nombre de couverts limité, prévenir) 80 (déj.), 140/250 – 40 – **17 ch** 180/300 – ½ P 280/300.

Les Oussaillès, 61 96 03 68, Fax 61 96 03 70, – TV. GB
Repas 61 96 03 38 - 85/190, enf. 42 – 33 – **12 ch** 215/280 – ½ P 235.

France, 61 96 00 90, – ☎ P. GB
fermé 15 oct. au 20 déc. – **Repas** 70/90, enf. 40 – 25 – **23 ch** 120/200 – ½ P 170/200.

AUMALE 76390 S.-Mar. 52 ⑯ **G. Normandie Vallée de la Seine** – 2 690 h alt. 130.

'aris 130 ③ – ♦Amiens 44 ② – Beauvais 50 ③ – Dieppe 67 ⑤ – Gournay-en-Bray 36 ③ – ♦Rouen 72 ⑤.

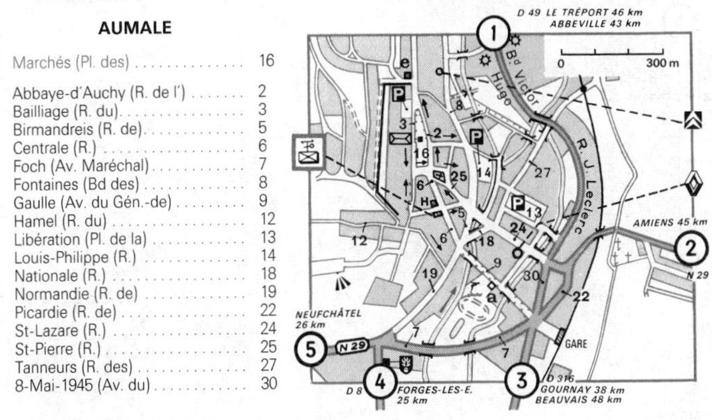

Villa des Houx, av. Gén. de Gaulle **(a)** 35 93 93 30, Fax 35 93 03 94, – TV ☎ P – 25. AE GB
Repas 98/295 – 35 – **13 ch** 250/360.

Mouton Gras avec ch, 2 r. Verdun **(e)** 35 93 41 32, « Maison normande fin 17e siècle, bel intérieur », – TV. AE GB
fermé 23 août au 10 sept., lundi soir et mardi – **Repas** 100/170, enf. 50 – 35 – **6 ch** 200/300 – ½ P 300.

CITROEN Gar. Legrand, 35 93 42 04
RENAULT Gar. Ducrocq, 35 93 41 17 N 35 93 41 17
Parin, rte de Beauvais à Quincampoix-Fleuzy 35 93 93 93

AUMONT-AUBRAC 48130 Lozère 76 ⑮ – 1 050 h alt. 1040.

Paris 559 – Aurillac 117 – Mende 42 – Le Puy-en-Velay 92 – Espalion 57 – Marvejols 23 – St-Chély-d'Apcher 8.

- ✿ **Gd H. Prouhèze**, ☎ 66 42 80 07, Fax 66 42 87 78 – TV ☎ P – 25. GB
  avril-oct., vacances de fév. et fermé dim. soir et lundi sauf juil.-août – **Repas** 170/500, enf. 8(
  – ☕ 85 – **27 ch** 330/570 – ½ P 440/530
  Spéc. Queues de langoustines sautées au boudin noir. Râgout de petits légumes et d'herbes sauvages aux jeune morilles. Bouillon de cèpes au foie gras de canard. **Vins** Côtes d'Auvergne.
- **Chez Camillou**, N 9 ☎ 66 42 80 22, Fax 66 42 93 70, – TV ☎ P. GB
  1er avril-1er nov. – **Repas** 100/230, enf. 55 – ☕ 42 – **44 ch** 315/500 – ½ P 290/315.

Gar. Benoit, ☎ 66 42 80 17

AUNAY-SUR-ODON 14260 Calvados 54 ⑮ **G. Normandie Cotentin** – 2 878 h alt. 188.

Paris 269 – ◆Caen 33 – Falaise 41 – Flers 35 – St-Lô 40 – Vire 34.

- XX **St-Michel** avec ch, r. Caen ☎ 31 77 63 16, Fax 31 77 05 83 – TV ☎. GB
  fermé 15 janv. au 31 janv., dim. soir et lundi sauf juil.-août – **Repas** 72/250 , enf. 50 – ☕ 3(
  – **7 ch** 190/220 – ½ P 215/235.

RENAULT Gar. Aunay, ☎ 31 77 63 48 N ☎ 31 77 01 51

AUPS 83630 Var 84 ⑥ 114 ㉑ **G. Côte d'Azur** – 1 796 h alt. 496.

Paris 821 – Digne-les-Bains 78 – Aix-en-Provence 89 – Castellane 73 – Draguignan 29 – Manosque 59.

à Moissac-Bellevue NO : 7 km par D 9 – 148 h. alt. 599 – ✉ 83630 :

- **Le Calalou** , ☎ 94 70 17 91, Fax 94 70 50 11, ←, – TV ☎ P. AE GB
  27 mars-16 nov. et week-ends du 16 déc. au 28 fév. – ***L'Olivier* : Repas** 150/250, enf. 80 -
  ☕ 65 – **38 ch** 360/840 – ½ P 445/580.

AURAY 56400 Morbihan 63 ② **G. Bretagne** – 10 323 h alt. 35.

Voir Quartier St-Goustan★ – Promenade du Loch★ – Église St-Gildas★ – Ste-Avoye : Jubé★ e charpente★ de l'église 4 km par ①.

9 18 de St-Laurent ☎ 97 56 85 18, par ③ : 11 km ; 18 de Baden ☎ 97 57 18 96, par ① puis D 101 9 km.

☎ 36 35 35 35.

Office de Tourisme 20 r. du Lait ☎ 97 24 09 75, Fax 97 50 80 75.

Paris 475 ① – Vannes 20 ① – Lorient 38 ④ – Pontivy 53 ④ – Quimper 100 ④.

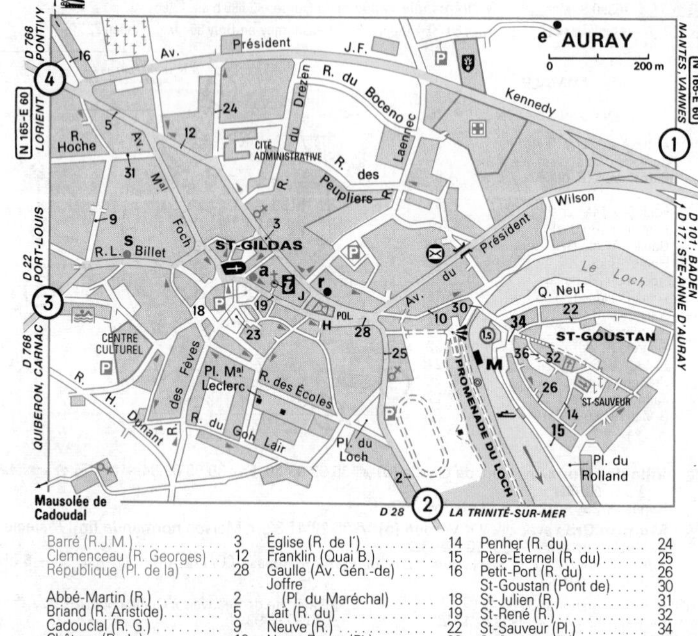

Barré (R.J.M.)	3	Église (R. de l')	14	Penher (R. du)	24
Clemenceau (R. Georges)	12	Franklin (Quai B.)	15	Père-Éternel (R. du)	25
République (Pl. de la)	28	Gaulle (Av. Gén.-de)	16	Petit-Port (R. du)	26
		Joffre		St-Goustan (Pont de)	30
Abbé-Martin (R.)	2	(Pl. du Maréchal)	18	St-Julien (R.)	31
Briand (R. Aristide)	5	Lait (R. du)	19	St-René (R.)	32
Cadoudal (R. G.)	9	Neuve (R.)	22	St-Sauveur (Pl.)	34
Château (R. du)	10	Notre-Dame (Pl.)	23	St-Sauveur (R.)	36

Loch et rest. La Sterne Ⓜ, La Forêt **(e)** ☎ 97 56 48 33, Fax 97 56 63 55, – 30. GB.
Repas *(fermé dim. soir d'oct. à Pâques sauf vacances scolaires)* 100/254, enf. 65 – ☐ 37 – **30 ch** 330/340 – ½ P 315.

Voyageurs et Diligence Ⓜ, 170 av. Gén. de Gaulle (près gare SNCF) ☎ 97 24 00 18, Fax 97 56 67 93, – 30. AE GB
fermé 3 au 31 janv. – **Repas** *(fermé dim. soir et lundi sauf juil.-août)* 88/195 – ☐ 45 – **19 ch** 320/370 – ½ P 300/325.

Le Branhoc Ⓜ sans rest, rte du Bono : 1,5 km ☎ 97 56 41 55, Fax 97 56 41 35, – GB.
☐ 28 – **28 ch** 265/295.

Mairie, 32 pl. République **(r)** ☎ 97 24 04 65, Fax 97 50 81 22 – GB
Repas *(fermé lundi du 15 nov. au 30 mars et dim. soir)* 72/168, enf. 42 – ☐ 35 – **21 ch** 165/260 – ½ P 200/240.

La Closerie de Kerdrain, 20 r. L. Billet **(s)** ☎ 97 56 61 27, « Demeure du 16e siècle », AE GB
fermé 1er au 15 mars, dim. soir et lundi sauf fêtes – **Repas** 100 (déj.), 150/400 et carte 230 à 350.

Aub. La Plaine, r. Lait **(a)** ☎ 97 24 09 40, Fax 97 50 76 53 – GB
fermé 4 au 19 mars, 7 au 27 oct., lundi soir sauf juil.-août et mardi – **Repas** 68/180, enf. 45.

à Toulbroch par ① et D 101 : 11 km – ✉ **56870** Baden :

Le Gavrinis, ☎ 97 57 00 82, Fax 97 57 09 47, – 30. AE GB
fermé 15 nov. au 30 janv. et lundi d'oct. à avril – **Repas** *(fermé lundi sauf le soir du 15 juin au 16 sept.)* 110/350, enf. 65 – ☐ 45 – **20 ch** 300/454 – ½ P 361/392.

au golf de St-Laurent par ③ et D 22 : 10 km – ✉ **56400** Auray :

Fairway H. Ⓜ, ☎ 97 56 88 88, Fax 97 56 88 28, ←, parc, – 60. AE GB. rest
fermé 15 déc. au 15 janv. – **Repas** 135, enf. 80 – ☐ 48 – **42 ch** 535/625 – ½ P 475.

CITROEN Europe Diffusion Autom., ZAC de Kerfontaine à Pluneret ☎ 97 24 01 71 N ☎ 97 24 81 81
OPEL Océane Autom., Porte Océane ☎ 97 24 12 12 N ☎ 97 55 04 34
PEUGEOT Gar. Laine, rte de Lorient par ④ ☎ 97 24 05 14 N ☎ 99 24 23 73
RENAULT S.C.A.D.A., rte de Ste-Anne d'Auray Kerfontaine par ① ☎ 97 24 05 94 N ☎ 51 82 82 68

VAG Gar. Kermorvant, rte de Quiberon, ZI ☎ 97 24 11 73

Auray Pneus Sce, ZI de Toul Garros ☎ 97 24 24 48
Auray Pneus, 12 r. Paix ☎ 97 56 50 55

AUREC-SUR-LOIRE 43110 H.-Loire 76 ⑧ – 4 510 h alt. 435.

Office de Tourisme r. du Monument ☎ 77 35 42 65.

Paris 541 – ♦St-Étienne 21 – Firminy 14 – Montbrison 42 – Le Puy-en-Velay 57 – Yssingeaux 32.

à Semène NE : 3 km par D 46 – ✉ **43110** Aurec-sur-Loire :

Coste avec ch, ☎ 77 35 40 15, Fax 77 35 39 05, – GB
fermé 4 au 25 août, vacances de fév. et hôtel : vend. et dim. ; rest. : dim. soir et sam. – **Repas** 90/210, enf. 55 – ☐ 40 – **7 ch** 218/285 – ½ P 180/242.

AUREILLE 13930 B.-du-R. 84 ① – 1 220 h alt. 134.

Paris 714 – Avignon 34 – Arles 36 – ♦Marseille 72 – Salon-de-Provence 17.

La Sartan, pl. Église ☎ 90 59 95 16, – GB
fermé 1er au 15 nov., dim. soir et lundi – **Repas** 100 (déj.)/140, enf. 60.

AUREL 84 Vaucluse 81 ⑭ – rattaché à Sault.

AURIBEAU-SUR-SIAGNE 06810 Alpes-Mar. 84 ⑧ 114 ㉖ 115 ㉔ G. Côte d'Azur – 2 072 h alt. 85.

Paris 905 – Cannes 13 – Draguignan 62 – Grasse 9 – ♦Nice 44 – St-Raphaël 42.

Aub. de la Vignette Haute avec ch, rte village ☎ 93 42 20 01, Fax 93 42 31 16, ←, « Beau décor rustique, pièces d'antiquité », – 30. AE GB JCB
Repas *(fermé 15 nov. au 15 déc.)* 150 bc (déj.), 380 bc/500 bc – ☐ 80 – **13 ch** 1100/1500 – ½ P 785/1040.

Aub. Nossi-Bé avec ch, au village ☎ 93 42 20 20, Fax 93 42 33 08, AE GB
fermé 15 au 30 nov., 15 au 31 janv., mardi soir hors sais., lundi midi en sais. et merc. sauf le soir en sais. – **Repas** 145 bc (déj.), 165 bc/240 bc – ☐ 40 – **6 ch** 270 – ½ P 295.

AURIGNAC 31420 H.-Gar. 82 ⑯ G. Pyrénées Aquitaine – 983 h alt. 430.

Voir Donjon ✻★.

Office de Tourisme ✆ 61 98 70 06, Mairie (hors saison) ✆ 61 98 90 08.

Paris 771 – Bagnères-de-Luchon 69 – Auch 70 – Pamiers 84 – St-Gaudens 22 – St-Girons 42 – ♦Toulouse 75.

XX **Cerf Blanc** avec ch, r. St Michel ✆ 61 98 95 76, Fax 61 98 76 80, – rest TV ☎ P GB
fermé vacances de fév. et lundi sauf juil.-août – **Repas** 88/260 - ***Le Bistrot*** : **Repa** 60 bc, enf. 45 – 42 – **9 ch** 150/260 – ½ P 280/360.

AURILLAC P 15000 Cantal 76 ⑫ G. Auvergne – 30 773 h alt. 610.

Voir Route des Crêtes★★ NE par D 35 BX.

18 de la Cère ✆ 71 46 50 00, par ③ : 8 km par N 122, D 153 et D 53.

Office de Tourisme pl. Square ✆ 71 48 46 58, Fax 71 48 99 39.

Paris 575 ② – Brive-la-Gaillarde 98 ④ – ♦Clermont-Ferrand 156 ② – Montauban 173 ③ – Montluçon 258 ④.

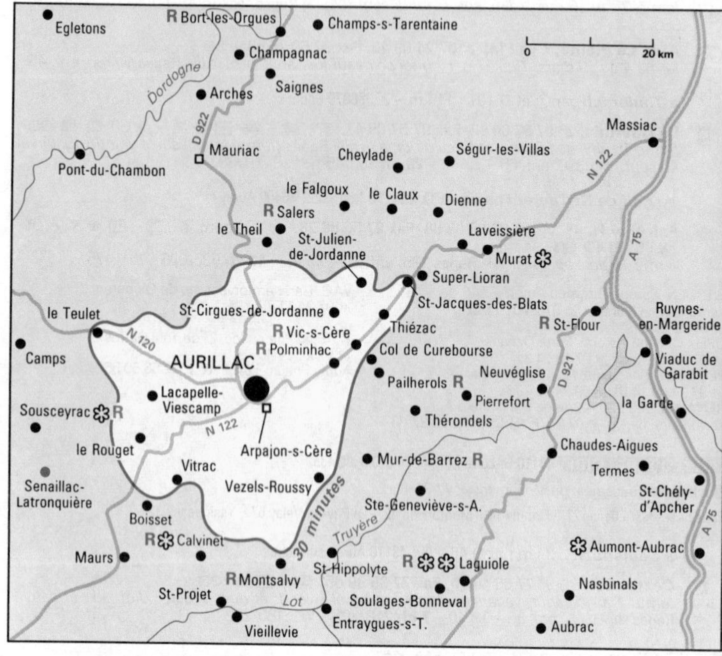

Gd H. de Bordeaux M sans rest, 2 av. République ✆ 71 48 01 84, Fax 71 48 49 93 – TV ☎ – 35. AE GB JCB — BY **r**
fermé 20 déc. au 8 janv. – 38 – **34 ch** 330/480.

St-Pierre, 16 cours Monthyon ✆ 71 48 00 24, Fax 71 64 81 83 – TV ☎ – 40. AE GB — BZ **a**
Repas 80 (déj.), 115/240, enf. 40 – 38 – **29 ch** 280/480 – ½ P 330.

La Ferraudie sans rest, 15 r. Bel Air ✆ 71 48 72 42 – TV ☎ P. GB — AZ **b**
32 – **22 ch** 250/360.

Renaissance, pl. Square ✆ 71 48 09 80, Fax 71 48 54 81 – TV ☎. GB. ch — BZ **k**
fermé 15 déc. au 8 janv., 25 juin au 8 juil. et dim. sauf juil.-août – **Repas** 78/150 – 30 – **24 ch** 180/280 – ½ P 210/270.

Delcher, 20 r. Carmes ✆ 71 48 01 69, Fax 71 48 86 66 – TV ☎ P. AE GB — BZ **q**
fermé 29 juin au 12 juil., 23 déc. au 2 janv. et dim. soir sauf juil.-août – **Repas** 73/190, enf. 45 – 28 – **23 ch** 240/270 – ½ P 235.

Campanile, rte de Clermont-Ferrand par ③ ✆ 71 64 64 84, Fax 71 64 55 90, – TV ☎ P – 25. AE GB
Repas 84 bc/107 bc, enf. 39 – 32 – **47 ch** 270.

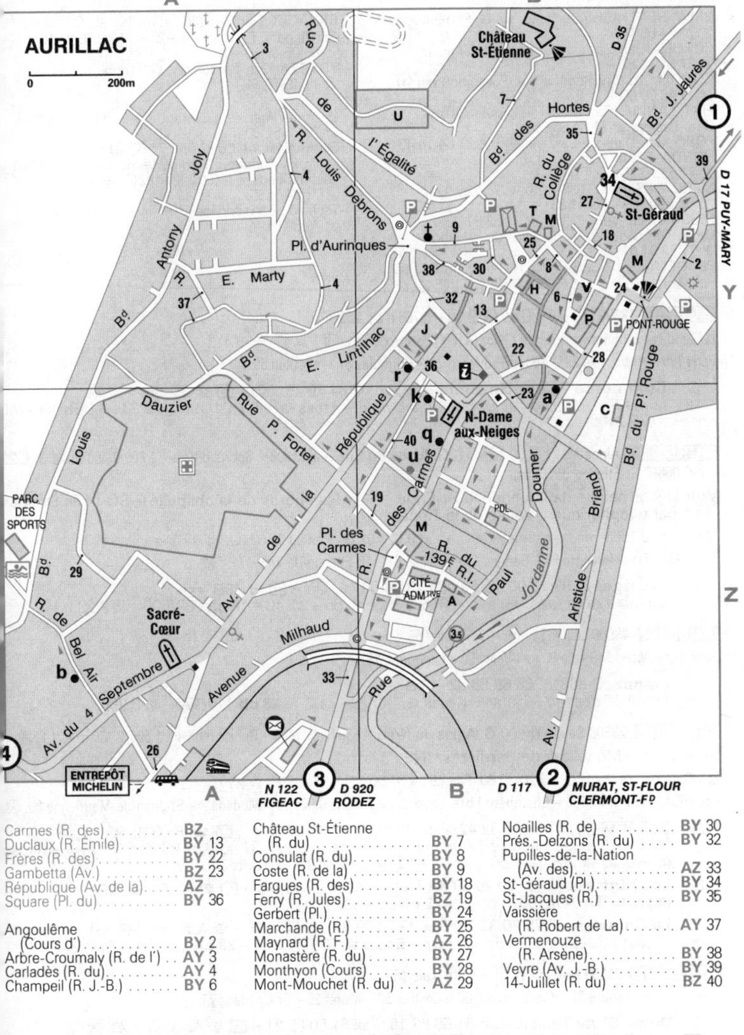

Carmes (R. des) . . . . BZ
Duclaux (R. Émile) . . . . BY 13
Frères (R. des) . . . . BY 22
Gambetta (Av.) . . . . BZ 23
République (Av. de la) . . . . AZ
Square (Pl. du) . . . . BY 36

Angoulême (Cours d') . . . . . . BY 2
Arbre-Croumaly (R. de l') . . . AY 3
Carladès (R. du) . . . . AY 4
Champeil (R. J.-B.) . . . . BY 6
Château St-Étienne (R. du) . . . BY 7
Consulat (R. du) . . . . BY 8
Coste (R. de la) . . . . BY 9
Fargues (R. des) . . . . BY 18
Ferry (R. Jules) . . . . BZ 19
Gerbert (Pl.) . . . . BY 24
Marchande (R.) . . . . BY 25
Maynard (R. F.) . . . . AZ 26
Monastère (R. du) . . . . BY 27
Monthyon (Cours) . . . . BY 28
Mont-Mouchet (R. du) . . . . . AZ 29
Noailles (R. de) . . . . BY 30
Prés.-Delzons (R. du) . . . . . BY 32
Pupilles-de-la-Nation (Av. des) . . . AZ 33
St-Géraud (Pl.) . . . . BY 34
St-Jacques (R.) . . . . BY 35
Vaissière (R. Robert de La) . . . AY 37
Vermenouze (R. Arsène) . . . . BY 38
Veyre (Av. J.-B.) . . . . BY 39
14-Juillet (R. du) . . . . BZ 40

Les Arcades, rte de Clermont-Ferrand par ③ ✆ 71 64 15 11, Fax 71 64 28 54, – 25. AE GB
Repas *(fermé sam. midi et dim.)* 70/140, enf. 35 – 32 – **41 ch** 200/290.

Reine Margot, 19 r. G. de Veyre ✆ 71 48 26 46, Fax 71 48 92 39 – AE GB BZ **u**
fermé 24 au 30 juin, 15 au 18 fév., lundi sauf le soir en juil.-août et dim. soir de sept. à juin – **Repas** 95/270, enf. 47.

Quatre Saisons, 10 r. Champeil ✆ 71 64 85 38 – AE GB BY **v**
fermé dim. soir et lundi – **Repas** 75/195.

à Arpajon-sur-Cère par ③ et D 920 : 2 km – 5 296 h. alt. 613 – ✉ **15130** :

Les Provinciales sans rest, pl. Foirail ✆ 71 64 29 50 – GB
25 – **20 ch** 210/260.

MICHELIN, Entrepôt, r. Gutenberg ZI de Lescudillier par r. F.-Meynard AZ ✆ 71 64 90 33

BMW, SEAT Auvergne Auto, av. G.-Pompidou ☎ 71 64 58 44
CITROEN Gar. Daix, av. G.-Pompidou par ③ ☎ 71 64 14 82
CITROEN Auto Vialenc, av. G.-Pompidou par ③ ☎ 71 48 00 00
FIAT, LANCIA Gar. Moderne Ladoux, 70 av. Gén.-Leclerc ☎ 71 64 65 65
FORD Gar. Dalbouze, bd Vialenc ☎ 71 64 14 43
HONDA Cantal Auto Sport, ZI Sistrieres ☎ 71 63 76 15
MERCEDES, VAG TCS Autom. Sce, av. G.-Pompidou ☎ 71 63 41 83
NISSAN Gar. Vers, N 122 ☎ 71 63 51 32
OPEL Gar. Vidal, 47 av. Pupilles de la Nation ☎ 71 48 01 51
PEUGEOT Gar. Socauto, av. G.-Pompidou, ZI de Sistrières par ③ ☎ 71 63 66 00 N ☎ 71 45 22 77
RENAULT Gar. Rudelle Fabre, 100 av. Ch.-de-Gaulle par r. F.-Maynard AZ ☎ 71 63 76 22 N ☎ 05 05 15 15
TOYOTA Gar. Arnaud, av. G.-Pompidou ☎ 71 48 12 31

Cantal Pneus, 8 r. Gutenberg, ZI de Lescudillier ☎ 71 63 57 30
Euromaster, rte Conthe ☎ 71 63 40 60
Ladoux Vulcopneu, 1 bd de Verdun ☎ 71 48 17 01
Techni pneus, 6 r. Gutenberg ZI Lescudillier ☎ 71 64 96 22
Technic pneus services, 161 av Gén.-Leclerc ☎ 71 63 61 42

AURIOL 13390 B.-du-R. 84 ⑭ 114 ㉚ – 6 788 h alt. 200.

Syndicat d'Initiative quai de l'Huveaune (Pentecôte à sept.) ☎ 42 04 76 41.

Paris 785 – ♦Marseille 29 – Aix-en-Provence 28 – Brignoles 37 – ♦Toulon 59.

Commerce "Chez Suzanne", ☎ 42 04 70 25, – TV ☎ P. GB
fermé fév., dim. soir et lundi sauf juil.-août – **Repas** 58 (déj.), 94/190 – ☕ 30 – **11 ch** 190/240 – ½ P 210.

AURON 06 Alpes-Mar. 81 ⑨ 115 ④ **G. Alpes du Sud** – alt. 1608 – Sports d'hiver : 1 600/2 450 m 3 23 – ✉ 06660 St-Étienne-de-Tinée.

Voir Décor peint★ de la chapelle St-Érige – ←★ des abords de la chapelle – SO : Las Donnas ←★★ par téléphérique – Vallée de la Tinée★★.

Office de Tourisme Immeuble Anapurna ☎ 93 23 02 66, Fax 93 23 07 39.

Paris 808 – Barcelonnette 66 – Cannes 110 – ♦Nice 91 – St-Étienne-de-Tinée 7.

St Érige, ☎ 93 23 00 32, Fax 93 23 04 06, ←, – TV ☎. GB JCB
juil.-août et mi-déc.-fin avril – **Repas** 95, enf. 50 – ☕ 40 – **16 ch** 380/500 – ½ P 295/440.

AUROUX 48600 Lozère 76 ⑯ – 395 h alt. 960.

Paris 572 – Mende 49 – Le Puy-en-Velay 50 – Langogne 15.

France, D 988 ☎ 66 69 55 02 – GB
fermé 15 déc. au 30 janv. – **Repas** 65/140 – ☕ 27 – **23 ch** 110/170 – ½ P 200.

AUSSOIS 73500 Savoie 77 ⑧ **G. Alpes du Nord** – 530 h alt. 1489 – Sports d'hiver : 1 500/2 750 m 11.

Voir Site★ – Monolithe de Sardières★ NE : 3 km.

Office de Tourisme ☎ 79 20 30 80, Fax 79 20 37 00.

Paris 654 – Albertville 100 – Chambéry 110 – Lanslebourg-Mont-Cenis 16 – Modane 7 – St-Jean-de-Maurienne 38.

Soleil M, ☎ 79 20 32 42, Fax 79 20 37 78, ←, – TV ☎ P. GB.
hôtel : 15 juin-1er oct. et 17 déc.-15 avril ; rest. : 3 juil.-31 août et 23 déc.-1er avril – **Repas** (prévenir) 98/255, enf. 68 – ☕ 43 – **22 ch** 270/360 – ½ P 335/340.

Les Mottets M, ☎ 79 20 30 86, Fax 79 20 34 22, ←, – TV ☎ P. GB
Repas 94/170, enf. 50 – ☕ 38 – **25 ch** 200/330 – ½ P 295.

Le Choucas, ☎ 79 20 32 77, Fax 79 20 39 87, ←, – ☎. GB. rest
1er juin-30 sept. et 1er déc.-30 avril – **Repas** 80/130 – ☕ 34 – **28 ch** 200/320 – ½ P 300.

AUTERIVE 31190 H.-Gar. 82 ⑱ – 5 814 h alt. 185.

Paris 728 – ♦Toulouse 32 – Carcassonne 86 – Castres 82 – Muret 20 – St-Gaudens 74.

Delta, 61 rte Toulouse ☎ 61 50 52 16, Fax 61 50 00 21 – TV ☎ P. GB. ch
fermé dim. soir – **Repas** 59/172, enf. 35 – ☕ 30 – **16 ch** 190 – ½ P 180.

CITROEN Gar. Gimbrède, N 20 ☎ 61 50 76 76
RENAULT Gar. Blanc, ☎ 61 50 78 54

AUTRANS 38880 Isère 77 ④ – 1 406 h alt. 1050 – Sports d'hiver : 1 050/1 700 m 16.

Office de Tourisme rte de Méaudre ☎ 76 95 30 70, Fax 76 95 38 63.

Paris 596 – ♦Grenoble 35 – Romans-sur-Isère 58 – St-Marcellin 45 – Villard-de-Lans 15.

La Buffe, ☎ 76 85 14 85, Fax 76 95 72 48, ←, – TV ☎ P. AE GB. rest
fermé 11 nov. au 10 déc., mardi soir et merc. hors sais. – **Repas** 79 (déj.), 98/210, enf. 60 – ☕ 52 – **23 ch** 380/580 – ½ P 400.

Poste, ☎ 76 95 31 03, Fax 76 95 30 17, – TV ☎. GB. rest
fermé 25 avril au 10 mai et 25 oct. au 15 déc. – **Repas** 80/240, enf. 52 – ☕ 45 – **30 ch** 300/350 – ½ P 340/360.

La Tapia sans rest, ☎ 76 95 33 00 – TV ☎ P
☕ 39 – **10 ch** 270/300.

Montbrand sans rest, 76 95 34 58, ←, - TV ☎ P. AE GB
juil.-août et Noël-Pâques – ☐ 36 – **8 ch** 290/320.

Feu de Bois, 76 95 33 32, ←, - ☎ P. GB
fermé 15 nov. au 4 déc. – **Repas** 85/145, enf. 50 – ☐ 36 – **11 ch** 285 – ½ P 305.

à Méaudre S : 5,5 km par D 106ᶜ – 840 h. alt. 1012 – Sports d'hiver 1000/1600 m 8 – ✉ **38112** :

Office de Tourisme 76 95 20 68, Fax 76 95 25 93.

Prairie, 76 95 22 55, Fax 76 95 20 59, ←, - TV ☎ P – 25. GB
fermé 10 avril au 2 mai, 10 oct. au 10 nov., sam. et dim. d'oct. à nov. – **Repas** 80/150, enf. 35 – ☐ 30 – **24 ch** 260/300 – ½ P 260.

XX **Pertuzon** avec ch, 76 95 21 17, Fax 76 95 23 85, - TV ☎ P. AE GB
fermé 1er au 15 juin, 1er au 15 oct., dim. soir, mardi soir et merc. hors sais. – **Repas** 90/240, enf. 50 – ☐ 40 – **10 ch** 180/260 – ½ P 245/295.

X **Aub. du Furon** avec ch, 76 95 21 47, Fax 76 95 24 71, ←, - ☎ P. GB
fermé 15 au 30 avril, 1er nov. au 15 déc., dim. soir et lundi hors sais. – **Repas** 80/240, enf. 42 – ☐ 35 – **9 ch** 250 – ½ P 280.

PEUGEOT Gar. Gouy Velay, 76 95 30 04 N 76 95 30 04

AUTREVILLE 88300 Vosges 62 ④ – 108 h alt. 310.

Paris 305 – ◆Nancy 40 – Neufchâteau 20 – Toul 23.

Relais Rose, 83 52 04 98, Fax 83 52 06 03, - TV ☎ P. AE GB
Repas 97/260, enf. 38 – ☐ 35 – **18 ch** 145/370 – ½ P 190/280.

AUTUN 71400 S.-et-L. 69 ⑦ G. Bourgogne – 17 906 h alt. 326.

Voir Cathédrale★★ : tympan★★★ BZ – Porte St-André★ BY – Grilles★ du lycée Bonaparte AZ **B** – Manuscrits★ (bibliothèque de l'Hôtel de Ville) BZ **H** – Musée Rolin★ : statuaire romane★★, Nativité★★ du Maître de Moulins et vierge★★ BZ **M**¹.

Env. Croix de la Libération ←★ SO : 6 km par D 256 BZ.

du Vallon 85 52 09 28, par ③ : 3 km.

Office de Tourisme 3 av. Ch.-de-Gaulle 85 86 30 00, Fax 85 86 10 17 et pl. du Terreau (juin-sept.) 85 52 56 03.

Paris 290 ① – Chalon-sur-Saône 53 ③ – Auxerre 127 ① – Avallon 79 ① – ◆Dijon 85 ② – Mâcon 111 ③ – Moulins 99 ④ – Nevers 102 ⑤.

Plan page suivante

Ursulines M, 14 r. Rivault 85 52 68 00, Fax 85 86 23 07, ←, - TV ☎ – 150. AE GB — AZ **e**
Repas 90 (déj.), 155/375, enf. 80 – ☐ 60 – **38 ch** 350/465 – ½ P 480/658.

Commerce et Touring, 20 av. République 85 52 17 90, Fax 85 52 37 63 – TV ☎. GB — AY **u**
fermé 15 oct. au 15 nov. – **Repas** *(fermé lundi)* 62/135, enf. 40 – ☐ 25 – **20 ch** 130/240 – ½ P 185/220.

XX **Vieux Moulin** avec ch, porte d'Arroux D 980 85 52 10 90, Fax 85 86 32 15, « Jardin ombragé » – ☎ P. AE GB — AY **a**
1er mars-1er déc. et fermé dim. soir et lundi hors sais. – **Repas** 90 (déj.), 150/250 – ☐ 45 – **16 ch** 230/370.

XX **Chalet Bleu,** 3 r. Jeannin 85 86 27 30, Fax 85 52 74 56 – AE GB — BYZ **s**
fermé 29 janv. au 14 fév., lundi soir et mardi – **Repas** 90/240, enf. 60.

au plan d'eau du Vallon par ③ : 2 km – ✉ **71400** Autun :

Golf H., N 80 85 52 00 00, Fax 85 52 20 20, - TV ☎ P – 60. AE GB JCB
Repas *(fermé dim. soir de nov. à mars)* 87/195, enf. 40 – ☐ 35 – **44 ch** 258/278 – ½ P 261.

CITROEN Auto-Gar. Lemaître, 56 rte d'Arnay, ZI par ② 85 52 15 32 N 85 52 15 32
PEUGEOT S.A.V.A., ZI rte d'Arnay par ② 85 52 13 10

Gaudry-Pneu Point S, 64 av. Ch.-de-Gaulle 85 52 16 62

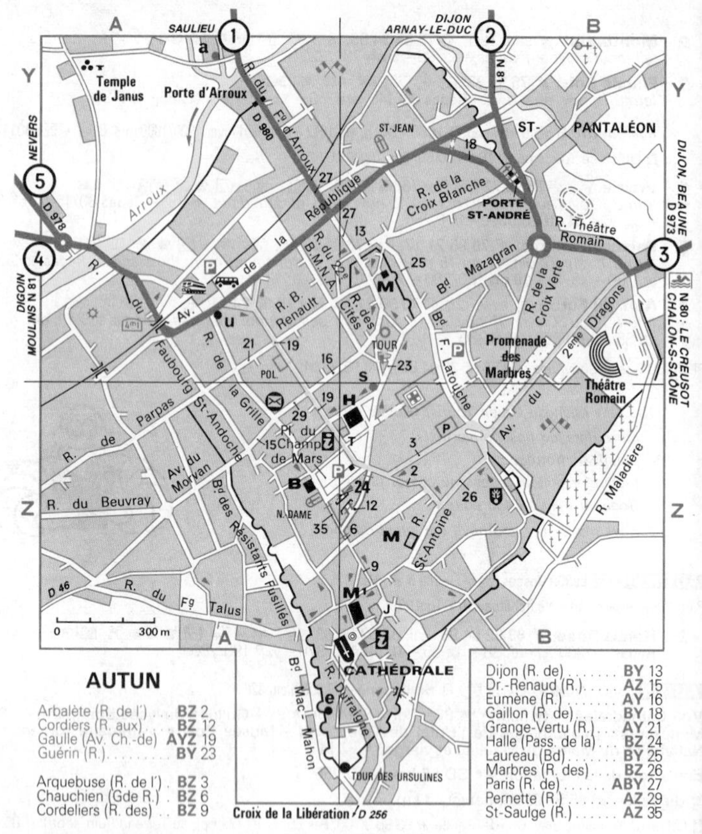

AUVERS 77 S.-et M. 61 ⑪ – rattaché à Milly-la-Forêt (Essonne).

AUVERS-SUR-OISE 95430 Val-d'Oise 55 ⑳ 101 ③ 106 ⑥ **G. Ile de France** – 6 129 h alt. 30.

Office de Tourisme Manoir des Colombières, r. Sansonne ℘ (1) 30 36 10 06, Fax (1) 34 48 08 47.

Paris 36 – Compiègne 72 – Beauvais 55 – Chantilly 29 – L'Isle-Adam 7,5 – Pontoise 6,5 – Taverny 6,5.

XX **Host. du Nord,** r. Gén. de Gaulle ℘ (1) 30 36 70 74, Fax (1) 30 36 72 75, – P. GB JCB
fermé dim. soir et lundi – **Repas** 120/180.

X **Aub. Ravoux,** face Mairie ℘ (1) 34 48 05 47, Fax (1) 34 48 07 81, « Ancien café d'artistes dit "Maison de Van Gogh" » – AE GB JCB.
fermé 17 fév. au 3 mars, dim. soir et lundi – **Repas** 140/175.

AUXERRE P 89000 Yonne 65 ⑤ **G. Bourgogne** – 38 819 h alt. 130.

Voir Cathédrale★★ : trésor★ BY – Ancienne abbaye St-Germain★ BY.

Env. Gy-l'Évêque : Christ aux Orties★ de la chapelle 9,5 km par ③.

Office de Tourisme 1 et 2 quai République ℘ 86 52 06 19, Fax 86 51 23 27.

Paris 166 ⑤ – Bourges 137 ④ – Chalon-sur-Saône 174 ② – Chaumont 141 ② – ♦Dijon 149 ② – Nevers 111 ③ – Sens 58 ⑤ – Troyes 82 ①.

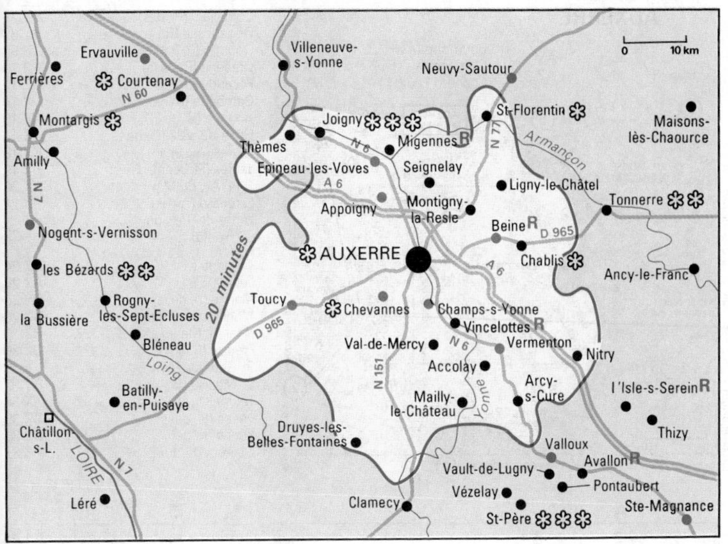

Parc des Maréchaux sans rest, 6 av. Foch ✆ 86 51 43 77, Fax 86 51 31 72, parc – |♦| TV ☎ P. AE ⓓ GB – ☕ 47 – **25 ch** 320/470. AZ **u**

H. Le Maxime sans rest, 2 quai Marine ✆ 86 52 14 19, Fax 86 52 21 70 – |♦| TV ☎ 🚗. AE ⓓ GB JCB BY **e**
fermé 20 déc. au 10 janv. et dim. de nov. à mars – ☕ 48 – **25 ch** 350/480.

Normandie sans rest, 41 bd Vauban ✆ 86 52 57 80, Fax 86 51 54 33, 🏋 – |♦| 🚭 TV ☎ ✆ 🚗 – 🏛 25. AE ⓓ GB AY **b**
☕ 35 – **47 ch** 280/360.

Les Clairions, av. Worms par ⑤ : 2 km ✆ 86 46 85 64, Fax 86 48 16 38, 🏖, 🏊, 🎾 – |♦| TV ☎ ♿ P – 🏛 30 à 150. AE ⓓ GB
Repas 95/160 🍷, enf. 50 – ☕ 28 – **60 ch** 280/320 – ½ P 275/380.

Cygne sans rest, 14 r. 24-Août ✆ 86 52 26 51, Fax 86 51 68 33 – TV ☎ P. AE ⓓ GB JCB
☕ 35 – **30 ch** 240/420. AZ **r**

XXXX ✿ **Barnabet,** 14 quai République ✆ 86 51 68 88, Fax 86 52 96 85, 🏖, « Élégante installation » – AE GB BYZ **s**
fermé 23 déc. au 4 janv., dim. soir et lundi – **Repas** 210/270 et carte 270 à 400, enf. 95
Spéc. Terrine de ris de veau au lard et au chablis. Ecrevisses au gingembre et au ratafia. Gelée d'agrumes au chablis (été). **Vins** Sauvignon de St-Bris, Irancy.

XXX **Rest. Le Maxime,** 5 quai Marine ✆ 86 52 04 41, Fax 86 51 34 85 – ▤. AE ⓓ GB BY **e**
fermé 22 déc. au 5 janv. et dim. hors sais. – **Repas** 175/260 et carte 260 à 390, enf. 75.

XXX **Jardin Gourmand,** 56 bd Vauban ✆ 86 51 53 52, Fax 86 52 33 82 – AE GB AY **d**
fermé 11 au 26 mars, 2 au 17 sept., lundi sauf juil.-août et mardi – **Repas** 130/270 et carte 240 à 370, enf. 80.

XX **La Salamandre,** 84 r. Paris ✆ 86 52 87 87, Fax 86 52 05 85 – ▤. AE GB AY **a**
fermé 20 déc. au 5 janv. et dim. – **Repas** - produits de la mer - 98/280.

X **Le Trou Poinchy,** 34 bd Vaulabelle ✆ 86 52 04 48, Fax 86 52 52 30, 🏖 – ▤. AE ⓓ GB
✦ *fermé dim. soir et merc. de nov. à mars* – **Repas** 75/130, enf. 48. BZ **v**

rte de Chablis par ② : 8 km près échangeur A 6 Auxerre-Sud – ✉ **89290** Venoy :

XX **Le Moulin** avec ch, ✆ 86 40 23 79, Fax 86 40 23 55, 🏖 – P – 🏛 40. GB
fermé janv., dim. soir et lundi – **Repas** 102/270, enf. 60 – ☕ 40 – **5 ch** 280 – ½ P 350.

à Champs-sur-Yonne par ② et N 6 : 11 km – 1 525 h. alt. 110 – ✉ **89290** :

XX **Les Rosiers,** ✆ 86 53 31 11, 🏖 – GB
fermé 20 déc. au 5 janv., mardi soir et merc. – **Repas** 100/135 🍷.

à Vincelottes par ② N 6 et D 38 : 16 km – 286 h. alt. 110 – ✉ **89290** :

XX **Aub. Les Tilleuls** avec ch, ✆ 86 42 22 13, Fax 86 42 23 51, 🏖 – TV ☎. GB
fermé 18 déc. à fin fév., merc. soir et jeudi hors sais. – **Repas** 120/275 – ☕ 38 – **5 ch** 275/400 – ½ P 350/400.

AUXERRE

Paris (R. de) . . . . AY
Surugue (Pl. Ch.) . . . . AZ 33
Temple (R. du) . . . . AZ

Bourbotte (Av.) . . . . X 3
Clairions (Av. des) . . . . . . X 4
Coche-d'Eau (Pl.) . . . . . . BY 5
Cordeliers (Pl. des) . . . . AY 7
Dr-Labosse (R.) . . . . BY 8
Doumer (R. Paul) . . . . X 9
Draperie (R. de la) . . . . AZ 10
Fécauderie (R.) . . . . AZ 12
Gambetta (Av.) . . . . X 14
Horloge (R. de l') . . . . AZ 16
Hôtel-de-Ville (Pl. de l') . . . . AZ 17
Jaurès (Av. Jean) . . . . BY 18
Jaurès (Pl. Jean) . . . . BZ 19
Juin (Av. du Mar.) . . . . X 20
Larousse (Av. P.) . . . . X 21
Lattre-de-Tassigny (Av. de) . . . . X 22
Leclerc (Pl. du Mar.) . . . . . . AZ 24
Lepère (Pl. Ch.) . . . . AZ 25
Marine (R. de la) . . . . BY 26
Mont-Brenn (R. du) . . . . BY 28
Noël (R. Marie) . . . . BZ 29
Preuilly (R. de) . . . . BZ 30
St-Georges (Av.) . . . . X 31
St-Nicolas (Pl.) . . . . BY 32
Tournelle (Av. de la) . . . . . . X 34
Véens (Pl. des) . . . . BZ 35
Yonne (R. de) . . . . BY 36
24-Août (R. du) . . . . AZ 37

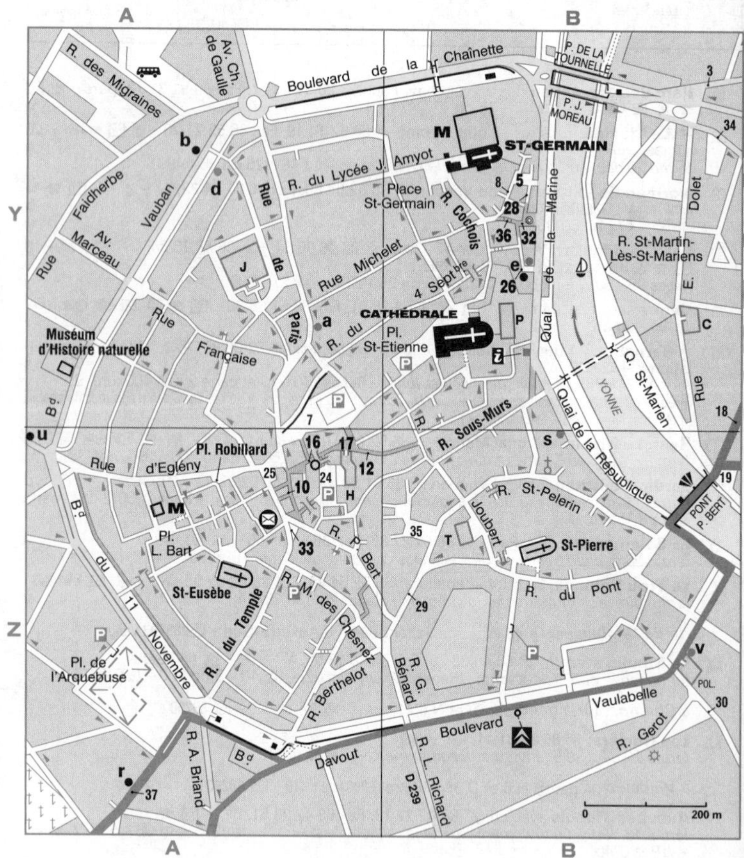

à Chevannes par ③ et D1 : 8 km – 1 901 h. alt. 170 – ✉ **89240** :

XXX ✿ **La Chamaille** (Siri), ✆ 86 41 24 80, Fax 86 41 34 80, – P. AE GB
fermé Noël au Jour de l'An, 9 janv. au 13 fév., lundi et mardi – **Repas** (nombre de couverts limité, prévenir) 162/260 et carte 240 à 340, enf. 65
Spéc. Escalope de foie gras, artichaut sauté à cru. Canard colvert au sang (mi-sept. à fin mars). Moelleux au chocolat aux griottes. **Vins** Vézelay, Coulanges-la-Vineuse.

près échangeur Auxerre-Nord par ⑤ : 7 km

Mercure, N 6 ✉ 89380 Appoigny ✆ 86 53 25 00, Fax 86 53 07 47, – TV ☎ & P – 80. AE GB
Repas 107/157 , enf. 50 – ☕ 49 – **82 ch** 390/445.

Campanile, ✉ 89470 Monéteau ✆ 86 40 71 11, Fax 86 40 50 74, – TV ☎ & P – 25. AE GB
Repas 84 bc/1074 bc, enf. 39 – ☕ 32 – **78 ch** 270.

BMW Autoforum, 23 av. J.-Mermoz ✆ 86 46 48 48
CITROEN Gar. Auxerre Autos, 20 bd Vaulabelle ✆ 86 51 59 33
MERCEDES Savib 89, 11 av. Ch.-de-Gaulle ✆ 86 42 03 20
NISSAN, VOLVO Gar. Carette, 34/36 av. Ch.-de-Gaulle ✆ 86 46 96 38
RENAULT Gar. SODIVA, 2 av. J.-Mermoz ✆ 86 49 29 29 N ✆ 05 05 15 15
VAG Gar. Jeannin, 40-47 av. Ch.-de-Gaulle ✆ 86 42 03 03
Auto Pôle, 9 r. du Moulin du Président ✆ 86 48 30 40

Auxerre Pneus, 7 av. Marceau ✆ 86 52 09 22
Pneu Centre, 4 av. J.-Mermoz ✆ 86 46 58 94
SOVIC Point S, 14 allée Frères Lumière ✆ 86 46 93 57

AUXEY-DURESSES 21 Côte-d'Or 69 ⑨ – rattaché à Beaune.

AUXONNE 21130 Côte-d'Or 66 ⑬ G. Bourgogne – 6 781 h alt. 184.

Syndicat d'Initiative 23 pl. Armes (15 mai-15 oct.) ✆ 80 37 34 46, Fax 80 31 02 34.
Paris 344 – ◆Dijon 32 – Dole 16 – Gray 36 – Vesoul 80.

à Villers-les-Pots NO : 5 km par N 5 et D 976 – 855 h. alt. 193 – ✉ **21130** :

Aub. du Cheval Rouge, ✆ 80 31 44 88, Fax 80 31 17 01, – TV ☎ P. AE GB
fermé vacances de Toussaint et dim. soir sauf juil.-août – **Repas** 98/220, enf. 55 – ☕ 40 – **10 ch** 180/220 – ½ P 230.

à Lamarche-sur-Saône NO : 11,5 km par N 5 et D 976 – 1 223 h. alt. 190 – ✉ **21760** :

XX **Host. St-Antoine** avec ch, ✆ 80 47 11 33, Fax 80 47 13 56, – TV ☎ & P. AE GB. ch
fermé 15 au 30 janv. et dim. soir de nov. à mars – **Repas** 95/295, enf. 58 – ☕ 48 – **12 ch** 285/300 – ½ P 290/310.

aux Maillys S : 8 km par D 20 – 739 h. alt. 182 – ✉ **21130** :

XX **Virion,** ✆ 80 39 13 40, Fax 80 39 17 22 – GB
fermé 1er fév. au 1er mars, dim. soir et lundi – **Repas** 75/180 .

Jurassienne du Pneumatique, 64 av. Gén. de Gaulle ✆ 80 31 46 58

AVALLON 89200 Yonne 65 ⑯ G. Bourgogne – 8 617 h alt. 250.

Voir Site★ – Ville fortifiée★ : Portails★ de l'église St-Lazare – Miserere★ du musée de l'Avallonnais **M**[1] – Vallée du Cousin★ S par D 427.
Office de Tourisme 6 r. Bocquillot ✆ 86 34 14 19, Fax 86 34 28 29.
Paris 215 ② – Auxerre 52 ④ – Beaune 106 ② – Chaumont 134 ② – Nevers 97 ④ – Troyes 106 ①.

Plan page suivante

Dak'Hôtel M sans rest, rte Saulieu par ② ✆ 86 31 63 20, Fax 86 34 25 28, – TV ☎ & P. AE GB
☕ 33 – **26 ch** 270/300.

XX **Les Capucins** avec ch, 6 av. P. Doumer **(e)** ✆ 86 34 06 52, Fax 86 34 58 47, – TV ☎ P. AE GB
fermé 10 déc. au 20 janv., mardi soir hors sais. et merc. – **Repas** 95/245, enf. 55 – ☕ 33 – **8 ch** 290 – ½ P 280.

XX **Relais des Gourmets,** 47 r. Paris **(s)** ✆ 86 34 18 90 – AE GB
fermé 23 déc. au 8 janv., mardi soir et merc. d'oct. à mai – **Repas** (prévenir) 82/300 bc.

X **Le Gourmillon,** 8 r. Lyon **(v)** ✆ 86 31 62 01 – AE GB
fermé du 8 au 28 janv., dim. soir et lundi d'oct. à avril – **Repas** 76/148 , enf. 50.

rte de Saulieu par ② : 6 km – ✉ **89200** Avallon :

Relais Fleuri M , ✆ 86 34 02 85, Fax 86 34 09 98, « Dans un jardin avec piscine », – TV ☎ & P – 30. AE GB
Repas 115/190, enf. 65 – ☕ 50 – **48 ch** 375/450 – ½ P 400/415.

près échangeur Autoroute A 6 par ② et D 50 : 7 km – ✉ **89200** Magny :

Ibis M, ✆ 86 33 01 33, Fax 86 33 00 66 – TV ☎ & P – 25. AE GB
Repas 99 bc, enf. 39 – ☕ 35 – **42 ch** 240/270.

AVALLON

Gde-Rue A.-Briand . . . 13
Paris (R. de) . . . .
Vauban (Pl.) . . . .

Belgrand (R.) 2
Bocquillot (R.) 3
Capucins (Prom. des) . 5
Collège (R. du) 6
Fontaine-Neuve (R.) . . 8
Fort-Mahon (R.) 9
Gaulle (Pl. Gén.-de) . . . 12
Porte-Auxerroise (R.) . 14
Terreaux Vauban (Prom. des) 16

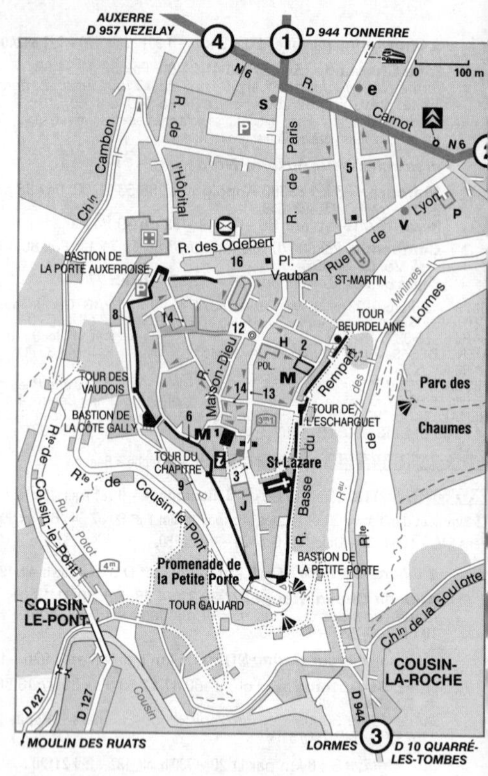

à Pontaubert par ④ et D 957 : 5 km – 336 h. alt. 160 – ✉ **89200** :

XX **Les Fleurs** avec ch, ☎ 86 34 13 81, Fax 86 34 23 32, 🏠, 🌳 – TV ☎ P. GB
fermé 20 déc. au 10 fév., jeudi midi d'oct. à avril et merc. – **Repas** 88/250 – ☕ 32 – **7 ch** 240/340 – ½ P 270/290.

dans la Vallée du Cousin par ④, Pontaubert et D 427 : 6 km – ✉ **89200** Avallon :

🏨 **Moulin des Ruats** 🐦, ☎ 86 34 07 14, Fax 86 31 65 47, 🏠, « Jardin en bordure de rivière » – TV ☎ P. AE ⓓ GB JCB. 🐕 rest
fermé 15 nov. au 31 janv. – **Repas** *(fermé lundi)* 150/230 – ☕ 50 – **24 ch** 340/650 – ½ P 425/590.

🏨 **Moulin des Templiers** 🐦 sans rest, à 4 km ☎ 86 34 10 80, « Jardin en bordure de rivière » – ☎ P. 🐕
31 mars-30 oct. – ☕ 36 – **14 ch** 250/360.

à Vault de Lugny par ④ et D 142 : 6 km – 320 h. alt. 148 – ✉ **89200** :

🏨 **Château de Vault de Lugny,** ☎ 86 34 07 86, Fax 86 34 16 36, ←, 🏠, « Château du 16e siècle dans un grand parc, 🐦 », 🎾 – TV ☎ P. AE GB
29 mars-12 nov. – **Repas** (résidents seul.) 280/430 – **11 ch** ☕ 900/2200 – ½ P 560/1310.

à Valloux par ④ : 6 km sur N 6 – ✉ **89200** Avallon :

X **Les Chenêts,** ☎ 86 34 23 34, Fax 86 34 23 34 – GB
fermé 15 janv. au 15 fév., lundi soir et mardi – **Repas** 82/192 🍷, enf. 50.

CITROEN Gar. Carnot, 10 r. Carnot ☎ 86 34 01 23
RENAULT Sodiva, N 6 ☎ 86 34 19 27 N ☎ 05 05 15 15
VAG Gar. Jeannin, 2 rte de Paris ☎ 86 34 13 03

Ⓜ Comptoir du Pneu, ZI r. de l'Étang ☎ 86 34 16 19
Euromaster, 10 rte de Paris ☎ 86 34 20 04
Euromaster, av. Gal Leclerc Ctre Cial Mammouth ☎ 86 34 56 64

AVÈNE **34260** Hérault 83 ④ – 269 h alt. 350 – Stat. therm. (avril-2 nov.).
Paris 716 – ◆Montpellier 88 – Bédarieux 24 – Clermont-l'Hérault 44.

🏨 **Val d'Orb** M 🐦, ☎ 67 23 44 45, Fax 67 23 44 03, ←, 🌳 – |♦| ▤ rest TV ☎ ♿ P – 🏛 30 à 70. AE GB
1er avril-30 oct. – **Repas** 89/140, enf. 55 – ☕ 49 – **58 ch** 425 – ½ P 340.

AVESNES-SUR-HELPE 59440 Nord 53 ⑥ **G. Flandres Artois Picardie** – 5 108 h alt. 151.

Voir L'Avesnois★★ E par D 133.

Office de Tourisme 41 pl Gén.-Leclerc ✆ 27 57 92 40, Fax 27 61 23 48.

Paris 208 ③ – St-Quentin 67 ③ – Charleroi 52 ① – Valenciennes 41 ⑤ – Vervins 33 ③.

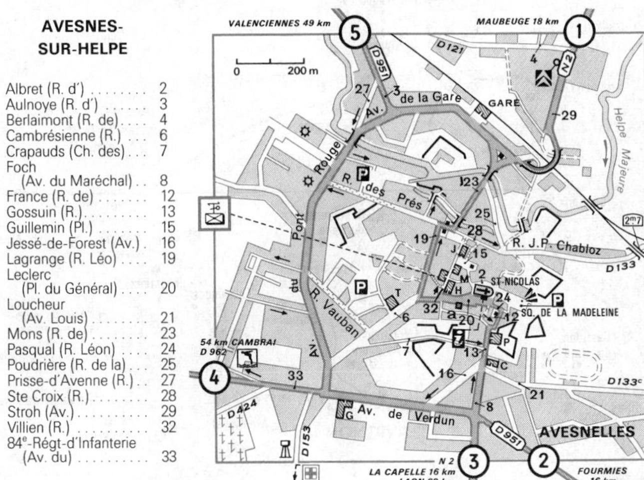

✗ **La Crémaillère,** 26 pl. Gén. Leclerc **(a)** ✆ 27 61 02 30 – AE ⓓ GB
fermé lundi soir et mardi sauf fériés – **Repas** 130 bc/270, enf. 58.

CITROEN Gar. Roze, 64 av. Stroh ✆ 27 57 92 00
PEUGEOT M.B.A., 39 rte de Sains, Avesnelles par ② ✆ 27 61 15 70

RENAULT Gar. Moderne, rte de Maubeuge par ① ✆ 27 61 09 73 N ✆ 05 05 15 15

AVÈZE 63690 P.-de-D. 73 ⑫ – 258 h alt. 830.

Voir Gorges d'Avèze★, **G. Auvergne.**

Paris 477 – ♦Clermont-Ferrand 53 – Le Mont-Dore 19 – Montluçon 111 – Ussel 38.

Aub. Audigier ⅁, ✆ 73 21 10 16, Fax 73 21 17 43, – ☎. GB
15 fév.-15 oct. – **Repas** 95/165 – ☐ 32 – **8 ch** 190/360 – ½ P 220/280.

AVIGNON P 84000 Vaucluse 81 ⑪ ⑫ **G. Provence** – 86 939 h Agglo. 181 136 h alt. 21.

Voir Palais des Papes★★★ EY : ≤★★ de la terrasse des Dignitaires – Rocher des Doms ≤★★ EY – Pont St-Bénézet★★ EY – Remparts★ – Vieux hôtels★ (rue Roi-René) EZ **K** – Coupole★ de la cathédrale EY – Façade★ de l'hôtel des Monnaies EY **B** – Vantaux★ de l'église St-Pierre EY – Retable★ et fresques★ de l'église St-Didier EZ – Cour★ de l'Hospice St-Louis EZ – Musées : Petit Palais★★ EY, Calvet★ EZ **M**[1], Lapidaire★ EZ **M**[2], Louis Vouland (faïences★) DY **M**[4].

9 18 de Châteaublanc ✆ 90 33 39 08 E : 8 km par D 58 CX ; 18 Grand Avignon ✆ 90 31 49 94, E : 9 km par D 28 CV.

✈ d'Avignon-Caumont : ✆ 90 81 51 15, par ③ et N 7.

Office de Tourisme 41 cours J.-Jaurès ✆ 90 82 65 11, Fax 90 82 95 03 annexe : au Pont d'Avignon ✆ 90 85 60 16 – Automobile Club Vauclusien 185 rte Rémouleurs Z.I. de Courtine-Ouest ✆ 90 86 28 71.

Paris 688 ② – Aix-en-Provence 82 ③ – Arles 36 ④ – ♦Marseille 100 ③ – Nîmes 44 ⑤ – Valence 127 ②.

Plans pages suivantes

✿ **La Mirande** M ⅁, 4 pl. Amirande ✆ 90 85 93 93, Fax 90 86 26 85, ≤, , « Ancien hôtel particulier, beau mobilier » – ☎ ♿ – 30. AE ⓓ GB EY **g**
Repas 190/380 et carte 300 à 420 – ☐ 95 – **20 ch** 1400/2100
Spéc. Crème de lentilles vertes et saumon fumé à la minute. Nage de filets de rouget barbet parfumée au thym citronné. Pigeonneau rôti aux cinq poivres et pistaches. **Vins** Côtes du Lubéron, Côtes du Ventoux.

Europe M ⅁, 12 pl. Crillon ✆ 90 14 76 76, Fax 90 85 43 66, , « Belle demeure du 16e siècle » – ☎ – 100. AE ⓓ GB JCB EY **d**
Repas *(fermé lundi midi et dim.)* 160 (déj.), 280/380 – ☐ 90 – **44 ch** 620/1650, 3 appart.

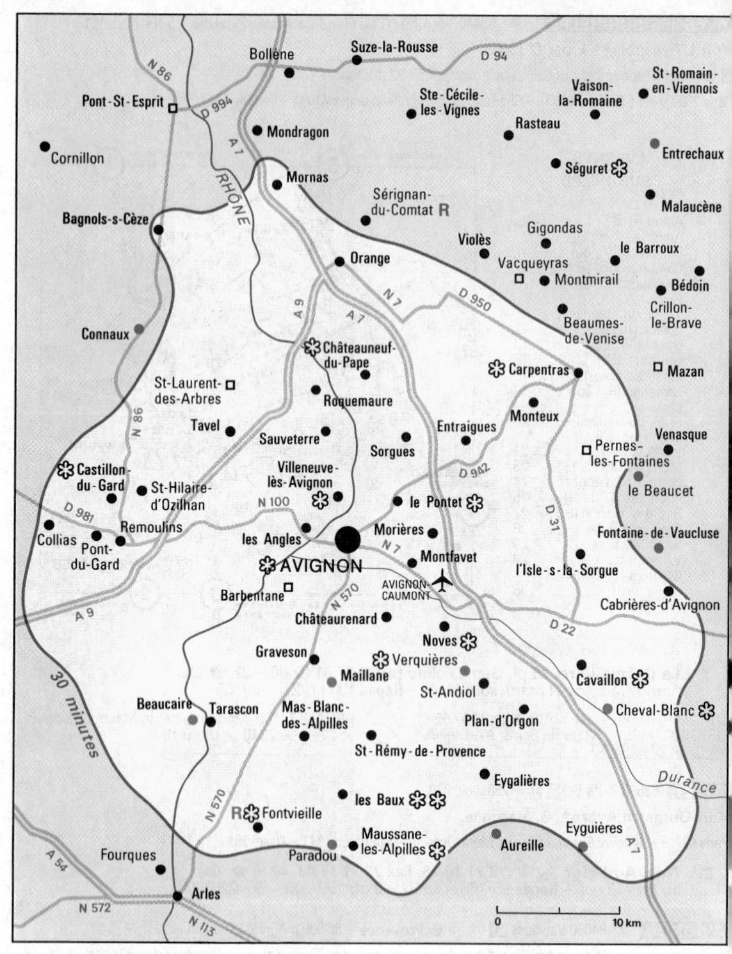

Cloître St-Louis Ⓜ, 20 r. Portail Boquier ✆ 90 27 55 55, Fax 90 82 24 01, « Décor contemporain dans un cloître du 16e siècle », – ▮ ⊭ 📺 ☎ ♿ 🅿. AE ⓓ GB JCB — EZ **s**
hôtel : fermé 1er fév. au 1er mars ; rest. : fermé 1er déc. au 1er mars, sam. midi et dim. – **Repas** 99 bc (déj.), 130/170 – ☐ 70 – **73 ch** 650/820, 3 duplex.

Mercure Palais des Papes Ⓜ sans rest, quartier Balance ✆ 90 85 91 23, Fax 90 85 32 40 – ▮ ⊭ ▤ 📺 ☎ – 🚗 – 80. AE ⓓ GB JCB — EY **r**
☐ 52 – **87 ch** 560.

Bristol Ⓜ sans rest, 44 cours J. Jaurès ✆ 90 82 21 21, Télex 432730, Fax 90 86 22 72 – ▮ ⊭ ▤ 📺 ☎ ♿ 🚗 – 30. AE ⓓ GB — EZ **m**
fermé 18 fév. au 10 mars – ☐ 45 – **67 ch** 350/510.

Primotel Horloge sans rest, 1 r. F. David (pl. Horloge) ✆ 90 86 88 61, Télex 431902, Fax 90 82 17 32 – ▮ ▤ 📺 ☎ ♿. AE ⓓ GB JCB — EY **t**
☐ 48 – **70 ch** 445/540.

Cité des Papes sans rest, 1 r. J. Vilar ✆ 90 86 22 45, Fax 90 27 39 21 – ▮ ▤ 📺 ☎. AE ⓓ GB JCB – ☐ 50 – **63 ch** 420/540. — EY **b**

Blauvac sans rest, 11 r. de la Bancasse ✆ 90 86 34 11, Fax 90 86 27 41 – 📺 ☎. AE ⓓ GB. ⚘ – ☐ 40 – **16 ch** 280/410. — EY **m**

Danieli sans rest, 17 r. République ✆ 90 86 46 82, Fax 90 27 09 24 – ▮ 📺 ☎. AE ⓓ GB JCB – ☐ 40 – **29 ch** 350/390. — EY **s**

Fimotel M, 8 bd St-Dominique ✆ 90 82 08 08, Télex 432739, Fax 90 86 27 19, – – DZ **e**
60. AE GB
Repas 89/115, enf. 36 – 39 – **95 ch** 360/380.

Ibis Centre Gare M, 42 bd St-Roch (à la Gare) ✆ 90 85 38 38, Télex 432502, Fax 90 86 44 81 – . AE GB EZ **v**
Repas 99 bc, enf. 39 – 35 – **98 ch** 290/350.

Angleterre sans rest, 29 bd Raspail ✆ 90 86 34 31, Fax 90 86 86 74 – – 25. GB. DZ **a**
35 – **40 ch** 220/390.

Médiéval sans rest, 15 r. Petite Saunerie ✆ 90 86 11 06, Fax 90 82 08 64 – cuisinette . GB EY **e**
30 – **35 ch** 220/295.

Garlande sans rest, 20 r. Galante ✆ 90 85 08 85, Fax 90 27 16 58 – . AE GB EY **f**
45 – **12 ch** 270/440.

Mistral sans rest, 1 bd de Metz ✆ 90 88 57 65, Fax 90 88 22 36 – . GB BX **k**
30 – **15 ch** 210/230.

Magnan, 63 r. Portail Magnanen ✆ 90 86 36 51, Fax 90 85 48 90, – rest . AE GB JCB FZ **n**
Repas *(fermé juil.-août, vend. soir, sam., dim. et fériés)* (dîner pour résidents seul.) 75 bc (déj.)/80 bc, enf. 35 – 30 – **30 ch** 180/355 – ½ P 225/280.

XXX ✿ **Christian Étienne,** 10 r. Mons ✆ 90 86 16 50, Fax 90 86 67 09, , « Anciennes demeures des 13e et 14e siècles accolées au Palais des Papes » – . AE GB EY **h**
fermé sam. midi et dim. sauf juil. – **Repas** 160 (déj.), 300/480 et carte 350 à 500, enf. 100
Spéc. Menu des légumes provençaux. Lotte rôtie à l'ail et aux pommes fondantes. Sorbet au fenouil, sauce safran. **Vins** Côtes-du-Rhône.

XXX ✿ **Hiély-Lucullus,** 5 r. République (1er étage) ✆ 90 86 17 07, Fax 90 86 32 38 – . GB
fermé 17 juin au 3 juil., 10 au 24 janv., mardi midi sauf de juil. à sept. et lundi – **Repas** 140/210 EY **n**
Spéc. Salade de homard à la tomate confite. Rouget barbet au caviar d'aubergine. Agneau des Alpilles au romarin. **Vins** Côtes-du-Rhône, Châteauneuf-du-Pape.

XXX ✿ **Le Grangousier** (Buisson), 17 r. Galante ✆ 90 82 96 60, Fax 90 85 31 23 – . AE GB
fermé 15 août à début sept., vacances de fév., lundi midi et dim. – **Repas** 153 (déj.), 193/380, enf. 100 EY **v**
Spéc. Fleurs de courgettes farcies à la brandade de morue (été). Tartelette tiède de céleri rave et truffes noires (hiver). Saint-Jacques poêlées, crème de champignons (oct. à avril). **Vins** Côtes-du-Rhône, Châteauneuf-du-Pape.

XXX **Brunel,** 46 r. Balance ✆ 90 85 24 83, Fax 90 86 26 67 – . GB EY **e**
fermé 15 juil. au 15 août, dim. et lundi – **Repas** 120 bc (déj.), 168/300 et carte 250 à 390.

XX **La Fourchette,** 17 r. Racine ✆ 90 85 20 93, Fax 90 85 57 60 – . GB EY **u**
fermé 3 au 25 août, 22 au 28 fév., sam. et dim. – **Repas** (nombre de couverts limité, prévenir) 100/150 .

XX **Jardin de la Tour,** 9 r. Tour ✆ 90 85 66 50, Fax 90 27 90 72, , « Ancienne usine aménagée » – AE GB JCB GY **a**
fermé 12 au 27 août, dim. soir et lundi – **Repas** 95 bc (déj.), 155/255 .

XX **Trois Clefs,** 26 r. Trois Faucons ✆ 90 86 51 53, Fax 90 85 17 32 – . AE GB JCB.
fermé vacances de Toussaint, de fév. et dim. sauf fêtes – **Repas** 115/185, enf. 75. EZ **f**

XX **L'Aquarelle,** 41 r. Saraillerie ✆ 90 86 33 79, – GB EZ **a**
fermé 22 août au 4 sept., dim. (sauf le soir d'avril à oct.) et merc. de sept. à juin – **Repas** 98/260, enf. 80.

X ✿ **L'Isle Sonnante** (Gradassi), 7 r. Racine ✆ 90 82 56 01 – . GB. EY **k**
fermé août, 4 au 11 fév., dim., lundi et fériés – **Repas** (nombre de couverts limité, prévenir) 140/200
Spéc. Filet de lapin farci à la purée d'olives noires de Nyons. Gibier (saison). Macaron praliné-chocolat. **Vins** Lirac blanc, Châteauneuf-du-Pape.

X **Les Domaines,** 28 pl. Horloge ✆ 90 82 58 86, Fax 90 86 26 31, – . AE GB EY **b**
Repas carte 130 à 210 .

dans l'île de la Barthelasse N : 5 km par D 228 et rte secondaire – ✉ **84000** Avignon :

La Ferme , chemin des Bois ✆ 90 82 57 53, Fax 90 27 15 47, , – ch . AE GB JCB. ch
1er mars-4 nov. – **Repas** *(fermé lundi en oct. et sam. midi)* 110/200 – 48 – **20 ch** 360/440 – ½ P 305/345.

vers ② par N 7 : 3,5 km – ✉ **84130** Le Pontet :

Les Agassins M , 52 av. Ch. de Gaulle ✆ 90 32 42 91, Fax 90 32 08 29, , « Jardin fleuri », – – 30. AE GB JCB. rest CV **u**
fermé 1er janv. au 15 fév. – **Repas** *(fermé sam. midi du 1er nov. au 1er avril)* 130 (déj.), 175/380, enf. 90 – 75 – **26 ch** 750/1300 – ½ P 690/750.

LES ANGLES

Pinède (Ch. de la) . . . AV

AVIGNON

Amandier (Av. de l') CX
Aulnes (Av. des) CX
Avignon (Av. d') CX
Croix-Rouge (Av. de la) . . . . BX
Docteur Pons (Rte Touristique) . . BV
Eisenhover (Av.) . . . . AX
Europe (Pont de l') . . AX 26
Ferry (Bd J.) . . . . AX
Folie (Av. de la) . . . BCX 29
Foncouverte (Av. de) . . . . BCX 31
Gaulle (Rocade Ch. de) . ABX
Lyon (Rte de) . . . . . . BV
Marseille (Rte de) . BCX 51
Monclar (Av.) . . . . . . AX
Monod (Bd J.) . . . . . AX 58
Montfavet (Rte de) . . . . BCX 59
Morières (Rte de) . BCV
Moulin-Notre-Dame (Av. du) . . . BX 60
Réalpanier (Carr.) . . . CV
Reine-Jeanne (Av. de la) . . . . . . BX 81
Royaume (Pont du) . AV 92
St-Chamand (Av.) . . . BX 95
St-Ruf (Av.) . . . . AX
Sémard (Av. P.) . . . . . BX
Sixte Isnard (Bd) . . . . BX 112
Souspirous (Av. de) . CX
Tarascon (Av. de) . . . AX
1re-D.-B. (Bd de la) . . BX 125

LE PONTET

Avignon (Av. d') CV
Carpentras (Av. de) CV
Delorme (Av. Th.) . . . CV
Goutarel (Av. G.) . . . . CV 38
Pasteur (Av. L.) CV

VILLENEUVE-LÈS-AVIGNON

Camp de Bataille (R.) . . . . . . AV 15
Chartreux (Ch. des) . AV 16
Fort St-André (Montée du) . . . . . AV 32
Gaulle (Av. Ch.) . . . . AV 33
Hôpital (R. de l') . . . . AV 43
Joffre (Rte) . . . . AV
Leclerc (Av. Gén.) . . . . AV
Monnaie (R. de la) . . AV 57
Pasteur (Av.) . . . . AV
Péri (Av. G.) . . . . AV
République (R. de la) . . . . AV 87
Tour (Montée de la) . AV 116
Verdun (Av. de) . . . . AV 117

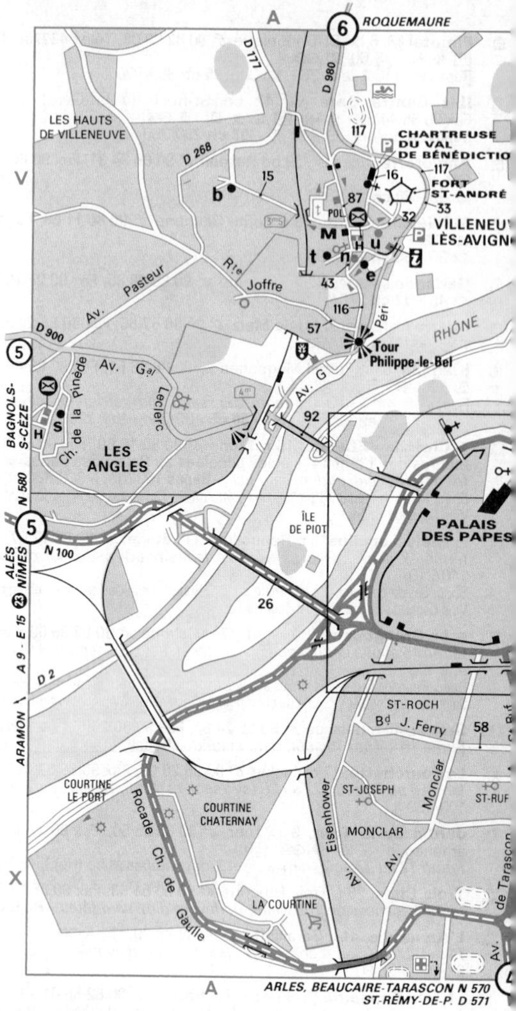

au Pontet vers ② par N 7 et D 62 : 6 km – 15 688 h. alt. 40 – ✉ **84130** :

Aub. de Cassagne Ⓜ, 450 allée de Cassagne ✆ 90 31 04 18, Télex 432997, Fax 90 32 25 09, « Beau jardin », – ▤ TV ☎ ♿ P. AE ① GB JCB
Repas 230 (déj.), 290/460 et carte 440 à 550, enf. 110 – ☕ 95 – **26 ch** 420/1180, 4 appart – ½ P 720/1065

Spéc. Tarte fine de rouget, langoustine et daurade. Escalope de foie gras de canard poêlée. Emincé d'agneau et véritables côtelettes de lapereau panées. **Vins** Côtes-du-Rhône.

à l'Échangeur A 7 Avignon-Nord par ② : 9 km – ✉ **84700** Sorgues :

Novotel Avignon Nord Ⓜ, ✆ 90 31 16 43, Télex 432869, Fax 90 32 22 21, – ▤ TV ☎ ♿ P – 150. AE ① GB
Repas carte environ 150 – ☕ 49 – **100 ch** 420/490.

à Montfavet E : 7 km par av. Avignon - CX – ✉ **84140** :

Host. Les Frênes Ⓜ, av. Vertes Rives ✆ 90 31 17 93, Fax 90 23 95 03, « Parc, » – ▤ TV ☎ P. AE ① GB
1er avril-31 oct. – **Repas** 200/400 – ☕ 90 – **18 ch** 595/1590, 4 appart.

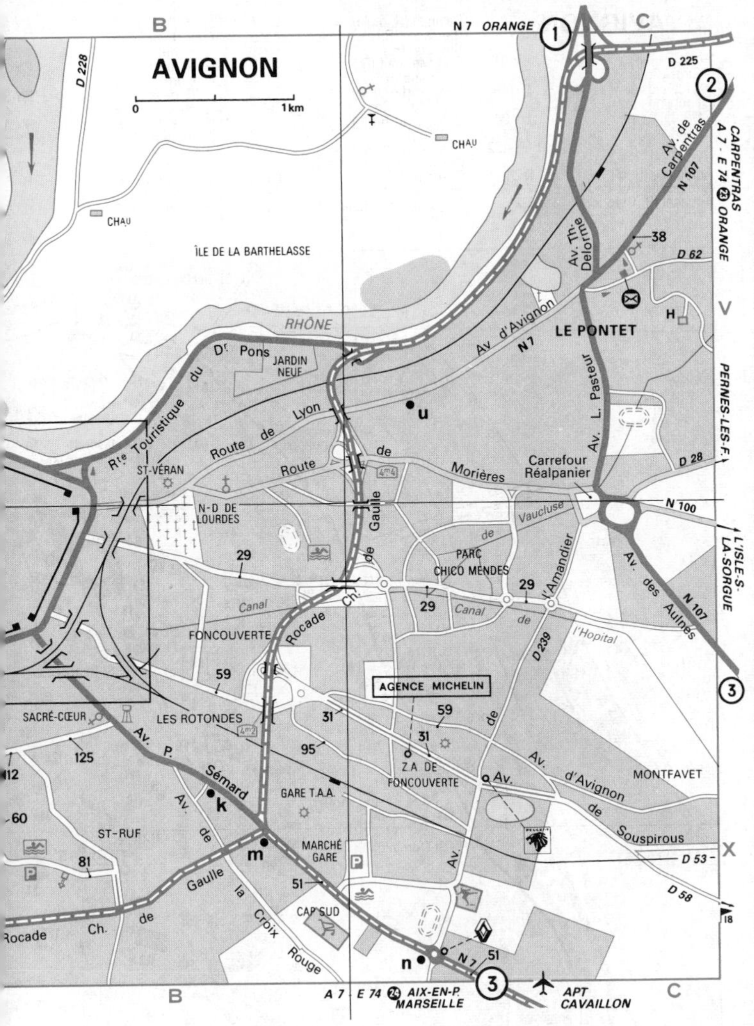

à Morières-lès-Avignon par N 100, rte de L'Isle-sur -la-Sorgue : 9 km – 6 405 h. alt. 38 – ✉ **84310** :

⌂ **Le Paradou,** ✆ 90 33 34 15, Fax 90 33 46 93, 🏠, 🏊, 🌳 – 📺 ☎ ♿ 🅿 – 🏃 30. AE ⓓ GB
25 mars-30 sept. – **Repas** *(fermé sam. midi)* 100/180, enf. 50 – ☕ 45 – **31 ch** 250/340 – ½ P 300/320.

rte de Marseille vers ③ par N 7 – ✉ **84000** Avignon :

⌂ **Mercure Avignon Sud** Ⓜ, 3 km ✆ 90 88 91 10, Fax 90 87 61 88, 🏊, 🌳 – 🛗 ✂ ▤ 📺 ☎ 📞 ♿ 🅿 – 🏃 100. AE ⓓ GB JCB — BX **m**
Repas 125/160 🍷, enf. 55 – ☕ 52 – **105 ch** 550.

⌂ **Novotel Avignon Sud** Ⓜ, 4 km ✆ 90 87 62 36, Télex 432878, Fax 90 88 38 47, 🏠, 🏊, 🌳 – ✂ ▤ 📺 ☎ ♿ 🅿 – 🏃 150. AE ⓓ GB — CX **n**
Repas carte environ 150 – ☕ 49 – **79 ch** 420/470.

à l'aéroport par ③ : 8 km – ✉ **84140** Montfavet :

⌂ **Paradou-Avignon** Ⓜ, ✆ 90 84 18 30, Fax 90 84 19 16, 🏠, 🏊, 🌳, 🎾 – ✂ ▤ 📺 ☎ ♿ 🅿 – 🏃 50. AE ⓓ GB
Repas 100/172, enf. 50 – ☕ 50 – **42 ch** 405 – ½ P 360.

AVIGNON

Fourbisseurs (R. des) . . . . . EY 34
Jaurès (Cours J.) . . . . EZ
Marchands (R. des) . . . . . . EY 49
République (R. de la) . . . . EYZ
St-Agricol (R.) . . . . EY 94
Vernet (R. J.) . . . . EYZ
Vieux-Sextier (R. du) . . . . . EFY 122

Annanelle (R. d') . . . . DZ 2
Arroussaire (Av. de l') . . . . . FZ 3
Aubanel (R. Théodore) . . . . . EZ 5

Balance (R. de la) . . . . EY 7
Bancasse (R.) . . . . EY 9
Bertrand (R.) . . . . FY 10
Bon-Martinet (R.) . . . . FZ 13
Campane (R.) . . . . FY 14
Collège-d'Annecy
(R. du) . . . . EZ 18
Collège-du-Roure
(R. du) . . . . EY 19
Corps-Saints (Pl. des) . . . . . EZ 20
David (R. F.) . . . . EY 22
Dorée (R.) . . . . EY 23
Eisenhower (Av.) . . . . DZ 24
Folco-de-Baroncelli (R.) . . . EY 28

Four (Rue du) . . . . FY 3
Four-de-la-Terre
(R. du) . . . . FZ 3
Galante (R.) . . . . EY 3
Grande-Fusterie
(R. de la) . . . . EY 3
Grottes (R. des) . . . . EY 4
Italiens (Av. des) . . . . GY 4
Jérusalem (Pl.) . . . . FY 4
Ledru-Rollin (R.) . . . . FY 4
Manivet (R. P.) . . . . EFZ 4
Masse (R. de la) . . . . FZ 5
Molière (R.) . . . . EY 5
Monclar (Av.) . . . . EZ 5

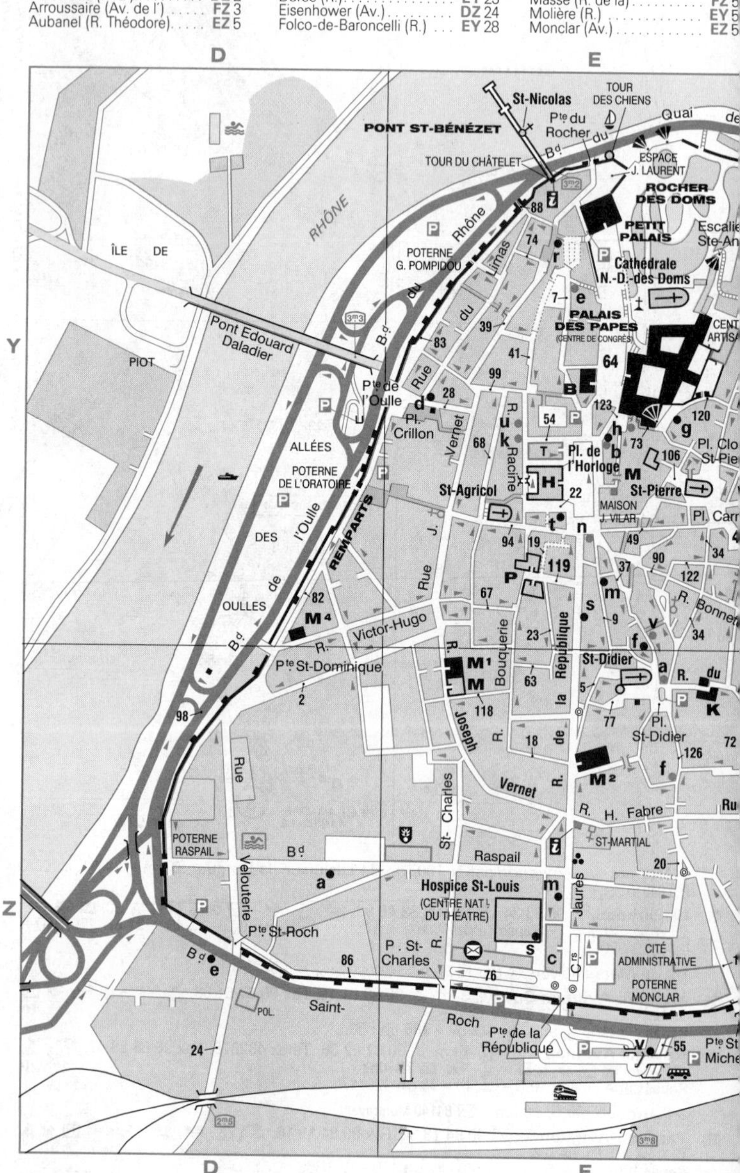

'uguet (R.) . . . . GY 62
rtolans (R. des) . . . . EZ 63
alais (Pl. du) . . . . EY 64
alapharnerie (R.) . . . . FY 66
etite Calade (R. de la) . . . . EY 67
etite-Fusterie
(R. de la) . . . . EY 68
etite-Saunerie
(R. de la) . . . . FY 70
étramale (R.) . . . . EZ 72
eyrollerie (R.) . . . . EY 73
ont (R. du) . . . . EY 74
rés.-Kennedy (Cours) . . . . . EZ 76
révot (R.) . . . . EZ 77

Rascas (R. de) . . . . GY 79
Rempart-de-l'Oulle
(R. du) . . . . DY 82
Rempart-du-Rhône
(R. du) . . . . EY 83
Rempart-St-Michel
(R. du) . . . . FZ 84
Rempart-St-Roch
(R. du) . . . . DEZ 86
Rhône (Pte du) . . . . EY 88
Rouge (R.) . . . . EY 90
St-Christophe (R.) . . . . FZ 97
St-Dominique (Bd) . . . . DZ 98
St-Étienne (R.) . . . . EY 99

St-Jean-le-Vieux (Pl.) . . . . . FY 101
St-Jean-le-Vieux (R.) . . . . . FY 102
St-Joseph (R.) . . . . FY 104
St-Michel (R.) . . . . EZ 105
St-Pierre (Pl.) . . . . EY 106
St-Ruf (Av.) . . . . FZ 108
Ste-Catherine (R.) . . . . FY 109
Sources (Av. des) . . . . FZ 114
Vernet (R. Horace) . . . . EZ 118
Viala (R. Jean) . . . . EY 119
Vice-Légat (R.) . . . . EY 120
Vilar (R. Jean) . . . . EY 123
3-Faucons (R. des) . . . . EZ 126
3-Pilats (R. des) . . . . FY 127

par ③ rte de Cavaillon : 10 km – ✉ **84140** Montfavet :

XX **Aub. de Bonpas** avec ch, ☎ 90 23 07 64, Fax 90 23 07 00, ☂, ⛱, ⛱ – TV ☎ P. AE GB JCB
Repas 118/238, enf. 80 – ☕ 48 – **11 ch** 240/380 – ½ P 375.

Voir aussi ressources hôtelières de Villeneuve-lès-Avignon** et **Les Angles

MICHELIN, Agence régionale, 26 av. de Fontcouverte CX ☎ **90 88 11 10**

BMW Foch Autom., ZI St-Tronquet le Pontet ☎ 90 03 60 60
FIAT, LANCIA Gar. Royal, 141 rte de Marseille ☎ 90 88 29 55
FORD Festival Auto Sce, La Croix de Noves rte de Marseille ☎ 90 13 82 82
MERCEDES Autom. Avignonnaise, Park. Cap Sud, 285 r P.-Seghers ☎ 90 88 01 35
NISSAN Gar. Danse, ZI de Courtine, r. Petit Mas ☎ 90 86 48 37
PEUGEOT Gar. de l'Abbaye, 4-6 av. Reine Jeanne BX ☎ 90 82 15 51
PEUGEOT Gar. Vaucluse Auto, 35 av. Fontcouverte CX ☎ 90 88 07 61 N ☎ 05 44 24 24
RENAULT A.S.A., rte de Marseille, N 7 CX ☎ 90 13 88 00 N ☎ 90 82 90 05
RENAULT Autom. des Remparts, SAR, 14 bd St-Michel FZ ☎ 90 14 58 00 N ☎ 90 82 90 05
VAG E.G.S.A., Centre des Affaires Cap Sud ☎ 90 87 63 22 N ☎ 90 88 50 39
VAG E.G.S.A., N 7 Zone Portuaire Le Pontet ☎ 90 32 20 33 N ☎ 90 88 50 39

Ⓜ Ayme Pneus, av. de l'Etang, ZI Fontcouverte ☎ 90 87 65 37
Ayme Pneus, 32 bd St-Michel ☎ 90 82 71 38
Dibon Pneus, 1 rte de Marseille ☎ 90 86 31 65
Dibon Pneus, Le Pigeonnier, 66 av. Ch.-de-Gaulle au Pontet ☎ 90 31 14 13
Euromaster, Lot Activité La Gauloise Le Pontet ☎ 90 31 29 60
Gay Pneus, 27 av. de Fontcouverte ☎ 90 87 56 48
Luciani Pneus Vulcopneu, 99 rte de Lyon ☎ 90 82 47 47
Perrot Pneus, 31 av. du Grand Gigognan ☎ 90 82 03 70
Pneus Escoffier, 2303 rte de Marseille, N 7 ☎ 90 88 14 84

Si vous cherchez un hôtel tranquille,
consultez d'abord les cartes de l'introduction
ou repérez dans le texte les établissements indiqués avec le signe ♨.

AVOINE **37420** I.-et-L. 64 ⑨ – **1 664 h alt. 35.**

Paris 289 – ♦Tours 54 – Azay-le-Rideau 28 – Chinon 9 – Langeais 27 – Saumur 22.

XX **L'Atlantide,** 17 r. Nationale ☎ 47 58 81 85, ☂ – P. GB
fermé vacances de printemps, 1er au 15 juil., 2 au 6 janv., dim. soir et lundi – **Repas** 79, 199 ♫, enf. 50.

AVON **77** S.-et-M. 61 ⑫ – rattaché à Fontainebleau.

AVRANCHES SP **50300** Manche 59 ⑧ **G. Normandie Cotentin** – **8 638 h alt. 108.**

Voir Manuscrits★★ du Mont-St-Michel (musée) AY **M** – Jardin des Plantes : ✳★ AZ – La "plate-forme" ✳★ AY.

ℹ Office de Tourisme r. Gén.-de-Gaulle ☎ 33 58 00 22 et pl. Carnot (juil.-août) ☎ 33 58 59 11.

Paris 341 ① – St-Lô 59 ① – St-Malo 64 ③ – ♦Caen 99 ① – Dinan 69 ③ – Flers 67 ① – Fougères 41 ③ – ♦Rennes 75 ③.

Plan page ci-contre

Croix d'Or ♨, 83 r. Constitution ☎ 33 58 04 88, Fax 33 58 06 95, « Décor rustique normand, jardin » – TV ☎ 🚗 P. GB — BZ s
15 mars-15 nov. – **Repas** 75 (déj.), 105/250, enf. 55 – ☕ 38 – **29 ch** 250/370 – ½ P 280/360.

Les Abrincates sans rest, 37 bd Luxembourg par ③ : 0,5 km ☎ 33 58 66 64, Fax 33 58 40 11 – ascenseur TV ☎ ♿ P. GB JCB. ✗
fermé 24 déc. au 4 janv. et dim. soir sauf de mai à sept. – ☕ 35 – **29 ch** 240/350.

Le Pratel sans rest, 24 r. Vanniers par ③ ☎ 33 68 35 41, Fax 33 68 33 50, ⛱ – TV ☎ P. AE GB
1er mars-31 oct. – ☕ 32 – **7 ch** 270/290.

Jardin des Plantes, 10 pl. Carnot ☎ 33 58 03 68, Fax 33 60 01 72, ⛱ – TV ☎ P. GB JCB — AZ u
Repas 70/165 ♫, enf. 53 – ☕ 32 – **26 ch** 150/320 – ½ P 210/260.

Patton sans rest, pl. Patton ☎ 33 48 52 52 – ascenseur ☎ ✆ P. GB — BZ n
fermé janv. et fév. – ☕ 32 – **26 ch** 220/320.

X **Le Ménestrel,** 37 bd Luxembourg par ③ : 0,5 km ☎ 33 58 12 20, Fax 33 58 12 20 – GB
fermé vacances de Toussaint, 1er au 15 janv., sam. midi et lundi d'oct. à Pâques – **Repas** 48 (déj.)/66 ♫, enf. 34.

à St-Quentin-sur-le-Homme SE : 5 km par D 78 BZ – 1 007 h. alt. 55 – ✉ **50220** :

XXX **Le Gué du Holme** M ♨ avec ch, ☎ 33 60 63 76, Fax 33 60 06 77, ☂, ⛱ – TV ☎ ♿ P. AE ⓓ GB
fermé 23 déc. au 18 janv., sam. midi et dim. soir du 1er oct. à Pâques – **Repas** 140/365 et carte 240 à 340, enf. 70 – ☕ 50 – **10 ch** 400/500 – ½ P 480/500.

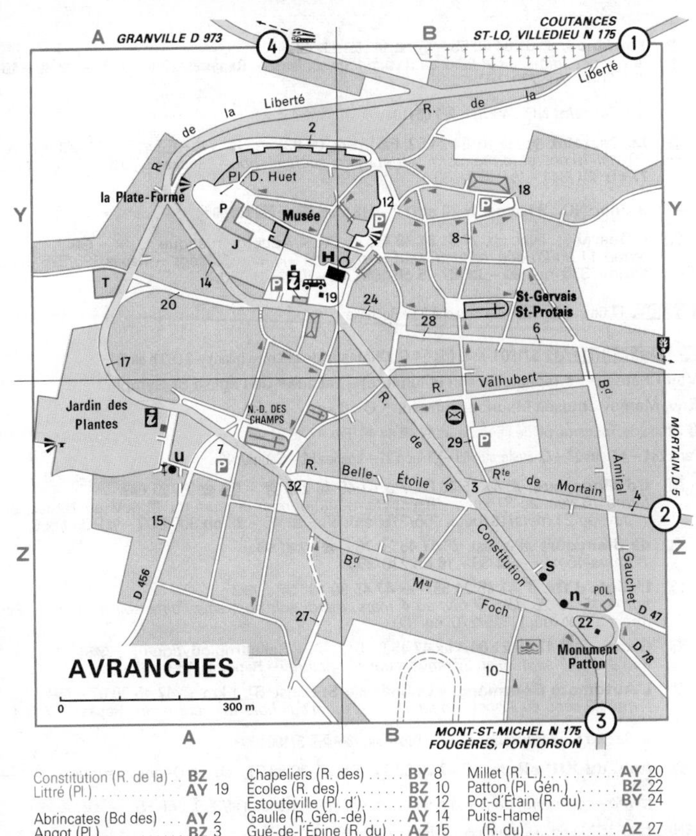

Constitution (R. de la) . . **BZ**
Littré (Pl.) . . . . **AY** 19

Abrincates (Bd des) . . . **AY** 2
Angot (Pl.) . . . . **BZ** 3
Bindel (R. du Cdt) . . . . . **BZ** 4
Bremesnil (R. de) . . . . . **BY** 6
Carnot (Pl.) . . . . **AZ** 7
Chapeliers (R. des) . . . . **BY** 8
Écoles (R. des) . . . . **BZ** 10
Estouteville (Pl. d') . . . . . **BY** 12
Gaulle (R. Gén.-de) . . . . . **AY** 14
Gué-de-l'Épine (R. du) . . **AZ** 15
Jozeau-Marigné (Bd) . . . . **AY** 17
Marché (Pl. du) . . . . **BY** 18
Millet (R. L.) . . . . **AY** 20
Patton (Pl. Gén.) . . . . . . **BZ** 22
Pot-d'Étain (R. du) . . . . . **BY** 24
Puits-Hamel (R. du) . . . . **AZ** 27
St-Gaudens (R.) . . . . . . **BY** 28
St-Gervais (R.) . . . . **BZ** 29
Scelle (Pl. G.) . . . . **AZ** 32

CITROEN Basse Normandie Auto, 38 bd du Luxembourg, Le Val-St-Père par ③ ℘ 33 58 23 15
FORD Gar. Gosselin, ZI de St-Senier ℘ 33 68 38 61
PEUGEOT Automobiles Sud Manche, D 911 à Marcey les grèves par ④ ℘ 33 58 04 22 N ℘ 33 58 04 22
RENAULT Gar. Poulain, 87 r. Cdt-Bindel par ② ℘ 33 58 09 00 N ℘ 33 68 51 26

VAG Avranches Autom., 3 av. du Quesnoy, St-Martin-des-Champs ℘ 33 58 14 96

Euromaster, 17 bd du Luxembourg ℘ 33 58 04 24
Lefrançois, à St-Quentin-sur-le-Homme ℘ 33 58 15 31 N ℘ 33 60 49 71

AVRILLÉ **85440** Vendée 67 ⑬ **G. Poitou Vendée Charentes** – 1 004 h alt. 45.

Voir St-Hilaire-la-Forêt : C.A.I.R.N. (centre archéologique d'initiation et de recherche sur le néolithique) SO : 3 km.

Paris 444 – La Rochelle 66 – La Roche-sur-Yon 26 – Luçon 25 – Les Sables-d'Olonne 23.

✗ **Le Menhir,** av. Sables ℘ 51 22 32 18, Fax 51 22 34 13 – ▤. AE ⓓ GB
fermé 20 janv. à fin fév., dim. soir et lundi du 15 sept. au 15 juin – **Repas** 70/250, enf. 50.

AX-LES-THERMES **09110** Ariège 86 ⑮ **G. Pyrénées Roussillon** – 1 489 h alt. 720 – Stat. therm. – Sports d'hiver au Saquet par route du plateau de Bonascre★ (8 km) et télécabine : 1 400/2 400 m 1 16.

Voir Vallée d'Orlu★ au SE.

Office de Tourisme pl. du Breilh ℘ 61 64 20 64, Fax 61 64 36 41.

Paris 822 – Foix 42 – Andorra-la-Vella 62 – Carcassonne 105 – Prades 99 – Quillan 53.

La Lauzeraie M, ℘ 61 64 20 70, Fax 61 64 38 50, – TV ☎. AE GB
fermé 15 nov. au 20 déc. – **Repas** 79/190, enf. 48 – ☕ 35 – **33 ch** 280/420 – ½ P 260/340.

Terminus, 61 64 20 55 – TV ☎ P. AE ⓓ GB
fermé oct., dim. soir et lundi sauf vacances scolaires – **Repas** 68/220, enf. 35 – 30 – **16 ch** 220/250 – ½ P 230/250.

au Castelet NO : 4 km – ✉ **09110** Ax-les-Thermes :

Le Castelet, 61 64 24 52, Fax 61 64 05 93, ←, – TV ☎ P. AE GB. rest
10 mai-15 oct. et fermé mardi soir et merc. sauf juil.-août – **Repas** 65/175, enf. 48 – 32 – **27 ch** 301/341 – ½ P 275/330.

à Unac NO : 9 km par N 20 et D 2 – 118 h. alt. 650 – ✉ **09250** :

XXX **L'Oustal** avec ch, 61 64 48 44, ←, « Auberge rustique », – GB
fermé 11 au 20 déc. et lundi sauf le soir du 1er juil. au 15 sept. – **Repas** 195/325 et carte environ 330, enf. 90 – 45 – **5 ch** 195/350 – ½ P 320/420.

AYTRÉ 17 Char.-Mar. 71 ⑫ – rattaché à La Rochelle.

AZAY-LE-RIDEAU 37190 I.-et-L. 64 ⑭ G. Châteaux de la Loire (plan) – 3 053 h alt. 51.

Voir Château★★★ (spectacle son et lumière) – Façade★ de l'église St-Symphorien.

Env. Marnay : musée Maurice-Dufresne★ O : 6 km.

Office de Tourisme pl. de l'Europe 47 45 44 40, Fax 47 45 31 46.

Paris 264 – ◆Tours 26 – Châtellerault 60 – Chinon 21 – Loches 52 – Saumur 48.

Gd Monarque, 47 45 40 08, Fax 47 45 46 25, – TV ☎ P. AE GB
fermé 16 déc. au 31 janv. – **Repas** *(fermé lundi midi et jeudi du 1er nov. au 15 déc. et du 1er fév. au 21 mars)* 95 (déj.), 155/275, enf. 58 – 45 – **26 ch** 300/800 – ½ P 350/560.

de Biencourt sans rest, 47 45 20 75 – ☎. GB.
1er mars-15 nov. – 36 – **16 ch** 210/380.

XX **L'Aigle d'Or,** 47 45 24 58, Fax 47 45 90 18, – GB
fermé 15 au 25 déc., 7 fév. au 4 mars, mardi soir hors sais., dim. soir et merc. – **Repas** (prévenir) 90 (déj.), 145/270, enf. 50.

XX **Grottes,** 47 45 21 04, Fax 47 45 92 51, « Salle troglodytique » – GB
fermé 2 au 8 sept., 6 au 27 janv., jeudi soir et lundi – **Repas** 84/189, enf. 46.

X **L'Automate Gourmand,** à La Chapelle-St-Blaise S : 1 km 47 45 39 07 – GB
fermé 29 sept. au 12 oct., 15 au 31 janv., lundi soir hors sais. et mardi – **Repas** 87/248.

à Saché E : 6,5 km par D 17 – 868 h. alt. 78 – ✉ **37190** :

XX **Aub. du XIIe siècle,** 47 26 88 77, Fax 47 26 88 77, « Décor rustique », – AE GB
fermé janv., merc. de juin à sept. et mardi soir – **Repas** 110/350, enf. 85.

RENAULT Gar. Martin, à la Chapelle-St-Blaise 47 45 42 02

AZERAILLES 54120 M.-et-M. 62 ⑥ – 792 h alt. 268.

Paris 357 – ◆Nancy 53 – Épinal 49 – Lunéville 19 – St-Dié 32 – Sarrebourg 46.

XX **Gare** avec ch, 83 75 15 17, Fax 83 75 28 67, – TV. GB
fermé 16 au 22 juin, 26 au 31 déc. et 15 janv. au 9 fév. – **Repas** 75/210, enf. 45 – 28 – **7 ch** 150/220 – ½ P 180/220.

BACCARAT 54120 M.-et-M. 62 ⑦ G. Alsace Lorraine – 5 022 h alt. 260.

Syndicat d'Initiative pl. des Arcades (saison) 83 75 13 37.

Paris 366 – ◆Nancy 59 – Épinal 43 – Lunéville 27 – St-Dié 26 – Sarrebourg 42.

La Renaissance, 31 r. Cristalleries 83 75 11 31, Fax 83 75 21 09, – TV ☎. GB
Repas 58/180, enf. 40 – 30 – **16 ch** 230/290 – ½ P 240/260.

OPEL Gar. Ste-Catherine, 43 ter r. Ste-Catherine 83 75 13 89
PEUGEOT Ferry Autos, rte de Nancy à Gelacourt 83 75 12 25
RENAULT Sevrain Autom., 34 r. Ste-Catherine 83 75 11 40

BADEFOLS-SUR-DORDOGNE 24150 Dordogne 75 ⑮ ⑯ G. Périgord Quercy – 188 h alt. 42.

Voir Chapelle St-Front de Colubri ←★.

Env. Cloître★★ et église★ de Cadouin SE : 7,5 km.

Paris 552 – Périgueux 57 – Bergerac 26 – Sarlat-la-Canéda 47.

Lou Cantou, 53 27 95 61, Fax 53 27 22 44, – TV ☎. AE GB. rest
1er mars-1er nov. et fermé dim. soir et lundi d'avril à juin – **Repas** 59/148, enf. 45 – 35 – **12 ch** 190/290 – ½ P 175/245.

BAERENTHAL 57 Moselle 57 ⑱ – 723 h alt. 220 – ✉ 57230 Bitche.
Paris 448 – ♦Strasbourg 61 – Bitche 15 – Haguenau 33 – Wissembourg 45.

Le Kirchberg M ⛓ sans rest, ☏ 87 98 97 70, Fax 87 98 97 91, – cuisinette TV ☎ ♿ P. GB
☕ 35 – **12 ch** 230/380, 8 studios.

à Untermuhlthal SE : 4 km par D 87 – ✉ 57230 Baerenthal :

XXX ❀ **L'Arnsbourg** (Klein), ☏ 87 06 50 85, Fax 87 06 57 67, – ▤ P. AE ⓓ GB
fermé 7 janv. au 8 fév., mardi et merc. – **Repas** 189/395 et carte 320 à 420
Spéc. Saumon mariné au fenouil, pommes charlotte. Nage de poissons et crustacés au safran. Râble de lapin à l'infusion de gingembre. **Vins** Gewurztraminer, Muscat.

BAGES 11100 Aude 86 ⑩ **G. Pyrénées Roussillon** – 694 h alt. 30.
Paris 809 – ♦Perpignan 61 – Carcassonne 63 – Narbonne 7,5.

XX **Le Portanel,** ☏ 68 42 81 66, Fax 68 41 75 93, ≤ – ▤. GB
fermé dim. soir et lundi hors sais. – **Repas** 98/230, enf. 65.

BAGNÈRES-DE-BIGORRE SP 65200 H.-Pyr. 85 ⑱ **G. Pyrénées Aquitaine** – 8 424 h alt. 551 – Stat. therm. (21 mars-18 nov.) – Casino AZ.
Voir Parc thermal de Salut★ par D 153 AZ – Grotte de Médous★★ par ② : 2,5 km.
18 ☏ 62 91 06 20, N : 3 km par ①.
Office de Tourisme 3 allée Tournefort ☏ 62 95 50 71, Fax 62 95 33 13.
Paris 815 ③ – Pau 59 ③ – Lourdes 22 ③ – St-Gaudens 56 ① – Tarbes 21 ③.

BAGNÈRES-DE-BIGORRE

Coustous (Allées des) . . . . BZ 7
Foch (R. Maréchal) . . . . BY 8
Lafayette (Pl.) . . . . ABY 22
Strasbourg (Pl. de) . . . . BZ 32
Thermes (R. des) . . . . AZ 34
Victor-Hugo (R.) . . . . AZ 35

Alsace-Lorraine (R. d') . . . . BZ 2
Arras (R. du Pont d') . . . . AZ 3
Belgique (Av. de) . . . . AY 4
Costallat (R.) . . . . BY 6
Frossard (R. Émilien) . . . . BZ 12
Gambetta (R.) . . . . AY 13
Joffre (Av. Mar.) . . . . AY 17
Jubinal (Pl. A.) . . . . BZ 20
Leclerc (Av. Gén.) . . . . AY 23
Lorry (R. de) . . . . BZ 25
Pasteur (R.) . . . . BY 26
Pyrénées (R. des) . . . . BZ 27
République (R. de la) . . . . AY 28
Thermes (Pl. des) . . . . AZ 33
Vignaux (Pl. des) . . . . BY 37
3-Frères-Duthu (R.) . . . . BZ 39

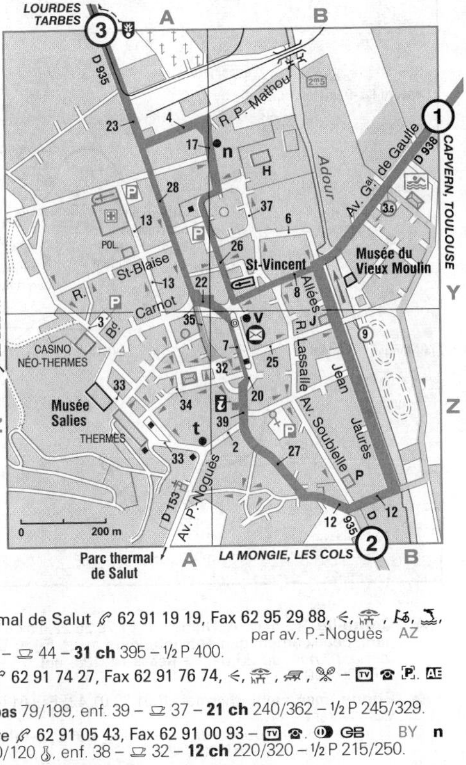

Pour aller loin rapidement, utilisez les cartes Michelin des pays d'Europe à 1/1 000 000.

La Résidence ⛓, Parc Thermal de Salut ☏ 62 91 19 19, Fax 62 95 29 88, ≤, – ▤ ☎ P. GB. par av. P.-Noguès AZ
15 mai-15 oct. – **Repas** 120/160 – ☕ 44 – **31 ch** 395 – ½ P 400.

Host. d'Asté, par ② : 4 km ☏ 62 91 74 27, Fax 62 91 76 74, ≤, – TV ☎ P. AE GB.
fermé 12 nov. au 15 déc. – **Repas** 79/199, enf. 39 – ☕ 37 – **21 ch** 240/362 – ½ P 245/329.

Le Parador, 12 av. Mar. Joffre ☏ 62 91 05 43, Fax 62 91 00 93 – TV ☎. ⓓ GB BY **n**
fermé 1er au 15 nov. – **Repas** 70/120 ♂, enf. 38 – ☕ 32 – **12 ch** 220/320 – ½ P 215/250.

Angleterre sans rest, pl. La Fayette ☏ 62 95 22 24 – TV ☎. GB BZ **v**
fermé 13 nov. au 7 déc. – ☕ 26 – **28 ch** 125/240.

Glycines sans rest, 12 pl. Thermes ☏ 62 95 28 11 – ☎. AE GB AZ **t**
☕ 28 – **18 ch** 140/240.

à Beaudéan par ② : 4,5 km – 410 h. alt. 625 – ✉ 65710 Campan :

Catala Ⓜ, ✆ 62 91 75 20, Fax 62 91 79 72 – ◘ TV ☎ ♿ P – 25. GB. ✻
fermé Noël au Jour de l'An, vend. soir et dim. soir sauf vacances scolaires – **Repas** 75/20 enf. 45 – 35 – **23 ch** 260/350, 3 appart – ½ P 250/380.

Petite Auberge, ✆ 62 91 72 16, – AE GB
fermé 15 au 30 juin, 1er au 15 déc. et mardi – **Repas** 76/150.

CITROEN Fourcade, rte des Cols par ② ✆ 62 95 26 68 Ⓝ ✆ 62 95 26 68
FIAT GTM Autom., 1 av. de la Mongie à Pouzac ✆ 62 95 06 23

PEUGEOT Laloubère, rte de Tarbes par ③ ✆ 62 95 26 84 Ⓝ ✆ 62 95 26 84
Dulout Pneu Sce, 4 r. St-Vincent ✆ 62 95 03 58

BAGNÈRES-DE-LUCHON **31110** H.-Gar. 85 ⑳ **G. Pyrénées Aquitaine** – **3 094 h alt. 630** – Stat therm. (avril-28 oct.) – Sports d'hiver à Superbagnères : 1 440/2 260 m 1 15 – Casino Y.

Voir Route de Peyresourde★ O.

Env. Vallée du Lys★ SO : 5,5 km par D 125 et D 46.

✆ 61 79 03 27 X.

Office de Tourisme 18 allée d'Etigny ✆ 61 79 21 21, Fax 61 79 11 23.

Paris 841 ① – Bagnères-de-Bigorre 80 ③ – St-Gaudens 47 ① – Tarbes 89 ① – ◆Toulouse 136 ①.

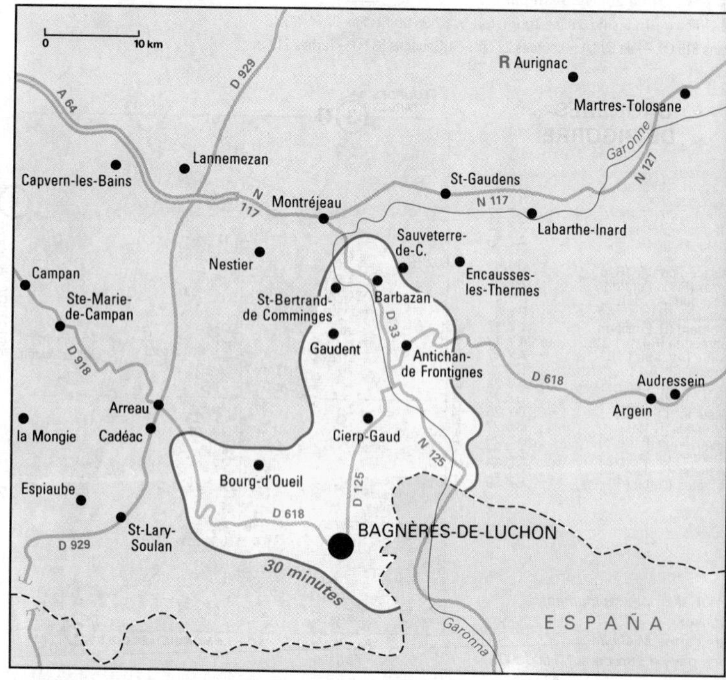

Corneille , 5 av. A. Dumas ✆ 61 79 36 22, Fax 61 79 81 11, , « Résidence dans un parc, beaux aménagements intérieurs » – ◘ TV ☎ P. AE GB. ✻ rest Y **u**
fermé 1er nov. au 20 déc. – **Repas** 145/198, enf. 75 – 40 – **52 ch** 410/750, 3 appart – ½ P 430/540.

Étigny, face établ. thermal ✆ 61 79 01 42, Fax 61 79 80 64, – ◘ rest TV ☎ . GB. ✻ rest Z **k**
31 mars-28 oct., vacances de Noël et de fév. – **Repas** 99/199, enf. 55 – 44 – **58 ch** 385/600, 3 appart – ½ P 360/450.

Bains, 75 allées Étigny ✆ 61 79 00 58, Fax 61 79 18 18 – ◘ ☎. AE GB. ✻ rest YZ **e**
fermé 30 oct. au 25 déc. – **Repas** 100 – 30 – **53 ch** 180/280 – ½ P 275.

Royal H., 1 cours Quinconces ✆ 61 79 00 62 – ◘ ☎. GB. ✻ rest Z **v**
25 mai-8 oct. – **Repas** 95 – 30 – **48 ch** 150/250 – ½ P 240.

Paris, 9 cours Quinconces ☎ 61 79 13 70, Fax 61 79 22 08, – |♦| TV ☎ P. GB. rest Z **v**
11 avril-20 oct. – **Repas** 87 – ☐ 30 – **40 ch** 244/317 – ½ P 247.

Panoramic sans rest, 6 av. Carnot ☎ 61 79 30 90, Fax 61 79 32 84 – |♦| TV ☎ P. GB X **v**
fermé 5 au 15 janv. – ☐ 38 – **30 ch** 190/380.

La Rencluse, à St-Mamet ✉ 31110 Bagnères-de-Luchon ☎ 61 79 02 81, Fax 61 79 82 99, – TV ☎ P. AE GB. rest Z **y**
1er mai-6 oct., vacances de Noël et de fév. – **Repas** 70/150 – ☐ 32 – **23 ch** 220/300 – ½ P 240/270.

Le Concorde M, 12 allées Etigny ☎ 61 79 00 69, Fax 61 79 86 11, – |♦| TV ☎ P. GB. rest Y **a**
fermé 2 nov. au 20 déc. et 6 janv. au 6 fév. – **Repas** 78/150 – ☐ 32 – **18 ch** 250/300 – ½ P 280.

Métropole, 40 allées Étigny ☎ 61 79 38 00 – |♦| ☎. GB. rest Y **r**
avril-20 oct. et vacances de fév. – **Repas** 85/110 – ☐ 30 – **60 ch** 110/260 – ½ P 220/250.

Deux Nations, 5 r. Victor-Hugo ☎ 61 79 01 71, Fax 61 79 27 89 – |♦| ☎. GB Y **g**
Repas 63/150 – ☐ 30 – **28 ch** 135/200 – ½ P 186/212.

Sports, 12 av. Mar. Foch ☎ 61 79 02 80 – ☎. GB. rest X **d**
fermé nov. – **Repas** (résidents seul.) 45 bc/60 bc – ☐ 23 – **13 ch** 150/190 – ½ P 160.

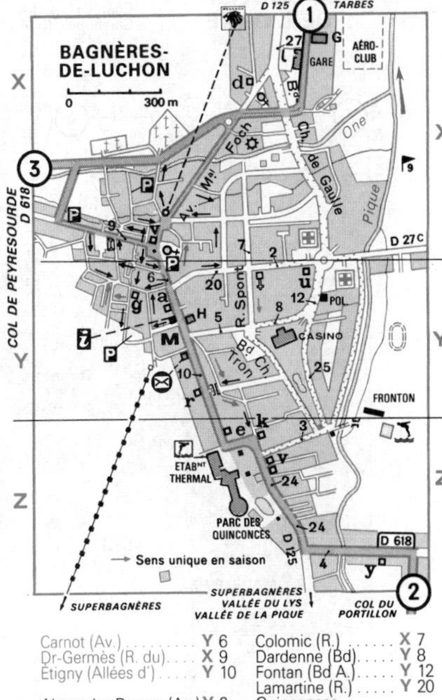

Carnot (Av.) . . . . Y 6
Dr-Germès (R. du) . . . . X 9
Étigny (Allées d') . . . . . Y 10

Alexandre-Dumas (Av.) Y 2
Bains (Allées des) . . . . Z 3
Barrau (Av. J.) . . . . Z 4
Boularan (Av. Jean) . . . Y 5

Colomic (R.) . . . . . . X 7
Dardenne (Bd) . . . . . Y 8
Fontan (Bd A.) . . . . . Y 12
Lamartine (R.) . . . . . Y 20
Quinconces (Cours des) . . . . Z 24
Rostand (Bd E.) . . . . Y 25
Toulouse (Av. de) . . X 27

au Sud par D 125 : 4 km – ✉ 31110 Bagnères-de-Luchon :

Aub. de Castel Vielh avec ch, ☎ 61 79 36 79, – TV P. GB
1er avril-5 nov., vacances scolaires et week-ends en hiver – **Repas** 72/170, enf. 50 – ☐ 38 – **3 ch** 250/300 – ½ P 235/270.

CITROEN Bardaji, av. R.-Comet par av. de Toulouse X ☎ 61 79 16 93 N ☎ 61 79 16 93

PEUGEOT Gar. Bedin, pl. Comminges ☎ 61 79 01 35

BAGNOLES-DE-L'ORNE 61140 Orne 60 ① **G. Normandie Cotentin** – 875 h alt. 140 – Stat. therm. – Casino A.

Voir Site★ – Lac★ A – Parc★ AB.

☎ 33 37 81 42, par ③ : 3 km.

Office de Tourisme pl. République ☎ 33 37 85 66, Fax 33 30 06 75.

Paris 233 ① – Alençon 48 ② – Argentan 38 ① – Domfront 19 ③ – Falaise 45 ① – Flers 27 ④.

Plan page suivante

Lutetia-Reine Astrid, bd Paul Chalvet ☎ 33 37 94 77, Fax 33 30 09 87, – |♦| TV ☎ P. – 25. AE GB. rest B **n**
début avril-mi-oct. – **Repas** 130/350 – ☐ 50 – **30 ch** 295/450 – ½ P 360/483.

Bois Joli, av. Ph. du Rozier ☎ 33 37 92 77, Fax 33 37 07 56, – |♦| TV ☎ P. AE GB A **w**
Repas *(fermé janv. et merc. de nov. à mars)* 115/295 – ☐ 40 – **20 ch** 285/485 – P 363/510.

Beaumont, 26 bd Le Meunier-de-la-Raillère ☎ 33 37 91 77, Fax 33 38 90 61, « Jardin fleuri » – TV ☎ P. AE GB B **f**
fermé 16 déc. au 28 fév., dim. soir et lundi du 1er nov. au 15 déc. – **Repas** 115/395 bc, enf. 50 – ☐ 33 – **40 ch** 220/340 – ½ P 255/290.

Capricorne, allée Montjoie ☎ 33 37 96 99, Fax 33 38 19 56, – |♦| TV ☎ P. AE GB. rest A **v**
1er avril-10 oct. – **Repas** 105/185 – ☐ 40 – **21 ch** 300/420, 3 appart – P 400/420.

Ermitage sans rest, 24 bd Paul Chalvet ☎ 33 37 96 22, Fax 33 38 59 22, – |♦| TV ☎ P. GB B **p**
7 avril-oct. – ☐ 45 – **37 ch** 230/350.

BAGNOLES-DE-L'ORNE

Casinos (R. des) A 3
Dr-Poulain (Av. du) A 8
Bois-Motté (Bd. du) A 2
Château (Av. du) A 4
Christophle (R. A.) TESSÉ A 7
Gaulle (Pl. Général-de) B 9
Hartog (Bd. G.) A 13
Lemeunier de la Raillère (Bd) B 14
Rozier (Av. Ph. du) A 15
Sergenterie-de-Javains (R.) A 18

Camélias, av. Château de Couterne ℘ 33 37 93 11, Fax 33 37 48 32, – ☎ . AE GB A b
15 mars-3 nov. – **Repas** 90 (dîner), 95/200 – 32 – **29 ch** 170/280 – P 255/320.

Le Gd Veneur, pl. République ℘ 33 37 86 79 – ☎ . AE GB. rest A r
1er avril-23 oct. – **Repas** 83/182, enf. 50 – 33 – **23 ch** 185/305 – ½ P 259/308.

Albert 1er, av. Dr Poulain ℘ 33 37 80 97, Fax 33 30 03 64 – TV ☎. AE GB A m
hôtel : fermé 15 déc. au 5 janv. ; rest. : ouvert 1er fév. au 31 oct. – **Repas** 75/152, enf. 50 – 35 – **20 ch** 160/320 – P 300/350.

à Tessé-la-Madeleine – 1 091 h. alt. 145 – ✉ **61140** :

Nouvel H., av. A. Christophle ℘ 33 37 81 22, Fax 33 38 04 68, – TV ☎ . GB. rest A e
avril-oct. – **Repas** 83/155, enf. 50 – 30 – **30 ch** 237/321 – P 285/340.

par ③ et D 235 : 3 km – ✉ **61140** Bagnoles-de-l'Orne :

Manoir du Lys, ℘ 33 37 80 69, Fax 33 30 05 80, « Dans un parc fleuri », – TV ☎ – 25 à 80. AE GB JCB. rest
fermé 6 janv. au 10 fév., dim. soir et lundi du 1er nov. à Pâques – **Repas** 135/265, enf. 80 – 57 – **23 ch** 300/780 – P 537/750.

PEUGEOT Gar. Constant, 8 av. R.-Cousin ℘ 33 37 83 11

BAGNOLET 93 Seine-St-Denis 56 ⑪, 101 ⑰ – voir à Paris, Environs.

BAGNOLS 69620 Rhône 73 ⑨ **G. Vallée du Rhône** – 636 h alt. 400.
Paris 447 – Lyon 34 – Tarare 20 – Villefranche-sur-Saône 15.

Château de Bagnols, ℘ 74 71 40 00, Fax 74 71 40 49, <, parc, « Vieux château restauré, jardins ouverts sur la campagne beaujolaise » – ch TV ☎ P. AE GB.
1er avril-31 oct. – **Repas** 195 (déj.), 280/440 – 110 – **12 ch** 2200/3500, 8 appart
Spéc. Filets de rougets poêlés, jus à l'anis étoilé. Lapin farci aux herbes du potager. Pavé du Roy, pralin au guanaja.

BAGNOLS-LES-BAINS 48190 Lozère 80 ⑥ **G. Gorges du Tarn** – 200 h alt. 913 – Stat. therm. (avril-26 oct.).
Paris 609 – Mende 20 – Langogne 40 – Villefort 38.

Résidence du Pont et Bridge, ℘ 66 47 60 03, Fax 66 47 62 78, – TV ☎. GB
30 mars-10 oct. – **Repas** 60/150 – 36 – **26 ch** 260/320 – ½ P 250/270.

Commerce, ✆ 66 47 60 07 – ☎. AE ⓓ GB
1er mars-31 oct. et fermé jeudi sauf de juin à sept. – **Repas** 70/140 – 30 – **28 ch** 140/220 – ½ P 200/240.

BAGNOLS-SUR-CÈZE 30200 Gard 80 ⑩ G. Provence (plan) – 17 872 h alt. 51.

Voir Musée d'Art moderne★.

Env. Belvédère★★ du Centre d'Énergie Atomique de Marcoule SE : 9,5 km.

Office de Tourisme espace St-Gilles, av. Léon Blum ✆ 66 89 54 61, Fax 66 89 83 88.

Paris 653 – Avignon 34 – Alès 50 – Nîmes 54 – Orange 30 – Pont-St-Esprit 10,5.

Mas de Ventadous, rte Avignon ✆ 66 89 61 26, Fax 66 79 99 88, « Bungalows provençaux dans un parc, », – ch ☎ – 25. AE ⓓ GB. rest
Repas *(fermé sam. midi)* 150/250 – 50 – **22 ch** 650/750 – ½ P 550.

rte d'Alès O : 5 km par D 6 et D 143 – ✉ 30200 Bagnols-sur-Cèze :

Château de Montcaud M, ✆ 66 89 60 60, Fax 66 89 45 04, , parc, – ☎ – 50. AE ⓓ GB JCB
fermé 2 janv. au 28 mars – **Repas** 175 (déj.), 240/360 – 98 – **30 ch** 920/1850 – ½ P 875/1280.

rte de Pont-St-Esprit N : 5,5 km par N 86 – ✉ 30200 Bagnols-sur-Cèze :

Valaurie sans rest, ✆ 66 89 66 22, Fax 66 89 55 80, ←, – ☎ . GB
fermé 24 déc. au 24 janv. – 38 – **22 ch** 270/320.

à Connaux S : 8,5 km sur N 86 – 1 450 h. alt. 86 – ✉ 30330 :

Paul Itier, ✆ 66 82 00 24, – . GB
Repas 70 (déj.), 98/250.

CITROEN Gar. Jeolas, 239 rte d'Avignon ✆ 66 89 60 43
PEUGEOT Gar. Pailhon, rte de Nîmes ✆ 66 89 54 95 N ✆ 66 90 91 02
RENAULT Gar. Stolard, 252 av. A.-Daudet ✆ 66 89 56 36 N ✆ 05 05 15 15

VAG Gar. Paulus et Fils, 37 av. L.-Blum ✆ 66 89 60 30

Euromaster, Rd-Pt de l'Europe ✆ 66 89 54 19
Europneu, rte d'Avignon ✆ 66 89 04 49

BAILLARGUES 34670 Hérault 83 ⑦ – 4 375 h alt. 23.

Paris 750 – ♦Montpellier 13 – Lunel 10 – Nîmes 41.

Golf H. de Massane M, au golf de Massane S : 1,5 km par D 26E ✆ 67 87 87 87, Fax 67 87 87 90, ←, , , – ☎ – 80. AE ⓓ GB
Repas 88 (déj.), 132/182, enf. 54 – 42 – **32 ch** 390/500 – ½ P 387/412.

BAILLET-EN-FRANCE 95 Val-d'Oise 55 ⑳, 101 ⑤ – voir à Paris, Environs.

LANCIA Croix Verte Autom., ZAC les Ponts de Baillet ✆ 34 69 98 18

BAILLEUL 59270 Nord 51 ⑤ G. Flandres Artois Picardie – 13 847 h alt. 44.

Voir ★ du beffroi.

Office de Tourisme 3 Gd. Place ✆ 28 49 18 17, Fax 28 48 75 98.

Paris 249 – ♦Lille 32 – Armentières 12 – Béthune 29 – Dunkerque 44 – Ieper 19 – St-Omer 36.

Belle H. M sans rest, 19 r. Lille ✆ 28 49 19 00, Fax 28 49 22 11 – ☎ . AE ⓓ GB JCB
45 – **31 ch** 340/490.

Pomme d'Or avec ch, 27 r. Ypres ✆ 28 49 11 01, Fax 28 49 22 11 – – 25. AE ⓓ GB
fermé 6 au 26 août – **Repas** *(fermé dim. soir)* 69/130 – 29 – **7 ch** 160/260 – ½ P 240.

BAIN-DE-BRETAGNE 35470 I.-et-V. 63 ⑦ – 5 257 h alt. 100.

Syndicat d'Initiative 6 r. Joseph Bertrand ✆ 99 43 98 69 et Mairie (hors saison) ✆ 99 43 70 24.

Paris 355 – ♦Rennes 32 – Châteaubriant 29 – Nozay 34 – Redon 44 – Vitré 50.

Gentilys, 78 av. Gén. Patton ✆ 99 43 83 83, Fax 99 43 83 30 – . GB
fermé 13 au 24 oct. et dim. soir – **Repas** 55 bc (déj.), 78/162, enf. 38.

BAINS-LES-BAINS 88240 Vosges 62 ⑮ G. Alsace Lorraine – 1 466 h alt. 315 – Stat. therm. (avril-26 oct.).

Office de Tourisme pl. Bain Romain ✆ 29 36 31 75, Fax 29 36 23 24.

Paris 376 ④ – Épinal 26 ① – Luxeuil-les-Bains 27 ② – ♦Nancy 97 ① – Neufchâteau 71 ④ – Vesoul 51 ② – Vittel 42 ④.

Plan page suivante

Poste, (e) ✆ 29 36 31 01, Fax 29 30 44 22 – ☎ . GB.
hôtel : 31 mars-19 oct. – **Repas** *(fermé 19 au 29 oct., 14 déc. au 15 janv. et le soir sauf sam. du 15 janv. au 31 mars)* (prévenir) 75/185, enf. 63 – 30 – **19 ch** 162/236 – ½ P 216/229.

Promenade, (r) ✆ 29 36 30 06, Fax 29 30 44 28 – ☎ . GB.
15 mars-31 oct. – **Repas** 75/215 – 30 – **26 ch** 170/240 – ½ P 325.

BAINS-LES-BAINS

Docteur-Leroy (R. du) 5
Chavane (Av. du Lieutenant-Colonel) 2
Demazure (Av.) 3
Docteur-Bailly (Av. du) 4
Docteur-Mathieu (Av. du) 6
Leclerc (R. du Général) 7
Poirot (R. Marie) 10
Verdun (R. de) 12
2ᵉ-D.-B. (Pl. de la) 14

Les plans de villes sont orientés le Nord en haut.

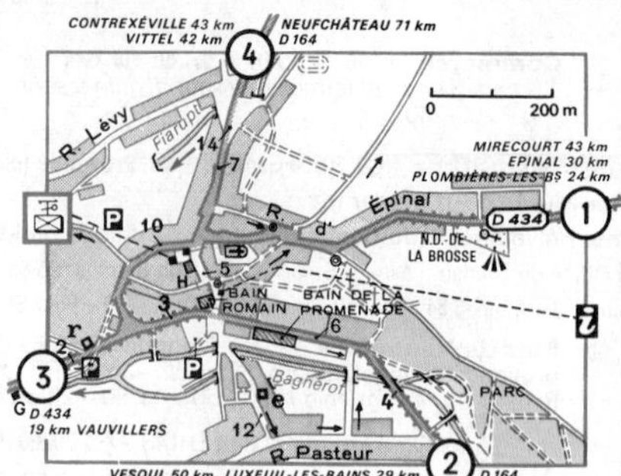

BAIX 07210 Ardèche 77 ⑪ – 748 h alt. 80.

Paris 593 – Valence 33 – Crest 29 – Montélimar 21 – Privas 18.

La Cardinale et sa Résidence ⛰, ✆ 75 85 80 40, Fax 75 85 82 07, 🏞, « Ancienne demeure seigneuriale » – ▤ ch 📺 ☎ 🅿. AE ⓓ GB JCB
fermé 1ᵉʳ fév. au 15 mars – **Repas** *(fermé dim. soir et lundi du 1ᵉʳ déc. au 31 janv.)* 195/450, enf. 100 – ☕ 100 – **4 ch** 800/1850 – ½ P 900/1390.

La Résidence ⛰ sans rest, 3 km, parc, 🏊 – ▤ 📺 ☎ 🅿. AE ⓓ GB JCB
fermé 1ᵉʳ fév. au 15 mars – ☕ 100 – **10 ch** 800/1850.

Aub. des Quatre Vents ⛰, rte Chomérac, NO : 2 km ✆ 75 85 84 49, 🏞, 🌳 – ☎ 🅿. GB – *fermé 15 au 31 oct., 16 au 28 fév. et sam. midi en hiver* – **Repas** 75/150 – ☕ 30 – **16 ch** 190/230 – ½ P 200.

BALARUC-LES-BAINS 34540 Hérault 83 ⑯ **G. Gorges du Tarn** – 5 013 h alt. 3 – Stat. therm. (28 fév.-22 nov.).

ℹ Office de Tourisme 37 av. du Port ✆ 67 48 50 07, Fax 67 43 47 52.

Paris 786 – ♦Montpellier 30 – Agde 31 – Béziers 48 – Frontignan 7 – Lodève 60 – Sète 9,5.

Mercure Ⓜ, av. Hespérides ✆ 67 51 79 79, Fax 67 48 02 87, 🏊 – |‡| ⇔ ▤ 📺 ☎ ♿ 🚗 🅿 – 🎤 90. AE ⓓ GB JCB
Repas 98/128, enf. 48 – ☕ 56 – **92 ch** 395/495 – ½ P 365.

Ibis ⛰, quartier Pech Meja ✆ 67 80 28 00, Fax 67 48 55 52, 🏞, institut bio-marin, 🏊, 🏊, 🌳 – |‡| ⇔ 📺 ☎ ♿ 🅿 – 🎤 80. AE ⓓ GB
Repas 99 bc bc, enf. 39 – ☕ 39 – **57 ch** 295/380 – ½ P 290/310.

Martinez, 2 r. M. Clavel ✆ 67 48 50 22, Fax 67 43 18 13, 🏞, 🌳 – ⇔ ▤ rest 📺 ☎ ♿ 🅿. GB. ✻
fermé 15 janv. au 15 mars – **Repas** 100/250 – ☕ 45 – **27 ch** 170/350.

XXX **St Clair,** quai Port ✆ 67 48 48 91, 🏞 – GB
fermé 15 déc. au 15 fév. – **Repas** 95 (déj.), 155/245 et carte 220 à 310.

à Balaruc-le-Vieux N : 3 km par D 129 – 1 065 h. alt. 12 – ✉ **34540** :

Marotel, centre commercial ✆ 67 48 61 01, Fax 67 43 14 89 – ▤ rest 📺 ☎ ♿ 🅿 – 🎤 30. AE GB
fermé fév. – **Repas** *(fermé sam. midi et dim.)* 70 bc (déj.), 95/200 🍷, enf. 40 – ☕ 32 – **43 ch** 210/300 – P 280.

Campanile, Zone de la Barrière ✆ 67 48 53 00, Fax 67 48 30 82 – ⇔ ▤ rest 📺 ☎ 📞 ♿ 🅿 – 🎤 30. AE ⓓ GB
Repas 84 bc/107 bc, enf. 39 – ☕ 32 – **49 ch** 270.

BALDENHEIM 67 B.-Rhin 62 ⑲ – rattaché à Sélestat.

BALDERSHEIM 68 H.-Rhin 66 ⑩ – rattaché à Mulhouse.

BÂLE Suisse 66 ⑩ 216 ④.

Ressources hôtelières : voir Guide Rouge Michelin ***Suisse/Schweiz/Svizzera***

BALLEROY 14490 Calvados 54 ⑭ **G. Normandie Cotentin** – 613 h alt. 70.

Voir Château★.

ℹ Syndicat d'Initiative pl. de l'Hôtel de Ville (juin-sept.) ✆ 31 21 60 26.

Paris 282 – St-Lô 23 – Bayeux 15 – Caen 44 – Vire 45.

XXX ✿ **Manoir de la Drôme** (Leclerc), ✆ 31 21 60 94, Fax 31 21 88 67, 🌳 – 🅿. AE GB. ✻
fermé 2 au 9 sept., vacances de fév., dim. soir et lundi – **Repas** 150/200 et carte 300 à 400
Spéc. Fricassée de sole au foie gras. Queues de langoustines "Fernand Cortès". Saveur de terre et de mer aux épices douces.

CITROEN Gar. du Bessin, ✆ 31 21 60 11 🅽 ✆ 31 21 69 59

BALMA 31 H.-Gar. 82 ⑧ – rattaché à Toulouse.

La BALME-DE-SILLINGY 74330 H.-Savoie 74 ⑥ – 3 075 h alt. 480.

Paris 526 – Annecy 10 – Bellegarde-sur-Valserine 30 – Belley 58 – Frangy 13 – Genève 48.

Les Rochers, N 508 ☎ 50 68 70 07, Fax 50 68 82 74, – TV ☎ P – 40. AE GB
fermé 1er au 11 nov., 2 au 31 janv., dim. soir et lundi du 15 sept. au 15 juin – **Repas** 85/260, enf. 52 – ☐ 35 – **26 ch** 230/280 – ½ P 220/280.

Annexe La Chrissandière sans rest,, ≤, « Jardin fleuri, » – TV ☎ P. AE GB
fermé 1er au 11 nov., 2 au 31 janv., dim. soir et lundi du 15 sept. au 15 juin – ☐ 35 – **10 ch** 320/340.

BALOT 21 Côte-d'Or 65 ⑧ – rattaché à Marcenay.

BAN-DE-LAVELINE 88520 Vosges 62 ⑱ – 1 240 h alt. 427.

Paris 448 – Colmar 58 – Épinal 63 – St-Dié 12 – Ste Marie-aux-Mines 14 – Sélestat 39.

Aub. Lorraine M avec ch, ☎ 29 51 78 17, Fax 29 51 71 72, – TV ☎ P. GB
fermé 4 au 25 mars – **Repas** *(fermé dim. soir et lundi sauf du 14 juil. au 31 août)* 65 (déj.), 82/190 ♨, enf. 58 – ☐ 34 – **7 ch** 130/285 – ½ P 180/275.

BANDOL 83150 Var 84 ⑭ 114 ㊹ G. Côte d'Azur – 7 431 h alt. 1 – Casino Y.

Voir Allées Jean-Moulin★ Z.

Accès dans l'Ile de Bendor par vedette 7 mn ☎ 94 29 44 34 (Bandol).

Office de Tourisme allées Vivien ☎ 94 29 41 35, Fax 94 32 50 39.

Paris 824 ② – ♦Marseille 51 ② – ♦Toulon 17 ② – Aix-en-Provence 67 ②.

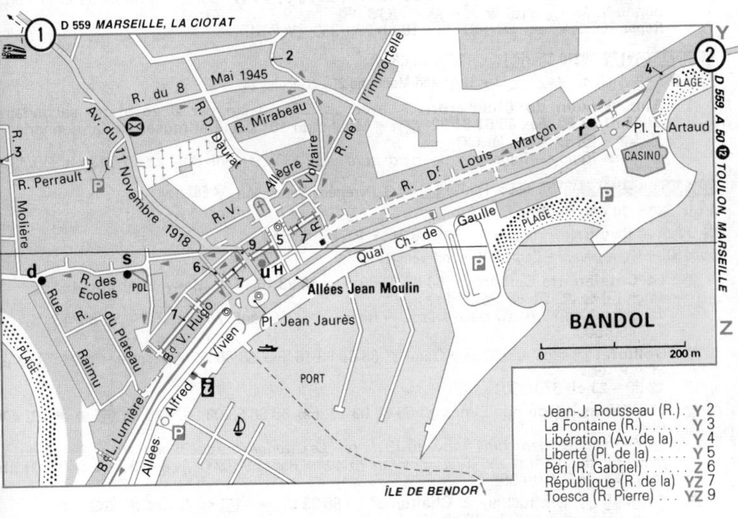

Jean-J. Rousseau (R.)	Y	2
La Fontaine (R.)	Y	3
Libération (Av. de la)	Y	4
Liberté (Pl. de la)	Y	5
Péri (R. Gabriel)	Z	6
République (R. de la)	YZ	7
Toesca (R. Pierre)	YZ	9

Le Provençal, r. Écoles ☎ 94 29 52 11, Fax 94 29 67 57, – TV ☎. AE GB. ch
hôtel : fermé 15 nov. au 15 déc. ; rest. : ouvert Pâques-1er oct. – **Repas** 95/180 – ☐ 38 – **20 ch** 290/370 – ½ P 360. Z **d**

Baie sans rest, 62 r. Dr L. Marçon ☎ 94 29 40 82 – TV ☎. GB Y **r**
☐ 35 – **14 ch** 280/400.

Les Galets, par ② : 0,5 km ☎ 94 29 43 46, Fax 94 32 44 36, ≤, – ☎ P. GB.
hôtel : 15 mars-25 oct. ; rest. : 1er mai-30 sept. – **Repas** 130/210 – ☐ 32 – **21 ch** 175/290 – ½ P 250/307.

Bel Ombra , r. La Fontaine - Y - ☎ 94 29 40 90, Fax 94 25 01 11 – TV ☎. GB.
hôtel : 1er avril-15 oct. ; rest. : 20 juin-20 sept. – **Repas** (dîner seul.) 105 – ☐ 38 – **21 ch** 310/340 – ½ P 293/313.

Golf H. sans rest, sur plage Rénecros par bd L. Lumière - Z - ☎ 94 29 45 83, Fax 94 32 42 47, ≤ – TV ☎ P. GB.
31 mars-fin oct. – ☐ 38 – **24 ch** 360/620.

L'Oasis, 15 rue des Ecoles ☎ 94 29 41 69, , – TV ☎ P. GB. rest Z **s**
Repas *(fermé dim. soir d'oct. à mars)* 95/210 – ☐ 40 – **13 ch** 260/280 – ½ P 290/310.

XXX **Aub. du Port,** 9 allées J. Moulin ✆ 94 29 42 63, Fax 94 29 44 59, ≤, 🏠 – AE ⓓ GB Z
Repas 109/298 et carte 250 à 400, enf. 70.

XX **Réserve** avec ch, rte de Sanary par ② ✆ 94 29 30 00, Fax 94 29 30 13, ≤, 🏠 – ▤ ch ▢ ☎ P. AE ⓓ GB
fermé 10 nov. au 10 déc. – **Repas** *(fermé dim. soir et lundi de nov. à Pâques)* 130/390 – ☕ 40 – **13 ch** 330/590 – ½ P 400/560.

XX **Parc,** corniche Bonaparte par bd L. Lumière - Z - ✆ 94 32 36 36, Fax 94 32 56 2… ≤ Bandol et port, 🏠 – GB
Repas 92/258, enf. 62.

Ile de Bendor : en bateau – ✉ **83150** Bandol :

Delos 🐎, ✆ 94 32 22 23, Fax 94 32 41 44, ≤ port et mer, 🏠, « Beau mobilier ancien » 🏊, 🎾 – TV ☎ – 🏛 100. AE ⓓ GB
Repas *(fermé dim. soir et lundi de janv. à avril)* 170 – ☕ 65 – **55 ch** 600/900 – ½ P 510/600

par ② et rte de Sanary : 1,5 km – ✉ **83110** Sanary-sur-Mer :

XX **Le Castel** M 🐎 avec ch, ✆ 94 29 82 98, Fax 94 32 53 32, 🏠 – TV ☎ P. AE ⓓ GB
fermé 3 janv. au 1er fév. et dim. soir d'oct. à fév. – **Repas** (prévenir) 140/195 – ☕ 30 – **9 c…** 265/345 – ½ P 305/330.

BANGOR 56 Morbihan 63 ⑪ – voir à Belle-Ile-en-Mer.

BANNALEC 29380 Finistère 58 ⑯ – 4 840 h alt. 98.
Paris 528 – Quimper 34 – Carhaix-Plouguer 50 – Châteaulin 57 – Concarneau 24 – Pontivy 90.

rte de St-Thurien NE : 4,5 km par D 23 et rte secondaire – ✉ **29380** Bannalec :

Manoir du Ménec 🐎, ✆ 98 39 47 47, Fax 98 39 46 17, parc, « Manoir dans la campagne », 🏋, 🏊 – TV ☎ P – 🏛 40. GB. ✗
Repas 100/200, enf. 50 – ☕ 35 – **16 ch** 280/360 – ½ P 315.

BANNEGON 18210 Cher 69 ② – 260 h alt. 180.
Paris 283 – Bourges 43 – Moulins 73 – St-Amand-Montrond 21 – Sancoins 24.

XXX **Aub. Moulin de Chaméron** 🐎 avec ch, SE : 3 km par D 76 et rte secondaire ✆ 48 61 83 80, Fax 48 61 84 92, 🏠, « Moulin du 18e siècle et musée de la meunerie » 🏊, 🌳 – TV ☎ ✆ P. AE GB
1er mars-15 nov. – **Repas** *(fermé mardi hors sais.)* 130/290, enf. 60 – ☕ 49 – **13 ch** 350/490

BANYULS-SUR-MER 66650 Pyr.-Or. 86 ⑳ **G. Pyrénées Roussillon** – 4 662 h alt. 1.
Voir ✻** du cap Réderis E : 2 km.
ℹ Office de Tourisme av. République ✆ 68 88 31 58, Fax 68 88 36 84.
Paris 902 – ✦Perpignan 37 – Cerbère 10 – Port-Vendres 6.

Le Catalan, rte Cerbère ✆ 68 88 02 80, Fax 68 88 16 14, ≤ Banyuls et la côte, 🏊 – 🛗 ▤ ch TV ☎ P. AE ⓓ GB. ✗ rest
15 mars-1er nov. et 20 déc.-4 janv. – **Repas** 105/290, enf. 70 – ☕ 50 – **35 ch** 420/470 – ½ P 460/500.

Solhotel M sans rest, Cap d'Osne ✆ 68 88 53 16, Fax 68 88 55 45, ≤ mer – 🛗 ▤ TV ☎ ♿ 🚗 P. GB
☕ 30 – **23 ch** 370/390.

Les Elmes, plage des Elmes ✆ 68 88 03 12, Fax 68 88 53 03, ≤ – ▤ ch TV ☎ P. AE ⓓ GB
fermé mardi et merc. du 1er nov. au 15 mars – ***La Littorine*** *(fermé 25 nov. au 15 déc., 2 au 2… janv., mardi soir et merc. du 1er nov. au 15 mars)* **Repas** 95/300, 👶, enf. 50 – ☕ 40 – **31 ch** 260/280 – ½ P 270/400.

Eden M 🐎 sans rest, av. E. Chatton ✆ 68 88 33 07, ≤ – TV ☎ ♿ 🚗 P. GB. ✗
1er avril-15 oct. – ☕ 30 – **10 ch** 330.

Villa Miramar sans rest, r. Lacaze Duthiers ✆ 68 88 33 85, ≤, 🏊 – TV ☎ ♿ P. GB
1er mars-15 oct. – ☕ 20 – **15 ch** 240/325.

XXX **Le Sardinal,** pl. Reig ✆ 68 88 30 07, Fax 68 88 58 99, 🏠 – ▤. AE GB
fermé mi-nov à mi-déc., lundi (sauf le soir en été) et dim. soir en hiver – **Repas** 95/340 et carte 190 à 320, enf. 70.

XX **La Pergola** avec ch, av. Fontaulé ✆ 68 88 02 10, Fax 68 88 58 45 – TV. GB
✦ *fermé 28 nov. au 6 fév.* – **Repas** *(fermé jeudi sauf vacances scolaires)* 75/180, enf. 45 – ☕ 30 – **17 ch** 260/330 – ½ P 245/265.

BAPAUME 62450 P.-de-C. 53 ⑫ – 3 509 h alt. 123.
Paris 157 – ✦Amiens 51 – St-Quentin 49 – Arras 27 – Cambrai 29 – Douai 42 – Doullens 44.

Paix M, av. A.-Guidet ✆ 21 07 11 03, Fax 21 07 43 66 – TV ☎ 🚗 P. GB
fermé dim. soir – **Repas** 85/245 👶 – ☕ 35 – **13 ch** 240/260 – ½ P 260/320.

BAPEAUME-LÈS-ROUEN 76 S.-Mar. 52 ⑭ – rattaché à Rouen.

La BARAQUE 63 P.-de-D. 73 ⑭ – rattaché à Clermont-Ferrand.

BARAQUEVILLE 12160 Aveyron 80 ② – 2 458 h alt. 792.

aris 650 – Rodez 18 – Albi 60 – Millau 73 – Villefranche-de-Rouergue 42.

Segala Plein Ciel, rte Albi 65 69 03 45, Fax 65 70 14 54, ≤, – rest – 200. GB
fermé vend. soir, dim. soir et lundi midi de fin sept. à fin juin – **Repas** 100/250 – 35 – **45 ch** 230/400 – ½ P 295/318.

'EUGEOT Gar. Sacrispeyre, 65 69 00 43 N 65 69 00 43

La BARBATRE 85 Vendée 67 ① – voir à Noirmoutier (Ile de).

BARBAZAN 31510 H.-Gar. 86 ① – 351 h alt. 464 – Stat. therm. (mai-mi oct.).

Paris 798 – Bagnères-de-Luchon 31 – Lannemezan 24 – St-Gaudens 12 – Tarbes 57 – ♦Toulouse 102.

Host. de l'Aristou, rte Sauveterre 61 88 30 67, Fax 61 95 55 66, ≤, – AE GB.
fermé 22 déc. au 1er fév., dim. soir et lundi du 15 sept. à Pâques – **Repas** 110/260, enf. 50 – 40 – **7 ch** 240/330 – ½ P 290.

au hameau de Burs NO : 3 km par D 33 et rte secondaire – ✉ **31510** Barbazan :

Panoramique M, 61 88 35 23, Fax 61 89 06 02, ≤ Pyrénées, – 30. GB. rest
Repas *(fermé dim. soir et lundi midi sauf juil.-août)* 90/250 – 33 – **20 ch** 250/280 – ½ P 260/270.

La BARBEN 13 B.-du-R. 84 ② – rattaché à Salon-de-Provence.

BARBENTANE 13570 B.-du-R. 83 ⑩ **G. Provence** – 3 273 h alt. 40.

Voir Décoration intérieure★ du château – Abbaye St-Michel-de-Frigolet : boiseries★ de la chapelle N.-D.-du-Bon-Remède S : 5 km.

Syndicat d'Initiative à la Mairie 90 95 50 39, Fax 90 95 50 18.

Paris 699 – Avignon 10 – Arles 33 – ♦Marseille 99 – Nîmes 37 – Tarascon 15.

Castel Mouisson sans rest, quartier Castel-Mouisson, par rte Rognonas : 1,5 km 90 95 51 17, Fax 90 95 67 63, – P.
15 mars-15 oct. – 40 – **16 ch** 290/330.

BARBEREY-ST-SULPICE 10 Aube 61 ⑯ – rattaché à Troyes.

BARBEZIEUX 16 Charente 72 ⑫ **G. Poitou Vendée Charentes** – 4 774 h alt. 100 – ✉ **16300** Barbezieux-St-Hilaire.

Office de Tourisme pl. du Château (saison) 45 78 02 54.

Paris 474 – Angoulême 32 – ♦Bordeaux 82 – Cognac 35 – Jonzac 23 – Libourne 69.

La Boule d'Or M, 9 bd Gambetta 45 78 64 13, Fax 45 78 63 83, – AE GB
Repas 70/200, enf. 45 – 30 – **20 ch** 230/280.

Bon Repos, rte Angoulême : 1,5 km 45 78 01 92, Fax 45 78 89 81, – 60. AE GB
Repas *(fermé sam. midi et dim. soir du 1er oct. au 31 mai)* 78/200 – 30 – **16 ch** 240/260 – ½ P 250.

à Bois-Vert S : 12 km sur N 10 – ✉ **16360** Baignes-Ste-Radegonde :

La Venta, 45 78 40 95, Fax 45 78 63 42, parc, – 30. GB
fermé 2 au 15 janv., vend. soir et sam. midi de nov. à mars – **Repas** 75/160, enf. 42 – 35 – **23 ch** 155/230 – ½ P 185/237.

RENAULT Gar. Cholet, av. Vergnes 45 78 11 66 N 45 24 76 27

Charente-Pneus, St-Hilaire 45 78 03 58

BARBIZON 77630 S.-et-M. 61 ① ② 106 ㊺ **G. Ile de France** – 1 407 h alt. 80.

Voir Gorges d'Apremont★ : Grand Belvédère★ E : 4 km puis 15 mn.

Urban City Golf Club (1) 64 38 08 78 à Cély, O : 9 km par D64-D11.

Office de Tourisme 55 Grande Rue (1) 60 66 41 87, Fax (1) 60 66 42 46.

Paris 57 – Fontainebleau 10 – Étampes 40 – Melun 11,5 – Pithiviers 46.

✿ **Bas-Bréau**, (1) 60 66 40 05, Fax (1) 60 69 22 89, parc, « Jardin fleuri », – P. AE GB
Repas 345 (déj.)/395 et carte 510 à 830 – 90 – **12 ch** 900/1500, 8 appart
Spéc. Grosses langoustines de Loctudy aux herbes fraîches. Grouse d'Ecosse rôtie (15 août au 31 déc.). Côte de veau de lait de Corrèze, poêlée de cèpes.

Host. Clé d'Or, (1) 60 66 40 96, Fax (1) 60 66 42 71, – P. AE GB JCB
Repas *(fermé dim. soir du 15 oct. au 30 mars)* 160/230, enf. 75 – 50 – **16 ch** 280/520.

Host. de la Dague, 60 66 40 49, Télex 693706, Fax 60 69 24 59, – P – 30. AE GB JCB
hôtel : fermé 23 au 31 déc. ; rest. : fermé 23 déc. au 7 janv., dim. soir et lundi – **Repas** 140/250 – 45 – **25 ch** 350/470 – ½ P 365.

XX **L'Angélus,** ☎ (1) 60 66 40 30, Fax (1) 60 66 42 12, ☂ – P. AE ⓓ GB
Repas 175/230.

X **Le Relais de Barbizon,** ☎ (1) 60 66 40 28, ☂ – GB
fermé mardi soir et merc. – **Repas** 148/190.

sur la N 7 à l'orée de la forêt, E : 1,5 km – ✉ **77630** Barbizon :

XXX **Grand Veneur,** ☎ (1) 60 66 40 44, Fax (1) 64 14 91 20, ☂, « Décor de pavillon de chasse, cuisine à la broche », ⚘ – P. AE ⓓ GB
fermé merc. soir et jeudi sauf fériés – **Repas** carte 320 à 500.

BARBOTAN-LES-THERMES 32 Gers 79 ⑫ G. Pyrénées Aquitaine – alt. 136 – Stat. therm. (26 fév.-23 nov.) – ✉ 32150 Cazaubon.

Office de Tourisme pl. Armagnac ☎ 62 69 52 13, Fax 62 69 57 71.

Paris 714 – Mont-de-Marsan 42 – Aire-sur-l'Adour 36 – Auch 74 – Condom 38 – Marmande 72 – Nérac 45.

La Bastide Gasconne ⑤, ☎ 62 08 31 00, Fax 62 08 31 49, ☂, ⛱, ⚘ – |‡| TV ☎ P – 🏛 30. AE GB
31 mars-30 oct. – **Repas** *(fermé merc. sauf juil.-août)* 170, enf. 80 – ☕ 65 – **32 ch** 540/770 – ½ P 433/563.

Paix, ☎ 62 69 52 06, Fax 62 09 55 73, ⛱, ⚘ – ☎ P. GB. ✱ rest
21 mars-10 nov. – **Repas** 85 (dîner), 95/145, enf. 40 – ☕ 30 – **32 ch** 260/360 – P 308/350.

Cante Grit, ☎ 62 69 52 12, Fax 62 69 53 98 – TV ☎ P. AE GB. ✱ rest
15 avril-31 oct. – **Repas** 85/105 – ☕ 33 – **22 ch** 165/290 – P 261/321.

Beauséjour, ☎ 62 69 52 01, Fax 62 09 50 78, ⛱, ⚘ – ☎ P. GB
mars-nov. – **Repas** 96 (dîner), 100/195 – ☕ 42 – **30 ch** 150/330 – P 260/300.

Aubergade, ☎ 62 69 55 43 – TV ☎. AE GB
mars-nov. – **Repas** 95/150 – ☕ 30 – **19 ch** 230/350 – P 260/340.

Roseraie, ☎ 62 69 53 26, Fax 62 69 58 75, ☂, ⚘ – |‡| ☎ P. GB. ✱ rest
1er avril-31 oct. – **Repas** 70 bc/170, enf. 35 – ☕ 32 – **30 ch** 160/260 – P 320/370.

à Cazaubon SO : 3 km par D 626 – 1 605 h. alt. 131 – ✉ **32150** :

Château Bellevue ⑤, ☎ 62 09 51 95, Fax 62 09 54 57, ☂, parc, ⛱ – |‡| TV ☎ P. AE ⓓ GB. ✱
fermé 1er janv. au 15 fév. – **Repas** 98/155 – ☕ 50 – **25 ch** 220/520 – P 425/525.

RENAULT Gar. Sauvage, à Cazaubon ☎ 62 09 50 19 N ☎ 57 67 07 91

BARCAGGIO 2B H.-Corse 90 ① – voir à Corse.

BARCELONNETTE SP 04400 Alpes-de-H.-P. 81 ⑧ G. Alpes du Sud – 2 976 h alt. 1135 – Sports d'hiver : Le Sauze/Super Sauze 1 400/2450 m ⛷24 et Pra-Loup 1 600/2 500 m 🚡3 ⛷30.

Voir Portail Sud★ de l'église de St-Pons NO : 2 km.

Office de Tourisme pl. F.-Mistral ☎ 92 81 04 71, Fax 91 81 22 67.

Paris 742 – Gap 68 – Briançon 88 – Cannes 168 – Cuneo 96 – Digne-les-Bains 82 – ♦Nice 149.

Azteca M ⑤ sans rest, 3 r. F. Arnaud ☎ 92 81 46 36, Fax 92 81 43 92, « Mobilier et objets de l'artisanat mexicain » – |‡| TV ☎ ♿ P – 🏛 70. AE ⓓ GB
☕ 45 – **27 ch** 380/500.

XX **La Mangeoire,** pl. 4-Vents (près Église) ☎ 92 81 01 61, Fax 92 81 01 61, ☂, « Salle voûtée » – AE GB
fermé mai, oct., nov., lundi et mardi sauf vacances scolaires – **Repas** 98/250.

XX **Le Passe-Montagne,** SO : 3 km rte Cayolle ☎ 92 81 08 58, ☂, « Décor rustique », ⚘ – P. AE ⓓ GB
fermé 15 nov. au 15 déc. et merc. sauf vacances scolaires – **Repas** 85 (déj.), 98/189, enf. 60.

au Sauze SE : 4 km par D 900 et D 209 – Sports d'hiver : 1 400/2 450 m ⛷27 – ✉ **04400** Barcelonnette :

Alp'H. M ⑤, ☎ 92 81 05 04, Fax 92 81 45 84, ←, ☂, Fá, ⛱, ⚘ – |‡| cuisinette TV ☎ 🚗 P – 🏛 30. AE ⓓ GB
25 mai-5 oct. et 20 déc.-7 avril – **Repas** *(fermé mardi sauf juil.-août)* 125/135, enf. 62 – ☕ 50 – **24 ch** 420/470, 5 appart – ½ P 380/400.

L'Équipe, ☎ 92 81 05 12, Fax 92 81 45 33, ←, ☂ – ☎ 🚗 P. GB. ✱ rest
hôtel : 22 juin-15 sept. et 20 déc.-15 avril ; rest. : 1er juil.-30 août et 20 déc.-15 avril – **Repas** 90/120, enf. 60 – ☕ 40 – **24 ch** 260/300 – ½ P 290/300.

à Super-Sauze S : 10 km par D 9 et D 9A – Sports d'hiver : voir au Sauze – ✉ **04400** Barcelonnette :

Pyjama ⑤ sans rest, ☎ 92 81 12 00, Fax 92 81 03 16, ← – cuisinette TV ☎ P. GB
25 juin-10 sept. et 15 déc.-18 avril – ☕ 45 – **10 ch** 350/460, 4 studios.

à Pra-Loup SO : 8,5 km par D 902 et D 109 – Sports d'hiver : 1 600/2 500 m 3 30 – ✉ 04400 Barcelonnette.

Office de Tourisme La Maison de Pra-Loup ✆ 92 84 10 04, Fax 92 84 02 93.

Le Prieuré de Molanès, à Molanès ✆ 92 84 11 43, Fax 92 84 01 88, , , – TV P. AE GB
1er juin-30 sept. et 1er déc.-30 avril – **Repas** 115/135, enf. 45 – ☐ 40 – **16 ch** 350/380.

La Tisane, Chenonceau 1 ✆ 92 84 10 55 – GB
fin juin-début sept. , vacances de nov. et début déc.-fin avril – **Repas** 85/245, enf. 55.

CITROEN Gar. de l'Ubaye, ZI du Chazelas ✆ 92 81 02 45 N ✆ 92 81 02 45

PEUGEOT Gar. de la Gravette, ZI de St-Pons ✆ 92 81 01 66

BARCUS 64130 Pyr.-Atl. 85 ⑤ – 788 h alt. 230.

Paris 819 – Pau 53 – Mauléon-Licharre 14 – Oloron-Ste-Marie 18 – St-Jean-Pied-de-Port 54.

Chilo avec ch, ✆ 59 28 90 79, Fax 59 28 93 10, , « Jardin », – TV P. AE GB
fermé 25 au 31 mars, 15 janv. au 3 fév., dim. soir et lundi hors sais. – **Repas** 90/285 et carte 280 à 390 – ☐ 45 – **14 ch** 195/470 – ½ P 230/370.

BARÈGES 65120 H.-Pyr. 85 ⑱ **G. Pyrénées Aquitaine** – 257 h alt. 1240 – Stat. therm. (mai-oct.) – Sports d'hiver : 1 250/2 350 m 2 22.

Office de Tourisme ✆ 62 92 68 19, Fax 62 92 69 13.

Paris 853 – Pau 81 – Arreau 52 – Bagnères-de-Bigorre 40 – Lourdes 38 – Luz-St-Sauveur 7 – Tarbes 58.

Richelieu, ✆ 62 92 68 11, Fax 62 92 66 00 – . AE GB. rest
1er juin-1er oct. et 20 déc.-10 avril – **Repas** (dîner seul. en hiver) 85/250 – ☐ 40 – **36 ch** 250/500 – ½ P 300/335.

BAREMBACH 67 B.-Rhin 62 ⑧ – rattaché à Schirmeck.

BARENTIN 76360 S.-Mar. 55 ⑥ **G. Normandie Vallée de la Seine** – 12 721 h alt. 72.

Paris 154 – ◆ Rouen 17 – Dieppe 49 – Duclair 10 – Yerville 15 – Yvetot 19.

Aub. Gd Saint-Pierre, 19 av. V. Hugo ✆ 35 91 03 37 – P. GB
fermé 29 juil. au 19 août, dim. soir et lundi – **Repas** 90/170.

PEUGEOT Bossart Automobiles, av. A. Briand, carr. La Liberté ✆ 35 92 80 01

VAG Gar. Barbier, 32 av. V.-Hugo ✆ 35 91 22 64

BARFLEUR 50760 Manche 54 ③ **G. Normandie Cotentin** – 599 h alt. 5.

Voir Phare de la Pointe de Barfleur : ★★ N : 4 km.

Syndicat d'Initiative 64 r. St-Thomas Beckett ✆ 33 23 12 80 et rond-point G. le Conquérant (avril-sept.) ✆ 33 54 02 48.

Paris 359 – ◆ Cherbourg 27 – Carentan 47 – St-Lô 75 – Valognes 25.

Conquérant sans rest, ✆ 33 54 00 82, Fax 33 54 65 25, « Jardin à la française » – TV P. GB.
fermé 15 nov. au 1er fév. – ☐ 40 – **16 ch** 200/360.

Moderne avec ch, ✆ 33 23 12 44, Fax 33 23 91 58 – GB
fermé 15 janv. au 15 mars, mardi et merc. du 15 sept. au 15 janv. – **Repas** 85/183, enf. 70 – ☐ 25 – **8 ch** 140/230 – ½ P 230/270.

CITROEN Gar. Pesnelle, à Anneville-en-Saire ✆ 33 54 00 77 N ✆ 33 54 00 77

BARGEMON 83830 Var 84 ⑦ 114 ㉓ **G. Côte d'Azur** – 1 069 h alt. 550.

Paris 883 – Castellane 43 – Comps-sur-Artuby 20 – Draguignan 21 – Grasse 44.

Chez Pierrot, ✆ 94 76 62 19, – GB
fermé 25 oct. au 5 nov., fév., dim. soir de nov. à avril et lundi de sept. à juin – **Repas** (nombre de couverts limité, prévenir) 90/160, enf. 48.

BARJAC 48000 Lozère 80 ⑤ – 557 h alt. 660.

Paris 598 – Mende 14 – Millau 78 – Rodez 95 – St-Flour 82.

Midi, ✆ 66 47 01 02, Fax 66 47 07 07 – P. GB
fermé vend. soir et sam. du 1er oct. au 1er mars – **Repas** 60/110 , enf. 40 – ☐ 30 – **21 ch** 180/250 – ½ P 190/250.

BARJAC 30430 Gard 80 ⑨ – 1 361 h alt. 171.

Paris 670 – Alès 33 – Aubenas 47 – Mende 116.

Le Mas du Terme , SE : 4 km par D 901 et rte secondaire ✆ 66 24 56 31, Fax 66 24 58 54, , , – TV P – 30. GB
avril-déc. – **Repas** 160/240, enf. 55 – ☐ 45 – **19 ch** 390/450 – ½ P 385/565.

Host. de Landes avec ch, SE : 5 km par D 901 ✆ 66 24 56 14, Fax 66 60 22 39, , – P. AE GB
fermé 16 déc. au 15 janv. – **Repas** 105/230 – ☐ 40 – **4 ch** 265/385 – ½ P 270/325.

BARJOLS 83670 Var 84 ⑤ 114 ⑲ G. Côte d'Azur – 2 166 h alt. 300.

Paris 815 – Aix-en-Provence 64 – Brignoles 22 – Digne-les-Bains 82 – Draguignan 45 – Manosque 49.

Pont d'Or, rte St-Maximin ✆ 94 77 05 23, Fax 94 77 09 95 – ▤ rest TV ☎ ⇔. AE GB
fermé 25 nov. au 8 janv. – **Repas** *(fermé dim. soir du 1er nov. au 23 mars et lundi de mi-sep à fin juin)* 95/200, enf. 50 – ☕ 37 – **16 ch** 160/300 – ½ P 252/282.

BAR-LE-DUC P 55000 Meuse 62 ① G. Alsace Lorraine – 17 545 h alt. 188.

Voir Ville haute* : "le transi" (statue)** dans l'église St-Étienne AZ.

18 de Combles-en-Barrois ✆ 29 45 16 03, par ③ : 5 km.

Office de Tourisme 5 r. Jeanne d'Arc ✆ 29 79 11 13, Fax 29 79 21 95 – A.C. 22 av. du 94e R.I. ✆ 29 79 27 67

Paris 252 ④ – Châlons-en-Champagne 70 ④ – Charleville-Mézières 143 ④ – Épinal 150 ② – ♦Metz 97 ① – ♦Nancy 82 ② – Neufchâteau 70 ② – ♦Reims 110 ④ – St-Dizier 24 ③ – Verdun 52 ①.

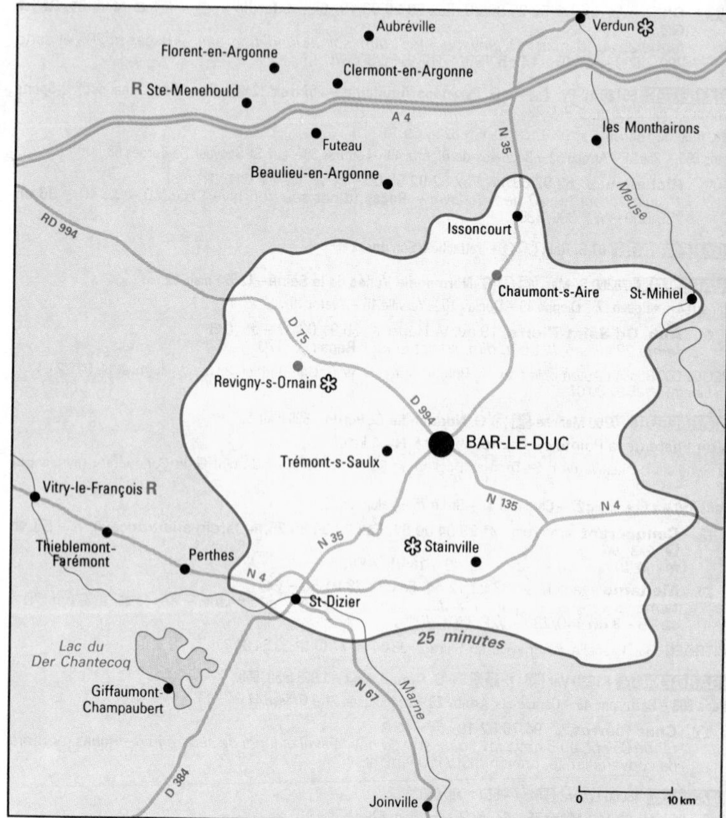

Gare, 2 pl. République ✆ 29 79 01 45, Fax 29 76 39 19 – TV ☎ ⇔ – 🏛 50 à 80. GB. ✂ BY **v**
Repas 65/160 🍷 – ☕ 40 – **45 ch** 230/290 – ½ P 230.

Meuse Gourmande, 1 r. F. de Guise, Ville Haute ✆ 29 79 28 40, Fax 29 45 40 71, ←, 🌳 – AE ⓓ GB AZ **e**
fermé vacances de fév., dim. soir et merc. – **Repas** 92 (déj.), 155/300.

à Trémont-sur-Saulx par ③ et D 3 : 9,5 km – 608 h. alt. 166 – ✉ **55000** :

La Source M ⛰, ✆ 29 75 45 22, Fax 29 75 48 55, 🌳, 🏃, 🌿 – TV ☎ ♿ P – 🏛 25. AE GB. ✂ rest
fermé 28 juil. au 20 août, 2 au 15 janv., dim. soir et lundi midi – **Repas** 100/320 🍷, enf. 65 – ☕ 38 – **25 ch** 290/460 – ½ P 320/390.

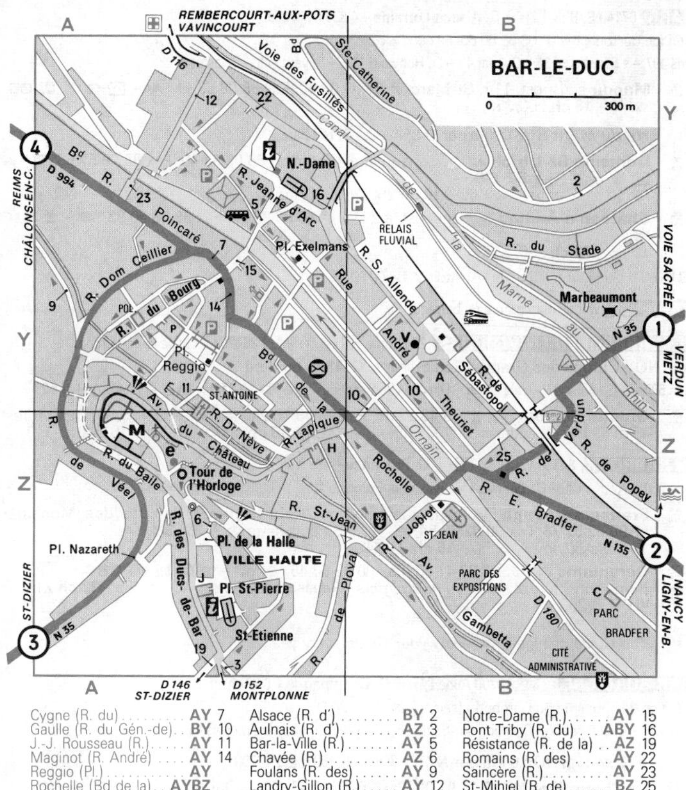

Cygne (R. du) .... AY 7	Alsace (R. d') .... BY 2	Notre-Dame (R.)...... AY 15
Gaulle (R. du Gén.-de).. BY 10	Aulnais (R. d') .... AZ 3	Pont Triby (R. du) ... ABY 16
J.-J. Rousseau (R.)..... AY 11	Bar-la-Ville (R.) .... AY 5	Résistance (R. de la) .. AZ 19
Maginot (R. André) .... AY 14	Chavée (R.) .... AZ 6	Romains (R. des) ..... AY 22
Reggio (Pl.) .... AY	Foulans (R. des) ...... AY 9	Saincère (R.)........... AY 23
Rochelle (Bd de la).. AYBZ	Landry-Gillon (R.) ..... AY 12	St-Mihiel (R. de)...... BZ 25

CITROEN Gd Gar. Lorrain, rte de Reims à Fains-Veel par ④ ☎ 29 45 30 22
FORD Goullet Autom., 41 bd R. Poincaré ☎ 29 45 36 36
PEUGEOT Meny Automobiles, 83 r. Bradfer par ② ☎ 29 79 01 30

RENAULT gar. Central Parc Bradfer par ② ☎ 29 79 40 66 N ☎ 29 76 52 58

Leclerc-Pneus, 31 r. Bradfer ☎ 29 79 13 01
Tiffay Pneus, r. du Lt.-Vasseur anc. cas. Oudinot ☎ 29 76 10 69

BARNEVILLE 14 Calvados 55 ③ – rattaché à Honfleur.

BARNEVILLE-CARTERET **50270** Manche 54 ① **G. Normandie Cotentin** (plan) – 2 222 h alt. 47.

Côte des Isles ☎ 33 93 44 85 à St-Jean-de-la-Rivière, S : 3 km D 903.

Office de Tourisme r. des Écoles ☎ 33 04 90 58 et à Carteret, pl. Flandres-Dunkerque (Pâques-sept.) ☎ 33 04 94 54.

Paris 354 – ◆Cherbourg 38 – St-Lô 63 – Carentan 43 – Coutances 49.

à Carteret.

Voir Table d'orientation ≤★.

Marine (Cesne) ⛵, ☎ **33 53 83 31, Fax 33 53 39 60,** ≤ – TV ☎ P. AE ⓓ GB
15 fév.-5 nov. – **Repas** *(fermé dim. soir en fév., mars et oct., lundi sauf juil.-août et le soir en avril, mai, juin et sept.)* 135/395 et carte 290 à 430 – ☕ 48 – **31 ch** 380/620 – ½ P 380/450
Spéc. Huîtres creuses en nage glacée de cornichon. Croustillant de tripes "à notre mode". Turbot à la créançaise et truffe d'été (juil.-août).

PEUGEOT Gar. de la Poste, ☎ 33 04 95 22 N ☎ 33 04 95 22

RENAULT Gar. Dubost, ☎ 33 53 80 14 N ☎ 33 04 63 34

Le Guide change, changez de guide tous les ans.

BARR **67140** B.-Rhin 62 ⑨ **G. Alsace Lorraine** – 4 839 h alt. 200.

Office de Tourisme ✆ 88 08 66 65, Fax 88 08 57 27.

Paris 497 – ♦Strasbourg 34 – Colmar 40 – Le Hohwald 11,5 – Saverne 48 – Sélestat 17.

Manoir sans rest, 11 r. St-Marc ✆ 88 08 03 40, Fax 88 08 53 71, – TV ☎ P. AE GB 40 – **18 ch** 250/350.

rte du Mont Ste-Odile par D 854 – ✉ **67140** Barr :

Domaine St-Ulrich M sans rest, à 1,5 km ✆ 88 08 54 40, Fax 88 08 57 55, – TV ☎ ♿ P – 60. GB
fermé janv. et fév. – 40 – **18 ch** 250/360, 12 duplex.

Château d'Andlau sans rest, à 2 km ✆ 88 08 96 78, Fax 88 08 00 93, – ☎ P. GB
35 – **23 ch** 250/390.

PEUGEOT Gar. Karrer, 15 q. de l'Abattoir ✆ 88 08 94 48

BARRAGE voir au nom propre du barrage.

Les BARRAQUES-EN-VERCORS **26** Drôme 77 ③ ④ – ✉ **26420** La Chapelle-en-Vercors.

Env. NO : Gorges des Grands-Goulets★★★, **G. Alpes du Nord.**

Paris 602 – ♦Grenoble 57 – Valence 56 – Die 45 – Romans-sur-Isère 40 – St-Marcellin 27 – Villard-de-Lans 23.

Grands Goulets , ✆ 75 48 22 45, Fax 75 48 10 24, , – ☎ P. GB. rest
15 avril-15 oct. – **Repas** 95/190, enf. 48 – 35 – **30 ch** 180/320 – ½ P 215/240.

Le BARROUX **84330** Vaucluse 81 ⑬ **G. Provence** – 499 h alt. 325.

Paris 680 – Avignon 36 – Carpentras 11 – Vaison-la-Romaine 16.

François Joseph sans rest, chemin Rabassières, 2 km rte des Monastères ✆ 90 62 52 78, Fax 90 62 33 54, ←, , – cuisinette ☎ ♿ P. GB.
1er mars-30 nov. – 50 – **15 ch** 320/420.

Géraniums , ✆ 90 62 41 08, Fax 90 62 56 48, ←, – ☎ P. AE GB
fermé janv., fév. et merc. de nov. à mars – **Repas** 80/250 , enf. 40 – 35 – **22 ch** 210/250 – ½ P 230/250.

The Guide changes, so renew your Guide every year.

BAR-SUR-AUBE **10200** Aube 61 ⑲ **G. Champagne** – 6 707 h alt. 190.

Office de Tourisme bd Gambetta (saison) ✆ 25 27 24 25.

Paris 238 – Chaumont 42 – Châtillon-sur-Seine 58 – Troyes 52 – Vitry-le-François 65.

à Arsonval NO : 6 km sur N 19 – 365 h. alt. 159 – ✉ **10200** :

La Chaumière, ✆ 25 27 91 02, Fax 25 27 90 26, , « Jardin fleuri » – P. AE GB
fermé dim. soir et lundi sauf juil.-août et fériés – **Repas** 100/280 , enf. 60.

à Dolancourt NO : 9 km par rte Troyes – 169 h. alt. 112 – ✉ **10200** :

Moulin du Landion , ✆ 25 27 92 17, Fax 25 27 94 44, , « Parc », – TV ☎ P – 25. AE GB. rest
fermé 15 déc. au 15 fév., dim. soir et lundi sauf fériés du 1er oct. au 1er mai – **Repas** 105/325 – 42 – **16 ch** 330/425 – ½ P 368/422.

CITROEN Gar. Privé, 11 av. Gén.-Leclerc ✆ 25 27 01 23 N ✆ 25 27 13 45
OPEL Gar. Damotte, à Proverville ✆ 25 27 04 47 N ✆ 25 27 04 47
PEUGEOT Gar. Vauthier, RN 19 ✆ 25 27 15 03 N ✆ 25 92 05 17
RENAULT Gar. Maigrot, 18 av. Gén.-Leclerc ✆ 25 27 01 29
ROVER Gar. Roussel, 2 fg de Belfort ✆ 25 27 14 00 N ✆ 25 27 14 00

Le BAR-SUR-LOUP **06620** Alpes-Mar. 84 ⑨ **G. Côte d'Azur** – 2 465 h alt. 320.

Voir Site★ – Église St-jacques : danse macabre★ – Place de l'église : ←★.

Office de Tourisme pl. Francis Paulet ✆ 93 42 72 21.

Paris 919 – Cannes 22 – Grasse 9,5 – ♦Nice 33 – Vence 16.

La Jarrerie, D 2210 ✆ 93 42 92 92, Fax 93 42 91 22, – AE GB
fermé 2 au 31 janv., lundi soir du 15/9 au 15/6, merc. midi du 16/6 au 14/9 et mardi – **Repas** 110 (déj.), 145/250 , enf. 90.

BAR-SUR-SEINE **10110** Aube 61 ⑰ ⑱ **G. Champagne** – 3 630 h alt. 157.

Voir Intérieur★ de l'église St-Étienne.

Office de Tourisme Grande rue de la Résistance ✆ 25 29 94 43.

Paris 198 – Troyes 32 – Bar-sur-Aube 38 – Châtillon-sur-Seine 35 – St-Florentin 57 – Tonnerre 48.

Barséquanais, av. Gén. Leclerc ✆ 25 29 82 75, Fax 25 29 70 01, – ☎ P. AE GB
fermé fév., dim. soir et lundi sauf juil.-août – **Repas** 60/170 , enf. 40 – 25 – **24 ch** 110/210 – ½ P 160/210.

XXX **Le Parc de Villeneuve,** 1 km par rte de Dijon ✆ 25 29 16 80, Fax 25 29 16 79, parc – P. AE GB
fermé 26 fév. au 13 mars, 15 au 29 nov., dim. soir et merc. sauf fériés – **Repas** 175/310 et carte 300 à 410.

X **Commerce** avec ch, r. République ✆ 25 29 86 36, Fax 25 29 64 87 – rest TV ☎. GB. ch
Repas *(fermé dim. soir sauf juil.-août)* 62/200 – 25 – **12 ch** 175 – ½ P 155.

près échangeur autoroute A5 NO : 9 km par D 443 – ✉ **10110** Magnant :

Val Moret, ✆ 25 29 85 12, Fax 25 29 70 81, – TV ☎ P. AE GB
Repas 79/210, enf. 36 – 25 – **30 ch** 190/260 – ½ P 200.

PEUGEOT Gar. Lamoureux Panot, ✆ 25 29 87 08
RENAULT Jollois, ch. de la Motte Noire ✆ 25 29 87 45 N ✆ 25 29 87 45
Pneumatik'Seine, ✆ 25 29 86 12

BARTENHEIM 68870 H.-Rhin 66 ⑩ – 2 483 h alt. 260.
Paris 494 – ♦Mulhouse 18 – Altkirch 21 – Basel 15 – Belfort 61 – Colmar 56.

X **Aub. d'Alsace,** à la Gare E : 1 km ✆ 89 68 31 26, Fax 89 70 74 78, – P. GB
fermé 30 juin au 15 juil., merc. soir et jeudi – **Repas** 85/250.

BAS-RUPTS 88 Vosges 62 ⑰ – rattaché à Gérardmer.

BASSAC 16 Charente 72 ⑫ – rattaché à Jarnac.

BASSE-GOULAINE 44 Loire-Atl. 67 ③ ④ – rattaché à Nantes.

BASTELICA 2A Corse-du-Sud 90 ⑥ – voir à Corse.

BASTELICACCIA 2A Corse-du-Sud 90 ⑰ – voir à Corse (Ajaccio).

BASTIA 2B H.-Corse 90 ③ – voir à Corse.

La BASTIDE 83840 Var 84 ⑦ 115 ㉒ – 136 h alt. 1000.
Paris 826 – Digne-les-Bains 76 – Castellane 23 – Comps-sur-Artuby 11,5 – Draguignan 41 – Grasse 48.

de Lachens, ✆ 94 76 80 01, Fax 94 84 21 88, , – ☎ P. GB. ch
1er avril-30 nov. et fermé dim. soir et lundi sauf juil.-août – **Repas** 80/160, enf. 45 – 30 – **14 ch** 120/300 – ½ P 180/260.

La BASTIDE-DE-SÉROU 09240 Ariège 86 ④ **G. Pyrénées Roussillon** – 933 h alt. 410.
Env. Grotte du Mas d'Azil★★ N : 17 km.
Paris 774 – Foix 17 – Le Mas-d'Azil 17 – St-Girons 27.

X **Delrieu** avec ch, rte St-Girons ✆ 61 64 50 26, – P. AE GB. ch
fermé 18 au 30 juin, 1er au 11 sept., dim. soir et lundi sauf juil.-août et fêtes – **Repas** 70/160, enf. 50 – 30 – **9 ch** 98/140 – ½ P 160.

RENAULT Montané, ✆ 61 64 50 06 N ✆ 61 64 50 06

La BASTIDE-DES-JOURDANS 84240 Vaucluse 114 ④ – 814 h alt. 412.
Paris 764 – Digne-les-Bains 75 – Aix-en-Provence 37 – Apt 39 – Manosque 17.

Le Mirvy, rte Manosque : 3 km ✆ 90 77 83 23, ←, parc, – TV ☎ ♿ P. GB
hôtel : fermé mi-fév. à mi-mars – **Repas** *(fermé le soir en hiver sauf sam. et le midi sauf sam. et dim. en saison)* 130/220 – 48 – **16 ch** 320/472 – ½ P 325/420.

XX **Cheval Blanc** avec ch, ✆ 90 77 81 08, Fax 90 77 86 51, – TV ☎. GB
fermé 25 janv. à fin fév., merc. soir (sauf hôtel) et jeudi sauf le soir en été – **Repas** 140/210 – 40 – **5 ch** 220/400.

BATILLY-EN-PUISAYE 45420 Loiret 65 ② ③ – 95 h alt. 190.
Paris 166 – Auxerre 61 – Gien 21 – Montargis 52 – ♦Orléans 89.

X **Aub. de Batilly** avec ch, ✆ 38 31 96 12,
fermé août – **Repas** 85/150 – 18 – **8 ch** 125/180 – ½ P 170/210.

BATZ (Ile de) 29253 Finistère 58 ⑥ **G. Bretagne** – 746 h.
Accès par transports maritimes.
depuis **Roscoff.** Traversée 15 mn - Renseignements et tarifs : Cie Finistérienne d'Aconage, BP 10 - 29253 Ile de Batz ✆ 98 61 78 87, Fax 98 61 75 94.

BATZ-SUR-MER 44740 Loire-Atl. 63 ⑭ **G. Bretagne** – 2 734 h alt. 12.
Voir ✵★★ de l'église★ – Chapelle N.-D. du Mûrier★ – Rochers★ du sentier des douaniers – La Côte Sauvage★.
Paris 460 – ♦Nantes 82 – La Baule 9 – Redon 60 – Vannes 73.

Le Lichen sans rest, Le Manérick, SE : 2 km par D 45 ☎ 40 23 91 92, Fax 40 23 84 88, ≤, – TV ☎ P. AE ① GB
☐ 42 – **14 ch** 300/690.

L'Atlantide, 59 bd Mer ☎ 40 23 92 20, Fax 40 23 84 88, ≤ – AE GB
15 mars-1er nov. et fermé lundi sauf juil.-août – **Repas** - produits de la mer - 110/240.

BAUGÉ 49150 M.-et-L. 64 ⑫ G. Châteaux de la Loire (plan) – 3 748 h alt. 55.

Voir Croix d'Anjou★★ dans la chapelle des Filles du Coeur de Marie – Pharmacie★ de l'Hôpital public – Le Vieil-Baugé : choeur★ de l'église SO : 2 km par D 61 – Forêt de Chandelais★ SE : 3 km – Pontigné : peintures murales★ dans l'église E : 5 km par D 141.

Office de Tourisme au Château ☎ 41 89 18 07, Fax 41 89 01 61.

Paris 261 – ♦Angers 42 – La Flèche 18 – ♦Le Mans 61 – Saumur 36 – ♦Tours 67.

Boule d'Or, 4 r. Cygne ☎ 41 89 82 12 – TV ☎. GB. ch
fermé vacances de Noël, de printemps, dim. soir sauf juil.-août et lundi – **Repas** 100/200 enf. 50 – ☐ 35 – **10 ch** 270/390 – ½ P 280/420.

CITROEN Michaud, 30 av. Gén.-de-Gaulle rte de Saumur ☎ 41 89 18 12
PEUGEOT Gar. Baugé Autom., 14 rte d'Angers ☎ 41 89 20 62 N ☎ 41 89 20 62
RENAULT Ahier, 5 r. Foulgues-Nerra ☎ 41 89 10 46 N ☎ 41 89 00 07

La BAULE 44500 Loire-Atl. 63 ⑭ G. Bretagne – 14 845 h alt. 31 – Casino BZ.

Voir Front de mer★★ – Parc des Dryades★ DZ.

18 à St-André-des-Eaux ☎ 40 60 46 18, par ② : 7 km.

Office de Tourisme et Accueil de France 8 pl. Victoire ☎ 40 24 34 44, Fax 40 11 08 10.

Paris 448 ② – ♦Nantes 75 ② – ♦Rennes 134 ② – St-Nazaire 15 ③ – Vannes 72 ①.

Plan page ci-contre

Hermitage , espl. Lucien Barrière ☎ 40 11 46 46, Télex 710510, Fax 40 11 46 45, ≤, , , , , , – | TV ☎ & P – 200. AE ① GB. rest BZ h
1er avril-31 oct. – ***Les Ambassadeurs :** (1er juil.-31 août)* **Repas** 185/240, enf. 95 – ***Eden Beach** (1er juil.-31 oct.)* **Repas** 155, enf. 95 – ☐ 100 – **206 ch** 1100/2450, 11 appart – ½ P 890/1565

Royal , 6 av. P. Loti ☎ 40 11 48 48, Télex 701135, Fax 40 11 48 45, ≤, , centre de thalassothérapie, parc, , – | TV ☎ & – 40 à 100. AE ① GB. rest BZ t
fermé 26 nov. au 23 déc. – **Repas** 240 – ☐ 90 – **94 ch** 950/1680, 6 appart – ½ P 880/1170.

Castel Marie-Louise , 1 r. Andrieu ☎ 40 11 48 38, Télex 700408, Fax 40 11 48 35, ≤, , « Parc », – | TV ☎ & P – 25. AE ① GB. rest BZ g
fermé mi-janv. à mi-fév. – **Repas** (en saison : prévenir) 180 (déj.), 198/295 et carte 290 à 430, enf. 92 – ☐ 90 – **31 ch** 1100/1900 – ½ P 1010/1310
Spéc. Bar en croûte de sel. Lasagne de homard au vouvray. Soufflé à l'orange et citron vert. **Vins** Gros Plant, Muscadet.

Majestic, espl. Lucien Barrière ☎ 40 60 24 86, Fax 40 42 03 13, ≤ – | rest TV ☎ P – 50. AE ① GB. rest BZ e
fermé 3 janv. à mi-fév. – **Repas** *(fermé dim. soir et lundi du 15 sept. au 15 juin)* 95 (déj.) 145/185 – ☐ 60 – **60 ch** 610/800, 6 appart – ½ P 505/625.

Bellevue Plage et rest. La Véranda M, 27 bd Océan ☎ 40 60 28 55, Fax 40 60 10 18, ≤ – | rest TV ☎ P. AE ① GB. rest DZ r
vacances de fév.-vacances de Toussaint – **Repas** *(fermé merc. hors sais.)* 130 (déj.), 175/230 bc – ☐ 50 – **35 ch** 490/830 – ½ P 460/630.

La Concorde sans rest, 1 bis av. Concorde ☎ 40 60 23 09, Fax 40 42 72 14 – | TV ☎. AE GB. BZ f
4 avril-7 oct. – ☐ 45 – **47 ch** 400/550.

La Mascotte M , 26 av. Marie Louise ☎ 40 60 26 55, Fax 40 60 15 67, , – rest TV ☎ . AE GB. rest BZ v
1er mars-3 nov. – **Repas** 100/250 – ☐ 42 – **23 ch** 380/500 – ½ P 380/450.

Alcyon sans rest, 19 av. Pétrels ☎ 40 60 19 37, Fax 40 42 71 33 – | TV ☎ P. AE ① GB
1er mars-15 nov. – ☐ 43 – **30 ch** 390/465. BY s

Christina, 26 bd Hennecart ☎ 40 60 22 44, Fax 40 11 04 31, ≤, – | rest TV ☎ P. GB. rest CZ d
Repas *(Pâques-oct.)* 100/190 – ☐ 45 – **36 ch** 450/500 – ½ P 450/500.

Manoir du Parc sans rest, 3 allée Albatros ☎ 40 60 24 52, Fax 40 60 55 96 – TV ☎ &. AE GB. BYZ a
20 mars-2 nov. – ☐ 55 – **18 ch** 350/550.

La Palmeraie , 7 allée Cormorans ☎ 40 60 24 41, Fax 40 42 73 71, « Cour fleurie » – TV ☎. AE ① GB. rest BZ n
début avril-1er oct. – **Repas** 130/160 – ☐ 42 – **23 ch** 380/440 – ½ P 360/390.

LA BAULE

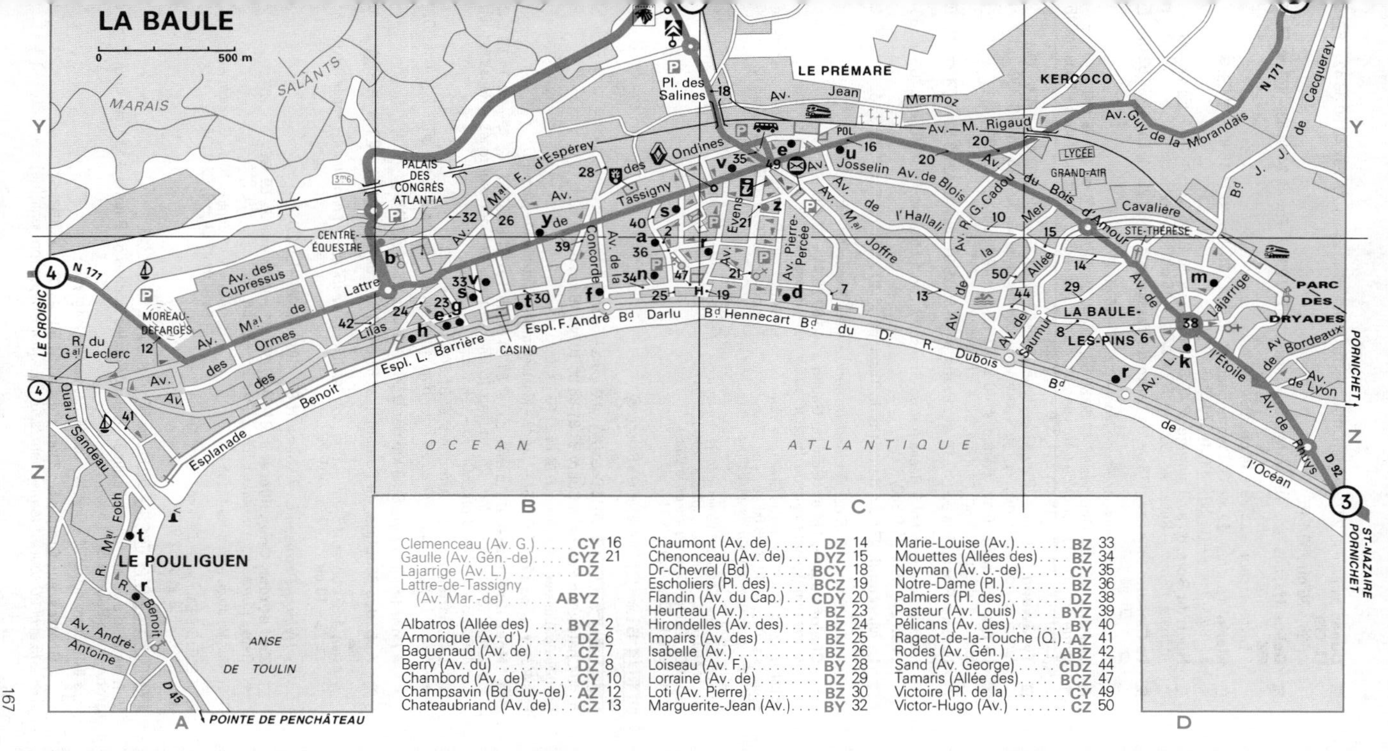
0 500 m
MARAIS
SALANTS
LE PRÉMARE
KERCOCO
LE POULIGUEN
LA BAULE-LES-PINS
PARC DES DRYADES
PALAIS DES CONGRÈS ATLANTIA
CENTRE-ÉQUESTRE
MOREAU-DEFARGES
CASINO
LYCÉE GRAND-AIR
STE-THÉRÈSE
O C E A N
A T L A N T I Q U E
ANSE DE TOULIN
POINTE DE PENCHÂTEAU
LE CROISIC
ST-NAZAIRE PORNICHET
PORNICHET
N 171
D 92
D 45
Pl. des Salines
Av. Jean Mermoz
Av. M. Rigaud
Av. Guy de la Morandais
Bd J. J. de Cacqueray
Av. Mal F. d'Espérey
Av. des Ondines
Av. de Tassigny
Av. de Lattre
Av. Josselin
Av. de Blois
Av. de l'Hallali
Av. Mal Joffre
Av. R. G. Cadou
Av. du Bois d'Amour
Allée de la Mer
Av. Cavalière
Av. de Saumur
Av. de l'Étoile
Av. de Rhuys
Av. de Bordeaux
Av. de Lyon
Av. L. Lajarrige
Av. Pierre-Percée
Av. des Cupressus
Av. Mal de Ormes
Av. des Lilas
Av. de la Concorde
Espl. L. Barrière
Espl. F. André
Bd Darlu
Bd Hennecart
Bd du Dr R. Dubois
Bd de l'Océan
Esplanade Benoit
R. du Gal Leclerc
Quai J. Sandeau
R. Mal Foch
R. R. Benoit
Av. André-Antoine
Clemenceau (Av. G.) CY 16
Gaulle (Av. Gén.-de) CYZ 21
Lajarrige (Av. L.) DZ
Lattre-de-Tassigny (Av. Mar.-de) ABYZ
Albatros (Allée des) BYZ 2
Armorique (Av. d') DZ 6
Baguenaud (Av. de) CZ 7
Berry (Av. du) DZ 8
Chambord (Av. de) CY 10
Champsavin (Bd Guy-de) AZ 12
Chateaubriand (Av. de) CZ 13
Chaumont (Av. de) DZ 14
Chenonceau (Av. de) DYZ 15
Dr-Chevrel (Bd) BCY 18
Escholiers (Pl. des) BCZ 19
Flandin (Av. du Cap.) CDY 20
Heurteau (Av.) BZ 23
Hirondelles (Av. des) BZ 24
Impairs (Av. des) BZ 25
Isabelle (Av.) BZ 26
Loiseau (Av. F.) BY 28
Lorraine (Av. de) DZ 29
Loti (Av. Pierre) BZ 30
Marguerite-Jean (Av.) BY 32
Marie-Louise (Av.) BZ 33
Mouettes (Allées des) BZ 34
Neyman (Av. J.-de) CY 35
Notre-Dame (Pl.) BZ 36
Palmiers (Pl. des) DZ 38
Pasteur (Av. Louis) BYZ 39
Pélicans (Av. des) BY 40
Rageot-de-la-Touche (Q.) AZ 41
Rodes (Av. Gén.) ABZ 42
Sand (Av. George) CDZ 44
Tamaris (Allée des) BCZ 47
Victoire (Pl. de la) CY 49
Victor-Hugo (Av.) CZ 50

Dunes sans rest, 277 av. de Lattre-de-Tassigny ✆ 40 24 53 70, Fax 40 60 36 42 – TV ☎ P. GB CY v
☕ 35 – **35 ch** 250/345.

Delice H. sans rest, 19 av. Marie-Louise ✆ 40 60 23 17, Fax 40 24 48 88 – TV ☎ P. AE GB BZ s
27 avril-30 sept. – ☕ 39 – **14 ch** 360/480.

Marini sans rest, 22 av. G. Clemenceau ✆ 40 60 23 29, Fax 40 11 16 98 – |♦| TV ☎. GB CY u
30 mars-3 nov. – ☕ 39 – **33 ch** 270/350.

Host. du Bois, 65 av. Lajarrige ✆ 40 60 24 78, Fax 40 42 05 88, – TV ☎. GB DZ m
1er mars-1er nov. – **Repas** 85/165, enf. 55 – ☕ 38 – **15 ch** 380 – 1/2 P 350.

La Closerie sans rest, 173 av. de Lattre-de-Tassigny ✆ 40 60 22 71, Fax 40 60 52 07 – TV ☎ P. AE ⓓ GB BY y
1er mars-18 nov. et vacances de Noël – ☕ 37 – **15 ch** 250/380.

Le Paris, 138 av. Ondines ✆ 40 60 30 53, Fax 40 60 83 76 – TV ☎. AE ⓓ GB CY e
fermé oct., Noël au Jour de l'An, vend. soir, sam. soir et dim. d'oct. à Pâques – **Repas** 68/159 ♂, enf. 48 – ☕ 35 – **16 ch** 244/355 – 1/2 P 254/286.

Ty-Gwenn sans rest, 25 av. Gde Dune ✆ 40 60 37 07, Fax 40 11 08 43 – TV ☎. GB
fermé 15 nov. au 15 déc. et 7 janv. aux vacances de fév. – ☕ 30 – **18 ch** 210/330. DZ k

XXX **La Marcanderie,** 5 av. d'Agen ✆ 40 24 03 12, Fax 40 11 08 21 – AE GB BZ b
fermé dim. soir et lundi sauf juil.-août – **Repas** 160/290 et carte 230 à 390.

XX **Lutétia-Rossini** avec ch, 13 av. Evens ✆ 40 60 25 81, Fax 40 42 73 52 – TV ☎. AE ⓓ GB CZ
fermé 5 janv. au 5 fév. – **Repas** *(fermé dim. soir et lundi hors sais.)* 115/245, enf. 70 – ☕ 36 – **14 ch** 270/450 – 1/2 P 300/390.

XX **Le Maréchal,** 277 av. de Lattre de Tassigny ✆ 40 24 51 14, Fax 40 60 36 42 – P. AE ⓓ GB CY
fermé 15 nov. au 15 déc. et lundi de sept. à mai – **Repas** 99/295, enf. 40.

X **Chalet Suisse,** 114 av. Gén. de Gaulle ✆ 40 60 23 41 – AE GB CY
fermé dim. soir et merc. du 15 sept. au 15 juin – **Repas** 110/180.

BMW, MAZDA Gar. Gilot, rte de Guérande à La Baule Escoublac ✆ 40 60 28 06
CITROEN Salines-Automobiles, pl. Salines ✆ 40 60 20 71
MERCEDES Gar. Quintallet Etoile Auto 44, 1 av. du Bois d'Amour à La Baule Escoublac ✆ 40 60 23 18
PEUGEOT Gar. G.-Chanard, rte de la Baule ✆ 40 11 12 13 N ✆ 05 44 24 24

RENAULT Gar. Richard, 206 av. Mar.-de-Lattre-de-Tassigny ✆ 40 60 20 30 N ✆ 40 90 75 92

Le Pneu Baulois, 79 av. Mar.-de-Lattre-de-Tassigny ✆ 40 24 22 46

BAULE 45 Loiret 64 ⑧ – rattaché à Beaugency.

BAUME-LES-DAMES 25110 Doubs 66 ⑯ **G. Jura** – 5 237 h alt. 280.

18 du Château de Bournel à Cubry ✆ 81 86 00 10,N : 19 km par D 50.

Office de Tourisme r. Provence ✆ 81 84 27 98.

Paris 443 – Besançon 29 – Belfort 64 – Lure 48 – Montbéliard 51 – Pontarlier 62 – Vesoul 47.

XX **Host. du Château d'As** avec ch, ✆ 81 84 00 66, Fax 81 84 39 67, ←, – ☎ P. AE GB
fermé 18 nov. au 3 déc., 26 janv. au 10 fév., dim. soir et lundi sauf fériés – **Repas** 95 (déj.) 149/265 – ☕ 37 – **8 ch** 250/390 – 1/2 P 325.

X **Le Charleston,** 10 r. Armuriers ✆ 81 84 24 07 – AE GB
fermé 11 au 24 mars, 11 au 24 nov., dim. soir et lundi – **Repas** 57 (déj.), 80/175 ♂, enf. 40.

à Pont-les-Moulins S : 6 km par D 50 – 170 h. alt. 275 – ✉ 25110 :

Aub. des Moulins, rte Pontarlier ✆ 81 84 09 97, Fax 81 84 04 44 – TV ☎ P – 25. AE GB
fermé 23 déc. au 17 janv., vend. soir du 15 oct. au 15 mars et sam. midi – **Repas** 98/155 ♂ ☕ 29 – **10 ch** 225/285 – 1/2 P 255.

à Hyèvre-Paroisse E : 7 km sur N 83 – 183 h. alt. 288 – ✉ 25110 :

Ziss et rest. Crémaillère, ✆ 81 84 07 88, – |♦| ☎ P. AE GB
Repas *(fermé sam. midi)* 60/180 ♂ – ☕ 30 – **20 ch** 230/250 – 1/2 P 260.

OPEL Gar. Routhier, à Pont-les-Moulins ✆ 81 84 02 15
PEUGEOT Sté Baumoise d'autom., 19 av. Kennedy ✆ 81 84 06 91 N ✆ 81 32 90 27

RENAULT Gar. Central, 10 av. Gén.-Leclerc ✆ 81 84 02 45 N ✆ 81 32 93 17

BAUME-LES-MESSIEURS 39210 Jura 70 ④ **G. Jura** – 196 h alt. 333.

Voir Retable à volets★ dans l'église – Belvédère des Roches de Baume ←★★★ sur cirque★★★ et grottes★ de Baume S : 3,5 km.

Paris 400 – Champagnole 26 – Dole 49 – Lons-le-Saunier 16 – Poligny 19.

X **Grottes,** aux Grottes S : 3 km ✆ 84 44 61 59, ←, – P. GB.
15 avril-30 sept. et fermé merc. sauf juil.-août – **Repas** (prévenir)(déj. seul.) 80/140 ♂.

BAUVIN 59221 Nord 51 ⑮ 111 ㉙ – 5 444 h alt. 25.

Paris 209 – ♦Lille 26 – Arras 33 – Béthune 20 – Lens 14.

XXX **Salons du Manoir,** 53 r. J. Guesde ✆ 20 85 64 77, Fax 20 86 72 22, parc – ▤ P. AE ⓓ GB
fermé août, 15 au 28 fév. et lundi – **Repas** 160/450.

CITROEN Franchi, 13 r. Ghesquière ✆ 20 86 65 07

Les BAUX-DE-PROVENCE 13520 B.-du-R. 84 ① G. Provence (plan) – 457 h alt. 185.

Voir Site★★★ – Château ※★★ – Monument Charloun Rieu ≤★★ – Place St-Vincent★ – Rue du Trencat★ – Tour Paravelle ≤★ – Musée Yves-Brayer★ (dans l'hôtel des Porcelet) – Fête des Bergers (Noël, messe de minuit)★★ – Cathédrale d'Images★ N : 1 km par D 27 – ※★★★ sur le village N : 2,5 km par D 27.

9 ✆ 90 54 37 02, S : 2 km.

Office de Tourisme Ilot "Post Tenebras Lux" ✆ 90 54 34 39, Fax 90 54 51 15.

Paris 714 – Avignon 29 – Arles 18 – ♦Marseille 87 – Nîmes 49 – St-Rémy-de-Provence 9,5 – Salon-de-Provence 33.

dans le Vallon :

XXXXX ✿✿ **Oustaù de Baumanière** (Charial) ⛰ avec ch, ✆ 90 54 33 07, Télex 420203, Fax 90 54 40 46, ≤, ⛱, « Demeure du 16e siècle aménagée avec élégance », ⛱, ⛱ – ▤ TV ☎ P. AE ⓓ GB JCB
fermé mi-janv. à début mars, jeudi midi et merc. du 1er nov. au 1er avril – **Repas** 470/730 et carte 410 à 700 – ☐ 115 – **7 ch** 1250, 4 appart – ½ P 1425
Spéc. Ravioli de truffes. Filets de rougets au basilic. Gigot d'agneau en croûte. **Vins** Coteaux d'Aix-en-Provence-les-Baux, Gigondas.

Le Manoir 🏨 ⛰ sans rest,, ≤, ⛱ – ▤ TV ☎ P. AE ⓓ GB JCB
fermé mi-janv. à début mars et merc. du 1er nov. au 1er avril – ☐ 115 – **5 ch** 1250, 4 appart.

XXX ✿ **La Riboto de Taven** (Novi et Theme) ⛰ avec ch, ✆ 90 54 34 23, Fax 90 54 38 88, ≤, ⛱, « Terrasse et jardin fleuri au pied des rochers » – P. AE ⓓ GB JCB
fermé 9 janv. au 15 mars, mardi soir hors sais. et merc. – **Repas** 198 (déj.), 298/420 et carte 360 à 490 – ☐ 80 – **3 ch** 990 – ½ P 890
Spéc. Saint-Pierre à la crème de rattes. Filet de taureau de pays aux champignons sauvages. Tarte au fenouil caramélisé. **Vins** Côteaux des Baux-de-Provence, Châteauneuf-du-Pape.

rte de St-Rémy E par D 27A :

🏨 **Mas d'Aigret** ⛰, ✆ 90 54 33 54, Fax 90 54 41 37, ≤, ⛱, « Salle à manger amenagée dans le rocher », ⛱, ⛱ – TV ☎ P. AE ⓓ GB JCB. ⛔ rest
fermé 3 au 22 fév. et merc. midi – **Repas** 90 (déj.), 190/350 – ☐ 70 – **16 ch** 600/950 – ½ P 620/845.

rte d'Arles SO par D 27 :

🏨 **La Cabro d'Or** ⛰, à 1 km ✆ 90 54 33 21, Fax 90 54 45 98, ≤, ⛱, « Jardins fleuris », ⛱, ✂ – ▤ ch TV ☎ P – 🏛 60. AE ⓓ GB JCB
Repas *(fermé mardi midi et lundi)* 165 (déj.)/290 – ☐ 70 – **23 ch** 715, 8 appart – ½ P 727.

🏨 **Mas de l'Oulivié** M ⛰ sans rest, à 2,5 km ✆ 90 54 35 78, Fax 90 54 44 31, ≤, « Piscine dans un jardin fleuri », ✂ – ▤ TV ☎ ♿ P. AE ⓓ GB JCB
1er avril-31 oct. – ☐ 70 – **20 ch** 770/1050.

🏨 **Aub. de la Benvengudo** ⛰, à 2 km ✆ 90 54 32 54, Fax 90 54 42 58, ≤, ⛱, « Jardin fleuri », ⛱, ✂ – ▤ ch TV ☎ 🚗 P. AE GB. ⛔ rest
hôtel : 5 fév.-5 nov. ; rest : 5 fév.-31 oct. et fermé dim. soir – **Repas** (dîner seul.) 240/280 – ☐ 62 – **17 ch** 620/690, 3 appart – ½ P 550/625.

BAVAY 59570 Nord 53 ⑤ G. Flandres Artois Picardie – 3 751 h alt. 148.

Paris 227 – Avesnes-sur-Helpe 22 – Le Cateau-Cambrésis 29 – ♦Lille 73 – Maubeuge 15 – Mons 24.

XXX **Bagacum,** r. Audignies ✆ 27 66 87 00, Fax 27 66 86 44, ⛱ – P. AE ⓓ GB
fermé dim. soir et lundi sauf fériés – **Repas** 95/260 bc et carte 240 à 340.

XXX **Le Bourgogne,** porte Gommeries ✆ 27 63 12 58, Fax 27 66 99 74 – AE GB
fermé 22 juil. au 14 août, dim. soir et lundi soir – **Repas** 125/270 et carte 180 à 340.

RENAULT Gar. Dal, 11 r. des Platanes, RN 49 ✆ 27 63 17 08

BAVELLA (col de) 2A Corse-du-Sud 90 ⑦ – voir à Corse.

BAYARD (Col) 05 H.-Alpes 77 ⑯ G. Alpes du Nord – ✉ 05500 St-Bonnet-en-Champsaur.

Paris 665 – Gap 7,5 – La Mure 58 – Sisteron 56.

à Laye N : 2,5 km – 192 h. alt. 1170 – ✉ 05500 St-Bonnet-en-Champsaur :

X **Laiterie du Col Bayard,** ✆ 92 50 50 06, Fax 92 50 19 91, ⛱ – P. AE GB
fermé 13 nov. au 18 déc. et lundi sauf vacances scolaires – **Repas** - préparations à base de fromages - 70/180 bc.

Sorgfältig zubereitete, preiswerte Mahlzeiten : **Repas** 100/130

BAYEUX <SP> **14400** Calvados **54** ⑮ **G. Normandie Cotentin** – 14 704 h alt. 50.

Voir Tapisserie de la reine Mathilde★★★ Z – Cathédrale★★ Z – Maison à colombage★ (ru St-Martin) Z **D**.

Env. Brécy : portail★ et jardins★ du château SE : 10 km par D 126 Y – Port★ de Port-en-Bessi NO : 9 km par ⑤.

Omaha Beach Golf Club ☏ 31 21 72 94, 11 r. de Bayeux par ⑦.

Office de Tourisme Pont St-Jean ☏ 31 92 16 26, Fax 31 92 01 79.

Paris 269 ① – ♦Caen 31 ① – ♦Cherbourg 94 ④ – Flers 68 ② – St-Lô 36 ③ – Vire 60 ②.

BAYEUX

St-Jean (R.) .... Y, Z
St-Malo (R.) .... Z
St-Martin (R.) .... Z
St-Patrice (R. et Pl.) .... Z 30

Aure (Q. de l') .... Z 2
Bienvenu (R. du) .... Z 3
Bois (Pl. au) .... Z 4
Bouchers (R. des) .... Z
Bourbesneur (R.) .... Z 6
Chanoines (R. des) .... Z 7
Chartier (R. A.) .... Z 8
Churchill (Bd W.) .... Y
Clemenceau (Av. G.) .... Z
Courseulles (R. de) .... Y 9
Cuisiniers (R. des) .... Z 13
Dr-Michel (R.) .... Y 14
Eindhoven (Bd) .... Y
Eisenhower (Rond-Point) .... Y 15
Foch (R. Mar.) .... Z 16
Franche (R.) .... Z
Gaulle (Pl. Ch.-de) .... Z
Larcher (R.) .... Z
Leclerc (Bd Mar.) .... Y 17
Leforestier (R. Lambert) .... Z 18
Liberté (Pl. de la) .... Z 19
Marché (R. du) .... Z 20
Montgomery (Bd Mar.) .... Y 23
Nesmond (R. de) .... Z
Pigache (R. de la) .... Y 24
Pont-Trubert (R. du) .... Y 25
Poterie (R. de la) .... Z 28
Royale (R.) .... Z
Sadi-Carnot (Bd) .... Y 29
St-Laurent (R.) .... Y, Z
St-Loup (R.) .... Y
Tardif (R.) .... R
Teinturiers (R. des) .... Z 32
Terres (R. des) .... Z 33
Vaucelles (Rond-Point de) .... Y 35
Verdun (R. de) .... Y 37
Ware (Bd F.) .... Y 38
6-Juin (Bd du) .... Y

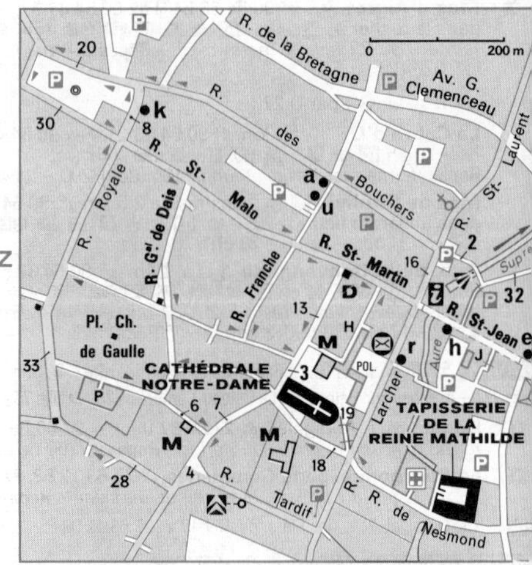

Les pastilles numérotées des plans de villes ①, ②, ③ sont répétées sur les cartes Michelin à 1/200 000. Elles facilitent ainsi le passage entre les cartes et les guides Michelin.

Lion d'Or, 71 r. St Jean ☏ 31 92 06 90, Fax 31 22 15 64, « Ancien relais de poste », AE GB. rest — Z
fermé 20 déc. au 20 janv. – **Repas** 100 (déj.), 150/320 et carte 260 à 430 – ▭ 60 – **26 c** 430/480 – ½ P 415/440.

Luxembourg, 25 r. Bouchers ☏ 31 92 00 04, Fax 31 92 54 26, AE GB — Z
Repas 133/475 bc, enf. 91 – ▭ 50 – **22 ch** 350/470 – ½ P 390.

Novotel, 117 r. St Patrice ☏ 31 92 16 11, Fax 31 21 88 76, – 150. AE GB — Y
Repas (*1er mars-31 oct. et fermé sam. midi et dim.*) 95/150 ♁, enf. 50 – ▭ 50 – **77 c** 420/480.

Château de Bellefontaine sans rest, 49 rue Bellefontaine 31 22 00 10, Fax 31 22 19 09, « Château du 18e siècle dans un parc », – TV – 30. AE GB Y **v**
fermé 15 janv. au 15 fév. – 50 – **15 ch** 380/650.

Churchill et rest. l'Amirauté, 14 r. St Jean 31 21 31 80, Fax 31 21 41 66 – TV . AE GB JCB. Z **h**
15 mars-15 nov. – **Repas** 80/250 – 42 – **32 ch** 360/460 – ½ P 330/380.

Brunville, 9 r. G. Duhomme 31 21 18 00, Fax 31 51 70 89 – TV P. AE GB Z **u**
Repas 79/179, enf. 60 – 40 – **38 ch** 300/350 – ½ P 250/280.

Reine Mathilde sans rest, 23 r. Larcher 31 92 08 13, Fax 31 92 09 93 – TV . AE GB. Z **r**
fermé 15 déc. au 1er fév. et dim. du 15 nov. au 15 mars – 35 – **16 ch** 270/295.

Mogador sans rest, 20 r. A. Chartier 31 92 24 58 – TV . GB Z **k**
fermé 25 déc. au 30 janv. – 35 – **14 ch** 230/290.

L'Amaryllis, 32 r. St-Patrice 31 22 47 94 – GB Y **b**
fermé 24 déc. au 10 janv., dim. soir hors sais. et lundi – **Repas** 70 (déj.), 103/160.

à Audrieu par ① et D 158 : 13 km – 868 h. alt. 71 – **14250** :

Château d'Audrieu, 31 80 21 52, Fax 31 80 24 73, ≤, « Château du 18e siècle, parc », – TV P. GB. rest
1er mars-30 nov. – **Repas** *(fermé lundi)* 180 (déj.), 240/460 et carte 300 à 450 – 90 – **25 ch** 700/1650, 5 appart – ½ P 800/1200
Spéc. Croustade d'huîtres d'Isigny. Daube de canard à la livèche. Pâte sablée aux pommes.

rte de Port-en-Bessin par ⑤ : 3 km – **14400** Bayeux :

Château de Sully M, 31 22 29 48, Fax 31 22 64 77, « Château du 18e siècle dans un parc », – TV P – 40. AE GB. rest
15 mars-15 nov. – **Repas** *(fermé lundi sauf le soir en sais.)* 130/270 – 65 – **23 ch** 500/580 – ½ P 470/510
Spéc. Millefeuille de tourteau émietté au safran. Cotriade de poissons aux pommes. "Tricorne" de pommes et rhubarbe.

CITROEN Gar. St-Patrice Autom., rte de Cherbourg Vaucelles par ④ 31 92 18 35 N 07 33 51 11
CITROEN Gar. Danjou, 13 r. Tardif 31 92 07 31 N 31 92 13 51
PEUGEOT Gar. Fortin, bd 6 Juin 31 92 09 77 N 31 21 51 00

RENAULT Gar. Braconnier, 16 bd Carnot 31 51 18 51 N 31 51 18 51

Bayeux Pneus, ZI rte de Caen 31 92 01 61
Schmitt Pneus Vulcopneu, bd Eindhoven 31 51 18 18

BAYONNE SP **64100** Pyr.-Atl. 78 ⑱ **G. Pyrénées Aquitaine** – 40 051 h Agglo. 164 378 h alt. 3.

Voir Cathédrale★ AZ et cloître★ AZ **B** – Musée Bonnat★★ BY **M**1 – Grandes fêtes★ (fin juil.-début août).

Env. Route Impériale des Cimes★ au Sud-Est par D 936 BZ – Croix de Mouguerre ★ SE : 5,5 km par D 312 BZ.

Makila 59 42 43 52 à Bassussarry, S : 6 kms par D 932.

de Biarritz-Parme : 59 43 83 83, SO : 5 km par N 10 AZ.

Office de Tourisme pl. des Basques 59 46 01 46, Fax 59 59 37 55 et gare SNCF (saison) 59 55 20 45.

Paris 773 ③ – Biarritz 7 – ♦Bordeaux 184 ③ – Pamplona 132 ⑥ – San Sebastián 54 ⑥ – ♦Toulouse 295 ④.

Accès et sorties : voir à Biarritz.

Le Grand Hôtel, 21 r. Thiers 59 59 14 61, Fax 59 25 61 70 – TV . AE GB JCB AY **n**
Repas 130/200, enf. 50 – 45 – **56 ch** 490/640 – ½ P 382/444.

Mercure M, av. J. Rostand 59 63 30 90, Télex 550621, Fax 59 42 06 64, – TV P – 30 à 60. AE GB AZ **e**
Repas 120, enf. 48 – 55 – **109 ch** 460.

Ibis M, 44 bd Alsace-Lorraine 59 50 38 38, Fax 59 50 38 00, – TV P – 25. GB BY **a**
Repas 99 bc/130, enf. 40 – 37 – **87 ch** 330/360.

Loustau, 1 pl. République 59 55 16 74, Fax 59 55 69 36, ≤ – TV . AE GB JCB. rest BY **u**
Repas 58 (déj.), 90/130, enf. 50 – 45 – **44 ch** 360/420 – ½ P 295.

Aub. Cheval Blanc (Tellechea), 68 r. Bourgneuf 59 59 01 33, Fax 59 59 52 26 – . AE GB BZ **b**
fermé 5 au 18 mars, 31 juil. au 4 août, 5 au 19 fév., dim. soir et lundi sauf juil.-août – **Repas** 108/240 et carte 230 à 310
Spéc. Merlu à l'émincé d'oignons dorés. Saint-Jacques rôties (oct. à mars). Pavé de boeuf poêlé à la moelle braisée au madiran. **Vins** Irouléguy.

François Miura, 24 r. Marengo 59 59 49 89 – . AE GB BZ **r**
fermé dim. soir et merc. – **Repas** 105/180.

MICHELIN, Agence, ZAC St-Frédéric II, 89 r. Chalibardon 59 55 13 73

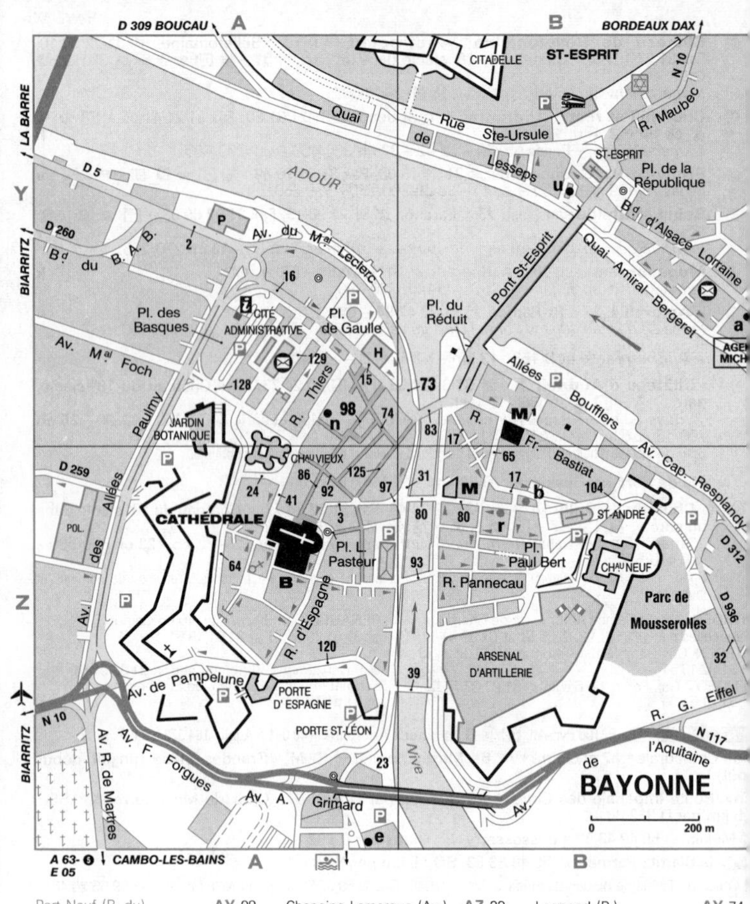

Port-Neuf (R. du)	AY 98	Chanoine-Lamarque (Av.)	AZ 23	Lormond (R.)	AY 74
Thiers (R.)	AY	Château-Vieux (Pl.)	AZ 24	Marengo (Pont et R.)	BZ 80
Victor-Hugo (R.)	AZ 125	Dubourdieu (Q. Amiral)	BZ 31	Mayou (Pont)	BY 83
Allées Marines (Av. des)	AY 2	Duvergier-de Hauranne (Av.)	BZ 32	Monnaie (R. de la)	AZ 86
Argenterie (R.)	AZ 3	Génie (Pont du)	BZ 39	Orbe (R.)	AZ 92
Basques (Pl. des)	AY 10	Gouverneurs (R. des)	AZ 41	Pannecau (Pont)	BZ 93
Bernède (R.)	AY 15	Lachepaillet (Rempart)	AZ 64	Port-de-Castets (R.)	AZ 97
Bonnat (Av. Léon)	AY 16	Laffitte (R. Jacques)	BYZ 65	Ravignan (R.)	BZ 104
Bourg-Neuf (R.)	BYZ 17	Liberté (Pl. de la)	BY 73	Tour-de-Sault (R.)	AZ 120
				11-Novembre (Av.)	AY 128
				49e (R. du)	AY 129

ALFA ROMEO, MERCEDES Gar. Slavi, av. Mar.-Juin ☎ 59 55 49 26 **N** ☎ 05 24 24 30
BMW Gar. Durruty, ZI St-Etienne ☎ 59 50 88 71 **N** ☎ 05 00 16 24
CITROEN C et C, av. Plantoun ☎ 59 55 94 95
FERRARI, JAGUAR Gar. Daverat, Rd-Pt de Maignon ☎ 59 42 46 46 **N** ☎ 59 23 68 68
FORD Gar. Xaby, 15 r. D.-Etcheverry ☎ 59 55 33 33
PEUGEOT Gar. Gambade, av. Mar.-Soult, N 10 AZ ☎ 59 52 45 45 **N** ☎ 59 45 54 36
RENAULT Sté Basque Autom., 59 allées Marines par D 5 AY ☎ 59 58 59 58 **N** ☎ 07 46 11 28

ROVER Morin, 23 av. Mar.-Juin ☎ 59 55 05 61
SAAB VS Autom., ZA St-Fréderic, rte de Pau ☎ 59 55 16 26
VOLVO Le Crom, 30 av. Dubrocq ☎ 59 59 25 57

Euromaster, 35 allées Marines ☎ 59 59 18 26
Euromaster, rte de Castéra, quartier Ste-Croix ☎ 59 55 84 55
Pneu Plus Ouest Vulcopneu, 2 allée Boufflers ☎ 59 59 75 80
Sud-Ouest Sécurité, 34-36 bd Alsace-Lorraine ☎ 59 55 04 72

La guida cambia, cambiate la guida ogni anno.

BAZAS **33430** Gironde **79** ⑫ **G. Pyrénées Aquitaine** – **4 379 h alt. 70.**

Voir Cathédrale★.

Office de Tourisme 1 pl. Cathédrale ✆ 56 25 25 84, Fax 56 25 18 30.

Paris 640 – ◆Bordeaux 60 – Agen 83 – Bergerac 99 – Langon 15 – Mont-de-Marsan 68.

Domaine de Fompeyre ⛰, rte Mont-de-Marsan ✆ **56 25 98 00, Fax 56 25 16 25,** parc, – – 60. AE GB
Repas *(fermé sam. midi et dim. soir du 15 oct. au 15 avril)* 155/220 – ☕ 45 – **36 ch** 330/455, 4 appart – ½ P 435/500.

BAZEILLES **08** Ardennes **53** ⑲ – rattaché à Sedan.

BAZINCOURT-SUR-EPTE **27** Eure **55** ⑧ ⑨ – rattaché à Gisors.

BEAUCAIRE **30300** Gard **81** ⑪ **G. Provence** – **13 400 h alt. 18.**

Voir Château★ : ✵★★ Y – Abbaye de St-Roman ≤★ 4,5 km par ⑤.

Office de Tourisme 24 cours Gambetta ✆ 66 59 26 57, Fax 66 59 51 64.

Paris 708 ⑥ – Avignon 24 ① – Alès 68 ⑥ – Arles 18 ③ – Nîmes 24 ⑤ – St-Rémy-de-Provence 17 ②.

BEAUCAIRE

Ledru-Rollin (R.) .... Z 17
Nationale (R.) .... Z

Barbès (R.) .... Z 2
Bijoutiers (R. des) .... YZ 3
Charlier (R.) .... Y 4
Château (R. du) .... Y 5
Clemenceau (Pl. Georges) .... Z 6
Danton (R.) .... Y 7
Denfert-Rochereau (R.) .... Z 8
Écluse (R. de l') .... Z 9
Foch (Bd Maréchal) .... YZ 12
Gambetta (Cours) .... Z 13
Hôtel-de-Ville (R. de l') .... Z 14
Jaurès (Pl. Jean) .... Y 15
Jean-Jacques Rousseau (R.) .... Y 16
Pascal (R. Roger) .... Z 21
République (Pl. de la) .... Y 22
République (R. de la) .... Y 23
Victor-Hugo (R.) .... Y 25

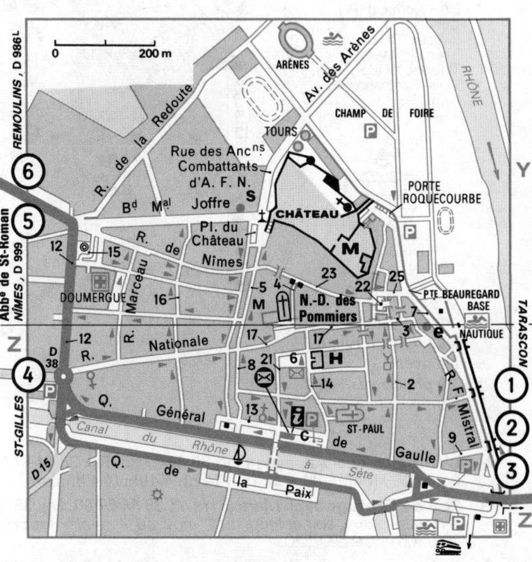

Une réservation confirmée par écrit est toujours plus sûre.

Le Sénéchal, 49 bd Mar. Joffre ✆ **66 59 23 10** – ▤. GB — Y **s**
fermé 15 au 31 août, 15 au 28 fév., dim. soir et lundi – **Repas** 105/205.

Le Fiacre, 3 r. Danton ✆ **66 59 48 60** – ▤. GB — YZ **e**
fermé août, mardi soir et lundi – **Repas** 90/180.

Ayme Pneus, rte de St-Gilles ✆ 66 59 23 98

BEAUCENS **65** H.-Pyr. **85** ⑱ – rattaché à Argelès-Gazost.

Le BEAUCET **84** Vaucluse **81** ⑬ – rattaché à Carpentras.

BEAUDÉAN **65** H.-Pyr. **85** ⑱ – rattaché à Bagnères-de-Bigorre.

Pas de publicité payée dans ce guide.

BEAUFORT **73270** Savoie **74** ⑰ ⑱ **G. Alpes du Nord** – **1 996 h alt. 750.**

Office de Tourisme pl. Mairie ✆ 79 38 37 57, Fax 79 38 16 70.

Paris 601 – Albertville 19 – Chambéry 70 – Megève 42.

Gd Mont, ✆ 79 38 33 36, Fax 79 38 39 07 – ☎. GB
fermé 25 avril au 2 mai et 1er oct. au 5 nov. – **Repas** 85/110 ♨, enf. 55 – ☕ 42 – **13 ch** 195/270 – ½ P 285/290.

de la Roche, ✆ 79 38 33 31, Fax 79 38 38 60, – ☎ P. GB
fermé 19 avril au 1er mai, nov. et dim. soir – **Repas** 65/155 ♨ – ☕ 35 – **17 ch** 160/250 – ½ P 200/230.

BEAUGENCY **45190** Loiret 64 ⑧ **G. Châteaux de la Loire** – 6 917 h alt. 99.

Voir Église N.-Dame★ – Donjon★ – Tentures★ dans l'hôtel de ville **H** – Musée de l'Orléanais★ dans le château.

Office de Tourisme pl. de l'Hôtel de Ville ☏ 38 44 54 42, Fax 38 46 45 31.

Paris 151 ① – ♦Orléans 29 ① – Blois 36 ④ – Châteaudun 40 ⑥ – Vendôme 48 ⑤ – Vierzon 84 ②.

BEAUGENCY

Cordonnerie (R. de la) 6
Maille-d'Or (R. de la).. 10
Martroi (Pl. du)
Pont (R. du)
Puits-de-l'Ange (R. du) 14

Abbaye (R. de l') 2
Bretonnerie (R. de la) 3
Change (R. du) 4
Châteaudun (R. de) 5
Dr-Hyvernaud (Pl.) ... 8
Dunois (Pl.) 9
Pellieux (Passage).... 12
Sirène (R. de la)...... 15
Traîneau (R. du)....... 17
Trois-Marchands (R. des) 18

Dans la liste des rues des plans de villes, les noms en rouge indiquent les principales voies commerçantes.

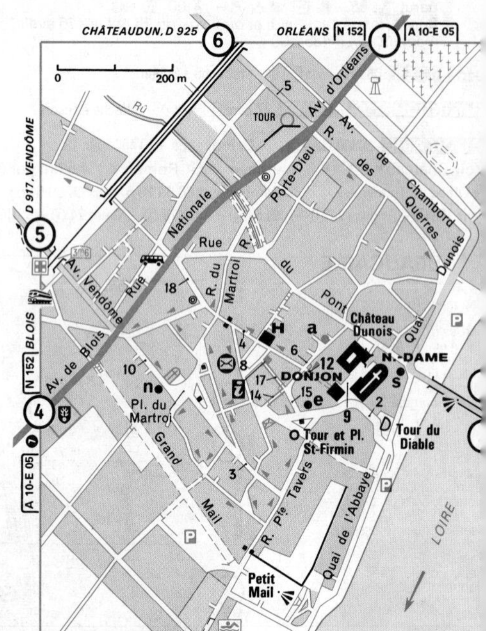

L'Abbaye, quai Abbaye **(s)** ☏ 38 44 67 35, Fax 38 44 87 92, ←, – TV ☎ P. AE ⓓ GB
Repas 160 (déj.)/190 – ☕ 45 – **14 ch** 420/550, 4 duplex.

Écu de Bretagne, pl. Martroi **(n)** ☏ 38 44 67 60, Fax 38 44 68 07 – TV ☎ P. AE ⓓ GB
fermé fév., dim. soir et lundi du 1er nov. au 1er avril – **Repas** 98/200 ♁, enf. 65 – ☕ 40 – **25 ch** 200/365 – ½ P 290/320.

Sologne sans rest, pl. St Firmin **(e)** ☏ 38 44 50 27, Fax 38 44 90 19 – TV ☎. GB.
fermé 20 déc. au 2 janv. et dim. soir du 1er nov. au 1er mars – ☕ 38 – **16 ch** 200/320.

Au Vieux Fourneau, 12 r. Cordonnerie **(a)** ☏ 38 46 40 56 – AE GB
fermé 18 au 30 nov., dim. soir et lundi – **Repas** 75/185.

à Baule par ① : 5 km – 1 457 h. alt. 103 – ✉ **45130** :

Aub. Gourmande, ☏ 38 45 01 02, Fax 38 45 03 08, – AE GB
fermé merc. hors sais. et dim. soir – **Repas** 98/220.

à Tavers par ④ : 3 km – 1 105 h. alt. 100 – ✉ **45190** :

La Tonnellerie , près Église ☏ 38 44 68 15, Fax 38 44 10 01, , « Jardin fleuri, » – TV ☎ P. AE GB JCB
fermé 2 janv. au 1er mars – **Repas** 95 (déj.), 125/230, enf. 65 – ☕ 55 – **15 ch** 550/740, 5 appart – ½ P 625/695.

PEUGEOT Gar. Mahu, 49 av. de Blois par ④ ☏ 38 44 53 20

RENAULT Gar. de la Mardelle, ZI, 63 av. d'Orléans par ① ☏ 38 44 50 40

BEAUJEU **69430** Rhône 73 ⑨ **G. Vallée du Rhône** – 1 874 h alt. 293.

Office de Tourisme Square Grand'Han ☏ 74 69 22 88.

Paris 426 – Mâcon 39 – Roanne 61 – Bourg-en-Bresse 55 – ♦Lyon 61 – Villefranche-sur-Saône 26.

Anne de Beaujeu avec ch, ☏ 74 04 87 58, Fax 74 69 22 13, – TV ☎. GB
fermé 1er au 12 août, 20 déc. au 21 janv., dim. soir et lundi – **Repas** 110/355 et carte 160 à 310 – ☕ 38 – **7 ch** 310/350 – ½ P 300/320.

CITROEN Gar. du Centre, ☏ 74 04 87 64

PEUGEOT Gar. Desplace, ☏ 74 69 21 56

BEAULIEU-EN-ARGONNE **55250** Meuse 56 ⑳ **G. Champagne** – 42 h alt. 275.

Voir Pressoir★ dans l'anc. abbaye.

Paris 239 – Bar-le-Duc 36 – Futeau 10 – Ste-Menehould 23 – Verdun 38.

Host. Abbaye, ✆ 29 70 72 81, Fax 29 70 71 19, ←, – ☎. GB. ch
fermé 15 déc. au 1er fév. et dim. soir d'oct. à mars – **Repas** 95/180 – ☕ 26 – **10 ch** 140/260 – ½ P 180/230.

BEAULIEU-SUR-DORDOGNE **19120** Corrèze 75 ⑲ **G. Berry Limousin** – 1 265 h alt. 142.

Voir Église St-Pierre★★ – Vieille Ville ★.

Office de Tourisme pl. Marbot (Pâques-sept.) ✆ 55 91 09 94.

Paris 532 – Brive-la-Gaillarde 44 – Aurillac 70 – Figeac 60 – Sarlat-la-Canéda 70 – Tulle 44.

Central H. Fournié, ✆ 55 91 01 34, Fax 55 91 23 57, – ☎ 🅿. GB
mi mars-mi nov. – **Repas** 100/125, enf. 55 – ☕ 38 – **27 ch** 180/320 – ½ P 250/320.

RENAULT Gar. Lavastroux, ✆ 55 91 12 82

*The new **Michelin Green Tourist Guides** offer:*
- *more detailed descriptive texts,*
- *practical information,*
- *town plans, local maps and colour photographs,*
- *frequent fully revised editions.*

Always make sure you have the latest edition.

BEAULIEU-SUR-MER **06310** Alpes-Mar. 84 ⑩ 115 ㉗ **G. Côte d'Azur** – 4 013 h alt. 10 – Casino Z.

Voir Site★ de la Villa Kerylos★ – Baie des Fourmis★.

Office de Tourisme pl. G.-Clemenceau ✆ 93 01 02 21, Fax 93 01 44 04.

Paris 943 ④ – ♦Nice 11 ④ – Menton 23 ③.

BEAULIEU-SUR-MER

Marinoni (Bd) . . . . Y 19

Albert-1er (Av.) . . . . Z
Alsace-Lorraine (Bd) . . . Y
Blundell-Maple (Av.) . . . Z
Cavell (Av. Edith) . . . . . . Z 4
Clemenceau (Pl. et R.) . . Y 5
Déroulède (Bd) . . . . Y
Doumer (R. Paul) . . . . . . Z 6
Edouard VII (Bd) . . . . . . Y
Eiffel (R.) . . . . Z
Gaulle (Pl. Charles-de) . . . . . Y
Gauthier (Bd Eugène) . . . . . . Y 13
Hellènes (Av. des) . . . . . Z 14
Joffre (Bd Maréchal) . . . Z
Leclerc (Bd Maréchal) . . . . . . Z 18
May (Av. F.) . . . . Z 21
Myrtes (Ch. des) . . . . . . Y
Orangers (Montée des) . . . . Z 22
Rouvier (Promenade de M.) . . Z
St-Jean (Pont) . . . . Z
Yougoslavie (R. de) . . . . Z 27

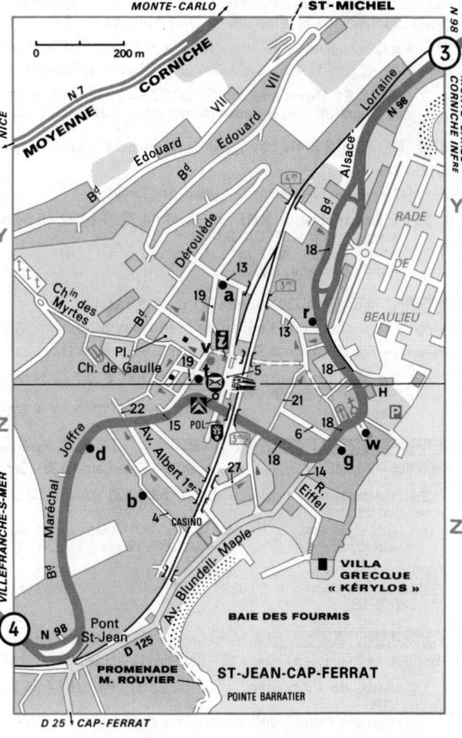

Le feu est le plus terrible ennemi de la forêt. Soyez prudent !

Réserve de Beaulieu M, bd Mar. Leclerc ☎ 93 01 00 01, Télex 470301 Fax 93 01 28 99, ←, « En bordure de mer, patio fleuri », – ch AE GB. rest Z
1er avril-31 oct. – **Repas** 300/400 – 125 – **33 ch** 2000/3700, 3 appart.

Métropole, bd Mar. Leclerc ☎ 93 01 00 08, Fax 93 01 18 51, ←, « Vaste terrasse sur mer, parc », – P. AE GB Z
fermé 20 oct. au 20 déc. – **Repas** 400/500 et carte 420 à 540 – 115 – **50 ch** 1070/2770 3 appart – ½ P 1365
Spéc. Terrine de mousse de poivrons rouges et aubergines confites. Filet de Saint-Pierre rôti aux légumes. Moelleux au chocolat, sauce à l'orange amère. Vins Bellet, Côtes de Provence.

Carlton M, av. E. Cavell ☎ 93 01 14 70, Télex 970421, Fax 93 01 29 62, P. AE GB JCB Z
hôtel : 1er avril-15 oct. et 22 déc.-6 janv. ; rest. : 10 mai-10 oct. et 22 déc.-6 janv. – **Repas** 120/420 – 60 – **33 ch** 650/1120 – ½ P 425/660.

Frisia M sans rest, bd E. Gauthier ☎ 93 01 01 04, Fax 93 01 31 92, ← – AE GB
45 – **32 ch** 500/680. Y

Comté de Nice M sans rest, bd Marinoni ☎ 93 01 19 70, Fax 93 01 23 09, AE GB. Y
40 – **32 ch** 550/580.

Victoria, bd Marinoni ☎ 93 01 02 20, Télex 470303, Fax 93 01 32 67, AE GB YZ
14 fév.-5 oct. – **Repas** 90 – 30 – **79 ch** 383/636 – ½ P 349/413.

Havre Bleu sans rest, bd Mar. Joffre ☎ 93 01 01 40, Fax 93 01 29 92 – P. AE GB Z
30 – **22 ch** 270/310.

XXX **Le Maxilien**, bd Marinoni ☎ 93 01 47 48 – AE GB Y
fermé vacances de Toussaint, de fév. et mardi – **Repas** 100/340 et carte 230 à 330, enf. 90.

Autres ressources hôtelières : voir à ***St-Jean-Cap-Ferrat***

CITROEN Gar. de la Poste ☎ 93 01 00 13

BEAUMES-DE-VENISE 84190 Vaucluse 81 ⑫ **G. Provence** – 1 784 h alt. 100.

Voir Clocher★ de la chapelle N.-D. d'Aubune O : 2 km.

Office de Tourisme cours Jean-Jaurès (fermé après-midi hors saison) ☎ 90 62 94 39.

Paris 671 – Avignon 32 – Nyons 40 – Orange 23 – Vaison-la-Romaine 24.

X **Aub. St-Roch** avec ch, ☎ 90 62 94 29, Fax 90 65 05 07 – GB. ch
1er mars-30 nov. – **Repas** *(fermé merc.)* 97 bc/145 bc – 35 – **4 ch** 155/235 – ½ P 275.

BEAUMESNIL 27410 Eure 55 ⑲ **G. Normandie Vallée de la Seine** – 527 h alt. 169.

Voir Château★.

Paris 143 – Rouen 58 – Bernay 12 – Dreux 70 – Évreux 39.

XX **L'Étape Louis XIII**, ☎ 32 44 44 72, Fax 32 45 53 84, « Maison normande du 17e siècle », – P. AE GB
fermé 24 juin au 2 juil., 2 janv. au 5 fév., dim. soir et lundi – **Repas** (nombre de couverts limité, prévenir) 98/320.

BEAUMETTES 84220 Vaucluse 81 ⑬ – 219 h alt. 127.

Voir ←★ du chevet de l'église de Ménerbes S : 3,5 km, **G. Provence.**

Paris 712 – Apt 18 – Avignon 33 – Carpentras 31 – Cavaillon 13.

Le Moulin Blanc, rte Apt N 100 ☎ 90 72 34 50, Fax 90 72 25 41, ←, parc, – P. AE GB
Repas 160/280 bc – 65 – **18 ch** 635/1210 – ½ P 525/800.

BEAUMONT-DE-LOMAGNE 82500 T.-et-G. 82 ⑥ **G. Pyrénées Aquitaine** – 3 488 h alt. 400.

Paris 684 – Auch 49 – Toulouse 61 – Agen 58 – Castelsarrasin 25 – Condom 61 – Montauban 36.

Commerce, r. Mar. Foch ☎ 63 02 31 02, Fax 63 65 26 22, – AE GB ch
fermé 14 avril au 1er mai, 15 déc. au 13 janv., dim. soir de sept. à juin et lundi sauf le soir en juil.-août – **Repas** 72/195 – 28 – **12 ch** 160/230 – ½ P 180/210.

CITROEN Gar. Daure, ☎ 63 02 35 76
PEUGEOT Gar. Oustric, ☎ 63 02 41 18 N ☎ 63 65 25 58
RENAULT Gar. Bedouch, ☎ 63 02 35 15 N ☎ 63 65 39 95

BEAUMONT-EN-AUGE 14950 Calvados 55 ③ **G. Normandie Vallée de la Seine** – 472 h alt. 90.

Paris 204 – Caen 41 – Le Havre 42 – Deauville 11 – Lisieux 21 – Pont-l'Évêque 8.

XX **Aub. de l'Abbaye**, ☎ 31 64 82 31, Fax 31 64 81 63, « Cadre rustique normand » – GB
fermé mi-fév. à début mars, mardi et merc. sauf juil.-août – **Repas** 160/290, enf. 75.

à la Haie Tondue S : 2 km par D 58 – ✉ **14130** :

XX **La Haie Tondue,** ☎ 31 64 85 00, Fax 31 64 69 34, – P. GB
fermé 24 juin au 2 juil., 1er au 8 oct., vacances de fév., lundi soir sauf en août et mardi – **Repas** 112/204.

BEAUMONT-EN-VERON **37** I.-et-L. 67 ⑨ – rattaché à Chinon.

BEAUMONT-SUR-SARTHE **72170** Sarthe 60 ⑬ – 1 874 h alt. 76.

Paris 222 – Alençon 23 – ♦Le Mans 25 – La Ferté-Bernard 48 – Mamers 25 – Mayenne 62.

XX **Chemin de Fer** avec ch, à la Gare E : 1,5 km par D 26 ☎ 43 97 00 05, Fax 43 33 52 17, – TV ☎. GB
fermé vacances de Toussaint, de fév., dim. soir et lundi de nov. à Pâques – **Repas** 84/230, enf. 59 – ☕ 28 – **15 ch** 199/370 – ½ P 191/242.

PEUGEOT Gar. Noyer ☎ 43 97 01 14
PEUGEOT Gar. Thureau, à la Croix-Margot-Juillé ☎ 43 97 00 33 N ☎ 43 97 00 33
RENAULT Gar. Despelchain ☎ 43 97 00 03

BEAUMONT-SUR-VESLE **51360** Marne 56 ⑰ – 686 h alt. 100.

Voir Faux de Verzy★ S : 3,5 km, **G. Champagne.**

Paris 159 – ♦Reims 16 – Châlons-en-Champagne 30 – Épernay 26 – Ste-Menehould 62.

XX **La Maison du Champagne** avec ch, ☎ 26 03 92 45, Fax 26 03 97 59, – TV ☎ P. AE ⊕ GB. ch
fermé 1er au 15 nov., 1er au 15 fév., dim. soir et lundi – **Repas** 76/225, enf. 40 – ☕ 32 – **13 ch** 160/250 – ½ P 188/233.

RENAULT Gar. Lahante, 14 RN ☎ 26 03 90 59

BEAUNE SP **21200** Côte-d'Or 69 ⑨ **G. Bourgogne** – 21 289 h alt. 220.

Voir Hôtel-Dieu★★★ et polyptyque du Jugement dernier★★★ AZ – Collégiale N.-Dame★ : tapisseries★★ AY – Hôtel de la Rochepot★ AY **B** – Remparts★ AZ – Musée du vin de Bourgogne★ AYZ **M1.**

18 ☎ 80 24 10 29 à Levernois, 4 km par D 970 BZ.

ℹ Office de Tourisme r. de l'Hôtel-Dieu ☎ 80 26 21 30, Fax 80 26 21 39 – Automobile Club ☎ 80 26 21 30.

Paris 313 ③ – Chalon-sur-Saône 29 ③ – ♦Dijon 44 ③ – Autun 48 ④ – Auxerre 150 ③ – Dole 64 ③.

Plan page suivante

Le Cep sans rest, 27 r. Maufoux ☎ 80 22 35 48, Télex 351256, Fax 80 22 76 80 – TV ☎ – 70. AE ⊕ GB JCB — AZ **z**
☕ 70 – **53 ch** 600/1000.

Poste, 5 bd Clemenceau ☎ 80 22 08 11, Fax 80 24 19 71, – ch TV ☎ – 25. AE ⊕ GB — AZ **f**
hôtel : fermé 20 au 30 déc. – ***St-Christophe :*** ☎ 80 22 23 39 *(fermé 1er au 15 déc. et sam. midi)* **Repas** 145/340, enf. 90 – ☕ 65 – **23 ch** 650/1000, 7 appart – ½ P 670/725.

Mercure M, av. Ch. de Gaulle ☎ 80 22 22 00, Télex 350666, Fax 80 22 91 74, – TV ☎ P – 60. AE ⊕ GB — AZ **m**
Repas *(fermé sam. et dim. de déc. à fév.)* 98/195, enf. 50 – ☕ 50 – **120 ch** 400/450.

Henry II sans rest, 12 r. Fg St-Nicolas ☎ 80 22 83 84, Fax 80 24 15 13 – TV ☎. AE ⊕ GB JCB. — AY **q**
☕ 40 – **50 ch** 370/470.

La Closerie sans rest, par ④ rte Autun N 74 ☎ 80 22 15 07, Fax 80 24 16 22, – TV ☎ P. AE ⊕ GB
fermé 24 déc. au 15 janv. – ☕ 42 – **47 ch** 300/560.

Belle Epoque sans rest, 15 r. Fg Bretonnière ☎ 80 24 66 15, Fax 80 24 17 49, – TV ☎ P. AE GB — AZ **h**
fermé 5 au 17 janv. – ☕ 45 – **16 ch** 445/695.

Central, 2 r. V. Millot ☎ 80 24 77 24, Fax 80 22 30 40 – TV ☎. GB — AZ **n**
fermé 25 nov. au 20 déc. – **Repas** 99/190 – ☕ 40 – **20 ch** 335/430.

Grillon, 21 rte Seurre par ② : 1 km ☎ 80 22 44 25, Fax 80 24 94 89, – TV ☎ P. AE ⊕ GB
fermé 15 fév. au 15 mars – **Repas** *(fermé jeudi midi et merc.)* 79 (déj.), 85/185, enf. 50 – ☕ 32 – **18 ch** 258/298.

Host. de Bretonnière sans rest, 43 r. Fg Bretonnière ☎ 80 22 15 77, Fax 80 22 72 54 – TV ☎ P. GB — AZ **v**
fermé 26 nov. au 17 déc. et 30 janv. au 13 fév. – ☕ 38 – **25 ch** 295/425.

La Cloche, 42 r. Fg Madeleine ☎ 80 24 66 33, Fax 80 24 04 24, – rest TV ☎ P. AE GB — BZ **b**
hôtel : fermé 24 déc. au 15 janv. ; rest. : fermé 1er au 15 janv. et mardi – **Repas** ☎ 80 24 19 48 - 89/205 – ☕ 35 – **22 ch** 290/380.

BEAUNE

Carnot (R.) .... AZ 3
Lorraine (R. de) .... AY
Alsace (R. d') .... AZ 2
Carnot (Pl.) .... AZ 4
Château (R. du) .... BY 6
Fleury (Pl.) .... AZ 7
Fraysse (R. E.) .... AZ 8
Halle (Pl. de la) .... AZ 10
Maufoux (R.) .... AZ 12
Monge (Pl.) .... AY 13
Monge (R.) .... AZ 14
Perpreuil (Bd) .... AZ 16
Poterne (R.) .... AZ 17
Rousseau-Deslandes (R.) .... BY 18
St-Nicolas (R. du fg.) .... AY 20
Tonneliers (R. des) .... AY 22

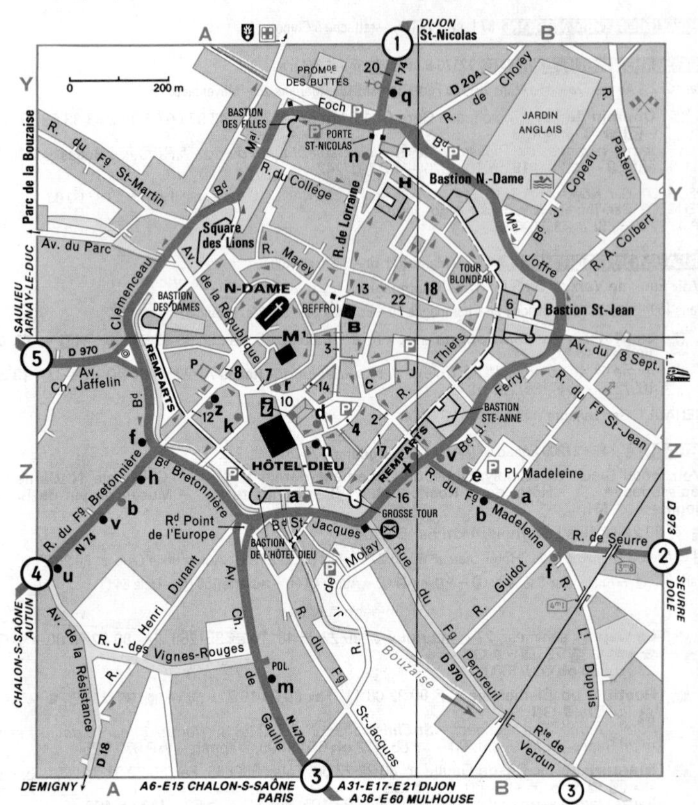

Alésia sans rest, 4 av. Sablières, rte Dijon par ① : 1 km ☎ 80 22 63 27, Fax 80 24 95 28 – ☎ 🅿. GB
fermé 15 déc. au 20 janv. – ☕ 30 – **15 ch** 195/340.

Beaun'H. sans rest, 55 bis r. Fg Bretonnière ☎ 80 22 11 01, Fax 80 22 46 66 – ☎ 🅿. GB AZ u
fermé 15 janv. au 15 fév. et dim. soir hors sais. – ☕ 32 – **16 ch** 177/297.

XXX ✿ **Bernard Morillon**, 31 r. Maufoux ☎ 80 24 12 06, Fax 80 22 66 22, – AE ⓓ GB JCB AZ
fermé 10 au 17 août, 2 au 22 janv., mardi midi et lundi – **Repas** 180/450 et carte 370 à 490
Spéc. Queues de langoustines gratinées. Pigeonneau Souvaroff, profiteroles de foie gras. Escargots à la bourguignonne. **Vins** Côte de Beaune, Pernand Vergelesses.

XXX ✿ **Jardin des Remparts** (Chanliaud), 10 r. Hôtel-Dieu ☎ 80 24 79 41, Fax 80 24 92 79 – 🅿. GB AZ a
fermé mi-fév. à mi-mars, 1er au 8 août, dim. et lundi sauf fêtes – **Repas** 130/290 et carte 240 à 320
Spéc. Foie gras de canard poché à l'hydromel. Filet de boeuf poêlé, vin réduit aux épices. Millefeuille caramélisé aux tomates (dessert).

XX **L'Écusson**, pl. Malmédy ☎ 80 24 03 82, Fax 80 24 74 02 – AE ⓓ GB BZ
fermé 1er au 10 déc., 11 fév. au 4 mars, merc. soir et dim. – **Repas** 130/335, enf. 70.

XX **Aub. St-Vincent**, pl. Halle ☎ 80 22 42 34, Télex 352110, Fax 80 24 02 75 – ▤. AE GB AZ
Repas 95/220, enf. 85.

XX ✿ **Relais de Saulx** (Monnoir), 6 r. L. Véry ✆ 80 22 01 35, Fax 80 22 41 01 – GB AZ **k**
fermé 16 au 24/6, 28/07 au 4/8, 24/11 au 26/12, dim. soir et lundi en sais., lundi midi et dim. hors sais. – **Repas** (nombre de couverts limité, prévenir) 110/295 et carte 280 à 440
Spéc. Foie gras de canard des Landes aux cinq poivres et sel marin. Turbot rôti, crème d'oursins. Pigeon et foie gas au jus de truffe. **Vins** Saint-Aubin, Gevrey-Chambertin.

XX **Le Bénaton,** 25 r. Fg Bretonnière ✆ 80 22 00 26, Fax 80 22 51 95, terrasse – GB AZ **b**
fermé 18 au 24 nov., jeudi midi et merc. – **Repas** 95/230.

XX **Aub. Bourguignonne** avec ch, 4 pl. Madeleine ✆ 80 22 23 53, Fax 80 22 51 64 – ▤ rest TV ☎. GB BZ **a**
fermé 12 déc. au 14 janv., dim. soir de fin nov. à fin fév. et lundi sauf fériés – **Repas** 79/204 – ☕ 32 – **8 ch** 280/330.

XX **Caveau des Arches,** 10 bd Perpreuil ✆ 80 22 10 37, Fax 80 22 76 44, « Salles voûtées » – ▤. AE GB ABZ **x**
fermé 1er au 15 août, 20 déc. au 10 janv., lundi midi et dim. – **Repas** 85/145.

XX **Aub. Toison d'Or,** 4 bd J. Ferry ✆ 80 22 29 62, Fax 80 24 07 11 – ▤. AE GB BZ **v**
fermé 24 déc. au 7 janv., dim. soir et lundi – **Repas** 89/240, enf. 50.

X **Maxime,** 3 pl. Madeleine ✆ 80 22 17 82, Fax 80 24 90 81, terrasse – AE GB BZ **e**
fermé 27 janv. au 18 fév., dim. soir du 20 sept. au 31 mai et lundi sauf fériés – **Repas** 75/143.

X **La Ciboulette,** 69 r. Lorraine ✆ 80 24 70 72, Fax 80 22 79 71 – GB AY **n**
fermé 5 au 20 août, vacances de fév., lundi soir et mardi – **Repas** 91/123.

X **Le Gourmandin,** 8 pl. Carnot ✆ 80 24 07 88, Fax 80 22 27 42 – ▤. GB AZ **d**
fermé fermé vacances de fév., lundi soir et mardi du 1er déc. au 1er avril – **Repas** 95/155.

rte de Dijon par ① : 4 km – ✉ **21200** Beaune :

XXXX ✿ **Ermitage de Corton** (Parra) M avec ch, ✆ 80 22 05 28, Fax 80 24 64 51, ←, terrasse, jardin – TV ☎ P. AE ⓓ GB
fermé mi-janv. à mi-fév. – **Repas** *(fermé dim. soir et lundi)* (nombre de couverts limité, prévenir) 170 (déj.), 210/680 et carte 410 à 510 – ☕ 95 – **4 ch** 880/1250, 6 appart 1500/1800
Spéc. Médaillon de homard sur tartare de légumes (mai à oct.). Millefeuille de saumon au pain d'épices de Dijon. Canette poêlée à l'infusion de cassis. **Vins** Chorey-lès-Beaune, Pernand Vergelesse.

à Aloxe-Corton par ① : 6 km – 187 h. alt. 255 – ✉ **21420** :

🏨 **Clarion** ⛰ sans rest, ✆ 80 26 46 70, Fax 80 26 47 16, « Jardin » – TV ☎ P. GB
☕ 75 – **10 ch** 500/800.

à Ladoix-Serrigny par ① : 7 km sur N 74 – 1 549 h. alt. 200 – ✉ **21550** :

🏨 **La Gremelle,** à Buisson ✆ 80 26 40 56, Fax 80 26 48 23, terrasse, jardin – TV ☎ ✆ P. AE ⓓ GB
fermé 1er déc. au 25 fév. – **Repas** 120/250, enf. 50 – ☕ 40 – **20 ch** 200/350 – ½ P 350.

XX **Les Coquines,** à Buisson ✆ 80 26 43 58, Fax 80 26 49 59, terrasse, jardin – P. AE ⓓ GB
fermé 7 au 20 fév., merc. soir et jeudi – **Repas** 145/215.

à Challanges par ② puis D 111 : 4 km – ✉ **21200** Beaune :

🏨 **Château de Challanges** M ⛰ sans rest, r. Templiers ✆ 80 26 32 62, Fax 80 26 32 52, « Belle demeure dans un parc » – TV ☎ P. AE ⓓ GB. ✻
1er avril-1er déc. – ☕ 50 – **9 ch** 490/530, 5 appart.

au SE près de l'échangeur A 6 par ③ : 2 km – ✉ **21200** Beaune :

🏨 **Novotel** M, av. Ch. de Gaulle ✆ 80 24 59 00, Télex 352237, Fax 80 24 59 29, terrasse, piscine – ascenseur ⊁ ▤ TV ☎ ♿ P – 🏛 200. AE ⓓ GB
Repas 95/135, enf. 50 – ☕ 54 – **127 ch** 430/530.

🏨 **Relais Motel 21,** rte Verdun ✆ 80 24 15 30, Fax 80 24 16 10, terrasse, piscine – TV ☎ ♿ P – 🏛 30. AE ⓓ GB
Repas 82/135 🍷, enf. 45 – ☕ 32 – **42 ch** 280.

à Levernois SE : 5 km par rte de Verdun-sur-le-Doubs, D 970 et D 111^L - BZ – 285 h. alt. 198 – ✉ **21200** :

🏨 **Colvert Golf H.** M ⛰ sans rest, ✆ 80 24 78 20, Fax 80 24 77 70, ← – ascenseur TV ☎ ♿ garage P. AE ⓓ GB
☕ 50 – **24 ch** 280/350.

🏨 **Parc** ⛰ sans rest, ✆ 80 24 63 00, Fax 80 24 21 19, parc – TV ☎ P. GB
☕ 34 – **25 ch** 225/460.

XXXX ✿✿ **Host. de Levernois** (Crotet) M ⛰ avec ch, ✆ 80 24 73 58, Fax 80 22 78 00, terrasse, « Jardin fleuri et parc », tennis – ▤ rest TV ☎ P. AE ⓓ GB. ✻
fermé 1er au 15 fév., mardi sauf le soir du 1er avril au 31 oct. et merc. midi du 1er nov. au 31 mars – **Repas** 200 (déj.), 390/550 et carte 390 à 630 – ☕ 100 – **16 ch** 950/1500 – ½ P 1100/1350
Spéc. Petits escargots de Bourgogne en cocotte lutée. Poulet de Bresse rôti. Tarte aux pommes, sorbet à l'estragon. **Vins** Bourgogne Aligoté, Savigny-lès-Beaune.

X **La Garaudière,** ✆ 80 22 47 70, Fax 80 22 64 01, terrasse, jardin – GB
fermé Noël au Jour de l'An, dim. soir hors sais. et lundi – **Repas** grill 75/180.

à Montagny-lès-Beaune par ③ et D 113 : 3 km – 763 h. alt. 206 – ✉ **21200** :

🏨 **Les Genièvres** ⛰ sans rest, ✆ 80 22 37 74, Fax 80 24 23 18, jardin – ☎ garage P. AE GB
fermé 20 déc. au 5 janv. et dim. du 1er oct. au 1er avril – ☕ 28 – **19 ch** 150/230.

a l'Archéodrome S : 10 km par D 18 et D 23 – ✉ **21204** Beaune :

Beaune Motel Ⓜ, ✆ 80 21 46 12, Fax 80 26 84 78 – rest TV ☎ ♿ P. AE ⓓ GB
Repas rest. d'autoroute sur place-***Brasserie Bourguignotte*** : 89/116 ♫, enf. 44 – ☕ 45 – **150 ch** 290/420.

à Meursault par ④ : 8 km – 1 538 h. alt. 243 – ✉ **21190**.

ℹ Syndicat d'Initiative pl. Hôtel de Ville (saison) ✆ 80 21 25 90.

Les Magnolias ⛰ sans rest, 8 r. P. Joigneaux ✆ 80 21 23 23, Fax 80 21 29 10, « Belle décoration intérieure » – ☎ P. AE GB.
1er mars-30 nov. – ☕ 45 – **12 ch** 380/590.

Les Charmes ⛰ sans rest, pl. Murger ✆ 80 21 63 53, Fax 80 21 62 89, ⛱, – TV ☎ ♿ P. GB.
mars-début déc. – ☕ 45 – **14 ch** 390/550.

Le Chevreuil, 2 pl. République ✆ 80 21 23 25, Fax 80 21 65 51 – TV ☎. GB
fermé 5 déc. au 5 janv., merc. sauf le soir en sais. et jeudi midi – **Repas** 80 bc (déj.), 95/195, enf. 40 – ☕ 40 – **17 ch** 200/300 – ½ P 270.

Motel Au Soleil Levant, rte Beaune ✆ 80 21 23 47, Fax 80 21 65 67 – TV ☎ P. GB
Repas 66/128 ♫ – ☕ 28 – **43 ch** 200/364.

Relais de la Diligence, à la gare SE : 2,5 km par D 23 ✆ 80 21 21 32, Fax 80 21 64 69, ≤ – P. AE ⓓ GB
fermé 5 déc. au 18 janv., mardi soir et merc. – **Repas** 70/170 ♫, enf. 50.

à Puligny-Montrachet par ④ et N 74 : 12 km – 466 h. alt. 227 – ✉ **21190** :

✿ **Le Montrachet** ⛰, ✆ 80 21 30 06, Fax 80 21 39 06 – TV ☎ ♿. AE ⓓ GB
fermé 1er déc. au 10 janv. et merc. midi – **Repas** 190/430 et carte 310 à 410 – ☕ 55 – **30 ch** 450/495 – ½ P 565
Spéc. Escargots de Bourgogne en coquille. Blanc de volaille de Bresse au foie gras. Tarte chaude aux pommes, sorbet au cidre. **Vins** Puligny-Montrachet, Chassagne-Montrachet.

à Auxey-Duresses par ④ et D 973 : 8 km – 351 h. alt. 260 – ✉ **21190** :

La Crémaillère, ✆ 80 21 22 60, Fax 80 21 62 65 – GB
fermé 19 fév. au 5 mars, mardi de nov. à janv. et lundi soir – **Repas** 85/270, enf. 45.

à Bouze-lès-Beaune par ⑤ et D 970 : 6,5 km – 247 h. alt. 400 – ✉ **21200** :

La Bouzerotte, ✆ 80 26 01 37, Fax 80 26 01 37, – GB
fermé 1er au 23 août, 2 au 18 janv., lundi soir et mardi – **Repas** (dim. prévenir) 86/243 ♫.

BMW Gar. Savy 21, 23 r. J.-Germain ZI ✆ 80 22 88 69
CITROEN Gar. Champion, 1 rte de Pommard par ④ ✆ 80 22 28 14 **N** ✆ 80 22 28 14
CITROEN Gar. Chaffraix, 47 r. Fg-St-Nicolas par ① ✆ 80 22 17 55
FIAT, LANCIA Gar. Bolatre, 40 fg Bretonnière ✆ 80 24 02 18 **N** ✆ 80 61 55 57
FORD Gar. Moreau, 135 bis rte de Dijon ✆ 80 22 27 00 **N** ✆ 80 20 73 28
PEUGEOT Gar. Champion, 42 rte de Pommard par ④ ✆ 80 26 20 20 **N** ✆ 80 20 74 61
RENAULT Beaune Auto, 78 rte de Pommard par ④ ✆ 80 24 35 00 **N** ✆ 80 22 87 04

Ⓜ Gaudry Pneu Point S, 148 rte de Dijon ✆ 80 22 14 21

BEAUPRÉAU 49600 M.-et-L. 67 ⑤ G. Châteaux de la Loire – 5 937 h alt. 73.

ℹ Office de Tourisme (saison) ✆ 41 71 76 65.

Paris 346 – ♦Angers 51 – Ancenis 28 – Châteaubriant 71 – Cholet 18 – ♦Nantes 53 – Saumur 79.

à la Chapelle-du-Genêt SO : 3 km – 924 h. alt. 95 – ✉ **49600** :

Aub. de la Source, ✆ 41 63 03 89 – GB
fermé 1er au 19 août, sam. midi, dim. soir et lundi soir – **Repas** 105/265.

BEAURECUEIL 13100 B.-du-R. 84 ③ 114 ⑯ – 510 h alt. 254.

Paris 768 – ♦Marseille 34 – Aix-en-Provence 12 – Aubagne 32 – Brignoles 49.

Mas de la Bertrande ⛰, D 58 ✆ 42 66 75 75, Fax 42 66 82 01, , ⛱, – TV ☎ P. AE ⓓ GB JCB
fermé vacances de fév., dim. soir et lundi hors sais. – **Repas** 105 (déj.), 150/190 – ☕ 45 – **10 ch** 350/550 – ½ P 410/510.

✿ **Relais Ste-Victoire** (Berges) ⛰ avec ch, D 46 ✆ 42 66 94 98, Fax 42 66 85 96, ≤, ⛱, – TV ☎ P. AE ⓓ GB
fermé vacances de Toussaint, 1er au 7 janv., vacances de fév., dim. soir et lundi – **Repas** (week-ends prévenir) 190/450 et carte 250 à 420, enf. 135 – ☕ 70 – **10 ch** 550/600 – ½ P 500/600
Spéc. Salade aux truffes d'été, rillettes de sardines. Faisan rôti à la broche aux pieds de porc (oct. à janv.). Escalope de foie gras panée, au melon (juin à sept.). **Vins** Côtes de Provence, Coteaux d'Aix-en-Provence.

Repas soignés à prix modérés : **Repas** 100/130

BEAUREPAIRE **38270** Isère 77 ② – 3 735 h alt. 259.

Paris 521 – Annonay 41 – ◆Grenoble 64 – Romans-sur-Isère 37 – ◆St-Étienne 79 – Tournon-sur-Rhône 55 – Vienne 30.

XXX **Fiard**, av. Terreaux ✆ 74 84 62 02, Fax 74 84 71 13 – AE ⓓ GB
fermé 15 janv. au 10 fév., dim. soir sauf juil.-août et lundi midi sauf fêtes – **Repas** 128/300 et carte 260 à 390 ♿.

aux Roches de Pajay E : 3 km par D 519 – ✉ **38260** Pajay :

X **Le Chandelier**, ✆ 74 84 66 67 – P. GB
fermé dim. soir – **Repas** (déj. seul. sauf été) 60 (déj.), 98/198 ♿.

CITROEN Gar. des Alpes, ✆ 74 84 60 13
PEUGEOT Gar. Boyet, ✆ 74 84 61 37
RENAULT Gar. des Terreaux, ✆ 74 84 61 50 N ✆ 74 84 61 50

BEAUREPAIRE-EN-BRESSE **71** S.-et-L. 70 ⑬ – rattaché à Louhans.

BEAUSOLEIL **06** Alpes-Mar. 84 ⑩, 115 ㉗ – rattaché à Monaco.

Le BEAUSSET **83330** Var 84 ⑭ 114 ㊹ – 7 114 h alt. 167.

Voir ≤★ de la chapelle N.-D. du Beausset-Vieux S : 4 km, **G. Côte d'Azur.**

Office de Tourisme pl. Ch.-de-Gaulle ✆ 94 90 55 10, Fax 94 98 51 83.

Paris 820 – ◆Toulon 19 – Aix-en-Provence 64 – ◆Marseille 47.

Motel la Cigalière ♨, N : 1,5 km par N 8 et rte secondaire ✆ 94 98 64 63, Fax 94 98 66 04, ☂, parc, ♒, ✂ – cuisinette ☎ P – ♨ 25. GB. ✂
hôtel : fermé 5 au 20 oct. et dim. soir du 30 nov. au 1er mars ; rest : ouvert 15 mai-30 sept. – **Repas** (dîner seul.) carte 140 à 200 – ☕ 38 – **14 ch** 350/390, 5 studios – ½ P 330/360.

Mas Lei Bancau M ♨ sans rest, S : 2 km par N 8 et rte secondaire ✆ 94 90 27 78, Fax 94 90 29 00, parc, ♒ – TV ☎ P. GB. ✂
fermé 15 oct. au 15 nov. – ☕ 45 – **8 ch** 460/585.

X **Aub. Couchoua**, N : 3,5 km par N 8 et rte secondaire ✆ 94 98 72 24, ☂, ☂ – P. ✂
fermé 11 au 22 mars, 7 au 18 oct., le midi en août, dim. soir et merc. – **Repas** - viandes grillées - 150 et carte environ 280.

X **La Miquelette**, S : 2 km par N 8 et rte secondaire ✆ 94 90 50 79, ≤, ☂, ☂ – P. GB
20 mars-5 nov. et fermé le midi sauf sam. et dim. en juil.-août, dim. soir et lundi de sept. à juin – **Repas** (nombre de couverts limité, prévenir) carte 130 à 180.

à Ste-Anne-d'Evenos SE : 3 km par N 8 et rte secondaire – ✉ **83330** Le Beausset :

XX **Le Poivre d'Ane**, ✆ 94 90 37 88, ☂ – P. AE GB
fermé 13 janv. au 20 fév., dim. soir et lundi – **Repas** (nombre de couverts limité, prévenir) 150/260.

RENAULT Central Gar. Augier, ✆ 94 98 70 10
Michel Pneum. ✆ 94 90 44 70

BEAUVAIS P **60000** Oise 55 ⑨ ⑩ **G. Flandres Artois Picardie** – 54 190 h alt. 67.

Voir Cathédrale★★★ : horloge astronomique★ – Église St-Étienne★ : vitraux★★ et arbre de Jessé★★★ – Musée départemental de l'Oise★ dans l'ancien palais épiscopal **M**[1].

Office de Tourisme r. Beauregard ✆ 44 45 08 18, Fax 44 45 63 95.

Paris 81 ④ – Compiègne 59 ③ – ◆Amiens 59 ② – Arras 134 ② – Boulogne-sur-Mer 182 ① – Dieppe 107 ⑤ – Évreux 99 ⑤ – ◆Rouen 82 ⑤.

Plan page suivante

du Cygne sans rest, 24 r. Carnot **(u)** ✆ 44 48 68 40, Fax 44 45 16 76 – GB
fermé 24 au 31 déc. – ☕ 33 – **20 ch** 190/300.

La Résidence ♨ sans rest, 24 r. L. Borel par ② et r. D. Maillart ✆ 44 48 30 98, Fax 44 45 09 42 – TV ☎ ✆ P. ⓓ GB
☕ 25 – **23 ch** 190/275.

Bristol sans rest, 60 r. Madeleine **(k)** ✆ 44 45 01 31, Fax 44 45 81 04 – TV ☎ P. GB
fermé 1er au 8 mai, 20 déc. au 5 janv. et dim. de nov. à mars – ☕ 30 – **19 ch** 100/250.

XXX **A la Côtelette**, 8 r. Jacobins **(e)** ✆ 44 45 04 42, Fax 44 45 09 95 – AE GB
fermé dim. soir et lundi – **Repas** 120/155 et carte 250 à 380.

XX **Les Trois Maillets-La Coquerie**, 1 r. St-Quentin **(b)** ✆ 44 48 58 45, Fax 44 48 58 45, ☂ – AE ⓓ GB
fermé 23 au 30 déc., 6 au 21 août, sam. midi et dim. sauf fêtes – **Repas** 160, enf. 60.

à l'Est par ③ : 3 km – ✉ **60000** Beauvais :

Host. St-Vincent M, r. Clermont ✆ 44 05 49 99, Fax 44 05 52 94, ☂ – ⇔ TV ☎ ✆ ♿ P – ♨ 70. AE GB
Repas 75/132 ♿, enf. 42 – ☕ 37 – **48 ch** 285/295 – ½ P 230.

par ④ 3 km sur rte de Paris – ✉ **60000** Beauvais :

Relais Mercure M sans rest, quartier St-Lazare ✆ 44 02 80 80, Fax 44 02 12 50, ♒ – ⇔ TV ☎ ♿ P – ♨ 40. AE ⓓ GB
☕ 52 – **60 ch** 335.

à Allonne par ④ et N 1 : 5 km – 1 199 h. alt. 80 – ✉ **60000** :

XX **Le Bellevue**, ✆ 44 02 17 11, Fax 44 02 54 44 – ▤ P. AE GB
fermé sam. soir et dim. – **Repas** carte 150 à 270.

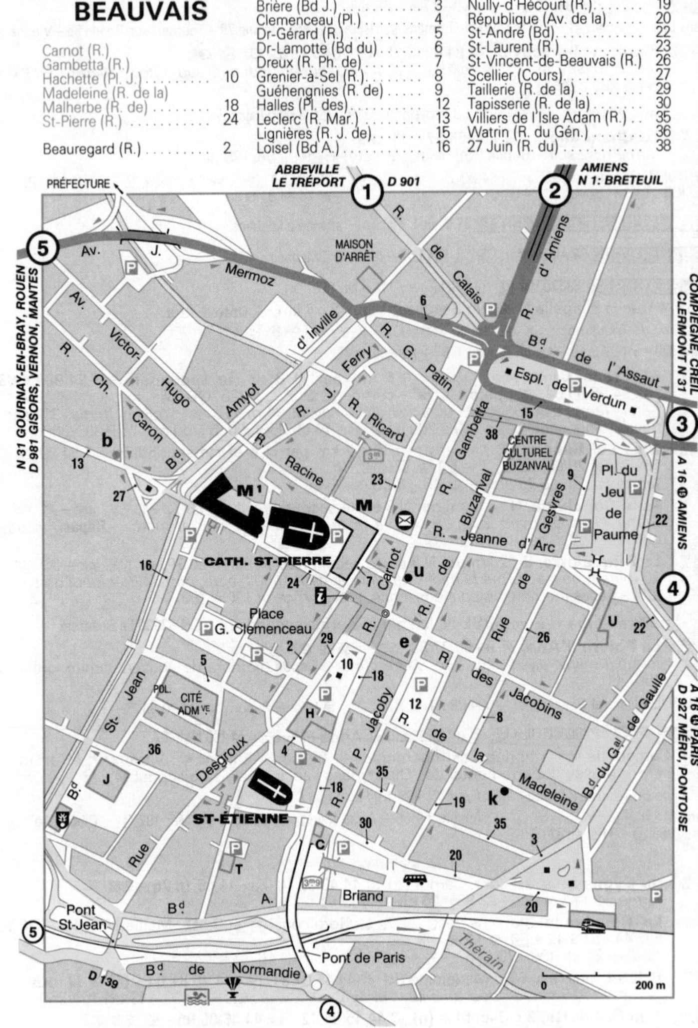

à l'Ouest par ⑤ : 4 km – ✉ **60000** Beauvais :

✕✕ **La Belle du Coin,** 67 rte Rouen ☎ 44 45 07 24, Fax 44 45 29 55 – P. AE GB
fermé en juil., dim. soir et lundi sauf fériés – **Repas** 92 (déj.), 153/225.

BMW, TOYOTA Gar. du Franc Marché, r. P.-et-M.-Curie ZAC St-Lazare ☎ 44 05 15 25
CITROEN Gd Gar. Paintré, 63 r. de Calais par ① ☎ 44 45 62 37 N ☎ 44 48 05 22
FIAT, LANCIA Gar. Piscine, R. Becquerel ☎ 44 05 16 00
FORD Thil Autom., 11 r. N.-D.-du-Thil ☎ 44 48 06 06 N ☎ 44 48 05 22
MERCEDES Gar. Techstar, ZI du Bracheux r. du Moulin ☎ 44 05 47 00 N ☎ 20 67 48 04
OPEL Beauvais Autos, ZAC St-Lazare r. P.-et-M.-Curie ☎ 44 02 05 21
PEUGEOT Le Nouveau Gar., N 1 - 2 r. Gay Lussac par ④ ☎ 44 05 20 40

RENAULT S.E.G.O Gueudet, N 181 rte d'Amiens par ② ☎ 44 06 06 60 N ☎ 44 04 95 01
ROVER Gar. Paris Londres, r. Gay Lussac ☎ 44 02 21 42
VAG S.A.G.A. 60, r. de Clermont ☎ 44 05 45 47
VOLVO Mondial Garage, 22 fg St-Jacques ☎ 44 84 78 78

Cacaux Point S, ZI n° 2 21 av. B.-Pascal ☎ 44 05 21 60
Euromaster, 55 r. E.-de-St-Fuscien à Grandvilliers ☎ 44 46 54 95
Pneu Paris Normandie Vulcopneu, 5 r. 51e R.-I. ☎ 44 45 91 23

BEAUVEZER **04370** Alpes-de-H.-P. 81 ⑧ **G. Alpes du Sud** – 226 h alt. 1150.

Paris 787 – Digne-les-Bains 65 – Annot 30 – Castellane 43 – Manosque 104 – Puget-Théniers 52.

Verdon, ✆ 92 83 44 44, ≤, – P.
fermé 1er nov. au 25 déc. et 9 au 31 janv. – **Repas** 94 – ☕ 29 – **19 ch** 113/210 – ½ P 161/206.

BEAUVOIR **50** Manche 59 ⑦ – rattaché au Mont-St-Michel.

BEAUVOIR-SUR-MER **85230** Vendée 67 ① ② – 3 277 h alt. 8.

🅸 Office de Tourisme r. Ch.-Gallet ✆ 51 68 71 13.

Paris 445 – ♦Nantes 59 – La Roche-sur-Yon 58 – Challans 15 – Noirmoutier-en-l'Ile 28 – Pornic 32.

Relais des Touristes (annexe M), rte Gois ✆ 51 68 70 19, Fax 51 49 33 45, – TV ☎ ♿ P. AE ① GB JCB
Repas 66/205 – ☕ 33 – **41 ch** 278/350 – ½ P 265/275.

BEAUVOIR-SUR-NIORT **79360** Deux-Sèvres 72 ① – 1 242 h alt. 66.

Paris 418 – La Rochelle 61 – Niort 16 – St-Jean-d'Angély 28.

Aub. des Voyageurs, ✆ 49 09 70 16, Fax 49 09 65 78 – AE GB
fermé dim. soir de fin nov. à Pâques et merc. soir – **Repas** 72/320 .

RENAULT Gar. Bello Visu, ✆ 49 09 70 12

BEAUVOIS-EN-CAMBRÉSIS **59157** Nord 53 ④ – 2 099 h alt. 89.

Paris 190 – St-Quentin 37 – Arras 48 – Cambrai 11,5 – Valenciennes 34.

La Buissonnière, ✆ 27 85 29 97, Fax 27 76 25 74, – P. AE GB
fermé 29 juil. au 26 août, dim. soir et lundi – **Repas** 125/255.

CITROEN Gar. Fontaine Michel, 71 r. Watremez ✆ 27 85 29 07

Before setting out on your journey through France
*Consult the **Michelin Map** no **911** FRANCE – Route Planning.*
On this map you will find
– distances
– journey times
– alternative routes to avoid traffic congestion
– 24-hour petrol stations
Plan for a cheaper and trouble-free journey.

BEAUZAC **43590** H.-Loire 76 ⑧ **G. Vallée du Rhône** – 1 955 h alt. 565.

Paris 558 – Le Puy-en-Velay 45 – ♦St-Étienne 40 – Craponne-sur-Arzon 30.

L'Air du Temps avec ch, à Confolent, O : 4 km par D 461 ✆ 71 61 49 05, Fax 71 61 50 91 – TV ☎. GB
fermé 2 au 9 sept., janv., dim. soir et lundi – **Repas** 88/295, enf. 55 – ☕ 35 – **8 ch** 230 – ½ P 200/220.

BÉDOIN **84410** Vaucluse 81 ⑬ **G. Provence et Alpes du Sud** – 2 215 h alt. 295.

Voir Le Paty ≤★ NO : 4,5 km.

🅸 Office de Tourisme espace Marie-Louis Gravier ✆ 90 65 63 95, Fax 90 12 81 55.

Paris 688 – Avignon 40 – Carpentras 15 – Nyons 37 – Sault 30 – Vaison-la-Romaine 21.

Pins , 1 km chemin des Crans ✆ 90 65 92 92, Fax 90 65 60 66, , , – TV ☎ P. GB
fermé 2 janv. au 2 fév. – **Repas** *(15 mars-15 oct.)* (dîner seul.) 100/130 – ☕ 45 – **25 ch** 320/345 – ½ P 315.

L'Oustau d'Anaïs, 1 km rte Carpentras ✆ 90 65 67 43, – P. AE GB
1er mai-25 sept., week-ends du 1er nov. au 30 avril et fermé lundi et mardi sauf fériés de mai à sept. – **Repas** 80/215 .

à Ste-Colombe E : 4 km par rte du Mont Ventoux – ✉ **84410** :

La Garance M sans rest, ✆ 90 12 81 00, Fax 90 65 93 05, – TV ☎ P. GB
fermé dim. du 15 nov. au 1er mars – ☕ 36 – **13 ch** 250/290.

La Colombe, ✆ 90 65 61 20, – P. GB.
fermé 15 nov. au 31 mars sauf week-ends, mardi midi et lundi – **Repas** 100/260, enf. 40.

rte du Mont-Ventoux E : 6 km – ✉ **84410** Bédoin :

Mas des Vignes, ✆ 90 65 63 91, ≤, – P. AE GB
fermé janv., le midi sauf dim. et fériés, dim. soir et lundi de mars à mai – **Repas** 145/210.

BEG-MEIL 29 Finistère 58 ⑮ **G. Bretagne** – ✉ **29170** Fouesnant.

Office de Tourisme (15 juin-15 sept.) ✆ 98 94 97 47.

Paris 554 – Quimper 20 – Carhaix-Plouguer 70 – Concarneau 19 – Pont-l'Abbé 23 – Quimperlé 44.

Bretagne, 14 r. Glénan ✆ 98 94 98 04, Fax 98 94 90 58, – 40. GB. rest
1er avril-30 sept. – **Repas** *(fermé mardi du 1er avril au 30 juin)* 75 (déj.), 95/199, enf. 55 – 35 – **28 ch** 300/360 – ½ P 310/350.

Thalamot, ✆ 98 94 97 38, Fax 98 94 49 92, – AE GB. rest
Pâques-1er oct. – **Repas** 98/258, enf. 60 – 37 – **34 ch** 295/400 – ½ P 270/365.

La BÉGUDE-DE-MAZENC 26160 Drôme 81 ② **G. Vallée du Rhône** – 1 053 h alt. 215.

Voir Vieux village perché★.

Paris 615 – Valence 55 – Crest 28 – Montélimar 15 – Nyons 37 – Orange 68.

Jabron, ✆ 75 46 28 85, Fax 75 46 24 31, – AE GB
fermé 2 au 31 janv. – **Repas** *(fermé mardi soir et merc. sauf juil.-août)* 65 bc (déj.), 110/180 – 30 – **12 ch** 180/190 – ½ P 180.

BEINE 89 Yonne 65 ⑤ – rattaché à Chablis.

BEINHEIM 67930 B.-Rhin 87 ③ – 1 556 h alt. 115.

Paris 516 – ◆Strasbourg 48 – Haguenau 26 – Karlsruhe 35 – Lauterbourg 21 – Wissembourg 28.

François sans rest, 58 r. Principale ✆ 88 86 41 26, Fax 88 86 27 00, – AE GB
fermé 5 au 18 août – 32 – **13 ch** 225/300.

BELCAIRE 11340 Aude 86 ⑥ – 360 h alt. 1002.

Voir Forêts★★ de la Plaine et Comus NO.

Env. Belvédère du Pas de l'Ours★★ E : 13 km puis 15 mn, **G. Pyrénées Roussillon.**

Paris 827 – Foix 53 – Ax-les-Thermes 25 – Carcassonne 80 – Quillan 28.

Bayle avec ch, ✆ 68 20 31 05, Fax 68 20 35 24, – GB
fermé 2 nov. au 15 déc. et lundi sauf juin, sept. et vacances scolaires – **Repas** 68/220 enf. 45 – 30 – **13 ch** 160/260 – ½ P 180/240.

BELCASTEL 12390 Aveyron 80 ① **G. Gorges du Tarn** – 245 h alt. 406.

Paris 653 – Rodez 23 – Decazeville 29 – Villefranche-de-Rouergue 36.

❀ **Vieux Pont** (Mlle Fagegaltier) M avec ch, ✆ 65 64 52 29, Fax 65 64 44 32, ←, – rest GB
fermé janv., fév., lundi midi en juil.-août, dim. soir et lundi de sept. à juin sauf fériés – **Repas** 135/330 et carte 230 à 360, enf. 65 – 50 – **7 ch** 400/450 – ½ P 415/450
Spéc. Cône de ventrêche, crème fraîche parfumée aux truffes. Poitrine de pigeon rissolée au lard, ailes et cuisses rôties." Pompe à l'huile" au caillé de vache et à la marmelade de citrons. **Vins** Marcillac, Vins d'Entraygues et du Fel.

BELFORT P 90000 Ter.-de-Belf. 66 ⑧ **G. Jura** – 50 125 h alt. 360.

Voir Le Lion★★ Z – Camp retranché★★ : ★★ de la terrasse du fort Z – Vieille ville★ : porte de Brisach★ Y – Orgues★ de la cathédrale St-Christophe Y **B** – Fresque★ (parking rue de l'As-de-Carreau Z 6).

Office de Tourisme 2 r. G. Clemenceau ✆ 84 28 12 23, Fax 84 21 03 99 – A.C. ZAC des Prés, Parc des Expositions à Andelnans ✆ 84 28 00 30.

Paris 414 ③ – ◆Besançon 98 ③ – ◆Mulhouse 38 ② – Basel 79 ② – Colmar 69 ② – ◆Dijon 187 ③ – Épinal 96 ⑤ – Genève 226 ③ – ◆Nancy 165 ⑤ – Troyes 259 ⑤.

Plan page ci-contre

Novotel Atria M, av. Espérance (au centre des congrès) ✆ 84 58 85 58, Fax 84 58 85 59 – ch – 400. AE GB Y u
Repas 125, enf. 50 – 50 – **79 ch** 415/465.

Gd H. du Tonneau d'Or M, 1 r. Reiset ✆ 84 58 57 56, Fax 84 58 57 50 – – 60. AE GB JCB Y e
Repas *(fermé août, lundi midi et dim.)* 95/160, enf. 49 – 55 – **47 ch** 440/680 – ½ P 358.

Boréal M sans rest, 2 r. Comte de la Suze ✆ 84 22 32 32, Fax 84 28 15 01 – – 30. AE GB Z r
fermé 20 déc. au 5 janv. – 48 – **54 ch** 390/500.

Modern H. sans rest, 9 av. Wilson ✆ 84 21 59 45, Fax 84 22 72 40 – AE GB. VX a
fermé 21 déc. au 11 janv. et dim. du 1er nov. au 30 avril – 30 – **42 ch** 230/320.

Capucins, 20 fg Montbéliard ✆ 84 28 04 60, Fax 84 55 00 92 – AE GB
fermé 28 juil. au 12 août et 21 déc. au 6 janv. – **Repas** *(fermé sam. sauf le soir du 3 mai au 30 sept. et dim.)* 90/195 – 35 – **35 ch** 250/320 – ½ P 250/280. Z n

Primevère M, 55 bis fg Montbéliard ✆ 84 22 46 76, Fax 84 22 53 32 – – 30. AE GB X b
Repas *(fermé dim. soir et vend.)* 83/105, enf. 41 – 38 – **52 ch** 260.

Vauban sans rest, 4 r. Magasin ✆ 84 21 59 37, Fax 84 21 41 67, – AE GB
36 – **16 ch** 190/360. Y h

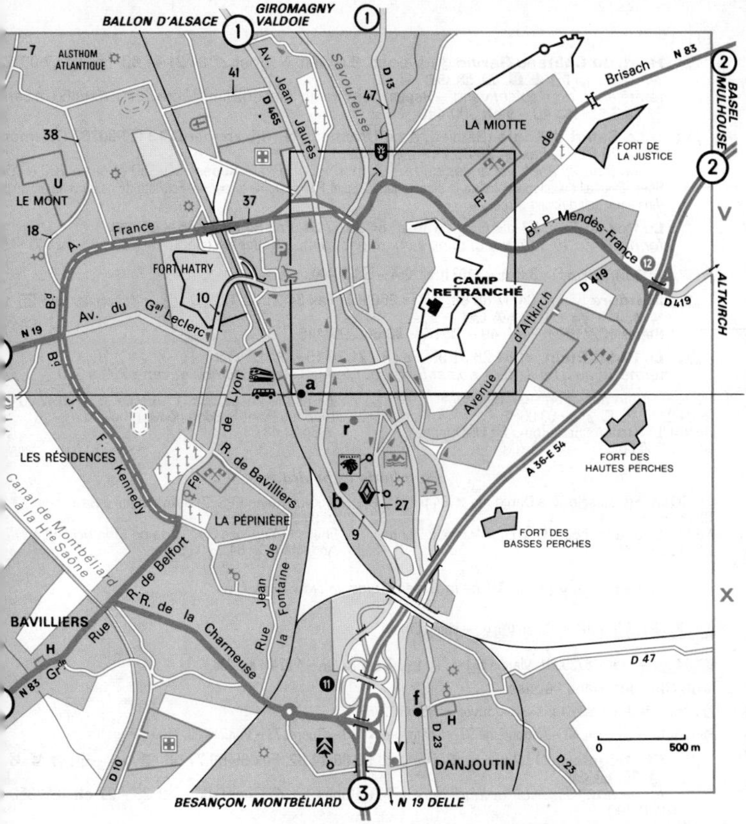

BALLON D'ALSACE
GIROMAGNY VALDOIE
BASEL MULHOUSE
ALTKIRCH
BESANÇON, MONTBÉLIARD
N 19 DELLE
ALSTHOM ATLANTIQUE
LE MONT
FORT HATRY
LA MIOTTE
FORT DE LA JUSTICE
CAMP RETRANCHÉ
LES RÉSIDENCES
LA PÉPINIÈRE
FORT DES HAUTES PERCHES
FORT DES BASSES PERCHES
BAVILLIERS
DANJOUTIN
Canal de Montbéliard à la Hte Saône
Av. Jean Jaurès
Savoureuse
Bd P. Mendès-France
Av. du Gal Leclerc
Bd J. F. Kennedy
R. de Lyon
R. de Bavilliers
Rue Jean de la Fontaine
R. de la Charmeuse
Rue R. de Belfort
Gde Rue
Avenue d'Altkirch
A 36-E 54
D 47
0 500 m

BELFORT

Ancêtres (Fg des) . . . . Y 3
Carnot (Bd) . . . . Z 15
Dr-Corbis (Pl. du) . . . . Z 23
France (Fg de) . . . . Z 30

Armes (Pl. d') . . . . Y 5
As-de-Carreau (R. de l') . . . . Z 6
Auxelles (via d') . . . . V 7
Besançon (R. de) . . . . X 9
Boulloche (Pt A.) . . . . V 10
Bourgeois (Pl. des) . . . . Y 12
Château-d'Eau (Av. du) . . . . . V 18
Clemenceau (R. G.) . . . . Y 20
Denfert-Rochereau (R.) . . . . . Z 21
Dr-Fréry (R. du) . . . . Y 24
Dreyfus-Schmidt (R.) . . . . Y 25
Dunant (Bd H.) . . . . X 27
Espérance (Av. de l') . . . . Y 28
Foch (Av. Mar.) . . . . Z 29
Gaulard (R. du Gén.) . . . . Z 31
Grande-Fontaine (R.) . . . . Y 33
Grand'Rue . . . . Y 34
Joffre (Bd du Mar.) . . . . VY 37
Juin (Av. du Mar.) . . . . V 38
Lebleu (R. F.) . . . . Z 40
Lille (R. de) . . . . V 41
Magasin (Q. du) . . . . Y 43
Metz-Juteau (R.) . . . . Y 45
Moulin (Av. J.) . . . . V 47
Pompidou (R. G.) . . . . Y 48
République (Pl. de la) . . . . . . Y 49
République (R. de la) . . . . Z 50
Roussel (R. du Gén.) . . . . Y 51
Sarrail (Av. du Gén.) . . . . Z 52

R. P. Berger
Square E. Lechten
CENTRE DES CONGRÈS
Av. Capit. de la Laurencie
Fg de Brisach
Secteur en travaux
PORTE DE BRISACH
HÔTEL DU DÉPT
CITÉ ADMTIVE
LE LION
CAMP RETRANCHÉ
Savoureuse
Q. Ch. Vallet
R. Gal Strolz
Fg de Montbéliard
R. Thiers
0 200 m

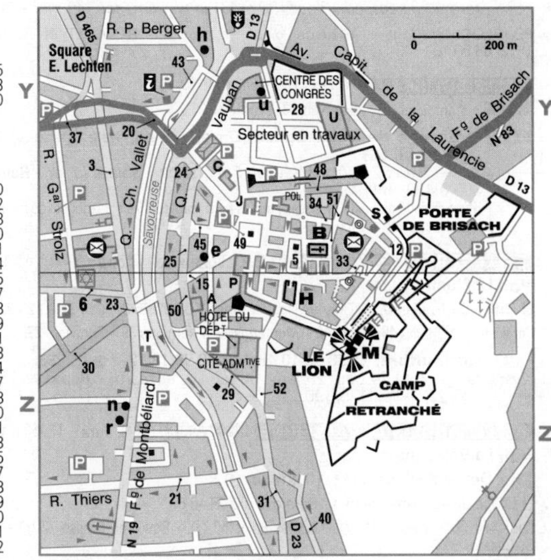

XXX **Host. du Château Servin** avec ch, 9 r. Gén. Négrier ☎ 84 21 41 85, Fax 84 57 05 57 – AE GB. ch X
fermé août, dim. soir et vend. – **Repas** (nombre de couverts limité, prévenir) 100/450 et carte 270 à 380 – 40 – **9 ch** 300/450.

XXX ⚘ **Le Sabot d'Annie** (Barbier), rte d'Offemont, N : 1,5 km par D 13 ✉ 90300 Offemont ☎ 84 26 01 71, Fax 84 26 83 79 – ▤ P. GB
fermé 3 au 25 août, vacances de fév., sam. midi et dim. – **Repas** 130/350 et carte 260 à 360
Spéc. Eventail de langoustines sur lit de courgettes. Saint-Pierre soufflé à l'oseille. Feuilleté de ris de veau au Noilly. **Vins** Pinot noir d'Alsace, Arbois.

XX **Le Pot au Feu,** 27 bis Grand'rue ☎ 84 28 57 84, Fax 84 58 17 65 – AE GB Y
fermé 1er au 15 août, lundi midi, sam. midi et dim. – **Repas** 85 (déj.), 150/230 ₰, enf. 60.

à Danjoutin S : 3 km – 3 103 h. alt. 354 – ✉ **90400** :

Mercure M, ☎ 84 57 88 88, Télex 360801, Fax 84 21 32 12, – ▤ rest P – 80. AE GB X
Repas 102/150 ₰, enf. 49 – 51 – **80 ch** 395/445.

XXX **Le Pot d'Étain,** ☎ 84 28 31 95, Fax 84 21 70 15 – P. AE GB X
fermé 17 au 31 juil., dim. soir et lundi sauf fériés – **Repas** 135/450 et carte 290 à 380.

PEUGEOT SIA de Belfort, 10 r. du Rhône ☎ 84 21 53 23 N ☎ 89 63 86 15
RENAULT Belfortaine autom., bd H.-Dunant ☎ 84 21 46 90
Chapuis Pneus, 58 r. 1re-Armée ☎ 84 26 42 00
Toupneu Point S, 86 fg de Montbéliard ☎ 84 21 43 05

Périphérie et environs

CITROEN Succursale, ZI à Danjoutin ☎ 84 58 71 71 N ☎ 05 05 24 24
MERCEDES Gar. Etoile 90, 29 r. d'Alsace à Denney ☎ 84 29 81 02
Kautzmann EPS, ZI d'Argiesans à Bavilliers ☎ 84 22 25 08
Pneus et Services D.K., 1 rte de Montbéliard, à Andelnans ☎ 84 28 03 55

BELGODÈRE 2B H.-Corse 90 ⑬ – voir à Corse.

BELLAC 87300 H.-Vienne 72 ⑦ **G. Berry Limousin** – 4 924 h alt. 236.
Voir Châsse★ dans l'église.
Office de Tourisme 1 bis r. L.-Jouvet ☎ 55 68 12 79.
Paris 381 – ◆Limoges 40 – Angoulême 99 – Châteauroux 110 – Guéret 73 – Poitiers 80.

Châtaigniers, O : 2 km rte Poitiers ☎ 55 68 14 82, Fax 55 68 77 56, – P – 25. AE GB
fermé nov., dim. soir et lundi hors sais. – **Repas** 120/253, enf. 66 – 38 – **27 ch** 185/350 – ½ P 290.

XX **Central,** 7 av. Denfert-Rochereau ☎ 55 68 00 34, Fax 55 60 24 73 – GB JCB
fermé 23 sept. au 13 oct., 20 au 31 janv., dim. soir et lundi – **Repas** 88/170, enf. 52.

PEUGEOT Gar. Nogaret, 18 rte de Poitiers ☎ 55 68 00 10
RENAULT Bellac Autos, rte du Dorat ☎ 55 60 24 64

BELLE-ÉGLISE 60540 Oise 55 ⑳ – 503 h alt. 69.
Paris 46 – Compiègne 61 – Beauvais 33 – Pontoise 29.

XXX ⚘ **Grange de Belle-Eglise** (Duval), 28 bd Belle église ☎ 44 08 49 00, Fax 44 08 45 97 – ▤ P. GB
fermé 5 au 27 août, 19 fév. au 5 mars, dim. soir et lundi – **Repas** 100 (déj.), 150/300 et carte 300 à 430, enf. 90
Spéc. Galette de Saint-Jacques et truffes (janv. à mars). Filets de rougets de roche poêlés, étuvée de légumes au curry. Pigeonneau rôti au chou.

BELLEGARDE 45270 Loiret 65 ① **G. Châteaux de la Loire** – 1 442 h alt. 113.
Voir Château★.
Office de Tourisme, pl. Charles Desvergnes ☎ 38 90 25 37, Fax 38 90 28 32.
Paris 110 – ◆Orléans 49 – Gien 40 – Montargis 22 – Nemours 39 – Pithiviers 27.

Agriculture, ☎ 38 90 10 48, Fax 38 90 18 13 – P. GB
fermé 7 au 24 oct., 29 janv. au 22 fév. et mardi – **Repas** 72/160 ₰, enf. 45 – 28 – **18 ch** 100/220 – ½ P 175/190.

BELLEGARDE-SUR-VALSERINE 01200 Ain 74 ⑤ **G. Jura** – 11 153 h alt. 350.
Voir La Valserine ★★ par ⑤.
Env. Défilé de l'Écluse★★ 10 km par ②.
Office de Tourisme 24 pl. V.-Bérard ☎ 50 48 48 68.
Paris 498 ⑤ – Annecy 41 ③ – Aix-les-Bains 57 ③ – Bourg-en-Bresse 72 ⑤ – Genève 37 ③ – ◆Lyon 113 ⑤ – St-Claude 46 ⑤.

BELLEGARDE-SUR-VALSERINE

Beauséjour (R. de) . . . . YZ
Bérard (Pl. Victor) . . . . Z 2
Bertola (R. Joseph) . . . . YZ 4
Carnot (Pl.) . . . . Y
Dumont (R. Louis) . . . . Y 5
Ferry (R. Jules) . . . . Y 7
Gambetta (Pl.) . . . . Y 8
Gare (Av. de la) . . . . Y 10
Lafayette (R.) . . . . Z
Lamartine (R.) . . . . YZ 12
Lilas (R. des) . . . . Y
Musinens (R. de) . . . . Y 14
Painlevé (R. Paul) . . . . Y 15
République (R. de la) . . . . Z

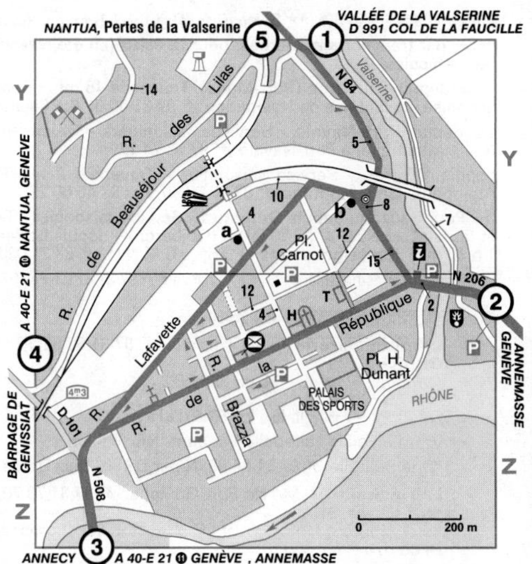

Avec votre guide Rouge
Utilisez la carte
et le guide Vert.

Ils sont inséparables.

La Belle Époque (Sevin), 10 pl. Gambetta ☎ 50 48 14 46, Fax 50 56 01 71 – TV ☎. GB Y **b**
fermé 8 au 22 juil., 4 au 25 nov., dim. soir et lundi midi – **Repas** 125/270 et carte 240 à 340 – ☕ 45 – **20 ch** 250/400 – ½ P 350/400
Spéc. Grenouilles sautées. Volaille de Bresse aux morilles et à la crème. Tournedos Rossini. **Vins** Roussette de Seyssel, Arbois-Pupillin.

Europa sans rest, 19 r. Bertola ☎ 50 56 04 74, Fax 50 48 19 11 – TV ☎. AE GB
☕ 30 – **22 ch** 240/250. Y **a**

à Lancrans par ① : 3 km – 815 h. alt. 500 – ✉ **01200** :

Sorgia, ☎ 50 48 15 81, Fax 50 48 44 72, – TV ☎ P. GB
fermé 26 août au 19 sept., 23 au 31 déc., dim. soir et lundi – **Repas** 72/200 – ☕ 32 – **17 ch** 210/230 – ½ P 215/225.

à Éloise (74 H.-Savoie) par ③ : 5 km – 656 h. alt. 511 – ✉ **01200** (Ain) :

Le Fartoret, ☎ 50 48 07 18, Fax 50 48 23 85, ←, parc, – TV ☎ P – 50. AE GB
Repas 123/290, enf. 68 – ☕ 48 – **40 ch** 300/480 – ½ P 340/428.

à Ochiaz par ④ et D 101 : 5 km – ✉ **01200** Châtillon-en-Michaille :

Aub. de la Fontaine avec ch, ☎ 50 56 57 23, – ☎ P. AE GB
fermé 4 au 20 juin, 7 janv. au 1er fév., dim. soir et lundi – **Repas** 125/300 – ☕ 35 – **7 ch** 160/220.

route du Plateau de Retord par ④ : 12 km par Ochiaz et D 101 – ✉ **01200** Bellegarde-sur-Valserine :

Aub. Le Catray avec ch, ☎ 50 56 56 25, ← Mt-Blanc et les Alpes, cadre montagnard, – ☎ P. GB
fermé 18 au 22 mars, 17 au 21 juin, 9 au 20 sept., 18 au 29 nov., 8 au 12 janv., lundi et mardi – **Repas** 90 (dîner), 100/150, enf. 45 – ☕ 30 – **7 ch** 170/270 – ½ P 215/240.

CITROEN Gar. Carrel, 62 av. Saint-Exupéry par ④ ☎ 50 48 06 85 N ☎ 50 42 52 21
NISSAN Gar. du Centre, 20 rte de Vouvray ☎ 50 48 38 31
RENAULT Renault Bellegarde, 18 av. Mar. Leclerc par D101 ZUP Musinens ☎ 50 48 27 21 N ☎ 72 58 07 96

Les hôtels ou restaurants agréables
sont indiqués dans le guide par un symbole rouge.
Aidez-nous en nous signalant les maisons où,
par expérience, vous savez qu'il fait bon vivre.
Votre guide Michelin sera encore meilleur.

BELLE-ILE-EN-MER ★★ **56** Morbihan 63 ⑪ ⑫ **G. Bretagne** (plan).

Accès par transports maritimes, pour **Le Palais** (en été **réservation indispensable** pour le passage des véhicules).

depuis **Quiberon** (Port-Maria). Traversée 45 mn – Renseignements et tarifs : Cie Morbihannaise et Nantaise de Navigation ✆ 97 31 80 01 (Le Palais), Fax 97 31 56 81.

depuis **Port-Navalo** - Services saisonniers - Traversée 1 h - Renseignements et tarifs Navix Atlantique, à Port-Navalo ✆ 97 53 74 12.

depuis **Vannes** - Service saisonnier - Traversée 2 h - Renseignements et tarifs : Navix Atlantique, Gare Maritime ✆ 97 46 60 00, Fax 97 46 60 29.

Pour Sauzon : depuis **Quiberon** - Service saisonnier - Traversée 25 mn - Renseignements et tarifs : C.M.N.N. ✆ 97 50 06 90 (Quiberon) – depuis **Lorient** - Service saisonnier - Traversée 1 h 30 mn - Renseignements et tarifs : C.M.N.N. ✆ 97 21 03 97 (Lorient).

Office de Tourisme, quai Bonnelle - Le Palais ✆ 97 31 81 93, Fax 97 31 56 17.

L'Apothicairerie – ✉ **56360**

L'Apothicairerie M sans rest, ✆ 97 31 62 62, Fax 97 31 63 63, ← – TV ☎ ♿ P. AE ① GB JCB
fermé fév. – ☐ 45 – **38 ch** 390/580.

Bangor – 735 h alt. 45 – ✉ **56360** Le Palais.

Voir Le Palais : citadelle Vauban★ NE : 3,5 km.

18 de Belle-Ile ✆ 97 31 64 65, N par D 190^A puis D 25 : 9 km.

La Désirade M, rte Port Goulphar ✆ 97 31 70 70, Fax 97 31 89 63, – TV ☎ P. AE ① GB
hôtel : Pâques-11 nov. ; rest : Pâques-fin sept – **Repas** (dîner seul.)(résidents seul.) – ☐ 60 – **24 ch** 570 – ½ P 520.

Port-Donnant.

Voir Site★★, 30 mn.

Port-Goulphar – ✉ **56360** Le Palais.

Voir Site★, 15 mn – Aiguilles de Port-Coton★★ NO : 1 km – Grand Phare : ✻★★ N : 2,5 km.

Castel Clara M, ✆ 97 31 84 21, Télex 730750, Fax 97 31 51 69, ← crique et falaises, , institut de thalassothérapie, – TV ☎ P – 30. GB. rest
15 fév.-15 nov. – **Repas** 180/380 – ☐ 120 – **43 ch** 1095/1390 – ½ P 775/940.

Manoir de Goulphar, ✆ 97 31 80 10, Fax 97 31 80 05, ← crique et falaises, – TV ☎ ♿ P – 25. AE GB. rest
mi-mars-début nov. – **Repas** 145/190 – ☐ 50 – **60 ch** 420/1070 – ½ P 505/955.

Poulains (Pointe des) ★★.

Voir ✻★, 30 mn.

Sauzon – 701 h alt. 35 – ✉ **56360**.

Voir Site★.

✕ ✿ **Contre Quai**, ✆ 97 31 60 60, Fax 97 31 66 70 – GB
Pâques-30 sept. et fermé mardi midi et lundi sauf juil.-août et vacances scolaires – **Repas** (nombre de couverts limité, prévenir) 135 (déj.), 180/260 et carte 220 à 320
Spéc. Tourteau farci. Petites galettes d'avoine aux huîtres chaudes. Filet de rouget en bécasse.

✕ **Roz Avel**, derrière l'Église ✆ 97 31 61 48, – ① GB
fermé 12 nov. au 8 fév. et merc. sauf juil.-août – **Repas** 97.

BELLE-ISLE-EN-TERRE **22810** C.-d'Armor 59 ① **G. Bretagne** – 1 067 h alt. 101.

Voir Loc-Envel : jubé★ et voûte★ de l'église S : 4 km.

Syndicat d'Initiative à la Mairie ✆ 96 43 30 38.

Paris 503 – St-Brieuc 54 – Guingamp 19 – Lannion 28 – Morlaix 33.

✕✕ **Relais de l'Argoat** avec ch, ✆ 96 43 00 34, Fax 96 43 00 76 – ☎ P – 40. GB.
fermé fév., dim. soir et lundi – **Repas** 110/260 – ☐ 42 – **8 ch** 185/220 – ½ P 280.

RENAULT Gar. Le Quenven, r. Guic ✆ 96 43 30 45 N ✆ 09 38 06 25

BELLÊME **61130** Orne 60 ⑭ ⑮ **G. Normandie Vallée de la Seine** (plan) – 1 788 h alt. 241.

Voir N : Forêt★.

18 de Bellême-St-Martin ✆ 33 73 00 07, SO : 1,5 km.

Office de Tourisme bd Bansard des Bois ✆ 33 73 09 69.

Paris 167 – Alençon 43 – ◆Le Mans 54 – Chartres 75 – La Ferté-Bernard 24 – Mortagne-au-Perche 17.

du Golf M, SO : 1,5 km par D 938 ✆ 33 73 00 07, Fax 33 73 00 17, ←, « Golf 18 trous » – TV ☎ P – 100. AE GB. rest
Repas 98/160, enf. 45 – ☐ 50 – **37 ch** 460/680, 6 duplex – ½ P 390.

à Nocé E : 8 km par D 203 – ✉ **61340** :

XXX **Aub. des 3 J.,** ✆ 33 73 41 03, Fax 33 83 33 66 – AE GB
fermé 15 au 30 sept., 2 au 16 fév., dim. soir sauf juil.-août et lundi sauf fériés – **Repas** 138/368 et carte 290 à 370.

BELLERIVE-SUR-ALLIER 03 Allier 73 ⑤ – rattaché à Vichy.

BELLES-HUTTES 88 Vosges 62 ⑰ – rattaché à La Bresse.

BELLEVAUX 74470 H.-Savoie 70 ⑰ G. **Alpes du Nord** – 1 113 h alt. 913 – Sports d'hiver : 1 100/1 800 m 22.

Voir Site★.

Office de Tourisme ✆ 50 73 71 53.

Paris 577 – Thonon-les-Bains 23 – Annecy 71 – Bonneville 34 – Genève 48.

Les Moineaux , ✆ 50 73 71 11, Fax 50 73 75 79, ←, , , – TV ☎ P. AE GB
20 juin-20 sept. et 25 déc.-10 avril – **Repas** 80/150, enf. 60 – 43 – **14 ch** 220/270 – ½ P 260.

au lac de Vallon SE : 6 km par D 26 et D 236 – ✉ **74470** Bellevaux :

Lac de Vallon , ✆ 50 73 74 55, Fax 50 73 77 95, – ☎ P. AE GB. rest
fermé 15 nov. au 15 déc. – **Repas** *(fermé dim. soir et jeudi soir sauf juil.-août et fév.)* 65/170 – 35 – **16 ch** 190/270 – ½ P 240.

au SO : 5 km par D 26, D 32 et rte secondaire – ✉ **74470** Bellevaux :

Aub. Gai Soleil , ✆ 50 73 71 52, ←, – ☎ P. rest
18 juin-18 sept. et 15 déc.-20 avril – **Repas** 55 (dîner), 60/70 – 29 – **20 ch** 190/210 – ½ P 225/245.

à Hirmentaz SO : 7 km par D 26 et D 32 – ✉ **74470** Bellevaux :

Panoramic , ✆ 50 73 70 34, Fax 50 73 74 82, ←, , – TV ☎ P. AE GB. rest
15 juin-15 sept. et 20 déc.-5 avril – **Repas** 75 (déj.), 95/100, enf. 45 – 30 – **30 ch** 250 – ½ P 285.

Excelsa , ✆ 50 73 73 22, Fax 50 73 72 73, ←, – TV ☎ P. GB. rest
15 juin-10 sept. et Noël-31 mars – **Repas** 90/120, enf. 60 – 40 – **20 ch** 260/300.

Christania , ✆ 50 73 70 77, Fax 50 73 76 08, ←, – TV ☎ P. GB. ch
1er juin-15 sept. et 19 déc.-15 avril – **Repas** 90 (dîner), 95/135, enf. 60 – 30 – **35 ch** 280/290 – ½ P 280/300.

Skieurs , ✆ 50 73 70 46, ←, – ☎. GB. rest
1er juil.-5 sept. et 15 déc.-15 avril – **Repas** 85/150 – 28 – **22 ch** 180/220 – ½ P 230/265.

BELLEVILLE 54940 M.-et-M. 57 ⑬ – 1 276 h alt. 190.

Paris 357 – ◆Nancy 16 – ◆Metz 39 – Pont-à-Mousson 13 – Toul 37.

XXX ✿ **Bistroquet** (Mme Ponsard), ✆ 83 24 90 12, Fax 83 24 04 01, – P. GB
fermé 2 au 16 sept., 1er au 14 janv., sam. midi, dim. soir et lundi – **Repas** (nombre de couverts limité, prévenir) 180/400 et carte 270 à 370 - ***Rôtisserie d'en Bas*** ✆ 83 24 04 80 *(fermé 1er août au 16 sept., 1er au 14 janv., sam. midi, dim. et lundi)* **Repas** carte 130 à 200, enf. 70

Spéc. Foie gras de canard poêlé en vinaigrette. Pot-au-feu de pigeon, jus de truffes. Soufflé chaud à la mirabelle. **Vins** Côtes de Toul.

XX **La Moselle,** face gare ✆ 83 24 91 44, Fax 83 24 99 38, , – P. AE GB
fermé 19 août au 4 sept., 13 au 26 fév., lundi soir et merc. soir – **Repas** 128/270, enf. 85.

BELLEVILLE 69220 Rhône 74 ① G. **Vallée du Rhône** – 5 935 h alt. 192.

Syndicat d'Initiative à la Mairie ✆ 74 66 44 67, Maison du Beaujolais à St-Jean-d'Ardières sur N 6 : 1,5 km sortie Autoroute Belleville ✆ 74 66 16 46.

Paris 417 – Mâcon 25 – Bourg-en-Bresse 43 – ◆Lyon 46 – Villefranche-sur-Saône 18.

Ange Couronné, 18 r. République ✆ 74 66 42 00, Fax 74 66 49 20 – ☎ . GB
fermé 7 au 15 oct., 5 au 19 janv., dim. soir d'oct. à mai et lundi – **Repas** 87/175, enf. 55 – 30 – **16 ch** 190/300.

XX **Beaujolais,** 40 r. Mar. Foch ✆ 74 66 05 31 – . AE GB
fermé 6 au 28 août, 17 au 25 déc., mardi soir et merc. – **Repas** 80/235 .

à Pizay NO : 5 km par D18 et D69 – ✉ **69220** St-Jean-d'Ardières :

Château de Pizay M , ✆ 74 66 51 41, Fax 74 69 65 63, , parc, « Au milieu du vignoble, jardin à la française », , – ch TV ☎ P – 200. AE GB
fermé 24 déc. au 2 janv. – **Repas** 195/355, enf. 120 – 63 – **62 ch** 530/1150 – ½ P 645/765.

RENAULT Gar. Dépérier, 172 r. République ✆ 74 66 17 15

Relais du Pneu, ZAC des Gouchoux à St-Jean d'Ardières ✆ 74 66 41 09

BELLEY ⟨SP⟩ 01300 Ain 74 ⑭ G. Jura – 7 807 h alt. 279.

Voir Choeur★ de la cathédrale St-Jean.

Office de Tourisme 34 Gde Rue ✆ 79 81 29 06, Fax 79 81 08 80.

Paris 507 – Aix-les-Bains 32 – Bourg-en-Bresse 76 – Chambéry 37 – ♦Lyon 96.

Urbis sans rest, îlot Baudin ✆ 79 81 01 20, Fax 79 81 53 83 – |♦| TV ☎ ✆ ♿. AE ⓓ GB
☐ 35 – **36 ch** 260/270.

XXX **Pavillon Bellevue** M avec ch, 1 av. Hoff ✆ 79 81 01 02, Fax 79 81 15 66, 🏠 – TV ☎ P –
🏠 40. AE GB
fermé dim. soir et lundi – **Repas** 110/330 et carte 230 à 320 – ☐ 50 – **3 ch** 350 – ½ P 450.

SE : 3 km sur rte Chambéry – ✉ **01300** Belley :

XX **Aub. la Fine Fourchette**, N 504 ✆ 79 81 59 33, Fax 79 81 55 43, ≤, 🏠 – P. GB
fermé dim. soir et lundi – **Repas** 110/275.

à Contrevoz NO : 9 km sur D 32 – 416 h. alt. 320 – ✉ **01300** :

XX **Aub. la Plumardière**, ✆ 79 81 82 54, Fax 79 81 80 17, 🏠, 🏠 – P
fermé 24 au 29 juin, 4 au 9 sept., 15 déc. à fin janv., mardi d'oct. à avril, dim. soir et lundi –
Repas 98/250.

CITROEN Gar. Callet, rte de Lyon ZA la Pelissière ✆ 79 81 06 43
PEUGEOT Belley Autom., ZI du Coron ✆ 79 81 05 53
RENAULT Gar. Benat, ZI de Coron ✆ 79 81 03 51
Ⓜ Ayme Pneus, rte de Bourg ✆ 79 81 20 09

BELVÈS 24170 Dordogne 75 ⑯ G. Périgord Quercy – 1 553 h alt. 175.

Paris 550 – Périgueux 63 – Sarlat-la-Canéda 34 – Bergerac 51 – Cahors 63 – Les Eyzies-de-Tayac 25.

Belvédère de Belvès, ✆ 53 29 90 50, Fax 53 29 90 74, 🏠 – TV ☎. AE GB
fermé fév. et mardi d'oct. à mars – **Repas** 59 (déj.), 78/198 ♂, enf. 36 – ☐ 35 – **20 ch** 240/315 – ½ P 235/255.

RENAULT Gar. Cypierre Da Silva, à Vaurez ✆ 53 29 02 84
Ⓜ Vaurez Pneus, ✆ 53 29 02 59

BENFELD 67230 B.-Rhin 87 ⑥ G. Alsace Lorraine – 4 330 h alt. 160.

Paris 503 – ♦Strasbourg 32 – Colmar 40 – Obernai 14 – Sélestat 18.

XX **Au Petit Rempart**, 1 r. Petit Rempart ✆ 88 74 42 26, Fax 88 74 18 58 – AE GB
fermé 18 juil. au 10 août, 20 fév. au 15 mars, mardi soir et merc. – **Repas** 138/340, enf. 55
Au Canon : **Repas** 44(déj.), 85/130♂.

BÉNODET 29950 Finistère 58 ⑮ G. Bretagne (plan) – 2 436 h alt. 20 – Casino .

Voir Pont de Cornouaille ≤★ NO : 1 km.

Excurs. L' Odet★★ en bateau (1 h 30).

9 18 de l'Odet ✆ 98 54 87 88, à Clohars-Fouesnant : 4 km.

Office de Tourisme av. Plage ✆ 98 57 00 14, Fax 98 57 23 00.

Paris 558 – Quimper 16 – Concarneau 22 – Fouesnant 8,5 – Pont-l'Abbé 12 – Quimperlé 48.

Ker Moor 🏠, corniche de la Plage ✆ 98 57 04 48, Télex 941182, Fax 98 57 17 96
« Parc », ⛱, 🎾 – |♦| TV ☎ P – 🏠 80. AE GB. ✻ rest
1er avril-1er nov. – **Repas** 150/250, enf. 60 – ☐ 40 – **60 ch** 400/550 – ½ P 500/540.

Annexe Kastel Moor sans rest, ✆ 98 57 05 01, ≤ – |♦| TV ☎ P – 🏠 60
1er avril-1er nov. – ☐ 40 – **22 ch** 450/550.

Gwell Kaër, av. Plage ✆ 98 57 04 38, Fax 98 66 22 85, ≤, 🏠 – |♦| TV ☎ P. GB. ✻ rest
fermé 10 déc. au 10 janv., dim. soir et lundi d'oct. à Pâques – **Repas** 95/240 – ☐ 45 – **23 ch** 400/515 – ½ P 460/515.

Domaine de Kereven 🏠, rte Quimper : 2 km ✆ 98 57 02 46, Fax 98 66 22 61, parc – ☎
P. ✻
hôtel : Pâques-15 oct. ; rest. : 15 mai-21 sept. – **Repas** (dîner seul.)(résidents seul.) 125 ♂ –
☐ 39 – **16 ch** 350/390 – ½ P 315/350.

Armoric, 2 r. Penfoul ✆ 98 57 04 03, Fax 98 57 21 28, 🏠 – TV ☎ ✆ P. AE ⓓ GB
1er avril-31 oct. – **Repas** (dîner seul.) 125/165 – ☐ 45 – **30 ch** 280/750 – ½ P 310/545.

Le Minaret 🏠, corniche de l'Estuaire ✆ 98 57 03 13, Fax 98 66 23 72, ≤, 🏠, « Jardin dominant l'estuaire » – |♦| TV ☎ P. GB. ✻ rest
5 avril-30 sept. – **Repas** *(fermé mardi en avril et mai)* 90/210, enf. 48 – ☐ 40 – **20 ch** 420 –
½ P 350/385.

Bains de Mer, r. Kerguelen ✆ 98 57 03 41, Fax 98 57 11 07, ⛱ – |♦| ▤ rest TV ☎ P. AE
GB. ✻ ch
hôtel : 16 mars-16 nov. ; rest. : 30 mars-3 nov. – **Repas** 70/200, enf. 40 – ☐ 35 – **32 ch** 290/350 – ½ P 320.

XX ✿ **Ferme du Letty** (Guilbault), au Letty SE : 2 km par D 44 et rte secondaire
✆ 98 57 01 27, Fax 98 57 25 29, 🏠 – AE ⓓ GB JCB
25 fév.-15 oct. et fermé merc. (sauf le soir en juil.-août) et jeudi midi – **Repas** 98/490 et carte 240 à 400, enf. 50
Spéc. Grande assiette de la fête du cochon. Homard breton et langouste puce. Soufflé aux pommes et lambig.

à Clohars-Fouesnant NE : 3 km par D 34 – 1 279 h. alt. 30 – ✉ **29950** :

XX **La Forge d'Antan,** ✆ 98 54 84 00, Fax 98 54 89 11, 🚗 – **P**. GB
fermé vacances de fév., lundi midi et mardi midi en juil.-août, dim. soir et lundi de sept. à juin – **Repas** 145/295, enf. 75.

BÉNOUVILLE 14 Calvados 55 ② – rattaché à Caen.

BERCK-SUR-MER **62600** P.-de-C. 51 ⑪
G. Flandres Artois Picardie – 14 167 h alt. 5.

Voir Phare ✳★ B – Parc d'attractions de Bagatelle★ 5 km par ①.

18 de Nampont-St-Martin (80) ✆ 22 29 92 90, par ③ : 15 km.

Office de Tourisme 5 av. Tattegrain ✆ 21 09 50 00, Fax 21 84 84 16.

Paris 220 ③ – ♦Calais 74 ② – Abbeville 42 ③ – Arras 95 ② – Boulogne-sur-Mer 39 ① – Montreuil 14 ② – St-Omer 70 ② – Le Touquet-Paris-Plage 16 ①.

à Berck-Plage :

Littoral, 36 av. Marianne-Toute-Seule **(e)** ✆ 21 09 07 76, Fax 21 09 57 38 – |♦| TV ☎. AE ① GB. ✂ rest
hôtel : fermé 1er oct. au 20 déc. et 6 janv. au 28 fév. ; rest. : fermé 1er oct. au 31 mars – **Repas** 65/98 ♁ – ☕ 25 – **19 ch** 190/240 – ½ P 260.

X **Aub. du Bois,** 149 av. Dr Quettier par ① ✆ 21 09 03 43 – AE ① GB JCB
fermé 14 janv. au 4 fév. et lundi – **Repas** 90/200 ♁.

CITROEN Artois Autom., ZI rte d'Abbeville par ③ ✆ 21 09 26 42 **N** ✆ 21 84 30 39
PEUGEOT Gar. Paillard, ZI rte d'Abbeville par ③ ✆ 21 09 43 50 **N** ✆ 22 31 54 02
RENAULT Campion Berck, pl. Fontaine par ② ✆ 21 09 04 11 **N** ✆ 21 84 13 13

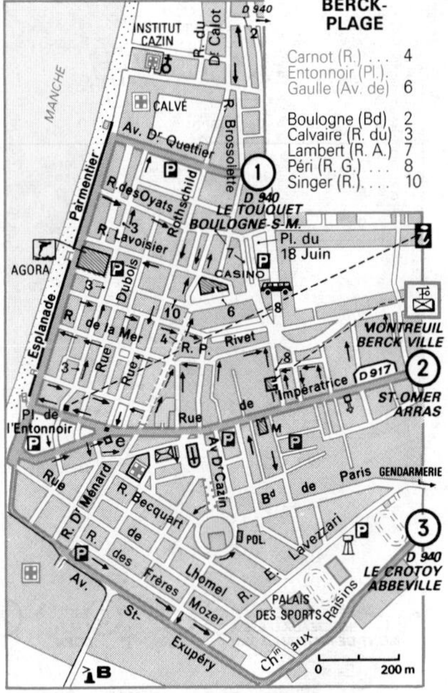

BERGERAC <SP> **24100** Dordogne 75 ⑭ ⑮ G. Périgord Quercy – 26 899 h alt. 37.

Voir Le Vieux Bergerac★ : musée du Tabac★★ (maison Peyrarède★) AZ – Musée du Vin, de la Batellerie et de la Tonnellerie★ AZ **M2**.

Env. Château de Monbazillac★ S : 7 km par D 13.

18 du Château des Vigiers ✆ 53 61 50 00, O : 20 km par ⑤.

✈ Bergerac-Roumanière : ✆ 53 57 00 09, par ③ : 5 km.

Office de Tourisme 97 r. Neuve-d'Argenson ✆ 53 57 03 11.

Paris 544 ① – Périgueux 47 ① – Agen 91 ③ – Angoulême 111 ⑥ – ♦Bordeaux 93 ⑤ – Pau 216 ④.

Plan page suivante

La Flambée, rte Périgueux par ① : 3 km ✆ 53 57 52 33, ⛱, « Parc fleuri, 🏊 », ✂ – TV ☎ **P** – 🎤 50. AE GB
2 avril-2 janv. – **Repas** *(fermé dim. soir et lundi sauf juil.-août)* 100/340 – ☕ 48 – **20 ch** 280/470 – ½ P 370/400.

France sans rest, 18 pl. Gambetta ✆ 53 57 11 61, Fax 53 61 25 70 – TV ☎ 🚗. AE ① GB
☕ 42 – **20 ch** 240/335. AY **u**

Bordeaux, 38 pl. Gambetta ✆ 53 57 12 83, Fax 53 57 72 14, ⛱, 🏊, 🚗 – |♦| ✂ ▤ rest TV ☎ 🚗 – 🎤 30. AE ① GB JCB AY **f**
fermé janv. – **Repas** 99/185 – ☕ 48 – **40 ch** 310/430 – ½ P 360/390.

Relais du Petit Prince M, rte d'Agen par ③ : 3 km ✆ 53 24 89 76, Fax 53 57 72 24, ⛱, 🏊 – |♦| ▤ ch TV ☎ ♿ **P** – 🎤 30. AE GB
Repas *(fermé lundi midi et dim.)* 70/99 ♁ – ☕ 52 – **38 ch** 320, 12 duplex – ½ P 290.

Europ H. sans rest, 20 r. Petit Sol ✆ 53 57 06 54, Fax 53 58 67 60, 🏊, 🚗 – ✂ TV ☎ **P**. AE GB AY **v**
☕ 30 – **22 ch** 220/250.

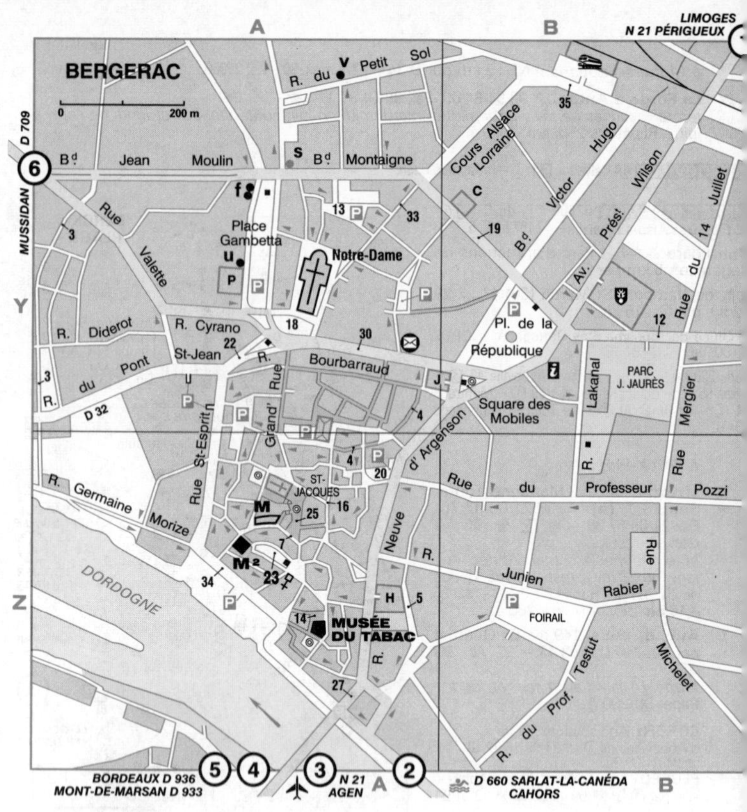

Grand'Rue .... AYZ
Lattre-de-T. (Pl. de) .... AY 18
Résistance (R. de la) .... AY 30
Ste-Catherine (R.) .... AY 33

Beausoleil (Bd.) .... AY 3
Brèche (R. de la) .... AZ 4
Candillac (R.) .... AZ 5
Conférences (R. des) .... AZ 7
Dr-Simounet (R.) .... BY 12
Ferry (Pl. J.) .... AY 13
Feu (Pl. du) .... AZ 14
Fontaines (R. des) .... AZ 16
Maine-de-Biran (Bd) .... BY 19
Malbec (Pl.) .... AZ 2
Mounet-Sully (R.) .... AY 2
Myrpe (Pl. de la) .... AZ 2
Pelissière (Pl.) .... AZ 2
Pont (Pl. du) .... AZ 2
Salvette (Quai) .... AZ 3
108e-R.-I. (Av. du) .... BY 3

Commerce, 36 pl. Gambetta ✆ 53 27 30 50, Fax 53 58 23 82 – rest – 25 AE GB — AY
fermé dim. soir du 12 oct. au 10 avril – **Repas** 98/148, enf. 55 – 40 – **35 ch** 275/360 – ½ P 260/315.

Le Cyrano, 2 bd Montaigne ✆ 53 57 02 76, Fax 53 57 78 15 – AE GB JCB — AY
fermé 22 au 26 déc., sam. midi et dim. sauf fériés – **Repas** 90/250.

à St-Julien-de-Crempse par ①, N 21, D 107 et rte secondaire : 12 km – 158 h. alt. 150 – ✉ **24140** :

Manoir Grand Vignoble, ✆ 53 24 23 18, Fax 53 24 20 89, parc, – 40. AE GB
fermé 1er déc. au 28 fév. – **Repas** 100 (déj.), 150/280 – 58 – **44 ch** 540/680 – ½ P 471/534

au Moulin de Malfourat par ④ : 8 km – ✉ **24240** Monbazillac :

La Tour des Vents, ✆ 53 58 30 10, Fax 53 58 89 55, ≤ vallée de Bergerac, – GB
fermé janv., lundi soir et mardi du 1er oct. au 30 juin – **Repas** 80/300, enf. 58.

par ⑤ rte de Bordeaux : 5 km – ✉ **24100** Bergerac :

Climat de France, ✆ 53 57 22 23, Fax 53 58 25 24, – – 25. GB
Repas 65 bc (déj.), 78/135, enf. 39 – 35 – **46 ch** 290.

Campanile, ✆ 53 57 86 10, Fax 53 57 72 21, – AE GB
Repas 84 bc/107 bc, enf. 39 – 32 – **49 ch** 270.

ITROEN Gar. Cazes, rte de Bordeaux par ⑤
53 57 73 77 N ✆ 53 57 73 77
IAT, LANCIA Gar. de Naillac, 39 av. de Bordeaux
53 57 18 97
ORD Centre Autom. Pecou, rte de Périgueux
53 57 27 41 N ✆ 53 57 27 41
EUGEOT Gar. Géraud, 117 r. Clairat par ②
53 57 62 72 N ✆ 53 63 93 73

RENAULT Bergerac Autos, rte de Périgueux, 151 av. Pasteur par ① ✆ 53 63 65 65 N ✆ 53 63 91 47
VAG Gar. Wilson, 26 av. Wilson ✆ 53 27 20 08

Pneu Plus Poughon Vulcopneu, 112 av. Pasteur ✆ 53 57 46 77
Service du Pneu Point S, rte d'Eymet ✆ 53 57 19 54

BERGÈRES-LÈS-VERTUS 51 Marne 56 ⑯ – rattaché à Vertus.

BERGHEIM 68750 H.-Rhin 62 ⑲ G. Alsace Lorraine – 1 802 h alt. 235.

Voir Cimetière militaire allemand ✲★.

Paris 485 – Colmar 17 – Ribeauvillé 3,5 – Selestat 8,5.

XX **Chez Norbert** avec ch, ✆ 89 73 31 15, Fax 89 73 60 65, « Cadre rustique » – TV ☎. AE GB
fermé 1er au 15 mars et 1er au 7 juil. – **Repas** *(fermé mardi midi et jeudi hors sais.)* 180/250 – ☕ 45 – **12 ch** 320/350 – ½ P 375.

X **Wistub du Sommelier,** ✆ 89 73 69 99, Fax 89 73 36 58, restaurant à vins –
fermé vacances de fév., lundi de nov. à juin et dim. – **Repas** carte 140 à 280.

La BERGUE 74 H.-Savoie 74 ⑥ – rattaché à Annemasse.

BERGUES 59380 Nord 51 ④ G. Flandres Artois Picardie – 4 163 h alt. 4.

Voir Couronne d'Hondschoote★.

Office de Tourisme au Beffroi ✆ 28 68 71 06, hors saison : ✆ 28 68 60 44.

Paris 284 – ◆Calais 50 – Bourbourg 18 – Dunkerque 9 – Hazebrouck 32 – ◆Lille 63 – St-Omer 30.

Au Tonnelier, près église ✆ 28 68 70 05, Fax 28 68 21 87 – TV ☎. GB. ✻ ch
fermé 21 août au 10 sept. et 19 déc. au 7 janv. – **Repas** *(fermé vend. sauf fériés)* 90/160 – ☕ 32 – **11 ch** 195/340 – ½ P 220/290.

Commerce sans rest, près église ✆ 28 68 60 37, Fax 28 68 70 76 – ☎. GB
☕ 28 – **15 ch** 125/300.

XXX ✿ **Cornet d'Or** (Tasserit), 26 r. Espagnole ✆ 28 68 66 27, Fax 28 68 66 27 – AE GB. ✻
fermé dim. soir et lundi sauf fériés – **Repas** 150/275 et carte 260 à 380
Spéc. Tarte fine aux pommes et foie gras. Turbot rôti à la bière de garde. Canette rôtie à l'ancienne.

PEUGEOT Gar. Moderne Desmidt, à Esquelbecq
28 65 61 44

RENAULT Houtland Autom., à Wormhout
✆ 28 62 99 00 N ✆ 28 02 97 25

BERNAY 27300 Eure 55 ⑮ G. Normandie Vallée de la Seine (plan) – 10 582 h alt. 105.

Voir Boulevard des Monts★.

Office de Tourisme 29 r. Thiers ✆ 32 43 32 08.

Paris 154 – ◆Rouen 57 – Argentan 69 – Évreux 50 – ◆Le Havre 71 – Louviers 51.

Acropole M sans rest, SO : 3 km sur rte de Broglie ✆ 32 46 06 06, Fax 32 44 01 04 – TV ☎ P – 30 à 80. AE GB
☕ 37 – **51 ch** 245/295.

CITROEN Gar. Lauvrière, 36 r. B.-Gombert
✆ 32 43 22 78
NISSAN Gar. Edouin, carr. Malbrouck, N 13 à Carsix ✆ 32 46 23 59 N ✆ 32 44 21 76
OPEL Gar. Robillard, rte de Broglie ZI
✆ 32 43 09 99

PEUGEOT Gar. Lefèvre, N 138, rte de Broglie ZI
✆ 32 43 34 28

Sube Pneurama Point S, 5 r. L.-Gillain
✆ 32 43 37 78

La BERNERIE-EN-RETZ 44760 Loire-Atl. 67 ① – 1 828 h alt. 24.

Paris 431 – ◆Nantes 46 – Challans 38 – St-Nazaire 36.

Château de la Gressière, r. Noue Fleurie ✆ 51 74 60 06, Fax 51 74 60 02, – TV ☎ P. AE GB
Repas *(fermé lundi d'oct. à mai)* 160 bc/275, enf. 100 – ☕ 48 – **15 ch** 300/650 – ½ P 400/500.

BERNEX 74500 H.-Savoie 70 ⑱ G. Alpes du Nord – 737 h alt. 955 – Sports d'hiver : 1 000/1 900 m 15

Office de Tourisme 50 73 60 72, Fax 50 73 16 17.

Paris 587 – Thonon-les-Bains 18 – Annecy 92 – Évian-les-Bains 14 – Morzine 34.

Chez Tante Marie, 50 73 60 35, Fax 50 73 61 73, ←, « Jardin fleuri » – P. GB. ch
fermé 15 oct. au 15 déc. – **Repas** 90 (dîner), 95/230, enf. 55 – 42 – **27 ch** 365/390 1/2 P 330/360.

L'Échelle et H. Grand Chenay avec ch, 50 73 60 42, Fax 50 73 69 21, « Déco rustique » – cuisinette P. GB
fermé 15 nov. au 15 déc. et mardi sauf vacances scolaires – **Repas** 79 bc (déj.), 135 bc/16 bc – 38 – **6 ch** 350, 6 studios – 1/2 P 280.

à La Beunaz NO : 1,5 km par D 52 – alt. 1000 – 74500 Évian-les-Bains :

Bois Joli, 50 73 60 11, Fax 50 73 65 28, ←, – TV P. AE GB rest
fermé 16 mars au 4 avril, 20 oct. au 20 déc. et merc. sauf juil.-août – **Repas** 100/240, enf. 60 40 – **24 ch** 320/350 – 1/2 P 330.

Renardière sans rest, 50 73 60 02, Fax 50 73 69 29, ←, – TV P – 30 AE GB.
1er mai-mi sept. et fermé dim. soir et lundi sauf vacances scolaires – 40 – **17 ch** 200/420

L'atlante stradale Michelin della FRANCIA è :

– tutta la cartografia dettagliata (1/200 000) in un solo volume,

– decine di piante di città,

– un indice alfabetico delle località...

Lo strumento di viaggio indispensabile nel vostro veicolo.

BERRY-AU-BAC 02190 Aisne 56 ⑥ – 509 h alt. 62.

Paris 160 – Reims 20 – Laon 29 – Rethel 45 – Soissons 48 – Vouziers 67.

La Côte 108 (Courville), 23 79 95 04, Fax 23 79 83 50, – P. AE GB
fermé 8 au 23 juil., 25 déc. au 15 janv., dim. soir et lundi – **Repas** (dim. prévenir) 160/420 et carte 290 à 400
Spéc. Foie gras chaud en croque au sel. Langoustines au beurre d'agrumes vanillé (mai à nov.). Saint-Jacques rôties au vinaigre de Porto (oct. à avril). **Vins** Coteaux champenois rouge.

BESANÇON P 25000 Doubs 66 ⑮ G. Jura – 113 828 h Agglo. 122 623 h alt. 250 – Casino BY.

Voir Site★★★ – Citadelle★★ BZ : musée d'Histoire naturelle★, musée comtois★, musée de la Résistance et de la Déportation★, musée agraire★ – Vieille ville★★ ABYZ : Palais Granvelle★, Vierge aux Saints★ (cathédrale), horloge astronomique★, façades★ – Préfecture★ AZ P – Bibliothèque municipale★ BZ X – Grille★ de l'Hôpital St-Jacques AZ – Musée des Beaux-Arts et d'Archéologie★★ AY.

Env. N.-D.-de-la-Libération ←★ SE : 5,5 km BX – Belvédère de Montfaucon ←★ 8 km par D 111 BX.

18 81 55 73 54, par ② : 13 km.

Office de Tourisme et Accueil de France 2 pl. 1ère Armée Française 81 80 92 55, Fax 81 80 58 30 – A.C. Comtois, 7 av. Élysée-Cusenier 81 81 26 11.

Paris 406 ④ – Basel 172 ⑤ – Bern 157 ② – Dijon 93 ④ – Genève 149 ② – Grenoble 296 ③ – Lyon 254 ④ – Nancy 206 ⑤ – Reims 335 ④ – Strasbourg 249 ⑤.

Plans pages suivantes

Novotel M, 22 bis r. Trey 81 50 14 66, Télex 360009, Fax 81 53 51 57, – TV P – 120. AE GB JCB BX
Repas 110, enf. 50 – 50 – **107 ch** 425/470.

Mercure Parc Micaud, 3 av. E. Droz 81 80 14 44, Télex 360268, Fax 81 53 29 83 – rest TV P – 150. AE GB BY
Repas carte 140 à 220 – 51 – **95 ch** 500.

Relais Castan sans rest, 6 square Castan 81 65 02 00, Fax 81 83 01 02, « Hôtel particulier des 17e et 18e siècles » – TV P. AE GB BZ
fermé 30 juil. au 20 août et 25 déc. au 3 janv. – 50 – **7 ch** 550/980.

Relais Mercure H. des Bains sans rest, 4 av. Carnot 81 80 33 11, Fax 81 88 11 14 – TV P – 60. AE GB BY
fermé 20 déc. au 5 janv. – 54 – **67 ch** 295/400.

Nord sans rest, 8 r. Moncey 81 81 34 56, Fax 81 81 85 96 – TV. AE GB JCB BY
33 – **44 ch** 185/299.

Siatel M, 3 chemin des Founottes par N 57 : 3 km ✆ 81 80 41 41, Fax 81 80 41 41 – rest TV ☎ & P – 40. GB AX q
Repas 69/118 , enf. 39 – 35 – **36 ch** 265/295 – ½ P 195.

Ibis Centre M sans rest, 21 r. Gambetta ✆ 81 81 02 02, Fax 81 81 89 65 – TV ☎ & P. AE GB BY k
37 – **49 ch** 310/350.

Relais des Vallières, 3 r. P. Rubens par bd de l'Ouest : 4 km ✆ 81 52 02 02, Fax 81 51 18 26 – TV ☎ & P. AE GB AX n
Repas *(fermé dim. soir du 1er nov. au 30 avril)* 82/155 , enf. 40 – 32 – **49 ch** 270/340 – ½ P 222/252.

XXX ✿ **Mungo Park** (Mme Choquart), 11 r. Jean Petit ✆ 81 81 28 01, Fax 81 83 36 97, – AE GB AY e
fermé 1er au 15 août, vacances de fév., lundi midi et dim. – **Repas** 140 (déj.), 200/490 et carte 300 à 390
Spéc. Gâteau de verdure aux escargots du pays. Suprême de volaille aux morilles. Crème brûlante aux noix et vin jaune. **Vins** Arbois, l'Etoile.

XX **Le Vauban,** à la Citadelle ✆ 81 83 02 77, Fax 81 83 17 25, , « A l'entrée de la Citadelle, salles voûtées » – GB. BZ h
fermé 1er janv. au 15 mars, lundi sauf le midi du 1er juin au 30 sept. et dim. soir – **Repas** 105/145 , enf. 70.

XX **Le Chaland,** promenade Micaud, près Pont Brézille ✆ 81 80 61 61, Fax 81 88 67 42, « Bateau restaurant » – . AE GB BY s
fermé 23 juil. au 16 août, 2 au 8 janv., sam midi et dim. – **Repas** 90/375.

XX **Poker d'As,** 14 square St-Amour ✆ 81 81 42 49, Fax 81 81 05 59 – AE GB BY u
fermé 21 juil. au 5 août, 25 déc. au 1er janv., dim. soir et lundi – **Repas** 92/200 .

à Chalezeule par ① et D 217 : 5,5 km – 944 h. alt. 252 – ✉ **25220** :

des 3 Iles sans rest, ✆ 81 61 00 66, Fax 81 61 73 09 – TV ☎ P. GB
30 – **16 ch** 240/300.

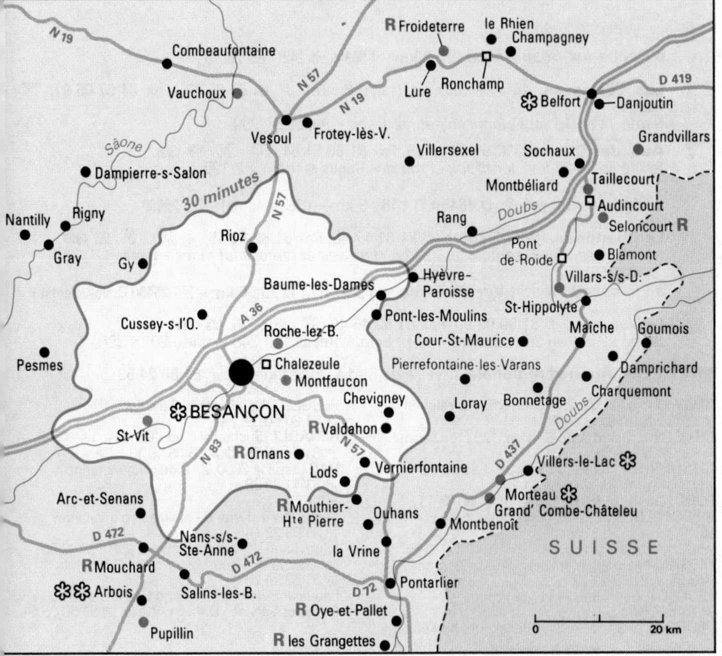

BESANÇON

Belfort (R. de) . . . . BX
Carnot (Av.) . . . . BX 7

Allende (Bd S.) . . . . AX 2
Brulard (R. Gén.) . . . . AX 5
Chaillot (R.) . . . . BX 12
Clemenceau (Av. Georges) . . . . AX 15
Clerc (R. F.) . . . . BX 16
Fontaine-Argent (Av. de) . . . BX 19
Jouchoux (R. A.) . . . . AX 24
Lagrange (Av. Léo) . . . . AX 2
Montrapon (Av. de) . . . . AX 3
Observatoire (Av. de l') . . . . . AX 3
Ouest (Bd) . . . . AX 3
Paix (Av. de la) . . . . BX 3
Vaite (R. de la) . . . . BX 5
Voirin (R.) . . . . BX 5

à Roche-lez-Beaupré par ① : 8 km – 1 663 h. alt. 242 – ✉ **25220** :

Les Terrasses, 40 r. Nationale (face Poste) ✆ 81 57 05 82, Fax 81 57 05 97, – GB
fermé 1er au 15 sept., lundi soir et jeudi soir – **Repas** 87/239.

Aub. des Rosiers, ✆ 81 57 05 85, Fax 81 60 51 54, – P. GB
fermé 15 au 28 fév., lundi soir et mardi – **Repas** 68 (déj.), 92/195, enf. 60.

à Montfaucon par ②, D 464 et D 146 : 9 km – 1 262 h. alt. 491 – ✉ **25660** :

La Cheminée, rte Belvédère ✆ 81 81 17 48, Fax 81 82 86 45, – P. AE GB
fermé 21 août au 6 sept., 3 au 27 fév., dim. soir et merc. sauf fériés – **Repas** 120/255.

à l'Espace Valentin Vert-Bois-Vallon par ⑤ et D 75 : 5 km – ✉ **25480** École-Valentin :

Le Valentin, ✆ 81 80 03 90, Fax 81 53 45 49, – P. AE GB
fermé 29 juil. au 26 août, dim. soir et lundi – **Repas** 126/348 et carte 280 à 390.

MICHELIN, Agence régionale, r. Vallières Sud à Chalezeule BX ✆ 81 80 24 53

BMW Gar. Loux, ZAC Valentin à Ecole Valentin ✆ 81 88 48 48 N ✆ 81 50 12 04
CITROEN Cassard Auto Service, 123 r. de Vesoul AX ✆ 81 50 45 24
CITROEN Succursale, 228 rte de Dole par ④ ✆ 81 61 47 47 N ✆ 05 05 24 24
FORD Est Auto, 18 av. Carnot ✆ 81 80 85 11
MERCEDES CMB, ZAC de Valentin ✆ 81 50 47 34 N ✆ 81 50 47 34
NISSAN Mécanique et Loisirs Auto., 72 r. de Belfort ✆ 81 88 29 23
PEUGEOT Gar. Morel, 48 r. de Vesoul ✆ 81 50 36 73
PEUGEOT Sté Ind. Autom. Besançon, bd Kennedy ZI Trépillot AX ✆ 81 48 44 06 N ✆ 81 53 91 27
PEUGEOT Gar. Durand, 9 av. Foch BX ✆ 81 80 66 39
RENAULT Succursale, bd Kennedy AX ✆ 81 54 25 25 N ✆ 05 05 15 15
VAG Espace 3000, ZAC de Châteaufarine ✆ 81 41 28 28

Eco Pneu, 17 rte d'Epinal à Ecole Valentin ✆ 81 53 32 44
Kautzmann, 22 bis r. Jouchoux ✆ 81 53 09 56
La Maison du Pneu Mariotte, 1 r. Berthelot ✆ 81 53 24 28
Pneus et Services D.K., 8 bd L.-Blum ✆ 81 50 29 30
Pneus et Services D.K., 6 r. Weiss ✆ 81 50 05 54

BESANÇON

Battant (R.) . . . . AY
Bersot (R.) . . . . BY
Carnot (Av.) . . . . BY 7
Grande-Rue . . . . ABYZ
Granges (R. des) . . . . BY
République (R. de la) . . . . BY 40

Battant (Pont) . . . . AY 3
Castan (Sq.) . . . . BZ 8
Chantrand (R. G.) . . . . AY 13
Chapitre (R. du) . . . . BZ 14
Denfert-Rochereau (Av.) . . . . BY 17
Denfert-Rochereau (Pont) . ABY 18
Fusillés-de-la-Résistance (R. des) . . . . BZ 19
Gambetta (R.) . . . . BY 21
Gare-d'eau (Av. de la) . . . . . . AZ 20
Gaulle (Bd Ch.-de) . . . . AZ 21
Krug (R. Ch.) . . . . BY 22
Leclerc (Pl. Mar.) . . . . AY 26
Madeleine (R. de la) . . . . AY 28
Martelots (R. des) . . . . BZ 30
Mégevand (R.) . . . . ABZ 32
Moncey (R.) . . . . BY 34
Orme-de-Chamars (R. de l') . AZ 36
Pouillet (R. C.) . . . . AY 39
Révolution (Pl. de la) . . . . AY 41
Rivotte (Faubourg) . . . . BZ 42
Rousseau (R.) . . . . AY 45
Saint-Amour (Sq.) . . . . BY 48
Sarrail (R. Gén.) . . . . BY 52
Vauban (Quai) . . . . AY 56
1re-Armée-Française (Pl.) . . . BY 58

BESSANS 73480 Savoie 77 ⑨ G. Alpes du Nord – 303 h alt. 1730 – Sports d'hiver : 1 720/2 200 m 4.

Voir Peintures★ de la chapelle St-Antoine.

Office de Tourisme ✆ 79 05 96 52, Fax 79 05 83 11.

Paris 681 – Albertville 127 – Chambéry 137 – Lanslebourg-Mont-Cenis 11 – Val-d'Isère 37.

Vanoise, ✆ 79 05 96 79, ←, – ☎ P. GB.
29 juin-15 sept. et 14 déc.-15 avril – **Repas** 80/120, enf. 50 – ☐ 45 – **29 ch** 270/360 – ½ P 260/320.

Mont-Iseran, ✆ 79 05 95 97, Fax 79 05 84 67 – TV ☎. GB. rest
20 juin-30 sept. et 15 déc.-15 avril – **Repas** 75/150 – ☐ 45 – **19 ch** 330/350 – ½ P 255/295.

Le BESSAT 42660 Loire 76 ⑨ – 250 h alt. 1170 – Sports d'hiver : 1 170/1 427 m.

Paris 535 – ◆St-Étienne 18 – Annonay 30 – Bourg-Argental 15 – St-Chamond 18 – Yssingeaux 64.

France, ✆ 77 20 40 99, – ☎ – 30. AE ⓓ GB
fermé 1er au 15 sept., vacances de Noël, dim. soir et lundi sauf juil.-août – **Repas** 70/160 – ☐ 25 – **30 ch** 140/210 – ½ P 180/190.

La Fondue "Chez l'Père Charles" avec ch, ✆ 77 20 40 09, Fax 77 20 45 20 – ☎. AE ⓓ GB. – *1er mars-30 nov.* – **Repas** 76/270 – ☐ 33 – **9 ch** 180/300.

BESSE-EN-CHANDESSE **63610** P.-de-D. 73 ⑬ ⑭ **G. Auvergne** (plan) – 1 799 h alt. 1050 – Sports d'hiver à Super Besse.

Voir Église St-André★ – Rue de la Boucherie★ – Porte de ville★ – Lac Pavin★★ et Puy de Montchal★★ SO : 4 km par D 978.

Env. Vallée de Chaudefour★★ NO : 11 km.

Office de Tourisme pl. Dr-Pipet ☎ 73 79 52 84.

Paris 470 – ◆Clermont-Ferrand 47 – Condat 27 – Issoire 31 – Le Mont-Dore 26.

Mouflons, ☎ 73 79 56 93, Fax 73 79 51 18, – TV ☎ P – 35. GB
1er mai-15 oct. et 24 déc.-20 mars – **Repas** 95/170 – 48 – **50 ch** 295/345 – ½ P 295.

Charmilles sans rest, rte Super-Besse ☎ 73 79 50 79, ← – P. GB
25 juin-20 sept., vacances scolaires et week-ends en hiver – 30 – **20 ch** 280.

Levant, ☎ 73 79 50 17, Fax 73 79 50 55, – TV ☎. GB. rest
hôtel : 15 juin-22 sept. et 20 déc.-10 avril ; rest. : 15 juin-22 sept. et 20 janv.-31 mars – **Repas** 95/150, enf. 45 – 40 – **15 ch** 235/270 – ½ P 280.

Le Clos, rte Mont Dore : 0,5 km ☎ 73 79 52 77, Fax 73 79 56 67, , , – ☎ P. GB. rest
7 avril-4 mai, 1er juin-28 sept. et 21 déc.-31 mars – **Repas** 90/150, enf. 40 – 38 – **29 ch** 290/300 – ½ P 305.

Beffroy, ☎ 73 79 50 08, Fax 73 79 57 87 – TV ☎. GB. rest
fermé vacances de printemps, de Toussaint, dim. soir et lundi sauf vacances scolaires – **Repas** 100/260 – 50 – **14 ch** 260/360 – ½ P 300.

au Lac Pavin SO : 4 km – ✉ **63610** Besse-en-Chandesse :

Lac Pavin avec ch, ☎ 73 79 62 79, Fax 73 79 61 22, ←, – P. GB
fermé 1er nov. au 15 déc., dim. soir, lundi et mardi du 15 sept. au 1er mai sauf vacances scolaires – **Repas** 90/170, enf. 50 – 35 – **5 ch** 230 – ½ P 230.

à Super-Besse O : 7 km – Sports d'hiver : 1 350/1 850 m 1 20 – ✉ **63610** Besse-en-Chandesse.

Office de Tourisme rond-point des Pistes (20 juin-10 sept., 20 déc.-20 avril) ☎ 73 79 60 29.

Gergovia, ☎ 73 79 60 15, Fax 73 79 61 43, ←, – TV ☎ P. GB
hôtel : fermé 1er oct. au 19 déc. ; rest. : ouvert 1er juil.-30 août et 20 déc.-1er mars – **Repas** 90/130 – 50 – **51 ch** 450 – ½ P 395/500.

PEUGEOT Gar. Fabre à Besse et Saint-Anastaise ☎ 73 79 51 10
RENAULT Gar. des Lacs, à Besse et Saint-Anastaise ☎ 73 79 50 07

BESSENAY **69690** Rhône 73 ⑲ – 1 611 h alt. 400.

Paris 467 – Roanne 70 – ◆Lyon 31 – Montbrison 49 – ◆St-Étienne 62.

Aub. de la Brevenne M, N 89 ☎ 74 70 80 01, Fax 74 70 82 31 – rest TV ☎ P. AE GB. ch
Repas *(fermé dim. soir)* 95/260 , enf. 60 – 35 – **20 ch** 290/330 – ½ P 460.

BESSÉ-SUR-BRAYE **72310** Sarthe 64 ⑤ – 2 815 h alt. 72.

Paris 191 – ◆Le Mans 55 – La Ferté-Bernard 42 – ◆Tours 55 – Vendôme 31.

La Chaumière, rte Troo ☎ 43 35 30 59, Fax 43 35 21 88 – TV ☎ P – 25. GB
fermé 23 déc. au 15 janv. et dim. soir – **Repas** 64 (déj.), 95/209 , enf. 54 – 24 – **15 ch** 202/244 – ½ P 180/190.

à Pont-de-Braye SO : 8 km par D 303 – ✉ **72310** Lavenay :

Voir Escalier★★ du château de Poncé-sur-le-Loir O : 3,5 km, **G. Châteaux de la Loire.**

Petite Auberge avec ch, ☎ 43 44 45 08, Fax 43 44 18 57 – GB. ch
fermé 12 au 19 nov., 15 au 30 janv., lundi soir du 1er oct. au 31 mars et mardi sauf du 10 juil. au 15 sept. – **Repas** 72/175, enf. 42 – 25 – **3 ch** 155/175.

CITROEN Gar. Legeay, ☎ 43 35 32 63
PEUGEOT Gar. Ched'homme, ☎ 43 35 30 42
RENAULT Gar. Hubert, ☎ 43 35 30 70

BESSINES-SUR-GARTEMPE **87250** H.-Vienne 72 ⑧ – 2 988 h alt. 335.

Paris 363 – ◆Limoges 36 – Argenton-sur-Creuse 58 – Bellac 29 – Guéret 54 – La Souterraine 21.

Bellevue, N 20 ☎ 55 76 01 99 – P. GB
fermé 12 fév. au 12 mars, lundi midi du 1er nov. au 31 mai et lundi soir sauf du 14 juil. au 15 août – **Repas** 52/150 .

à la Croix-du-Breuil N : 3 km sur N 20 – ✉ **87250** Bessines-sur-Gartempe :

Manoir Henri IV, ☎ 55 76 00 56, Fax 55 76 14 14, – rest TV ☎ P. GB
fermé lundi hors sais. et dim. soir – **Repas** 110/260, enf. 60 – 32 – **11 ch** 220/270.

BÉTHUNE <SP> **62400** P.-de-C. **51** ⑭ **G. Flandres Artois Picardie** – 24 556 h alt. 34.

du Vert-Parc ✆ 20 29 37 87 à Herlies, 18 km par ②.

Office de Tourisme 69 pl. Senis ✆ 21 57 25 47 – Automobile Club ✆ 21 57 25 47.

'aris 215 ④ – Calais 82 ④ – ♦Lille 40 ② – ♦Amiens 88 ④ – Arras 34 ④ – Boulogne-sur-Mer 88 ② – Douai 40 ② – Dunkerque 68 ⑥.

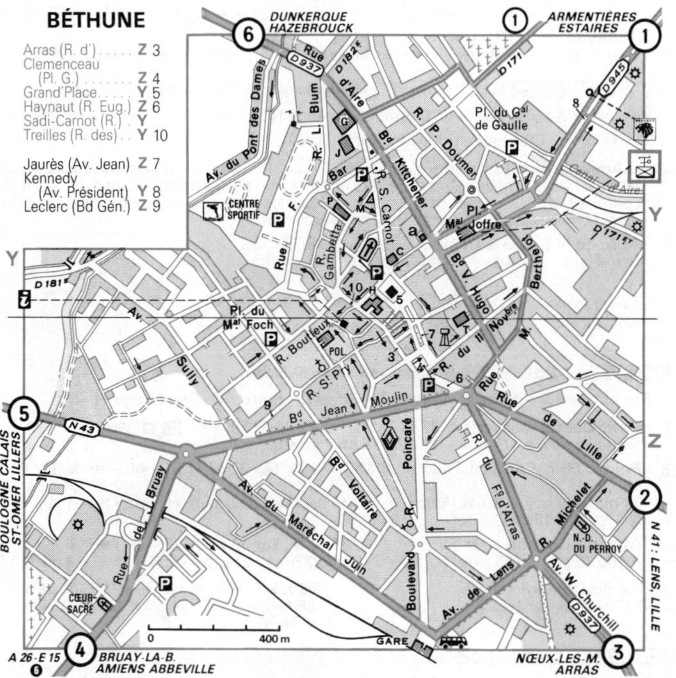

XXX ✿ **Le Meurin,** 15 pl. République ✆ 21 68 88 88, Fax 21 56 37 15 – AE ⓓ GB JCB Y **a**
fermé 1er au 18 août, dim. soir et lundi – **Repas** 150/330 et carte 330 à 450
Spéc. Noix de Saint-Jacques aux chicons (oct. à avril). Noisette de lapereau au chou rouge. Millefeuille à la rhubarbe, caramel à l'orange et sorbet au fromage blanc (avril à sept.).

par ④ rte de Bruay-la-Buissière (sortie 6 par A 26) : 3 km – ✉ **62232** Fouquières-les-Béthune :

Campanile, ✆ 21 57 76 76, Fax 21 56 98 50 – TV ☎ & P – 25. AE ⓓ GB
Repas 84 bc/107 bc, enf. 39 – 32 – **49 ch** 270.

à Gosnay par ④ et N 41 : 5 km – 1 226 h. alt. 29 – ✉ **62199** :

Chartreuse du Val St-Esprit , ✆ 21 62 80 00, Télex 134418, Fax 21 62 42 50, parc, – TV ☎ & P – 25 à 130. AE ⓓ GB
Repas 210/365 – 50 – **56 ch** 390/850.

X **La Distillerie,** ✆ 21 62 89 89 – AE ⓓ GB
Repas *(fermé sam. midi et dim. soir)* 150/250.

CITROEN SO.CA.BE., 1220 av. W.-Churchill par ③ ✆ 21 57 65 70 N ✆ 21 57 65 70
PEUGEOT Gar. Ste-Barbe, 1 r. A.-France à Labuissière par ④ ✆ 21 53 44 19
PEUGEOT Béthune Artois, 329 av. Kennedy ✆ 21 61 48 06 N ✆ 07 63 96 42
RENAULT Dist. Autom. Béthunoise, 255 r. J.-Moulin ✆ 21 63 12 50 N ✆ 21 69 08 00
RENAULT Gar. Lourme, 13 r. Aire à Labuissière par ④ ✆ 21 52 28 19 N ✆ 21 69 07 92

TOYOTA Gar. Duhem, 4 av. W.-Churchill ✆ 21 57 20 60
VAG Auto Expo, N 41 Parc Porte Nord à Labuissière ✆ 21 53 57 30 N ✆ 21 53 57 30

Equipneu Point S, N 43 r. Martyrs-Prolongés à Lillers ✆ 21 64 55 55
La Maison du Pneu, 371 r. Aire ✆ 21 57 02 10

Le BETTEX **74** H.-Savoie **74** ⑧ – rattaché à St-Gervais-les-Bains.

BEUIL 06470 Alpes-Mar. 81 ⑨ 115 ④ G. Alpes du Sud – 330 h alt. 1450 – Sports d'hiver : 1 400/2 000 m ≴27 ⛷.

Voir Site★.

ℹ Office de Tourisme pl. Jean Robion ☎ 93 02 32 58, Fax 93 02 35 72.

Paris 820 – Barcelonnette 83 – Digne-les-Bains 113 – ◆Nice 77 – Puget-Théniers 30 – St-Martin-Vésubie 52.

L'Escapade, ☎ **93 02 31 27,** ←, 🏞 – TV ☎
fermé mi-nov. à mi-déc. – **Repas** 98/145, enf. 62 – ☕ 49 – **11 ch** 210/300 – ½ P 275/320.

Bellevue, ☎ **93 02 30 04,** ← – ✻
15 juin-30 sept. et 20 déc.-30 avril – **Repas** 80/130 🍷 – ☕ 30 – **6 ch** 190/230 – ½ P 220/260.

BEUVRON-EN-AUGE 14430 Calvados 54 ⑰ G. Normandie Vallée de la Seine – 274 h alt. 11.

Voir Village★ – ✻★ de l'église de Clermont-en-Auge NE : 3 km.

Paris 221 – ◆ Caen 30 – Cabourg 15 – Lisieux 24 – Pont-l'Évêque 31.

XXX ✿ **Pavé d'Auge** (Bansard), ☎ **31 79 26 71, Fax 31 39 04 45,** « Halles anciennes » – GB
fermé 2 déc. au 15 janv., mardi de sept. à avril et lundi – **Repas** 133/275 et carte 240 à 350
Spéc. Foie gras de canard poêlé, caramel de pommeau au gingembre (sept. à avril). Lasagne de homard breton aux herbes et vinaigre de cidre (mai à sept.). Tarte soufflée au calvados.

X **Aub. de la Boule d'Or** avec ch, ☎ **31 79 78 78** – GB. ✻ ch
fermé janv., dim. soir et lundi – **Repas** 99/165 – ☕ 35 – **3 ch** 230.

Please avoid smoking during a meal:
you will spoil your palate and annoy your neighbours.

BEUZEVILLE 27210 Eure 55 ④ G. Normandie Vallée de la Seine – 2 702 h alt. 129.

Paris 184 – ◆ Le Havre 33 – Bernay 36 – Deauville 31 – Évreux 77 – Honfleur 14 – Pont-l'Évêque 14.

Petit Castel sans rest, ☎ **32 57 76 08, Fax 32 42 25 70,** 🌳 – TV ☎. GB. ✻
fermé 15 déc. au 15 janv. – ☕ 32 – **16 ch** 260/325.

Poste, 60 r. Constant Fouché ☎ 32 57 71 04, Fax 32 42 11 01, 🌳 – ☎ 📞 P. AE GB ✻ ch
14 mars-19 nov. – **Repas** *(fermé mardi soir sauf de juin à sept. et merc.)* 76 bc (déj.), 98/188 🍷 – ☕ 40 – **16 ch** 250/330 – ½ P 240/290.

XXX **Aub. du Cochon d'Or** avec ch, ☎ **32 57 70 46, Fax 32 42 25 70** – ☎. GB. ✻
fermé 15 déc. au 15 janv. et lundi – **Repas** 80/230 et carte 160 à 250 – ☕ 32 – **4 ch** 190/230

FORD Gar. Bouloche, à Boulleville ☎ 32 41 21 31 N ☎ 32 57 75 27

PEUGEOT Gar. Normandy, ☎ 32 57 70 94
RENAULT Gar. Coquerel, ☎ 32 57 70 26 N ☎ 32 42 33 77

BEYNAC ET CAZENAC 24220 Dordogne 75 ⑰ G. Périgord Quercy – 498 h alt. 75.

Voir Château★★ : site★★, ✻★★ – Calvaire ✻★★ – Village★ – Château de Castelnaud★ : site★★ ✻★★★ S : 4 km.

Paris 533 – Brive-la-Gaillade 63 – Périgueux 65 – Sarlat-la-Canéda 11 – Bergerac 63 – Fumel 57 – Gourdon 27.

à Vézac SE : 2 km – 620 h. alt. 90 – ✉ **24220** :

XX **Relais des Cinq Châteaux** avec ch, ☎ **53 30 30 72, Fax 53 31 19 39,** ←, 🏞, 🏊 – ▤ rest TV ☎ P – 🧑‍🤝‍🧑 25. GB
fermé 5 au 28 fév. et merc. du 1er nov. au 1er avril – **Repas** 78/320, enf. 45 – ☕ 35 – **10 ch** 250/340 – ½ P 245/290.

Les BÉZARDS 45 Loiret 65 ② – ✉ **45290** Boismorand.

Paris 137 – Auxerre 76 – Cosne-sur-Loire 49 – Gien 16 – Joigny 59 – Montargis 23 – ◆Orléans 73.

✿✿ **Auberge des Templiers** M 🔇, ☎ 38 31 80 01, Fax 38 31 84 51, 🏞, « Bel ensemble hôtelier dans un parc fleuri », 🏊, 🎾 – TV ☎ ♿ 🚗 P – 🧑‍🤝‍🧑 30. AE ⓓ GB JCB
fermé fév. – **Repas** 280 (déj.), 390/680 et carte 370 à 700 – ☕ 85 – **22 ch** 600/1380, 8 appar – ½ P 950/1200
Spéc. Marbré d'asperges vertes au foie gras. Gibier (saison). Entremets de l'Auberge. **Vins** Pouilly Fumé, Sancerre.

BÈZE 21 Côte-d'Or 66 ⑬ – rattaché à Mirebeau-sur-Bèze.

BÉZIERS ⟨SP⟩ 34500 Hérault 83 ⑮ G. Gorges du Tarn – 70 996 h alt. 17.

Voir Anc. cathédrale St-Nazaire★ BZ : terrasse ←★ – Musée St-Jacques★ BZ M¹.

⛳18 de St-Thomas ☎ 67 98 62 01, par ② : 12 km.

✈ de Béziers-Vias : ☎ 67 90 99 10, par ④ : 12 km.

ℹ Office de Tourisme Hôtel du Lac, 27 r. Quatre-Septembre ☎ 67 49 24 19, Fax 67 28 42 41.

Paris 772 ③ – ◆ Montpellier 65 ③ – ◆Clermont-Ferrand 359 ③ – ◆Marseille 227 ③ – ◆Perpignan 94 ⑥.

Nord sans rest, 15 pl. Jaurès ✆ 67 28 34 09, Fax 67 49 00 37 – AE GB BCZ z
35 – **40 ch** 230/450.

Imperator sans rest, 28 allées P. Riquet ✆ 67 49 02 25, Fax 67 28 92 30 – AE GB CY n
40 – **45 ch** 290/410.

XXX ✿ **Le Framboisier** (Yagues), 12 r. Boeïldieu ✆ 67 49 90 00 – AE GB CY u
fermé 16 août au 3 sept., vacances de fév., dim. et lundi – **Repas** (nombre de couverts limité, prévenir) 150/330 et carte 240 à 370
Spéc. Petits encornets farcis aux poivrons doux. Blanc de turbot "à la catharoise". Emincé de magret de canard à la lie de faugères. **Vins** Faugères.

XX **Le Jardin,** 37 av. J. Moulin ✆ 67 36 41 31, Fax 67 28 72 55 – AE GB CY k
fermé 1er au 15 juil., 25 fév. au 11 mars, dim. soir et lundi – **Repas** 140/295, enf. 65.

XX **La Potinière,** 15 r. A. de Musset ✆ 67 76 35 30, Fax 67 76 38 45 – AE GB
fermé 11 au 23 mars, 15 au 30 juin, sam. midi, dim. soir et lundi sauf du 1er au 15 août – **Repas** 130, enf. 70. CZ s

X **La Cigale,** 60 allées P. Riquet ✆ 67 28 21 56 – AE GB CZ r
fermé 20 juin au 9 juil., 20 nov. au 9 déc., lundi soir et mardi – **Repas** 90/140.

X **Chez Soi,** 10 r. Guilhemon ✆ 67 28 63 34 – AE GB. CY t
fermé juil. et dim. – **Repas** 62/160.

X **Le Cep d'Or,** 2 impasse Notairie ✆ 67 49 28 09 – GB BZ d
fermé nov., dim. soir et lundi – **Repas** 75/145.

par ③ : 6 km à l'échangeur A9-Béziers-Est – ✉ **34420** Villeneuve-lès-Béziers :

Clim'Oc, 1 km, rte Valras ✆ 67 39 40 00, Fax 67 39 39 61, – 50. GB
Repas 68/188, enf. 38 – 34 – **79 ch** 298 – ½ P 273.

à Lignan-sur-Orb NO par D 19 (rte de Murviel) : 7 km – 2 543 h. alt. 28 – ✉ **34490** :

Château de Lignan M, ✆ 67 37 91 47, Fax 67 37 99 25, parc, – 60. AE GB
Repas 150/340, enf. 85 – 60 – **49 ch** 460/540 – ½ P 550.

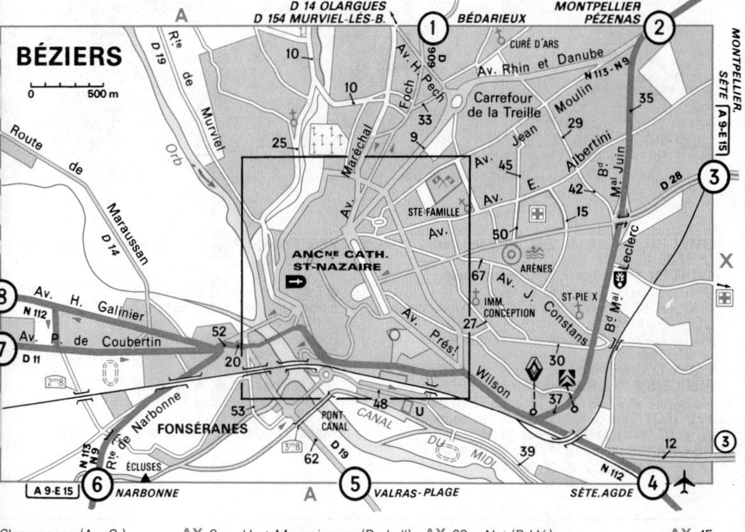

Clemenceau (Av. G.) . . . . AX 9
Corneilhan (Rte de) . . . . AX 10
Deveze (Av. de la) . . . . AX 12
Dr-Mourrut (Bd) . . . . AX 15
Espagne (Rte d') . . . . AX 20
Four-à-Chaux (Bd du) . . . . AX 25
Genève (Bd de) . . . . AX 27
Hort-Monseigneur (R. de l') . AX 29
Injalbert (Bd A.) . . . . AX 30
Jussieu (R. A.) . . . . AX 33
Kennedy (Bd Prés.) . . . . AX 35
Lattre-de-T. (Bd Mar.-de) . . . AX 37
Lazare (Av. J.) . . . . AX 39
Malbosc (R. L.) . . . . AX 42
Nat (Bd Y.) . . . . AX 45
Pasquet (R. du Lt) . . . . AX 48
Perréal (Bd E.) . . . . AX 50
Pont-Vieux (Av. du) . . . . AX 52
Port-Notre-Dame (Av. du) . . AX 53
Sérignan (Rte de) . . . . AX 62
Verdi (R.) . . . . AX 67

BÉZIERS

Flourens (R.) .... **BY** 23
Péri (Pl. G.) .... **BYZ** 49
République (R. de la) .... **BY** 55
Riquet (R. P.) .... **BY** 58

Abreuvoir (R. de l') .... **BZ** 2
Albert-1er (Av.) .... **CY** 3
Canterelles (R.) .... **BZ** 6
Capus (R. du) .... **BZ** 7
Citadelle (R. de la) .... **BZ** 9
Drs-Bourguet (R. des) .... **BZ** 13
Dr-Vernhes (R. du) .... **BZ** 16
Estienne-d'Orves (Av.) .... **BZ** 22
Garibaldi (Pl.) .... **CZ** 26
Joffre (Av. Mar.) .... **CZ** 32
Massol (R.) .... **BZ** 43
Moulins (Rampe des) .... **BY** 44
Orb (R. de l') .... **BZ** 47
Puits-des-Arènes (R.) .... **BZ** 54
Révolution (Pl. de la) .... **BZ** 57
St-Jacques (R.) .... **BZ** 60
Strasbourg (Bd de) .... **CY** 64
Tourventouse (Bd) .... **BZ** 65
Victoire (Pl. de la) .... **BCY** 68
Viennet (R.) .... **BZ** 69
4-Septembre (R. du) .... **BY** 72
11-Novembre (Pl. du) .... **CY** 74

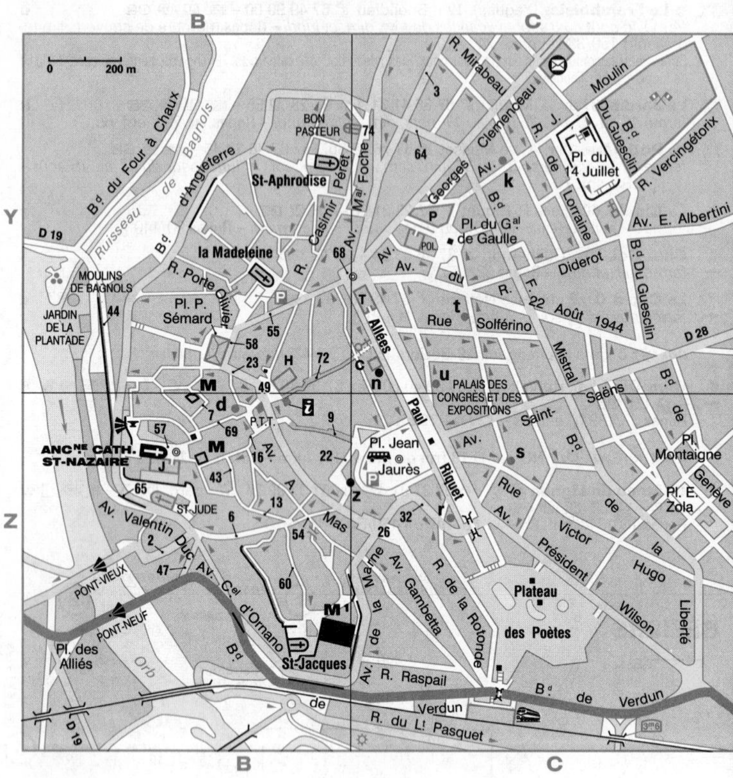

BMW Passion Autom., ZAC de Montimaran ☎ 67 35 10 33
CITROEN Gar. Tressol, ZAC Montimaran ☎ 67 35 60 60 **N** ☎ 67 62 51 35
FIAT, LANCIA Auto service 34, ZAC Montimaran ☎ 67 35 91 00
FORD SAVAB, 30 av. de la voie Domitienne ☎ 67 76 55 34
LADA SOCRA, 49 bd de Verdun ☎ 67 76 57 54
MERCEDES S.A.B.V.I., le Manteau Bleu, rte de Narbonne ☎ 67 28 86 04 **N** ☎ 88 72 00 94
PEUGEOT Gds Gar. du Biterrois, rte de Bessan par ③ ☎ 67 35 49 00 **N** ☎ 05 44 24 24
RENAULT Succursale, 121 av. Prés.-Wilson ☎ 67 35 64 00 **N** ☎ 67 36 96 77
VAG Capiscol Auto, 11 r. Artisans ZI du Capiscol ☎ 67 76 50 25

Estournet Point S, 65 bd Mistral ☎ 67 28 22 82
Euromaster, av. de la Devèze, ZI du Capiscole ☎ 67 35 86 00
Fogues, 135 av. Foch ☎ 67 31 18 65
Gautrand Pneu Vulcopneu, 48 av. Rhin et Danube ☎ 67 30 63 88
Longuelanes, 16 av. Pont-Vieux ☎ 67 49 00 47
Multi service auto, Lot initiative, rte d'Hérépian à Bédarieux ☎ 67 95 11 36
Pagès, 27 quai Port Notre-Dame ☎ 67 28 51 30

Zelten Sie gern?
Haben Sie einen Wohnwagen?
Dann benutzen Sie den Michelin-Führer
Camping Caravaning France.

BIARRITZ 64200 Pyr.-Atl. 78 ⑪ ⑱ 85 ② G. Pyrénées Aquitaine – 28 742 h alt. 19 – Casino Bellevue EY.

oir ≤★★ de la Perspective DZ – ≤★ du phare et de la Pointe St-Martin AX – Rocher de la erge★ DY – Musée de la mer★ DY.

✆ 59 03 71 80, NE : 1 km AX; 18 de Chiberta ✆ 59 63 83 20, N : 5 km BX; 18 d'Arcangues, 59 43 10 56 ; 9 Ilbarritz ✆ 59 23 74 65, S : 4 km AX; 18 Makila ✆ 59 58 42 42 à Bassussarry : 5 km par ⑤.

de Biarritz-Parme : ✆ 59 43 83 83, 2 km ABX.

✆ 36 35 35 35.

Office de Tourisme square d'Ixelles ✆ 59 24 20 24, Télex 570032, Fax 59 24 14 19.

ris 779 ③ – ◆Bayonne 7 – ◆Bordeaux 190 ③ – Pau 121 ② – San Sebastián 50 ⑥.

Palais , 1 av. Impératrice ✆ 59 41 64 00, Télex 570000, Fax 59 41 67 99, ≤, « Belle piscine avec grill », – – 25 à 250. AE GB JCB. rest EY **k**

fermé 1er au 20 déc. – ***Villa Eugénie :*** **Repas** 395 et carte 380 à 540 – ***La Rotonde :*** **Repas** 280 – ***L'Hippocampe*** *(mi-avril-sept.)* **Repas** 250(déj.) et carte 280 à 420 – 120 – **134 ch** 1450/2750, 22 appart – ½ P 1325/1775

Spéc. Rougets en filets poêlés, sauté de chipirons à l'encre. Agneau de lait des Pyrénées (saison). Poêlée de framboises tièdes en croustillant, glace vanille (saison). **Vins** Irouleguy blanc et rouge.

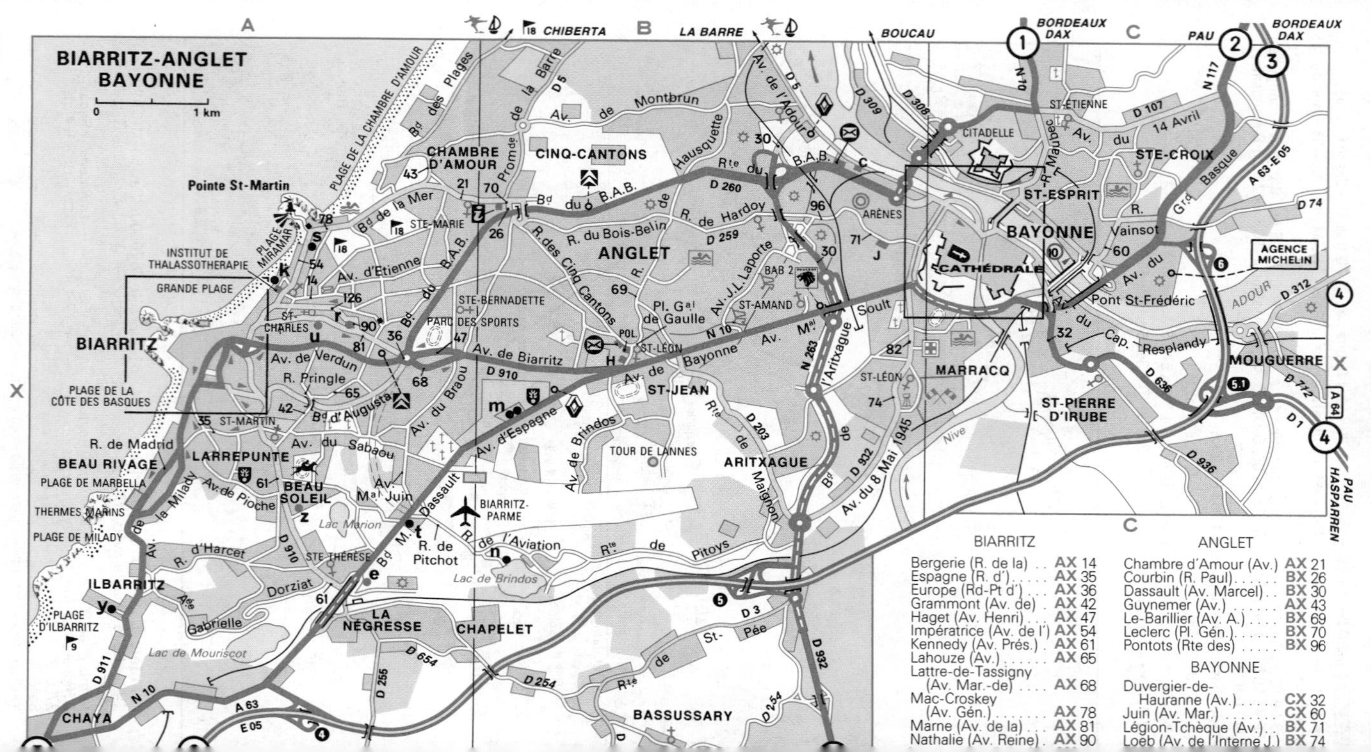
BIARRITZ-ANGLET
BAYONNE
0
1 km
CHIBERTA
LA BARRE
BOUCAU
BORDEAUX DAX
PAU
HASPARREN
AGENCE MICHELIN
Pointe St-Martin
PLAGE DE LA CHAMBRE D'AMOUR
PLAGE MIRAMAR
INSTITUT DE THALASSOTHERAPIE
GRANDE PLAGE
BIARRITZ
PLAGE DE LA CÔTE DES BASQUES
BEAU RIVAGE
PLAGE DE MARBELLA
THERMES MARINS
PLAGE DE MILADY
ILBARRITZ
PLAGE D'ILBARRITZ
CHAYA
CHAMBRE D'AMOUR
CINQ-CANTONS
ANGLET
ST-JEAN
LARREPUNTE
BEAU SOLEIL
LA NÉGRESSE
CHAPELET
BASSUSSARY
ARITXAGUE
TOUR DE LANNES
BIARRITZ-PARME
Lac Marion
Lac de Brindos
Lac de Mouriscot
ARÈNES
CITADELLE
ST-ESPRIT
BAYONNE
CATHÉDRALE
MARRACQ
ST-PIERRE D'IRUBE
MOUGUERRE
STE-CROIX
ST-ÉTIENNE
ADOUR
Nive
Pont St-Frédéric
Av. du 8 Mai 1945
Av. de Biarritz
Av. de Bayonne
Av. d'Espagne
Av. de l'Adour
R. des Cinq Cantons
R. du Bois-Belin
PARC DES SPORTS
STE-BERNADETTE
ST-LÉON
ST-AMAND
ST-MARTIN
STE-THÉRÈSE
STE-MARIE
ST-CHARLES
BIARRITZ
Bergerie (R. de la) AX 14
Espagne (R. d') AX 35
Europe (Rd-Pt d') AX 36
Grammont (Av. de) AX 42
Haget (Av. Henri) AX 47
Impératrice (Av. de l') AX 54
Kennedy (Av. Prés.) AX 61
Lahouze (Av.) AX 65
Lattre-de-Tassigny (Av. Mar.-de) AX 68
Mac-Croskey (Av. Gén.) AX 78
Marne (Av. de la) AX 81
Nathalie (Av. Reine) AX 90
ANGLET
Chambre d'Amour (Av.) AX 21
Courbin (R. Paul) BX 26
Dassault (Av. Marcel) BX 30
Guynemer (Av.) AX 43
Le-Barillier (Av. A.) BX 69
Leclerc (Pl. Gén.) BX 70
Pontots (Rte des) BX 96
BAYONNE
Duvergier-de-Hauranne (Av.) CX 32
Juin (Av. Mar.) CX 60
Légion-Tchèque (Av.) BX 71
Loeb (Av. de l'Interne J.) BX 74

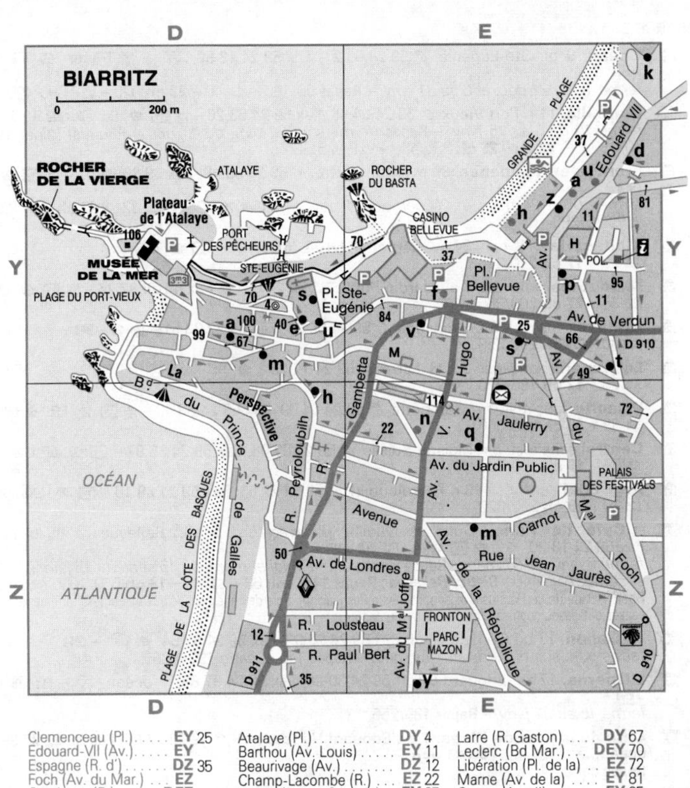

Clemenceau (Pl.) . . . . . EY 25
Édouard-VII (Av.) . . . . . EY
Espagne (R. d') . . . . . . DZ 35
Foch (Av. du Mar.) . . . EZ
Gambetta (R.) . . . . . . DEZ
Mazagran (R.) . . . . EY 84
Port-Vieux (Pl. du) . . . . DY 99
Verdun (Av. de) . . . . . . EY
Victor-Hugo (Av.) . . . EYZ

Atalaye (Pl.) . . . . DY 4
Barthou (Av. Louis) . . . . . EY 11
Beaurivage (Av.) . . . . DZ 12
Champ-Lacombe (R.) . . . EZ 22
Gaulle (Bd du Gén. de) . . EY 37
Goélands (R. des) . . . . . . DY 40
Helder (R. du) . . . . EY 49
Hélianthe (Carr. d') . . . . . DZ 50
Larralde (R.) . . . . EY 66

Larre (R. Gaston) . . . . DY 67
Leclerc (Bd Mar.) . . . DEY 70
Libération (Pl. de la) . . EZ 72
Marne (Av. de la) . . . . EY 81
Osuna (Av. d') . . . . . . EY 95
Port-Vieux (R. du) . . . . DY 100
Rocher de la Vierge (Espl. du) . . . DY 106
Sobradiel (Pl.) . . . . EZ 114

⌂⌂⌂⌂⌂ ✿ **Miramar** Ⓜ, 13 r. L. Bobet ✆ 59 41 30 00, Fax 59 24 77 20, ←, 📍, centre de thalassothérapie, Fō, ⛱, 🏊 – |‡| ▤ TV ☎ ✆ 🚗 – 🏛 40 à 170. AE ⓓ GB. ✗ rest
Relais Miramar :* Repas** 290, carte 300 à 450, enf. 100 – ***Les Piballes (rest. diététique) **Repas** 290, enf. 130 – ☕ 100 – **109 ch** 1600/2650, 17 appart – ½ P 1045/1625 AX **k**
Spéc. Ravioli de homard breton aux aromates. Agnelet des Pyrénées rôti à la chapelure de piment doux, jus au Xérès. Assiette de desserts Miramar. **Vins** Irouléguy, Jurançon.

⌂⌂⌂⌂ **Régina et Golf,** 52 av. Impératrice ✆ 59 41 33 00, Télex 541330, Fax 59 41 33 99, ←, ⛱ – |‡| ✗ ▤ TV ☎ ✆ P – 🏛 30. AE ⓓ GB. ✗ rest AX **s**
Repas 195/230 – **61 ch** ☕ 1030/1565, 10 appart – ½ P 723/873.

⌂⌂⌂⌂ **Plaza,** av. Édouard VII ✆ 59 24 74 00, Télex 570048, Fax 59 22 22 01, ← – |‡| ▤ TV ☎ ♿ – 🏛 25. AE ⓓ GB. ✗ rest EY **p**
Repas *(fermé dim.)* 105/165 – ☕ 60 – **60 ch** 485/840 – ½ P 535/610.

⌂⌂⌂ **Tonic** Ⓜ, 58 av. Édouard VII ✆ 59 24 58 58, Fax 59 24 86 14, 📍 – |‡| ✗ ▤ rest TV ☎ ♿ 🚗 P – 🏛 50. AE ⓓ GB EY **d**
Repas 83 bc/150 ♨ – ☕ 40 – **63 ch** 640/730 – ½ P 420/570.

⌂⌂⌂ **Président** sans rest, pl. Clemenceau ✆ 59 24 66 40, Fax 59 24 90 46 – |‡| TV ☎ – 🏛 50. AE ⓓ GB EY **s**
☕ 45 – **64 ch** 350/590.

⌂⌂⌂ **Windsor,** Gde Plage ✆ 59 24 08 52, Fax 59 24 98 90 – |‡| ▤ rest TV ☎. AE ⓓ GB JCB
hôtel : fermé 2 janv. au 1er mars – **Repas** *(fermé 2 janv. au 10 mars et mardi d'oct. à mai)* 100/250 – ☕ 50 – **49 ch** 350/750 – ½ P 365/565. EY **z**

⌂⌂⌂ **Florida,** 3 pl. Ste-Eugénie ✆ 59 24 01 76, Fax 59 24 36 54, 📍 – |‡| TV ☎. AE ⓓ GB
5 avril-2 nov. – **Repas** 85/155 ♨, enf. 50 – ☕ 45 – **45 ch** 480/650 – ½ P 420/490. DY **u**

Océan, 9 pl. Ste-Eugénie ✆ 59 24 03 27, Fax 59 24 18 50, – |‡| TV ☎. AE ① GB JCB DY
fermé 10 au 21 déc. et 6 au 31 janv. – **Repas** 90/180 – ☐ 40 – **23 ch** 620 – ½ P 390/490.

Marbella, 11 r. Port Vieux ✆ 59 24 04 06, Fax 59 24 63 26 – |‡| TV ☎. AE ① GB DY
fermé 15 déc. au 15 janv. – **Repas** *(fermé sam. et dim. du 1er oct. à Pâques)* (dîner seul. 90/130 – ☐ 35 – **29 ch** 330/430 – ½ P 325/380.

Fronton et Résidence, 35 av. Mar. Joffre ✆ 59 23 09 49, Fax 59 23 22 07 – |‡| TV ☎ P. GB EZ
fermé 10 au 24 mars et 20 oct. au 24 nov. – **Repas** 70/128 – ☐ 32 – **42 ch** 260/330 – ½ P 275/280.

Maïtagaria sans rest, 34 av. Carnot ✆ 59 24 26 65, – TV ☎. GB EZ n
☐ 29 – **17 ch** 210/310.

Malouthéa sans rest, 3 av. Jardin Public ✆ 59 24 06 00, Fax 59 24 87 26 – |‡| TV ☎. GB EZ
☐ 36 – **27 ch** 200/360.

Atalaye sans rest, 6 r. Goélands ✆ 59 24 06 76, Fax 59 22 33 51 – |‡| ☎. GB DY
☐ 30 – **24 ch** 260/350.

Le Tamaris sans rest, 3 r. G. Larre ✆ 59 24 12 23 – ☎. DY n
☐ 28 – **12 ch** 185/320.

Palacito sans rest, 1 r. Gambetta ✆ 59 24 04 89, Fax 59 24 33 43 – |‡| TV ☎. AE ① GB EY
☐ 33 – **30 ch** 245/360.

Central sans rest, 8 r. Maison Suisse ✆ 59 22 02 06, Fax 59 24 35 97 – TV ☎. AE GB EY
☐ 35 – **16 ch** 300/380.

Argi-Eder sans rest, 13 r. Peyroloubilh ✆ 59 24 22 53, Fax 59 24 89 10 – TV ☎. GB. DZ h
☐ 30 – **19 ch** 290/320.

XXX ✿ **Café de Paris** (Duhr et Oudill) M avec ch, 5 pl. Bellevue ✆ 59 24 19 53 Fax 59 24 18 20, ← – |‡| TV ☎ ♿. AE ① GB EY
fermé 6 janv. au 31 mars – **Repas** *(fermé merc. midi et mardi du 15 sept. au 15 juin)* 270/360 et carte 370 à 440 - ***Bistrot Bellevue :*** **Repas** 145, enf. 60 – ☐ 85 – **18 ch** 650/1050 – ½ P 850
Spéc. Salade de cèpes crus aux langoustines rôties (saison). Sole de ligne braisée aux palourdes. Tarte au jurançon cerises d'Itxassou confites. **Vins** Irouleguy, Jurançon.

XXX **Le Galion,** 17 bd Gén. de Gaulle ✆ 59 24 20 32, Fax 59 24 67 54, ←, – GB EY a
fermé dim. soir et lundi sauf juil.-août – **Repas** 145 et carte 190 à 290.

XX **L'Operne,** 17 av. Edouard VII ✆ 59 24 30 30, Fax 59 24 37 89, ← océan, – AE ① GB JCB EY u
fermé 15 au 31 janv. – **Repas** 135/255.

XX **Café de la Grande Plage,** 1 av. Edouard VII (casino) ✆ 59 22 77 88, Fax 59 22 77 99, ← océan, – ▤. AE ① GB JCB EY h
Repas carte 140 à 290.

XX **Croque-en-Bouche,** 5 r. Centre ✆ 59 22 06 57 – ▤. AE GB EZ n
fermé dim. soir hors sais., mardi midi en juil.-août et lundi – **Repas** 125/167.

XX **Ramona,** 5 r. Centre ✆ 59 24 34 66 – ▤. AE GB EZ n
fermé 1er au 15 juin, 1er au 15 oct., 15 au 30 janv., lundi soir et mardi – **Repas** 98 (déj.)/145.

XX **Le Petit Doyen,** 87 av. Marne ✆ 59 24 01 61, Fax 59 24 22 51 – ▤. AE ① GB AX
fermé merc. sauf le soir en saison – **Repas** 98 bc (déj.), 140/170.

XX **Aub. du Relais** avec ch, 44 av. Marne ✆ 59 24 85 90, Fax 59 22 13 94 – ▤ rest TV ☎. AE GB AX u
fermé 25 nov. au 16 déc. et 8 janv. au 1er fév. – **Repas** *(fermé mardi d'oct. à mars)* 95/155 – ☐ 33 – **12 ch** 250/320 – ½ P 235/314.

X **Aub. de la Négresse,** 10 bd M. Dassault (sous viaduc) ✆ 59 23 15 83, – ▤. GB AX e
fermé oct. et lundi hors sais. sauf fériés – **Repas** 59/168.

X ✿ **Les Platanes** (Daguin), 32 av. Beausoleil ✆ 59 23 13 68 – AE GB AX z
fermé 2 au 8 janv., mardi midi et lundi – **Repas** (nombre de couverts limité, prévenir) 150 (déj.), 240/290 et carte 250 à 350
Spéc. Foies gras. Pêche du jour. Pigeonneau à l'ancienne. **Vins** Irouléguy.

près aéroport sur N 10 SE : 4 km – ✉ **64200** Biarritz :

Campanile, bd. M. Dassault ✆ 59 41 19 19, Fax 59 41 28 78, – ▤ rest TV ☎ ♿ P – 25. AE ① GB AX t
Repas 84 bc/107 bc, enf. 39 – ☐ 32 – **88 ch** 270.

au lac de Brindos SE : 5 km BX – ✉ **64600** Anglet :

Château de Brindos, près aéroport ✆ 59 23 17 68, Fax 59 23 48 47, ←, « Belle décoration intérieure, bord du lac, parc », – TV ☎ P – 25 à 50. AE ① GB BX n
Repas 245 bc/400 – ☐ 80 – **12 ch** 950/1300.

à Arbonne S : 7 km par Pont de la Négresse et D 255 – 1 366 h. alt. 37 – ✉ **64210** :

Laminak M sans rest, rte de St Pée ✆ 59 41 95 40, Fax 59 41 87 65, ←, – TV ☎ P. AE GB
fermé 18 nov. au 18 déc. et 6 janv. au 15 mars – ☐ 50 – **10 ch** 350/560.

à Arcangues S : 7 km par D 254 et D 3 - BX – 2 506 h. alt. 80 – ✉ **64200**.
Voir ✻★ du cimetière.

Marie-Eder sans rest, ☏ 59 43 05 61, Fax 59 43 08 34, – TV ☎ P. GB.
fermé mardi hors sais. – ☕ 33 – **8 ch** 220/350.

à Alotz S : 8 km par D 910, D 255 et rte secondaire AX – ✉ **64200** :

Moulin d'Alotz, ☏ 59 43 04 54, , – GB
fermé 25 nov. au 15 déc., 20 janv. au 10 fév., mardi d'oct. à juin et lundi – **Repas** (nombre de couverts limité, prévenir) 270/500, enf. 60.

TROEN Gar. Artola, 88 av. Marne AX
59 41 01 30 N ☏ 59 41 01 30
ONDA Gar. Francoaméricain, 47 av. Prés.
ennedy ☏ 59 23 15 42

PEUGEOT Gar. Victoria, 48 av. Foch EZ
☏ 59 24 53 80
RENAULT Central Auto Gar., 1 carr. Hélianthe DZ
☏ 59 24 92 32 N ☏ 09 35 97 49

IDARRAY 64780 Pyr.-Atl. 85 ③ **G. Pyrénées Aquitaine** – 585 h alt. 110.
aris 806 – Biarritz 37 – Cambo-les-Bains 17 – Pau 132 – St-Étienne-de-Baïgorry 15 – St-Jean-Pied-de-Port 19.

Pont d'Enfer, ☏ 59 37 70 88, Fax 59 37 76 60, ←, – TV ☎ P. AE GB
fermé 1er déc. au 1er mars, dim. soir et merc. d'oct. à avril – **Repas** 70/168 – ☕ 32 – **17 ch** 135/335 – ½ P 200/265.

Erramundeya sans rest, D 918 ☏ 59 37 71 21, ← – ☎ P. GB
1er mars-30 nov. et fermé mardi – ☕ 30 – **10 ch** 160/235.

IDART 64210 Pyr.-Atl. 78 ⑪ ⑱ **G. Pyrénées Aquitaine** – 4 123 h alt. 40.
oir Chapelle Ste-Madeleine ✻★.
d'Ilbarritz ☏ 59 23 74 65.
Office de Tourisme r. d'Erretegia ☏ 59 54 93 85.
aris 785 – Biarritz 6,5 – ◆Bayonne 13 – Pau 120 – St-Jean-de-Luz 8,5.

Villa L'Arche M sans rest, chemin Camboénéa ☏ 59 51 65 95, Fax 59 51 65 99, ← Océan, – TV ☎ P. GB
15 fév.-15 nov. – ☕ 55 – **8 ch** 600/750.

Gochoki sans rest, r. Caricartenea ☏ 59 26 59 55, Fax 59 54 71 00, – cuisinette TV ☎ P. GB.
fermé 6 nov. au 20 déc. et 5 janv. au 10 fév. – ☕ 30 – **10 ch** 300, 10 studios 300/400.

Pénélope , à Ilbarritz N : 3 km sur D 911 ☏ 59 23 00 37, Fax 59 43 96 50, ←, – TV ☎ P. GB plan Biarritz AX **y**
Repas *(1er mai-31 oct.)* (résidents seul.) 65 (dîner), 75/85 – ☕ 25 – **23 ch** 280 – ½ P 240.

✿ **La Table des Frères Ibarboure**, S par N 10, rte Ahetze et rte secondaire : 4 km ☏ 59 54 81 64, Fax 59 54 75 65, , parc – ▤ P. AE ⓓ GB
fermé 15 nov. au 8 déc. et merc. d'oct. à juin – **Repas** 190 (déj.), 240/340
Spéc. Composition de chipirons à l'encre, raviole de morue et piquillos aux champignons. Thon sauce gribiche et tête de veau (15 juin au 30 sept.). Foie chaud de canard aux agrumes confits. **Vins** Irouléguy, Jurançon.

ENAULT Gar. Cazenave, ☏ 59 54 92 57

IESHEIM 68 H.-Rhin 62 ⑲ – rattaché à Neuf-Brisach.

IÈVRES 08370 Ardennes 56 ⑩ – 75 h alt. 241.
aris 258 – Charleville-Mézières 56 – Longuyon 38 – Sedan 33 – Verdun 59.

Relais de St-Walfroy, ☏ 24 22 61 62, Fax 24 27 53 04 – ▤ P. GB
fermé mardi – **Repas** 80/145 .

IGNAN 56580 Morbihan 63 ③ – 2 567 h alt. 148.
aris 448 – Vannes 27 – Concarneau 101 – Lorient 55 – Pontivy 29 – Quimper 117 – ◆Rennes 101.

Aub. La Chouannière, ☏ 97 60 00 96, Fax 97 44 24 58 – GB
fermé 8 au 20 oct., vacances de fév., dim. soir et lundi – **Repas** 105/260 et carte 240 à 370.

ILLIERS 56190 Morbihan 63 ⑭ – 760 h alt. 20.
aris 463 – ◆Nantes 87 – Vannes 28 – La Baule 45 – Muzillac 3,5 – Redon 40 – La Roche-Bernard 17.

✿ **Domaine de Rochevilaine** , à la Pointe de Pen Lan S : 2 km par D 5 ☏ 97 41 61 61, Fax 97 41 44 85, ← littoral, « Belles demeures en bordure de mer, centre de remise en forme et piscines », – ▮ TV ☎ ♿ P – 80. AE ⓓ GB
Repas 250/400 et carte 300 à 350 – ☕ 60 – **33 ch** 850/1150, 5 appart – ½ P 640/825
Spéc. Langoustines rôties au safran d'agrumes. Galette de homard aux pommes de terre. Pigeon rôti légèrement fumé et cuisses confites.

INIC 22520 C.-d'Armor 59 ③ **G. Bretagne** – 2 798 h alt. 35.
Office de Tourisme, esplanade de la Banche ☏ 96 73 60 12, Fax 96 73 35 23.
aris 464 – St-Brieuc 13 – Guingamp 36 – Lannion 68 – Paimpol 33 – St-Quay-Portrieux 7.

Benhuyc M, 1 quai J. Bart ☏ 96 73 39 00, Fax 96 73 77 04, – ▮ ▤ rest TV ☎ ♿. AE GB.
Repas 95/190, enf. 48 – ☕ 35 – **25 ch** 325/395 – ½ P 275/330.

BIOT 06410 Alpes-Mar. 84 ⑨ 115 ㉕ **G. Côte d'Azur** – 5 575 h alt. 80.

Voir Musée Fernand Léger★★ – Retable du Rosaire★ dans l'église.

18 ✆ 93 65 08 48, S : 1,5 km.

Office de Tourisme pl. de la Chapelle ✆ 93 65 05 85, Fax 93 65 18 09.

Paris 920 – Cannes 21 – ♦Nice 22 – Antibes 8 – Cagnes-sur-Mer 11 – Grasse 19 – Vence 19.

Domaine du Jas M sans rest, 625 rte Mer ✆ 93 65 50 50, Fax 93 65 02 01, ⛱, – ☎ ♿ P. AE GB
☕ 50 – **17 ch** 600/1000.

XXX ✿ **Les Terraillers,** au pied du village (D 4) ✆ 93 65 01 59, Fax 93 65 13 78, ⛱, « Ancienne poterie du 16ᵉ siècle » – ▤ P. AE GB JCB
fermé jeudi midi en juil.-août et merc. – **Repas** 180/360 et carte 390 à 490
Spéc. Langoustines rôties sur canapé de panisse. Agneau de lait en trois cuissons. Loup en croûte de sel, sau fenouillette. **Vins** Coteaux varois, Porquerolles.

XXX ✿ **Aub. du Jarrier** (Métral), au village ✆ 93 65 11 68, Fax 93 65 50 03, ⛱ – ▤. AE GB
fermé 3 janv. au 3 fév., lundi soir de sept. à juin, merc. midi en juil.-août et mardi – **Rep.** 260 bc/400 et carte 300 à 410, enf. 100
Spéc. Rougets grillés sauce vierge. Raviole fine de chanterelles au foie de canard grillé (sept. à janv.). Tartelette chau aux figues fraîches (août à nov.). **Vins** Côtes de Provence.

XX **Plat d'Etain,** au village ✆ 93 65 09 37, Fax 93 69 90 26 – AE ◑ GB
fermé 13 au 31 janv., sam. midi en juil.-août, dim. soir et lundi de sept. à juin – **Rep.** 95 (déj.), 155/230.

X **Chez Odile,** au village ✆ 93 65 15 63, ⛱
fermé 21 nov. au 23 déc., merc. midi du 1ᵉʳ juil. au 31 août et jeudi sauf le soir en juil.-août
Repas 160.

X **Bistrot du Jarrier,** au village ✆ 93 65 53 48 – ▤. GB
Repas 135.

Restaurants serving a good but moderately priced meal are distinguished in the Guide by the symbol ◆

BIRIATOU 64 Pyr.-Atl. 85 ① – rattaché à Hendaye.

BIRKENWALD 67440 B.-Rhin 87 ⑭ – 228 h alt. 295.

Paris 460 – ♦Strasbourg 34 – Molsheim 23 – Saverne 12.

Au Chasseur 🐦, ✆ 88 70 61 32, Fax 88 70 66 02, ≤ Schneeberg, Ꮀ, ▢, – ▤ rest TV ☎ 📞 P – 🏛 25. AE GB. ✂ ch
fermé 24 juin au 3 juil., 1ᵉʳ janv. au 5 fév., mardi midi et lundi – **Repas** 95/380 🍷, enf. 60
☕ 60 – **27 ch** 280/450 – ½ P 300/400.

BISCARROSSE 40600 Landes 78 ⑬ **G. Pyrénées Aquitaine** – 9 054 h alt. 22 – Casino.

Office de Tourisme av. de la Plage, ✆ 58 78 20 96, Fax 58 78 23 65.

Paris 661 – ♦Bordeaux 72 – Arcachon 39 – ♦Bayonne 131 – Dax 92 – Mont-de-Marsan 86.

à Biscarrosse-Bourg :

Atlantide M sans rest, pl. Marsan ✆ 58 78 08 86, Fax 58 78 75 98 – 🛗 TV ☎ ♿ P. AE GB
☕ 38 – **33 ch** 320/420.

St-Hubert 🐦 sans rest, 588 av. G. Latécoère ✆ 58 78 09 99, Fax 58 78 79 37, – TV ☎ ♿ P. AE GB. ✂
☕ 35 – **16 ch** 200/360.

Le Relais sans rest, 216 av. Mar. Lyautey ✆ 58 78 10 46, Fax 58 78 09 71 – TV ☎ P. GB
fermé vacances de Noël – ☕ 35 – **24 ch** 250/330.

X **La Fontaine Marsan,** pl. Marsan ✆ 58 82 81 29 – AE GB
fermé 2 au 17 janv., dim. soir et lundi sauf juil.-août – **Repas** 90/195.

à Navarosse N : 3,5 km par D 652 et D 305 – ✉ 40600 Biscarrosse :

Transaquitain 🐦 sans rest, ✆ 58 09 83 13, Fax 58 09 84 37, ⛱ – ☎
1ᵉʳ avril-15 sept. – ☕ 32 – **12 ch** 280/340.

à Ispe N : 6 km par D 652 et D 305 – ✉ 40600 Biscarrosse :

La Caravelle 🐦, ✆ 58 09 82 67, Fax 58 09 82 18, ≤, ⛱ – ☎ P. GB. ✂ ch
Repas *(fermé 15 nov. au 15 fév. et lundi hors sais.)* 90/250, enf. 40 – ☕ 40 – **11 ch** 290/400 – ½ P 290/320.

CITROEN Atlantic Autos, 68 r. E.-Branly ✆ 58 78 13 63
PEUGEOT Gar. Labarthe, rte de Parentis ZI ✆ 58 78 12 46

Biscarrosse Océan Pneu Vulcopneu, 532 av. de Caupos ✆ 58 78 75 76

BISCHWIHR 68 H.-Rhin 62 ⑲, 87 ⑦ – rattaché à Colmar.

BISCHWILLER 67240 B.-Rhin 87 ④ – 10 969 h alt. 135.

Paris 482 – ◆Strasbourg 28 – Haguenau 8 – Saverne 40.

Stade sans rest, 29 rte Haguenau ✆ 88 53 96 96, Fax 88 53 89 49 – |♦| TV ☎ ♿ P. AE GB.
☐ 30 – **20 ch** 250/300.

RENAULT Gar. Stern, 6 r. du Conseil ✆ 88 63 22 87

BITCHE 57230 Moselle 57 ⑱ **G. Alsace Lorraine** – 5 517 h alt. 300.

Voir Citadelle★ – Fort du Simserhof★ O : 4 km.

18 ✆ 87 96 15 30, sortie E par N 62.

Office de Tourisme à la Mairie ✆ 87 06 16 16, Fax 87 96 10 23.

Paris 437 – ◆Strasbourg 72 – Haguenau 43 – Sarrebourg 58 – Sarreguemines 33 – Saverne 52 – Wissembourg 48.

Relais des Châteaux Forts M, 6 quai E. Branly (près gare) ✆ 87 96 14 14, Fax 87 96 07 36, – TV ☎ ♿ P. GB
Repas *(fermé vacances de fév. et jeudi du 1er oct. au 30 avril)* 80 (déj.), 100/160 ♂, enf. 50 – ☐ 40 – **30 ch** 235/340 – ½ P 300.

XX **Aub. de la Tour,** 3 r. Gare ✆ 87 96 29 25, Fax 87 96 02 61 – GB
fermé 15 au 28 fév., lundi soir et mardi – **Repas** 65/240 ♂, enf. 50.

XX **Strasbourg** avec ch, 24 r. Col. Teyssier ✆ 87 96 00 44, Fax 87 06 10 60 – TV ☎. GB
fermé 3 au 24 janv. – **Repas** *(fermé dim. soir et lundi)* 80 (déj.), 130/160 ♂, enf. 48 – ☐ 35 – **11 ch** 140/290 – ½ P 275.

CITROEN Gar. du Bastion, 1 r. Bastion ✆ 87 96 00 08 N ✆ 87 96 00 08
LADA, SEAT Bitche Autos, 40 r. de Sarreguemines ✆ 87 96 05 26 N ✆ 87 96 05 26
PEUGEOT Gar. Rébmeister, 47 r. Pasteur à Rahrbach-les-Bitche ✆ 87 09 70 36 N ✆ 87 09 70 36
RENAULT Gar. Hemmer, 103 r. d'Ingwiller à Goetzenbruck ✆ 87 96 80 96 N ✆ 87 96 80 96

BLAESHEIM 67 B.-Rhin 62 ⑩ – rattaché à Strasbourg.

BLAGNAC 31 H.-Gar. 82 ⑧ – rattaché à Toulouse.

BLAMONT 25310 Doubs 66 ⑱ – 1 026 h alt. 576.

Paris 484 – ◆Besançon 87 – Baume-les-Dames 52 – Montbéliard 21 – Morteau 57.

La Vieille Grange, ✆ 81 35 19 00, – TV ☎ ♿. GB
Repas carte 110 à 210 ♂ – ☐ 35 – **10 ch** 260.

Le BLANC 36300 Indre 68 ⑯ **G. Berry Limousin** – 7 361 h alt. 85.

Office de Tourisme Hôtel de Ville ✆ 54 37 05 13.

Paris 298 – Poitiers 63 – Bellac 62 – Châteauroux 61 – Châtellerault 50.

Théâtre sans rest, 2 bis av. Gambetta ✆ 54 37 68 69, Fax 54 28 03 95 – TV ☎. AE ⓓ GB JCB
☐ 30 – **18 ch** 200/280.

Ile d'Avant, rte Châteauroux : 2 km ✆ 54 37 01 56, Fax 54 37 38 06 – TV ☎ P – 30. GB
fermé 22 déc. au 14 janv., dim. soir et lundi sauf juil.-août – **Repas** 85/165 ♂, enf. 38 – ☐ 40 – **15 ch** 200/270 – ½ P 200/230.

par rte de Belâbre, D 10 et rte secondaire : 6 km : – ✉ 36300 Le Blanc :

Domaine de l'Étape, ✆ 54 37 18 02, Fax 54 37 75 59, parc – TV ☎ P – 100. AE ⓓ GB JCB
Repas (dîner seul.) (résidents seul.) 120/135 ♂ – ☐ 48 – **35 ch** 210/430.

CITROEN SAVRA, Av. P. Mendès-France ✆ 54 37 03 75
PEUGEOT Auto Agri, 28 r. A.-Chichery ✆ 54 37 06 38
Euromaster, 72 bis r. République ✆ 54 37 00 39

Le BLANC-MESNIL 93 Seine-St-Denis 56 ⑪ ⑩, 101 ⑰ – voir à Paris, Environs.

BLANGY-SUR-BRESLE 76340 S.-Mar. 52 ⑥ – 3 447 h alt. 70.

Paris 148 – ◆Amiens 53 – Abbeville 28 – Dieppe 53 – Neufchâtel-en-Bray 28 – Le Tréport 24.

X **Les Pieds dans le Plat,** 27 r. St-Denis ✆ 35 93 38 36 – GB
fermé vacances de fév., jeudi soir d'oct. à mai et lundi – **Repas** 85/165 ♂, enf. 40.

BLANQUEFORT 33290 Gironde 71 ⑨ – 12 843 h alt. 17.

Paris 585 – ◆Bordeaux 14 – Blaye 55 – Jonzac 90 – Libourne 39 – Saintes 121.

XX **Host. des Criquets** avec ch, 130 av. 11-Novembre ✆ 56 35 09 24, Fax 56 57 13 83, – TV ☎ P. AE ⓓ GB
fermé dim. soir – **Repas** 100 bc (déj.), 145/365 – ☐ 42 – **20 ch** 295/310 – ½ P 290.

BLAYE ⟨SP⟩ 33390 Gironde 71 ⑦ ⑧ G. Pyrénées Aquitaine (plan) – 4 286 h alt. 7.

Voir Citadelle★.

Bac: pour Lamarque, renseignements ✆ 57 42 04 49, Fax 57 42 10 21.

Office de Tourisme Allées Marines ✆ 57 42 12 09.

Paris 543 – ◆ Bordeaux 48 – Cognac 82 – Libourne 46 – Royan 81.

L'Olifant, rte de Bordeaux ✆ 57 42 22 96, Fax 57 42 34 07 – TV ☎ ♿ P – 60. AE GB JCB
fermé dim. soir de nov. à mars – **Repas** 65 bc/150 – 30 – **12 ch** 235/300 – ½ P 200.

PEUGEOT Gar. Fouchereau, ZI cours Bacalan ✆ 57 42 08 09 N ✆ 57 64 33 41

RENAULT Blaye Autom., 4 av. Haussmann ✆ 57 42 02 20 N ✆ 57 32 61 61

BLÉNEAU 89220 Yonne 65 ③ – 1 585 h alt. 200.

Paris 155 – Auxerre 52 – Bonny-sur-Loire 21 – Briare 19 – Clamecy 64 – Gien 29 – Montargis 41.

Blanche de Castille M, 17 r. d'Orléans ✆ 86 74 92 63, Fax 86 74 94 43, – TV ☎ P AE GB
Repas *(fermé 8 au 31 janv., dim. soir et vend. hors sais.)* 80/170 – 50 – **13 ch** 400 ½ P 320/350.

XXX **Aub. du Point du Jour,** pl. Mairie ✆ 86 74 94 38, Fax 86 74 85 92 – . AE GB
fermé 1er au 8 sept., 15 fév. au 15 mars, dim. soir et lundi sauf fériés – **Repas** 130/380 et cart 250 à 360.

BLÉNOD-LÈS-PONT-A-MOUSSON 54 M.-et-M. 57 ⑬ – rattaché à Pont-à-Mousson.

BLÉRÉ 37150 I.-et-L. 64 ⑯ G. Châteaux de la Loire – 4 388 h alt. 59.

Office de Tourisme r. J.-J.-Rousseau (15 juin-sept.) ✆ 47 57 93 00, Fax (mairie) 47 23 57 73.

Paris 232 – ◆ Tours 27 – Blois 46 – Château-Renault 32 – Loches 25 – Montrichard 16.

✿ **Cheval Blanc** (Blériot), pl. Église ✆ 47 30 30 14, Fax 47 23 52 80, , , – TV ☎ P AE GB
fermé janv. à mi-fév. – **Repas** *(fermé dim. soir et lundi sauf juil.-août)* (prévenir) 99/265 e carte 220 à 290, enf. 65 – 36 – **12 ch** 300/390 – ½ P 335/380
Spéc. Chausson tiède de mousseline de sandre. Cuisse fondante de caneton sauvage, filet poêlé. Crêpe soufflée a Grand-Marnier. **Vins** Touraine, Montlouis.

Cher, r. Pont ✆ 47 57 95 15, Fax 47 30 26 35, – TV ☎ P. GB.
fermé 15 nov. au 8 déc., dim. soir et lundi midi d'oct. à mars – **Repas** 90/245, enf. 45 – 34 – **18 ch** 210/275 – ½ P 210/242.

CITROEN Gar. Caillet ✆ 47 30 26 26

PEUGEOT Gar. Vigean, ZAC la Vinerie La Croix en Touraine ✆ 47 23 55 55

BLETTERANS 39140 Jura 70 ③ – 1 423 h alt. 201.

Chapelle-Voland ✆ 84 44 10 57 par D122 : 10 km.

Paris 380 – Chalon-sur-Saône 49 – Dole 41 – Lons-le-Saunier 13 – Poligny 26.

Chevreuil, ✆ 84 85 00 83, Fax 84 85 12 25 – ☎. GB
fermé janv., dim. et lundi du 15 sept. au 15 juin – **Repas** 80/250 – 32 – **16 ch** 132/225 – ½ P 215/235.

CITROEN Gar. Roy, ✆ 84 85 00 89

RENAULT Gar. Moderne, ✆ 84 85 00 31 N ✆ 84 85 00 31

BLIENSCHWILLER 67650 B.-Rhin 87 ⑯ – 292 h alt. 230.

Paris 505 – ◆ Strasbourg 43 – Barr 41 – Erstein 25 – Obernai 16 – Sélestat 11,5.

Winzenberg M sans rest, 46 rte des Vins ✆ 88 92 62 77, Fax 88 92 45 22 – TV ☎ ♿ P GB.
fermé 4 janv. au 25 fév. – 30 – **13 ch** 245/290.

BLIGNY-SUR-OUCHE 21360 Côte-d'Or 69 ⑨ G. Bourgogne – 745 h alt. 360.

Paris 291 – ◆ Dijon 47 – Autun 43 – Beaune 19 – Pouilly-en-Auxois 22 – Saulieu 44.

X **Trois Faisans** avec ch, ✆ 80 20 10 14, Fax 80 20 17 63, – P. AE GB. rest
fermé 20 déc. au 1er fév., dim. soir et mardi d'oct. à juin – **Repas** 58 bc/160, enf. 50 – 30 – **7 ch** 190/245 – ½ P 165/195.

BLOIS P 41000 L.-et-Ch. 64 ⑦ G. Châteaux de la Loire – 49 318 h alt. 73.

Voir Château★★★ (spectacle son et lumière) Z : musée des Beaux-Arts★ – Église St-Nicolas★ Z – Cour avec galeries★ de l'hôtel d'Alluye YZ E – jardins de l'Evêché ≤★ Y – Jardin du Roi ≤★ Z

de la Carte à Chouzy-sur-Cisse ✆ 54 20 49 00, par ⑥ : 10 km ; du Château de Cheverny ✆ 54 79 24 70, SE : 15 km par ④.

Office de Tourisme et Accueil de France 3, av. J.-Laigret ✆ 54 74 06 49, Fax 54 56 04 59 – A.C. 3 pl. Louis-XI ✆ 54 74 58 92.

Paris 182 ① – ◆ Orléans 59 ① – ◆ Tours 64 ① – ◆ Le Mans 110 ⑧.

BLOIS

ommerce (R. du) . . . . Z
)rfèvres (R. des) . . . . Z 43
'apin (R. Denis) . . . . Z
'orte-Côté (R.) . . . . Z 48
'rés.-Wilson (Av.) . . . . Z 51

\bbé-Grégoire
(Quai de l') . . . . Z 2
\nne-de-Bretagne (R.) . . . . Z 3
3alzac (R. H.) . . . . V 5
3eauvoir (R.) . . . . Y 6
3ourg-St-Jean
(R. du) . . . . Y 10
Cartier (R. R.) . . . . V 13
Chemonton (R.) . . . . Y 16
Clouseau (Mail) . . . . Y 17
Cordeliers (R. des) . . . . Y 18
Curie
(R. Pierre et Marie) . . . . . . X 19
Dion (R. R.) . . . . V 20
Dupuis (Bd) . . . . X 21
Elus (R. F.) . . . . Z 22
Fossés-du-Château
(R. des) . . . . Z 23
Gambetta (Av.) . . . . X 25
Gaulle
(Pont Ch.-de) . . . . X 26
Gentils (Bd R.) . . . . X 27
ndustrie
(Bd de l') . . . . V 29
Laigret (Av. J.) . . . . Z 32
Leclerc (Av. du Mar.) . . . . . . X 33
Lion-Ferré (R. du) . . . . Z 35

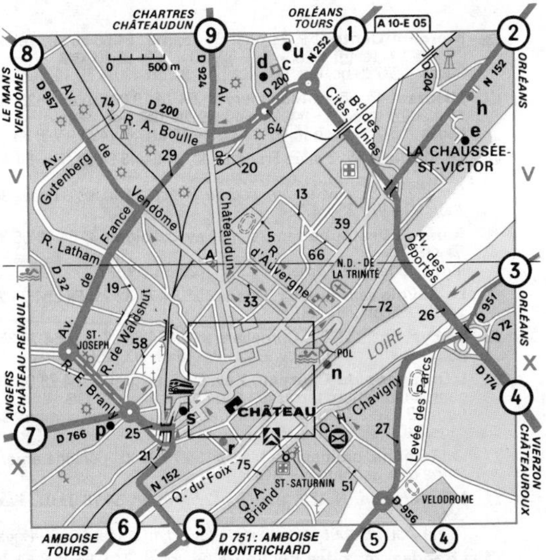

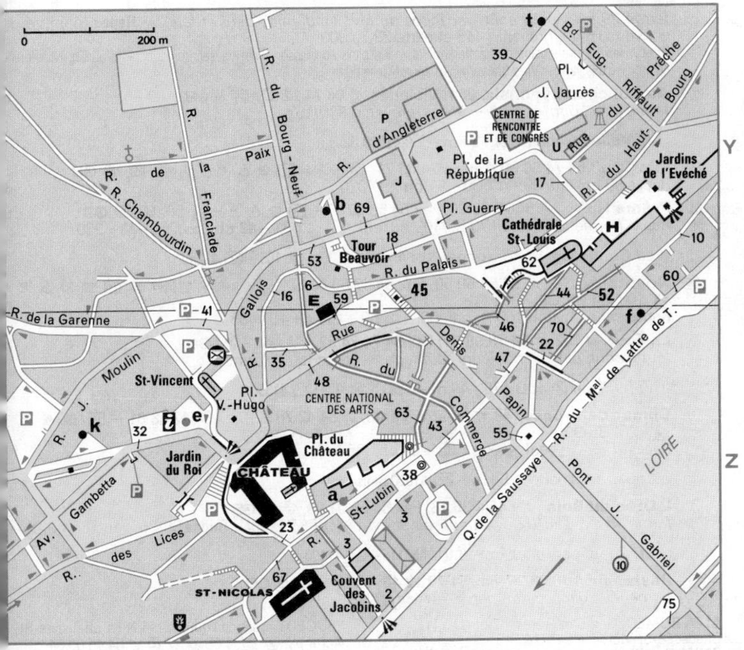

Louis-XII (Pl.) . . . . Z 38
Maunoury
(Av. du Mar.) . . . . Y 39
Monsabre
(R. du Père) . . . . Z 41
Papegaults (R. des) . . . . Y 44
Papin (Escaliers D.) . . . . Y 45
Pierre-de-Blois (R.) . . . . Z 46
Poids-du-Roi (R. du) . . . . Z 47

Puits-Châtel (R. du) . . . . Y 52
Remparts (R. des) . . . . Y 53
Résistance
(Rd-Pt-de la) . . . . Z 55
Ronsard (R. P.) . . . . X 58
St-Honoré (R.) . . . . YZ 59
St-Jean (Q.) . . . . Y 60
St-Louis (Pl.) . . . . Y 62
St-Martin (R.) . . . . Z 63

Schuman (Av. R.) . . . . V 64
Signeuix (R. de) . . . . V 66
Trois-Marchands
(R. des) . . . . Z 67
Trouessard (R.) . . . . Y 69
Vauvert (R.) . . . . Z 70
Verdun (Av. de) . . . . X 72
Vezin (R. A.) . . . . V 74
Villebois-Mareuil (Q.) . . . . X, Z 75

Mercure Centre [M], 28 quai St-Jean ✆ 54 56 66 66, Télex 751427, Fax 54 56 67 00, – | – ♿ – 30 à 300. AE GB Z
Repas 145/230 bc, enf. 50 – ☕ 54 – **84 ch** 440/495, 12 duplex – ½ P 440.

L'Horset [M], 26 av. Maunoury ✆ 54 74 19 00, Télex 752328, Fax 54 74 57 97, – | rest ☎ ♿ P – 25 à 40. AE GB JCB. rest Y
Repas 105/260 bc, enf. 45 – ☕ 58 – **78 ch** 460/495 – ½ P 383/400.

Le Médicis [M], 2 allée François 1er ✆ 54 43 94 04, Fax 54 42 04 05 – ☎. AE GB JCB X
fermé 2 au 25 janv. et dim. soir du 1er oct. à Pâques – **Repas** 98/320, enf. 60 – ☕ 42 – **11 ch** 300/420 – ½ P 380/470.

Anne de Bretagne sans rest, 31 av. J. Laigret ✆ 54 78 05 38, Fax 54 74 37 79 – ☎. AE GB Z
fermé 16 fév. au 17 mars – ☕ 36 – **29 ch** 260/370.

Le Savoie sans rest, 6 r. Ducoux ✆ 54 74 32 21, Fax 54 74 29 58 – ☎. AE GB.
☕ 30 – **26 ch** 210/280. X

Le Lys sans rest, 3 r. Cordeliers ✆ 54 74 66 08, Fax 54 78 35 74 – ☎ ♿. GB. Y
fermé 20 déc. au 15 janv. – ☕ 30 – **15 ch** 200/250.

XXX **L'Orangerie du Château,** 1 av. Dr J. Laigret ✆ 54 78 05 36, Fax 54 78 22 78, , « Élégante installation, terrasse, ≤ le château » – AE GB Z
fermé 21 au 28 août, vacances de fév., dim. soir et merc. sauf fériés – **Repas** 125/325 et carte 270 à 360, enf. 70.

XX **La Péniche,** promenade Mail ✆ 54 74 37 23, péniche aménagée – . AE GB X
fermé dim. sauf fériés – **Repas** 150.

XX **L'Espérance,** N 152, par ⑥ : 2,5 km ✆ 54 78 09 01, Fax 54 56 17 86, ≤ – P. AE GB
fermé 7 au 28 août, vacances de fév., dim. soir et lundi – **Repas** 130/340, enf. 60.

XX ✿ **Rendez-vous des Pêcheurs** (Reithler), 27 r. Foix ✆ 54 74 67 48, Fax 54 74 47 67 – AE GB X
fermé 29 juil. au 19 août, vacances de fév., lundi midi, dim. et fériés – **Repas** (nombre de couverts limité, prévenir) 145 et carte 230 à 300
Spéc. Flan de grenouilles au kaefferkopf et mousseline au cresson. Filet de sandre au corail d'oursin. Millefeuille caramélisé à la vanille. **Vins** Cheverny, Touraine-Mesland.

X **Au Bouchon Lyonnais,** 25 r. Violettes ✆ 54 74 12 87, – GB Z
fermé janv., dim. et lundi – **Repas** (prévenir) 110/162.

Z.A. Vallée Maillard N : 3 km – ✉ **41000** Blois :

Ibis [M], ✆ 54 74 60 60, Fax 54 74 85 71, – ☎ ♿ P – 40. AE GB
Repas 99 bc, enf. 39 – ☕ 35 – **61 ch** 280/320. V

Préma H. , ✆ 54 78 89 90, Fax 54 56 02 27 – ☎ ♿ P – 50. AE GB V
Repas *(fermé sam. midi)* 79 bc/109 bc, enf. 45 – ☕ 31 – **42 ch** 255/268 – ½ P 230.

à La Chaussée-St-Victor par ② : 4 km – 4 036 h. alt. 105 – ✉ **41260** :

Novotel [M] , ✆ 54 57 50 50, Fax 54 57 50 40, , , – | ☎ ♿ P – 100. AE GB V
Repas carte environ 160 , enf. 50 – ☕ 50 – **116 ch** 410/485.

XX **La Tour,** N 152 ✆ 54 78 98 91, Fax 54 74 74 52, , – P. GB V
fermé août, dim. soir et lundi sauf fériés – **Repas** 135/220, enf. 90.

à Vineuil par ④ et D 176 : 4 km – 6 253 h. alt. 73 – ✉ **41350** :

Climat de France, 48 r. Quatre Vents ✆ 54 42 70 22, Fax 54 42 43 81 – ☎ ♿ P – 120. AE GB
Repas 75/140 , enf. 40 – ☕ 35 – **58 ch** 305.

aux Grouëts par ⑥ : 5 km – ✉ **41000** Blois :

XX **L'Orée du Bois,** ✆ 54 74 35 18, Fax 54 56 01 83, – GB
fermé 15 janv. au 15 fév., lundi soir et mardi sauf juil.-août – **Repas** 98/260, enf. 55.

à Molineuf par ⑦ : 9 km – 810 h. alt. 115 – ✉ **41190** :

XX **Poste,** ✆ 54 70 03 25, Fax 54 70 12 46 – P. AE GB
fermé fév., dim. soir et merc. – **Repas** 88/215, enf. 50.

ALFA ROMEO Gar. Blot Frères, 47 bis N à la Chaussée-St-Victor ✆ 54 78 67 13
BMW Gar. Papon, 44 r. Mar.-de-Lattre-de-Tassigny ✆ 54 78 77 06
CITROEN Alteam 2, ZA Gds Champs, bd Jos Paul Boncour par ⑤ ✆ 54 78 42 22
FIAT Gar. Blanc, 42 av. Mar.-Maunoury ✆ 54 78 04 62
MERCEDES Gar. Malard, rte de Paris à la Chaussée-St-Victor ✆ 54 78 34 40
OPEL Auto Loisir, r. R.-Dion ✆ 54 74 29 30
PEUGEOT Beauciel autom., 11 N La Chaussée-St-Victor par ② ✆ 54 55 22 22 N ✆ 54 45 09 04
RENAULT Blois Warsemann Autom., 129 av de Vendôme par ⑧ ✆ 54 52 12 12 N ✆ 51 82 96 96
VAG Auto Service, av. R.-Schuman ✆ 54 78 67 84
VOLVO Prestige auto, 6 r. Berthonneau ✆ 54 20 07 09

Euromaster, av. de Châteaudun ✆ 54 78 18 74
Tours Pneus Interpneus Vulcopneu, 44 av. de Vendôme ✆ 54 43 48 40

BLONVILLE-SUR-MER 14910 Calvados 54 ⑰ – 1 062 h alt. 10.

Paris 211 – ◆Caen 42 – ◆Le Havre 43 – Deauville 4 – Lisieux 33 – Pont-l'Évêque 16.

L'Épi d'Or, ✆ 31 87 90 48, Fax 31 87 08 98, 🏞 – 📺 ☎. AE GB
fermé 18 au 30 déc., 24 fév. au 14 mars, merc. et jeudi du 1er sept. au 30 juin – **Repas** 90/350, enf. 70 – ☕ 35 – **12 ch** 320/480 – ½ P 385/435.

BLUFFY (Col de) 74 H.-Savoie 74 ⑧ – 203 h alt. 640 – ✉ **74290** Veyrier-du-Lac.

Paris 548 – Annecy 11 – Albertville 37 – La Clusaz 23 – Megève 52.

✗ **Dents de Lanfon** avec ch, ✆ 50 02 82 51, Fax 50 02 85 19, 🏞 – ☎ 🅿. GB
fermé 3 au 11 juin, 2 au 31 janv., et hôtel : fermé lundi sauf juil.-août – **Repas** *(fermé dim. soir sauf juil.-août et lundi sauf fériés)* 70 (déj.), 95/182 🍷, enf. 44 – ☕ 26 – **7 ch** 200/267 – ½ P 230/249.

BOBIGNY 93 Seine-St-Denis 56 ⑪, 101 ⑰ – voir à Paris, Environs.

BOERSCH 67 B.-Rhin 62 ⑨ – rattaché à Obernai.

BOIS-COLOMBES 92 Hauts-de-Seine 55 ⑳, 101 ⑮ – voir à Paris, Environs.

BOIS DE LA CHAIZE 85 Vendée 67 ① – voir à Noirmoutier (Ile de).

BOIS-DU-FOUR 12 Aveyron 80 ④ – ✉ **12780** Vézins-de-Lévézou.

Paris 641 – Rodez 45 – Aguessac 15 – Millau 21 – Pont-de-Salars 25 – Sévérac-le-Château 17.

Relais du Bois du Four 🐦, ✆ 65 61 86 17, parc – ☎ 🚗 🅿. GB. ✗ rest
◆ *15 mars-30 nov. et fermé merc. hors sais.* – **Repas** 75/180 🍷, enf. 50 – ☕ 35 – **27 ch** 150/280 – ½ P 235/290.

BOIS-LE-ROI 77590 S.-et-M. 61 ② – 4 744 h alt. 80.

Paris 59 – Fontainebleau 9 – Melun 9 – Montereau-Fault-Yonne 24.

Pavillon Royal Ⓜ sans rest, 40 av. Gallieni ✆ (1) 64 10 41 00, Fax (1) 64 10 41 10, 🏊, 🌳, 🎾 – 📺 ☎ ♿ 🅿 – 🏛 25. GB
☕ 40 – **26 ch** 295.

✗✗ **La Marine,** 52 quai O. Metra (à l'Écluse) ✆ (1) 60 69 61 38, 🏞 – GB
fermé sept., 1er au 15 fév., lundi et mardi – **Repas** 130/220.

Gar. Gere, ✆ (1) 60 69 60 65

BOIS-PLAGE-EN-RÉ 17 Char.-Mar. 71 ⑫ – voir à Ré (île de).

BOISSERON 34160 Hérault 83 ⑧ – 981 h alt. 32.

Paris 743 – ◆Montpellier 30 – Aigues-Mortes 26 – Alès 44 – Nîmes 36 – Sommières 3.

✗ **Aub. Lou Caléou,** ✆ 67 86 60 76, Fax 67 86 60 76 – ▤. AE GB
fermé 20 août au 10 sept., fév., le soir de nov. à mars, dim. soir et merc. – **Repas** 98/150.

BOISSET 15600 Cantal 76 ⑪ – 653 h alt. 426.

Paris 596 – Aurillac 29 – Calvinet 17 – Entraygues-sur-Truyère 53 – Figeac 35 – Maurs 13.

Aub. de Concasty Ⓜ 🐦, NE : 3 km par D 64 ✆ 71 62 21 16, Fax 71 62 22 22, ←, 🏞, 🏋, 🏊, 🌳 – 📺 ☎ ♿ 🅿. AE ⓓ GB
fermé 20 au 30 nov., 18 au 26 déc. – **Repas** *(fermé merc.)* (sur réservation seul.) 150/200 – ☕ 45 – **16 ch** 305/490 – ½ P 370/440.

BOISSEUIL 87220 H.-Vienne 72 ⑰ ⑱ – 1 558 h alt. 350.

Paris 409 – ◆Limoges 12 – Bourganeuf 46 – Nontron 71 – Périgueux 96 – Uzerche 47.

✗✗ **Gril de l'Anneau** avec ch, ✆ 55 06 90 06, Fax 55 06 32 88, 🏞 – ☎. GB. ✗
fermé 28 avril au 6 mai, 4 au 25 août, 22 déc. au 2 janv., dim. sauf fériés et lundi – **Repas** - spécialité de viande limousine - 130 🍷 – ☕ 35 – **7 ch** 150/270.

BOIS-VERT 16 Charente 75 ② – rattaché à Barbezieux.

BOLBEC 76210 S.-Mar. 55 ④ – 12 372 h alt. 54.

Paris 190 – ◆Le Havre 30 – Fécamp 23 – ◆Rouen 64 – Yvetot 20.

Fécamp sans rest, 15 r. J. Fauquet ✆ 35 31 00 52 – 📺 ☎. GB. ✗
fermé 15 janv. au 1er fév. et dim. – ☕ 25 – **25 ch** 150/250.

PEUGEOT Gar. Quesnel, 484 av. Mar.-Joffre ✆ 35 31 07 11 🅽 ✆ 35 31 07 11

Ⓜ Pain Pneu, 81 bis et 83 r. G.-Clemenceau ✆ 35 31 06 87

BOLLENBERG 68 H.-Rhin 62 ⑱ ⑧ – rattaché à Rouffach.

BOLLÈNE 84500 Vaucluse 81 ① **G. Provence** (plan) – 13 907 h alt. 40.

Office de Tourisme pl Reynaud-de-la-Gardette ✆ 90 40 51 44.

Paris 639 – Avignon 50 – Montélimar 34 – Nyons 35 – Orange 22 – Pont-St-Esprit 10.

Château de Rocher et rest. Belle Écluse, 42 av. E. Lachaux (rte Nyons ✆ 90 40 09 09, Fax 90 40 09 30, parc – TV ☎ P. AE GB
Repas 100/250 – 60 – **19 ch** 220/370 – ½ P 210/270.

Primevère M, échangeur A 7 ✆ 90 40 41 42, Fax 90 40 14 92 – rest TV ☎ – 40. AE GB
Repas 87/112, enf. 41 – 32 – **42 ch** 285 – ½ P 220/239.

De Chabrières, 7 bd Gambetta ✆ 90 40 08 08, Fax 90 40 52 88, – TV ☎. AE GB
Repas 105/190, enf. 60 – 50 – **10 ch** 280/340 – ½ P 280.

XXX **Lou Bergamoutié,** r. Abbé Prompsault ✆ 90 40 10 33, Fax 90 40 10 39, – . GB
fermé dim. soir et lundi – **Repas** 150/320 et carte 270 à 360, enf. 70.

CITROEN Gar. Fatiga, av. Salvador Allende ✆ 90 30 51 52
FORD Bollène Autom., av. J.-Giono ✆ 90 30 10 61
OPEL S.T.A., rte de Mondragon ✆ 90 40 56 56
PEUGEOT Gar. Portes de Provence, Quart la Deverasse ✆ 90 30 10 46
VAG SODIBA, 1 ch. du Souvenir ✆ 90 30 12 23

Ayme Pneus, 633 r. J. Verne ✆ 90 30 13 21
Gaigne Pneus, av. S.-Allende ✆ 90 30 14 40

Dans ce guide

un même symbole, un même caractère,
*imprimé en couleur ou en noir, en maigre ou en **gras**,*
n'ont pas tout à fait la même signification.
Lisez attentivement les pages explicatives.

La BOLLÈNE-VÉSUBIE 06 Alpes-Mar. 84 ⑲ 115 ⑰ **G. Côte d'Azur** – 308 h alt. 700 – ✉ **06450** Lantosque.

Voir Chapelle St-Honorat ≤★ S : 1 km.

Paris 894 – ♦Nice 55 – Puget-Théniers 56 – Roquebillière 6,5 – St-Martin-Vésubie 16 – Sospel 31.

Gd H. du Parc, D 70 ✆ 93 03 01 01, parc – ☎ P. AE. rest
Pâques-30 sept. – **Repas** 88/178 – 35 – **42 ch** 143/362 – ½ P 312/355.

BOLLEZEELE 59470 Nord 51 ③ – 1 476 h alt. 40.

Paris 277 – ♦Calais 43 – Dunkerque 23 – ♦Lille 66 – St-Omer 17.

Host. St-Louis M, ✆ 28 68 81 83, Fax 28 68 01 17, – TV ☎ P – 40. AE GB
fermé janv., dim. soir et lundi – **Repas** 140/315 – 40 – **28 ch** 250/450 – ½ P 330/395.

La BOLLINE 06 Alpes-Mar. 84 ⑱ ⑲ – rattaché à Valdeblore (Commune de).

BONDUES 59 Nord 51 ⑯, 111 ⑬ – rattaché à Lille.

BON-ENCONTRE 47 L.-et-G. 79 ⑮ – rattaché à Agen.

Le BONHOMME 68650 H.-Rhin 62 ⑱ **G. Alsace Lorraine** – 607 h alt. 735 – Sports d'hiver : 850/1 250 m 10.

Paris 461 – Colmar 26 – Gérardmer 36 – St-Dié 31 – Ste-Marie-aux-Mines 16 – Sélestat 39.

Poste, au village ✆ 89 47 51 10, Fax 89 47 23 85, – TV ☎ P. GB. rest
fermé 10 au 21 mars, 5 nov. au 1er déc. et 7 au 18 janv. – **Repas** *(fermé mardi de sept. à juin et merc. sauf le soir en juil.-août)* 68/230 – 30 – **23 ch** 255/300 – ½ P 270/290.

BONIFACIO 2A Corse-du-Sud 90 ⑨ – voir à Corse.

BONLIEU 39130 Jura 70 ⑮ **G. Jura** – 206 h alt. 785.

Voir Belvédère de la Dame Blanche ≤★ NO : 2 km puis 30 mn.

Paris 426 – Champagnole 22 – Lons-le-Saunier 33 – Morez 25 – St-Claude 41.

XX ✿ **La Poutre** avec ch, ✆ 84 25 57 77, Fax 84 25 51 61 – TV ☎ P. GB
11 fév.-11 nov. et fermé dim. soir et lundi sauf fériés et vacances scolaires – **Repas** 120/310 – 40 – **10 ch** 120/380 – ½ P 330/350
Spéc. Filet de truite au beurre de noisettes. Gratin d'écrevisses aux morilles (juil. à oct). Millefeuille aux poires, sauce chocolat. **Vins** Arbois, Côtes-du-Jura.

BONNATRAIT 74 H.-Savoie 70 ⑰ – rattaché à Thonon-les-Bains.

BONNE 74380 H.-Savoie 74 ⑥ ⑦ – 1 815 h alt. 457.

Paris 550 – Annecy 44 – Thonon-les-Bains 30 – Bonneville 15 – Genève 19 – Morzine 42.

XX **Baud** avec ch, ☎ 50 39 20 15, Fax 50 36 28 96, ☂, ⛱ – TV ☎ P. AE GB
fermé 25 juin au 10 juil., 1er au 16 janv. et dim. soir – **Repas** 98 (déj.), 135/220 🍷 – ☕ 40 – **8 ch** 220/260 – ½ P 220/240.

au Pont-de-Fillinges E : 2,5 km – ✉ **74250** Fillinges :

XX **Le Pré d'Antoine,** rte Boëge ☎ 50 36 45 06, Fax 50 31 12 28, ☂ – P. ◑ GB
fermé mi-juil. à mi-août, mardi soir et merc. – **Repas** 92/200.

BONNE-FONTAINE 57 Moselle 57 ⑰ – rattaché à Phalsbourg.

BONNETAGE 25210 Doubs 66 ⑱ – 657 h alt. 960.

Paris 474 – ♦Besançon 66 – Belfort 70 – Biel/Bienne 69 – La Chaux-de-Fonds 25.

XX **Etang du Moulin** ⛰ avec ch, 1,5 km par D 236 et chemin privé ☎ 81 68 92 78, Fax 81 68 94 42, ← – TV ☎ P. GB
fermé 3 au 26 janv. – **Repas** *(fermé lundi sauf juil.-août)* 100/350, enf. 50 – ☕ 33 – **18 ch** 170/250 – ½ P 210.

X **Les Perce-Neige** avec ch, D 437 ☎ 81 68 91 51, Fax 81 68 95 25 – ⇔ TV ☎ P – 🏔 25.
✦ GB
fermé 15 oct. au 2 nov. et lundi soir sauf juil.-août – **Repas** 70/300 🍷, enf. 48 – ☕ 37 – **12 ch** 190/210 – ½ P 210.

BONNEUIL-SUR-MARNE 94 Val-de-Marne 61 ①, 101 ㉗ – Voir à Paris, Environs.

BONNEVAL 28800 E.-et-L. 60 ⑰ G. Châteaux de la Loire – 4 420 h alt. 128.

Voir Porte fortifiée★ de l'ancienne abbaye.

ℹ Office de Tourisme 2 pl. de l'Eglise ☎ 37 47 55 89, Fax 37 96 28 62.

Paris 117 – Chartres 30 – ♦Orléans 58 – Ablis 58 – Châteaudun 15 – Étampes 89.

XXX **Host. Bois Guibert** avec ch, rte Châteaudun : 2 km sur N 10 ☎ 37 47 22 33, Fax 37 47 50 69, « Ancienne gentilhommière du 17e siècle », ⛱ – TV ☎ P. AE ◑ GB
fermé 12 au 24 janv. – **Repas** 140/310, enf. 55 – ☕ 50 – **14 ch** 290/550 – ½ P 325/475.

CITROEN Gar. Loire, 80 r. de Chartres ☎ 37 47 28 90 N ☎ 37 47 07 26
PEUGEOT Boudet, 45 r. de la Résistance ☎ 37 47 24 39
RENAULT Gar. Miard, 138 r. de Chartres ☎ 37 47 46 60 N ☎ 37 47 46 60

BONNEVAL-SUR-ARC 73480 Savoie 74 ⑲ G. Alpes du Nord – 216 h alt. 1800 – Sports d'hiver : 1 800/3 000 m ⛷10.

Voir Vieux village★.

ℹ Office de Tourisme ☎ 79 05 95 95, Fax 79 05 86 87.

Paris 689 – Albertville 113 – Chambéry 145 – Lanslebourg 19 – Val-d'Isère 30.

🏨 **La Marmotte** ⛰, ☎ 79 05 94 82, Fax 79 05 90 08, ←, ☂, 🏋 – ☎ 🚗 P – 🏔 25. ◑ GB.
✗
15 juin-25 sept. et 17 déc.-2 mai – **Repas** 105/195 🍷, enf. 68 – ☕ 38 – **28 ch** 320/350.

🏨 **A la Pastourelle** M ⛰ sans rest, ☎ 79 05 81 56, Fax 79 05 85 44, ← – ☎. AE GB. ✗
fermé 11 au 18 mai et vacances de Toussaint – ☕ 32 – **12 ch** 260/310.

🏨 **La Bergerie** ⛰, ☎ 79 05 94 97, Fax 79 05 93 24, ← – ☎ P. AE GB. ✗
✦ *10 juin-30 sept. et 20 déc.-1er mai* – **Repas** 72/142 🍷, enf. 45 – ☕ 45 – **23 ch** 200/295 – ½ P 300/340.

X **Aub. Le Pré Catin,** ☎ 79 05 95 07, ☂ – GB
22 juin-22 sept., 21 déc.-5 mai et fermé lundi – **Repas** 138/160, enf. 60.

BONNEVILLE ⟨SP⟩ 74130 H.-Savoie 74 ⑦ G. Alpes du Nord – 9 998 h alt. 450.

ℹ Office de Tourisme pl. Hôtel de Ville ☎ 50 97 38 37.

Paris 558 – Annecy 41 – Chamonix-Mont-Blanc 54 – Thonon-les-Bains 46 – Albertville 66 – Nantua 86.

🏨 **Aub. du Coteau,** à Ayse, E : 2,5 km par D 6 ☎ 50 97 25 07, Fax 50 25 67 02, ☂, ⛱ – TV
✦ ☎ P. GB
Repas *(fermé 11 au 20 mai, 3 août au 2 sept., 23 déc. au 9 janv., lundi midi, dim. et fériés)* 75 (dîner), 80/135 🍷 – ☕ 28 – **9 ch** 225/285 – ½ P 235/245.

🏨 **Bellevue** ⛰, à Ayse, E : 2,5 km par D 6 ☎ 50 97 20 83, Fax 50 25 28 38, ←, ⛱ – TV ☎ P.
GB
hôtel : 1er mai-30 sept., vacances de fév. et fermé dim. soir en mai et juin ; rest : 15 juin-5 sept. – **Repas** 90/145 – ☕ 30 – **21 ch** 220/255 – ½ P 220/230.

XXX ❀ **L'Eau Sauvage et H. Sapeur** (Guénon) avec ch, pl. Hôtel de Ville ✆ 50 97 20 6…
Fax 50 25 73 48 – |♦| TV ☎ – 25. AE GB JCB
fermé 2 au 9 sept., 2 au 7 janv., dim. soir et lundi sauf du 4 au 19 août – **Repas** 190/340 e…
carte 270 à 380 – 40 – **12 ch** 280/400 – ½ P 350/380
Spéc. Langoustines à la marjolaine. "Fricachâ" de petites lottes. Confit de cuisse de canette. **Vins** Chignin-Bergero… Mondeuse.

PEUGEOT Gar. Andréoléty, 403 av. Glières ✆ 50 97 20 93

Barret, 744 av. de Genève ✆ 50 97 02 22

La BONNEVILLE 95 Val-d'Oise 55 ⑳, 106 ③ – voir à Cergy-Pontoise (Pontoise).

BONNIÈRES-SUR-SEINE 78270 Yvelines 55 ⑱ 106 ② – 3 437 h alt. 20.

Paris 70 – ♦Rouen 68 – Évreux 33 – Magny-en-Vexin 25 – Mantes-la-Jolie 12 – Vernon 10,5 – Versailles 56.

XX **Host. Bon Accueil,** rte Vernon : 1,5 km ✆ (1) 30 93 01 00 – P. AE GB
fermé août, vacances de fév., mardi soir et merc. – **Repas** 160/290.

BONNIEUX 84480 Vaucluse 81 ⑬ 114 ① G. Provence – 1 422 h alt. 400.

Voir Tableaux★ dans l'église neuve – Terrasse ≤★.

Paris 722 – Aix-en-Provence 45 – Apt 9,5 – Carpentras 43 – Cavaillon 26 – Salon-de-Provence 49.

X **Le Fournil,** pl. Carnot ✆ 90 75 83 62, Fax 90 75 96 19, – GB
fermé 20 nov. au 10 déc., 6 janv. au 15 fév., mardi midi de sept. à juin, sam. midi e… juil.-août et lundi – **Repas** (prévenir) 90 (déj.), 117/170, enf. 55.

RENAULT Gar. Morello, av. des Tilleuls ✆ 90 75 80 84

BONSECOURS 76 S.-Mar. 55 ⑥ – rattaché à Rouen.

BONS-EN-CHABLAIS 74890 H.-Savoie 70 ⑰ – 3 275 h alt. 565.

Paris 554 – Thonon-les-Bains 15 – Annecy 59 – Bonneville 31 – Genève 22.

Progrès M, ✆ 50 36 11 09, Fax 50 39 44 16 – |♦| TV ☎ & P. GB
fermé 30 juin au 23 juil., 29 déc. au 14 janv., dim. soir et lundi sauf du 23 juil. au 24 août – **Repas** 90/275 – 38 – **10 ch** 280/320 – ½ P 270/290.

BONSON 42160 Loire 73 ⑱ – 3 880 h alt. 380.

Voir Sury-le-Comtal : décoration★ du château NO : 3 km – St-Rambert-sur-Loire : église★ bronzes★ du musée SE : 3,5 km, G. Vallée du Rhône.

Paris 515 – ♦St-Étienne 18 – Feurs 28 – Montbrison 14.

X **Voyageurs** avec ch, à la Gare ✆ 77 55 16 15, Fax 77 36 76 33, – TV ☎ P. AE GB
fermé 4 au 25 août, 1er au 10 mars, dim. soir (sauf hôtel) et sam. – **Repas** 60 (déj.), 72/160 enf. 55 – 30 – **7 ch** 170/235 – ½ P 200/220.

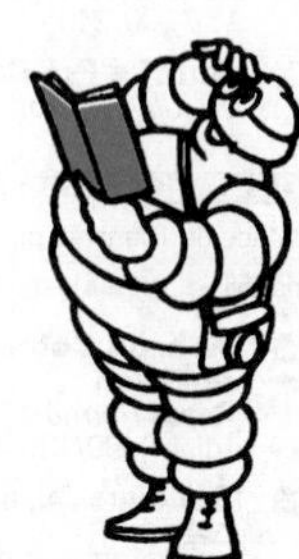

ORDEAUX P 33000 Gironde 71 ⑨ G. Pyrénées Aquitaine – 210 336 h Agglo. 696 364 h alt. 4.

oir Le Bordeaux du 18e s. : façade des quais★★ EX, esplanade des Quinconces DX, Grand héâtre★★ DX, église Notre-Dame★ DX, allées de Tourny DX, cours Clemenceau DX, place ambetta DX, cours de l'Intendance DX – Le vieux Bordeaux★★ : place de la Bourse★★ EX, lace du Parlement★ EX 109, basilique St-Michel★ EY, Grosse cloche★ EY D – Quartier Pey erland DY : cathédrale St-André★ (tour Pey Berland★ E) – Quartier Mériadeck CY – Croiseur olbert★ BU – Centre mondial du vin BU – Musées : des Beaux-Arts★★ CDY M3, des Arts écoratifs★ DY M2, d'Aquitaine★★ DY M4 – Entrepôt Laîné★★ : musée d'Art contemporain★ U M7.

Golf Bordelais ✆ 56 28 56 04, NO par av. d'Eysines : 4 km AT ; 18 18 de Bordeaux Lac ✆ 56 50 2 72, par D 209 : 10 km ; 18 18 du Médoc à Louens ✆ 56 70 21 10 par ⑨ : 16 km ; 9 9 9 9 nternat. Bordeaux-Pessac ✆ 56 36 24 47 par N 250 : 16 km ; 9 d'Artigues, ✆ 56 86 49 26, E par 241 : 8 km.

de Bordeaux-Mérignac : ✆ 56 34 50 50, AU : **11 km.**

✆ 36 35 35 35.

Office de Tourisme 12 cours du 30-Juillet ✆ 56 44 28 41, Fax 56 81 89 21 à la gare St-Jean ✆ 56 91 64 70 et l'Aéroport, hall arrivées ✆ 56 34 39 39 – Automobile Club du Sud-Ouest 8 pl. T. Quinconces ✆ 56 44 22 92 – laison du vin de Bordeaux, 1 cours 30-Juillet (Informations, dégustation - fermé week-end mi-oct. à mi-mai) 56 00 22 66 DX.

aris 579 ① – ♦Lyon 531 ② – ♦Nantes 324 ① – ♦Strasbourg 1063 ① – ♦Toulouse 245 ⑤.

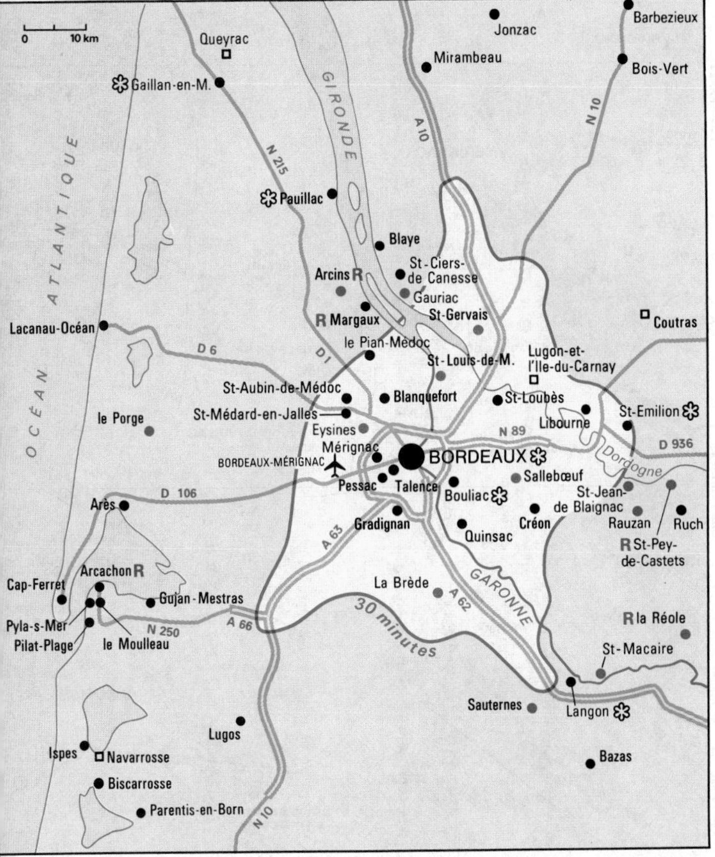

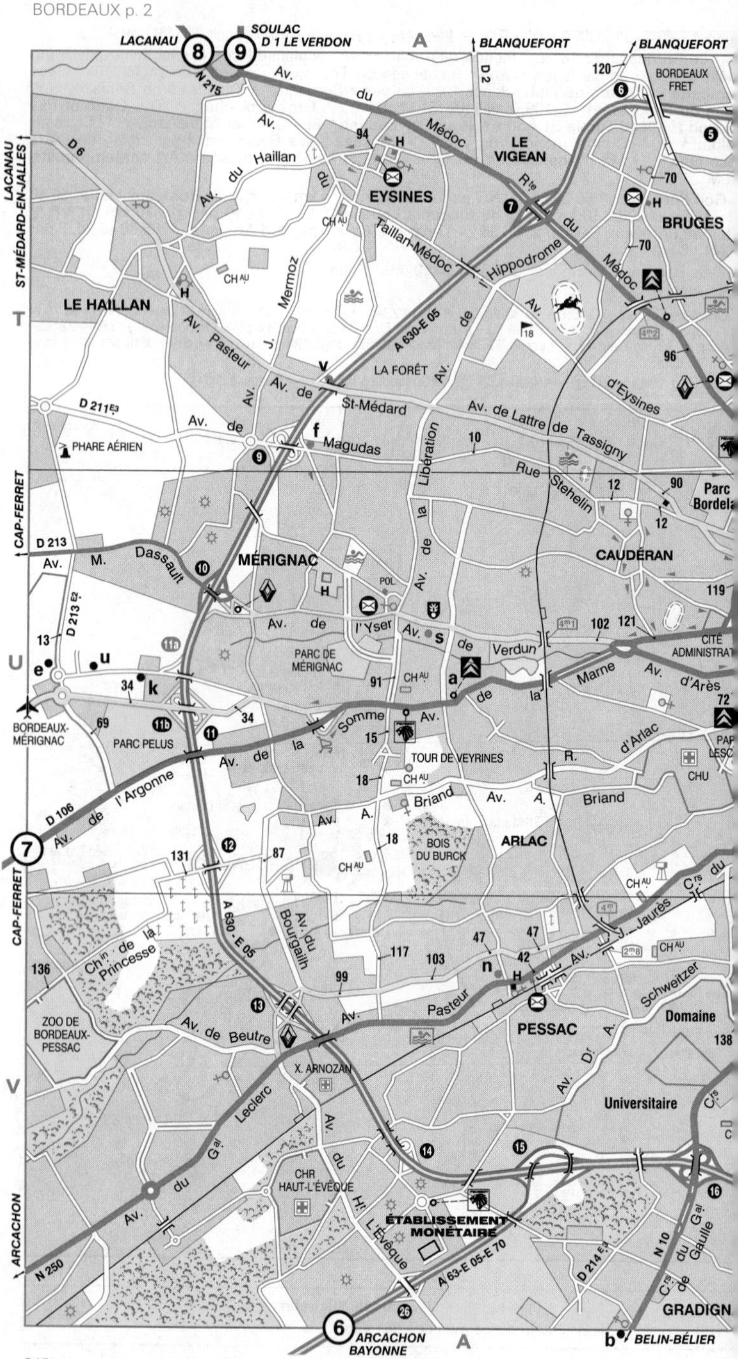
LACANAU
SOULAC
D 1 LE VERDON
BLANQUEFORT
BLANQUEFORT
BORDEAUX FRET
Av. du Médoc
LE VIGEAN
EYSINES
Av. du Haillan
BRUGES
LACANAU
ST-MÉDARD-EN-JALLES
Taillan-Médoc
Rte du Médoc
Av. de l'Hippodrome
LE HAILLAN
Av. Pasteur
Av. J. Mermoz
A 630-E 05
LA FORÊT
Av. de St-Médard
Av. d'Eysines
Av. de Lattre de Tassigny
D 211E3
Av. de Magudas
PHARE AÉRIEN
Rue Stehelin
Parc Bordelais
CAP-FERRET
D 213
Av. M. Dassault
MÉRIGNAC
Av. de la Libération
CAUDÉRAN
POL.
Av. de l'Yser
Av. de Verdun
CITÉ ADMINISTRATIVE
D 213 E2
PARC DE MÉRIGNAC
Av. de la Marne
Av. d'Arès
BORDEAUX-MÉRIGNAC
PARC PELUS
Av. de la Somme
Av. d'Arlac
TOUR DE VEYRINES
R. A. Briand
CHU
D 106
Av. de l'Argonne
Av. A. Briand
BOIS DU BURCK
ARLAC
CAP-FERRET
Chin de la Princesse
Av. du Bourgailh
Crs du
Av. J. Jaurès
Av. Pasteur
ZOO DE BORDEAUX-PESSAC
Av. de Beutre
PESSAC
Av. Schweitzer
Domaine
Universitaire
Av. Dr A.
X. ARNOZAN
Av. du Gal Leclerc
Av. du Ht L'Évêque
CHR HAUT-L'ÉVÊQUE
ÉTABLISSEMENT MONÉTAIRE
ARCACHON
N 250
A 63-E 05-E 70
D 214 E3
N 10
Crs du Gal de Gaulle
GRADIGNAN
ARCACHON
BAYONNE
BELIN-BÉLIER

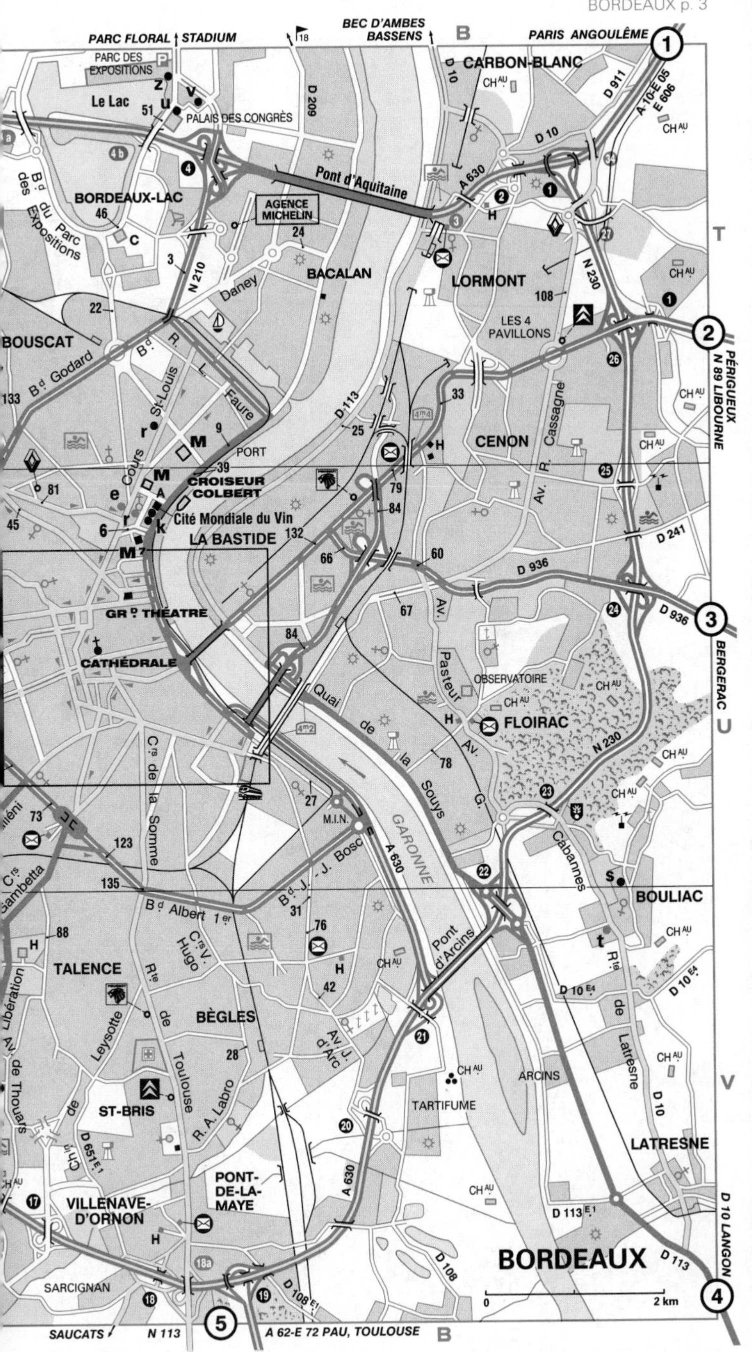
PARC FLORAL
STADIUM
BEC D'AMBES BASSENS
PARIS ANGOULÊME
CARBON-BLANC
PARC DES EXPOSITIONS
Le Lac
PALAIS DES CONGRÈS
BORDEAUX-LAC
Bd du Parc des Expositions
AGENCE MICHELIN
Pont d'Aquitaine
BACALAN
LORMONT
LES 4 PAVILLONS
BOUSCAT
Bd Godard
Cours St-Louis
Bd R. L. Faure
PORT
CROISEUR COLBERT
Cité Mondiale du Vin
LA BASTIDE
CENON
Av. R. Cassagne
PÉRIGUEUX N 89 LIBOURNE
GR. THÉATRE
CATHÉDRALE
OBSERVATOIRE
FLOIRAC
Av. Pasteur
Quai de la Souys
GARONNE
BERGERAC
M.I.N.
Crs de la Somme
Bd J. J. Bosc
Bd Albert 1er
Cabannes
BOULIAC
TALENCE
Crs V. Hugo
Rte de Toulouse
Pont d'Arcins
BÈGLES
Av. J. d'Arc
ARCINS
TARTIFUME
ST-BRIS
R. A. Labro
LATRESNE
Rte de Latresne
PONT-DE-LA-MAYE
VILLENAVE-D'ORNON
SARCIGNAN
BORDEAUX
D 10 LANGON
SAUCATS
N 113
A 62-E 72 PAU, TOULOUSE
0
2 km

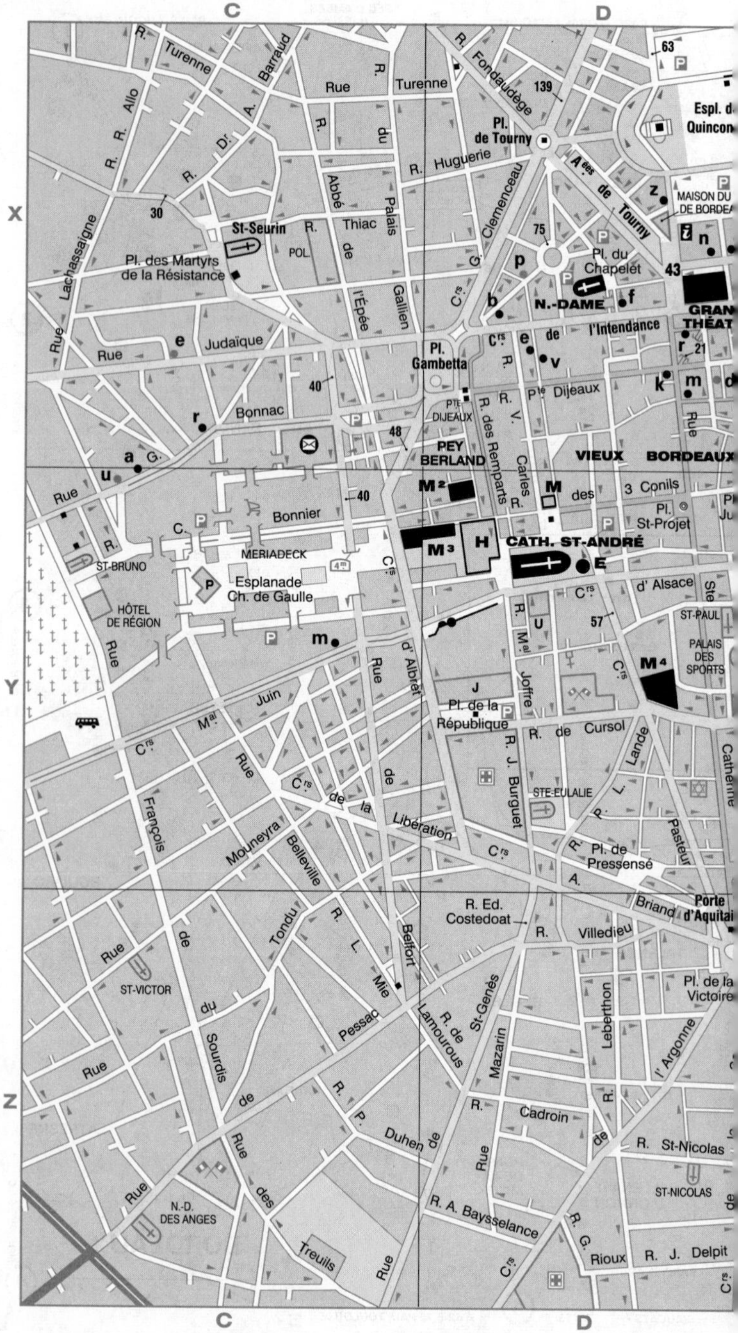

C
D
X
Y
Z

R. Turenne
Barraud
R. Allo
R. Dr. A.
Rue Turenne
R. du Palais
R. Fondaudège
139
63
Espl. d. Quincon
Pl. de Tourny
R. Huguerie
R. Abbé
Thiac
de l'Épée
Gallien
Cours G. Clemenceau
Allées de Tourny
MAISON DU DE BORDEA
30
Lachassaigne
St-Seurin
POL.
75
Pl. du Chapelet
43
Pl. des Martyrs de la Résistance
N.-DAME
GRAN THÉAT
Rue Judaïque
Pl. Gambetta
Cours de l'Intendance
21
40
Pte Dijeaux
R. V. Carles
Pl. Dijeaux
Bonnac
48
PEY BERLAND
VIEUX BORDEAUX
R. des Remparts
Rue G.
40
M2
M
des 3 Conils
Pl. St-Projet
Bonnier
C.
MERIADECK
M3
H
CATH. ST-ANDRÉ
E
ST-BRUNO
Esplanade Ch. de Gaulle
Cours d'Albret
Cours d'Alsace
Ste Catherine
HÔTEL DE RÉGION
Rue
57
ST-PAUL
U
R. Mal Joffre
PALAIS DES SPORTS
M4
J
Pl. de la République
Juin
Cours Mal
R. de Cursol
Lande
Rue
R. J. Burguet
STE-EULALIE
François
Cours de la Libération
R. L. Pasteur
Mouneyra
Belleville
Pl. de Pressensé
Cours A. Briand
Porte d'Aquitai
R. Ed. Costedoat
R. Villedieu
Tondu
R. L. Mie
Belfort
Rue de
ST-VICTOR
Pl. de la Victoire
Sourdis
Pessac
R. de Lamourous
St-Genès
Leberthon
Mazarin
Rue
l'Argonne
R. P. Duhen
R. Cadroin
R. de
R. St-Nicolas
Rue de
Rue des Treuils
Rue
ST-NICOLAS
N.-D. DES ANGES
R. A. Bayssélance
R. G. Rioux
R. J. Delpit
Cours

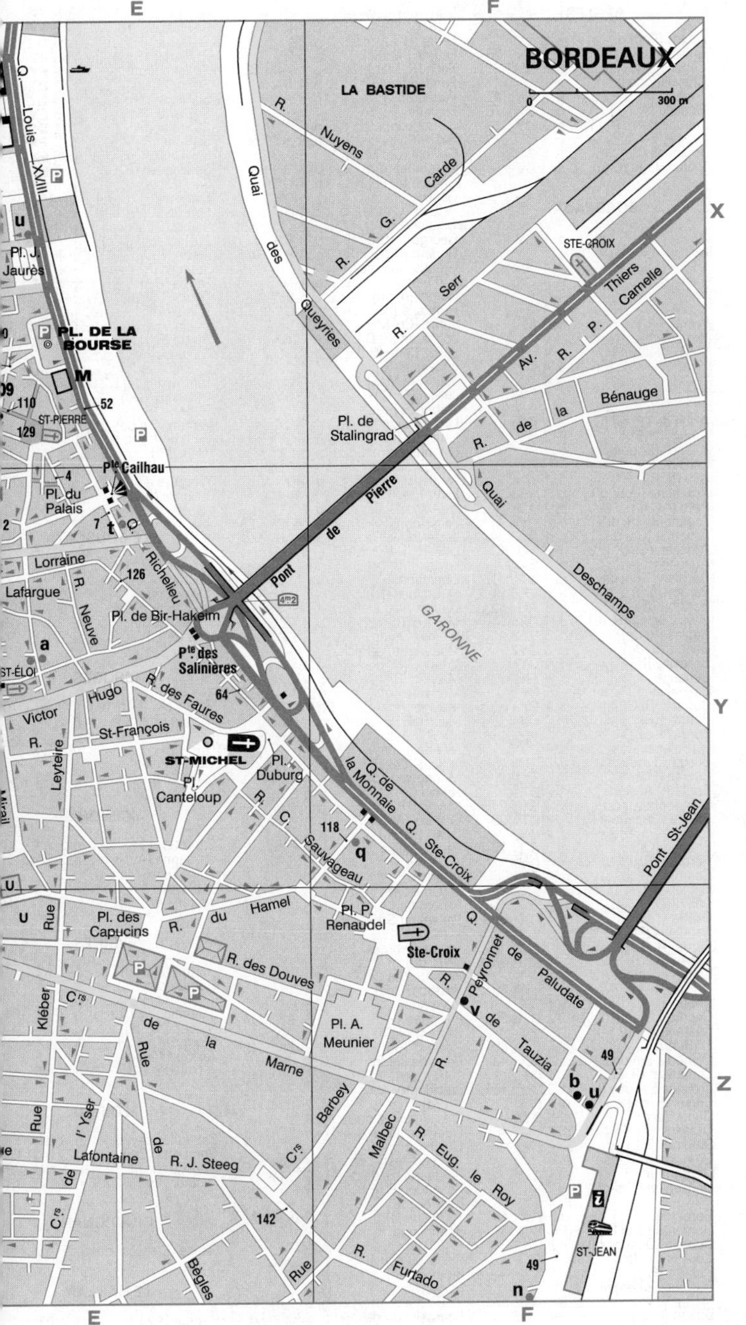
BORDEAUX
LA BASTIDE
PL. DE LA BOURSE
ST-PIERRE
Pte Cailhau
Pl. du Palais
Pont de Pierre
Pl. de Stalingrad
GARONNE
Quai des Queyries
Quai Deschamps
Pl. de Bir-Hakeim
Pte des Salinières
ST-MICHEL
Pl. Duburg
Pl. Canteloup
Q. de la Monnaie
Q. Ste-Croix
Pont St-Jean
Pl. des Capucins
Pl. P. Renaudel
Ste-Croix
Q. de Paludate
Pl. A. Meunier
ST-JEAN
ST-CROIX
Av. Thiers
R. de la Bénauge
R. des Faures
R. des Douves
Cours de la Marne
R. J. Steeg
R. Eug. le Roy
R. Furtado
Rue Lafontaine
R. de Tauzia

RÉPERTOIRE DES RUES DU PLAN DE BORDEAUX

BÈGLES

Arcins (Pont d') p. 3 **BV**
Buisson (R. F.) p. 3 **BV** 28
Capelle (Av. A.) p. 3 **BV** 31
Chevalier de la Barre (R. du) p. 3 **BV** 42
Guesde (Av. J.) p. 3 **BV** 76
Jeanne d'Arc (Av.) p. 3 **BV**
Labro (R. A.) p. 3 **BV**
Toulouse (Rte de) p. 3 **BV**
Victor-Hugo (Crs) p. 3 **BV**

BORDEAUX

Albret (Crs d') p. 4 **CY**
Alsace et Lorraine (Crs d') p. 4 **DEZ**
Clemenceau (Crs G.) p. 4 **DX**
Intendance (Crs de l') p. 4 **DX**
Jaurès (Pl. J.) p. 5 **EX**
Porte-Dijeaux (R. de la) p. 4 **DX**
Ste-Catherine (R.) p. 4 **DXY**
Tourny (Allée de) p. 4 **DX**
Victor-Hugo (Crs) p. 5 **EY**

Abbé de l'Épée (R.) p. 4 **CX**
Albert 1er (Bd) p. 3 **BV**
Aliénor-d'Aquitaine (Bd) p. 3 **BT** 3
Allo (R. R.) p. 4 **CX**
Aquitaine (Pont d') p. 3 **BT**
Arès (Av. d') p. 2 **AU**
Argentiers (R. des) p. 5 **EY** 4
Argonne (Crs de l') p. 4 **DZ**
Arnozan (Crs X.) p. 3 **BU** 6
Ausone (R.) p. 5 **EY** 7
Bacalan (Quai de) p. 3 **BT** 9
Barbey (Crs) p. 5 **EFZ**
Barthou (Av. L.) p. 2 **AU** 12
Bayssellance (R. A.) p. 4 **DZ**
Bègles (R. de) p. 5 **EZ**
Belfort (R. de) p. 4 **CYZ**
Belleville (R.) p. 4 **CY**
Bénauge (R. de la) p. 5 **FX**
Bir-Hakeim (Pl. de) p. 5 **EY**
Bonnac (R. G.) p. 4 **CXY**
Bonnier (R. C.) p. 4 **CY**
Bordelaises (Galeries) p. 4 **DX** 21
Bosc (Bd J. J.) p. 3 **BU**
Bourse (Pl. de la) p. 5 **EX**
Boutaut (Allée de) p. 3 **BT** 22
Brandenburg (Bd) p. 3 **BT** 24
Brazza (Quai de) p. 3 **BT** 25
Briand (Crs A.) p. 4 **DYZ**
Brienne (Quai de) p. 3 **BU** 27
Burguet (R. J.) p. 4 **DY**
Cadroin (R.) p. 4 **DZ**
Camelle (R. P.) p. 5 **FX**
Canteloup (Pl.) p. 5 **EY**
Capdeville (R.) p. 4 **CX** 30
Capucins (Pl. des) p. 5 **EZ**
Carde (R. G.) p. 5 **FX**
Carles (R. V.) p. 4 **DXY**
Chapeau-Rouge (Crs) p. 5 **EX** 36
Chapelet (Pl. du) p. 4 **DX**
Chartrons (Quai des) p. 3 **BTU** 39
Château-d'Eau (R. du) p. 4 **CXY** 40
Comédie (Pl. de la) p. 4 **DX** 43
Costedoat (R. Ed.) p. 4 **DZ**
Croix de Seguey (R.) p. 3 **BU** 45
Cursol (R. de) p. 4 **DY**
Daney (Bd) p. 3 **BT**
Dassault (Av. M.) p. 3 **BT** 46
Delpit (R. J.) p. 4 **DZ**
Deschamps (Quai) p. 5 **FY**
Dr. Barraud (R. A.) p. 4 **CX**
Dr. Nancel-Pénard (R.) p. 4 **CX** 48
Domercq (R. C.) p. 5 **FZ** 49
Domergue (Bd G.) p. 3 **BT** 51
Douane (Quai de la) p. 5 **EX** 52
Douves (R. des) p. 5 **EZ**
Duburg (Pl.) p. 5 **EY**
Duffour-Dubergier (R.) p. 4 **DY** 57
Duhen (R. P.) p. 4 **CDZ**
Esprit des Lois (R. de l') p. 5 **EX** 61
Faure (R. L.) p. 3 **BT**
Faures (R. des) p. 5 **EY**
Foch (R. Mar.) p. 4 **DX** 63
Fondaudège (R.) p. 4 **DX**
Furtado (R.) p. 5 **FZ**
Fusterie (R. de la) p. 5 **EY** 64
Galin (R.) p. 3 **BU** 66
Gallieni (Crs Mar.) p. 3 **ABU**
Gambetta (Crs) p. 3 **BUV**
Gambetta (Pl.) p. 4 **DX**
Gaulle (Espl. Ch.-de) p. 4 **CY**
Gautier (Bd A.) p. 2 **AU** 72
George-V (Bd) p. 3 **BU** 73
Godard (Bd) p. 3 **BT**
Grands Hommes (Pl. des) p. 4 **DX** 75
Hamel (R. du) p. 5 **EZ**
Huguerie (R.) p. 4 **DX**
Joffre (Crs Mar.) p. 4 **DY**
Johnston (R. D.) p. 3 **BU, CX** 81
Joliot-Curie (Bd) p. 3 **BU** 84
Judaïque (R.) p. 4 **CX**
Juin (Crs Mar.) p. 4 **CY**
Jullian (Pl. C.) p. 4 **DY**
Kléber (R.) p. 5 **EZ**
Lachassaigne (R.) p. 4 **CX**
Lafargue (Pl.) p. 5 **EY**
Lafontaine (R.) p. 5 **EZ**
Lamourous (R. de) p. 4 **CDZ**
Lande (R. P. L.) p. 4 **DY**
Lattre-de-Tassigny (Av. de) p. 2 **AT**
Leberthon (R.) p. 4 **DZ**
Leclerc (Av. Gén.) p. 2 **AU** 90
Leclerc (Bd Mar.) p. 3 **BU** 93
Leyteire (R.) p. 5 **EYZ**
Libération (Crs de la) p. 4 **CDY**
Louis XVIII (Quai) p. 5 **EX**
Malbec (R.) p. 5 **FZ**
Marne (Crs de la) p. 5 **EZ**
Martyrs-de-la-Résistance (Pl. des) p. 4 **CX**
Mazarin (R.) p. 4 **DZ**
Mérignac (Av. de) p. 2 **AU** 102
Meunier (Pl. A.) p. 5 **FZ**
Mie (R. L.) p. 4 **CZ**
Mirail (R. du) p. 5 **EY**
Monnaie (Quai de la) p. 5 **FY**
Mouneyra (R.) p. 4 **CYZ**
Neuve (R.) p. 5 **EY**
Nuyens (R.) p. 5 **FX**
Orléans (Allée d') p. 5 **EX** 106
Palais (Pl. du) p. 5 **EY**
Palais Gallien (R. du) p. 4 **CX**
Paludate (Quai de) p. 5 **FZ**
Parlement (Pl. du) p. 5 **EX** 109
Parlement St-Pierre (R. du) p. 5 **EX** 110
Pas St-Georges (R. du) p. 5 **EXY** 112
Pasteur (Crs de) p. 4 **DY**
Pessac (R. de) p. 4 **CZ**
Peyronnet (R.) p. 5 **FZ**
Philippart (R. F.) p. 5 **EX** 114
Pierre (Pont de) p. 5 **EFY**
Pierre-Ier (Bd) p. 3 **BT** 115
Porte de la Monnaie (R.) p. 5 **FY** 118
Président-Wilson (Bd) p. 2 **AU** 119
Pressensé (Pl. de) p. 4 **DY**
Queyries (Quai des) p. 5 **EFX**
Quinconces (Espl. des) p. 4 **DX**
Remparts (R. des) p. 4 **DXY**
Renaudel (Pl. P.) p. 5 **FZ**
République (Av. de la) p. 2 **AU** 121
République (Pl. de la) p. 4 **DY**
Richelieu (Quai) p. 5 **EY**
Rioux (R. G.) p. 4 **DZ**
Roosevelt (Bd Franklin) p. 3 **BU** 123
Rousselle (R. de la) p. 5 **EY** 126
Roy (R. Eug. le) p. 5 **FZ**
St-François (R.) p. 5 **EY**
St-Genès (R. de) p. 4 **DZ**
St-James (R.) p. 5 **EY**
St-Jean (Pont) p. 5 **FY**
St-Louis (Crs) p. 3 **BT**
St-Nicolas (R.) p. 4 **DZ**
St-Pierre (Pl.) p. 5 **EX** 12
St-Projet (Pl.) p. 4 **DY**
St-Rémi (R.) p. 5 **EX** 13
Ste-Croix (Quai) p. 5 **FY**
Sauvageau (R. C.) p. 5 **EFY**
Serr (R.) p. 5 **FX**
Somme (Crs de la) p. 4 **DZ**
Sourdis (R. F. de) p. 4 **CYZ**
Souys (Quai de la) p. 3 **BU**
Stalingrad (Pl. de) p. 5 **FX**
Steeg (R. J.) p. 5 **EZ**
Stehelin (R.) p. 2 **ATU**
Tauzia (R. des) p. 5 **FZ**
Thiac (R.) p. 4 **CX**
Thiers (Av.) p. 5 **EX**
Thiers (Av.) p. 3 **BU** 13
Tondu (R. du) p. 4 **CZ**
Toulouse (Barrière de) p. 3 **BU** 13
Tourny (Pl. de) p. 4 **DX**
Treuils (R. des) p. 4 **CZ**
Turenne (R.) p. 4 **CDX**
Verdun (Crs de) p. 4 **DX** 13
Victoire (Pl. de la) p. 4 **DZ**
Vilaris (R.) p. 5 **EZ** 14
Villedieu (R.) p. 4 **DZ**
Yser (Crs de l') p. 5 **EZ**
3-Conils (R. des) p. 4 **DY**

LE BOUSCAT

Eysines (Av. d') p. 2 **AT**
Libération (Av. de la) p. 2 **AT** 96
Louis-Blanc (Crs) p. 3 **BT** 97
Tivoli (Av. de) p. 3 **BT** 13
Zola (R. E.) p. 2 **AT** 14

BRUGES

Gaulle (Av. Gén. de) p. 2 **AT** 70
Médoc (Rte du) p. 2 **AT**
Parc des Expositions (Bd) p. 3 **BT**
Quatre Ponts (R. des) p. 2 **AT** 12

CENON

Carnot (Av.) p. 3 **BT** 33
Cassagne (Av. R.) p. 3 **BTU**
Entre-Deux-Mers (Bd de l') p. 3 **BU** 60
Jaurès (Av. J.) p. 3 **BU** 79

EYSINES

Haillon (Av. du) p. 2 **AT**
Hippodrome (Av. de l') p. 2 **AT**
Libération (Av. de la) p. 2 **AT** 94
Médoc (Av. du) p. 2 **AT**
Mermoz (Av. J.) p. 2 **AT**
Taillon-Médoc (Av. du) p. 2 **AT**

FLOIRAC

Cabannes (Av. G.) p. 3 **BU**
Gambetta (Crs) p. 3 **BU** 67
Guesde (R. J.) p. 3 **BU** 78
Pasteur (Av.) p. 3 **BU**

GRADIGNAN

Gaulle (Crs Gén.-de) p. 2 **AV**

LE HAILLAN

Pasteur (Av.) p. 2 **AT**

LARESNE

Latresne (Rte de) . . . p. 3 **BV**

LORMONT

Paris (Rte de) . . . . . . p. 3 **BT** 108

MERIGNAC

Argonne (Av. de l') . p. 2 **AU**
Arlac (R. d') . . . . p. 2 **AU**
Barbusse (Av. H.) . . . p. 2 **AT** 10
Beaudésert (Av. de) p. 2 **AU** 13
Belfort (Av. de) . . . . p. 2 **AU** 15
Bon-Air (Av.) . . . . . . p. 2 **AU** 18
Briand (Av. A.) . . . . . p. 2 **AU**
Cassin (Av. R.) . . . . . p. 2 **AU** 34
Dassault (Av. M.) . . . p. 2 **AU**
Garros (Av. Rolland) p. 2 **AU** 69
Kaolack (Av. de) . . . . p. 2 **AU** 87
Leclerc (Av. Mar.) . . p. 2 **AU** 91
Libération (Av. de la) . . . . p. 2 **AU**
Magudas (Av. de) . . p. 2 **AT**
Marne (Av. de la) . . . p. 2 **AU**
Princesse (Chemin de la) . . . p. 2 **AV**
Somme (Av. de la) . p. 2 **AU**
St-Médard (Av. de) . p. 2 **AT**
Souvenir (Av. du) . . . p. 2 **AU** 131
Verdun (Av. de) . . . . p. 2 **AU**
Yser (Av. de l') . . . . . p. 2 **AU**

PESSAC

Beutre (Av. de) . . . . p. 2 **AV**
Bourgailh (Av. du) . . p. 2 **AV**
Dr. Nancel-Penard (Av.) . . . . p. 2 **AV** 47
Dr. Schweitzer (Av. A.) . . . . p. 2 **AV**
Haut-l'Evêque (Av. du) . . . . p. 2 **AV**
Jaurès (Av. J.) . . . . . p. 2 **AV**
Leclerc (Av. du Gén.) . . . . p. 2 **AV**
Madran (R. de) . . . . . p. 2 **AV** 99
Montagne (R. P.) . . . p. 2 **AV** 103
Pasteur (Av.) . . . . . . p. 2 **AV**
Pont de l'Orient (Av. du) . . . . p. 2 **AV** 117
Transvaal (Av. du) . . p. 2 **AV** 136

TALENCE

Gambetta (Crs) . . . . p. 3 **BV**
Lamartine (R.) . . . . . p. 3 **BV** 88
Libération (Crs de la) . . . . p. 3 **BV**
Roul (Av.) . . . . p. 3 **BV** 124
Thouars (Av. de) . . . p. 3 **BV**
Université (Av. de l') p. 2 **AV** 138

VILLENAVE-D'ORNON

Leysotte (Chemin de) p. 3 **BV**

Burdigala M, 115 r. G. Bonnac ✆ 56 90 16 16, Télex 572981, Fax 56 93 15 06 – ▮ ▤ TV ☎ ♿ – 🏛 100. AE ① GB JCB — p. 4 CX **r**
Repas 180/280 – ☕ 80 – **68 ch** 830/1460, 8 appart, 7 duplex.

Mercure Château Chartrons M, 81 cours St-Louis ✉ 33300 ✆ 56 43 15 00, Télex 573938, Fax 56 69 15 21, 🍴, 🌳 – ▮ 🚭 ▤ rest TV ☎ ♿ – 🏛 150. AE ① GB — p. 3 BT **r**
Repas 100/200 – ☕ 56 – **144ch** 455/570.

Holiday Inn Garden Court, 30 r. de Tauzia ✉ 33800 ✆ 56 92 21 21, Télex 573848, Fax 56 91 08 06, 🍴 – ▮ 🚭 ▤ TV ☎ ♿ – 🏛 70. AE ① GB — p. 5 FZ **v**
Repas 95/130 bc – ☕ 60 – **89 ch** 420 – ½ P 273.

Novotel Bordeaux-Centre M, 45 cours Mar. Juin ✆ 56 51 46 46, Télex 573749, Fax 56 98 25 56, 🍴 – ▮ 🚭 ▤ TV ☎ ♿ P – 🏛 80. AE ① GB JCB
Repas carte environ 160, enf. 50 – ☕ 51 – **138 ch** 465/495. — p. 4 CY **m**

Claret M 🌿, Cité Mondiale du Vin, 18 parvis des Chartrons ✆ 56 01 79 79, Fax 56 01 79 00, 🍴 – ▮ ▤ TV ☎ ♿ – 🏛 800. AE ① GB — p. 3 BU **k**
Repas 100/140 – ☕ 60 – **97 ch** 505/570 – ½ P 418/450.

Ste-Catherine sans rest, 27 r. Parlement Ste-Catherine ✆ 56 81 95 12, Fax 56 44 50 51 – ▮ 🚭 ▤ TV ☎ ♿ – 🏛 40. AE ① GB JCB — p. 4 DX **m**
☕ 70 – **84 ch** 530/1200.

Normandie sans rest, 7 cours 30-Juillet ✆ 56 52 16 80, Fax 56 51 68 91 – ▮ TV ☎ – 🏛 30. AE ① GB JCB — p. 4 DX **z**
☕ 50 – **100 ch** 300/660.

Gd H. Français sans rest, 12 r. Temple ✆ 56 48 10 35, Fax 56 81 76 18 – ▮ ▤ TV ☎ ♿. AE ① GB — p. 4 DX **v**
☕ 60 – **35 ch** 360/630.

Majestic sans rest, 2 r. Condé ✆ 56 52 60 44, Fax 56 79 26 70 – ▮ ▤ TV ☎. AE ① GB JCB — p. 4 DX **a**
☕ 50 – **50 ch** 390/590.

Le Bayonne M sans rest, 4 r. Martignac ✆ 56 48 00 88, Fax 56 52 03 79 – ▮ TV ☎. AE ① GB — p. 4 DX **f**
fermé 23 déc. au 5 janv. – ☕ 55 – **36 ch** 370/630.

La Méridienne sans rest, 151 r. G. Bonnac ✆ 56 24 08 88, Fax 56 98 14 28 – ▮ 🚭 ▤ TV ☎ P – 🏛 50. AE ① GB — p. 4 CXY **a**
☕ 33 – **40 ch** 270/390.

Notre Dame sans rest, 36 r. N.-Dame ✆ 56 52 88 24, Fax 56 79 12 67 – TV ☎. AE ① GB. ✗ — p. 3 BU **k**
☕ 30 – **21 ch** 225/280.

Presse M sans rest, 6 r. Porte Dijeaux ✆ 56 48 53 88, Fax 56 01 05 82 – ▮ TV ☎. AE ① GB — p. 4 DX **k**
☕ 35 – **29 ch** 240/380.

Continental sans rest, 10 r. Montesquieu ✆ 56 52 66 00, Fax 56 52 77 97 – ▮ TV ☎. AE ① GB — p. 4 DX **b**
☕ 35 – **50 ch** 290/350.

Royal St-Jean sans rest, 15 r. Ch. Domercq ✉ 33800 ✆ 56 91 72 16, Fax 56 94 08 32 – ▮ TV ☎ ♿. AE ① GB JCB — p. 5 FZ **u**
☕ 45 – **37 ch** 330/440.

Climat de France, 68 r. Tauzia ✉ 33800 ✆ 56 91 55 50, Fax 56 91 08 41 – ▮ ▤ rest TV ☎ ♿ – 🏛 25. AE ① GB JCB — p. 5 FZ **b**
Repas 88/140 🍷, enf. 39 – ☕ 35 – **88 ch** 280.

Théâtre sans rest, 10 r. Maison Daurade ✆ 56 79 05 26, Fax 56 81 15 64 – TV ☎. AE GB
☐ 30 – **23 ch** 195/295. p. 4 DX

Trianon sans rest, 5 r. Temple ✆ 56 48 28 35, Fax 56 51 17 81 – TV ☎. GB.
fermé 24 déc. au 2 janv. – ☐ 35 – **18 ch** 260/360. p. 4 DX

Opéra sans rest, 35 r. Esprit des Lois ✆ 56 81 41 27, Fax 56 51 78 80 – TV ☎. GB
☐ 35 – **27 ch** 200/290. p. 4 DX

XXXX ✿ **Le Chapon Fin** (Garcia), 5 r. Montesquieu ✆ 56 79 10 10, Fax 56 79 09 10, « Origina
décor de rocaille 1900 » – ▤. AE GB JCB p. 4 DX
fermé lundi sauf de sept. à juin et dim. – **Repas** 150 (déj.), 260/400 et carte 360 à 560, enf. 7
Spéc. Ravioles de langoustines au citron vert. Noisettes d'agneau à l'estragon. Lamproie à la bordelaise. **Vin** Entre-Deux-Mers, Graves.

XXX ✿ **Jean Ramet,** 7 pl. J. Jaurès ✆ 56 44 12 51, Fax 56 52 19 80 – ▤. AE GB p. 5 EX
fermé 4 au 25 août, sam. midi et dim. – **Repas** 155 (déj.), 250/300 et carte 280 à 430
Spéc. Soupe de grenouilles au cresson. Panaché de poissons aux épices. "La Route des Epices" (dessert). **Vin** Pessac-Léognan, Saint-Emilion.

XXX ✿ **Les Plaisirs d'Ausone** (Gauffre), 10 r. Ausone ✆ 56 79 30 30, Fax 56 51 38 16 – AE
GB p. 5 EY
fermé 15 au 30 août, vacances de fév., lundi midi, sam. midi et dim. – **Repas** 165/300 e
carte 270 à 350
Spéc. Fricassée de sole et Saint-Jacques aux cèpes (1er oct. au 30 mars). Gourmandise de foies de canard. Agneau de Pauillac rôti à l'ail doux crémé. **Vins** Entre-Deux-Mers.

XXX ✿ **Pavillon des Boulevards** (Franc), 120 r. Croix de Seguey ✆ 56 81 51 02
Fax 56 51 14 58, ☂ – ▤. AE GB p. 3 BU
fermé 10 au 27 août, 1er au 10 janv., sam. midi et dim. – **Repas** 220 (déj.), 270/420 et carte
320 à 450
Spéc. Liégeois de caviar, homard à la crème de châtaignes (oct. à fév.). Sole "servie au plat", artichauts sautés Fondant au chocolat, glace au poivre de Chine. **Vins** Côtes de Blaye, Premières Côtes de Bordeaux.

XXX ✿ **Le Vieux Bordeaux** (Bordage), 27 r. Buhan ✆ 56 52 94 36, Fax 56 44 25 11, ☂ – ▤
AE GB p. 5 EY
fermé 4 au 25 août, vacances de fév., sam. midi, dim. et fériés – **Repas** 155/260 et carte 20
à 330, enf. 60
Spéc. Confit d'aubergines "Bayaldi". Bar grillé sur galette de crabe aux poivrons. Fondant noix de coco, glace au rhum **Vins** Graves.

XXX **l'Alhambra,** 111 bis r. Judaïque ✆ 56 96 06 91 – ▤. GB p. 4 CX
fermé 1er au 15 août, sam. midi et dim. – **Repas** 105 (déj.), 155/210 ♨.

XXX **La Chamade,** 20 r. Piliers de Tutelle ✆ 56 48 13 74, Fax 56 79 29 67 – ▤. AE GB
fermé 5 au 11 août et dim. – **Repas** 100/290 et carte 210 à 340. p. 4 DX

XX **Didier Gélineau,** 26 r. Pas St Georges ✆ 56 52 84 25, Fax 56 51 93 25 – ▤. AE GB
JCB p. 5 EX
fermé sam. midi et dim. – **Repas** (prévenir) 100/250.

XX **Gravelier,** 114 cours Verdun ✆ 56 48 17 15, Fax 56 51 96 07 – ▤. AE GB p. 3 BU
fermé 29 juil. au 18 août, sam. midi, dim. et fériés – **Repas** 85 (déj.), 135/195.

XX **La Tupina,** 6 r. Porte de la Monnaie ✆ 56 91 56 37, Fax 56 31 92 11 – AE GB
fermé dim. et fériés – **Repas** - cuisine typique du Sud-Ouest - 260. p. 5 FY

XX **Le Clavel St-Jean,** 44 r. Ch. Domercq ✉ 33800 ✆ 56 92 63 07, Fax 56 92 91 52 – ▤
GB p. 5 FZ
fermé 5 au 18 août, sam. midi et dim. – **Repas** 120 bc (déj.), 160/220.

XX **Le Buhan,** 28 r. Buhan ✆ 56 52 80 86 – AE GB p. 5 EY
fermé 18 au 26 août, vacances de fév., dim. sauf le midi de sept. à juin et lundi – **Repas** 13
bc/285.

X **L'Oiseau Bleu,** 65 cours Verdun ✆ 56 81 09 39, Fax 56 81 09 39 – ▤. AE GB
fermé 1er au 21 août, sam. midi et dim. – **Repas** 102 (déj.)/150. p. 3 BU

X **Bistro du Sommelier,** 163 r. G. Bonnac ✆ 56 96 71 78, Fax 56 24 52 36, ☂ – AE GB
fermé sam. midi et dim. – **Repas** 116. p. 4 CY

au Parc des Expositions : Bordeaux-Lac – ✉ **33300** Bordeaux :

Sofitel Aquitania M, ✆ 56 50 83 80, Télex 570557, Fax 56 39 73 75, ←, ⛱ – ▤ TV
☎ P – 25 à 400. AE GB p. 3 BT
Le Flore *(fermé 2 déc. au 2 janv.)* **Repas** 110/185 – ☐ 75 – **206 ch** 680.

Novotel-Bordeaux Lac M, ✆ 56 50 99 70, Télex 570274, Fax 56 43 00 66, ←, ☂, ⛱,
– ▤ TV ☎ ♿ P – 200. AE GB p. 3 BT
Repas 95/150, enf. 60 – ☐ 50 – **176 ch** 430/470.

Mercure Pont d'Aquitaine, ✆ 56 43 36 72, Fax 56 50 23 95, ☂, ⛱, – ▤ TV
☎ ♿ P – 80. AE GB p. 3 BT
fermé 15 déc. au 15 janv. – **Repas** 100/180 bc, enf. 45 – ☐ 50 – **100 ch** 550.

par la rocade A 630 :

à Bouliac : Sud-Est, sortie n° 23 – 2 841 h. alt. 74 – ✉ **33270** :

Le St-James Ⓜ, pl. C. Hostein, près église ✆ 57 97 06 00, Fax 56 20 92 58, ≤ Bordeaux, « Original décor contemporain », – ▯ ch ☎ **P**. AE GB. p. 3 BU **s**
Repas 185 bc/360 et carte 280 à 420, enf. 75 - ***Le Bistroy*** ✆ 57 97 06 06 *(fermé dim.)* **Repas** carte environ 150 – 75 – **17 ch** 600/1300 – ½ P 770/1020
Spéc. Filet de rouget froid au safran, purée d'artichaut à l'huile d'olive. Homard rôti aux pommes de terre et gousses d'ail. Pigeon grillé aux épices. **Vins** Premières Côtes de Bordeaux, Pessac-Léognan.

Aub. du Marais, 22 rte de Latresne ✆ 56 20 52 17, Fax 56 20 98 06, – **P**. GB p. 3 BV **t**
fermé 1er au 24 août, vacances de fév. et merc. – **Repas** 75 (déj.), 160/260, enf. 75.

à Talence : Sud, sortie n° 16 – 34 485 h. alt. 17 – ✉ **33400** :

Guyenne (Lycée Hôtelier), av. F. Rabelais, domaine universitaire ✆ 56 84 48 60, Fax 56 84 48 61 – ☎ **P** – 40. AE GB p. 3 BV **a**
fermé vacances scolaires – **Repas** *(fermé sam. soir et dim.)* 90/145 – 35 – **27 ch** 260/290, 3 appart.

à Gradignan : Sud, sortie n° 16 – 21 727 h. alt. 26 – ✉ **33170** :

Châlet Lyrique, 169 cours Gén. de Gaulle ✆ 56 89 11 59, Fax 56 89 53 37, – ☎ **P** – 25. AE GB p. 2 AV **b**
Repas *(fermé août et dim.)* carte 140 à 240 – 55 – **40 ch** 300/385.

à Pessac : Sud-Ouest, sortie n° 13 – 51 055 h. alt. 35 – ✉ **33600** :

Le Cohé, 8 av. R. Cohé ✆ 56 45 73 72, Fax 56 45 96 39 – ▯. GB. p. 2 AV **n**
fermé août et lundi – **Repas** 115/320.

à l'aéroport de Mérignac : Ouest, sortie n° 11 en venant du Sud, sortie n° 11b en venant du Nord – ✉ **33700** Mérignac :

Mercure Aéroport Ⓜ, 1 av. Ch. Lindbergh ✆ 56 34 74 74, Télex 573953, Fax 56 34 30 84, – ▯ ☎ **P** – 110. AE GB p. 2 AU **e**
Repas 120, enf. 45 – 55 – **105ch** 600/620.

Novotel, av.J. F. Kennedy ✆ 56 34 10 25, Télex 540320, Fax 56 55 99 64, – ▯ ☎ **P** – 50. AE GB JCB p. 2 AU **k**
Repas carte environ 160, enf. 50 – 50 – **137 ch** 460/485.

Soretel, 97 av. J.-F. Kennedy ✆ 56 34 33 08, Fax 56 34 01 90, – ☎ **P** – 25. AE GB p. 2 AU **u**
Repas 80/150 – 38 – **60 ch** 295/315 – ½ P 250.

à Mérignac : Ouest, sortie n° 10 – 57 273 h. alt. 35 – ✉ **33700** :

Les Charmilles, 408 av. Verdun ✆ 56 97 53 01, – **P**. GB p. 2 AU **s**
fermé 3 au 26 août et dim. sauf fériés – **Repas** 105/200, enf. 50.

à Mérignac : Ouest, sortie n° 9 – ✉ **33700** :

L'Iguane, 127 av. Magudas ✆ 56 34 07 39, Fax 56 34 41 37 – ▯ **P**. AE GB
fermé sam. midi et dim. soir – **Repas** 110/260. p. 2 AT **f**

à Eysines : Ouest, sortie n° 9 – 16 391 h. alt. 15 – ✉ **33320** :

Les Tilleuls, à La Forêt ✆ 56 28 04 56, – ▯ **P**. GB p. 2 AT **v**
fermé 1er au 7 mai, août, merc. soir et dim. – **Repas** 100/155.

MICHELIN, Agence régionale, Zone d'Entrepôts A.-Daney, av. de Tourville BT ✆ 56 39 94 95

BMW Gar. Brienne Auto, 23 quai Brienne ✆ 56 49 43 43
HONDA Mondial Autos, 147 cours Médoc ✆ 56 39 45 78
PEUGEOT S.I.A.S.O., 350 av. Thiers BU ✆ 57 80 73 00 N ✆ 07 62 24 13
RENAULT Atlantique Autos, 11-13 r. Arsenal BU ✆ 56 44 32 73

Casanave, r. La Motte Picquet Zone d'Entrepôts A.-Daney ✆ 56 43 11 84
Euromaster, 91 av. République ✆ 56 02 43 80
Euromaster, 80 cours Dupré de St-Maur ✆ 56 50 84 58
Euromaster, 226 av. Thiers ✆ 56 86 24 13
Pneu Plus Ouest Vulcopneu, 83 r. Tauzia ✆ 56 91 49 54

Périphérie et environs

CITROEN Succursale, av. de la Marne à Mérignac AUa ✆ 56 12 10 10 N ✆ 56 12 10 10
CITROEN Succursale, 357 av. Libération, Le Bouscat AT ✆ 56 42 46 46 N ✆ 56 42 46 46
CITROEN Succursale, 411 rte de Toulouse, Villenave d'Ornon BV ✆ 56 84 68 68 N ✆ 56 87 20 90
CITROEN Succursale, N 10 les 4 Pavillons, Lormont BT ✆ 57 80 77 77 N ✆ 57 80 77 77
FIAT Bordeaux Sud Autom., 114-118 av. Pyrénées à Villenave-d'Ornon ✆ 56 75 47 94

FORD B.M.A., av. Kennedy à Mérignac ✆ 56 34 16 14
FORD SAFI 33, 486 rte de Toulouse à Bègles ✆ 57 96 12 96
FORD Gar. Palau, 423 rte de Médoc, Bruges ✆ 56 57 43 43 N ✆ 56 87 20 99
JAGUAR Peter Green, 6 av. de Terrefort à Bruges ✆ 56 57 56 57
LANCIA, FERRARI Gar. Lopez, Espace Mérignac Phare à Mérignac ✆ 56 34 28 80 N ✆ 56 34 28 80

MERCEDES Cleal Autom. Aquitaine, 7 av. Maurice Rivière à Cenon ✆ 56 77 27 68 N ✆ 05 24 24 30
MERCEDES Cleal Autom. Aquitaine, 262 av. de la Libération, Le Bouscat ✆ 56 08 78 85 N ✆ 05 24 24 30
PEUGEOT S.I.A.S.O., 327 rte de Toulouse à Villenave-d'Ornon par ⑤ BV ✆ 56 84 41 41
PEUGEOT S.I.A.S.O, 84 av. Libération, Le Bouscat AT ✆ 56 42 42 42 N ✆ 56 74 14 32
PEUGEOT S.I.A.S.O., 254 av. de la Marne à Mérignac AU ✆ 56 97 36 33
PEUGEOT Auto Pessac, av. G.-Eiffel, Pessac AV ✆ 57 89 11 50
RENAULT Gar. de Pichey, 7 pl. Gén.-Gouraud à Mérignac AU ✆ 56 34 04 89
RENAULT Succursale, 253 av. Libération, Le Bouscat AT ✆ 56 17 18 19 N ✆ 05 05 15 15
RENAULT SAPA, Alouette Rocade sortie n° 13, Pessac AV ✆ 57 89 15 15 N ✆ 05 05 15 15
RENAULT Succursale Pont-de-la-Maye, 50 av. Pyrénées, à Villenave-d'Ornon par ⑤ ✆ 56 84 77 77 N ✆ 56 74 09 22
RENAULT Autom. Pont d'Aquitaine, rte de Paris N 10 à Lormont BT ✆ 56 33 81 81 N ✆ 56 89 76 78
ROVER Gar. Stewart et Ardern, 39 av. Marne Mérignac ✆ 56 96 86 62
SAAB Autom. Bordelaise, 270 av. de la Libération, le Bouscat ✆ 56 02 71 71
VAG Gar. Chambéry, 54 r. J.-Pagès, Villenave d'Ornon ✆ 56 87 72 30

Ateliers Aquitaine Pneumatique, ZI La Mouline, r. Ampère à Carbon Blanc ✆ 56 38 08 38
Euromaster, 253 av. Pasteur à Pessac ✆ 56 07 20 7
Euromaster, 98 quai Wilson à Bègles ✆ 56 49 01 15 N ✆ 57 91 01 81
Euromaster, 65-69 rte de Toulouse à Talence ✆ 56 37 40 97
Maison du Pneu, 24 av. de la Somme à Mérignac ✆ 56 47 43 50
Média Pneu Vulcopneu, ZI Tartifume à Bègles ✆ 56 49 01 77
Pneu Plus Ouest Vulcopneu, ZI de Pinel, av. G.-Cabannes à Floirac ✆ 56 86 40 62
Relais du Pneu, 228 av. de Tivoli, le Bouscat ✆ 56 08 84 05
Sce Dépannage Pneu, 63 av. d'Aquitaine à Ste Eulalie ✆ 56 38 03 48 N ✆ 56 38 04 01

GREEN TOURIST GUIDES
Picturesque scenery, buildings
Attractive routes
Touring programmes
Plans of towns and buildings

Les BORDES 45 Loiret 65 ① – rattaché à Sully-sur-Loire.

BORMES-LES-MIMOSAS 83230 Var 84 ⑯ 114 ㊽ G. Côte d'Azur – 5 083 h alt. 180.

Voir Site★ – ≤★ du château – Forêt domaniale du Dom★ N : 4 km.

18 de Valcros ✆ 94 66 81 02, NO : 12 km.

Office de Tourisme pl. Gambetta ✆ 94 71 15 17, Fax 94 64 79 57 et bd de la Plage La Favière ✆ 94 64 82 57 Fax 94 64 79 61.

Paris 879 – Fréjus 58 – Hyères 22 – Le Lavandou 5 – St-Tropez 34 – Ste-Maxime 38 – ◆Toulon 42.

Le Mirage M, 38 r. Vue des Iles ✆ 94 05 32 60, Fax 94 64 93 03, ≤ baie et les îles, – – TV ☎ P – 80. AE GB. rest
hôtel : 1er avril-31 oct. ; rest. : juil.-août – **Repas** carte environ 190 – 65 – **35 ch** 550/820.

Le Palma sans rest, ✆ 94 71 17 86, Fax 94 71 83 52, – TV ☎ P. AE GB
45 – **20 ch** 350/550.

Le Jardin de Perlefleurs, 100 chemin Orangerie près Chapelle St-François ✆ 94 64 99 23, ≤,
1er juil.-30 sept. et fermé le lundi, le midi sauf dim. – **Repas** - cuisine provençale - 230.

Tonnelle des Délices, pl. Gambetta ✆ 94 71 34 84 – GB
fermé 1er nov. à fin janv. et merc. sauf le midi en sais. – **Repas** 95 (déj.), 130/250, enf. 75.

La Cassole, ruelle Moulin ✆ 94 71 14 86 – AE
15 mars-15 oct. et fermé le midi en juil.-août sauf dim. et fériés, mardi midi et lundi de sep à juin – **Repas** 150/250.

Lou Portaou, r. Cubert des Poètes ✆ 94 64 86 37, , « Cadre médiéval » – GB
fermé 15 nov. au 20 déc. et mardi sauf le soir du 1er juin au 20 sept. – **Repas** 158.

à Cabasson S : 8 km – 83230 Bormes-les-Mimosas :

Palmiers, chemin du Petit Fort ✆ 94 64 81 94, Fax 94 64 93 61, – TV ☎ P AE GB
fermé 15 nov. au 15 déc. et lundi soir de nov. à mars – **Repas** 130/165 – 60 – **21 ch** 580/650 – ½ P 590/600.

BORNY 57 Moselle 57 ⑭ – rattaché à Metz.

BORT-LES-ORGUES 19110 Corrèze 76 ② G. Auvergne – 4 208 h alt. 430.

Voir Barrage★★ N : 1 km – Orgues de Bort★ : ★★ SO : 3 km puis 15 mn.

Office de Tourisme pl. Marmontel ✆ 55 96 02 49, Fax 55 96 90 79.

Paris 473 – Aurillac 81 – ◆Clermont-Ferrand 81 – Mauriac 29 – Le Mont-Dore 48 – St-Flour 87 – Tulle 79 – Ussel 29.

Le Rider, av. Gare ✆ 55 96 00 47, Fax 55 96 73 07 – rest. AE GB
fermé 9 au 17 nov. et 21 déc. au 12 janv. – **Repas** 72/230, enf. 50 – 30 – **24 ch** 230/280 – ½ P 220/230.

La Corniche, NO : 2 km rte Ussel ✆ 55 96 00 06, Fax 71 69 65 33, ← – P. GB
fermé 15 déc. au 1er mars, dim. soir et lundi sauf fériés – **Repas** 63/89.

à Veillac (15 Cantal) N : 5 km sur D 922 – ✉ **15270** Champs-sur-Tarentaine.

Voir Musée de la radio et du phonographe★ N : 3 km – Site★★ du château de Val★ N : 4 km.

LFA ROMEO, FIAT LANCIA Gar. du Pont Neuf, ✆ 55 46 10 10 N ✆ 55 46 10 10
ITROEN Gar. Serre, à Lanobre ✆ 71 40 30 06 N ✆ 71 40 30 06
ITROEN Gar. de la Gare, 570 av. de la Gare ✆ 55 96 72 83 N ✆ 55 96 72 83
FORD Gar. Rouel, à Lanobre ✆ 55 96 71 40
PEUGEOT Gar. Vergeade, 843 av. de la Gare ✆ 55 96 74 78
PEUGEOT Gar. Monteil, à Lanobre ✆ 71 40 30 05 N ✆ 71 40 30 05

ORT-L'ÉTANG 63 P.-de-D. 73 ⑮ – rattaché à Lezoux.

OSSEY 74 H.-Savoie 74 ⑥ – rattaché à St-Julien-en-Genevois.

es BOSSONS 74 H.-Savoie 74 ⑧ – rattaché à Chamonix.

OUC-BEL-AIR 13320 B.-du-R. 84 ③ ⑬ 114 ⑮ – 11 512 h alt. 259.

aris 767 – ♦Marseille 20 – Aix-en-Provence 12 – Aubagne 38 – St-Maximin-la-Ste-Beaume 45 – Salon-de-ovence 45.

L'Étape Lani, au Sud sur D 6 ✆ 42 22 61 90, Fax 42 22 68 67, – rest – 30. AE GB JCB
hôtel : fermé dim. soir – **Repas** *(fermé 23 au 31 déc., dim. soir et lundi)* 140/260 – 50 – **40 ch** 200/365 – ½ P 205/440.

ITROEN Gar. Laugier, N 8 Plan Marseillais ✆ 42 22 20 90
Gardanne Pneus, Quart St-Michel, Av. d'Arménie à Gardanne ✆ 42 58 38 76

OUDES 63340 P.-de-D. 73 ⑭ – 243 h alt. 466.

aris 464 – ♦Clermont-Fd 52 – Brioude 32 – Issoire 17 – St-Flour 61.

Boudes et Vigne M, ✆ 73 96 55 66, Fax 73 96 55 55 – . GB
fermé 3 au 10 sept. et 2 au 16 janv. – **Repas** *(fermé lundi)* 65 (déj.), 90/220 – 30 – **7 ch** 180 – ½ P 185.

OUESSE 36 Indre 68 ⑱ – rattaché à Argenton-sur-Creuse.

OUGIVAL 78 Yvelines 55 ⑳, 101 ⑬ – voir à Paris, Environs.

a BOUILLADISSE 13720 B.-du-R 84 ⑭ 114 ㉙ – 4 115 h alt. 220.

aris 780 – ♦Marseille 31 – Aix-en-Provence 26 – Brignoles 42 – ♦Toulon 60.

La Fenière, ✆ 42 72 56 32, Fax 42 72 44 71, – rest P. AE GB
fermé dim. soir – **Repas** 72/120, enf. 50 – 35 – **10 ch** 230/280.

OUILLAND 21420 Côte-d'Or 66 ⑪ **G. Bourgogne** – 145 h alt. 400.

aris 296 – ♦Dijon 40 – Autun 55 – Beaune 17 – Bligny-sur-Ouche 12 – Saulieu 56.

Host. du Vieux Moulin (Silva) M, ✆ 80 21 51 16, Fax 80 21 59 90, – rest P – 25. GB
fermé 2 au 24 janv., merc. sauf le soir de mai à oct. et jeudi midi sauf fériés – **Repas** 195/480 et carte 350 à 520 – 80 – **24 ch** 390/800 – ½ P 585/835
Spéc. Croustillant de truite fumée au persil. Filet de sandre mariné puis étuvé. Pigeonneau rôti en cocotte.

a BOUILLE 76530 S.-Mar. 55 ⑥ **G. Normandie Vallée de la Seine** – 862 h alt. 5.

oir Château de Robert le Diable★ : ★ SE : 3 km – Moulineaux : vitrail★ de l'église E : 3 km.

ac: renseignements ✆ 35 18 01 76.

aris 137 – ♦Rouen 19 – Bernay 43 – Elbeuf 13 – Louviers 32 – Pont-Audemer 35.

Bellevue, ✆ 35 18 05 05, Fax 35 18 00 92, ← – . GB
fermé 20 au 27 déc., vacances de fév. et dim. soir de nov. à mars – **Repas** 105/225 – 38 – **20 ch** 190/350 – ½ P 230/310.

St-Pierre avec ch, ✆ 35 18 01 01, Fax 35 18 12 76, ←, – – 25. AE GB.
fermé janv., dim. soir et lundi hors sais. – **Repas** 160/260 et carte 240 à 320 – 40 – **7 ch** 300/350 – ½ P 900.

Poste, ✆ 35 18 03 90, Fax 35 18 18 91, ←, – GB
fermé 20 déc. au 15 janv., lundi soir et mardi – **Repas** 110/230.

Les Gastronomes, ✆ 35 18 02 07, – AE GB
fermé 15 au 23 sept., 1er au 20 fév., merc. soir et jeudi – **Repas** 130/240, enf. 85.

Maison Blanche, ✆ 35 18 01 90, ← – AE GB
fermé 15 juil. au 5 août, 26 au 30 déc., dim. soir et lundi – **Repas** 105/270.

BOUIN 85230 Vendée 67 ② – 2 268 h alt. 5.

Paris 435 – ♦Nantes 51 – La Roche-sur-Yon 59 – Challans 22 – Noirmoutier-en-l'Ile 36 – St-Nazaire 52.

Martinet ⛝, ✆ 51 49 08 94, Fax 51 49 83 08, ⛱, 🌳 – TV ☎ ✆ ♿ P. AE ⓓ GB
Repas *(ouvert 1er mai-30 sept.)* 90/130, enf. 50 – ☕ 35 – **21 ch** 260/330 – ½ P 260/300.

Le Courlis, ✆ 51 68 64 65, 🌳 – P. GB
fermé 24 juin au 2 juil., 23 déc. au 2 janv. et lundi – **Repas** 82/185 🍷, enf. 50.

BOULAY-LES-BARRES 45 Loiret 64 ⑨ – rattaché à Orléans.

BOULAZAC 24 Dordogne 75 ⑤ – rattaché à Périgueux.

BOULIAC 33 Gironde 71 ⑨ – rattaché à Bordeaux.

BOULIGNEUX 01 Ain 74 ② – rattaché à Villars-les-Dombes.

BOULOGNE-BILLANCOURT 92 Hauts-de-Seine 55 ⑳, 101 ㉔ – voir à Paris, Environs.

BOULOGNE-SUR-MER ⚓ 62200 P.-de-C. 51 ① G. Flandres Artois Picardie – 43 678 h alt. 58
Casino (privé) Z.

Voir Ville haute★★ YZ : coupole★, crypte et trésor★ de la basilique Y, ≤★ du Beffroi Y H
Nausicaa★★ Y – Perspectives★ des remparts YZ – Calvaire des marins ≤★ Y – Château-Musée
Y – Colonne de la Grande Armée★ : ✻★★ 5 km par ① – Côte d'Opale★ par ①.

Env. St-Étienne-au-Mont ≤★ du cimetière 7 km par ④.

⛳18 de Wimereux ✆ 21 32 43 20, par ① : 8 km.

🚗 ✆ 21 80 50 50.

ℹ Office de Tourisme quai de la Poste ✆ 21 31 68 38, Fax 21 33 81 09, annexe Vieille Ville (juil.-aoû
✆ 21 31 57 67.

Paris 296 ③ – ♦Calais 37 ② – ♦Amiens 122 ④ – Arras 116 ③ – ♦Le Havre 241 ④ – ♦Lille 116 ③ – ♦Rouen 177 (

Plan page ci-contre

Métropole sans rest, 51 r. Thiers ✆ 21 31 54 30, Fax 21 30 45 72, 🌳 – |‡| TV ☎ 🚗. ...
ⓓ GB Z
fermé 20 déc. au 6 janv. – ☕ 42 – **25 ch** 330/430.

Ibis-Centre, bd Diderot ✆ 21 30 12 40, Fax 21 87 48 98 – |‡| ⇔ TV ☎ ✆ – 🪑 25. AE ...
GB Z
Repas 99 bc, enf. 39 – ☕ 35 – **79 ch** 285/315.

Ibis-Plage sans rest, 168 bd Sainte-Beuve ✆ 21 32 15 15, Fax 21 30 47 97 – |‡| ⇔ TV ...
♿. AE ⓓ GB X
☕ 35 – **42 ch** 265/330.

Lorraine sans rest, 7 pl. Lorraine ✆ 21 31 34 78, Fax 21 32 91 42 – TV ☎. AE ⓓ GB
fermé 20 déc. au 5 janv. et dim. soir du 15 nov. au 15 mars – ☕ 32 – **20 ch** 160/270. Y

Londres sans rest, 22 pl. France ✆ 21 31 35 63 – |‡| TV ☎. AE ⓓ GB Z
☕ 26 – **20 ch** 130/230.

XXX ❀ **La Matelote** (Lestienne), 80 bd Ste Beuve ✆ 21 30 17 97, Fax 21 83 29 24 – AE GB
fermé 24 déc. au 10 janv., dim. soir sauf juil.-août et fériés – **Repas** 165/220 et carte 270
380 Y
Spéc. Salade de homard tiède, velouté de crustacés. Filet de blanc de turbot en marinière de moules. Parfait chocola
tiède, crème fleurette.

XX **Rest. de Nausicaa,** bd Ste-Beuve ✆ 21 33 24 24, Fax 21 30 15 63, ≤ – ▤. GB Y
Repas 86/145 🍷, enf. 45.

à Wimille par ② et N 1 : 5 km – 4 681 h. alt. 28 – ✉ **62126** :

XXX ❀ **Relais de la Brocante** (Laurent), près église ✆ 21 83 19 31, Fax 21 87 29 71 – ...
GB
fermé dim. soir et lundi – **Repas** 145/260 et carte 320 à 420
Spéc. Galette de kipper, sauce au café grillé. Ragoût de homard et foie gras de canard en coffret de saumon boucan
Millefeuille de pain d'épice grillé, glace au miel de chataîgne.

à Pont-de-Briques par ④ : 5 km – ✉ **62360** Pont-de-Briques St-Étienne

XXX ❀ **Host. de la Rivière** (Martin) avec ch, 17 r. Gare ✆ 21 32 22 81, Fax 21 87 45 48, 🌳
TV ☎. AE GB. ✂ ch
fermé 16 août au 8 sept., vacances de fév., dim. soir et lundi sauf fêtes – **Repas** 160/298
carte 280 à 360 – ☕ 45 – **8 ch** 280/300 – ½ P 400/450
Spéc. Poêlée de homard et foie gras aux fruits de saison. Roulés de sole et Saint-Jacques dorés au four, parfum
corail (oct. à mai). Millefeuille.

à Hesdin-l'Abbé par ④ et N 1 : 9 km – 1 880 h. alt. 50 – ✉ **62360** :

Cléry ⛝, au village ✆ 21 83 19 83, Fax 21 87 52 59, « Parc », 🎾 – TV ☎ P. AE ⓓ G...
✂
fermé 14 déc. au 29 janv. – **Repas** *(fermé sam., dim. et fériés)* (dîner seul.)(résidents seu...
120 – ☕ 50 – **19 ch** 320/590.

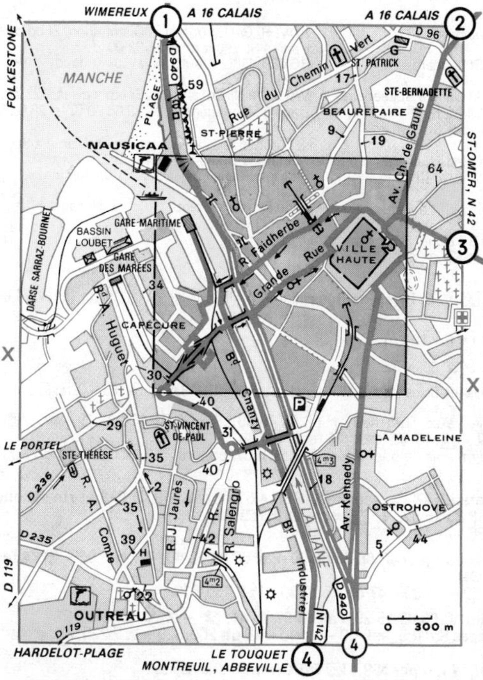

BOULOGNE-SUR-MER

Faidherbe (R.) . . . . . Y
Grande-Rue . . . . Z
Lampe (R. de la) . . . Z 32
Thiers (R. A.) . . . . . YZ 60
Victor-Hugo (R.) . . YZ

Adam (R. H.) . . . . . . X 2
Apolline (R.) . . . . . . X 5
Aumont (R. d') . . . . . Z 7
Beaucerf (Bd) . . . . . . Z 8
Beaurepaire (R.) . . . . X 9
Bras-d'Or (R. du) . . . Z 13
Colonne (R. de la) . . X 17
Diderot (Bd) . . . . . . X 18
Duflos (R. Louis) . . . X 19
Dutertre (R.) . . . . . . Y 20
Égalité (R. de l') . . . . X 22
Entente-Cordiale (Pont de l') . . . . . . Z 23
Huguet (Bd A.) . . . . . X 29
Jaurès (Bd et Viaduc J.) . X 30
J.-J.-Rousseau (Viaduc) . . . . X 31
Lattre-de-Tassigny (Av. de) . . . . . . Y 33
Lavocat (R. Albert) . . X 34
Liberté (Bd de la) . . X 35
Lille (R. de) . . . . . . Y 37
Marguet (Pont) . . . . Z 38
Michelet (R. J.) . . . . X 39
Montesquieu (Bd) . . X 40
Mont-Neuf (R. du) . . X 42
Orme (R. de l') . . . . . X 44
Perrochel (R.) . . . . . Z 47
Porte-Neuve (R.) . . . Y 49
Puits-d'Amour (R.) . . Z 53
Résistance (Pl.) . . . . Y 55
St-Louis (R.) . . . . . . Y 56
Ste-Beuve (Bd) . . . . XY 59
Tour-N.-Dame (R.) . . Y 61
Victoires (R. des) . . . Y 63
Wicardenne (R. de) . X 64

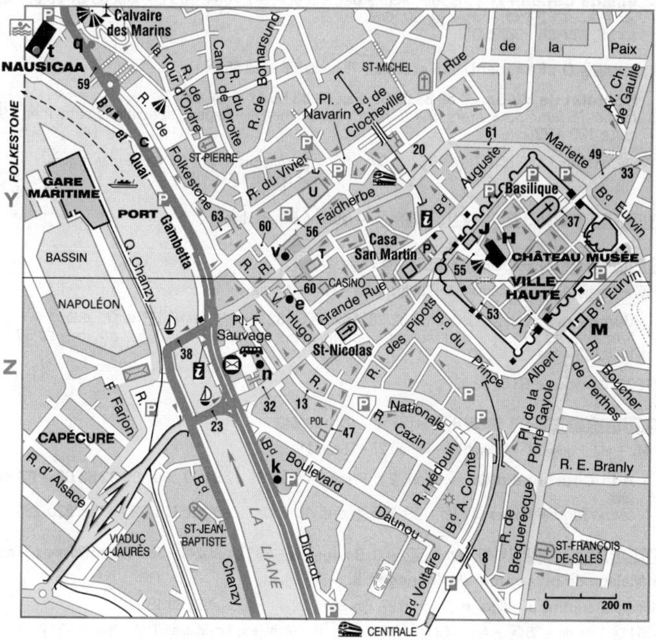

ALFA ROMEO Gar. Cornuel-Boulogne, 13 r. Quéhen ✆ 21 91 10 56
BMW P.B.M., ZI de la Liane à St Léonard, ✆ 21 80 95 15
CITROEN Liane Autom., ZI de la Liane à St Léonard par ④ ✆ 21 99 21 11 N ✆ 21 99 21 12
FORD Gar. de Paris, ZI de la Liane à St Léonard ✆ 21 92 05 22 N ✆ 21 91 02 11
MERCEDES Gorrias Autom., 1 rte de Calais à St-Martin les Boulogne ✆ 21 92 18 24 N ✆ 05 24 24 30
OPEL Europ'Auto, ZI de la Liane à St-Léonard ✆ 21 10 10 10
PEUGEOT Gar. St-Christophe, Bd Liane, ZI à St-Léonard par ④ ✆ 21 92 09 11 N ✆ 28 02 68 50

ROVER Cie Européenne Distribution, ZI bd de la Liane à St-Léonard ✆ 21 92 00 22
ROVER Littoral Auto, 63 av. J.-Kennedy ✆ 21 31 25 26
VAG Sté Nlle des Autos Boulonnaises, 122 ZI de la Liane à St-Léonard ✆ 21 80 66 80 N ✆ 28 02 68 50

Euromaster, ZI Inqueterie, r. P.-Martin à St-Martin-les-Boulogne ✆ 21 80 72 72
Peuvion Pneus Point S, 12 r. Constantine ✆ 21 31 85 62
Pneu Fauchille Point S, 10 r. G.-Hansen ✆ 21 91 04 44

Le BOULOU

66160 Pyr.-Or. 86 ⑲ **G. Pyrénées Roussillon** – 4 436 h alt. 90 – Stat. therm. (5 fév.-24 nov.) Casino.

Env. Fort de Bellegarde ✱★★ S : 10 km.

Office de Tourisme r. Écoles ✆ 68 83 36 32.

Paris 885 – ♦Perpignan 21 – Amélie-les-Bains-Palalda 16 – Argelès-sur-Mer 19 – Barcelona 165 – Céret 9.

Le Domitien M, aux Thermes ✆ 68 83 49 50, Fax 68 83 45 90, – cuisinette TV ☎ & P – 40. AE GB. rest
- ***L'Amphore*** *(fermé dim. soir de déc. à fév.)* **Repas** 170/250, enf. 60 – 40 – **44 ch** 360/380, 8 appart – ½ P 300.

Relais des Chartreuses M sans rest, SE : 4,5 km par N 9, D 618 et rte secondaire ✆ 68 83 15 88, Fax 68 83 26 62, ←, – ☎ P. AE GB
58 – **10 ch** 345/485.

Néoulous M, près échangeur ✆ 68 83 38 50, Fax 68 83 13 40, – rest TV ☎ & P – 30. AE GB
Repas 78/175, enf. 50 – 35 – **47 ch** 250/430 – ½ P 455/510.

Canigou, r. Bousquet ✆ 68 83 15 29, Fax 68 87 75 41, – ☎ P. GB.
15 mars-15 nov. – **Repas** 85/185, enf. 50 – 40 – **15 ch** 200/320 – ½ P 225/275.

au village catalan N : 7 km par N 9 – ✉ **66300** Banyuls-dels-Aspres :

Village Catalan M sans rest, accès par N 9 et A 9 ✆ 68 21 66 66, Fax 68 21 70 95, ←, – TV ☎ & P – 30. GB
39 – **77 ch** 290/390.

à Vivès O : 5 km par D 115 et D 13 – 75 h. alt. 228 – ✉ **66400** :

Hostalet de Vivès, ✆ 68 83 05 52, Fax 68 83 55 41 – . GB
fermé 15 janv. au 9 mars, mardi hors sais. et merc. – **Repas** - spécialités catalanes - 90 et carte 130 à 220.

VAG Vallespir Auto Center, 18 ZI ✆ 68 83 44 00

Sénéchal Pneus, 17 Carrer d'en Cavailes ✆ 68 83 40 00

BOULOURIS

83 Var 84 ⑧, 114 ㉕, 115 ㉝ – rattaché à St-Raphaël.

BOUNIAGUES

24560 Dordogne 75 ⑮ – 466 h alt. 170.

Paris 557 – Périgueux 60 – Beaumont 23 – Bergerac 13 – Villeneuve-sur-Lot 47.

Voyageurs avec ch, ✆ 53 58 32 26, Fax 53 58 32 26, – TV ☎ P. GB
fermé 15 au 31 janv., dim. soir et lundi hors sais. – **Repas** 68/170, enf. 45 – 30 – **9 ch** 180/280 – ½ P 230/240.

PEUGEOT Gouyou, ✆ 53 58 32 32

BOURBACH-LE-BAS

68290 H.-Rhin 87 ⑲ – 508 h alt. 340.

Paris 442 – ♦Mulhouse 24 – Altkirch 25 – Belfort 27 – Thann 8,5.

A la Couronne d'Or avec ch, 9 r. Principale ✆ 89 82 51 77, Fax 89 82 58 03 – TV ☎. GB
fermé lundi – **Repas** 50 (déj.), 79/195, enf. 48 – 30 – **7 ch** 215/290 – ½ P 220/280.

BOURBON-LANCY

71140 S.-et-L. 69 ⑯ **G. Bourgogne** – 6 178 h alt. 240 – Stat. therm. (30 mars-21 oct.).

Voir Maison de bois et tour de l'horloge★ **B**.

Office de Tourisme pl. Aligre ✆ 85 89 18 27, Fax 85 89 28 38 – A.C. ✆ 85 89 18 27.

Paris 311 ④ – Moulins 36 ④ – Autun 63 ① – Mâcon 110 ③ – Montceau-les-Mines 53 ② – Nevers 72 ④.

BOURBON-LANCY

'ommerce (R. du) 5
.aulle (Av. du Gén.-de)

.ligre (Pl. d') 2
.utun (R. d') 3
hâtaigneraie (R. de la) 4
r-Gabriel-Pain (R. du) 6
r-Robert (R. du) 7
ueugnon (R. de) 12
orloge (R. de l') 13
bération (Av. de la) 15
lusée (R. du) 16
'ébendes (R. des) 18
épublique (Pl. de la) 22
t-Nazaire (R.) 23

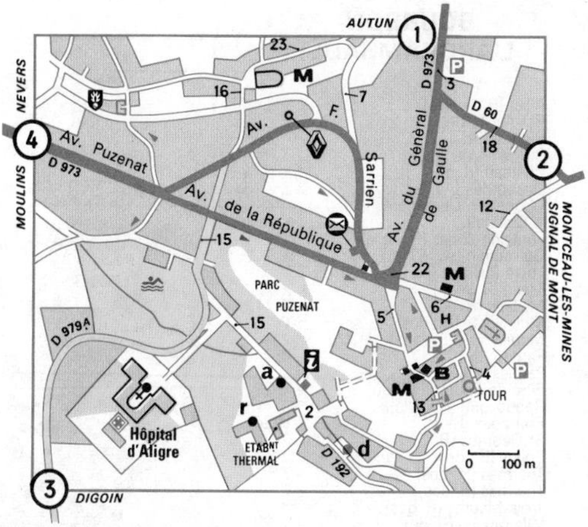

our un bon usage
'es plans de villes,
oir les signes conventionnels
'ans l'introduction.

Manoir de Sornat (Raymond), allée Platanes, rte Moulins par ④ : 2 km ℘ 85 89 17 39, Fax 85 89 29 47, « Manoir normand dans un parc » – TV ☎ P. AE GB. rest
fermé 15 janv. au 4 fév., dim. soir d'oct. à mai et lundi midi – **Repas** 160/400 et carte 270 à 450, enf. 85 – 60 – **13 ch** 360/700 – ½ P 450/600
Spéc. "Rapis" morvandiaux et saumon à l'oeuf coulant. Ris de veau en croûte de Setchuan. Pain d'épices perdu, caramel au romarin. **Vins** Givry, Mâcon.

Gd Hôtel, **(r)** ℘ 85 89 08 87, Fax 85 89 25 45, parc – cuisinette TV ☎ P. GB
30 mars-22 oct. – **Repas** 70/135 – 31 – **30 ch** 140/272 – ½ P 189/243.

Villa Vieux Puits, 7 r. Bel Air **(d)** ℘ 85 89 04 04, Fax 85 89 13 87, – ☎ P. GB
fermé fév., dim. soir et lundi – **Repas** 95/250 – 45 – **7 ch** 250/320 – ½ P 250/320.

La Roseraie sans rest, r. Martyrs-de-la-Libération **(a)** ℘ 85 89 07 96, – ☎. GB
fermé 20 déc. au 5 janv. – 30 – **11 ch** 115/240.

TROEN Gar. Blanc, 47 av. Puzenat par ④
' 85 89 11 07 N ℘ 85 89 11 07

RENAULT Gar. Ségaud, 30 av. F.-Sarrien
℘ 85 89 19 38 N ℘ 85 89 19 38

Alle im ***Michelin-Führer*** *erwähnten Orte sind*
auf den ***Michelin-Karten*** *im Maßstab 1:200 000 rot unterstrichen ;*
die aktuellsten Hinweise gibt nur die neuste Ausgabe.

BOURBON-L'ARCHAMBAULT **03160** Allier 69 ⑬ **G. Auvergne** – 2 630 h alt. 367 – Stat. therm. (4 mars-ct.).

oir Nouveau parc ⋞★ Y – Château ⋞★ Y.

nv. St-Menoux : choeur★★ de l'église★ 9 km par ②.

Office de Tourisme 1 pl. Thermes (saison) ℘ 70 67 09 79.

aris 290 ① – Moulins 22 ② – Montluçon 48 ③ – Nevers 51 ① – St-Amand-Montrond 55 ③.

Plan page suivante

Gd H. Montespan-Talleyrand, pl. Thermes ℘ 70 67 00 24, Fax 70 67 12 00, – TV ☎ &. AE GB. rest YZ **e**
5 avril-20 oct. – **Repas** 85/150, enf. 68 – 39 – **59 ch** 165/340 – P 278/350.

Thermes (Barichard), av. Ch.-Louis-Philippe ℘ 70 67 00 15, Fax 70 67 09 43, – rest TV ☎. AE GB Z **a**
15 mars-31 oct. – **Repas** 99/335 et carte 250 à 340 – 42 – **21 ch** 165/355 – P 360/420
Spéc. Filet de sole sauce hollandaise au salpicon de homard. Pavé de boeuf en croûte de sel. Profiteroles au chocolat. **Vins** Sancerre, Saint-Pourçain.

Gd H. Parc et Établissement, r. Parc ℘ 70 67 02 55, Fax 70 67 13 95, – ☎ P. AE GB. rest Z **b**
5 avril-20 oct. – **Repas** 60/150 – 35 – **53 ch** 200/220 – P 245/290.

Sources, av. Thermes ℘ 70 67 00 15, Fax 70 67 09 43, – AE GB Z **k**
15 mars-31 oct. – **Repas** 80/140 – 29 – **20 ch** 145/245 – P 270.

Trois Puits, r. Trois Puits ℘ 70 67 08 35 – ☎. GB Z **u**
fermé 20 déc. au 1er mars – **Repas** 55/100 – 25 – **26 ch** 70/155 – ½ P 160/230.

XX **L'Oustalet** avec ch, av. E. Guillaumin Z ℘ 70 67 01 48 – rest P. GB. ch
fermé 25 au 31 oct., vend. soir, dim. soir et soirs fériés – **Repas** 84/260 – 28 – **4 ch** 135/215 – P 185.

BOURBON-L'ARCHAMBAULT

Allier (R. Achille) . . . . Y 2
Bel-Air (R. de) . . . . Z
Bignon (Bd J.) . . . . Z 4
Burge (R. de la) . . . . Y
Château (R. du) . . . . Y 6
Desbordes (Av. E.) . . . . Z
Dubost (R. Lieutenant-Colonel) . . . . Y 8
Fontaine-Jonas (R. de la) . . . . Z 9
Guillaumin (Av. E.) . . . . Z 10
Louis-Philippe (Av. Charles) . . . . . Z
Macé (R. Jean) . . . . Z 13
Meillers (R. de) . . . . Z 14
Mouillières (Bd des) . . . . Y 15
Moulin (R. du) . . . . Y 16
Parc (R. du) . . . . Z
Paroisse (R. de la) . . . . Z 19
Pied-de-Fourche (R. du) . . . . Y 21
République (R. de la) . . . . YZ
Rondreux (R. A.) . . . . Y 24
St-Georges (R.) . . . . Z
Solins (Bd de) . . . . Z
Thermes (Pl. des) . . . . Z 27
Thermes (R. des) . . . . Z
Trois-Maures (R. des) . . . . Y
Villefranche (R. de) . . . . Y 29

Les noms des rues sont soit écrits sur le plan soit répertoriés en liste et identifiés par un numéro.

FRANCHESSE ① D 1, NEVERS
Château
Tour Quiquengrogne
Nouveau Parc
R. des Écoles
Rue des Trois Maures
THERMES
R. du Parc
R. des Thermes
Av. Charles Louis-Philippe
R. de la République
Av. E. Desbordes
R. de Bel-Air
R. St-Georges
Bd de Solins
St-Georges
D 953, MONTLUÇON ③

BOURBONNE-LES-BAINS **52400** H.-Marne 62 ⑬ ⑭ **G. Alsace Lorraine** – 2 764 h alt. 290 – Sta therm. (mars-nov.).

Office de Tourisme Centre Borvo, 34 pl. des Bains ✆ 25 90 01 71, Fax 25 90 14 12.

Paris 324 ④ – Chaumont 54 ④ – ◆Dijon 120 ④ – Langres 38 ④ – Neufchâteau 53 ① – Vesoul 59 ②.

BOURBONNE-LES-BAINS

Bains (R. des) 2
Bassigny (R. du) 3
Capucins (R. des) 4
Daprey-Blache (R.) 5
Écoles (R. des) 6
Gouby (Av. du Lieutenant) 7
Grande-Rue 9
Hôtel-Dieu (R. de l') 12
Lattre-de-Tassigny (Av. Maréchal-de) 14
Maistre (R. du Gén.) 15
Mont-l'Étang (R. de) 17
Pierre (R. Amiral) 22
Porte-Galon (R.) 23
Verdun (Pl. de) 25
Walferdin (Rue) 26

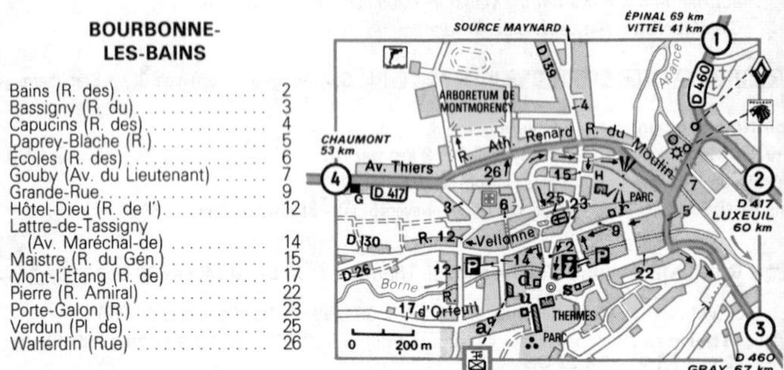

Jeanne d'Arc, r. Amiral Pierre **(s)** ✆ 25 90 46 00, Fax 25 88 78 71, – P. AE GB. rest
1er mars-23 nov. – **Repas** 118/204, enf. 65 – 42 – **32 ch** 245/310 – ½ P 236/310.

Des Sources, pl. Bains **(u)** ✆ 25 87 86 00, Fax 25 87 86 33 – cuisinette GB. rest
31 mars-30 nov. et fermé merc. soir – **Repas** 85/180, enf. 58 – 38 – **24 ch** 220/260 – ½ P 248/258.

Orfeuil, r. Orfeuil **(a)** ✆ 25 90 05 71, Fax 25 84 46 25, parc, – cuisinette P. AE GB. rest
hôtel : 1er mars-30 nov. ; rest : 31 mars-27 oct. – **Repas** 59/150, enf. 42 – 30 – **50** 160/260 – ½ P 200/220.

Lauriers Roses, pl. Bains **(d)** ✆ 25 90 00 97, Fax 25 88 78 02, – |‡| ☎ & 🅿. GB
31 mars-12 oct. – **Repas** 75/125 ♂, enf. 36 – ☕ 25 – **74ch** 178/245 – P 232/247.

A l'Étoile d'Or, Gde Rue **(r)** ✆ 25 90 06 05 – |‡| ▤ rest ☎ &. AE ⓓ GB
10 avril-13 oct. – **Repas** 70/120 ♂, enf. 40 – ☕ 25 – **24ch** 148/240 – ½ P 183/215.

CITROEN Gar. Michaud, par ① ✆ 25 90 03 12 N ✆ 25 90 09 41
PEUGEOT Gar. André, ✆ 25 90 00 56

RENAULT Gar. Beau, 13 av. Lieutenant Gouby ✆ 25 90 00 72 N ✆ 25 90 09 41

La BOURBOULE **63150** P.-de-D. **73** ⑬ **G. Auvergne** – 2 113 h alt. 880 – Stat. therm. – Casino AZ.

Voir Parc Fenêstre★ ABZ – **Roche Vendeix** ✻★ **4 km par ② puis 30 mn.**

i Office de Tourisme pl. Hôtel de Ville ✆ 73 65 57 71, Fax 73 65 50 21.

Paris 472 ③ – ✦Clermont-Ferrand 48 ③ – Aubusson 80 ③ – Mauriac 70 ③ – Ussel 52 ③.

LA BOURBOULE

Clemenceau (Bd G.) . . **ABY**
Féron (Quai) . . . . **BY**
Foch (Bd Mar.) . . . . **AY** 6

Alsace-Lorraine (Av.) . . . **BY** 2
États-Unis (Av. des) . . . . **BY** 3
Gambetta (Quai) . . . . . . **AZ** 7
Guéneau-de-Mussy (Av.) . . . . **AY** 8
Hôtel-de-Ville (Q.) . . . . . **AY** 10
Jeanne-d'Arc (Q.) . . . . . **BY** 12
Jet-d'eau (Sq. du) . . . . . **AY** 13
Joffre (Sq. du Mar.) . . . **BY** 15
Lacoste (Pl. G.) . . . . **AY** 16
Libération (Q. de la) . . . **AZ** 17
Mangin (Av. du Gén.) . . . . **AZ** 19
République (Pl. de la) . . **AZ** 21
Souvenir (Pl. du) . . . . . . **BY** 22
Victoire (Pl. de la) . . . . . **AY** 23

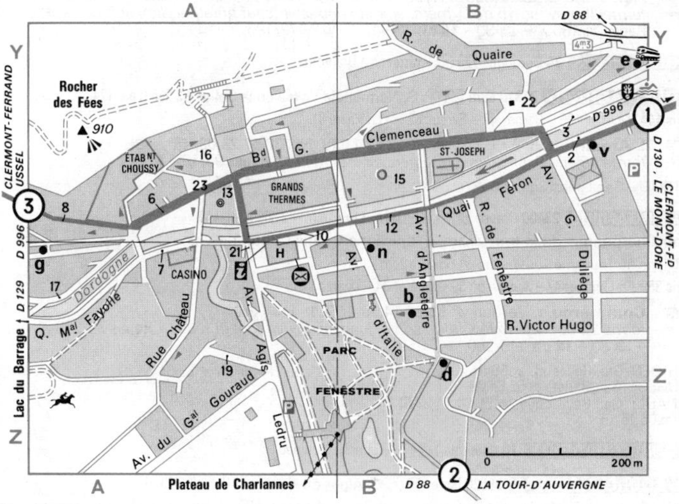

Régina, av. Alsace-Lorraine ✆ 73 81 09 22, Fax 73 81 08 55, , – ⇆ TV ☎ 🅿. AE ⓓ GB. ✗ rest — BY **v**
fermé 12 nov. au 26 déc. et 4 janv. au 1er fév. – **Repas** 80/200, enf. 50 – ☕ 40 – **25 ch** 260/350 – ½ P 300/360.

Le Charlet ⛰, bd L. Choussy ✆ 73 65 51 84, Fax 73 65 50 82, ▣ – |‡| TV ☎ ✆. GB. ✗ rest — AZ **g**
1er avril-15 oct. et 20 déc.-20 mars – **Repas** 95/169, enf. 57 – ☕ 35 – **38 ch** 220/340 – ½ P 250/350.

Aviation, r. Metz ✆ 73 65 50 50, Fax 73 81 02 85, ▣ – |‡| ☎ 🚗. GB. ✗ rest — BZ **b**
fermé 1er oct. au 25 déc. – **Repas** 90/105, enf. 50 – ☕ 35 – **50 ch** 170/400 – ½ P 190/260.

Pavillon, av. Angleterre ✆ 73 65 50 18, Fax 73 81 00 93, – |‡| ⇆ TV ☎. AE GB. ✗
1er avril-30 sept. – **Repas** 70/90 ♂ – ☕ 35 – **27 ch** 200/320 – ½ P 220/260. — BZ **d**

Le Val Dore, r. Belgique ✆ 73 81 06 14, Fax 73 65 58 79 – |‡| ⇆ ▤ rest ☎ ✆. GB. ✗ — BY **e**
fermé 4 nov. au 25 déc. et 6 janv. au 7 fév. – **Repas** 80/110 ♂, enf. 45 – ☕ 32 – **33ch** 175/265 – ½ P 210/225.

Valsesia, av. Italie ✆ 73 81 06 29 – TV ☎. AE GB JCB. ✗ — BZ **n**
vacances de printemps-début oct. – **Repas** 68/130, enf. 45 – ☕ 35 – **12 ch** 210/252 – ½ P 234/242.

au NE : 2 km par D 996 :

Horizon, av. Mar. Leclerc ✆ 73 81 08 40, ≤, – ☎ P. AE GB. rest
fermé 15 mars au 1er avril, 7 oct. au 24 déc. et 2 janv. au 10 fév. – **Repas** 69/185 – ▭ 31 – **18 ch** 210/270 – ½ P 210/220.

à St-Sauves-d'Auvergne par ③ : 5 km – 1 030 h. alt. 791 – ✉ **63950** :

Poste, pl. Église ✆ 73 81 10 33, Fax 73 81 02 27 – TV ☎ P. GB
Repas *(fermé 28 nov. au 20 déc.)* 65/160 ₰, enf. 40 – ▭ 28 – **18 ch** 150/230 – ½ P 165/210.

CITROEN Gar. Aviation, r. de Metz ✆ 73 81 02 88

BOURBOURG **59630** Nord 51 ③ – 7 106 h alt. 4.

Paris 282 – ♦Calais 26 – Cassel 28 – Dunkerque 20 – ♦Lille 81 – St-Omer 25.

XX **La Gueulardière,** 4 pl. Hôtel de Ville ✆ 28 22 20 97, Fax 28 62 31 97 – GB
fermé 5 au 19 août, dim. soir et lundi – **Repas** 90/290.

BOURCEFRANC-LE-CHAPUS 17 Char.-Mar. 71 ⑭ – rattaché à Marennes.

BOURDEAU 73 Savoie 74 ⑮ – rattaché au Bourget-du-Lac.

BOURDEAUX **26460** Drôme 77 ⑬ – 562 h alt. 426.

Paris 615 – Valence 55 – Crest 23 – Montélimar 40 – Nyons 36 – Pont-St-Esprit 74.

Aux Trois Châteaux, rte Nyons sur D 70 ✆ 75 53 33 92, – GB
fermé 15 nov. au 15 déc., merc. soir et vend. soir (sauf hôtel) et dim. soir de sept. à avril – **Repas** 76/130 ₰ – ▭ 30 – **15 ch** 100/185 – ½ P 172/195.

BOURDEILLES 24 Dordogne 75 ⑤ – rattaché à Brantôme.

BOURG-ACHARD **27310** Eure 55 ⑤ **G. Normandie Vallée de la Seine** – 2 255 h alt. 124.

Paris 144 – ♦Rouen 26 – Bernay 42 – Évreux 62 – ♦Le Havre 61.

X **L'Amandier,** 599 rte Rouen ✆ 32 57 11 49, Fax 32 57 28 03, – GB
fermé 18 au 28 juil., dim. soir, merc. soir et mardi – **Repas** 95/195 ₰.

CITROEN Gar. Leple, Gde Rue ✆ 32 56 20 24

BOURGANEUF **23400** Creuse 72 ⑨ **G. Berry Limousin** – 3 385 h alt. 440.

Voir Charpente★ de la tour Zizim – Tapisserie★ dans l'Hôtel de Ville.

Office de Tourisme Tour Lastic ✆ 55 64 12 20.

Paris 389 – ♦Limoges 47 – Aubusson 39 – Guéret 34 – Uzerche 80.

Commerce, r. Verdun ✆ 55 64 14 55 – TV ☎. GB
fermé 22 déc. au 15 fév., dim. soir et lundi sauf juil.-août et fériés – **Repas** 75/280 ₰, enf. 53 – ▭ 30 – **14 ch** 145/350.

CITROEN Gar. Raynaud, ✆ 55 64 29 29
PEUGEOT Gar. Barlet, ✆ 55 64 08 76
RENAULT Gar. Bévilacqua, ✆ 55 64 14 22 N ✆ 05 05 15 15
Gar. Pradillon ✆ 55 64 22 79

BOURG-CHARENTE 16 Charente 72 ⑫ – rattaché à Jarnac.

Le BOURG-D'OISANS **38520** Isère 77 ⑥ **G. Alpes du Nord** – 2 911 h alt. 720.

Voir Musée des Minéraux★ – Cascade de la Sarennes★ NE : 1 km puis 15 mn – Gorges de la Lignarre★ NO : 3 km.

Office de Tourisme quai Girard ✆ 76 80 03 25.

Paris 619 – ♦Grenoble 49 – Briançon 67 – Gap 99 – St-Jean-de-Maurienne 71 – Vizille 31.

Beau Rivage, ✆ 76 80 03 19, Fax 76 80 00 77, – TV ☎. GB
Repas 70 bc (déj.), 95/145 ₰, enf. 48 – ▭ 35 – **20 ch** 150/290 – ½ P 180/225.

au Châtelard NE : 12 km par D 211, D 211A et rte secondaire – ✉ **38520** La Garde-en-Oisans

La Forêt de Maronne , ✆ 76 80 00 06, Fax 76 79 14 61, ≤, , , – ☎ P. GB rest
10 juin-20 sept. et 20 déc.-20 avril – **Repas** 95/180, enf. 54 – ▭ 35 – **12 ch** 240/320 – ½ P 260/300.

CITROEN Gar. Bonnenfant, Les Sables en Oisans ✆ 76 80 07 00 N ✆ 76 80 07 00
RENAULT Gar. St-Laurent, ✆ 76 80 26 97 N ✆ 76 80 26 97

BOURG-D'OUEIL **31110** H.-Gar. 85 ⑳ – 19 h alt. 1339.

Voir Vallée d'Oueil★ au SE – Kiosque de Mayrègne ✳★ SE : 5 km, **G. Pyrénées Aquitaine.**

Paris 843 – Bagnères-de-Luchon 15 – St-Gaudens 61 – Tarbes 100 – ♦Toulouse 147.

Sapin Fleuri , ✆ 61 79 21 90, ≤ – ☎ P. GB. rest
1er juin-30 sept. et vacances scolaires – **Repas** 120/300, enf. 60 – ▭ 40 – **22 ch** 250/300 – ½ P 290/350.

Le BOURG-DUN **76740** S.-Mar. 52 ③ **G. Normandie Vallée de la Seine** – 481 h alt. 17.

Voir Tour★ de l'église.

Paris 198 – Dieppe 19 – Fontaine-le-Dun 7 – ♦Rouen 57 – St-Valery-en-Caux 15.

XX ✿ **Aub. du Dun** (Chrétien), face Église ✆ 35 83 05 84 – P. GB. ✈
fermé 18 août au 5 sept., 1er au 15 déc., dim. soir et lundi sauf fériés – **Repas** 145/210 et carte 230 à 390
Spéc. Marguerite de Saint-Jacques à la crème de mâche (oct. à fév.). Saint-Pierre épicé au colombo, jus de bouillabaisse. Cristaline de sorbet citron à la laitue de mer.

BOURG-EN-BRESSE P **01000** Ain 74 ③ **G. Bourgogne** – 40 972 h alt. 251.

Voir Église de Brou★★ : tombeaux★★★, chapelles et oratoires★★★ X **B** – Monastère★ : musée de Brou★ X **E** – Stalles★ de l'église N.-Dame Y.

9 ✆ 74 24 65 17 au Parc de Loisirs de Bouvent, E : 2 km par ③.

Office de Tourisme 6 av. Alsace-Lorraine ✆ 74 22 49 40, Fax 74 23 06 28 et bd de Brou (saison) ✆ 74 22 27 76 – A.C. 15 av. Alsace-Lorraine ✆ 74 22 43 11.

Paris 426 ⑦ – Mâcon 36 ⑦ – Annecy 108 ④ – ♦Besançon 148 ② – Chambéry 117 ④ – Genève 111 ④ – ♦Lyon 65 ⑤ – Roanne 118 ⑥.

Plan page suivante

Prieuré ⛭ sans rest, 49 bd Brou ✆ 74 22 44 60, Fax 74 22 71 07, ⛱ – |♦| TV ☎ P. AE ⓓ GB X **a**
▭ 45 – **14 ch** 350/550.

Terminus sans rest, 19 av. A. Baudin ✆ 74 21 01 21, Fax 74 21 36 47, « Parc » – |♦| TV ☎ ⇔. AE ⓓ GB X **t**
▭ 42 – **51 ch** 300/430.

Ariane M, bd Kennedy ✆ 74 22 50 88, Fax 74 22 51 57, ⛱, ⛱, ⛱ – |♦| ▤ TV ☎ ✆ ♿ ⇔ P – 🏃 50. AE GB X **s**
Repas *(fermé dim. et fériés)* 120/180 – ▭ 45 – **40 ch** 320/380.

Mercure-Chantecler M, 10 av. Bad-Kreuznach ✆ 74 22 44 88, Fax 74 23 43 57, ⛱, ⛱ – |♦| ⛱ ▤ ch TV ☎ ♿ P – 🏃 100. AE ⓓ GB JCB. ✈ rest X **e**
Repas 127/250 🍷, enf. 55 – ▭ 50 – **60 ch** 398/470.

Le Logis de Brou sans rest, 132 bd Brou ✆ 74 22 11 55, Fax 74 22 37 30 – |♦| TV ☎ ⇔ P – 🏃 25. AE ⓓ GB Z **k**
▭ 38 – **30 ch** 220/380.

France sans rest, 19 pl. Bernard ✆ 74 23 30 24, Fax 74 23 69 90 – |♦| TV ☎ ⇔ – 🏃 25. AE ⓓ GB Y **e**
▭ 42 – **46 ch** 230/420.

Ibis, bd Ch. de Gaulle ✆ 74 22 52 66, Fax 74 23 09 58, ⛱ – ⛱ TV ☎ ✆ ♿ P – 🏃 50. AE ⓓ GB X **d**
Repas 99 bc/120 bc, enf. 40 – ▭ 36 – **62 ch** 280/300.

XXX ✿ **Jacques Guy,** 19 pl. Bernard ✆ 74 45 29 11, Fax 74 24 73 69, ⛱ – AE ⓓ GB Y **g**
fermé 4 au 19 mars, 11 au 27 nov., dim. soir et lundi – **Repas** 160/360 et carte 260 à 370, enf. 80
Spéc. Foie de canard poêlé et risotto aux truffes. Cassolette d'écrevisses, anoloni farcis et ris de veau. Poitrine et cuisse de pigeon à l'épine-vinette. **Vins** Brouilly, Mâcon.

XXX **Auberge Bressane,** face église de Brou ✆ 74 22 22 68, Fax 74 23 03 15, ⛱ – P. AE ⓓ GB JCB X **f**
Repas 98/350 et carte 260 à 410.

XXX **Mail** avec ch, 46 av. Mail ✆ 74 21 00 26, Fax 74 21 29 55 – ▤ rest TV ☎ ✆ ⇔ P. AE ⓓ GB X **v**
fermé 15 juil. au 6 août, 23 déc. au 7 janv., dim. soir et lundi – **Repas** 110/320 et carte 220 à 300, enf. 80 – ▭ 30 – **9 ch** 180/280 – ½ P 240/300.

XX **La Galerie,** 4 r. Th. Riboud ✆ 74 45 16 43, Fax 74 45 16 43 – ⓓ GB Z **f**
Repas *(fermé sam. midi et dim.)* 120/190.

XX **La Reyssouze,** 20 r. Ch. Robin ✆ 74 23 11 50, Fax 74 23 94 32 – ▤. GB JCB Y **n**
fermé 15 juil. au 5 août, vacances de fév., dim. soir et lundi – **Repas** 135/330, enf. 80.

XX **Chalet de Brou,** face église de Brou ✆ 74 22 26 28, Fax 74 24 72 42, ⛱ – GB X **f**
fermé 1er au 15 juin, 20 déc. au 23 janv., jeudi soir et vend. – **Repas** 78/220 🍷.

XX **Le Français,** 7 av. Alsace-Lorraine ✆ 74 22 55 14, Fax 74 22 47 02, brasserie 1900 – AE GB Z **r**
fermé 5 au 27 août, 23 au 31 déc., sam. soir et dim. – **Repas** 130/290 🍷, enf. 70.

XX **L'Ermitage,** 142 bd de Brou ✆ 74 22 19 00, Fax 74 24 64 91 – GB X **b**
fermé 14 juil. au 15 août, dim. soir et lundi – **Repas** 85/170 🍷.

X **Rest. de l'Église de Brou,** face église de Brou ✆ 74 22 15 28 – ▤. GB X **f**
fermé 18 juin au 18 juil., 24 déc. au 4 janv., mardi et merc. – **Repas** 82/185 🍷, enf. 45.

rte de Lons-le-Saunier par ② : 6,5 km N 83 – ✉ **01370** St-Étienne-du-Bois :

X **Les Mangettes,** ✆ 74 22 70 66, ⛱ – P. AE GB
fermé 29 juil. au 7 août, 7 au 15 janv., dim. soir, lundi soir et mardi – **Repas** 90/180.

BOURG-EN-BRESSE

Foch (R. Maréchal) .... Y 20
Gambetta (R.) .... Z 21
Notre-Dame (R.) .... Y 35

Anciens Combattants (Av. des) .... Z 3
Arsonval (Av. A. d') .... X 4
Bad-Kreuznach (Av. de) .... X 5
Basch (R. Victor) .... Z 6
Baudin (Av. A.) .... Z 7
Belges (Av. des) .... Y 10
Bernard (Pl.) .... Y 12
Bouveret (R.) .... Y 13
Champ-de-Foire (Av. du) .... Y 14
Citadelle (R. de la) .... X 15
Crêts (R. des) .... X 16
Debeney (R. Général) .... Y 17
Europe (Car. de l') .... X 19
Jaurès (Av. Jean) .... XZ 22
Joliot-Curie (Bd Irène) .... X 23
Joubert (Pl.) .... Z 24
Juin (Av. Maréchal) .... X 26
Lévrier (Bd A.) .... X 27
Lyon (Pont de) .... X 28
Mail (Av. du) .... X 30
Migonney (R. J.) .... Z 31
Morgon (R. J.) .... X 32
Muscat (Av. A.) .... Z 33
Neuve (Pl.) .... Y 34
Palais (R. du) .... Y 36
St-Nicolas (Bd) .... X 37
Samaritaine (R.) .... Z 38
Semard (Av. P.) .... X 40
Teynière (R.) .... Z 42
Valéry (Bd P.) .... X 43
Verdun (Cours de) .... Y 44
Victoire (Av. de la) .... Z 45
4-Septembre (R. du) .... Y 48
23ᵉ-R.I. (R. du) .... X 50

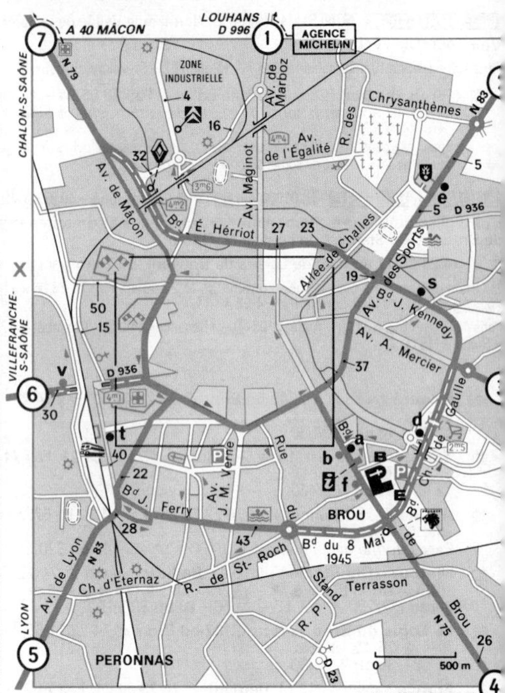

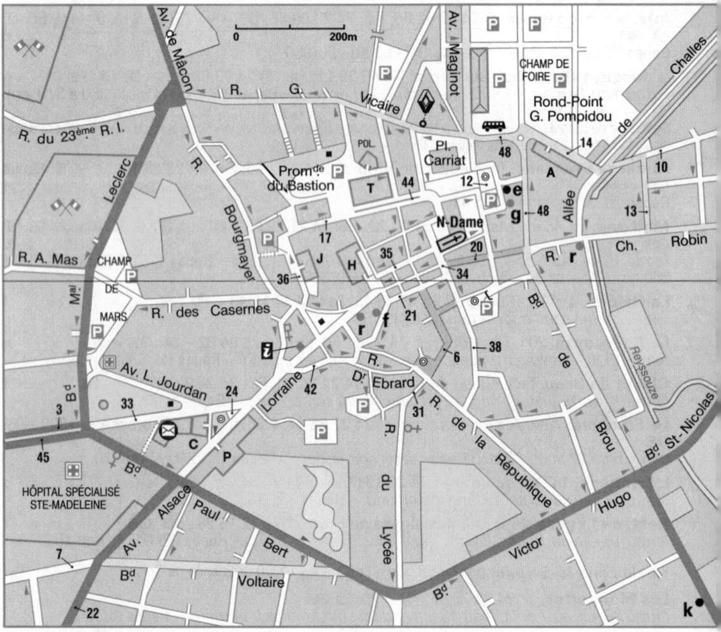

Av. de Mâcon
R. G. Vicaire
Av. Maginot
CHAMP DE FOIRE
Rond-Point G. Pompidou
Challes
Allée de
Y
R. du 23ème R. I.
Leclerc
R. Bourgmayer
Promde du Bastion
Pl. Carriat
POL.
N-Dame
R. A. Mas
CHAMP DE MARS
Mal
R. des Casernes
Ch. Robin
R.
Bd de Brou
Reyssouze
Av. L. Jourdan
Lorraine
R. Dr Ebrard
R. de la République
R. du Lycée
Bd St-Nicolas
Z
HÔPITAL SPÉCIALISÉ STE-MADELEINE
Bd Alsace
Av. Paul Bert
Bd Voltaire
Bd Victor Hugo
0
200m

à St-Just par ③ : 3 km sur D 979 – 614 h. alt. 259 – ✉ **01250** :

XXX **La Petite Auberge,** ☎ 74 22 30 04, Fax 74 24 69 44, ≤, « Auberge fleurie », 🌳 – 🅿. AE GB

fermé 29 oct. au 6 nov., fév., dim. soir sauf juil.-août, lundi soir et mardi – **Repas** (prévenir) 110/280 et carte 230 à 320.

MICHELIN, Agence, rte de Marboz, ZI Extention-Nord par ① ☎ **74 45 24 24**

BMW Bresse Auto Sport, ZA la Chambière à Viriat ☎ 74 22 62 55
CITROEN D.A.R.A., ZI Nord av. Arsonval ☎ 74 23 82 82 🅽 ☎ 74 45 12 12
FIAT, LANCIA S.E.R.M.A., N 79 Bourg-en-Bresse Nord à Viriat ☎ 74 23 19 55 🅽 ☎ 74 22 36 78
FORD Gar. du Bugey, 28 av. de Pont d'Ain ☎ 74 22 32 66
HONDA Gar. Rignanese, 32 rte de Pont d'Ain ☎ 74 22 15 21
MERCEDES, TOYOTA Espace Bourg Auto, 24 av. du Mar.-Juin ☎ 74 22 63 46 🅽 ☎ 05 24 24 30
PEUGEOT S.I.C.M.A., 192 bd de Brou ☎ 74 45 93 00 🅽 ☎ 74 32 98 26
RENAULT Gar. Carriat, 11 pl. Carriat ☎ 74 22 17 11
RENAULT A.R.N.O., bd E.-Herriot, ZI Nord ☎ 74 23 35 55 🅽 ☎ 74 23 35 55
ROVER Gar. Meunier, rte de Strasbourg N 83 à Viriat ☎ 74 22 20 80
VAG Europe-Gar., av. A.-Mercier ☎ 74 23 31 12

Ⓜ Ayme Pneus, r. F.-Arago, ZI Nord ☎ 74 23 34 41
C.Sécurité Routiére, à Montagnat ☎ 74 22 34 51 🅽 ☎ 09 10 68 84
Euromaster, ZAC de la Chambière à Viriat ☎ 74 45 21 98
Gaudry Pneu Point S, Rd-Pt Fleyriat les Vareys à Viriat ☎ 74 45 05 04
Ruder Pneus, 738 av. de Lyon à Peronnas ☎ 74 21 20 99

CONSTRUCTEUR : Renault Véhicules Industriels, rte de Ceyzeriat ☎ **74 22 82 00**

Quando cercate un albergo o un ristorante, siate pratici.
Approfittate delle località sottolineate in rosso sulle carte stradali 1:200 000.

Ma che le carte siano recenti!

BOURGES 🅿 **18000** Cher 69 ① **G. Berry Limousin** – 75 609 h alt. 153.

Voir Cathédrale★★★ : tour Nord ≤★★ Z – Jardins de l'Archevêché★ Z – Palais Jacques-Coeur★★ Y – Jardins des Prés-Fichaux★ Y – Maisons anciennes★ YZ – Hôtel des Échevins★ : musée Estève★★ Y **M**[3] – Hôtel Lallemant★ : collection de meubles miniatures★ Y **M**[4] – Musée du Berry dans l'hôtel Cujas★ : collections gallo-romaines★, prophètes★, pleurants du tombeau du duc de Berry★ Y **M**[1] – Musée d'histoire naturelle★ Z **M** – Les marais★ V.

⛳ ☎ 48 21 20 01, S : 5 km par D 106.

ℹ Office de Tourisme et Accueil de France 21 r. V.-Hugo ☎ 48 24 75 33, Fax 48 65 11 87 – Automobile Club du Centre, 40 av. J.-Jaurès ☎ 48 24 01 36, Fax 48 70 21 85.

Paris 243 ⑦ – Châteauroux 65 ⑥ – ♦Dijon 247 ② – Nevers 69 ③ – ♦Orléans 119 ⑦ – ♦Tours 153 ⑦.

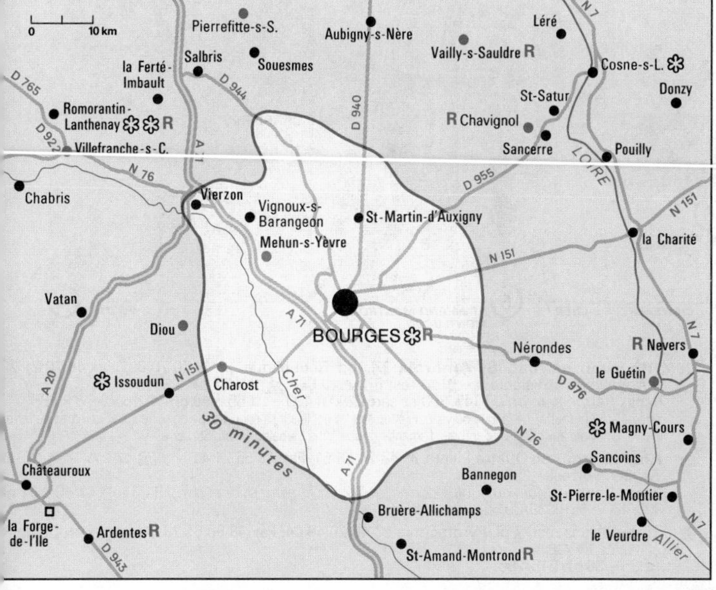

BOURGES

Baffier (R. J.) . . . . X 3
Bérégovoy (Av. P.) . . . . X 5
Deux-Ponts (R. des) . . . . V 16
Dormoy (Av. M.) . . . . V 19
Farman (Rd-Pt H.) . . . . X 21
Foch (Bd du Mar.) . . . . X 23
Frères-Voisin (Av. des) . . . . . . X 25
Industrie (Bd de l') . . . . X 30
J.-J. Rousseau (R.) . . . . X 33
Joffre (Bd du Mar.) . . . . X 34
Laudier (Av. H.) . . . . V 38
Liberté (Bd de la) . . . . X 42
Nevers (Av. de) . . . . X 47
Orléans (Av. d') . . . . V 4
Pignoux (R. de) . . . . X 5
Prés-le-Roi (Av. des) . . . . V 5
Prospective (Av. de la) . . . . . . V 5
Pyrotechnie (Pl. de la) . . . . . . X 5
Santos-Dumont (Bd) . . . . X 6
Sellier (R. H.) . . . . X 6
Semard (Av. P.) . . . . V 6

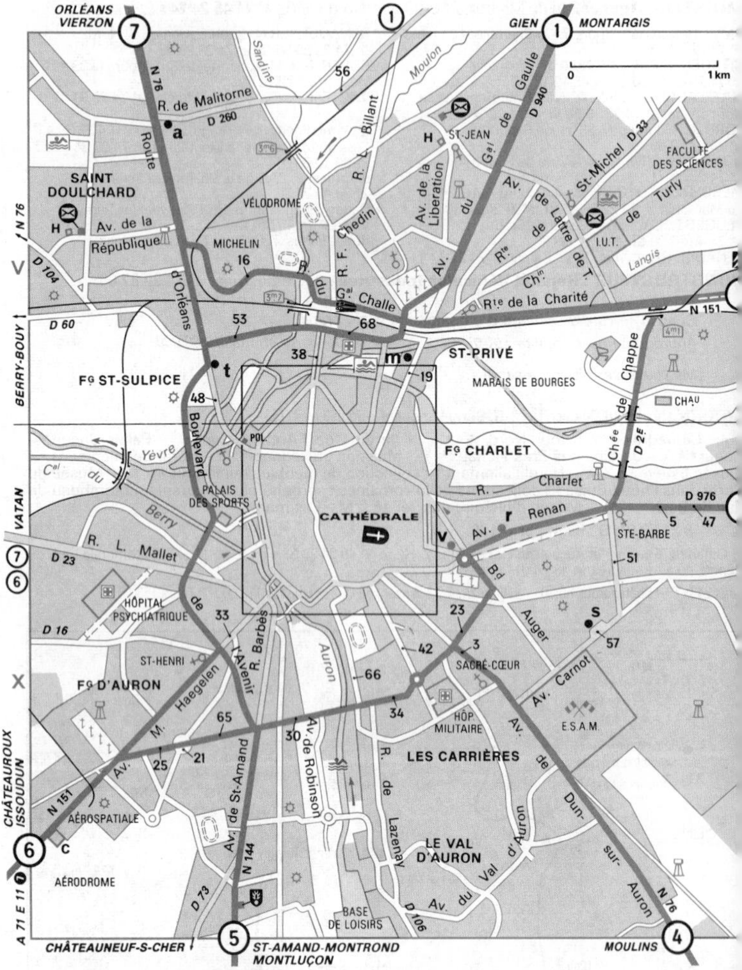

🏨 ✿ **Bourbon et rest. St-Ambroix** Ⓜ, bd République ✆ 48 70 70 00, Fax 48 70 21 22 Y
« Abbaye du 16e siècle » – ascenseur – rest TV ☎ ♿ P – 60. AE ◑ GB
Repas *(fermé sam. midi)* 145/300 et carte 280 à 400 – ☕ 65 – **59 ch** 400/650 – ½ P 485
Spéc. Pâté "Tartouffe" de langue de veau. Filet de sandre poêlé sur sa peau, soupe de poireaux et pommes de terre la cive. Pithiviers aux griottes et sorbet à l'amande douce. **Vins** Menetou-Salon, Sancerre.

🏨 **Angleterre,** 1 pl. Quatre Piliers ✆ 48 24 68 51, Fax 48 65 21 41 – ascenseur TV ☎ – 25. AE ◑ GB. rest Y
Repas *(fermé 21 juin au 4 juil., 22 déc. au 12 janv., sam. midi et dim.)* 94/146 – ☕ 40 – **31 ch** 395/450 – ½ P 339/391.

🏨 **Tilleuls** sans rest, 7 pl. Pyrotechnie ✆ 48 20 49 04, Fax 48 50 61 73, – TV ☎ ♿ P. AE ◑ GB X
☕ 35 – **38 ch** 215/285.

BOURGES

uron (R. d') . . . . Z
ıurès (Av. Jean) . . . . Y
loyenne . . . . YZ

ırmuriers (R. des) . . . . Z 2
ıarbès (R.) . . . . Z 4
ıalvin (R.) . . . . Y 6
ambournac (R.) . . . . Y 7
ısse-Cou
(Passage) . . . . Y 10

Champ de Foire (R. du) . . . . . Z 12
Commerce (R. du) . . . . Y 13
Dr-Témoin (R. du) . . . . Y 17
Dormoy (Av. Marx) . . . . Y 19
Hémerettes (R. des) . . . . Z 29
Jacobins
(Cour des) . . . . Z 31
Jacques-Cœur (R.) . . . . Y 32
J.-J.-Rousseau (R.) . . . . Z 33
Joyeuse (R.) . . . . Y 35
Juranville (Pl.) . . . . Z 36
Leblanc (R. N.) . . . . YZ 41
Louis XI (Av.) . . . . Z 43

Mallet (R. L.) . . . . Z 44
Marceau (Rampe) . . . . Z 45
Mirebeau (R.) . . . . Y 46
Orléans (Av. d') . . . . Y 48
Pelvoysin (R.) . . . . Y 50
Poissonnerie (R. de la) . . . . . . Y 52
Prinal (R. du) . . . . Y 55
Rimbault (R. J.) . . . . Z 61
Strasbourg (Bd de) . . . . Z 71
Thaumassière (R. de la) . . . . . Y 72
Tory (R. G.) . . . . Y 73
Victor-Hugo (R.) . . . . Z 74
95e-de-Ligne (R. du) . . . . Z 75

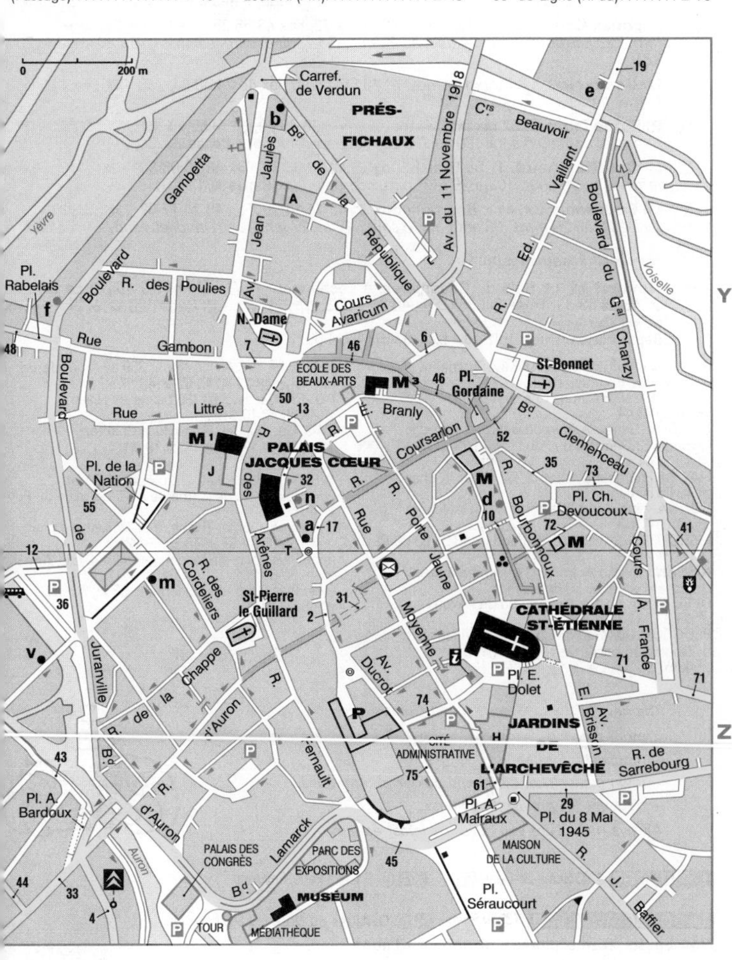

🏨 **Christina** sans rest, 5 r. Halle ✆ 48 70 56 50, Fax 48 70 58 13 – |♦| 📺 ☎ – 🔑 60. AE ⓓ GB Z **m**
☕ 36 – **71 ch** 235/285.

🏨 **Olympia** sans rest, 66 av. Orléans ✆ 48 70 49 84, Fax 48 65 29 06 – |♦| 📺 ☎ 🅿 – 🔑 25. AE ⓓ GB V **t**
fermé 24 déc. au 1er janv. – ☕ 35 – **42 ch** 225/280.

🏨 **Ibis** Ⓜ, quartier Prado ✆ 48 65 89 99, Fax 48 65 18 47 – |♦| 🚭 📺 ☎ 📞 ♿ – 🔑 25 à 60. AE ⓓ GB Z **v**
Repas 99 bc, enf. 39 – ☕ 35 – **86 ch** 290/315.

Logitel sans rest, à St-Doulchard ✉ 18230 ☎ 48 70 07 26, Fax 48 24 59 94 – ☎ P. AE GB V
30 – **30 ch** 235/258.

St-Jean sans rest, 23 av. Marx Dormoy ☎ 48 24 13 48, Fax 48 24 79 98 – ☎. GB V
fermé 1er fév. au 3 mars – 21 – **24 ch** 125/260.

XXX **Le Jardin Gourmand,** 15 bis av. E. Renan ☎ 48 21 35 91, Fax 48 20 59 75, – GB X
fermé 8 au 18 juil., mi-déc. à mi-janv., dim. soir et lundi – **Repas** 95/230 et carte 200 à 300

XXX **Jacques Coeur,** 3 pl. J. Coeur ☎ 48 70 12 72, Fax 48 65 25 72 – AE GB JCB Y
fermé 23 juil. au 23 août, 24 déc. au 2 janv., dim. soir et sam. – **Repas** 145/180 et carte 200 à 320.

XX **Le Beauvoir,** 1 av. Marx Dormoy ☎ 48 65 42 44, Fax 48 24 80 84 – AE GB Y
fermé dim. soir – **Repas** 95/230.

XX **Philippe Larmat,** 62 bis bd Gambetta ☎ 48 70 79 00, – AE GB Y
fermé 20 août au 5 sept., 20 au 27 fév., dim. soir et lundi – **Repas** 95/230.

XX **Le Soufflé Chaud,** 41 bd Strasbourg ☎ 48 20 06 80, Fax 48 20 06 80 – GB X
fermé 5 au 26 août, 10 au 28 fév., dim. soir et lundi – **Repas** 90/120.

X **Le Bourbonnoux,** 44 r. Bourbonnoux ☎ 48 24 14 76, Fax 48 24 77 67 – AE GB Y
fermé 20 au 29 mars, 30 août au 16 sept., 17 au 27 janv., sam. midi et vend. – **Repas** 75/17

rte de Châteauroux par ⑥ :

Novotel M, Le Bois de Chagnières, à l'échangeur A 71 : 7 km ✉ 18570 Le Subdray ☎ 48 26 53 33, Télex 780352, Fax 48 26 52 22, – 15 AE GB JCB
Repas carte environ 160 – 52 – **93 ch** 450/550.

BMW Gar. Vergès Autom., 43 av. Prospective, Asnières-lès-Bourges ☎ 48 70 47 20
CITROEN Gar. d'Auron, 13 r. Barbès Z ☎ 48 50 03 44
CITROEN Générale Auto de Bourges, rte de la Charité à St Germain du Puy V ☎ 48 23 44 40 N ☎ 48 24 44 44
FIAT La Fourchette Autom., 207 rte de la Charité ☎ 48 65 80 61
HONDA Alba, 444 r. Malitorne à St-Doulchard ☎ 48 70 77 88
MERCEDES SAVIB, r. C.-Durand ☎ 48 67 53 00 N ☎ 05 24 24 30
NISSAN Sonaka Autom., ZI Malitorne à St-Doulchard ☎ 48 65 89 85
OPEL Centre Avenir Autom., bd de l'Avenir ☎ 48 23 23 23
PEUGEOT Gds Gar. du Cher, rte d'Orléans à St-Doulchard par ⑦ ☎ 48 24 72 01 N ☎ 48 57 58 83
RENAULT S.C.A.C. Autom., 259 av. Gén.-de-Gaul par ① ☎ 48 23 40 40 N ☎ 48 57 53 01
ROVER Gar. Murat, 136 bis rte de Nevers ☎ 48 50 42 10
VAG Gar. Laudat, 99 rte de la Charité ☎ 48 70 15 17 N ☎ 48 24 19 90

Berry Pneus, 99 av. Dun ☎ 48 20 34 24
Euromaster, rte de la Charité à ST-Germain du Puy ☎ 48 65 02 34
Gar. Gaudichon et Thiault, à St-Florent sur Cher ☎ 48 55 65 92 N ☎ 48 55 65 92
Pneu Plus Poughon Vulcopneu, ZI n° 2 r. L.-Arman ☎ 48 50 51 76
Pneu Plus Poughon Vulcopneu, 58 bd Avenir ☎ 48 50 19 30

Le BOURGET 93 Seine-St-Denis 56 ⑪, 101 ⑰ – voir à Paris, Environs.

Le BOURGET-DU-LAC 73370 Savoie 74 ⑮ **G. Alpes du Nord** – 2 886 h alt. 240.

Voir Église : frise sculptée★ du choeur – Lac★★.

Env. Chapelle de l'Étoile ≤★★ N : 9 km puis 15 mn.

Office de Tourisme pl. Gén.-Sevez (saison) ☎ 79 25 01 99.

Paris 532 – Annecy 42 – Aix-les-Bains 8,5 – Belley 24 – Chambéry 13 – La Tour-du-Pin 49.

✿ **Ombremont et rest. Le Bateau Ivre** (Jacob), N : 2 km par N 504 ☎ 79 25 00 2. Fax 79 25 25 77, « ≤ lac et montagnes dans un parc », – ch – 60. AE GB
début mai-début nov. – **Repas** *(fermé mardi sauf juil.-août)* 195/510, enf. 100 – 70
14 ch 750/1700, 3 appart – ½ P 755/1230
Spéc. Filet de lavaret en raviole. Queues de langoustines rôties. Pêche rôtie, jus de groseilles aux épices, crème glac à la vanille. **Vins** Chignin-Bergeron, Gamay de Savoie.

Orée du Lac ⑤, ✆ 79 25 24 19, Fax 79 25 08 51, 余, « Parc », ⛱, ✂ – TV ☎ ♿ P. AE ⓓ GB JCB
fermé 2 nov. au 1er fév. – **Repas** (résidents seul.) 130/160 – ☐ 60 – **9 ch** 590/920, 3 duplex – ½ P 535/650.

Port, ✆ 79 25 00 21, Fax 79 25 26 82, ←, 余 – ▯ TV ☎ P. GB
fermé 15 déc. au 1er fév. – **Repas** *(fermé dim. soir d'oct. à mai et lundi)* 117/210, enf. 60 – ☐ 38 – **25 ch** 290/330 – ½ P 330/350.

XXX **La Grange à Sel,** ✆ 79 25 02 66, Fax 79 25 25 03, 余, « Ancienne grange à sel, jardin fleuri » – P. AE ⓓ GB
début mai-1er nov. et fermé merc. sauf juil.-août – **Repas** 120 (déj.), 165/260 et carte 190 à 290, enf. 85.

XXX ❀ **Aub. Lamartine** (Marin), N : 3,5 km par N 504 ✆ 79 25 01 03, Fax 79 25 20 66, ← lac, 余, 棠 – P. GB
fermé 15 déc. au 20 janv., dim. soir et lundi sauf fériés – **Repas** 170/380 et carte 290 à 380
Spéc. Salade de Saint-Jacques et langoustines tièdes. Filet de sandre rôti au fenouil. Gibier (20 sept. au 15 déc.). **Vins** Chignin-Bergeron, Mondeuse.

X **Beaurivage** avec ch, ✆ 79 25 00 38, Fax 79 25 06 49, ←, 余 – TV ☎ ✆ P. GB
fermé fév., mardi soir et merc. sauf juil.-août – **Repas** 105/210 – ☐ 42 – **7 ch** 290 – ½ P 310.

aux Catons NO : 2,5 km par D 42 – ✉ **73370** Le Bourget-du-Lac :

X **La Cerisaie** ⑤ avec ch, ✆ 79 25 01 29, Fax 79 25 26 19, ← lac et montagnes, 余 – TV ☎ P. AE ⓓ GB
fermé vacances de Toussaint, dim. soir et merc. sauf juil.-août – **Repas** 98/230 – ☐ 32 – **7 ch** 200/260 – ½ P 210/250.

à Bourdeau N : 4 km par D 14 – 434 h. alt. 315 – ✉ **73370** :

Terrasse ⑤, au village ✆ 79 25 01 01, Fax 79 25 09 97, ←, 棠 – TV ☎ P. GB. ⛔ ch
1er mars-15 oct. et fermé mardi midi en sais., dim. soir hors sais. et lundi – **Repas** 98/240, enf. 50 – ☐ 42 – **12 ch** 280 – ½ P 320.

BOURG-LA-REINE 92 Hauts-de-Seine 60 ⑩, 101 ㉕ – voir à Paris, Environs.

BOURG-LÈS-VALENCE 26 Drôme 77 ⑫ – rattaché à Valence.

BOURG-MADAME 66760 Pyr.-Or. 86 ⑯ **G. Pyrénées Roussillon** – 1 238 h alt. 1140.

Paris 879 – Font-Romeu-Odeillo-Via 19 – Andorra-la-Vella 68 – Ax-les-Thermes 45 – Carcassonne 141 – Foix 87 – ♦Perpignan 101.

Celisol sans rest, ✆ 68 04 53 70, 棠 – TV ☎ 🚗 P. GB
☐ 32 – **14 ch** 260/280.

Paix sans rest, ✆ 68 04 53 10 – ☎ P. AE GB. ⛔
☐ 30 – **9 ch** 210/230.

CITROEN Gar. Cerdane, ✆ 68 04 51 53 RENAULT Gar. Pallarès, ✆ 68 04 50 01

BOURGOIN-JALLIEU 38300 Isère 74 ⑬ **G. Vallée du Rhône** – 22 392 h alt. 235.

⛳ ✆ 74 43 28 84, à l'Isle-d'Abeau par ⑥ : 5,5 km.

ℹ Office de Tourisme pl. Carnot ✆ 74 93 47 50.

Paris 509 ⑥ – ♦Lyon 41 ⑥ – Bourg-en-Bresse 80 ① – ♦Grenoble 64 ③ – La Tour-du-Pin 14 ③ – Vienne 38 ⑥.

Plan page suivante

Menestret, par ⑥ : 1 km sur N 6 ✆ 74 93 13 01, Fax 74 28 46 70 – TV ☎ ✆ P. AE GB. ⛔ rest
fermé 24 déc. au 2 janv., dim. soir et lundi midi – **Repas** 90/190 ♂, enf. 48 – ☐ 30 – **9 ch** 190/255 – ½ P 180/228.

XX **Chavancy,** av. Tixier ✆ 74 93 63 88, Fax 74 28 42 44 – ▤. AE ⓓ GB B r
fermé 20 juil. au 20 août, dim. soir et lundi – **Repas** 100/330.

par ② : 2 km par N 6 et rte de Boussieu – ✉ **38300** Bourgoin-Jallieu :

XXXX ❀ **Laurent Thomas - les Séquoias** M ⑤ avec ch, Vie de Boussieu ✆ 74 93 78 00, Fax 74 28 60 90, 余, « Demeure bourgeoise dans un parc », ⛱ – ▤ rest TV ☎ P. AE ⓓ GB
fermé 6 août au 2 sept., dim. soir, lundi et soirs fériés – **Repas** 140 (déj.), 200/350 et carte 280 à 370 – ☐ 55 – **5 ch** 500/700
Spéc. Ravioles de chèvre au bouillon de poule. Pigeonneau rôti en bécasse. Cuisse de lièvre à la royale (fin oct. à fin déc.).

à la Combe-des-Éparres par ④ : 7 km – ✉ **38300** Bourgoin-Jallieu :

L'Auberge, sur N 85 ✆ 74 92 01 17 – AE ⓓ GB
fermé 15 au 31 août et lundi soir – **Repas** 65/165 ♂ – ☐ 23 – **8 ch** 85/195 – ½ P 145/195.

à La Grive par ⑥ : 4,5 km – ✉ **38080** l'Isle-d'Abeau :

XX **Bernard Lantelme,** ✆ 74 28 19 12, Fax 74 93 78 88, 余 – ▤ P. GB
fermé 5 au 25 août, sam. midi et dim. – **Repas** 129/230.

BOURGOIN-JALLIEU

Belmont (R. Robert) .... B 4
Libération (R. de la) .... B 18
Liberté (R. de la) .... B 19
Pontcottier (R.) .... B
République (R. de la) .. AB 31
St-Michel (Pl.) .... B 32

23-Août (Pl. du) .... B 41
Alpes (Av. des) .... A 2
Alsace-Lorraine (Av. d') .. A 3
Carnot (Pl.) .... B 5
Champ-de-Mars .... B 6
Clemenceau (R. Georges) A 9
Diéderichs (Pl. Ch.) ...... B 10
Gambetta (Av.) .... A 12
Génin (Av. Ambroise) .... A 15
Halle (Pl. de la) .... B 16

Molière (R.) .... B 20
Moulin (R. J.) .... B 21
Moulins (R. des) .... B 22
Nations-Unies (Av. des) .... B 23
Paix (R. de la) .... A 25
Pouchelon (R. de) .... B 26
République (Pl. de la) ... A 29
Seigner (R. Joseph) ..... A 35
Victor-Hugo (R.) .... B 36
19-Mars-62 (R. du) ...... AB 39

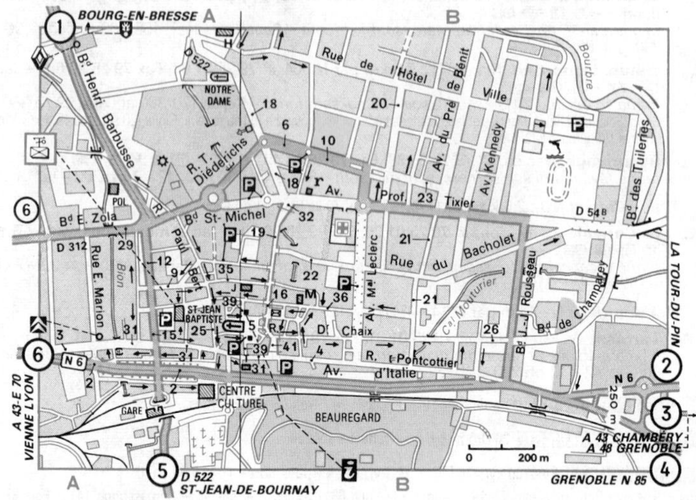

sur autoroute A 43 - aire l'Isle-d'Abeau - ou accès par ⑥ et N 6 : 6,5 km – ✉ 3808 l'Isle-d'Abeau :

Ibis sans rest, ✆ 74 27 27 91, Fax 74 27 01 45 – ⇔ TV ☎ ♿ P. AE ⊙ GB
⊐ 35 – **33 ch** 275/310.

à l'Isle-d'Abeau - ville nouvelle par ⑥ : 10,5 km – ✉ 38090 Villefontaine :

Mercure M, ✆ 74 96 80 00, Télex 308100, Fax 74 96 80 99, ⛱, Ls, ⛱, ⛱, ⛱, 🎾 – cuisinette ⇔ ▤ TV ☎ ♿ P – 🎯 150. AE ⊙ GB
Repas 130, enf. 50 – ⊐ 50 – **116 ch** 540, 30 studios.

à l'Isle-d'Abeau-Bourg vers ⑥ : 7 km – 5 554 h. alt. 265 – ✉ **38080** l'Isle-d'Abeau :

Otelinn M, r. Creuzat - Parc d'affaires St-Hubert ✆ 74 27 13 55, Fax 74 27 22 21, ⛱ – TV ☎ ♿ P – 🎯 30. AE ⊙ GB JCB
Repas *(fermé 3 au 18 août et dim.)* 82/152 🍷 – ⊐ 35 – **45 ch** 268/298.

Relais du Catey 🐴 avec ch, r. Didier ✆ 74 27 02 97, Fax 74 27 89 43, ⛱, ⛱ – P. AE GB
fermé 1er au 15 août, dim. soir et lundi – **Repas** 105 (déj.), 143/215 – ⊐ 31 – **8 ch** 110/200 – ½ P 180/225.

CITROEN Gar. Pellet, 5 av. Alsace-Lorraine ✆ 74 93 25 63
CITROEN Gar. Cruizille, à Villefontaine par ⑥ ✆ 74 96 52 30
NISSAN Gar. Blondet, N 6 à Ruy ✆ 74 93 43 24
PEUGEOT Gar. Gonin, 1 r. J.-Cugnot par bd E.-Zola A ✆ 74 93 00 90
RENAULT Gar. Girard, 88 av. H.-Barbusse A ✆ 74 43 50 00 N ✆ 74 43 09 57

VAG Gar. Reypin, 25 r. Pontcottier ✆ 74 28 07 34

Euromaster, ZI La Maladière, 4 r. Isaac-Asimov ✆ 74 93 66 31
Euromaster, 74 av. Prof.-Tixier ✆ 74 28 33 10
Mathieu Pneus, 14 bis r. Funas ✆ 74 28 00 22
Prieur Pneus Point S, 17 av. Alsace-Lorraine ✆ 74 93 31 34

Au moment de chercher un hôtel ou un restaurant, soyez efficace.
Sachez utiliser les noms soulignés en rouge sur les cartes Michelin à 1/200 000.
Mais ayez une carte à jour!

BOURG-ST-ANDÉOL 07700 Ardèche 80 ⑨ ⑩ G. Vallée du Rhône (plan) – 7 795 h alt. 36.

Voir Église★.

Office de Tourisme pl. Champ-de-Mars ☎ 75 54 54 20, Fax 75 54 66 49.

Paris 632 – Montélimar 25 – Nyons 51 – Pont-St-Esprit 15 – Privas 55 – Vallon-Pont-d'Arc 30.

Moderne, pl. Champ de Mars ☎ 75 54 50 12, Fax 75 54 63 26 – TV ☎. AE GB. rest
1er mars-30 nov. – **Repas** *(fermé sam. midi en sais., dim. soir et sam. hors sais.)* 85/185 – ☐ 30 – **21 ch** 110/280 – ½ P 165/250.

CITROEN Gar. Goussard, 13 fg Notre-Dame ☎ 75 54 50 27 N ☎ 75 54 80 63

BOURG-STE-MARIE 52150 H.-Marne 62 ⑬ – 117 h alt. 329.

Paris 313 – Chaumont 38 – Langres 45 – Neufchâteau 24 – Vittel 38.

St-Martin, ☎ 25 01 10 15, Fax 25 03 91 68 – rest TV ☎ P – 30. AE GB
fermé 15 déc. au 10 janv. et dim. soir du 15 nov. au 1er mars – **Repas** 78/185, enf. 55 – ☐ 35 – **18 ch** 200/280 – ½ P 250/300.

BOURG-ST-MAURICE 73700 Savoie 74 ⑱ G. Alpes du Nord – 6 056 h alt. 850 – Sports d'hiver aux Arcs : 1 200/3 226 m 5 74.

des Arcs Le Chantel ☎ 79 07 43 95, S : 20 km.

Office de Tourisme pl. Gare ☎ 79 07 04 92, Fax 79 07 24 90.

Paris 635 – Albertville 53 – Aosta 77 – Chambéry 99 – Chamonix-Mont-Blanc 79 – Moûtiers 25 – Val-d'Isère 31.

L'Autantic M sans rest, rte Hauteville ☎ 79 07 01 70, Fax 79 07 51 55, ← – TV ☎ P – 40. AE GB JCB
☐ 40 – **23 ch** 390/440.

Host. Petit St-Bernard, av. Stade ☎ 79 07 04 32, Fax 79 07 32 80 – TV ☎ P. GB
Repas 97/155, enf. 45 – ☐ 50 – **20 ch** 330/430 – ½ P 330/350.

Arolla sans rest, av. Centenaire ☎ 79 07 01 78 – TV ☎. GB
☐ 32 – **11 ch** 190/290.

Le Montagnole, 26 av. Stade ☎ 79 07 11 52 – GB
fermé 18 nov. au 15 déc., mardi soir et merc. hors sais. – **Repas** 70/170.

L'Edelweiss, face gare ☎ 79 07 05 55 – GB
fermé juin et 1er au 15 nov. – **Repas** 65/155.

PEUGEOT Gar. Martin, pl. Gare ☎ 79 07 01 44 N ☎ 79 07 03 06

Tarentaise Pneus, 31 av. Antoine Borrel ☎ 79 07 66 15

BOURGUEIL 37140 I.-et-L. 64 ⑬ G. Châteaux de la Loire – 4 001 h alt. 42.

Office de Tourisme pl. Halles ☎ 47 97 91 39, Fax 47 97 91 39.

Paris 283 – Tours 45 – Angers 65 – Chinon 17 – Saumur 23.

Le Thouarsais sans rest, pl. Hublin ☎ 47 97 72 05 – GB.
fermé 4 au 20 oct., 27 déc. au 1er janv. et dim. soir d'oct. à Pâques – ☐ 25 – **23 ch** 140/300.

Germain, r. A. Chartier ☎ 47 97 72 22 – GB
fermé 30 sept. au 25 oct., merc. soir et mardi de nov. à juin, dim. soir et lundi sauf fériés – **Repas** 90/180, enf. 45.

PEUGEOT Gar. Delafuye, av. St-Nicolas, la Villatte ☎ 47 97 70 48

RENAULT Gar. Pigeon, à St-Nicolas de Bourgueil ☎ 47 97 71 03 N ☎ 47 97 71 03

BOURTH 27580 Eure 60 ⑤ – 1 064 h alt. 182.

Paris 127 – Alençon 76 – L'Aigle 15 – Évreux 44 – Verneuil-sur-Avre 10,5.

Aub. Chantecler, face église ☎ 32 32 61 45 – GB
fermé 5 août au 2 sept., vacances de fév., lundi sauf fériés et dim. soir – **Repas** 78 (déj.), 122/198.

BOUSSAC 23600 Creuse 68 ⑳ G. Berry Limousin – 1 652 h alt. 376.

Voir Site★ du château.

Env. Toulx Ste-Croix : ★★ de la tour S : 11 km.

Office de Tourisme pl. Hôtel de Ville ☎ 55 65 05 95.

Paris 338 – Aubusson 48 – La Châtre 37 – Guéret 40 – Montluçon 38 – St-Amand-Montrond 55.

Relais Creusois, ☎ 55 65 02 20 – GB
fermé 17 au 27 juin, fév., mardi soir et merc. sauf juil.-août et fériés – **Repas** 120/370.

à *Nouzerines* NO : 11 km par D 97 – 277 h. alt. 407 – ✉ 23600 Boussac :

La Bonne Auberge, ☎ 55 82 01 18 – ch
fermé 16 août au 2 sept., 20 déc. au 2 janv., vend. soir et sam. – **Repas** 55/150 – ☐ 25 – **9 ch** 130/190 – ½ P 150/180.

PEUGEOT Gar. Chauvet, ☎ 55 65 04 11

RENAULT Gar. Chaubron, ☎ 55 65 01 32 N ☎ 05 05 15 15

BOUT-DU-LAC 74 H.-Savoie 74 ⑯ – ✉ 74210 Faverges.

Voir Combe d'Ire★ S : 3 km, **G. Alpes du Nord.**

Paris 555 – Annecy 18 – Albertville 27 – Megève 42.

au Bord du Lac :

XX **Chappet** avec ch, ☎ 50 44 30 19, Fax 50 44 83 26, ≤, « Terrasse au bord de l'eau », ⚓, 🌳 – TV ☎ P. AE GB
10 fév.-30 sept. et fermé jeudi soir et lundi sauf juil.-août – **Repas** 140/300 – ☕ 45 – **10 ch** 280/380 – ½ P 370.

à Doussard S : 3 km par N 508 et rte secondaire – 2 070 h. alt. 456 – ✉ 74210 Faverges:

🏨 **Marceau** 🐦, à Marceau-Dessus O : 2 km par N 508 et rte secondaire ☎ 50 44 30 11, Fax 50 44 39 44, ≤, ☂, 🌳, 🎾 – TV ☎ 🚗 P. AE ⓞ GB
1er fév.-15 oct. – **Repas** 130/330, enf. 70 – ☕ 50 – **15 ch** 480/680 – ½ P 680.

🏨 **Arcalod,** ☎ 50 44 30 22, Fax 50 44 85 03, 🏊, 🌳 – 🛗 TV ☎ P. AE ⓞ GB. ✂ rest
6 avril-15 oct. – **Repas** 90/150 🍷, enf. 55 – ☕ 40 – **33 ch** 310/450 – ½ P 300/350.

BOUT-DU-PONT-DE-LARN 81 Tarn 83 ⑫ – rattaché à Mazamet.

BOUTENAC-TOUVENT 17120 Char.-Mar. 71 ⑥ – 219 h alt. 45.

Paris 507 – Royan 31 – Blaye 51 – Jonzac 29 – Pons 23 – Saintes 33.

🏨 **Le Relais** M, ☎ 46 94 13 06, Fax 46 94 10 40, ☂, 🌳 – TV ☎ ♿ P. GB
fermé 15 au 31 déc., dim. soir et lundi sauf juil.-août – **Repas** 87/225 – ☕ 36 – **12 ch** 240/290 – ½ P 290.

BOUXWILLER 67330 B.-Rhin 57 ⑱ **G. Alsace Lorraine** – 3 693 h alt. 220.

Env. Tapisseries★★ dans l'église St-Pierre et St-Paul★ de Neuwiller-les Saverne O : 7 km.

ℹ Office de Tourisme du Pays de Hanau ☎ 88 70 70 16.

Paris 448 – ◆Strasbourg 38 – Bitche 36 – Haguenau 29 – Sarrebourg 39 – Saverne 15.

🏨 **Heintz,** ☎ 88 70 72 57, ☂, 🏊, 🌳 – TV ☎ 🚗 P. GB. ✂
fermé 1er au 15 juil. – **Repas** 50 (déj.), 85/195 🍷 – **16 ch** ☕ 280/340 – ½ P 240.

PEUGEOT Gar. Wietrich, rte de Strasbourg à Hochfelden ☎ 88 91 51 05
RENAULT Gar. Braunecker, à Ingwiller ☎ 88 89 43 78 N ☎ 88 89 43 78
RENAULT Gar. Hammann, à Hochfelden ☎ 88 91 50 37
RENAULT Gar. Roehrig, ZI rte d'Obermodern ☎ 88 70 76 90

BOUZEL 63910 P.-de-D. 73 ⑮ – 510 h alt. 320.

Paris 437 – ◆Clermont-Ferrand 23 – Ambert 57 – Issoire 39 – Thiers 25 – Vichy 47.

XX **Aub. du Ver Luisant,** ☎ 73 62 93 83 – GB
fermé 16 août au 5 sept., 25 au 31 déc., dim. soir et lundi – **Repas** 95 (déj.), 135/250.

BOUZE-LÈS-BEAUNE 21 Côte d'Or 70 ① – rattaché à Beaune.

BOUZIÈS 46330 Lot 79 ⑧ **G. Périgord Quercy** – 77 h alt. 127.

Voir Chemin de halage du Lot★.

Paris 588 – Cahors 26 – Figeac 49 – Gourdon 47 – Villefranche-de-Rouergue 40.

🏨 **Les Falaises** 🐦, ☎ 65 31 26 83, Fax 65 30 23 87, ≤, ☂, 🏊, 🌳, 🎾 – TV ☎ ♿ P – 🏛 40. AE GB
fermé déc. et janv. – **Repas** 77/230, enf. 45 – ☕ 35 – **39 ch** 336 – ½ P 300.

BOUZIGUES 34 Hérault 83 ⑯ – rattaché à Mèze.

BOYARDVILLE 17 Char.-Mar. 71 ⑬ – voir à Oléron (Ile d').

BOZOULS 12340 Aveyron 80 ③ **G. Gorges du Tarn** – 2 060 h alt. 530.

Voir Trou de Bozouls★.

Paris 611 – Rodez 23 – Espalion 10,5 – Mende 96 – Sévérac-le-Château 40.

🏨 **A la Route d'Argent,** sur D 988 ☎ 65 44 92 27, Fax 65 48 81 40, 🏊 – TV ☎ 🚗 P. AE ⓞ GB
fermé fév. et dim. soir hors sais. – **Repas** 70/190 🍷 – ☕ 30 – **18 ch** 155/220 – ½ P 210/230.

XX **Le Belvédère** 🐦 avec ch, ☎ 65 44 92 66, Fax 65 48 87 33, ≤ Trou de Bozouls, ☂ – TV ☎. GB
fermé déc. et dim. soir – **Repas** 75 (déj.), 98/175 – ☕ 29 – **11 ch** 240/270 – ½ P 225.

BRACIEUX 41250 L.-et-Ch. 64 ⑱ **G. Châteaux de la Loire** – 1 157 h alt. 70.

Paris 183 – ◆Orléans 60 – Blois 18 – Châteauroux 92 – Montrichard 37 – Romorantin-Lanthenay 29.

🏨 **La Bonnheure** 🐦 sans rest, ☎ 54 46 41 57, Fax 54 46 05 90, 🌳 – cuisinette TV ☎ P. AE GB
fermé Noël à début fév. – ☕ 36 – **11 ch** 250/350.

🏨 **Cygne et rest. Autebert,** ☎ 54 46 41 07, Fax 54 46 04 87 – TV ☎ ♿ P. GB
fermé janv. à mi-fév., dim. soir et merc. hors sais. – **Repas** 82/165, enf. 60 – ☕ 30 – **13 ch** 245/320 – ½ P 220.

XXXX ✿✿ **Bernard Robin,** ✆ 54 46 41 22, Fax 54 46 03 69, terrasse, « Jardin » – AE GB. ✂
fermé 20 déc. au 20 janv., mardi soir et merc. sauf juil.-août – **Repas** (nombre de couverts limité, prévenir) 200/615 et carte 330 à 640
Spéc. Salade de pigeon et homard. Queue de boeuf en hachis parmentier, jus aux truffes fraîches. Gibier (oct. à déc.). **Vins** Montlouis, Chinon.

RENAULT Gar. Warsemann, ✆ 54 55 33 33 N ✆ 54 95 02 02

BRANCION 71 S.-et-L. 70 ⑪ – rattaché à Tournus.

BRANTÔME 24310 Dordogne 75 ⑤ **G. Périgord Quercy** – 2 080 h alt. 104.
Voir Site★ – Clocher★★ de l'église abbatiale – Bords de la Dronne★★.
ℹ Syndicat d'Initiative Pavillon Renaissance ✆ 53 05 80 52, Fax 53 05 73 19.
Paris 480 – Angoulême 60 – Périgueux 27 – ◆Limoges 80 – Nontron 24 – Ribérac 37 – Thiviers 27.

✿ **Moulin de l'Abbaye** M, ✆ 53 05 80 22, Fax 53 05 75 27, ≤, terrasse, « Terrasse au bord de l'eau », – TV ☎ ♿ P. AE ① GB
26 avril-2 nov. – **Repas** *(fermé lundi midi)* 220/450 et carte 280 à 450, enf. 95 – ☕ 70 – **17 ch** 550/900, 3 appart – ½ P 750/960
Spéc. Beignets de truffes à la pulpe de pommes de terre. Chartreuse de homard aux cèpes. Cannelés au monbazillac. **Vins** Bergerac, Pécharmant.

Chabrol, ✆ 53 05 70 15, Fax 53 05 71 85, terrasse, « Terrasse surplombant la rivière » – TV ☎. AE ① GB
fermé 15 nov. au 15 déc., 2 au 21 fév., dim. soir et lundi du 1er oct. au 30 juin sauf fériés – **Repas** 160/400 – ☕ 45 – **21 ch** 260/400 – ½ P 360/460.

Domaine de la Roseraie 🔇, rte Angoulême ✆ 53 05 84 74, Fax 53 05 77 94, parc – TV ☎ ♿ P. AE ① GB
fermé fév. – **Repas** 95/169 🍷 – ☕ 50 – **7 ch** 400/680.

Périgord Vert, ✆ 53 05 70 58, terrasse – TV ☎ P – 30. GB. ✂ ch
Repas *(fermé dim. soir et vend. de nov. à mars)* 95/250 – ☕ 35 – **19 ch** 255/305 – ½ P 255/305.

à Champagnac de Belair NE : 6 km par D 78 et D 83 – 658 h. alt. 135 – ✉ **24530** :

✿ **Moulin du Roc** (Mme Gardillou) M 🔇, ✆ 53 54 80 36, Fax 53 54 21 31, ≤, terrasse, « Ancien moulin à huile, terrasse et jardin au bord de l'eau », piscine, tennis – TV ☎ P. AE ① GB JCB
fermé 2 janv. au 5 mars – **Repas** *(fermé merc. midi et mardi)* 150 bc (déj.), 220/300 et carte 280 à 400 – ☕ 60 – **10 ch** 400/620, 4 appart – ½ P 600/700
Spéc. Blanc de turbot au beurre de truffes. Tourtière de ris de veau. Marguerite de pommes. **Vins** Bergerac, Pécharmant.

à Bourdeilles SO : 10 km par D 78 – 811 h. alt. 103 – ✉ **24310**.
Voir château★ : mobilier★★, cheminée★★ de la salle à manger.

Griffons, ✆ 53 03 75 61, Fax 53 04 64 45, ≤, terrasse – ☎. AE GB
1er avril-30 sept. et fermé mardi midi – **Repas** 145/195 – ☕ 48 – **10 ch** 390/420 – ½ P 390/420.

CITROEN Gar. Desvergne, ✆ 53 05 70 29 N ✆ 53 05 83 93

BRASSAC-LES-MINES 63570 P.-de-D. 76 ⑤ – 3 446 h alt. 430.
Env. Auzon : site★, statue de N.-D.-du-Portail★★ dans l'église SE : 6,5 km, **G. Auvergne.**
Paris 474 – ◆Clermont-Ferrand 56 – Brioude 13 – Issoire 21 – Murat 61 – Le Puy-en-Velay 74 – St-Flour 52.

XX **Le Limanais** avec ch, av. Ste-Florine ✆ 73 54 13 98, Fax 73 54 39 63 – ☎ P. GB. ✂
◆ *fermé 27 sept. au 4 oct., 2 au 29 janv., sam. midi et vend. sauf juil.-août* – **Repas** 80/300 🍷 – ☕ 34 – **14 ch** 175/265 – ½ P 200/245.

CITROEN Gar. Beauger, à Charbonnier-les-Mines ✆ 73 54 03 34
FORD Gar. Jourdes, 3 pl. Musée ✆ 73 54 10 02
PEUGEOT Gar. Maisonneuve, ✆ 73 54 19 21

BRAX 47 L.-et-G. 79 ⑮ – rattaché à Agen.

BREBIÈRES 62 P.-de-C. 53 ③ – rattaché à Douai.

BRÉDANNAZ 74 H.-Savoie 74 ⑥ ⑯ – alt. 450 – ✉ **74210** Faverges.
Paris 552 – Annecy 15 – Albertville 30 – Megève 45.

Port et Lac, ✆ 50 68 67 20, ≤, terrasse, – TV ☎ P. GB
◆ *1er fév.-15 oct.* – **Repas** 65/250, enf. 45 – ☕ 44 – **18 ch** 180/350 – ½ P 240/335.

à Chaparon S : 1,5 km par rte secondaire – ✉ **74210** Faverges :

La Châtaigneraie 🔇, ✆ 50 44 30 67, Fax 50 44 83 71, ≤, terrasse, « Jardin ombragé », tennis – cuisinette TV ☎ P. AE ① GB. ✂ rest
1er fév.-30 oct. et fermé dim. soir et lundi du 1er oct. au 1er mai – **Repas** 100 (déj.), 115/280, enf. 58 – ☕ 48 – **19 ch** 400, 6 studios – ½ P 335/375.

La BRÈDE **33650** Gironde **71** ⑩ – 2 846 h alt. 18.

Paris 601 – ◆Bordeaux 22 – Langon 30 – Libourne 50.

XX **La Maison des Graves**, av. Gén. de Gaulle ☏ 56 20 24 45 – AE ⓓ GB
fermé dim. soir et lundi sauf fériés le midi – **Repas** 70 (déj.), 98/165 ♁.

BRÉHAL **50290** Manche **59** ⑦ – 2 351 h alt. 69.

⛳9 ☏ 33 51 58 88, O : 5 km.

Paris 344 – St-Lô 43 – Coutances 19 – Granville 10 – Villedieu-les-Poêles 26.

Gare, ☏ 33 61 61 11, Fax 33 61 18 02 – TV ☎ P. AE GB
fermé 22 déc. au 31 janv., dim. soir et lundi sauf juil.-août et fériés – **Repas** 72 (déj.), 78/180 ♁ – ☕ 38 – **9 ch** 280/300 – ½ P 280.

RENAULT Gar. Lainé, ☏ 33 61 62 52 N ☏ 33 61 62 52

La BREILLE-LES-PINS **49390** M.-et-L. **64** ⑬ – 345 h alt. 105.

Paris 280 – ◆Angers 58 – Baugé 30 – Chinon 33 – Saumur 17.

XX **Orée des Bois** avec ch, ☏ 41 38 85 45, Fax 41 38 86 07, 余, 🌲 – ▤ rest TV ☎ P. GB
fermé 30 juil. au 18 août, 1er au 23 janv., lundi soir et mardi – **Repas** 95/175, enf. 40 – ☕ 30 – **6 ch** 250/270 – ½ P 200/260.

BREIL-SUR-ROYA **06540** Alpes-Mar. **84** ⑳ **115** ⑱ **G. Côte d'Azur** – 2 058 h alt. 280.

Env. Saorge : site★★, Madonna del Poggio★, couvent des Franciscains ≤★★ N : 9 km – Gorges de Saorge★★ N : 9 km.

ℹ Office de Tourisme pl. Brancheri ☏ 93 04 99 76, Mairie (hors saison) ☏ 93 04 99 99.

Paris 898 – Menton 35 – ◆Nice 61 – Tende 20 – Ventimiglia 25.

Castel du Roy ⛰, N : 1 km par N 204 ☏ 93 04 43 66, Fax 93 04 91 83, ≤, 余, « Parc en bordure de rivière », ⛱ – TV ☎ ♿ P. AE GB
1er mars-31 oct. – **Repas** *(fermé mardi midi sauf du 16 juin au 14 sept.)* 100/250, enf. 70 – ☕ 35 – **19 ch** 360/400 – ½ P 320/340.

Roya, pl. Biancheri ☏ 93 04 48 10, Fax 93 04 92 70, 余 – TV ☎. GB
fermé vacances de fév. – **Repas** *(fermé vend. sauf juil.-août)* 90/210 ♁, enf. 55 – ☕ 30 – **13 ch** 280 – ½ P 250.

Pour les grands voyages d'affaires ou de tourisme,
Guide Rouge MICHELIN : EUROPE.

BRELIDY **22140** C.-d'Armor **59** ② – 325 h alt. 100.

Voir Église de Runan★ NE : 4 km, **G. Bretagne.**

Paris 499 – St-Brieuc 50 – Carhaix-Plouguer 61 – Guingamp 14 – Lannion 26 – Morlaix 55 – Plouaret 23.

Château de Brelidy ⛰, ☏ 96 95 69 38, Fax 96 95 18 03, ≤, « Demeure du 16e siècle dans un parc » – ☎ ♿ P – 🏛 25. AE GB. ✗ rest
5 avril-3 nov. – **Repas** (dîner seul.)(résidents seul.) 140/180 – ☕ 50 – **10 ch** 475/755 – ½ P 425/605.

La BRESSE **88250** Vosges **62** ⑰ **G. Alsace Lorraine** – 5 191 h alt. 636 – Sports d'hiver : 900/1 350 m ⛷25 ⛷.

ℹ Office de Tourisme 2a r. des Proyes ☏ 29 25 41 29, Fax 29 25 64 61.

Paris 452 – Colmar 53 – Épinal 58 – Gérardmer 13 – Remiremont 33 – Thann 38 – Le Thillot 19.

Les Vallées M, 31 r. P. Claudel ☏ 29 25 41 39, Fax 29 25 64 38, ≤, 余, « Parc », ⛱, ✗ – ⛘ cuisinette TV ☎ 🚗 P – 🏛 200. AE ⓓ GB
Repas 91/240 ♁, enf. 50 – ☕ 39 – **53 ch** 325/385 – ½ P 346.

au NE : 6,5 km par D 34 et D 34D – ✉ **88250** La Bresse :

XX **Aub. du Pêcheur** avec ch, ☏ 29 25 43 86, Fax 29 25 52 59, ≤, 余, 🌲 – cuisinette TV P. AE ⓓ GB
fermé 15 au 30 juin, 1er au 15 déc., mardi soir hors sais. et merc. – **Repas** 70/135 ♁, enf. 46 – ☕ 26 – **4 ch** 190/250.

à Belles-Huttes NE : 8 km par D 34 et D 34D – ✉ **88250** La Bresse :

X **Le Slalom**, ☏ 29 25 41 71, Fax 29 25 60 59, ≤ – P. AE ⓓ GB
fermé nov. – **Repas** (en saison d'hiver uniquement libre-service) 80/190.

CITROEN Gar. Jeangeorge, 7 r. Mougel Bey ☏ 29 25 40 41
PEUGEOT Gar. du Pont de la Plaine, 23 rte de Cornimont ☏ 29 25 40 88
RENAULT Gar. Bertrand, Grande rue ☏ 29 25 40 69 N ☏ 29 25 55 06
VAG Gar. Deybach, 52 rte de Vologne ☏ 29 25 46 91

BRESSON **38** Isère **77** ⑤ – rattaché à Grenoble.

BRESSUIRE <SP> **79300** Deux-Sèvres **67** ⑰ **G. Poitou Vendée Charentes** – 17 827 h alt. 186.

Office de Tourisme pl. Hôtel de Ville ✆ 49 65 10 27 – A.C. ✆ 49 65 10 27.

Paris 355 ① – ♦Angers 81 ① – Cholet 46 ④ – Niort 62 ③ – Poitiers 82 ② – La Roche-sur-Yon 87 ④.

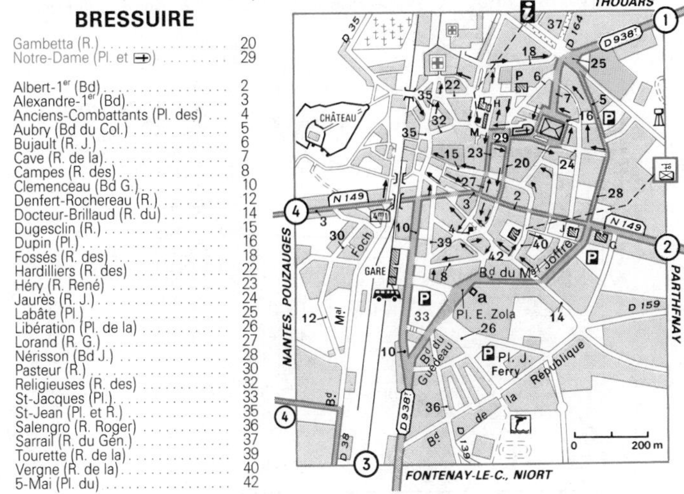

Boule d'Or, 15 pl. É. Zola **(a)** ✆ 49 65 02 18, Fax 49 74 11 19 – TV ☎ P – 30. AE GB
fermé août, 2 au 20 janv. et dim. soir – **Repas** 65/200 – 30 – **20 ch** 220/270 – ½ P 220/250.

FIAT, LANCIA Gar. Chauvin Besse, 5 r. Gén.-André ✆ 49 65 06 14
PEUGEOT Gar. Cornu, bd de Thouars par ① ✆ 49 74 20 44 N ✆ 49 94 72 53

RENAULT Gar. Goyault et Jolly, rte de Poitiers par ② ✆ 49 74 15 33 N ✆ 49 94 70 46
VAG Gar. Chollet, bd de Nantes ✆ 49 65 04 00

Bressuire Pneus, 89 bd de Poitiers ✆ 49 74 13 86

BREST <SP> **29200** Finistère **58** ④ **G. Bretagne** – 147 956 h Agglo. 201 480 h alt. 35.

Voir Oceanopolis★★ – Cours Dajot ≤★★ EZ – Traversée de la rade★ et promenade en rade★ – Visite arsenal et base navale ★ DZ – Musée des Beaux-Arts★ EZ **M.**

Env. Pont Albert-Louppe ≤★ 7,5 km par ⑤.

9 18 Brest-Iroise ✆ 98 85 16 17, par ④ : 25 km ; 9 9 des Abers, à Plouarzel, ✆ 98 89 68 33, par ① : 24 km.

de Brest-Guipavas : ✆ 98 32 01 00, par ② : 10 km.

Office de Tourisme 1 pl. Liberté ✆ 98 44 24 96, Fax 98 44 53 73 – A.C. 9 r. Siam ✆ 98 44 32 89.

Paris 596 ② – Lorient 134 ⑤ – Quimper 72 ⑤ – ♦Rennes 244 ② – St-Brieuc 143 ②.

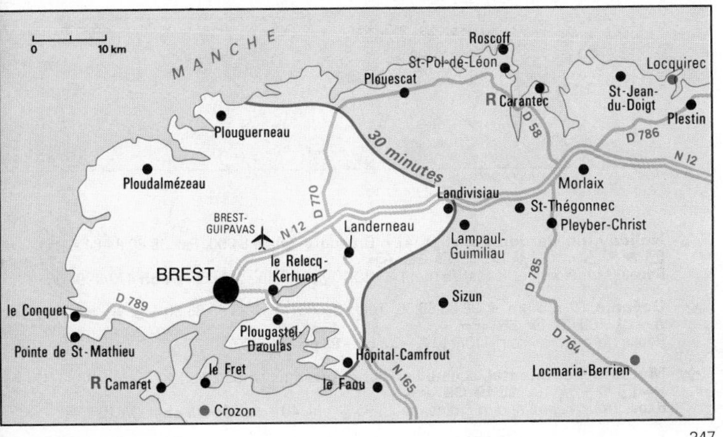

BREST

Clemenceau (Av. G.) ...... **EY**	Lyon (R. de) .... **DEY**	Anatole-France (R.) ..... **AX**
Jaurès (R. J.) .... **EY**	Siam (R. de) .... **EY**	Beaumanoir (R.) .... **AX**
Liberté (Pl. de la) .... **EY**	Aiguillon (R. d') .... **EZ**	Blum (Bd Léon) .... **BV**
	Albert 1er (Pl.) .... **BZ**	Bot (R. du) .... **CV**
	Algésiras (R. d') .... **EY** 2	Botrel (R. Th.) .... **BV**
		Brossolette (R. Pierre) .... **DZ**

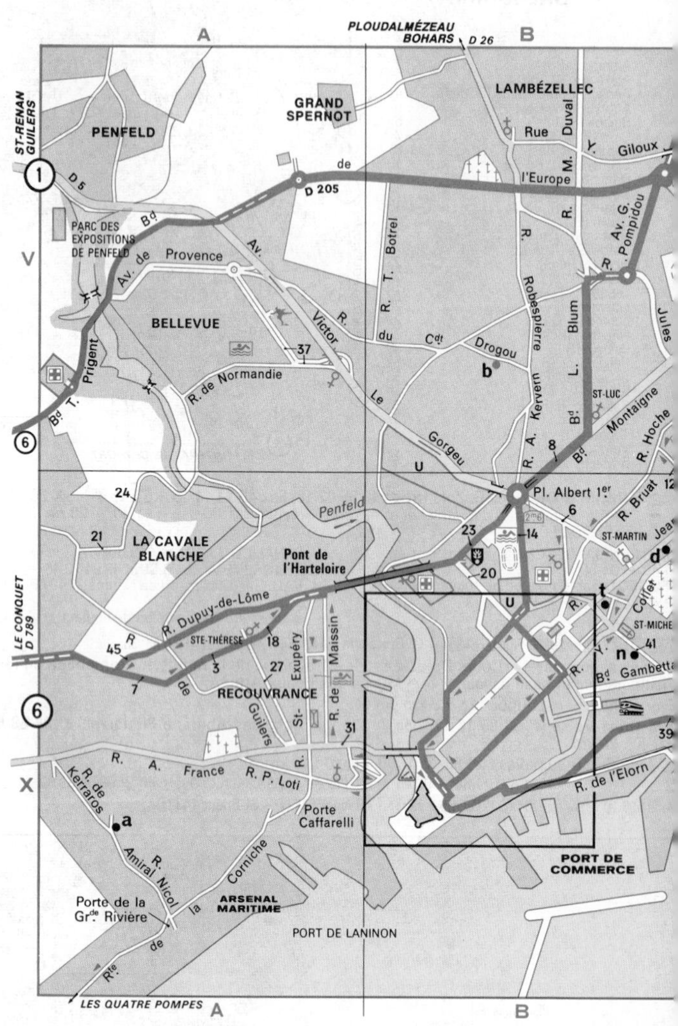

Holiday Inn Garden Court M, 41 r. Branda ☎ 98 80 84 00, Fax 98 80 84 84 – ascenseur, TV ☎ – 50. AE GB JCB
Repas *(fermé dim. et fériés)* 75 (déj.), 110/210 ♂, enf. 45 – ☐ 55 – **84 ch** 470/490 – ½ P 590. BX t

Océania, 82 r. Siam ☎ 98 80 66 66, Télex 940951, Fax 98 80 65 50 – ascenseur, rest TV ☎ – 100. AE GB JCB
Repas *(fermé dim. soir)* 110/210 ♂ – ☐ 52 – **82 ch** 460/720. EY r

Mercure Continental, square La Tour d'Auvergne ☎ 98 80 50 40, Fax 98 43 17 47 – ascenseur, TV ☎ – 100. AE GB JCB
Repas *(fermé sam. et dim.)* (dîner seul.) 95 ♂, enf. 40 – ☐ 50 – **75 ch** 390/610. EY f

ruat (R.) . . . . BX
affarelli (Porte) . . . . AX
hâteau (R. du) . . . EYZ
olbert (R.) . . . . EY 5
ollet (R. Yves) . . . . . BX
orniche (Rte de la) . AX
Dajot (Cours) . . . . EZ
Denvers (R.) . . . . EZ
Desmoulins (Av. C.) . . . . BX 6
Dr-Kerrien (R. du) . . . AX 7
Doumer (R. Paul) . . . BV 8

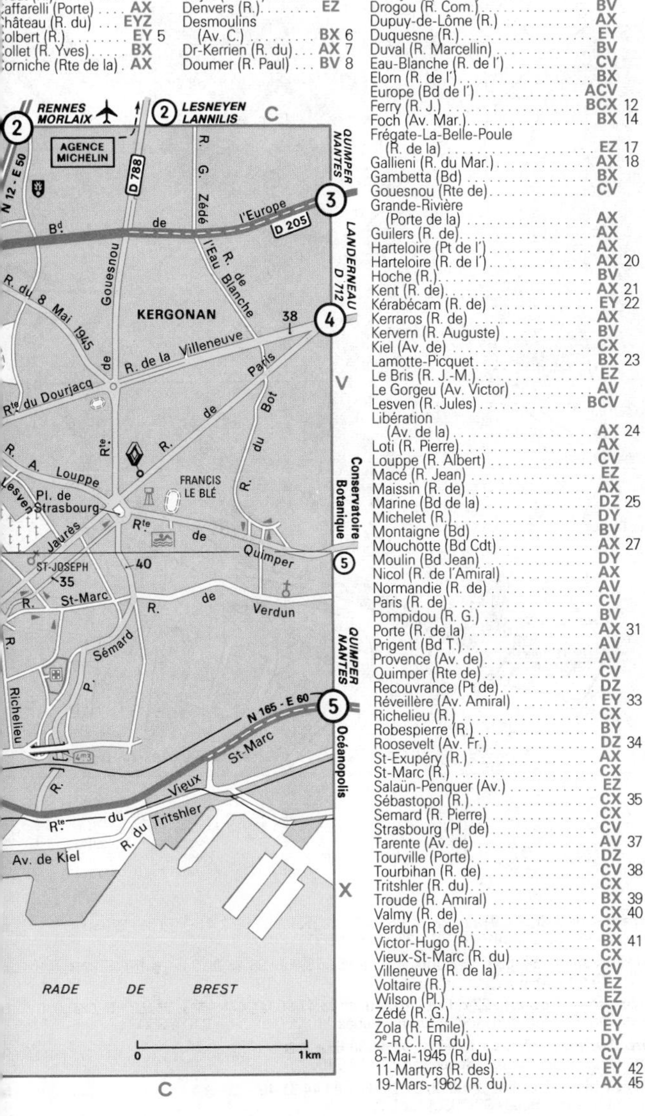

Dourjacq (Rte du) CV
Drogou (R. Com.) . . . . BV
Dupuy-de-Lôme (R.) . . . . AX
Duquesne (R.) . . . . EY
Duval (R. Marcellin) . . . . BV
Eau-Blanche (R. de l') CV
Elorn (R. de l') . . . . BX
Europe (Bd de l') . . . . ACV
Ferry (R. J.) . . . . BCX 12
Foch (Av. Mar.) . . . . BX 14
Frégate-La-Belle-Poule (R. de la) . . . . EZ 17
Gallieni (R. du Mar.) . . . . AX 18
Gambetta (Bd) . . . . BX
Gouesnou (Rte de) CV
Grande-Rivière (Porte de la) . . . . AX
Guilers (R. de) . . . . AX
Harteloire (Pt de l') . . . . AX
Harteloire (R. de l') . . . . AX 20
Hoche (R.) . . . . BV
Kent (R. de) . . . . AX 21
Kérabécam (R. de) . . . . EY 22
Kerraros (R. de) . . . . AX
Kervern (R. Auguste) . . . . BV
Kiel (Av. de) CX
Lamotte-Picquet . . . . BX 23
Le Bris (R. J.-M.) . . . . EZ
Le Gorgeu (Av. Victor) . . . . AV
Lesven (R. Jules) . . . . BCV
Libération (Av. de la) . . . . AX 24
Loti (R. Pierre) . . . . AX
Louppe (R. Albert) CV
Macé (R. Jean) . . . . EZ
Maissin (R. de) . . . . AX
Marine (Bd de la) . . . . DZ 25
Michelet (R.) . . . . DY
Montaigne (Bd) . . . . BV
Mouchotte (Bd Cdt) . . . . AX 27
Moulin (Bd Jean) . . . . DY
Nicol (R. de l'Amiral) . . . . AX
Normandie (R. de) . . . . AV
Paris (R. de) CV
Pompidou (R. G.) . . . . BV
Porte (R. de la) . . . . AX 31
Prigent (Bd T.) . . . . AV
Provence (Av. de) . . . . AV
Quimper (Rte de) CV
Recouvrance (Pt de) . . . . DZ
Réveillère (Av. Amiral) . . . . EY 33
Richelieu (R.) CX
Robespierre (R.) . . . . BY
Roosevelt (Av. Fr.) . . . . DZ 34
St-Exupéry (R.) . . . . AX
St-Marc (R.) CX
Salaün-Penquer (Av.) . . . . EZ
Sébastopol (R.) . . . . CX 35
Semard (R. Pierre) CX
Strasbourg (Pl. de) CV
Tarente (Av. de) . . . . AV 37
Tourville (Porte) . . . . DZ
Tourbihan (R. de) . . . . CV 38
Tritshler (R. du) CX
Troude (R. Amiral) . . . . BX 39
Valmy (R. de) . . . . CX 40
Verdun (R. de) CX
Victor-Hugo (R.) . . . . BX 41
Vieux-St-Marc (R. du) CX
Villeneuve (R. de la) CV
Voltaire (R.) . . . . EZ
Wilson (Pl.) . . . . EZ
Zédé (R. G.) CV
Zola (R. Émile) . . . . EY
2e-R.C.I. (R. du) . . . . DY
8-Mai-1945 (R. du) CV
11-Martyrs (R. des) . . . . EY 42
19-Mars-1962 (R. du) . . . . AX 45

Atlantis M sans rest, 157 r. J. Jaurès ✆ 98 43 58 58, Fax 98 43 58 01 – TV ☎ – 50. AE GB BX **d**
☕ 38 – **50 ch** 200/310.

La Corniche, 1 r. Amiral Nicol ✆ 98 45 12 42, Fax 98 49 01 53, – TV ☎ P. AE GB AX **a**
Repas *(fermé vend., sam., dim. et fériés)* (dîner seul.) 80/250 – ☕ 38 – **16 ch** 300/420 – ½ P 290.

Paix sans rest, 32 r. Algésiras ✆ 98 80 12 97, Fax 98 43 30 95 – TV ☎. AE GB JCB EY **y**
fermé 25 déc. au 2 janv. – ☕ 30 – **25 ch** 245/300.

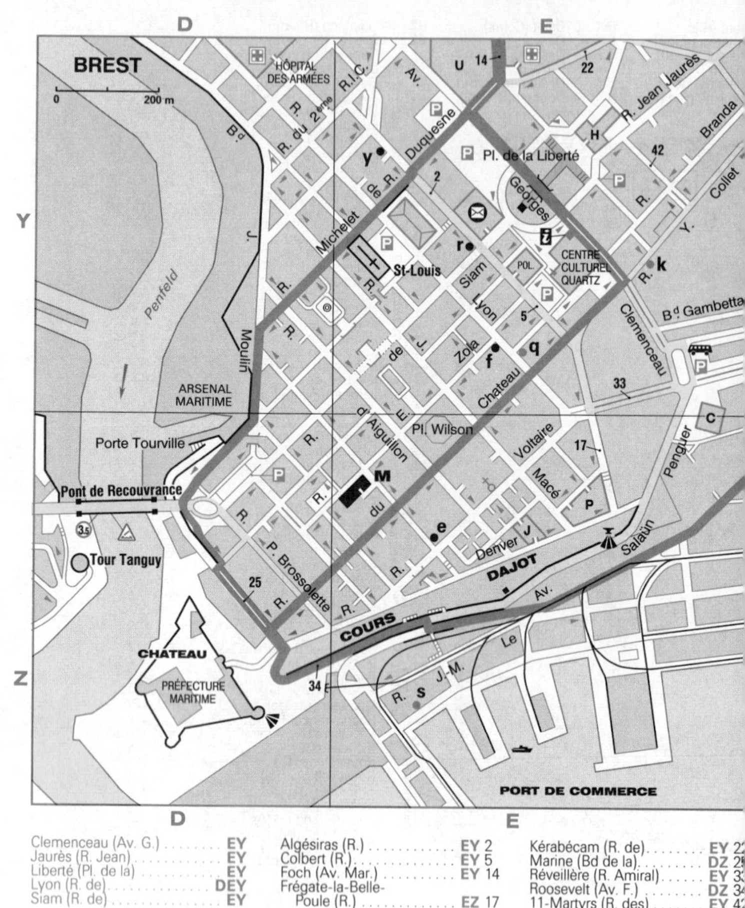

Clemenceau (Av. G.) . . . . EY
Jaurès (R. Jean) . . . . EY
Liberté (Pl. de la) . . . . EY
Lyon (R. de) . . . . DEY
Siam (R. de) . . . . EY

Algésiras (R.) . . . . EY 2
Colbert (R.) . . . . EY 5
Foch (Av. Mar.) . . . . EY 14
Frégate-la-Belle-Poule (R.) . . . . EZ 17

Kérabécam (R. de) . . . . EY 2
Marine (Bd de la) . . . . DZ 2
Réveillère (R. Amiral) . . . . . EY 3
Roosevelt (Av. F.) . . . . DZ 3
11-Martyrs (R. des) . . . . EY 4

Astoria sans rest, 9 r. Traverse ☎ 98 80 19 10, Fax 98 80 52 41 – TV ☎. AE GB — EZ
fermé 23 déc. au 2 janv. – ☕ 28 – **26 ch** 130/250.

Bellevue sans rest, 53 r. V. Hugo ☎ 98 80 51 78, Fax 98 46 02 84 – TV ☎. GB — BX
☕ 35 – **25 ch** 265.

XXX **Le Nouveau Rossini,** 22 r. Cdt Drogou ☎ 98 47 90 00, – P. AE GB — BV
fermé 6 au 27 août, dim. soir et lundi – **Repas** 110/350 et carte 240 à 350.

XXX **Frère Jacques,** 15 bis r. Lyon ☎ 98 44 38 65 – GB — EY
fermé sam. midi et dim. – **Repas** carte 180 à 310.

XX **Ruffé,** 1 bis r. Y. Collet ☎ 98 46 07 70, Fax 98 44 31 46 – AE GB — EY
fermé dim. soir – **Repas** 90/193 ♂, enf. 39.

X **La Maison de l'Océan,** 2 quai Douane (port de Commerce) ☎ 98 80 44 84, ← – AE GB — EZ
Repas - produits de la mer - 78/142 ♂, enf. 42.

au Nord par D 788 CV : 5 km – ✉ **29200** Brest :

Novotel M, Z.A. Kergaradec ☎ 98 02 32 83, Fax 98 41 69 27, – ⇔ rest TV ☎ & P – 120. AE GB
Repas 80/155 bc, enf. 50 – ☕ 50 – **85 ch** 420/480.

Climat de France M, près ZA Kergaradec ☎ 98 47 50 50, Fax 98 47 76 62 – TV ☎ & P – 30. AE GB
Repas *(fermé 24 au 31 déc.)* 85/105 ♂, enf. 39 – ☕ 35 – **54 ch** 280 – ½ P 230.

au Relecq-Kerhuon par ⑤ : 7,5 km – 10 569 h. alt. 52 – ✉ **29480** :

Relais Confortel M, Z.I. de Kerscao ☎ 98 28 28 44, Fax 98 28 05 65, – ✈ TV ☎ & P – 40. AE GB
Repas *(fermé dim. soir)* 68/95 ß, enf. 38 – ☕ 30 – **42 ch** 260 – ½ P 220.

à Ste-Anne-du-Portzic par ⑥, D 789 et rte secondaire : 7 km – ✉ **29200** Brest :

Belvédère M ⟩, ☎ 98 31 86 00, Fax 98 31 86 39, ≤ océan – ▯ ✈ TV ☎ & P. AE ① GB
Repas 89/255 ß – ☕ 45 – **30 ch** 440/620 – ½ P 285.

MICHELIN, Agence, 1 r. P.-Héroult ZI Loscoat par ② ☎ 98 47 31 31

ALFA ROMEO, TOYOTA Brest Autom., 84 rte de Gouesnou ☎ 98 02 21 82
BMW Ouest-Autom., 9 r G.-Plante ZA Kergaradec Gouesnou ☎ 98 02 11 15 N ☎ 98 40 65 75
CITROEN Succursale, 2 r G.-Zede,ZI de Kergonan par ② ☎ 98 41 27 27 N ☎ 98 40 65 75
FIAT G.A.O., 16 r. Villeneuve ☎ 98 02 64 44
FORD Gar. Herrou et Lyon, 259 rte de Gouesnou à Kerguen ☎ 98 02 35 62
MERCEDES Gar. de l'Etoile, ZAC de l'Hermitage ☎ 98 41 80 80
OPEL Europe Motors, bd de l'Europe ☎ 98 41 70 40 N ☎ 98 40 65 75
PEUGEOT Brestoise des Gar. de Bretagne, rte de Gouesnou ☎ 98 42 43 44 N ☎ 98 62 21 26
RENAULT Auto Sce Brestois, 20 r. de Paris CV ☎ 98 02 20 20 N ☎ 05 05 15 15
ROVER Sébastopol Autom., ZI Kergonan angle bd Europe et rte de Gouesnou ☎ 98 42 05 55 N ☎ 98 40 65 75
VAG Gar. St-Christophe, 132 rte de Gouesnou ☎ 98 02 19 80 N ☎ 98 40 65 75

Madec Pneus, 19 r. Kerjean-Vras ☎ 98 44 43 13
Pneu plus Armorique Vulcopneu, 7 r. Villeneuve ☎ 98 02 02 11
Pneus Service Point S, 183 rte de Gouesnou ☎ 98 02 35 26
Simon Pneus, 64 rte de Gouesnou ☎ 98 02 38 66

BRETENOUX **46130** Lot **75** ⑲ **G. Périgord Quercy** – 1 211 h alt. 136.

Voir Château de Castelnau-bretenoux★★ : ≤★ SO : 3,5 km.

Office de Tourisme av. Libération ☎ 65 38 59 53, Fax 65 39 72 44.

Paris 534 – Brive-la-Gaillarde 45 – Cahors 78 – Figeac 48 – Sarlat-la-Canéda 68 – Tulle 52.

au Port de Gagnac NE : 6 km par D 940 et D 14 – ✉ **46130** Bretenoux :

Host. Belle Rive, ☎ 65 38 50 04, Fax 65 38 47 72, ≤, – TV ☎ P. GB. ✻ ch
Repas 75/200, enf. 40 – ☕ 30 – **13 ch** 200/300 – ½ P 250/290.

CITROEN Gar. Croix Blanche, à St-Michel-Loubéjou ☎ 65 38 11 88
PEUGEOT Bretenoux Auto, ☎ 65 38 45 60
RENAULT Gar. Bassat, ☎ 65 38 45 84

Biars Pneus, à Biars-sur-Cère ☎ 65 38 58 34

BRETEUIL **27160** Eure **55** ⑯ **G. Normandie Vallée de la Seine** – 3 351 h alt. 168.

Paris 117 – Alençon 89 – L'Aigle 25 – Conches-en-Ouche 14 – Évreux 30 – Verneuil-sur-Avre 11.

Le Biniou, 76 pl. Laffitte ☎ 32 29 70 61 – AE GB
fermé 20 août au 5 sept., 20 déc. au 5 janv., mardi soir et merc. – **Repas** 65 (déj.), 105/200 ß, enf. 60.

Goy Pneus Point S, ZI N° 1, rte de Conches ☎ 32 29 71 88

Le BREUIL **71** S.-et-L. **69** ⑧ – rattaché au Creusot.

Le BREUIL-EN-AUGE **14130** Calvados **54** ⑰ – 779 h alt. 38.

Paris 202 – ◆Caen 54 – Deauville 21 – Lisieux 9.

✕✕ ✿ **Aub. Dauphin** (Lecomte), ☎ 31 65 08 11, Fax 31 65 12 08 – AE GB
fermé dim. soir et lundi sauf août – **Repas** 175/225 et carte 290 à 390
Spéc. Barbecue d'huîtres spéciales d'Isigny. Râble de lapin farci à la havraise. Tarte fine aux pommes reinette, glace cannelle.

BREUILLET **17920** Char.-Mar. **71** ⑮ – 1 863 h alt. 28.

Paris 505 – Royan 10 – Rochefort 36 – La Rochelle 70 – Saintes 38.

✕✕ **La Grange,** Le Grallet O : 1,5 km ☎ 46 22 72 64, Fax 46 22 79 55, , « Ancienne ferme aménagée, parc fleuri, », – GB
1er juil.-31 août – **Repas** 220 et carte 190 à 330.

BRÉVANS **39** Jura **70** ③ – rattaché à Dole.

BRÉVIANDES **10** Aube **61** ⑯ ⑰ – rattaché à Troyes.

Donnez-nous votre avis sur les tables que nous recommandons,
sur leurs spécialités et leurs vins de pays.

BRÉVONNES **10220** Aube 61 ⑰ ⑱ – 604 h alt. 120.

Paris 206 – Troyes 26 – Bar-sur-Aube 29 – St-Dizier 58 – Vitry-le-François 51.

XX **Vieux Logis** avec ch, ✆ 25 46 30 17, Fax 25 46 37 20, ☂, ☗ – TV ☎ P. GB. ✂ ch
fermé dim. soir et lundi du 15 sept. au 30 avril – **Repas** 75/240 ⚲, enf. 47 – ☕ 35 – **5 c**
175/275 – ½ P 200/275.

BREZOLLES **28270** E.-et-L. 60 ⑥ – 1 695 h alt. 170.

Paris 105 – Chartres 43 – Alençon 87 – Argentan 91 – Dreux 23.

Le Relais, ✆ 37 48 20 84, Fax 37 48 28 46 – TV ☎ P. ⓓ GB
fermé août, 1er au 7 janv., vend. soir et dim. soir – **Repas** 76/170 ⚲, enf. 52 – ☕ 30 – **25 c**
170/230 – ½ P 230.

BRIAL **82** T.-et-G. 82 ⑦ – rattaché à Montauban.

BRIANÇON SP **05100** H.-Alpes 77 ⑱ **G. Alpes du Sud** – 11 041 h alt. 1321 – Sports d'hiver 1 200/2 800 m
⛷9 ⛷.

Voir Ville haute★★ : Grande Gargouille★, Pont d'Asfeld★, Remparts ≤★, Statue "La France"★
– Puy St-Pierre ✳★★ de l'église SO : 3 km par Rte de Puy St-Pierre.

Env. Croix de Toulouse ≤★★ par Av. de Toulouse et D232T : 8,5 km.

🚗 ✆ 92 51 50 50.

ℹ Office de Tourisme pl. du Temple ✆ 92 21 08 50, Fax 92 20 56 45.

Paris 686 ④ – Digne-les-Bains 147 ③ – Gap 88 ③ – ♦Grenoble 117 ④ – ♦Nice 219 ③ – Torino 108 ①.

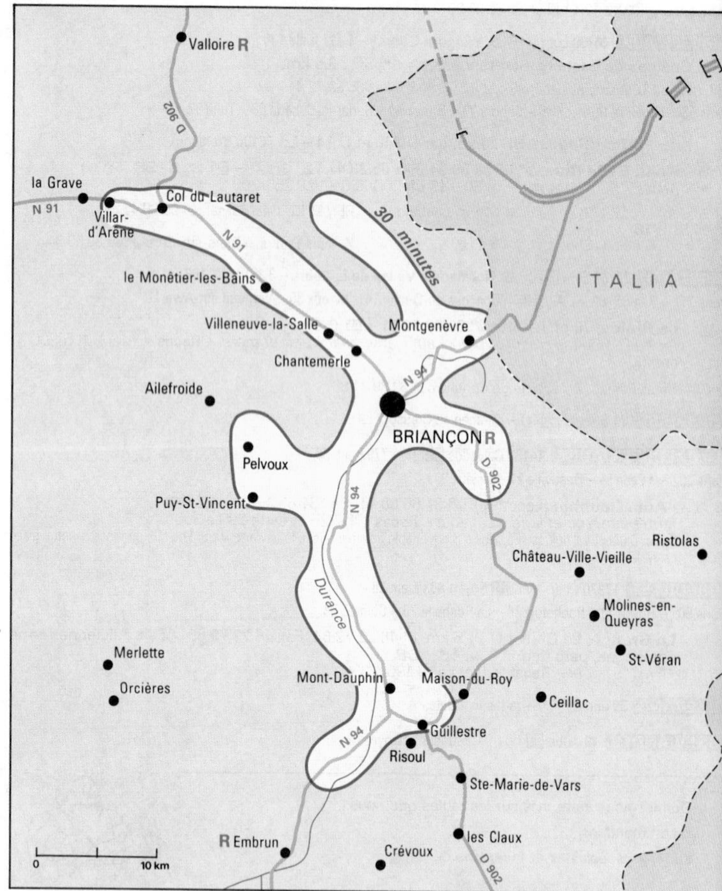

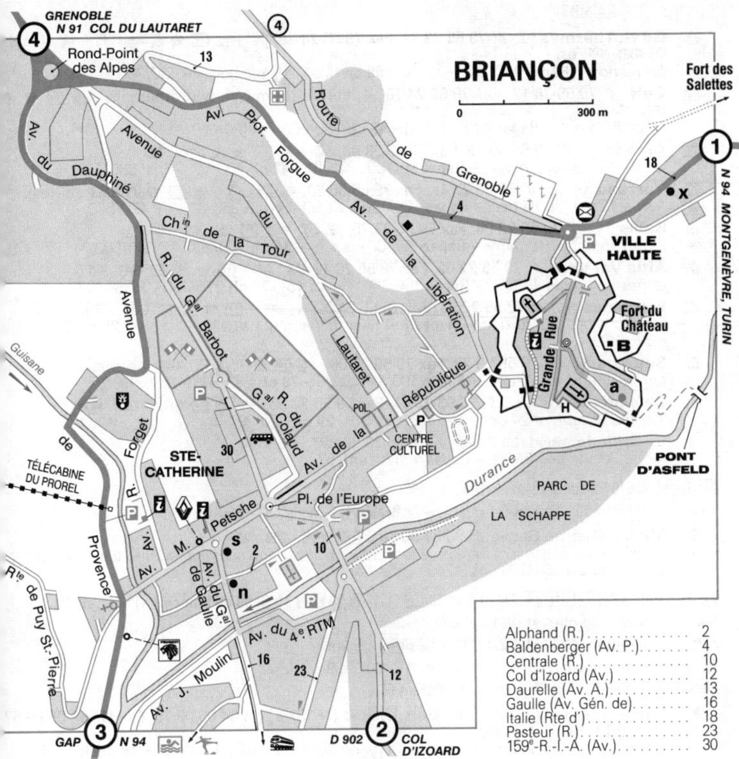

Vauban, 13 av. Gén. de Gaulle **(n)** ✆ 92 21 12 11, Fax 92 20 58 20, ≤ – |‡| TV ☎ ✆ P. GB
fermé 5 nov. au 20 déc. – **Repas** 105/165 – ☐ 34 – **44 ch** 380/440 – ½ P 310/385.

Le Cristol, 6 rte Italie **(x)** ✆ 92 20 20 11, Fax 92 21 02 58 – TV ☎. GB
Repas 75/160, enf. 45 – ☐ 42 – **19 ch** 300/340 – ½ P 275/295.

Mont-Brison sans rest, 3 av. Gén. de Gaulle **(s)** ✆ 92 21 14 55, Fax 92 20 46 27 – |‡| ☎ P. GB
fermé 4 nov. au 20 déc. – ☐ 33 – **45 ch** 220/300.

Le Rustique, 36 r. Pont d'Asfeld **(a)** ✆ 92 21 00 10 – AE GB
fermé 24 juin au 7 juil., 20 nov. au 10 déc., dim. soir et lundi sauf fériés – **Repas** 97/152, enf. 37.

ALFA ROMEO, RENAULT Gar. Jullien, 21-23 av. M.-Petsche ✆ 92 21 30 00 N ✆ 92 21 30 00
CITROEN Durance Autom., ZA Briançon Sud ✆ 92 20 14 00
FORD Gar. Gignoux, 7 av. J.-Moulin ✆ 92 21 11 56
PEUGEOT Faure Frères, 2, rte de Gap ✆ 92 21 10 02

BRICQUEBEC 50260 Manche 54 ② G. Normandie Cotentin – 4 363 h alt. 145.

Voir Donjon★ du Château.

Paris 353 – ◆Cherbourg 24 – Barneville-Carteret 15 – Coutances 55 – St-Lô 69 – Valognes 12.

Vieux Château ⑤, ✆ 33 52 24 49, Fax 33 52 62 71 – ☎ P. AE GB
fermé 2 janv. au 1er fév. – **Repas** 60 bc (déj.), 79/170, enf. 45 – ☐ 40 – **20 ch** 170/320 – ½ P 230/320.

RENAULT Gar. Lecocq, ✆ 33 52 27 91 N ✆ 33 52 27 91

BRIDES-LES-BAINS 73570 Savoie 74 ⑰ ⑱ G. Alpes du Nord – 611 h alt. 580 – Stat. therm. (janv.-oct.) – Casino.

ℹ Office de Tourisme ✆ 79 55 20 64, Fax 79 55 28 91.

Paris 614 – Albertville 32 – Annecy 78 – Chambéry 78 – Courchevel 18 – Moûtiers 5.

Gd H. Thermes [M], ✆ 79 55 29 77, Fax 79 55 28 29, – ascenseur TV ☎ & – 30 à 80 AE GB. rest
fermé nov. – **Repas** 140/200 – 40 – **98 ch** 620/720, 4 appart – P 530/760.

Golf, ✆ 79 55 28 12, Fax 79 55 24 78, ≤, centre de masso-hydrothérapie – TV ☎ P GB. rest
1er avril-fin oct. – **Repas** 140 – 50 – **45 ch** 330/600 – P 450/650.

Amélie [M], ✆ 79 55 30 15, Fax 79 55 28 08, – TV ☎ &. GB
fermé 15 nov. au 15 déc. – **Repas** 95/150 – 40 – **42 ch** 400/500 – ½ P 380/430.

Verseau [M], ✆ 79 55 27 44, Fax 79 55 30 20, ≤, , – TV ☎ P. GB. rest
fermé 15 oct. au 28 déc. – **Repas** 105/120 – 50 – **41 ch** 350/600 – P 450/570.

Bains, ✆ 79 55 22 05, Fax 79 55 27 76, ≤, – TV ☎. GB. rest
fermé 15 oct. au 1er janv. – **Repas** 75/100 – 25 – **34 ch** 200/250 – P 340/500.

Altis Val Vert, ✆ 79 55 22 62, Fax 79 55 29 12, , – TV ☎ P. AE GB.
fermé 30 oct. au 15 déc. – **Repas** 100/150 – 45 – **35 ch** 275/450 – P 365/420.

Fontaines, ✆ 79 55 22 53, Fax 79 55 24 32, ≤, – TV ☎ P. AE GB. rest
fermé fin oct. au 20 déc. – **Repas** (en hiver dîner seul.) 85/120 – 38 – **26 ch** 250/350 – P 320/360.

Sources, ✆ 79 55 29 22, Fax 79 55 27 06 – TV ☎ – 35. GB. rest
fermé 1er nov. au 25 déc. – **Repas** 100 – 35 – **70 ch** 232/365 – P 383/550.

Belvédère sans rest, ✆ 79 55 23 41, Fax 79 55 24 96, ≤ – TV ☎ P. GB JCB.
1er mai-30 sept. et 24 déc.-31 mars – 30 – **26 ch** 230/390.

La Grillade, résid. Le Royal ✆ 79 55 20 90, – GB
fermé 30 oct. au 15 déc. – **Repas** 90/120, enf. 57.

BRIEC 29510 Finistère 58 ⑮ – 4 546 h alt. 158.

Paris 573 – Quimper 16 – Carhaix-Plouguer 42 – Châteaulin 16 – Morlaix 63 – Pleyben 17.

Midi, r. Gén. de Gaulle ✆ 98 57 90 10 – TV ☎ P. GB. ch
fermé 13 au 29 avril, 21 déc. au 8 janv., dim. soir et sam. sauf juil.-août – **Repas** 78/190 – 35 – **13 ch** 260/280 – ½ P 240.

BRIE-COMTE-ROBERT 77170 S.-et-M. 61 ② 106 ㉝ 101 ㊴ **G. Ile de France** – 11 501 h alt. 90.

Voir Verrière★ du chevet de l'église.

du Réveillon ✆(1) 60 02 17 33 à Lésigny : 5 km.

Office de Tourisme pl. Jeanne d'Evreux ✆(1) 64 05 30 09.

Paris 30 – Brunoy 10 – Évry 21 – Melun 18 – Provins 56.

A la Grâce de Dieu [M], 79 r. Gén. Leclerc (N 19) ✆ (1) 64 05 00 76, Fax (1) 64 05 60 57 – TV ☎ P. AE GB
fermé août – **Repas** *(fermé dim. soir et lundi)* 99/184, enf. 60 – 30 – **18 ch** 155/230.

CITROEN Pasquier Autom., 6 av. Gén.-Leclerc ✆ (1) 64 05 00 94
FORD Zélus Autom., 70 r. Gén.-Leclerc ✆ (1) 64 05 03 10
PEUGEOT Gar. Lespourci, 7 r. Gén.-Leclerc ✆ (1) 64 05 50 50 N ✆ (1) 07 52 88 27
RENAULT Gar. Redelé Brie, 17 av. Gén.-Leclerc ✆ (1) 60 62 50 50 N ✆ (1) 05 05 15 15
BCR Interpneu Mélia Vulcopneu, 75 r. Gén. Leclerc ✆ (1) 64 05 88 99

BRIENNE-LE-CHÂTEAU 10500 Aube 61 ⑱ **G. Champagne** – 3 752 h alt. 120.

Paris 221 – Troyes 40 – Bar-sur-Aube 23 – Châtillon 72 – St-Dizier 45 – Vitry-le-François 42.

à la Rothière S : 5 km par D 396 – 121 h. alt. 137 – ✉ **10500** :

Aub. de la Plaine avec ch, ✆ 25 92 21 79, Fax 25 92 26 16, – TV ☎ P. AE GB
fermé vend. d'oct. à fin mars – **Repas** *(fermé 2 au 20 janv., vend. soir et sam. midi d'oct. à fin mars)* 70/250, enf. 50 – 35 – **18 ch** 170/270 – ½ P 200/240.

FORD Gar. Blavot, ✆ 25 92 80 39 N ✆ 25 92 64 85
PEUGEOT Gar. Prugnot, r. St-Bernard ✆ 25 92 83 57
RENAULT Gar. Consigny, ✆ 25 92 80 48
RENAULT Gar. Millon, ✆ 25 92 80 59

BRIGNAIS 69530 Rhône 73 ⑳ **G. Vallé du Rhône** – 10 036 h alt. 200.

Paris 467 – ◆Lyon 13 – Givors 9,5 – ◆St-Étienne 46 – Vienne 21.

Restotel des Barolles [M], rte Lyon ✆ 78 05 24 57, Fax 78 05 37 57, , – rest TV ☎ & P – 40. AE GB
Repas *(fermé 23 déc. au 2 janv. et dim.)* 75 (déj.), 98/250 – 35 – **27 ch** 280/300.

BRIGNOLES SP 83170 Var 84 ⑮ 114 ㉝ **G. Côte d'Azur** (plan) – 11 239 h alt. 214.

Voir Sarcophage de la Gayole★ dans le musée.

de Barbaroux ✆ 94 59 07 43, E : 4 km par N 7 puis D 79.

Office de Tourisme parking des Augustins ✆ 94 69 01 78 – A.C. ✆ 94 69 01 78.

Paris 813 – Aix-en-Provence 57 – Cannes 97 – Draguignan 57 – ◆Marseille 64 – ◆Toulon 50.

Ibis [M], N : 2 km par rte du Val, D 554 et rte secondaire ✆ 94 69 19 29, Fax 94 69 19 90 , , , – TV ☎ & P – 45. AE GB
Repas 100/150, enf. 60 – 35 – **41 ch** 320/350.

'EUGEOT Gar. Blanc et Rochebois autos, N 7 rte 'Aix ℘ 94 69 21 23
ENAULT S.A.D.A.P., ZI ℘ 94 69 23 28 N ℘ 05 05 15 15

Aude, ZI ℘ 94 69 34 13
Santa Pneus Vulcopneu, rte d'Aix N 7 Canteperdrix ℘ 94 59 28 43

La BRIGUE **06** Alpes-Mar. 84 ⑳, 115 ⑨ – rattaché à Tende.

BRINON-SUR-SAULDRE **18410** Cher 64 ⑳ – 1 107 h alt. 147.

aris 190 – ♦ Orléans 52 – Bourges 65 – Cosne-sur-Loire 58 – Gien 37 – Salbris 24.

La Solognote (Girard), ℘ **48 58 50 29, Fax 48 58 56 00**, – rest TV ☎ P. GB. ch
fermé 28/5 au 6/6, 10 au 19/9, 6/2 au 13/3, mardi soir et merc. d'oct. à juin, mardi midi et merc. midi en été – **Repas** 160/330 et carte 260 à 350, enf. 90 – ☕ 57 – **13 ch** 310/410 – ½ P 420/470
Spéc. Sauté de champignons des bois au foie gras poêlé (juin à sept.). Pigeonneau de Sologne. Gibier (oct. à janv.).
Vins Quincy, Menetou-Salon.

ENAULT Gar. de la Jacque, ℘ 48 58 50 37 N ℘ 48 58 50 37

BRIOLLAY **49125** M.-et-L. 64 ① – 2 005 h alt. 20.

Env. Plafond★★★ de la salle des Gardes du château de Plessis-Bourré NO : 10 km **G. Châteaux de la Loire.**

'aris 286 – ♦ Angers 15 – Château-Gontier 41 – La Flèche 40.

par rte de Soucelles (D 109) : 3 km – ✉ **49125** Briollay :

Château de Noirieux, ℘ **41 42 50 05, Fax 41 37 91 00**, ≤, « Demeures des 15e et 17e siècles dans un parc dominant le Loir », – TV ☎ & P – 30. AE GB JCB
fermé début fév. à mi-mars – **Repas** *(fermé dim. soir et lundi du 15 oct. au 15 avril sauf fêtes)* 195 (déj.), 240/450 – ☕ 80 – **19 ch** 600/1300 – ½ P 580/900.

BRION **01460** Ain 74 ④ – 587 h alt. 475.

'aris 474 – Ambérieu-en-Bugey 40 – Bourg-en-Bresse 46 – Nantua 5,5 – Oyonnax 14.

Bernard Charpy, ℘ **74 76 24 15, Fax 74 76 22 36**, – P. GB
fermé 4 au 27 août, 24 déc. au 14 janv., dim. soir et lundi – **Repas** 95 (déj.), 132/220.

BRIONNE **27800** Eure 55 ⑮ **G. Normandie Vallée de la Seine** (plan) – 4 408 h alt. 56.

Voir Abbaye du Bec-Hellouin★★ N : 6 km.

du Champ de Bataille ℘ 32 35 03 72, O : 18 km par D 137 et D 39.

'aris 146 – ♦ Rouen 41 – Bernay 16 – Évreux 38 – Lisieux 39 – Pont-Audemer 26.

Le Logis de Brionne avec ch, pl. St Denis ℘ **32 44 81 73, Fax 32 45 10 92** – TV ☎ . AE GB
fermé vacances de fév., dim. soir hors sais. et lundi – **Repas** 130 bc/280 – ☕ 45 – **12 ch** 285/350 – ½ P 335/380.

Aub. Vieux Donjon avec ch, r. Soie ℘ **32 44 80 62, Fax 32 45 83 23**, « Maison normande du 18e siècle » – TV ☎ P. GB JCB
fermé 15 au 31 oct., dim. soir d'oct. à mai et lundi – **Repas** 78/205, enf. 55 – ☕ 30 – **8 ch** 240/300 – ½ P 280/320.

CITROEN Gar. Duval, N 138 à Aclou ℘ 32 44 83 66
FIAT Gar. Leroy, 1 rte de Cormeilles ℘ 32 44 88 32 N ℘ 32 44 80 16

PEUGEOT Gar. Leroy, 19 bd République ℘ 32 44 80 16 N ℘ 32 44 80 16

BRIOUDE **43100** H.-Loire 76 ⑤ **G. Auvergne** – 7 285 h alt. 427.

Voir Basilique St-Julien★★.

Env. Lavaudieu : fresques★ de l'église et cloître★ de l'ancienne abbaye 9,5 km par ①.

Office de Tourisme pl. Champanne ℘ 71 74 97 49, Fax 71 74 97 87 et Maison de Mandrin r. du 4 Septembre ℘ 71 74 94 59.

'aris 487 ④ – Le Puy-en-Velay 61 ② – Aurillac 106 ③ – ♦ Clermont-Ferrand 73 ④ – Issoire 34 ④ – St-Flour 48 ③.

Plan page suivante

Moderne sans rest, 12 av. V. Hugo **(n)** ℘ **71 50 07 30, Fax 71 50 22 35** – TV ☎ P. AE GB JCB
1er avril-30 sept. – ☕ 38 – **17 ch** 240/330.

Le Brivas, rte Puy par ② ℘ **71 50 10 49, Fax 71 74 90 69**, – TV ☎ P – 40. AE GB JCB
fermé 12 au 29 déc., vend. soir d'oct. à Pâques et sam. midi sauf sauf juil.-août et fériés – **Repas** 95/230, enf. 55 – ☕ 36 – **30 ch** 245/340 – ½ P 275/301.

Poste et Champanne, 1 bd Dr Devins **(a)** ℘ **71 50 14 62, Fax 71 50 10 55** – TV ☎ P – 30. GB
fermé 2 janv. au 1er fév. et dim. soir du 15 sept. au 15 juin – **Repas** 70/180 – ☕ 30 – **20 ch** 160/240 – ½ P 220.

BRIOUDE

Commerce (R. du) 8
Maigne (R. J.) 16
St-Jean (Pl.) 20
Sébastopol (R.) 22
4-Septembre (R. du) . . . 27

Assas (R. d') 2
Blum (Av. Léon) 3
Briand (Bd Aristide) 4
Chambriard (Av. P.) 5
Chapitre (R. du) 6
Chèvrerie (R. de la) 7
Gilbert (Pl. Eugène) 9
Grégoire-de-Tours (Place) 10
La-Fayette (Pl.) 12
Lamothe (Av. de) 13
Liberté (Pl. de la) 14
Michel-de-l'Hospital (Rue) 17
Pascal (R.) 18
République (R. de la) . . 19
Résistance (Pl. de la) . . . 21
Séguret (R.) 23
Talairat (R.) 24
Vercingétorix (Bd) 25
Victor-Hugo (Av.) 26
14-Juillet (R. du) 28
21-Juillet 1944 (R. du) . . 29

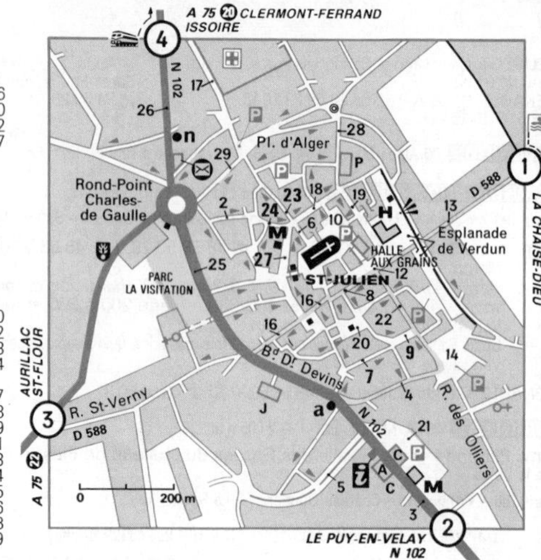

CITROEN Gar. Delmas, av. d'Auvergne par ④ ✆ 71 50 12 06 N ✆ 71 50 12 06
PEUGEOT Gar. d'Auvergne, av. d'Auvergne par ④ ✆ 71 50 06 05

Euromaster, av. d'Auvergne ZI St-Ferréol ✆ 71 50 37 01
RIPA Pneus, av. d'Auvergne ✆ 71 50 10 86

BRIOUZE **61220** Orne **60** ① – **1 658 h alt. 210.**

Paris 223 – Alençon 59 – Argentan 26 – La Ferté-Macé 13 – Flers 17.

XX **Sophie** avec ch, ✆ **33 66 00 30, Fax 33 64 97 01** – TV ☎. GB. ch
fermé 15 au 31 août, Noël au Jour de l'an, vacances de fév. et sam – **Repas** 70/190 – 30 –
9 ch 120/350.

CITROEN Gar. Boutrois, ✆ 33 66 00 28 N ✆ 33 66 00 28

RENAULT Gar. Tolerie le Chesnay, Le Chesnay à Pointel ✆ 33 66 01 34 N ✆ 33 66 01 34

BRIVE-LA-GAILLARDE SP **19100** Corrèze **75** ⑧ **G. Périgord Quercy – 49 765 h alt. 142.**

Voir Hôtel de Labenche★ BZ **X.**

18 du Coiroux ✆ 55 27 25 66, E : 19 km par ③ ; 18 Golf Club de Brive ✆ 55 87 57 57, SO.

✆ 36 35 35 35.

Office de Tourisme pl. 14-Juillet ✆ 55 24 08 80, Fax 55 24 58 24.

Paris 488 ④ – Albi 206 ③ – ♦Clermont-Ferrand 167 ① – ♦Limoges 91 ④ – ♦Montpellier 339 ③ – ♦Toulouse 213 ③

Plans pages suivantes

Truffe Noire M, 22 bd A. France ✆ 55 92 45 00, Fax 55 92 45 13, – TV ☎. AE GB JCB AY
Repas 155/310, enf. 65 – 53 – **27 ch** 430/650 – ½ P 460/540.

Quercy sans rest, 8 bis quai Tourny ✆ 55 74 09 26, Fax 55 74 06 24 – TV ☎. AE GB BY
fermé 15 déc. au 10 janv. – 33 – **60 ch** 310/350.

Le Collonges M sans rest, 3 - 5 pl. W. Churchill ✆ 55 74 09 58, Fax 55 74 11 25 – TV ☎. GB BZ
38 – **24 ch** 270/320.

Ibis sans rest, 32 r. M. Roche ✆ 55 17 42 42, Fax 55 23 54 41 – TV ☎ – 30. AE GB AY
35 – **50 ch** 280/300.

XX **La Périgourdine,** 15 av. Alsace-Lorraine ✆ 55 24 26 55, Fax 55 17 13 22, – AE GB JCB BZ
fermé dim. soir sauf juil.-août – **Repas** (dim. prévenir) 90/350.

X **Chez Francis,** 61 av. Paris ✆ 55 74 41 72 – GB AY
fermé 4 au 18 août, 25 fév. au 3 mars, dim. et fériés – **Repas** 85/125.

à Ussac par av. Pasteur et D 57 : 5 km – 2 762 h. alt. 350 – ✉ **19270** :

Aub. St-Jean , ✆ 55 88 30 20, Fax 55 87 28 50, – TV ☎. GB
Repas 69/220, enf. 50 – 35 – **30 ch** 180/280 – ½ P 250.

à l'Est rte d'Argentat par N 121 : 3 km – ✉ **19360** Malemort :

Aub. des Vieux Chênes, ✆ 55 24 13 55, Fax 55 24 56 82 – TV ☎ P. AE GB
fermé dim. – **Repas** 65/195, enf. 40 – 35 – **14 ch** 185/260 – ½ P 215/270.

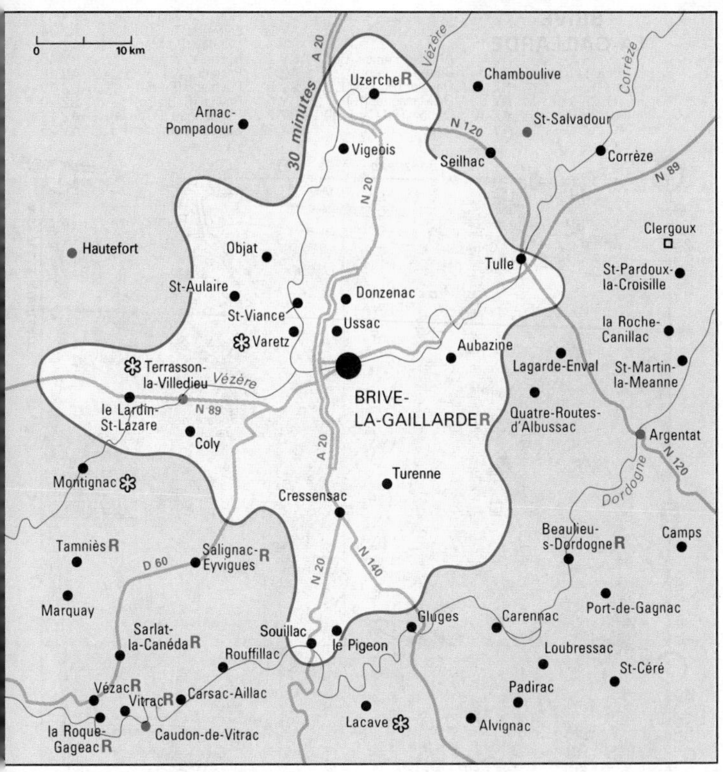

par ③ : 6 km – ✉ **19100** Brive-la-Gaillarde :

Teinchurier M, av. du Teinchurier ✆ 55 86 45 00, Fax 55 86 45 45, ☂ – |♿| ▤ rest TV ☎ ♿, P – 🏋 50. GB
Repas 62/170 ♨, enf. 45 – ☕ 45 – **40 ch** 280/305 – ½ P 214.

Campanile, à l'aérodrome ✆ 55 86 88 55, Fax 55 87 35 98, ☂ – ⇆ ▤ rest TV ☎ ✆ ♿, P – 🏋 25. AE ⓪ GB
Repas 84 bc/107 bc, enf. 39 – ☕ 32 – **42 ch** 270.

rte de Varetz par ④ et D 901 : 5,5 km – ✉ **19100** Brive-la-Gaillarde :

Mercure M, ✆ 55 86 36 36, Fax 55 87 04 40, ☂, ⛱, ⛺, ✂ – |♿| ⇆ ▤ ch TV ☎ P – 🏋 120. AE ⓪ GB
Repas 110 bc/240 bc, enf. 47 – ☕ 50 – **57 ch** 395/450.

à Varetz par ④ et D152 : 10 km – 1 851 h. alt. 109 – ✉ **19240** :

✿ **Domaine de Castel Novel** ♨, ✆ 55 85 00 01, Fax 55 85 09 03, ≤, ☂, « Demeure ancienne isolée dans un grand parc », ⛱, ✂ – |♿| TV ☎ P – 🏋 80. AE ⓪ GB JCB
début mai-mi-oct. – **Repas** *(fermé merc. midi sauf fériés)* 200 (déj.), 255/395, enf. 100 – ☕ 80 – **35 ch** 595/1420 – ½ P 710/1210
Spéc. Galette de carpe et confit de canard au jus fumé. Veau fermier en fricassée de millas et girolles. Truffes glacées en coffret de nougatine, sauce pistache.. **Vins** Bergerac, Cahors.

à St-Viance par ④, D 901 et D 148 : 10 km – 1 407 h. alt. 119 – ✉ **19240**.

Voir Châsse★ dans l'église.

Aub. des Prés de la Vézère, ✆ 55 85 00 50, Fax 55 84 25 36, ☂ – TV ☎ P. AE ⓪ GB
début mai-mi-oct. – **Repas** *(fermé dim. soir sauf juil.-août et lundi midi)* 98/245 – ☕ 35 – **11 ch** 350 – ½ P 310/350.

BRIVE-LA-GAILLARDE

Farro (R. du Lt-Colonel) AZ 8
Gambetta (R.) BZ
Gaulle (Pl. Ch.-de) AY 9
Hôtel-de-Ville (R. de l') AZ 10
Paris (Av. de) AY

République (R. de la) AZ 23
Toulzac (R.) AY 26

Anatole-France (Bd) ABY 2
Blum (Av. Léon) AZ 3
Dauzier (Pl. J.-M.) BY 5
Dr-Massénat (R.) BY 6
Dubois (Bd Cardinal) BY 7
Halle (Pl. de la) ABY 12

Hôtel-de-Ville (Pl. de l') AY 13
Lattre-de-T. (Pl. de) AZ 14
Lyautey (Bd Mar.) AZ 15
Michelet BY 16
Pasteur (Av.) AY 18
Puyblanc (Bd de) ABZ 19
Raynal (R. Blaise) BZ 20
République (Pl. de la) AZ 22
Segeral-Verninac (R.) AY 25

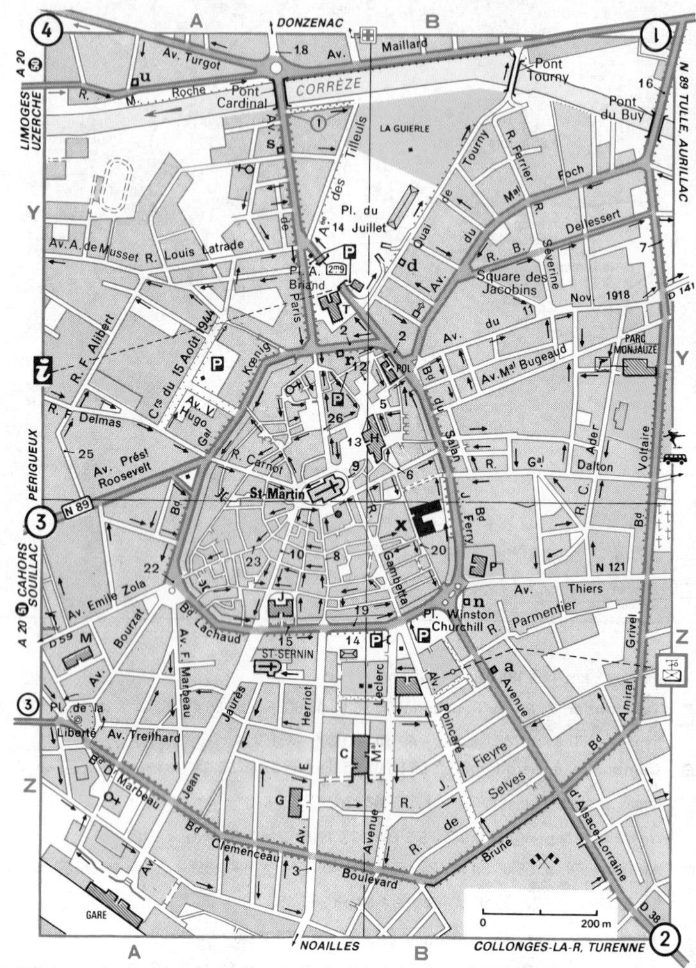

BMW Gar. Taurisson, 23 av. Ed.-Herriot ☏ 55 74 25 42
CITROEN Midi-Auto 19, av. J.-Ch.-Rivet par ③ ☏ 55 88 91 19
MERCEDES Centre Poids Lourd Périgord, Le Reyhaud rte de Varetz ☏ 55 87 12 01 N ☏ 05 24 24 30
PEUGEOT Gar. Morance, ZI Cana, rte d'Objat par ④ ☏ 55 88 04 06 N ☏ 55 92 55 59
RENAULT Gar. Mournetas, 51 Abbé J.-Alvistre Estavel par ③ ☏ 55 86 92 91
RENAULT Gar. Beauregard, av. du Teinchurier ☏ 55 86 74 74 N ☏ 55 92 52 85

VAG S.O.C.O.D.A., Riante-Borie à Malemort ☏ 55 74 07 31
VOLVO Gar. Valenti, 61 av. 11 Novembre ☏ 55 23 77 64

Brive Pneus, 44 av. P.-Sémard ☏ 55 87 27 58
Euromaster, 26 av. J.-Ch.-Rivet, zone de Beauregard ☏ 55 86 89 60
Techni Pneus, 42 av. de la Libération à Malemort ☏ 55 92 17 80

BROGNON 08 Ardennes 53 ⑰ – rattaché à Signy-le-Petit.

BRON 69 Rhône 74 ⑫ – rattaché à Lyon.

BROQUIÈS 12480 Aveyron 80 ⑬ – 652 h alt. 386.

Paris 688 – Albi 61 – Lacaune 53 – Rodez 55 – St-Affrique 30.

Le Pescadou , S : 2,5 km rte St-Izaire ✆ 65 99 40 21, , – ☎ P
15 mars-15 oct. – **Repas** 78/200, enf. 48 – ☕ 29 – **14 ch** 135/270 – ½ P 200/240.

BROU 01 Ain 74 ③ **G. Bourgogne.**

Curiosités★★★ et ressources hôtelières : rattachées à Bourg-en-Bresse.

BROU 28160 E.-et-L. 60 ⑯ **G. Châteaux de la Loire** – 3 803 h alt. 150.

Voir Yèvres : boiseries★ de l'église 1,5 km à l'Est.

Office de Tourisme r. de la Chevalerie (Pâques-fin oct.) ✆ 37 47 01 12.

Paris 127 – Chartres 38 – Châteaudun 22 – ♦Le Mans 86 – Nogent-le-Rotrou 32.

XX **Jardin de la Mer,** 23 pl. Halles ✆ 37 96 03 32 – AE GB
fermé fév., dim. soir et merc. d'oct. à juin – **Repas** 75/185, enf. 45.

CITROEN Gar. Auguste Dominique, 20 r. de la Chevalerie ✆ 37 47 00 44 N ✆ 37 47 00 44

RENAULT Gar. Pichard, 32 av. Galliéni ✆ 37 47 01 68

BROUCKERQUE 59630 Nord 51 ③ – 1 168 h alt. 2.

Paris 285 – ♦Calais 36 – Cassel 26 – Dunkerque 15 – ♦Lille 73 – St-Omer 31.

X **Middel Houck** avec ch, pl. du village ✆ 28 27 13 46, Fax 28 27 15 10 – TV ☎. AE GB
Repas *(fermé dim. soir)* 90/182 – ☕ 28 – **4 ch** 215 – ½ P 200.

BROUSSE-LE-CHÂTEAU 12480 Aveyron 80 ⑫ **G. Gorges du Tarn** – 203 h alt. 239.

Voir Village perché★.

Paris 690 – Albi 53 – Cassagnes-Bégonhès 33 – Lacaune 52 – Rodez 58 – St-Affrique 32.

Relays du Chasteau , ✆ 65 99 40 15 – rest ☎ P. GB
fermé 20 déc. au 20 janv., vend. soir et sam. midi du 1er oct. au 1er mai – **Repas** 72/180, enf. 42 – ☕ 28 – **12 ch** 190/250 – ½ P 200/220.

BROU-SUR-CHANTEREINE 77 S.-et-M. 56 ⑫, 101 ⑲ – voir à Paris, Environs.

BRUÈRE-ALLICHAMPS 18 Cher 69 ① – rattaché à St-Amand-Montrond.

Le BRUGERON 63880 P.-de-D. 73 ⑯ – 359 h alt. 850.

Paris 490 – ♦Clermont-Ferrand 73 – Ambert 27 – ♦St-Étienne 82 – Thiers 37.

Les Genets sans rest, ✆ 73 72 60 36, Fax 73 72 63 67, ← – TV ☎ P. GB
1er avril-30 oct. – ☕ 35 – **10 ch** 200/240.

X **Gaudon,** ✆ 73 72 60 46, Fax 73 72 63 83, ← – GB
fermé 20 déc. au 1er fév., lundi soir et mardi du 1er oct. au 1er juin – **Repas** 66/190.

BRUMATH 67170 B.-Rhin 57 ⑲ – 8 182 h alt. 145.

Paris 473 – ♦Strasbourg 18 – Haguenau 11 – Molsheim 29 – Saverne 28.

Ville de Paris, 13 r. Gén. Rampont ✆ 88 51 11 02, Fax 88 51 90 19 – TV ☎ P. GB
fermé 22 juin au 14 juil. – **Repas** *(fermé dim. soir et vend.)* 100/240 – ☕ 38 – **14 ch** 120/250 – ½ P 150/200.

XXX **L'Écrevisse** avec ch, 4 av. Strasbourg ✆ 88 51 11 08, Fax 88 51 89 02, , , – rest TV ☎ P – 30. AE GB
fermé lundi soir et mardi – **Repas** 198/400 et carte 250 à 420, enf. 60 ***Krebs'Stuebel :*** **Repas** 50/180, , enf.60 – ☕ 40 – **21 ch** 250/360.

Le BRUSC 83 Var 84 ⑭, 114 ㊹ – rattaché à Six-Fours-les-Plages.

BRUSQUE 12360 Aveyron 83 ④ – 422 h alt. 465.

Paris 715 – Albi 90 – Béziers 76 – Lacaune 33 – Lodève 49 – Rodez 103 – St-Affrique 34.

La Dent de St-Jean , ✆ 65 99 52 87 – P. GB. ch
10 mars-1er nov. et fermé dim. soir et lundi hors sais. – **Repas** 80/190 – ☕ 26 – **18 ch** 185/230 – ½ P 210/220.

BUAIS 50640 Manche 59 ⑨ ⑲ – 702 h alt. 205.

Paris 280 – Domfront 27 – Fougères 31 – Laval 58 – Mayenne 44 – St-Hilaire-du-Harcouët 11,5 – St-Lô 81.

X **Rôtisserie Normande,** ✆ 33 59 41 10 – P. GB
fermé 22 janv. au 25 fév., dim. soir et lundi du 15 sept. au 26 mai – **Repas** 60/150, enf. 45.

BUC 78 Yvelines 60 ⑩, 101 ㉓ – Voir à Paris, Environs.

BUCHÈRES 10 Aube 61 ⑰ – rattaché à Troyes.

Le BUGUE 24260 Dordogne 75 ⑯ **G. Périgord Quercy** – 2 764 h alt. 62.

Voir Gouffre de Proumeyssac★ S : 3 km.

Paris 531 – Périgueux 41 – Sarlat-la-Canéda 31 – Bergerac 47 – Brive-la-Gaillarde 73 – Cahors 82.

Le Domaine de la Barde M sans rest, rte Périgueux ☎ 53 07 16 54, Fax 53 54 76 19, parc, ⚒, ♨, ✕ – ▮ ⊬ TV ☎ ♿ P. GB. ✻
6 avril-3 nov. – ☐ 65 – **18 ch** 400/850.

à Campagne SE : 4 km – 281 h. alt. 60 – ✉ **24260** :

du Château, ☎ 53 07 23 50, Fax 53 03 93 69, ☀ – ▤ rest ☎ P. GB. ✻ ch
31 mars-15 oct. – **Repas** 105/250, enf. 50 – ☐ 35 – **16 ch** 210/260 – ½ P 240.

BUIS-LES-BARONNIES 26170 Drôme 81 ③ **G. Alpes du Sud** – 2 030 h alt. 365.

Paris 692 – Carpentras 40 – Nyons 29 – Orange 49 – Sault 37 – Sisteron 72 – Valence 131.

Sous l'Olivier ⚘, ☎ 75 28 01 04, Fax 75 28 16 49, ☂, ⚒, ♨, ☀, ✕ – ☎ P. GB
mars-oct. – **Repas** 100/135 – ☐ 35 – **36 ch** 275/340 – ½ P 265/290.

Lion d'Or sans rest, ☎ 75 28 11 31 – ☎ ⇔. GB. ✻
fermé 15 oct. au 15 nov. – ☐ 28 – **14 ch** 180/260.

La Fourchette, pl. Arcades ☎ 75 28 03 31, ☂ – GB
fermé oct., dim. soir et lundi sauf juil.-août – **Repas** 78/180 ⅄.

CITROEN Gar. Aubery, ☎ 75 28 10 08
PEUGEOT Gar. Enguent, ☎ 75 28 09 97
RENAULT Gar. des Platanes, ☎ 75 28 04 92

Le BUISSON-CUSSAC 24480 Dordogne 75 ⑯ – 2 003 h alt. 63.

Env. Cadouin : cloître★★, église★ SO : 6 km, **G.Périgord.**

Paris 541 – Périgueux 51 – Sarlat-la-Canéda 35 – Bergerac 39 – Villefranche-du-Périgord 35.

Manoir de Bellerive ⚘, rte Siorac 1,5 km ☎ 53 27 16 19, Fax 53 22 09 05, ≤, ☂, « Élégant manoir dans un parc en bordure de la Dordogne », ♨, ✕ – TV ☎ P. AE GB. ✻ rest
1er avril-15 nov. – **Repas** *(fermé merc. soir sauf juil.-août)* (dîner seul. en semaine) 120/190 ⅄, enf. 75 – ☐ 50 – **16 ch** 430/790 – ½ P 460/580.

BURNHAUPT-LE-HAUT 68520 H.-Rhin 87 ⑲ – 1 426 h alt. 300.

Paris 463 – ♦Mulhouse 18 – Altkirch 15 – Belfort 27 – Thann 13.

Aigle d'Or et rest. Coquelicot M, au Pont d'Aspach N : 1 km ☎ 89 83 10 10, Fax 89 83 10 33, ☂ – ▤ rest TV ☎ ☏ ♿ P – ⛬ 30. AE ⓓ GB
Repas *(fermé 1er au 16 janv. et sam. midi)* 59 (déj.), 79/265 ⅄, enf. 42 – ☐ 42 – **26 ch** 275/380 – ½ P 265/290.

CITROEN Gar. Muller, à Burnhaupt-le-Bas ☎ 89 48 74 21
RENAULT Gar. Gensbittel, à Gildwiller ☎ 89 25 37 10

BUSCHWILLER 68220 H.-Rhin 87 ⑩ – 767 h alt. 305.

Paris 491 – ♦Mulhouse 28 – Altkirch 26 – Basel 9 – Colmar 66.

Couronne, ☎ 89 69 12 62, Fax 89 70 11 20 – GB
fermé 15 juil. au 12 août, sam. midi, dim. soir et lundi – **Repas** 85 (déj.), 170/330 ⅄.

BUSSANG 88540 Vosges 66 ⑧ **G. Alsace Lorraine** – 1 809 h alt. 605.

Env. Petit Drumont ✵★★ NE : 9 km puis 15 mn – Ballon d'Alsace ✵★★ S : 14 km puis 30 mn.

ℹ Office de Tourisme r. d'Alsace ☎ 29 61 50 37, Fax 29 61 58 20.

Paris 453 – Épinal 59 – ♦Mulhouse 47 – Belfort 42 – Gérardmer 39 – Thann 26.

Sources ⚘, NE : 2,5 km par D 89 ☎ 29 61 51 94, Fax 29 61 60 61, ☀ – TV ☎ ☏ P. GB. ✻
Repas 100/280 bc, enf. 52 – ☐ 38 – **11 ch** 290/345 – ½ P 265/295.

Le Tremplin, ☎ 29 61 50 30, Fax 29 61 50 89 – TV ☎ P. AE ⓓ GB
fermé 28 sept. au 28 oct., dim. soir et lundi sauf vacances scolaires et fériés – **Repas** 75/210 ⅄, enf. 55 – ☐ 35 – **18 ch** 150/350 – ½ P 190/260.

BUSSEAU-SUR-CREUSE 23 Creuse 72 ⑩ – ✉ **23150** Ahun.

Env. Moutier d'Ahun : boiseries★★ de l'église SE : 5,5 km – Ahun : boiseries★ de l'église SE : 6 : km, **G. Berry Limousin.**

Paris 361 – Aubusson 30 – Guéret 18.

Viaduc avec ch, ☎ 55 62 57 20, Fax 55 62 55 80, ≤ – ☎ ☏ P. GB
fermé janv., dim. soir et lundi – **Repas** 77/210 ⅄, enf. 58 – ☐ 35 – **7 ch** 165/235 – ½ P 270.

La BUSSIÈRE 45230 Loiret 65 ② **G. Bourgogne** – 715 h alt. 160.

Paris 143 – Auxerre 70 – Cosne-sur-Loire 43 – Gien 14 – Montargis 29 – ♦Orléans 79.

Le Nuage M, r. Briare ☎ 38 35 90 73, Fax 38 35 90 62, ☂, ⚒ – TV ☎ ♿ P – ⛬ 25. AE GB
Repas 71/185 ⅄, enf. 35 – ☐ 35 – **15 ch** 255/275 – ½ P 225/250.

BUSSIÈRES 71 S.-et-L. 70 ⑪ G. Bourgogne – 463 h alt. 265 – ✉ 71960 Pierreclos.

Paris 405 – Mâcon 13 – Charolles 46 – Cluny 15.

XX **Relais Lamartine** avec ch, ☎ 85 36 64 71, Fax 85 37 75 69 – TV ☎. AE ⓓ GB. ✻ ch
fermé 15 déc. au 18 janv., mardi midi du 1er juil. au 30 sept., dim. soir et lundi d'oct. à juin – **Repas** 110/220, enf. 70 – ☕ 42 – **8 ch** 375/410.

BUSSY-ST-GEORGES 77 S.-et-M. 56 ⑫, 101 ⑳ – voir à Paris, Environs (Marne-la-Vallée).

BUTHIERS 77 S.-et-M. 61 ⑪ – rattaché à Malesherbes (Loiret).

BUXEROLLES 86 Vienne 68 ⑬ – rattaché à Poitiers.

BUXY 71390 S.-et-L. 70 ① – 1 998 h alt. 263.

Paris 355 – Chalon-sur-Saône 17 – Autun 53 – Chagny 23 – Mâcon 62 – Montceau-les-Mines 33.

Relais du Montagny M sans rest, ☎ 85 92 19 90, Fax 85 92 07 19, ⛱, ⛱ – TV ☎ ☎ ♿ P – 🏛 40. AE GB
fermé fév. – ☕ 40 – **30 ch** 275/355.

BUZANÇAIS 36500 Indre 68 ⑦ – 4 749 h alt. 111.

Env. Château d'Argy★ N : 6 km, **G. Berry Limousin.**

Paris 275 – Le Blanc 45 – Châteauroux 26 – Chatellerault 77 – ♦Tours 88.

Hermitage , rte d'Argy ☎ 54 84 03 90, Fax 54 02 13 19, ⛱ – ▤ rest TV ☎ 🚗 P. GB
fermé 15 au 24 sept., 1er au 15 janv., dim. soir et lundi sauf hôtel en juil.-août – **Repas** (dim. prévenir) 84/285 🍷, enf. 60 – ☕ 29 – **14 ch** 120/320 – ½ P 240/265.

Le Croissant, 53 r. Grande ☎ 54 84 00 49, Fax 54 84 20 60, ⛱ – TV ☎. GB. ✻ rest
fermé 10 fév. au 6 mars, vend. soir et sam. midi – **Repas** 82/235 🍷, enf. 58 – ☕ 30 – **14 ch** 225/265.

CITROEN Gar. Fontaine, 38 rte de Châteauroux ☎ 54 84 08 39

Chirault, 41 r. Hervault ☎ 54 84 12 97

BUZET-SUR-BAÏSE 47160 L.-et-G. 79 ⑭ – 1 353 h alt. 40.

Paris 689 – Agen 30 – Mont-de-Marsan 84 – Nérac 18 – Villeneuve-sur-Lot 42.

XX **Le Vigneron,** bd République ☎ 53 84 73 46 – GB
fermé 15 au 28 fév., dim. soir et lundi – **Repas** 80/240 🍷, enf. 65.

PEUGEOT Gar. Gérin, ☎ 53 84 74 28

CABASSON 83 Var 84 ⑯, 114 ㊽ – rattaché à Bormes-les-Mimosas.

CABOURG 14390 Calvados 55 ② G. Normandie Vallée de la Seine – 3 355 h alt. 3 – Casino A.

18 ☎ 31 91 25 56, par ④ : 3 km ; 9 ☎ 31 91 70 53, 1 km par av. de l'Hippodrome A.

Office de Tourisme Jardins du Casino ☎ 31 91 01 09, Fax 31 24 14 49.

Paris 225 ③ – ♦Caen 22 ④ – Deauville 18 ① – Lisieux 35 ② – Pont-l'Évêque 26 ②.

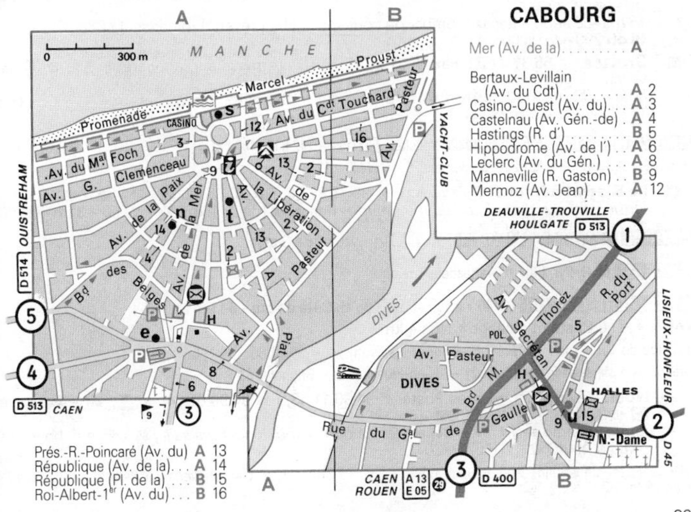

Grand Hôtel, prom. M. Proust ☎ 31 91 01 79, Télex 171364, Fax 31 24 03 20, <, – 25 à 200. AE GB JCB A s
Repas 150/195 – 75 – **68 ch** 770/1020 – ½ P 650/800.

Mercure Hippodrome M, av. M. d'Ornano par av. Hippodrome A ☎ 31 24 04 04, Fax 31 91 03 99, – 30 à 100. AE GB
Repas *(10 mars-10 nov.)* 130/180, enf. 60 – 58 – **74 ch** 510/630, 8 duplex.

Golf M, av. M. d'Ornano par av. Hippodrome A ☎ 31 24 12 34, Fax 31 24 18 51, – 30. AE GB
Repas *(fermé 8 au 21 janv., dim. soir et lundi midi d'oct. à mars)* 95/160 – 42 – **30 ch** 350/400, 10 duplex – ½ P 310.

Le Cottage sans rest, 24 av. Gén. Leclerc ☎ 31 91 65 61, Fax 31 28 78 82, – AE GB A e
38 – **14 ch** 320/430.

Castel Fleuri sans rest, 4 av. A. Piat ☎ 31 91 27 57, Fax 31 91 31 81, « Jardin » – GB. A t
21 ch 410/460.

Le Cabourg sans rest, 5 av. République ☎ 31 24 42 55, Fax 31 28 78 82 – AE GB A n
44 – **8 ch** 400/420.

à Dives-sur-Mer : Sud du plan – 5 344 h. alt. 3 – ✉ **14160**.

Voir Halles★ B.

Syndicat d'Initiative r. du Gén-de-Gaulle (saison) ☎ 31 91 24 66.

Chez le Bougnat, 27 r. G. Manneville ☎ 31 91 06 13 B u
en hiver : fermé le midi, vend. soir et sam. soir ; en saison : fermé mardi – **Repas** 79.

par ④, D 513 et rte de Gonneville-en-Auge : 7 km – ✉ **14860** Ranville :

XXX **Host. Moulin du Pré** avec ch, ☎ 31 78 83 68, Fax 31 78 21 05, parc – AE GB. ch
fermé 4 au 18 mars, 1er au 30 oct., dim. soir et lundi sauf juil.-août et fériés – **Repas** 255/300 et carte 220 à 320 – 40 – **10 ch** 220/340.

au Home par ④ : 2 km ou rte de Merville-Franceville : 1 km par D 514 – ✉ **14310** Cabourg :

XX **Au Pied de Cochon,** ☎ 31 91 27 55 – GB
fermé 25 nov. au 11 déc., 13 au 28 janv., lundi soir et mardi – **Repas** 125/270.

CITROEN Gar. Mesnier, 1 av. de la Libération A ☎ 31 91 26 83

PEUGEOT Gar. Pichon, CD 513, rte de Caen ☎ 31 91 35 97 N ☎ 31 24 10 00

CABRERETS 46330 Lot 79 ⑨ G. Périgord Quercy – 191 h alt. 130.

Voir Château de Gontaut-Biron★ – <★ sur village de la rive gauche du Célé – Grotte du Pech Merle★★ NO : 3 km – Cuzals : musée de plein air du Quercy★ NE : 5 km.

Office de Tourisme ☎ 65 31 27 12, Fax 65 30 27 17.

Paris 583 – Cahors 31 – Figeac 44 – Gourdon 42 – St-Céré 57 – Villefranche-de-Rouergue 43.

Aub. de la Sagne, rte grotte de Pech Merle ☎ 65 31 26 62, Fax 65 30 27 43, – GB.
15 mai-30 sept. – **Repas** (nombre de couverts limité, prévenir) (dîner seul.) 82/130 – 30 – **10 ch** 290 – ½ P 260.

Grottes, ☎ 65 31 27 02, Fax 65 31 20 15, «Terrasse sur la rivière », – GB. ch
hôtel : 30 mars-30 oct. ; rest. : 4 mai-6 oct. – **Repas** 89/135, enf. 55 – 35 – **18 ch** 172/322 – ½ P 215/285.

CABRIÈRES-D'AVIGNON 84220 Vaucluse 81 ⑬ – 1 142 h alt. 167.

Paris 709 – Avignon 31 – Apt 23 – Carpentras 25 – Cavaillon 12.

XX **Le Bistrot à Michel** avec ch, ☎ 90 76 82 08, Fax 90 76 82 08, – GB
fermé janv., lundi sauf juil.-août et mardi – **Repas** 100 (déj.), 165/300 – 50 – **3 ch** 500/600.

CABRIS 06 Alpes-Mar. 84 ⑧, 114 ⑬, 115 ㉔ – rattaché à Grasse.

CADÉAC 65 H.-Pyr. 85 ⑲ – rattaché à Arreau.

La CADIÈRE-D'AZUR 83740 Var 84 ⑭ 114 ㊹ G. Côte d'Azur – 3 139 h alt. 144.

Voir <★ – Le Castelet : village★ NE : 4 km.

Office de Tourisme rond-point R.-Salengro (saison) ☎ 94 90 12 56.

Paris 817 – ◆ Marseille 44 – ◆ Toulon 21 – Aix-en-Provence 61 – Brignoles 53.

Host. Bérard M, près Poste ☎ 94 90 11 43, Fax 94 90 01 94, <, – rest – 40. AE GB JCB. rest
fermé 10 janv. au 19 fév. – **Repas** *(fermé dim. soir et lundi hors sais.)* 95/285, enf. 65 – 65 – **40 ch** 450/650 – ½ P 575/720.

CITROEN Gar. Jansoulin, Ch. des Beaumes ☎ 94 29 30 36

RENAULT Gar. St-Eloi, av. Libération ☎ 94 90 12 47

CADOURS **31480** H.-Gar. 82 ⑥ – 694 h alt. 235.
aris 694 – Auch 43 – ♦Toulouse 42 – Montauban 48.

Demeure d'En Jourdou sans rest, NO : 1 km par D 29 ✆ 61 85 77 77, parc, – AE
37 – **7 ch** 290/420.

CAEN P **14000** Calvados 55 ⑪ ⑫ **G. Normandie Cotentin** – 112 846 h Agglo. 191 490 h alt. 25.
oir Abbaye aux Hommes★★ CY – Abbaye aux Dames EX : Église de la Trinité★★ – Chevet★★, ise★★ et voûtes★★ de l'Église St-Pierre★ DY – Église et cimetière St-Nicolas★ CY – Tour-lanterne★ de l'église St-Jean EZ – Hôtel d'Escoville★ DY **B** – Vieilles maisons★ (n° 52 et 54 rue t-Pierre) DY **K** – Musée des Beaux-Arts★★ dans le château★ DX **M**[1] – Musée de Normandie★★ X **M**[2] – Mémorial★★ AV.

nv. Ruines de l'abbaye d'Ardenne★ AV 6 km par ⑨.

de Caen ✆ 31 94 72 09, N par D 60 BV : 5 km ; de Garcelles ✆ 31 39 08 58, par ⑥ : 5 km.

de Carpiquet : ✆ 31 26 58 00, par D 9 : 7 km.

Office de Tourisme et Accueil de France pl. St-Pierre ✆ 31 27 14 14, Fax 31 79 14 13 – A.C.O. 20 av. 6-juin ✆ 31 85 47 35.

aris 240 ④ – Alençon 97 ⑥ – ♦Amiens 236 ④ – ♦Brest 370 ⑧ – ♦Cherbourg 124 ⑨ – Évreux 130 ⑤ – ♦Le Havre ④ – ♦Lille 352 ④ – ♦Le Mans 151 ⑥ – ♦Rennes 174 ⑧.

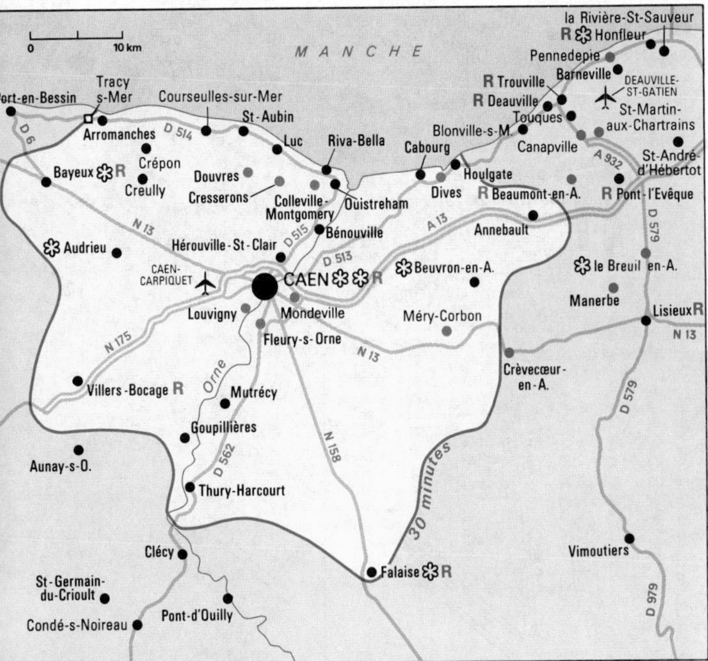

Holiday Inn M, pl. Foch ✆ 31 27 57 57, Télex 170555, Fax 31 27 57 58 – 150. AE GB. rest DZ **z**
Le Rabelais ✆ 31 27 57 56 *(fermé sam. midi)* **Repas** 118/230, enf. 50 – 50 – **92 ch** 410/580 – ½ P 385/440.

Moderne M sans rest, 116 bd Mar. Leclerc ✆ 31 86 04 23, Fax 31 85 37 93 – AE GB JCB DY **d**
47 – **40 ch** 320/630.

Mercure M, 1 r. Courtonne ✆ 31 47 24 24, Fax 31 47 43 88 – 300. AE GB EY **b**
Repas 125 , enf. 49 – 50 – **110 ch** 480/600, 4 appart.

Relais des Gourmets sans rest, 15 r. Geôle ✆ 31 86 06 01, Fax 31 39 06 00 – 45. AE GB JCB DY **t**
60 – **28 ch** 380/580.

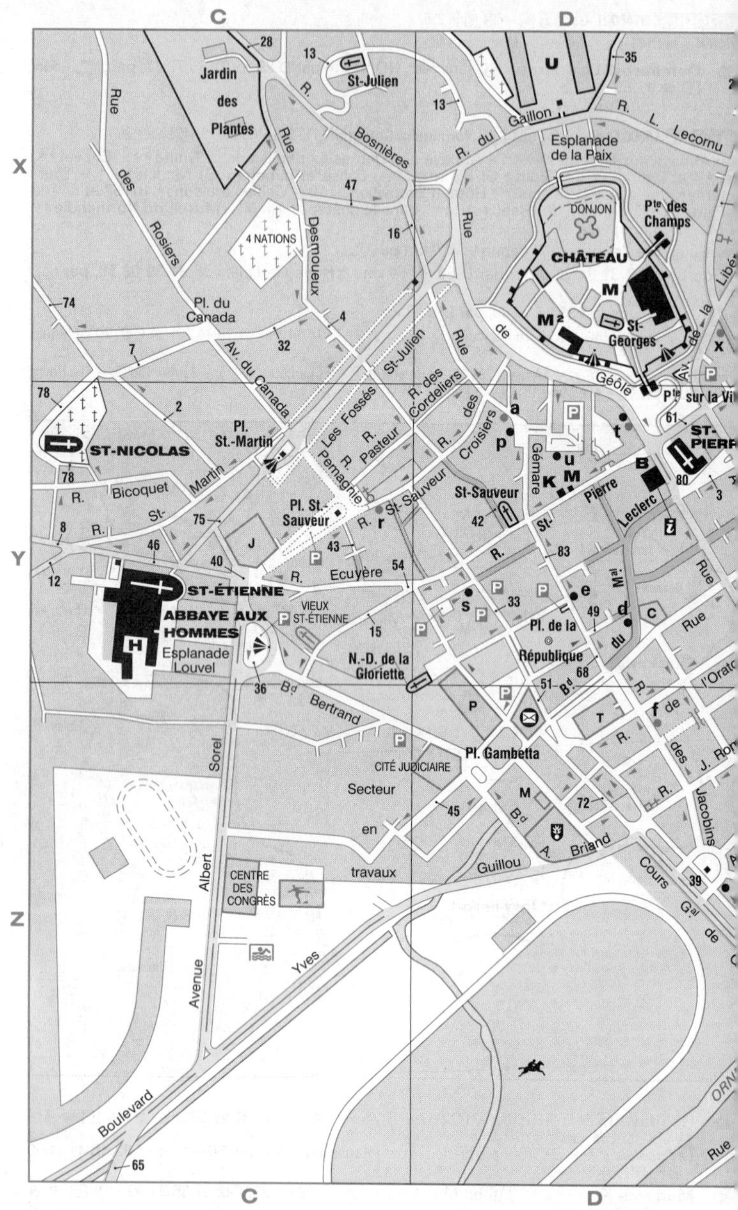

🏨 **France** sans rest, 10 r. Gare ✆ 31 52 16 99, Fax 31 83 23 16 – 🛗 📺 ☎ ♿ 🅿. AE ⓓ GB EZ
fermé 24 au 31 déc. – ☕ 30 – **47 ch** 200/300.

🏨 **Royal** sans rest, 1 pl. République ✆ 31 86 55 33, Fax 31 79 89 44 – 🛗 📺 ☎. AE GB DY
☕ 36 – **42 ch** 250/310.

🏨 **Quatrans** sans rest, 17 r. Gemare ✆ 31 86 25 57, Fax 31 85 27 80 – 🛗 📺 ☎ 📞. GB DY
☕ 31 – **32 ch** 170/260.

CAEN

Alliés (Bd des) . . . . DY 3
Ecuyère (R.) . . . . CY
Guillouard (Pl. L.) . . . . CYZ 36
Leclerc (Bd Mar.) . . . . DY
St-Jean (R.) . . . . DEYZ
St-Pierre (R.) . . . . DY
Strasbourg (R. de) . . . . DY 83
6-Juin (Av. du) . . . . DEYZ

Académie (R. de l') . . . . . . CY 2
Bagatelle (Av. de) . . . . CX 4
Barbey-d'Aurevilly (R.) . . . . CX 7
Bayeux (R. de) . . . . CY 8
Bir-Hakeim (Pont de) . . . . EZ 9
Caponière (R.) . . . . CY 12
Carrières-St-Julien (R. des) . . . . CDX 13
Caumont (R. A. de) . . . . CY 15
Chanoine X. de St-Paul (R.) . . . . CX 16
Chaussée-Ferrée (R. de la) . EZ 18
Churchill (Pont) . . . . EZ 20
Courtonne (Pl.) . . . . EY 26
Creully (Av. de) . . . . CX 28
Délivrande (R. de la) . . . . . . DX 29
Docteur-Rayer (R. du) . . . . . CX 32
Doumer (R. Paul) . . . . DY 33
Edimbourg (Av. d') . . . . DX 35
Falaise (R. de) . . . . EZ 38
Foch (Pl. du Mar.) . . . . DZ 39
Fontette (Pl.) . . . . CY 40
Froide (R.) . . . . DY 42
Fromages (R. aux) . . . . CY 43
Gardin (R. R.) . . . . CDZ 45
Guillaume-le-Conquérant (R.) . . . . CY 46
Juifs (R. aux) . . . . CX 47
Lair (R. P.-A.) . . . . DY 49
Lebisey (R. de) . . . . EX 50
Lebret (R. G.) . . . . DYZ 51
Malherbe (Pl.) . . . . CY 54
Manissier (R.) . . . . EX 55
Miséricorde (R. de la) . . . . . EY 57
Montalivet (Cours) . . . . EZ 58
Montoir-Poissonnerie (R.) . . DY 61
Petit-Vallerent (Bd du) . . . . . CZ 65
Pont St-Jacques (R. du) . . . DY 68
Reine Mathilde (Pl. de la) . . EX 69
Sadi-Carnot (R.) . . . . DZ 72
St-Gabriel (R.) . . . . CX 74
St-Manvieu (R.) . . . . CY 75
St-Michel (R.) . . . . EZ 77
St-Nicolas (R.) . . . . CXY 78
St-Pierre (Pl.) . . . . DY 80
Sévigné (Prom. de) . . . . EZ 81
Vaucelles (R. de) . . . . EZ 85
Vaugueux (R. du) . . . . DX 86
11-Novembre (R. du) . . . . . . EZ 90

Dans la liste des rues des plans de villes, les noms en rouge indiquent les principales voies commerçantes.

Ibis Caen Centre M, 6 pl. Courtonne ☎ 31 95 88 88, Fax 31 43 80 80 – |♦| ⇄ TV ☎ ♿ ⟹ – 🏊 300. AE ⓓ GB — EY **k**
Repas 99 bc, enf. 39 – ☕ 35 – **101 ch** 310/340.

Ibis M sans rest, 33 r. Bras (centre P. Doumer) ☎ 31 50 00 00, Fax 31 86 85 91 – |♦| ⇄ TV ☎ ☎ ♿. AE ⓓ GB — DY **s**
☕ 36 – **59 ch** 275/305.

CAEN

Baladas (Bd des) . . . . AV 6
Chemin Vert (R. du) . . . . . . AV 19
Clemenceau (Av. G.) . . . . . . BV 21
Copernic (Av. N.) . . . . ABV 23
Côte-Fleurie (Rte de la) . . . . AV 24
Courseulles (Av. de) . . . . . . AV 25
Délivrande (R. de la) . . . . . . AV 29
Demi-Lune (Pl. de la) . . . . . BV 30
Lyautey (Bd Mar.) . . . . AV 52
Montalivet (Cours) . . . . BV 58
Montgomery (Av. Mar.) . . . AV 59
Mountbatten (Av. Am.) . . . . AV
Père-Ch.-de-Foucault (Av.) . . . . AV
Poincaré (Bd R.) . . . . BV
Pompidou (Bd G.) . . . . AV
Rethel (Bd de) . . . . BV
Richemond (Bd de) . . . . AV

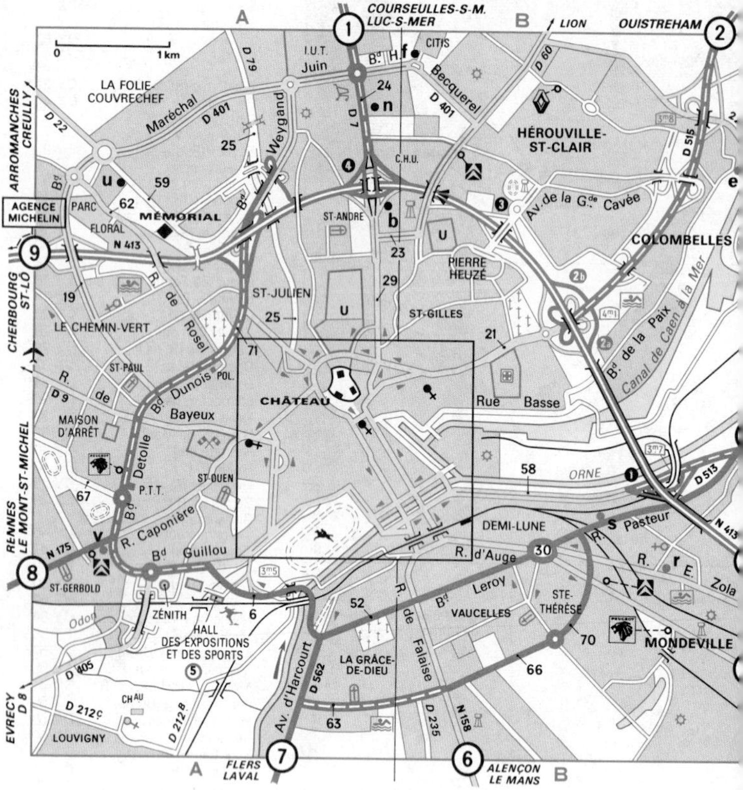

Central sans rest, 23 pl. J. Letellier ✆ 31 86 18 52, Fax 31 86 88 11 – TV ☎. GB — DY
☕ 30 – **25 ch** 150/190.

Clarine M, 11 r. Prof. J. Rousselot ✆ 31 95 87 00, Fax 31 94 46 54 – |‡| TV ☎ ♿ P
50. AE ⓓ GB JCB — AV
Repas 59/120 🍷, enf. 39 – ☕ 35 – **50 ch** 275/295.

XXX ✿✿ **La Bourride** (Bruneau), 15 r. du Vaugueux ✆ 31 93 50 76, Fax 31 93 29 63, « Maiso du vieux Caen » – AE ⓓ GB — DX
fermé 19 août au 2 sept., 4 au 24 janv., dim. soir et lundi – **Repas** (nombre de couverts limite prévenir) 190 (déj.), 335/654 et carte 340 à 440
Spéc. Charlotte d'andouille. "Minchie" de turbot à la pomme râpée. Normandie gourmandise.

XXX **Le Dauphin** avec ch, 29 r. Gemare ✆ 31 86 22 26, Fax 31 86 35 14 – |‡| TV ☎ P. AE
GB — DY
fermé 15 juil. au 6 août (sauf hôtel), vacances de fév. et sam. midi – **Repas** 95/310 et cart 280 à 330 🍷 – ☕ 50 – **22 ch** 320/610 – ½ P 360/470.

XXX ✿ **Daniel Tuboeuf**, 8 r. Buquet ✆ 31 43 64 48 – ▤. GB — DY
fermé 1er au 22 août, dim. et lundi – **Repas** 99 (dîner), 125/200
Spéc. Gâteau normand de tripes aux deux pommes. Etuvée de homard à la tomate fraîche. Croustillant de pommes a beurre de cidre.

XXX **Le Pressoir**, 3 av. H. Chéron ✆ 31 73 32 71, Fax 31 73 32 71 – GB — AV
fermé 4 au 26 août, vacances de fév., dim. soir et lundi – **Repas** 110/270 et carte 250 à 340.

XXX **Les Echevins**, 35 rte Trouville ✆ 31 84 10 17, Fax 31 84 53 22 – P. AE ⓓ GB — BV
fermé 28 juil. au 25 août, sam. midi et dim. soir – **Repas** 165/340 et carte 270 à 400.

XX **Le Gastronome,** 43 r. St Sauveur ✆ 31 86 57 75, Fax 31 38 27 78 – GB CY **r**
fermé 27 juil. au 9 août, sam. midi et dim. soir – **Repas** 86/172 ♁.

XX **L'Écaille,** 13 r. de Geôle ✆ 31 86 49 10, Fax 31 39 06 00 – ▤. AE ⓓ GB JCB DY **t**
Repas - produits de la mer - 145 bc/190 ♁.

XX **La Petite Marmite,** 43 r. Jacobins ✆ 31 86 15 20, Fax 31 85 54 12 – ▤. GB DZ **f**
fermé sam. midi et dim. – **Repas** 98/178.

XX **Le Carlotta,** 16 quai Vendeuvre ✆ 31 86 68 99, Fax 31 38 92 31 – ▤. GB EY **m**
fermé 6 au 21 août et dim. – **Repas** 92/147 ♁.

XX **Alcide,** 1 pl. Courtonne ✆ 31 44 18 06, Fax 31 22 92 90 – GB EY **e**
fermé 20 au 31 déc. et sam. – **Repas** 75/139 ♁.

X **Pub William's,** pl. Courtonne ✆ 31 93 45 52, Fax 31 93 45 52 – ▤. AE ⓓ GB. ✻ EY **e**
fermé 5 au 25 août, dim. et fériés – **Repas** 72/185 ♁.

X **La Poêle d'Or,** 7 r. Laplace ✆ 31 85 39 86 – ⓓ GB EZ **r**
fermé 14 juil. au 15 août, Noël au Jour de l'An, dim. soir et sam. – **Repas** 65/140 ♁.

à l'échangeur Caen-Université (bretelle du bd périphérique) – ✉ **14000** Caen :

Novotel Côte de Nacre Ⓜ, av. Côte de Nacre ✆ 31 43 42 00, Télex 170563, Fax 31 44 07 28, ☂, ⛱, – ▮ ⇔ ▤ TV ☎ ✆ ♿ P – 🏛 200. AE ⓓ GB AV **b**
Repas carte environ 150, enf. 50 – ☕ 49 – **126 ch** 425/480.

à Hérouville St-Clair NE : 3 km – 24 795 h. alt. 20 – ✉ **14200** :

Friendly Ⓜ, 2 pl. Boston Citis ✆ 31 44 05 05, Fax 31 44 95 94, Ꝇ, ⛱ – ⇔ ▤ rest TV ☎ ♿ P – 🏛 300. AE ⓓ GB JCB. ✻ rest BV **f**
Repas 98 bc/155 ♁ – ☕ 48 – **90 ch** 440/480 – ½ P 410.

X **L'Espérance** ⛭ avec ch, r. Abbé Alix, bord du canal ✆ 31 44 97 10, Fax 31 94 89 23 – TV ☎ P. GB BV **e**
fermé 15 au 30 nov. et lundi sauf fériés – **Repas** 50/184 – ☕ 25 – **11 ch** 130/170 – ½ P 170/195.

à Bénouville par ② : 10 km – 1 258 h. alt. 8 – ✉ **14970** .

Voir Château★ : escalier d'honneur★★.

La Glycine Ⓜ, ✆ 31 44 61 94, Fax 31 43 67 30 – TV ☎ ♿ P. GB
Repas *(fermé dim. soir d'oct. à mai)* 90/310 – ☕ 30 – **25 ch** 270 – ½ P 280.

XXX **Manoir d'Hastings et la Pommeraie** Ⓜ ⛭ avec ch, ✆ 31 44 62 43, Fax 31 44 76 18, ☂, « Prieuré du 17e siècle, jardin » – TV ☎ P. AE ⓓ GB
fermé 12 nov. au 2 déc. – **Repas** *(fermé dim. soir et lundi sauf juil.-août)* 124 (déj.), 164/367 et carte 200 à 380 – ☕ 50 – **15 ch** 500/800 – ½ P 625/675.

à Mondeville E : 3,5 km – 9 488 h. alt. 10 – ✉ **14120** :

XX **Les Gourmets,** 41 r. E. Zola ✆ 31 82 37 59, Fax 31 82 37 92 – GB BV **r**
fermé 1er au 15 août, dim. soir et lundi – **Repas** 89/148.

à Fleury-sur-Orne par ⑦ : 4 km – 3 861 h. alt. 33 – ✉ **14123** :

XX **Ile Enchantée,** au bord de l'Orne ✆ 31 52 15 52, Fax 31 72 67 17, ⩽ – GB
fermé 5 au 12 août, vacances de fév., dim. soir et lundi – **Repas** 95/215.

à Louvigny S : 4,5 km par D 212^B AV – 1 712 h. alt. 10 – ✉ **14111** :

XXX **Aub. de l'Hermitage,** au bord de l'Orne ✆ 31 73 38 66, Fax 31 74 27 30 – AE GB
fermé 19 août au 8 sept., vacances de fév., dim. soir et lundi – **Repas** (nombre de couverts limité, prévenir) 98/230 et carte 210 à 310.

à la Folie Couvrechef (près Mémorial) AV – ✉ **14000** Caen :

Otelinn Ⓜ, av. Mar. Montgomery ✆ 31 44 34 20, Fax 31 44 63 80 – TV ☎ ♿ P – 🏛 30 à 60. AE ⓓ GB AV **u**
Repas 85/120 ♁, enf. 50 – ☕ 39 – **50 ch** 295.

MICHELIN, Agence régionale, ZI Carpiquet, ch. de la Sablonnière - Rots ✆ **31 26 68 19**

CITROEN Gar. Lenrouilly, 35 av. Henri Chéron AV ✆ 31 74 55 98
CITROEN Succursale, rte de Lion sur Mer BV ✆ 31 43 44 11 N ✆ 31 80 03 03
MERCEDES Aubin Normandy, 30 av. de Paris ✆ 31 82 38 42 N ✆ 05 24 24 30
PEUGEOT Sté Ind. Auto de Normandie, 36 bd A.-Detolle AV ✆ 31 74 55 50 N ✆ 31 75 31 11

ROVER, JAGUAR Gar. J.F.C., 96 bd Y.-Guillou ✆ 31 75 40 00
VAG Auto Technic, ZI Nord-Est rte de Lion sur Mer ✆ 31 44 09 90
Gar. St-Michel, 13 r. Puits de Jacob ✆ 31 82 37 51

Ⓟ Clabeaut Pneu, r. Gén. Moulin ✆ 31 29 15 50
Euromaster, 2 r. Chemin Vert ✆ 31 74 44 09

Périphérie et environs

ALFA ROMEO, FIAT Gar. JM Autos, ZI r. de Bellevue à Carpiquet ✆ 31 26 50 11
BMW Gar. Regnault, rte de Paris à Mondeville ✆ 31 35 15 35
CITROEN Petit Gar., 8 rte de Paris à Mondeville BV ✆ 31 82 20 28
FORD Gar. Viard, Technopole Citis à Herouville ✆ 31 47 03 03
NISSAN, OPEL Transac Auto, ZI de la Sphére à Hérouville BV ✆ 31 47 64 23
PEUGEOT Gar. Marie Frères, 42 rte de Paris à Mondeville BV ✆ 31 52 19 32
PEUGEOT Gar. Caen Sud, 619 r. de Caen à Ifs par ⑥ ✆ 31 82 32 33
RENAULT Succursale, r. Pasteur à Hérouville BV ✆ 31 46 44 44 N ✆ 05 05 15 15
RENAULT Gar. Allais, 554 rte de Falaise à Ifs par ⑥ ✆ 31 82 33 31 N ✆ 31 82 45 55
Gar. de l'Étoile, 7 rte de Paris à Mondeville ✆ 31 52 02 34

Clabeaut Pneu, ZI rte de Paris à Mondeville ✆ 31 83 10 10
Euromaster, ZI Mondeville-Sud à Grentheville ✆ 31 82 37 15
Laguerre Pneus, ZI r. des Monts Rameaux à Carpiquet ✆ 31 26 05 00
Laguerre Pneus, ZI de la Sphère à Hérouville ✆ 31 47 65 00
Schmitt Pneus Vulcopneu, rte de Falaise à Ifs ✆ 31 52 08 39

CONSTRUCTEUR : RENAULT Véhicules Industriels, à Blainville-sur-Orne ✆ 31 84 81 33

Dans la liste des rues des plans de villes,
les noms en rouge indiquent les principales voies commerçantes.

CAGNES-SUR-MER **06800** Alpes-Mar. 84 ⑨ 115 ㉕ **G. Côte d'Azur** – 40 902 h alt. 20.

Voir Haut-de-Cagnes★ X – Château-musée★ X : patio★★, ✻★ de la tour – Musée Renoir★ Y.

Office de Tourisme 6 bd Mar.-Juin ✆ 93 20 61 64.

Paris 921 ⑤ – ♦Nice 13 ② – Antibes 11 ④ – Cannes 21 ⑤ – Grasse 24 ⑥ – Vence 9,5 ①.

Plan page ci-contre

Le Cagnard, r. Pontis-Long au Haut-de-Cagnes ✆ 93 20 73 21, Fax 93 22 06 39, ≤, – ch – 25. AE GB JCB X
Repas *(fermé 1er nov. au 18 déc. et jeudi midi)* 300/500 et carte 390 à 510 – 80 – **18 ch** 420/1100, 10 appart – ½ P 755/1130
Spéc. Lasagne de langoustines en fondue de poireaux. Croustillant de rouget à la crème de coco. Mignon de veau cu à la ficelle, sauce aux truffes et olives vertes. **Vins** Bandol, Côtes de Provence.

Splendid M sans rest, 41 bd Mar. Juin ✆ 93 22 02 00, Fax 93 20 12 44 – AE GB Y
40 – **26 ch** 380/440.

Chantilly sans rest, 31 r. Minoterie ✆ 93 20 25 50, Fax 92 02 82 63 – AE GB
fermé 5 oct. au 5 déc. – 35 – **18 ch** 250/400. Y

Tiercé H. sans rest, 33 bd Kennedy ✆ 93 20 02 09, Fax 93 20 31 55 – AE GB Y
50 – **23 ch** 350/700.

Brasilia sans rest, chemin Grands Plans ✆ 93 20 25 03, Fax 93 22 44 09 – AE GB JCB Y
35 – **18 ch** 320/450.

Les Collettes sans rest, 38 chemin des Collettes ✆ 93 20 80 66, – cuisinette AE GB Y
fermé 1er nov. au 27 déc. – 33 – **13 ch** 301/401.

XX **Les Peintres,** 71 montée Bourgade au Haut-de-Cagnes ✆ 93 20 83 08, Fax 93 20 61 01, ≤ – AE GB X
fermé 18 au 28 mars, 22 nov. au 15 déc. et merc. – **Repas** 210/420 et carte 290 à 380
Spéc. Carpaccio de langoustines (sept.-oct.). Ravioli de ricotta (oct.-nov.). Pigeon rôti, pommes de terre fondantes **Vins** Côtes de Provence.

XX **Josy-Jo,** 4 pl. Planastel ✆ 93 20 68 76, – AE GB X
fermé 1er au 15 août, sam. midi et dim. – **Repas** carte 250 à 340.

à Cros-de-Cagnes SE : 2 km – ✉ **06800** Cagnes-sur-Mer.

Office de Tourisme av. des Oliviers ✆ 93 07 67 08 et Pavillon en front de mer pendant l'été.

Mas d'Azur sans rest, 42 av. Nice ✆ 93 20 19 19 – GB Y
30 – **15 ch** 265/335.

XXX **La Bourride,** port du Cros ✆ 93 31 07 75, Fax 93 31 89 11, ≤, – AE GB Y
fermé vacances de fév. et merc. – **Repas** 150/295 et carte 220 à 350, enf. 80.

XX **La Réserve "Loulou"** (Campo), 91 bd Plage ✆ 93 31 00 17 – AE GB Y
fermé 14 juil. au 21 août, dim. et fériés – **Repas** 200 et carte 250 à 390
Spéc. Salade de supions au vinaigre balsamique. Poissons au four ou grillés. Carré d'agneau. **Vins** Bellet, Côtes de Provence.

PEUGEOT Gar. Ortelli, rte de St-Paul par ① Y ✆ 93 20 30 40
RENAULT Succursale de Nice, 104 bd Plage à Cros de Cagnes ✆ 93 14 20 20 N ✆ 05 05 15 15

Pneu Service, 156 rte de Nice, N 7 à Cros de Cagnes ✆ 93 31 17 07

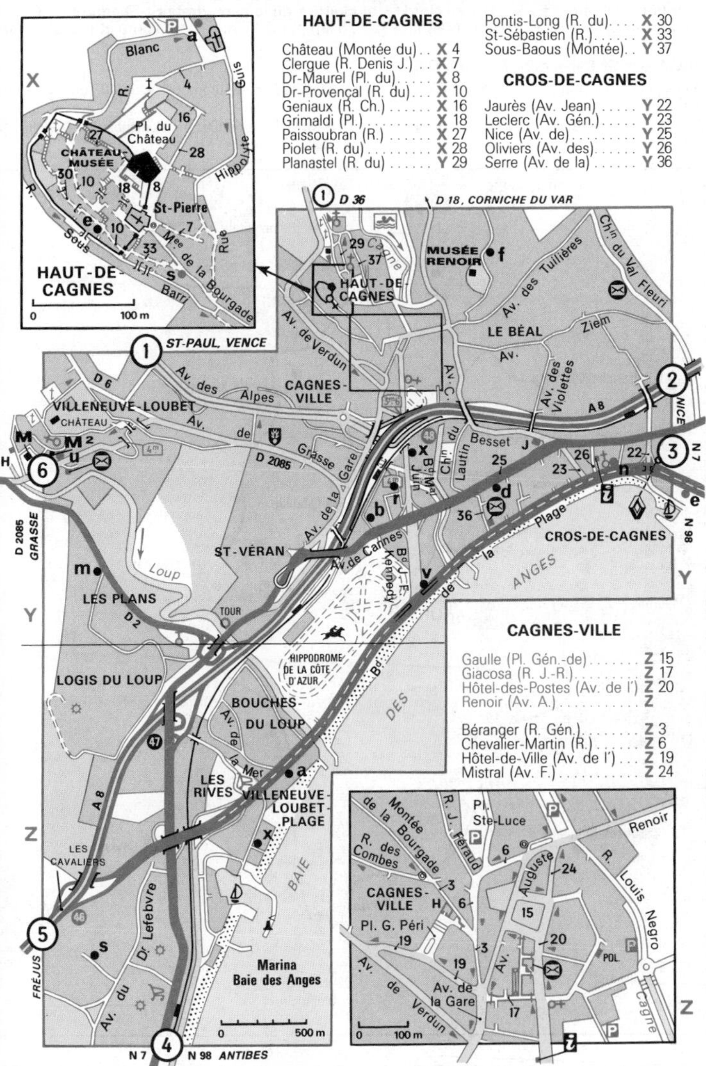

CAGNOTTE **40300** Landes 78 ⑦ – 506 h alt. 40.

Paris 750 – Biarritz 61 – Mont-de-Marsan 67 – ♦Bayonne 49 – Dax 16 – Pau 86.

XX **Le Fournil** avec ch, ✆ 58 73 03 78, Fax 58 73 13 48, ⛱, 🏊 – ☎ 🅿 – 🏕 25 à 60. AE GB
fermé 21 au 31 oct., janv., dim. soir et lundi du 15 sept. au 15 juin – **Repas** 80 (déj.), 100/220, enf. 60 – ☕ 40 – **10 ch** 180/250 – ½ P 240/260.

CAHORS **P** **46000** Lot **79** ⑧ G. Périgord Quercy – 19 735 h alt. 135.

Voir Pont Valentré★★ AZ – Portail Nord★★ et cloître★ de la cathédrale St-Etienne★ BY **E** – ≤ du pont Cabessut BY – Croix de Magne ≤★ O : 5 km par D 27 AZ – Barbacane et tour St-Jean ABY **K**.

Env. Mont-St-Cyr ≤★ BZ 7 km par D 6.

Office de Tourisme pl. A.-Briand ✆ 65 35 09 56, Fax 65 23 98 66 – Automobile Club 107 quai Cavaigna ✆ 65 20 35 01.

Paris 585 ① – Agen 91 ① – Albi 111 ④ – Bergerac 105 ① – Brive-la-Gaillarde 100 ① – Montauban 60 ④ – Périgueu 123 ①.

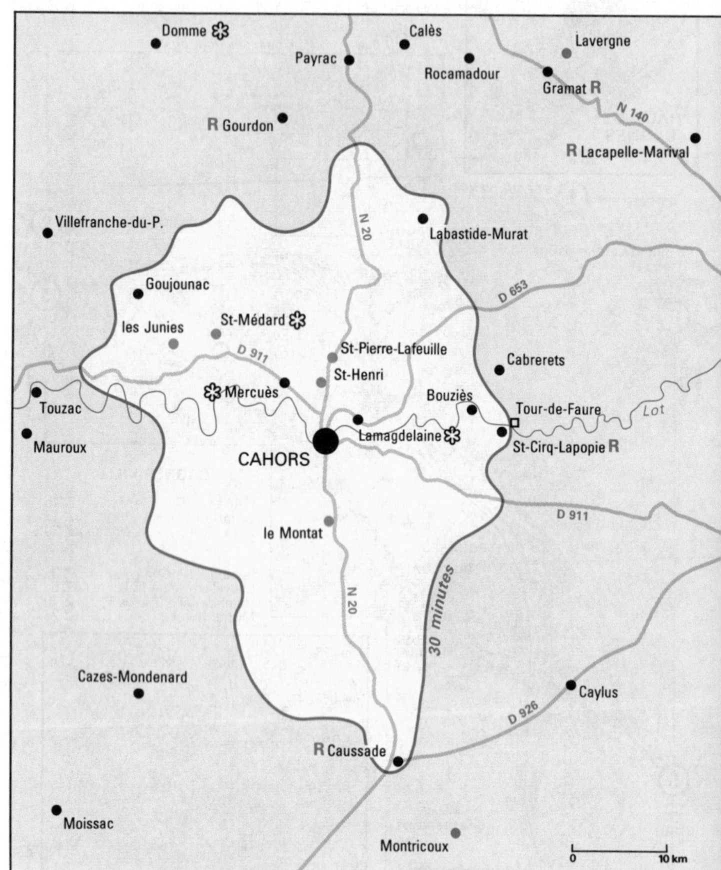

Terminus et rest. Le Balandre M, 5 av. Ch. de Freycinet ✆ 65 35 24 50, Fax 65 22 06 40 – rest TV ☎ – 25. AE GB. AY
Repas (fermé dim. soir et lundi sauf juil.-août) 170 bc (déj.), 240/320 – ☐ 38 – **22 ch** 300/600 – ½ P 475/700.

France sans rest, 252 av. J. Jaurès ✆ 65 35 16 76, Télex 520394, Fax 65 22 01 08 – TV ☎ – 50. AE GB. AY
fermé 21 déc. au 7 janv. – ☐ 40 – **79 ch** 220/360.

La Chartreuse, fg St Georges ✆ 65 35 17 37, Télex 533743, Fax 65 22 30 03, ≤, – rest TV ☎ – 25. AE GB BZ
fermé 1er au 19 janv. – **Repas** 84/230 – ☐ 40 – **51 ch** 220/330 – ½ P 252/290.

La Taverne, pl. P. Escorbiac ✆ 65 35 28 66, – . GB BY
fermé dim. soir et sam. d'oct. à mars – **Repas** 85/250.

Le Rendez-Vous, 49 r. C. Marot ✆ 65 22 65 10, Fax 65 35 11 05, – GB BY
fermé dim. soir et lundi – **Repas** 99/159.

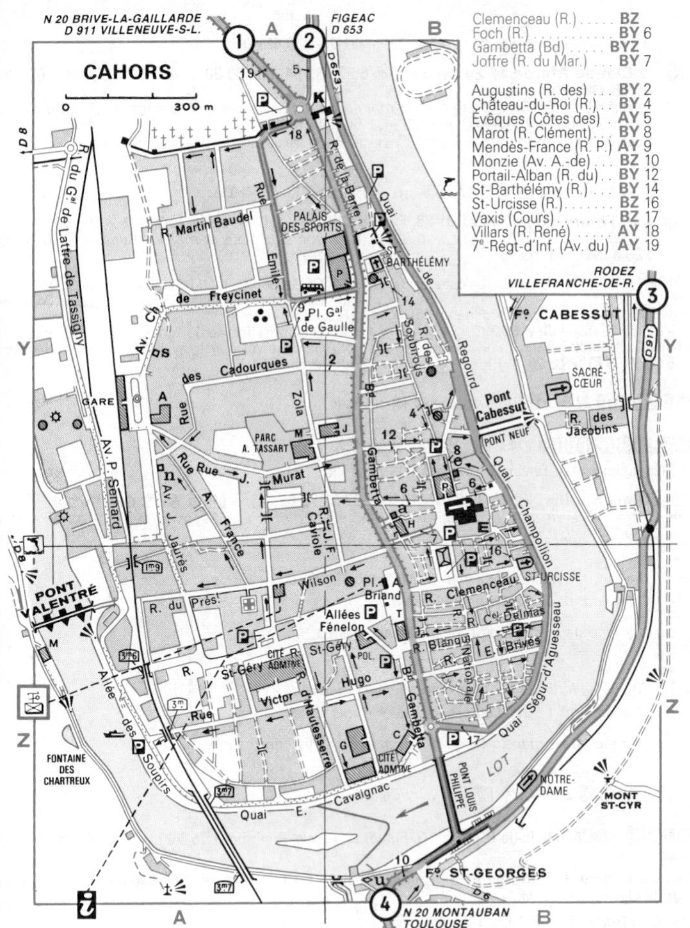

rte de Luzech par ① : 3,5 km à Labéraudie – ✉ **46090** Cahors :

Le Clos Grand 🐎, ✆ 65 35 04 39, Fax 65 22 56 69, 🏊, 🌳 – 📺 ☎ 📞 🅿. GB. 🚫 ch
fermé 23 nov. au 9 déc., 24 fév. au 11 mars, dim. soir de sept. à juin et lundi sauf le soir en juil.-août – **Repas** 80/220 🍷, enf. 47 – ☕ 35 – **21 ch** 190/290 – ½ P 240/280.

à St-Henri par ① et N 20 : 7 km – ✉ **46090** Cahors :

XX **La Garenne,** ✆ 65 35 40 67, 🏡, « Joli cadre rustique », 🌳 – 🅿. GB
fermé 29 janv. au 5 mars, mardi soir et merc. du 1er sept. au 14 juil. – **Repas** 90/280, enf. 50.

à Mercuès par ① : 9 km – 768 h. alt. 133 – ✉ **46090** :

✿ **Château de Mercuès** 🐎, ✆ 65 20 00 01, Fax 65 20 05 72, ≤ vallée du Lot, 🏡, parc, « Ancien château des comtes-évêques de Cahors »", 🏊, 🎾 – 🛗 📺 ☎ 📞 🅿 – 🧑‍🏫 60. AE ⓓ GB. 🚫 rest
Pâques-1er nov. – **Repas** *(fermé merc. sauf juil.-août)* 200/400 et carte 300 à 420 – ☕ 80 – **24 ch** 900/1500, 6 appart – ½ P 690/1090
Spéc. Filet de sandre poêlé et gratiné. Selle et abats d'agneau fermier rôtis à la broche. Délice aux fruits rouges (1er juin-30 oct.). **Vins** Cahors.

à Lamagdelaine par ② : 7 km – 731 h. alt. 122 – ✉ 46090 :

XXX ✿ **Claude Marco** M avec ch, ✆ 65 35 30 64, Fax 65 30 31 40, ←, ⛱, ☐ – TV ☎ P. AE GB
fermé 13 au 25 oct., 8 janv. au 8 mars, dim. soir et lundi du 15 sept. au 15 juin – **Repas** 120/295 et carte 250 à 350, enf. 70 – ☐ 50 – **4 ch** 680
Spéc. Petite tatin de foie gras au jus de truffe crémé. Pot-au-feu de canard (oct. à mai). Aile de pigeonneau en croû de pommes de terre. **Vins** Cahors.

au Montat par ④ et D 47 : 8,5 km – 685 h. alt. 271 – ✉ 46090 :

XXX **Les Templiers,** ✆ 65 21 01 23, Fax 65 21 02 38, « Belle salle voûtée » – AE GB
fermé 1er au 12 juil., 15 janv. au 8 fév., dim. soir sauf août et mardi – **Repas** 87/270 et carte 220 à 320, enf. 60.

CITROEN Midi Auto 46, rte de Toulouse par ④ ✆ 65 35 27 61
PEUGEOT Gd Gar. du Boulevard, rte de Toulouse par ④ ✆ 65 35 02 02 N ✆ 65 20 71 84
RENAULT Renault Cahors, rte de Toulouse par ④ ✆ 65 35 15 95 N ✆ 65 20 72 19

Elf Gambetta, 68 bd Gambetta ✆ 65 35 32 17
Gar. Desprat, 129 bd Gambetta ✆ 65 35 04 36

Euromaster, rte de Toulouse ✆ 65 35 09 02
Garrigue Vulcopneu, av. Monzie, rte de Toulouse ✆ 65 35 51 12

CAILLOUET 27 Eure 55 ⑰ – rattaché à Pacy-sur-Eure.

CAILLY-SUR-EURE 27490 Eure 55 ⑰ – 191 h alt. 23.
Paris 106 – ♦Rouen 42 – Évreux 12 – Louviers 12 – Vernon 26.

Deux Sapins ⛱, ✆ 32 67 75 13, Fax 32 67 73 62, ← – TV ☎ ♿ P. GB. ✂ ch
fermé 15 août au 4 sept., lundi (sauf hôtel) et dim. soir – **Repas** 52/195 ⚲ – ☐ 32 – **16 c** 230/240 – ½ P 250/270.

*Die auf den **Michelin-Karten** im Maßstab 1 : 200 000 rot unterstrichenen Orte sind in diesem Führer erwähnt.*

Nur eine neue Karte gibt Ihnen die aktuellsten Hinweise.

*Towns underlined in red on the **Michelin maps** at a scale of 1 : 200 000 are included in this Guide.*

Use the latest map to take full advantage of this information.

CALACUCCIA 2B H.-Corse 90 ⑮ – voir à Corse.

CALAIS SP 62100 P.-de-C. 51 ② G. Flandres Artois Picardie – 75 309 h Agglo. 101 768 h alt. 5 – Casino CX.

Voir Monument des Bourgeois de Calais (Rodin)★★ – Phare ✻★★ DX – Musée des Beaux-Arts et de la Dentelle★ CX M[1].

Env. Cap Blanc Nez★★ SO : 13 km par④.

Tunnel sous la Manche : Terminal de Coquelles AU, **renseignements "Le Shuttle" ✆ 21 00 61 00.**

✆ 36 35 35 35.

Office de Tourisme 12 bd Clemenceau ✆ 21 96 62 40, Fax 21 96 01 92.

Paris 292 ② – ♦Amiens 149 ③ – Boulogne-sur-Mer 35 ③ – Dunkerque 45 ① – ♦Le Havre 273 ③ – ♦Lille 115 ① – Oostende 98 ① – ♦Reims 274 ② – ♦Rouen 209 ③ – St-Omer 41 ②.

Plans pages suivantes

Holiday Inn Garden Court M, bd Alliés ✆ 21 34 69 69, Fax 21 97 09 15, ← – |‡| ✂ TV ☎ ♿ – 🏛 30. AE ⓓ GB JCB CX
Repas (grill) *(fermé sam. midi et dim. midi)* 140 – ☐ 58 – **65 ch** 550.

Meurice, 5 r. E. Roche ✆ 21 34 57 03, Fax 21 34 14 71, ☐ – |‡| ✂ TV ☎ 🚗. AE GB CX
La Diligence : ✆21 96 92 89 *(fermé dim.)* **Repas** 100/260, enf. 45 – ☐ 56 – **41 ch** 375/500 – ½ P 343/406.

Métropol H. M sans rest, 45 quai du Rhin ✆ 21 97 54 00, Fax 21 96 69 70 – |‡| TV ☎ ✆ ♿ 🚗. AE ⓓ GB JCB CY
fermé 21 déc. au 2 janv. – ☐ 48 – **40 ch** 250/380.

George V, 36 r. Royale ✆ 21 97 68 00, Télex 135159, Fax 21 97 34 73 – |‡| ▤ rest TV ☎ – 🏛 30. AE ⓓ GB CX
Repas *(fermé 21 déc. au 4 janv., sam. midi, dim. soir et soirs fériés)* 90/265 bc – ☐ 42 – **40 ch** 310/380, 3 appart – ½ P 305.

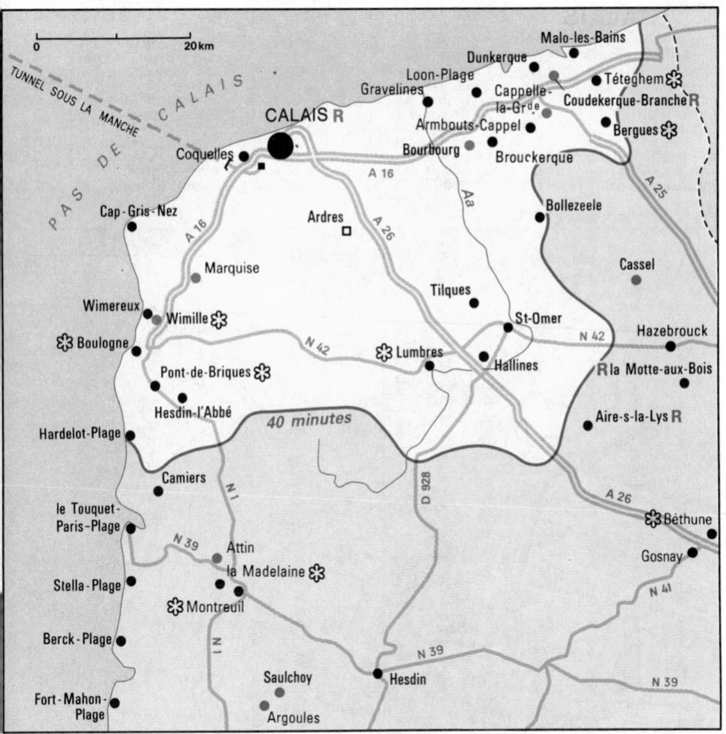

Fimotel M sans rest, 35 bd Jacquard ✆ 21 97 98 98, Fax 21 34 63 62 – |₺| TV ☎ ♿. AE ⊕ GB — DY **m**
☕ 35 – **41 ch** 280.

Ibis, ZUP Beau Marais, r. Greuze ✆ 21 96 69 69, Fax 21 97 89 99 – ⇔ TV ☎ ♿ P – 🏛 30. AE ⊕ GB — BT **n**
Repas 99 bc, enf. 39 – ☕ 35 – **55 ch** 310/330.

Windsor sans rest, 2 r. Cdt Bonningue ✆ 21 34 59 40, Fax 21 97 68 59 – TV ☎ 🚗. AE ⊕ GB — DX **z**
☕ 30 – **15 ch** 160/310.

Richelieu sans rest, 17 r. Richelieu ✆ 21 34 61 60, Fax 21 85 89 28 – TV ☎ P. AE ⊕ GB. ✗ — CX **k**
☕ 25 – **15 ch** 250.

XX **Aquar'aile,** 255 r. J. Moulin ✆ 21 34 00 00, Fax 21 34 15 00, ≤ plage – ▤. AE ⊕ GB JCB — AT **s**
fermé dim. soir – **Repas** 98/230.

XX **Le Channel,** 3 bd Résistance ✆ 21 34 42 30, Fax 21 97 42 43 – ▤. AE ⊕ GB JCB — CX **e**
fermé 26 juil. au 9 août, 19 déc. au 9 janv., dim. soir sauf fériés et mardi – **Repas** 95/280.

XX **Au Côte d'Argent,** 1 digue G. Berthe ✆ 21 34 68 07, Fax 21 96 42 10, ≤ – AE ⊕ GB
fermé 4 au 10 mars, 23 sept. au 6 oct., dim. soir et lundi – **Repas** 95/250. — CX **f**

XX **La Pléiade,** 32 r. J. Quehen ✆ 21 34 03 70, Fax 21 34 03 13 – ▤. AE ⊕ GB — CX **r**
Repas 85/165 ♁.

XX **Le Grand Bleu,** 5 r. J.-P. Avron ✆ 21 97 97 98 – AE ⊕ GB JCB — CX **n**
fermé sam. midi et dim. – **Repas** 120/180.

*à **Coquelles*** O : 6 km par bd Gambetta Z – 2 133 h. alt. 5 – ✉ **62231** :

Copthorne M ♨, ✆ 21 46 60 60, Fax 21 85 76 76 – |₺| ⇔ ▤ rest TV ☎ ♿ P – 🏛 25 à 80. AE ⊕ GB JCB
Repas *(fermé sam. midi)* 120 ♁ – ☕ 57 – **118 ch** 530/630.

CALAIS

Fontinettes (R. des) . . . . . **CDY** 24
Gambetta (Bd Léon) . . . . . **CY**
Jacquard (Bd) . . . . **CDY**
Lafayette (Bd) . . . . **DY**
Pasteur (Bd) . . . . **DY**
Royale (R.) . . . . **CX** 63

Amsterdam (R. d') . . . . . . **DXY** 3
Angleterre (Pl. d') . . . . **DX** 4
Barbusse (Pl. Henri) . . . . . . **DX** 6
Bonningue (R. du Cdt) . . . . **DX** 7
Bruxelles (R. de) . . . . **DX** 10
Chanzy (R. du Gén.) . . . . . . **DY** 13
Commune de Paris
(R. de la) . . . . **CDY** 16
Escaut (Quai de l') . . . . **CY** 21
Foch (Pl. Mar.) . . . . **CXY** 22
George-V (Pont) . . . . **CY** 31
Jacquard (Pont) . . . . **CY** 36
Jean-Jaurès (R.) . . . . **DY** 37
Londres (R. de) . . . . **DX** 42
Mer (R. de la) . . . . **CX** 45
Notre-Dame (R.) . . . . **CD** 46
Paix (R. de la) . . . . **CX** 48
Paul-Bert (R.) . . . . **CDY** 49
Prés.-Wilson (Av. du) . . . . . **CY** 54
Quatre-Coins (R. des) . . . . . **CY** 55
Rhin (Quai du) . . . . **CY** 58
Richelieu (R.) . . . . **CX** 60
Rome (R. de) . . . . **CY** 61
Soldat-Inconnu
(Pl. du) . . . . **DY** 64
Tamise (Quai de la) . . . . . **CDY** 66
Thermes (R. des) . . . . **CX** 67
Varsovie (R. de) . . . . **DY** 70
Vauxhall (R. du) . . . . **CY** 72

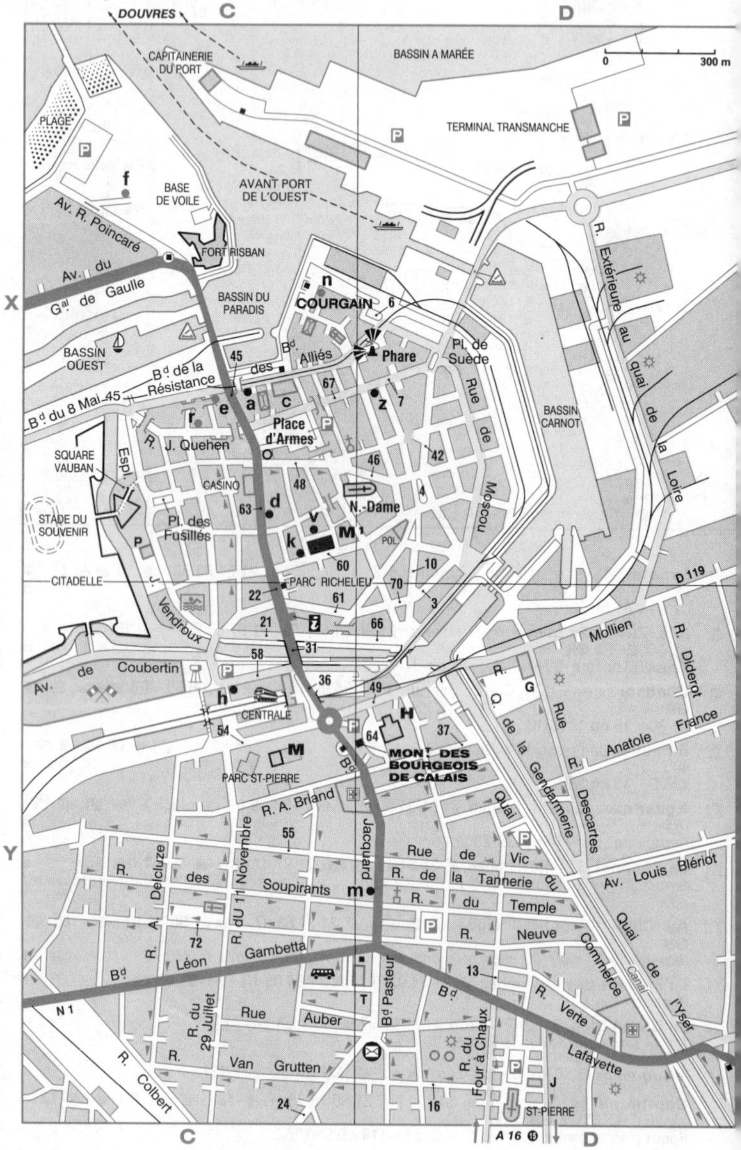

CALAIS

Bossuet (R.) .... BT 9
Cambronne (R.) .... AU 12
Chateaubriand (R.) .... BT 15
Égalité (Bd de l') .... BT 18
Einstein (Bd) .... AU 19
Fontinettes (R. des) ...... ATU 25
Four à Chaux (R. du) ...... AU 27
Gambetta (Bd Léon) .... AT 28
Gaulle (Bd du Gén.-de) .... AT 30
Hoche (R.) .... ATU 33
Jacquard (Bd) .... AT 34
Lafayette (Bd) .... AT 39
Lattre-de-Tassigny (R. Mar.-de) .... AT 40
Lheureux (Quai L.) .... BU 41
Maubeuge (R. de) .... BT 43
Phalsbourg (R. de) .... BT 51
Prairies (R. des) .... AU 52
Ragueneau (R. de) .... BTU 57
Valenciennes (R. de) ...... AU 69
Verdun (R. de) .... AT 73

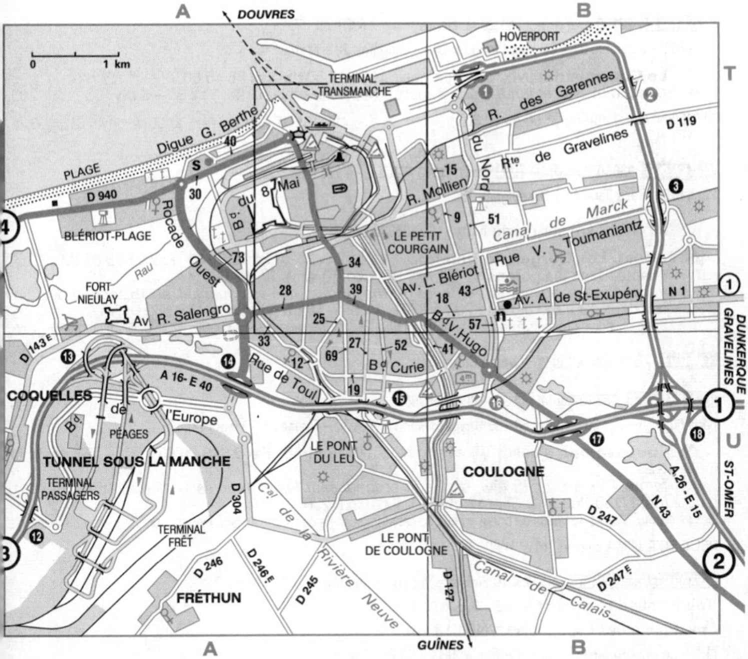

BMW Gar. Lengaigne, 229 bis bd V.-Hugo ✆ 21 85 55 00 **N** ✆ 21 85 55 00
CITROEN Calaisis Autom., 326 av. Saint-Exupéry par N 1 BT ✆ 21 34 81 60 **N** ✆ 21 34 81 60
FORD Gar. Europe, 58 rte de St-Omer ✆ 21 46 23 11
NISSAN SOVECA "Mag Auto", 200 bd de L'Egalité ✆ 21 96 97 16
PEUGEOT Calais Nord Autom., 361 av. A.-de-Saint-Exupéry par N 1 BT ✆ 21 46 05 05 **N** ✆ 28 02 42 18
RENAULT D.A.C., 56-60 av. A.-de-Saint-Exupéry par N 1 BT ✆ 21 97 20 99 **N** ✆ 21 96 15 90
ROVER Littoral Auto Calais, r. G.-Courbet, ZI du Beau Marais ✆ 21 96 14 41

Argot Pneus, 62 av. A.-de-St-Exupéry ✆ 21 96 58 34
Pneu Fauchille Point S, 155 rte de St-Omer ✆ 21 34 68 17
Pneu François, r. C.-Ader, ZI ✆ 21 96 42 36

CALAS **13** B.-du-R. 84 ③ ⑬ 114 ⑮ – alt. 209 – ✉ **13480** Cabriès.

Paris 764 – ◆Marseille 21 – Aix-en-Provence 11,5 – Marignane 15 – Salon-de-Provence 42.

XXX **Aub. Bourrelly** avec ch, ✆ 42 69 13 13, Fax 42 69 13 40, … – TV ☎ P. AE ⓞ GB
fermé vacances de Toussaint et de fév. – **Repas** *(fermé dim. soir et lundi)* 163/390 et carte 280 à 440 – ☕ 55 – **12 ch** 400/500 – ½ P 450/520.

CALENZANA **2B** H.-Corse **90** ⑭ – voir à Corse.

CALÈS **46350** Lot **75** ⑱ – 141 h alt. 273.

Paris 533 – Cahors 55 – Sarlat-la-Canéda 38 – Brive-la-Gaillarde 47 – Gourdon 20 – Rocamadour 15 – St-Céré 42.

Petit Relais, ✆ 65 37 96 09, Fax 65 37 95 93, – TV ☎ P. AE GB
fermé 20 déc. au 10 janv. et sam. midi hors sais. – **Repas** 70/255, enf. 40 – 35 – **9 c**
190/320 – ½ P 230/280.

CALLAC **22160** C.-d'Armor **59** ⑪ **G. Bretagne** – 2 592 h alt. 172.

Paris 511 – St-Brieuc 62 – Carhaix-Plouguer 20 – Guingamp 28 – Morlaix 40.

Le Gourmandin avec ch, face gare ✆ 96 45 50 09, Fax 96 45 80 29 – P. AE GB
fermé dim. soir et lundi d'oct. à mars – **Repas** 70/165, enf. 50 – 30 – **5 ch** 150 – ½ P 200

CITROEN Gar. Laurent, ✆ 96 45 50 30

PEUGEOT Gar. Cuellar, ✆ 96 45 50 45 N ✆ 96 45 50 45

CALLAS **83830** Var **84** ⑦ **114** ㉓ **G. Côte d'Azur** – 1 276 h alt. 398.

Paris 876 – Castellane 49 – Draguignan 15.

au SE : 7 km sur rte du Muy – ✉ **83830** Callas :

✿ **Host. Les Gorges de Pennafort** M, D 25 ✆ 94 76 66 51, Fax 94 76 67 23, ←,
« Isolé, dans les gorges », – TV ☎ ♿ P. AE GB
fermé 15 janv. au 15 mars – **Repas** *(fermé lundi sauf le soir du 5 juil. au 15 sept. et dim. soi*
150 (déj.), 195/260 et carte 290 à 370 – 65 – **16 ch** 630/950 – ½ P 550
Spéc. Salade de rougets à l'huile d'olive et anchois. Filet de daurade poêlé au basilic. Millefeuille minute et sa glace.

CALVI **2B** H.-Corse **90** ⑬ – voir à Corse.

CALVINET **15340** Cantal **76** ⑪ – 404 h alt. 600.

Paris 609 – Aurillac 36 – Rodez 60 – Entraygues-sur-Truyère 30 – Figeac 39 – Maurs 17.

✿ **Beauséjour** (Puech) M avec ch, ✆ 71 49 91 68, Fax 71 49 98 63, – TV ☎ P
GB
fermé 15 janv. au 15 fév., dim. soir et lundi sauf fériés, hors sais. – **Repas** (prévenir) 95 b
(déj.), 130/260 – 35 – **12 ch** 240/300 – ½ P 250
Spéc. Marbré de queue de boeuf au foie de canard. Escalope de sandre au lard. Pied de porc farci "comme autrefois"

PEUGEOT Gar. Lavigne, ✆ 71 49 91 57

CAMARET-SUR-MER **29570** Finistère **58** ③ **G. Bretagne** – 2 933 h alt. 4.

Voir Pointe de Penhir★★★ SO : 3,5 km.

Env. Pointe des Espagnols★★ NE : 13 km.

Office de Tourisme 15 quai Kléber ✆ 98 27 93 60, Fax 98 27 87 22.

Paris 622 – ◆Brest 68 – Châteaulin 43 – Crozon 10 – Morlaix 87 – Quimper 58.

Thalassa M, ✆ 98 27 86 44, Fax 98 27 88 14, ←, – TV ☎ ♿ P – 25. AE
GB
hôtel : 7 avril - 30 sept. ; rest : 15 mai-30 sept. – **Repas** 75 (déj.), 98/195, enf. 45 – 45 –
46 ch 300/550 – ½ P 300/385.

France, ✆ 98 27 93 06, Fax 98 27 88 14, ← – TV ☎. AE GB. rest
1er avril-11 nov. – **Repas** 75 (déj.), 90/285, enf. 45 – 36 – **20 ch** 210/450 – ½ P 280/390.

Vauban sans rest, ✆ 98 27 91 36, ← – ☎ P. GB
fermé janv. – 30 – **16 ch** 160/250.

CAMBO-LES-BAINS 64250 Pyr.-Atl. 85 ③ G. Pyrénées Aquitaine – 4 128 h alt. 67 – Stat. therm. 21 fév.-21 déc.).

Voir Arnaga★ (villa d'Edmond Rostand) M – Vallée de la Nive★ au Sud par ②.

Office de Tourisme parc St-Joseph ✆ 59 29 70 25.

Paris 792 ④ – Biarritz 23 ④ – ♦Bayonne 20 ④ – Pau 115 ① – St-Jean-de-Luz 31 ③ – St-Jean-Pied-de-Port 34 ② – San Sebastián 63 ③.

CAMBO-LES-BAINS

Chiquito de Cambo 2
Espagne (Av. d') 3
Mairie (Av. de la) 4
Marronniers (Allées des) 5
Navarre (Av. de) 6
Neubourg (Allées A.-de) 7
Professeur-Grancher (Bd du) 8
Rostand (Av. Ed.) 9
Terrasses (R. des) 12
Thermes (Av. des) 13

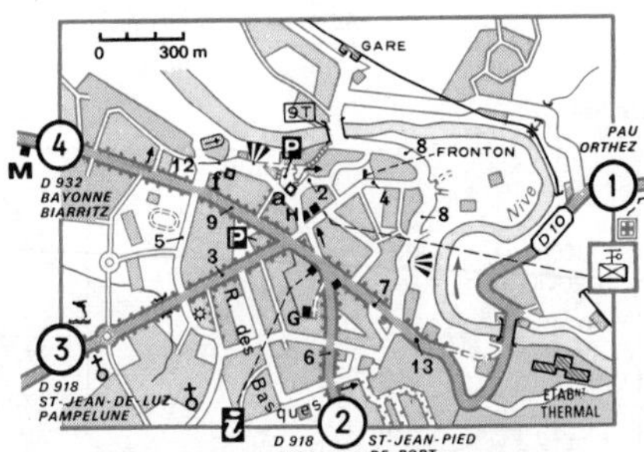

To go a long way quickly, use Michelin maps at a scale of 1:1 000 000.

Bellevue, r. Terrasses **(f)** ✆ 59 29 73 22, Fax 59 29 30 96, ≤, 🏊, 🌳 – TV ☎ P. AE GB. ✂ rest
hôtel : 1er mars-31 oct. et fermé lundi sauf juil.-août – **Repas** *(fermé 1er nov. au 5 déc., le soir du 6 déc. au 1er mars et lundi sauf juil.-août)* 85/195 – ☕ 32 – **26 ch** 256/347 – ½ P 252/298.

Trinquet sans rest, r. Trinquet **(a)** ✆ 59 29 73 38 – ☎
fermé 2 au 30 nov. et mardi d'oct. à juin – ☕ 23 – **12 ch** 145/200.

Chez Tante Ursule avec ch (annexe M 10 ch P), N, quartier Bas-Cambo : 2 km ✆ 59 29 78 23, Fax 59 29 28 57 – TV ☎ P. AE GB. ✂ ch
fermé mars – **Repas** *(fermé mardi)* 90/200 – ☕ 30 – **17 ch** 165/280 – P 225/285.

CAMBRAI SP 59400 Nord 53 ③ ④ G. Flandres Artois Picardie – 33 092 h alt. 53.

Voir Mise au tombeau★★ de Rubens dans l'église St-Géry AY.

Office de Tourisme 48 r. de Noyon ✆ 27 78 36 15, Fax 27 74 82 82 – A.C. 17 mail St-Martin ✆ 27 81 30 75.

Paris 179 ⑥ – St-Quentin 38 ⑤ – ♦Amiens 80 ⑥ – Arras 36 ⑥ – ♦Lille 74 ⑦ – Valenciennes 32 ①.

Plan page suivante

Château de la Motte Fénelon et rest. Les Douves 🐦, square Château (par allée St Roch - Nord du plan) BY ✆ 27 83 61 38, Fax 27 83 71 61, parc, Fø, ✂ – TV ☎ P – 🏛 200. AE ⓓ GB JCB
Repas *(fermé dim. soir et soirs fériés)* 120 bc (déj.), 145/225 – ☕ 55 – **40 ch** 290/1000 – ½ P 345/700.

Beatus 🐦, 718 av. Paris par ⑤ : 1,3 km ✆ 27 81 45 70, Fax 27 78 00 83, 🌳 – ⇆ TV ☎ ✆ P – 🏛 30. AE ⓓ GB
Repas *(fermé août, vend., sam. et dim.)* (résidents seul.)(dîner seul.) carte environ 200 – ☕ 45 – **32 ch** 310/410.

Mouton Blanc, 33 r. Alsace-Lorraine ✆ 27 81 30 16, Fax 27 81 83 54 – |‡| TV ☎ – 🏛 30. AE GB BY **a**
Repas *(fermé dim. soir et lundi)* 98/215 🍷 – ☕ 35 – **32 ch** 260/350 – ½ P 200/240.

Le Crabe Tambour, 52 r. Cantimpré ✆ 27 83 10 18 – GB AY **r**
fermé 1er au 21 août, 1er au 8 janv., dim. soir, lundi et soirs fériés – **Repas** 98/158.

à l'échangeur A2 par ⑥ : 3 km – ✉ 59400 Cambrai :

Ibis, ✆ 27 82 99 88, Fax 27 82 99 89 – ⇆ TV ☎ ♿ P – 🏛 30. AE ⓓ GB
Repas 99 bc, enf. 39 – ☕ 35 – **51 ch** 275.

Campanile, ✆ 27 81 62 00, Fax 27 83 07 87 – ⇆ TV ☎ ✆ ♿ P – 🏛 25. AE ⓓ GB
Repas 84 bc/107 bc, enf. 39 – ☕ 32 – **39 ch** 270.

PEUGEOT Auto du Cambrésis, 80 av. de Dunkerque ✆ 27 83 84 23 N ✆ 28 02 49 75
RENAULT S.A.N.A.C., 200 rte de Solesmes par ② ✆ 27 82 96 96 N ✆ 28 02 07 66

Lesage Pneus Point S, 28 bd Faidherbe ✆ 27 83 84 85

CAMBRAI

Briand (Pl. A.) .... AYZ 6
St-Martin (Mail) .... AZ 40
Victoire (Av. de la) .... AZ 46

Albert-1er (Av.) .... BY 2
Allende (Pl. Salvador) .... AZ 3
Alsace-Lorraine (R. d') .... BYZ 4
Berlaimont (Bd de) .... BZ 5
Cantimpré (R. de) .... AY 7
Capucins (R. des) .... AY 8

Chât.-de-Selles (R. du) .... AY 10
Clefs (R. des) .... AY 12
Épée (R. de l') .... AZ 13
Fénelon (Gde-Rue) .... AY 15
Fénelon (Pl.) .... AY 16
Feutriers (R. des) .... AY 17
Gaulle (R. Gén.-de) .... BZ 18
Grand-Séminaire (R. du) .... AZ 19
Lattre-de-Tassigny (R. du Mar.-de) .... BZ 21
Leclerc (Pl. du Mar.) .... BZ 22
Lille (R. de) .... BY 23
Liniers (R. des) .... AZ 24

Nice (R. de) .... AY
Pasteur (R.) .... AY
Porte-Notre-Dame (R.) .... BY
Porte de Paris (Pl. de la) .... AZ
Râtelots (R. des) .... AZ
Sadi-Carnot (R.) .... AY
St-Aubert (R.) .... AY
St-Géry (R.) .... AY
St-Ladre (R.) .... BZ
St-Sépulcre (Pl.) .... AZ
Selles (R. de) .... AY
Vaucelette (R.) .... AZ
Watteau (R.) .... BZ
9-Octobre (Pl. du) .... AY

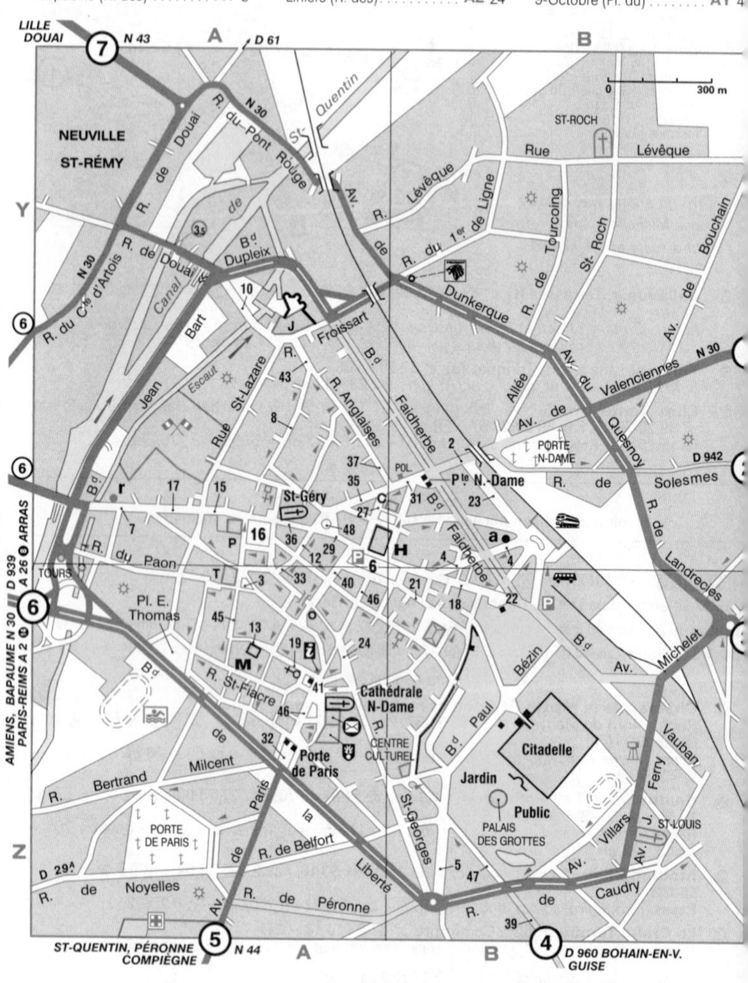

Les prix Pour toutes précisions sur les prix indiqués dans ce guide, reportez-vous aux pages explicatives.

CAMIERS **62176** P.-de-C. 51 ⑪ – 2 176 h alt. 23.

Paris 228 – ◆Calais 55 – Arras 99 – Boulogne-sur-Mer 19 – Le Touquet 10,5.

Cèdres 🐎, ✆ 21 84 94 54, Fax 21 09 23 29, ... – ... GB
Repas 80/203 – 35 – **29 ch** 160/315 – ½ P 291/332.

AMOËL **56130** Morbihan 63 ⑭ – 598 h alt. 26.

ris 454 – ♦Nantes 78 – Vannes 39 – La Baule 28 – La Roche-Bernard 11 – St-Nazaire 39.

La Vilaine sans rest, ✆ 99 90 01 96, Fax 99 90 09 81 – ☎ P. AE GB
1er mars-30 nov. – ☐ 30 – **24 ch** 200/325.

AMORS **56330** Morbihan 63 ② – 2 375 h alt. 113.

ris 461 – Vannes 31 – Auray 23 – Lorient 38 – Pontivy 26.

Les Bruyères sans rest, ✆ 97 39 29 99, Fax 97 39 28 34, – TV ☎ ♿ P. GB.
fermé vacances de fév. – ☐ 32 – **14 ch** 270/300.

AMPAGNE **24** Dordogne 75 ⑯ – rattaché au Bugue.

AMPAN **65710** H.-Pyr. 85 ⑱ **G. Pyrénées Aquitaine** – 1 390 h alt. 647.

oir Vallée de Gripp★ S – Vallée de Lesponne★ SO : 1 km à partir de la D 935.

ris 819 – Bagnères-de-Luchon 64 – Pau 66 – Arreau 32 – Bagnères-de-Bigorre 66 – Luz-St-Sauveur 42 – Tarbes 27.

Beauséjour, ✆ 62 91 75 30 – ☎. AE GB
fermé 15 nov. au 15 déc. – **Repas** 57/155 – ☐ 26 – **19 ch** 145/230 – ½ P 190/225.

à Ste-Marie-de-Campan SE : 6,5 km par D 935 – ✉ **65710** Campan.

Voir Vallée de Campan★ S – ✻★★★ du col d'Aspin SE : 13 km.

Chalet H., ✆ 62 91 85 64, Fax 62 91 86 17, ≤, (été), – ☎ P. AE GB
fermé 28 avril au 10 mai et 3 nov. au 20 déc. – **Repas** 65/125, enf. 50 – ☐ 27 – **25 ch** 308 – ½ P 189/259.

AMPBON **44750** Loire-Atl. 63 ⑮ – 2 918 h alt. 31.

ris 418 – ♦Nantes 41 – Redon 33 – St-Nazaire 27 – Vannes 71.

La Jaguais, rte Bouvron E : 1,5 km ✆ 40 56 58 93, Fax 40 56 51 94, – P. GB
fermé 1er au 21 août, 1er au 7 janv., dim. soir, lundi soir, mardi soir et merc. soir – **Repas** 95/220 - ***L'Auberge :*** **Repas** 50(déj.)/75, enf. 55.

TROEN Gar. Plissonneau, ✆ 40 56 55 89

AMPIGNY **27** Eure 55 ④ – rattaché à Pont-Audemer.

e CAMP-LAURENT **83** Var 84 ⑤ ⑮, 114 ㊺ – rattaché à Toulon.

AMPS **19** Corrèze 75 ⑳ – 293 h alt. 700 – ✉ **19430** Mercoeur.

oir Rocher du Peintre ≤★ S : 1 km, **G. Berry Limousin.**

aris 536 – Aurillac 44 – Brive-la-Gaillarde 64 – St-Céré 29 – Tulle 52.

Lac M, ✆ 55 28 51 83, Fax 55 28 53 71, ≤ – cuisinette TV ☎ ♿ P. GB
fermé vacances de Toussaint, de fév., dim. soir et lundi d'oct. à Pâques – **Repas** 70 (déj.), 95/210, enf. 50 – ☐ 27 – **11 ch** 210/250 – ½ P 230/240.

ANADEL-SUR-MER **83820** Var 84 ⑰ 114 ㊾ **G. Côte d'Azur** – alt. 25.

oir Col du Canadel ≤★★ NE : 4,5 km – Site★ du Rayol E : 2 km.

aris 891 – Fréjus 51 – Draguignan 65 – Le Lavandou 11 – St-Tropez 27 – Ste-Maxime 31 – ♦Toulon 54.

Karlina , ✆ 94 05 61 65, Fax 94 05 63 52, ≤, – ☎ P. GB
hôtel : Pâques-15 oct. ; rest. : 1er mai-fin sept. – **Repas** 170/220 – ☐ 50 – **10 ch** 900 – ½ P 650.

ANAPVILLE **14** Calvados 55 ③ – rattaché à Deauville.

ANCALE **35260** I.-et-V. 59 ⑥ **G. Bretagne** – 4 910 h alt. 50.

oir Site★ du port★ – ✻★ de la tour de l'église St-Méen Z – Pointe du Hock ≤★ Z.

Office de Tourisme 44 r. du Port ✆ 99 89 63 72, Fax 99 89 84 01.

aris 418 ① – St-Malo 14 ② – Avranches 60 ① – Dinan 34 ① – Fougères 74 ① – Le Mont-St-Michel 47 ①.

Plan page suivante

H. de Bricourt-Richeux , S : 4,5 km par D 76, D 155 et rte secondaire ✆ 99 89 64 76, Fax 99 89 88 47, « Villa élégamment aménagée, entourée d'un parc, ≤ baie du Mont-St-Michel » – TV ☎ ♿ P. AE GB
voir aussi rest. ***de Bricourt*** ci-après - ***Le Coquillage*** *(fermé mardi midi et lundi)* **Repas** 110/165, enf. 80 – ☐ 85 – **13 ch** 750/1350.

Continental, quai Thomas ✆ 99 89 60 16, Fax 99 89 69 58, ≤, – TV ☎. AE GB. rest Z **s**
28 mars-11 nov. – **Repas** *(fermé mardi midi et lundi)* 130/280, enf. 66 – ☐ 50 – **19 ch** 440/750 – ½ P 335/535.

Le Chatellier M sans rest, par ② : 1 km sur D 355 ✆ 99 89 81 84, Fax 99 89 61 69, – TV ☎ ♿ P. GB
☐ 35 – **13 ch** 300/330.

Nuit et Jour sans rest, r. Arnstein ✆ 99 89 75 59, Fax 99 89 77 13, – cuisinette TV ☎ ♿ P. GB YZ **d**
fermé 15 nov. au 15 déc. et 5 janv. au 5 fév. – ☐ 31 – **20 ch** 270/290.

CANCALE

Leclerc (R. Gén.) .... YZ 20
Port (R. du) .... Z

Bricourt (Pl.) .... Y 3
Calvaire (Pl. du) .... Z 4
Du-Guesclin (R.) .... Y 8
Duguay-Trouin (Quai) .... Z 9
Duquesne (R.) .... Y 10
Fenêtre (Jetée de la) .... Z 12
Gallais (R.) .... Y 13
Gambetta (Quai) .... Z 14
Hock (R. du) .... Z 16
Jacques-Cartier (Quai) .... Z 17
Juin (R. du Mar.) .... Z 18
Kennedy (Quai) .... Z 19
Mennais (R. de la) .... Y 22
République (Pl. de la) .... Z 23
Roulette (R. de la) .... Z 24
Rimains (R. des) .... Y 25
Stade (R. du) .... Y 27
Surcouf (R.) .... Y 28
Thomas (Quai) .... Z 30

Les principales voies commerçantes figurent en rouge au début de la liste des plans de villes.

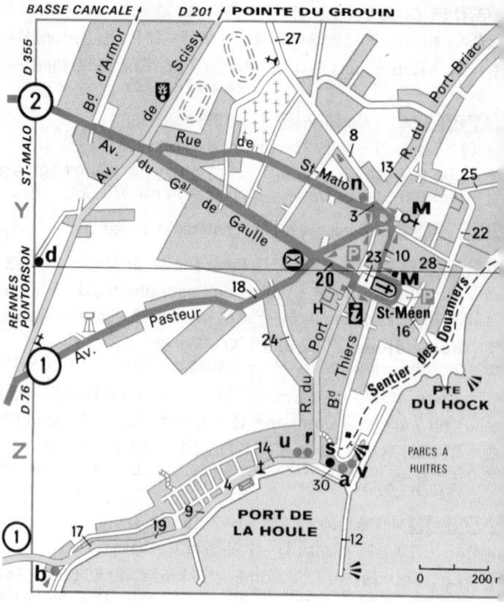

XXX ✿✿ **Maison de Bricourt** (Roellinger), r. Duguesclin ✆ 99 89 64 76, Fax 99 89 88 47, — AE ⊕ GB Y
mi-mars-mi-déc. et fermé mer. (sauf le soir en juil.-août) et mardi – **Repas** (nombre de couverts limité, prévenir) 250 (déj.)/660 et carte 400 à 510, enf. 120
Spéc. Petit homard aux saveurs de l'île aux épices. Turbot cuit sur le feu de bois. Selle d'agneau de pré salé à la broc (mars à fin août).

Les Rimains M sans rest, NE : 0,5 km par r. Gallais et r. Rimains ✆ 99 89 64 7 Fax 99 89 88 47, ≤ baie du Mont-St-Michel, « dans un jardin surplombant la mer » TV ☎ P. AE ⊕ GB
fermé janv. à début mars – ▭ 85 – **6 ch** 850.

XX **Le St-Cast,** rte Corniche ✆ 99 89 66 08, Fax 99 89 89 20, ≤ – AE GB Z
fermé 18 mars au 1er avril, 15 nov. au 20 déc., mardi sauf juil.-août et merc. – **Repas** 100/20

XX **Le Cancalais,** quai Gambetta ✆ 99 89 61 93, Fax 99 89 89 24, ≤ – GB Z
fermé 15 déc. au 15 fév., dim. soir et lundi sauf juil.-août – **Repas** 85/195.

XX **Phare** avec ch, quai Thomas ✆ 99 89 60 24, Fax 99 89 91 75, ≤, – TV ☎. GB Z
fermé 20 nov. au 15 fév. et merc. – **Repas** 100/310, enf. 70 – ▭ 40 – **11 ch** 260/475 ½ P 300/400.

XX **L'Armada,** quai Thomas ✆ 99 89 60 02, Fax 99 89 86 98, ≤, – AE GB JCB Z
fermé le soir d'oct. à Pâques, dim. soir et lundi soir sauf juil.-août – **Repas** 98/195.

X **Le Bistrot de Cancale,** quai Gambetta ✆ 99 89 92 42, – GB Z
fermé 27 janv. au 19 fév., mardi sauf d'avril à oct. et lundi – **Repas** 89 (déj.), 118/22 enf. 65.

à la Pointe du Grouin ★★ N : 4,5 km par D 201 – ✉ 35260 Cancale :

Pointe du Grouin , ✆ 99 89 60 55, Fax 99 89 92 22, ≤ îles et baie du Mt-St-Michel TV ☎ P. GB. ch
1er avril-30 sept. – **Repas** *(fermé mardi)* 120/315 – ▭ 42 – **17 ch** 380/500 – ½ P 320/435.

CANDÉ 49440 M.-et-L. 63 ⑲ – 2 542 h alt. 50.

Paris 333 – ◆Angers 39 – Ancenis 26 – Château-Gontier 44 – La Flèche 75.

Relais Plaisance sans rest, E : 1,5 km par rte secondaire ✆ 41 92 04 25, – TV P. GB.
fermé 1er au 15 fév. et dim. soir de nov. à avril – ▭ 25 – **11 ch** 130/250.

CANDÉ-SUR-BEUVRON 41120 L.-et-Ch. 64 ⑰ – 1 134 h alt. 70.

Paris 198 – ◆Orléans 76 – ◆Tours 50 – Blois 14 – Chaumont-sur-Loire 6,5 – Montrichard 21.

Lion d'Or, ✆ 54 44 04 66, Fax 54 44 06 19, – TV ☎ P. AE GB.
fermé 20 déc. au 1er fév. et mardi du 1er oct. au 1er mars – **Repas** 72/190, enf. 44 – ▭ 27 **10 ch** 110/270 – ½ P 150/240.

XXX **Host. de la Caillère** avec ch, rte Montils ✆ 54 44 03 08, Fax 54 44 00 95, ☂, 🚗 – TV ☎ ♿ P. AE GB
fermé 2 janv. au 28 fév. – **Repas** *(fermé dim. soir de nov. à mars et merc.)* 92/278 et carte 220 à 280, enf. 50 – ☕ 45 – **14 ch** 330/360 – ½ P 418.

CANET-EN-ROUSSILLON **66140** Pyr.-Or. 86 ⑳ **G. Pyrénées Roussillon** – 7 575 h alt. 11 – Casino.

Voir Canet-Plage : musée du jouet★ E : 2 km.

Office de Tourisme pl. Méditerranée ✆ 68 73 25 20, Fax 68 73 24 41.

Paris 864 – ♦Perpignan 11 – Argelès-sur-Mer 22 – Narbonne 70.

Althéa M, 120 prom. Côte Vermeille ✆ 68 80 28 59, Fax 68 73 37 27, ← – ⊟ TV ☎ – 40. AE GB. ✻ rest
1er avril-15 oct. – **Repas** 90/195, enf. 55 – ☕ 40 – **48 ch** 360/460 – ½ P 325/345.

Clos des Pins, 34 av. Roussillon ✆ 68 80 32 63, Fax 68 80 49 19, ☂, 🚗 – ☎ P. GB
fermé janv. et fév. – ***Le Bistro Fleuri*** *(fermé lundi hors sais.)* **Repas** 168/198 ♀, enf. 70 – ☕ 40 – **18 ch** 320/420 – ½ P 370.

Aquarius, 40 av. Roussillon ✆ 68 73 30 00, Fax 68 80 24 34, ☂, ⛱ – TV ☎ P – 25. GB. ✻
Repas *(fermé dim. soir)* 90 ♀, enf. 50 – ☕ 35 – **50 ch** 360/400 – ½ P 310/330.

Galion, 20 bis av. Gd Large ✆ 68 80 28 23, Fax 68 80 20 46, ⛱, 🚗 – TV ☎ P. AE GB
avril-oct. – **Repas** 80/150, enf. 39 – ☕ 40 – **28 ch** 410 – ½ P 325.

Les Sables, 25 r. Vallée du Rhône ✆ 68 80 23 63, Fax 68 73 26 23, ⛱ – TV ☎ P. AE GB JCB
1er avril-15 oct. – **Repas** snack carte environ 110 ♀ – ☕ 30 – **41 ch** 240/370.

du Port, 21 bd Jetée ✆ 68 80 62 44, Fax 68 73 28 83 – ☎ ♿ P. GB. ✻ rest
hôtel : 6 avril-28 sept. ; rest. : 1er mai-28 sept. – **Repas** (résidents seul.) 85/100 ♀, enf. 45 – ☕ 35 – **36 ch** 345 – ½ P 285.

Frégate sans rest, 12 r. Cerdagne ✆ 68 80 22 87, Fax 68 73 82 72 – TV ☎ P. GB
☕ 37 – **27 ch** 350.

La Chalosse sans rest, 41 av. Méditerranée ✆ 68 80 35 69, Fax 68 80 56 71 – TV ☎ P. GB
fermé du 15 nov. au 1er déc. – ☕ 32 – **15 ch** 305.

XX **Don Quichotte,** 22 av. de Catalogne ✆ 68 80 35 17, Fax 68 73 36 05 – AE GB
fermé 25 fév. au 12 mars, mi-nov. à mi-déc., dim. soir et lundi de sept. à mi-juin – **Repas** 100/210 bc, enf. 45.

X **La Rascasse,** 38 bd Tixador ✆ 68 80 20 79 – ⊟. GB
1er avril-30 sept. et fermé jeudi d'avril à juin – **Repas** 98/170, enf. 38.

CANGEY **37530** I.-et-L. 64 ⑯ – 722 h alt. 85.

Paris 211 – ♦Tours 35 – Amboise 11 – Blois 27 – Montrichard 26.

Le Fleuray ⛰, N : 7 km sur rte Dame-Marie ✆ 47 56 09 25, Fax 47 56 93 97, ☂, 🚗 – ☎ P. GB
fermé 19 oct. au 4 nov., 21 déc. au 3 janv. et 23 fév. au 1er mars – **Repas** *(fermé le midi sauf dim. et fériés, mardi soir et lundi du 1er oct. au 1er mars)* 115/225, enf. 60 – ☕ 55 – **11 ch** 325/375 – ½ P 310/460.

CANILLO 86 ⑭ – voir à Andorre (Principauté d').

CANNES **06400** Alpes-Mar. 84 ⑨ 115 ㉟ ㊳ **G. Côte d'Azur** – 68 676 h alt. 2 – Casinos Carlton Casino BYZ, Palm Beach (fermé) X, Municipal BZ.

Voir Site★★ – Le front de Mer★★ : boulevard★★ BCDZ et pointe★ X de la Croisette – ←★ de la tour du Mont-Chevalier AZ **V** – Musée de la Castre★ AZ – Chemin des Collines★ NE : 4 km V – La Croix des Gardes X **E** ←★ O : 5 km puis 15 mn.

Country-Club de Cannes-Mougins ✆ 93 75 79 13, par ⑤ : 9 km ; Golf Club de Cannes-Mandelieu ✆ 93 49 55 39, par ② : 6,5 km ; Royal Mougins Golf Club à Mougins, ✆ 92 92 49 69 par ④ : 10 km ; Riviera Golf Club, à Mandelieu, ✆ 93 38 32 55, par ② : 8 km.

Office de Tourisme "SEMEC", Palais des Festivals ✆ 93 39 24 53, Fax 93 99 84 23 à la Gare SNCF ✆ 93 99 19 77, Fax 93 39 40 19 – A.C. 12bis r. L.-Blanc ✆ 93 39 38 94.

Paris 903 ⑤ – Aix-en-Provence 152 ⑤ – ♦Grenoble 312 ⑤ – ♦Marseille 159 ⑤ – ♦Nice 32 ⑤ – ♦Toulon 121 ⑤.

Plans pages suivantes

Carlton Inter-Continental, 58 bd Croisette ✆ 93 06 40 06, Télex 470720, Fax 93 06 40 25, ←, ☂, ⚕, 🎾 – ⊟ TV ☎ ♿ – 25 à 250. AE GB JCB. ✻ CZ **e**
voir rest ***La Belle Otéro*** et ***La Côte*** ci-après - ***Brasserie Carlton :*** **Repas** 225, enf. 85 – ☕ 135 – **338 ch** 1400/3690, 28 appart.

Martinez, 73 bd Croisette ✆ 92 98 73 00, Télex 470708, Fax 93 39 67 82, ←, ☂, ⛱, 🎾, ✻ – ⊟ TV ☎ – 600. AE GB JCB DZ **n**
voir rest ***La Palme d'Or*** ci-après - ***L'Orangeraie*** ✆ 92 98 74 12 *(fermé 15 fév. au 15 mars et le midi de Pâques à sept.)* **Repas** 180 – ☕ 115 – **430 ch** 1450/4000, 12 appart.

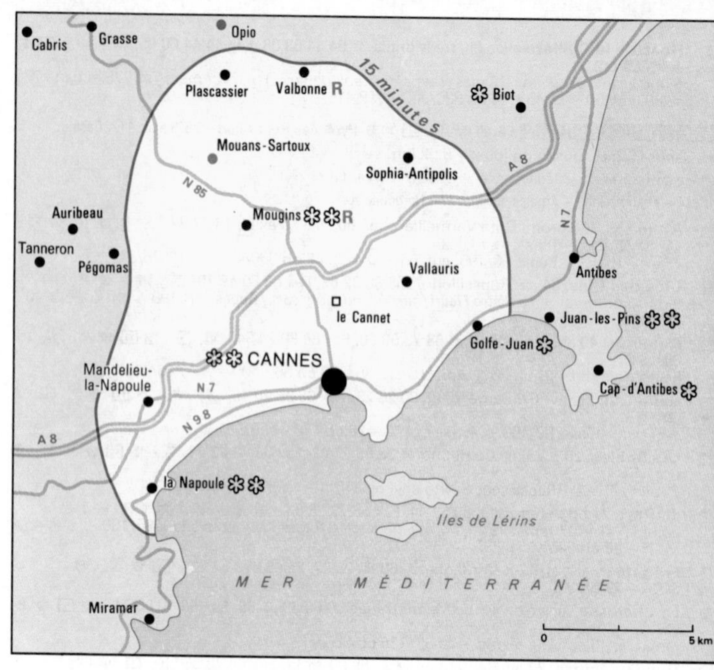

Majestic, 14 bd Croisette ✆ 92 98 77 00, Télex 470787, Fax 93 38 97 90, ≤, … – 400. AE ① GB JCB BZ
fermé 25 nov. au 20 déc. – ***Villa des Lys :*** **Repas** 240/460, enf. 150 – ☕ 120 – **263 c**
1400/3900, 24 appart – ½ P 960/1410.

Noga Hilton M, 50 bd Croisette ✆ 92 99 70 00, Télex 470013, Fax 92 99 70 11, … « Piscine et terrasses sur le toit ≤ Cannes », … – 80 AE ① GB JCB, rest CZ
La Scala : cuisine italienne **Repas** 230bc(déj.)/295 – ***Le Grand Bleu*** (brasserie) *(fermé fév*
Repas 180/185 – ☕ 115 – **196 ch** 1450/4990, 33 appart – ½ P 1200/2770.

Gray d'Albion M, 38 r. Serbes ✆ 92 99 79 79, Télex 470744, Fax 93 99 26 10, … – 30 à 200. AE ① GB JCB BZ
Royal Gray : **Repas** 188/265 – ☕ 97 – **172 ch** 1000/1650, 14 appart.

L'Horset-Savoy M, 5 r. F. Einessy ✆ 92 99 72 00, Télex 461873, Fax 93 68 25 59, … – 90. AE ① GB CZ
Repas 160 – ☕ 98 – **101 ch** 950/1250, 5 appart – ½ P 640/775.

Sofitel Méditerranée, 2 bd J. Hibert ✆ 92 99 73 00, Télex 470728, Fax 92 99 73 29, … « Piscine et restaurant sur le toit ≤ baie de Cannes » – … – 10 AE ① GB JCB AZ
fermé 25 nov. au 26 déc. – ***Le Méditerranée*** ✆ 92 99 73 02 *(fermé dim. soir et lundi du 1 janv. au 6 avril)* **Repas** 180(déj.)/230, enf. 90 – ***Le Palmyre*** ✆ 92 99 73 10 **Repas** 120, enf. 90
☕ 95 – **145 ch** 800/1595, 5 appart.

Belle Plage M sans rest, 6 r. J. Dollfus ✆ 93 06 25 50, Fax 93 99 61 06 – … – 50. AE ① GB JCB AZ
fermé 15 nov. au 1er fév. – ☕ 70 – **48 ch** 960/1460.

Pullman Beach M sans rest, 13 r. Canada ✆ 93 94 50 50, Télex 470034, Fax 93 68 35 38 … AE ① GB JCB DZ
fermé 5 au 25 déc. – ☕ 90 – **93 ch** 1070/1500.

Splendid sans rest, 4 r. F. Faure ✆ 93 99 53 11, Télex 470990, Fax 93 99 55 02, ≤ – cuisinette … AE ① GB BZ
☕ 50 – **64 ch** 590/890.

Amarante M, 78 bd Carnot ✆ 93 39 22 23, Fax 93 39 40 22, … – 25. AE ① GB JCB V
Repas 120/160 bc – ☕ 55 – **71 ch** 850.

Sun Riviera M sans rest, 138 r. d'Antibes ✆ 93 38 22 11, Fax 93 06 77 77, – . AE GB JCB CZ **h**
85 – **42 ch** 810/1800.

Cristal M, 15 rd-pt Duboys d'Angers ✆ 93 39 45 45, Fax 93 38 64 66, – . AE GB JCB CZ **s**
Repas *(fermé fin nov. à fin déc. et lundi d'oct. à mai)* 135/300 – 80 – **51 ch** 860/1900 – 1/2 P 1200/1930.

Victoria sans rest, rd-pt Duboys d'Angers ✆ 93 99 36 36, Fax 93 38 03 91, – . AE GB JCB CZ **x**
fermé nov. et déc. – 60 – **25 ch** 750/1150.

Fouquet's sans rest, 2 rd-pt Duboys d'Angers ✆ 93 38 75 81, Fax 92 98 03 39 – . AE GB JCB CZ **y**
fermé 1er nov. au 26 déc. – 60 – **10 ch** 1100/1300.

Paris sans rest, 34 bd Alsace ✆ 93 38 30 89, Télex 470995, Fax 93 39 04 61, – – 25. AE GB JCB. CY **a**
fermé 20 nov. au 29 déc. – 60 – **50 ch** 550/720, 4 appart.

Embassy, 6 r. Bône ✆ 93 38 79 02, Fax 93 99 07 98, – – 50. AE GB JCB DY **j**
Repas 120 – 40 – **60 ch** 500/850 – 1/2 P 425/575.

Mondial sans rest, 1 r. Tesseire ✆ 93 68 70 00, Fax 93 99 39 11 – . AE GB CY **e**
55 – **56 ch** 600/770.

America M sans rest, 13 r. St-Honoré ✆ 93 68 36 36, Fax 93 68 04 58 – . AE GB JCB. BZ **r**
fermé 25 nov. au 27 déc. – 60 – **28 ch** 495/745.

Villa de l'Olivier sans rest, 5 r. Tambourinaires ✆ 93 39 53 28, Fax 93 39 55 85, – . AE GB. AZ **e**
52 – **24 ch** 575/715.

Château de la Tour , 10 av. Font-de-Veyre par ③ ✉ 06150 Cannes-La-Bocca ✆ 93 47 34 64, Fax 93 47 86 61, – . AE GB JCB. rest
Repas *(fermé 15 nov. au 25 déc.)* 90/120 – 35 – **42 ch** 550/615.

Beau Séjour, 5 r. Fauvettes ✆ 93 39 63 00, Fax 92 98 64 66, , , – ch . AE GB JCB. rest AZ **d**
fermé nov. à mi-déc. – **Repas** 120/150 , enf. 60 – 60 – **45 ch** 650/750 – 1/2 P 485.

Ligure sans rest, 5 pl. Gare ✆ 93 39 03 11, Fax 93 39 19 48 – . AE GB
35 – **36 ch** 450/750. BY **n**

Abrial sans rest, 24 bd Lorraine ✆ 93 38 78 82, Télex 470761, Fax 92 98 67 41 – . AE GB JCB CY **s**
56 – **50 ch** 710.

Alsace H. M sans rest, 40 bd Alsace ✆ 93 38 50 70, Fax 93 38 20 44 – . AE GB JCB CY **d**
45 – **30 ch** 575/620.

Florian sans rest, 8 r. Cdt André ✆ 93 39 24 82, Fax 92 99 18 30 – . AE GB
fermé 2 nov. au 15 janv. – 28 – **20 ch** 350/400. CZ **g**

France sans rest, 85 r. Antibes ✆ 93 39 23 34, Fax 93 68 53 43 – . AE GB JCB CY **k**
35 – **34 ch** 370/410.

Albert 1er sans rest, 68 av. Grasse ✆ 93 39 24 04, Fax 93 38 83 75 – . GB
30 – **11 ch** 300/340. AY **d**

Molière sans rest, 5 r. Molière ✆ 93 38 16 16, Fax 93 68 29 57 – . AE GB JCB. CYZ **t**
fermé 15 nov. au 20 déc. – 40 – **45 ch** 390/580.

Des Congrès et Festivals sans rest, 12 r. Teisseire ✆ 93 39 13 81, Fax 93 39 56 28 – . AE GB CY **p**
fermé déc. – 40 – **20 ch** 300/600.

Corona sans rest, 55 r. Antibes ✆ 93 39 69 85, Fax 93 99 09 69 – . AE GB
fermé 1er nov. au 10 déc. – 30 – **20 ch** 380/430. BY **v**

XXXX **La Belle Otéro** - Hôtel Carlton Inter-Continental, 58 bd Croisette, au 7e étage ✆ 93 68 00 33, Fax 93 39 09 06, – . AE GB JCB CZ **e**
fermé 9 juin au 8 juil., 27 oct. au 19 nov., dim. et lundi sauf juil.-août – **Repas** (dîner seul. en juil.-août) 290 bc (déj.), 390/590 et carte 540 à 740
Spéc. Grillade de dorade aux olives de Nice. Filet mignon de veau fermier poêlé en jus de truffe. Gratiné de figues fraîches aux saveurs orientales (juil. à fin sept.). **Vins** Côtes de Provence.

XXXX **La Palme d'Or** - Hôtel Martinez, 73 bd Croisette ✆ 92 98 74 14, Télex 470708, Fax 93 39 67 82, <, – . AE GB JCB DZ **n**
fermé mi-nov. à Noël, mardi (sauf le soir du 15 juin au 15 sept.) et lundi – **Repas** 295 bc (déj.), 350/580 et carte 510 à 810
Spéc. Mélange d'herbes et salades tendres, pannequets de légumes de Provence farcis. Pavé de loup cuit croustillant, jus de fenouil à la badiane. Aiguillette de cannette au citron et olives. **Vins** Côtes de Provence.

CANNES

André (R. du Cdt) . . . . . **CZ**
Antibes (R. d') . . . . . . **BCY**
Belges (R. des) . . . . **BZ** 12
Chabaud (R.) . . . . **CY** 22
Croisette (Bd de la) . . **BDZ**
Félix-Faure (R.) . . . . . . **ABZ**
Foch (R. du Mar.) . . . . . **BY** 44
Joffre (R. du Mar.) . . . . **BY** 60
Riouffe (R. Jean de) . . . **BY** 98

Albert-Édouard (Jetée) . **BZ**
Alexandre-III (Bd) . . . . **X** 2
Alsace (Bd) . . . . **BDY**
Anc. Combattants d'Afrique du Nord (Av.) . . . . . **AYZ** 4
Bachaga Saïd Boualam (Av.) . . . . . . **AY** 5
Beauséjour (Av.) . . . . . **DYZ**
Beau-Soleil (Bd) . . . . **X** 10
Blanc (R. Louis) . . . . . **AYZ**
Broussailles (Av. des) . . . **V** 16
Buttura (R.) . . . . **BZ** 17
Canada (R. du) . . . . **DZ**
Carnot (Bd) . . . . **X**
Carnot (Square) . . . . **V** 20
Castre (Pl. de la) . . . . . . **AZ** 21
Clemenceau (R. G.) . . . . **AZ**
Coteaux (Av. des) . . . . . . **V**
Croix-des-Gardes (Bd) . **VX** 29
Delaup (Bd) . . . . **AY** 30
Dr-Pierre Gazagnaire (R.) **AZ** 32
Dr-R. Picaud (Av.) . . . . . . **X**
Dollfus (R. Jean) . . . . . . **AZ** 33
Faure (R. Félix) . . . . . . **ABZ**
Favorite (Av. de la) . . . . . **X** 38
Ferrage (Bd de la) . . . **ABY** 40
Fiesole (Av.) . . . . **X** 43
Gallieni (R. du Mar.) . . . **BY** 48
Gaulle (Pl. Gén.-de) . . . . **BZ** 51
Gazagnaire (Bd Eugène) . **X**
Grasse (Av. de) . . . . **VX** 53
Guynemer (Bd) . . . . **AY**
Haddad-Simon (R. Jean) **CY** 54
Hespérides (Av. des) . . . . **X** 55
Hibert (Bd Jean) . . . . . . **AZ**
Hibert (R.) . . . . **AZ**
Isola-Bella (Av. d') . . . . . . **X**
Jaurès (R. Jean) . . . . . **BCY**
Juin (Av. Mar.) . . . . **DZ**
Koenig (Av. Gén.) . . . . . **DY**
Lacour (Bd Alexandre) . **X** 62
Latour-Maubourg (R.) **DZ**
Lattre-de-T. (Av. de) . . **AY** 63
Laubeuf (Quai Max) . . **AZ**
Leader (Bd) . . . . **VX** 64
Lérins (Av. de) . . . . **X** 65
Lorraine (Bd de) . . . . **CDY**
Macé (R.) . . . . **CZ** 66
Madrid (Av. de) . . . . **DZ**
Meynadier (R.) . . . . . **ABY**
Midi (Bd du) . . . . **X**
Mimont (R. de) . . . . **BY**
Mont-Chevalier (R. du) **AZ** 72
Montfleury (Bd) . . . . . **CDY** 74
Monti (R. Marius) . . . . . **AY** 75
Moulin (Bd du) . . . . **AY** 76
Noailles (Av. J.-de) . . . . . **X**
Observatoire (Bd de l') . **X** 84
Oxford (Bd d') . . . . **V** 87
Pantiero (la) . . . . **ABZ**
Paradis-Terrestre (Corniches du) . . . . **V** 88
Pasteur (R.) . . . . **DZ**
Pastour (R. Louis) . . . . . **AY** 90
Perier (Bd du) . . . . **V** 92
Perrissol (R. Louis) . . . **AZ** 93
Petit-Juas (Av. du) . . . . **VX**
Pins (Bd des) . . . . **X** 95
Pompidou (Espl. G.) . . . **BZ**
Prince de-Galles (Av. du) **X** 97
République (Bd de la) . . **X**
Riou (Bd du) . . . . **VX**
Roi-Albert 1er (Av.) . . . . . **X**
Rouguière (R.) . . . . **BY** 100
St-Nicolas (Av.) . . . . **BY** 105
St-Pierre (Quai) . . . . **AZ**
Sardou (R. Léandre) . . . **X** 108
Serbes (R. des) . . . . **BZ** 110
Source (Bd de la) . . . . . . **X** 112
Stanislas (Pl.) . . . . **AY**
Strasbourg (Bd de) . **CDY**
Teisseire (R.) . . . . **CY** 114
Tuby (Bd Victor) . . . . **AYZ** 11
Vallauris (Av. de) . . . . . **VX** 11
Vallombrosa (Bd) . . . . **AY** 11
Vautrin (Bd Gén.) . . . . **DZ**
Vidal (R. du Cdt) . . . . . **CY** 12
Wemyss (Av. Amiral Wester) . . **X** 12

LE CANNET

Aubarède (Ch. de l') . . . **V** 8
Bellevue (Pl.) . . . . **V** 13
Bréguières (Ch. des) . . . **V** 14
Cannes (R. de) . . . . **V** 19
Carnot (R. de) . . . . **V**
Cheval (Av. Maurice) . . . **V** 23
Collines (Ch. des) . . . . . **V**
Doumer (Bd Paul) . . . . . **V**
Écoles (R. des) . . . . **V** 34
Four-à-Chaux (Bd du) . . **V** 45
Gambetta (Bd) . . . . **V** 50
Gaulle (Av. Gén.-de) . . . **V**
Jeanpierre (Av. Maurice) **V** 58
Mermoz (Av. Jean) . . . . **V** 67
Monod (Bd Jacques) . . **V** 68
Mont-Joli (Av. du) . . . . . **V** 73
N.-D.-des-Anges (Av.) . **V** 79
Olivet (Ch. de l') . . . . . . **V** 85
Olivetum (Av. d') . . . . . . **V** 86
Paris (R. de) . . . . **V** 89
Pinède (Av. de la) . . . . . **V** 94
Pompidou (Av. Georges) **V** 96
République (Bd de la) . . **V**
Roosevelt (Av. Franklin) **V**
St-Sauveur (R.) . . . . **V** 10
Victor-Hugo (R.) . . . . . . **V** 11
Victoria (Av.) . . . . **V**

VALLAURIS

Cannes (Av. de) . . . . **V** 18
Clemenceau (Av. G.) . . . **V** 25
Fournas (Av. du) . . . . . . **V** 46
Golfe (Av. du) . . . . **V** 52
Isnard (Pl. Paul) . . . . . . **V** 56
Rouvier (Bd Maurice) . . **V** 10
Tapis-Vert (Av. du) . . . . **V** 11

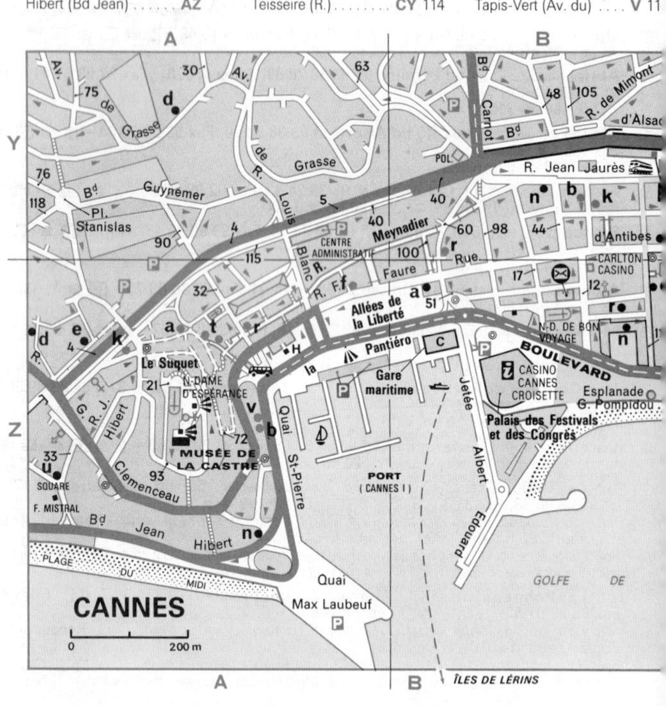

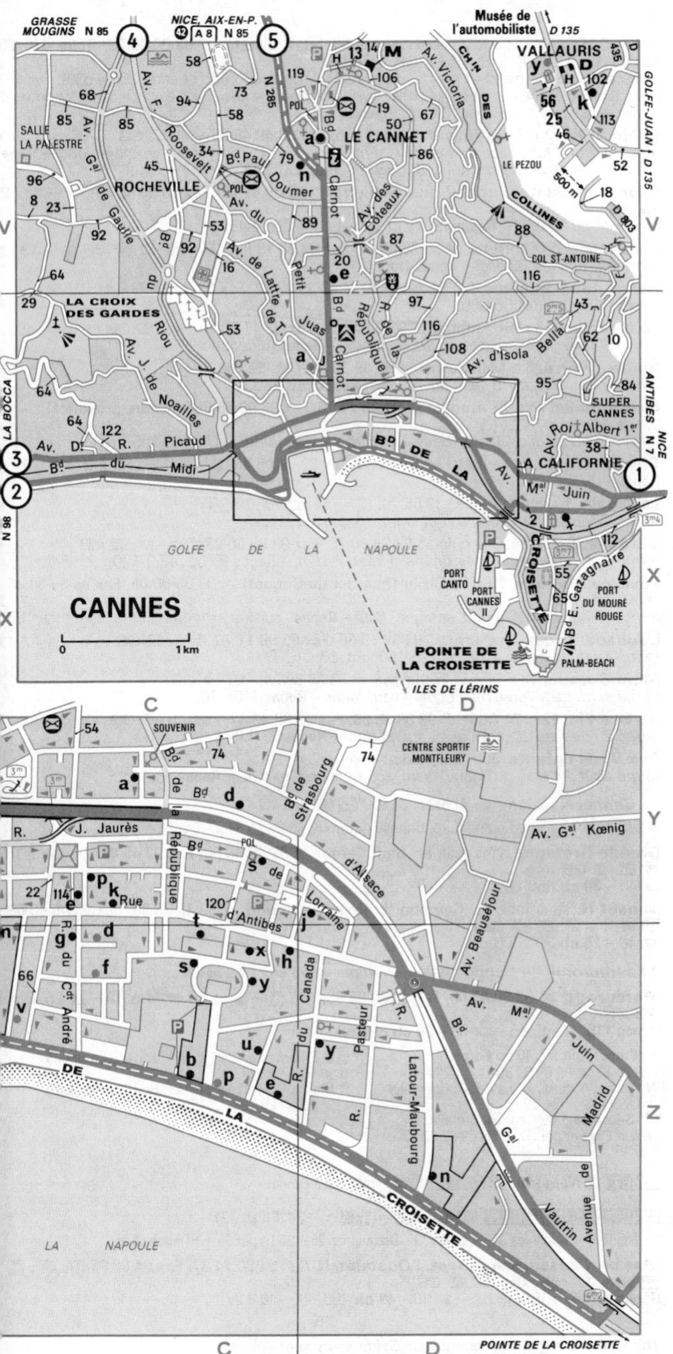
CANNES
LE CANNET
ROCHEVILLE
VALLAURIS
LA CROIX DES GARDES
LA CALIFORNIE
SUPER CANNES
COL ST-ANTOINE
GOLFE DE LA NAPOULE
PORT CANTO
PORT CANNES II
PORT DU MOURÉ ROUGE
POINTE DE LA CROISETTE
PALM-BEACH
ILES DE LÉRINS
CENTRE SPORTIF MONTFLEURY
Musée de l'automobiliste
SALLE LA PALESTRE
LE PEZOU
GRASSE MOUGINS N 85
NICE, AIX-EN-P. A 8 N 85
GOLFE-JUAN D 135
ANTIBES NICE N 7
LA BOCCA N 98
POINTE DE LA CROISETTE

XXXXX ❀ **La Côte** - Hôtel Carlton Intercontinental, 58 bd Croisette ✆ 93 06 40 23, Télex 47072C Fax 93 06 40 25, 🏠 – ▤. AE ⓓ GB JCB. ✂ CZ
avril-oct. et fermé mardi et merc. – **Repas** 275 bc (déj.), 350/460 et carte 300 à 530
Spéc. Escalope de foie gras de canard poêlé au vinaigre balsamique. Saint-Pierre au citron confit. Maraîchère de pigeonneau aux navets confits. **Vins** Côtes de Provence.

XXX **Poêle d'Or,** 23 r. États-Unis ✆ 93 39 77 65, Fax 93 40 45 59 – ▤. AE GB CZ
fermé 1er au 7 juil., vacances de fév., dim. soir en hiver, mardi midi en été et lundi – **Repas** (week-ends prévenir) 125 (déj.), 169/350 et carte 310 à 430.

XXX **Gaston et Gastounette,** 7 quai St-Pierre ✆ 93 39 47 92, Fax 93 99 45 34, 🏠 – ▤. AE ⓓ GB AZ
fermé 1er au 20 déc. – **Repas** 125 (déj.)/200 et carte 260 à 450.

XX **Festival,** 52 bd Croisette ✆ 93 38 04 81, Fax 93 38 13 82, 🏠 – ▤. AE ⓓ GB CZ
fermé mi-nov. au 23 déc. – **Repas** 180/220.

XX **Relais des Semailles,** 9 r. St-Antoine ✆ 93 39 22 32, Fax 93 39 84 73 – ▤. AE GB
Repas (dîner seul.) 155/385. AZ

XX **Le Mesclun,** 16 r. St-Antoine ✆ 93 99 45 19, Fax 93 47 68 29 – ▤. AE GB AZ
fermé 20 nov. au 20 déc. et merc. hors sais. – **Repas** (dîner seul.) 175.

XX **Maître-Pierre,** 6 r. Mar. Joffre ✆ 93 99 36 30 – ▤. AE GB BY
fermé merc. soir du 15 sept. au 15 juin – **Repas** 110/165.

XX **La Mirabelle,** 24 r. St-Antoine ✆ 93 38 72 75, Fax 93 90 66 95, « Cadre provençal » – ▤ AE ⓓ GB JCB AZ
fermé 1er au 20 déc., 1er au 15 fév. et mardi – **Repas** (dîner seul.) 185/255.

XX **Caveau 30,** 45 r. F. Faure ✆ 93 39 06 33, Fax 92 98 05 38, 🏠 – ▤. AE ⓓ GB AZ
Repas 114/165.

XX **La Cigale,** 1 r. Florian ✆ 93 39 65 79, 🏠 – ▤. AE ⓓ GB JCB CZ
fermé 1er au 15 nov., dim. soir et lundi – **Repas** 125/165.

XX **Côté Jardin,** 12 av. St-Louis ✆ 93 38 60 28, Fax 93 38 60 28, 🏠 – ▤. AE GB X
fermé fév., lundi sauf le soir de mai à sept. et dim. – **Repas** 95 bc (déj.)/170.

XX **Taverna Romana,** 10 r. St-Dizier (quartier du Suquet) ✆ 93 39 96 05, Fax 93 68 54 38 ▤. AE GB AZ
fermé 1er au 15 nov. et dim. sauf juil.-août – **Repas** - cuisine italienne - (dîner seul.) 135/185.

X **L'Aillade,** 15 quai St-Pierre ✆ 93 39 13 38, Fax 92 99 11 70, 🏠 – AE GB JCB AZ
fermé lundi hors sais. – **Repas** 125/180, enf. 60.

X **Mère Besson,** 13 r. Frères Pradignac ✆ 93 39 59 24 – AE ⓓ GB CZ
fermé sam. midi, lundi midi et dim. sauf fériés – **Repas** 140/170.

X **Au Bec Fin,** 12 r. 24 Août ✆ 93 38 35 86, Fax 93 38 43 47 – ▤. AE ⓓ GB BY
fermé 20 déc. au 20 janv., sam. soir et dim. – **Repas** 90/115 🍷.

X **Aux Bons Enfants,** 80 r. Meynadier – ✂ AZ
fermé août, 24 déc. au 2 janv., sam. soir hors sais. et dim. – **Repas** 90.

au Cannet N : 3 km - V – 41 842 h. alt. 80 – ✉ **06110**.

ℹ Office de Tourisme Central Buro, Bretelle Autoroute ✆ 93 45 34 27, Fax 93 45 28 06.

🏨 **Grande Bretagne** sans rest, bd Sadi Carnot ✆ 93 45 66 00, Fax 93 45 83 30 – ▤ 📺 ☎ 🅿. AE ⓓ GB JCB V
☕ 45 – **34 ch** 450/650.

🏨 **Sunset H.** sans rest, av. Campon (bretelle autoroute) ✆ 93 45 35 35, Fax 93 45 60 68 📺 ☎ 🚗 🅿. AE ⓓ GB V
☕ 40 – **25 ch** 360/500.

à l'aérodrome de Cannes-Mandelieu par ③ : 6 km – ✉ **06150** :

🏨 **Mercure** Ⓜ, ✆ 93 90 43 00, Fax 93 90 98 98, 🏠, 🏊 – 🛗 ▤ 📺 ☎ 📞 ♿ 🅿 – 🏛 25. AE ⓓ GB JCB
Repas 115 🍷, enf. 45 – ☕ 58 – **99 ch** 398/560.

CITROEN Carnot Autom., 48 bd Carnot ✆ 93 68 20 25 🅽 ✆ 93 69 39 89
CITROEN Carnot Autom., 205 av. F.-Tonner à La Bocca par ③ ✆ 93 47 24 00
RENAULT Succursale de Cannes, Bretelle Autoroute à le Cannet par ⑤ ✆ 93 69 62 62 🅽 ✆ 05 05 15 15

Ⓜ Euromaster, 240 av. F.-Tonner à La Bocca ✆ 93 47 41 11
Massa-Pneu Vulcopneu, 9 Bd Vallombrosa ✆ 93 39 25 22

Le CANNET **06** Alpes-Mar. 84 ⑨, 115 ㉟ ㊳ – rattaché à Cannes.

Le CANNET-DES-MAURES **83340** Var 84 ⑯ 114 ㉟ – 3 126 h alt. 124.

Paris 838 – Fréjus 37 – Brignoles 28 – Cannes 73 – Draguignan 26 – St-Tropez 38 – ✦Toulon 56.

🏨 **Mas de Causserène et rest. l'Oustalet,** N 7 ✆ 94 60 74 87, Fax 94 60 95 97, 🏠, 🏊 📺 ☎ ♿ 🅿 – 🏛 50 à 150. AE GB
Repas 90 (déj.), 150/190 🍷 – ☕ 40 – **49 ch** 280/300 – ½ P 270.

The Guide changes, so renew your Guide every year.

La CANOURGUE **48500** Lozère 80 ④ ⑤ **G. Gorges du Tarn** – 1 817 h alt. 563.

Voir Sabot de Malepeyre★ SE : 4 km.

du Sabot ✆ 66 32 84 00, SE : 3 km par D 898.

Office de Tourisme (juin-sept.) ✆ 66 32 83 67 et à la Mairie ✆ 66 32 81 47.

Paris 604 – Mende 44 – Espalion 60 – Florac 53 – Rodez 67 – Sévérac-le-Château 23.

Commerce, ✆ 66 32 80 18, Fax 66 32 94 79 – – 25. GB
hôtel : fermé 1er déc. au 1er mars, vend. soir et sam. hors sais. – **Repas** *(fermé vacances de Noël, le soir de déc. à fév., vend. soir et sam. hors sais.)* 75/150, enf. 55 – 32 – **28 ch** 250/300 – ½ P 260/280.

PEUGEOT Gar. Condomines, ✆ 66 32 80 16 ✆ 66 32 80 16

CANY-BARVILLE **76450** S.-Mar. 52 ⑬ **G. Normandie Vallée de la Seine** – 3 349 h alt. 25.

Voir Panneaux sculptés★ de l'église – Barville : site★ de l'église S : 2 km.

Paris 201 – ◆Le Havre 66 – Bolbec 30 – Dieppe 46 – Fécamp 21 – ◆Rouen 57 – Yvetot 23.

XXX **Manoir de Barville** avec ch, S : 2 km par D 131 ✆ 35 97 79 30, Fax 35 57 03 55, « Parc ombragé et fleuri » – – 25. AE GB
Repas 150/265 et carte 230 à 380 – 45 – **4 ch** 260/420.

CAP voir au nom propre du Cap.

CAPBRETON **40130** Landes 78 ⑰ **G. Pyrénées Aquitaine** – 5 089 h alt. 6 – Casino .

Office de Tourisme av. G.-Pompidou ✆ 58 72 12 11, Fax 58 41 00 29.

Paris 756 – Biarritz 24 – Mont-de-Marsan 85 – ◆Bayonne 18 – St-Vincent-de-Tyrosse 11,5 – Soustons 24.

quartier de la plage :

Océan, av. G. Pompidou ✆ 58 72 10 22, Fax 58 72 08 43, – GB
30 mars-10 oct. et fermé mardi sauf de juin à sept. – ***Brasserie La Marine*** ✆ 58 41 02 25 *(1er mars-15 oct. et fermé lundi soir et mardi sauf du 15/6 au 15/9)* **Repas** 70/140, enf.50 – **27 ch** 320/520.

XX **Café Bellevue** avec ch, av. G. Pompidou ✆ 58 72 10 30, Fax 58 72 11 12 – AE GB
mi-fév.-mi-nov. et fermé lundi sauf vacances scolaires – **Repas** 91 (déj.), 128/171, enf. 54 – 35 – **12 ch** 260/280 – ½ P 305.

quartier la Pêcherie :

XX **Le Regalty,** port de plaisance ✆ 58 72 22 80, Fax 58 41 82 18, – AE GB
fermé 15 au 30 nov., 15 au 31 janv., dim. soir et lundi sauf fériés – **Repas** - produits de la mer - 150.

CITROEN Gar. Barbe, ✆ 58 72 10 15

CAP COZ **29** Finistère 58 ⑮ – rattaché à Fouesnant.

CAP D'AGDE **34** Hérault 83 ⑯ – rattaché à Agde.

CAP D'AIL **06320** Alpes-Mar. 84 ⑩ 115 ㉗ **G. Côte d'Azur** – 4 859 h alt. 51.

Office de Tourisme 104 av. 3-Septembre ✆ 93 78 02 33, Fax 92 10 74 36.

Paris 950 – Monaco 2,5 – Menton 16 – Monte-Carlo 4 – ◆Nice 16.

Miramar sans rest, av. 3-Septembre ✆ 93 78 06 60, Fax 93 78 82 78 – GB
fermé 8 au 31 janv. – 32 – **25 ch** 200/310.

La CAPELLE **02260** Aisne 53 ⑯ **G. Flandres Artois Picardie** – 2 149 h alt. 228.

Voir Pierre d'Haudroy (monument de l'Armistice 1918) NE : 3 km par D 285.

Paris 191 – St-Quentin 50 – Avesnes-sur-Helpe 17 – Le Cateau-Cambrésis 30 – Fourmies 11,5 – Guise 23 – Laon 51 – Vervins 16.

XX **Gd Cerf,** ✆ 23 97 20 61 – GB
fermé juil., vacances de fév., dim. soir et lundi sauf fériés – **Repas** 100/280.

CAPESTANG **34310** Hérault 83 ⑭ – 2 903 h alt. 22.

Paris 794 – ◆Montpellier 82 – Béziers 15 – Carcassonne 61 – Narbonne 18 – St-Pons 39.

à Poilhes SE par D 11 : 5 km – 517 h. alt. 33 – ✉ **34310** :

XX **La Tour Sarrasine,** ✆ 67 93 41 31 – AE GB
fermé dim. soir et lundi hors sais. – **Repas** 130/295, enf. 75.

CAP FERRAT **06** Alpes-Mar. 84 ⑩ ⑲ – rattaché à St-Jean-Cap-Ferrat.

CAP FERRET **33** Gironde 78 ⑫ **G. Pyrénées Aquitaine** – alt. 11 – ✉ **33950** Lege Cap Ferret.

Voir ✳★ du phare.

Office de Tourisme 12 av. Océan (saison) ✆ 56 60 63 26, au Canon pl. de l'Europe ✆ 56 60 86 43, Fax 56 60 94 54.

Paris 648 – ◆Bordeaux 66 – Arcachon 72 – Lacanau-Océan 56 – Lesparre-Médoc 84.

La Frégate sans rest, av. Océan ☎ 56 60 41 62, Fax 56 03 76 18, – TV ☎ P. AE ① G
1er avril-1er nov. – ☐ 36 – **26 ch** 250/400.

Pins, r. Fauvettes ☎ 56 60 60 11, Fax 56 03 70 61, – ☎. GB.
hôtel : 29 mars-11 nov. ; rest : 15 juin-15 sept. – **Repas** (dîner seul.) 90/120 – ☐ 38 – **14 c** 278/405 – ½ P 279/344.

Les Dunes sans rest, av. Bordeaux ☎ 56 60 61 81 – ☎ P. GB
1er mars-11 nov. – ☐ 35 – **14 ch** 290/350.

PEUGEOT Gar. Gava, ☎ 56 60 64 20

CAPINGHEM 59 Nord 51 ⑮, 111 ㉑ – rattaché à Lille.

CAPPELLE-LA-GRANDE 59 Nord 51 ④ – rattaché à Dunkerque.

CAPVERN-LES-BAINS 65130 H.-Pyr. 85 ⑨ **G. Pyrénées Aquitaine** – alt. 450 – Stat. therm. (23 avri 22 oct.).

Voir Donjon du château de Mauvezin ✲★ O : 4,5 km.

18 de Lannemezan ☎ 62 98 01 01, E : 12 km.

Office de Tourisme r. Thermes ☎ 62 39 00 46, Fax 62 39 08 14.

Paris 826 – Bagnères-de-Luchon 63 – Arreau 31 – Bagnères-de-Bigorre 20 – Lannemezan 9 – Tarbes 29.

St-Paul, ☎ 62 39 03 54, Fax 62 39 16 64, – ☎ P. GB. rest
22 avril-20 oct. – **Repas** 76/165 – ☐ 25 – **30 ch** 150/210 – P 200/270.

Lemoine, ☎ 62 39 02 18, ≤, parc – ☎ P. GB.
23 avril-22 oct. – **Repas** 75/95 ♂, enf. 45 – ☐ 28 – **18 ch** 120/210 – P 168/220.

Bellevue , rte Mauvezin, quartier le Laca ☎ 62 39 00 29, ≤, – ☎ P. GB. rest
2 mai-6 oct. – **Repas** 90/150 – ☐ 25 – **34 ch** 83/195 – P 190/314.

CARANTEC 29660 Finistère 58 ⑥ **G. Bretagne** – 2 609 h alt. 37.

Voir Croix de procession★ dans l'église – "Chaise du Curé" (plate-forme) ≤★ – Pointe d Pen-al-Lann ≤★ E : 1,5 km puis 15 mn.

Office de Tourisme 4 r. Pasteur ☎ 98 67 00 43, Fax 98 67 07 44.

Paris 557 – ◆Brest 63 – Lannion 55 – Morlaix 15 – Quimper 91 – St-Pol-de-Léon 9,5.

Pors Pol , plage Pors-Pol ☎ 98 67 00 52, Fax 98 67 02 17, ≤, – ☎ P. GB. rest
Pâques-21 sept. – **Repas** 88/245, enf. 50 – ☐ 35 – **30 ch** 245/265 – ½ P 265.

Falaise sans rest, ☎ 98 67 00 53, ≤ Baie de Morlaix, – ☎ P.
vacances de printemps-22 sept. – ☐ 33 – **24 ch** 190/270.

Le Cabestan, le port ☎ 98 67 01 87, ≤ – GB
fermé 3 nov. au 15 déc., lundi soir sauf juil.-août et mardi – **Repas** 110/240.

CITROEN Gar. Jacq, ☎ 98 67 01 67 RENAULT Gar. Kerrien, ☎ 98 67 01 71

CARCASSONNE P 11000 Aude 83 ⑪ **G. Pyrénées Roussillon** – 43 470 h alt. 110.

Voir La Cité★★★ (embrasement 14 juil.) – Basilique St-Nazaire★ : vitraux★★, statues★★ Musée du château Comtal : calvaire★ de Villanière.

9 Domaine d'Auriac, ☎ 68 72 57 30 par ③ : 4 km par D 118 et D 104.

de Salvaza : ☎ 68 25 12 33, par ④ : 3 km.

Office de Tourisme et Accueil de France 15 bd Camille-Pelletan ☎ 68 25 07 04, Fax 68 47 34 96 et Por Narbonnaise (Pâques-nov.) ☎ 68 25 68 81.

Paris 792 ④ – ◆Perpignan 114 ② – ◆Toulouse 93 ④ – Albi 105 ① – Béziers 90 ② – Narbonne 60 ②.

Plan page ci-contre

Terminus, 2 av. Mar. Joffre ☎ 68 25 25 00, Télex 500198, Fax 68 72 53 09 – TV ☎ – 30 à 200. AE ① GB JCB BY
Relais de l'Écluse : *☎ 68 25 13 77 (fermé dim. soir et lundi de nov. à mars)* **Repas** 98/200 ♂ – ☐ 35 – **110 ch** 300/440.

Montségur sans rest, 27 allée Iéna ☎ 68 25 31 41, Fax 68 47 13 22, « Mobilier ancien » TV ☎ P. AE ① GB JCB AZ
fermé 24 déc. au 14 janv. – ☐ 48 – **21 ch** 320/490.

Bristol, 7 av. Mar. Foch ☎ 68 25 07 24, Fax 68 25 71 89 – rest TV ☎ . GB
1er mars-30 nov. – **Repas** *(fermé sam. midi et dim. soir hors sais.)* 90/200 bc – ☐ 40 – **59 c** 200/400 – ½ P 240/270. BY

Pont Vieux sans rest, 32 r. Trivalle ☎ 68 25 24 99, Fax 68 47 62 71 – TV ☎ . AE ① G JCB BZ
fermé 15 au 31 janv. – ☐ 35 – **19 ch** 250/320.

Royal Hotel sans rest, 22 bd J. Jaurès ☎ 68 25 19 12, Fax 68 47 33 01 – TV ☎ GB BZ
fermé 20 déc. au 5 janv. et dim. hors sais. – ☐ 35 – **24 ch** 230/270.

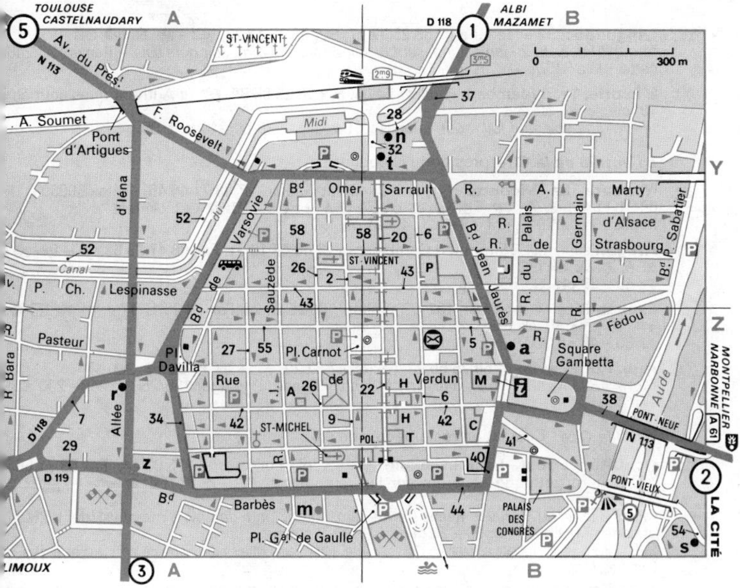

CARCASSONNE

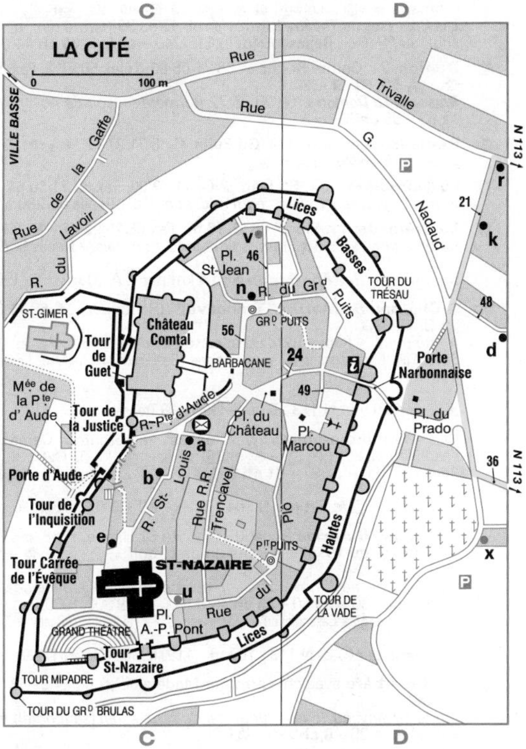

rmagnac (R. A.) . . . . . AY 2
arbès (R.) . . . . BZ 5
hartran (R.) . . . . AZ 9
emenceau (R. G.). . . . BY 20
ourtejaire (R.) . . . . BZ 22
-A.-Tomey (R.) . . . . AYZ 26
erdun (R. de) . . . . . ABZ

inger (R. Jean). . . . . BYZ 6
unau-Varilla (Av.). . . . AZ 7
ombéléran (Mtée G.) . . D 21
os-Mayrevieille (Rue) . . D 24
udes (R. des) . . . . AZ 27
ch (Av. du Mar.) . . . . BY 28
out (Av. Henri) . . . . . . AZ 29
ffre (Av. du Mar.) . . . BY 32
arcou (Bd) . . . . AZ 34
édiévale (Voie) . . . . . . D 36
nervoise (Route) . . . . BY 37
ullot (Av. Arthur) . . . . BZ 38
lletan (Bd C.) . . . . BZ 40
nt-Vieux (R. du). . . . . . BZ 41
mon (R. A.) . . . . ABZ 42
publique (R. de la) . ABY 43
umens (Bd du Cdt) . . BZ 44
Jean (R.) . . . . C 46
Saëns (R. C.) . . . . D 48
Sernin (R.) . . . . D 49
mard (Av. Pierre) . . . AY 52
valle (R.). . . . . BZ 54
ctor-Hugo (R.) . . . . . . AZ 55
ollet-le-Duc (Rue). . . . . C 56
du 4-Septembre . . ABY 58

es pastilles numérotées
es plans de villes
, ②, ③ sont répétées
r les cartes Michelin
1/200 000.
es facilitent
nsi le passage
tre les cartes
les guides Michelin.

XXX **Languedoc,** 32 allée Iéna ✆ 68 25 22 17, Fax 68 47 13 22, 🏵 – ▤. AE ⓓ GB
fermé 20 déc. au 20 janv., lundi sauf le soir en sais. et dim. soir hors sais. – **Repas** 130/240 carte 190 à 310 ♁, enf. 70. AZ

XX **L'Écurie,** 1 r. d'Alembert ✆ 68 72 04 04, Fax 68 25 55 89, 🏵, « Authentiques écuries c 18e siècle » – AE GB AZ
fermé dim. soir sauf juil.-août – **Repas** 100 bc (déj.), 130 bc/240, enf. 85.

à l'entrée de la Cité, près porte Narbonnaise :

Mercure La Vicomté 🐎, r. C. Saint-Saens ✆ 68 71 45 45, Télex 500303, F 68 71 11 45, ≤, 🏊, 🌳 – |¶| ⚡ ▤ ch TV ☎ ♿ – 🎤 50. AE ⓓ GB. ✻ rest D
Repas 85 bc/128 ♁, enf. 48 – ☕ 54 – **61 ch** 490.

Aragon sans rest, 15 montée Combéléran ✆ 68 47 16 31, Fax 68 47 33 53, 🏊 – ⚡ ▤ [
☎ ♿ P. AE ⓓ GB D
☕ 49 – **29 ch** 390/520.

Espace Cité M sans rest, 132 r. Trivalle ✆ 68 25 24 24, Fax 68 25 17 17 – ⚡ ▤ TV ☎
🚗 P – 🎤 40. AE GB D
☕ 30 – **48 ch** 300.

XXX **Aub. Pont Levis,** ✆ 68 25 55 23, Fax 68 47 32 29, 🏵 – ▤ P. AE ⓓ GB. ✻ D
fermé 13 janv. au 11 fév., dim. soir et lundi – **Repas** (1er étage) 135/250 et carte 200 à 29 enf. 60.

dans la Cité - Circulation réglementée en été :

✿✿ **Cité et rest. La Barbacane** M 🐎, pl. Église ✆ 68 25 03 34, Fax 68 71 50 1 « Demeure gothique et jardin sur les remparts », 🏊 – |¶| ▤ TV ☎ 🚗 – 🎤 50.
ⓓ GB JCB C
fermé 8 janv. au 12 fév. – **Repas** *(fermé dim. soir et lundi de nov. à mars)* 190 (déj.), 280/4 et carte 400 à 500 – ☕ 90 – **23 ch** 950/1580, 3 appart
Spéc. Fine tarte à la tomate comme une "pissaladière" (été). Petite lotte en rôti. Rable de lapin farci de blettes. V Corbières, Minervois.

Dame Carcas M 🐎, 15 r. St-Louis ✆ 68 71 37 37, Fax 68 71 50 15, ≤, « Jardin sur l remparts » – |¶| ▤ ch TV ☎ ♿ – 🎤 25. AE ⓓ GB JCB C
Les Coulisses du Théâtre (bistro) ✆ 68 47 63 39 *(fermé dim. du 14 janv. au 24 mars et du sept. au 29 déc.)* **Repas** 80bc(déj.),115/240 – ☕ 60 – **30 ch** 440/750.

Donjon, 2 r. Comte Roger ✆ 68 71 08 80, Télex 505012, Fax 68 25 06 60, ≤, 🌳 – |¶| ▤ [
☎ – 🎤 50. AE ⓓ GB C
Brasserie Le Donjon ✆68 25 95 72 *(fermé dim. soir de nov. à mars)* **Repas** 86/125, enf. 45
☕ 53 – **38 ch** 310/490.

Remparts sans rest, 3 pl. Gd Puits ✆ 68 71 27 72, ≤ – ☎. AE GB C
☕ 35 – **18 ch** 295/330.

XX **La Marquière,** 13 r. St Jean ✆ 68 71 52 00, Fax 68 71 30 81 – AE GB C
fermé 15 janv. au 15 fév., jeudi midi et merc. – **Repas** 95/280.

XX **La Crémade,** 1 r. Plô ✆ 68 25 16 64, Fax 68 25 93 41 – AE ⓓ GB C
fermé 3 janv. au 5 fév., dim. soir et lundi hors sais. – **Repas** 98/230 ♁, enf. 60.

au hameau de Montredon NE : 4 km par r. A. Marty BY – ✉ **11090** Carcassonne :

XXX ✿ **Château St Martin "Trencavel"** (Rodriguez), ✆ 68 71 09 53, Fax 68 25 46 55, 🌳
P. AE ⓓ GB
fermé merc. – **Repas** 160/280 et carte 220 à 340
Spéc. Salade de rognons au vieux vinaigre. "Bouillinade" nouvelloise. Cassoulet languedocien. **Vins** Cabard Corbières.

à l'Est par ② et N 113 : 5 km – ✉ **11800** Trèbes :

La Gentilhommière M, accès autoroute Carcassonne-Est ✆ 68 78 74 7 Fax 68 78 65 80, 🏵, 🏊 – ▤ ch TV ☎ ♿ – 🎤 30. AE GB
Repas 80/180 – ☕ 37 – **31 ch** 250/300 – ½ P 250.

au Sud par ③ et Est par D 104 : 3 km – ✉ **11000** Carcassonne :

✿ **Domaine d'Auriac** (Rigaudis) 🐎, rte St-Hilaire ✆ 68 25 72 22, Fax 68 47 35 54, ≤, 🏵 « Demeure du 19e siècle dans un parc, golf », 🏊, 🎾 – |¶| ▤ ch TV ☎ P – 🎤 60. AE
GB
fermé 7 janv. au 1er fév., dim. soir et lundi midi d'oct. à Pâques – **Repas** 180/360 et carte 3 à 470, enf. 130 – ☕ 80 – **25 ch** 700/1500 – ½ P 800/1000
Spéc. Les foies gras. Cassoulet au confit maison. Gibier (15 sept. au 10 janv.). **Vins** Limoux, Corbières.

à Pézens par ⑤ et N 113 : 10 km – 1 090 h. alt. 117 – ✉ **11170** :

X **Le Réverbère** avec ch, carrefour Madeleine ✆ 68 24 92 53, Fax 68 24 84 01, 🏵 – TV
P. GB
fermé 10 janv. au 15 fév., lundi soir de sept. à juin (sauf hôtel) et mardi – **Repas** 75 bc/200 enf. 44 – ☕ 25 – **6 ch** 230 – ½ P 200.

1W Passion Auto, Av. du Gén.-Leclerc 68 47 14 14
TROEN Gar. Tressol Chabrier, ZAC Salvaza, bd -bouffet par ④ ✆ 68 25 75 36 N ✆ 68 78 00 69
AT, LANCIA Gar. Ital, rte de Montréal 68 25 81 31
RD Gar. Salvaza, ZI La Bouriette rte de Montréal 68 25 11 50
)NDA Auto Loisirs, ZI Pont Rouge ✆ 68 71 36 43
AZDA Gar. Aubertin, 22 r. Jean Monnet 68 25 38 54
ERCEDES Gar. Bary, N 113 à Trèbes 68 78 61 28
PEL Gar. Bourguignon, rte de Toulouse 68 25 10 43

PEUGEOT Auto Cité, ZA St-Jean-l'Arnouze rocade Ouest par ④ ✆ 68 47 70 00 N ✆ 68 72 91 38
RENAULT Gar. Alaux et Gestin, rte de Narbonne par ② ✆ 68 77 77 68 N ✆ 63 72 75 46
TOYOTA Gar. de l'Avenir, ZI Félines ✆ 68 47 58 58
VAG Gar. Cathala, rte de Narbonne ✆ 68 25 90 01

Euromaster, ZI Arnouzette, rte de Bram ✆ 68 25 46 66
Gastou Point S, ZI la Bouriette ✆ 68 25 35 42
Grulet, 58 av. F.-Roosevelt ✆ 68 25 09 46
Laguzou Pneus, 20 av. F.-Roosevelt ✆ 68 25 25 88

ARENNAC **46110** Lot 75 ⑲ **G. Périgord Quercy** – 370 h alt. 123.

oir Portail★ de l'église – Mise au tombeau★ dans la salle capitulaire.

Office de Tourisme ✆ 65 10 97 01.

ris 528 – Brive-la-Gaillarde 40 – Cahors 75 – Martel 15 – St-Céré 14 – Sarlat-la-Canéda 60 – Tulle 54.

Aub. Vieux Quercy M, ✆ 65 10 96 59, Fax 65 10 94 05, – TV ☎ P. GB
15 mars-15 nov. et fermé lundi hors sais. – **Repas** 85/195, enf. 50 – ☐ 40 – **22 ch** 330 – ½ P 330.

Host. Fénelon ✆ 65 10 96 46, Fax 65 10 94 86, – TV ☎ P. AE GB
fermé 5 janv. au 10 mars, sam. midi et vend. hors sais. – **Repas** 95/330, enf. 55 – ☐ 40 – **16 ch** 250/320 – ½ P 320.

ARENTAN **50500** Manche 54 ⑬ **G. Normandie Cotentin** – 6 300 h alt. 18.

Office de Tourisme bd Verdun ✆ 33 42 74 01.

ris 311 – ◆Cherbourg 50 – St-Lô 28 – Avranches 85 – ◆Caen 73 – Coutances 35.

Le Vauban sans rest, 7 r. Sébline ✆ 33 71 00 20 – TV ☎. GB.
☐ 30 – **15 ch** 230/300.

Aub. Normande, bd Verdun ✆ 33 42 28 28, Fax 33 42 00 72 – GB
Repas 85/228.

à St-Hilaire-Petitville E : 2 km – 1 219 h. alt. 10 – ✉ **50500** Carentan :

Vipotel M, N 13 ✆ 33 71 11 11, Fax 33 71 92 88, – TV ☎ P – 60. AE GB JCB
Repas *(fermé sam. midi de sept. à fév.)* 87/280 , enf. 38 – ☐ 35 – **36 ch** 230/270 – ½ P 215/250.

TROEN Gar. Godefroy, Le Mesnil à St-Hilaire-titville ✆ 33 42 02 78
UGEOT Gar. Mecatol, ZI Pommenauque, rte de erbourg ✆ 33 42 23 73

RENAULT Gar. Bourdet, rte de St-Côme ✆ 33 42 00 93 N ✆ 31 50 69 05

Schmitt Pneus Vulcopneu, 25 bd de Verdun ✆ 33 71 04 11

ARGÈSE **2A** Corse-du-Sud 90 ⑯ – voir à Corse.

ARHAIX-PLOUGUER **29270** Finistère 58 ⑰ **G. Bretagne** – 8 198 h alt. 138.

Office de Tourisme r. Brizeux ✆ 98 93 04 42, Fax Mairie 98 99 15 92.

ris 504 – Quimper 58 – ◆Brest 83 – Concarneau 61 – Guingamp 47 – Lorient 72 – Morlaix 46 – Pontivy 57 – Brieuc 82.

D'Ahès sans rest, 1 r. F. Lancien ✆ 98 93 00 09 – TV. GB
fermé fév. – ☐ 30 – **10 ch** 190/230.

à Port de Carhaix SO : 6 km par rte de Lorient – ✉ **29270** Carhaix-Plouguer :

Aub. du Poher, ✆ 98 99 51 18, Fax 98 99 55 98, – P. GB JCB
fermé 22 juil. au 4 août, 2 au 16 fév., dim. soir et lundi – **Repas** 88/215 .

NAULT Autom. Centre Bretagne, rte de Rennes 98 93 18 22 N ✆ 98 93 30 30

Pneu plus Armorique Vulcopneu, rte de Rostrenen ✆ 98 93 05 84
Thomas Pneus, rte de Callac ✆ 98 93 05 41

ARIGNAN **08110** Ardennes 56 ⑩ – 3 359 h alt. 174.

ris 268 – Charleville-Mézières 43 – Mouzon 7 – Montmédy 23 – Sedan 20 – Verdun 70.

La Gourmandière, 19 av. Blagny ✆ 24 22 20 99, Fax 24 22 20 99, – AE GB
fermé 11 janv. au 15 fév. et lundi – **Repas** 65/215.

NAULT Auto Carignan, ✆ 24 22 00 44

CARMAUX 81400 Tarn 80 ⑪ G. Pyrénées Roussillon – 10 957 h alt. 241.

Office de Tourisme pl. Gambetta ✆ 63 76 76 67.

Paris 694 – Rodez 62 – Albi 16 – St-Affrique 91 – Villefranche-de-Rouergue 52.

La Mouette, 4 pl. J. Jaurès ✆ 63 36 79 90, Fax 63 76 40 76 – ▤. GB
fermé fév., lundi soir et dim. soir – **Repas** 57 (déj.), 76/260 ♁, enf. 50.

à Mirandol-Bourgnounac N : 13 km par N 88 et D 905 – 1 110 h. alt. 393 – ✉ 81190 :

Voyageurs ♨, ✆ 63 76 90 10 – ☎. GB
fermé 19 août au 6 sept., vacances de fév. et le soir d'oct. à mars – **Repas** 68 bc/160 ♁
☕ 38 – **11 ch** 170/300 – ½ P 190/230.

RENAULT Carmaux Autom., N 88 Pont de Blaye ✆ 63 80 18 48 N ✆ 63 47 84 74

Gar. Esteveny, bd A.-Malroux ✆ 63 76 81 72

CARNAC 56340 Morbihan 63 ⑫ G. Bretagne – 4 243 h alt. 16.

Voir Musée de préhistoire★★ **M** – Église St-Cornély★ **E** – Tumulus St-Michel★ : ≤★ – Alignements du Ménec★★ par D 196 : 1,5 km – Alignements de Kermario★ par ② : 2 km – Alignements de Kerlescan★ par ② : 4,5 km – Tumulus de Kercado★ par ② : 4,5 km – Dolmen de Mané-Kérioned★ 4 km par ①.

9 18 de St-Laurent, ✆ 97 56 85 18, N : 8 km par D 196.

Office de Tourisme av. des Druides et pl. de l'Eglise ✆ 97 52 13 52, Fax 97 52 86 10.

Paris 488 ② – Vannes 33 ② – Auray 13 ② – Lorient 36 ① – Quiberon 19 ① – Quimperlé 64 ①.

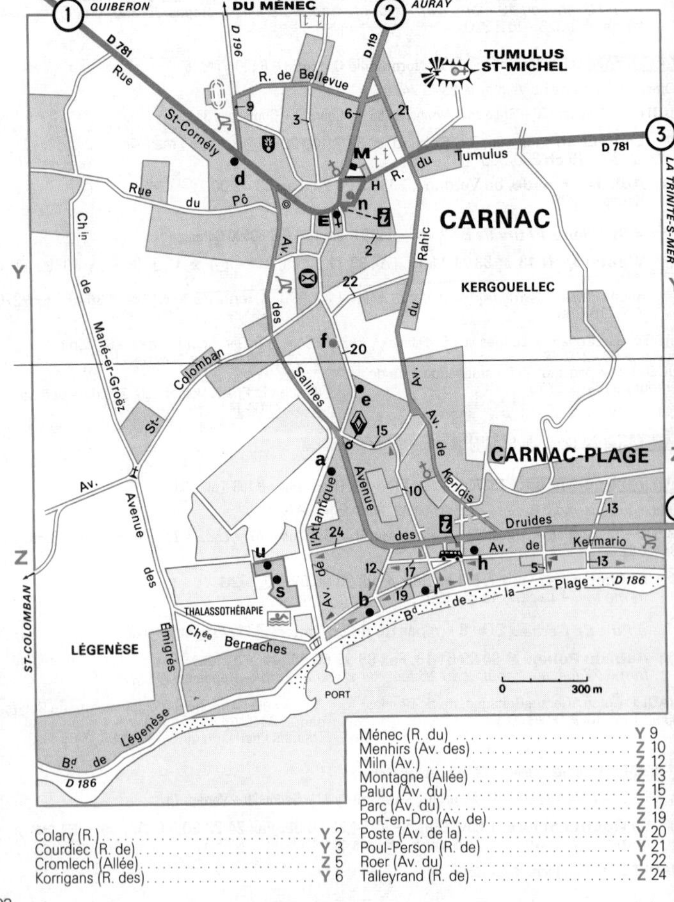

Colary (R.) .... Y 2
Courdiec (R. de) .... Y 3
Cromlech (Allée) .... Z 5
Korrigans (R. des) .... Y 6
Ménec (R. du) .... Y 9
Menhirs (Av. des) .... Z 10
Miln (Av.) .... Z 12
Montagne (Allée) .... Z 13
Palud (Av. du) .... Z 15
Parc (Av. du) .... Z 17
Port-en-Dro (Av. de) .... Z 19
Poste (Av. de la) .... Y 20
Poul-Person (R. de) .... Y 21
Roer (Av. du) .... Y 22
Talleyrand (R. de) .... Z 24

Diana M, 21 bd Plage ✆ 97 52 05 38, Fax 97 52 87 91, ←, 斋, Fб, ⛱ – |♦| TV ☎ P. ⓓ GB JCB Z r
6 avril-7 oct. et fermé merc. midi et mardi hors sais. – **Repas** 250/350 – ☕ 85 – **30 ch** 950/1150, 3 appart – ½ P 700/900.

Novotel M ⛱, av. Atlantique ✆ 97 52 53 00, Télex 950324, Fax 97 52 53 55, ←, centre de thalassothérapie, Fб, ⛱ – |♦| ⇆ ▤ rest TV ☎ ✆ ♿ P – 🏛 25. AE ⓓ GB Z s
Repas carte environ 160, enf. 55 – ☕ 60 – **110 ch** 690/770 – ½ P 535/580.

Celtique M, 17 av. Kermario ✆ 97 52 11 49, Fax 97 52 71 10, 斋 – |♦| cuisinette ⇆ TV ☎ ♿ P – 🏛 40. AE ⓓ GB JCB Z h
Repas 98/320 – ☕ 58 – **44 ch** 595/755, 5 duplex – ½ P 515/570.

Ibis M ⛱, av. Atlantique ✆ 97 52 54 00, Télex 951827, Fax 97 52 53 66, ←, centre de thalassothérapie, Fб, ⛱ – |♦| ⇆ TV ☎ ♿ P – 🏛 30. AE GB Z u
Repas 125 ♀, enf. 39 – ☕ 40 – **98 ch** 530/570, 21 duplex – ½ P 435.

Plancton, 12 bd Plage ✆ 97 52 13 65, Fax 97 52 87 63, ← – |♦| TV ☎ ♿ P – 🏛 25. AE GB Z b
1er avril-1er oct. – **Repas** 100/210, enf. 50 – ☕ 50 – **23 ch** 574/625 – ½ P 473/504.

Alignements, 45 r. St Cornély ✆ 97 52 06 30, Fax 97 52 76 56 – |♦| ⇆ TV ☎. AE GB. ✂ ch Y d
avril-sept. – **Repas** 95/230 ♀ – ☕ 39 – **27 ch** 280/395 – ½ P 300/355.

Armoric, av. Poste ✆ 97 52 13 47, Fax 97 52 98 66, 🌳 – |♦| ☎ P. GB. ✂ rest Z e
1er juin-15 sept. – **Repas** 150, enf. 60 – ☕ 41 – **25 ch** 280/400 – ½ P 395.

La Licorne M sans rest, 5 av. Atlantique ✆ 97 52 10 59, Fax 97 52 80 30, 🌳 – TV ☎ ♿ P. AE GB Z a
fermé 12 nov. au 31 janv. – ☕ 40 – **26 ch** 400/540.

Lann Roz avec ch, 36 av. Poste ✆ 97 52 10 48, Fax 97 52 24 36, « Jardin fleuri » – ☎ P. AE GB. ✂ Y f
fermé 3 janv. au 3 fév. et lundi hors sais. – **Repas** 95/250 – ☕ 38 – **14 ch** 355/395 – ½ P 315/334.

Passe Mauve, 1 r. Tumulus ✆ 97 52 04 14 – ▤. AE ⓓ GB Y n
fermé 20 nov. au 10 déc., 10 janv. au 8 fév., merc. soir et jeudi hors sais. – **Repas** 98 (déj.), 155/225.

à Plouharnel par ① : 4 km – 1 653 h. alt. 21 – ✉ **56340** :

Aub. de Kérank, rte Quiberon ✆ 97 52 35 36, ←, 斋, « Décor rustique » – ▤ P. GB
fermé 15 nov. au 15 déc., 5 janv. au 5 fév., dim. soir et lundi sauf vacances scolaires – **Repas** 130/300.

aux Alignements de Kermario par ② : 2 km – ✉ **56340** Carnac :

La Côte de Boeuf, ✆ 97 52 02 80, 斋, 🌳 – P. GB
fermé 10 janv. au 15 fév. et lundi sauf du 14 juil. au 20 août – **Repas** 75 (déj.), 105/175, enf. 48.

PEUGEOT Gar. Dréan, rte de Carnac à Plouharnel par ① ✆ 97 52 08 53 N ✆ 97 52 98 13
RENAULT Gar. Steunou, ✆ 97 52 12 08
RENAULT Gar. Thomas Le Ny, 2 r. de la Gare à Plouharnel par ① ✆ 97 52 35 01

CARNON-PLAGE 34280 Hérault 83 ⑦.

Paris 761 – ♦Montpellier 14 – Aigues-Mortes 18 – Nîmes 54 – Sète 36.

Neptune, au port ✆ 67 50 88 00, Fax 67 50 96 72, ←, 斋, ⛱ – |♦| ⇆ TV ☎ ✆ – 🏛 25. AE GB
Repas 89/160 ♀, enf. 40 – ☕ 40 – **52 ch** 340/420 – ½ P 290/320.

CARNOULES 83660 Var 84 ⑯ 114 ㉞ – 2 292 h alt. 205.

Paris 833 – ♦Toulon 34 – Brignoles 22 – Draguignan 48 – Hyères 33.

La Tuilière, O : 2 km sur N 97 ✆ 94 48 32 39, 斋, ⛱, 🌳 – P. GB
fermé 22 déc. au 3 janv. et dim. soir hors sais. – **Repas** 125/220.

CARNOUX-EN-PROVENCE 13470 B.-du-R. 84 ⑬ 114 ㉙ – 6 363 h alt. 250.

Paris 795 – ♦Marseille 22 – Aix-en-Provence 40 – Aubagne 6 – Brignoles 50 – ♦Toulon 46.

Host. la Crémaillère, ✆ 42 73 71 52, Fax 42 73 67 26, 斋 – TV ☎ ✆ P. AE ⓓ GB
Repas 65 (déj.), 98/195, enf. 48 – ☕ 30 – **19 ch** 195/280 – ½ P 195/245.

CARPENTRAS ⟨SP⟩ 84200 Vaucluse 81 ⑫ ⑬ G. Provence – 24 212 h alt. 102.

Voir Ancienne cathédrale St-Siffrein★ : trésor★ Z.

Provence Country Club à Saumane, ✆ 90 20 20 65 par ② : 18 km.

Office de Tourisme 170 av. J.-Jaurès ✆ 90 63 00 78, Fax 90 60 41 02.

Paris 678 ④ – Avignon 25 ③ – Aix-en-Provence 84 ② – Digne-les-Bains 139 ② – Gap 148 ① – ♦Marseille 101 ② – Montélimar 78 ④ – Salon-de-Provence 51 ② – Valence 123 ④.

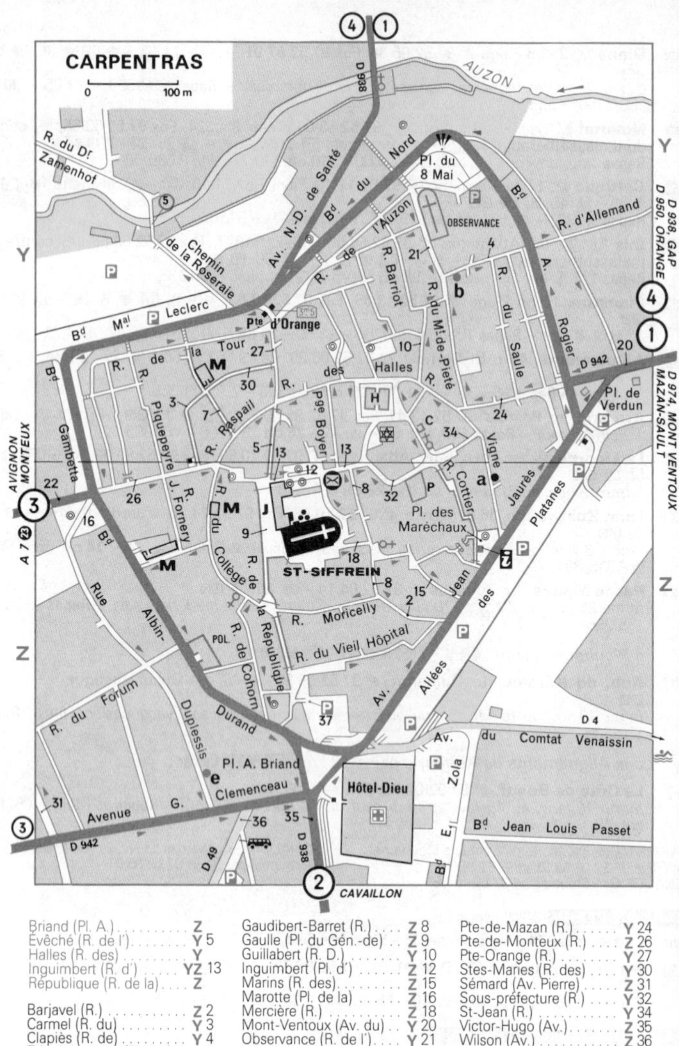

Briand (Pl. A.) . . . . Z
Évêché (R. de l') . . . . Y 5
Halles (R. des) . . . . Y
Inguimbert (R. d') . . . . . YZ 13
République (R. de la) . . . . Z

Barjavel (R.) . . . . Z 2
Carmel (R. du) . . . . Y 3
Clapiès (R. de) . . . . Y 4
Frères-Laurens (R. des) . . Y 7

Gaudibert-Barret (R.) . . . . Z 8
Gaulle (Pl. du Gén.-de) . . Z 9
Guillabert (R. D.) . . . . Y 10
Inguimbert (Pl. d') . . . . . . Z 12
Marins (R. des) . . . . Z 15
Marotte (Pl. de la) . . . . . . Z 16
Mercière (R.) . . . . Z 18
Mont-Ventoux (Av. du) . . Y 20
Observance (R. de l') . . . . Y 21
Pétrarque (Av.) . . . . Z 22

Pte-de-Mazan (R.) . . . . . . Y 24
Pte-de-Monteux (R.) . . . . Z 26
Pte-Orange (R.) . . . . Y 27
Stes-Maries (R. des) . . . . Y 30
Sémard (Av. Pierre) . . . . . Z 31
Sous-préfecture (R.) . . . . Y 32
St-Jean (R.) . . . . Y 34
Victor-Hugo (Av.) . . . . Z 35
Wilson (Av.) . . . . Z 36
25-Août-1944 (Pl. du) . . . Z 37

Fiacre sans rest, 153 r. Vigne 𝒫 90 63 03 15, Fax 90 60 49 73 – TV ☎ 🚗. AE ⓓ GB
☐ 40 – **19 ch** 240/460. Z

✗ ✿ **Vert Galant** (Mégean), 12 r. Clapies 𝒫 90 67 15 50 – GB Y
fermé sam. midi et dim. – **Repas** (nombre de couverts limité, prévenir) 120 (déj.), 190/260
Spéc. Truffes fraîches du Vaucluse (15 janv. au 15 mars). Tarte friande aux tomates confites et au pistou. Crème froid d'épeautre torréfiée à la cassonade. **Vins** Côtes du Rhône, Côtes du Ventoux.

✗ **Orangerie,** 2 pl. Mairie 𝒫 90 60 11 61 – ▤. AE GB Z
fermé lundi soir et dim. sauf du 10 juil. au 15 août – **Repas** 78 bc (déj.), 88/180 🍷.

à Mazan E : 7 km par D 942 – 4 459 h. alt. 100 – ✉ **84380**.

Voir Cimetière ≤★.

Le Siècle 🐎 sans rest, (derrière l'église) 𝒫 90 69 75 70 – ☎. GB
fermé vacances de Toussaint, de Noël, de fév. et dim. hors sais. – ☐ 30 – **12 ch** 140/260.

à Le Beaucet SE par D 4 et D 39 : 10,5 km – 280 h. alt. 275 – ✉ **84210** :

XX **Aub. du Beaucet,** ☎ 90 66 10 82, Fax 90 66 00 72, ←, 🏡 – GB
fermé 7 au 26 oct., 13 janv. au 1er fév., dim. soir et lundi – **Repas** 160.

à Monteux par ③ : 4,5 km – 8 157 h. alt. 42 – ✉ **84170** :

Blason de Provence, ☎ 90 66 31 34, Fax 90 66 83 05, 🏡, 🏊, 🌳, 🎾 – TV ☎ – 🅰 100. AE ⓓ GB. ✾ ch
fermé 15 déc. au 15 janv. – **Repas** *(fermé sam. midi)* 100/250 🍷, enf. 60 – ☐ 50 – **20 ch** 320/380 – ½ P 330/360.

Select, ☎ 90 66 27 91, Fax 90 66 33 05, 🏡, 🏊 – TV ☎ P. GB. ✾
fermé 18 déc. au 6 janv. et sam. sauf le soir du 15 mars au 15 oct. – **Repas** 95/160 – ☐ 35 – **8 ch** 300/320 – ½ P 340.

rte d'Avignon par ③ D 942 : 10 km :

Aub. des Gaffins 🐦, ✉ 84210 Althen-des-Paluds ☎ 90 62 01 50, Fax 90 62 04 26, 🏡, 🏊, 🌳 – TV ☎ P. GB
fermé dim. et lundi – **Repas** 98 (déj.), 134/260 🍷 – ☐ 38 – **9 ch** 200/450 – ½ P 270/320.

XXX **Saule Pleureur,** ✉ 84170 Monteux ☎ 90 62 01 35, Fax 90 62 10 90, 🏡, 🌳 – P. AE GB
fermé 1er au 20 mars, 1er au 15 nov., dim. soir et lundi – **Repas** 160/320 et carte 260 à 350, enf. 80.

ITROEN Gar. Bernard, rte de Pernes les Fontaines ar ② ☎ 90 63 33 18
ORD Ventoux Autos, ZA Automobile, rte de ernes ☎ 90 63 16 79
EUGEOT S.V.D.A., ZA rte de Pernes les Fontaines ar ② ☎ 90 63 60 00
ENAULT S.O.V.A., rte d'Avignon par ③ ☎ 90 63 07 72
VAG S.I.A.B., rte de Pernes les Fontaines ☎ 90 63 27 36

Ⓜ Ayme Pneus, 131 bd Gambetta ☎ 90 63 59 27
Ayme Pneus, ZI Marché Gare, av. Marchés ☎ 90 63 11 73

CARQUEFOU 44 Loire-Atl. 67 ③ – rattaché à Nantes.

CARQUEIRANNE 83320 Var 84 ⑮ 114 ㊻ – 7 118 h alt. 30.

Office de Tourisme pl. Libération ☎ 94 58 60 78 – Paris 852 – ♦Toulon 15 – Draguignan 79 – Hyères 10.

Plein Sud sans rest, av. Gén. de Gaulle ☎ 94 58 52 86, Fax 94 12 95 59 – TV ☎ P. AE GB. ✾ – ☐ 39 – **17 ch** 260/380.

XXX **Les Pins Penchés,** av. Gén. de Gaulle (près port) ☎ 94 58 60 25, Fax 94 58 69 04, 🏡 – ▤. AE ⓓ GB JCB
fermé 2 au 10 janv., lundi midi et merc. midi en juil.-août, dim. soir et lundi de sept. à juin – **Repas** 135/180 et carte 230 à 330.

CARRIÈRES-SUR-SEINE 78 Yvelines 55 ⑳, 101 ⑭ – voir à Paris, Environs.

CARROS 06510 Alpes-Mar. 84 ⑨ **G. Côte d'Azur** – 10 747 h alt. 400.

Voir Carros-Village : site★, ✻★★ du vieux moulin N : 3 km.

Syndicat d'Initiative Forum Jacques Prévert ☎ 93 08 76 07.

Paris 937 – ♦Nice 19 – Antibes 27 – Cannes 37 – Grasse 40 – St-Martin-Vésubie 48.

Promotel, Z.A. La Grave ☎ 93 08 77 80, Fax 93 08 73 96, 🏊 – |♦| ▤ rest TV ☎ ♿ P – 🅰 25 à 60. AE ⓓ GB
Repas grill *(fermé sam. soir et dim.)* 90 🍷 – ☐ 35 – **82 ch** 315 – ½ P 260.

CARROUGES 61320 Orne 60 ② **G. Normandie Cotentin** – 760 h alt. 335.

Voir Château★ SO : 1 km.

Paris 210 – Alençon 29 – Argentan 22 – Domfront 39 – La Ferté-Macé 17 – Mayenne 54 – Sées 26.

XX **St-Pierre** avec ch, ☎ 33 27 20 02 – 🚗 P. GB
fermé 27 janv. au 28 fév., dim. soir sauf juil.-août et lundi – **Repas** 65/215 🍷, enf. 48 – ☐ 28 – **4 ch** 180/210.

CITROEN Gar. Lehec, ☎ 33 27 20 13 N ☎ 33 27 20 13

Les CARROZ-D'ARÂCHES 74300 H.-Savoie 74 ⑧ **G. Alpes du Nord** – Sports d'hiver : 1 140/2 200 m 🚡4 ⛷53 ⛷.

de Flaine ☎ 50 90 85 44, 12 km par D 106 – 🅸 Office de Tourisme ☎ 50 90 00 04, Fax 50 90 07 00.

Paris 585 – Chamonix-Mont-Blanc 50 – Thonon-les-Bains 62 – Annecy 67 – Bonneville 27 – Cluses 13 – Megève 33 – Morzine 32.

Arbaron 🐦, ☎ 50 90 02 67, Fax 50 90 37 60, ←, 🏡, « Jardin fleuri, 🏊 » – TV ☎ P. GB. ✾ rest
15 juin-1er oct. et 5 déc.-25 avril – **Repas** 85/250 – ☐ 50 – **30 ch** 375/550 – ½ P 461/491.

Bois de la Char 🐦, ☎ 50 90 06 18, Fax 50 90 00 37, ←, 🏡 – |♦| ☎ P. GB. ✾ rest
Repas *(juil.-août et déc.-avril)* (résidents seul.) 60/100 – ☐ 35 – **30 ch** 350/400 – ½ P 380.

Croix de Savoie 🐦, 1 km rte Flaine ☎ 50 90 00 26, Fax 50 90 00 63, ← montagnes et vallée, 🏡, 🌳 – P. GB. ✾ ch
1er juin-30 sept. et 15 déc.-15 avril – **Repas** 68/120, enf. 48 – ☐ 32 – **19 ch** 320 – ½ P 340.

CARRY-LE-ROUET 13620 B.-du-R. 84 ⑫ G. Provence – 5 224 h alt. 5 – Casino.

Office de Tourisme av. A.-Briand ✆ 42 44 93 56, Fax 42 44 52 03.

Paris 768 – ♦Marseille 34 – Aix-en-Provence 39 – Martigues 16 – Salon-de-Provence 49.

XXXX ✿✿ **L'Escale** (Clor), prom. du Port ✆ 42 45 00 47, Fax 42 44 72 69, « Terrasse su plombant le port, belle vue », – AE GB
1er fév.-31 oct. et fermé lundi sauf le soir en juil.-août et dim. soir – **Repas** (dim. prévenir) 32 et carte 400 à 530
Spéc. Filets de rougets en ratatouille. Ragoût de la marée aux lasagnes maison. Ris de veau poêlé aux oigno compotés. **Vins** Bandol, Coteaux d'Aix-en-Provence.

XXX **La Brise,** quai Vayssière ✆ 42 45 30 55, Fax 42 44 52 10, ←, – AE ⓓ GB
fermé dim. soir et lundi sauf juil.-août – **Repas** 140 et carte 330 à 425.

CITROEN Gar. de la Tuilière, ✆ 42 45 23 43

CARSAC AILLAC 24200 Dordogne 75 ⑰ G. Périgord Quercy – 1 219 h alt. 80.

Paris 540 – Brive-la-Gaillarde 55 – Sarlat-la-Canéda 12 – Gourdon 19.

Relais du Touron, rte de Sarlat ✆ 53 28 16 70, Fax 53 28 52 51, , parc, – ☎ P. GB. rest
1er avril-14 nov. – **Repas** *(fermé mardi midi et vend. du 15 juin au 15 sept., le midi et ven soir hors sais.)* 92/270 – ☐ 40 – **12 ch** 375 – ½ P 318/334.

CARTERET 50 Manche 54 ① – voir à Barneville-Carteret.

CARVIN 62220 P.-de-C. 51 ⑮ 111 ㉚ – 17 059 h alt. 31.

Paris 203 – ♦Lille 22 – Arras 34 – Béthune 25 – Douai 20.

Parc Hôtel, N 17 - Z.I. du Château ✆ 21 79 65 65, Fax 21 79 80 00, – TV ☎ & P 25. AE ⓓ GB JCB
Repas *(fermé dim. soir de nov. à fév.)* 88/160 , enf. 49 – ☐ 35 – **46 ch** 265 – ½ P 227/250

HONDA, TOYOTA Clinique Entretien Auto, av. Montaigne Fosse 14 ✆ 21 74 04 88 N ✆ 28 09 10 76

RENAULT S.A.N.E.G. Ets Guilbert, rte de Lens ✆ 21 37 18 07 N ✆ 28 02 11 32

CASAMOZZA 2B H.-Corse 90 ③ – voir à Corse.

CASSEL 59670 Nord 51 ④ G. Flandres Artois Picardie – 2 177 h alt. 175.

Voir Site★ – Jardin public ★★.

Paris 254 – ♦Calais 56 – Dunkerque 29 – Hazebrouck 14 – ♦Lille 49 – St-Omer 21.

au Petit-Bruxelles SE : 3,5 km sur D 916 – ✉ 59670 Cassel :

XX **Le Petit Bruxelles,** ✆ 28 42 44 64, Fax 28 40 58 13, – P. GB
fermé fin juil., à mi-août, dim. soir et lundi – **Repas** 145/288.

PEUGEOT Gar. Lescieux, 1 rte de St-Omer à Bavinchove ✆ 28 42 44 16 N ✆ 28 42 44 16

CASSIS 13260 B.-du-R. 84 ⑬ 114 ㉙ G. Provence – 7 967 h alt. 10 – Casino.

Voir Site★ – O : les Calanques★★ : de Port-Miou, de Port-Pin★, d'En-Vau★★ (à faire c préférence en bateau : 1 h) – Mt de la Saoupe ★★ E : 2 km par D 41A.

Env. Cap Canaille ←★★★ E : 9 km par D 41A – Corniche des Crêtes★★ de Cassis à la Ciotat E 16 km par D 41A.

Office de Tourisme pl. Baragnon ✆ 42 01 71 17, Télex 441287, Fax 42 01 28 31.

Paris 803 ① – ♦Marseille 20 ① – Aix-en-Provence 46 ② – La Ciotat 9 ② – ♦Toulon 42 ②.

Plan page ci-contre

Royal Cottage M sans rest, 6 av. 11 Novembre par ① ✆ 42 01 33 34, Fax 42 01 06 9 ←, – TV ☎ & P. AE GB.
☐ 55 – **22 ch** 580/950, 3 duplex.

Plage du Bestouan, plage Bestouan par av. Dardanelles : 1 km ✆ 42 01 05 7 Fax 42 01 34 82, ←, – TV ☎. AE ⓓ GB JCB. ch
1er avril-fin oct. – ***Le Bestouan*** ✆ 42 01 24 30 **Repas** 100/200, enf. 75 – ☐ 48 – **29 ch** 420/65 – ½ P 388/503.

Golfe sans rest, quai Barthélemy **(t)** ✆ 42 01 00 21, Fax 42 01 92 08, ← – TV ☎. AE GB
1er avril-1er nov. – ☐ 40 – **30 ch** 340/390.

Liautaud sans rest, 2 r. V. Hugo **(a)** ✆ 42 01 75 37, Fax 42 01 12 08, ← – TV ☎ GB.
fermé 1er déc. au 1er fév. – ☐ 35 – **32 ch** 320/360.

Gd Jardin sans rest, 2 r. P. Eydin **(b)** ✆ 42 01 70 10, Fax 42 01 33 75 – TV ☎ . AE GB.
☐ 35 – **26 ch** 320/380.

CASSIS

bé-Mouton (R.) 2
ène (R. de l') 4
ıtheman (R. V.) 5
ragnon (Pl.) 6
rthélemy (Bd) 7
rthélemy
(Quai Jean-Jacques) 8
ux (Quai des) 9
otat (R. de la) 10
emenceau (Pl.) 12
ırdanelles (Av. des) 14
urès (Av. J.) 16
riche (Av. Professeur) 17
rabeau (Pl.) 22
oulins (Q. des) 23
publique (Pl.) 25
vestel (Av. du) 26
-Michel (Pl.) 27
iers (R. Adolphe) 29
ctor-Hugo (Av.) 32

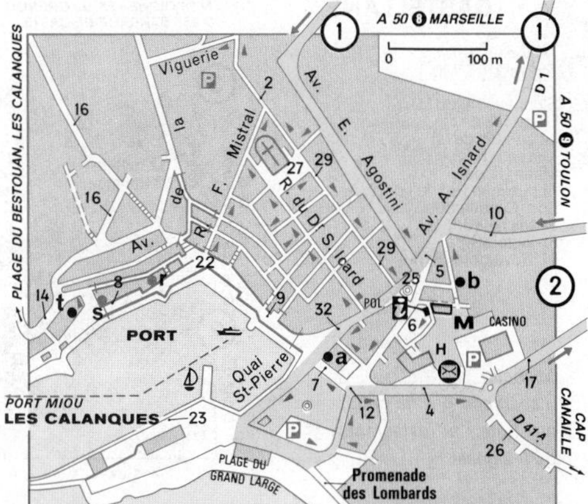

Guide change,
angez de guide tous les ans.

XXX **La Presqu'île,** rte de Port-Miou, Les Calanques SO : 2 km 42 01 03 77, Fax 42 01 94 49, ≤ mer et Cap Canaille, – P. AE GB
1er mars-15 oct. et fermé dim. soir sauf de juin à août et lundi – **Repas** 245/390 et carte 360 à 450.

XX **Romano,** quai Barthélemy **(s)** 42 01 08 16, Fax 42 01 37 31, ≤, – AE GB
fermé 9 au 23 oct., 2 au 25 janv., jeudi (sauf le soir d'avril à sept.) et dim. soir d'oct. à mars – **Repas** 118/350 bc.

XX **Nino,** quai Barthélemy **(r)** 42 01 74 32, Fax 42 01 74 32, ≤ – AE GB
fermé 15 déc. au 15 fév., dim. soir hors sais. et lundi – **Repas** 135 (déj.)/180.

ASTAGNÈDE 64 Pyr.-Atl. 86 ② – rattaché à Salies-de-Béarn.

ASTAGNIERS 06670 Alpes-Mar. 84 ⑨ 115 ㉖ – 1 229 h alt. 350.
oir Aspremont : ✻★ de la terrasse de l'ancien château SE : 4 km, **G. Côte d'Azur.**
ris 944 – ♦Nice 17 – Antibes 34 – Cannes 44 – Contes 29 – Levens 14 – Vence 23.

Chez Michel, 93 08 05 15, Fax 93 08 05 38, ≤, – P. AE GB
fermé nov. et lundi midi – **Repas** 98/185 – 32 – **20 ch** 255/270 – ½ P 270.

à Castagniers-les-Moulins O : 6 km – ✉ **06670** :

Servotel, N 202 93 08 22 00, Fax 93 29 03 66, – rest P – 70. AE GB
Les Moulins 93 08 10 62 **Repas** 90/260, enf. 50 – 40 – **42 ch** 270/340, 30 studios – ½ P 250/280.

TROEN Ciossa Autos, 93 08 13 48 **N** 93 18 82 82

ASTEIL 66 Pyr.-Or. 86 ⑰ – rattaché à Vernet-les-Bains.

e CASTELET 09 Ariège 86 ⑮ – rattaché à Ax-les-Thermes.

ASTELJALOUX 47700 L.-et-G. 79 ⑬ **G. Pyrénées Aquitaine** – 5 048 h alt. 52.
de Casteljaloux 53 93 51 60, S : 4 km par D 933.
Syndicat d'Initiative Maison du Roy 53 93 00 00.
aris 677 – Agen 54 – Mont-de-Marsan 74 – Langon 54 – Marmande 23 – Nérac 30.

Cordeliers sans rest, r. Cordeliers 53 93 02 19 – P. GB.
fermé nov. et dim. soir du 15 oct. au 15 mars – 35 – **24 ch** 130/290.

XX **Vieille Auberge,** 11 r. Posterne 53 93 01 36, Fax 53 93 18 89 – P. GB
fermé 17 au 27 juin, 25 nov. au 8 déc., vacances de fév., dim. soir et merc. sauf juil.-août – **Repas** 120/230, enf. 65.

TROEN S.E.G.A.D., 44 av. Lac 53 93 01 59

ASTELLANE SP **04120** Alpes-de-H.-P. 81 ⑱ 114 ⑩ **G. Alpes du Sud** – 1 349 h alt. 730.
oir Site★ – Lac de Chaudanne★ 4 km par ① – Lac de Castillon★ 8 km par ③.
du Château de Taulane à La Martre (83) 93 60 31 30 ; SE : 19 km par ①.
Office de Tourisme r. Nationale 92 83 61 14, Fax 92 83 76 89.
aris 802 ③ – Digne-les-Bains 53 ③ – Draguignan 59 ② – Grasse 63 ① – Manosque 91 ②.

CASTELLANE

Nationale (R.) 8
Sauvaire (Pl. M.) 14

Blondeau (R. du Lt) 2
Église (Pl. de l') 3
Liberté (Pl. de la) 4
Mazeau (R. du) 5
Mitan (R. du) 7
République (Bd de la) 9
Roc (Chemin du) 10
St-Michel (Bd) 12
St-Victor (R.) 13
11-Novembre (R. du) 16

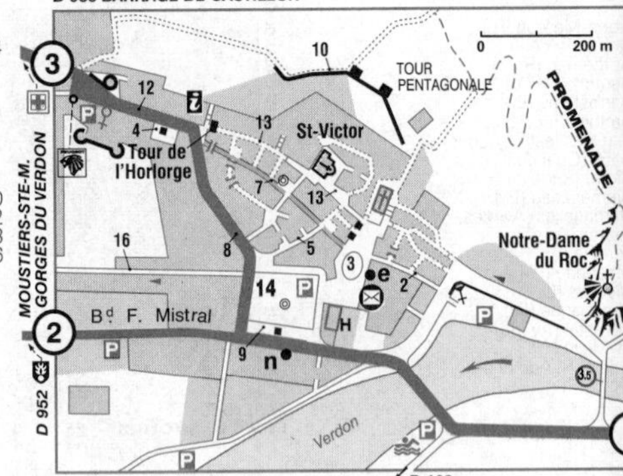

Michelin n'accroche pas de panonceau aux hôtels et restaurants qu'il signale.

Nouvel H. Commerce, (e) ✆ 92 83 61 00, Fax 92 83 72 82, ☂, ☞ – |♦| ▣ ☎ 🅿. AE ⓘ GB. ✂ rest
3 avril-5 nov. – **Repas** 120/270 – ☕ 40 – **43 ch** 310/365 – ½ P 375.

Ma Petite Auberge, (n) ✆ 92 83 62 06, Fax 92 83 68 49, ☂ – ▣ ☎ 🅿. GB
1er avril-15 oct. et fermé merc. sauf juil.-août – **Repas** 70/230, enf. 50 – ☕ 35 – **15 ch** 190/260 – ½ P 230/260.

à la Garde par ① et N 85 : 6 km – 88 h. alt. 928 – ✉ 04120 :

Aub. du Teillon avec ch, ✆ 92 83 60 88, Fax 92 83 74 08 – ▣ ☎ 🅿. GB
fermé 15 déc. au 6 mars, dim. soir et lundi d'oct. à Pâques – **Repas** 100/210, enf. 45 – ☕ 3
– **9 ch** 180/260 – ½ P 250/275.

PEUGEOT Gar. Castellane, ✆ 92 83 61 62

Le CASTELLET 83330 Var 84 ⑭ 114 ㊹ **G. Côte d'Azur** – 3 084 h alt. 252.

Circuit automobile permanent N : 11 km.

Paris 825 – ♦ Toulon 20 – Brignoles 49 – La Ciotat 23 – ♦ Marseille 48.

Castel Lumière ⛰ avec ch, 1 r. Portail ✆ 94 32 62 20, Fax 94 32 70 33, ≤ vignoble et pays varois, ☂ – ▣ ☎. GB
fermé 2 janv. au 2 fév. – **Repas** *(fermé lundi midi, mardi midi et merc. midi en juil.-août, dim. soir et lundi de sept. à juin)* (nombre de couverts limité, prévenir) 120 (déj.), 175/250 et carte 210 à 290 – ☕ 55 – **6 ch** 330/380 – ½ P 380.

CASTELNAUDARY 11400 Aude 82 ⑳ **G. Pyrénées Roussillon** – 10 970 h alt. 175.

Office de Tourisme pl. République ✆ 68 23 05 73.

Paris 755 ④ – ♦ Toulouse 59 ④ – Carcassonne 40 ④ – Foix 69 ④ – Pamiers 49 ⑤.

Plan page ci-contre

Clos St-Siméon M, rte Carcassonne par ③ ✆ 68 94 01 20, Fax 68 94 05 47, ☂, ⛱ – ▣ ☎ ♿ 🅿 – 🏛 25. AE GB
fermé 23 déc. au 4 janv. – **Repas** *(fermé dim. soir)* 70/170, enf. 40 – ☕ 25 – **31 ch** 220/250 – ½ P 330.

du Canal M ⛰ sans rest, 2 ter av. A. Vidal ✆ 68 94 05 05, Fax 68 94 05 06, ☞ – ✂ ▣ ☎ ☏ ♿ 🅿. AE GB — AZ
☕ 38 – **33 ch** 200/280.

Centre et Lauragais, 31 cours République ✆ 68 23 25 95, Fax 68 94 01 66 – ▣ ☎ GB — AZ
fermé 4 nov. au 10 déc. – **Repas** 95/270 🍷, enf. 55 – ☕ 30 – **16 ch** 200/220 – ½ P 225/235

Le Tirou, 90 av. Mgr de Langle ✆ 68 94 15 95, Fax 68 94 15 96, ☂ – ▤. GB — BZ
fermé 1er au 7 juil., 15 janv. au 15 fév., lundi sauf du 14 juil. au 15 août et dim. soir – **Repas** (déj.), 125/240.

à Peyrens par ① : 5 km – 301 h. alt. 180 – ✉ 11400 :

Aub. La Calèche, ✆ 68 60 40 13 – GB
fermé 1er au 15 fév., dim. soir et lundi – **Repas** 55 bc (déj.), 98/190 🍷, enf. 40.

CITROEN Sud auto, av. M. Dauch ✆ 68 94 51 51 N ✆ 68 23 06 15
PEUGEOT Gar. Lelong, av. M.-Dauch AY ✆ 68 23 13 08
RENAULT Gar. Franco, av. Monseigneur-de-Langle par ③ ✆ 68 23 18 82 N ✆ 63 72 75 73

Euromaster, av. Monseigneur de Langle ✆ 68 23 11 44
Euromaster, ZI en Tourre ✆ 68 23 11 28

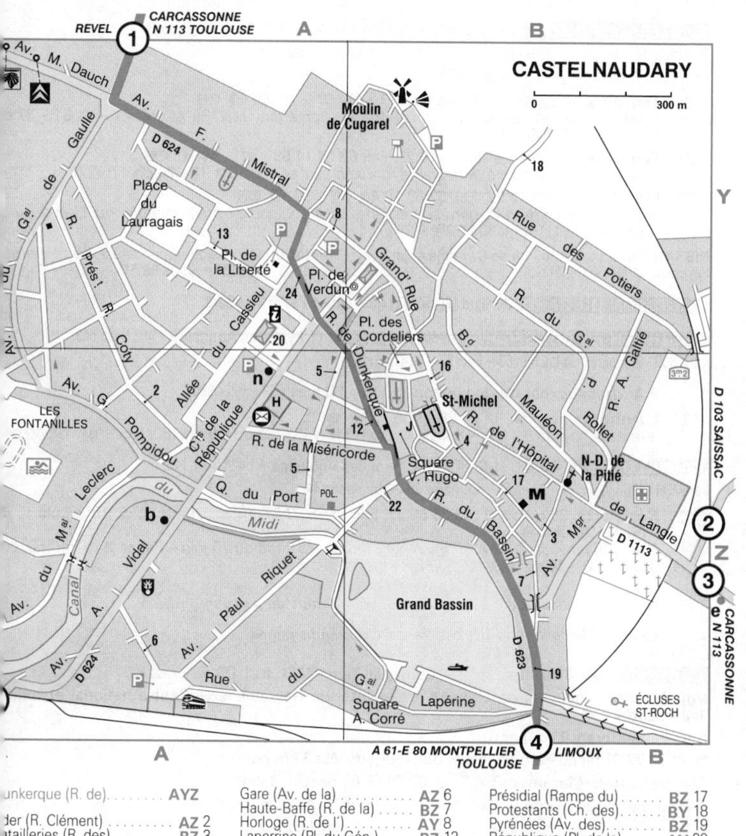

unkerque (R. de)	AYZ	Gare (Av. de la)	AZ 6	Présidial (Rampe du)	BZ 17
der (R. Clément)	AZ 2	Haute-Baffe (R. de la)	BZ 7	Protestants (Ch. des)	BY 18
tailleries (R. des)	BZ 3	Horloge (R. de l')	AY 8	Pyrénées (Av. des)	BZ 19
ollège (R. du)	BZ 4	Laperrine (Pl. du Gén.)	BZ 12	République (Pl. de la)	AY 20
ejean (R. du Gén.)	AZ 5	Lepasset (R. du Gén.)	AY 13	Riquet (R. Paul)	BZ 22
		Pasteur (R. Louis)	BZ 16	11-Novembre (R. du)	AY 24

Ne voyagez pas aujourd'hui avec une carte d'hier.

ASTELNAU-DE-LÉVIS **81** Tarn 82 ⑩ – rattaché à Albi.

ASTELNOU **66300** Pyr.-Or. 86 ⑲ **G. Pyrénées Roussillon** – 277 h alt. 300.

ris 882 – ◆Perpignan 20 – Argelès-sur-Mer 37 – Céret 28 – Prades 31.

✗ **L'Hostal,** ✆ 68 53 45 42, ←, 🏞 – GB
fermé 2 janv. au 28 fév., merc. soir et lundi sauf juil.-août – **Repas** - spécialités catalanes - 130/240, enf. 65.

ASTELPERS **12** Aveyron 80 ⑫ – rattaché à Naucelle.

ASTELSARRASIN ⟨SP⟩ **82100** T.-et-G. 79 ⑰ – 11 317 h alt. 82.

Office de Tourisme pl. Liberté ✆ 63 32 14 88.

ris 658 – Agen 52 – ◆Toulouse 68 – Auch 74 – Cahors 70.

🏨 **Félix** 🐎, rte Moissac : 2 km ✆ **63 32 14 97, Fax 63 32 37 51,** 🏞**, parc, décor Far-West** – TV ☎ P. AE GB. ✂ ch
fermé 1er au 8 janv. – **Repas** *(fermé 1er au 10 janv., 23 sept. au 6 oct. et lundi)* 75 (déj.), 136/165 ♨ – ☕ 32 – **14 ch** 230/400 – ½ P 240/260.

TROEN Gar. Martin, 46 av. Mar.-Leclerc
63 32 34 18
UGEOT Gar. Macard, N 113, lieu-dit Fleury
63 95 16 16 N ✆ 62 23 22 92

RENAULT Gar. Dupart, av. de Toulouse
✆ 63 32 33 31 N ✆ 63 68 95 85

CASTÉRA-VERDUZAN 32410 Gers 82 ④ – 794 h alt. 114 – Stat. therm. (avril-nov.).

Office de Tourisme av. des Thermes ☎ 62 68 10 66, Fax 62 68 14 58.

Paris 750 – Auch 25 – Agen 62 – Condom 19.

Thermes, ☎ 62 68 13 07, Fax 62 68 10 49, – ☎. AE ① GB
hôtel : fermé sam. et dim. en janv. – **Repas** *(fermé janv.)* 66/185 ♁, enf. 41 – ☕ 31 – **37**
180/260 – ½ P 208/219.

Ténarèze sans rest, ☎ 62 68 10 22, Fax 62 68 14 69 – ☎ – 30. GB
1er avril-31 oct. et fermé dim. soir et lundi en avril et oct. – ☕ 31 – **24 ch** 175/226.

XX **Florida,** ☎ 62 68 13 22, Fax 62 68 10 44, – AE ① GB
fermé vacances de fév., dim. soir et lundi du 1er oct. au 31 mars et merc. du 1er avril au sept. – **Repas** 71 (déj.), 134/225.

NISSAN Gavarret Autom., rte de Bayonne à Vic Fezensac ☎ 62 06 33 75

RENAULT Gar. Lagoutte, rte d'Auch à Vic Fezens. ☎ 62 06 30 92 N ☎ 62 06 55 61

CASTILLON-DU-GARD 30 Gard 80 ⑲, 81 ⑪ – rattaché à Pont-du-Gard.

CASTILLON-EN-COUSERANS 09800 Ariège 86 ② G. Pyrénées Aquitaine – 403 h alt. 543.

Paris 809 – Bagnères-de-Luchon 63 – Foix 57 – St-Girons 13.

à Audressein par rte de Luchon : 1 km – 121 h. alt. 509 – ✉ 09800 :

X **L'Auberge** avec ch, ☎ 61 96 11 80, – ☎. AE GB
fermé 15 nov. au 10 fév. – **Repas** 80 (déj.), 115/215 – ☕ 35 – **9 ch** 130/195 – ½ P 195/215.

CASTILLONNÈS 47330 L.-et-G. 79 ⑤ G. Pyrénées Aquitaine – 1 424 h alt. 119.

Paris 571 – Périgueux 74 – Agen 64 – Bergerac 26 – Marmande 44.

Remparts, 26 r. Paix ☎ 53 36 80 97, Fax 53 36 93 87, , « Demeure du 16e siècle »,
– TV ☎. AE ① GB
fermé 16 janv. au 24 fév., dim. soir et lundi du 15 sept. au 15 juin – **Repas** 95 (déj.)/150, e
80 – ☕ 50 – **10 ch** 320/410 – ½ P 340.

Ne prenez pas la route sans connaître votre temps de parcours.

La carte Michelin n° 911 c'est "la carte du temps gagné".

CASTRES SP 81100 Tarn 83 ① G. Gorges du Tarn – 44 812 h alt. 170.

Voir Musée★ : oeuvres de Goya★★ BZ – Hôtel de Nayrac★ AY – Centre national et mus Jean-Jaurès AY.

Env. Le Sidobre★ 9 km par ①.

9 ☎ 63 72 27 06 au Parc de loisirs de Gourjade, N : 3 km par ①.

de Castres-Mazamet : T.A.T. ☎ 63 70 32 62 par ③ : 8 km.

Office de Tourisme Théâtre Municipal, pl. République ☎ 63 35 26 26, Fax 63 35 71 98 et 33 pl. So ☎ 63 51 20 37.

Paris 754 ⑦ – ◆Toulouse 71 ④ – Albi 41 ⑦ – Béziers 103 ③ – Carcassonne 64 ③.

Plan page ci-contre

Renaissance sans rest, 17 r. V. Hugo ☎ 63 59 30 42, Fax 63 72 11 57, « Maison du 1 siècle » – TV ☎. AE GB — AZ
☕ 38 – **14 ch** 280/590.

Occitan M, 201 av. Ch. de Gaulle par ③ ☎ 63 35 34 20, Fax 63 35 70 32, – ▤ rest
☎ P. AE GB
Repas *(fermé sam. midi)* 80/200 ♁ – ☕ 35 – **42 ch** 280/390 – ½ P 290/330.

XX **Le Victoria,** 24 pl. 8-Mai 1945 ☎ 63 59 14 68 – ▤. AE ① GB — BZ
fermé 12 au 19 mai, 11 au 25 août, sam. midi et dim. – **Repas** 70 (déj.), 107/225 ♁.

XX **Rive Gauche,** 7 r. Empare ☎ 63 35 68 49 – ① GB — BZ
fermé 1er au 15 août, sam. midi et dim. – **Repas** 75 bc (déj.), 98/200.

X **La Feuillantine,** 6 pl. Pélisson ☎ 63 59 26 33 – GB — AY
fermé 28 juil. au 6 août, vacances de fév., dim. soir et lundi – **Repas** 73/178.

Les Salvages par ② : 5 km – ✉ 81100 Castres :

XX **Café du Pont** avec ch, ☎ 63 35 08 21, Fax 63 51 09 82, – AE ① GB
fermé fév., dim. soir et lundi – **Repas** 95/260 ♁ – ☕ 35 – **5 ch** 170/240 – ½ P 260.

par ③ et N 112 : 4 km – ✉ 91090 Lagarrigue :

Relais de la Montagne Noire M, ☎ 63 35 52 00, Fax 63 35 25 59 – ▤ ch TV ☎
P – 30. AE GB
Repas 85/180, enf. 48 – ☕ 48 – **30 ch** 340/450 – ½ P 260/330.

par ④ rte de Toulouse : 4,5 km – ✉ 81100 Castres :

Fimotel, ZI La Chartreuse ☎ 63 59 82 99, Fax 63 59 63 06 – ▤ rest TV ☎ P
25. GB
Repas 75/130 ♁ – ☕ 35 – **40 ch** 180.

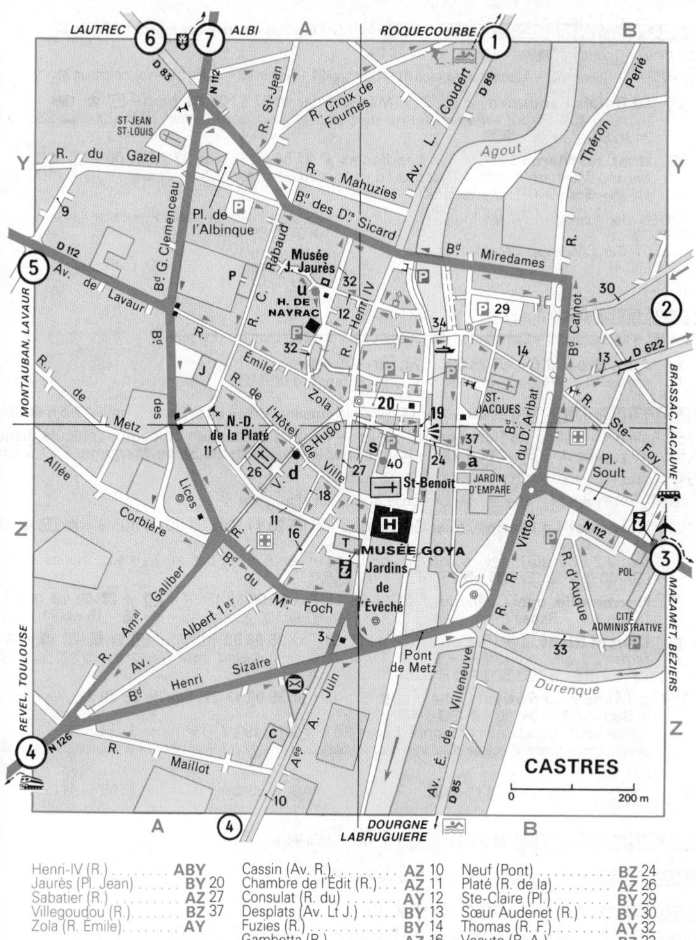

Henri-IV (R.) .... **ABY**
Jaurès (Pl. Jean) ...... **BY** 20
Sabatier (R.) .... **AZ** 27
Villegoudou (R.) .... **BZ** 37
Zola (R. Émile) .... **AY**

Alsace-Lorraine (Pl.) ... **AZ** 3
Bourgeois (Bd L.) ..... **AY** 9

Cassin (Av. R.) .... **AZ** 10
Chambre de l'Édit (R.) ... **AZ** 11
Consulat (R. du) .... **AY** 12
Desplats (Av. Lt J.) ..... **BY** 13
Fuzies (R.) .... **BY** 14
Gambetta (R.) .... **AZ** 16
Guy (R. G.) .... **AZ** 18
Jacobins (Quai des) .... **BY** 19

Neuf (Pont) .... **BZ** 24
Platé (R. de la) .... **AZ** 26
Ste-Claire (Pl.) .... **BY** 29
Sœur Audenet (R.) .... **BY** 30
Thomas (R. F.) .... **AY** 32
Veaute (R. A.) .... **BZ** 33
Vieux (Pont) .... **BY** 34
8-Mai-1945 (Pl. du) .... **BZ** 40

ITROEN Sud Auto, ZAC de la Chartreuse, rte de oulouse par ④ ✆ 63 71 81 50
AT S.A.T.A., 98 av. Albert 1er ✆ 63 71 31 20
ORD SORVA 81, ZI 151 rte de Toulouse ' 63 72 65 65
ERCEDES Antras Autom., ZI de la Chartreuse ' 63 59 99 99
PEL Gd Gar. de Mélou, rte de Toulouse ' 63 59 11 12
EUGEOT Gar. Maurel, r. Crabié par av. E. de lleneuve BZ ✆ 63 62 62 62 **N** ✆ 63 72 77 94
ENAULT Gds Gges de Castres, rte de Toulouse, élou par ④ ✆ 63 59 41 17

VAG Gar. Négrier, rte de Toulouse, ZI de la Chartreuse ✆ 63 59 30 55
VOLVO Mondial Park Autom., 4 rte de Toulouse ✆ 63 71 54 54

Bellet Pneus, Le Verdier, rte de Toulouse ✆ 63 72 25 25
Bernard, 52 bd P.-Mendès France ✆ 63 59 07 26
Deldossi Pneus Vulcopneu, 88 rte de Toulouse, ZI Mélou ✆ 63 59 33 83
Escoffier Pneus Vulcopneu, 215 av. Albert-1er ✆ 63 59 27 00

:ASTRIES **34160** Hérault 83 ⑦ **G. Gorges du Tarn** – 3 992 h alt. 70.

oir Château★.

ris 752 – ♦Montpellier 15 – Lunel 13 – Nîmes 43.

X **L'Art du Feu,** ✆ 67 70 05 97, Fax 67 70 05 97 – AE ⓓ GB
fermé 22 au 31 juil., mardi soir et merc. – **Repas** 90/110 ♁, enf. 50.

Le CATEAU-CAMBRÉSIS 59360 Nord 53 ⑭ ⑮ **G. Flandres Artois Picardie** – 7 703 h alt. 123.

Office de Tourisme Hôtel de Ville ☎ 27 84 10 94.

Paris 203 – St-Quentin 39 – Avesnes-sur-Helpe 31 – Cambrai 24 – Hirson 45 – ◆Lille 83 – Valenciennes 31.

XX **Le Relais Fénelon** avec ch, 21 r. Mar. Mortier ☎ 27 84 25 80, parc – TV ☎. GB
fermé 5 au 26 août – **Repas** *(fermé dim. soir et lundi sauf fériés)* 100/169 – ☐ 28 – **3 ch** 240/280 – ½ P 175/200.

XX **Host. du Marché** avec ch, r. Landrecies ☎ 27 84 09 32, Fax 27 77 01 00 – TV. GB
fermé 25 juil. au 21 août, 30 déc. au 6 janv., dim. soir (sauf hôtel) et lundi – **Repas** 100/290 ☐ 35 – **5 ch** 210/250 – ½ P 250.

CITROEN Gar. Ribeiro, 13 r. Mar.-Mortier ☎ 27 84 07 76
PEUGEOT Gar. Cheneaux, 17 fg de Cambrai ☎ 27 84 05 41
RENAULT Gar. Legrand, ZI av. Mar.-Leclerc ☎ 27 77 89 33
Le Cateau Pneus, 61-63 r. L.-Michel ☎ 27 84 07 71

Le CATELET 02420 Aisne 53 ⑬ ⑭ – 223 h alt. 90.

Paris 167 – St-Quentin 19 – Cambrai 21 – Le Cateau-Cambrésis 28 – Laon 65 – Péronne 27.

XX **Aub. Croix d'Or,** ☎ 23 66 21 71, – P. GB
fermé 1er au 15 août, dim. soir et lundi – **Repas** 92 bc/185.

CAUDEBEC-EN-CAUX 76490 S.-Mar. 55 ⑤ **G. Normandie Vallée de la Seine** (plan) – 2 265 h alt. 6.

Voir Église★ – Vallon de Rançon★ NE : 2 km – Pont de Brotonne★ : péage : véhicule jusqu'à 3,5 t. : 10 F, plus de 3,5 t. : 14 à 22 F. Gratuit pour les résidents de Seine-Maritime. E : 1,5 km.

Office de Tourisme, pl. Ch.-de-Gaulle ☎ 35 96 20 65.

Paris 167 – ◆Le Havre 54 – ◆Rouen 35 – Lillebonne 16 – Yvetot 11,5.

Normotel-La Marine, quai Guilbaud ☎ 35 96 20 11, Fax 35 56 54 40, ≤ – TV ☎ P 50. AE GB
fermé 2 janv. au 1er fév., sam. midi, dim. soir et vend. du 15 oct. au 15 mars – **Repas** 78 (déj.) 98/240 – ☐ 35 – **31 ch** 250/420 – ½ P 245/330.

Normandie, quai Guilbaud ☎ 35 96 25 11, Fax 35 96 68 15, ≤ – TV ☎ P. AE GB
fermé fév. – **Repas** *(fermé dim. soir sauf fériés)* 59/180, enf. 45 – ☐ 35 – **15 ch** 210/360.

Cheval Blanc, 4 pl. R. Coty ☎ 35 96 21 66, Fax 35 95 35 40, – TV ☎ P. AE GB
fermé 20 janv. au 12 fév. – **Repas** *(fermé dim. soir et lundi sauf fériés)* 68/160, enf. 48 ☐ 30 – **16 ch** 170/300 – ½ P 160/210.

XXX ✿ **Manoir de Rétival** (Tartarin), rte St Clair ☎ 35 96 11 22, Fax 35 96 29 22, ≤ vallée de la Seine, – P. AE GB
fermé janv., mardi midi et lundi – **Repas** 150 bc (déj.), 190/470 et carte 310 à 430
Spéc. Langoustines en nage de chardonnay et pamplemousse (mai à oct.). Pigeonneau à la rouennaise. Millefeuille à la vanille.

RENAULT Gar. Lopéra, ☎ 35 96 23 88 N ☎ 35 96 23 88
VAG Caudebec Autom., ☎ 35 96 13 44

CAUDON-DE-VITRAC 24 Dordogne 75 ⑰ – rattaché à Vitrac.

CAULIÈRES 80 Somme 52 ⑰ – rattaché à Poix-de-Picardie.

CAUREL 22530 C.-d'Armor 59 ⑫ – 384 h alt. 188.

Paris 461 – St-Brieuc 48 – Carhaix-Plouguer 43 – Guingamp 47 – Loudéac 25 – Pontivy 20.

XX **Beau Rivage** M avec ch, S : 2 km par D 111 ☎ 96 28 52 15, Fax 96 26 01 16, ≤, « Au bord du lac » – TV ☎ – 30. GB.
fermé 15 au 30 nov., 10 au 31 janv., lundi soir et mardi – **Repas** 90/270, enf. 65 – ☐ 35 – **8 ch** 220/320 – ½ P 250/275.

CAURO 2A Corse-du-Sud 90 ⑰ – voir à Corse.

CAUSSADE 82300 T.-et-G. 79 ⑱ **G. Périgord Quercy** – 6 009 h alt. 109.

Env. Montpezat-de-Quercy : tapisseries★★, gisants★ et trésor★ de la collégiale, NO : 12 km.

Office de Tourisme r. de la République ☎ 63 26 04 04.

Paris 623 – Cahors 36 – Albi 69 – Montauban 25 – Villefranche-de-Rouergue 51.

Dupont, r. Recollets ☎ 63 65 05 00, Fax 63 65 12 62 – TV ☎ P. GB
fermé 1er au 15 mars, 1er au 15 nov., week-ends d'oct. à avril – **Repas** 90/195 – ☐ 32 – **30 ch** 220/350 – ½ P 240/280.

PEUGEOT Gar. Macard, 92 av. du Gén.-Leclerc ☎ 63 93 22 22
Caussade Pneu, pl. Douches ☎ 63 93 18 30
Taquipneu Vulcopneu, à Monteils ☎ 63 93 10 91

CAUTERETS 65110 H.-Pyr. 85 ⑰ **G. Pyrénées Aquitaine** – 1 201 h alt. 932 – Stat. therm. – Sports d'hiver : 1 400/2 400 m 2 17 – Casino.

Voir Cascade★★ et vallée★ de Lutour S : 2,5 km par D 920 – Route et site du pont d'Espagne★★ (chutes du Gave) au Sud par D 920.

Env. SO : Site★★ du lac de Gaube accès du pont d'Espagne par télésiège puis 1h.

Office de Tourisme pl. du Mar.-Foch 62 92 50 27, Fax 62 92 59 12.

Paris 844 ① – Pau 72 ① – Argelès-Gazost 17 ① – Lourdes 29 ① – Tarbes 49 ①.

Aladin M, av. Gén. Leclerc **(z)** 62 92 60 00, Fax 62 92 63 30, – – 30 à 80. GB. *fermé 20 avril au 8 juin et 21 sept. au 15 déc.* – **Repas** 150 – 52 – **62 ch** 430/750, 8 duplex – ½ P 480.

Bordeaux, r. Richelieu **(f)** 62 92 52 50, Fax 62 92 63 29 – . AE GB. rest *fermé 6 oct. au 1er nov.* – **Repas** 100/200 – 45 – **21 ch** 320/420, 3 duplex – ½ P 360.

Le Sacca M, bd Latapie-Flurin **(a)** 62 92 50 02, Fax 62 92 64 63 – . AE GB. rest *fermé 15 oct. au 20 déc.* – **Repas** 72/178, enf. 42 – 32 – **44 ch** 260/320 – ½ P 250.

Etche Ona, r. Richelieu **(d)** 62 92 51 43, Fax 62 92 54 99 – . AE GB *1er juin-30 sept. et 1er déc.-30 avril* – **Repas** 65/195, enf. 45 – 35 – **30 ch** 280/340 – ½ P 210/285.

Welcome, 3 r. V. Hugo **(t)** 62 92 50 22, Fax 62 92 02 90 – . GB *fermé 15 oct. au 30 nov.* – **Repas** 95/125 – 26 – **28 ch** 230/290 – ½ P 240/260.

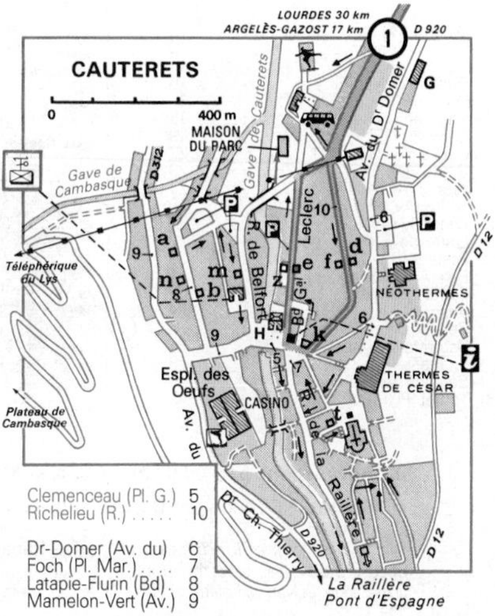

CAUTERETS

0 – 400 m

LOURDES 30 km / ARGELÈS-GAZOST 17 km / D 920

MAISON DU PARC — Gave de Cambasque — Gave de Cauterets — Téléphérique du Lys — Plateau de Cambasque — Espl. des Oeufs — CASINO — NÉOTHERMES — THERMES DE CÉSAR — La Raillère / Pont d'Espagne

Clemenceau (Pl. G.)	5
Richelieu (R.)	10
Dr-Domer (Av. du)	6
Foch (Pl. Mar.)	7
Latapie-Flurin (Bd)	8
Mamelon-Vert (Av.)	9

Ste Cécile, bd Latapie-Flurin **(b)** 62 92 50 47, Fax 62 92 00 87 – . AE GB. rest *fermé 20 oct. au 26 nov.* – **Repas** 65/105 – 35 – **24 ch** 250/350 – ½ P 280/310.

Les Edelweiss, bd Latapie-Flurin **(n)** 62 92 52 75, Fax 62 92 62 73 – . AE GB. rest *fermé 20 oct. au 20 déc.* – **Repas** 80, enf. 43 – 32 – **24 ch** 230/290 – ½ P 255/265.

Paris sans rest, pl. Mar. Foch **(k)** 62 92 53 85, Fax 62 92 02 23 – cuisinette . AE GB. *fermé 20 avril au 5 mai et 1er nov. au 15 déc.* – 30 – **14 ch** 250/320.

Centre et Poste, r. Belfort **(m)** 62 92 52 69, Fax 62 92 05 73 – . AE GB. rest *5 mai-25 sept. et 20 déc.-15 avril* – **Repas** 75/100 – 30 – **34 ch** 195/215 – ½ P 180/190.

Le Grand Tétras, bd Gén. Leclerc **(e)** 62 92 59 18 – . GB *fermé nov., mardi soir et merc. sauf vacances scolaires* – **Repas** 78/195, enf. 48.

CAVAILLON 84300 Vaucluse 81 ⑫ **G. Provence** – 23 102 h alt. 75.

Voir Musée : collection archéologique★ **M**.

Office de Tourisme pl. François Tourel 90 71 32 01, Fax 90 71 42 99.

Paris 704 ④ – Avignon 27 ① – Aix-en-Provence 59 ④ – Arles 42 ④ – Manosque 72 ②.

Plan page suivante

Parc sans rest, pl. F. Tourel **(e)** 90 71 57 78, Fax 90 76 10 35 – . GB. 38 – **40 ch** 150/310.

Ibis M, 175 av. Pont **(a)** 90 76 11 11, Télex 431618, Fax 90 71 77 07, – rest – 30. AE GB **Repas** 100 bc, enf. 39 – 36 – **35 ch** 295/340.

✿ **Prévot,** 353 av. Verdun **(n)** 90 71 32 43, Fax 90 71 97 05 – . AE GB *fermé 2 au 14 juil., dim. sauf le midi de sept. à juin et lundi* – **Repas** 150 (déj.), 215/550
Spéc. Salade de langoustines rôties aux agrumes. Rouget farci "en trompe l'oeil" sur canapé de melon (3 avril au 30 sept.). Dos de garenne en coque d'aubergine (15 avril au 15 janv.). **Vins** Côtes du Rhône, Côtes du Ventoux.

Fin de Siècle, 46 pl. Clos (1er étage) **(b)** 90 71 12 27 – . AE GB JCB *fermé 10 août au 11 sept., mardi soir et merc.* – **Repas** 89/190, enf. 50.

CAVAILLON

Bournissac (Cours) 3
Castil-Blaze (Pl.) 5
Clos (Pl. du) 7
République (R. de la) 37
Victor-Hugo (Cours) 43

Berthelot (Av.) 2
Clemenceau (Av. G.) 6
Coty (Av. R.) 9
Crillon (Bd) 10
Diderot (R.) 12
Donné (Chemin) 13
Doumer (Av. P.) 14
Dublé (Av. Véran) 15
Durance (R. de la) 17
Gambetta (Cours L.) 18
Gambetta (Pl. L.) 19
Gaulle (Av. Gén.-de) 22
Grand-Rue 23
Jaurès (Av. Jean) 24
Joffre (Av. Mar.) 26
Kennedy (Av. J.F.) 27
Lattre-de-T. (R.P.J. de) 29
Pasteur (R.) 30
Péri (Av. Gabriel) 31
Pertuis (Rte de) 32
Raspail (R.) 34
Renan (Cours E.) 35
Sarnette (Av. Abel) 38
Saunerie (R.) 40
Sémard (Av. P.) 41
Tourel (Pl. F.) 42

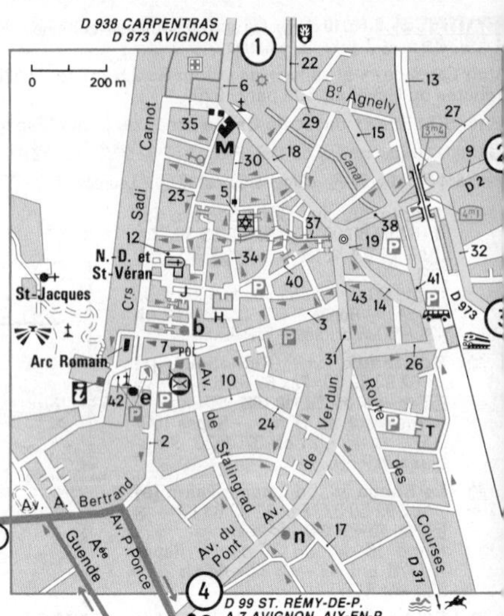

à Cheval-Blanc par ③ : 5 km – 3 032 h. alt. 83 – ✉ **84460** :

XXX ❀ **Nicolet,** NE : 4 km par D 31 et rte secondaire ☎ 90 78 01 56, Fax 90 71 91 28, ☂ – P AE ⓓ GB
fermé dim. soir et lundi sauf juil.-août – **Repas** 180 (déj.), 225/360 et carte 330 à 420
Spéc. Chausson d'asperges de Provence à la ciboulette (mars à mai). Courgette fleur farcie à la mousseline de homard (juin à août). Colvert au Châteauneuf-du-Pape (sept. à nov.). **Vins** Côtes du Luberon, Côtes du Ventoux.

CITROEN Gar. Chabas, rte d'Avignon par ①, **quartier Grand-Grès** ☎ 90 71 27 40 N ☎ 90 71 19 83
PEUGEOT Gar. Berbiguier, rte de l'Isle-sur-la-Sorgue par ① ☎ 90 71 39 23 N ☎ 05 44 24 24
RENAULT Autom. Cavaillonnaise, 287 av. G.-Clémenceau par ① ☎ 90 71 34 96 N ☎ 05 05 15 15

Gar. Anrès, 154 av. Stalingrad ☎ 90 78 03 91

Ⓜ Ayme Pneus, 305 allée des Temps Perdus ☎ 90 71 36 18
Euromaster, av. de la Libération ☎ 90 71 41 00
Gay Pneus, av. du Pont ☎ 90 71 78 88

CAVALAIRE-SUR-MER 83240 Var 84 ⑰ 114 ㊾ G. Côte d'Azur – 4 188 h alt. 2.

Office de Tourisme square de Lattre-de-Tassigny ☎ 94 64 08 28, Fax 94 05 49 89.

Paris 884 – Fréjus 42 – Draguignan 56 – Le Lavandou 20 – St-Tropez 18 – Ste-Maxime 22 – ♦Toulon 63.

Calanque M, r. Calanque ☎ 94 64 04 27, Fax 94 64 66 20, ← mer, ☂, ⛱, ✂ – ▤ ch TV ☎ 🚗 P. AE ⓓ GB
fermé 3 janv. au 15 mars – **Repas** *(fermé lundi du 1er oct. au 3 janv.)* 155/230 – ☐ 55 – **33 ch** 560/800 – ½ P 570/645.

Pergola, av. Port ☎ 94 64 06 86, Fax 94 64 60 08, ☂, ⛱ – TV ☎ P. AE ⓓ GB. ✻ rest
fermé 10 nov. au 15 déc. et 5 janv. au 5 fév. – **Repas** 145/235, enf. 90 – ☐ 45 – **24 ch** 425/465 – ½ P 485/535.

Golfe Bleu, av. St Raphaël, NE : 1 km ☎ 94 64 07 56, Fax 94 05 48 79, ☂ – ▤ ch TV ☎ P. GB
fév.-sept. – **Repas** 120/180 – ☐ 35 – **11 ch** 370 – ½ P 340.

CAVALIÈRE 83 Var 84 ⑰ 114 ㊾ G. Côte d'Azur – alt. 4 – Stat. therm. 9 – ✉ 83980 Le Lavandou.

Paris 887 – Fréjus 54 – Draguignan 68 – Le Lavandou 7,5 – St-Tropez 30 – Ste-Maxime 34 – ♦Toulon 50.

Le Club M, ☎ 94 05 80 14, Fax 94 05 73 16, ←, ☂, « Elégant ensemble au bord de la mer », ⛱, ▲, ⛱, ✂ – |‡| ▤ ch TV ☎ P. AE ⓓ GB
3 mai-29 sept. – **Repas** 195 (déj.), 320/400 – ☐ 85 – **42 ch** 1500/2550 – ½ P 1200/1600.

Gd Hôtel Moriaz, ☎ 94 05 80 01, Fax 94 05 70 88, ←, ▲ – ▤ ☎. GB. ✻ rest
hôtel : 25 avril-8 oct. ; rest. : 20 mai-1er oct. – **Repas** 165/215 – ☐ 52 – **27 ch** 480/680 – ½ P 470/620.

à Pramousquier E : 2 km sur D 559 – ✉ **83980** Le Lavandou :

Beau Site, ☎ 94 05 80 08, Fax 94 05 76 76 – ☎ ♿ P. AE GB. ✻ rest
15 mars-15 oct. – **Repas** 92/132 – ☐ 35 – **25 ch** 300/350 – ½ P 270/305.

:AVANAC **11570** Aude 86 ⑦ – 676 h alt. 138.
ıris 791 – ♦Perpignan 119 – Carcassonne 7 – Castelnaudary 43 – Limoux 21 – Narbonne 65.

Aub. du Château 🕸, ☎ 68 79 61 04, Fax 68 79 79 67, 🏞, « Bel aménagement intérieur », 🏋, 🏊, 🎾 – 🛗 📺 ☎ ♿ 🅿 – 🏛 40. GB. ✗ ch
fermé mi-janv. à mi-fév., dim. soir et lundi sauf hôtel en sais. – **Repas** 190 bc – ☕ 45 – **14 ch** 300/520 – ½ P 770/990.

:AYLUS **82160** T.-et-G. 79 ⑲ **G. Périgord Quercy** – 1 308 h alt. 228.
'oir Christ en bois★ dans l'église.
ıris 645 – Cahors 58 – Albi 61 – Montauban 45 – Villefranche-de-Rouergue 29.

La Renaissance, av. du Père Huc ☎ 63 67 07 26, Fax 63 24 03 57, 🏞 – ▤ rest 📺 ☎. GB. ✗ ch
fermé vacances de Toussaint, de fév., dim. soir et lundi sauf juil.-août – **Repas** 65/200 🍷, enf. 40 – ☕ 30 – **9 ch** 180/260 – ½ P 220/240.

:AZAUBON **32** Gers 79 ⑫ – rattaché à Barbotan-les-Thermes.

:AZÈS-MONDENARD **82110** T.-et-G. 79 ⑰ – 1 307 h alt. 214.
; des Roucous à Sauveterre ☎ 63 95 83 70, NE : 9 km par D 57.
ıris 632 – Cahors 44 – Agen 57 – Montauban 34.

L'Atre, ☎ 63 95 81 61, Fax 63 95 87 22 – ▤ rest ☎ ✆. GB
fermé lundi – **Repas** 55 bc (déj.), 95/180 🍷, enf. 35 – ☕ 35 – **10 ch** 150/210 – ½ P 190.

:ÉAUX **50** Manche 59 ⑧ – rattaché à Pontaubault.

:EILLAC **05600** H.-Alpes 77 ⑱ ⑲ **G. Alpes du Sud** – 289 h alt. 1640 – Sports d'hiver : 1 700/2 495 m ⛷8 ⛷.
oir Vallon du Mélezet★.
Office de Tourisme à la Mairie ☎ 92 45 05 74, Fax 92 45 27 80.
aris 736 – Briançon 50 – Gap 74 – Guillestre 14.

Cascade 🕸, au pied du Mélezet SE : 2 km ☎ 92 45 05 92, Fax 92 45 22 09, ≤, 🏞 – ☎ 🅿. GB. ✗
1er juin-8 sept. et 21 déc.-16 avril – **Repas** 71/150, enf. 49 – ☕ 44 – **23 ch** 280/360 – ½ P 251/336.

La CELLE-ST-CLOUD **78** Yvelines 55 ⑳, 101 ⑬ – voir à Paris, Environs.

:ELONY **13** B.-du-R. 84 ③, 114 ⑮ – rattaché à Aix-en-Provence.

CERBÈRE **66290** Pyr.-Or. 86 ⑳ **G. Pyrénées Roussillon** – 1 461 h alt. 1.
Office de Tourisme Front de Mer ☎ 68 88 42 36, Fax 68 88 48 62.
aris 912 – ♦Perpignan 47 – Port-Vendres 16.

Dorade, ☎ 68 88 41 93, 🏞 – 📺 ☎. AE ⓓ GB
1er avril-10 oct. – **Repas** 78/150 🍷 – ☕ 36 – **20 ch** 175/295 – ½ P 225/275.

Vigie avec ch, rte Espagne ☎ 68 88 41 84, ≤ mer et côte, 🏞 – AE GB. ✗ rest
1er avril-31 oct. – **Repas** 65/110, enf. 45 – ☕ 32 – **18 ch** 250/290 – ½ P 240.

CERCY-LA-TOUR **58340** Nièvre 69 ⑤ – 2 258 h alt. 260.
aris 281 – Moulins 52 – Châtillon-en-Bazois 23 – Luzy 31 – Nevers 51 – St-Honoré-les-Bains 18.

Val d'Aron, r. Écoles ☎ 86 50 59 66, Fax 86 50 04 24, 🏞, 🏊, 🌳 – ⚡ 📺 ☎ 🅿. AE GB
Repas 95/250 🍷, enf. 60 – ☕ 50 – **12 ch** 300/400 – ½ P 260/300.

:ITROEN Gar. Guérin, ☎ 86 50 53 11 🅽 ☎ 86 50 57 42
FORD Gar. Aurousseau, ☎ 86 50 01 45

CERDON **45620** Loiret 65 ① **G. Châteaux de la Loire** – 929 h alt. 145.
/oir Etang du Puits★ SE : 5 km.
aris 154 – ♦Orléans 48 – Aubigny-sur-Nère 21 – Gien 31 – Sully-sur-Loire 16.

Relais de Cerdon, ☎ 38 36 02 15 – GB
fermé 20 au 28 août, vacances de Noël, de fév., mardi soir et merc. – **Repas** 102/170 🍷, enf. 70.

CÉRESTE **04280** Alpes-de-H.-P. 81 ⑭ 114 ③ **G. Provence** – 950 h alt. 356.
'aris 749 – Digne-les-Bains 71 – Aix-en-Provence 50 – Apt 18 – Forcalquier 23.

Aiguebelle, ☎ 92 79 00 91, Fax 92 79 07 29, 🏞 – ☎. AE ⓓ GB JCB
fermé janv. – **Repas** 85/210, enf. 50 – ☕ 30 – **17 ch** 150/250 – ½ P 230/260.

CÉRET ⟨SP⟩ **66400** Pyr.-Or. 86 ⑲ **G. Pyrénées Roussillon** (plan) – 7 285 h alt. 153.
/oir Vieux pont★ – Musée d'Art Moderne★★.
Office de Tourisme 1 av. G.-Clémenceau ☎ 68 87 00 53.
'aris 892 – ♦Perpignan 32 – Gerona 78 – Port-Vendres 37 – Prades 55.

La Terrasse au Soleil ⚐, rte Fontfrède O : 1,5 km par D 13F ✆ 68 87 01 94 Fax 68 87 39 24, ≤ le Canigou et plaine, ⛱, ⛱, ⛱, 🎾 – ⛱ ▤ ch 📺 ☎ ♿ 🅿 – 🧑‍🏫 30 GB
1er mars-31 oct. – **Repas** 160 (déj.), 240/380, enf. 90 – ☕ 80 – **25 ch** 595/795 – ½ P 578/678

Le Mas Trilles Ⓜ ⚐, au pont de Reynès : 2 km par rte d'Amélie ✆ 68 87 38 37 Fax 68 87 42 62, ⛱, ⛱, ⛱ – 📺 ☎ ♿ 🅿. GB
5 avril-31 oct. – **Repas** *(fermé lundi)* (dîner seul.)(résidents seul.) 175/220 – ☕ 65 – **10 ch** 440/975 – ½ P 420/690.

Les Arcades Ⓜ sans rest, 1 pl. Picasso ✆ 68 87 12 30, Fax 68 87 49 44 – |♦| cuisinette 📺 ☎ 🚗. GB. ⛌
☕ 34 – **26 ch** 230/300.

XXX ✿ **Les Feuillants** (Banyols) avec ch, 1 bd La Fayette ✆ 68 87 37 88, Fax 68 87 44 68, ⛱ – |♦| ▤ 📺 ☎ 🚗. AE GB
fermé lundi midi en juil.-août, dim. soir et lundi de sept. à juin – **Repas** 250/420 et carte 320 à 450, enf. 100 - ***Brasserie :*** **Repas** 125, enf.80 – ☕ 50 – **3 ch** 700
Spéc. Ravioli de pieds de porc et escargots. Fricassée de supions et "petits gris" aux girolles et beurre d'ortie. Ris de veau et foie gras, jus au banyuls. **Vins** Côtes du Roussillon.

CITROEN Gar. Coll, La Cabanasse à Reynes ✆ 68 87 00 75 🅽 ✆ 68 83 48 11
FORD Gar. Mach, av. Aspres ✆ 68 87 05 30 🅽 ✆ 68 87 05 30
PEUGEOT Gar. la Bergerie, 3 av. Gare ✆ 68 87 18 59
RENAULT Gar. Privat, ZI Oulrich ✆ 68 87 18 53

Le CERGNE 42460 Loire 73 ⑧ – 650 h alt. 640.

Paris 412 – Mâcon 77 – Roanne 24 – Charlieu 16 – Chauffailles 15 – ♦Lyon 82 – ♦St-Étienne 110.

XX **Bel'Vue,** ✆ 74 89 87 73, Fax 74 89 78 61, ≤ – AE GB
fermé 16 au 26 août, dim. soir et lundi – **Repas** 68 (déj.), 95 bc/270, enf. 50.

CERGY-PONTOISE 🅿 95 Val-d'Oise 55 ⑳ 106 ⑤ 101 ② G. Ile de France.

Cergy – 48 226 h alt. 30 – ✉ 95000 .

⛳ ✆ (1) 34 21 03 48, O : 7 km par D 922.
Paris 38 – Pontoise 5,5.

Astrée Ⓜ sans rest, 3 r. Chênes Émeraude par bd Oise ✆ (1) 34 24 94 94, Télex 688356 Fax (1) 34 24 95 15 – |♦| ⛱ ▤ 📺 ☎ ♿ 🚗 – 🧑‍🏫 25 à 60. AE ⓓ GB
☕ 45 – **55 ch** 505.

Novotel ⚐, près préfecture ✆ (1) 30 30 39 47, Télex 607264, Fax (1) 30 30 90 46, ⛱ ⛱, ⛱ – |♦| ⛱ ▤ 📺 ☎ ♿ 🅿 – 🧑‍🏫 80. AE ⓓ GB
Repas carte environ 160 ⛱, enf. 50 – ☕ 55 – **191 ch** 485/500.

XXX **Les Coupoles,** 1 r. Chênes Emeraude par bd Oise ✆ (1) 30 73 13 30, Fax (1) 30 73 46 90 – ▤. AE ⓓ GB
fermé 28 juil. au 18 août, sam. midi et dim. – **Repas** 165/300 et carte 230 à 330.

quartier St-Christophe secteur Nord – ✉ 95800 Cergy Pontoise :

Campanile, sortie échangeur n° 11 ✆ (1) 34 24 02 44, Fax (1) 30 73 99 96, ⛱ – ⛱ 📺 ☎ 📞 ♿ 🅿 – 🧑‍🏫 25. AE ⓓ GB
Repas 84 bc/107 bc, enf. 39 – ☕ 32 – **50 ch** 270.

FORD Remy Goudé Auto, 15 r. de la Pompe ✆ (1) 34 33 32 31
Ⓜ Inter Pneu Melia Vulcopneu, ZA 67 r. F.-Combes ✆ (1) 30 30 11 91

Osny – 12 195 h alt. 37 – ✉ 95520 .

Paris 40 – Pontoise 3,5.

XX **Moulin de la Renardière,** r. Gd Moulin ✆ (1) 30 30 21 13, Fax (1) 34 25 04 98, ⛱ « Parc, rivière » – 🅿. AE ⓓ GB
fermé dim. soir et lundi – **Repas** 160/210.

PEUGEOT Cergy-Pontoise-Autom., 8 ch. J.-César par ⑥ ✆ (1) 30 30 12 12 🅽 ✆ (1) 05 44 24 24
RENAULT Rousseau, 2 ch. J.-César par ⑥ ✆ (1) 34 41 95 95
Ⓜ Vaysse, 15 rte de Gisors D 915 ✆ (1) 34 24 85 88

Pontoise ⟨SP⟩ – 27 150 h alt. 48 – ✉ 95300 .

🅸 Office de Tourisme 6 pl. Petit-Martroy ✆ (1) 30 38 24 45, Fax (1) 30 73 54 84.
Paris 36 ② – Beauvais 55 ① – Dieppe 135 ① – Mantes-la-Jolie 39 ④ – ♦Rouen 91 ④.

Campanile, r. P. de Coubertin par ④ ✆ (1) 30 38 55 44, Fax (1) 30 30 48 87, ⛱, ⛱ – ⛱ 📺 ☎ 📞 ♿ 🅿 – 🧑‍🏫 25. AE ⓓ GB
Repas 84 bc/107 bc, enf. 39 – ☕ 32 – **80 ch** 270.

à La Bonneville Ouest : 5,5 km D 922 – ✉ 95540 Méry-sur-Oise :

XXX ✿ **Le Chiquito,** ✆ (1) 30 36 40 23, Fax (1) 30 36 42 22 – ▤. AE GB
fermé 2 au 17 mars, sam. midi, dim. soir et lundi – **Repas** 210/370
Spéc. Langoustines sautées à la ventrèche. Côte de veau en cocotte à l'ancienne. Fondant moelleux au chocolat sorbet à l'orange.

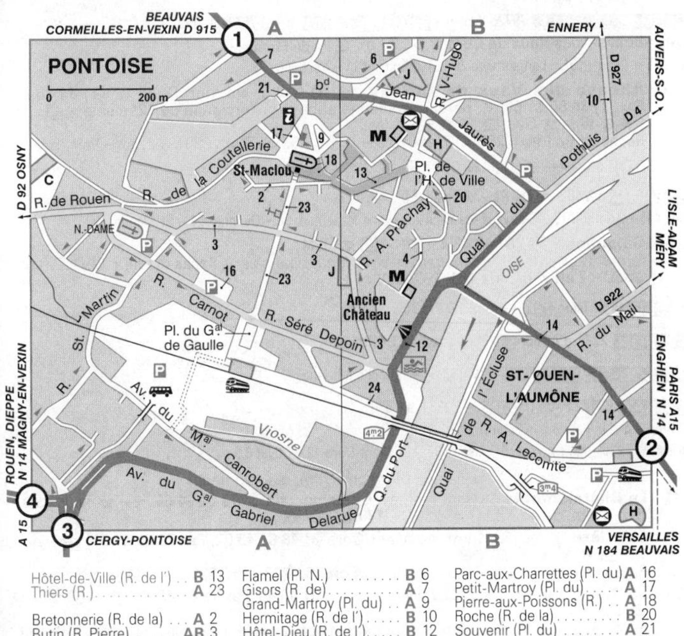

Hôtel-de-Ville (R. de l') .. **B** 13
Thiers (R.) .... **A** 23

Bretonnerie (R. de la) ... **A** 2
Butin (R. Pierre) .... **AB** 3
Château (R. du) .... **B** 4

Flamel (Pl. N.) .... **B** 6
Gisors (R. de) .... **A** 7
Grand-Martroy (Pl. du) .. **A** 9
Hermitage (R. de l') ..... **B** 10
Hôtel-Dieu (R. de l') ..... **B** 12
Leclerc (R. du Gén.) ..... **B** 14

Parc-aux-Charrettes (Pl. du) **A** 16
Petit-Martroy (Pl. du) ..... **A** 17
Pierre-aux-Poissons (R.) .. **A** 18
Roche (R. de la) .... **B** 20
Souvenir (Pl. du) .... **A** 21
Vert-Buisson (R. du) ..... **B** 24

à Cormeilles-en-Vexin par ① et centre du village : 9,5 km – 802 h. alt. 111 – ✉ **95830** :

XXX ✿✿ **Gérard Cagna,** sur D 915 ☎ (1) 34 66 61 56, Fax (1) 34 66 40 31, « Jardin » – P. AE GB
fermé 2 au 25 août, 23 au 28 déc., dim. soir, mardi soir et lundi – **Repas** 200/500 bc, enf. 150
Spéc. Douceur de pigeon au foie gras et griottes. Soufflé de foie gras et pôelée d'artichaut. Profiteroles à la vanille Bourbon.

,ITROEN Pontoise Cergy Autos, 21 ch. J.-César
☎ (1) 30 30 28 29
:ITROEN Pontoise Cergy Autos, 17 r. d'Anjou ZI
e Béthune à St-Ouen-l'Aumône par r. du Mail
☎ (1) 34 20 15 15

LANCIA Gar. SOGEL, 10 r. Séré-Depoin
☎ (1) 30 75 33 00

Euromaster, 121 av. du Gén.-Leclerc à Pierrelaye
☎ (1) 34 64 07 50

CERIZAY **79140** Deux-Sèvres 67 ⑯ – 4 787 h alt. 173.

aris 377 – Bressuire 14 – Cholet 38 – Niort 65 – La Roche-sur-Yon 69.

Cheval Blanc, av. 25-Août ☎ 49 80 05 77, Fax 49 80 08 74, – TV ☎ ♿ P. GB
fermé 14 déc. au 5 janv., sam. et dim. hors saison – **Repas** 66/118 – 33 – **20 ch** 200/300 – ½ P 245/285.

:ITROEN Gar. Coulais, ☎ 49 80 51 51 N
☎ 49 80 01 55

PEUGEOT Gar. Cocandeau, ☎ 49 80 50 19 N
☎ 49 80 50 19

CERNAY **68700** H.-Rhin 66 ⑨ **G. Alsace Lorraine** – 10 313 h alt. 275.

:nv. Monument national du Vieil Armand près D431, ✻★★ (1 h) N : 12 km.

Office de Tourisme 1 r. Latouche ☎ 89 75 50 35, Fax 89 75 49 24.

'aris 469 – ♦Mulhouse 17 – Altkirch 25 – Belfort 36 – Colmar 35 – Guebwiller 14 – Thann 7.

Belle-Vue, 10 r. Mar. Foch ☎ 89 75 40 15, Fax 89 75 74 81, – TV ☎ ♿ P. GB
hôtel : fermé 29 déc. au 8 janv. ; rest : fermé 29 déc. au 15 janv., sam. midi et dim. – **Repas** 70/220 , enf. 50 – 38 – **25 ch** 190/330 – ½ P 210/280.

XX **Host. d'Alsace** M avec ch, 61 r. Poincaré ☎ 89 75 59 81, Fax 89 75 70 22 – TV ☎ P. AE GB
fermé 15 juil. au 4 août, 26 déc. au 2 janv., dim. soir et lundi – **Repas** 98/305 , enf. 60 – 38 – **11 ch** 200/260 – ½ P 260/280.

'EUGEOT Gar. Soriano, 84 r. de Wittelsheim
☎ 89 75 44 85 N ☎ 89 75 44 85

RENAULT Gar. Courtois, fg de Belfort
☎ 89 75 75 75 N ☎ 89 26 71 23

CERNAY-LA-VILLE 78720 Yvelines 60 ⑨ 106 ㉙ 101 ㉛ – 1 757 h alt. 170.

Voir Abbaye★ des Vaux de Cernay O : 2 km, **G. Ile de France.**

Paris 45 – Chartres 51 – Longjumeau 26 – Rambouillet 11 – Versailles 23.

Abbaye des Vaux de Cernay , O : 2,5 km par D 24 ℘ (1) 34 85 23 00, Fax (1) 34 85 11 60, ≤, parc, « Ancienne abbaye cistercienne du 12e siècle », – 500. AE GB. rest
Repas 200 bc (déj.), 255/415, enf. 120 – 80 – **55 ch** 390/1080, 3 appart – ½ P 750/1160.

PEUGEOT Gar. Vallée, ℘ (1) 34 85 21 27 N ℘ (1) 05 44 24 24

CERNON 39240 Jura 70 ⑭ – 268 h alt. 514.

Paris 445 – Arinthod 13 – Clairvaux-les-Lacs 28 – Lons-le-Saunier 36 – Oyonnax 24 – St-Claude 34.

Galoubet M, ℘ 84 48 43 43, – TV. GB
fermé 1er janv. au 1er mars, dim. soir et lundi hors sais. – **Repas** 65 (déj.), 82/162, enf. 42 – 30 – **7 ch** 210/230 – ½ P 190/200.

CESSIEU 38 Isère 74 ⑬ – rattaché à la Tour-du-Pin.

CESSON 22 C.-d'Armor 59 ③ – rattaché à St-Brieuc.

CESSON-SÉVIGNÉ 35 I.-et-V. 59 ⑰ – rattaché à Rennes.

CEYRAT 63122 P.-de-D. 73 ⑭ – 5 283 h alt. 560.

Syndicat d'Initiative à la Mairie ℘ 73 61 42 55.

Paris 431 – ◆ Clermont-Ferrand 6 – Issoire 37 – Le Mont-Dore 42 – Royat 3,5.

Voir plan de Clermont-Ferrand agglomération

La Châtaigneraie sans rest, av. Châtaigneraie ℘ 73 61 34 66, ≤ – P. GB
fermé dim. de nov. à avril – 30 – **17 ch** 240/360.

L'Artière M , S : 1 km, rte Mont-Dore ℘ 73 61 43 02, Fax 73 61 41 37, , , – TV P. AE GB
Repas grill 75/130 , enf. 35 – 30 – **24 ch** 250/270 – ½ P 220.

La Renaissance avec ch, av. Wilson ℘ 73 61 40 46, Fax 73 61 43 77, – TV – 40. AE GB AZ
fermé 9 janv. au 8 fév., dim. soir et lundi d'oct. à avril – **Repas** 80 (déj.), 100/240 – 35 – **10 ch** 200/300 – ½ P 270/300.

à Saulzet-le-Chaud S : 2 km par N 89 – ✉ 63540 Romagnat :

Le Montrognon, ℘ 73 61 30 51, Fax 73 61 53 11, – P. GB
fermé 25 août au 5 sept., dim. soir et lundi – **Repas** 120/255.

CEYZÉRIAT 01250 Ain 74 ③ – 2 058 h alt. 325.

Paris 434 – Mâcon 44 – Bourg-en-Bresse 8 – Nantua 33.

Relais de la Tour avec ch, ℘ 74 30 01 87, Fax 74 25 03 36 – rest TV. GB
fermé mi-oct. à mi-nov., dim. soir et merc. – **Repas** 75/250 – 30 – **10 ch** 220/280 – ½ P 230.

RENAULT Gar. Froment, ℘ 74 30 03 97 N ℘ 05 05 15 15

CHABLIS 89800 Yonne 65 ⑥ **G. Bourgogne** (plan) – 2 569 h alt. 135.

Office de Tourisme, Petit Pontigny (fermé fév.) ℘ 86 42 80 80, Fax 86 42 80 16.

Paris 182 – Auxerre 19 – Avallon 38 – Tonnerre 16 – Troyes 75.

Ibis, rte Auxerre ℘ 86 42 49 20, Fax 86 42 80 04 – TV P – 40. AE GB
Repas 99 bc, enf. 39 – 35 – **38 ch** 240/270.

✿ **Host. des Clos** (Vignaud) avec ch, ℘ 86 42 10 63, Fax 86 42 17 11, – rest TV P – 25. AE GB
fermé 23 déc. au 10 janv., jeudi midi et merc. du 1er oct. au 30 avril – **Repas** 175/420 et carte 290 à 420, enf. 100 – 55 – **26 ch** 250/530 – ½ P 470/670
Spéc. Fricassée d'escargots de Bourgogne au persil plat. Dos de sandre rôti au jus de volaille et chablis. Chateaubriand de Charolais au pinot noir. **Vins** Chablis, Irancy.

Vieux Moulin, ℘ 86 42 47 30, Fax 86 42 84 44 – P. GB
Repas 98/210, enf. 55.

à Beine NO : 6 km par rte d'Auxerre – 403 h. alt. 180 – ✉ 89800 :

Le Vaulignot, ℘ 86 42 48 48 – P. GB
fermé 15 au 31 oct., 5 au 28 fév., dim. soir et lundi – **Repas** 105/260, enf. 55.

CITROEN Chablis Autos, ℘ 86 42 14 20 N ℘ 86 42 44 97

CHABRIS 36210 Indre 64 ⑱ **G. Châteaux de la Loire** – 2 672 h alt. 100.

Paris 224 – Bourges 75 – Blois 53 – Châteauroux 58 – Loches 64 – Vierzon 38.

Plage avec ch, 42 r. du Pont ℘ 54 40 02 24, Fax 54 40 08 59, – . GB.
fermé 22 déc. au 5 fév., dim. soir et lundi sauf juil.-août – **Repas** 100/240 – 31 – **8 ch** 214/252 – ½ P 220/240.

CITROEN Gar. Lacoste, ℘ 54 40 02 41

HAGNY **71150** S.-et-L. 69 ⑨ **G. Bourgogne** – 5 346 h alt. 215.

ıv. Mont de Sène ✲★★ O : 10 km.

Office de Tourisme 2 r. Halles ✆ 85 87 25 95.

ris 329 ① – Chalon-sur-Saône 17 ② – Autun 43 ① – Beaune 16 ① – Mâcon 76 ② – Montceau-les-Mines 44 ④.

CHAGNY

ıciens d'Algérie
(R. des) .... YZ 2
aune (R. de) .... Y 3
llecroix (R. de) .... Z
illet (R. M.) .... Z
urg (R. du) .... YZ 5
utière (R. de la) .... YZ
etin (R. T.) .... YZ
alon (Route de) .... Z 6
audenay (R. de) .... Y
rté (R. de la) .... Z 8
re (Av. de la) .... Z 10
ulle
(Av. du Gén.-de) .... Y
abiau (R.) .... Y 12
urès (R.J.) .... Y 14
clerc
(Av. du Gén.) .... Y
erté (Bd de la) .... Z
yère (R. de la) .... Z 15
arey (R. E.) .... Z 18
artin (R. J.) .... Z
oulin (Chemin du) .... Y
oulin (R. du) .... Y 19
uriers (Chemin des) .... Y 22
ntil (R. du) .... Z
erres (R. de) .... Z 25
ste (R. de la) .... Z 27
esles (R. de) .... Y 28
migny (Route de) .... Z 30
épublique (R. de la) .... Y 32
-Jean (Pl.) .... Z
and (R. du) .... Y 34
Mai (Av. du) .... Y 35

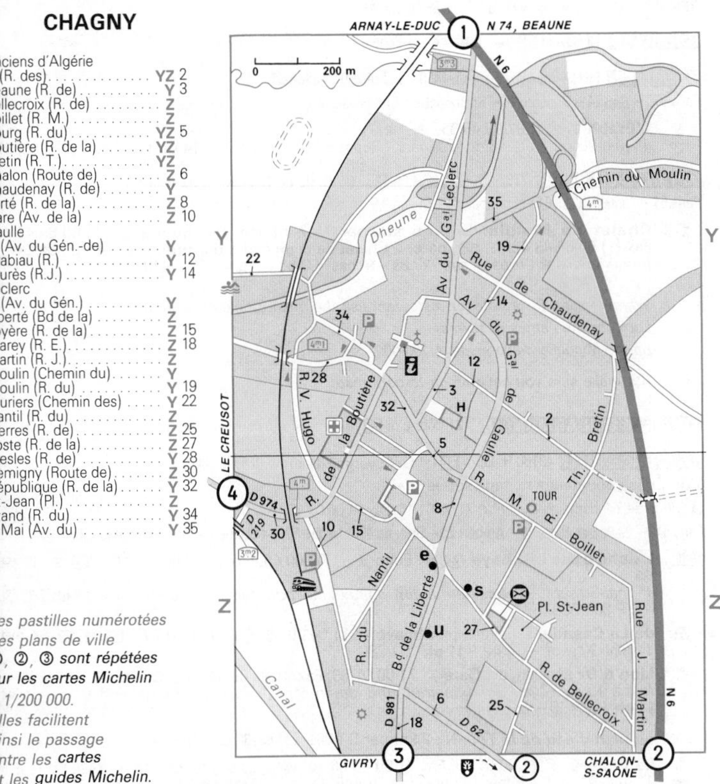

es pastilles numérotées
es plans de ville
), ②, ③ sont répétées
ır les cartes Michelin
1/200 000.
lles facilitent
insi le passage
ntre les cartes
t les guides Michelin.

✲✲✲ **Lameloise** M, pl. d'Armes ✆ 85 87 08 85, Télex 801086, Fax 85 87 03 57, « Ancienne maison bourguignonne aménagée avec élégance » – |‡| ≡ TV ☎ ⇔. AE GB JCB — Z **e**
fermé 18 déc. au 23 janv., merc. sauf le soir du 1er juil. au 30 sept. et jeudi midi – **Repas** (prévenir) 370/600 et carte 390 à 560 – ☐ 90 – **17 ch** 650/1500
Spéc. Ravioli d'escargots de Bourgogne dans leur bouillon d'ail doux. Pigeonneau rôti à l'émietté de truffes. Griottines au chocolat noir sur marmelade d'oranges. **Vins** Rully, Chassagne-Montrachet.

La Musardière, 30 rte Chalon par ② ✆ 85 87 04 97, Fax 85 87 20 51, 🌳, 🪑 – TV ☎ 📞 🅿. AE GB
fermé déc. et lundi sauf le soir de juin à sept. – **Repas** 61/183 ♨, enf. 45 – ☐ 28 – **15 ch** 190/250 – ½ P 175/260.

Poste 🐚 sans rest, r. Poste ✆ 85 87 08 27, 🪑 – ⇔. GB. ✗ — Z **s**
1er mars-1er déc. – ☐ 35 – **11 ch** 240/300.

La Ferté sans rest, bd Liberté ✆ 85 87 07 47, Fax 85 87 37 64, 🪑 – ☎ 🅿. GB. ✗ — Z **u**
☐ 30 – **14 ch** 150/265.

rte de Chalon par ② – ✉ **71150** Chagny :

Host. Château de Bellecroix 🐚, à 2 km par N 6 et rte secondaire ✆ 85 87 13 86, Fax 85 91 28 62, 🌳, parc, 🏊 – TV ☎ 🅿. AE ⓓ GB
fermé 20 déc. au 15 fév. et merc. sauf hôtel de juin à sept. – **Repas** 110 (déj.), 250/350 – ☐ 62 – **21 ch** 570/990 – ½ P 580/870.

à Chassey-le-Camp par ④ et D 109 : 6 km – 257 h. alt. 300 – ✉ **71150** :

Aub. du Camp Romain , ✆ 85 87 09 91, Fax 85 87 11 51, ←, , , , , – TV ☎ ♿ P – 40. GB
fermé 1er janv. au 10 fév. – **Repas** 105/199, enf. 50 – ☕ 36 – **36 ch** 388/405, 5 duplex ½ P 312/342.

RENAULT Chagny Auto, N 6 par ① ✆ 85 87 22 28

CHAILLES **73** Savoie **74** ⑮ – rattaché aux Échelles.

CHAILLOL **05** H.-Alpes **77** ⑯ – alt. 1450 – ✉ **05260** Chabottes.

Paris 670 – Gap 24 – Orcières 20 – St-Bonnet-en-Champsaur 9,5.

L'Étable , ✆ 92 50 48 35, ← – ☎ P
15 juin-20 sept. et 24 déc.-20 mars – **Repas** 80/95 – ☕ 30 – **14 ch** 170/225 – ½ P 200/21

CHAILLY-EN-BIÈRE **77930** S.-et-M. **61** ② **106** ㊺ **G. Ile de France** – 2 029 h alt. 64.

Paris 54 – Fontainebleau 9,5 – Étampes 43 – Melun 9,5.

Chalet du Moulin, S : 1,5 km par N 7 et rte secondaire ✆ (1) 60 66 43 4 Fax (1) 60 66 43 42, ←, , parc, « Chalet dans un cadre de verdure » – P. AE ⓓ GB
fermé lundi soir et mardi sauf fériés – **Repas** 300 bc et carte 300 à 440.

When looking for a hotel or restaurant use the most efficient method.
Look for the names of towns underlined in red
on the Michelin maps scale: 1:200 000.

But make sure you have an up-to-date map!

CHAILLY-SUR-ARMANÇON **21** Côte-d'or **65** ⑱ – rattaché à Pouilly-en-Auxois.

La CHAISE-DIEU **43160** H.-Loire **76** ⑥ **G. Auvergne** (plan) – 778 h alt. 1080.

Voir Église abbatiale★★ : tapisseries★★★.

Office de Tourisme pl. Mairie ✆ 71 00 01 16, Fax 71 00 03 45.

Paris 510 – Le Puy-en-Velay 41 – Ambert 29 – Brioude 40 – Issoire 57 – ◆St-Étienne 80 – Yssingeaux 55.

L'Écho et de l'Abbaye , pl. Écho ✆ 71 00 00 45, Fax 71 00 00 22, – TV ☎. AE GB
1er mai-30 sept. – **Repas** *(fermé dim. soir et lundi hors sais.)* 95/200 – ☕ 45 – **11 ch** 260/36 – ½ P 300/330.

de La Casadeï sans rest, pl. Abbaye ✆ 71 00 00 58, Fax 71 00 01 67 – TV ☎. AE ⓓ GB
1er mai-30 sept. – ☕ 40 – **11 ch** 160/280.

Lion d'Or avec ch, av. Gare ✆ 71 00 01 58, Fax 71 00 08 84 – TV ☎. GB
fermé 13 au 27 janv., dim. soir et lundi de fin sept. à Pâques – **Repas** 99/320 – ☕ 38 **11 ch** 190/450 – ½ P 244.

au plan d'eau de la Tour N : 2 km par D 906 – ✉ **43160** La Chaise-Dieu :

Le Vénéré, ✆ 71 00 01 08, Fax 71 00 08 36, ←, – cuisinette ☎ P. GB. rest
1er mai-30 sept. – **Repas** (dîner seul.) 75/148 – ☕ 33 – **14 ch** 180/295 – ½ P 215/240.

à Sembadel Gare S : 6 km par D 906 – 238 h. alt. 1075 – ✉ **43160** La Chaise-Dieu :

Moderne, ✆ 71 00 90 15, – ☎ P. GB. rest
15 mai-1er nov. – **Repas** 90/135 – ☕ 28 – **21 ch** 250 – ½ P 220/230.

PEUGEOT Gar. Rodier-Pumin ✆ 71 00 00 62

RENAULT Gar. Fayet, ✆ 71 00 00 88 N ✆ 71 00 00 88

CHALAIS **16210** Charente **75** ③ **G. Poitou Vendée Charentes** – 2 172 h alt. 70.

Paris 493 – Angoulême 46 – ◆Bordeaux 82 – Périgueux 66.

Relais du Château, au château ✆ 45 98 23 58, Fax 45 98 23 58, – P. AE GB
fermé vacances de Toussaint, de fév., mardi soir et merc. – **Repas** 95/220, enf. 50.

PEUGEOT Gar. Gadrat-Blancheton, ✆ 45 98 21 16

CHALAMONT **01320** Ain **74** ② ③ **G. Vallée du Rhône** – 1 476 h alt. 325.

Paris 440 – ◆Lyon 47 – Belley 63 – Bourg-en-Bresse 24 – Nantua 45 – Villefranche-sur-Saône 40.

Clerc, Grande rue ✆ 74 61 70 30, Fax 74 61 75 00, – P. GB
fermé 1er au 11 juil., 12 au 30 nov., 2 au 25 janv., lundi sauf le midi du 1er mars au 1er nov. e mardi – **Repas** 86 (déj.), 130/300 .

RENAULT Gar. Berlie, ✆ 74 61 70 27 N ✆ 74 61 76 02

CHALEZEULE **25** Doubs **66** ⑮ – rattaché à Besançon.

HALLANS 85300 Vendée 67 ⑫ **G. Poitou Vendée Charentes** – 14 203 h alt. 8.

Office de Tourisme pl. de l'Europe ✆ 51 93 19 75.

ris 437 ② – La Roche-sur-Yon 40 ③ – Cholet 83 ② – ◆Nantes 56 ① – Les Sables-d'Olonne 43 ④.

CHALLANS

odin (Bd L.) . . . . B
mbetta (R.) . . . . B
aulle (Pl. de) . . . . A 7
udry (R. P.) . . . . A
zin (Bd R.) . . . . A
ochaud (Av.) . . . . B
is-de-Cené (R. de) . . . . . A 2
nne-Fontaine (R.) . . . . . B
and (Pl. A.) . . . . A 3
lmette (R. G.) . . . . B
rnot (Rue) . . . . A
amp de Foire
(Pl. du) . . . . B 4
olet (R. de) . . . . B 5
emenceau (Bd) . . . . A
F.I. (Bd des) . . . . A 6
re (Bd de la) . . . . B
érin (Bd) . . . . B
clerc
(R. du Général) . . . . A 8
zardière (R. P. de) . . . . . A 10
rraine (R. de) . . . . A 12
arzelles (R. des) . . . . . . B 13
onnier (R. P.) . . . . A 15
antes (R. de) . . . . AB
oche-sur-Yon
(R. de la) . . . . B 16
bles (R. des) . . . . B 17
rasbourg (Bd de) . . . . . . A
aud
Grand-Marais (Bd) . . . . . B
ole (Bd J.) . . . . AB

Antiquité sans rest, 14 r. Gallieni ✆ 51 68 02 84, Fax 51 35 55 74, ⛱, 🚗 – TV ☎ ♿ P. AE ⓓ GB. ✂ – *fermé 24 déc. au 3 janv.* – ☕ 30 – **16 ch** 260/400. B **a**

Commerce sans rest, 17 pl. A. Briand ✆ 51 68 06 24, Fax 51 49 44 97 – TV ☎ – 🏛 25. AE GB – ☕ 30 – **21 ch** 200/270. A **r**

Champ de Foire, 10 pl. Champ de Foire ✆ 51 68 17 54, Fax 51 35 06 53 – TV ☎. AE GB *fermé vend. soir et sam. hors sais.* – **Repas** 68/240 🍷, enf. 46 – ☕ 29 – **11 ch** 200/250 – ½ P 225/235. B **s**

XX **Le Pavillon Gourmand,** 4 r. St-Jean-de-Monts ✆ 51 49 04 52 – GB A **b**
fermé 1er au 10 juil., 20 déc. au 2 janv., dim. soir et lundi – **Repas** (prévenir) 98 (déj.), 165/250.

X **Chez Charles,** 8 pl. Champ de Foire ✆ 51 93 36 65, Fax 51 49 31 88 – ▤. AE ⓓ GB JCB
fermé 20 déc. au 15 janv., dim. soir et lundi de sept. à juin – **Repas** 77/153 🍷, enf. 50. B **s**

à la Garnache par ① : 6,5 km – 3 379 h. alt. 28 – ✉ **85710** :

XX **Petit St-Thomas,** ✆ 51 49 05 99 – GB
fermé 15 au 22 mars, 15 au 30 juin, 1er au 15 déc. et lundi – **Repas** 68 (déj.), 105/210.

rte de St-Gilles-Croix-de-Vie par ⑤ – ✉ **85300** Challans :

Château de la Vérie 🐴, 2,5 km sur D 69 ✆ 51 35 33 44, Fax 51 35 14 84, parc, ⛱, 🎾 – TV ☎ 📞 P. AE ⓓ GB
Repas 100/290, enf. 60 – ☕ 60 – **19 ch** 600/880 – ½ P 490/630.

XX **La Gite du Tourne-Pierre,** 3 km sur D 69 ✆ 51 68 14 78, ⛱, ⛱ – P. AE ⓓ GB
fermé 5 au 22 oct., 8 au 26 mars, vend. soir, sam. midi et dim. soir sauf juil.-août – **Repas** (prévenir) 125 bc/330, enf. 60.

par ⑦ : 6 km sur D 948 – ✉ **85300** Challans :

Relais des Quatre Moulins, ✆ 51 68 11 85 – TV ☎ 📞 P. AE GB. ✂
fermé 1er au 23 oct., 24 déc. au 2 janv. et dim. d'oct. à mai – **Repas** 72/249 – ☕ 28 – **12 ch** 210/300 – ½ P 265.

ITROEN Atlantic-Autom., 52 rte de St-Jean-de-Monts par ⑥ ✆ 51 93 15 99 N ✆ 51 93 15 99
EUGEOT Gar. Cara, rte de St Gilles ✆ 51 93 16 52

RENAULT S.N.V.A., 29 r. de St-Jean-de-Monts par ⑥ ✆ 51 49 52 22 N ✆ 05 05 15 15

CHALONNES-SUR-LOIRE 49290 M.-et-L. 63 ⑲ **G. Châteaux de la Loire** – 5 354 h alt. 25.

Voir Corniche angevine★ E – 🛈 Syndicat d'Initiative ✆ 41 78 26 21.

aris 319 – ◆Angers 25 – Ancenis 36 – Châteaubriant 61 – Château-Gontier 62 – Cholet 40.

X **Boule d'Or,** 4 r. Las-Cases (près poste) ✆ 41 78 02 46, Fax 41 74 94 38 – AE GB
fermé dim. soir, merc. soir et lundi – **Repas** 87/195, enf. 55.

EUGEOT Gar. Thuleau, ✆ 41 78 00 28 N ✆ 41 78 00 28

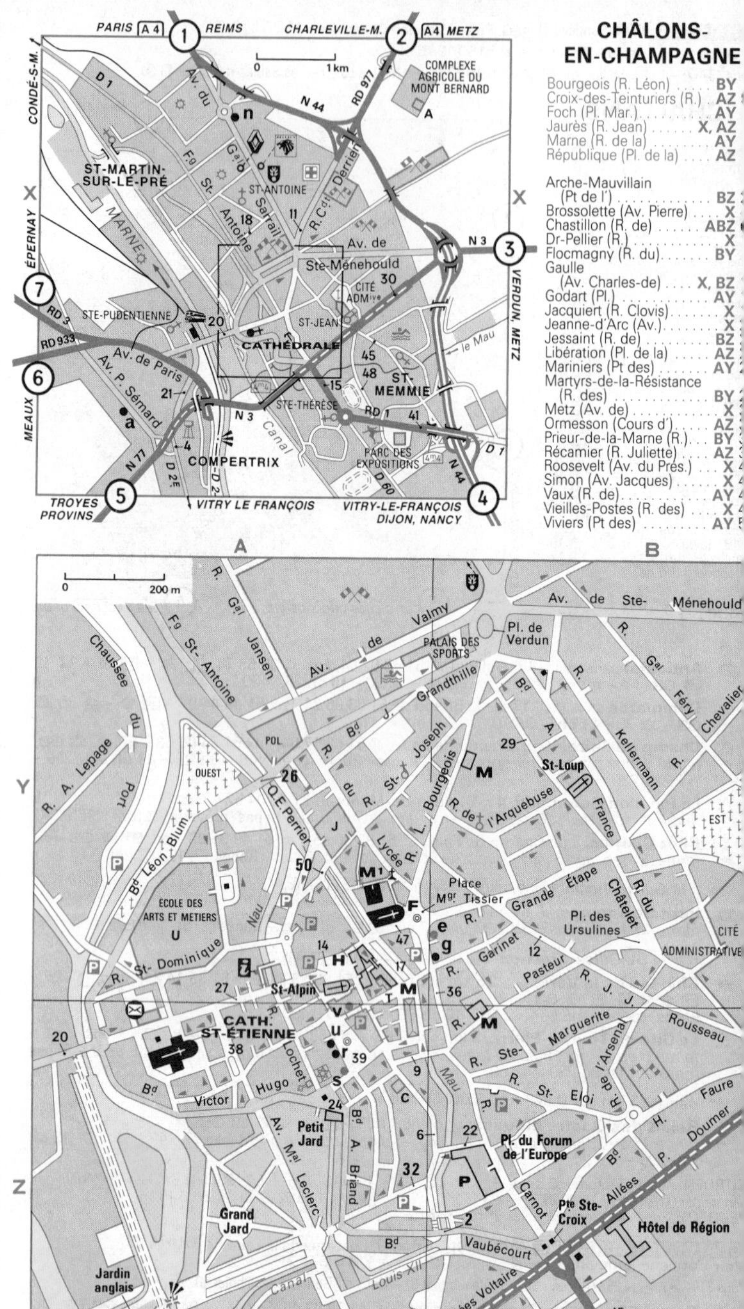
CHÂLONS-EN-CHAMPAGNE
Bourgeois (R. Léon) . . . . . BY
Croix-des-Teinturiers (R.) . AZ
Foch (Pl. Mar.) . . . . AY
Jaurès (R. Jean) . . . . . X, AZ
Marne (R. de la) . . . . AY
République (Pl. de la) . . . . AZ
Arche-Mauvillain (Pt de l') . . . . BZ
Brossolette (Av. Pierre) X
Chastillon (R. de) . . . . . . ABZ
Dr-Pellier (R.) X
Flocmagny (R. du) . . . . BY
Gaulle (Av. Charles-de) . . . . X, BZ
Godart (Pl.) . . . . AY
Jacquiert (R. Clovis) X
Jeanne-d'Arc (Av.) X
Jessaint (R. de) . . . . BZ
Libération (Pl. de la) . . . . . AZ
Mariniers (Pt des) . . . . AY
Martyrs-de-la-Résistance (R. des) . . . . BY
Metz (Av. de) X
Ormesson (Cours d') . . . . . . AZ
Prieur-de-la-Marne (R.) . . . BY
Récamier (R. Juliette) . . . . AZ
Roosevelt (Av. du Prés.) . . . X
Simon (Av. Jacques) X
Vaux (R. de) . . . . AY
Vieilles-Postes (R. des) X
Viviers (Pt des) . . . . AY
PARIS A 4
REIMS
CHARLEVILLE-M.
A4 METZ
COMPLEXE AGRICOLE DU MONT BERNARD
ST-MARTIN-SUR-LE-PRÉ
ÉPERNAY
ST-ANTOINE
CATHÉDRALE
ST-JEAN
CITÉ ADMve
ST-PUDENTIENNE
STE-THÉRÈSE
ST-MEMMIE
COMPERTRIX
PARC DES EXPOSITIONS
VERDUN, METZ
MEAUX
TROYES PROVINS
VITRY LE FRANÇOIS
VITRY-LE-FRANÇOIS DIJON, NANCY
CONDÉ-S-M.
Av. de Ste-Ménehould
Av. de Valmy
PALAIS DES SPORTS
Pl. de Verdun
St-Loup
ÉCOLE DES ARTS ET METIERS
St-Alpin
CATH. ST-ÉTIENNE
Place Mgr Tissier
Pl. des Ursulines
CITÉ ADMINISTRATIVE
Petit Jard
Grand Jard
Jardin anglais
Pl. du Forum de l'Europe
Pte Ste-Croix
Hôtel de Région
Allées Voltaire
Bd Vaubécourt
Bd Louis XII
Canal

HALONS-EN-CHAMPAGNE P 51000 Marne 56 ⑰ **G. Champagne** – 48 423 h alt. 83.

ɔir Cathédrale★★ AZ – Église N.-D.-en-Vaux★ : intérieur★★ AY **F** – Statues-colonnes★★ du ɹsée du cloître de N.-D.-en-Vaux★ AY **M**[1].

la Grande Romanie ✆ 26 66 64 69 à Courtisols par ③ : 15 km.

Office de Tourisme 3 quai des Arts ✆ 26 65 17 89, Fax 26 21 72 92.

ris 163 ⑥ – ♦Reims 48 ① – Charleville-Mézières 104 ② – ♦Dijon 255 ④ – ♦Metz 158 ② – ♦Nancy 159 ④ –)rléans 245 ⑤ – Troyes 83 ⑤.

Plan page ci-contre

✿ **Angleterre et rest. Jacky Michel,** 19 pl. Mgr Tissier ✆ 26 68 21 51, Fax 26 70 51 67, – ▤ TV ☎ P. AE ⓓ GB. ✗ ch BY **g**
fermé 14 juil. au 5 août, vacances de Noël, sam. midi et dim. – **Repas** 150/420 et carte 350 à 460 – ☐ 60 – **18 ch** 450/490
Spéc. Sandre aux lentilles, sauce verte. Rognons de veau au bouzy rouge et croquettes à l'ail. Soupe de clémentines, petits babas et sorbet (nov. à mars)). **Vins** Champagne, Coteaux champenois rouge.

Le Renard, 24 pl. République ✆ 26 68 03 78, Fax 26 64 50 07 – TV ☎ – 30. AE GB. ✗ AZ **r**
Repas *(fermé 21 déc. au 5 janv., dim. soir et sam.)* 92/270 bc, enf. 55 – ☐ 43 – **35 ch** 305/350 – ½ P 320.

Pot d'Étain sans rest, 18 pl. République ✆ 26 68 09 09, Fax 26 68 58 18 – TV ☎. GB ☐ 35 – **27 ch** 250/310. AZ **u**

Bristol sans rest, 77 av. P. Sémard ✉ 51510 Fagnières ✆ 26 68 24 63, Fax 26 68 22 16 – TV ☎ P. GB. ✗ X **a**
fermé vacances de Noël – ☐ 30 – **24 ch** 210/260.

XX **Pré St-Alpin,** 2 bis r. Abbé Lambert ✆ 26 70 20 26, Fax 26 68 52 20, – GB AZ **v**
fermé dim. soir et lundi – **Repas** 130/223, enf. 60.

XX **Les Ardennes,** 34 pl. République ✆ 26 68 21 42, Fax 26 21 34 55, – AE GB AZ **s**
fermé dim. soir et lundi soir – **Repas** 128/255, enf. 50.

X **Carillon Gourmand,** 15 pl. Mgr Tissier ✆ 26 64 45 07 – ▤. GB BY **e**
fermé 23 janv. au 13 fév., 13 au 26 août, dim. soir et lundi – **Repas** 125 ♁.

rte de Reims vers ① : 3 km – ✉ **51520** St-Martin-sur-le-Pré :

Campanile, ✆ 26 70 41 02, Fax 26 66 87 85, – TV ☎ ♿ P – 25. AE ⓓ GB X **n**
Repas 84 bc/107 bc, enf. 39 – ☐ 32 – **47 ch** 270.

à l'Épine par ③ : 8,5 km – 631 h. alt. 153 – ✉ **51460**.
Voir Basilique N.-Dame★★.

✿ **Aux Armes de Champagne,** ✆ 26 69 30 30, Télex 830998, Fax 26 66 92 31, – TV ☎ P – 25 à 100. AE GB
fermé 5 janv. au 11 fév., dim. soir et lundi de nov. à mars – **Repas** 105 (déj.), 200/490 et carte 270 à 420 – ☐ 55 – **37 ch** 370/690
Spéc. Chevreau de printemps rôti aux pousses d'ail vert (printemps). Aiguillettes de bar et girolles aux noisettes vertes (été). Galette croustillante de cèpes en fine croûte de pommes de terre (automne). **Vins** Coteaux champenois.

TROEN Gar. Ardon, 17 av. W.-Churchill par ④ ✆ 26 64 42 42
TROEN Gar. Chauffert, 34 RN à Courtisols par ③ ✆ 26 66 60 23 N ✆ 26 66 90 95
ORD Gar. Bartholomé, 34 av. W.-Churchill ✆ 26 64 49 37
AZDA Gar. Grandjean, 57 fg St-Antoine ✆ 26 64 60 35
ISSAN Chalons Autom., 36 av. W.-Churchill ✆ 26 21 25 38
PEL Gar. de l'Avenue, 1 r. Oradour ✆ 26 68 11 63

PEUGEOT Gar. Guyot 170 av. Gén.-Sarrail ✆ 26 68 38 86
RENAULT S.D.A.C., av. 106e-R.-I., ZI X ✆ 26 69 44 10 N ✆ 26 53 93 85
TOYOTA, VOLVO Gar. Poiret, av. Plateau Glières à St-Memmie ✆ 26 70 41 13

Euromaster, 1 bis, av. du 106è RI ✆ 26 68 07 17
Pneus Legros Sud Point S, 9 r. Ampère ✆ 26 68 26 57

CHALON-SUR-SAÔNE 71100 S.-et-L. 69 ⑨ **G. Bourgogne** – 54 575 h alt. 180.

'oir Réfectoire★ de l'hôpital CZ – Musées : Denon★ BZ **M**[1], Nicéphore Niepce★ BZ **M**[2] – oseraie St-Nicolas★ SE : 4 km X.

✆ 85 48 61 64, à la zone de Sports St-Nicolas, NE : 3 km X.

Office de Tourisme square Chabas, bd République ✆ 85 48 37 97, Fax 85 48 63 55 – Maison des Vins e la Côte Chalonnaise (unique en Bourgogne dégustations commentées à la carte) promenade Sainte-Marie ✆ 85 41 64 00.

aris 337 ⑦ – ♦Besançon 132 ① – Bourg-en-Bresse 91 ② – ♦Clermont-Fd 211 ⑤ – ♦Dijon 68 ⑦ – Genève 203 ① – Lyon 127 ④ – Mâcon 58 ④ – Montluçon 213 ⑤ – Roanne 136 ⑤.

Plan page suivante

✿ **St-Georges** (Choux) M, 32 av. J. Jaurès ✆ 85 48 27 05, Fax 85 93 23 88 – ▤ TV ☎ P – 25. AE ⓓ GB AZ **s**
Repas *(fermé sam. midi)* 150/410 et carte 250 à 380, enf. 70 - ***Le Petit Comptoir d'à Côté*** ✆ 85 93 44 26 *(fermé sam. midi et dim.)* **Repas** 80/85, enf. 48 – ☐ 50 – **48 ch** 290/580 – ½ P 360/415
Spéc. Ravioli de grenouilles aux morilles. Pigeon du Louhannais rôti en bécasse. Croustillant de chocolat, glace pain d'épices. **Vins** Montagny, Rully.

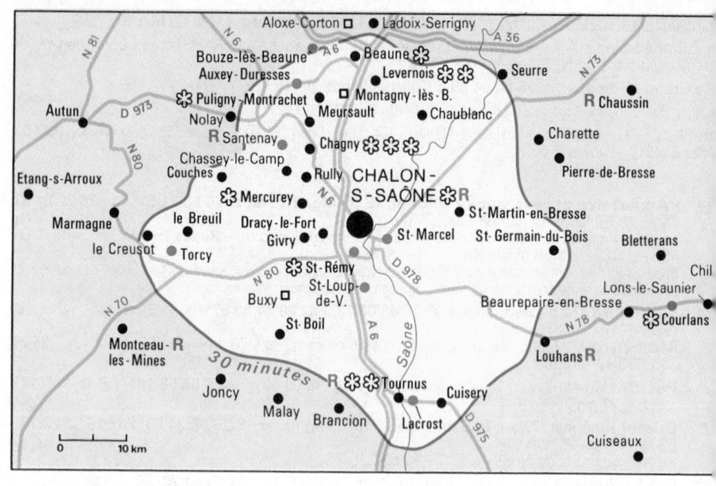

🏨 **St-Régis,** 22 bd République ℰ 85 48 07 28, Fax 85 48 90 88 – 📶 ▤ TV ☎ ℰ ⚒. AE ① GB JCB BZ
Repas *(fermé dim.)* 95/325 ♿, enf. 55 – ☕ 52 – **36 ch** 350/620 – ½ P 355/420.

🏨 **St-Hubert** sans rest, 35 pl. Beaune ℰ 85 48 70 43, Fax 85 48 71 18, 🚲 – TV ☎. AE ① GB
☕ 40 – **50 ch** 235/310. BY

🏨 **Central** sans rest, 19 pl. Beaune ℰ 85 48 35 00, Fax 85 93 10 20 – TV ☎ ℰ. AE ① GB
☕ 27 – **25 ch** 200/250. BY

🏨 **St-Jean** sans rest, 24 quai Gambetta ℰ 85 48 45 65, Fax 85 93 62 69 – TV ☎. GB
☕ 28 – **25 ch** 200/260. BZ

XXX **Le Bourgogne,** 28 r. Strasbourg ℰ 85 48 89 18, Fax 85 93 39 10, « Maison du 17e siècl caveau » – AE GB CZ
fermé 15 au 30 juil., dim. soir sauf juil.-août et sam. midi – **Repas** 93/250 et carte 180 à 26(

XX **La Rôtisserie,** 1 r. Pont ℰ 85 48 81 01, Fax 85 48 15 71 – ▤. AE GB CZ
Repas 115/165 bc.

XX **Le Gourmand,** 13 r. Strasbourg ℰ 85 93 64 61 – ▤. AE GB CZ
fermé 29 juil. au 19 août et 27 janv. au 2 fév. – **Repas** 85/165.

XX **L'Ile Bleue,** 3 r. Strasbourg ℰ 85 48 39 83, Fax 85 48 72 58 – GB CZ
fermé 5 au 22 août, sam. midi et merc. – **Repas** - produits de la mer - 89/145.

XX **La Réale,** 8 pl. Gén. de Gaulle ℰ 85 48 07 21, Fax 85 48 57 77 – ▤. GB BZ
fermé 1er au 15 août, dim. soir et lundi – **Repas** 83/220 ♿, enf. 50.

X **Marché,** 7 pl. St Vincent ℰ 85 48 62 00, 🏠 – GB CZ
fermé 18 au 31 août, dim. sauf le midi de sept. à juin et lundi sauf le midi en juil.-août
Repas 85/160 ♿.

X **Chez Jules,** 11 r. Strasbourg ℰ 85 48 08 34 – ▤. AE GB CZ
fermé 1er au 15 août, vacances de fév., sam. midi et dim. – **Repas** 88/168 ♿.

X **Ripert,** 31 r. St Georges ℰ 85 48 89 20 – GB BZ
fermé 26 mai au 2 juin, 1er au 21 août, 2 au 9 janv., dim. et lundi – **Repas** 68/145 ♿.

X **Le Bistrot,** 31 r. Strasbourg ℰ 85 93 22 01 – GB CZ
fermé 1er au 16 août, sam. midi et dim. – **Repas** 78/150 ♿.

à St-Marcel par ① et D 978 : 3 km – 4 118 h. alt. 185 – ✉ **71100** :

XX **Jean Bouthenet,** ℰ 85 96 56 16, Fax 85 96 75 81 – 🅿. GB
fermé 12 au 25 août, vacances de fév., dim. soir et lundi – **Repas** 105/390, enf. 60.

à St-Rémy SO vers ⑤ (rte du Creusot) : 4 km par N 6, N 80 et rte secondaire 5 627 h. alt. 187 – ✉ **71100** :

XXX ✿ **Moulin de Martorey** (Gillot), ℰ 85 48 12 98, Fax 85 48 73 67, 🏠, « Décor rustiqu avec ancien mécanisme de meunerie » – ▤ 🅿. AE GB. ✂ X
fermé 30 juil. au 19 août, dim. soir et lundi – **Repas** 140 (déj.), 180/400 et carte 320 à 450
Spéc. Trois préparations d'escargots. Dos de brochet aux griottes. Fondant au guanaja et pralin feuilleté. **Vins** Givr Rully.

à St-Loup-de-Varennes par ③ : 7 km – 986 h. alt. 186 – ✉ **71240** :

X **Le Saint Loup,** N 6 ℰ 85 44 21 58 – ▤ 🅿. GB
fermé 28 juin au 13 juil., 7 au 13 oct., 25 janv. au 8 fév., dim. soir et merc. – **Repas** 68/155 ♿

CHALON-SUR-SAÔNE

Grande-Rue ...... **BCZ** 16
Leclerc (R. Gén.)... **BZ**
République (Bd).. **ABZ** 32

Arnal (R. R.)........ **X** 2
Banque (R. de la) .. **BZ** 3
Blum (Av. L.)........ **X** 4
Châtelet (Pl. du) ... **BZ** 5
Châtelet (R. du).... **CZ** 6
Citadelle (R. de la) . **BY** 7
Coubertin (R. de).... **X** 8
Couturier (R.) ...... **BZ** 9
Dijon (R. de) ...... **BY** 10
Duhesme
(R. Gén.) .... **AY** 12
Europe (Av. de l') ... **X** 13
Evêché (R. de l') ... **CZ** 14
Fèvres (R. aux) .... **CZ** 15
Hôtel-de-Ville
(Pl. de l') .... **BZ** 17
Lardy (Av. P.)....... **X** 18
Mac Orlan (R. P.).... **X** 19
Messageries (Q.) ... **CZ** 20
Nugues (Av. P.)...... **X** 21
Obélisque (Pl.) ... **BYZ** 22
Pasteur (R.) .... **BZ** 23
Poilus d'Orient (R.) .. **X** 24
Poissonnerie (R.).... **CZ** 25
Pont (R. du)........ **CZ** 27
Porte-de-Lyon (R.) . **BZ** 28
Port-Villiers (R. du) . **BZ** 29
Poterne (Q. de la) .. **CZ** 31
St-Georges (R.).... **BZ** 36
St-Vincent
(Pl. et R.) .... **CZ** 39
Strasbourg (R. de) . **CZ** 42
Thénard (R. J.-L.) ... **X** 43
Thiard (R. de) ..... **BZ** 44
Trémouille (R.) ... **BCY** 45
8-Mai 1945 (Av.) .... **X** 48
56e-R.I. (R. du)...... **X** 50
134e-R.I. (R. du)..... **X** 52

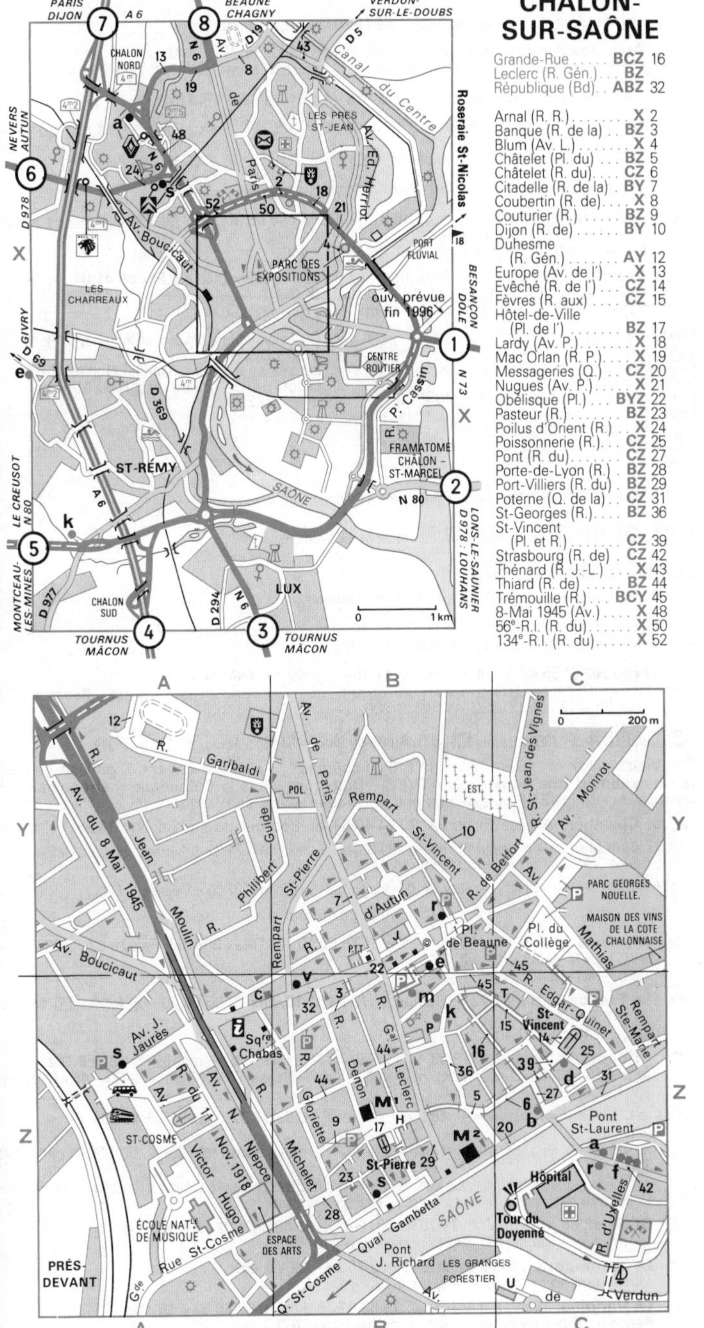

rte de Givry O : 4 km sur D 69 – ✉ 71880 Châtenoy-le-Royal :

XX **Aub. des Alouettes,** ✆ 85 48 32 15, Fax 85 93 12 96, – GB X
fermé 17 juil. au 7 août, vacances de fév., mardi soir et merc. – **Repas** 95/260.

à Dracy-le-Fort par ⑥ : 6 km sur D 978 – 1 103 h. alt. 180 – ✉ 71640 :

Le Dracy M, ✆ 85 87 81 81, Fax 85 87 77 49, , parc, , – rest TV P
30 à 80. AE GB JCB
La Garenne ✆ 85 87 72 73 **Repas** 95/175, enf. 60 – 45 – **41 ch** 340/440 – ½ P 350.

près échangeur A6 Chalon-Nord – ✉ 71100 Chalon-sur-Saône :

Mercure M, av. Europe ✆ 85 46 51 89, Fax 85 46 08 96, , , – TV
P – 100. AE GB JCB X
Repas 130/160, enf. 45 – 51 – **85 ch** 395/440.

Arcade M, carrefour des Moirots ✆ 85 41 04 10, Télex 802142, Fax 85 41 04 11, ,
rest TV P – 40 à 200. AE GB X
Repas 85/125, enf. 40 – 35 – **86 ch** 280/325 – ½ P 250.

BMW Gar. République, 8 pl. République ✆ 85 48 16 90
CITROEN Gar. Moderne de Chalon sur Saône, 5 r. G.-Feydeau ✆ 85 46 52 12
FORD Soreva, 14 av. Kennedy ✆ 85 46 49 45
PEUGEOT Gar. Nedey, rte d'Autun à Châtenoy-le-Royal ✆ 85 46 84 84 N ✆ 85 92 79 08
RENAULT SODIRAC, av. Europe, c. cial de la Thalie ✆ 85 47 85 47 N ✆ 05 05 15 15

Chalon Pneus, ZI Verte à Châtenoy-le-Royal ✆ 85 46 45 77
Euromaster, r. P.-de Coubertin,ZI ✆ 85 46 50 12
Perret Pneus, 40 rte de Lyon, N 6 à St-Rémy ✆ 85 48 22 03

CHAMALIÈRES 63 P.-de-D. 73 ⑭ – rattaché à Clermont-Ferrand.

CHAMARANDES 52 H.-Marne 61 ⑳ – rattaché à Chaumont.

CHAMBERET 19370 Corrèze 72 ⑲ – 1 376 h alt. 450.

Env. Mont Gargan ✱** NO : 9 km, **G. Berry Limousin.**

Syndicat d'Initiative à la Mairie ✆ 55 98 30 12.

Paris 449 – Limoges 57 – Guéret 87 – Tulle 46 – Ussel 72.

France, ✆ 55 98 30 14, Fax 55 73 47 15 – rest . GB. rest
fermé 10 janv. au 8 fév., week-ends en janv. et fév. et dim. soir d'oct. à mai – **Repas** 78/200 – 35 – **12 ch** 190/280 – ½ P 210/280.

CHAMBÉRY P 73000 Savoie 74 ⑮ **G. Alpes du Nord** – 54 120 h Agglo. 102 283 h alt. 270.

Voir Vieille ville★ AB : Ste-Chapelle★ A **B** du château★ A, place St-Léger★ B, grilles★ de l'hôt de Châteauneuf (rue de la Croix-d'Or) B – Diptyque★ dans la Cathédrale métropolitaine B Crypte★ de l'église St-Pierre de Lémenc B – Musée savoisien★ B **M**[1].

de Chambéry-Aix-les-Bains : ✆ 79 54 49 54, au Bourget-du-Lac par ④ : 8 km.

Office de Tourisme 24 bd de la Colonne ✆ 79 33 42 47, Fax 79 85 71 39 – Automobile Club de Savoie "L Comte-Rouge" 222 av. Comte-Vert ✆ 79 69 14 72.

Paris 566 ④ – Grenoble 55 ② – Annecy 49 ④ – Lyon 100 ④ – Torino 202 ② – Valence 127 ③.

Plan page ci-contre

Mercure M sans rest, 183 pl. Gare ✆ 79 62 10 11, Télex 309157, Fax 79 62 10 23 –
TV . AE GB A
57 – **81 ch** 460/495.

Le France sans rest, 22 fg Reclus ✆ 79 33 51 18, Fax 79 85 06 30 – TV
50. AE GB B
50 – **48 ch** 320/460.

Princes, 4 r. Boigne ✆ 79 33 45 36, Fax 79 70 31 47 – rest TV . AE GB B
fermé 15 juil. au 15 août, sam. midi et dim. soir – **Repas** 170/400 bc – 35 – **45 ch** 190/37 – ½ P 300/370.

XXX ✿ **L'Essentiel** (Bouvier), 183 pl. Gare ✆ 79 96 97 27, Fax 79 96 17 78, – .
GB A
fermé 1er au 15 août, dim. en juil.-août et sam. midi – **Repas** 105 (déj.), 150/350 et carte 250 390
Spéc. Foie gras de canard au fumet léger de volaille. Omble chevalier meunière, purée à l'huile de noisette. Moelleu au chocolat chaud, crème glacée à la pistache. **Vins** Seyssel, Mondeuse.

XXX **St-Réal,** 88 r. St Réal ✆ 79 70 09 33, Fax 79 33 49 65 – AE GB JCB B
fermé dim. – **Repas** 160/380 et carte 220 à 440.

XX **Le Tonneau,** 2 r. St Antoine ✆ 79 33 78 26 – AE GB AB
fermé dim. soir et lundi – **Repas** 110/190.

X **La Vanoise,** 44 av. P. Lanfrey ✆ 79 69 02 78, Fax 79 62 64 52 – AE GB A
Repas (nombre de couverts limité, prévenir) 100/260.

CHAMBÉRY

Boigne (R. de) . . . . B
Colonne (Bd de la). . . . . . B 12
Juiverie (R.) . . . . A
St-Léger (Pl.) . . . . B

Allobroges (Q. des) . . . . . A 2
Banque (R. de la). . . . . . . B 3
Basse-du-Château (R.) . . A 4
Bernardines (R. des) . . . . A 6
Borrel (Av. du Sénateur A.) . . B 7
Charvet (R. F.) . . . . B 9
Château (Pl. du) . . . . A 10
Ducis (R.) . . . . B 13
Ducs-de-Savoie (Av. des) . . . . B 14
Freizier (R.) . . . . AB 15
Gaulle (Av. Gén.-de) . . . . B 16
Italie (R. d') . . . . B 17
Jaurès (Av. J.) . . . . A 18
Jeu-de-Paume (Q. du) . . A 19
Lans (R. de) . . . . A 20
Libération (Pl. de la) . . . . B 22
Maché (Pl.) . . . . A 23
Martin (R. Cl.) . . . . B 24
Métropole (Pl.) . . . . B 25
Musée (Bd du) . . . . AB 26
Ravet (Q. Ch.) . . . . B 27
St-Antoine (R.) . . . . A 28
St-François (R.) . . . . B 30
Théâtre (Bd du) . . . . B 31
Vert (Av. du Comte) . . . . . A 32

à Sonnaz par ① : 8 km sur D 991 – 977 h. alt. 370 – ✉ **73000** :

XX **Le Régent,** ☎ 79 72 27 70, Fax 79 72 27 70, terrasse, jardin – [P]. GB
fermé 15 août au 10 sept., dim. soir et merc. – **Repas** 100/310, enf. 50.

à St-Alban-Leysse par ② : 5 km par N 512 et D 912 – 3 858 h. alt. 285 – ✉ **73230** :

L'Or du Temps [M], rte Plainpalais ☎ 79 85 51 28, Fax 79 85 83 87, terrasse – TV ☎ ♿ [P] – 40. GB. rest
fermé août, sam. et dim. – **Repas** 60 (déj.), 92/155 – 35 – **18 ch** 190/230 – ½ P 235.

SE : 2 km par D912 et D 4 - B – ✉ **73000** Chambéry :

Aux Pervenches, aux Charmettes ☎ 79 33 34 26, Fax 79 60 02 52, ←, terrasse, jardin – TV ☎ [P]. GB. ch
Repas *(fermé 16 au 21 août, dim. soir et merc. midi)* 95/240 – 25 – **13 ch** 130/180 – ½ P 160.

XX **Mont Carmel,** à Barberaz (près église) ☎ 79 85 77 17, Fax 79 85 16 65, terrasse, jardin – AE GB
fermé 2 au 10 janv., dim. soir et lundi – **Repas** 95 (déj.), 135/270.

par ④ : 3 km sur D 201 (sortie La Motte-Servolex) – ✉ **73000** Chambéry :

Novotel, ☎ 79 69 21 27, Télex 320446, Fax 79 69 71 13, terrasse, piscine, jardin – ascenseur TV ☎ ♿ [P] – 200. AE ⓓ GB JCB
Repas 105, enf. 50 – 50 – **103 ch** 410/440.

à Chambéry-le-Vieux par ④ : 5 km par N 201 (sortie La Motte-Servolex) – ✉ **73000** :

Château de Candie Ⓜ, ℘ 79 96 63 00, Fax 79 96 63 10, ≤, parc, « Belle demeure du 14e siècle » – rest ☎ ♿ – 90. AE GB
Repas 145/250 – 80 – **17 ch** 650/1800, 3 duplex – ½ P 515/1275.

CITROEN S.A.D., ZI des Landiers voie rapide urbaine nord par ④ ℘ 79 62 25 90 N ℘ 79 54 41 77
CITROEN Gar. du Château, 187 av. de Lyon ℘ 79 69 39 08
MERCEDES Etoile Service 73, zac des Landiers ℘ 79 69 72 16 N ℘ 05 24 24 30
PEUGEOT Gar. Maurel, ZI des Landiers par ④ ℘ 79 96 15 32 N ℘ 79 65 42 11
SEAT Plaza Autom., ZI Landiers Nord ℘ 79 69 21 62
VAG Jean Lain Autom., ZI des Landiers, voie rapide urbaine nord ℘ 79 62 37 91
Equip'Auto, r. E.-Ducretet ℘ 79 96 34 40

Périphérie et environs

BMW Europe, 780 r. P.-et-M.-Curie à la Ravoire ℘ 79 71 35 35 N ℘ 05 00 16 24
CITROEN Gar. Schiavon, av. de Turin à Bassens par N 512 B ℘ 79 33 03 53
FORD Gar. Madelon, 70 rte de Lyon à Cognin ℘ 79 69 09 27
HONDA Gar. Bonomi, N 6 à La Ravoire ℘ 79 72 95 06
LANCIA Gar. Coudurier-Curioz, r. P.-et M.-Curie à La Ravoire ℘ 79 71 35 99
RENAULT Bernard Autom., 282 av. de Chambéry à St-Alban-Leysse par N 512 B ℘ 79 72 99 00 N ℘ 05 05 15 15
ROVER Olympic Autom., à Voglans ℘ 79 54 46 69
TOYOTA Espace Autom., 461 r. des Epinettes à la Motte Servolex ℘ 79 62 64 17
VAG Gar. Lain Autom. Sud, ZI la Trousse à La Ravoire ℘ 79 85 20 19

Comptoir du Pneu, 340 ch. Carrières à St-Alban Leysse ℘ 79 75 21 03
Euromaster, N 6, ZI de la Trousse à la Ravoire ℘ 79 72 96 02
Euromaster, 672 av. de Chambéry à St-Alban-Leysse ℘ 79 33 20 09
Savoy Pneus Point S, ZI Bissy av. Houille-Blanche ℘ 79 69 30 72

Les localités dont les noms sont soulignés de rouge sur les cartes Michelin à 1/200 000 sont citées dans ce guide.

Utilisez une carte récente pour profiter de ce renseignement.

CHAMBOLLE-MUSIGNY 21220 Côte-d'Or 65 ⑳ – 355 h alt. 280.

Paris 327 – ◆Dijon 18 – Beaune 27.

Château André Ziltener sans rest, ℘ 80 62 41 62, Fax 80 62 83 75, « Belle demeure du 18e siècle, petit musée du vin », – ☎ ♿ – 25. AE GB
fermé 15 déc. au 25 janv. – 80 – **10 ch** 900/1800.

CHAMBON (Lac) ★★ 63 P.-de-D. 73 ⑬ G. Auvergne – alt. 877 – Sports d'hiver : 1 150/1 760 m 9 –
✉ 63790 Chambon-sur-Lac.

Paris 466 – ◆Clermont-Ferrand 37 – Condat 40 – Issoire 31 – Le Mont-Dore 18.

Grillon, ℘ 73 88 60 66, Fax 73 88 65 55, – ☎ . AE GB
17 fév.-5 nov. – **Repas** 60/180, enf. 40 – 35 – **22 ch** 200/260 – ½ P 220/280.

Beau Site, ℘ 73 88 61 29, Fax 73 88 66 73, ≤, – ☎ . GB
1er avril-20 oct. et vacances de fév. – **Repas** 65/180, enf. 45 – 35 – **17 ch** 250 – ½ P 240.

Bellevue sans rest, ℘ 73 88 61 06, Fax 73 88 63 53, ≤ – ☎
vacances de fév.-fin sept. – 35 – **27 ch** 220/260.

CHAMBON-LA-FORÊT 45340 Loiret 60 ⑳ – 589 h alt. 117.

Paris 96 – ◆Orléans 46 – Châteauneuf-sur-Loire 25 – Montargis 38 – Pithiviers 14.

Aub. de la Rive du Bois, N : 1 km par rte Pithiviers ℘ 38 32 28 44, Fax 38 32 02 61 – GB
fermé 10 au 31 juil., 26 déc. au 7 janv., lundi soir, mardi soir et merc. – **Repas** 80/230, enf. 50

Le CHAMBON-SUR-LIGNON 43400 H.-Loire 76 ⑧ G. Vallée du Rhône – 2 854 h alt. 967.

18 ℘ 71 59 28 10, SE par D 103, D 155 : 5 km.

Office de Tourisme 1 la Place ℘ 71 59 71 56, Fax 71 65 88 78.

Paris 577 – Le Puy-en-Velay 46 – Annonay 47 – Lamastre 32 – Privas 76 – ◆St-Étienne 59 – Yssingeaux 24.

Bel Horizon, chemin de Molle ℘ 71 59 74 39, – ☎. GB. rest
Repas 90/150 – 35 – **18 ch** 350 – ½ P 340/360.

au Sud : 3 km par D 151, rte de la Suchère et rte secondaire – ✉ **43400** Chambon-sur-Lignon

Bois Vialotte, ℘ 71 59 74 03, ≤, – ☎ . GB. rest
1er mai-30 sept. – **Repas** 75 (dîner), 80/100 – 35 – **17 ch** 190/320 – ½ P 210/280.

à l'Est : 3,5 km par D 157 et D 185 – ✉ **43400** Chambon-sur-Lignon :

Clair Matin, ℘ 71 59 73 03, Fax 71 65 87 66, ≤, parc, – ☎ ♿ – 30. AE GB JCB. rest
fermé mi-nov. à mi-déc. – **Repas** 95/200 – 47 – **30 ch** 300/490 – ½ P 340/400.

CITROEN Gar. Grand, 27-29 rte de St-Agrève ℘ 71 59 76 18 N ℘ 71 59 29 09
RENAULT Gar. Perrier, à le Sarzier ℘ 71 59 74 31 N ℘ 71 59 74 31

CHAMBORD 41250 L.-et-Ch. 64 ⑦ ⑧ – 200 h alt. 71.

oir Château★★★ (spectacle son et lumière), **G. Châteaux de la Loire.**

aris 175 – ♦Orléans 52 – Blois 16 – Châteauroux 100 – Romorantin-Lanthenay 37 – Salbris 54.

Gd St-Michel, ✆ 54 20 31 31, Fax 54 20 36 40, « Face au château », – TV ☎ P. GB. ch
fermé 12 nov. au 20 déc. – **Repas** (dim. et fêtes prévenir) 135/210 – ☕ 40 – **38 ch** 290/450.

CHAMBORIGAUD 30530 Gard 80 ⑦ – 716 h alt. 297.

aris 646 – Alès 30 – Florac 50 – La Grand-Combe 20 – Villefort 23.

Les Cévennes, ✆ 66 61 47 27, Fax 66 61 51 01, – ☎ P. GB
fermé 1er janv. au 14 fév. et mardi du 15 sept. au 15 juin – **Repas** 65/120 ♁, enf. 40 – ☕ 30 – **11 ch** 180/210 – ½ P 190/205.

CHAMBOULIVE 19450 Corrèze 75 ⑨ **G. Berry Limousin** – 1 190 h alt. 429.

aris 465 – Brive-la-Gaillarde 41 – Aubusson 92 – Bourganeuf 76 – Seilhac 8,5 – Tulle 22 – Uzerche 16.

Deshors Foujanet, rte Treignac ✆ 55 21 62 05, Fax 55 21 68 80, – ☎ P. AE ⓓ GB
fermé oct., vacances de fév. et dim. soir en hiver – **Repas** 85 bc/200 ♁, enf. 55 – ☕ 30 – **27 ch** 160/280 – ½ P 210/270.

CHAMBRAY 27120 Eure 55 ⑰ – 372 h alt. 35.

aris 93 – ♦Rouen 50 – Évreux 13 – Louviers 23 – Mantes-la-Jolie 35 – Vernon 17.

XXX **Le Vol au Vent,** ✆ 32 36 70 05 – ⓓ GB
fermé août, 24 déc. au 3 janv., mardi midi, dim. soir et lundi – **Repas** 190/270 et carte 230 à 340.

CHAMBRAY-LÈS-TOURS 37 I.-et-L. 64 ⑮ – rattaché à Tours.

CHAMONIX-MONT-BLANC 74400 H.-Savoie 74 ⑧ ⑨ **G. Alpes du Nord** – 9 701 h alt. 1040 – Sports 'hiver : 1 035/3 842 m 26 36 – Casino AY.

nv. E : Mer de glace★★★ et le Montenvers★★★ par chemin de fer à crémaillère AY – SE : iguille du midi ★★★ par téléphérique AY (station intermédiaire : plan de l'Aiguille★★ BZ) – O : Le Brévent★★★ par téléphérique (station intermédiaire : Planpraz★★) AZ.

✆ 50 53 06 28, N : 3 km BZ.

unnel du Mont-Blanc : **Péage en 1995,** aller simple : autos 90 à 180 F, camions 445 à 895 F - Tarifs péciaux AR pour autos et camions.

Office de Tourisme pl. Triangle-de-l'Amitié ✆ 50 53 00 24, Fax 50 53 58 90.

aris 612 ② – Albertville 67 ② – Annecy 94 ② – Aosta 59 ② – Genève 83 ② – Lausanne 107 ①.

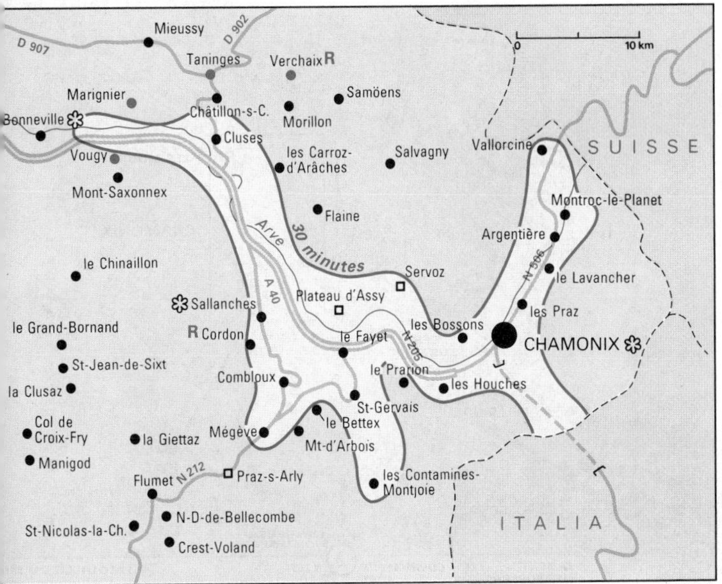

CHAMONIX-MONT-BLANC

Street	Grid
Aiguille-du-Midi (Av.)	AY
Angeville (Rte H. d')	AX
Balmat (Pl. Jacques)	AY
Blanche (Rte)	AY
Bois-du-Bouchet (Av. du)	AX
Cachat-le-Géant (Av.)	AX
Cour (Pont de)	AY
Courmayeur (Av. de)	AY
Cristalliers (Ch. des)	AX
Croix-des-Moussoux (Montée)	AZ
Croz (Av. Michel)	AY
Devouassoux (Ch. F.)	AY
Gaillands (Rte des)	AZ
Gare (Pl. de la)	AY
Helbronner (Rue)	AY
Lyret (Rue du)	AY
Majestic (Allée du)	AY
Mollard (Ch. de la)	AX
Mont-Blanc (Av. et Pl.)	AX
Moussoux (Rte des)	AZ
Mummery (R.)	AX
Nants (Rte des)	AZ
Paccard (R. du Dr.)	AY
Pècles (Rte des)	AZ
Pèlerins (Rte des)	AZ
Plage (Av. de la)	AX
Ravanel-le-Rouge (Av.)	AY
Recteur-Payot (Allée)	AY
Roumnaz (Rte de la)	AZ
Triangle-de-l'Amitié (Pl. du)	AX
Tunnel (Rte du)	AZ
Vallot (R. J.)	AX
Whymper (R.)	AX

Mont-Blanc et rest. Le Matafan, 62 allée Majestic ✆ 50 53 05 64, Télex 385614, Fax 50 55 89 44, ≤, 🏔, « Jardin », 🏊, 🎾 – 🛗 ⇆ 📺 ☎ 📞 🚗 🅿. AE ⓓ GB JCB AY **g**
fermé 7 oct. au 18 déc. – **Repas** 130 (déj.), 160/360 🍷 – ☕ 60 – **34 ch** 707/1114, 8 appart – ½ P 737.

✿ **Albert 1er** (Carrier) Ⓜ, 119 impasse Montenvers ✆ 50 53 05 09, Fax 50 55 95 48, ≤, « Jardin fleuri », 🏋, 🏊 – 🛗 📺 ☎ 🚗 🅿. AE ⓓ GB JCB AX **f**
fermé 5 au 14 mai et 21 oct. au 4 déc. – **Repas** *(fermé merc.)* 195/480 et carte 350 à 530, enf. 130 – ☕ 70 – **19 ch** 690/920, 7 appart, 3 chalets – ½ P 590/950
Spéc. Menu "La Maison de Savoie". Filet d'omble chevalier au beurre de légumes. Jarret de veau de lait braisé aux truffes. **Vins** Chignin Bergeron, Mondeuse d'Arbin.

Aub. du Bois Prin Ⓜ 🐦, aux Moussoux ✆ 50 53 33 51, Fax 50 53 48 75, ≤ massif du Mont-Blanc, 🏔, « Chalet fleuri », 🌳 – 🛗 📺 ☎ 🚗 🅿. AE ⓓ GB AZ **a**
fermé 15 avril au 2 mai et 28 oct. au 5 déc. – **Repas** *(fermé merc. midi)* 130 bc (déj.), 170/420 – ☕ 70 – **11 ch** 740/1080 – ½ P 600/770.

Alpina Ⓜ, 79 av. Mt-Blanc ✆ 50 53 47 77, Télex 385090, Fax 50 55 98 99, ≤, 🏋 – 🛗 ⇆ ▤ rest 📺 ☎ ♿ 🚗 – 🎤 150. AE ⓓ GB JCB AX **t**
14 juin-30 sept. et 19 déc.-21 avril – **Repas** 145/230 🍷, enf. 60 – ☕ 45 – **125 ch** 515/1012, 9 appart – ½ P 495/651.

Les Aiglons Ⓜ, av. Courmayeur ✆ 50 55 90 93, Fax 50 53 51 08, ≤, 🏔, 🏋 – 🛗 📺 ☎ ♿ 🚗 🅿 – 🎤 35. AE ⓓ GB JCB AY **m**
fermé 15 avril au 12 mai et 28 nov. au 14 déc. – **Repas** (dîner seul.) 120, enf. 45 – ☕ 50 – **56 ch** 820/1360 – ½ P 680.

Le Prieuré, allée Recteur Payot ✆ 50 53 20 72, Fax 50 55 87 41, ≤, 🌳 – 🛗 cuisinette ⇆ 📺 ☎ 🅿 – 🎤 100. AE ⓓ GB JCB AY **v**
27 avril-30 sept. et 20 déc.-13 avril – **Repas** 110 🍷 – ☕ 40 – **91 ch** 433/764 – ½ P 448/517.

Hermitage et Paccard 🐦, r. Cristalliers ✆ 50 53 13 87, Fax 50 55 98 14, ≤, 🌳 – 🛗 📺 ☎ 🅿. AE ⓓ GB JCB AX **e**
fermé 15 oct. au 15 déc. – **Repas** 130/180, enf. 65 – ☕ 40 – **33 ch** 500/660 – ½ P 430/480.

Le Morgane Ⓜ, 145 av. Aiguille du Midi ✆ 50 53 57 15, Fax 50 53 28 07, ≤, 🏋, 🏊 – 🛗 📺 ☎ ♿ 🚗 🅿. AE ⓓ GB JCB AY **u**
fermé nov. – **Repas** (dîner seul.) 130 - ***Bistrot Savoyard*** *(fermé nov.)* **Repas** 80/130, 🍷 enf. 50 – ☕ 50 – **59 ch** 860/1040 – ½ P 690/750.

La Sapinière 🐦, 102 r. Mummery ✆ 50 53 07 63, Fax 50 53 10 14, ≤, 🏔, 🌳 – 🛗 📺 ☎ 🅿. AE ⓓ GB JCB. 🚫 rest AX **k**
9 juin-23 sept. et 20 déc.-20 avril – **Repas** *(dîner seul. en hiver)* 150/170 – ☕ 45 – **30 ch** 610 – ½ P 460.

Croix Blanche, 87 r. Vallot ✆ 50 53 00 11, Fax 50 53 48 83, ≤, 🏔 – 🛗 📺 ☎ 🅿. AE ⓓ GB JCB AX **v**
fermé 29 avril au 29 juin – **Repas** brasserie carte 140 à 220 🍷, enf. 37 – ☕ 35 – **35 ch** 361/564.

International Ⓜ sans rest, 255 av. M. Croz ✆ 50 53 00 60, Fax 50 53 56 34, 🏋 – 🛗 📺 ☎ 🚗 – 🎤 25. AE ⓓ GB JCB AY **s**
fermé 15 au 30 mai et 15 au 30 nov. – ☕ 38 – **30 ch** 364/528.

Le Chantel sans rest, 391 rte Pècles ✆ 50 53 02 54, Fax 50 53 54 52, ≤, 🌳 – ☎ 🅿. GB. 🚫 AZ **k**
fermé 7 au 26 avril et 24 oct. au 10 nov. – ☕ 30 – **7 ch** 448.

Arve, 60 impasse Anémones ✆ 50 53 02 31, Fax 50 53 56 92, ≤, 🌳 – 🛗 📺 ☎ 🅿. AE ⓓ GB. 🚫 rest AX **a**
hôtel : fermé 3 nov. au 20 déc. ; rest. : fermé 2 mai au 1er juin et 22 sept. au 20 déc. – **Repas** *(dîner seul. du 7 avril au 2 mai, 8 au 22 sept. et 20 déc. au 19 janv.)* 75/110 🍷, enf. 50 – ☕ 37 – **39 ch** 297/454 – ½ P 251/328.

Arveyron, av. du Bouchet : 2 km ✆ 50 53 18 29, Fax 50 53 06 43, ≤, 🏔, 🌳 – 📺 ☎ 🅿. GB. 🚫 rest BZ **k**
1er juin-29 sept. et 20 déc.-mi-avril – **Repas** 75/105, enf. 45 – ☕ 35 – **32 ch** 200/300 – ½ P 213/273.

La Savoyarde 🐦, 28 rte Moussoux ✆ 50 53 00 77, Fax 50 55 86 82, ≤, 🌳 – 📺 ☎ 🚗. GB AZ **s**
fermé 9 au 23 mai et 2 au 19 déc. – **Repas** 88 🍷, enf. 38 – ☕ 46 – **14 ch** 440/580 – ½ P 370/420.

Roma sans rest, 289 r. Ravanel-le-Rouge ✆ 50 53 00 62, Fax 50 53 50 31, ≤, 🌳 – ☎ 🅿. AE ⓓ GB JCB AY **r**
15 juin-15 oct. et 20 déc.-25 mai – **30 ch** ☕ 330/476.

Au Bon Coin sans rest, 80 av. Aiguille-du-Midi ✆ 50 53 15 67, Fax 50 53 51 51, ≤, 🌳 – ☎ 🅿. GB. 🚫 AY **b**
1er juil.-1er oct. et 20 déc.-20 avril – ☕ 35 – **20 ch** 214/344.

XX **Atmosphère,** 123 pl. Balmat ✆ 50 55 97 97, Fax 50 53 38 96 – ▤. AE ⓓ GB JCB
Repas 115/145 🍷. AY **n**

aux Praz-de-Chamonix N : 2,5 km – ✉ **74400** Chamonix.

Voir La Flégère ≤** par téléphérique BZ.

Le Labrador et rest. La Cabane Ⓜ, au golf ✆ 50 55 90 09, Fax 50 53 15 85, ≤, 🍽, – ⏸ 📺 ☎ 🅿 – 🏃 30. AE ⓓ GB JCB BZ **h**
hôtel : fermé 16 oct. au 14 déc. ; rest. : fermé 16 au 30 avril et 2 nov. au 14 déc. – **Repas** 100 (déj.), 159/300 🍷 – ☕ 50 – **32 ch** 480/760 – ½ P 530/580.

Rhododendrons, ✆ 50 53 06 39, Fax 50 53 55 76, ≤, 🍽 – GB. ✂ rest BZ **a**
5 juin-25 sept. et 20 déc.-20 avril – **Repas** 78/110 🍷, enf. 45 – ☕ 35 – **18 ch** 170/330 – ½ P 280/300.

L'Eden Ⓜ avec ch, ✆ 50 53 18 43, Fax 50 53 51 50, ≤, 🍽 – 📺 ☎ 🅿. AE ⓓ GB JCB. ✂ ch BZ **e**
fermé 1er au 15 juin, nov. et mardi hors sais. – **Repas** 130/380 🍷 – ☕ 45 – **10 ch** 320/470 – ½ P 350/370.

au Lavancher par ①, N 506 et rte secondaire : 6 km – Sports d'hiver : voir à Chamonix – ✉ **74400** Chamonix. – **Voir** ≤**.

Jeu de Paume Ⓜ 🐌, ✆ 50 54 03 76, Fax 50 54 10 75, ≤, 🍽, « Joli décor de chalet », 🏊, 🌳, 🎾 – ⏸ 📺 ☎ 🅿 – 🏃 30. AE ⓓ GB JCB. ✂ rest
fermé 15 mai au 15 juin et 30 oct. au 15 déc. – **Repas** *(fermé dim. soir et lundi hors sais.)* 165/195 – ☕ 65 – **22 ch** 790/1290 – ½ P 625/875.

Beausoleil 🐌, ✆ 50 54 00 78, Fax 50 54 17 34, ≤, 🍽, « Jardin fleuri », 🎾 – 📺 ☎ 🚗 🅿. AE GB JCB. ✂ rest
fermé fin sept. au 20 déc. et le midi du 8 au 19 janv. et du 9 avril au 7 juin – **Repas** 90/150 🍷 – ☕ 42 – **15 ch** 460/565 – ½ P 345/400.

aux Bossons S : 3,5 km – ✉ **74400** Chamonix :

Novotel Ⓜ, ✆ 50 53 26 22, Télex 385372, Fax 50 53 31 31, ≤, 🍽, 🏊, 🌳 – ⏸ 🚭 ▤ rest 📺 ☎ 📞 ♿ 🚗 🅿 – 🏃 60. AE ⓓ GB JCB AZ **f**
Repas carte environ 160 🍷, enf. 65 – ☕ 50 – **89 ch** 480/530 – ½ P 400/425.

Aiguille du Midi, ✆ 50 53 00 65, Fax 50 55 93 69, ≤, 🍽, « Parc ombragé et fleuri », 🏊, 🎾 – ⏸ 📺 ☎ 🅿. GB. ✂ rest AZ **n**
12 avril-20 sept., 20 déc.-5 janv. et 8 fév.-10 mars – **Repas** 116/195, enf. 68 – ☕ 52 – **47 ch** 184/468 – ½ P 285/430.

CITROEN Gar. du Glacier, 220 rte des Rives, les Bossons ✆ 50 55 95 55

RENAULT Gar. du Bouchet, pl. du Mont-Blanc ✆ 50 53 01 75

CHAMOUILLE 02860 Aisne 56 ⑤ – 147 h alt. 112.

Paris 136 – ♦Reims 44 – Fère-en-Tardenois 42 – Laon 14 – Soissons 34.

Mercure Ⓜ 🐌, parc nautique de l'Ailette ✆ 23 24 84 85, Fax 23 24 81 20, ≤, 🍽, 🏊 – ⏸ 🚭 📺 ☎ ♿ 🅿 – 🏃 60. AE ⓓ GB JCB
fermé 15 déc. au 15 janv. – **Repas** 110/170, enf. 52 – ☕ 52 – **58 ch** 410/490.

CHAMPAGNAC 15350 Cantal 76 ② – 1 339 h alt. 622.

Paris 485 – Aurillac 74 – ♦Clermont-Ferrand 93 – Mauriac 22 – Ussel 41.

Château de Lavendès 🐌, ✆ 71 69 62 79, Fax 71 69 65 33, 🍽, 🏊, 🌳 – 📺 ☎ 🅿. GB. ✂
fermé 15 déc. au 15 fév., dim. soir et lundi sauf du 15 mai au 15 sept. – **Repas** 170/260, enf. 68 – ☕ 60 – **8 ch** 425/580 – ½ P 425/500.

CHAMPAGNAC-DE-BELAIR 24 Dordogne 75 ⑤ – rattaché à Brantôme.

CHAMPAGNEY 70 H.-Saône 66 ⑦ – rattaché à Ronchamp.

CHAMPAGNOLE 39300 Jura 70 ⑤ G. Jura

9 250 h alt. 541.

Voir Musée archéologique : plaques-boucles* **M**.

ℹ Office de Tourisme Annexe Hôtel-de-Ville ✆ 84 52 43 67, Fax 84 52 54 57.

Paris 424 ④ – ♦Besançon 68 ④ – Dole 60 ④ – ♦Genève 81 ② – Lons-le-Saunier 34 ③ – Pontarlier 41 ① – St-Claude 51 ②.

Le Bois Dormant Ⓜ 🐌, rte Pontarlier par ① : 1,5 km ✆ 84 52 66 66, Fax 84 52 66 67, 🍽, parc, 🎾 – 📺 ☎ ♿ 🅿 – 🏃 50. AE GB
Repas 88/240 🍷 – ☕ 30 – **35 ch** 270/300, 4 duplex – ½ P 240.

La Vouivre 🐌, r. Gédéon David, NO : 2 km ✆ 84 52 10 44, Fax 84 52 04 07, 🍽, « Parc », 🏊, 🎾 – 📺 ☎ 🅿. GB
1er mai-10 oct. – **Repas** *(fermé merc. midi)* 112/174 – ☕ 40 – **20 ch** 368/410 – ½ P 325/350.

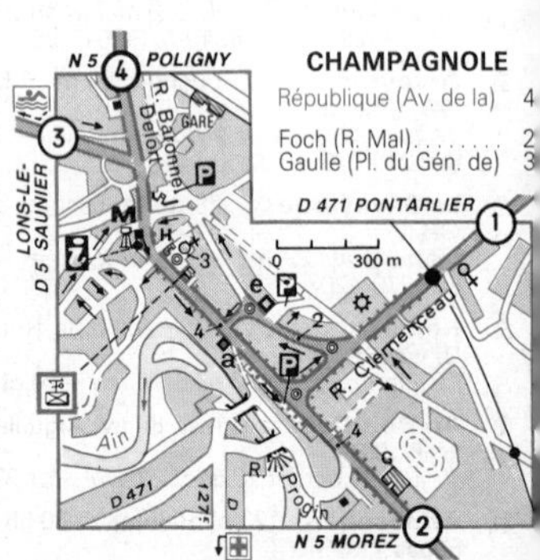

🏨 **Gd H. Ripotot,** 54 r. Mar. Foch **(e)** ✆ 84 52 15 45, Fax 84 52 09 11, 🌳, ✂ – 🛗 ☎ 📞 🚗. AE ⓓ GB
début avril-6 nov. – **Repas** 73/220 ₰, enf. 52 – ☕ 35 – **55 ch** 160/320.

✕ **Taverne de l'Epée,** 2 r. Pont de l'Epée **(a)** ✆ 84 52 03 85, Fax 84 52 44 67 – AE GB
fermé lundi – **Repas** 65/158 ₰, enf. 38.

rte de Genève par ② : 7,5 km – ✉ **39300** Champagnole :

✕✕✕ **Aub. des Gourmets** avec ch, ✆ 84 51 60 60, Fax 84 51 62 83, ≤, 🏠, 🌳 – TV ☎ P. AE ⓓ GB
fermé 3 au 20 juin, 15 nov. au 15 déc., dim. soir et lundi sauf vacances scolaires – **Repas** 88/145 et carte 230 à 400 – ☕ 35 – **7 ch** 280/380 – ½ P 350.

ALFA ROMEO Gar. Cuynet, 10 r. Baronne Delort ✆ 84 52 09 78
PEUGEOT Gar. Ganeval, av. de Lattre-de-Tassigny ✆ 84 52 07 78 N ✆ 84 35 94 06
RENAULT Gar. Poix Daude, 22 r. du Vieux Pont à Pont du Navoy par ③ ✆ 84 51 21 80

RENAULT Comte Autom., av. J.-Jaurès par ② ✆ 84 52 24 24 N ✆ 07 65 54 91

Ⓟ Girardot Pneus, r. Egalité ZI ✆ 84 52 21 52
Pneus Maréchal, 44 r. Liberté ✆ 84 52 07 96

CHAMPAGNY-EN-VANOISE **73350** Savoie **74** ⑱ **G. Alpes du Nord** – 502 h alt. 1240.

Voir Retable★ dans l'église.

Office de Tourisme ✆ 79 55 06 55, Fax 79 55 04 66.

Paris 625 – Albertville 43 – Chambéry 90 – Moûtiers 17.

🏨 **L'Ancolie** M 🐕, ✆ 79 55 05 00, Fax 79 55 04 42, ≤, 🏠, Fø, 🏊 – 🛗 TV ☎ ♿ – 🏔 30. GB. ✂ rest
8 juin-8 sept. et 20 déc.-20 avril – **Repas** 95 (déj.), 115/130, enf. 48 – ☕ 45 – **31 ch** 490/650 – ½ P 450.

🏨 **Les Glières,** ✆ 79 55 05 52, Fax 79 55 04 84, ≤, 🏠 – ☎ P. AE GB
22 juin-4 sept. et 15 déc.-15 avril – **Repas** 100/150 ₰, enf. 43 – ☕ 35 – **20 ch** 418 – ½ P 367/396.

CHAMPDIEU **42** Loire **73** ⑰ – rattaché à Montbrison.

CHAMPEAUX **50530** Manche **59** ⑦ – 330 h alt. 80.

Paris 349 – St-Lô 61 – St-Malo 81 – Avranches 17 – Granville 15.

✕✕ **Marquis de Tombelaine et H. les Hermelles** avec ch, sur D 911 ✆ 33 61 85 94, Fax 33 61 21 52, ≤, 🌳 – TV ☎ P. GB
fermé 1er au 8 oct., janv., mardi soir et merc. sauf juil.-août – **Repas** 99/350 ₰, enf. 50 – ☕ 28 – **6 ch** 280 – ½ P 270.

CHAMPEIX **63320** P.-de-D. **73** ⑭ **G. Auvergne** – 1 087 h alt. 456.

Paris 448 – ♦Clermont-Ferrand 30 – Condat 49 – Issoire 12 – Le Mont-Dore 36 – Thiers 65.

✕ **Promenade,** ✆ 73 96 70 24 – AE GB
fermé mardi soir, jeudi soir et merc. sauf juil.-août – **Repas** 78/95, enf. 45.

PEUGEOT Gar. Thiers, ✆ 73 96 73 18

CHAMPENOUX **54280** M.-et-M. **62** ⑤ – 1 041 h alt. 234.

Paris 322 – ♦Nancy 14 – Château-Salins 15 – Pont-à-Mousson 41 – St-Avold 56.

🏨 **La Lorette,** ✆ 83 31 63 43, Fax 83 31 71 04 – TV ☎ 📞 ♿ P. AE ⓓ GB
Repas *(fermé dim. soir et lundi)* 85/185 ₰, enf. 50 – ☕ 30 – **10 ch** 215/245 – ½ P 195.

CHAMPIGNY **89370** Yonne **61** ⑬ – 1 782 h alt. 72.

Paris 100 – Fontainebleau 35 – Auxerre 80 – Montereau-Fault-Yonne 16 – Nemours 37 – Sens 19.

au Petit-Chaumont O : 2,5 km sur N 6 – ✉ **89340** Chaumont :

✕✕ **Aub. Vieille France,** ✆ 86 96 62 08, 🏠, 🌳 – P. AE GB
fermé 19 au 27 août, 22 janv. au 3 fév., dim. soir, mardi soir et merc. – **Repas** 100/200.

CHAMPIGNY **91** Essonne **60** ⑩ – rattaché à Étampes.

CHAMPILLON **51** Marne **56** ⑯ – rattaché à Épernay.

CHAMPS-SUR-MARNE **77** S.-et-M. **56** ⑫, **101** ⑲ – voir à Paris, Environs (Marne-la-Vallée).

Ne confondez pas :

Confort des hôtels : 🏨🏨🏨 ... 🏨, ⛱
Confort des restaurants : ✕✕✕✕✕ .... ✕
Qualité de la table : ✿✿✿, ✿✿, ✿

CHAMPS-SUR-TARENTAINE 15270 Cantal 76 ② – 1 088 h alt. 450.

Env. Gorges de la Rhue★★ SE : 9 km, **G. Auvergne.**

Paris 507 – Aurillac 89 – ◆Clermont-Ferrand 80 – Condat 24 – Mauriac 37 – Ussel 36.

Aub. du Vieux Chêne 🐦, ✆ 71 78 71 64, Fax 71 78 70 88, – ☎ P. GB
Pâques-1er nov. et fermé dim. soir et lundi sauf juil.-août – **Repas** 85/250, enf. 50 – ☕ 46 – **15 ch** 310/430 – ½ P 295/355.

CHAMPS-SUR-YONNE 89 Yonne 65 ⑤ – rattaché à Auxerre.

CHAMPTOCEAUX 49270 M.-et-L. 63 ⑱ **G. Châteaux de la Loire** – 1 524 h alt. 68 – ✪ (Loire-Atlantique).

Voir Site★ – Promenade de Champalud ≤★★.

Office de Tourisme ✆ 40 83 57 49 et à la Mairie (hors saison) ✆ 40 83 52 31.

Paris 359 – ◆Nantes 32 – Ancenis 11,5 – ◆Angers 64 – Beaupréau 31 – Cholet 50 – Clisson 35.

Chez Claudie, rte Oudon : 1 km ✆ 40 83 50 43, Fax 40 83 59 72 – TV ☎ P. GB
fermé 15 janv. au 8 fév. – **Repas** *(fermé mardi soir et merc.)* 80/210 – ☕ 35 – **11 ch** 190/250 – ½ P 190/310.

XXX ✿ **Les Jardins de la Forge** (Pauvert), pl. Piliers ✆ 40 83 56 23, Fax 40 83 59 80 – AE ⓞ GB
fermé 8 au 23 oct., 24 janv. au 7 fév., dim. soir, lundi soir, mardi et merc. – **Repas** 158/395 et carte 290 à 420
Spéc. Poêlée de Saint-Jacques aux cèpes (oct. à avril). Sole braisée à la mimosa d'huîtres (oct. à avril). Croustillants de ris de veau aux amandes. **Vins** Muscadet, Anjou Villages.

CHAMROUSSE 38 Isère 77 ⑤ **G. Alpes du Nord** – 544 h alt. 1650 – Sports d'hiver : 1 400/2 250 m ⛡ 25 ⛷ – ✉ 38410 Uriage.

Env. E : Croix de Chamrousse ✳★★★ par téléphérique.

Office de Tourisme Le Recoin ✆ 76 89 92 65, Fax 76 89 98 06.

Paris 608 – ◆Grenoble 30 – Allevard 64 – Chambéry 80 – Uriage-les-Bains 19 – Vizille 28.

Hermitage, le Recoin ✆ 76 89 93 21, Fax 76 89 95 30, ≤ – TV ☎ 🚗. GB
juil.-août et 1er déc.-15 avril – **Repas** 135 – ☕ 50 – **48 ch** 340/600 – ½ P 305/450.

X **L'Écureuil,** ✆ 76 89 90 13, 🏖 – GB
fermé 1er mai au 1er juil. – **Repas** 78/130 ♨.

En juin et en septembre,
les hôtels sont moins chers qu'en pleine saison, le service est plus soigné.

CHANAS 38150 Isère 76 ⑩ 77 ① – 1 727 h alt. 150.

Paris 516 – ◆Grenoble 84 – ◆Lyon 56 – ◆St-Étienne 73 – Valence 47.

Halte OK M, à l'échangeur A 7 ✆ 74 84 27 50, Fax 74 84 36 61, , ✂ – 🛗 ▤ TV ☎ ♿ P – 🏛 25 à 100. GB
Repas *(fermé le midi du 7 au 20 août, dim. sauf le soir du 1er mai au 30 oct. et sam. midi)* 81/189 ♨, enf. 45 – ☕ 38 – **41 ch** 255/300 – ½ P 250.

Dorcier Ayme Pneus, ✆ 74 84 28 73

CHANCELADE 24 Dordogne 75 ⑤ – rattaché à Périgueux.

CHANGÉ 53 Mayenne 63 ⑩ – rattaché à Laval.

CHANTELLE 03140 Allier 73 ④ **G. Auvergne** – 1 043 h alt. 324.

Office de Tourisme pl. Oscambre ✆ 70 56 62 37.

Paris 373 – Moulins 44 – Aubusson 105 – Gannat 17 – Montluçon 56 – St-Pourçain-sur-Sioule 13.

Poste, ✆ 70 56 62 12, 🏖 – ☎ P. AE GB
fermé 23 sept. au 15 oct., vacances d'hiver et merc. hors sais. – **Repas** 65/150 ♨ – ☕ 27 – **12 ch** 140/230 – ½ P 170/190.

RENAULT Gar. Touzain, ✆ 70 56 61 55

CHANTEMERLE 05 H.-Alpes 77 ⑱ – rattaché à Serre-Chevalier.

CHANTEPIE 35 I.-et-V. 59 ⑰ – rattaché à Rennes.

CHANTILLY 60500 Oise 56 ⑪ 106 ⑧ **G. Ile de France** – 11 341 h alt. 59.

Voir Château★★★ B : musée★★, parc★★, jardin anglais★ – Grandes Écuries★★ B : musée vivant du Cheval★.

Env. Site★ du château de la Reine-Blanche S : 5,5 km.

18 ✆ 44 57 04 43, N : 1,5 km par D 44 B ; 18 18 du Lys (privé) ✆ 44 21 26 00, à Lys-Chantilly par ③ ; 18 Club International ✆ 44 57 00 93, 5 km par ①.

Office de Tourisme 23 av. Mar.-Joffre ✆ 44 57 08 58, Fax 44 57 74 64.

Paris 50 ② – Compiègne 44 ① – Beauvais 43 ⑤ – Clermont 23 ⑤ – Meaux 50 ② – Pontoise 41 ④.

CHANTILLY

nnétable (R. du) .... AB
ffre (Av. du Mar.) .... A
ris (R. de) .... A 16
llon (Pl. Omer) .... A 21
Berteux (Av. de) .... A 2
Canardière (Quai de la) .... A 3
Cascades (R. des) .... A 4
Chantilly (R. de) .... B 5
Condé (Av. de) .... B 6
Embarcadère (R. de l') .... A 8
Faisanderie (R. de la) .... B 9
Leclerc (Av. du Gén.) .... A 12
Libération (Bd de la) .... A 13
Orgemont (R. d') .... A 15
Victor-Hugo (R.) .... A 22

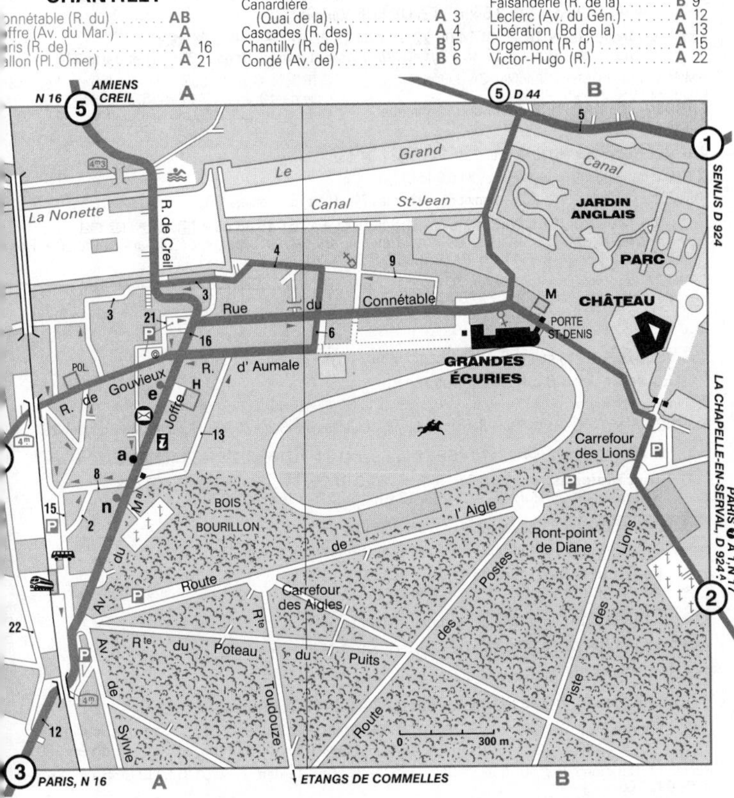

Parc sans rest, 36 av. Mar. Joffre ✆ 44 58 20 00, Fax 44 57 31 10 – 30 à 80. AE GB — A a
45 – **58 ch** 380/420.

Campanile, rte Creil par ⑤ ✆ 44 57 39 24, Fax 44 58 10 05 – 25. AE GB
Repas 84 bc/107 bc, enf. 39 – 32 – **47 ch** 270.

Relais Condé, 42 av. Mar. Joffre ✆ 44 57 05 75 – AE GB — A n
fermé mardi – **Repas** 158, enf. 87.

Tipperary, 6 av. Mar. Joffre ✆ 44 57 00 48, Fax 44 58 15 38 – AE GB — A e
fermé 16 au 30 août, 6 au 20 janv., dim. soir et lundi – **Repas** 95 (déj.)/160.

rte d'Apremont par ① et D 606 : 2,5 km – ✉ **60500** Vineuil-St-Firmin :

Golf H. Blue Green M, ✆ 44 58 47 77, Fax 44 58 50 11, ←, parc, « Golf en lisière de forêt », – 25 à 150. AE GB
Carmontelle *(fermé 29 juil. au 21 août)* **Repas** 195/355, enf. 50 – ***Par en Par*** *(déj. seul. sauf du 29 juil. au 21 août)* **Repas** 80/130, enf. 75 – 75 – **115 ch** 710/820 – ½ P 650/680.

à Montgrésin par ② : 5 km – ✉ **60560** Orry-la-Ville :

Relais d'Aumale, ✆ 44 54 61 31, Fax 44 54 69 15, – 50. AE GB
Repas *(fermé 22 au 30 déc.)* 190 (déj.), 210/230 – 48 – **22 ch** 520/640 – ½ P 520/540.

Forêt, ✆ 44 60 61 26, Fax 44 54 95 32, – AE GB
fermé lundi soir et mardi – **Repas** 112/171, enf. 87.

à Gouvieux par ④ : 3,5 km – 9 756 h. alt. 26 – ✉ **60270** :

Château de la Tour, ✆ 44 57 07 39, Télex 155014, Fax 44 57 31 97, ←, « Parc boisé », – 150. AE GB
Repas 195/290, enf. 85 – 65 – **41 ch** 580/890 – ½ P 505.

rte de Creil par ⑤ : 3,5 km – ✉ **60740** St-Maximin :

XXX **Le Verbois,** N 16 ✆ 44 24 06 22, Fax 44 28 06 97, ☂, ⛱ – P. GB
fermé 19 au 26 août, 15 au 22 janv., dim. soir et lundi – **Repas** 175/190 et carte 310 à 400.

BMW Gar. Saint-Merri Chantilly, ZA du Coq Chantant N 16 ✆ 44 57 49 45
CITROEN SOFIDAC., N 16 ZA du Coq Chantant à Gouvieux par ④ ✆ 44 57 02 98
CITROEN Gar. Desbois, 39 r. du Havre à Précy-sur-Oise par ④ ✆ 44 27 71 28 N ✆ 44 27 71 28
OPEL Gar. Sadell, 33 av. Mar.-Joffre ✆ 44 57 05 0

CHANTONNAY **85110** Vendée **67** ⑮ – 7 458 h alt. 58.

Office de Tourisme pl. Liberté ✆ 51 94 46 51.

Paris 402 – La Roche-sur-Yon 33 – Cholet 51 – ◆Nantes 74 – Niort 75 – Poitiers 118.

Le Mouton, 31 r. Nationale ✆ 51 94 30 22, Fax 51 46 88 65 – TV ☎ P. AE GB
fermé 1er au 15 janv., dim. de nov. à avril, lundi de mai à oct. sauf juil.-août et fêtes – **Repa** 63/187 ⅌ – ☕ 36 – **11 ch** 180/360 – ½ P 290/320.

CITROEN Auto Sce-Chantonnaysien, 55 av. Mar.-de-Lattre-de-Tassigny ✆ 51 94 80 83
PEUGEOT Gar. Réau, 42 av. Batiot ✆ 51 94 30 23 N ✆ 51 94 30 23
RENAULT Gar. Paquiet, r. Mar.-de-Lattre-de-Tassigny ✆ 51 94 31 03

CHAOURCE **10210** Aube **61** ⑰ **G. Champagne** – 1 031 h alt. 150.

Voir Église St-Jean-Baptiste : sépulcre★★.

Syndicat d'Initiative r. de l'Etape au Vin ✆ 25 40 10 67, Fax 25 40 00 22.

Paris 197 – Auxerre 67 – Troyes 30 – Bar-sur-Aube 59 – Châtillon-sur-Seine 46 – St-Florentin 36 – Tonnerre 29.

à Maisons-lès-Chaource SE : 6 km par D 34 – 171 h. alt. 235 – ✉ **10210** :

Aux Maisons, ✆ 25 70 07 19, Fax 25 70 07 75, ☂, ⛵ – TV ☎ P. AE GB
Repas 95/220 ⅌, enf. 45 – ☕ 28 – **13 ch** 150/230 – ½ P 200/280.

La CHAPELAUDE **03380** Allier **69** ⑪ – 982 h alt. 230.

Paris 324 – La Châtre 52 – Montluçon 12 – Moulins 88 – St-Amand-Montrond 44.

X **Le Grain d'Sel,** ✆ 70 06 47 78 – ▤. GB
fermé 2 au 18 sept. et merc. – **Repas** 75/220.

La CHAPELLE **19** Corrèze **73** ⑪ – rattaché à Meymac.

La CHAPELLE-BASSE-MER **44450** Loire-Atl. **63** ⑱ **67** ④ – 4 012 h alt. 56.

Paris 368 – ◆Nantes 21 – Ancenis 21 – Clisson 24.

à la Pierre Percée NO : 4 km par D 53 – ✉ **44450** La Chapelle-Basse-Mer :

XX **Pierre Percée** avec ch, D 751 ✆ 40 06 33 09, Fax 40 33 32 29, ≤ – AE GB. ✂ ch
fermé 1er au 21 janv., dim. soir et lundi – **Repas** 138/310, enf. 68 – ☕ 22 – **5 ch** 95/180.

RENAULT Gar. Central, ✆ 40 06 33 79 N ✆ 07 09 20 06
Gar. Terrien, ✆ 40 06 31 52 N ✆ 40 06 31 52

La CHAPELLE-CARO **56460** Morbihan **63** ④ – 1 143 h alt. 73.

Paris 418 – Vannes 40 – Dinan 82 – Lorient 90 – ◆Rennes 72 – St-Brieuc 88.

X **Le Petit Kériquel** avec ch, ✆ 97 74 82 44, Fax 97 74 82 44 – TV ☎. GB
fermé 1er au 20 oct., vacances de fév., dim. soir et lundi – **Repas** 60/170 ⅌, enf. 45 – ☕ 28 – **7 ch** 130/225 – ½ P 152/190.

La CHAPELLE-D'ABONDANCE **74360** H.-Savoie **70** ⑱ **G. Alpes du Nord** – 727 h alt. 1020 – Sports d'hiver : 1 000/1 800 m ⛷1 ⛷11 ⛷.

Office de Tourisme ✆ 50 73 51 41, Fax 50 73 56 04.

Paris 603 – Thonon-les-Bains 33 – Annecy 108 – Châtel 5,5 – Évian-les-Bains 34 – Morzine 31.

Cornettes M, ✆ 50 73 50 24, Fax 50 73 54 16, ☂, 🏋, 🏊, ⛱ – ⇅ ▤ rest TV ☎ 🚗 P – 🏛 40. GB JCB
fermé 20 oct. au 20 déc. – **Repas** 105/320 ⅌, enf. 75 – ☕ 50 – **43 ch** 300/420 – ½ P 420/430

L'Ensoleillé, ✆ 50 73 50 42, Fax 50 73 52 96, ⛱ – ⇅ TV ☎ P. GB
1er juin-20 sept. et Noël-Pâques – **Repas** 95/280 ⅌ – ☕ 38 – **34 ch** 300 – ½ P 360.

Le Chabi, ✆ 50 73 50 14, Fax 50 73 55 84, ≤, ☂, 🏋, 🏊 – TV ☎ P. AE GB
fermé 15 au 30 avril et 26 nov. au 20 déc. – **Repas** 98/170, enf. 50 – ☕ 40 – **21 ch** 260/360 – ½ P 350.

Alpage M, ✆ 50 73 50 25, Fax 50 73 52 43, 🏋, ⛱ – ⇅ TV ☎ P – 🏛 40. GB. ✂ rest
fermé 25 mars au 15 avril et 24 sept. au 22 oct. – **Repas** 90/210 – ☕ 38 – **32 ch** 250/380 – ½ P 320/340.

Vieux Moulin ⛰, rte Chevenne ✆ 50 73 52 52, Fax 50 73 55 62, ☂ – TV ☎ P. GB ✂ rest
15 mai-15 oct. et 20 déc.-15 avril – **Repas** 95/180, enf. 55 – ☕ 40 – **16 ch** 200/270 – ½ P 300

Le Rucher ⛰, à la Panthiaz E : 1,5 km ✆ 50 73 50 23, Fax 50 73 54 67, ≤, ⛱ – cuisinette ☎ P. GB. ✂ rest
15 juin-15 sept. et 20 déc.-30 avril – **Repas** 80/140 – ☕ 38 – **22 ch** 290/340 – ½ P 320/330.

CHAPELLE-DES-BOIS 25240 Doubs 70 ⑯ **G. Jura** – 202 h alt. 1087 – Sports d'hiver :1 050/1 300 m.

9 des Mélèzes ✆ 81 69 21 82.

Paris 465 – Genève 63 – Lons-le-Saunier 67 – Pontarlier 47.

Les Mélèzes, ✆ 81 69 21 82, Fax 81 69 12 75, ≤, – ☎. GB
fermé 25 mars au 10 mai, 10 nov. au 15 déc., lundi, mardi et merc. hors sais. – **Repas** 75/175, enf. 45 – 38 – **10 ch** 220/280 – ½ P 250/350.

La CHAPELLE-DU-GENÊT 49 M.-et-L. 67 ⑤ – rattaché à Beaupréau.

La CHAPELLE-EN-SERVAL 60520 Oise 56 ⑪ – 2 185 h alt. 104.

Paris 40 – Compiègne 42 – Beauvais 54 – Chantilly 10 – Meaux 38 – Senlis 9,5.

Mont-Royal M, E : 2 km par D 118 ✆ 44 54 50 50, Télex 155696, Fax 44 54 50 21, ≤, , parc, , , – ☎ P – 200. AE GB JCB
Repas 190/250 – 90 – **100 ch** 990/1100.

La CHAPELLE-EN-VALGAUDEMAR 05800 H.-Alpes 77 ⑯ **G. Alpes du Nord** – 135 h alt. 1083.

Voir Les Portes ≤★ sur le pic d'Olan – Les « Oulles du Diable » (marmites de géant) ★ – Cascade du Casset★ NE : 3,5 km.

Env. Chalet-hôtel du Gioberney : cirque★★, cascade "voile de la mariée"★ E : 9 km.

Office de Tourisme ✆ 92 55 23 21.

Paris 662 – Gap 47 – ♦Grenoble 91 – La Mure 53.

Mont-Olan, ✆ 92 55 23 03, ≤, – ☎ P. GB
vacances de printemps-15 sept. – **Repas** 70/120 – 25 – **32 ch** 125/260 – ½ P 195/235.

La CHAPELLE-EN-VERCORS 26420 Drôme 77 ⑭ **G. Alpes du Nord** – 628 h alt. 945 – Sports d'hiver au Col de Rousset : 1 255/1 700 m 9.

Office de Tourisme à la Mairie ✆ 75 48 22 54.

Paris 607 – ♦Grenoble 62 – Valence 61 – Die 40 – Romans-sur-Isère 45 – St-Marcellin 32.

Bellier, ✆ 75 48 20 03, Fax 75 48 25 31, , , – ☎ P. AE GB
fermé mardi soir et merc. de nov. à avril sauf vacances scolaires – **Repas** 90/213, enf. 69 – 40 – **13 ch** 380/450 – ½ P 370/380.

Sports, ✆ 75 48 20 39, Fax 75 48 10 52 – ☎. GB
fermé déc. à mi-janv. et dim. soir sauf vacances scolaires et fériés – **Repas** 85/140, enf. 40 – 27 – **14 ch** 140/245 – ½ P 177/230.

CITROEN Gar. Duclot, ✆ 75 48 21 26 N ✆ 75 48 21 26

La CHAPELLE-ST-MESMIN 45 Loiret 64 ⑨ – rattaché à Orléans.

CHARAVINES 38850 Isère 74 ⑭ **G. Vallée du Rhône** – 1 251 h alt. 500.

Voir Lac de Paladru★ N : 1 km.

Office de Tourisme ✆ 76 06 60 31.

Paris 541 – ♦Grenoble 38 – Belley 49 – Chambéry 54 – La Tour-du-Pin 20 – Voiron 12.

Poste, ✆ 76 06 60 41, Fax 76 55 62 42, – ☎. AE GB
fermé 15 janv. au 1er fév., dim. soir et lundi sauf juil.-août – **Repas** 98/260, enf. 60 – 35 – **15 ch** 220/290 – ½ P 240.

RENAULT Gar. Chaboud, ✆ 76 06 60 08 N ✆ 76 55 61 60

CHARBONNIÈRES-LES-BAINS 69 Rhône 74 ⑪ – rattaché à Lyon.

CHARENTON-LE-PONT 94 Val-de-Marne 61 ①, 101 ㉗ – voir à Paris, Environs.

CHARETTE 71 S.-et-L. 70 ② – rattaché à Pierre-de-Bresse.

CHARGÉ 37 I.-et-L. 64 ⑯ – rattaché à Amboise.

La CHARITÉ-SUR-LOIRE 58400 Nièvre 65 ⑬ **G. Bourgogne** – 5 686 h alt. 170.

Voir Église N.-Dame★★ : ≤★★ sur le chevet.

Office de Tourisme pl. Ste-Croix (saison) ✆ 86 70 15 06 et à l'Hôtel de Ville ✆ 86 70 16 12.

Paris 214 ① – Bourges 52 ④ – Autun 119 ③ – Auxerre 91 ② – Montargis 100 ① – Nevers 24 ③.

Terminus, 23 av. Gambetta **(s)** ✆ 86 70 09 61 – TV ☎ P. GB. *fermé 17 au 24 juin, 23 déc. au 23 janv. et lundi* – **Repas** 70/180 – ☕ 29 – **10 ch** 155/255.

Gd Monarque avec ch, 33 quai Clemenceau **(e)** ✆ 86 70 21 73, Fax 86 69 62 32, ≤, – TV ☎ . AE ⓓ GB *fermé vacances de fév., vend. soir et dim. soir du 10 nov. au 31 mars sauf fériés* – **Repas** 108/268, enf. 70 – ☕ 38 – **9 ch** 235/365 – ½ P 340/375.

par ① rte de Paris : 5 km – ✉ **58400** La Charité-sur-Loire :

Motel les Broussailles sans rest, ✆ 86 70 10 80, Fax 86 69 69 73 – TV ☎ P. GB JCB ☕ 35 – **12 ch** 195/250.

PEUGEOT Gar. St-Lazare, 53 av. Gambetta par ② ✆ 86 70 05 07
RENAULT Gar. de Figueiredo, 26 av. Gambetta par ② ✆ 86 70 04 78
Pasquette, 21 r. Gén.-Auger ✆ 86 70 15 93

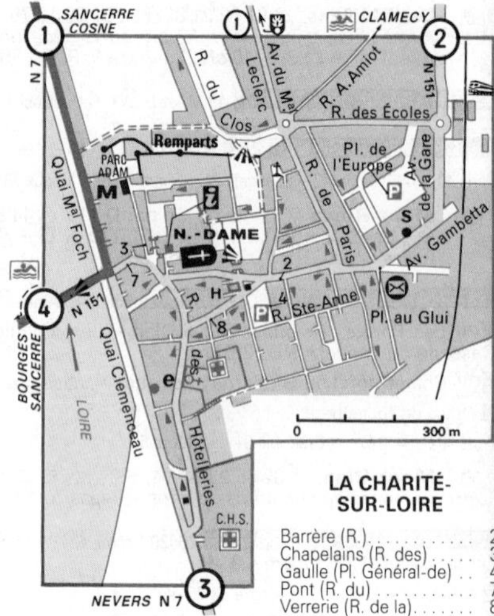

LA CHARITÉ-SUR-LOIRE

Barrère (R.) . . . .
Chapelains (R. des) . . . . .
Gaulle (Pl. Général-de) . .
Pont (R. du) . . . .
Verrerie (R. de la) . . . . . .

CHARLEVAL 13350 B.-du-R. 84 ② 114 ① – 1 877 h alt. 136.

Paris 724 – Aix-en-Provence 29 – Cavaillon 26 – Manosque 64 – ♦Marseille 59 – Salon-de-Provence 21.

Le Cherche-Midi, (derrière l'église) ✆ 42 28 52 50 – GB *fermé vacances de Toussaint, de fév., dim. soir du 15 sept. à Pâques et lundi* – **Repas** 58 (déj.), 89/135, enf. 45.

CITROEN Gar. Esteban, D561 ✆ 42 28 40 10

CHARLEVILLE-MÉZIÈRES P 08000 Ardennes 53 ⑱ **G. Champagne** – 57 008 h alt. 145.

Voir Place Ducale★★ à Charleville ABX – Musée de l'Ardenne★ BX M^1 – Basilique N.-D. d'Espérance : vitraux★ AZ.

l'Abbaye de Sept Fontaines à Fagnon ✆ 24 37 77 27 par ⑥ : 10 km.

Office de Tourisme 4 pl. Ducale ✆ 24 32 44 80, Fax 24 32 40 59 – Automobile Club Ardennais 64 av. Fores ✆ 24 33 35 89.

Paris 235 ⑦ – Charleroi 89 ⑦ – Liège 170 ① – Luxembourg 128 ⑥ – ♦Metz 173 ⑥ – Namur 109 ⑦ – ♦Nancy 221 ⑥ – ♦Reims 86 ⑥ – St-Quentin 118 ⑦ – Sedan 24 ⑥.

Plan page ci-contre

Paris sans rest, 24 av. G. Corneau ✆ 24 33 34 38, Fax 24 59 11 21 – TV ☎. AE GB. *fermé Noël au Jour de l'An et dim. soir en hiver* – ☕ 33 – **28 ch** 190/395. BY

Relais du Square sans rest, 3 pl. Gare ✆ 24 33 38 76, Fax 24 33 56 66 – TV ☎. AE GB ☕ 32 – **49 ch** 230/290. BY

Campanile, par ⑤ : 4 km sur N 51 ✆ 24 37 54 55, Fax 24 37 76 40, – TV ☎ P – 25. AE ⓓ GB **Repas** 84 bc/107 bc, enf. 39 – ☕ 32 – **47 ch** 270.

Mont Olympe, r. Pâquis ✆ 24 33 43 20, Fax 24 59 93 38, – AE ⓓ GB *fermé oct., dim. soir et lundi sauf fêtes* – **Repas** 110/240, enf. 60. BX

La Cigogne, 40 r. Dubois-Crancé ✆ 24 33 25 39 – GB *fermé 1er au 10 août, dim. soir et lundi* – **Repas** 88/138, enf. 50. AY

Côte à l'Os, 11 cours A. Briand ✆ 24 59 20 16, Fax 24 59 48 30, – AE GB **Repas** 85/195 . AY

par ② : 4 km sur D 1 rte Nouzonville – ✉ **08090** Montcy-Notre-Dame :

Aub. de la Forest, ✆ 24 33 37 55 – P. GB. *fermé dim. soir et lundi soir* – **Repas** 70/170.

à Fagnon par ⑥, D 139 et D 39 : 8 km – 334 h. alt. 171 – ✉ **08090** :

Abbaye de Sept Fontaines , ✆ 24 37 38 24, Fax 24 37 58 75, ≤, , « Ancienne demeure dans un parc, golf » – TV ☎ P – 25. AE ⓓ GB *fermé 23 au 29 déc.* – **Repas** 140/155 – ☕ 48 – **23 ch** 450/750 – ½ P 410/450.

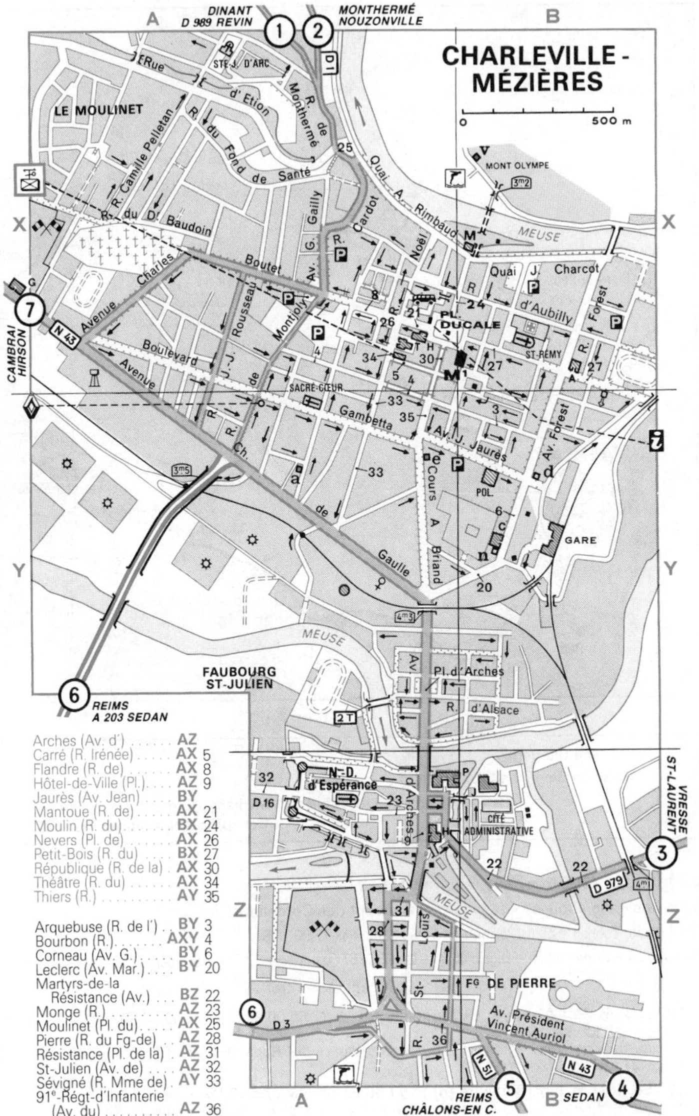

Arches (Av. d') .... AZ
Carré (R. Irénée) ..... AX 5
Flandre (R. de) .... AX 8
Hôtel-de-Ville (Pl.).... AZ 9
Jaurès (Av. Jean) ..... BY
Mantoue (R. de) ...... AX 21
Moulin (R. du) .... BX 24
Nevers (Pl. de) .... AX 26
Petit-Bois (R. du) .... BX 27
République (R. de la) . AX 30
Théâtre (R. du) .... AX 34
Thiers (R.) .... AY 35

Arquebuse (R. de l') .. BY 3
Bourbon (R.) .... AXY 4
Corneau (Av. G.) ..... BY 6
Leclerc (Av. Mar.) .... BY 20
Martyrs-de-la Résistance (Av.) ... BZ 22
Monge (R.) .... AZ 23
Moulinet (Pl. du) ..... AX 25
Pierre (R. du Fg-de) .. AZ 28
Résistance (Pl. de la) . AZ 31
St-Julien (Av. de) .... AZ 32
Sévigné (R. Mme de) . AY 33
91e-Régt-d'Infanterie (Av. du) .... AZ 36

ALFA ROMEO, FIAT Gar. Tamburrino, Ctre Cial la Croisette ☏ 24 56 00 44
CITROEN Succursale, Ctre Cial La Croisette, r. P.-Richier par ⑦ ☏ 24 56 86 40 **N** ☏ 24 33 63 60
FORD Gar. Cailloux, Ctre Cial la Croisette ☏ 24 57 01 01
MERCEDES Gar. Covema, r. C.-Didier ZI de Mohon ☏ 24 37 84 84
NISSAN Europe Autom., N 64 Ctre Cial à Villers Semeuse ☏ 24 37 52 52
PEUGEOT S.I.G.A., rte de Warnecourt à Prix-lès-Mézières par D 3 AZ ☏ 24 37 37 45 **N** ☏ 24 32 70 72

RENAULT Gar. Amerand, 63 bd Gambetta ☏ 24 33 37 59 **N** ☏ 24 33 63 60
RENAULT Ardennes Autos, 2 r. Camille Didier par ④ ☏ 24 59 65 65 **N** ☏ 24 56 90 10
VAG Gar. Petit, 60 bd Pierquin rte d'Hirson à Warcq ☏ 24 56 40 07
Station Bellevue du Nord, 60 bd L.-Pierquin à Warcq ☏ 24 56 38 00

Euromaster, 13 r. M.-Sembat ☏ 24 57 02 44
Legros Point S, 87-89 r. Bourbon ☏ 24 59 65 65
New-Gom Vulcopneu, rte de Paris ☏ 24 37 23 45

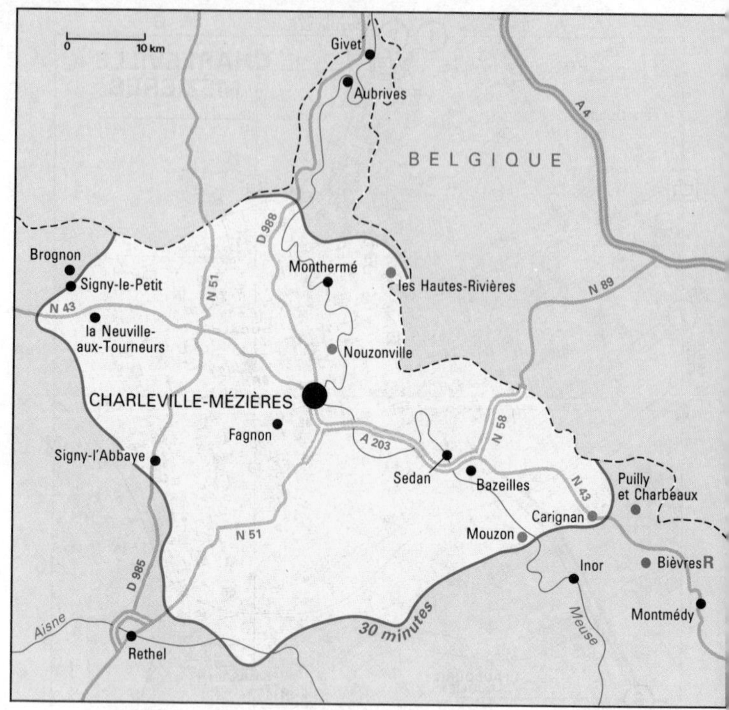

Zelten Sie gern?
Haben Sie einen Wohnwagen?
Dann benutzen Sie den Michelin-Führer
Camping Caravaning France.

CHARLIEU **42190** Loire 73 ⑧ **G. Bourgogne** – 3 727 h alt. 265.

Voir Ancienne abbaye★ : façade★★ – Couvent des Cordeliers★.

Office de Tourisme pl. St-Philibert ✆ 77 60 12 42, Fax 77 60 16 91.

Paris 403 ④ – Roanne 20 ④ – Digoin 46 ④ – Lapalisse 57 ④ – Mâcon 77 ② – ◆St-Étienne 102 ④.

Plan page ci-contre

Relais de l'Abbaye, La Montalay **(a)** ✆ 77 60 00 88, Fax 77 60 14 60, – TV ☎ P – 50. AE GB
fermé janv., dim. soir sauf juil.-août et lundi midi – **Repas** 68 (déj.), 92/188 ♁, enf. 52 – ☕ 34 – **27 ch** 222/282 – ½ P 264.

Le Sornin, 6 pl. Bouverie **(n)** ✆ 77 60 03 74, Fax 77 60 32 51 – ▤. AE GB
fermé 19 août au 3 sept., vacances de fév., dim. soir et lundi – **Repas** 78/260 ♁.

rte de Pouilly par ④ et rte secondaire : 2,5 km :

Aub. du Moulin de Rongefer, ✉ 42190 St-Nizier-sous-Charlieu ✆ 77 60 01 57, – P. GB
fermé en août, vacances de fév., dim. soir, mardi soir et merc. – **Repas** 80 (déj.), 100/320.

Château de Tigny, ✉ 42720 Pouilly-sous-Charlieu ✆ 77 60 09 55, Fax 77 69 03 93, – P. AE GB
fermé 17 au 24 sept., 25 déc. au 15 janv., lundi soir et mardi – **Repas** 69 (déj.), 105/190 ♁, enf. 60.

CITROEN Gar. Botton-Villard, ✆ 77 69 04 44
PEUGEOT Autom.- du Sornin, par ④ ✆ 77 69 07 07
RENAULT Gar. Saunier, ✆ 77 60 07 55

CHARLIEU

\bbaye (Pl. de l') 2
:hanteloup (R.) 4
:coles (R. des) 5
arinet (R. A.) 7
iaulle (R. Ch.-de) 9
irenette (R.) 10
acquard (Bd) 12
Aerle (R. du) 13
Aichon (R.) 15
Aorel (R. J.) 16
Aoulins (R. des) 17
République (Bd de la) 18
:ouillier (R. C.) 19
it-Philibert (Pl.) 20
'alorge (Bd L.) 22

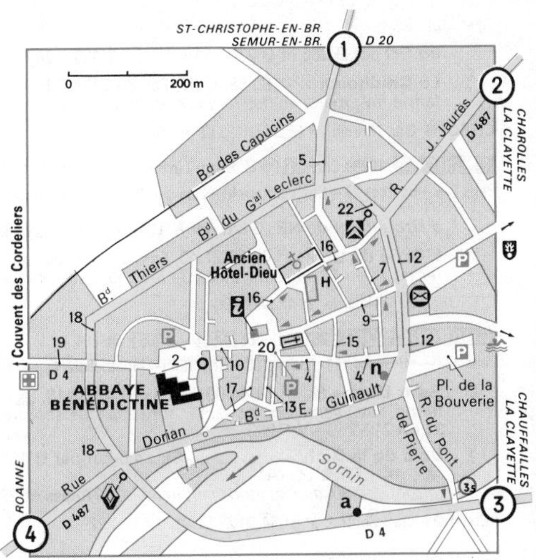

Entrez à l'hôtel
ou au restaurant
le Guide à la main
vous montrerez ainsi
qu'il vous conduit là
en confiance.

La carta stradale Michelin è costantemente aggiornata.

CHARMES 88130 Vosges 62 ⑤ **G. Alsace Lorraine** – 4 721 h alt. 282.

Paris 390 – Épinal 29 – ♦Nancy 42 – Lunéville 35 – Neufchâteau 55 – St-Dié 59 – Toul 62 – Vittel 39.

XX **Vaudois** avec ch, r. Capucins ☎ 29 38 02 40, Fax 29 38 01 58, – TV ☎. AE GB
fermé 26 août au 8 sept., dim. soir et lundi – **Repas** 102/350, enf. 65 – ☐ 38 – **7 ch** 190/275 – ½ P 205/240.

XX **Dancourt** avec ch, 6 pl. H. Breton ☎ 29 38 80 80, Fax 29 38 09 15 – TV ☎. AE GB
fermé 22 déc. au 14 janv., sam. midi et vend. – **Repas** 85/300 ♁, enf. 65 – ☐ 38 – **15 ch** 185/285 – ½ P 215/255.

à Vincey SE : 4 km par N 57 – 2 198 h. alt. 297 – ✉ **88450** :

Relais de Vincey M, ☎ 29 67 40 11, Fax 29 67 36 66, – TV ☎ P – 25. AE GB
fermé 12 au 27 août et sam. – **Repas** 105/235 – ☐ 37 – **35 ch** 210/330 – ½ P 270/345.

Corbier Pneus, ZI à Roville devant Bayon ☎ 83 72 51 55

CHARMES-SUR-RHÔNE 07800 Ardèche 77 ⑪ ⑫ – 1 826 h alt. 112.

Paris 572 – Valence 11 – Crest 24 – Montélimar 41 – Privas 28 – St-Péray 10,5.

XX **Autour d'une Fontaine (Vieille Auberge)** avec ch, ☎ 75 60 80 10, Fax 75 60 87 47 – TV ☎. AE GB
fermé dim. soir et lundi – **Repas** 100/300 ♁, enf. 60 – ☐ 35 – **7 ch** 220/270 – ½ P 215/225.

CHARMOIS 54360 M.-et-M. 62 ⑤ – 196 h alt. 270.

Paris 334 – ♦Nancy 30 – Épinal 55 – Lunéville 12 – St-Dié 62 – Sarrebourg 64.

XX **La Petite Auberge,** ☎ 83 75 79 65, Fax 83 75 01 82 – P. GB
fermé 26 août au 19 sept., lundi et mardi sauf fériés – **Repas** 98 (déj.), 148/255.

CHARNAY-LÈS-MÂCON 71 S.-et-L. 69 ⑲ – rattaché à Mâcon.

CHAROLLES SP 71120 S.-et-L. 69 ⑰ ⑱ **G. Bourgogne** – 3 048 h alt. 279.

Office de Tourisme Couvent des Clarisses, r. Baudinot ☎ 85 24 05 95.

Paris 368 – Mâcon 54 – Autun 77 – Chalon-sur-Saône 68 – Moulins 84 – Roanne 60.

Moderne, av. Gare ☎ 85 24 07 02, Fax 85 24 05 21, – TV ☎. AE GB
fermé 27 déc. au 1er fév., lundi sauf le soir du 14 juil. au 26 août et dim. soir du 26 août au 14 juil. – **Repas** 105/295 – ☐ 45 – **17 ch** 290/520 – ½ P 320/450.

France sans rest, av. J. Furtin ☎ 85 24 06 66, Fax 85 24 05 54 – TV ☎. GB
fermé 24 juin au 7 juil. et sam. soir d'oct. à juin – ☐ 38 – **10 ch** 190/285.

XXX **Poste** avec ch, av. Libération (près église) ☎ 85 24 11 32, Fax 85 24 05 74, – TV ☎. AE GB
fermé 24 nov. au 17 déc., dim. soir et lundi midi – **Repas** 120/360 et carte 220 à 350 ♁ – ☐ 45 – **6 ch** 300/360, 3 appart.

au SO par D 985 et D 270 : 11 km – ✉ **71120** Changy :

✗ **Le Chidhouarn,** ✆ 85 88 32 07, Fax 85 24 06 21 – P. AE ⓓ GB
fermé fév., mardi en déc. et janv. et lundi sauf juil.-août – **Repas** 76 (déj.), 99/250, enf. 50.

CITROEN Gar. Moulin, ✆ 85 24 01 10 N ✆ 85 24 01 10

CHAROST **18290** Cher 68 ⑩ **G. Berry Limousin** – 1 134 h alt. 137.

Paris 245 – Bourges 27 – Châteauroux 40 – Dun-sur-Auron 42 – Issoudun 10 – Vierzon 29.

à Brouillamnon NE : 3 km par N 151 et D 16ᴱ – ✉ **18290** Plou :

✗✗ **L'Orée du Bois,** ✆ 48 26 21 40, Fax 48 26 27 81, ⛱, ⛱ – P. GB. ✗
fermé 1er au 10 août, vacances de fév., dim. soir et lundi – **Repas** 80/190 ♨, enf. 75.

CITROEN Gar. Maxime, ✆ 48 26 29 08

CHARQUEMONT **25140** Doubs 66 ⑱ – 2 205 h alt. 864.

Paris 483 – ♦Besançon 74 – Basel 106 – Belfort 65 – Montbéliard 47 – Pontarlier 60.

Haut Doubs H., ✆ 81 44 00 20, Fax 81 44 09 18, ⛱, ⛱ – ☎ P. GB
fermé nov., vend. soir et sam. sauf vacances scolaires – **Repas** 65 (déj.)/100 ♨ – ☕ 28 – **31 ch** 210/250 – ½ P 240.

✗ **Bois de la Biche** ♨ avec ch, SE : 4,5 km par D 10ᴱ ✆ 81 44 01 82, Fax 81 68 65 09, ⇐, ⛱, ⛱ – TV ☎ P. GB
fermé 2 au 30 janv. et lundi sauf juil.-août – **Repas** 90/220 – ☕ 30 – **3 ch** 215 – ½ P 230.

PEUGEOT Gar. Central, ✆ 81 44 00 27 N ✆ 81 44 00 27

☛ *The numbered circles on the town plans ①, ②, ③ are duplicated on the* **Michelin maps** *at a scale of 1:200 000.*

These references, common to both guide and map, make it easier to change from one to the other.

CHARTRES P **28000** E.-et-L. 60 ⑦ ⑧ 106 ㊲ **G. Ile de France** – 39 595 h alt. 142 Grand pèlerinage des étudiants (fin avril-début mai).

Voir Cathédrale★★★ Y – Vieux Chartres★ YZ – Église St-Pierre★ Z – ⇐★ sur l'église St-André, des bords de l'Eure Y – ⇐★ du Monument des Aviateurs militaires Y **Z** – Musée des Beaux-Arts : émaux★ Y **M** – C.O.M.P.A.★ (Conservatoire du Machinisme agricole et des Pratiques Agricoles) 2 km par D24.

9 18 de Maintenon ✆ 37 27 18 09, par ① : 19 km.

ℹ Office de Tourisme pl. Cathédrale ✆ 37 21 50 00, Fax 37 21 51 91 – A.C.O. 10 av. Jehan-de-Beauce ✆ 37 21 03 79.

Paris 88 ② – Évreux 77 ① – ♦Le Mans 118 ④ – ♦Orléans 76 ③ – Tours 140 ④.

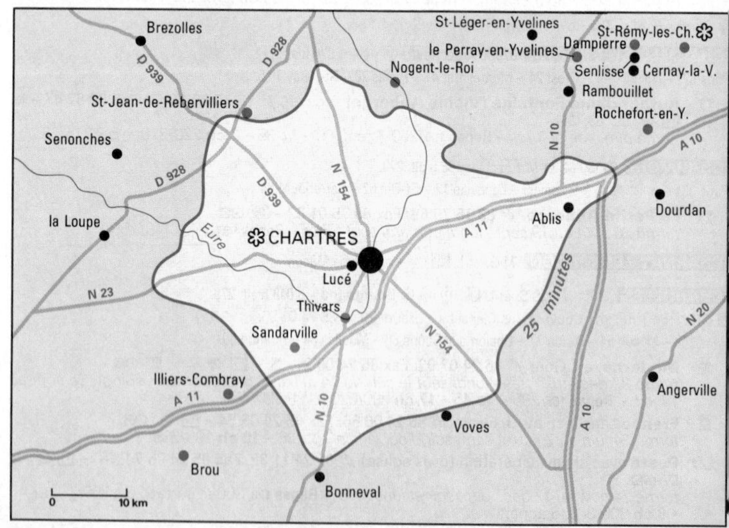

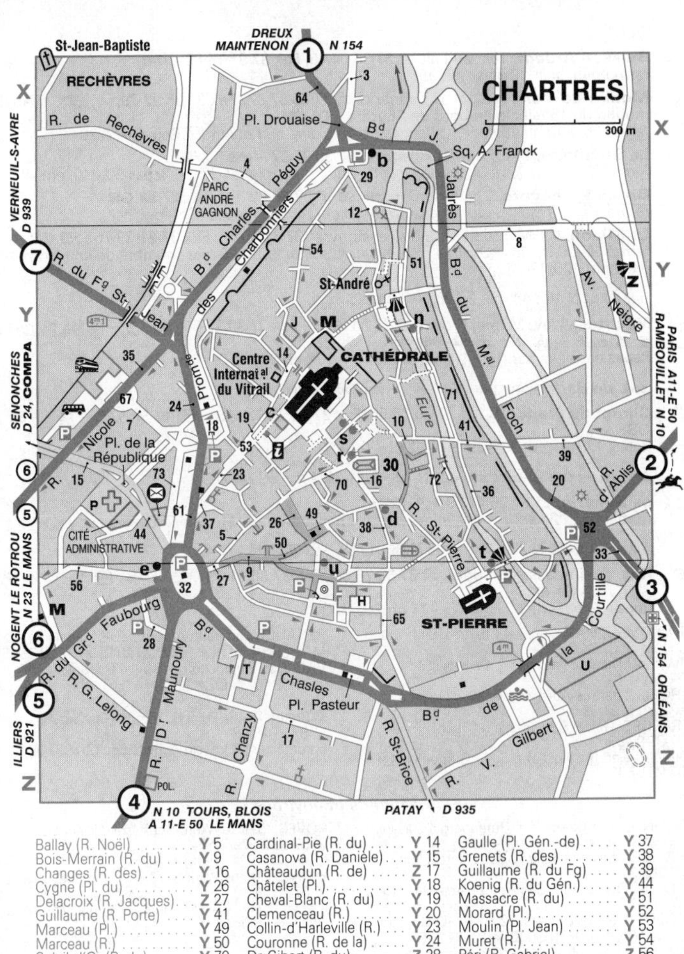

Ballay (R. Noël) . . . . Y 5	Cardinal-Pie (R. du) . . . . Y 14	Gaulle (Pl. Gén.-de) . . . . . Y 37
Bois-Merrain (R. du) . . . . Y 9	Casanova (R. Danièle) . . . Y 15	Grenets (R. des) . . . . Y 38
Changes (R. des) . . . . Y 16	Châteaudun (R. de) . . . . . Z 17	Guillaume (R. du Fg) . . . . Y 39
Cygne (Pl. du) . . . . Y 26	Châtelet (Pl.) . . . . Y 18	Koenig (R. du Gén.) . . . . . Y 44
Delacroix (R. Jacques) . . . Z 27	Cheval-Blanc (R. du) . . . . Y 19	Massacre (R. du) . . . . Y 51
Guillaume (R. Porte) . . . . Y 41	Clemenceau (R.) . . . . Y 20	Morard (Pl.) . . . . Y 52
Marceau (Pl.) . . . . Y 49	Collin-d'Harleville (R.) . . . Y 23	Moulin (Pl. Jean) . . . . Y 53
Marceau (R.) . . . . Y 50	Couronne (R. de la) . . . . . Y 24	Muret (R.) . . . . Y 54
Soleil-d'Or (R. du) . . . . . . Y 70	Dr-Gibert (R. du) . . . . Z 28	Péri (R. Gabriel) . . . . Z 56
	Drouaise (R. Porte) . . . . . X 29	Résistance (Bd de la) . . . . Y 61
Aligre (Av. d') . . . . X 3	Écuyers (R. des) . . . . Y 30	St-Maurice (R.) . . . . X 64
Alsace-Lorraine (Av. d') . . X 4	Épars (Pl. des) . . . . Z 32	St-Michel (R.) . . . . Z 65
Beauce (Av. Jehan-de) . . . Y 7	Faubourg La Grappe	Semard (Pl. Pierre) . . . . . . Y 67
Bethouart (Av.) . . . . Y 8	(R. du) . . . . Y 33	Tannerie (R. de la) . . . . . . Y 71
Bourg (R. du) . . . . Y 10	Félibien (R.) . . . . Y 35	Teinturiers (Q. des) . . . . . Y 72
Brêche (R. de la) . . . . X 12	Foulerie (R. de la) . . . . Y 36	Viollette (Bd Maurice) . . . Y 73

Grand Monarque, 22 pl. Épars ✆ 37 21 00 72, Télex 760777, Fax 37 36 34 18, – 25 à 50. Z **e**
Repas 210/275, enf. 75 – 50 – **49 ch** 435/655, 5 appart.

Ibis Centre M, 14 pl. Drouaise ✆ 37 36 06 36, Fax 37 36 17 20, – 60. X **b**
Repas 99 bc, enf. 39 – 35 – **79 ch** 295/330.

✿ **La Truie qui File** (Choukroun), pl. Poissonnerie ✆ 37 21 53 90, Fax 37 36 62 65 – Y **r**
fermé août, dim. soir et lundi – **Repas** 180/320 et carte 250 à 410, enf. 70 ***Les Caves de la Maison* : Repas** 80,
Spéc. Rémoulade de foie gras de canard au céleri rave. Poitrine de porc braisée aux artichauts, crème de petits pois aux truffes. Soupe de chocolat glacée au pain d'épices.

La Vieille Maison, 5 r. au Lait ✆ 37 34 10 67, Fax 37 91 12 41 – Y **s**
fermé 29 juil. au 12 août, dim. soir et lundi – **Repas** 155/245 et carte 300 à 360, enf. 80.

XX **Buisson Ardent,** 10 r. au Lait ✆ 37 34 04 66, Fax 37 91 15 82 – GB Y
fermé dim. soir – **Repas** 118/198.

XX **Moulin de Ponceau,** 21 r. Tannerie ✆ 37 35 87 87, Fax 37 35 22 79, ←, 😊, « Ancie moulin du 16e siècle au bord de l'Eure » – AE GB Y
fermé 25 août au 16 sept., vacances de fév., dim. soir et lundi – **Repas** 145/320.

XX **Le St-Hilaire,** 11 r. Pont-St-Hilaire ✆ 37 30 97 57 – GB YZ
fermé 28 juil. au 19 août, 24 déc. au 1er janv., sam. midi et dim. – **Repas** 90/240, enf. 45.

X **Dix de Pythagore,** 2 r. Porte Cendreuse ✆ 37 36 02 38 – ▤. AE ⓓ GB Y
fermé 15 au 31 juil., 2 au 10 janv., dim. soir et mardi – **Repas** 90/146.

X **Le Minou,** 4 r. Mar. de Lattre de Tassigny ✆ 37 21 10 68, Fax 37 21 29 76 – AE GB
fermé 15 juil. au 15 août, 10 au 23 fév., dim. soir et lundi – **Repas** (nombre de couverts limité prévenir) 120/170 🍷. YZ

par ② et N 10 : 4 km – ✉ **28000** Chartres :

Novotel Ⓜ, av. Marcel Proust ✆ 37 34 80 30, Fax 37 30 29 56, 😊, 🏊 – 🛗 ✂ ▤ rest 📺 ☎ ✆ ♿ 🅿 – 🏛 180. AE ⓓ GB JCB
Repas carte environ 160 🍷, enf. 50 – ☕ 47 – **78 ch** 390/470.

Z.A. de Barjouville par ④ : 4 km – ✉ **28630** Barjouville :

Climat de France Ⓜ, ✆ 37 35 35 55, Fax 37 34 72 12, 😊 – 📺 ☎ ✆ ♿ 🅿 – 🏛 40. AE ⓓ GB
Repas 122 🍷, enf. 39 – ☕ 39 – **52 ch** 290/320.

à Thivars par ④ : 7,5 km par N 10 – 975 h. alt. 137 – ✉ **28630** :

XXX **La Sellerie,** ✆ 37 26 41 59 – 🅿. GB
fermé 1er au 22 août, lundi soir et mardi – **Repas** 140/290 et carte 230 à 340.

à Lucé par ⑥ N 23 : 4 km – 18 796 h. alt. 158 – ✉ **28110** :

Ibis Ⓜ, impasse Périgord ✆ 37 35 76 00, Fax 37 30 01 49, 😊 – ✂ 📺 ☎ ✆ ♿ 🅿 – 🏛 60. AE ⓓ GB
Repas 99 bc, enf. 39 – ☕ 35 – **74 ch** 265/320.

ALFA ROMEO, FIAT Gar. Fiat Chartres, 84 r. Grand Faubourg ✆ 37 34 01 33
BMW Gar. Thireau, Parc des Propylées N 10 ✆ 37 34 34 40
CITROEN Chartres Auto, 49 bis, av. d'Orléans par ③ ✆ 37 91 33 00
MERCEDES Gar. B.S.A., 20 bis bd Foch ✆ 37 35 88 80
RENAULT Gar. Ruelle, 104 r. Fg-la-Grappe par ③ ✆ 37 28 51 19
RENAULT Lamirault Autom., ZUP Madeleine av. M.-Proust par ② ✆ 37 30 20 20 N ✆ 37 23 68 15
VAG Gar. Electricauto, 46 av. d'Orléans, N 154 ✆ 37 28 07 35 N ✆ 37 28 74 06

Ⓟ Breton Pneus Point S, 26 r. G.-Fessard ✆ 37 21 18 98
Euromaster, ZI Cassin Activité Lot 12 ✆ 37 30 01 14

Périphérie et environs

CITROEN Europ'Autom., 9 r. Gutenberg à Luisant par ⑤ ✆ 37 35 96 48
FORD Gar. Paris-Brest, av. Mar.-Leclerc à Lucé ✆ 37 28 13 88
OPEL Gar. Ouest, 43 r. Château d'Eau à Mainvilliers ✆ 37 36 37 87
PEUGEOT Gar. St-Thomas, 52 r. Mar.-Leclerc à Lucé par ⑤ ✆ 37 91 81 30 N ✆ 37 78 25 86
RENAULT Lamirault Autom., 23 r. Kennedy à Lucé par ⑤ ✆ 37 34 00 99 N ✆ 37 23 68 15
ROVER Chartres Auto Sport, rte d'Illiers à Lucé ✆ 37 35 24 79

Ⓟ Breton Pneus Point S, 13 r. de Fontenay ZI à Lucé ✆ 37 28 28 80
Marsat Pneus, ZAC Malbrosses 1 r. La Motte à Lucé ✆ 37 35 86 94

CHARTRES-DE-BRETAGNE 35 I.-et-V. 63 ⑥ – rattaché à Rennes.

La CHARTRE-SUR-LE-LOIR 72340 Sarthe 64 ④ **G. Châteaux de la Loire** – 1 669 h alt. 55.

Syndicat d'Initiative (mi-juin, mi-sept.) ✆ 43 44 40 04.

Paris 210 – ◆Le Mans 46 – La Flèche 57 – St-Calais 30 – ◆Tours 42 – Vendôme 42.

France, ✆ 43 44 40 16, Fax 43 79 62 20, 😊 – 📺 ☎ 🅿. GB
fermé 15 nov. au 15 déc., dim. soir et lundi du 1er oct. au 15 mars – **Repas** (dim. prévenir) 75/230 – ☕ 35 – **29 ch** 240/330 – ½ P 240/270.

PEUGEOT Gar. Vallée du Loir, ✆ 43 44 41 12

CHASSELAY 69380 Rhône 73 ⑩ – 2 002 h alt. 220.

Paris 445 – ◆Lyon 21 – L'Arbresle 14 – Villefranche-sur-Saône 14.

XXX ✿ **Guy Lassausaie,** ✆ 78 47 62 59, Fax 78 47 06 19 – ▤ 🅿. AE ⓓ GB
fermé 1er au 24 août, 15 au 25 fév., mardi soir et merc. – **Repas** 150/400 et carte 260 à 380
Spéc. Dodine de foie gras de canard aux pommes et sauternes. Filet de rouget barbet demi-deuil, sauce au jus de truffes. Pigeon rôti cuit au foin. **Vins** Coteaux du Lyonnais, Beaujolais.

CITROEN Gar. du Mont Verdun, ✆ 78 47 62 23

CHASSENEUIL-DU-POITOU 86 Vienne 68 ⑭ – rattaché à Poitiers.

CHASSERADES **48250** Lozère 80 ⑦ – 151 h alt. 1150.

Paris 612 – Mende 40 – Langogne 29 – Villefort 25.

Sources ⛰, rte La Bastide ✆ 66 46 01 14, Fax 66 46 07 80 – ☎ P. GB
fermé 15 déc. au 8 janv. et dim. soir du 1er nov. au 1er mars – **Repas** 70 (déj.)/145 ♁, enf. 40 – ☕ 29 – **11 ch** 170/230 – ½ P 210/220.

CHASSE-SUR-RHÔNE **38** Isère 74 ⑪ – rattaché à Vienne.

CHASSEY-LE-CAMP **71** S.-et-L. 69 ⑨ – rattaché à Chagny.

La CHATAIGNERAIE **85120** Vendée 67 ⑯ – 2 904 h alt. 155.

Paris 387 – Bressuire 31 – Fontenay-le-Comte 22 – Parthenay 42 – La Roche-sur-Yon 58.

Aub. de la Terrasse, r. Beauregard ✆ 51 69 68 68, Fax 51 52 67 96 – TV ☎ ♿. AE GB JCB. rest
fermé vacances de Noël, vend. soir, sam. midi et dim. soir – **Repas** 62/185, enf. 45 – ☕ 36 – **14 ch** 200/260 – ½ P 260.

OPEL Gar. Arnaud, à la Tardière ✆ 51 69 66 69

RENAULT Boinot Automobiles, rte de Fontenay-le-Comte à Antigny ✆ 51 52 66 66 N ✆ 51 52 66 66

CHÂTEAU-ARNOUX-ST-AUBAN **04160** Alpes-de-H.-P. 81 ⑯ **G. Alpes du Sud** – 5 109 h alt. 440.

Voir ✱★ de la chapelle St-Jean S : 2 km puis 15 mn.

Env. Prieuré de Ganagobie★ : mosaïques★★ dans l'église, ≤★★ de l'allée des Moines, ≤★ de l'allée de Forcalquier SO : 20 km.

Office de Tourisme "La Ferme de Font-Robert" ✆ 92 64 02 64, Fax 92 64 41 81.

Paris 724 – Digne-les-Bains 25 – Forcalquier 30 – Manosque 40 – Sault 70 – Sisteron 14.

✿ **La Bonne Étape** (Gleize) ⛰, Chemin du lac ✆ 92 64 00 09, Fax 92 64 37 36, « Bel aménagement intérieur », ⛱, – ▤ TV ☎. AE GB JCB
fermé 3 janv. au 12 fév., dim. soir et lundi du 1er nov. au 31 mars – **Repas** 225/550 bc et carte 320 à 540, enf. 125 – ☕ 85 – **11 ch** 600/1100, 7 appart
Spéc. Filet d'agneau poêlé au parfum des collines. Thon aux saveurs de Méditerranée (mai à sept.). Crème glacée au miel de lavande. **Vins** Palette, Vacqueyras.

XXX **L'Oustaou de la Foun,** N : 1,5 km sur N 85 ✆ 92 62 65 30, Fax 92 62 65 32, – ▤ P. AE GB
fermé lundi sauf juil.-août et fériés – **Repas** 100/252 et carte 230 à 320, enf. 72.

à St-Auban SO : 3,5 km par N 96 – ✉ **04600**.

Voir Site★ de Montfort S : 2 km.

Villiard sans rest, ✆ 92 64 17 42, Fax 92 64 23 29, – TV ☎ P – 25. AE GB
fermé 20 déc. au 5 janv. dim. midi et sam. d'oct. à mars – ☕ 39 – **20 ch** 260/395.

PEUGEOT Gar. Plantevin, 70 av. Gén.-de-Gaulle ✆ 92 64 06 15 N ✆ 07 55 46 18

CHÂTEAU-BERNARD **38650** Isère 77 ⑭ – 134 h alt. 850.

Paris 606 – ♦Grenoble 36 – Monestier-de-Clermont 12.

au col de l'Arzelier N : 4 km – ✉ **38650** Monestier-de-Clermont.

Voir Site★ de Prélenfrey N : 4 km, **G. Alpes du Nord.**

Deux Soeurs ⛰, ✆ 76 72 37 68, Fax 76 72 20 25, ≤, ⛱ – TV ☎ P. GB
fermé 16 sept. au 5 oct. – **Repas** 70/180, enf. 45 – ☕ 35 – **24 ch** 175/220 – ½ P 230/250.

CHÂTEAUBOURG **35220** I.-et-V. 59 ⑰ ⑱ – 4 056 h alt. 50.

Paris 325 – ♦Rennes 23 – ♦Angers 113 – Châteaubriant 49 – Fougères 43 – Laval 56.

Ar Milin' ⛰, ✆ 99 00 30 91, Fax 99 00 37 56, « Ancien moulin dans un parc au bord de la Vilaine », – TV ☎ P – 60. AE GB
fermé 23 déc. au 2 janv. – **Repas** *(fermé dim. soir d'oct. à mars)* 100/200, enf. 68 – ☕ 49 – **30 ch** 340/715 – ½ P 415/452.

à St-Didier E : 6 km par D 33 – 1 055 h. alt. 49 – ✉ **35220** Chateaubourg :

Pen'Roc M ⛰, à La Peinière par D 105 ✆ 99 00 33 02, Fax 99 62 30 89, ⛱ – TV ☎ P – 60. AE GB
fermé vacances de Toussaint et de fév. – **Repas** *(fermé dim. soir de sept. à avril)* 105/330, enf. 72 – ☕ 47 – **33 ch** 380/440 – ½ P 360/380.

CITROEN Gar. Brunet, ✆ 99 00 31 16

PEUGEOT Gar. Chevrel, ✆ 99 00 31 12

CHÂTEAUBRIANT <SP> **44110** Loire-Atl. 63 ⑦ ⑧ **G. Bretagne** – 12 783 h alt. 70 – **Voir** Château★.

Office de Tourisme 22 r. de Couéré ✆ 40 28 20 90, Fax 40 81 86 02.

Paris 354 ① – Ancenis 43 ③ – ◆Angers 71 ③ – La Baule 95 ④ – Cholet 91 ③ – Fougères 83 ① – Laval 66 ② – ◆Nantes 65 ④ – ◆Rennes 62 ⑤ – St-Nazaire 86 ④.

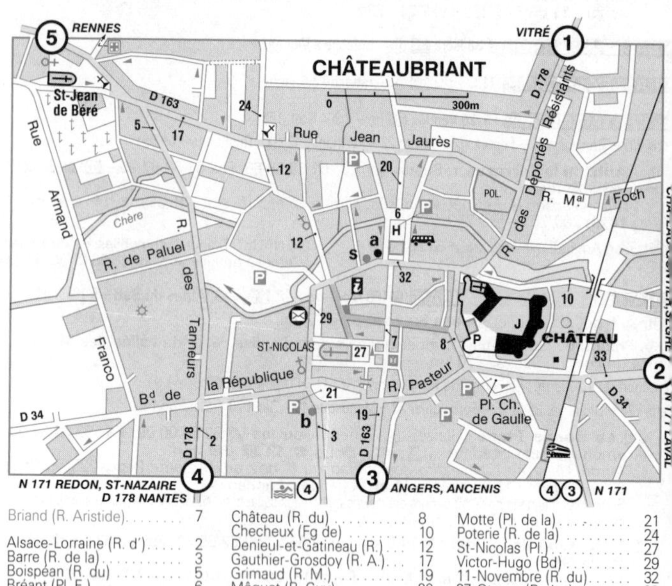

Briand (R. Aristide) 7
Alsace-Lorraine (R. d') 2
Barre (R. de la) 3
Boispéan (R. du) 5
Bréant (Pl. E.) 6
Château (R. du) 8
Checheux (Fg de) 10
Denieul-et-Gatineau (R.) 12
Gauthier-Grosdoy (R. A.) 17
Grimaud (R. M.) 19
Môquet (R. Guy) 20
Motte (Pl. de la) 21
Poterie (R. de la) 24
St-Nicolas (Pl.) 27
Victor-Hugo (Bd) 29
11-Novembre (R. du) 32
27-Otages (R. des) 33

Châteaubriant sans rest, 30 r. 11-Novembre **(a)** ✆ 40 28 14 14, Fax 40 28 26 49 – ☎ 📞 [P] – 🏛 40. AE ⓓ GB JCB
☕ 32 – **37 ch** 200/380.

Host. La Ferrière, rte Nantes par ④ : 2 km ✆ 40 28 00 28, Fax 40 28 29 21, « Parc fleuri » – TV ☎ 📞 ♿ [P] – 🏛 60. AE ⓓ GB JCB
fermé 24 au 31 déc. et dim. soir du 1er nov. au 31 mars – **Repas** 115/230, enf. 60 – ☕ 39 – **25 ch** 340/400 – ½ P 280.

Aub. Bretonne [M] avec ch, 23 pl. Motte **(b)** ✆ 40 81 03 05, Fax 40 28 37 51 – TV ☎. GB
Repas 95/260 et carte 230 à 320 – ☕ 42 – **8 ch** 190/380 – ½ P 325.

Le Poêlon d'Or, 30 bis r. 11-Novembre **(s)** ✆ 40 81 43 33 – GB
fermé 1er au 10 mars, 1er au 15 août, dim. soir et lundi – **Repas** 100/330.

CITROEN Autom. Castelbriantaise, rte de St-Nazaire, ZI par ④ ✆ 40 28 10 90 **N** ✆ 40 55 90 20
FORD Gar. Mérel, ZI, 65 rte d'Ancenis ✆ 40 81 15 29 **N** ✆ 40 55 90 20
PEUGEOT Gar. Bareteau, rte de St-Nazaire ZI ✆ 40 81 01 05
RENAULT Gar. SADAC, rte de St-Nazaire, ZI La Ville au Bois par ④ ✆ 40 81 26 12 **N** ✆ 40 81 50 53

Castel Pneus Point S, ZI, r. du Prés.-Kennedy ✆ 40 28 01 94

CHÂTEAU-D'OLÉRON 17 Char.-Mar. 71 ⑭ – voir à Oléron (Ile d').

CHÂTEAU-DU-LOIR 72500 Sarthe 64 ④ **G. Châteaux de la Loire** – 5 473 h alt. 50.

Office de Tourisme Parc Henri Goude, 2 av. Jean-Jaurès ✆ 43 44 56 68 ou Mairie ✆ 43 44 00 38.

Paris 238 – ◆Le Mans 41 – Château-la-Vallière 20 – La Flèche 41 – ◆Tours 40 – Vendôme 59.

au Port-Gautier E : 6 km par N 138 et D 64 – ✉ **72500** Flée :

Aub. de la Bécasse, ✆ 43 44 87 78 – AE ⓓ GB
fermé sept., lundi soir, mardi et merc. sauf juil.-août et fériés – **Repas** 120/240 🍷.

PEUGEOT Bouteillier, rte du Mans à Luceau ✆ 43 44 00 67

CHÂTEAUDUN <SP> **28200** E.-et-L. 60 ⑰ **G. Châteaux de la Loire** – 14 511 h alt. 140.

Voir Château★★ A – Vieille ville★ A : église de la Madeleine★ – Promenade du Mail ≤★ A – Musée : Collection d'oiseaux★ A **M.**

Office de Tourisme 1 r. de Luynes ✆ 37 45 22 46, Fax 37 66 00 16.

Paris 130 ① – ◆Orléans 51 ② – Alençon 120 ⑤ – Argentan 145 ⑤ – Blois 57 ③ – Chartres 43 ① – Fontainebleau 120 ② – ◆Le Mans 108 ⑤ – Nogent-le-Rotrou 53 ⑤ – ◆Tours 96 ③.

CHÂTEAUDUN

ambetta (R.) .... AB
épublique (R.) .... AB
3-Octobre (Pl. du) .... A 21
Cap-de-la-Madeleine (Pl.) .... A 3
Château (R. du) .... A 4
Cuirasserie (Rue de la) .... A 5
Dunois (Pl. J.-de) .... A 6
Guichet (R.du) .... A 7
Huileries (R. des) .... A 8
Luynes (R. de) .... A 10
Lyautey (R. Mar.) .... A 12
Porte d'Abas (R. de la) .... A 14
St-Lubin (R.) .... A 18
St-Médard (R.) .... A 19

St-Michel sans rest, 5 r. Péan ✆ 37 45 15 70, Fax 37 45 83 39 – TV ☎ . AE ⓓ GB. — A a
fermé 22 déc. au 5 janv. – ☕ 31 – **19 ch** 150/330.

St-Louis, 41 r. République ✆ 37 45 00 01, Fax 37 45 16 09, – rest TV ☎. AE ⓓ GB — B u
Repas 80/180 ₺, enf. 60 ***Grill :*** **Repas** carte environ 160 ₺, enf.45 – ☕ 30 – **40 ch** 150/260 – ½ P 250.

Aux Trois Pastoureaux, 31 r. A Gillet ✆ 37 45 74 40, Fax 37 66 00 32 – AE ⓓ GB
fermé 23 déc. au 2 janv., dim. soir et lundi sauf fériés – **Repas** 98/180, enf. 65. — A s

L'Arnaudière, 4 r. St-Lubin ✆ 37 45 98 98, Fax 37 45 96 48, – AE GB — A b
fermé vacances de fév., lundi de sept. à fin fév. et dim. soir – **Repas** 94/169.

La Rose avec ch, 12 r. Lambert-Licors ✆ 37 45 21 83, Fax 37 45 21 83 – rest TV ☎ . AE ⓓ GB. ch — B w
fermé 15 au 30 nov., 15 au 28 fév., dim. soir et lundi hors sais. – **Repas** 87/150 ₺ – ☕ 32 – **12 ch** 205/255 – ½ P 235.

La Licorne, 6 pl. 18-Octobre ✆ 37 45 32 32 – . GB — A e
fermé 18 au 27 juin, 23 déc. au 15 janv., mardi soir et merc. – **Repas** 70/185.

à Marboué par ① sur N 10 : 5 km – 1 052 h. alt. 113 – ✉ **28200** :

Toque Blanche, ✆ 37 45 12 14 – . GB
fermé fév., mardi soir et merc. – **Repas** 98/195 ₺.

CITROEN Gar. Mourice-Rebours, 91 bd Kellermann par ② ✆ 37 45 10 87
RENAULT Gar. Giraud, rte de Tours à la Chapelle du Noyer par ③ ✆ 37 45 10 74 N ✆ 37 96 52 31
Euromaster, N 10 ✆ 37 45 11 17

CHÂTEAUFORT 78 Yvelines 60 ⑩, 101 ㉒ – voir à Paris, Environs.

Demandez chez le libraire le catalogue des publications Michelin.

CHÂTEAUGIRON 35410 I.-et-V. 63 ⑦ **G. Bretagne** – 4 166 h alt. 45.
Paris 337 – ◆Rennes 18 – ◆Angers 112 – Châteaubriant 42 – Fougères 47 – Nozay 64 – Vitré 28.

Cheval Blanc, ✆ 99 37 40 27, Fax 99 37 59 68 – TV ☎ P. GB
fermé dim. soir, lundi midi et soirs fériés – **Repas** 66/163 – ☕ 28 – **9 ch** 250 – ½ P 210.

L'Aubergade, ✆ 99 37 41 35, « Maison du 13e siècle » – GB
fermé 11 au 18 mars et 12 au 16 juil. – **Repas** 147/191 et carte 220 à 260.

CHÂTEAU-GONTIER SP **53200** Mayenne 63 ⑩ **G. Châteaux de la Loire** – 11 085 h alt. 33.
Voir Intérieur★ de l'église St-Jean-Baptiste A.
Office de Tourisme Péniche l'Elan quai Alsace ✆ 43 70 42 74, Fax 43 70 95 62.
Paris 277 ② – ◆Angers 48 ③ – Châteaubriant 56 ⑤ – Laval 32 ① – ◆Le Mans 83 ② – ◆Rennes 103 ⑤.

CHÂTEAU-GONTIER

Alsace-Lorraine (Quai et R. d') .... B 2
Bourg-Roussel (R. du) .... A 5
Coubertin (Q. P. de) ...... B 7
Foch (Av. Mar.) .... B 9
Fouassier (R.) .... A 10
Français-Libres (Pl. des) .... A 12
Gambetta (R.) .... A 14
Gaulle (Quai Ch. de) .... B 15
Homo (R. René) .... A 18
Joffre (Av. Mar.) .... A 20
Leclerc (R. de la Division) .... A 22
Lemonnier (R. Gén.) .... B 24
Lierru (R. de) .... B 25
Olivet (R. d') .... A 29
Pasteur (Quai) .... B 31
Pilori (Pl. du) .... A 33
République (Pl. de la) ... A 36
St-Jean (Pl.) .... A 39
St-Just (Pl.) .... B 40
Thionville (R. de) .... B 45

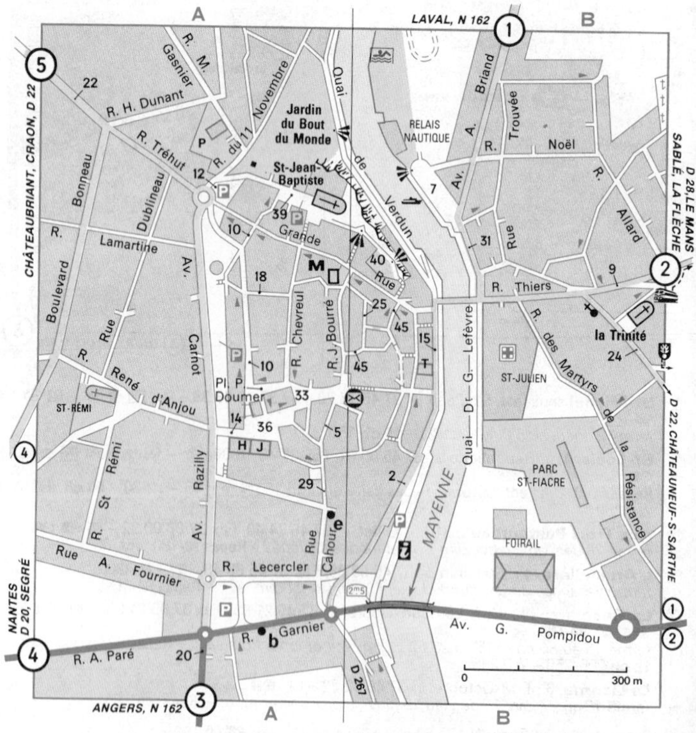

Jardin des Arts ⛺, 5 r. A. Cahour ✆ 43 70 12 12, Fax 43 70 12 07, ←, « Jardin » – TV ☎ P – 30. GB A e
fermé 24 déc. au 1er janv. – **Repas** *(fermé lundi midi, sam. midi et dim. soir)* 100/250 enf. 65 – ☕ 46 – **20 ch** 300/520 – ½ P 245/355.

Host. Mirwault ⛺, N : 2 km par quai Verdun et r. Basse du Rocher ✆ 43 07 13 17, Fax 43 07 82 96, « Au bord de la Mayenne », – TV ☎ P. AE GB. rest
fermé janv. et fév. – **Repas** *(fermé lundi midi et merc. midi)* 115/168 – ☕ 35 – **11 ch** 285 – ½ P 140.

Cerf sans rest, 31 r. Garnier ✆ 43 07 25 13, Fax 43 07 02 90 – TV ☎ P. AE GB A b
☕ 27 – **22 ch** 155/210.

XX **Prieuré,** à Azé, SE : 2 km par D 22, près Église ✆ 43 70 31 16, ≤, 🌳, 🍴 – ▤. GB. 🚫
fermé 5 fév. au 5 mars et lundi – **Repas** 78/198, enf. 50.

XX **L'Aquarelle,** S par D 267 : 1 km ✆ 43 70 15 44, Fax 43 07 88 67, ≤ – ▤ 🅿. GB
fermé 15 au 31 janv. et lundi – **Repas** 75/175, enf. 50.

à Coudray SE : 7 km par D 22 – 546 h. alt. 68 – ✉ **53200** :

XX **L'Amphitryon,** ✆ 43 70 46 46 – GB
fermé 28 août au 3 sept., vacances de fév., merc. sauf le soir en juil.-août et mardi soir – **Repas** 70 (déj.), 90/130, enf. 48.

:NAULT Bellitourne Autom., av. R.-Cassin ZI Bellitourne ✆ 43 09 15 15

HÂTEAUMEILLANT 18370 Cher 68 ⑳ **G. Berry Limousin** – 2 081 h alt. 247.

oir Choeur★ de l'église St-Genès.

Office de Tourisme r. de la Victoire ✆ 48 61 39 89.

ris 304 – Argenton-sur-Creuse 57 – Châteauroux 53 – La Châtre 18 – Guéret 60 – La Souterraine 74.

XX **Le Piet à Terre** avec ch, ✆ 48 61 41 74, « Intérieur soigné » – 📺 ☎. GB
fermé 2 janv. au 20 mars, dim. soir et lundi hors sais. – **Repas** 98/280, enf. 50 – ☕ 30 – **7 ch** 260/350 – ½ P 220/305.

TROEN Gar. Auvity, av. A.-Meillet ✆ 48 61 33 49

RENAULT Gar. Bardiot, r. de la Libération ✆ 48 61 33 95

HÂTEAUNEUF 21320 Côte-d'Or 65 ⑲ **G. Bourgogne** – 63 h alt. 475.

oir Site★ du village★ – Château★.

ris 279 – ✦Dijon 41 – Avallon 72 – Beaune 35 – Montbard 64.

Host. du Château 🔇, ✆ 80 49 22 00, Fax 80 49 21 27, ≤, 🌳, 🍴 – ☎. AE GB
fermé 25 nov. au 10 fév., lundi soir et mardi sauf juil.-août – **Repas** 130/220, enf. 50 – ☕ 45 – **17 ch** 270/430 – ½ P 310/390.

HÂTEAUNEUF 71 S.-et-L. 73 ⑧ – rattaché à Chauffailles.

HÂTEAUNEUF-DE-GALAURE 26330 Drôme 77 ② – 1 246 h alt. 253.

aris 538 – Valence 40 – Beaurepaire 17 – Romans-sur-Isère 26 – St-Marcellin 41 – Tournon-sur-Rhône 29.

XX **Yves Leydier,** ✆ 75 68 68 02, Fax 75 68 66 19, 🌳, 🍴 – GB
fermé vacances de fév., mardi soir et merc. – **Repas** 95/260, enf. 60.

HÂTEAUNEUF-DU-FAOU 29520 Finistère 58 ⑯ **G. Bretagne** – 3 777 h alt. 130.

Office de Tourisme pl. Arsegal (juin-sept.) ✆ 98 81 83 90.

aris 526 – Quimper 37 – ✦Brest 64 – Carhaix-Plouguer 21 – Châteaulin 23 – Morlaix 50.

Relais de Cornouaille, rte Carhaix ✆ 98 81 75 36, Fax 98 81 81 32 – 🛗 📺 ☎ 📞 ♿ 🅿 – 🏛 25. GB
fermé oct., sam. et dim. soir hors sais. – **Repas** 65/185 🍷, enf. 50 – ☕ 32 – **29 ch** 170/260 – ½ P 215/245.

HÂTEAUNEUF-DU-PAPE 84230 Vaucluse 81 ⑫ **G. Provence** – 2 062 h alt. 87.

oir ≤★★ du château des Papes.

Office de Tourisme pl. Portail ✆ 90 83 71 08, Fax 90 83 50 34.

aris 669 – Avignon 18 – Alès 77 – Carpentras 23 – Orange 10 – Roquemaure 10.

XXX ❀ **Host. Château des Fines Roches** (Estevenin) 🔇 avec ch, rte Sorgues et voie privée : 3 km ✆ 90 83 70 23, Fax 90 83 78 42, 🌳, « Dans un domaine viticole, ≤ », 🍴 – ▤ rest 📺 ☎ 📞 🅿. GB. 🚫
fermé Noël à début fév., dim. soir d'oct. à avril et lundi sauf hôtel de mai à sept. – **Repas** 195/340 et carte 320 à 410, enf. 110 – ☕ 70 – **7 ch** 650/850 – ½ P 665/765
Spéc. Barigoule de Saint-Jacques aux artichauts violets (oct. à avril). Filet de taureau camarguais au vin de syrah. Millefeuille de figues au lait d'amandes (juil. à sept.). **Vins** Châteauneuf-du-Pape, Côtes du Rhône.

X **Le Pistou,** ✆ 90 83 71 75 – GB
fermé 20/12 au 15/01, 15/06 au 1/07, mardi soir, merc. soir et jeudi soir du 15/11 au 1/04, dim. soir et lundi – **Repas** (prévenir) 83/135 🍷.

CHÂTEAUNEUF-LE-ROUGE 13790 B.-du-R. 84 ③ 114 ⑯ – 1 283 h alt. 230.

Paris 768 – ✦Marseille 34 – Aix-en-Provence 12 – Aubagne 32 – Brignoles 45 – Rians 30.

La Galinière, N 7 - rte St-Maximin : 2 km ✆ 42 53 32 55, Fax 42 53 33 80, 🌳, 🏊, 🍴 – 📺 ☎ 🅿. AE ⓓ GB
Repas 100/340, enf. 50 – ☕ 50 – **17 ch** 265/375 – ½ P 325/420.

CHÂTEAUNEUF-LES-BAINS 63390 P.-de-D. 73 ③ **G. Auvergne** – 330 h alt. 390 – Stat. therm. .

Office de Tourisme (mai-sept.) ✆ 73 86 67 86.

Paris 387 – ✦Clermont-Ferrand 47 – Aubusson 81 – Montluçon 54 – Riom 32 – Ussel 91.

Château, ✆ 73 86 67 01, Fax 73 86 41 64, 🌳 – 📺 ☎. GB. 🚫 rest
2 mars-15 nov. – **Repas** 82/160, enf. 38 – ☕ 27 – **37 ch** 230/270 – ½ P 205/230.

CHÂTEAUNEUF-SUR-SARTHE 49330 M.-et-L. 64 ① – 2 370 h alt. 20.

Office de Tourisme quai de la Sarthe ✆ 41 69 82 89.

Paris 276 – ♦Angers 30 – Château-Gontier 24 – La Flèche 32.

X **Sarthe** avec ch, ✆ 41 69 85 29, ≤, – ☎. GB. ch
fermé 6 au 27 oct., dim. soir et lundi de sept. à mai – **Repas** 86/205 , enf. 55 – ☕ 30 – **7**
225/270 – ½ P 250.

CHÂTEAURENARD 13160 B.-du-R. 81 ⑫ **G. Provence** – 11 790 h alt. 37.

Voir Château féodal : ☼★ de la tour du Griffon.

Office de Tourisme 1 r. R.-Salengro ✆ 90 94 23 27, Fax 90 94 14 97.

Paris 697 – Avignon 10 – Carpentras 29 – Cavaillon 20 – ♦Marseille 91 – Nîmes 43 – Orange 40.

XX **Les Glycines** avec ch, 14 av. V. Hugo ✆ 90 94 10 66, Fax 90 94 78 10 – rest TV
GB
fermé 17 fév. au 3 mars, dim. soir d'oct. à mars et lundi – **Repas** 87/180, enf. 40 – ☕ 30
10 ch 200/230 – ½ P 225/250.

RENAULT Châteaurenard Autom., bd Genevet ✆ 90 94 24 98 N ✆ 05 05 15 15

Ayme Pneus, Bd E.-Genevet ✆ 90 94 54 81
Chato Pneus, 26 av. J.-Jaurès ✆ 90 94 71 87

CHÂTEAU-RENAULT 37110 I.-et-L. 64 ⑤ ⑥ **G. Châteaux de la Loire** (plan) – 5 787 h alt. 92.

Voir ≤★ des terrasses du château.

Office de Tourisme Parc de Vauchevrier ✆ 47 29 54 43.

Paris 215 – ♦Tours 32 – ♦Angers 123 – Blois 42 – Loches 57 – ♦Le Mans 86 – Vendôme 27.

Lurton sans rest, 37 pl. J. Jaurès ✆ 47 56 80 26, Fax 47 56 86 89 – TV ☎ P. GB
☕ 35 – **9 ch** 210/260.

au NE : 7 km sur N 10 – ✉ **41310** St Amand Longpré (L.-et-Ch.) :

X **Le Gastinais**, ✆ 54 80 33 30, Fax 54 80 33 30, – P. GB
Repas (dim. et fêtes prévenir) 58/159 , enf. 40.

RENAULT Gar. Tortay, 19 r. Gambetta ✆ 47 29 50 97

RENAULT Gar. Thorin, 20 r. Michelet ✆ 47 56 90 9
N ✆ 47 56 88 99

CHÂTEAUROUX P 36000 Indre 68 ⑧ **G. Berry Limousin** – 50 969 h alt. 155.

Voir Musée Bertrand★ BY **M** – Déols : clocher★ de l'ancienne abbaye X, sarcophage★ da
l'église St-Etienne X.

18 du Val de l'Indre ✆ 54 26 59 44, O : 13 km par ⑧ N 143.

Office de Tourisme pl. de la Gare ✆ 54 34 10 74, Fax 54 27 57 97 – Automobile Club 76 av. Blois ✆ 54
81 60.

Paris 269 ① – Bourges 65 ② – Blois 99 ⑨ – Châtellerault 104 ⑦ – Guéret 89 ⑤ – ♦Limoges 128 ⑥ – Montluç
99 ④ – ♦Tours 118 ⑧.

Plan page ci-contre

Elysée H. M sans rest, 2 r. République ✆ 54 22 33 66, Fax 54 07 34 34 – TV ☎
GB JCB AY
fermé dim. et fériés – ☕ 45 – **18 ch** 290/320.

Boischaut sans rest, 135 av. La Châtre par ④ ✆ 54 22 22 34, Fax 54 22 64 89 – TV
P. GB JCB
☕ 24 – **27 ch** 195/265.

Primevère, 384 av. Verdun par ⑤ ✆ 54 07 87 87, Fax 54 07 04 47 – rest TV ☎
P – 30. AE GB JCB
Repas 81/102 , enf. 41 – ☕ 32 – **48 ch** 295.

Voltaire sans rest, 42 pl. Voltaire ✆ 54 34 17 44, Fax 54 07 01 90 – TV ☎. GB
☕ 26 – **34 ch** 175/245. BY

Christina sans rest, 250 av. La Châtre par ④ ✆ 54 34 01 77, Fax 54 07 82 42 – TV
P. AE GB
☕ 22 – **33 ch** 189/220.

XX **La Ciboulette**, 42 r. Grande ✆ 54 27 66 28 – GB JCB BY
fermé 4 au 27 août, 5 au 28 janv., dim., lundi et fériés – **Repas** 85/215 bc.

rte de Paris près Céré par ① : 6 km – ✉ **36130** Déols :

Relais St-Jacques, ✆ 54 22 87 10, Fax 54 22 59 28, – rest TV ☎ P –
50 à 80. AE GB
fermé 23 déc. au 5 janv. – **Repas** *(fermé dim. sauf fériés)* 97/215 – ☕ 43 – **46 ch** 310/340.

rte de Bourges par ② : 7,5 km – ✉ **36130** Montierchaume :

Les Ajoncs, ✆ 54 26 93 93, Fax 54 26 93 85 – TV ☎ P – 30. AE GB
Repas 69/155, enf. 55 – ☕ 31 – **53 ch** 275 – ½ P 275.

à la Forge de l'Ile par ④ : 6 km – ✉ **36330** Le Poinçonnet :

Aub. Arc en Ciel sans rest, ✆ 54 34 09 83, Fax 54 34 46 74 – TV ☎ P – 80. GB
fermé Noël au Jour de l'An – ☕ 25 – **24 ch** 150/225.

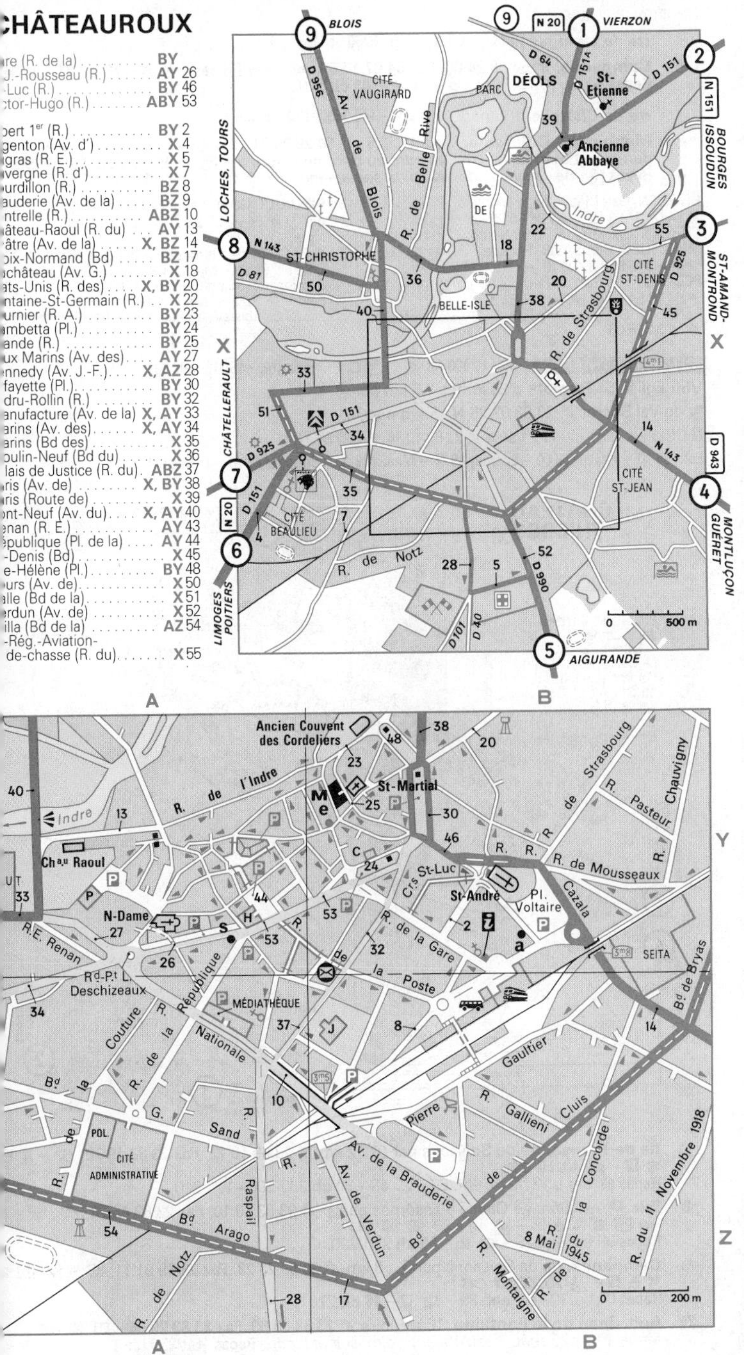
CHÂTEAUROUX
re (R. de la) . . . . BY
J.-Rousseau (R.) . . . . . . AY 26
-Luc (R.) . . . . BY 46
ctor-Hugo (R.) . . . . ABY 53
bert 1er (R.) . . . . BY 2
genton (Av. d') . . . . X 4
gras (R. E.) . . . . X 5
vergne (R. d') . . . . X 7
urdillon (R.) . . . . BZ 8
auderie (Av. de la) . . . . . BZ 9
ntrelle (R.) . . . . ABZ 10
âteau-Raoul (R. du) . . . AY 13
âtre (Av. de la) . . . . . X, BZ 14
oix-Normand (Bd) . . . . . BZ 17
châteaux (Av. G.) . . . . . . X 18
ats-Unis (R. des) . . . . X, BY 20
ntaine-St-Germain (R.) . . X 22
urnier (R. A.) . . . . BY 23
ambetta (Pl.) . . . . BY 24
ande (R.) . . . . BY 25
ux Marins (Av. des) . . . . AY 27
ennedy (Av. J.-F.) . . . . X, AZ 28
fayette (Pl.) . . . . BY 30
dru-Rollin (R.) . . . . BY 32
anufacture (Av. de la) X, AY 33
arins (Av. des) . . . . . . X, AY 34
arins (Bd des) . . . . X 35
oulin-Neuf (Bd du) . . . . . . X 36
lais de Justice (R. du) . ABZ 37
ris (Av. de) . . . . X, BY 38
ris (Route de) . . . . X 39
ont-Neuf (Av. du) . . . . X, AY 40
enan (R. E.) . . . . AY 43
épublique (Pl. de la) . . . . AY 44
-Denis (Bd) . . . . X 45
e-Hélène (Pl.) . . . . BY 48
urs (Av. de) . . . . X 50
alle (Bd de la) . . . . X 51
erdun (Av. de) . . . . X 52
illa (Bd de la) . . . . AZ 54
-Rég.-Aviation-
de-chasse (R. du) . . . . X 55
BLOIS
VIERZON
N 20
D 956
CITÉ VAUGIRARD
PARC
DÉOLS
St-Etienne
Ancienne Abbaye
D 64
D 151A
D 151
N 151
BOURGES ISSOUDUN
LOCHES, TOURS
Av. de Blois
R. de Belle Rive
Indre
ST-CHRISTOPHE
N 143
D 81
BELLE-ISLE
CITÉ ST-DENIS
D 925
ST-AMAND-MONTROND
R. de Strasbourg
CHÂTELLERAULT
D 151
D 925
N 143
D 943
CITÉ ST-JEAN
MONTLUÇON GUÉRET
N 20
D 151
CITÉ BEAULIEU
R. de Notz
D 990
D 101
D 40
LIMOGES POITIERS
AIGURANDE
500 m
Ancien Couvent des Cordeliers
St-Martial
R. de l'Indre
Chau Raoul
N-Dame
R. E. Renan
Rd-Pt L. Deschizeaux
R. de la République
MÉDIATHÈQUE
Crs St-Luc
St-André
Pl. Voltaire
R. de la Gare
R. de la Poste
R. de Mousseaux
R. Pasteur
R. Chauvigny
Cazala
SEITA
Bd de Bryas
R. Nationale
R. de la Couture
Bd G. Sand
POL.
CITÉ ADMINISTRATIVE
R. Raspail
Bd Arago
R. de Notz
Av. de Verdun
Av. de la Brauderie
R. Pierre Gaultier
R. Gallieni
Bd de Cluis
R. de la Concorde
R. du 8 Mai 1945
R. du 11 Novembre 1918
R. Montaigne
200 m

rte de Limoges par ⑥ : 6 km – ✉ **36250** St-Maur :

Campanile, ✆ 54 08 24 00, Fax 54 07 17 09, – TV ☎ & P – 30. AE GB
Repas 84 bc/107 bc, enf. 39 – 32 – **43 ch** 270.

rte de Châtellerault par ⑦ : 3 km – ✉ **36000** Châteauroux :

Manoir du Colombier, D 925 ✆ 54 29 30 01, Fax 54 27 70 90, « Ancien demeure bourgeoise dans un parc au bord de l'Indre » – TV ☎ P – 25. AE GB
Repas *(fermé vacances de fév., dim. soir et lundi)* 100/300 – 50 – **11 ch** 320/550.

CITROEN Gar. Maublanc, r. Montaigne ✆ 54 07 07 23 N ✆ 54 34 30 28
CITROEN Gar. Bisson, 76 bd Marins ✆ 54 34 12 66
MERCEDES Gar. SAVIB, Rocade Sud, rte de la Châtre ✆ 54 53 39 00 N ✆ 05 24 24 30
PEUGEOT Gd Gar. du Berry, 9 av. d'Argenton ✆ 54 08 54 02 N ✆ 54 26 35 73
RENAULT Gar. Tourisme P. L., 38 av. de Tours ✆ 54 34 15 06

RENAULT Gar. Gibaud, N 20 les Aubrys à St-Maur par ⑤ ✆ 54 22 22 22 N ✆ 05 05 15 15

CACI 36, rte d'Issoudun à Déols ✆ 54 34 91 90
Chirault, ZI allée Maisons Rouges ✆ 54 27 99 04
Euromaster, 86 bd Cluis ✆ 54 34 12 22
Fredon, N 20 à St-Maur ✆ 54 34 23 30
Leseche, 1 bis av. Ambulance ✆ 54 22 36 03

CHÂTEAU-THIERRY

02400 Aisne 56 ⑭ **G. Champagne** – 15 312 h alt. 63.

Voir Église St-Ferréol★ d'Essômes 2,5 km par ④.

18 du Val Secret ✆ 23 83 07 25 N : 5 km par ①.

Office de Tourisme 11 r. Vallée ✆ 23 83 10 14, Fax 23 84 14 74.

Paris 96 ① – ♦Reims 58 ① – Épernay 49 ② – Meaux 49 ⑤ – Soissons 40 ① – Troyes 111 ④.

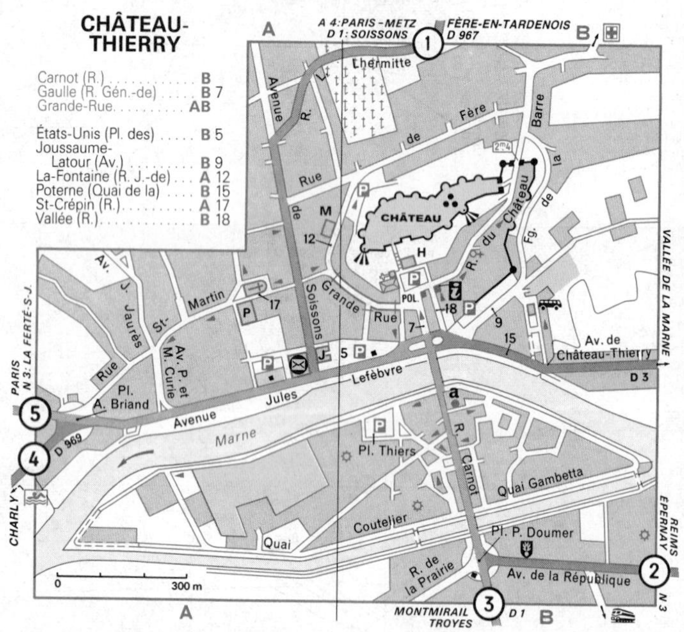

Ile de France, rte de Soissons par ① : 2 km ✆ 23 69 10 12, Fax 23 83 49 70, – ☎ P – 40. AE GB
Repas 98 (déj.), 124/245, enf. 69 – 43 – **50 ch** 290/390 – ½ P 310.

Ibis M, av. Gén. de Gaulle à Essômes par ④ ✆ 23 83 10 10, Fax 23 83 45 23, – TV ☎ & P – 40 à 80. AE GB
Repas 99 bc, enf. 39 – 35 – **55 ch** 270/290.

Campanile, rte de Soissons par ① : 3 km ✆ 23 69 23 23, Fax 23 69 91 11, – TV ☎ & P – 25. AE GB
Repas 84 bc/107 bc, enf. 39 – 32 – **46 ch** 270.

Aub. Jean de la Fontaine, 10 r. Filoirs ✆ 23 83 63 89, Fax 23 83 20 54 – AE GB
fermé 1er au 21 août, 1er au 15 janv., dim. soir et lundi – **Repas** 160/350 bc. B

à Reuilly-Sauvigny par ② et N 3 : 15 km – ✉ 02850 :

XXX ✿ **Aub. Le Relais** (Berthuit) avec ch, ℘ 23 70 35 36, Fax 23 70 27 76, – TV ☎ P. AE ⓓ GB. ✻ ch
fermé 18 août au 4 sept., mi-fév. à mi-mars, mardi soir et merc. – **Repas** 160/420 et carte 340 à 430 – ☑ 50 – **7 ch** 260/385
Spéc. Salade de foie gras cru au sel. Croustillant de Saint-Jacques au fenouil et aux tomates (oct. à avril). Langoustines aux zestes de citrons confits, pâtes fraîches à la coriandre. **Vins** Côteaux champenois rouge.

CITROEN Aisne Auto, 8 av. Montmirail par ③ ℘ 23 83 23 80
FORD Gar. Desaubeau, 29 av. Ch.-de-Gaulle à Thierry ℘ 23 83 00 86
MAZDA Gar. A4 Motors, rte de Soissons à Bezu St Germain ℘ 23 69 12 30
MERCEDES Compagnie de l'Est, 8 r. Plaine, ZI ℘ 23 83 45 88 N ℘ 64 33 90 90
OPEL Gar. Bachelet, av. Gén.-de-Gaulle à Essômes ℘ 23 83 21 78
PEUGEOT Gar. Verdel, 18 av. Essômes par ④ ℘ 23 83 87 90
RENAULT Gds Gar. de l'Avenue, 51-58 av. Essômes par ④ ℘ 23 83 14 48 N ℘ 23 83 14 48
VAG Gar. de la Prairie, ZI av. de l'Europe ℘ 23 83 24 42

Euromaster, rte de Châlons, ZI à Montmirail ℘ 26 81 22 14
Euromaster, 38 av. de Paris ℘ 23 83 02 79

CHÂTEAU-VILLE-VIEILLE (Commune de) 05350 H.-Alpes 77 ⑲ – 271 h alt. 1360.

Voir Site★ de Château-Queyras, O : 2,5 km.
Env. Sommet-Bucher ✻★★ S : 13,5 km, G. Alpes du Sud.
Paris 724 – Briançon 38 – Gap 79 – Guillestre 19 – Col d'Izoard 16.

Guilazur, à Ville-Vieille ℘ 92 46 74 09, Fax 92 46 78 82, ←, – ☎ P. GB
10 mai-30 sept. et 1er déc.-30 avril – **Repas** 90/165 ♨, enf. 58 – ☑ 30 – **18 ch** 285 – ½ P 270.

PEUGEOT Gar. Bonnici, ℘ 92 46 72 39 N ℘ 92 46 72 39
RENAULT Gar. Berge, ℘ 92 46 73 63

CHÂTEL 74390 H.-Savoie 70 ⑱ G. Alpes du Nord – 1 255 h alt. 1180 – Sports d'hiver : 1 200/2 200 m 2 48 .

Voir Site★ – Pas de Morgins★ S : 3 km.
Office de Tourisme ℘ 50 73 22 44, Fax 50 73 22 87.
Paris 567 – Thonon-les-Bains 39 – Annecy 113 – Évian-les-Bains 40 – Morzine 37.

Macchi, ℘ 50 73 24 12, Fax 50 73 27 25, ←, , , , – TV ☎ P. GB
22 juin-7 sept. et 18 déc.-15 avril – **Repas** 80 (dîner), 90/140, enf. 50 – ☑ 55 – **32 ch** 900 – ½ P 590.

Fleur de Neige, ℘ 50 73 20 10, Fax 50 73 24 55, ←, , – TV ☎ P. GB
2 juin-15 sept. et 21 déc.-8 avril – ***La Grive Gourmande :*** **Repas** 135 (déj.)190/420, enf.80 – ☑ 50 – **37 ch** 400/650 – ½ P 450/580.

Panoramic, ℘ 50 73 22 15, Fax 50 73 36 79, ←, – cuisinette TV ☎ P. GB. ✻ rest
juin-sept. (sauf rest.) et Noël-Pâques – **Repas** 98/176 – ☑ 42 – **28 ch** 480/540 – ½ P 440/550.

Kandahar , SO : 1,5 km par rte Béchigne ℘ 50 73 30 60, Fax 50 73 25 17, ←, , , – cuisinette TV ☎ P. GB
fermé 15 avril au 4 mai et 3 nov. au 15 déc. – **Repas** *(fermé dim. soir en mai, juin, sept. et oct.)* 88/150, enf. 50 – ☑ 38 – **20 ch** 160/280 – ½ P 330.

Belalp, ℘ 50 73 24 39, Fax 50 73 38 55, ← – TV ☎ P. GB
juil.-août et 20 déc.-31 mars – **Repas** 88/235, enf. 52 – ☑ 40 – **30 ch** 310/450 – ½ P 350/360.

Triolets , rte Petit Chatel ℘ 50 73 20 28, Fax 50 73 24 10, ←, , – ☎ P. GB. ✻ rest
juil.-août et Noël-Pâques – **Repas** 98/115, enf. 58 – ☑ 38 – **20 ch** 550 – ½ P 369/408.

Lion d'Or, ℘ 50 73 22 27, Fax 50 73 29 07 – ☎. GB. ✻ ch
1er juin-30 sept. et 20 déc.-20 avril – **Repas** 90/160, enf. 48 – ☑ 40 – **35 ch** 240/456 – ½ P 385.

Choucas sans rest, ℘ 50 73 22 57, Fax 50 81 36 70 – ☎ P. GB
20 juin-15 oct. et 15 déc.-30 avril – ☑ 35 – **14 ch** 250/290.

X **La Ripaille,** au Linga SO : 2 km ℘ 50 73 32 14, – P. GB
1er juil.-15 sept., 1er déc.-15 mai et fermé lundi sauf vacances d'hiver – **Repas** 85 (déj.), 90/240 ♨, enf. 50.

PEUGEOT Gar. Premat, ℘ 50 73 24 87 N ℘ 50 73 24 87

CHÂTELAILLON-PLAGE 17340 Char.-Mar. 71 ⑬ G. Poitou Vendée Charentes – 4 993 h alt. 3 – Casino .

Office de Tourisme av. de Strasbourg ℘ 46 56 26 97, Fax 46 56 09 49.
Paris 469 – La Rochelle 15 – Niort 61 – Rochefort 20 – Surgères 27.

Ibis M , à la Falaise ℘ 46 56 35 35, Fax 46 56 33 44, ←, , centre de thalassothérapie – TV ☎ & P – 25. AE ⓓ GB
Repas 117 ♨, enf. 39 – ☑ 39 – **70 ch** 390/445.

Acadie St-Victor, 35 bd Mer ✆ 46 56 25 13, Fax 46 30 01 92, ≤ – TV ☎ ✆. AE GB
fermé 15 oct. au 6 nov., vacances de fév., dim. soir et lundi du 25 sept. au 30 avril – **Repas** 65 (déj.), 97/195, enf. 49 – ☕ 32 – **13 ch** 250/340 – ½ P 265/310.

Le Rivage sans rest, 36 bd Mer ✆ 46 56 25 79, Fax 46 56 19 03, ≤ – TV ☎ ♿. GB
1er avril-10 nov. – ☕ 30 – **40 ch** 265/340.

Majestic H., bd Libération ✆ 46 56 20 53, Fax 46 56 29 24, 🌳 – TV ☎ 🚗. AE ① GB
fermé 15 déc. au 16 janv., sam. et dim. d'oct. à mars – **Repas** 65 bc (déj.), 118/160 🍷 – ☕ 35 – **29 ch** 294/320 – ½ P 340.

Pergola, 2 r. Chassiron ✆ 46 56 27 86, ≤, 🌳 – ☎ P. GB. ✻
20 mars-10 oct. – **Repas** 90/160 – ☕ 30 – **15 ch** 180/250 – ½ P 250/300.

Plage sans rest, bd Mer ✆ 46 56 26 02, ≤ – TV ☎ P. GB
1er avril-30 sept. – ☕ 30 – **10 ch** 250.

L'Océan, 121 bd République ✆ 46 56 25 91 – GB
fermé mi-déc. à mi-janv., dim. soir et lundi hors sais. – **Repas** 72/335.

CHÂTELARD 38 Isère 77 ⑥ – rattaché à Bourg d'Oisans.

GREEN TOURIST GUIDES
Picturesque scenery, buildings
Attractive routes
Touring programmes
Plans of towns and buildings

CHÂTELGUYON 63140 P.-de-D. 73 ④ **G. Auvergne** – 4 743 h alt. 430 – Stat. therm. – Casino B.

Voir Gorges d'Enval★ 3 km par ③ puis 30 mn.

Office de Tourisme parc E.-Clementel ✆ 73 86 01 17, Fax 73 86 27 03.

Paris 417 ① – ◆Clermont-Ferrand 20 ② – Aubusson 90 ③ – Gannat 29 ① – Vichy 45 ① – Volvic 9,5 ③.

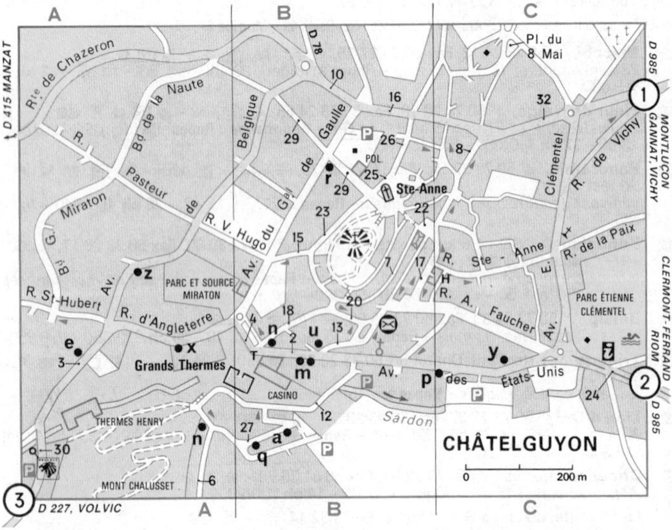

CHÂTELGUYON

Baraduc (Av.) . . . B 2	Coulon (R. Roger) . . . B 10	Maupassant (R. Guy-de) . B 23
Commerce (R. du) . . . C 8	Dr-Gübler (R.) . . . B 12	Mouniaude (Av. de la) . . . C 24
Hôtel-de-Ville (R. de l') . . B 17	Dr-Levadoux (R.) . . . B 13	Orme (Pl. de l') . . . B 25
	Fénelon (R.) . . . B 15	Ormeau (R. de l') . . . B 26
Brocqueville (Av. de) . . . A 3	Groslier (R. J.) . . . B 16	Punett (R. A.) . . . B 27
Brosson (Pl.) . . . B 4	Lacroix (R.) . . . B 18	Remparts (R. des) . . . B 29
Chalusset (R. du) . . . A 6	Levadoux-Braga (R.) . . . B 20	Russie (Av. de) . . . A 30
Château (R. du) . . . B 7	Marché (Pl. du) . . . B 22	Thermal (Bd) . . . C 32

Pullman Splendid, r. Angleterre ✆ 73 86 04 80, Fax 73 86 17 56, ≤, 🌳, « Jardin ombragé en terrasses, thermes », 🏋, 🏊 – 🛗 ⇌ TV ☎ P – 🏛 60. AE ① GB. ✻ rest
avril-oct. – **Repas** 160 – ☕ 59 – **80 ch** 535/1280 – ½ P 625/930. A ✶

Bellevue M, r. Punett 73 86 07 62, Fax 73 86 02 56, ←, , – |‡| TV ☎. GB. rest B a
fin avril-30 sept. – **Repas** 97/115, enf. 42 – 36 – **38 ch** 220/280 – P 245/303.

Mont Chalusset, r. Punett 73 86 00 17, Fax 73 86 22 94, ←, – |‡| TV ☎. AE GB. rest B q
2 mai-5 oct. – **Repas** 100/220, enf. 50 – 45 – **51 ch** 284/350 – P 399/423.

Printania, av. Belgique 73 86 15 09, Fax 73 86 22 87, – |‡| TV ☎ P. GB. rest
fin avril-début oct. – **Repas** 93/168, enf. 50 – 35 – **39 ch** 184/294 – P 322/332. A z

Thermalia, av. Baraduc 73 86 00 11, Fax 73 86 21 97, – |‡| TV ☎. AE GB B m
début mai-fin sept. – **Repas** 100/150 – 35 – **45 ch** 224/328 – P 301/369.

Paris, r. Dr Levadoux 73 86 00 12, Fax 73 86 21 85, – |‡| rest TV ☎. GB. rest
fermé 18 au 28 mars et 4 oct. au 8 nov. – **Repas** *(fermé dim. soir)* (prévenir) 90/190 – 40 – **62 ch** 210/280 – ½ P 325/350. B u

Bains, av. Baraduc 73 86 07 97, Fax 73 86 11 56, – |‡| TV ☎. AE GB. rest
fin avril-début oct. – **Repas** 95/135 – 36 – **37 ch** 200/280 – ½ P 220/290. B m

Hirondelles, av. États-Unis 73 86 09 11, Fax 73 86 48 38, , – ☎ P. AE GB. rest B p
hôtel : Pâques-début oct. ; rest. : 20 avril-début oct. – **Repas** 68/125 bc – 32 – **43 ch** 230/280 – P 250/300.

Excelsior, av. Brocqueville 73 86 06 63, Fax 73 86 23 70, ←, – |‡| TV ☎. GB
fév.-oct. et fermé sam. et dim. du 1er fév. au 18 avril – **Repas** 98/145 – 32 – **54 ch** 199/310 – ½ P 222/277. A e

Beau Site, r. Chalusset 73 86 00 49, Fax 73 86 14 33, – ☎ P. AE GB. rest
18 avril-3 oct. – **Repas** 80 (dîner), 85/160 – 35 – **30 ch** 130/240 – P 260/270. A n

Chante-Grelet, av. Gén. de Gaulle 73 86 02 05, Fax 73 86 48 58, – ☎. GB. rest B r
25 avril-1er oct. – **Repas** 75 (dîner), 85/120, enf. 45 – 28 – **35 ch** 160/280 – ½ P 200/250.

Régence, av. États-Unis 73 86 02 60, Fax 73 86 12 49 – |‡| ☎. AE GB. rest C y
1er avril-15 oct. – **Repas** 65 (dîner), 75/130 – 35 – **27 ch** 150/190 – P 260/308.

Bérénice, av. Baraduc 73 86 09 86 – rest ☎. GB B n
29 mars-9 oct. et week-ends en hiver – **Repas** 90/130, enf. 45 – 32 – **11 ch** 195/280 – ½ P 235.

*à **St-Hippolyte*** par ② et bd Desaix : 2 km – ✉ **63140** Châtelguyon :

Le Cantalou, 73 86 04 67, Fax 73 86 24 36, ←, – ☎ P. AE GB. rest
23 mars-15 oct. et fermé lundi midi – **Repas** 62/120, enf. 43 – 25 – **34 ch** 160/200 – ½ P 170/200.

CITROEN Gar. Bafoil, 73 86 05 85 PEUGEOT Gar. Thermal, 73 86 08 77

Konsultieren Sie vor Ihrer Reise die Michelin-Karte Nr. **911**.

Sie gibt die geschätzte Fahrzeit von Stadt zu Stadt an und trägt zur Zeitersparnis bei.

CHÂTELLERAULT SP **86100** Vienne 68 ④ **G. Poitou Vendée Charentes** – 34 678 h alt. 52.

9 18 du Haut-Poitou 49 62 53 62, par ③ N 10 : 16 km ; 18 du Connétable 49 86 25 10 à la Roche-Posay, 24 km par ②.

Office de Tourisme 2 av. Treuille 49 21 05 47, Fax 49 02 03 26.

Paris 305 ① – Poitiers 35 ③ – Châteauroux 104 ② – Cholet 129 ④ – Tours 72 ①.

Plan page suivante

Gd H. Moderne et rest. La Charmille, 74 bd Blossac 49 21 30 11, Fax 49 93 25 19 – |‡| rest TV ☎. AE GB JCB BY n
Repas *(fermé 15 nov. au 4 déc. et merc.)* 130 (déj.), 180/270 – 50 – **21 ch** 360/600, 3 appart.

Ibis M, av. C. Page, carrefour D 1-N 10 par ③ : 3 km 49 21 75 77, Fax 49 02 01 79 – |‡| TV ☎ – 30 à 80. AE GB
Taverne de Maître Kanter : **Repas** carte environ 170, enf. 42 – 35 – **72 ch** 295/325.

Campanile, par ① : 2 km sur N 10 49 21 03 57, Fax 49 21 88 31 – |‡| TV ☎ P. AE GB
Repas 84 bc/107 bc, enf. 39 – 32 – **49 ch** 270.

Croissant avec ch, 15 av. J.-F. Kennedy 49 21 01 77, Fax 49 21 57 92 – TV ☎. AE GB BZ a
fermé 25 déc. au 1er janv., lundi (sauf hôtel) et dim. soir sauf juil.-août – **Repas** 80/180 – 32 – **19 ch** 145/295 – ½ P 240/250.

*à **Naintré*** par ③ : 9 km sur N 10 – 4 718 h. alt. 73 – ✉ **86530** :

La Grillade, 49 90 03 42, Fax 49 90 06 75, – P. AE GB
fermé dim. soir – **Repas** 91/193.

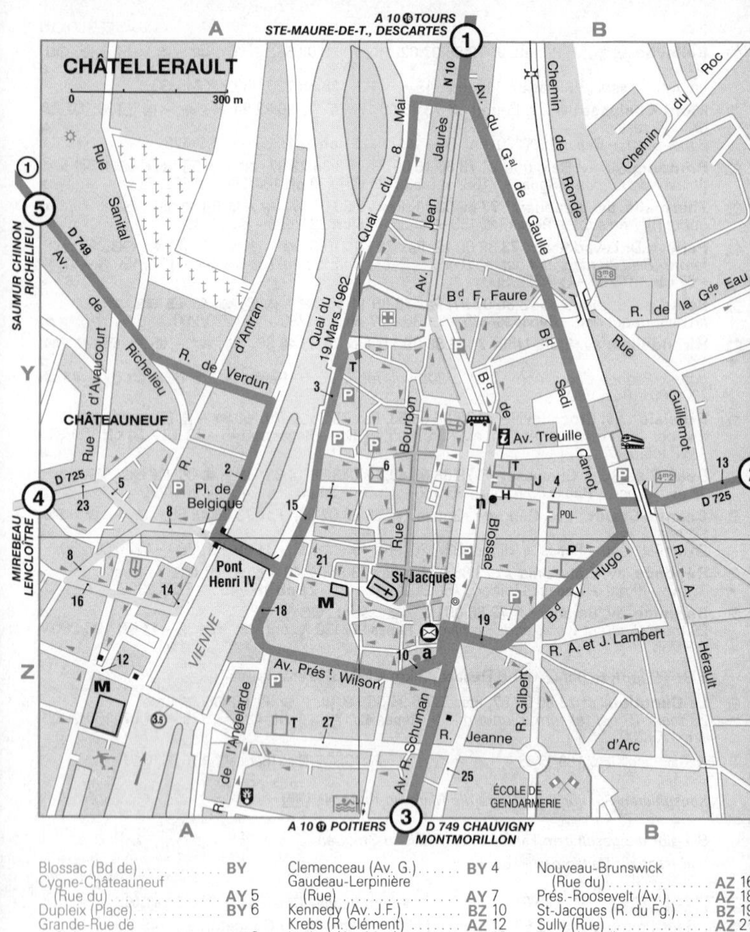

Blossac (Bd de) . . . . . BY	Clemenceau (Av. G.) . . . . . BY 4	Nouveau-Brunswick (Rue du) . . . . . AZ 16
Cygne-Châteauneuf (Rue du) . . . . . AY 5	Gaudeau-Lerpinière (Rue) . . . . . AY 7	Prés.-Roosevelt (Av.) . . . . . AZ 18
Dupleix (Place) . . . . . BY 6	Kennedy (Av. J.F.) . . . . . BZ 10	St-Jacques (R. du Fg.) . . . . . BZ 19
Grande-Rue de Châteauneuf . . . . . AZ 8	Krebs (R. Clément) . . . . . AZ 12	Sully (Rue) . . . . . AZ 2
Alsace-Lorraine (Q.) . . . . . AY 2	Leclerc (Av. Mar.) . . . . . BY 13	Thuré (R. de) . . . . . AY 23
Château (Q. du) . . . . . AY 3	Martyrs-de-la-Résistance (Q. des) . . . . . AZ 14	Trois-Pigeons (R. des) . . . . . BZ 25
	Napoléon-1er (Quai) . . . . . AY 15	Villeneuve (R. Chanoine-de) . . . . . AZ 27

CITROEN Gar. Raison, 3 av. H.-de-Balzac par ③ ✆ 49 21 32 22 🅽 ✆ 49 21 32 22
FIAT, TOYOTA Gar. Touzalin, 107 r. d'Antran ✆ 49 21 14 29
FORD Gar. Tardy, 40 bd d'Estrées ✆ 49 21 48 44
PEUGEOT Gar. Georget, 17 av. H.-de-Balzac, N 10 sortie Sud par ③ ✆ 49 21 08 32 🅽 ✆ 49 93 42 83
RENAULT Gar. SODAC, N 10 13 av. H.-de-Balzac par ③ ✆ 49 21 30 90 🅽 ✆ 49 93 41 60

VAG Prestige Autos, 3 bis av. H.-de-Balzac ✆ 49 21 69 15

Comptoir du Pneu, 31, av. d'Argenson ✆ 49 23 36 07
Leroux, 44 bd V.-Hugo ✆ 49 21 11 42
Masse Pneus, 15-17 r. de la Paix ✆ 49 02 02 12
Tours Pneus Vulcopneu, 124 av. C.-Page ✆ 49 21 58 22

CHÂTILLON-SUR-CHALARONNE 01400 Ain 74 ② G. Vallée du Rhône – 3 786 h alt. 177.

Voir Triptyque★ dans l'Hôtel de Ville.

18 de la Bresse ✆ 74 51 42 09, NE : 12 km par D 936 et D 64.

Office de Tourisme pl. Champ-de-Foire ✆ 74 55 02 27, Fax 74 55 34 78.

Paris 417 – Mâcon 25 – Bourg-en-Bresse 24 – ♦Lyon 57 – Meximieux 34 – Villefranche-sur-Saône 27.

XX **de la Tour** avec ch, pl. République ✆ 74 55 05 12, Fax 74 55 09 19 – TV ☎. GB
fermé 25 nov. au 6 déc., 24 fév. au 7 mars, dim. soir et merc. – **Repas** 99/335, enf. 70 – ☕ 40 – **14 ch** 260/340.

rte de Marlieux SE : 2 km sur D 7 – ✉ **01400** Châtillon-sur-Chalaronne :

XX **Aub. de Montessuy,** ✆ 74 55 05 14, ≤, 🌳 – P. GB
fermé 2 janv. au 2 fév., lundi soir et mardi – **Repas** 90/230, enf. 60.

à l'Abergement-Clémenciat NO : 5 km par D 7 et D 64^{C} – 579 h. alt. 250 – ✉ **01400** :

XX **Le St-Lazare,** ✆ 74 24 00 23, Fax 74 24 00 62, 🌳 – GB
fermé 18 sept. au 10 oct., 6 au 16 janv., merc. soir et jeudi – **Repas** 95 bc (déj.), 105/210, enf. 75.

PEUGEOT Gar. Mousset, ✆ 74 55 26 21

RENAULT Gar. Galland, ✆ 74 55 03 23 N ✆ 74 55 03 23

CHÂTILLON-SUR-CLUSES 74300 H.-Savoie 74 ⑦ – 1 014 h alt. 730.

Paris 574 – Chamonix-Mont-Blanc 47 – Thonon-les-Bains 51 – Annecy 56 – Cluses 6,5 – Genève 44 – Morzine 21 – St-Gervais-les-Bains 33.

Bois du Seigneur, au col de Châtillon ✆ 50 34 27 40, Fax 50 34 80 20, ≤, 🌳 – TV ☎ P. GB
fermé 13 juin au 3 juil. et 25 nov. au 15 déc. – **Repas** *(fermé dim. soir et lundi sauf en mars et du 15 juil. au 31 août)* 98/225 – ☕ 32 – **10 ch** 250/260 – ½ P 260.

CHÂTILLON-SUR-LOIRE 45360 Loiret 65 ② – 2 822 h alt. 131.

Env. Pont-canal★★ de Briare N : 7km, **G Bourgogne.**

Paris 162 – Auxerre 73 – Cosne-sur-Loire 29 – ◆Orléans 83 – Montargis 48.

Le Marois sans rest, ✆ 38 31 11 40 – ☎. GB. ✂
fermé 15 fév. au 1er mars – ☕ 27 – **9 ch** 190/210.

CHÂTILLON-SUR-SEINE 21400 Côte-d'Or 65 ⑧ G. Bourgogne (plan) – 6 862 h alt. 219.

Voir Source de la Douix★ – Musée★ : trésor de Vix★★.

ℹ Office de Tourisme pl. Marmont ✆ 80 91 13 19.

Paris 233 – Chaumont 58 – Auxerre 83 – Avallon 72 – ◆Dijon 85 – Langres 72 – Saulieu 80 – Troyes 67.

Côte d'Or, 2 r. Ch. Ronot ✆ 80 91 13 29, Fax 80 91 29 15, 🌳, 🍽 – TV ☎ P. AE ⓪ GB
fermé 20 déc. au 31 janv., lundi soir et mardi du 1er oct. au 1er avril – **Repas** 95/180 🍷, enf. 70 – ☕ 35 – **10 ch** 320/420 – ½ P 245/288.

Jura sans rest, 19 r. Dr Robert ✆ 80 91 26 96, Fax 80 91 10 52 – TV ☎ ✆. AE GB
fermé dim. soir hors sais. – ☕ 23 – **10 ch** 150/300.

FORD Gar. Centre, 3 r. Marmont ✆ 80 91 15 41
RENAULT Gar. SOCA, 14 bis av. E.-Herriot ✆ 80 91 14 04 N ✆ 80 05 15 15
VAG Gar. des Quatre Vallées, ZI, rte de Troyes ✆ 80 91 12 82

Pneus Service, 17 r. Courcelles Prévoires ✆ 80 91 05 34

CHATOU 78 Yvelines 55 ⑳, 101 ⑬ – voir à Paris, Environs.

La CHÂTRE ⟨SP⟩ 36400 Indre 68 ⑲ G. Berry Limousin – 4 623 h alt. 210.

🏌 des Dryades ✆ 54 30 28 00 par ④ D 940 : 12km.

ℹ Office de Tourisme square G.-Sand ✆ 54 48 22 64, Fax 54 06 09 15.

Paris 301 ① – Bourges 69 ② – Châteauroux 35 ① – Guéret 54 ④ – Montluçon 64 ③ – Poitiers 141 ⑤ – St-Amand-Montrond 50 ②.

LA CHÂTRE

Abbaye (Pl. de) 2
Beaufort (R. de) 3
Belgique (R. de) 4
Carmes (Pl. des) 5
Fleury (R. A.) 6
Gallieni (R.) 7
Gambetta (Av.) 8
George-Sand (Av.) 9
Lion d'Argent (R. du) 12
Maget (Pl.) 13
Maquis (R. du) 14
Marché (Pl. du) 15
Nationale (Rue) 17
Pacton (R. J.) 18
Périgois (R. E.) 19
Prés-Burat (R. des) 22
République (Pl. de la) 23
Rollinat (R. M.) 25
14 Juillet (R. du) 26

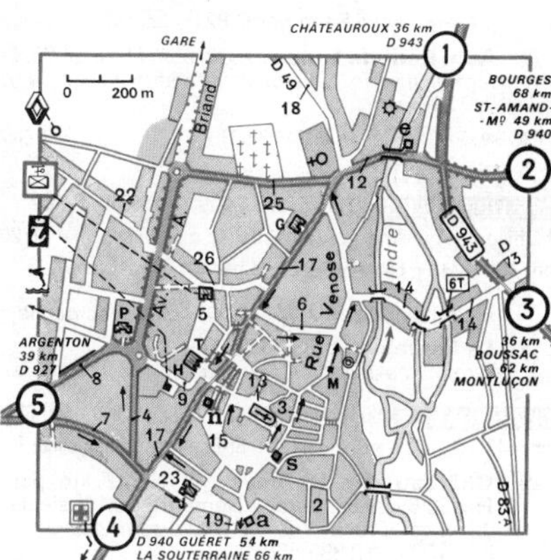

Le guide change, changez de guide tous les ans.

Lion d'Argent, Pont Lion d'Argent **(e)** ✆ 54 48 11 69, Fax 54 06 02 24 – TV ☎ ✆ ♿. AE ⓓ GB
fermé dim. soir du 11 nov. au 1er mars – **Repas** 56 (déj.), 72/133 ₰, enf. 35 – ☕ 33 – **24 ch** 235/300 – ½ P 235/250.

Notre Dame ⛰ sans rest, 4 pl. N.-Dame **(a)** ✆ 54 48 01 14, Fax 54 48 31 14 – TV ☎ ✆ ♿. AE ⓓ GB
☕ 38 – **19 ch** 250/300.

A l'Escargot, pl. Marché **(s)** ✆ 54 48 03 85 – AE ⓓ GB
fermé 5 au 28 fév., lundi soir et mardi – **Repas** 105/235.

Jardin de la Poste, 10 r. Basse-du-Mouhet **(n)** ✆ 54 48 05 62 – AE ⓓ GB
fermé 7 au 14 oct., 16 déc. au 13 janv., dim. soir et lundi – **Repas** 100/240 ₰.

Aub. du Moulin Bureau, S : 1 km par pl. Abbaye ✆ 54 48 04 20, 🌳, ☂ – P. AE GB
1er fév.-1er nov. et fermé merc. sauf de mai à août – **Repas** 78 bc/188.

à St-Chartier par ① et D 918 : 9 km – 548 h. alt. 195 – ✉ **36400**.
Voir Vic : fresques★ de l'église SO : 2 km.

Château Vallée Bleue ⛰, rte Verneuil ✆ 54 31 01 91, Fax 54 31 04 48, 🌳, parc, 🏊 – TV ☎ P – 🏛 40. GB
fermé fév., dim. soir et lundi d'oct. à mars – **Repas** 135/295, enf. 65 – ☕ 50 – **13 ch** 350/55[...] – ½ P 400/500.

à Pouligny-Notre-Dame par ④ et D 940 : 12 km – ✉ **36160** :

Les Dryades M ⛰, ✆ 54 30 28 00, Fax 54 30 10 24, 🌳, « Complexe de loisirs et de remise en forme, golf, ‹ Vallée Noire », Lδ, 🏊, 🏊, ☂, 🎾 – |‡| ▤ TV ☎ P – 🏛 25 à 20[0] AE ⓓ GB
Repas 160/350 – ☕ 50 – **85 ch** 600/700 – ½ P 560.

CITROEN Gar. Patry, par ④ ✆ 54 48 04 83 N ✆ 54 48 04 83
FORD Gar. Butte, 2 av. d'Auvergne ✆ 54 48 04 61
PEUGEOT Gar. de la Vallée Noire, rte de Châteauroux par ① ✆ 54 06 10 10 N ✆ 54 26 30 47
RENAULT Gar. des Huchettes, 6 ch. des Huchettes à Montgivray ✆ 54 48 38 38 N ✆ 54 48 38 38

Gar. Fournier, Fontarabie à Pouligny-Notre-Dame ✆ 54 30 21 50 N ✆ 54 30 21 50

Ⓜ Chirault, ✆ 54 48 04 10

CHAUBLANC

71 S.-et-L. 70 ② – rattaché à St-Gervais-en-Vallière.

CHAUDES-AIGUES

15110 Cantal 76 ⑭ **G. Auvergne** (plan) – 1 110 h alt. 750 – Stat. therm. (29 avri[l-] 19 oct.).

🅸 Office de Tourisme av. G.-Pompidou ✆ 71 23 52 75.

Paris 546 – Aurillac 92 – Entraygues-sur-Truyère 61 – Espalion 54 – St-Chély-d'Apcher 29 – St-Flour 29.

Beauséjour M, ✆ 71 23 52 37, Fax 71 23 56 89, 🌳, 🏊 – |‡| TV ☎ P. GB
25 mars-30 nov. et fermé vend. soir et sam. sauf du 2 mai au 19 oct. et vacances scolaires – **Repas** 71/205 – ☕ 36 – **40 ch** 260/320 – ½ P 250/270.

Arev H. M, ✆ 71 23 52 43, Fax 71 23 59 94 – |‡| ✈ ▤ rest TV ☎. GB
1er mai-30 sept. – **Repas** brasserie (ouvert week-ends seul.) 59 (déj.), 78/130, enf. 37 – ☕ 3[...] – **37 ch** 190/290, 4 duplex – ½ P 223.

Aux Bouillons d'Or, ✆ 71 23 51 42 – |‡| TV ☎. AE GB
Repas *(fermé merc. du 1er oct. au 1er mai)* 65/160 ₰, enf. 45 – ☕ 30 – **12 ch** 240/310 – ½ P 240.

à Lanau N : 4,5 km par D 921 – ✉ **15260** Neuvéglise :

Aub. Pont de Lanau avec ch, ✆ 71 23 57 76, Fax 71 23 53 84, 🌳 – TV ☎ P. GB. ✗ res[t]
fermé janv., fév., mardi soir et merc. de sept. à mai – **Repas** 95/255 – ☕ 37 – **8 ch** 280/360 – ½ P 310.

CITROEN Gar. Moderne, ✆ 71 23 52 52

RENAULT Gar. Gascuel, ✆ 71 23 52 82 N ✆ 71 73 81 80

CHAUFFAILLES

71170 S.-et-L. 73 ⑧ – 4 485 h alt. 405.

🅸 Office de Tourisme 1 r. Gambetta (15 mai-15 sept.) ✆ 85 26 07 06, Fax 85 84 62 94.

Paris 401 – Mâcon 68 – Roanne 35 – Charolles 32 – ♦Lyon 78.

à Châteauneuf O : 7 km par D 8 **G. Bourgogne** – 110 h. alt. 370 – ✉ **71740** :

La Fontaine, ✆ 85 26 26 87 – P. GB
fermé 2 au 10 oct., 13 janv. au 13 fév., mardi soir et merc. – **Repas** 97/330, enf. 60.

CHAUFFAYER

05 H.-Alpes 77 ⑯ – 363 h alt. 910 – ✉ **05800** St-Firmin-en-Valgaudemar.

Paris 647 – Gap 26 – ♦Grenoble 78 – St-Bonnet-en-Champsaur 13.

Château des Herbeys ⛰, N : 2 km par N 85 et rte secondaire ✆ 92 55 26 8[3], Fax 92 55 29 66, parc, « Demeure du 13e siècle », 🏊, 🎾 – TV ☎ ♿ P. GB
1er mars-30 oct. et fermé mardi sauf vacances scolaires – **Repas** 125/230 – ☕ 50 – **10 c[h]** 500/700 – ½ P 380/550.

HAUFOUR-LÈS-BONNIÈRES 78270 Yvelines 55 ⑱ 106 ① – 376 h alt. 157.

aris 76 – ♦Rouen 63 – Bonnières-sur-Seine 7,5 – Évreux 26 – Mantes-la-Jolie 19 – Vernon 9 – Versailles 61.

Au Bon Accueil avec ch, N 13 ✆ (1) 34 76 11 29, Fax (1) 34 76 00 36 – rest P. GB
fermé 20 juil. au 15 août, 22 déc. au 2 janv., vend. soir et sam. – **Repas** 75/180 ♀, enf. 50 – ☐ 24 – **16 ch** 120/200.

Le Relais, N 13 ✆ (1) 34 76 11 33 – P. GB
fermé 12 au 31 août, 17 au 28 fév. et dim. soir – **Repas** 70/160 ♀, enf. 45.

HAUMES-EN-BRIE 77390 S.-et-M. 61 ② – 2 500 h alt. 104.

aris 58 – Coulommiers 25 – Meaux 36 – Melun 20 – Provins 40.

La Chaum'Yerres M avec ch, 1 av. Libération (rte Melun) ✆ (1) 64 06 03 42, Fax (1) 64 06 36 15 – TV ☎ . AE ⓓ GB
fermé 29 juil. au 12 août, 20 au 26 janv., dim. soir et lundi – **Repas** 190/240 ♀ – ☐ 45 – **10 ch** 280/450 – ½ P 350/450.

ITROEN Gar. Sirier, ✆ (1) 64 06 03 50

HAUMONT P 52000 H.-Marne 62 ⑪ **G. Champagne** – 27 041 h alt. 318.

oir Viaduc★ Z – Basilique St-Jean-Baptiste★ Y.

Office de Tourisme pl. Gén-de-Gaulle ✆ 25 03 80 80, Fax 25 32 00 99.

aris 274 ⑤ – Auxerre 141 ④ – Épinal 124 ② – Langres 35 ③ – St-Dizier 75 ① – Troyes 100 ⑤.

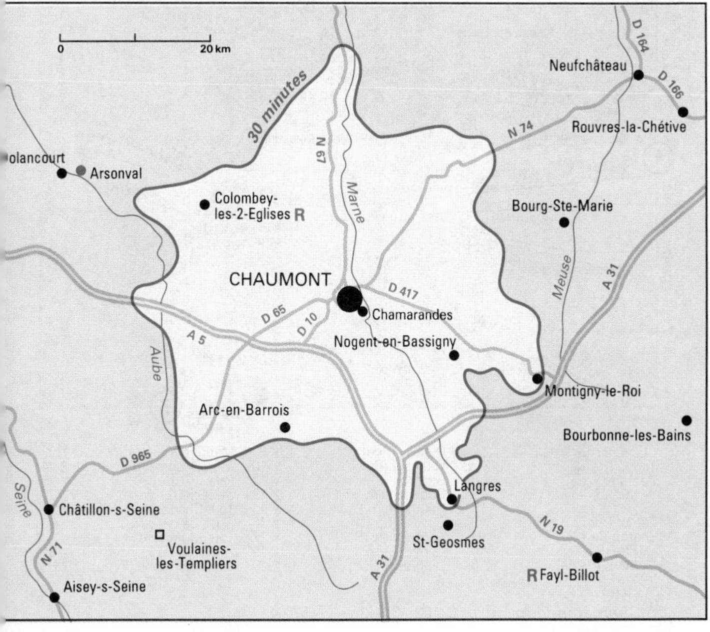

Terminus-Reine, pl. Gén. de Gaulle ✆ 25 03 66 66, Fax 25 03 28 95 – TV ☎ . AE ⓓ GB — Z a
Repas *(fermé dim. soir du 1er nov. à Pâques)* 95 (déj.), 120/340 ♀ – ☐ 36 – **63 ch** 280/450 – ½ P 275/305.

Gd H. de France M sans rest, 25 r. Toupot de Béveaux ✆ 25 03 01 11, Fax 25 32 35 80 – TV ☎ . AE GB — Z s
☐ 35 – **10 ch** 350/390, 10 studios 370/540.

Grand Val, rte Langres par ③ : 2,5 km ✆ 25 03 90 35, Fax 25 32 11 80 – TV ☎ P – 25. AE ⓓ GB
fermé 23 au 31 déc. – **Repas** 60/170, enf. 45 – ☐ 27 – **52 ch** 240/300 – ½ P 225/260.

Étoile d'Or, rte Langres par ③ : 2 km ✆ 25 03 02 23, Fax 25 32 52 33 – TV ☎ P – 50. GB
fermé dim. soir – **Repas** 80/200 ♀, enf. 59 – ☐ 30 – **16 ch** 235/275 – ½ P 250.

Royal sans rest, 31 r. Mareschal ✆ 25 03 01 08, Fax 25 01 44 70 – TV ☎ P. GB
fermé dim. – ☐ 20 – **19 ch** 125/175. — Z b

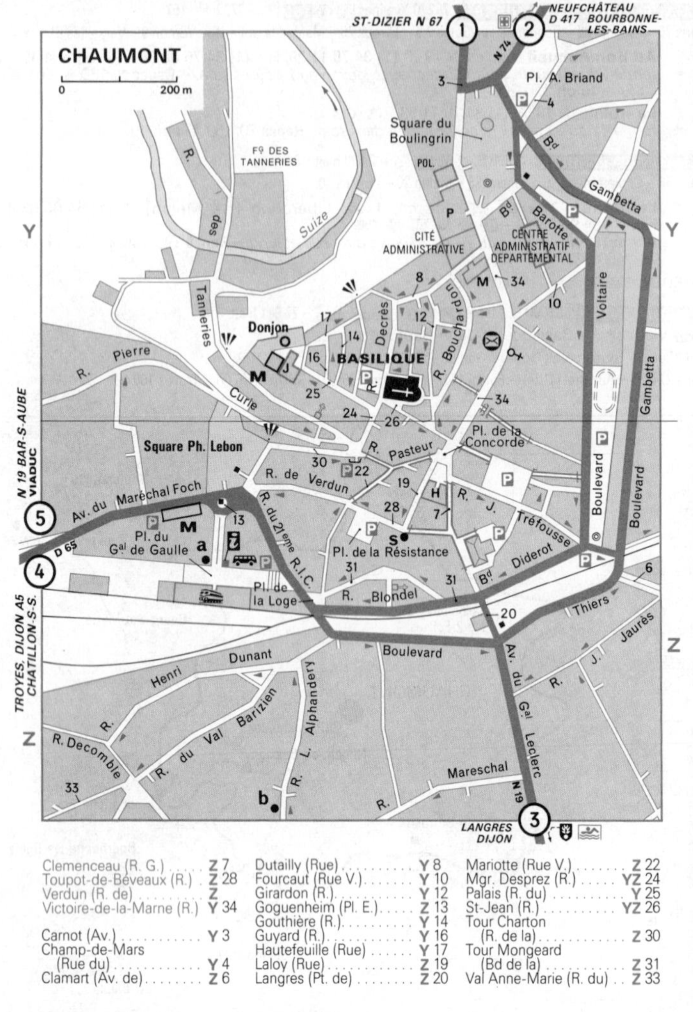

Clemenceau (R. G.) . . . . . Z 7
Toupot-de-Béveaux (R.) . Z 28
Verdun (R. de) . . . . Z
Victoire-de-la-Marne (R.) Y 34
Carnot (Av.) . . . . Y 3
Champ-de-Mars (Rue du) . . . . Y 4
Clamart (Av. de) . . . . Z 6
Dutailly (Rue) . . . . Y 8
Fourcaut (Rue V.) . . . . . . Y 10
Girardon (R.) . . . . Y 12
Goguenheim (Pl. E.) . . . . . Z 13
Gouthière (R.) . . . . Y 14
Guyard (R.) . . . . Y 16
Hautefeuille (Rue) . . . . . . Y 17
Laloy (Rue) . . . . Z 19
Langres (Pt. de) . . . . Z 20
Mariotte (Rue V.) . . . . Z 22
Mgr. Desprez (R.) . . . . . YZ 24
Palais (R. du) . . . . Y 25
St-Jean (R.) . . . . YZ 26
Tour Charton (R. de la) . . . . Z 30
Tour Mongeard (Bd de la) . . . . Z 31
Val Anne-Marie (R. du) . . Z 33

à Chamarandes par ③ et D 162 : 3,5 km – ✉ **52000** :

XX **Au Rendez-vous des Amis** avec ch, ℘ 25 32 20 20, Fax 25 02 60 90, – re
TV ☎ ℰ. GB
fermé 1er au 20 août et 20 déc. au 2 janv. – **Repas** *(fermé vend. soir et sam.)* 89/260
enf. 48 – ☕ 40 – **14 ch** 190/290 – ½ P 220/250.

BMW, TOYOTA Gar. SODECO, 9 rte de Neuilly ℘ 25 03 49 04
CITROEN Avenir Autom., N 19 à Chamarandes Choignes par ③ ℘ 25 32 66 06
PEUGEOT CAM, rte de Neuilly par ③ ℘ 25 32 67 00 [N] ℘ 25 32 72 98

RENAULT Relais Paris-Bâle, rte de Langres par ③ **km 3** ℘ 25 03 72 22 [N] ℘ 25 32 72 01
VAG Gar. Petitprêtre, 5 rte de Choignes ℘ 25 32 19 86

Legros, 60 av. République ℘ 25 32 21 54

CHAUMONT-SUR-AIRE **55260** Meuse 56 ⑳ – 151 h alt. 250.

Paris 269 – Bar-le-Duc **20** – **St-Mihiel 24** – **Verdun 33.**

X **Aub. du Moulin Haut,** E : 1 km sur rte St-Mihiel ℘ 29 70 66 46, Fax 29 70 60 75,
« Ancien moulin au bord de l'eau », – P. AE GB
fermé 15 janv. au 15 fév., dim. soir et lundi – **Repas** 100 (déj.), 140/300, enf. 45.

CHAUMONT-SUR-LOIRE 41150 L.-et-Ch. 64 ⑯ – 876 h alt. 69.

Voir Château★★, G. Châteaux de la Loire.

Paris 202 – ◆Tours 44 – Amboise 20 – Blois 17 – Montrichard 18.

La Chancelière, ✆ 54 20 96 95 – AE GB
fermé 14 au 30 nov., 1er au 20 fév., merc. soir sauf juil.-août et jeudi – **Repas** 79/205, enf. 57.

RENAULT Gar. Lefebvre, ✆ 54 20 98 65 N ✆ 54 20 93 86

CHAUMONT-SUR-THARONNE 41600 L.-et-Ch. 64 ⑨ G. Châteaux de la Loire – 901 h alt. 122.

Paris 167 – ◆Orléans 34 – Blois 52 – Romorantin-Lanthenay 33 – Salbris 31.

Croix Blanche, ✆ 54 88 55 12, Fax 54 88 60 40, – TV ☎ P – 25. AE GB
Repas 118 (déj.), 145/350, enf. 70 – 45 – **12 ch** 250/580 – ½ P 420/500.

CHAUMOUSEY 88 Vosges 62 ⑮ – rattaché à Épinal.

CHAUNAY 86510 Vienne 72 ③ – 1 174 h alt. 130.

Paris 382 – Poitiers 46 – Angoulême 63 – Confolens 52 – Niort 58.

Central, ✆ 49 59 25 04, Fax 49 53 41 88, – rest TV ☎ P. AE GB
fermé fév. et dim. soir du 1er oct. au 31 mars – **Repas** 85/180 – 32 – **16 ch** 220/380 – ½ P 230/280.

CHAUNY 02300 Aisne 56 ③ ④ – 12 926 h alt. 50.

Office de Tourisme, pl. du Marché Couvert ✆ 23 52 10 79.

Paris 120 – Compiègne 39 – St-Quentin 29 – Laon 35 – Noyon 16 – Soissons 31.

XXX ✿ **La Toque Blanche** (Lequeux) M avec ch, 24 av. V. Hugo ✆ 23 39 98 98, Fax 23 52 32 79, parc, – TV ☎ P – 30. GB. ch
fermé 4 au 26 août, 1er au 6 janv., sam. midi, dim. soir et lundi – **Repas** (nombre de couverts limité, prévenir) 170/390 et carte 300 à 470 – 50 – **7 ch** 310/480
Spéc. Fricassée de homard et gésiers de volaille aux pommes roseval. Spirale de sole et d'anguille fumée, sauce matelote. Frivolité de fraises et sa julienne d'écorce d'orange confite (juin à oct.).

au Rond d'Orléans SE : 8 km par D 937 et D 1750 – ✉ 02300 Sinceny :

Aub. du Rond d'Orléans M, ✆ 23 52 26 51, Fax 23 52 36 80 – TV ☎ P – 25 à 50. GB
fermé 23 au 31 déc. et dim. soir – **Repas** 168/270 – 37 – **21 ch** 280/310.

RENAULT Gar. Charbonnier, 137 r. Pasteur ✆ 23 38 32 10 N ✆ 23 08 05 68

Dupont Pneus, 43 rte de Chauny à Condren ✆ 23 57 00 58

CHAUSEY (Iles) 50 Manche 59 ⑦ G. Normandie Cotentin.

Voir Grande Ile★.

Accès par transports maritimes.

depuis **Granville.** Traversée 50 mn - Renseignements à : Vedette "Jolie France" Gare Maritime ✆ 33 50 31 81 (Granville), Fax 33 50 39 90, ou en saison, à Emeraudes Lines 1 r. Lecampion ✆ 33 50 16 36 (Granville), Fax 33 50 87 80.

depuis **St-Malo.** Service saisonnier - Traversée 1 h 30 mn - Renseignements à Emeraude Lines, B.P. 16, 35401 St-Malo Cedex ✆ 99 40 48 40, Fax 99 40 57 47.

Fort et des Iles , ✆ 33 50 25 02, ≤ archipel,
fin avril-mi-sept. – **Repas** *(fermé lundi)* (en saison, prévenir) 95/250 – 35 – **8 ch** (½ pens. seul.) – ½ P 280.

La-CHAUSSÉE-ST-VICTOR 41 L.-et-Ch. 64 ⑦ – rattaché à Blois.

CHAUSSIN 39120 Jura 70 ③ – 1 587 h alt. 191.

Paris 355 – Chalon-sur-Saône 54 – Beaune 55 – ◆Besançon 74 – ◆Dijon 61 – Dole 20 – Lons-le-Saunier 43.

Chez Bach , pl. Ancienne Gare ✆ 84 81 80 38, Fax 84 81 83 80 – TV ☎ P. AE GB
fermé 2 au 15 janv., vend. soir et dim. soir sauf juil.-août – **Repas** (dim. prévenir) 82/300, enf. 55 – 40 – **23 ch** 200/300 – ½ P 250/290.

CITROEN Gar. Pernin, ✆ 84 81 85 82 N ✆ 84 81 83 90

CHAUVIGNY 86300 Vienne 68 ⑭ ⑮ G. Poitou Vendée Charentes (plan) – 6 665 h alt. 65.

Voir Ville haute★ – Église St-Pierre★ : chapiteaux du choeur★★.

Env. St-Savin : abbaye★★ (peintures murales★★★), Pont-Vieux★, E : 19 km.

Office de Tourisme à la Mairie ✆ 49 45 99 10 et 5 r. St-Pierre (juin-30 sept.) ✆ 49 46 39 01.

Paris 337 – Poitiers 26 – Bellac 63 – Le Blanc 37 – Châtellerault 29 – Montmorillon 26 – Ruffec 74.

Lion d'Or, 8 r. Marché ✆ 49 46 30 28, Fax 49 47 74 28 – TV ☎ P. GB
fermé 15 déc. au 10 janv. et sam. de nov. à mars – **Repas** 90/200, enf. 48 – 34 – **26 ch** 270/290.

Beauséjour, 18 r. Vassalour ✆ 49 46 31 30, Fax 49 56 00 34, – TV ☎ P. AE GB
fermé 22 déc. au 2 janv. – **Repas** 65/150, enf. 40 – 35 – **20 ch** 170/300.

CITROEN Gar. Menu, 48 rte de St-Savin ✆ 49 46 37 88

FORD Gar. Dupont, ZA du Planty ✆ 49 46 96 68

CHAVANAY 42410 Loire 77 ① – 2 071 h alt. 200.

Paris 508 – Annonay 28 – ♦St-Étienne 47 – Serrières 12 – Tournon-sur-Rhône 48 – Vienne 18.

XXX **Alain Charles** avec ch, rte Nationale ✆ 74 87 23 02, Fax 74 87 01 42, – ☎. G
fermé 16 au 30 août, 2 au 9 janv., dim. soir et lundi sauf fériés – **Repas** 85 (déj.)/320 – 3 – **4 ch** 220/280 – ½ P 310.

CHAVIGNOL 18 Cher 65 ⑫ – rattaché à Sancerre.

CHAVOIRES 74 H.-Savoie 74 ⑥ – rattaché à Annecy.

CHAZELLES-SUR-LYON 42140 Loire 73 ⑲ **G. Vallée du Rhône** – 4 895 h alt. 630.

Paris 490 – ♦St-Étienne 35 – ♦Lyon 50 – Montbrison 25 – Roanne 61.

Château Blanchard M, 36 rte St-Galmier ✆ 77 54 28 88, Fax 77 54 36 03, , – ☎ P. AE ① GB
fermé 1er au 15 janv., dim. soir et lundi sauf fêtes – **Repas** 90/240 – 30 – **12 ch** 265/370 ½ P 280/330.

CITROEN Gar. Escot, ✆ 77 54 20 62

Le CHEIX 63 P.-de-D. 73 ⑭ – 601 h alt. 682 – ✉ 63320 St-Diéry.

Voir Gorges de Courgoul★ SE : 5 km, **G. Auvergne.**

Paris 461 – ♦Clermont-Ferrand 46 – Besse-en-Chandesse 8,5 – Issoire 22 – Le Mont-Dore 29.

X **Relais des Grottes** avec ch, ✆ 73 96 30 30, Fax 73 96 31 34, ←, – ☎ P. GB
fermé 26 août au 2 sept., 15 déc. au 15 janv., dim. soir et merc. sauf vacances scolaires **Repas** 88/178, enf. 55 – 35 – **10 ch** 140/250 – ½ P 180/220.

CHELLES 77 S.-et-M. 56 ⑫, 101 ⑲ – voir à Paris, Environs.

CHELLES 60350 Oise 56 ③ – 334 h alt. 75.

Paris 93 – Compiègne 19 – Beauvais 78 – Crépy-en-Valois 22 – Soissons 26 – Villers-Cotterêts 16.

Relais Brunehaut, ✆ 44 42 85 05, Fax 44 42 83 30, , « Auberge rustique », cuisinette ☎ P. GB
hôtel : fermé 1er au 13 août et lundi – **Repas** *(fermé 1er au 13 août, 15 nov. au 15 mai sa week-ends, lundi et mardi)* 135/250 bc – 38 – **5 ch** 260/310 – ½ P 270/320.

CHÉNAS 69840 Rhône 74 ① **G. Vallée du Rhône** – 372 h alt. 253.

Paris 409 – Mâcon 17 – Chauffailles 46 – Juliénas 5,5 – ♦Lyon 59 – Villefranche-sur-Saône 26.

XX **Daniel Robin**, aux Deschamps ✆ 85 36 72 67, Fax 85 33 83 57, ←, , « Terrasse jardin face au vignoble » – AE ① GB
fermé début fév. à début mars, mardi soir et merc. – **Repas** 115/240.

CHÊNEHUTTE-LES-TUFFEAUX 49 M.-et-L. 64 ⑫ – rattaché à Saumur.

CHÉNÉRAILLES 23130 Creuse 73 ① **G. Berry Limousin** – 794 h alt. 537.

Voir Haut-relief★ dans l'église.

Paris 375 – Aubusson 19 – La Châtre 62 – Guéret 31 – Montluçon 44.

XX **Coq d'Or** avec ch, ✆ 55 62 30 83 – ☎. GB
fermé 17 au 30 juin, 23 au 29 sept., 8 au 23 janv., dim. soir et lundi – **Repas** 62/190, enf. – 26 – **7 ch** 150/225 – ½ P 295/350.

CHENNEVIÈRES-SUR-MARNE 94 Val-de-Marne 61 ①, 101 ㉘ – voir à Paris, Environs.

CHENONCEAUX 37150 I.-et-L. 64 ⑯ – 313 h alt. 62.

Voir Château de Chenonceau★★★ (spectacle son et lumière), **G. Châteaux de la Loire.**

Office de Tourisme r. du Château (mai-sept.) ✆ 47 23 94 45.

Paris 234 – ♦Tours 33 – Amboise 11,5 – Château-Renault 34 – Loches 31 – Montrichard 9,5.

Bon Laboureur et Château, ✆ 47 23 90 02, Fax 47 23 82 01, , , – ☎ P. AE ① GB
fermé 15 nov. au 15 déc. et 2 janv. au 15 fév. – **Repas** 150/300, enf. 90 – 45 – **28 c** 320/700, 4 appart – ½ P 350/550.

La Roseraie, ✆ 47 23 90 09, Fax 47 23 91 59, , , – ☎ P. AE ① GB
15 fév.-15 nov. – **Repas** 98/155, enf. 60 – 38 – **16 ch** 265/480 – ½ P 255/360.

Host. La Renaudière, ✆ 47 23 90 04, Fax 47 23 90 51, , parc – ☎ P. AE G rest
15 mars-15 nov., week-ends et vacances scolaires – **Repas** *(fermé merc. du 1er sept. au avril)* 98/240, enf. 50 – 40 – **15 ch** 250/420 – ½ P 270/330.

Relais Chenonceaux sans rest, ✆ 47 23 98 11, Fax 47 23 84 07 – ☎ P. GB
15 mars-1er nov. – 35 – **18 ch** 250/450.

Bodin, gar. du Chateau, à Civray ✆ 47 23 92 03

CHENÔVE 21 Côte-d'Or 66 ⑫ – rattaché à Dijon.

LE GUIDE MICHELIN DU PNEUMATIQUE

Qu'est-ce qu'un pneu ?

Produit de haute technologie, le pneu constitue le seul point de liaison de la voiture avec le sol. Ce contact correspond, pour une roue, à une surface équivalente à celle d'une carte postale. Le pneu doit donc se contenter de ces quelques centimètres carrés de gomme au sol pour remplir un grand nombre de tâches souvent contradictoires :

Porter le véhicule à l'arrêt, mais aussi résister aux transferts de charge considérables à l'accélération et au freinage.

Transmettre la puissance utile du moteur, les efforts au freinage et en courbe.

Rouler régulièrement, plus sûrement, plus longtemps pour un plus grand plaisir de conduire.

Guider le véhicule avec précision, quels que soient l'état du sol et les conditions climatiques.

Amortir les irrégularités de la route, en assurant le confort du conducteur et des passagers ainsi que la longévité du véhicule.

Durer, c'est-à-dire, garder au meilleur niveau ses performances pendant des millions de tours de roue.

Afin de vous permettre d'exploiter au mieux toutes les qualités de vos pneumatiques, nous vous proposons de lire attentivement les informations et les conseils qui suivent.

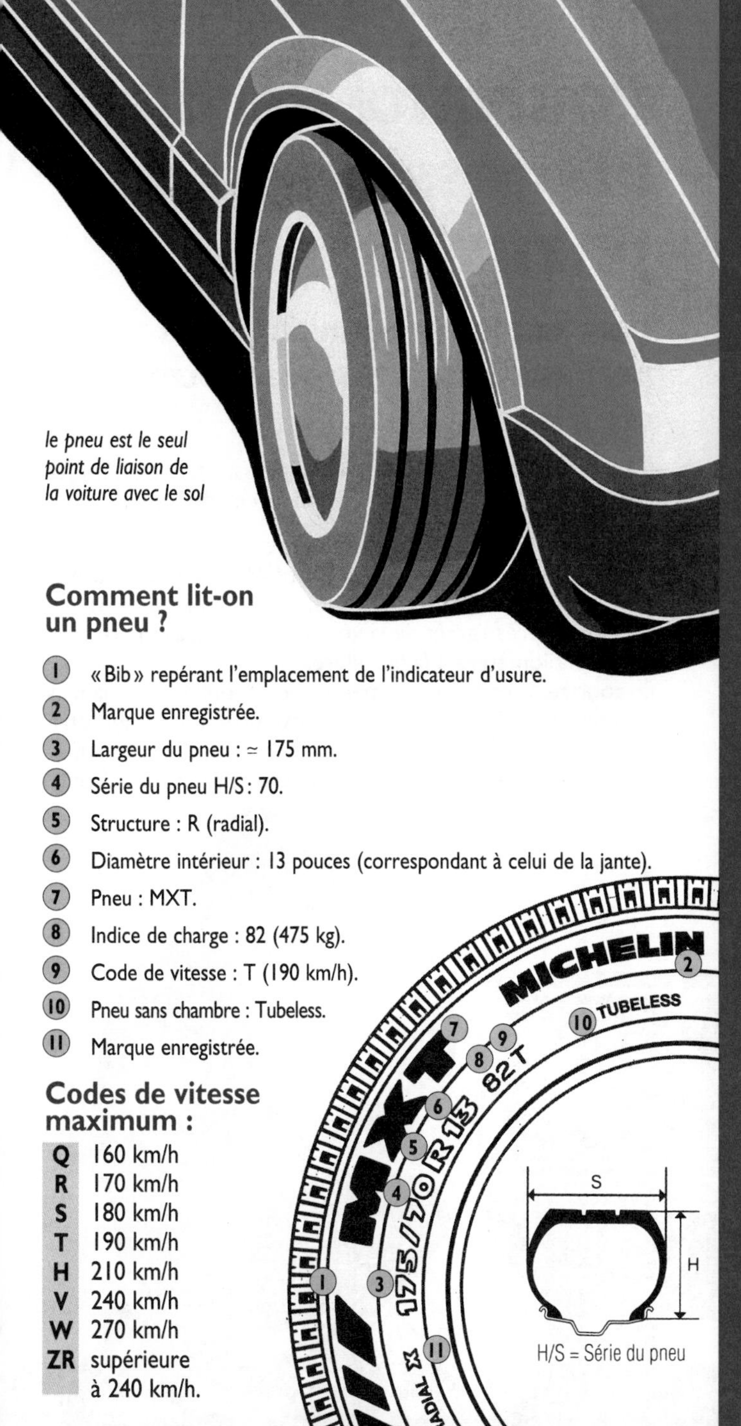

H/S = Série du pneu

le pneu est le seul point de liaison de la voiture avec le sol

Comment lit-on un pneu ?

1. « Bib » repérant l'emplacement de l'indicateur d'usure.
2. Marque enregistrée.
3. Largeur du pneu : ≃ 175 mm.
4. Série du pneu H/S : 70.
5. Structure : R (radial).
6. Diamètre intérieur : 13 pouces (correspondant à celui de la jante).
7. Pneu : MXT.
8. Indice de charge : 82 (475 kg).
9. Code de vitesse : T (190 km/h).
10. Pneu sans chambre : Tubeless.
11. Marque enregistrée.

Codes de vitesse maximum :

Q	160 km/h
R	170 km/h
S	180 km/h
T	190 km/h
H	210 km/h
V	240 km/h
W	270 km/h
ZR	supérieure à 240 km/h.

Pourquoi vérifier la pression de vos pneus ?

Pour exploiter au mieux leurs performances et assurer votre sécurité.

Contrôlez la pression de vos pneus, sans oublier la roue de secours, dans de bonnes conditions :

Un pneu perd régulièrement de la pression. Les pneus doivent être contrôlés, une fois toutes les 2 semaines, à froid, c'est-à-dire une heure au moins après l'arrêt de la voiture ou après avoir parcouru 2 à 3 kilomètres à faible allure.

En roulage, la pression augmente ; ne dégonflez donc jamais un pneu qui vient de rouler : considérez que, pour être correcte, sa pression doit être au moins supérieure de 0,3 bar à celle préconisée à froid.

Le surgonflage : si vous devez effectuer un long trajet à vitesse soutenue, ou si la charge de votre voiture est particulièrement importante, il est généralement conseillé de majorer la pression de vos pneus. Attention : l'écart de pression avant-arrière nécessaire à l'équilibre du véhicule doit être impérativement respecté. Consultez les tableaux de gonflage Michelin chez tous les professionnels de l'automobile et chez les spécialistes du pneu, et n'hésitez pas à leur demander conseil.

Le sous-gonflage : lorsque la pression de gonflage est insuffisante, les flancs du pneu travaillent anormalement, ce qui entraîne une fatigue excessive de la carcasse, une élévation de température et une usure anormale. Le pneu subit alors des dommages irréversibles qui peuvent entraîner sa destruction immédiate ou future. En cas de perte de pression, il est impératif de consulter un spécialiste qui en recherchera la cause et jugera de la réparation éventuelle à effectuer.

Le bouchon de valve : en apparence, il s'agit d'un détail ; c'est pourtant un élément essentiel de l'étanchéité. Aussi, n'oubliez pas de le remettre en place après vérification de la pression, en vous assurant de sa parfaite propreté.

Voiture tractant caravane, bateau... Dans ce cas particulier, il ne faut jamais oublier que le poids de la remorque accroît la charge du véhicule. Il est donc nécessaire d'augmenter la pression des pneus arrière de votre voiture, en vous conformant aux indications des tableaux de gonflage Michelin. Pour de plus amples renseignements, demandez conseil à votre revendeur de pneumatiques, c'est un véritable spécialiste.

Vérifiez la pression de vos pneus régulièrement et avant chaque voyage.

Comment faire durer vos pneus ?

Afin de préserver longtemps les qualités de vos pneus, il est impératif de les faire contrôler régulièrement, et avant chaque grand voyage. Il faut savoir que la durée de vie d'un pneu peut varier dans un rapport de 1 à 4, et parfois plus, selon son entretien, l'état du véhicule, le style de conduite et l'état des routes ! L'ensemble roue-pneumatique doit être parfaitement équilibré pour éviter les vibrations qui peuvent apparaître à partir d'une certaine vitesse. Pour supprimer ces vibrations et leurs désagréments, vous confierez l'équilibrage à un professionnel du pneumatique car cette opération nécessite un savoir-faire et un outillage très spécialisé.

Les facteurs qui influent sur l'usure et la durée de vie de vos pneumatiques :
les caractéristiques du véhicule (poids, puissance…), le profil des routes (rectilignes, sinueuses), le revêtement (granulométrie : sol lisse ou rugueux), l'état mécanique du véhicule (réglage des trains avant, arrière, état des suspensions et des freins…), le style de conduite (accélérations, freinages, vitesse de passage en courbe…), la vitesse (en ligne droite à 120 km/h un pneu s'use deux fois plus vite qu'à 70 km/h), la pression des pneumatiques (si elle est incorrecte, les pneus s'useront beaucoup plus vite et de manière irrégulière).
D'autres événements de nature accidentelle (chocs contre trottoirs, nids de poule…), en plus du risque de déréglage et de détérioration de certains éléments du véhicule, peuvent provoquer des dommages internes au pneumatique dont les conséquences ne se manifesteront parfois que bien plus tard. Un contrôle régulier de vos pneus vous permettra donc de détecter puis de corriger rapidement les anomalies (usure anormale, perte de pression…). A la moindre alerte, adressez-vous immédiatement à un revendeur spécialiste qui interviendra pour préserver les qualités de vos pneus, votre confort et votre sécurité.

Surveillez l'usure de vos pneumatiques : comment ? Tout simplement en observant la profondeur de la sculpture. C'est un facteur de sécurité, en particulier sur sol mouillé. Tous les pneus possèdent des indicateurs d'usure de 1,6 mm d'épaisseur. Ces indicateurs sont repérés par un Bibendum situé aux « épaules » des pneus Michelin. Un examen visuel suffit pour connaître le niveau d'usure de vos pneumatiques. Attention : même si vos pneus n'ont pas encore atteint la limite d'usure légale (en France, la profondeur restante de la sculpture doit être supérieure à 1,6 mm sur l'ensemble de la bande de roulement), leur capacité à évacuer l'eau aura naturellement diminué avec l'usure.

Les chocs contre les trottoirs, les nids de poule... peuvent endommager gravement vos pneus.

Comment choisir vos pneus ?

Le type de pneumatique qui équipe d'origine votre véhicule a été déterminé pour optimiser ses performances. Il vous est cependant possible d'effectuer un autre choix en fonction de votre style de conduite, des conditions climatiques, de la nature des routes et des trajets effectués.
Dans tous les cas, il est indispensable de consulter un spécialiste du pneumatique, car lui seul pourra vous aider à trouver la solution la mieux adaptée à votre utilisation dans le respect de la législation.

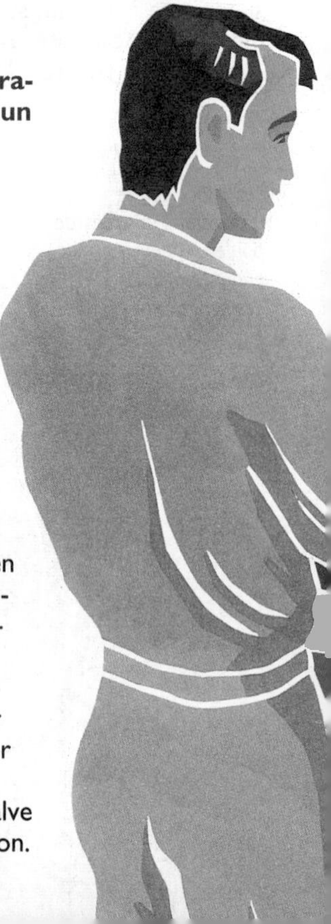

Montage, démontage, équilibrage du pneu ; c'est l'affaire d'un professionnel :
un mauvais montage ou démontage du pneu peut le détériorer et mettre en cause votre sécurité.

Sauf cas particulier et exception faite de l'utilisation provisoire de la roue de secours, les pneus montés sur un essieu donné doivent être identiques. Il est conseillé de monter les pneus neufs ou les moins usés à l'arrière pour assurer la meilleure tenue de route en situation difficile (freinage d'urgence ou courbe serrée) principalement sur chaussée glissante.
En cas de crevaison, seul un professionnel du pneu saura effectuer les examens nécessaires et décider de son éventuelle réparation.
Il est recommandé de changer la valve ou la chambre à chaque intervention.

Il est déconseillé de monter une chambre à air dans un ensemble tubeless.

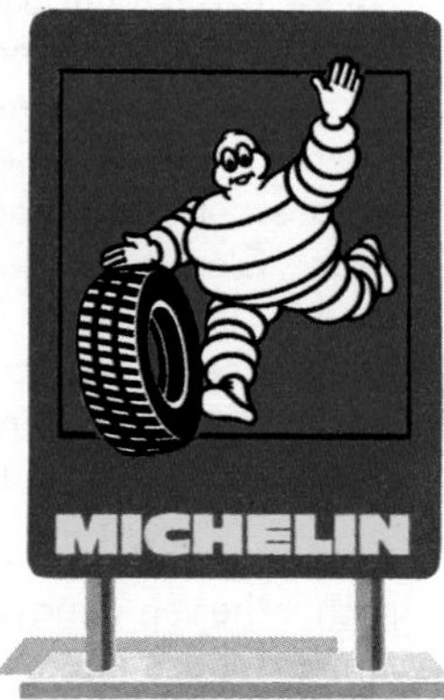

L'utilisation de pneus cloutés est strictement réglementée ; il est important de s'informer avant de les faire monter.

Attention : la capacité de vitesse des pneumatiques Hiver « M+S » peut être inférieure à celle des pneus d'origine. Dans ce cas, la vitesse de roulage devra être adaptée à cette limite inférieure. Une étiquette de rappel de cette vitesse sera apposée à l'intérieur du véhicule à un endroit aisément visible du conducteur.

Innover pour aller plus loin

En 1889, Edouard Michelin prend la direction de l'entreprise qui porte son nom. Peu de temps après, il dépose le brevet du pneumatique démontable pour bicyclette. Tous les efforts de l'entreprise se concentrent alors sur le développement de la technique du pneumatique. C'est ainsi qu'en 1895, pour la première fois au monde, un véhicule baptisé « l'Eclair » roule sur pneumatiques. Testé sur ce véhicule lors de la course Paris-Bordeaux-Paris, le pneumatique démontre immédiatement sa supériorité sur le bandage plein.

Créé en 1898, le Bibendum symbolise l'entreprise qui, de recherche en innovation, du pneu vélocipède au pneu avion, impose le pneumatique à toutes les roues.

En 1946, c'est le dépôt du brevet du pneu radial ceinturé acier, l'une des découvertes majeures du monde du transport.

Cette recherche permanente de progrès a permis la mise au point de nouveaux produits. Ainsi, depuis 1991, le pneu dit « vert » ou « basse résistance au roulement », est devenu une réalité. Ce concept contribue à la protection de l'environnement, en permettant une diminution de la consommation de carburant du véhicule, et le rejet de gaz dans l'atmosphère.

Concevoir les pneus qui font tourner chaque jour 2 milliards de roues sur la terre, faire évoluer sans relâche plus de 3500 types de pneus différents, c'est le combat permanent des 4500 chercheurs Michelin.

Leurs outils : les meilleurs supercalculateurs, des laboratoires à la pointe de l'innovation scientifique, des centres de recherche et d'essais installés sur

6000 hectares en France, en Espagne, aux Etats-Unis et au Japon. Et c'est ainsi que quotidiennement sont parcourus plus d'un million de kilomètres, soit 25 fois le tour du monde.

Leur volonté : écouter, observer puis optimiser chaque fonction du pneumatique, tester sans relâche, et recommencer.

C'est cette volonté permanente de battre demain le pneu d'aujourd'hui pour offrir le meilleur service à l'utilisateur, qui a permis à Michelin de devenir le leader mondial du pneumatique.

Renseignements utiles

• Pour préparer votre voyage :

pour vos itinéraires routiers en France et en Europe :

3615 ou 3616 Michelin (1,29F/mn)

Vous trouverez : itinéraires détaillés, distances, coûts des péages, temps de parcours.

Mais aussi : hôtels-restaurants, curiosités touristiques, renseignements pneumatiques.

3617 Michelin (5,57 F/mn)

Vous recevez sur télecopieur l'information détaillée concernant votre itinéraire.

• Vos pneumatiques :

vous avez des observations, vous souhaitez des précisions concernant l'utilisation de vos pneumatiques Michelin, ... écrivez-nous à :

Manufacture Française des Pneumatiques Michelin
Boîte Postale Consommateurs
63040 Clermont Ferrand Cedex

ou téléphonez-nous à :

Ajaccio	95 20 30 55
Amiens	22 92 47 28
Angers	41 43 65 52
Annecy	50 51 59 70
Arras	21 71 12 08
Aurillac	71 64 90 33
Avignon	90 88 11 10
Bayonne	59 55 13 73
Besançon	81 80 24 53
Bordeaux	56 39 94 95
Bourg	74 45 24 24
Brest	98 47 31 31
Caen	31 26 68 19
Clermont-Ferrand	73 91 29 31
Dijon	80 67 35 38
Grenoble	76 98 51 54
Le Havre	35 25 22 20
Lille	20 98 40 48
Limoges	55 05 18 18
Lorient	97 76 03 60
Lyon	72 48 10 40
Marseille	91 02 08 02
Montélimar	75 01 80 91
Montpellier	67 79 50 79
Nancy	83 21 83 21
Nantes	40 92 15 44
Nice	93 31 66 09
Niort	49 33 00 42
Orléans	38 88 02 20
Pau	59 32 56 33
Périgueux	53 03 98 13
Perpignan	68 54 53 10
Reims	26 09 19 32
Rennes	99 50 72 00
Rodez	65 42 17 88
Rouen	35 73 63 73
Saint-Etienne	77 74 22 88
Strasbourg	88 39 39 40
Toulouse	61 41 11 54
Tours	47 28 60 59
Région parisienne	
Aubervilliers	48 33 07 58
Buc	39 56 10 66
Maisons-Alfort	48 99 55 60
Nanterre	47 21 67 21

Pressions de gonflage des pneus MICHELIN

Ce tableau de gonflage ne prétend pas être exhaustif.
Pour plus d'informations, consultez votre Spécialiste Pneu.

Véhicules — Marques et Types		Equipements Pneumatiques			Pressions (bar)* Utilisation Courante AV	AR	Autres Utilisation AV	AR
ALFA-ROMEO								
145 - 146								
.7 16V	7/94—>	185/60 R 14	MXV3 A - CLASSIC	H	2.2	2.0	2.5	2.3
'D	7/94—>	175/65 R 14	MXT	T	2.3	2.1	2.6	2.4
		185/60 R 14	MXV3 A - CLASSIC	H				
155								
.7 Twin Spark	04/93—>	185/60 R 14	MXV3 A - CLASSIC	H	2.2	2.0	2.5	2.5
.8 Twin Spark	01/92—>	185/60 R 14	MXV3 A - CLASSIC	H				
		195/60 R 14	HX MXV3 A	V				
.8 Twin Spark Sport	07/94—>	205/50 R 15	SX GT	V	2.5	2.3	2.8	2.5
		205/45 ZR 16 Renf.	SX MXX3	W				
.9 TD	04/93—>	175/65 R 14	MXT	T	2.3	2.1	2.5	2.5
.0 Twin Spark	01/92—>	195/60 R 14	HX MXV3 A	V	2.2	2.0	2.5	2.5
.0 16 V Twin Spark	07/94—>	195/55 R 15	SX GT	V				
.0 16 V Twin Spark Sport	07/94—>	205/50 R 15	SX GT	V	2.5	2.3	2.8	2.5
		205/45 ZR 16 Renf.	SX MXX3	W				
.5 V6	07/94—>	205/50 R 15	SX GT	V	2.5	2.3	2.8	2.5
.5 TD		205/45 ZR 16 Renf.	SX MXX3	W				
.5 TD	04/93—>	205/50 R 15	HX MXV3 A	V				
164								
'D 2.5	12/91—>	195/65 R 15	HX MXV3 A	V	2.2	2.0	2.5	2.5
.0 TWIN SPARK SUP	07/93—>	195/65 R 15	HX MXV3 A	V	2.2	2.0	2.5	2.5
		205/55 ZR 16	HX MXM	W	2.5	2.3	2.8	2.8
.0 V6 Turbo Super - Turbo Diesel Super	10/92—>	195/65 ZR 15	HX MXV3 A		2.2	2.0	2.5	2.5
3.0 V6 24V Super-Quadrifog.	04/93—>	205/55 ZR 16	HX MXV3 A		2.5	2.3	2.8	2.8
Q4	02/94—>	205/55 ZR 16 Renf.	HX MXM		2.5	2.5	2.8	2.8
AUDI								
A4 - A6 - A8								
A4 1.6 Lim. - 1.8 20V Lim.	09/94—>	195/65 R 15	HX MXV3 A	V	2.0	2.0	2.3	2.6
		205/60 R 15	HX MXV3 A	V				
		205/55 R 16	HX MXM	W	2.2	2.2	2.3	2.6
A4 1.8 20V - 2.6 - 2.8 V6 Lim. - Quattro	09/94—>	195/65 R 15	HX MXV3 A	V	2.4	2.4	2.8	2.9
		205/60 R 15	HX MXV3 A	V				
		205/55 R 16	HX MXM	W				
A4 TDi 1.9 Limousine	09/94—>	195/65 R 15	MXT	T	2.0	2.0	2.3	2.6
		205/60 R 15	HX MXV3 A	V				
		205/55 R 16	HX MXM	W	2.2	2.2	2.3	2.6
A6 TDi 1.9 Lim. Avant	08/94—>	195/65 R 15	MXT	T	1.9	1.9	2.2	2.5
		205/60 R 15	HX MXV3 A	V				
A6 2.0E Lim. Avant	08/94—>	195/65 R 15	HX MXV3 A	V	1.9	1.9	2.2	2.5
A6 2.5 TDi Lim. Avant - 2.6 E V6	08/94—>	205/60 R 15	HX MXV3 A	V	2.4	2.4	2.8	2.9
A6 - S6 2.8 E V6 Lim. Avant Quattro	08/94—>							
A6 - S6 2.3 Lim. Quattro-Avant Quat.	08/94—>	215/60 R 15	HX MXV3 A	W	2.4	2.4	2.7	2.7
		225/50 ZR 16	SX MXX3					
A6 - S6 4.2 Lim. Quattro - Avant Qua	08/94—>	225/50 ZR 16	SX MXX3					
A8 V6 Limo. Quattro 2.8i	09/94—>	225/60 R 16	CXKA	W	2.0	2.0	2.5	2.5
A8 V8 Lim. Quattro 4.2i	09/94—>	225/55 R 17	HX MXM	W	2.2	2.2	2.9	2.9
80								
1.9 TD - 1.9 TDi - 2.0	07/92—>	195/65 R 15	MXT	T	2.0	2.0	2.3	2.6
2.0 Avant. - 1.9 TDi - 2.0E Avant	09/94—>	205/60 R 15	HX MXV3 A	V				
Quatro 2.0 E - 2.3 E	07/92—>	195/65 R 15	HX MXV3 A	V				
Quatro 2.3 E Avant	09/94—>	205/60 R 15	HX MXV3 A	V				
Quatro S3 2.3i	07/92—>	205/55 ZR 16	HX MXV3 A		2.3	2.3	2.7	2.8

Véhicules Marques et Types		Equipements Pneumatiques			Pressions (bar) Utilisation Courante AV	Utilisation Courante AR	Autres Utilisati[ons] AV	A[R]
AUDI (suite)								
100								
2.0	(12/90 à 9/91)	195/65 R 15	MXV3 A - CLASSIC	H	1.9	1.9	2.2	2
		205/60 R 15	HX MXV3 A	V				
2.0 et Avant	10/91—>	195/65 R 15	MXV3 A - CLASSIC	H				
		205/60 R 15	HX MXV3 A	V				
2.0 E- 2.3 E et Avant	10/91—>	195/65 R 15	HX MXV3 A	V	2.3	2.3	2.7	2
Quattro 2.0E-2.3 E et Avant	10/91—>	205/60 R 15	HX MXV3 A	V				
2.2i - 2.3i et Avant		205/60 R 15	HX MXV3 A	V	2.1	2.0	2.6	2.
Quatt. 2.2i -2.3i & Avant					2.1	2.2	2.5	2.
2.4 D et Avant	(4/88 à 9/91)	185/70 R 14	MXT	T	2.2	2.1	2.4	2.
2.4 D et Avant	10/91—>	195/65 R 15	MXT	T	1.9	1.9	2.2	2.
		205/60 R 15	HX MXV3 A	V				
2.5 TDi	(8/90 à 9/91)	205/60 R 15	HX MXV3 A	V	2.2	2.1	2.4	2.
2.5 TDi et Avant	10/91—>	195/65 R 15	HX MXV3 A	V	2.3	2.3	2.7	2.
2.8 E et Avant-Quattro 2.8E et Avant	10/91—>	205/60 R 15	HX MXV3 A	V				
Quattro 2.6 E et Avant	07/92—>	195/65 R 15	HX MXV3 A	V				
		205/60 R 15	HX MXV3 A	V				
Coupé								
2.3 E - Coupé Quattro 2.3 E Quattro 20V 2.3 E (170ch) 2.0i - Quattro 2.0i-2.3i 2.3i 20 V - Quattro	 (9/90 à 9/91) 09/90—>	205/60 R 15	HX MXV3 A	V	2.1	2.1	2.5	2.
Quattro 20V 2.3 E (220ch) - S2i	07/92—>	205/55 ZR 16	HX MXV3 A		2.3	2.3	2.7	2.
S2 Quattro Avant-Limousine	06/93—>	205/55 ZR 16	HX MXV3 A		2.4	2.4	2.8	2.
2.0i - 2.3i	10/91—>	195/65 R 15	HX MXV3 A	V	1.8	1.8	2.2	2.
Quattro - Cabriolet	10/91—>	205/60 R 15	HX MXV3 A	V				
2.0 E - Quattro 2.3 E	07/92—>	195/65 R 15	HX MXV3 A	V	2.0	2.0	2.3	2.
2.0i -2.3i-2.6i Cabrio - Quattro	09/94—>	205/60 R 15	HX MXV3 A	V				
2.6 E - Quatro	(7/92 à 5/93)	195/65 R 15	HX MXV3 A	V	2.2	2.2	2.4	2.
2.8 E - Quatro-2.8i Cabrio	09/94—>	205/60 R 15	HX MXV3 A	V				
2.6 - Quatro	6/93—>	195/65 R 15	HX MXV3 A	V	2.0	2.0	2.3	2.
		205/60 R 15	HX MXV3 A	V				
2.8i - Quattro	10/91—>	195/65 R 15	HX MXV3 A	V	2.2	2.2	2.5	2.
		205/60 R 15	HX MXV3 A	V				
B.M.W.								
Série 3								
316i -318i	(02/92 à 03/94)	185/65 R 15	MXV3 A	H	2.0	2.3	2.3	2.
		205/60 R 15	MXV3 A	H	1.8	2.0	2.0	2.
		225/55 R 15	HX MXM	V				
316i -318i	04/94—>	185/65 R 15	MXV3 A	H	2.0	2.3	2.3	2.
		205/60 R 15	MXV3 A	H	1.8	2.0	2.0	2.
		225/55 R 15	HX MXM	V				
		225/50 ZR 16	HX MXM					
316i Compact	04/94—>	185/65 R 15	MXV3 A	H	1.8	2.2	2.2	2.
		205/60 R 15	MXV3 A	H	1.8	2.0	2.0	2.
318iS - 318ti Compact	04/94—>	205/60 R 15	HX MXV3 A	V	1.8	2.0	2.0	2.
318 TDS	02/95—>	185/65 R 15	MXT - CLASSIC	T	2.0	2.3	2.3	2.
		205/60 R 15	MXV3 A	H	1.8	2.0	2.0	2.
		225/55 R 15	HX MXM	V				
		225/50 ZR 16	HX MXM					
318 TDS Compact	08/95—>	185/65 R 15	MXT - CLASSIC	T	1.8	2.2	2.2	2.
		205/60 R 15	MXV3 A	H	1.8	2.0	2.0	2.
318is-320i	10/93 —>	205/60 R 15	HX MXV3 A	V	2.0	2.3	2.2	2.
325 TDS	10/93 —>	225/55 R 15	HX MXM	V				
320i -325i cabriolet	10/93—>	225/50 ZR 16	HX MXM		2.0	2.2	2.4	2.

Véhicules Marques et Types		Equipements Pneumatiques			Pressions (bar)* Utilisation Courante AV	AR	Autres Utilisation AV	AR
B.M.W. (suite)								
Série 3 (suite)								
323i	08/95—>	205/60 R 15	HX MXV3 A	V	2.0	2.4	2.4	2.9
		225/55 R 15	HX MXM	V				
		225/50 ZR 16	HX MXM					
323i Cabriolet	08/95—>				2.0	2.2	2.4	2.9
325 TD	04/94—>	185/65 R 15	MXV3 A	H	2.0	2.4	2.5	3.0
		205/60 R 15	MXV3 A	H	1.8	2.1	2.1	2.6
		225/55 R 15	HX MXM	V				
		225/50 ZR 16	HX MXM					
325i	10/93—>	205/60 R 15	HX MXV3 A	V	2.0	2.4	2.4	2.9
		225/55 ZR 15	HX MXM					
		225/50 ZR 16	HX MXM					
328i	02/95—>	205/60 R 15	HX MXV3 A	W	2.0	2.4	2.4	2.9
		225/50 ZR 16	HX MXM					
328i Cabriolet	02/95—>				2.0	2.2	2.4	2.9
M3		235/40 ZR 17	SX MXX3		2.5	2.5	2.9	3.4
Série 5								
523i -525 TDS	09/95—>	205/65 R 15	HX MXV3 A	V	2.0	2.2	2.3	2.8
		225/60 R 15	HX MXM	V				
		225/55 R 16	HX MXM	V				
525 TDS	02/95—>	205/65 R 15	HX MXV3 A	V	2.0	2.1	2.2	2.7
		225/55 R 16	CX KA	V				
		AV : 235/45 ZR 17	SX MXX3		2.0	-	2.2	-
		AR : 255/40 ZR 17	SX MXX3		-	2.1	-	2.7
518i - 525TD	02/95—>	195/65 R 15	MXV3 A - CLASSIC	H	2.0	2.3	2.4	2.9
		205/65 R 15	MXV3 A	H	2.0	2.1	2.2	2.7
528i	09/95—>	225/60 R 15	HX MXM	W	2.0	2.2	2.3	2.8
		225/55 R 16	HX MXM	W				
530i (V8)	10/93—>	225/60 ZR 15	HX MXM		2.0	2.4	2.5	3.1
		235/45 ZR 17	SX MXX3					
		AV : 235/45 ZR 17	SX MXX3		2.2	-	2.7	-
		AR : 255/40 ZR 17	SX MXX3		-	2.6	-	3.2
540iA (V8)	(10/92 à 09/93)	225/60 ZR 15	HX MXM		2.2	2.5	2.5	3.1
		235/45 ZR 17	SX MXX3					
		AV : 235/45 ZR 17	SX MXX3		2.2	-	2.5	-
		AR : 255/40 ZR 17	SX MXX3		-	2.5	-	3.1
540iA (V8)	10/93—>	225/60 ZR 15	HX MXM		2.2	2.5	2.5	3.1
		235/45 ZR 17	SX MXX3					
		AV : 235/45 ZR 17	SX MXX3		2.4	-	2.9	-
		AR : 255/40 ZR 17	SX MXX3		-	2.8	-	3.4
M 5								
3.6i	(10/92 à 09/93)	AV : 235/45 ZR 17	SX MXX3		2.5	-	2.7	-
		AR : 255/40 ZR 17	SX MXX3		-	2.7	-	3.3
3.8i	10/93—>	AV : 235/45 ZR 17	SX MXX3		2.7	-	3.0	-
		AR : 255/40 ZR 17	SX MXX3			2.9		3.5
Série 7								
728i	08/95—>	215/65 R 16	CX KA	V	2.0	2.3	2.3	2.8
728iAL		235/60 R 16	CX KA	W				
		245/55 R 16	HX MXM	W				
730i (V8)	07/94—>	215/65 R 16	CX KA	W	2.0	2.2	2.3	2.7
730i AL((V8)	08/95—>	235/60 R 16	CX KA	W				
		245/55 R 16	HX MXM	W				
740i (V8)	07/94—>	215/65 R 16	CX KA	W	2.1	2.3	2.3	2.8
		235/60 R 16	CX KA	W				
		245/55 R 16	HX MXM	W				

Véhicules — Marques et Types		Equipements Pneumatiques			Pressions (bar) Utilisation Courante AV	AR	Autres Utilisati… AV	A…
B.M.W. (suite)								
Série 7 (suite)								
740i (V8)	02/95—>	215/65 R 16	CX KA	W	2.3	2.5	2.5	3.
		235/60 R 16	CX KA	W	2.1	2.3	2.3	2.
		245/55 R 16	HX MXM	W				
		AV : 235/50 ZR 18	SX MXX3		2.3	-	2.5	-
		AR : 255/45 ZR 18	SX MXX3		-	2.3	-	2
740i (V8) 740iAL (V8)	08/95—>	215/65 R 16	CX KA	W	2.3	2.6	2.7	3.
		235/60 R 16	CX KA	W	2.1	2.4	2.5	3.
		245/55 R 16	HX MXM	W				
		AV : 235/50 ZR 18	SX MXX3		2.3	-	2.7	-
		AR : 255/45 ZR 18	SX MXX3		-	2.4	-	3.
750i (V12) 750i (V12)	02/95—>	235/60 R 16	CX KA	W	2.2	2.4	2.5	3.
		245/55 R 16	HX MXM	W				
		235/50 ZR 18	SX MXX3		2.4	2.6	2.7	3.
		AV : 235/50 ZR 18	SX MXX3		2.4	-	2.7	-
		AR : 255/45 ZR 18	SX MXX3		-	2.4	-	3.
Série 8								
840-850 Ci	10/93—>	235/50 R 16	HX MXM	W	2.5	2.5	2.6	3.
		235/45 ZR 17	SX MXX3		2.7	2.7	2.8	3.
		AV : 235/45 ZR 17	SX MXX3		2.7	-	2.8	-
		AR : 265/40 ZR 17	SX MXX3		-	2.5	-	2.
850 CSi	(10/92 à 09/93)	AV : 235/45 ZR 17	SX MXX3		2.7	-	3.0	-
		AR : 265/40 ZR 17	SX MXX3		-	2.5	-	3.
850 CSi	10/93—>	AV : 235/45 ZR 17	SX MXX3		2.9	-	3.2	-
		AR : 265/40 ZR 17	SX MXX3		-	2.9	-	3.
CHRYSLER								
Le Baron 2.5i	03/89—>	205/60 R 15	MXV3 A	H	2.4	2.4	2.4	2.
Le Baron GTC 2.2i	03/89—>	205/55 R 16	HX MXV3 A	V				
Saratoga	1990—>	205/60 R 15	MXV3 A	H	2.1	2.1	2.3	2.
Vision	07/93—>	P225/60 R 16	XGTV4	V	2.4	2.4	2.4	2.
Voyager	01/90—>	P 205/70 R 15	XZ4 - XGT4	S	2.4	2.6	2.4	2.
CITROEN								
AX								
1.1 X-SX-VSX	07/93—>	145/70 R 13	MXT - CLASSIC	T	2.1	2.1	2.1	2.
		155/70 R 13	MXT - CLASSIC	T				
14 Allure	07/91—>	155/70 R 13	MXT - CLASSIC	T	2.0	2.0	2.0	2.
Allure 1.4i	07/92—>	155/70 R 13	MXT - CLASSIC	T	2.1	2.1	2.1	2.
1.4 VSX	07/93—>	155/70 R 13	MXT - CLASSIC	T	2.0	2.0	2.0	2.
14 TD Caban - Allure -1.5 D X-SX	07/92—>	155/70 R 13	MXT - CLASSIC	T	2.2	2.2	2.2	2.
GT- Exclusive -Furio 1.4i	07/92—>	165/65 R 13	MXT	T	1.9	2.0	1.9	2.
EVASION								
X (essence)	04/94—>	195/65 R 15	MXT	T	2.3	2.3	2.3	2.
SX (essence)	04/94—>	205/65 R 15	MXT	T				
SX-VSX (essence turbo)	04/94—>	205/65 R 15	MXV3 A	H				
Turbo Diesel	03/95—>	205/65 R 15	MXT	T	2.3	2.3	2.4	2.
XANTIA								
1.8i SX - X (7cv-9cv)	05/93—>	175/70 R 14	MXT - CLASSIC	T	2.3	2.1	2.3	2.
1.8i Autom. SX	07/95—>	185/65 R 14	MXV3 A - CLASSIC	H				
1.8i SX - X (7cv-9cv) 16 V	07/95—>	185/65 R 14	MXV3 A - CLASSIC	H	2.3	2.1	2.3	2.
2.0i SX- VSX- Autom.	07/93—>	185/65 R 14	MXV3 A - CLASSIC	H	2.3	2.1	2.3	2.
		195/55 R 15	HX MXV3 A	V	2.4	2.2	2.4	2.
2.0i Autom. SX - VSX	07/95—>	185/65 R 15	MXV3 A	H	2.3	2.1	2.3	2.
2.0i Autom. EXCLUSIVE	07/95—>	185/65 R 15	HX MXV3 A	V				
2.0i VSX 16V	05/93—>	205/55 R 15	HX MXV3 A	V				
2.0i 16V SX - VSX	07/95—>	185/65 R 15	HX MXV3 A	V				

Véhicules Marques et Types		Equipements Pneumatiques			Pressions (bar)* Utilisation Courante AV	Utilisation Courante AR	Autres Utilisation AV	Autres Utilisation AR
CITROEN (suite)								
XANTIA (suite)								
2.0i 16V EXCLUSIVE	07/95—>	185/65 R 15	HX MXV3 A	V	2.3	2.1	2.3	2.1
2.0i 16V ACTIVA	07/95—>	205/55 R 15	SX GT	V				
2.0 Turbo CT VSX	07/95—>	205/60 R 15	HX MXV3 A	V	2.4	2.2	2.4	2.2
2.0 Turbo CT ACTIVA	07/95—>	205/60 R 15	SX GT	W	2.5	2.3	2.5	2.3
1.9 Turbo Diesel X - SX	07/95—>	185/65 R 14	MXV3 A - CLASSIC	H	2.3	2.1	2.3	2.1
1.9 X -SX - VSX Turbo Diesel	05/93—>	185/65 R 14	MXV3 A - CLASSIC	H	2.3	2.1	2.3	2.1
		195/55 R 15	HX MXV3 A	V	2.4	2.2	2.4	2.2
2.1 Turbo Diesel SX - VSX	07/95—>	205/60 R 15	MXV3 A	H	2.4	2.2	2.4	2.2
2.1 Turbo Diesel EXCLUSIVE	07/95—>	205/60 R 15	MXV3 A	H				
2.1 Turbo Diesel ACTIVA	07/95—>	205/60 R 15	SX GT	W	2.5	2.3	2.5	2.3
XM								
2.0i SX - VSX (10CV) 2.0i SX (7CV)	07/94—>	195/65 R 15	HX MXV3 A	V	2.3	1.9	2.3	1.9
Turbo D12	07/94—>	195/65 R 15	MXV3 A - CLASSIC	H	2.3	1.9	2.3	1.9
D 12 SX (2.1 Diesel)	07/94—>	195/65 R 15	MXT	T				
SX - VSX Exclusive	07/94—>	205/65 R 15	HX MXV3 A	V				
2.5 L Turbo D - VSX Exclusive	07/94—>	205/65 R 15	HX MXV3 A	V				
2.0i Turbo CT VSX Exclusive	07/94—>	205/60 R 15	HX MXV3 A	V	2.4	2.0	2.4	2.0
V6 VSX Exclusive 3.0	07/94—>	205/60 R 15	HX MXV3 A	V				
V6 VSX Exclusive 3.0 Autom.	07/94—>	205/65 R 15	HX MXV3 A	V	2.3	1.9	2.3	1.9
V6 24 3.0i Exclusive	07/94—>	205/60 ZR 15	HX MXV3 A		2.6	1.9	2.6	1.9
ZX								
1.1-1.4 Aura - Avantage - Reflex	03/91—>	165/70 R 13	MXT - CLASSIC	T	2.2	2.2	2.2	2.2
1.9 D Aura - Avantage - Reflex	07/91—>				2.3	2.1	2.3	2.1
Reflex 1.1i - Avantage 1.4i	07/94—>	165/70 R 13	MXT - CLASSIC	T	2.2	2.2	2.2	2.2
Aura - Reflex 1.4i		175/65 R 14	MXT	T	2.2	2.1	2.2	2.1
1.8i Aura-Furio	07/92—>	175/65 R 14	MXT	T	2.2	2.1	2.2	2.1
1.6i Aura-Avantage	10/93—>							
1.9 Turbo Diesel Aura - Avantage (07/92 à 09/93)		175/65 R 14	MXT	T	2.3	2.1	2.3	2.1
1.9 Turbo Diesel Aura-Avantage	10/93—>	175/65 R 14 185/60 R 14	MXT MXV3 A - CLASSIC	T H	2.4	2.2	2.4	2.2
1.9 -2.0 Volcane	03/91—>	185/60 R 14	MXV3 A - CLASSIC	H	2.2	2.2	2.2	2.2
1.9 D Volcane turbo	07/93—>				2.4	2.2	2.4	2.2
2.0i 16 V	07/92—>	195/55 R 15	SX XGTV	V	2.2	2.3	2.2	2.3
FERRARI								
456 GT	04/93—>	AV : 255/45 ZR 17 AR : 285/40 ZR 17	SX MXX3 SX MXX3		2.4 -	- 2.6	2.6 -	- 2.8
512 TR F 512 M	12/91—> 07/94—>	AV : 235/40 ZR 18 AR : 295/35 ZR 18	SX MXX3 SX MXX3		2.4 -	- 2.3	2.4 -	- 2.3
F 40	01/88—>	AV : 235/45 ZR 17 AR : 335/35 ZR 17	MXX MXX		2.8	- 2.8	2.8 -	- 2.8
F 355	07/94—>	AV : 225/40 ZR 18 AR : 265/40 ZR 18	SX MXX3 SX MXX3		1.9	2.1	1.9	2.1
Mondial T	04/88—>	AV : 205/55 ZR 16 AR : 225/55 ZR 16	MXX MXX		2.4 -	- 2.5	2.4 -	- 2.5
Testarossa	01/88—>	AV : 225/50 ZR 16 AR : 255/50 ZR 16	MXX MXX		2.6 -	- 2.8	2.6 -	- 2.8
FIAT								
BRAVA								
1.6i 12V SX	09/95—>	175/65 R 14	MXT	T	2.0	2.4	2.2	2.5
1.6i 12 V ELX	09/95—>	185/60 R 14	MXV3 A	H				
1.8i 16V	09/95—>	175/65 R 14	MXV3 A	H	2.0	2.4	2.3	2.5
1.8i 16V ELX	09/95—>	185/60 R 14	MXV3 A	H				
1.9 Diesel DS - DSX	09/95—>	175/65 R 14	MXT	T	2.0	2.4	2.2	2.5

Véhicules — Marques et Types		Equipements Pneumatiques			Pressions (bar)*			
					Utilisation Courante		Autres Utilisation	
					AV	AR	AV	AR
FIAT (suite)								
BRAVO								
1.6i 12V	09/95—>	185/60 R 14	MXVA A	H	2.0	2.4	2.2	2.5
1.8i 16V GT	09/95—>	185/60 R 14	MXV3 A	H	2.0	2.4	2.2	2.5
		195/50 R 15	SX GT	V	2.1	2.4	2.3	2.5
2.0i 20V HGT	09/95—>	195/55 R 15	HX MXV3 A	V	2.3	2.5	2.4	2.6
		205/50 R 15	HX MXV3 A	V				
1.9 Diesel DS - DSX	09/95—>	175/65 R 14	MXT	T	2.0	2.4	2.2	2.5
CROMA								
2.0ie Automatique	12/92—>	195/60 R 15	MXV3 A - CLASSIC	H	2.2	2.2	2.3	2.3
2.0ie Automatique 16 V		205/55 R 15	MXV3 A	H				
2.0ie Turbo	12/92—>	205/55 R 15	HX MXV3 A	V	2.2	2.2	2.3	2.3
2.5 V6	09/93—>	205/55 R 15	HX MXV3 A	V				
2.5 TD	12/92—>	195/60 R 15	MXV3 A - CLASSIC	H				
TD id		205/55 R 15	MXV3 A	H				
PUNTO								
S 75 - SX 75 - EL 75 - ELX 75 HSD	09/93—>	165/65 R 14	MXT	T	2.0	1.9	2.2	2.2
S TD - SX TD	09/93—>	165/65 R 14	MXT	T	2.4	2.0	2.4	2.2
SX 90	09/93—>				2.1	2.0	2.2	2.2
60 Sélecta	05/95—>	165/65 R 14	MXT	T	2.0	1.9	2.2	2.2
		175/60 R 14	MXT	T				
GT	09/95—>	185/55 R 14	MXV2	H	2.4	2.0	2.4	2.2
90 Cabrio ELX	09/95—>	175/60 R 14	MXT	T	2.3	2.0	2.3	2.2
		185/55 R 14	MXV2	H				
TEMPRA								
1.8 - 2.0	05/93—>	185/60 R 14	MXV3 A - CLASSIC	H	2.2	2.2	2.4	2.4
1.9 D - 1.9 TD	05/93—>	175/65 R 14	MXT	T				
		185/60 R 14	MXV3 A - CLASSIC	H				
SW 1.4	05/93—>	175/65 R 14	MXV3 A	H	2.2	2.2	2.4	3.0
SW 1.6 Sélecta	05/93—>	175/65 R 14	MXV3 A	H				
		185/60 R 14	MXV3 A - CLASSIC	H				
SW 1.9 D - 1.9 TD	05/93—>	175/65 R 14	MXV3 A	H	2.2	2.2	2.4	3.0
		185/60 R 14	MXV3 A - CLASSIC	H				
SW 1.8 - 2.0 -2.0 4x4	05/93—>	185/60 R 14	MXV3 A - CLASSIC	H				
TIPO								
1.6 Sélecta	05/93—>	165/65 R 14	MXT	T	2.0	1.9	2.0	2.2
		175/65 R 14	MXT	T				
1.7 D	05/93—>	165/65 R 14	MXT	T	2.1	1.9	2.1	2.2
1.9 D	05/93—>	165/65 R 14	MXT	T	2.2	2.0	2.2	2.2
1.8 - 1.9 T DS - Catalyseur - 2.0 Autom.	05/93—>	185/60 R 14	MXV3 A - CLASSIC	H	2.2	2.2	2.4	2.4
ULYSSE								
Ulysse	07/94—>	195/65 R 15	MXT	T	2.3	2.3	2.5	2.5
		205/65 R 15	MXT	T	2.3	2.3	2.4	2.5
Ulysse Turbo	07/94—>	205/65 R 15	MXV3 A	H	2.3	2.3	2.5	2.5
Ulysse TD	07/94—>	205/65 R 15	MXT	T	2.3	2.3	2.6	2.6
UNO								
Turbo Diesel - Diesel - Tds - Van	05/93—>	155/70 R 13	MXT - CLASSIC	T	2.0	1.9	2.2	2.2
1.4 ie	07/94—>	155/70 R 13	MXT - CLASSIC	T	1.9	1.9	2.0	2.2
1.5 Sélecta	05/93—>							
FORD								
Aerostar		P 215/70 R 14	XH4	S	2.3	2.6	2.3	2.6
ESCORT								
1.3i - 1.4i -1.8D CL, CLX	07/92—>	175/70 R 13	MXT - CLASSIC	T	2.0	1.8	2.3	2.8
1.4i Ghia - Cabrio CLX - Ghia 1.8D	07/92—>	185/60 R 14	MXV3 A - CLASSIC	H				
CL, CLX 16V	07/92—>	175/70 R 13	MXV3 A	H	2.0	1.8	2.3	2.8
		185/60 R 14	MXV3 A - CLASSIC	H				

Véhicules Marques et Types		Equipements Pneumatiques			Pressions (bar)* Utilisation Courante AV	AR	Autres Utilisation AV	AR
FORD (suite)								
ESCORT (suite)								
R3i 16V - Cabrio XR3i 16V	07/92—>	185/60 R 14	HX MXV3 A	V	2.0	2.0	2.3	2.8
R3i Turbo - RS Turbo 1.6i		195/50 R 15	SX XGTV	V	1.8	1.8	1.8	2.0
S 2000 16V 2.0i	07/92—>				2.0	2.0	2.3	2.8
FIESTA								
un 1.8 D	03/94—>	165/65 R 13	MXT	T	2.3	1.8	2.5	2.8
un 1.1i - 1.3 i - 1.4i - Calypso	03/94—>				2.1	1.8	2.3	2.8
utura 1.4i	03/94—>	185/55 R 14	MXV2	H	2.1	1.8	2.3	2.8
utura 16V 1.6i	03/94—>				2.1	2.1	2.4	2.4
MONDEO								
.6i - 16V CLX - GLX	03/93—>	185/65 R 14	MXT - CLASSIC	T	2.1	2.1	2.4	2.8
.8 Turbo Diesel - 16V CLX - GLX	03/93—>	195/60 R 14	MXV3 A - CLASSIC	H				
urnier 1.6i 16V -1.8 TD CL-CLX-GLX	03/93—>	205/55 R 15	HX MXV3 A	V				
.8i - 16 V CLX - GLX	03/93—>	185/65 R 14	MXV3 A - CLASSIC	H	2.1	2.1	2.4	2.8
urnier 1.8i - 16V CL - CLX - GLX	03/93—>	195/60 R 14	MXV3 A - CLASSIC	H				
		205/55 R 15	HX MXV3 A	V				
		205/50 ZR 16	HX MXM	W				
.0i -16V CLX-GLX-Ghia-4x4	03/93—>	195/60 R 14	HX MXV3 A	V	2.1	2.1	2.4	2.8
lipper 2.0i CLX-GLX	05/93—>	205/55 R 15	HX MXV3 A	V				
urnier 2.0i-16V 4x4 CLX		205/50 ZR 16	HX MXM	W				
ORION								
hia Si 1.8i 16 V - Ghia 1.4i - 1.8D	07/92—>	185/60 R 14	MXV3 A - CLASSIC	H	2.0	1.8	2.3	2.8
.8i CL,CLX 16 V - Ghia 16V	07/92—>							
SCORPIO								
.5 TD CLX-GLX	01/93—>	185/70 R 14	MXT	T	1.8	1.8	2.1	3.1
		195/65 R 15	MXV3 A - CLASSIC	H				
.0i - 2.4i V6 - 2.9i V6 - 2.4i Ghia	02/88—>	185/70 R 14	MXV3 A	H	1.8	1.8	2.1	2.9
.0i CLX - GLX - 2.4i V6 CLX GLX	01/93—>	195/65 R 15	MXV3 A - CLASSIC	H	1.8	1.8	2.1	3.1
.9i CLX, GLX V6	01/93—>	195/65 R 15	HX MXV3 A	V	1.8	1.8	2.1	3.1
.0i Ghia - Turnier	01/93—>	195/65 R 15	HX MXV3 A	V				
.4i - 2.9i V6 Ghia - Turnier	01/93—>	205/60 R 15	HX MXV3 A	V				
.9i V6 24V	01/93—>	205/50 ZR 16	HX MXM		2.1	2.1	2.3	3.6
SIERRA								
LX 1.6i - CLX, GL 1.8i	07/92—>	185/65 R 14	MXT - CLASSIC	T	1.8	1.8	2.0	3.1
LX, GL 1.8 TD - CLX Coupé 2.0i		195/60 R 14	MXV3 A - CLASSIC	H				
hia 2.0i (9 CV)		195/65 R 14	MXV3 A	H				
.0i XR4i	07/92—>	195/60 R 14	MXV3 A - CLASSIC	H				
aphir RS, GT 1.6i - 2.0i -1.8 TD	07/92—>							
.3 D avec ABS		195/65 R 14	MXT	T	2.0	2.0	2.0	2.5
HONDA								
ACCORD								
.0i coupé	07/92—>	195/60 R 15	HX MXV3 A	V	2.2	2.1	2.7	2.6
.0i (LS)	07/92—>	185/70 R 14	MXV3 A	H	2.2	2.1	2.6	2.5
.0i (LS/ES)	07/92—>	185/65 R 15	MXV3 A	H				
.3i SR	07/92—>	195/60 R 15	HX MXV3 A	V	2.3	2.2	2.9	2.8
CIVIC								
.6 (125 Ch) 3P	07/92—>	185/60 R 14	MXV3 A - CLASSIC	H	2.2	2.2	2.3	2.3
.6 (125 Ch) 4P	07/92—>				2.2	2.2	2.4	2.4
.6 (160 Ch) 3P	07/92—>	195/55 R 15	HX MXV3 A	V	2.4	2.3	2.4	2.5
.6 (160 Ch) 4P	07/92—>				2.4	2.3	2.5	2.4
CONCERTO								
X 1.6i 16S		185/60 R 14	MXV3 A - CLASSIC	H	1.9	1.8	2.1	2.0
.6i - 1.6is	07/92—>	175/65 R 14	MXV3 A	H	2.0	1.9	2.3	2.4
.6i 16	07/92—>	185/60 R 14	MXV3 A - CLASSIC	H	2.0	1.9	2.4	2.3

Véhicules Marques et Types		Equipements Pneumatiques			Pressions (bar)*			
					Utilisation Courante		Autres Utilisations	
					AV	AR	AV	AR
HONDA (suite)								
LEGEND								
3.2	07/92—>	205/65 ZR 15	HX MXV3 A		2.5	2.4	2.6	3.0
coupé 3.2	07/92—>				2.5	2.4	2.6	2.9
3.0 + Coupé	07/93—>	215/55 ZR 16	HX MXV3 A		2.3	2.1	2.7	2.5
PRELUDE								
2.0 L	07/92—>	195/65 R 14	MXV3 A	H	2.0	2.0	2.4	2.4
2.3 L	07/92—>	205/55 R 15	HX MXV3 A	V	2.2	2.2	2.8	2.8
HYUNDAI								
Lantra 1.5 GLi	10/92—>	175/70 R 13	MXT - CLASSIC	T	2.0	2.0	2.0	2.0
Lantra 1.6 GLSi - 1.8 GT 16S	10/92—>	185/60 R 14	MXV3 A - CLASSIC	H	2.1	2.1	2.1	2.1
Sonatra 2.0 GLSi 16S	10/92—>	195/70 R 14	MXV3 A	H				
JAGUAR								
Daimler 4.0	10/90—>	225/65 ZR 15	CX KA		1.8	1.9	1.8	1.9
Sovereign 3.2 - 4.0	10/90—>	TD 220/65 R 390	TDX V	V				
XJ6 3.2 - 4.0	10/90—>	225/55 ZR 16	HX MXM					
Daimler Double Six (5.3) Sovereign V 12 (5.3)	10/90—>	215/70 VR 15	XWX		2.1	1.8	2.1	2.1
XJR 4.0	10/90—>	225/55 ZR 16	HX MXM		1.8	1.9	1.8	1.9
XJS 3.6 - XJS V 12 (5.3)	10/90—>	225/55 ZR 16	HX MXM		1.9	1.9	1.9	1.9
LADA								
Samara tous modèles	1986—>	165/70 R 13	MXT - CLASSIC	T	2.0	2.0	2.0	2.0
Essence et Diesel		175/70 R 13	MXT - CLASSIC	T	1.9	1.9	1.9	1.9
LANCIA								
DEDRA								
1.6ie M. Motronic - Jetronic	04/93—>	175/65 R 14	MXT	T	2.0	2.0	2.2	2.2
1.6	10/94—>	185/60 R 14	MXV3 A - CLASSIC	H				
1.8	10/94—>	185/60 R 14	MXV3 A - CLASSIC	H	2.2	2.1	2.3	2.2
1.9 TDS	10/94—>	175/65 R 14	MXT	T	2.3	2.1	2.4	2.2
		185/60 R 14	MXV3 A - CLASSIC	H				
2.0 Automatic	10/94—>	185/60 R 14	MXV3 A - CLASSIC	H	2.3	2.1	2.4	2.2
2.0ie LS	04/93—>	185/60 R 14	MXV3 A - CLASSIC	H	2.2	2.1	2.3	2.2
2.0 Turbo Diesel	03/89—>	175/65 R 14	MXT	T	2.3	2.1	2.4	2.2
Turbo ds/LE	04/93—>	185/60 R 14	MXV3 A - CLASSIC	H				
2.0 16 V	10/94—>	185/60 R 14	HX MXV3 A	V	2.3	2.2	2.5	2.4
2.0 Turbo	04/93—>	195/50 R 15	HX MXV3 A	V	2.4	2.2	2.7	2.4
DELTA								
1.6 - 1.8 LE	05/93—>	185/60 R 14	MXV3 A - CLASSIC	H	2.2	2.2	2.4	2.4
2.0 16 V - LS	05/93—>	195/50 R 15	HX MXV3 A	V	2.4	2.4	2.6	2.6
2.0 - 2.0 HPE	04/95—>	195/50 R 15	SX XGTV	V				
TD	05/94—>	185/65 R 14	MXT - CLASSIC	T	2.2	2.1	2.2	2.1
HF intégrale 16 V 93	05/94—>	205/45 ZR 16	SX MXX3		2.2	2.2	2.5	2.5
KAPPA								
2.0 Turbo	10/94—>	205/60 R 15	HX MXV3 A	W	2.2	2.2	2.3	2.3
2.4	10/94—>	205/60 R 15	HX MXV3 A	V				
2.4 TD	10/94—>	195/65 R 15	HX MXV3 A	V				
		205/60 R 15	HX MXV3 A	V				
THEMA								
ie 2.0 - 16 V Autom.	05/94—>	195/60 R 15	MXV3 A - CLASSIC	H	2.2	2.2	2.3	2.3
Turbo 16V - 3.0 V6	05/94—>	195/60 R 15	HX MXV3 A	V				
Turbo 16 V LX-3.0 V6 LX	05/93—>	205/55 ZR 15	HX MXV3 A					
Y 10								
1.1ie Avenue	05/95—>	155/70 R 13	MXT - CLASSIC	T	2.0	2.0	2.2	2.2
4WD - 4WDie - Sestrières	09/92—>	155/70 R 13	MXT4	T				

Véhicules Marques et Types		Equipements Pneumatiques			Pressions (bar)*			
					Utilisation Courante		Autres Utilisation	
					AV	AR	AV	AR
MASERATI								
iTurbo 420 - BiTurbo 420i		205/60 VR 14	MXV		1.9	1.8	2.1	2.0
iTurbo 425					2.1	1.9	2.2	2.0
hibli	07/94—>	AV : 205/50 ZR 16	SX MXX3		2.4	-	2.7	-
		AR : 225/50 ZR 16	SX MXX3		-	2.4	-	2.7
hibli GT	04/95—>	AV : 215/45 ZR 17	SX MXX3		2.1		2.3	
		AR : 245/40 ZR 17	SX MXX3			2.1		2.3
hibli S	04/95—>	AV : 215/45 ZR 17	SX MXX3		2.3		2.3	
		AR : 245/40 ZR 17	SX MXX3			2.3		2.3
uattroporte 2.0 - 2.8	07/94—>	AV : 205/55 ZR 16	SX MXX3		2.2	-	2.4	-
		AR : 225/50 ZR 16	SX MXX3		-	2.2	-	2.4
hamal	(12/90 à 06/94)	AV : 225/45 ZR 16	SX MXX3		2.1	-	2.4	
		AR : 245/45 ZR 16	SX MXX3		-	2.3	-	2.6
hamal	07/94—>	AV : 225/45 ZR 16	SX MXX3		2.3	-	2.6	
		AR : 245/45 ZR 16	SX MXX3		-	2.6	-	2.8
MAZDA								
323								
stina : 1.5i LSX - GSX	06/94—>	175/70 R 13	MXV3 A	H	2.1	2.1	2.1	2.1
amilia : 1.7 Diesel LSX - GSX	06/94—>	185/65 R 14	MXT - CLASSIC	T				
portiva : 1.5i LSX - GSX	06/94—>	175/70 R 13	MXV3 A	H				
626								
.0i LXi - GLXi	10/92—>	195/65 R 14	MXV3 A	H	2.2	1.8	2.5	2.8
.0 Diesel Comprex LX - GLX	10/92—>							
XEDOS								
: 1.6i 16 V	01/95—>	185/65 R 14	MXV3 A	H	2.0	2.0	2.4	2.8
: 2.0i V6 24 V	04/92—>	195/60 R 15	HX MXV3 A	V				
: 2.0i V6 24 V	01/94—>	205/65 R 15	HX MXV3 A	V				
MERCEDES								
C180 Type 202								
.8 E - Esprit - Classique légante-Sport	03/93—>	185/65 R 15	MXV3 A	H	2.1	2.3	2.3	2.8
		195/65 R 15	MXV3 A - CLASSIC	H				
		205/60 R 15	HX MXM	V				
C200 Type 202								
.0 E Esprit - Classique légante - Sport	03/93—>	185/65 R 15	MXV3 A	H	2.1	2.3	2.3	2.8
		195/65 R 15	MXV3 A - CLASSIC	H				
		205/60 R 15	HX MXM	V				
iesel : 2.0 D lassique - Esprit - Elégante - Sport	03/93—>	185/65 R 15	MXT - CLASSIC	T	2.1	2.3	2.3	2.8
		195/65 R 15	MXV3 A - CLASSIC	H				
		205/60 R 15	HX MXM	V				
E 200 Type 124								
.0 E	10/93—>	195/65 R 15	MXV3 A - CLASSIC	H	2.0	2.0	2.2	2.7
		205/60 R 15	MXV3 A	H				
iesel : 2.0 D	10/93—>	185/65 R 15	MXT - CLASSIC	T	2.0	2.0	2.2	2.7
		205/60 R 15	MXV3 A	H				
220 Type 124								
: 2.2 E	10/92—>	195/65 R 15	HX MXV3 A	V	2.0	2.0	2.2	2.7
E - E : 2.2 E	05/93—>	205/60 ZR 15	HX MXV3 A					
: 2.2 E	10/92—>	195/65 R 15	MXV3 A - CLASSIC	H	2.0	2.0	2.2	2.7
		205/60 ZR 15	HX MXV3 A					
E 220 Type 124								
.2 E Coupé	10/93—>	195/65 R 15	HX MXV3 A	V	2.0	2.0	2.2	2.7
		205/60 ZR 15	HX MXV3 A					
.2 E Cabrio	10/93—>	195/65 ZR 15	HX MXV3 A		2.3	2.7	2.4	3.1
		205/60 ZR 15	HX MXV3 A					

Véhicules Marques et Types		Equipements Pneumatiques			Pressions (bar)* Utilisation Courante AV	AR	Autres Utilisation AV	AR
MERCEDES (suite)								
C 220 Type 202								
Diesel : 2.2 D	03/93—>	185/65 R 15 195/65 R 15 205/60 R 15	MXT - CLASSIC MXV3 A - CLASSIC HX MXM	T H V	2.1	2.3	2.3	2.8
2.2 E - Esprit - Classique Elégante - Sport	03/93—>	195/65 R 15 205/60 R 15	HX MXV3 A HX MXM	V V	2.1	2.3	2.3	2.8
C 250 Type 202								
2.5 D - Classique - Elégante Esprit - Sport	05/93—>	185/65 R 15 195/65 R 15 205/60 R 15	MXV3 A MXV3 A - CLASSIC HX MXM	H H V	2.1	2.3	2.3	2.8
Diesel Turbo : 2.5 DT Classique - Elégante - Esprit - Sport	01/94—>	195/65 R 15 205/60 R 15	MXV3 A - CLASSIC HX MXM	H V	2.1	2.3	2.3	2.8
280 Type 124								
E : 2.8 E	05/93—>	195/65 ZR 15 205/60 ZR 15	HX MXV3 A HX MXV3 A		2.2	2.3	2.4	2.9
280 Type 140								
S 2.8i	10/93—>	235/60 ZR 16	HX MXM		2.0	2.2	2.1	2.6
C280 Type 202								
2.8 E - Classique - Esprit Elégante - Sport	05/93—>	195/65 R 15 205/60 R 15	HX MXV3 A HX MXM	V V	2.1	2.3	2.3	2.8
300 Type 140								
SE : 2.8i - SE-SEL : 3.2i	03/93—>	235/60 ZR 16	HX MXM		2.0	2.2	2.1	2.6
SD : 3.5 TD Diesel Turbo	03/93—>	235/60 ZR 16	HX MXM		2.0	2.2	2.1	2.6
	06/94—>				2.4	2.5	2.5	3.0
320 Type R 129								
SL 320 : 3.2 E	10/93—>	225/55 ZR 16	HX MXM		2.0	2.3	2.0	2.7
320 Type 140								
S 3.2i	10/93—>	235/60 ZR 16	HX MXM		2.0	2.2	2.1	2.6
420 Type 124								
E : 4.2 E	10/93—>	215/55 ZR 16	HX MXV3 A		2.5	2.6	2.6	3.3
420 Type 140								
S 420 : 4.2i-V8	10/93—>	235/60 ZR 16	HX MXM		2.0	2.2	2.1	2.6
500 Type 140								
SE -SEL-SEC : 5.0i - V8 S 500 : 5.0i -V8 & Coupé	10/92—> 10/93—>	235/60 ZR 16	HX MXM		2.0	2.2	2.1	2.6
MITSUBISHI								
COLT								
1.3 GLi	1991—>	155/80 R 13	MXT 80	T	2.1	2.1	2.1	2.3
1.6 GLXi	1991—>	175/70 R 13	MXV3 A	H	2.1	2.1	2.4	2.4
1.8 GTi	1991—>	195/60 R 14	HX MXV3 A	V	2.1	2.0	2.6	2.5
GALANT								
1.8 GLSi	1993—>	185/70 R14 195/60 R 15	MXV3 A HX MXV3 A	H V	2.2	2.0	2.3	2.1
2.0 Turbo diesel GLS	1993—>	185/70 R 14 195/60 R 15	MXV3 A HX MXV3 A	H V				
2.5 V6 4 WD - 4 WS	1993—>	205/60 R 15	HX MXV3 A	V				
LANCER								
1.6 GLXi	1993—>	175/70 R 13 175/65 R 14	MXV3 A MXV3 A	H H	2.1	2.1	2.4	2.4
SPACE RUNNER								
1.8 GLXi	1991—>	185/70 R 14	MXV3 A	H	2.2	1.9	2.4	2.1
2.0 Turbo diesel GLX	1991—>	185/70 R 14	MXV3 A	H				

Véhicules Marques et Types		Equipements Pneumatiques			Pressions (bar)* Utilisation Courante AV	AR	Autres Utilisation AV	AR
MITSUBISHI (suite)								
SPACE WAGON								
0 GLXi	1991—>	185/70 R 14	MXV3 A	H	2.2	2.0	2.3	2.4
0 Turbo diesel GLX	1991—>	185/70 R 14	MXV3 A	H				
NISSAN								
)0 NX : 1.6i 16V SLX	01/90—>	175/65 R 14	MXV3 A	H	2.2	2.0	2.6	2.4
)0 SX : 2.0i Turbo 16V	09/93—>	205/55 R 16	HX MXV3-A	V	2.2	2.2	2.2	2.7
)0 ZX : 3.0i Turbo V6 24V	01/90—>	AV : 205/55 ZR 16	SX MXX3		2.3	-	2.3	-
		AR : 225/50 ZR 16	SX MXX3		-	2.3	-	2.6
ALMERA								
6i 16V GX - SLX	09/95—>	175/65 R 14	MXV3 A	H	2.3	2.1	2.5	2.6
0 Diesel GX - SLX	09/95—>	185/65 R 14	MXV3 A	H	2.3	2.1	2.3	2.3
MAXIMA QX								
0i V6 24V SE - SLX	09/94—>	195/65 R 15	HX MXV3 A	V	2.4	2.2	2.5	2.5
MICRA								
3i 16V LX- SLX	11/92—>	155/70 R 13	MXT - CLASSIC	T	2.2	1.9	2.5	2.3
		175/60 R 13	MXV2	H				
PRIMERA								
6i 16V LX - SLX	07/94—>	175/70 R 14	MXT	T	2.2	2.0	2.5	2.4
6i 16V SRi	07/94—>	185/65 R 14	MXV3 A-CLASSIC	H	2.2	2.0	2.4	2.3
0 Diesel LX - SLX	07/94—>	175/70 R 14	MXT	T	2.4	2.2	2.5	2.5
SERENA								
0i SLX - SGX	10/92—>	195/70 R 14	MXT	T	2.0	2.6	2.0	2.6
SUNNY								
6i 16V SLX	01/90—>	175/70 R 13	MXV3 A	H	2.2	2.0	2.3	2.1
		175/65 R 14	MXV3 A	H				
6i 16V SR	05/94—>	175/65 R 14	MXV3 A	H	2.2	2.0	2.4	2.4
OPEL								
ASTRA								
4i - 1.6i GL Vision	02/95—>	175/70 R 13	MXT - CLASSIC	T	2.0	1.7	2.0	2.2
7 DT GL Vision		175/65 R 14	MXT	T				
		195/55 R 15	MXV3 A	H				
4i - 1.6i GLS	02/95—>	175/65 R 14	MXT	T	2.0	1.7	2.0	2.2
.7 DT GLS		195/55 R 15	MXV3 A	H				
.4i - 1.6i - 1.7D - 1.7 TD GLS	04/94—>	175/65 R 14	MXT	T	2.0	1.7	2.2	2.4
		185/60 R 14	MXV3 A - CLASSIC	H				
.7 TD GLS (3 et 4 portes)	04/94—>	175/65 R 14	MXT	T	2.2	1.9	2.3	2.5
		185/60 R 14	MXV3 A - CLASSIC	H				
.7 TD GLS (4 et 5 portes)	02/95—>	175/65 R 14	MXT	T	2.1	1.8	2.2	2.4
		195/55 R 15	MXV3 A	H				
.7 TD GL (3-4-5 portes)	02/95—>	175/70 R 13	MXT - CLASSIC	T	2.1	1.8	2.2	2.4
		175/65 R 14	MXT	T				
		195/55 R 15	MXV3 A	H	2.2	1.9	2.2	2.4
.8 CD - 1.8 CD 16V	04/94—>	175/65 R 14	MXT	T	2.4	2.1	2.5	2.7
.6i -1.8i GL-1.8i GLS	04/94—>	185/60 R 14	MXV3 A - CLASSIC	H	2.2	1.9	2.3	2.5
		195/60 R 14	MXV3 A - CLASSIC	H				
.7 TD -1.8i Sportive -Elégance	04/94—>	185/60 R 14	MXV3 A - CLASSIC	H				
.6 GT - 1.8 GT - 1.8 16V	04/94—>	185/60 R 14	MXV3 A - CLASSIC	H				
		195/60 R 14	MXV3 A - CLASSIC	H				
.8 GSI 16V	04/94—>	195/60 R 14	HX MXV3 A	V	2.4	2.1	2.5	2.7
.6 GLS 16 V (4 et 5 portes)	02/95—>	195/55 R 15	MXV3 A	H	2.1	1.8	2.2	2.4
.6 Sport 16 V (3 et 5 portes)								
.8 Sport 16 V (3 et 5 portes)	02/95—>	195/55 R 15	MXV3 A	H	2.3	2.0	2.3	2.5
.0 GSI 16V CDX	02/95—>	195/55 R 15	HX MXV3 A	V	2.5	2.2	2.5	2.7

Véhicules Marques et Types		Equipements Pneumatiques			Pressions (bar) Utilisation Courante AV	AR	Autres Utilisati[ons] AV	A[R]
OPEL (suite)								
CALIBRA								
2.0 L 4x4	04/94—>	195/60 R 14	HX MXV3 A	V	2.2	2.0	2.3	2.
		195/60 R 15	HX MXV3 A	V				
		205/55 R 15	HX MXV3 A	V				
2.0 L - 2.0i 16 V	04/94—>	195/60 R 14	HX MXV3 A	V	2.4	2.2	2.5	2.
		195/60 R 15	HX MXV3 A	V				
		205/55 R 15	HX MXV3 A	V				
CORSA								
1.5D- 1.5 TD(City -Eco)	01/93—>	145/80 R 13	MXT 80 - CLASSIC	T	2.1	1.9	2.3	2.
		165/70 R 13	MXT - CLASSIC	T				
		165/65 R 14	MXT	T				
Swing 1.5 TD	04/94—>	165/70 R 13	MXT - CLASSIC	T	2.3	2.1	2.4	2.
Joy-Joy Sport 1.5 TD	04/94—>	165/65 R 14	MXT	T				
Swing 1.5 D	04/94—>	165/70 R 13	MXT - CLASSIC	T	2.1	1.9	2.3	2.
		165/65 R 14	MXT	T				
GSI 16V	04/94—>	185/60 R 14	MXV3 A - CLASSIC	H	2.2	2.0	2.3	2.
OMEGA								
GL-GLS 1.8i - 2.0i-2.0 N-2.0 S		185/70 R 14	MXV3 A	H	2.2	2.2	2.5	2.
GL - GLS 2.4i		175 R 14	MXV.P	H				
CD 2.0i - 2.4i - 2.3 TD		195/65 R 15	MXV3 A - CLASSIC	H				
Limousine 2.0i GL		195/65 R 15	MXV3 A - CLASSIC	H	2.0	2.0	2.5	2.
Limousine 2.0i CD 16V	04/94—>	205/65 R 15	HX MXV3 A	V	2.0	2.0	2.6	3.
		225/55 R 16	HX MXM	W				
TIGRA								
1.4 L	10/94—>	175/65 R 14	MXV3 A	H	2.2	2.0	2.3	2.
		185/55 R 15	MXV3 A	H				
1.6 L	10/94—>	185/55 R 15	MXV3 A	H	2.3	2.1	2.4	2.
VECTRA								
GL- GLS 1.6i	04/94—>	175/70 R 14	MXT - CLASSIC	T	1.9	1.7	2.1	2.
		195/60 R 14	HX MXV3 A	V				
GT 16 V (CDX)	04/94—>	195/60 R 14	HX MXV3 A	V	2.4	2.2	2.6	2.
		195/60 R 15	HX MXV3 A	V				
CD-GL-GLS-GT 2.0i	04/94—>	195/60 R 14	HX MXV3 A	V	2.2	2.0	2.4	2.
		195/60 R 15	HX MXV3 A	V				
PEUGEOT								
106								
Diesel XND-XRD-XTD	07/94—>	155/70 R 13	MXT - CLASSIC	T	2.3	2.3	2.3	2.
XSi	07/94—>	175/60 R 14	MXV3 A	H	2.2	2.2	2.2	2.
Griffe XS-XT 1.6	07/94—>	165/65 R 13	MXT	T	2.0	2.2	2.2	2.
205								
Turbo Diesel (Tous modèles)	07/94—>	165/70 R 13	MXT - CLASSIC	T	2.0	2.0	2.0	2.
SACRE NUMERO essence		165/70 R 13	MXT - CLASSIC	T	1.9	2.1	1.9	2.
SACRE NUMERO diesel	07/94—>				1.9	2.0	1.9	2.
GTi 1.6 (115ch) - Cabriolet CTi		185/60 R 14	MXV3 A - CLASSIC	H	2.0	2.0	2.0	2.
GTi 1.9 (130ch)		185/55 R 15	MXVP	V	2.0	2.0	2.0	2.
		195/45 R 15	SX GT	V	2.3	2.3	2.3	2.
306								
ST Autom. 1.8	09/95—>	185/60 R 14	MXV3 A	H	2.2	2.2	2.2	2.
SR 1.6 - ST 1.8	09/95—>	175/65 R 14	MXT	T	2.3	2.3	2.3	2.
SRDT-STDT 1.9 -ST- ST Autom. 2.0	09/95—>	185/60 R 14	MXV3 A	H	2.4	2.4	2.4	2.
XR (1.6i)	(2/93 à 6/94)	175/70 R 13	MXT - CLASSIC	T	2.2	2.3	2.2	2.
	07/94—>				2.0	2.1	2.0	2.
XND -XRD	(06/93 à 06/94)	175/70 R 13	MXT - CLASSIC	T	2.3	2.4	2.3	2.

Véhicules Marques et Types		Equipements Pneumatiques			Pressions (bar)* Utilisation Courante AV	Utilisation Courante AR	Autres Utilisation AV	Autres Utilisation AR
PEUGEOT (suite)								
306 (suite)								
- XRD 1.9	07/94—>	175/70 R 13	MXT - CLASSIC	T	2.3	2.4	2.3	2.4
		175/65 R 14	MXT	T	2.2	2.3	2.2	2.3
DT - XTDT	09/93—>	175/65 R 14	MXV3 A	H	2.3	2.4	2.3	2.4
DT - XTDT GRIFFE TD - D Turbo	07/94—>	185/60 R 14	MXV3 A - CLASSIC	H	2.3	2.4	2.3	2.4
	09/93—>	185/55 R 15	SX XGTV	V	2.2	2.2	2.2	2.2
6	09/93—>	195/55 R 15	SX XGTV	V	2.3	2.3	2.3	2.3
309								
1.9 - SX 1.9 - SRD Turbo Diesel	1990—>	175/65 R 14	MXV3 A	H	2.0	2.0	2.0	2.0
					1.9	1.8	1.9	1.8
(130ch)		185/55 R 15	MXVP	V	2.0	2.0	2.0	2.0
		195/45 R 15	SX GT	V	2.3	2.3	2.3	2.3
405								
16	07/92—>	195/55 R 15	SX GT	V	2.2	2.2	2.2	2.2
nature	07/93—>	185/65 R 14	MXV3 A - CLASSIC	H	2.1	2.1	2.1	2.1
nature Climatisée - STI - Autom.	07/93—>				2.2	2.2	2.2	2.2
lage	07/93—>	165/70 R 14	MXT	T	2.1	2.1	2.2	2.2
lage Diesel	07/93—>				2.2	2.2	2.2	2.2
age -Signature - Style Turbo - STDT	07/93—>	185/65 R 14	MXV3 A - CLASSIC	H	2.2	2.2	2.2	2.2
le 1.6 - 1.8	07/93—>	175/70 R 14	MXT - CLASSIC	T	2.1	2.1	2.1	2.1
le Climatisée - Diesel	07/93—>				2.2	2.2	2.2	2.2
406								
i 16V SL - ST	07/95—>	185/70 R 14	MXV3 A	H	2.3	2.3	2.3	2.3
		195/65 R 15	MXV3 A - CLASSIC	H	2.1	2.1	2.1	2.1
i 16V SV	07/95—>	195/65 R 15	HX MXV3 A	V	2.2	2.2	2.2	2.2
Turbo Diesel SL - ST - SV	07/95—>	195/65 R 15	MXV3 A - CLASSIC	H	2.3	2.3	2.3	2.3
Turbo Diesel ST - SV	07/95—>							
605								
I - SRI Essence - SRI Auto	07/94—>	195/65 R 15	MXV3 A - CLASSIC	H	2.3	2.3	2.3	2.3
I - SRI essence	07/94—>	195/65 R 15	MXV3 A - CLASSIC	H				
I Automat.		205/60 R 15	MXV3 A	H				
Oi Turbo SRTI - Exécutive	07/94—>	205/60 R 15	HX MXV3 A	V	2.3	2.3	2.3	2.3
DT -SVDT 2.5	07/94—>	205/65 R 15	HX MXV3 A	V				
3.0 - Automatic	07/93—>	205/65 R 15	HX MXV3 A	V				
24	(90 à 06/94)	205/55 ZR 16	HX MXM					
24	07/94—>	225/55 ZR 16	HX MXM		2.3	2.3	2.5	2.5
806								
	07/94—>	195/65 R 15	MXT	T	2.3	2.3	2.5	2.5
	07/94—>	205/65 R 15	MXT	T	2.3	2.3	2.4	2.5
rbo ST -SV	07/94—>	205/65 R 15	MXV3 A	H				
PORSCHE								
911 (964)								
arrera 2 - 4 Turbo Look Cabrio	08/91—>	AV : 205/50 ZR 17	SX MXX3 N0		2.5	-	2.5	-
peedster		AR : 255/40 ZR 17	SX MXX3 N0		-	2.5	-	2.5
arrera RS 3.8	07/93—>	AV : 235/40 ZR 18	SX MXX3		2.5		2.5	
		AR : 285/35 ZR 18	SX MXX3			2.5		2.5
911 (993)								
arrera 2 - 4 + Cabriolet	02/95—>	AV : 205/55 ZR 16	SX MXX3 N1		2.5	-	2.5	-
		AR : 245/45 ZR 16	SX MXX3 N1		-	3.0	-	3.0
S 3.8	02/95—>	AV : 205/50 ZR 17	SX MXX3 N0		2.5	-	2.5	-
		AR : 255/40 ZR 17	SX MXX3 N0		-	2.5	-	2.5

Véhicules — Marques et Types		Equipements Pneumatiques			Pressions (bar) — Utilisation Courante AV	Utilisation Courante AR	Autres Utilisations AV	Autres Utilisations AR
PORSCHE (suite)								
928								
S4 5.0	04/91—>	AV : 225/50 ZR 16	MXX N0 - SX MXX3 N1		2.5	-	2.5	
		AR : 245/45 ZR 16	MXX N0 - SX MXX3 N1		-	3.0	-	3
		AV : 225/45 ZR 17	SX MXX3 N0		2.5	-	2.5	
		AR : 255/40 ZR 17	SX MXX3 N0		-	3.0	-	3
GT 5.0	04/91—>	AV : 225/45 ZR 17	SX MXX3 N0		2.5	-	2.5	
		AR : 255/40 ZR 17	SX MXX3 N0		-	3.0	-	3
GTS 5.4	08/91—>	AV : 225/45 ZR 17	SX MXX3 N0		2.5	-	2.5	
		AR : 255/40 ZR 17	SX MXX3 N0		-	2.5	-	2
944								
S2 3.0	04/91—>	AV : 205/55 ZR 16	MXX N0 - SX MXX3 N1		2.5	-	2.5	
		AR : 225/50 ZR 16	MXX N0 - SX MXX3 N1		-	2.5	-	2
		AV : 225/45 ZR 17	SX MXX3 N0		2.5	-	2.5	
		AR : 255/40 ZR 17	SX MXX3 N0		-	2.5	-	2
Turbo S		AV : 225/50 ZR 16	MXX N0 - SX MXX3 N1		2.5	-	2.5	
		AR : 245/45 ZR 16	MXX N0 - SX MXX3 N1		-	2.5	-	2
968								
CS - Cabrio	04/91—>	AV : 205/55 ZR 16	MXX N0 - SX MXX3 N1		2.5	-	2.5	
		AR : 225/50 ZR 16	MXX N0 - SX MXX3 N1		-	2.5	-	2
Turbo S	07/93—>	AV : 235/40 ZR 18	SX MXX3		2.5	-	2.5	
		AR : 285/35 ZR 18	SX MXX3		-	2.5	-	2
RENAULT								
ALPINE								
A 610	02/91—>	AV : 205/45 ZR 16	SX MXX3		2.0	-	2.0	
		AR : 245/45 ZR 16	SX MXX3		-	2.4	-	2
V6 Le Mans	09/90—>	AV : 205/45 ZR 16	SX MXX3		2.2	-	2.2	
		AR : 255/40 ZR 17	SX MXX3		-	2.4	-	2
TWINGO								
1.2 : Climatisation	10/92—>	145/70 R 13	MXT - CLASSIC	T	2.1	2.0	2.4	2
1.2 Climatisation + Direction Assistée Elec	07/94—>	155/70 R 13	MXT - CLASSIC	T	2.0	2.0	2.2	2
CLIO								
1.4 Automat. + Climatisé	07/94—>	165/60 R 14	MXT P	T	2.3	2.3	2.4	2
1.4 Alizée	07/94—>				2.2	2.1	2.3	2
1.8 RT	07/93—>	165/60 R 14	MXT	T	2.1	2.1	2.3	2
1.8 Baccara	07/93—>	175/60 R 14	MXV3 A	H	2.2	2.2	2.2	2
1.8 RSI	07/94—>	175/60 R 14	MXV3 A	H	2.0	2.0	2.2	2
1.9 Diesel RT	07/94—>	165/65 R 13	MXT	T	2.1	2.1	2.3	2
2.0 Williams	09/92—>	185/55 R 15	HX MXV3 A	V	2.0	2.0	2.2	2
19								
Baccara-Cabriolet : 1.8 - 95ch	09/92—>	175/70 R 13	MXT - CLASSIC	T	1.8	2.0	2.0	2
RN - RT : 1.8 - 95ch	09/92—>	175/65 R 14	MXT	T				
Alizée 1.8	07/93—>	175/70 R 13	MXT - CLASSIC	T	1.8	2.0	2.0	2.
		175/65 R 14	MXT	T				
RL - RN - RT 1.9 Diesel	08/94—>	165/70 R 13	MXT - CLASSIC	T	1.8	2.0	2.0	2.
RT 1.8	07/94—>	175/65 R 14	MXT	T				
Sport Elégance : 1.8 -1.8i	07/93—>	185/60 R 14	MXV3 A - CLASSIC	H	1.8	2.0	2.0	2.
Sport Elégance : 1.8 Turbo Diesel	07/93—>				2.0	2.0	2.2	2.
LAGUNA								
RN - RT - RXE 1.8	01/94—>	185/65 R 14	MXT - CLASSIC	T	2.1	2.1	2.3	2.
RN - RT - RXE 2.0	01/94—>	185/65 R 14	MXV3 A - CLASSIC	H				
Baccara 2.0	08/94—>	205/60 R 15	HX MXV3 A	V				
V6 RT - RXE Baccara	01/94—>	205/60 R 15	HX MXV3A	V	2.3	2.1	2.5	2.
RXI 2.0	07/95—>	195/60 R 15	MXV3 A - CLASSIC	H	2.2	2.1	2.4	2.
Diesel RN - RT - RXE 2.2	07/94—>	185/65 R 14	MXT - CLASSIC	T	2.3	2.1	2.5	2.
Diesel RN - RT - RXE 2.2 Automat.	07/94—>	195/65 R 14	MXT	T	2.1	1.9	2.3	2.

Véhicules Marques et Types		Equipements Pneumatiques			Pressions (bar)* Utilisation Courante AV	AR	Autres Utilisation AV	AR
ENAULT (suite)								
MEGANE								
: RT - RXE	11/95—>	175/70 R 13	MXT	T	2.1	2.0	2.3	2.2
		175/65 R 14	MXT	T	2.1	2.0	2.3	2.1
Autom. : RT - RXE	11/95—>	175/70 R 13	MXT	T	2.1	2.0	2.3	2.1
		175/65 R 14	MXT	T				
: RXE	11/95—>	175/65 R 14	MXV3 A	H	2.2	2.0	2.4	2.2
		185/60 R 14	MXV3 A	H				
Turbo Diesel : RT - RXE	11/95—>	175/65 R 14	MXT	T	2.3	2.0	2.4	2.2
		185/60 R 14	MXV3 A	H				
MEGANE COUPE								
	09/95—>	175/70 R 13	MXT	T	2.2	2.0	2.4	2.2
		175/65 R 14	MXT	T				
	09/95—>	175/65 R 14	MXV3 A	H	2.2	2.0	2.4	2.2
		185/60 R 14	MXV3 A	H				
SAFRANE								
- RT : 2.0i (9CV)	04/92—>	185/70 R 14	MXT	T	2.3	2.1	2.5	2.3
: 2.1 Diesel Turbo	04/92—>	195/60 R 15	MXV3 A - CLASSIC	H				
- RT - RXE 12S	07/94—>	195/60 R 15	MXV3 A - CLASSIC	H	2.3	2.1	2.5	2.3
- RT - RXE 12S Automatique	07/94—>	195/65 R 15	MXV3 A - CLASSIC	H	2.3	2.1	2.5	2.3
- RT - RXE : 2.5 Diesel Turbo	04/92—>							
Turbo Diesel	07/94—>							
- RXE 3.0i V6 - Automat.	07/94—>	195/65 R 15	HX MXV3 A	V	2.3	2.1	2.5	2.3
cara : 3.0i - V6	07/93—>	205/55 ZR 16	HX MXM		2.4	2.1	2.6	2.3
ESPACE								
- RXE : V6 inj.	02/91—>	195/65 R 15	MXV3 A - CLASSIC	H	2.2	2.0	2.3	2.3
- Olympique 92	04/91—>							
- RT - RXE : 2.2i - 2.1 TD	09/92—>	195/65 R 14	MXT	T	2.3	1.9	2.5	2.6
: 2.0 TD - RT/RXE 2.1 TD	07/93—>							
ROVER								
Série 200								
GSi	04/92—>	175/65 R 14	MXT	T	2.1	2.1	2.1	2.1
SLi - GSi		185/60 R 14	MXV3 A - CLASSIC	H				
GTi TC (5 portes)	04/92—>	185/60 R 14	MXV3 A - CLASSIC	H	2.1	2.1	2.1	2.1
SD Turbo - GSD Turbo	03/92—>	175/70 R 14	MXT - CLASSIC	T	2.1	2.1	2.2	2.2
GTi TC 2.0i	04/92—>	185/55 R 15	HX MXV3 A	V	2.1	2.1	2.1	2.1
Série 400								
Si - SLi	04/92—>	175/65 R 14	MXT	T	2.1	2.1	2.1	2.1
Si - SLi - GSi	04/92—>	185/60 R 14	MXV3 A - CLASSIC	H				
SD Turbo - GSD Turbo	03/92—>	175/70 R 14	MXT - CLASSIC	T	2.1	2.1	2.2	2.2
SLi - GSi - Exec	04/92—>	175/70 R 14	MXV2	H	2.1	2.1	2.1	2.1
GSi Sport	04/92—>	185/55 R 15	HX MXV3 A	V				
Série 600								
Si	07/93—>	185/70 R 14	MXV3 A	H	2.2	2.1	2.2	2.1
		185/65 R 15	MXV3 A	H				
SLi- GSi	07/93—>	185/65 R 15	MXV3 A	H				
GSi	07/93—>	195/60 R 15	HX MXV3 A	V	2.3	2.2	2.3	2.2
Série 800								
0i - 820 Si - SLi	01/92—>	195/65 R 15	HX MXV3 A	V	1.9	1.9	1.9	1.9
		205/55 ZR 16	HX MXV3 A					
5 D - SD - SLD	01/92—>	195/65 R 15	HX MXV3 A	V	2.1	2.1	2.1	2.1
7 Si - SLi - Sterling	01/92—>	195/65 R 15	HX MXV3 A	V	2.0	2.0	2.1	2.1
		205/55 ZR 16	HX MXV3 A		2.2	2.2	2.2	2.2

Véhicules — Marques et Types		Equipements Pneumatiques			Pressions (b		
					Utilisation Courante		Aut Utilis
					AV	AR	AV
SAAB							
900							
S/SE 2.0 - 16	07/93—>	185/65 R 15	MXV3 A	H	2.1	2.1	2.4
S/SE 2.3 - 16 - SE 2.5 - V6	07/93—>	195/60 R 15	HX MXV3 A	V	2.2	2.2	2.6
SE 2.0 T	07/93—>	205/50 R 16	HX MXM	W	2.3	2.3	2.7
9000							
2.0i-2.0S : CS - CSE - CD - CDE	07/93—>	195/65 R 15	HX MXV3 A	V	2.1	2.1	2.6
2.0i - 2.3i : CD - CS							
2.3i-2.3S : CS - CSE - CD - CDE	07/93—>						
2.0 T : CS - CSE - CD - CDE							
CD CDE 2.3 T	07/93—>	195/65 R 15	HX MXV3 A	V	2.1	2.1	2.6
GRIFFIN 2.0 - 2.3	07/92—>						
CS - CSE - CD - CDE 2.3 T	07/92—>	205/60 ZR 15	HX MXV3 A		2.2	2.2	2.7
CS CSE 2.3 T	07/93—>						
AERO 2.0 - 2.3	07/92—>	205/55 ZR 16	HX MXV3 A		2.4	2.4	2.8
AERO 2.0 - 2.3	07/93—>				2.4	2.4	3.0
SEAT							
CORDOBA							
1.4i CLX	12/93—>	155/80 R 13	MXT 80 - CLASSIC	T	2.1	2.0	2.2
		175/70 R 13	MXT - CLASSIC	T			
1.6i CLX	12/93—>	175/70 R 13	MXT - CLASSIC	T	2.1	1.8	2.2
1.6i - 1.8i GLX	12/93—>	185/60 R 14	MXV3 A - CLASSIC	H			
1.8i 16 V GT - 2.0i GT	12/93—>	185/60 R 14	HX MXV3 A	V	2.4	2.0	2.5
1.9 Diesel CLX	12/93—>	175/70 R 13	MXT - CLASSIC	T	2.2	1.9	2.3
1.9 Diesel GLX - Turbo Diesel GT	12/93—>	185/60 R 14	MXV3 A - CLASSIC	H			
IBIZA							
1.3i - 1.6i - 1.8i CLX	05/93—>	155/80 R 13	MXT 80 - CLASSIC	T	2.1	2.0	2.2
		175/70 R 13	MXT - CLASSIC	T	2.1	1.8	2.2
1.3i - 1.6i - 1.8i GLX	05/93—>	185/60 R 14	MXV3 A - CLASSIC	H	2.1	1.8	2.2
2.0i GTi	05/93—>	185/60 R 14	HX MXV3 A	V	2.4	2.0	2.5
1.9 CL - CLX Diesel	05/93—>	175/70 R 13	MXT - CLASSIC	T	2.2	1.9	2.3
1.9 TD GLX - GT	05/93—>	185/60 R 14	MXV3 A - CLASSIC	H			
TOLEDO							
1.8i GLX	11/92—>	185/60 R 14	MXV3 A - CLASSIC	H	2.0	2.2	2.1
1.8i GT 16V	11/92—>	185/60 R 14	HX MXV3 A	V	2.2	2.2	2.4
		195/50 R 15	SX XGTV	V	2.4	2.4	2.5
1.9 D GL	11/92—>	175/70 R 13	MXT - CLASSIC	T	2.2	2.2	2.2
1.9 TD GL		185/60 R 14	MXV3 A - CLASSIC	H			
1.9 TD GLX - 2.0i CL - GL - GLX	11/92—>	185/60 R 14	MXV3 A - CLASSIC	H	2.2	2.2	2.2
2.0i GT	11/92—>	185/60 R 14	MXV3 A - CLASSIC	H	2.2	2.2	2.2
		195/50 R 15	SX XGTV	V	2.4	2.4	2.5
TOYOTA							
CAMRY							
2.2i	10/91—>	195/70 R 14	HX MXV3 A	V	2.2	2.0	2.4
CARINA							
1.6 XLi - 2.0 XL Diesel	1993—>	185/65 R 14	MXV3 A - CLASSIC	H	2.2	2.0	2.2
2.0 GLi	1993—>	185/65 R 14	HX MXV3 A	V			
2.0 GTi	1993—>	195/60 R 15	HX MXV3 A	V	2.1	1.9	2.1
CELICA							
2.0 GTi 16S	04/90—>	205/60 VR 14	MXV		2.1	2.1	2.7
COROLLA							
1.3 GLi - XLi - XLiS - 2.0 SL Diesel	1993—>	165/70 R 14	MXT	T	2.4	2.2	2.4
1.6 GLi	1993—>	175/65 R 14	MXV3 A	H	2.3	2.1	2.3

Véhicules Marques et Types		Equipements Pneumatiques			Pressions (bar)* Utilisation Courante AV	AR	Autres Utilisation AV	AR
TOYOTA (suite)								
LEXUS								
; 300	07/94—>	225/55 R 16	HX MXM	V	2.2	2.2	2.4	2.6
; 400	07/94—>	225/60 ZR 16	HX MXM		2.1	2.1	2.3	2.7
; 400	10/90—>	205/65 ZR 15	HX MXV3 A		2.3	2.5	2.5	2.7
SUPRA								
)00 GT Turbo	07/89—>	225/50 ZR 16	HX MXM		2.3	2.5	3.0	3.0
0 Twin Turbo	1993—>	AV : 235/45 ZR 17 AR : 255/40 ZR 17	SX MXX3 SX MXX3		2.5	2.5	2.5	2.5
VOLKSWAGEN								
CORRADO								
)i	03/93—>	195/50 R 15	HX MXV3 A	V	2.4	2.1	2.6	2.3
		205/50 R 15	HX MXV3 A	V	2.0	1.8	2.2	2.0
)i 16V	03/93—>	195/50 R 15	HX MXV3 A	V	2.6	2.3	2.8	2.5
		205/50 R 15	HX MXV3 A	V	2.3	2.0	2.5	2.2
9i VR6	03/93—>	205/50 R 15	HX MXV3 A	V	2.5	2.2	2.7	2.4
GOLF								
4 CL	09/94—>	175/70 R 13 185/60 R 14 195/50 R 15	MXT - CLASSIC MXT HX MXV3 A	T T V	1.8	1.8	2.0	2.2
6 CL-GL-GT	09/94—>	185/60 R 14 195/50 R 15	MXV3 A - CLASSIC HX MXV3 A	H V	2.3	2.1	2.5	2.7
8 CL-GL-GT 9 D CL-GL	09/94—>	185/60 R 14 195/50 R 15	MXT HX MXV3 A	T V	2.1	1.9	2.4	2.6
6i CL-GL 8i CL-GL 9D CL-GL	03/93—>	175/70 R 13 185/60 R 14 195/50 R 15	MXT - CLASSIC MXV3 A - CLASSIC HX MXV3 A	T H V	2.1	1.9	2.4	2.6
9 GTD 9 TD-GL 9 TDI CL	03/93—> 03/93—> 10/93—>	185/60 R 14 195/50 R 15	MXV3 A - CLASSIC HX MXV3 A	H V	2.3	2.1	2.6	2.8
9 TD GL 9 TDi CL	09/94—>	185/60 R 14 195/50 R 15	MXT HX MXV3 A	T V	2.3	2.1	2.6	2.8
0 GTi	03/93—>	195/50 R 15	HX MXV3 A	V	2.3	2.1	2.5	2.7
		205/50 R 15	HX MXV3 A	V	2.0	1.8	2.2	2.4
0 GTi 16V	03/93—>	195/50 R 15	HX MXV3 A	V	2.6	2.4	2.8	3.0
		205/50 R 15	HX MXV3 A	V	2.2	2.0	2.4	2.6
ıbriolet 1.6 GT	09/94—>	185/60 R 14 195/50 R 15	MXV3 A - CLASSIC HX MXV3 A	H V	2.4	2.2	2.6	2.9
yncro 2.9i VR6	10/93—>	205/50 R 15	HX MXV3 A	V	2.5	2.5	2.7	3.1
yncro 1.8i CL-GL	03/93—>	175/70 R 13 185/60 R 14 195/50 R 15	MXT - CLASSIC MXV3 A - CLASSIC HX MXV3 A	T H V	2.2	2.2	2.4	2.8
yncro 1.8 CL - GL - GT	09/94—>	185/60 R 14 195/50 R 15	MXT HX MXV3 A	T V	2.2	2.2	2.4	2.8
PASSAT								
mousine CL, GL 1.8i mousine 1.9 TD CL, GL-1.9 TDI	10/93—> 10/93—>	185/65 R 14 195/60 R 14 205/50 R 15	MXT - CLASSIC MXV3 A - CLASSIC HX MXV3 A	T H V	2.1	2.1	2.2	2.5
mousine GT 1.8i - 1.9 TDI GT	10/93—>	205/50 R 15	HX MXV3 A	V				
mousine CL, GL 2.i	10/93—>	185/65 R 14 195/60 R 14 205/50 R 15	MXV3 A - CLASSIC MXV3 A - CLASSIC HX MXV3 A	H H V	2.1	2.1	2.3	2.6
mousine GT 2.0i	10/93—>	205/50 R 15	HX MXV3 A	V				
mousine GL, GT 16 V	10/93—>	205/50 R 15	HX MXV3 A	V	2.4	2.4	2.6	2.9
mousine VR6	10/93—>	205/50 ZR 15	HX MXV3 A		2.6	2.6	2.8	3.1

Véhicules — Marques et Types		Equipements Pneumatiques			Pressions (ba		
					Utilisation Courante		Aut Utilis
					AV	AR	AV
VOLKSWAGEN (suite)							
POLO							
1.6i 75 Servo - Interlagos - 1.9 Diesel	10/94—>	175/65 R 13	MXT	T	2.1	2.1	2.2
VENTO							
1.8 CL - GL - GT	03/93—>	185/60 R 14	MXV3 A - CLASSIC	H	2.1	1.9	2.4
1.9 D CL		195/50 R 15	HX MXV3 A	V			
1.9 TD CL, GL, GTD	10/93—>	185/60 R 14	MXV3 A - CLASSIC	H	2.3	2.1	2.6
1.9 TDI CL		195/50 R 15	HX MXV3 A	V			
1.9 CL - GL - GTD	03/93—>	185/60 R 14	MXV3 A - CLASSIC	H	2.3	2.1	2.5
2.0i GL		195/50 R 15	HX MXV3 A	V			
2.0i GL	10/93—>	185/60 R 14	MXV3 A - CLASSIC	H	2.1	1.9	2.5
		195/50 R 15	HX MXV3 A	V			
2.0i GT	03/93—>	195/50 R 15	HX MXV3 A	V	2.3	2.1	2.5
		205/50 R 15	HX MXV3 A	V	2.0	1.8	2.2
2.8i VR6	04/92—>	205/50 R 15	HX MXV3 A	V	2.5	2.3	2.7
2.8i VR6	03/93—>				2.6	2.4	2.8
VOLVO							
440 - 460							
DL	1993—>	175/65 R 14	MXT	T	2.1	1.9	2.3
GL	1993—>	175/65 R 14	MXT	T			
		185/65 R 14	MXV3 A - CLASSIC	H			
GLE	1993—>	185/65 R 14	MXV3 A - CLASSIC	H			
GLT	1993—>	185/65 R 14	MXV3 A - CLASSIC	H			
Turbo	1993—>	185/55 R 15	HX MXV3 A	V			
480							
S - ES	1993—>	185/65 R 14	MXV3 A - CLASSIC	H	2.1	1.9	2.1
		195/55 R 15	MXV3 A	H			
Turbo	1993—>	195/55 R 15	MXV3 A	H			
850							
2.0 - 2.5	07/94—>	185/65 R 15	MXV3 A	H	2.2	2.0	2.6
GLE	03/94—>	195/60 R 15	HX MXV3 A	V			
2.0 20V	07/94—>	195/60 R 15	HX MXV3 A	V	2.2	2.0	2.6
		185/65 R 15	MXV3 A	H			
2.0 - 2.3 20V Turbo - 2.3 20V Turbo T	07/94—>	205/50 ZR 16	HX MXM	W	2.3	2.1	2.9
2.5 20V	07/94—>	195/60 R 15	HX MXV3A	V	2.2	2.0	2.6
GLT	03/94—>	205/55 R 15	HX MXV3 A	V			
940							
2.3	07/94—>	185/65 R 15	MXT - CLASSIC	T	1.9	1.9	2.1
		195/65 R 15	HX MXV3 A	V			
Turbo - GLT	07/92—>	195/65 R 15	HX MXV3 A	V	1.9	1.9	2.1
Turbo	07/92—>	205/55 R 16	HX MXV3 A	V			
2.0 - 2.3 Turbo	07/94—>	195/65 R 15	HX MXV3 A	V	1.9	1.9	2.1
		205/55 R 16	HX MXV3 A	V	1.9	2.1	2.4
960							
964 Turbo Diesel	01/94—>	195/65 R 15	HX MXV3 A	V	2.0	1.9	2.1
965 Turbo Diesel	01/94—>	195/65 R 15	HX MXV3 A	V	1.9	2.1	2.4
2.5 24V	1994—>	195/65 R 15	HX MXV3 A	V	2.0	2.0	2.4
3.0 24 V		205/55 R 16	HX MXV3 A	V			

* Consulter la page "conseils" qui précéde le tableau.

Tous les renseignements figurant sur ces tableaux sont donnés par Michelin sous réserve des modifications pouvan survenir après édition.

CONSEILS

D'autres équipements que ceux mentionnés dans le présent document sont possibles grâce à l'étendue de notre gamme (CLASSIC-ENERGY-PILOT ETC...).

Au remplacement de l'équipement d'origine, nous préconisons de respecter les codes de vitesses et indices de charge mini homologués par le constructeur.

NOTA : depuis le 1er Janvier 1995 l'ART. R59 du code de la Route, modifié le 24/10/94

ART. 3 - point 3-4, exige que le code de vitesse et l'indice de charge soient adaptés aux capacités maximales du véhicule.

Pour les véhicules ne figurant plus dans ce tableau de gonflage, 3615 MICHELIN, Rubrique : "Guide du Pneumatique", est à votre service.

PRESSIONS DE BASE POUR PNEUS FROIDS

On entend par pneus froids, des pneus n'ayant pas roulé depuis une heure au moins ou ayant roulé 2 à 3 km à allure réduite (roulage ville).
La pression augmente en cours de roulage, c'est normal. Si vous êtes amené à vérifier les pressions après un certain parcours (pneus chauds), considérez que pour être correctes, elles doivent être supérieures de 0,3 bar à celles préconisées à froid.

NE JAMAIS DEGONFLER DES PNEUS CHAUDS

NOTA – Ce tableau de gonflage donne, par véhicule, deux séries de pressions :

- **Utilisation courante** :
  Ces pressions conviennent dans la majorité des cas d'utilisation du véhicule.
- **Autres utilisations** :
  Ces pressions sont à adopter dans les cas suivants :
  - véhicule très chargé,
  - roulage type autoroute (voiture à faible ou à pleine charge).

Nous conseillons une vérification périodique de la pression de gonflage de la roue de secours.

Les pressions conseillées sont valables pour les pneus Tube Type et les pneus Tubeless.

Un bouchon de valve en bon état est indispensable pour parfaire l'étancheité. Veiller à sa propreté et à sa bonne mise en place.

PNEUS HIVER :

Pour tous nos pneus XM+S, adopter les pressions des pneus remplacés.
Conformément au Code de la Route, la vitesse maxi du pneu neige monté doit être affichée à l'intérieur du véhicule.

VALEUR DES CODES DE VITESSE :

Q = 160 km/h	T = 190 km/h	V = 240 km/h
R = 170 km/h	H = 210 km/h	W = 270 km/h
S = 180 km/h	VR (dans la dimension) = > 210 Km/h	ZR = > 240 km/h

-:-:-:-:-:-:-:-:-

VOITURE DE TOURISME TRACTANT UNE REMORQUE

(caravane, porte-bateau, etc.).

Pour obtenir un bon comportement de l'ensemble "voiture + remorque", nous donnons les conseils de pressions ci-après :

– **Voiture équipée de pneus radiaux de notre Marque** :

• Augmenter la pression des pneus Arrière de la voiture de 0,4 bar par rapport à la pression "utilisation courante", sauf si la pression AR "autres utilisations" lui est supérieure de plus de 0,4 bar. Dans ce cas, utiliser cette pression.

– **Pression des pneus de la caravane (ou remorque)** :
– en l'absence du conseil pression donné par le constructeur, gonfler à 3,0 b.

Atlas routiers

France

1/200 000

094 - *à spirale*
099 - *relié*

1/400 000

460 - *à spirale*

Great Britain

1/300 000

1122 - *à spirale*

Italie

1/300 000

465 - *à spirale*

Europe

1/1 000 000
1/3 000 000

130 - *relié*
136 - *à spirale*

Une découverte...

Le Bibendum...

Le voyage...

Une invitatio
à la rencontr
et à la découvert
de Micheli

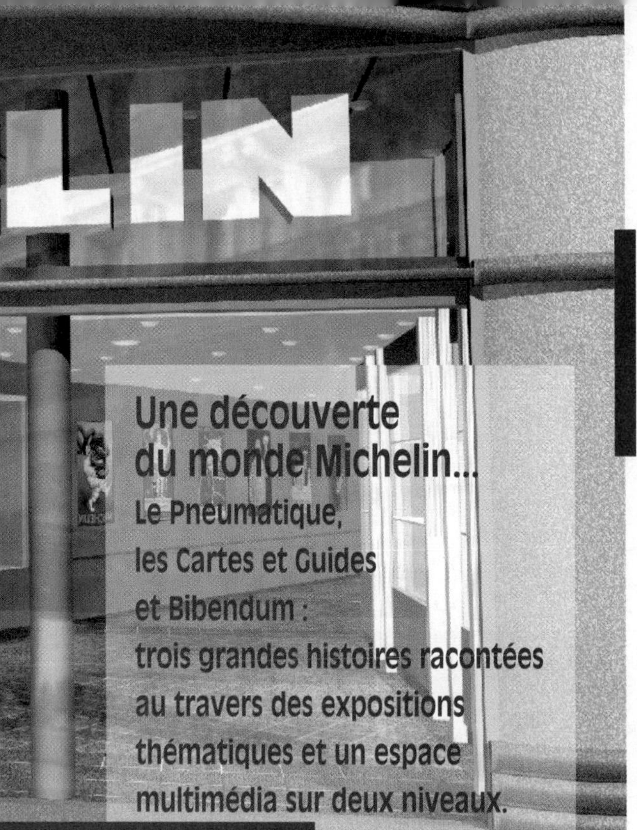

Une découverte du monde Michelin...

Le Pneumatique,
les Cartes et Guides
et Bibendum :
trois grandes histoires racontées
au travers des expositions
thématiques et un espace
multimédia sur deux niveaux.

Bibendum...

Bibendum by Michelin,
sous toutes ses formes d'hier
et d'aujourd'hui, il est présent
avec une multitude d'objets
à son image.

Le voyage...

Les routes du monde entier
vous sont ouvertes
avec la collection intégrale
des Cartes et Guides Michelin.

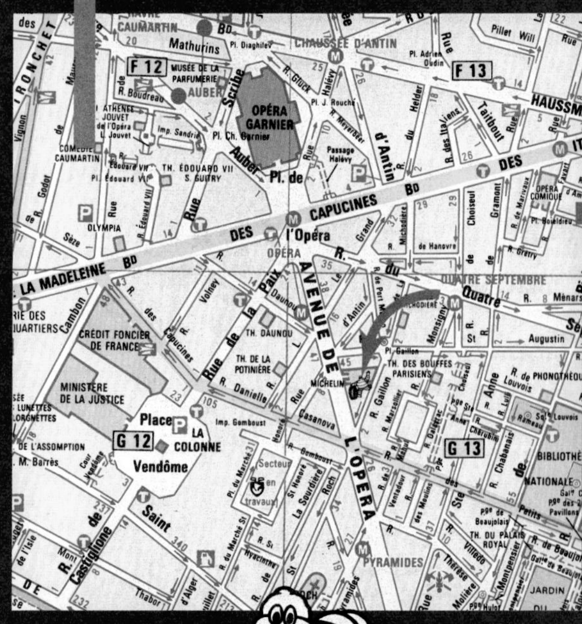
CAUMARTIN
Mathurins
Pl. Diaghilev
CHAUSSÉE D'ANTIN
F 12
MUSÉE DE LA PARFUMERIE
AUBER
Scribe
OPÉRA GARNIER
Pl. Ch. Garnier
F 13
HAUSSM
Halévy
Pl. J. Rouché
Passage Halévy
d'Antin
R. des Italiens
Taitbout
TH. ÉDOUARD VII S. GUITRY
Pl. Édouard VII
Auber
Pl. de
DES CAPUCINES BD
DES
OLYMPIA
l'Opéra
OPÉRA
OPÉRA COMIQUE
Choiseul
Gramont
de Hanovre
LA MADELEINE BD
QUATRE SEPTEMBRE
R. du Quatre
Ménars
Augustin
Cambon
CRÉDIT FONCIER DE FRANCE
R. des Capucines
Volney
Rue de la Paix
Daunou
TH. DAUNOU
AVENUE DE L'OPÉRA
TH. DE LA POTINIÈRE
MICHELIN
Pl. Gaillon
TH. DES BOUFFES PARISIENS
R. de PHONOTHÈQU
Louvois
MINISTÈRE DE LA JUSTICE
R. Danielle Casanova
Place Vendôme
LA COLONNE
G 12
G 13
R. Gaillon
Chabanais
Sq. Louvois
BIBLIOTHÈ NATIONALE
Imp. Gomboust
Gomboust
Secteur en travaux
La Sourdière
Roch
Ventadour
des Moulins
Ste Anne
TH. DU PALAIS ROYAL
Montpensier
Villedo
Thérèse
Molière
Saint
Castiglione
Mont Thabor
d'Alger
PYRAMIDES
JARDIN
de l'Isle

HÉPY 80210 Somme 52 ⑥ – 1 246 h alt. 96.

ris 169 – ♦Amiens 56 – Abbeville 16 – Le Tréport 21.

Aub. Picarde M, à la Gare ✆ 22 26 20 78, Fax 22 26 33 34 – TV ☎ ♿ P – 30. AE GB
fermé 19 au 25 août et 26 déc. au 3 janv. – **Repas** *(fermé sam. midi et dim. soir de nov. à mars)* 85/185, enf. 65 – ☕ 30 – **25 ch** 225/375 – ½ P 200.

TROEN Gar. Routier, rte de Feuquières à Tours en Vimeu ✆ 22 26 20 36

HERBOURG 50100 Manche 54 ② **G. Normandie Cotentin** – 27 121 h alt. 10 – Casino BY.

oir Fort du Roule ✳★ BZ – Château de Tourlaville : parc★ 5 km par ①.

des Roches ✆ 33 44 45 48, par ② et D 122 : 7 km.

de Cherbourg-Maupertus : ✆ 33 22 91 32, par ① : 13 km.

Office de Tourisme 2 quai Alexandre-III ✆ 33 93 52 02, Fax 33 53 66 97 et à la Gare Maritime ✆ 33 44 39 92
A.C. ✆ 33 93 97 95.

ris 362 ② – ♦Brest 396 ② – ♦Caen 124 ② – Laval 218 ② – ♦Le Mans 278 ② – ♦Rennes 200 ②.

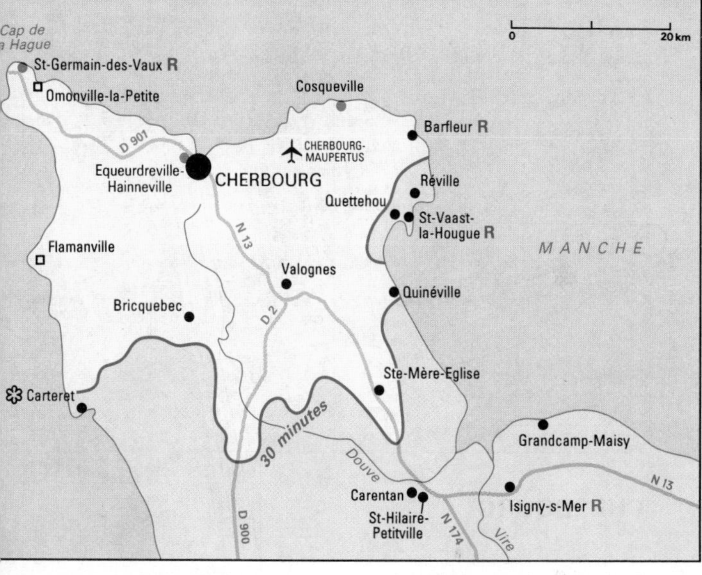

Mercure, gare maritime ✆ 33 44 01 11, Fax 33 44 51 00, ≤ – |♦| ⇋ TV ☎ ✆ – 30 à 100. AE ⓓ GB BX **s**
Repas 130 bc, enf. 45 – ☕ 55 – **84 ch** 425/495.

Quality H. M, r. G. Sorel par ① ✆ 33 43 72 00, Fax 33 43 72 06 – |♦| ⇋ TV ☎ ♿ P – 40 à 150. AE ⓓ GB. ✂ rest
Repas *(fermé sam. midi et dim.)* 70/115 🍷 – ☕ 46 – **73 ch** 380/440.

Chantereyne sans rest, port de plaisance ✆ 33 93 02 20, Fax 33 93 45 29 – TV ☎ ♿. AE ⓓ GB AX **b**
fermé 20 déc. au 5 janv. – ☕ 36 – **50 ch** 320/360.

Louvre sans rest, 2 r. H. Dunant ✆ 33 53 02 28, Fax 33 53 43 88 – |♦| TV ☎ ✆ ♿ 🚗. AE ⓓ GB JCB AX **e**
fermé 24 déc. au 1er janv. – ☕ 35 – **42 ch** 175/360.

Angleterre sans rest, 8 r. P. Talluau ✆ 33 53 70 06, Fax 33 53 74 36 – TV ☎ ✆ P. GB. ✂
☕ 30 – **24 ch** 175/240. AX **k**

Moderna sans rest, 28 r. Marine ✆ 33 43 05 30, Fax 33 43 97 37 – TV ☎ ✆. AE GB
☕ 30 – **25 ch** 170/300. BX **a**

Café de Paris, 40 quai Caligny ✆ 33 43 12 36, Fax 33 43 98 49 – GB BXY **d**
fermé 1er au 15 mars et 1er au 15 nov. – **Repas** 105/150.

Briqueville, 16 quai Caligny ✆ 33 20 11 66, Fax 33 20 38 31 – AE GB BX **g**
fermé 23 déc. au 14 janv., sam. midi et dim. – **Repas** 98/330.

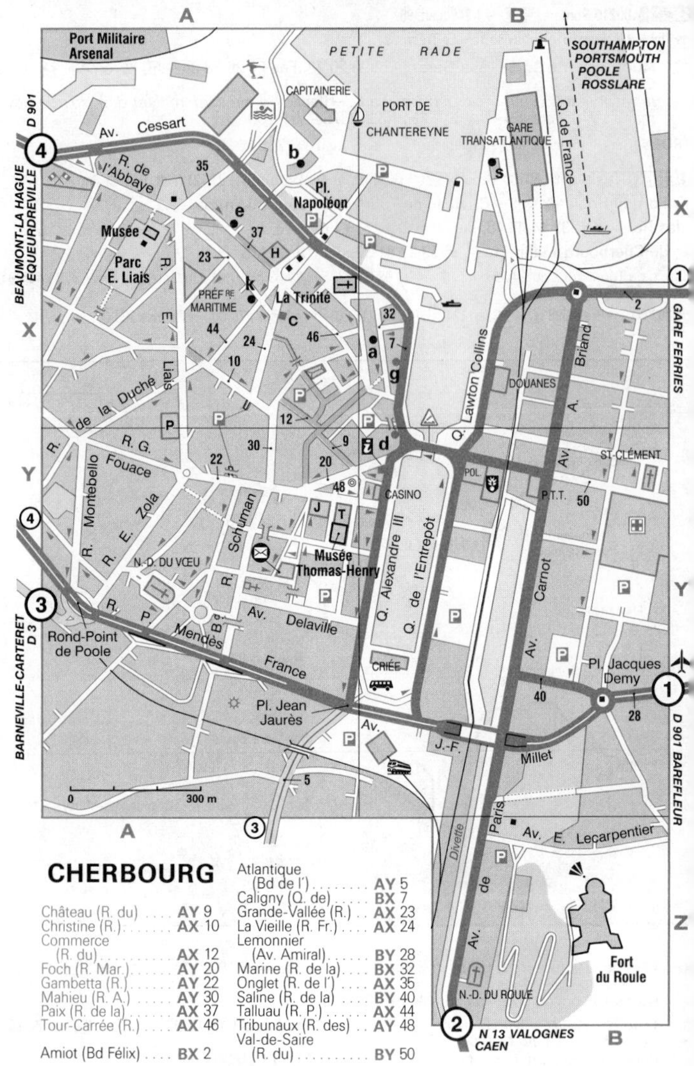

à Equeurdreville-Hainneville par ④ : 4 km – 18 256 h. alt. 8 – ✉ **50100** :

La Gourmandine, 24 r. Surcouf ✆ 33 93 41 26, ← – GB
fermé 14 juil. au 5 août, 22 déc. au 1er janv., dim. soir et lundi – **Repas** 70/185, enf. 50.

BMW, LANCIA Gar. Renouf, bd de l'Est à Tourlaville ✆ 33 20 44 78
CITROEN Gar. Ozenne, r. M.-Sambat à Équeurdreville-Hainneville par ④ ✆ 33 03 49 70
CITROEN Gar. Channel Auto, ZI, bd de l'Est à Tourlaville par ① ✆ 33 23 01 01 N ✆ 33 23 22 48
OPEL Gar. Themis Auto, bd de l'Est à Tourlaville ✆ 33 43 45 30
RENAULT Gar. Coipel, 427 r. 8 Mai Les Flamands à Tourlaville par ① ✆ 33 22 00 27
RENAULT Gar. Dessoude Teyssier, bd de l'Est à Tourlaville par ① ✆ 33 88 33 88 N ✆ 33 88 33 88

RENAULT Gar. Marius Marie Equeurdreville-Hainneville par ④ ✆ 33 03 58 97
VAG Gar. Equinox Auto, ZI r. Industries à Tourlav ✆ 33 20 36 23 N ✆ 33 93 51 87

Cotentin Pneumatiques, 74 bd M.-France ✆ 33 04 26 04
Francis-Pneus, bd de l'Est ZI à Tourlaville ✆ 33 20 45 60
Schmitt Pneus Vulcopneu, 13 r. Maupas ✆ 33 44 05 42

CHERENG 59152 Nord 51 ⑯ 111 ㉔ – 2 634 h alt. 24.
aris 223 – ◆Lille 13 – Douai 40 – Tournai 14 – Valenciennes 49.

XX **Le Verzenay,** 142 rte Nationale ✆ 20 41 14 56, Fax 20 41 28 50 – P. AE GB
fermé 21 juil. au 20 août, dim. soir et lundi – **Repas** 115/210, enf. 65.

Les CHÈRES 69380 Rhône 74 ① – 1 027 h alt. 190.
aris 442 – ◆Lyon 21 – L'Arbresle 14 – Meximieux 49 – Trévoux 7,5 – Villefranche-sur-Saône 12.

XX **Aub. du Pont de Morancé,** O : 2 km par D 100 ✉ 69480 Anse ✆ 78 47 65 14, Fax 78 47 05 83, « Jardin fleuri » – P. GB
fermé 15 fév. au 15 mars, mardi soir et merc. – **Repas** 105/300 ♁.

CHERISY 28 E.-et-L. 60 ⑦, 106 ㉕ – rattaché à Dreux.

CHÉROY 89690 Yonne 61 ⑬ – 1 326 h alt. 145.
'aris 103 – Fontainebleau 40 – Auxerre 68 – Montargis 34 – Nemours 24 – Sens 24.

XX **La Tour de Chéroy,** ✆ 86 97 53 43 – GB
◆ *fermé 24 au 30 juin, 1er fév. au 1er mars, dim. soir, lundi soir et mardi* – **Repas** 68/175.

Le CHESNAY 78 Yvelines 60 ⑨, 101 ㉓ – voir à Paris, Environs (Versailles).

CHEVAGNES 03230 Allier 69 ⑮ – 729 h alt. 224.
aris 312 – Moulins 18 – Bourbon-Lancy 18 – Decize 32 – Dompierre-sur-Besbre 15.

XX **Le Goût des Choses,** 12 rte Nationale ✆ 70 43 11 12 – GB
fermé 15 sept. au 1er oct., dim. soir et lundi – **Repas** 110/195.

;ar. Chervier, ✆ 70 43 45 39

CHEVAIGNÉ 35 I.-et-V. 59 ⑰ – rattaché à Rennes.

CHEVAL-BLANC 84 Vaucluse 81 ⑫ – rattaché à Cavaillon.

CHEVANNES 89 Yonne 65 ⑤ – rattaché à Auxerre.

CHEVERNY 41 L.-et-Ch. 64 ⑰ ⑱ – rattaché à Cour-Cheverny.

CHEVIGNEY-LÈS-VERCEL 25 Doubs 66 ⑱ – rattaché à Valdahon.

CHEVIGNY 21 Côte-d'Or 66 ⑫ – rattaché à Dijon.

CHEVILLY-LARUE 94 Val-de-Marne 61 ①, 101 ㉖ – voir à Paris, Environs.

CHEVRY 01 Ain 70 ⑮ – rattaché à Gex.

CHEYLADE 15400 Cantal 76 ③ G. Auvergne – 360 h alt. 950.
'oir Voûte★ de l'église – Cascade du Sartre★ S : 2,5 km.
aris 517 – Aurillac 56 – Mauriac 47 – Murat 31 – St-Flour 56.

Gd H. de la Vallée, ✆ 71 78 90 04, ≤ – P. GB
◆ *fermé 13 nov. au 29 janv.* – **Repas** 65 (dîner), 70/130 ♁ – ☕ 25 – **15 ch** 100/150 – ½P 155/160.

'EUGEOT Riom Autom., à Riom-es-Montagne ✆ 71 78 03 08
RENAULT Gar. Jouve, à Riom-es-Montagne ✆ 71 78 07 22

Le CHEYLARD 07160 Ardèche 76 ⑲ – 3 833 h alt. 450.
aris 598 – Le Puy-en-Velay 68 – Valence 58 – Aubenas 50 – Lamastre 21 – Privas 48 – St-Agrève 16.

Provençal, av. Gare ✆ 75 29 02 08, Fax 75 29 35 63 – TV ☎. GB. ✗ ch
◆ *fermé 16 août au 4 sept., 27 déc. au 7 janv., 7 au 26 fév., vend. soir, dim. soir et lundi* – **Repas** 80/220 ♁ – ☕ 40 – **10 ch** 190/280 – ½P 230.

ITROEN Gar. des Cévennes, ✆ 75 29 05 10 N ✆ 75 29 05 10
Gar. Chambert et Noyer, à Mariac ✆ 75 29 14 26 N ✆ 75 29 00 37

CHÉZERY-FORENS 01410 Ain 74 ⑤ – 357 h alt. 585.
aris 506 – Bellegarde-sur-Valserine 17 – Bourg-en-Bresse 77 – Gex 40 – Nantua 31 – St-Claude 44.

Commerce, ✆ 50 56 90 67 – GB
◆ *fermé 17 au 27 juin, 16 sept. au 13 oct., mardi soir et merc. sauf vacances scolaires* – **Repas** 80/180 ♁ – ☕ 30 – **10 ch** 200 – ½P 220.

CHICHILIANNE 38930 Isère 77 ⑭ – 158 h alt. 1006.
aris 621 – Die 46 – Gap 79 – ◆Grenoble 53 – La Mure 59.

Château de Passières ⛰, ✆ 76 34 45 48, Fax 76 34 46 25, ≤, 🏊, ✗ – ☎ P – 🏛 45. GB. ✗ rest
fermé 14 nov. au 15 janv., dim. soir et lundi sauf vacances scolaires – **Repas** 95/220, enf. 65 – ☕ 45 – **23 ch** 300/450 – ½P 330/400.

CHILLE 39 Jura 70 ④ – rattaché à Lons-le-Saunier.

CHINAILLON 74 H.-Savoie 74 ⑦ – rattaché au Grand-Bornand.

CHINDRIEUX 73310 Savoie 74 ⑮ – 1 059 h alt. 300.

Env. Abbaye de Hautecombe★★ (chant grégorien) SO : 10 km, **G. Alpes du Nord.**

Paris 521 – Annecy 35 – Aix-les-Bains 15 – Bellegarde-sur-Valserine 39 – Bourg-en-Bresse 90 – Chambéry 33.

Relais de Chautagne, ✆ 79 54 20 27, Fax 79 54 51 63 – ☎ – 35. GB
fermé 28 déc. au 15 fév., dim. soir et lundi sauf juil.-août – **Repas** 90/210 – 35 – **32 c**
220/280.

CHINON 37500 I.-et-L. 67 ⑨ **G. Châteaux de la Loire** – 8 627 h alt. 40.

Voir Vieux Chinon★★ : Grand Carroi★★ A **B** – Château★★ : ≤★★ A – Quai Danton ≤★★ A.

Env. Château d'Ussé★★ 14 km par ①.

Office de Tourisme 12 r. Voltaire ✆ 47 93 17 85, Fax 47 93 93 05 et route de Tours (juil.-août).

Paris 284 ① – Tours 47 ① – Châtellerault 51 ③ – Poitiers 93 ③ – Saumur 29 ③ – Thouars 44 ③.

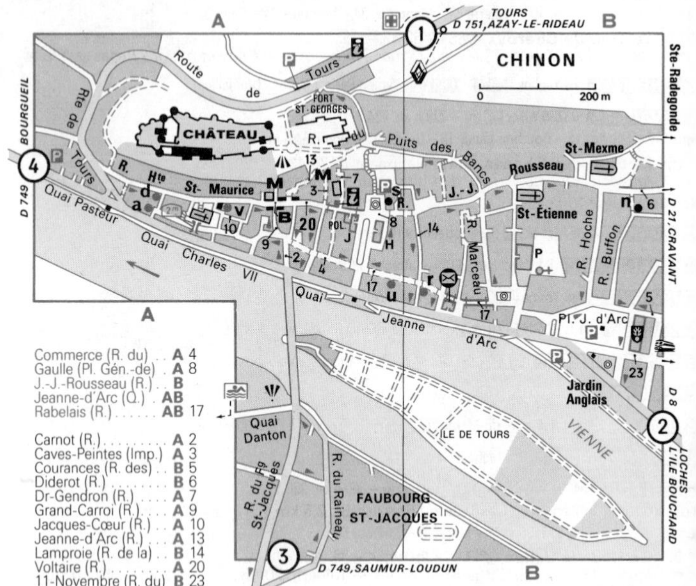

France sans rest, 47 pl. Gén. de Gaulle ✆ 47 93 33 91, Fax 47 98 37 03 – ☎. AE GB. A
1er mars-1er déc. et fermé dim. soir d'oct. à mars – 40 – **27 ch** 320/380.

Le Chinon M, centre St-Jacques (près piscine), par quai Danton - A ✆ 47 98 46 46
Fax 47 98 35 44, – ☎ – 30 à 80. AE GB
fermé 22 déc. au 15 janv. et week-ends du 1er nov. au 31 mars – **Repas** 75/150, enf. 40
42 – **53 ch** 365/410 – ½ P 335.

Diderot sans rest, 4 r. Buffon ✆ 47 93 18 87, Fax 47 93 37 10 – ☎. AE GB B
fermé 20 déc. au 5 janv. – 40 – **28 ch** 250/400.

XXX ✿ **Au Plaisir Gourmand** (Rigollet), quai Charles VII ✆ 47 93 20 48, Fax 47 93 05 66 – AE GB A
fermé 17 nov. au 2 déc., 7 au 28 fév., dim. soir et lundi – **Repas** (nombre de couverts limité prévenir) 175/340 et carte 250 à 320
Spéc. Sandre au beurre blanc. Beuchelle à la tourangelle. Pruneaux en chemise. **Vins** Chinon, Vouvray.

XX **Host. Gargantua** avec ch, 73 r. Haute St-Maurice ✆ 47 93 04 71, « Ancien Palais du Baillage 15e siècle » – ☎. GB. A
1er mars-10 nov. et fermé jeudi midi et merc. – **Repas** 140 – 50 – **7 ch** 240/550
½ P 310/460.

XX **La Boule d'Or** avec ch, 21 r. Rabelais ✆ 47 93 03 13, Fax 47 93 24 25, – ☎. AE GB B
fermé 15 déc. au 5 fév., dim. soir et lundi du 15 oct. au 15 avril – **Repas** 98/168 – 45
13 ch 270/320 – ½ P 300/330.

XX **L'Orangerie,** 79 bis r. Haute-St-Maurice ✆ 47 98 42 00, Fax 47 93 92 50 – AE GB A
fermé 15 au 30 nov., 15 au 31 janv., dim. soir et merc. midi d'oct. à mars – **Repas** 90/125
enf. 45.

X **L'Océanic,** 13 r. Rabelais ✆ 47 93 44 55, Fax 47 93 38 08, 🏠 – ▤. AE GB A u
fermé 8 au 16 juin, 23 au 30 sept., 8 au 31 janv., dim. soir et lundi – **Repas** - produits de la mer - 98/155, enf. 60.

à Marçay par ③ et D 116 : 9 km – 416 h. alt. 65 – ✉ 37500 :

❀ **Château de Marçay** ⛰, ✆ 47 93 03 47, Fax 47 93 45 33, ≤, 🏠, « Château du 15e siècle, parc », ⛱, ✂ – |‡| TV ☎ P – 🏛 30 à 80. AE ⓓ GB
fermé fin janv. à mi-mars – **Repas** *(fermé dim. soir et lundi de nov. à fin avril sauf fêtes)* 150 (déj.), 265/385 et carte 310 à 430 – ☕ 90 – **32 ch** 495/1490, 6 appart – ½ P 1050/1185
Spéc. Millefeuille de pommes de terre et morilles et son crémeux de pintade. Turbot grillé et sa béarnaise de homard. Crêpe soufflée à la mandarine impériale. **Vins** Chinon, Valençay.

à Beaumont-en-Véron par ④ : 5 km – 2 569 h. alt. 37 – ✉ 37420 :

Château de Danzay ⛰, ✆ 47 58 46 86, Fax 47 58 84 35, ≤, parc, « Château du 15e siècle », ⛱ – ☎ P. AE ⓓ GB. ✂
1er avril-2 nov. – **Repas** (dîner seul.) 290/390 – ☕ 80 – **10 ch** 650/1500 – ½ P 695/1070.

La Giraudière ⛰, ✆ 47 58 40 36, Fax 47 58 46 06, 🏠, 🌳 – cuisinette TV P. AE ⓓ GB JCB
Petit Pigeonnier ✆ 47 58 98 96, Fax 47 58 98 97 *(fermé 1/12 au 15/2, mardi sauf le soir en été et merc. midi hors sais.)* **Repas** 115/250, 🍷, enf. 55 – ☕ 38 – **25 ch** 200/450 – ½ P 230/310.

TROEN S.A.R.V.A., 10 r. A.-Correch par r. urances ✆ 47 93 06 58 N ✆ 47 95 90 15
\T Gar. Hallie, rte de Tours ✆ 47 93 27 36 N 47 93 27 36
UGEOT Gd Gar. du Chinonais, à St-Louans ④ ✆ 47 93 28 29
NAULT Val de Vienne Autom., rte de Tours 47 93 05 27 N ✆ 47 40 92 86

RENAULT Gar. de la Gare, Bd Gambetta ✆ 47 93 03 67
VAG Gar. du Château, rte de Tours ✆ 47 93 04 65

Ⓜ Super Pneus, 6 pl. Denfert-Rochereau ✆ 47 93 32 08

HISSAY-EN-TOURAINE 41 L.-et-Ch. 64 ⑯ – rattaché à Montrichard.

HITENAY 41120 L.-et-Ch. 64 ⑰ – 888 h alt. 90.

›ir Galerie des Illustres★★ du château de Beauregard★ N : 5 km, **G. Châteaux de la Loire.**

ris 192 – ◆Orléans 70 – ◆Tours 74 – Blois 11,5 – Châteauroux 89 – Contres 10 – Montrichard 24 – Romorantin-ıthenay 37.

Aub. du Centre, ✆ 54 70 42 11, Fax 54 70 35 03, 🏠, 🌳 – ⇆ TV ☎ ♿ P. AE ⓓ GB
fermé 12 au 26 fév., dim. soir et lundi hors sais. – **Repas** 100/360 bc, enf. 50 – ☕ 38 – **23 ch** 315/400 – ½ P 280/300.

HOISY-AU-BAC 60 Oise 56 ②, 106 ⑩ – rattaché à Compiègne.

HOLET <SP> 49300 M.-et-L. 67 ⑤ ⑥ **G. Châteaux de la Loire** – 55 132 h alt. 91.

›ir Musée d'Art et d'Histoire★ Z **M.**

✆ 41 71 05 01, AX.

Office de Tourisme pl. Rougé ✆ 41 62 22 35, Fax 41 62 80 99 et bureau d'accueil rte d'Angers (juil.-août) 41 58 66 66 – A.C. ✆ 41 62 22 35.

ris 350 ① – ◆Angers 58 ① – La Roche-sur-Yon 64 ④ – Ancenis 47 ⑥ – ◆Nantes 58 ⑤ – Niort 109 ②.

Plan page suivante

Atlantel M, rte Angers ✆ 41 71 08 08, Fax 41 71 96 96, 🏠 – TV ☎ 📞 ♿ P – 🏛 40. AE ⓓ GB BX t
Repas *(fermé dim.)* 87/200 🍷, enf. 57 – ☕ 44 – **57 ch** 300/330 – ½ P 320.

Gd H. Poste, 26 bd G.-Richard ✆ 41 62 07 20, Fax 41 58 54 10 – |‡| ▤ rest TV ☎ 🚗 – 🏛 50. AE ⓓ GB Z e
fermé 21 déc. au 5 janv. – **Repas** *(fermé dim.)* 90/285 🍷 – ☕ 42 – **53 ch** 290/470.

Fimotel M, av. Sables-d'Olonne ✆ 41 62 45 45, Fax 41 58 23 45 – |‡| ▤ rest TV ☎ 📞 P – 🏛 80. AE ⓓ GB AY s
fermé vend. soir, dim. midi et sam. – **Repas** 75/115 🍷, enf. 36 – ☕ 35 – **42 ch** 270.

Parc sans rest, 4 av. A. Manceau ✆ 41 62 65 45, Fax 41 58 64 08 – |‡| TV ☎ 🚗. AE GB
☕ 37 – **46 ch** 200/310. AY x

Europe sans rest, 15 pl. Gare ✆ 41 62 00 97, Fax 41 71 86 31 – ⇆ TV ☎ 📞 🚗. AE GB BX n
☕ 35 – **21 ch** 235/280.

Commerce, 194 r. Nationale ✆ 41 62 08 97, Fax 41 62 31 57 – TV ☎. AE ⓓ GB Z a
fermé 1er au 19 août – **Repas** *(fermé sam. et dim.)* (dîner seul.) 69/100 🍷 – ☕ 35 – **14 ch** 150/270.

XX **La Touchetière,** rd-pt St-Léger ✆ 41 62 55 03, Fax 41 58 82 10 – P. GB AX b
fermé 3 au 25 août, dim. soir et sam. – **Repas** (dim. prévenir) 115/180.

X **Le Thermidor,** 40 r. St-Bonaventure ✆ 41 58 55 18 – AE GB Z b
fermé 7 au 21 août, 1er au 7 janv., dim. soir et lundi – **Repas** 65/220, enf. 40.

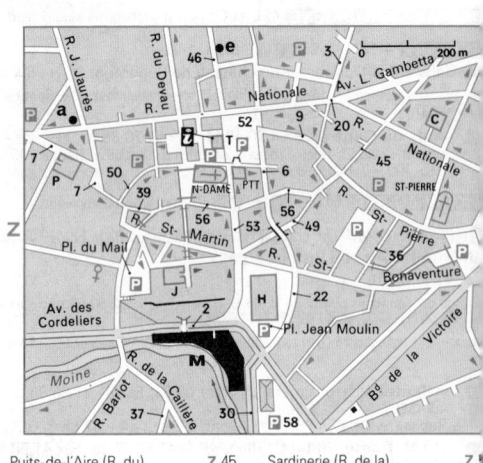

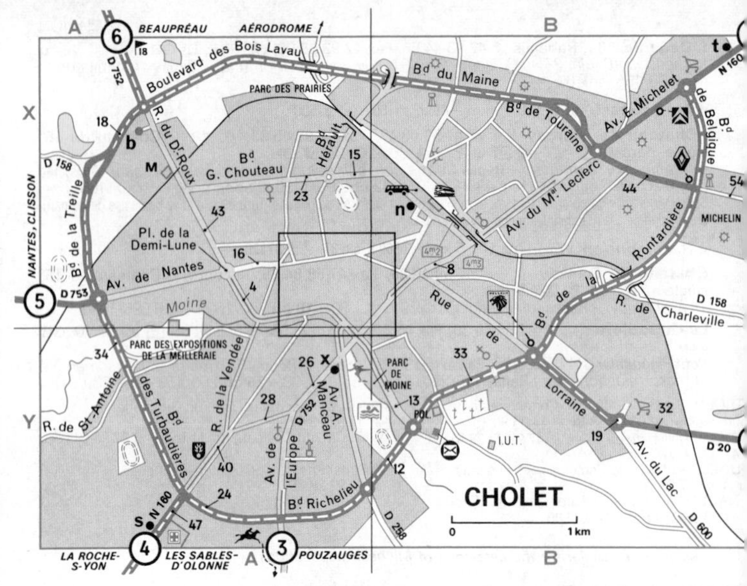

Clemenceau (R. G.) . . . . . . Z 9
Nantaise (R.) . . . . Z 39
Nationale (R.) . . . . Z
Travot (Pl.) . . . . Z 52
Travot (R.) . . . . Z 53

Abreuvoir (Av. de l') . . . . . . Z 2
Bons-Enfants (R. des) . . . . Z 3
Bouet (Av. F.) . . . . AX 4
Bourg-Baudry (R.) . . . . Z 6
Bretonnaise (R.) . . . . Z 7
Carnot (R. S.) . . . . BX 8
Coubertin (Bd P. de) . . . . BY 12
Delhumeau Plessis (Bd) . . . . BY 13
Faidherbe (Bd du Gén.) . AY 15
Foch (Av. du Mar.) . . . . . . AX 16
Godinière (Bd de la) . . . . AX 18
Grand-Champ (Pl. de) . . . BY 19
Guérineau (Pl. A.) . . . . Z 20
Hôtel-de-Ville (R. de l') . . . Z 22
Joffre (Bd du Mar.) . . . . . AX 23
Juin (Bd du Mar.) . . . . AY 24
Libération (Av. de la) . . . . AY 26
Marne (Av. de la) . . . . . . AY 28
Maudet (Av.) . . . . Z 30
Maulévrier (R. de) . . . . . . BY 32
Minée (Bd de la) . . . . BY 33
Moinie (Bd de la) . . . . . . AY 34
Moine (R. de la) . . . . Z 36
Montfort (R. G. de) . . . . Z 37
Napoléon Bonaparte (Av.) . . . . . . AY 40
Pasteur (R. L.) . . . . AX 43
Poitou (Bd du) . . . . BX 44

Puits-de-l'Aire (R. du) . . . . Z 45
Richard (Bd G.) . . . . Z 46
Sables (Av. des) . . . . AY 47
Salberie (R.) . . . . Z 49

Sardinerie (R. de la) . . . . Z
Toutlemonde (R. de) . . . . BX
Vieux-Greniers (R. des) . . . . . . Z
8-Mai 1945 (Pl. du) . . . . Z

à Nuaillé par ① et D 960 : 7,5 km – 1 261 h. alt. 133 – ✉ 49340 :

XX **Relais des Biches** avec ch, pl. Église ✆ 41 62 38 99, Fax 41 62 96 24, ⌂, ⛱, ☂ – TV ✆ 🚗 P. AE ⓓ GB JCB
Repas *(fermé dim. sauf fêtes)* 115/185 ♨ – ☕ 45 – **13 ch** 300/370 – ½ P 280/300.

au lac de Ribou SE : 5 km par av. du Lac -BY- ✉ 49300 Cholet :

XXX ✿ **Le Belvédère** (Inagaki) ⛵ avec ch, ✆ 41 62 14 02, Fax 41 62 16 54, ≤ – TV ☎ P. 🏃 25. AE ⓓ GB. ✻ rest
fermé 29 juil. au 21 août, 24 fév. au 2 mars, dim. soir et lundi midi – **Repas** 105/260 et ca 220 à 360 – ☕ 38 – **8 ch** 295/370
Spéc. Turbot braisé à la fondue de poireaux. Osso-buco de lotte à l'échalote confite. Râble de lapereau aux pe oignons glacés. **Vins** Savennières, Saumur-Champigny.

à La Tessouale S : 6,5 km par D 258 – 2 781 h. alt. 117 – ✉ 49280 :

Garden H., près Église ✆ 41 56 38 95, Fax 41 56 46 71 – ☎ 🅿. GB
Repas *(fermé dim.)* 55 (déj.), 80/160 – ☕ 30 – **25 ch** 210/250 – ½ P 275.

par ④ rte de la Roche-sur-Yon – ✉ 49300 Cholet :

XXX **Château de la Tremblaye,** à 5,5 km par N 160 et rte du Puy-St-Bonnet ✆ 41 58 40 17, Fax 41 62 59 58, parc, « Château du 19e siècle » – 🅿. GB
fermé 29 juil. au 11 août, dim. soir et lundi sauf fériés – **Repas** 95/270 et carte 210 à 320, enf. 46.

ITROEN Cholet Autom., 14 av. E.-Michelet
41 65 42 77 🅽 ✆ 51 82 93 42
IERCEDES Gar. Crochet Cholet, ZI, 13 bd du
oitou ✆ 41 75 23 50
EUGEOT Gar. CASA, 169 r. de Lorraine
41 58 24 49 🅽 ✆ 41 58 96 14
ENAULT Autom. Choletaise, 17 bd du Poitou
41 75 37 37 🅽 ✆ 05 05 15 15

Bossard Pneus, Z.I. Nord 41 bis r. Jominière
✆ 41 62 29 53
Cailleau, 13 bd de Belgique ✆ 41 58 58 74
Cholet Pneus, 49 bd Rontardière ✆ 41 58 22 75
Euromaster, 17 r. Jominière ✆ 41 58 33 14

CHOMELIX 43500 H.-Loire 76 ⑦ – 376 h alt. 910.
aris 524 – Le Puy-en-Velay 30 – Ambert 42 – Brioude 56 – La Chaise-Dieu 17 – ♦St-Étienne 69.

XX **Aub. de l'Arzon** avec ch, ✆ 71 03 62 35, Fax 71 03 61 62 – 📺 ☎ ♿. GB
1er avril-15 nov. et fermé lundi soir et mardi sauf juil.-août – **Repas** 98/230 – ☕ 35 – **9 ch** 235/310 – ½ P 240/275.

Ne prenez pas la route sans connaître votre temps de parcours.

La carte Michelin n° 911 c'est "la carte du temps gagné".

CHOMÉRAC 07 Ardèche 76 ⑳ – rattaché à Privas.

La CHOMETTE 43230 H.-Loire 76 ⑤ – 128 h alt. 665.
aris 494 – Le Puy-en-Velay 49 – Brioude 12 – La Chaise-Dieu 30 – Langeac 17 – St-Flour 60.

La Crèche, ✆ 71 76 65 65, Fax 71 76 85 02, – 📺 ☎ ♿ 🅿. AE GB
Repas 75/160, enf. 45 – ☕ 35 – **20 ch** 270/330 – ½ P 240.

CHONAS-L'AMBALLAN 38 Isère 74 ⑪ – rattaché à Vienne.

CHOUVIGNY 03450 Allier 73 ③ **G. Auvergne** – 240 h alt. 525.
oir Site★ du château de Chouvigny – Gorges★★ de Chouvigny.
aris 370 – ♦Clermont-Ferrand 56 – Aubusson 91 – Gannat 18 – Montluçon 48 – Riom 45 – St-Pourçain-sur-Sioule 42.

X **Gorges de Chouvigny** avec ch, sur D 915 ✆ 70 90 42 11, ≤, – ☎. GB
fermé 15 déc. au 1er mars, mardi soir et merc. hors sais. – **Repas** 95/190, enf. 45 – ☕ 30 – **8 ch** 200/250 – ½ P 270.

CIBOURE 64 Pyr.-Atl. 85 ② – voir à St-Jean-de-Luz.

CIERP-GAUD 31440 H.-Gar. 86 ① – 990 h alt. 500.
aris 815 – Bagnères-de-Luchon 16 – Lannemezan 40 – St-Gaudens 33 – ♦Toulouse 119.

X **La Bonne Auberge** avec ch, ✆ 61 79 54 47 – GB
fermé oct. – **Repas** 80 bc (déj.), 100/110 bc, enf. 50 – ☕ 35 – **5 ch** 130/160 – ½ P 230/270.

ar. Fernandez, ✆ 61 79 50 26

CIERZAC 17 Char.-Mar. 72 ⑫ – rattaché à Cognac.

CINQ CHEMINS 74 H.-Savoie 70 ⑰ – rattaché à Thonon-les-Bains.

La CIOTAT 13600 B.-du-R. 84 ⑭ 114 ㊸ **G. Provence** – 30 620 h alt. 3 – Casino AZ.
oir Calanque de Figuerolles★ SO : 1,5 km puis 15 mn AZ – Chapelle N.-D. de la Garde ≤★★ O : 5 km puis 15 mn AZ.
nv. Sémaphore ≤★★★ O : 5,5 km AZ.
xcurs. à l'Ile Verte ≤★ en bateau 30 mn BZ.
Office de Tourisme bd A.-France ✆ 42 08 61 32, Fax 42 08 17 88.
aris 804 ⑤ – ♦Marseille 31 ⑤ – ♦Toulon 39 ③ – Aix-en-Provence 47 ⑤ – Brignoles 58 ⑤.

Plan page suivante

La Rotonde sans rest, 44 bd République ✆ 42 08 67 50, Fax 42 08 45 21 – 📺 ☎ 🅿. AE GB — BZ **a**
☕ 32 – **32 ch** 195/280.

X **Golfe,** 14 bd A. France ✆ 42 08 42 59, — BZ **b**
fermé 2 nov. au 6 déc. et mardi sauf juil.-août – **Repas** 65/150.

au Clos des Plages NE : 1,5 km par D 559 - ABY – ✉ **13600** La Ciotat :

🏨 **Miramar** Ⓜ, 3 bd Beaurivage ✆ 42 83 09 54, Fax 42 83 33 79, ≤, 🏞 – ▤ 📺 ☎ – 🏊 60. AE ⓓ GB BY f
Repas *(fermé dim. soir et lundi soir d'oct. à mars)* 95/400 – ☕ 50 – **25 ch** 465/715 – ½ P 400/450.

🏠 **Provence Plage,** 3 av. Provence ✆ 42 83 09 61, Fax 42 08 16 28, 🏞 – 📺 ☎. GB
✦ **Repas** 60 (déj.), 80/170 – ☕ 40 – **20 ch** 285/395 – ½ P 257/312. BY d

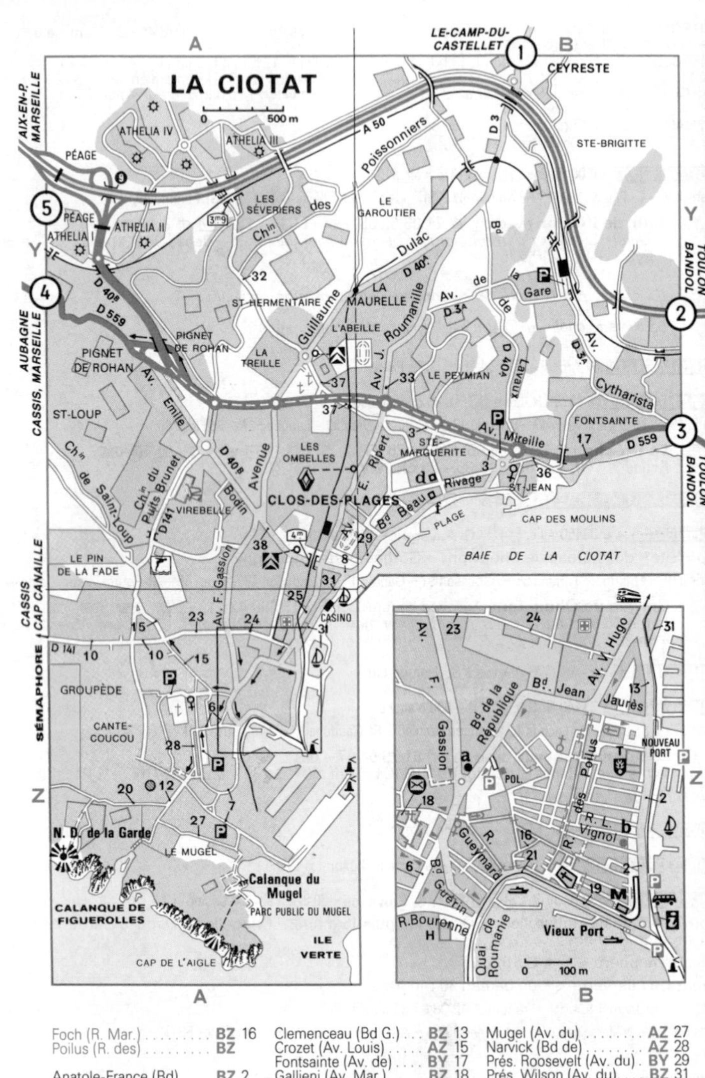

Foch (R. Mar.) . . . . BZ 16
Poilus (R. des) . . . . BZ

Anatole-France (Bd) . . . . BZ 2
Aubanel (Av. Théodore) . BY 3
Bertolucci (Bd) . . . . BZ 6
Calanques (Av. des) . . . . AZ 7
Camugli (Av.) . . . . AY 8
Camusso (Av. Marcel) . . AZ 10
Cardinal Maurin (Av. du) . AZ 12
Clemenceau (Bd G.) . . . BZ 13
Crozet (Av. Louis) . . . . . AZ 15
Fontsainte (Av. de) . . . . BY 17
Gallieni (Av. Mar.) . . . . . BZ 18
Ganteaume (Quai) . . . . . BZ 19
Garde (Av. de la) . . . . . . AZ 20
Gaulle (Quai Gén. de) . . BZ 21
Kennedy (Av. J. F.) . . . . BZ 23
Lamartine (Bd) . . . . BZ 24
Mistral (Av. Frédéric) . . AZ 25
Mugel (Av. du) . . . . AZ 27
Narvick (Bd de) . . . . AZ 28
Prés. Roosevelt (Av. du) . BY 29
Prés. Wilson (Av. du) . . . . BZ 31
Roumagoua
(Chemin de) . . . . AY 32
Roumanille (Av. J.) . . . . . BY 33
St-Jean (Av. de) . . . . BY 36
Sellon (Av. Émile) . . . . . . AY 37
Subilia (Av. Ernest) . . . . . AY 38

au Liouquet par ③ : 6 km – ✉ **13600** La Ciotat :

Ciotel Le Cap 🔇, ✆ 42 83 90 30, Fax 42 83 04 17, ≤, 🏖, « Jardin fleuri, 🏊 », 🎾 – ⇆ 📺 ☎ – 🔏 80. AE ① GB. ✖ rest
1er mars-30 nov. – **Repas** *(fermé dim. soir d'oct. à mai)* 120/260 – ☕ 60 – **43 ch** 750/820 – ½ P 610.

XX **Aub. Le Revestel** 🔇 avec ch, ✆ 42 83 11 06, Fax 42 83 29 50, ≤, 🏖 – ☎. GB. ✖ ch
fermé fév. – **Repas** *(fermé dim. soir du 23 sept. au 2 juin et merc. sauf le soir du 3 juin au 22 sept.)* 145/190, enf. 90 – ☕ 40 – **6 ch** 290 – ½ P 290.

ITROEN Gar. Léger, av. G.-Dulac ✆ 42 08 41 69
ITROEN Gar. Viviani, av. E.-Subilia ✆ 42 71 67 17

RENAULT Gimenes Autos, 87 av. E.-Ripert ✆ 42 83 90 10 N ✆ 42 83 90 10

CIRES-LÈS-MELLO **60660** Oise 56 ① – 3 458 h alt. 39.

aris 56 – Compiègne 49 – Beauvais 30 – Chantilly 18 – Clermont 14 – Creil 12 – L'Isle-Adam 22.

Host. Le Relais du Jeu d'Arc M, à Mello, E : 1 km ✆ 44 56 43 37, Fax 44 56 85 19, 🏖, « Ancien relais de poste du 17e siècle » – 📺 ☎ ♿. AE GB. ✖ rest
fermé août, dim. soir et lundi – **Repas** 95/165 – ☕ 42 – **10 ch** 285/460 – ½ P 285/370.

CIRQUE Voir au nom propre du Cirque.

CLAIRA **66530** Pyr.-Or. 86 ⑲ – 2 117 h alt. 10.

aris 858 – ♦Perpignan 16 – Millas 33 – Narbonne 59 – Rivesaltes 8,5.

XX **Le Baroque,** 41 bis av. Agly ✆ 68 59 69 33, 🏖 – ① GB
fermé 15 fév. au 31 mars, dim. soir et lundi sauf juil.-août – **Repas** 130/190, enf. 55.

Le località sottolineate in rosso sulle carte stradali Michelin in scala 1/200 000 figurano in questa guida.

Approfittate di questa informazione, utilizzando una carta di edizione recente.

CLAIX **38** Isère 77 ④ – rattaché à Grenoble.

CLAM **17** Char.-Mar. 71 ⑥ – rattaché à Jonzac.

CLAMART **92** Hauts-de-Seine 60 ⑩, 101 ㉕ – voir à Paris, Environs.

CLAMECY <SP> **58500** Nièvre 65 ⑮ **G. Bourgogne** (plan) – 5 284 h alt. 144.

Voir Église St-Martin★.

Office de Tourisme r. Grand Marché ✆ 86 27 02 51.

aris 203 – Auxerre 44 – Avallon 38 – Bourges 104 – Cosne-sur-Loire 51 – ♦Dijon 143 – Nevers 67.

Host. de la Poste, 9 pl. É. Zola ✆ 86 27 01 55, Fax 86 27 05 99, 🏖 – 📺 ☎. GB
Repas 100/260 🍷, enf. 50 – ☕ 35 – **16 ch** 245/315 – ½ P 260/370.

Anval 🔇 sans rest, O : 2 km sur rte Brinon ✆ 86 24 42 40, Fax 86 27 06 87 – 📺 ☎ P. AE GB
☕ 35 – **9 ch** 250/350.

CITROEN Gar. Rougeaux, av. H.-Barbusse ✆ 86 27 11 87 N ✆ 86 27 11 87

Coignet, Le Foulon, rte d'Orléans ✆ 86 27 19 38

CLAPIERS **34** Hérault 83 ⑦ – rattaché à Montpellier.

Le CLAUX **15400** Cantal 76 ③ – 293 h alt. 1080.

aris 523 – Aurillac 50 – Mauriac 53 – Murat 24.

Peyre-Arse, ✆ 71 78 93 32, Fax 71 78 90 37, ≤, 🏖, 🏊, 🌳 – ☎ ♿ P. AE GB
Repas 90/195 🍷 – ☕ 38 – **29 ch** 200/260 – ½ P 220/260.

Les CLAUX **05** H.-Alpes 77 ⑱ – rattaché à Vars.

La CLAYETTE **71800** S.-et-L. 69 ⑰ ⑱ **G. Bourgogne** – 2 307 h alt. 369.

Voir Château de Drée★ N : 4 km.

Office de Tourisme pl. des Fossés ✆ 85 28 16 35, Fax 85 26 87 25.

aris 387 – Mâcon 56 – Charolles 19 – Lapalisse 62 – ♦Lyon 86 – Roanne 40.

XX **Gare** avec ch, ✆ 85 28 01 65, Fax 85 28 03 13, 🏖, 🏊, 🌳 – 📺 ☎ 🚗 P. GB
fermé 25 déc. au 15 janv., dim. soir et lundi – **Repas** 99/265 🍷, enf. 58 – ☕ 36 – **8 ch** 250/375 – ½ P 260/310.

CITROEN Gar. du Midi, ✆ 85 28 14 08
PEUGEOT Gar. Jugnet, à Varennes-sous-Dun ✆ 85 28 03 60

RENAULT Gar. Hermey, ✆ 85 28 04 81 N ✆ 85 77 32 60

Matequip, ✆ 85 28 11 46

CLÉCY 14570 Calvados 55 ⑪ **G. Normandie Cotentin** – 1 182 h alt. 100.

de Clécy-Cantelou ☎ 31 69 72 72, SO par D 133^A : 4 km.

Paris 273 – ◆Caen 38 – Condé-sur-Noireau 10 – Falaise 24 – Flers 21 – Vire 35.

Moulin du Vey Annexes Manoir du Placy à 400 m et Relais de Surosne à 3 km E 2 km par D 133 ☎ 31 69 71 08, Fax 31 69 14 14, ←, « Parc au bord de l'Orne » – – 100. AE GB
fermé 30 nov. au 1er fév. – **Repas** 138/360, enf. 92 – ☐ 50 – **25 ch** 390/520 – ½ P 450/485.

Chalet de Cantepie, ☎ 31 69 71 10, Fax 31 69 66 72, – P. AE GB JCB
fermé 6 janv. au 7 fév. et lundi du 1er oct. au 1er avril – **Repas** 99/247.

CLÉDEN-CAP-SIZUN 29770 Finistère 58 ⑬ – 1 181 h alt. 30.

Voir Pointe de Brézellec ←★ N : 2 km, **G. Bretagne.**

Paris 603 – Quimper 46 – Audierne 10 – Douarnenez 29.

L'Étrave, rte Pointe du Van sur D 7 : 2 km ☎ 98 70 66 87, ←, – P. GB
24 mars-30 sept. et vacances de Toussaint – **Repas** 80/235 , enf. 35.

CLELLES 38930 Isère 77 ⑭ – 345 h alt. 746.

Paris 619 – Gap 76 – Die 50 – ◆Grenoble 49 – La Mure 26 – Serres 60.

Ferrat, ☎ 76 34 42 70, Fax 76 34 47 47, ←, – ☎ P. GB.
10 mars-11 nov. et fermé mardi hors sais. – **Repas** 88/180, enf. 50 – ☐ 30 – **23 ch** 270/320 ½ P 290/310.

RENAULT Gar. du Trièves, ☎ 76 34 40 35 N ☎ 76 34 40 35

CLERGOUX 19320 Corrèze 75 ⑩ – 367 h alt. 520.

Paris 486 – Brive-la-Gaillarde 46 – Mauriac 44 – St-Céré 71 – Tulle 21 – Ussel 46.

Chammard sans rest, ☎ 55 27 76 04,
15 mai-30 oct. – ☐ 22 – **15 ch** 150.

CLERMONT SP 60600 Oise 56 ① **G. Flandres Artois Picardie** – 8 934 h alt. 125.

Voir Église★ d'Agnetz O : 2 km par N 31.

Office de Tourisme Hôtel-de-Ville ☎ 44 50 40 25.

Paris 74 – Compiègne 34 – ◆Amiens 65 – Beauvais 26 – Mantes-la-Jolie 91 – Pontoise 54.

à Gicourt Agnetz O : 2 km – ✉ 60600 Agnetz :

Aub. de Gicourt, N 31 ☎ 44 50 00 31, Fax 44 50 42 29, – AE GB
fermé 1er au 15 août, vacances de fév., dim. soir et lundi – **Repas** 98/185 bc.

à Étouy NO : 7 km par D 151 – 814 h. alt. 85 – ✉ 60600 :

L'Orée de la Forêt (Leclercq) avec ch, ☎ 44 51 65 18, Fax 44 78 92 11, parc – GB. ch
fermé 16 août au 15 sept., soirs fériés, dim. soir et vend. – **Repas** 100/350 et carte 310 à 390 ☐ 30 – **4 ch** 130/210
Spéc. Escalope de foie gras poêlée. Pigeonneau rôti, jus à la badiane. Millefeuille.

FORD Cler'Auto Services, 75 r. du Gén.-de-Gaulle ☎ 44 50 28 17
RENAULT Gar. Socla, 1 av. des Déportés ☎ 44 50 82 00 N ☎ 07 65 51 45
Euromaster, 64 r. de Paris à St-Just-en-Chaussée ☎ 44 78 51 36

CLERMONT-EN-ARGONNE 55120 Meuse 56 ⑳ **G. Champagne** – 1 794 h alt. 229.

Paris 235 – Bar-le-Duc 45 – Dun-sur-Meuse 40 – Ste-Menehould 15 – Verdun 30.

Bellevue avec ch, r. Libération ☎ 29 87 41 02, Fax 29 88 46 01, – ☎ P. AE GB. ch
fermé 23 déc. au 5 janv. – **Repas** 75/240 , enf. 45 – ☐ 30 – **7 ch** 200/280 – ½ P 250/270.

CLERMONT-FERRAND P 63000 P.-de-D. 73 ⑭ **G. Auvergne** – 136 181 h Agglo. 254 416 h alt. 401.

Voir Le Vieux Clermont★★ EFVX : Basilique de N.-D.-du-Port★★ (choeur★★★), Cathédrale★ (vitraux★★), fontaine d'Amboise★, cour★ de la maison de Savaron EV – Cour★ dans le Musée du Ranquet EV M[1] – Le Vieux Montferrand★★ : Hôtel de Lignat★, Hôtet de Fontenilhes★, Maison de l'Éléphant★, cour★ de l'hôtel Regin, porte★ de l'hôtel d'Albiat – Bas-relief★ de la Maison d'Adam et d'Ève – Musée des Beaux-Arts★★ – Belvédère de la D 941^A ←★★ AY.

Env. Puy de Dôme ★★★ 15 km par ⑥.

des Volcans à Orcines ☎ 73 62 15 51, par ⑥ : 9 km ; de Charade à Royat ☎ 73 35 73 0 9 km par D941^C, D 5, D 5^F AZ.

Circuit automobile de Clermont-Ferrand-Charade AZ.

de Clermont-Ferrand-Aulnat : ☎ 73 62 71 00 par D 766 CY : 6 km.

☎ 36 35 35 35.

Office de Tourisme 69 bd Gergovia ☎ 73 93 30 20, Fax 73 93 56 26, à la Gare SNCF ☎ 73 91 87 89 et pl. de Jaude (saison) – Automobile Club d'Auvergne 3 r. Nicolas Joseph Cugnot ☎ 73 98 16 80, Fax 73 98 16 88.

Paris 425 ② – ◆Bordeaux 358 ⑥ – ◆Grenoble 297 ③ – ◆Lyon 172 ③ – ◆Marseille 483 ③ – ◆Montpellier 349 ④ Moulins 104 ① – ◆Nantes 460 ⑥ – ◆St-Étienne 147 ③ – ◆Toulouse 371 ④.

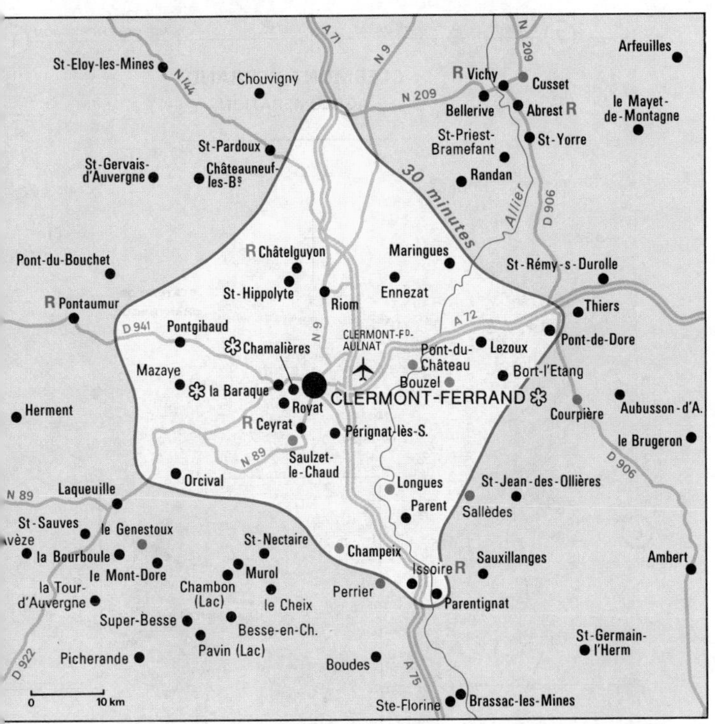

Novotel M, Z.I. du Brézet, r. G. Besse ✉ 63100 ☎ 73 41 14 14, Télex 392019, Fax 73 41 14 00, – 110. AE GB CY **a**
Repas carte environ 180 , enf. 50 – ☕ 53 – **96 ch** 450/520.

Mercure Gergovie, 82 bd Gergovia ☎ 73 34 46 46, Télex 392658, Fax 73 34 46 36, – rest – 100. AE GB JCB EX **v**
La Retirade (fermé sam. midi) **Repas** 120/235, enf. 49 – ☕ 53 – **124 ch** 410/485.

Arverne, pl. Delille ☎ 73 91 92 06, Fax 73 91 60 25, – rest – 60. AE GB JCB FV **m**
Repas *(fermé dim.)* 70 (déj.), 96/150 – ☕ 50 – **57 ch** 380/460.

Coubertin M, 25 av. Libération ☎ 73 93 22 22, Fax 73 34 88 66, – 120. AE GB JCB. rest EX **m**
Repas *(fermé sam. soir et dim. midi)* 85/120 – ☕ 46 – **81 ch** 265/350 – ½ P 260.

Gallieni, 51 r. Bonnabaud ☎ 73 93 59 69, Fax 73 34 89 29 – 50. AE GB JCB. rest EX **t**
Repas *(fermé août, sam. midi et dim.)* 95/205 – ☕ 38 – **80 ch** 210/340 – ½ P 250/270.

Lafayette sans rest, 53 av. Union Soviétique ☎ 73 91 82 27, Fax 73 91 17 26 – P. AE GB GV **a**
☕ 35 – **48 ch** 290/330.

République M, 97, av. République ✉ 63100 ☎ 73 91 92 92, Fax 73 90 21 88, – P – 50. AE GB BY **n**
Repas *(fermé dim.)* 85/170 , enf. 40 – ☕ 35 – **55 ch** 270/320 – ½ P 240/250.

Dav'Hôtel Jaude M sans rest, 10 r. Minimes ☎ 73 93 31 49, Fax 73 34 38 16 – AE GB EV **f**
☕ 35 – **28 ch** 250/280.

Fimotel M, 59 bd Gergovia ☎ 73 93 58 58, Fax 73 35 58 47 – 80. AE GB EX **a**
Repas 78/89 , enf. 36 – ☕ 40 – **95 ch** 295.

Le Parc M sans rest, rd-pt La Pardieu ☎ 73 27 47 47, Fax 73 28 01 24 – P – 25. GB CZ **r**
☕ 28 – **38 ch** 210/230.

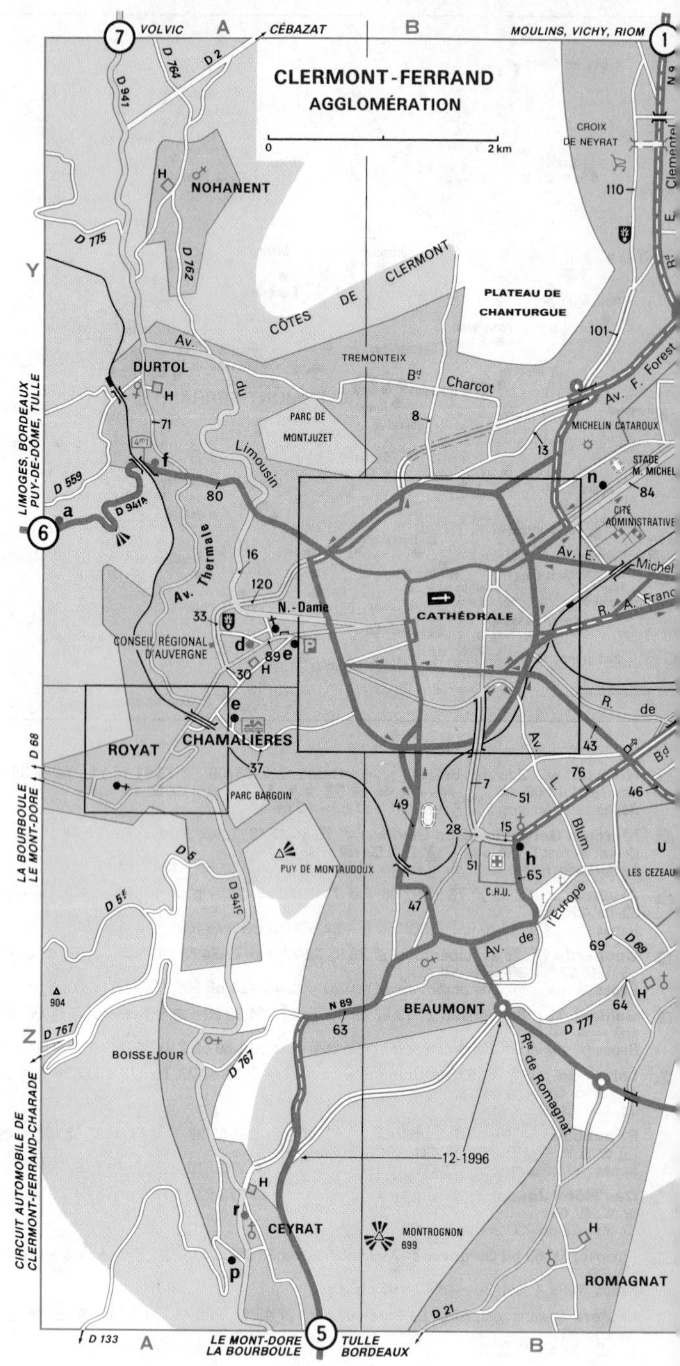
CLERMONT-FERRAND
AGGLOMÉRATION
0
2 km
VOLVIC
CÉBAZAT
MOULINS, VICHY, RIOM
NOHANENT
CÔTES DE CLERMONT
PLATEAU DE CHANTURGUE
CROIX DE NEYRAT
DURTOL
TREMONTEIX
Bd Charcot
Av. du Limousin
PARC DE MONTJUZET
MICHELIN CATAROUX
STADE M. MICHEL
CITÉ ADMINISTRATIVE
Av. F. Forest
Av. Thermale
N.-Dame
CATHÉDRALE
CONSEIL RÉGIONAL D'AUVERGNE
ROYAT
CHAMALIÈRES
PARC BARGOIN
PUY DE MONTAUDOUX
C.H.U.
LES CEZEAUX
Av. de l'Europe
BEAUMONT
Rte de Romagnat
BOISSEJOUR
CEYRAT
MONTROGNON 699
ROMAGNAT
LIMOGES, BORDEAUX PUY-DE-DÔME, TULLE
LA BOURBOULE LE MONT-DORE
CIRCUIT AUTOMOBILE DE CLERMONT-FERRAND-CHARADE
LE MONT-DORE LA BOURBOULE
TULLE BORDEAUX
12-1996

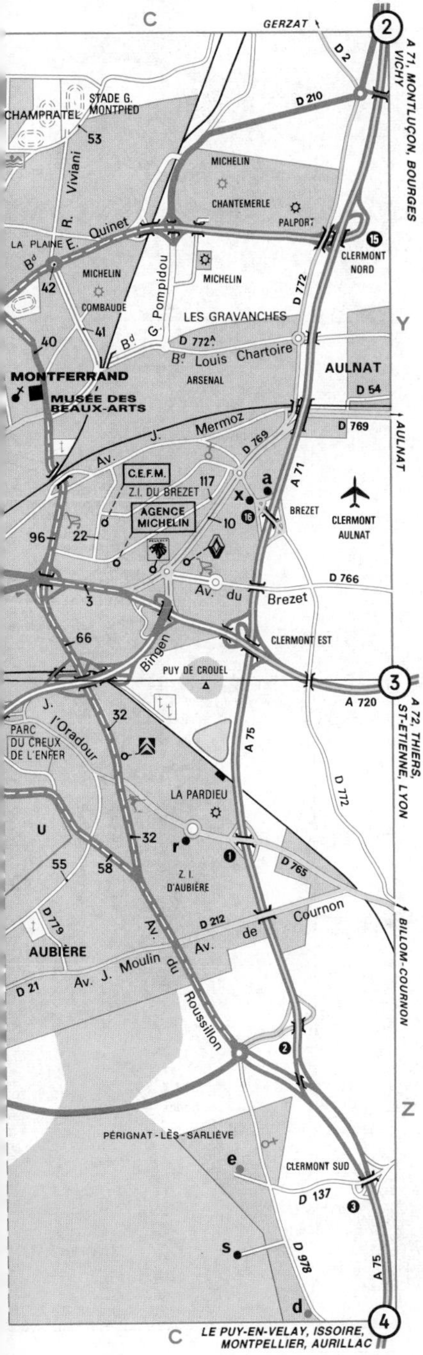

AUBIÈRE

Cournon (Av. de)	CZ	
Maerte (Av. R.)	CZ	55
Mont-Mouchet (Av. du)	BZ	64
Moulin (Av. Jean)	CZ	
Noellet (Av. J.)	BZ	69
Roussillon (Av. du)	CZ	

BEAUMONT

Europe (Av. de l')	BZ	
Leclerc (Av. du Gén.)	BZ	47
Mont-Dore (Av. du)	ABZ	63
Romagnat (Rte de)	BZ	

CHAMALIÈRES

Claussat (A. J.)	AY	16
Europe (Carref. de l')	AY	30
Fontmaure (Av. de)	AY	33
Gambetta (Bd)	AZ	37
Royat (Av. de)	AY	89
Voltaire (R.)	AY	120
Thermale (Av.)	AY	

CLERMONT-FERRAND

Agriculture (Av. de l')	CY	3
Anatole-France (R.)	BY	
Bernard (Bd Cl.)	BZ	7
Bingen (Bd J.)	BCYZ	
Blanzat (R. de)	BY	8
Blériot (R. L.)	CY	10
Blum (Av. L.)	BZ	
Brezet (Av. du)	CY	
Champfleuri (R. de)	BY	13
Charcot (Bd)	BY	
Churchill (Bd Winston)	BZ	15
Clementel (Bd E.)	BY	
Cugnot (R. N.-J.)	CY	22
Dunant (Pl. H.)	BZ	28
Flaubert (Bd G.)	CZ	32
Forest (Av. F.)	BY	
Jouhaux (Bd L.)	CY	40
Kennedy (Bd J.-F.)	CY	41
Kennedy (Carref.)	CY	42
La Fayette (Bd)	BZ	43
Landais (Av. des)	BCZ	46
Libération (Av. de la)	BZ	49
Limousin (Av. du)	AY	
Liondards (Av. des)	BZ	51
Mabrut (R. A.)	CY	53
Margeride (Av. de la)	CZ	58
Mermoz (Av. J.)	CY	
Michelin (Av. Edouard)	BY	
Montalembert (R.)	BZ	65
Moulin (Av. Jean)	CZ	
Oradou (R. de l')	BCZ	
Pochet-Lagaye (Bd)	BZ	76
Pompidou (Bd G.)	CY	
Puy-de-Dôme (Av. du)	AY	80
Quinet (Bd E.)	CY	
République (Av. de la)	BY	84
St-Jean (Bd)	CY	96
Sous-les-Vignes (R.)	BY	101
Torpilleur Sirocco (R. du)	BY	110
Verne (R. Jules)	CY	117
Viviani (R.)	CY	

DURTOL

Paix (Av. de la)	AY	71

Au moment de chercher un hôtel ou un restaurant, soyez efficace. Sachez utiliser les noms soulignés en rouge sur les **cartes Michelin** *à 1/200 000. Mais ayez une carte à jour.*

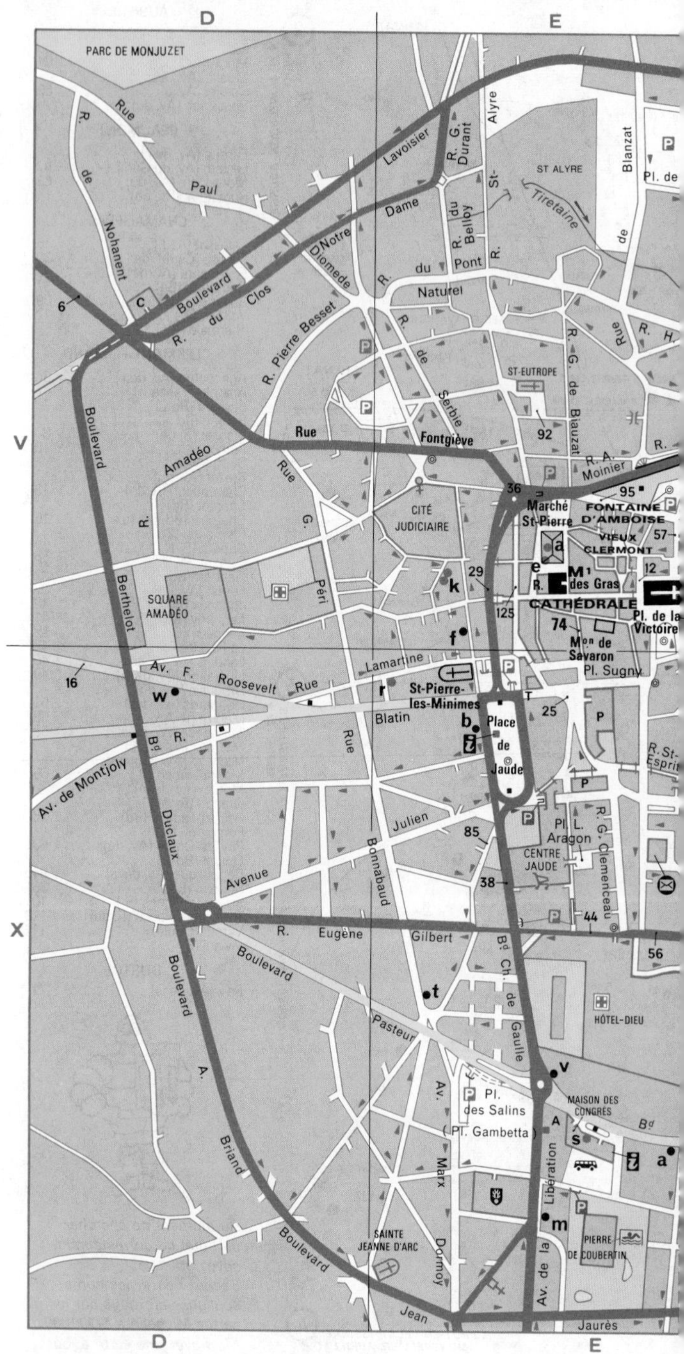
D
E
PARC DE MONJUZET
ST ALYRE
ST-EUTROPE
CITÉ JUDICIAIRE
SQUARE AMADÉO
Marché St-Pierre
FONTAINE D'AMBOISE
VIEUX CLERMONT
CATHÉDRALE
Pl. de la Victoire
Mon de Savaron
Pl. Sugny
St-Pierre-les-Minimes
Place de Jaude
Pl. L. Aragon
CENTRE JAUDE
HÔTEL-DIEU
MAISON DES CONGRÈS
Pl. des Salins
(Pl. Gambetta)
SAINTE JEANNE D'ARC
PIERRE DE COUBERTIN
V
X

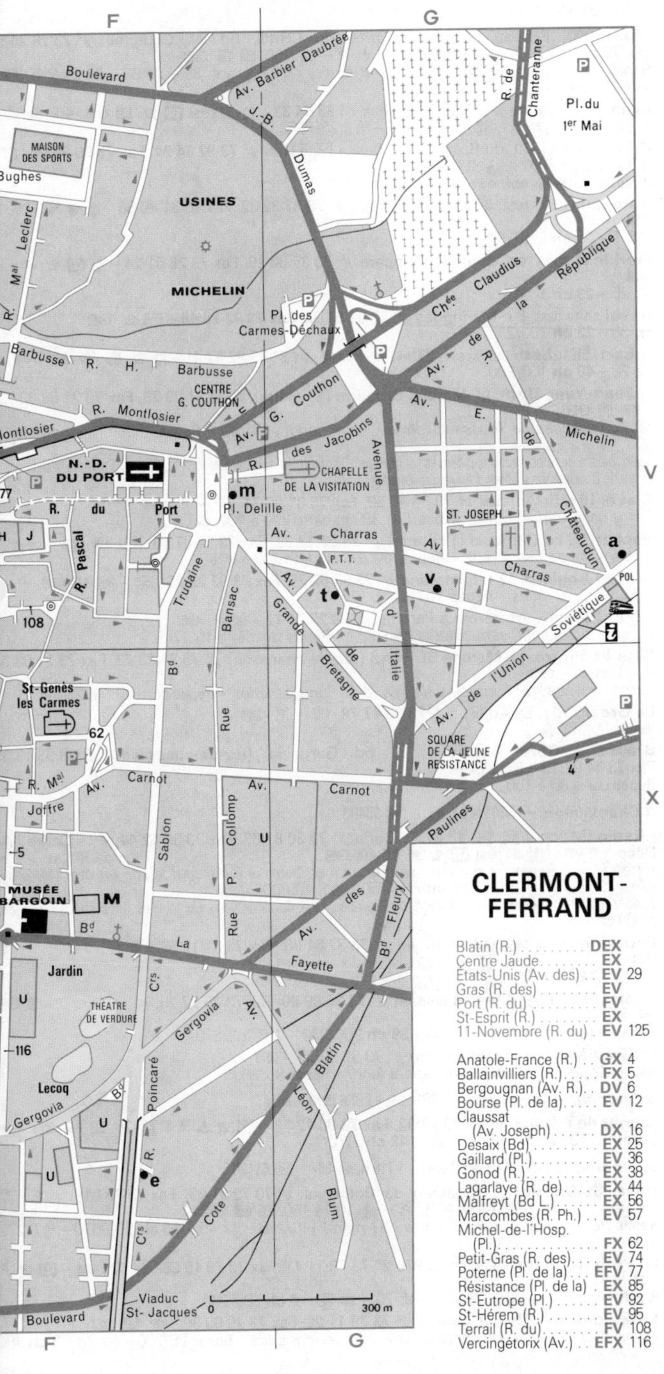

CLERMONT-FERRAND

Blatin (R.) . . . . **DEX**
Centre Jaude . . . . **EX**
États-Unis (Av. des) . . **EV** 29
Gras (R. des) . . . . **EV**
Port (R. du) . . . . **FV**
St-Esprit (R.) . . . . **EX**
11-Novembre (R. du) . . **EV** 125

Anatole-France (R.) . . **GX** 4
Ballainvilliers (R.) . . . . **FX** 5
Bergougnan (Av. R.) . . **DV** 6
Bourse (Pl. de la) . . . . . **EV** 12
Claussat
(Av. Joseph) . . . . . . **DX** 16
Desaix (Bd) . . . . **EX** 25
Gaillard (Pl.) . . . . **EV** 36
Gonod (R.) . . . . **EX** 38
Lagarlaye (R. de) . . . . . **EX** 44
Malfreyt (Bd L.) . . . . . . **EX** 56
Marcombes (R. Ph.) . . **EV** 57
Michel-de-l'Hosp.
(Pl.) . . . . **FX** 62
Petit-Gras (R. des) . . . . **EV** 74
Poterne (Pl. de la) . . . **EFV** 77
Résistance (Pl. de la) . **EX** 85
St-Eutrope (Pl.) . . . . . . **EV** 92
St-Hérem (R.) . . . . **EV** 95
Terrail (R. du) . . . . **FV** 108
Vercingétorix (Av.) . . **EFX** 116

🏨 **Marmotel,** Plateau St-Jacques près du CHRU, bd W. Churchill ✆ 73 26 24 5 Fax 73 27 99 57, ☂, ⛳ – |‡| TV ☎ ✆ ♿ P – 🏛 160. AE ⦿ GB BZ
Repas (snack) *(fermé sam. soir, dim. et fériés)* 73/91 ♁, enf. 39 – ☕ 33 – **86 ch** 265/350 – ½ P 240/255.

🏨 **Lyon,** 16 pl. Jaude ✆ 73 93 32 55, Fax 73 93 54 33 – |‡| ▤ rest TV ☎. AE GB. ✻ rest EX
Repas 90 ♁ – ☕ 35 – **32 ch** 250/350 – ½ P 235/250.

🏨 **Primevère** M, Z.I. du Brézet, r. G. Besse ✉ 63100 ✆ 73 92 34 24, Fax 73 90 95 90, ☂ |‡| ⚡ TV ☎ ♿ P – 🏛 40. GB CY
Repas 81/104 ♁, enf. 41 – ☕ 35 – **43 ch** 280.

🏨 **Bordeaux** sans rest, 39 av. F. Roosevelt ✆ 73 37 32 32, Fax 73 31 40 56 – |‡| ☎ ✆ 🚗. GB JCB DX
☕ 28 – **32 ch** 225/290.

🏨 **Floride II** sans rest, cours R. Poincaré ✆ 73 35 00 20, Fax 73 28 01 24 – |‡| TV ☎ 🚗. GB FX
☕ 25 – **29 ch** 180.

🏨 **Ravel** sans rest, 8 r. Maringues ✆ 73 91 51 33, Fax 73 92 28 48 – TV ☎. GB GV
☕ 30 – **23 ch** 150/215.

🏨 **Albert-Élisabeth** sans rest, 37 av. A. Élisabeth ✆ 73 92 47 41 – |‡| ☎. AE ⦿ GB JCB GV
☕ 28 – **40 ch** 160/300.

XXX ✿ **Jean-Yves Bath,** pl. Marché St-Pierre (1er étage) ✆ 73 31 23 23, Fax 73 31 08 33, ☂ – ▤. AE GB EV
fermé vacances de Toussaint, de fév., dim., lundi et fériés – **Repas** 200/350 et carte 270 à 390
Spéc. Salade de têtes de morilles farcies (printemps). "Profiteroles" d'escargots, crème d'orties. Pansette braisée au vin rouge de Boudes. **Vins** Côtes d'Auvergne-Boudes.

XXX **Clavé,** 10 r. St-Adjutor ✆ 73 36 46 30, Fax 73 31 30 74, ☂ – P. GB EV
fermé sam. midi et dim. – **Repas** 120/380 et carte 270 à 400, enf. 70.

XXX **Vacher,** 69 bd Gergovia (1er étage) ✆ 73 93 13 32, Fax 73 34 07 13 – AE ⦿ GB EX
fermé sam. de juin à sept. – **Repas** 105/250 et carte 200 à 300 ♁.

XX **Gérard Anglard,** 17 r. Lamartine ✆ 73 93 52 25, Fax 73 93 29 25, ☂ – ▤. AE GB EX
fermé dim. et fériés – **Repas** 110 (déj.), 170/290.

XX **Gérard Truchetet,** rd-pt La Pardieu ✆ 73 27 74 17 – ▤ P. GB CZ
fermé 3 au 25 août, sam. midi et dim. soir – **Repas** 120 (déj.), 150/245.

X **Clos St-Pierre,** pl. Marché St-Pierre (rez-de-chaussée) ✆ 73 31 23 22, Fax 73 31 08 3 ☂, bistrot – GB EV
fermé vacances de Toussaint, de fév., dim., lundi et fériés – **Repas** carte 150 à 230 ♁.

X **Le Green,** 10 r. St-Adjutor ✆ 73 36 47 78, ☂ – P. GB EV
Repas 85/165 ♁.

X **Brasserie Gare Routière,** 69 bd Gergovia (rez-de-chaussée) ✆ 73 93 13 3 Fax 73 34 07 13 – AE ⦿ GB EX
Repas carte 90 à 150.

à Chamalières – 17 301 h. alt. 450 – ✉ **63400** :

🏨 ✿ **Radio** (Mioche) M 🐦, 43 av. P.-Curie ✆ 73 30 87 83, Fax 73 36 42 44, ←, « Cadre "Art Déco" », 🌳 – |‡| ▤ rest TV ☎ P. AE ⦿ GB Plan de Royat B
fermé janv. – **Repas** *(fermé dim. sauf le midi en hiver et lundi sauf le soir en été)* 160/420 et carte 290 à 400 – ☕ 60 – **26 ch** 250/750 – ½ P 405/600
Spéc. Croustillant de rouget aux senteurs de Provence. Noix de ris de veau aux lentilles. Tarte chaude à l'ananas caramélisé.

🏨 **Europe H.** sans rest, 29 av. Royat ✆ 73 37 61 35, Fax 73 31 16 59 – |‡| TV ☎ ✆ 🚗. GB AY
☕ 39 – **34 ch** 243/347.

🏨 **Chalet Fleuri** 🐦, 37 av. Massenet ✆ 73 35 09 60, Fax 73 35 27 25, 🌳 – TV ☎ P. AE GB ✻ rest AZ
Repas 90 (dîner), 95/250 – ☕ 35 – **39 ch** 200/320 – ½ P 283/370.

X **La Gravière,** 22 r. pont Gravière ✆ 73 36 99 35 – GB AY
fermé 22 juil. au 22 août, dim. soir et lundi – **Repas** 95/280.

à l'aéroport d'Aulnat par D 769 CY – ✉ **63510** Aulnat :

🏨 **Climat de France,** ✆ 73 92 72 02, Fax 73 90 12 33 – TV ☎ ♿ P – 🏛 25. AE ⦿ GB JCB
Repas 87/130 ♁, enf. 45 – ☕ 35 – **42 ch** 270.

à Pérignat-lès-Sarliève : 8 km – 1 716 h. alt. 364 – ✉ **63170** :

🏨 **Host. St-Martin** 🐦, Château de Bonneval ✆ 73 79 81 00, Fax 73 79 81 01, ←, ☂ « Parc », 🏊, 🎾 – |‡| TV ☎ ✆ ♿ P – 🏛 100 à 150. AE ⦿ GB CZ
Repas *(fermé dim. soir du 5 nov. au 31 mars)* 110/265 – ☕ 45 – **35 ch** 260/670 – ½ P 272/477.

XX **Le Petit Bonneval** avec ch, D 978 ✆ 73 79 11 11, Fax 73 79 19 98, ←, ☂, 🌳 – TV ☎ P. GB CZ
Repas *(fermé dim. soir)* 98/255, enf. 70 – ☕ 28 – **6 ch** 180/280.

XX **Pescalune** avec ch, r. J. Jaurès ✆ 73 79 11 22, Fax 73 79 09 30 – ☎. AE GB CZ
fermé 1er au 22 août, vacances de fév., dim. soir et lundi – **Repas** 98/200 – ☕ 28 – **3 ch** 180

rte de La Baraque vers ⑥ – ✉ **63830** Durtol :

XXX ✿ **Bernard Andrieux,** ✆ 73 37 00 26, Fax 73 36 95 25 – ▤ P. AE GB. ✂ AY f
fermé 29/4 au 5/5, 29/7 au 20/8, 15/1 au 15/2, dim. en été, lundi en hiver et sam. midi – **Repas** 170/400 et carte 340 à 510
Spéc. Fine tartelette de langoustines aux champignons des bois. Ravioles de truffes au coulis de foie gras (déc. à fév.) Soufflé chaud à la poire.

XXX **L'Aubergade,** ✆ 73 37 84 64, Fax 73 30 95 57, ⛱, ⛶ – P. GB AY a
fermé 4 au 25 mars, 2 au 15 sept., dim. soir et lundi – **Repas** 132/250 et carte 260 à 340.

à La Baraque par ⑥ : 7 km – ✉ **63870** Orcines :

Relais des Puys, ✆ 73 62 10 51, Fax 73 62 22 09, ⛶ – TV ☎ ✆ P. AE GB
fermé 10 déc. au 1er fév., dim. soir du 15 sept. au 1er juin et lundi midi – **Repas** 75/180 ⚱ – ☕ 32 – **28 ch** 175/298 – ½ P 200/290.

par ⑥ sur D 941A : 10 km – ✉ **63870** Orcines :

XX **La Clef des Champs,** ✆ 73 62 10 69, ⛱, ⛶ – P. AE ⊙ GB
fermé dim. soir et merc. – **Repas** 79/225.

MICHELIN, Agence régionale, r. J.-Verne, ZI du Brézet CY plan agglomération ✆ 73 91 29 31
MICHELIN, Centre d'Échanges et de Formation r. Cugnot, ZI du Brézet CY plan d'agglomération ✆ 73 23 53 00
MICHELIN, Compétition, r. Jules Verne, ZI du Brézet ✆ **73 90 77 34**
MICHELIN, Division Commerciale France, r. Cugnot, ZI du Brézet ✆ **73 32 00 20**

ALFA-ROMEO, FIAT Gar. de la Source, Bd -Moulin ✆ 73 91 02 02
BMW Gar. Gergovie, N 9 à La Roche Blanche, ✆ 73 79 11 41 N ✆ 05 00 16 24
CITROEN Succursale, 111 bd Gustave Flaubert CZ ✆ 73 28 61 61 N ✆ 73 40 16 54
FORD Gar. Dugat, 23 av. Agriculture ✆ 73 91 17 67
FORD Gar. Montjoly Auto, 93 av. de Royat à Chamalières ✆ 73 36 69 99
HONDA Gar. des Bughes, 18 av. Mar. Leclerc ✆ 73 98 25 50
MADA, TOYOTA Hall de l'Auto, 36 av. de Cournon à Aubière ✆ 73 26 34 48
LANCIA Gar. Buire, 157 bd. G.-Flaubert ✆ 73 26 44 25
MERCEDES Centre Étoile Autom., 33 av. Roussillon à Aubière ✆ 73 26 34 50 N ✆ 05 24 24 30
OPEL Auvergne Auto, 3 r. B.-Palissy, ZI du Brézet ✆ 73 91 76 56
PEUGEOT Techstar 80 Clermontoise auto, 27 av. du Brézet CY ✆ 73 92 14 12 N ✆ 09 10 26 81
RENAULT Renault Clermont, ZI du Brézet, r. Blériot CY ✆ 73 42 75 75 N ✆ 05 05 15 15
ROVER Clermont Car Company, 11-13 bd G.-Flaubert ✆ 73 92 43 39
VAG Carnot Centre, 10 r. Bien-Assis ✆ 73 98 01 10
VAG Carnot Sud, 86 av. de Cournon à Aubière ✆ 73 60 74 80

Ⓜ Dome Pneus, 43 r. Jules Verne ✆ 73 91 30 30
Euromaster, 238 bd Clémentel ✆ 73 23 15 15
Euromaster, 80 av. du Brézet ✆ 73 92 13 50
Euromaster, r. Gutenberg, ZI du Brézet ✆ 73 91 10 20
Vincent Pneus, 123 av. de la République ✆ 73 92 75 19
Vulcopneu pneu centre Poughon, 65 av. du Brézet ✆ 73 91 39 30

Sorgfältig zubereitete, preiswerte Mahlzeiten : **Repas** 100/130

CLERMONT-L'HÉRAULT 34800 Hérault 83 ⑤ G. Gorges du Tarn – 6 041 h alt. 92.

Voir Église St-Paul★.

Office de Tourisme 9 r. R.-Gosse ✆ 67 96 23 86, Fax 67 96 98 58.

Paris 733 – ♦Montpellier 40 – Béziers 45 – Lodève 24 – Pézenas 22 – St-Pons-de-Thomières 74 – Sète 44.

Sarac, rte Béziers ✆ 67 96 06 81, Fax 67 88 07 30, ⛱ – ⇆ TV ☎ ✆ P. GB. ✂ rest
Repas *(fermé mi-déc. à mi-janv., week-ends de fév., dim. sauf le soir en juil.-août, fêtes et sam. midi)* 119/159, enf. 65 – ☕ 35 – **22 ch** 230/260 – ½ P 260/270.

à St-Guiraud N : 7,5 km par N 9, N 109 et D 130E – 171 h. alt. 120 – ✉ **34725** :

XX **Mimosa,** ✆ 67 96 67 96, Fax 67 96 61 15, ⛱ – ▤. GB. ✂
1er mars-1er nov. et fermé dim. soir sauf juil.-août et lundi sauf fériés le midi – **Repas** (déj. sur réservation) 160 (déj.)/280.

PEUGEOT Gar. Ryckwaert, rte de Montpellier N 9 ✆ 67 96 07 31 N ✆ 67 96 07 31
RENAULT Diffusion Auto Clermontaise, rte de Montpellier ✆ 67 96 03 42 N ✆ 67 96 03 42

Ⓜ Ayme Pneus, av. de Montpellier ✆ 67 96 00 62

CLICHY 92 Hauts-de-Seine 55 ⑳, 101 ⑮ – voir à Paris, Environs.

CLIMBACH 67510 B.-Rhin 57 ⑲ – 480 h alt. 347.

Paris 477 – ♦Strasbourg 58 – Bitche 39 – Haguenau 29 – Wissembourg 9.

A L'Ange, ✆ 88 94 43 72 – ☎ P. ✂ ch
fermé 7 au 23 août, 13 nov. au 13 déc., merc. soir et jeudi – **Repas** carte 130 à 200 ⚱ – ☕ 28 – **15 ch** 160/190 – ½ P 190.

XX **Cheval Blanc** avec ch, ✆ 88 94 41 95, Fax 88 94 21 96 – TV ☎ P. GB. ✂ ch
fermé 1er au 10 juil., 15 janv. au 15 fév., mardi soir et merc. – **Repas** 90/160 ⚱ – ☕ 35 – **12 ch** 250/295 – ½ P 280/300.

CLISSON 44190 Loire-Atl. 67 ④ G. Poitou Vendée Charentes – 5 495 h alt. 34.

Voir Site★.

Office de Tourisme 6 pl. Trinité ☎ 40 54 02 95 et pl. du Minage (15 juin-15 sept.) ☎ 40 54 39 56.

Paris 384 ① – ◆Nantes 29 ① – Niort 133 ③ – Poitiers 151 ② – La Roche-sur-Yon 55 ③.

CLISSON

Bertin (R.)	2
Cacault (R.)	3
Clisson (R. O. de)	4
Dr-Boutin (R.)	6
Dimerie (R. de la)	7
Grand-Logis (R. du)	8
Halles (R. des)	12
Leclerc (Av. Gén.)	13
Nid-d'Oie (Pont de)	14
Nid-d'Oie (Rte de)	16
St-Jacques (R.)	18
Trinité (Gde-R. de la)	22
Vallée (R. de la)	23

Ne cherchez pas au hasard un hôtel agréable et tranquille mais consultez les cartes de l'introduction.

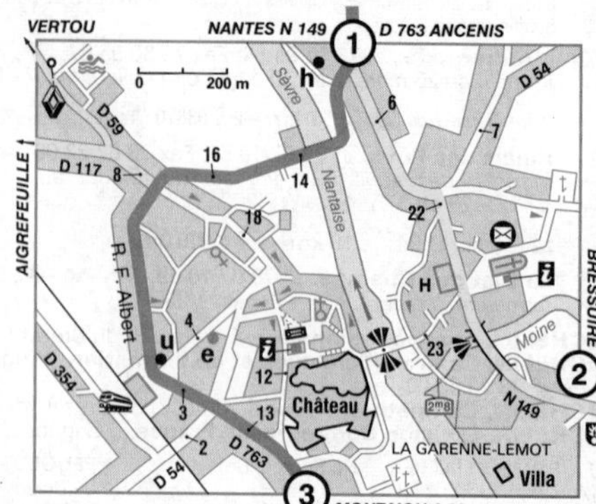

Gare, pl. Gare **(u)** ☎ 40 36 16 55, Fax 40 54 40 85 – TV ☎. AE GB. rest
Repas *(fermé dim. soir)* 55 (déj.), 65/150 – 30 – **37 ch** 130/320 – ½ P 150/235.

XXX ✿ **Bonne Auberge** (Poiron), 1 r. O. de Clisson **(e)** ☎ 40 54 01 90, Fax 40 54 08 48, AE GB
fermé 11 août au 1er sept., 1er au 15 janv., dim. soir et lundi – **Repas** 98 (déj.), 180/430 et car 360 à 430
Spéc. Galette de tourteau, graine de moutarde et crème de persil. Sandre en suprême rôti au vinaigre. Rognon et ris veau en croûte et herbes fines. **Vins** Muscadet, Montlouis.

X **Aub. de la Cascade** avec ch, 28 rte Gervaux **(h)** ☎ 40 54 02 41, ←, – P. GB
fermé vacances de Toussaint – **Repas** *(fermé dim. soir et lundi)* 68/165 – 26 – **10 c** 140/240.

à Gétigné par ② : 3 km – 2 912 h. alt. 26 – ✉ 44190 :

XX **Gétignière,** 3 r. Navette ☎ 40 36 05 37 – GB
fermé 1er au 21 août, vacances de fév., dim. soir et merc. – **Repas** 75 (déj.), 115/200.

CITROEN Gar. Méchinaud, S par D 54 ☎ 40 54 41 10
PEUGEOT Gar. Baudu, par ① ☎ 40 54 46 30 N ☎ 40 54 36 99
RENAULT Clisson Autos, à Gorges ☎ 40 54 30 55 N ☎ 40 38 96 83

Euromaster, à Gétigné ☎ 40 36 12 82

CLOHARS-FOUESNANT 29 Finistère 58 ⑮ – rattaché à Bénodet.

CLOYES-SUR-LE-LOIR 28220 E.-et-L. 60 ⑯ ⑰ G. Châteaux de la Loire – 2 593 h alt. 97.

Voir Montigny-le-Gannelon : château★ N : 2 km.

Office de Tourisme 11 pl. Gambetta ☎ 37 98 55 27.

Paris 142 – ◆Orléans 63 – Blois 54 – Chartres 55 – Châteaudun 12 – ◆Le Mans 92.

Host. St-Jacques, pl. Marché aux Oeufs ☎ 37 98 40 08, Fax 37 98 32 63, « Jardin au bord du Loir » – TV ☎ P. GB
15 mars-2 nov. – **Repas** 175, enf. 78 - ***Le P'tit Bistrot*** *(fermé 15 déc. au 31 janv., dim. soir et lundi de nov. à mars)* **Repas** 98 – 53 – **21 ch** 360/450 – ½ P 435/470.

PEUGEOT Gar. Cassonnet, ☎ 37 98 51 90 N ☎ 37 98 62 71
RENAULT Gar. Chopard, ☎ 37 98 53 32

CLUNY 71250 S.-et-L. 69 ⑲ G. Bourgogne – 4 430 h alt. 248.

Voir Anc. abbaye★★ : clocher de l'Eau Bénite★★ – Musée Ochier★ **M** – Clocher★ de l'église St-Marcel.

Env. Château de Cormatin★★ : cabinet de Ste-Cécile★★★ N : 13 km – Prieuré★ de Blanot NE 10 km – Communauté de Taizé N : 10 km.

Office de Tourisme 6 r. Mercière (fermé dim. de nov. à mars) ☎ 85 59 05 34, Fax 85 59 06 95.

Paris 388 ① – Mâcon 26 ③ – Chalon-sur-Saône 50 ① – Charolles 41 ③ – Montceau-les-Mines 43 ④ – Roanne 84 ③ – Tournus 33 ②.

Bourgogne, pl. Abbaye **(n)** ✆ 85 59 00 58, Fax 85 59 03 73, « Face à l'abbaye » – ✈ ☎ ⇔. AE ⓓ GB JCB
4 mars-20 nov. et fermé merc. midi et mardi – **Repas** 140 (déj.), 200/350 – ☕ 55 – **12 ch** 410/500, 3 appart – ½ P 455/505.

St Odilon M sans rest, rte Azé **(y)** ✆ 85 59 25 00, Fax 85 59 06 18, – TV ☎ P. AE GB
fermé 20 déc. au 10 janv. – ☕ 35 – **36 ch** 270.

Moderne sans rest, par ③ : 1 km au pont de l'Etang ✆ 85 59 05 65, Fax 85 59 19 43 – TV ☎. AE GB
☕ 35 – **13 ch** 245/400.

Abbaye, av. Ch. de Gaulle **(e)** ✆ 85 59 11 14, Fax 85 59 09 76 – ☎ P. GB
fermé 5 janv. au 15 fév., mardi midi et lundi sauf le soir du 15 mai à fin sept. – **Repas** 98/205 – ☕ 35 – **16 ch** 130/290 – ½ P 210/290.

Hermitage, rte Cormatin par ① : 1km ✆ 85 59 27 20, Fax 85 59 08 06, parc – P. AE GB
fermé 11 nov. au 12 déc., vacances de fév., dim. soir du 5 sept. au 30 juin et lundi – **Repas** 97 (déj.), 137/237 ♁, enf. 70.

Cheval Blanc, 1 r. Porte de Mâcon **(a)** ✆ 85 59 01 13, Fax 85 59 13 32 – GB
fermé 28 juin au 11 juil., 20 déc. au 26 fév., le soir de nov. à mars, vend. soir et sam. – **Repas** 78/198 ♁, enf. 55.

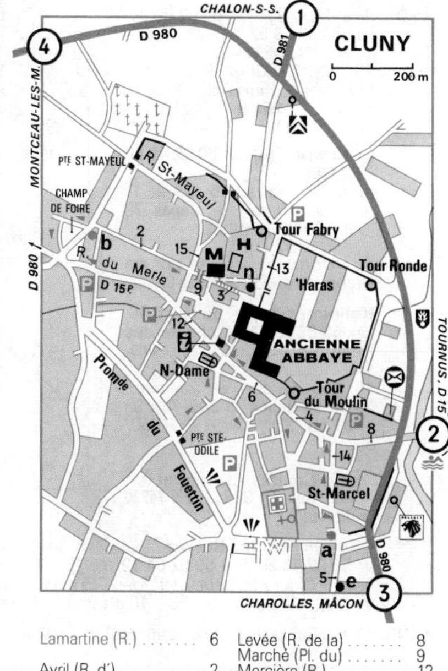

Lamartine (R.)	6	Levée (R. de la)	8
		Marché (Pl. du)	9
Avril (R. d')	2	Mercière (R.)	12
Conant (Espace K. J.)	3	Pte-des-Prés (R.)	13
Filaterie (R.)	4	Prud'hon (R.)	14
Gaulle (Av. Ch.-de)	5	République (R.)	15

Potin Gourmand, pl. Champ de Foire **(b)** ✆ 85 59 02 06, Fax 85 59 22 58, – AE GB
fermé 5 janv. au 5 fév., dim. soir et lundi sauf juil.-août – **Repas** 78/150 ♁, enf. 50.

CITROEN Gar. Bay, ✆ 85 59 08 85
PEUGEOT Gar. de la Digue, ✆ 85 59 09 72
PEUGEOT Gar. Forest et Simon, à Salornay-sur-Guye par ④ ✆ 85 59 43 11

RENAULT Gar. Pechoux et Couratin, par ② ✆ 85 59 04 61 N ✆ 85 59 04 61

La CLUSAZ 74220 H.-Savoie 74 ⑦ G. Alpes du Nord – 1 845 h alt. 1040 – Sports d'hiver : 1 100/2 600 m 5 51 .

Voir E : Vallon des Confins★.

Env. Col des Aravis ≤★★ par ② : 7,5 km.

Office de Tourisme ✆ 50 32 65 00, Fax 50 32 65 01.

Paris 580 ① – Annecy 32 ① – Chamonix-Mont-Blanc 64 ② – Albertville 40 ② – Bonneville 25 ① – Megève 29 ② – Morzine 62 ①.

Plan page suivante

Beauregard M, **(b)** ✆ 50 32 68 00, Fax 50 02 59 00, ≤, – TV ☎ ♿ P – 100. AE ⓓ GB. rest
fermé nov. – **Repas** 110 (déj.), 130/160 – ☕ 60 – **95 ch** 440/610 – ½ P 610/695.

Alp'H. M, **(e)** ✆ 50 02 40 06, Fax 50 02 60 16, – TV ☎ P. AE GB
hôtel : 15 juin-31 oct. et 15 déc.-30 avril ; rest. : 15 juin-30 sept. et 15 déc.-30 avril – **Repas** 78 (déj.), 98/185, enf. 50 – ☕ 48 – **15 ch** 400 – ½ P 550.

Christiania, (f) ✆ 50 02 60 60, Fax 50 32 66 98, – TV ☎ P. GB.
30 juin-10 sept. et 20 déc.-20 avril – **Repas** 95/125, enf. 55 – ☕ 40 – **29 ch** 350/430 – ½ P 310/435.

Sapins, **(h)** ✆ 50 02 40 12, Fax 50 02 43 24, ≤, – TV ☎ P. GB
15 juin-15 sept. et 20 déc.-20 avril – **Repas** 98/130 – ☕ 40 – **24 ch** 380/420 – ½ P 390/440.

Floralp, (n) ✆ 50 02 41 46, Fax 50 02 63 94 – TV ☎. GB. rest
28 juin-15 sept. et 18 déc.-15 avril – **Repas** 70 (déj.), 100/130 – ☕ 40 – **22 ch** 250/380 – ½ P 350/380.

Aravis, (r) ✆ 50 02 60 31, Fax 50 02 63 52, ≤, 🚗, 🎾 – |‡| ☎. GB. ✂ rest
1er juil.-31 août et 20 déc.-début avril – **Repas** 80/190 🍷 – ☕ 40 – **25 ch** 190/435 – ½ P 310/390.

L'Ourson, (s) ✆ 50 02 49 80 – AE GB
fermé 1er mai au 15 juin et 1er nov. au 10 déc. – **Repas** 78 (déj.), 99/235, enf. 50.

aux Confins E : 5 km par rte secondaire – ✉ **74220** La Clusaz :

Bellachat 🌙, ✆ 50 32 66 66, Fax 50 32 65 84, ≤ chaîne des Aravis – TV ☎ P. GB. ✂ rest
1er juin-20 oct. et 20 déc.-20 avril – **Repas** 75/200 – ☕ 35 – **31 ch** 350/400 – ½ P 250/350.

rte du Col des Aravis par ② : 4 km par D 909 – ✉ **74220** La Clusaz :

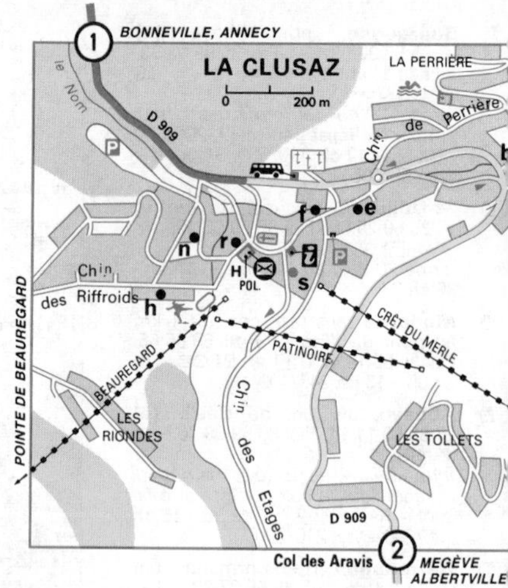

Chalets de la Serraz 🌙, ✆ 50 02 48 29, Fax 50 02 64 12, ≤, 🏊, 🚗 – cuisinette TV ☎ P. AE ⓓ GB JCB. ✂ rest
hôtel : 1er juin-20 sept. et 1er déc.-15 avril ; rest : 15 juin-15 sept. et 15 déc.-15 avril – **Repa** 95 (déj.), 125/210 – ☕ 58 – **10 ch** 850, 3 duplex – ½ P 575.

RENAULT Gar. du Rocher, ✆ 50 02 40 38 N ✆ 50 02 40 38

CLUSES 74300 H.-Savoie 74 ⑦ G. Alpes du Nord – 16 358 h alt. 486.

Office de Tourisme, Espace Carpano et Pons, 100 pl. du 11 novembre ✆50 98 31 79, Fax 50 96 46 99.

Paris 571 – Chamonix-Mont-Blanc 41 – Thonon-les-Bains 59 – Annecy 54 – Genève 42 – Morzine 28.

Le 4 C M, 301 bd Chevran par rte de Morzine ✆ 50 98 01 00, Fax 50 98 32 20, 🌳 – |‡| ⇆ TV ☎ ♿ P – 🏛 25. AE ⓓ GB
Repas *(fermé sam. midi et dim.)* 100/350 🍷 – ☕ 40 – **39 ch** 370/460 – ½ P 300.

Le Bargy et rest. le Cercle des Songes M, 28 av. Sardagne ✆ 50 98 01 96 Fax 50 98 23 24, 🌳 – |‡| TV ☎ ♿ P. GB
Repas *(fermé 12 au 19 mai, 28 juil. au 18 août, 24 déc. au 1er janv. et dim.)* 80/250 🍷, enf. 4 – ☕ 40 – **30 ch** 300/360.

La Grenette, 9 Grand-rue ✆ 50 96 31 50 – ▤. GB JCB
fermé 1er au 27 août et dim. – **Repas** 78/220 🍷.

PEUGEOT Gar. de Savoie, av. des Glières ✆ 50 98 82 88

RENAULT SECA, r. André Gaillard ZI ✆ 50 98 11 9

Les CLUSES 66480 Pyr.-Or. 86 ⑲ G. Pyrénées Roussillon – 165 h alt. 150.

Paris 890 – ◆Perpignan 27 – Amélie-les-Bains-Palalda 22 – Céret 10,5 – La Jonquera 11 – Port-Vendres 33.

Le Mas de l'Écluse, rte Perthus ✆ 68 87 78 60, 🌳, 🏊, 🚗, 🎾 – ☎ P – 🏛 30. GB
fermé dim. soir et lundi sauf juil.-août et fériés – **Repas** 95/135 – ☕ 45 – **21 ch** 250/400 – ½ P 350.

COCHEREL 27 Eure 55 ⑰ – rattaché à Pacy-sur-Eure.

COCURÈS 48 Lozère 80 ⑥ – rattaché à Florac.

CODOGNAN 30920 Gard 83 ⑧ – 1 760 h alt. 20.

Paris 727 – ◆Montpellier 37 – Nîmes 18.

Lou Flambadou, N 113 ✆ 66 35 09 70, 🌳, 🚗 – P. GB
fermé 19 au 31 août, dim. soir et lundi – **Repas** 140/250.

COEUVRES-ET-VALSERY 02 Aisne 56 ③ – rattaché à Villers-Cotterets.

COGNAC <SP> 16100 Charente 72 ⑫ G. Poitou Vendée Charentes – 19 528 h alt. 25.

18 du Cognac ✆ 45 32 18 17, par ① : 8 km.

Office de Tourisme 16 r. du 14 juillet ✆ 45 82 10 71, Fax 45 82 34 47.

Paris 463 ⑤ – Angoulême 44 ① – ◆Bordeaux 119 ③ – Libourne 118 ② – Niort 82 ⑤ – Poitiers 146 ⑤ – Saintes 27 ④.

COGNAC

ngoulême (R. d') . . . . Y 3
mes (Place d') . . . . Y 4
iand (R. A.) . . . . Y
ctor-Hugo (Av.) . . . . Z
-Juillet (R. du) . . . . Z 26

Bayard (R.) . . . . Z 5
Bazoin (R. Abel) . . . . Y 6
Boucher (R. Cl.) . . . . Y 8
Chalais (R. de) . . . . Z 9
Champ de Mars (Allées du) . . Z 10
Cordeliers (R. des) . . . . Y 11
Crouin (R. de) . . . . Y 12
François-1er (R.) . . . . Y 14

Grande (Rue) . . . . Y 15
Isle-d'Or (R. de l') . . . . Y 16
Lattre-de-T. (R. de) . . . . Y 18
Lusignan (R. de) . . . . Y 20
Magdeleine (R.) . . . . Y 21
Martell (Pl. Ed.) . . . . Z 22
Monnet (Pl. Jean) . . . . Z 23
Saulnier (R.) . . . . Y 25

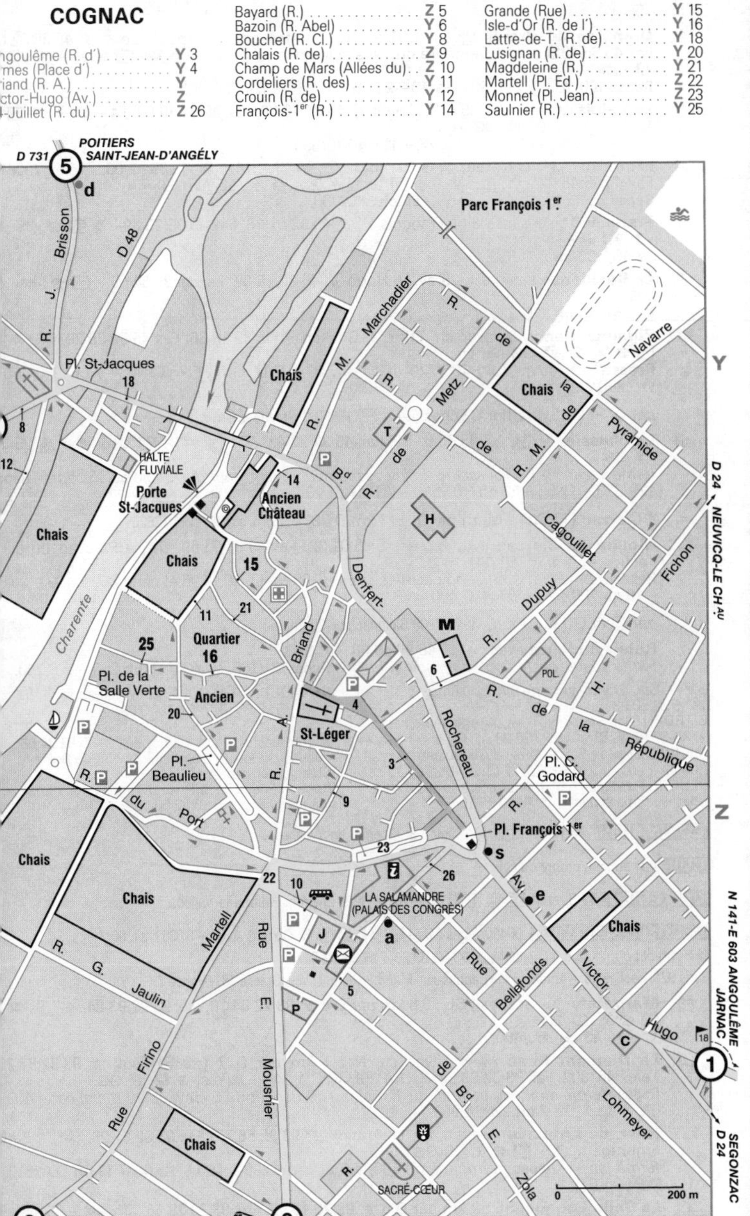

Plans de villes : *Les rues sont sélectionnées en fonction de leur importance pour la circulation et le repérage des établissements cités.*

Les rues secondaires ne sont qu'amorcées.

Domaine du Breuil Ⓜ, 104 av. R. Daugas par r. République Y ☎ 45 35 32 06, Fax 45 35 48 06, ≤, « Demeure du 19e siècle dans un parc » – 25. AE GB
Repas 100/280 , enf. 60 – ☐ 40 – **24 ch** 280/310 – ½ P 280/350.

Le Valois Ⓜ sans rest, 35 r. 14-Juillet ☎ 45 82 76 00, Fax 45 82 76 00, – 25. AE GB JCB Z
fermé 23 déc. au 2 janv. – ☐ 38 – **45 ch** 370/390.

Mercure Ⓜ, carrefour Trache par ① et N 141 ☎ 45 35 42 00, Télex 790615, Fax 45 35 45 02, – 50. AE GB JCB
Repas 85/120, enf. 48 – ☐ 50 – **55 ch** 340/390.

François 1er sans rest, 3 pl. François 1er ☎ 45 32 07 18, Fax 45 35 33 89 – AE GB JCB Z
☐ 40 – **30 ch** 270/330.

La Résidence sans rest, 25 av. V. Hugo ☎ 45 32 16 09, Fax 45 35 34 65 – GB Z
☐ 35 – **19 ch** 170/320.

Pigeons Blancs avec ch, 110 r. J.-Brisson ☎ 45 82 16 36, Fax 45 82 29 29, AE GB. ch Y
Repas *(fermé dim. soir)* 135/220 et carte 240 à 370, enf. 85 – ☐ 45 – **7 ch** 320/450 – ½ P 380/450.

par ① et D 15 quartier L'Échassier – ✉ **16100** Châteaubernard :

L'Échassier Ⓜ, ☎ 45 35 01 09, Fax 45 32 22 43, – 25. AE GB
fermé vacances de Toussaint, de fév., sam. midi et dim. sauf du 15 juin au 15 sept. – **Repas** 125/320 – ☐ 55 – **22 ch** 370/510 – ½ P 490/520.

à Cierzac (17 Char.-Mar.) par ② : 13 km D 731 – 183 h. alt. 28 – ✉ **17520** :

Moulin de Cierzac avec ch, ☎ 45 83 01 32, Fax 45 83 03 59, « Parc au bord de l'eau » – AE GB
Repas *(fermé dim. soir de nov. à mars et lundi)* 95 (déj.), 185/295 et carte 250 à 400 – ☐ 60 – **10 ch** 280/520 – ½ P 410/480.

par ③ et D 732 : 7 km – ✉ **17800** Salignac-sur-Charente :

Relais du Pérat avec ch, ☎ 46 96 49 88 – GB
fermé 15 juil. au 14 août, dim. soir et lundi – **Repas** 90/165 – ☐ 30 – **5 ch** 250 – ½ P 280.

BMW Gar. Grammatico, rte d'Angoulême ☎ 45 32 50 93
CITROEN Gar. Socodia, 75 av. d'Angoulême par ① ☎ 45 32 27 50 N ☎ 45 32 30 88
MERCEDES Gar. Savia, 21 av. d'Angoulême à Châteaubernard ☎ 45 32 27 77 N ☎ 45 32 27 77
PEUGEOT Cognac gar., Le Buisson Moreau à Chateaubernard par ① ☎ 45 36 15 15
RENAULT G.A.M.C., 242 av. V.-Hugo par ① ☎ 45 35 86 86 N ☎ 07 72 79 69

Euromaster, rte de Barbezieux ☎ 45 82 24 66
Pneu Plus Ouest Vulcopneu, ZA Fief du Roy à Châteaubernard ☎ 45 35 08 96
Rogeon Pneus Point S, rte d'Angoulême à Châteaubernard ☎ 45 35 32 50

COIGNIÈRES 78 Yvelines 60 ⑨ – voir à St-Quentin-en-Yvelines.

COL voir au nom propre du col.

COLLÉGIEN 77 S.-et-M. 56 ⑫, 101 ㉚ – voir à Paris, Environs (Marne-la-Vallée).

La COLLE-SUR-LOUP 06480 Alpes-Mar. 84 ⑨ 115 ㉟ **G. Côte d'Azur** – 6 025 h alt. 90.

Syndicat d'Initiative à la Mairie ☎ 93 32 83 25, Fax 93 32 01 09.

Paris 924 – Nice 16 – Antibes 14 – Cagnes-sur-Mer 5 – Cannes 24 – Grasse 18 – Vence 7.

Marc Hély sans rest, SE : 0,8 km par D 6 ☎ 93 22 64 10, Fax 93 22 93 84, ≤, AE GB
☐ 39 – **13 ch** 350/460.

Le Diamant Rose Ⓜ avec ch, N : 1 km par D 7 (rte St-Paul) ☎ 93 32 82 20, Télex 461302, Fax 93 32 69 98, ≤ St-Paul, – rest AE GB
Repas *(fermé dim. soir et lundi du 1er oct. au 15 déc. et du 5 janv. au 15 mars)* carte 400 à 530 – ☐ 110 – **7 ch** 2200/2900.

Host. de l'Abbaye avec ch, av. Libération ☎ 93 32 66 77, Fax 93 32 61 28, « Patio ombragé », – AE GB
fermé janv. – **Repas** *(fermé mardi)* 180/250 et carte 290 à 460 – ☐ 60 – **13 ch** 560/610 – ½ P 535/630.

La Belle Époque, SE : 2 km par D 6 ☎ 93 20 10 92, Fax 93 20 29 66, AE GB
fermé mardi midi et merc. midi en juil.-août, mardi soir et merc. de sept. à juin – **Repas** 105/200 .

Clos du Loup, O : 1,5 km par D 6 ☎ 93 32 88 76, Fax 93 32 88 76, AE GB
fermé 17 au 30 nov., janv. et lundi – **Repas** 115/165.

La Stréga, SE : 1,5 km par D 6 ☎ 93 22 62 37, GB
fermé janv., fév., dim. soir hors sais., mardi midi en sais. et lundi – **Repas** 150.

COLLEVILLE-MONTGOMERY **14** Calvados 54 ⑯ – rattaché à Ouistreham.

COLLIAS **30** Gard 80 ⑲ – rattaché à Pont-du-Gard.

COLLIOURE **66190** Pyr.-Or. 86 ⑳ **G. Pyrénées Roussillon** – 2 726 h alt. 2.

oir Site★★ – Retables★ dans l'église Notre-Dame-des-Anges B.

Office de Tourisme pl. 18-Juin ✆ 68 82 15 47, Fax 68 82 46 29.

aris 891 ② – ◆Perpignan 27 ② – Argelès-sur-Mer 6,5 ② – Céret 33 ② – Port-Vendres 4 ① – Prades 69 ②.

COLLIOURE

miraulté (Q. de l') B 3
émocratie (R. de la) B 8
aurès (Pl. Jean) B 14
eclerc (Pl. Gén.) AB 17
-Vincent (R.) B 30
re (R. de l') B 2
rago (R. François) B 4
Argelès (Rte d') A
Dagobert (R.) B 7
Égalité (R. de l') B 9
Ferry (R. Jules) AB 13
Galère (R. de la) A
Gaulle (Av. du Gén.) B
Lamartine (R.) B 15
La Tour d'Auvergne (R. de) B 16
Maillol (Av. Aristide) A
Mailly (R.) B 19
Michelet (R. Jules) A 20
Miradou (Av. du) A 23
Pasteur (R.) B
Pla de Las Fourques (R. du) A
République (R. de la) AB
Rolland (R. Romain) A
Rousseau (R. J. J.) AB 29
Soleil (R. du) B 33
Vauban (R.) B
18-Juin (Pl. du) B 35

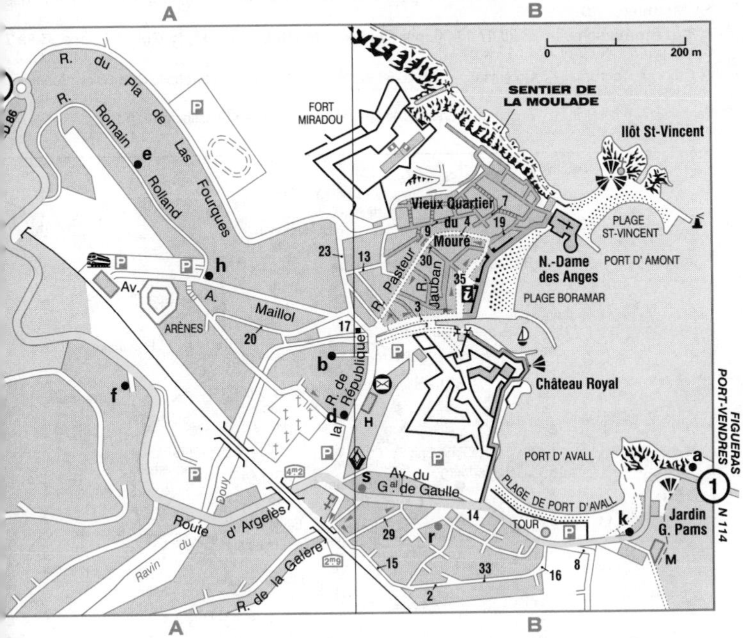

🏨 ❀ **Relais des Trois Mas et rest. La Balette** Ⓜ, rte Port-Vendres ✆ 68 82 05 07, Fax 68 82 38 08, ⛱, « Terrasses et ≤ vieux port », 🏊 – ▤ 📺 ☎ 🅿. GB B **a**
fermé 12 nov. au 19 déc. – **Repas** 175/365 et carte 250 à 360 – ☕ 75 – **19 ch** 695/945, 4 appart – ½ P 693/818
Spéc. Anchois frais marinés, compotée d'oignons et poivrons. Cannelloni de la mer à l'embeurré de muscat (avril à sept.). Petits encornets sautés en persillade. **Vins** Collioure rouge.

🏨 **Casa Païral** 🐌 sans rest, impasse Palmiers ✆ 68 82 05 81, Fax 68 82 52 10, « Bel aménagement intérieur et jardin fleuri », 🏊 – 📺 ☎ ♿ 🅿. AE GB A **b**
1er avril-30 oct. – ☕ 50 – **28 ch** 380/890.

🏨 **Mas des Citronniers,** 22 av. République ✆ 68 82 04 82 – 📺 ☎ 🅿. AE GB A **d**
28 mars-15 nov. – **Repas** (dîner seul.) 130, enf. 70 – ☕ 40 – **30 ch** 300/430 – ½ P 320/340.

🏨 **Madeloc** 🐌 sans rest, r. R.-Rolland ✆ 68 82 07 56, Fax 68 82 55 09, ≤, 🌳 – ☎ 🅿. AE ⓓ GB A **e**
fermé janv. – ☕ 40 – **22 ch** 290/420.

Ambeille sans rest, rte Port-d'Avall ✆ 68 82 08 74, ≤ – P. GB. ✻ — A
Pâques-fin sept. – ☕ 35 – **21 ch** 280/360.

Méditerranée sans rest, av. A. Maillol ✆ 68 82 08 60 – ▤ TV ☎ 🚗. GB. ✻ — A
1er avril-31 oct. – ☕ 38 – **23 ch** 350/410.

Triton sans rest, r. Jean Bart ✆ 68 82 06 52, Fax 68 82 11 32, ≤ – TV ☎. AE GB — B
☕ 32 – **20 ch** 180/320.

Nouvelle Vague, 7 r. Voltaire ✆ 68 82 23 88, 🏵 – GB — B
fermé fév., dim. soir et lundi du 15 oct. à Pâques – **Repas** 95/300 bc, enf. 50.

Le Mareyeur, av. Gén. de Gaulle ✆ 68 82 06 60 – GB — B
15 fév.-15 nov. et fermé merc. sauf juil.-août – **Repas** 80/200.

RENAULT Gar. Daider, Carr. du Christ ✆ 68 82 08 34

COLLONGES-AU-MONT-D'OR 69 Rhône 74 ⑪ – rattaché à Lyon.

COLMAR P 68000 H.-Rhin 62 ⑲ **G. Alsace Lorraine** – 63 498 h alt. 194.

Voir Musée d'Unterlinden★★★ (retable d'Issenheim★★★) BY – Ville ancienne★★ BY : Maisc Pfister★★ BY **K**, Église St-Martin★ BY **F**, Maison des Arcades★ BY **E** – Maison des Têtes★ BY Ancienne Douane★ BY **N**, Ancien Corps de Garde★ BY **L** – Vierge au buisson de roses★★ vitraux★ de l'église des Dominicains BY **B** – Quartier de la Krutenau★ BZ : Tribunal civil★ BY **J** ≤★ du pont St-Pierre BZ **V** sur "la petite Venise" – Vitrail de la crucifixion★ de l'églis St-Matthieu CY **D**.

⛳9 ⛳18 d'Ammerschwihr ✆ 89 47 17 30, par ⑥ : 9 km, N 415 puis D 11[1] ; ⛳9 Golf d'Alsace ✆ 89 7 59 59 par ④, N 83 et D 8 : 17 km.

ℹ Office de Tourisme, 4 r. Unterlinden ✆ 89 20 68 92, Fax 89 41 34 13 – Automobile Club 58 av. Républiqu ✆ 89 41 31 56.

Paris 488 ⑥ – Basel 68 ③ – Freiburg-im-Breisgau 46 ② – ♦Nancy 139 ⑥ – ♦Strasbourg 70 ①.

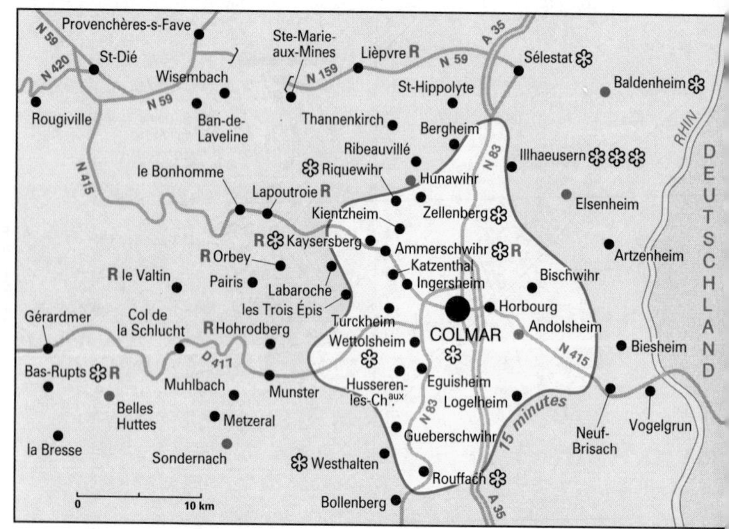

Mercure Champ de Mars M sans rest, 2 av. Marne ✆ 89 41 54 54, Télex 880928 Fax 89 23 93 76 – |\$| ⊬ TV ☎ 🚗 – 🏛 200. AE ⓓ GB — AY
☕ 55 – **75 ch** 465/510.

Le Colombier M sans rest, 7 r. Turenne ✆ 89 23 96 00, Fax 89 23 97 27, « Déco contemporain dans un cadre Renaissance » – |\$| ▤ TV ☎ ✆ ♿. AE ⓓ GB — BZ
☕ 55 – **24 ch** 385/910.

Bristol, 7 pl. Gare ✆ 89 23 59 59, Télex 880248, Fax 89 23 92 26 – |\$| TV ☎ – 🏛 25. AE ⓓ GB — AZ
voir rest. ***Rendez-vous de Chasse*** ci-après - ***L'Auberge :*** **Repas** 63/125 – ☕ 49 – **70 ch** 450/550 10 appart – ½ P 420/450.

Host. Le Maréchal, 4 pl. Six Montagnes Noires ✆ 89 41 60 32, Fax 89 24 59 40, 🏵 « Maisons du 16e siècle dans la Petite Venise » – |\$| ⊬ ▤ rest TV ☎. AE GB JCB
Repas 155 bc (déj.), 195/365 🍷, enf. 65 – ☕ 65 – **30 ch** 450/900 – ½ P 700/800. — BZ

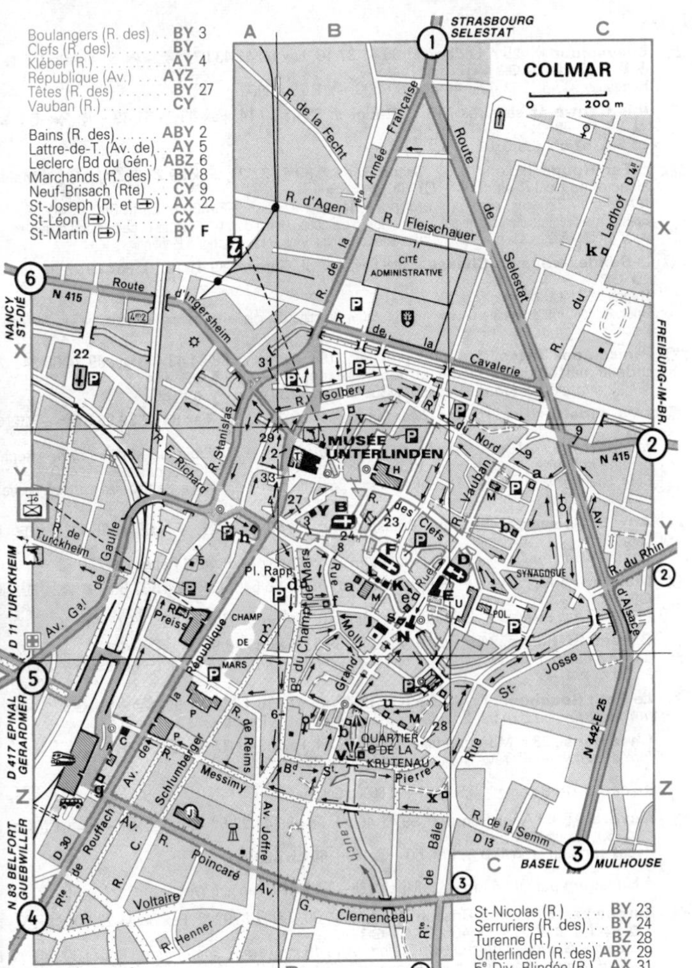

Mercure Unterlinden [M], r. Golbery ☏ 89 41 71 71, Fax 89 23 82 71, ⌂ – |♦| ⇜ ▤ rest TV ☎ ♿ ⇐ – 🏋 90. AE ⓓ GB — BX **v**
Repas 95 ♁, enf. 40 – ☐ 54 – **73 ch** 465/505, 3 appart.

Turenne sans rest, 10 rte Bâle ☏ 89 41 12 26, Fax 89 41 27 64 – |♦| ⇜ TV ☎ ✆ ⇐. AE ⓓ GB — BZ **x**
☐ 48 – **82 ch** 295/385.

Amiral [M] sans rest, 11 a bd Champ-de-Mars ☏ 89 23 26 25, Fax 89 23 83 64 – |♦| ⇜ TV ✆ ⇐ – 🏋 40. AE ⓓ GB — BY **d**
☐ 52 – **44 ch** 365/700.

St-Martin sans rest, 38 Grand'Rue ☏ 89 24 11 51, Fax 89 23 47 78 – |♦| TV ☎. AE ⓓ GB — BY **e**
fermé 1er janv. au 28 fév. – ☐ 52 – **24 ch** 420/750.

Rapp, 1 r. Weinemer ☏ 89 41 62 10, Fax 89 24 13 58, ⛆ – |♦| ▤ rest TV ☎ ✆ ♿. AE ⓓ GB — BY **f**
Repas *(fermé 20 juin au 10 juil., 15 au 31 janv., sam. midi et mardi)* 95/310 ♁, enf. 50 - ***Rappstub*** *(fermé 15 au 31 janv., sam. midi et dim.)* **Repas** 55 (déj.)/80 ♁, enf. 50 – ☐ 40 – **42 ch** 280/390 – ½ P 320/340.

Beauséjour M, 25 r. Ladhof ℰ 89 41 37 16, Fax 89 41 43 07, – cuisinette – 40. AE GB JCB CX
Repas 98/300 – 40 – **44 ch** 280/500 – ½ P 280/380.

Ibis Centre M sans rest, 10 r. St-Eloi ℰ 89 41 30 14, Fax 89 24 51 49 – 50. AE GB CY
37 – **62 ch** 335/570.

XXX ⚘ **Fer Rouge** (Fulgraff), 52 Grand'Rue ℰ 89 41 37 24, Fax 89 23 82 24, , « Maison alsacienne du 17ᵉ siècle » – AE GB JCB BY
fermé 5 au 22 janv., dim. soir et lundi – **Repas** 210 (déj.), 295/480 et carte 380 à 540
Spéc. Croustillant de choucroute aux lardons, foie d'oie poêlé. Gratin de sole, d'huitres et de brunoise de légumes au curry. Crêpes légères à la bière, crème aux zestes d'orange. **Vins** Tokay-Pinot gris, Pinot noir.

XXX ⚘ **Rendez-vous de Chasse** - hôtel Bristol, 7 pl. Gare ℰ 89 41 10 10, Fax 89 23 92 26 – GB AZ
Repas 153/400 bc et carte 260 à 400
Spéc. Sandre rôti en croûte de pommes de terre. Ballotine de volaille au riesling, spaetzle maison. Mousse kirsch.

XXX **Maison des Têtes** (chambres prévues), 19 r. Têtes ℰ 89 24 43 43, Fax 89 24 58 34, « Belle maison du 17ᵉ siècle, atmosphère locale » – AE GB JCB BY
fermé dim. soir et lundi – **Repas** 152/330 et carte 230 à 370, enf. 80.

XX ⚘ **Da Alberto** (Bradi), 24 r. Marchands ℰ 89 23 37 89, Fax 89 23 39 22, – AE GB BY
fermé 28 avril au 13 mai, 22 déc. au 7 janv., lundi sauf le soir de juin à sept. et dim. – **Repas** cuisine italienne - (nombre de couverts limité, prévenir) 190/400 et carte 290 à 440
Spéc. Salade de langouste "à la Sarda" (mai à oct.). Gratin de ravioles à la morue. Sauté de langoustines, beurre au persil plat.

XX **Aux 3 Poissons,** 15 quai Poissonnerie ℰ 89 41 25 21, Fax 89 41 25 21 – AE GB BZ
fermé 24 juin au 15 juil., 21 déc. au 4 janv., mardi soir et merc. – **Repas** 130/220.

XX **Meistermann,** 2A av. République ℰ 89 41 65 64, Fax 89 41 37 50 – AE GB AY
fermé 22 juil. au 4 août, 20 au 28 fév., dim. soir et merc. – **Repas** 88/176, enf. 49.

X **Caveau St-Pierre,** 24 r. Herse ℰ 89 41 99 33, Fax 89 23 94 33, – GB BZ
fermé 3 au 10 mars, 24 juin au 8 juil., 4 au 28 janv., dim. soir et lundi – **Repas** 76 et carte 130 à 210, enf. 45.

X **Le Petit Bouchon,** 11 r. Alspach ℰ 89 23 45 57, Fax 89 23 82 95, – GB CY
fermé 21 fév. au 6 mars, 25 juil. au 8 août et merc. – **Repas** 89/210, enf. 52.

X **Chez Hansi,** 23 r. Marchands ℰ 89 41 37 84, Fax 89 41 37 84, – GB BY
fermé 5 janv. au 10 fév., merc. soir et jeudi – **Repas** 95/250.

à l'aérodrome par ① : 3,5 km – ✉ **68000** Colmar :

Novotel M, à l'Aérodrome ℰ 89 41 49 14, Fax 89 41 22 56, – 30. AE GB
Repas carte environ 150, enf. 50 – 49 – **66 ch** 425/480.

à Horbourg par ② : 4 km – 4 518 h. alt. 188 – ✉ **68180** Horbourg Wihr :

Europe M, 15 rte Neuf-Brisach ℰ 89 20 54 00, Télex 870242, Fax 89 41 27 50, – 400. AE GB
L'Éden des Gourmets *(fermé 8 au 23 juil., 2 au 18 janv., dim. soir et lundi)* **Repas** 300/450 – ***Jardin d'Hiver*** *(fermé dim. midi)* **Repas** 120/230, enf. 50 – 60 – **138 ch** 430/620 – ½ P 450.

Cerf, 9 Gd'Rue ℰ 89 41 20 35, Fax 89 24 24 98, – GB JCB.
fermé 5 au 15 juil., 10 janv. au 10 mars, mardi soir et merc. du 15 sept. au 15 mai – **Repas** 95/195, enf. 55 – 38 – **27 ch** 240/325 – ½ P 295/320.

à Bischwihr par ② et D 111 : 8 km – 598 h. alt. 187 – ✉ **68320** :

Relais du Ried, ℰ 89 47 47 06, Fax 89 47 72 58, – AE GB. rest
fermé 1ᵉʳ déc. au 1ᵉʳ fév. – **Repas** 97/225, enf. 49 – 36 – **60 ch** 260/295 – ½ P 270.

à Andolsheim par ② : 6 km – 1 565 h. alt. 190 – ✉ **68280** :

X **Soleil**, ℰ 89 71 40 53, Fax 89 71 40 36 – AE GB
fermé 25 janv. au 10 mars, mardi de nov. à janv. et merc. – **Repas** 120/230, enf. 75.

à Logelheim SE par D 13 et D 45 - CZ - 9 km – 406 h. alt. 195 – ✉ **68280** :

X **Stoffel "A la Vigne"** avec ch, ℰ 89 22 08 40 – AE GB.
fermé 19 juin au 4 juil., mardi soir et merc. – **Repas** 98/180 – 32 – **7 ch** 240 – ½ P 240.

au Sud : 10 km par ③, N 422 et D 1 (rte d'Herrlisheim) – ✉ **68127** Ste-Croix-en-Plaine :

Au Moulin sans rest, ℰ 89 49 31 20, Fax 89 49 23 11, « Collection d'objets anciens » – GB
1ᵉʳ avril-3 nov. – 45 – **17 ch** 230/400.

à Wettolsheim par ⑤ et D 1 bis II : 4,5 km – 1 616 h. alt. 220 – ✉ **68000** :

XXX ✿ **Aub. du Père Floranc** avec ch, ✆ 89 80 79 14, Fax 89 79 77 00, « Jardin fleuri » – TV ☎ 🚗 P. AE ① GB. ✻ ch
fermé 1er au 15 juil., 2 janv. au 7 fév., dim. soir hors sais. et lundi – **Repas** 95/390 et carte 250 à 360 – ☕ 55 – **13 ch** 225/390
Spéc. Les quatre foies d'oie. Matelote de cuisses de grenouilles et pieds de veau. Aiguillette de colvert aux griottes. **Vins** Riesling, Tokay-Pinot gris.

Annexe : Le Pavillon 🏨 ⛰ sans rest,, « Collection de coquillages », 🌳 – TV ☎ P. AE ① GB. ✻
☕ 55 – **19 ch** 360/570.

à Ingersheim par ⑥ : 4 km – 4 063 h. alt. 220 – ✉ **68040** :

XXX **Kuehn** avec ch, quai Fecht ✆ 89 27 38 38, Fax 89 27 00 77, ≤, 🏠, 🌳 – |‡| TV ☎ P – 🏛 40. GB. ✻ rest
fermé fév., lundi midi et mardi midi en sais., dim. soir et lundi hors sais. – **Repas** 150/380 et carte 220 à 350, enf. 60 – ☕ 40 – **28 ch** 210/360 – ½ P 295/335.

XX **Taverne Alsacienne,** 99 r. République ✆ 89 27 08 41, Fax 89 80 89 75 – AE GB
fermé 15 juil. au 5 août, dim. soir et lundi – **Repas** 75 (déj.), 100/280 🍷.

BMW J.M.S. Auto, 124 rte de Neuf-Brisach ✆ 89 24 25 53
CITROEN Gar. Alsauto, 4 r. Timken, ZI Nord par ① ✆ 89 20 85 85 N ✆ 89 20 85 85
FIAT, LANCIA Auto Market Colmar, 124 rte de Neuf Brisach ✆ 89 41 57 80
FORD Gar. Bolchert, 77 r. Morat ✆ 89 79 11 25
HONDA, LADA Europe Autos Colmar, 101 rte de Rouffach par ④ ✆ 89 41 10 13
MERCEDES Gar. Dietrich, à Ingersheim ✆ 89 27 04 77 N ✆ 05 24 24 30
NISSAN Avenir Autom., 191 rte de Rouffach ✆ 89 41 14 85
OPEL Sama Colmar, 11 rue J-M.Haussmann, ZI Nord ✆ 89 41 19 50
PEUGEOT Gar. Mulat, 11 rte de Wintzenheim par ⑤ ✆ 89 80 61 75
PEUGEOT Gar. Colmar Autom., 2A r. Timken ✆ 89 24 66 66 N ✆ 89 63 88 14
RENAULT Gar. du Stade, 122 r. du Ladhof CX ✆ 89 23 99 43 N ✆ 05 44 03 09
RENAULT Gar. Wackenthaler, à Ingersheim par ⑥ ✆ 89 27 05 17
RENAULT Gar. Friederich, 27 rte de Rouffach par ④ ✆ 89 41 60 47
RENAULT Gar. Laubert, 6 r. Clémenceau à Winzenheim par ⑤ ✆ 89 27 02 02
ROVER Alsace Auto, 108 rte de Rouffach ✆ 89 41 33 45
SEAT Sem' Autos, r. Gay Lussac ✆ 89 24 11 42
TOYOTA H et M Autom., 138 rte de Neuf Brisach ✆ 89 24 12 22
VAG Gar. Dittel, r. J.-M. Hausmann, ZI Nord ✆ 89 24 76 28
VOLVO Auto Hall Distribution, 84 rte de Neuf-Brisach ✆ 89 41 81 10

Ⓜ Kautzmann, 64 r. Papeteries ✆ 89 41 06 24
Pneus et Services D.K., 5 r. J.-Preiss ✆ 89 41 26 01
Pneus et Services D.K., 11 r. des Frères Lumière, ZI Nord ✆ 89 41 94 72

COLMARS **04370** Alpes-de-H.-P. **81** ⑧ **G. Alpes du Sud** (plan) – 367 h alt. 1235.
ℹ Office de Tourisme ✆ 92 83 41 92, Fax 92 83 52 31, Mairie ✆ 92 83 43 21.
Paris 781 – Digne-les-Bains 71 – Barcelonnette 43 – Cannes 128 – Draguignan 109 – ♦Nice 121.

🏠 **Le Chamois,** ✆ 92 83 43 29, ≤, 🌳 – ⇆ ☎ P. GB
fermé 12 nov. au 20 déc. – **Repas** 90/150 – ☕ 35 – **28 ch** 170/300 – ½ P 248/312.

COLOMBEY-LES-DEUX-ÉGLISES **52330** H.-Marne **61** ⑲ **G. Champagne** – 660 h alt. 353.
Voir Mémorial du Général-de-Gaulle et la Boisserie (musée).
ℹ Syndicat d'Initiative r. du Gén.-de-Gaulle ✆ 25 01 52 33.
Paris 259 – Chaumont 27 – Bar-sur-Aube 15 – Châtillon-sur-Seine 62 – Neufchâteau 70.

🏨 **Dhuits,** N 19 ✆ 25 01 50 10, Fax 25 01 56 22, 🏠 – TV ☎ ✆ ♿ P – 🏛 50. AE ① GB
fermé 20 déc. au 5 janv. – **Repas** 80/165 🍷 – ☕ 35 – **42 ch** 250/360 – ½ P 280/320.

XX **Aub. de la Montagne** ⛰ avec ch, ✆ 25 01 51 69, Fax 25 01 53 20, 🌳 – TV ☎ P. AE GB. ✻ ch
fermé mi-janv. à mi-fév., lundi soir et mardi – **Repas** 105/310 – ☕ 35 – **7 ch** 210/250.

Gar. Archambaux, N 19 ✆ 25 01 51 43

COLOMIERS **31** H.-Gar. **82** ⑦ – rattaché à Toulouse.

COLROY-LA-ROCHE **67420** B.-Rhin **62** ⑧ – 435 h alt. 475.
Paris 405 – ♦Strasbourg 65 – Lunéville 67 – St-Dié 32 – Sélestat 31.

🏨 ✿ **Host. La Cheneaudière** M ⛰, ✆ 88 97 61 64, Fax 88 47 21 73, ≤, 🏠, « Élégante hostellerie dans un jardin », 🏋, 🎾, ✂ – ▤ rest TV ☎ P – 🏛 25. AE ① GB
Les Princes de Salm (fermé 3 janv. au 15 mars) **Repas** 585 et carte 430 à 560, enf. 60 – ***Les Pastoureaux :*** **Repas** 290, enf. 60 – ☕ 120 – **32 ch** 790/1500 – ½ P 895/1150
Spéc. Foie gras. Tartare de saumon frais. Gibier (saison). **Vins** Gewürztraminer, Pinot noir.

RENAULT Gar. Wetta, St-Blaise-la-Roche ✆ 88 97 60 84 N ✆ 88 97 60 84

COLY **24** Dordogne **75** ⑦ – rattaché au Lardin-St-Lazare.

La COMBE **73** Savoie **74** ⑮ – rattaché à Aiguebelette-le-Lac.

COMBEAUFONTAINE 70120 H.-Saône 66 ⑤ – 446 h alt. 259.

Paris 343 – ◆Besançon 62 – Bourbonne-les-Bains 37 – Épinal 81 – Gray 41 – Langres 50 – Luxeuil-les-Bains 54 – Vesoul 25.

Balcon, ✆ 84 92 11 13, Fax 84 92 15 89 – TV ☎ – 25. AE ⓓ GB. ✻ ch
fermé 24 juin au 3 juil., dim. soir et lundi – **Repas** 145/380, enf. 80 – ☕ 40 – **17 ch** 200/380 – ½ P 280.

La COMBE-DES-ÉPARRES 38 Isère 74 ⑬ – rattaché à Bourgoin-Jallieu.

COMBLOUX 74920 H.-Savoie 74 ⑧ **G. Alpes du Nord** – 1 716 h alt. 980 – Sports d'hiver : 1 100/1 853 m 24.

Voir La Cry ✻★★ O : 3 km.

Office de Tourisme ✆ 50 58 60 49, Fax 50 93 33 55.

Paris 591 – Chamonix-Mont-Blanc 30 – Annecy 74 – Bonneville 34 – Megève 5 – Morzine 52 – St-Gervais-les-Bains 10

Ducs de Savoie ⛰, au Bouchet ✆ 50 58 61 43, Fax 50 58 67 43, ≤ Mt-Blanc, ⛰, ⛰, – TV ☎ P – 30. AE ⓓ GB
1er juin-10 oct. et 15 déc.-25 avril – **Repas** 145/215 – ☕ 50 – **50 ch** 650 – ½ P 520.

Au Coeur des Prés ⛰, ✆ 50 93 36 55, Fax 50 58 69 14, ≤ Aravis et Mt-Blanc, – TV ☎ P – 25. GB
16 mai-20 sept. et 20 déc.-Pâques – **Repas** 110 (dîner), 115/195 – ☕ 45 – **33 ch** 510 – ½ P 380/440.

Idéal-Mont-Blanc ⛰, ✆ 50 58 60 54, Fax 50 58 64 50, ≤ Mt-Blanc, – TV ☎ P. AE ⓓ GB
25 juin-15 sept. et 20 déc.-début avril – **Repas** 205/235, enf. 73 – ☕ 59 – **28 ch** 479/588 – ½ P 468/520.

Feug M ⛰, ✆ 50 93 00 50, Fax 50 21 21 44, ≤, – TV ☎ P. AE GB ✻ rest
fermé 15 oct. au 20 déc. – **Repas** 95/195 – ☕ 45 – **28 ch** 440/610 – ½ P 405/435.

Plein Soleil ⛰, ✆ 50 58 60 81, Fax 50 93 38 54, ≤ Mt-Blanc, – TV ☎ P. AE GB. ✻ rest
24 juin-8 sept. et Noël-5 avril – **Repas** (dîner seul.) 158 – ☕ 60 – **27 ch** 480/500 – ½ P 430/448.

au Haut-Combloux O : 3,5 km – ✉ 74920 Combloux :

Rond-Point des Pistes ⛰, ✆ 50 58 68 55, Fax 50 93 30 54, ≤ Mt-Blanc – TV ☎ P GB
15 juin-15 sept. et 20 déc.-10 mars – **Repas** 130/220 – ☕ 45 – **29 ch** 380/525 – ½ P 360/490

CITROEN Gar. du Perret, ✆ 50 58 60 92 PEUGEOT Gar. des Cimes, ✆ 50 93 00 60

COMBOURG 35270 I.-et-V. 59 ⑯ **G. Bretagne** – 4 843 h alt. 45.

Voir Château★.

18 Château des Ormes ✆ 99 48 40 27, N par D 795 : 13 km.

Office de Tourisme pl. A.-Parent (juin-sept.) ✆ 99 73 13 93.

Paris 384 – St-Malo 36 – Avranches 50 – Dinan 24 – Fougères 48 – ◆Rennes 39 – Vitré 56.

Château, pl. Châteaubriand ✆ 99 73 00 38, Fax 99 73 25 79, – TV ☎ P – 35. AE ⓓ GB
fermé 15 déc. au 15 janv., dim. soir du 15 oct. au 1er mai et lundi midi – **Repas** 69/237 – ☕ 46 – **32 ch** 270/480 – ½ P 280/380.

Lac, pl. Châteaubriand ✆ 99 73 05 65, Fax 99 73 23 34, ≤ – TV ☎ P. AE ⓓ GB
fermé nov., dim. soir hors sais. et vend. sauf le soir en sais. – **Repas** 65/190, enf. 48 – ☕ 35 – **28 ch** 260/360 – ½ P 260/285.

L'Écrivain, pl. St-Gilduin ✆ 99 73 01 61, – GB
fermé 16 sept. au 3 oct., 20 fév. au 20 mars, merc. soir hors sais. et jeudi – **Repas** 70/163, enf. 50.

COMBREUX 45530 Loiret 64 ⑩ **G. Châteaux de la Loire** – 142 h alt. 130.

Voir Étang de la Vallée★ NO : 2 km.

Paris 110 – ◆Orléans 37 – Châteauneuf-sur-Loire 13 – Gien 50 – Montargis 34 – Pithiviers 28.

Croix Blanche ⛰ avec ch, ✆ 38 59 47 62, Fax 38 59 41 35, – ☎ P. GB
fermé 15 au 30 nov. – **Repas** *(fermé dim. soir et lundi)* 120/180 – ☕ 32 – **7 ch** 220/260 – ½ P 300.

COMMENTRY 03600 Allier 73 ③ **G. Auvergne** – 8 021 h alt. 407.

Paris 341 – Moulins 65 – Aubusson 78 – Gannat 49 – Montluçon 15 – Riom 66.

St-Christophe sans rest, 30 bis r. Lavoisier ✆ 70 64 31 27, Fax 70 64 53 21 – ☎ P. GB
☕ 30 – **22 ch** 160/190.

Michel Rubod, 47 r. J.-J. Rousseau ✆ 70 64 45 31, Fax 70 64 33 17 – GB
fermé 29 juil. au 19 août, 23 déc. au 6 janv., dim. soir et lundi – **Repas** 120/390.

CITROEN Gar. Gauvin, 16 r. Danton ✆ 70 64 33 32
FORD Gar. Bougaret, 3 r. J.-Dormoy ✆ 70 64 43 51
Almeida Pneus Sce, 7 r. Dr-Paul Fabre ✆ 70 64 48 33

COMPIÈGNE <SP> **60200** Oise 56 ② 106 ⑩ **G. Flandres Artois Picardie** – 41 896 h alt. 41.

Voir Palais★★★ BYZ : musée de la voiture★★ – Hôtel de ville★ BZ **H** – Musée de la Figurine historique★ BZ **M** – Musée Vivenel : vases grecs★★ AZ **M**[1].

Env. Forêt★★ – Clairière de l'Armistice★★ : wagon du Maréchal Foch, statue du Maréchal Foch – Château de Pierrefonds★★ 14 km par ③.

℘ 44 40 15 73.

Office de Tourisme pl. Hôtel de Ville, ℘ 44 40 01 00, Fax 44 40 23 28.

Paris 80 ⑥ – ♦Amiens 78 ⑦ – Arras 108 ⑦ – Beauvais 59 ⑥ – Douai 123 ⑦ – St-Quentin 60 ① – Soissons 38 ②.

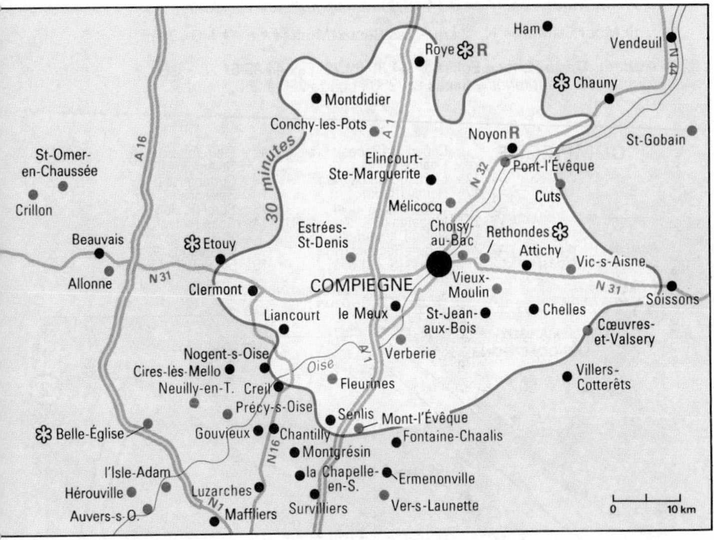

Université M sans rest, 24 r. N.-D. Bonsecours ℘ 44 23 27 27, Fax 44 86 06 53 – ... 30 à 100. AE GB JCB — AZ **s**
50 – **50 ch** 340/470.

de Harlay sans rest, 3 r. Harlay ℘ 44 23 01 50, Fax 44 20 19 46 – ... AE GB — AY **a**
43 – **20 ch** 300/370.

Flandre sans rest, 16 quai République ℘ 44 83 24 40, Fax 44 90 02 75 – ... GB — AY **u**
35 – **42 ch** 225/280.

XXX **Host. Royal-Lieu** avec ch, 9 r. Senlis à Royallieu par ⑤ : 2 km ℘ 44 20 10 24, Fax 44 86 82 27, ... AE GB. ch
Repas 164/368 et carte 260 à 350, enf. 60 – 45 – **17 ch** 475/625, 3 appart.

XXX **La Part des Anges,** 18 r. Bouvines ℘ 44 86 00 00, Fax 44 86 09 00, ... AE GB — AZ **d**
fermé 1er au 20 août, dim. soir et lundi midi – **Repas** 140/290 et carte 230 à 330.

XXX **Rive Gauche,** 13 cours Guynemer ℘ 44 40 29 99, Fax 44 40 38 00 – GB — BY **e**
fermé sam. midi et lundi – **Repas** 120/160 et carte 200 à 250.

XXX **Laudigeois et H. du Nord** avec ch, pl. Gare ℘ 44 83 22 30, Fax 44 90 11 87 – ... 30. GB — AY **b**
fermé août et dim. soir – **Repas** 205 et carte 260 à 360 – **20 ch** 260/310 – ½ P 315.

à Élincourt-Ste-Marguerite par ① et D 142 : 15 km – 681 h. alt. 83 – ✉ **60157** :

Château de Bellinglise, N : 1 km ℘ 44 96 00 33, Fax 44 96 03 00, ≤, « Demeure du 16e siècle dans un parc », ... 100. AE GB JCB
Repas *(fermé dim. soir et lundi de déc. à mars sauf fériés)* 195/350, enf. 100 – 74 – **33 ch** 710/1380 – ½ P 640/715.

à Mélicocq par ① et D 142 : 14 km – 587 h. alt. 65 – ✉ **60150** :

XX **Aub. des Chiens Rouges,** ℘ 44 76 05 50 – AE GB
fermé 27 fév. au 6 mars, 6 au 27 août, sam. midi, dim. soir et lundi – **Repas** 135.

à Choisy-au-Bac par ② : 5 km – 3 786 h. alt. 40 – ✉ **60750** :

XX **Aub. des Étangs du Buissonnet,** ℘ 44 40 17 41, Fax 44 85 28 18, ... – GB
fermé 20 au 30 déc., dim. soir et lundi sauf midi fériés – **Repas** 140/250.

à Rethondes par ② : 10 km – 591 h. alt. 38 – ✉ **60153**.

Voir St-Crépin-aux-Bois : mobilier★ de l'église NE : 4 km.

XXX ✽ **Alain Blot,** ✆ 44 85 60 24, Fax 44 85 92 35, 余 – AE GB
fermé sam. midi, dim. soir et lundi – **Repas** (nombre de couverts limité, prévenir) 200/350 carte 350 à 440
Spéc. Magret et foie de canard fumés à chaud. Parmentier de canard aux champignons sauvages (saison). Assie tout chocolat.

à Vieux-Moulin par ③ et D 14 : 9,5 km – 495 h. alt. 49 – ✉ **60350**.

Voir Mont St-Marc★ N : 2 km – Les Beaux-Monts★★ : ≤★ NO : 7 km.

XXX **Aub. du Daguet,** face Église ✆ 44 85 60 72, Fax 44 85 61 28 – GB
fermé merc. sauf fériés – **Repas** 120/250 et carte 220 à 350.

COMPIÈGNE

Hôtel-de-Ville (Pl. de l') **AZ** 12
Paris (R. de) **AZ** 17
St-Corneille (R.) **AZ** 20
Solferino (R.) **AYZ** 25

Austerlitz (R. d') **AZ** 2
Boucheries (R. des) **AZ** 3
Capucins (R. des) **AZ** 4
Change (Pl. du) **AZ** 5
Clemenceau (Av. G.) **BY** 6
Harlay (R. du) **AY** 10
Lombards (R. des) **BZ** 13
Magenta (R.) **BZ** 14
Notre-Dame-de-Bon-Secours (R.) **AZ** 15
Noyon (R. de) **AY** 16
Pierrefonds (R. de) **BZ** 18
St-Antoine (R.) **AZ** 19
St-Jacques (Pl.) **BZ** 22
Soissons (R. de) **BY** 24
Sorel (R. du Prés.) **AZ** 26
Sous-Préfecture (R. de la) **BZ** 27
5e Dragons (Pl. du) **BY** 28
54e Rgt. d'Infanterie (Pl.) **AY** 30

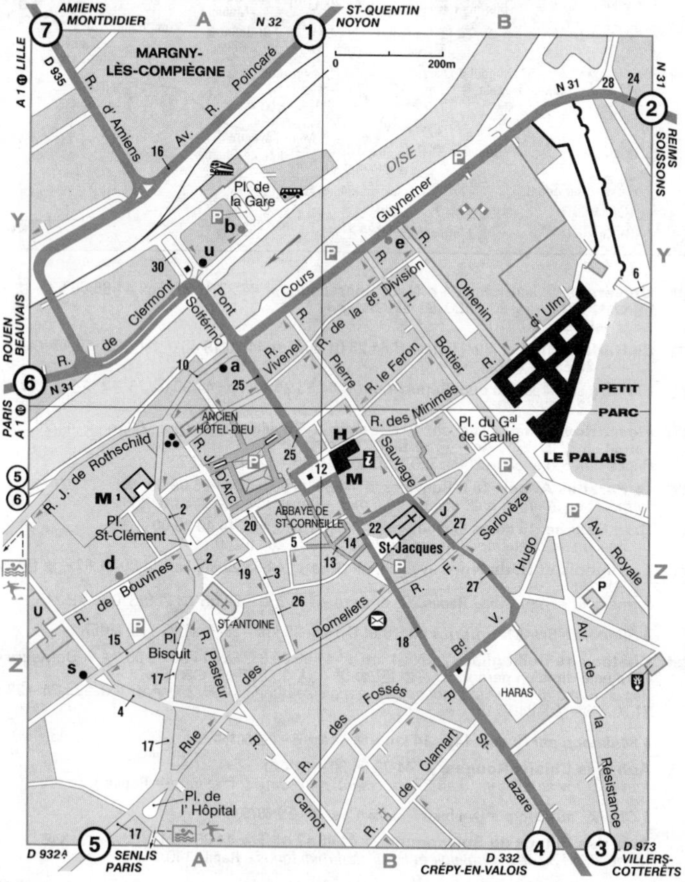

à St-Jean-aux-Bois par ④ et D 85 : 11 km – 319 h. alt. 71 – ✉ 60350.

Voir Église★.

XXX **A la Bonne Idée** avec ch, ☎ 44 42 84 09, Fax 44 42 80 45, – TV ☎ & P – 30. AE GB
Repas 100/385 et carte 300 à 430, enf. 50 – ☐ 55 – **23 ch** 385/430 – ½ P 360.

Z.A.C. de Mercières par ⑤ et D 200 : 6 km – ✉ 60200 :

Mercure M, carrefour J. Monnet ☎ 44 30 30 30, Télex 155912, Fax 44 30 30 44, – TV ☎ & P – 60 à 150. AE ⓓ GB
Repas 105, enf. 50 – ☐ 55 – **92 ch** 450/490.

Relais Impérial, av. Berthelot ☎ 44 20 11 11, Fax 44 20 41 60 – TV ☎ & P – 50 à 100. AE ⓓ GB
Repas 95/130 – ☐ 49 – **48 ch** 320/385 – ½ P 300.

au Meux par ⑤, D 200 et D 98 : 11 km – 1 471 h. alt. 50 – ✉ 60880 :

La Vieille Ferme, ☎ 44 41 58 54, Fax 44 41 23 50 – TV ☎ P. GB
fermé 5 au 26 août, 23 déc. au 7 janv., lundi (sauf hôtel) et dim. soir – **Repas** 90 bc/220 bc, enf. 55 – ☐ 35 – **14 ch** 240/310 – ½ P 220/245.

ALFA ROMEO St Germain Auto, 2 bis r. Chevreuil ☎ 44 20 29 94
BMW St-Merri Auto, av. H.-Adenot, ZAC de Mercières ☎ 44 86 50 00
CITROEN S.A.D.A.C., r. Fonds-Pernant ZAC de Mercières par r. J.-de-Rothschild ☎ 44 20 26 00 N ☎ 09 37 64 23
FIAT, LANCIA Gar. SOVA, ZAC de J.-Venette, 63 r. des Métiers ☎ 44 90 06 06
HONDA Auto Style Compiègne, av. H.-Adenot, ZAC de Mercières ☎ 44 23 08 11
MERCEDES Gar. Techstar, av. Berthelot, ZAC de Mercières ☎ 44 23 08 22 N ☎ 44 72 03 79
PEUGEOT Safari Compiègne, r. C.-Bayard par r. J.-de-Rothschild ☎ 44 92 24 24 N ☎ 05 44 24 24
RENAULT Gar. Guinard, av. Gén.-Weigand par r. J.-de-Rothschild ☎ 44 92 55 55 N ☎ 22 37 71 37
VAG Gar. Thiry, Ctre Cial de Venette ☎ 44 90 71 00

Bouvet Pneu Vulcopneu, r. d'Austerlitz ☎ 44 23 22 17
Charlier Pneu Point S, 177 r. V.-Hugo à Margny-lès-Compiègne ☎ 44 83 38 69
Euromaster, r. J.-de-Vaucanson, ZAC de Mercières ☎ 44 20 20 22
Pneu Paris Normandie-Vulcopneu, ZI Choisy au Bac ☎ 44 85 26 26

COMPS-SUR-ARTUBY 83840 Var 84 ⑦ 114 ⑩ G. Alpes du Sud – 272 h alt. 898.

Env. Balcons de la Mescla★★★ NO : 14,5 km – Tunnels de Fayet ≤★★★ O : 20 km.

Paris 825 – Digne-les-Bains 81 – Castellane 28 – Draguignan 31 – Grasse 60 – Manosque 95.

Gd H. Bain, ☎ 94 76 90 06, Fax 94 76 92 24, ≤ – TV ☎ P. GB. ch
fermé 12 nov. au 24 déc., merc. soir et jeudi du 1er oct. au 1er avril – **Repas** 78/185, enf. 50 – ☐ 35 – **18 ch** 175/330 – ½ P 220/265.

CONCARNEAU 29900 Finistère 58 ⑪ ⑮ G. Bretagne – 18 630 h alt. 4.

Voir Ville Close★★ C – Musée de la Pêche★ C **M1** – Pont du Moros ≤★ B – Fête des Filets bleus★ (fin août).

18 de Quimper et de Cornouaille ☎ 98 56 97 09 par ① : 8 km.

Office de Tourisme quai d'Aiguillon ☎ 98 97 01 44, Fax 98 50 88 81.

Paris 541 ① – Quimper 23 ① – ◆Brest 93 ① – Lorient 51 ① – St-Brieuc 131 ① – Vannes 103 ①.

Plan page suivante

Océan M, plage Sables Blancs ☎ 98 50 53 50, Fax 98 50 84 16, ≤, – TV ☎ & P – 40. GB. rest — A r
Repas *(fermé 10 janv. au 10 fév., dim. soir et sam. d'oct. à mars)* 99/260, enf. 48 – ☐ 49 – **73 ch** 450/590, 17 duplex – ½ P 390/420.

Les Halles sans rest, pl. Hôtel de Ville ☎ 98 97 11 41, Fax 98 50 58 54 – TV ☎. AE GB — C s
fermé dim. hors sais. – ☐ 30 – **23 ch** 280/340.

de France et d'Europe sans rest, 9 av. Gare ☎ 98 97 00 64, Fax 98 50 76 66 – TV ☎ P. AE GB — C b
fermé sam. du 15 nov. au 15 mars – ☐ 32 – **26 ch** 260/340.

XXX ✿ **Le Galion** (Gaonac'h) avec ch, 15 r. St-Guénolé ☎ 98 97 30 16, Fax 98 50 67 88 – TV ☎. AE ⓓ GB — C e
6 avril-31 oct. – **Repas** *(fermé lundi midi du 16 juin au 15 sept., dim. soir et lundi hors sais. sauf fériés)* (nombre de couverts limité, prévenir) 195/380 et carte 280 à 360 – ☐ 42 – **5 ch** 420 – ½ P 460/470
Spéc. Turbot à la béarnaise de homard. Blanquette de langoustines aux asperges (avril au 15 juin). Soufflés.

XX **La Coquille,** quai Moros ☎ 98 97 08 52, Fax 98 50 69 13, – AE ⓓ GB — B k
fermé 5 au 14 mai, 6 au 27 janv., dim. soir hors sais. et lundi – **Repas** 120 (déj.), 150/390.

XX **Le Buccin,** 1 r. Duguay-Trouin ☎ 98 50 54 22, Fax 98 50 70 37 – GB. — C v
fermé 21 au 27 oct., 3 au 23 fév., dim. soir hors sais. et lundi – **Repas** 95/285, enf. 60.

XX **Chez Armande,** 15 bis av. Dr Nicolas ☎ 98 97 00 76 – AE ⓓ GB — C d
fermé 20 déc. au 20 janv., mardi soir sauf juil.-août et merc. – **Repas** 89/186.

XX **La Gallandière,** 3 pl. Gén. de Gaulle ☎ 98 97 16 34, Fax 98 50 69 78 – GB — C n
fermé vacances de fév., jeudi soir en sais., dim. soir et jeudi hors sais. – **Repas** 90/175.

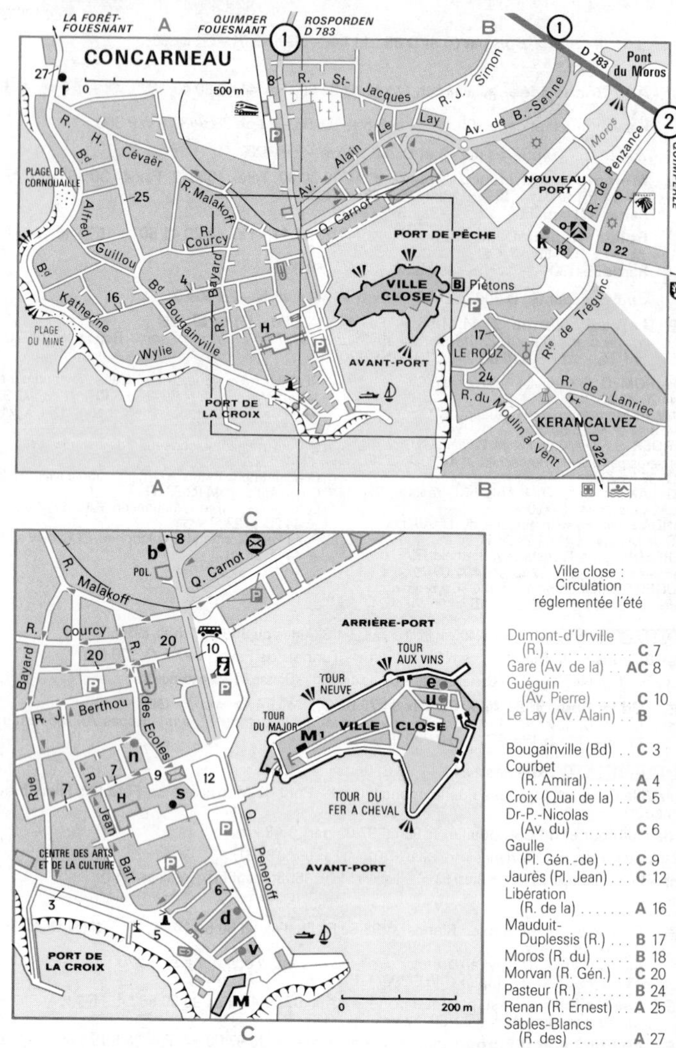

Dumont-d'Urville (R.) . . . . C 7
Gare (Av. de la) . . AC 8
Guéguin (Av. Pierre) . . . . . C 10
Le Lay (Av. Alain) . . B

Bougainville (Bd) . . C 3
Courbet (R. Amiral) . . . . . . A 4
Croix (Quai de la) . . C 5
Dr-P.-Nicolas (Av. du) . . . . C 6
Gaulle (Pl. Gén.-de) . . . . C 9
Jaurès (Pl. Jean) . . . C 12
Libération (R. de la) . . . . A 16
Mauduit-Duplessis (R.) . . . B 17
Moros (R. du) . . . . . B 18
Morvan (R. Gén.) . . C 20
Pasteur (R.) . . . . B 24
Renan (R. Ernest) . . A 25
Sables-Blancs (R. des) . . . . A 27

X **L'Assiette du Pêcheur,** 12 r. St-Guénolé ✆ 98 50 75 84, Fax 98 50 67 88 – GB
6 avril-20 sept. et fermé lundi midi du 16 juin au 10 sept. dim. soir et lundi hors sais. sauf fériés – **Repas** - produits de la mer - (en saison, prévenir) 90. C u

CITROEN Gar. Duquesne, 4 r. Moros, ZI du Port ✆ 98 97 48 00
PEUGEOT Gar. Nedelec, ZI du Moros ✆ 98 97 46 33 N ✆ 98 62 29 12

RENAULT Gar. de Penanguer, rte de Quimper par ① ✆ 98 97 36 06 N ✆ 05 05 15 15

CONCHES-EN-OUCHE **27190** Eure 55 ⑯ **G. Normandie Vallée de la Seine** (plan) – 4 009 h alt. 123.
Voir Église Ste-Foy★.
Paris 121 – L'Aigle 37 – Bernay 33 – Dreux 49 – Évreux 18 – ♦Rouen 57.

XX **La Grand'Mare** avec ch, 13 av. Croix de Fer ✆ 32 30 23 30, Fax 32 30 23 30 – GB
fermé dim. soir et lundi – **Repas** 98/155 – ☕ 30 – **7 ch** 120/195.

Gar. Castelin, 51 r. du Bois ✆ 32 30 20 20

ONCHY-LES-POTS 60490 Oise 56 ② – 462 h alt. 106.

is 98 – ♦Amiens 49 – Compiègne 25 – Beauvais 67 – Montdidier 12 – Roye 13.

XX **Le Relais,** N 17 ✆ 44 85 01 17, Fax 44 85 00 58 – P. GB
fermé 1er au 12 juil., 18 au 28 fév., sam. midi du 1er nov. à Pâques, dim. soir et lundi – **Repas** 135/350.

ONCORET 56430 Morbihan 59 ⑮ – 626 h alt. 100.

is 396 – ♦Rennes 47 – Dinan 55 – Loudéac 45 – Ploërmel 24 – Vannes 74.

X **Chez Maxime** avec ch, ✆ 97 22 63 04, Fax 97 22 67 12 – GB
hôtel : ouvert Pâques-1er nov. et fermé mardi et merc. – **Repas** *(fermé 15 au 30 nov., vacances de fév., mardi soir et merc.)* 85/185 – ☕ 28 – **9 ch** 115/179 – ½ P 148/165.

ONDÉ-STE-LIBIAIRE 77450 S.-et-M. 56 ⑫ 106 ㉒ – 1 365 h alt. 47.

is 44 – Coulommiers 22 – Lagny-sur-Marne 11,5 – Meaux 9,5 – Melun 48.

XX **Vallée de la Marne,** quai Marne ✆ (1) 60 04 31 01, Fax (1) 64 63 15 83, 🏠, 🌳 – P. AE GB
fermé août, lundi soir et mardi – **Repas** 140/220.

ONDÉ-SUR-NOIREAU 14110 Calvados 55 ⑪ **G. Normandie Cotentin** – 6 309 h alt. 85.

de Clécy-Cantelou ✆ 31 69 72 72, NO par D 36 : 9 km.

Office de Tourisme ✆ 31 69 27 64 ou à la Mairie ✆ 31 69 02 82.

ris 281 – ♦Caen 46 – Argentan 54 – Falaise 31 – Flers 11,5 – Vire 25.

X **Cerf** avec ch, 18 r. Chêne ✆ 31 69 40 55, Fax 31 69 78 29 – TV ☎ P. AE ◑ GB
fermé dim. soir – **Repas** 67/160 🍼, enf. 47 – ☕ 28 – **9 ch** 204/214 – ½ P 220.

à St-Germain-du-Crioult O : 4,5 km sur rte Vire – 819 h. alt. 184 – ✉ **14110** :

X **Aub. St-Germain** avec ch, ✆ 31 69 08 10, Fax 31 69 14 67 – TV ☎. GB. ✗
fermé 1er au 8 août, 15 déc. au 15 janv., vend. soir d'oct. à avril et dim. soir (sauf hôtel du 1/5 au 30/9) – **Repas** 72/155 🍼, enf. 45 – ☕ 21 – **9 ch** 180/220 – ½ P 175/210.

ONDOM SP 32100 Gers 79 ⑭ **G. Pyrénées Aquitaine** (plan) – 7 717 h alt. 81.

oir Cathédrale St-Pierre★ : Cloître★.

Office de Tourisme pl. Bossuet ✆ 62 28 00 80, Fax 62 28 00 80.

ris 730 – Agen 39 – Auch 44 – Mont-de-Marsan 81 – ♦Toulouse 123.

🏨 **Trois Lys** sans rest, 38 r. Gambetta ✆ 62 28 33 33, Fax 62 28 41 85, « Hôtel particulier du 18e siècle », 🏊 – TV ☎ 📞 P – 🏛 25. AE GB
fermé du 4 au 10 nov. et fév. – ☕ 40 – **10 ch** 380/550.

🏨 **Logis des Cordeliers** 🔇 sans rest, r. de la Paix ✆ 62 28 03 68, Fax 62 68 29 03, 🏊 – TV ☎ P. GB
fermé janv. – ☕ 35 – **21 ch** 250/390.

TROEN Gar. Pinson, 11 rte d'Agen ✆ 62 28 12 19
UGEOT Gar. Durrieu, bd St-Jacques 62 28 00 53 N ✆ 62 28 00 53
ENAULT Gar. Rottier, allées de Gaulle 62 28 22 55 N ✆ 62 22 29 36
VAG Gar. Andreu, rte de Fleurance ✆ 62 28 18 86 N ✆ 62 28 18 86
Euromaster, 7 av. Armagnac ✆ 62 28 01 91
Rivière Point S, 21 av. Pyrénées ✆ 62 28 01 20

ONDRIEU 69420 Rhône 74 ⑪ **G. Vallée du Rhône** – 3 093 h alt. 150.

oir Calvaire ≤★.

Syndicat d'Initiative pl. du Séquoïa N 86 ✆ 74 56 62 83.

ris 501 – ♦Lyon 41 – Annonay 35 – Rive-de-Gier 21 – Tournon-sur-Rhône 52 – Vienne 11,5.

🏨 ✿ **Hôtellerie Beau Rivage,** ✆ 74 59 52 24, Fax 74 59 59 36, 🏠, « Terrasse avec vue agréable sur le Rhône », 🌳 – ▤ TV ☎ 🚗 P. AE ◑ GB
Repas 170 bc (déj.), 280/610 et carte 310 à 420 – ☕ 65 – **20 ch** 520/750, 4 appart
Spéc. Quenelle de brochet, salpicon de homard. Fleurs de courgettes farcies à la mousse de brochet (15 mai au 15 oct.). Côte de boeuf aux échalotes confites (15 oct. au 15 mai). **Vins** Condrieu, Côte-Rôtie.

X **La Reclusière,** 39 Gde rue ✆ 74 56 67 27, Fax 74 56 67 27 – GB
fermé 16 au 31 août, 20 janv. au 15 fév., dim. soir, merc. soir et jeudi – **Repas** 65/145 🍼.

CONFLANS-STE-HONORINE 78700 Yvelines 55 ⑳ 101 ③ **G. Ile de France** (plan) – 31 467 h alt. 25 - ardon national de la Batellerie (fin juin).

oir ≤★ de la terrasse du parc.

Office de Tourisme 23 r. M.-Berteaux ✆ 34 90 99 09.

aris 39 – Mantes-la-Jolie 39 – Poissy 11 – Pontoise 8 – St-Germain-en-Laye 13 – Versailles 28.

🏨 **Campanile,** 91 r. Cergy - N 184 ✆ (1) 39 19 21 00, Fax (1) 39 19 36 57, 🏠 – 🚭 TV ☎ 📞 ♿ P – 🏛 25. AE ◑ GB
Repas 84 bc/107 bc, enf. 39 – ☕ 32 – **50 ch** 270.

XX **Au Confluent de l'Oise,** 15 cours Chimay ✆ (1) 39 72 60 31, Fax (1) 39 19 99 90, ≤, 🏠 – P. AE GB
fermé 8 au 18 mars, 5 au 30 août, dim. soir et lundi – **Repas** 100/198 bc.

X **Au Bord de l'Eau,** 15 quai Martyrs-de-la-Résistance ✆ (1) 39 72 86 51 – ▤
fermé 8 au 22 août, lundi et le soir sauf vend. et sam. – **Repas** 155.

CONLEAU 56 Morbihan 63 ③ – rattaché à Vannes.

CONNAUX 30 Gard 80 ⑲ ⑳ – rattaché à Bagnols-sur-Cèze.

CONNELLES 27430 Eure 55 ⑦ – 154 h alt. 15.

Paris 114 – ♦Rouen 37 – Les Andelys 13 – Évreux 32 – Vernon-sur-Eure 39.

Moulin de Connelles ⑤, D 19 ✆ 32 59 53 33, Fax 32 59 21 83, ≤, 余, « Belle demeure normande dans un parc au bord de la Seine », ⛱, ✗ – TV ☎ P. AE ⊙ GB JCB
fermé janv., dim. soir et lundi de sept. à mai – **Repas** 135/280, enf. 70 – ☐ 65 – **7 ch** 500/650 6 appart – ½ P 475/525.

CONQUES 12320 Aveyron 80 ① ② **G. Gorges du Tarn** (plan) – 362 h alt. 350.

Voir Site★★ – Église Ste-Foy★★ : tympan du portail Ouest★★★ et trésor★★★ – Le Cendié ≤★ O 2 km par D 232 – Site du Bancarel ≤★ S : 3 km par D 901.

Office de Tourisme ✆ 65 72 85 00.

Paris 629 – Rodez 39 – Aurillac 56 – Espalion 50 – Figeac 44.

Ste-Foy ⑤, ✆ 65 69 84 03, Fax 65 72 81 04, 余 – |‡| ☎. AE GB. ✗ rest
Pâques-1er nov. – **Repas** (nombre de couverts limité, prévenir) 160/320 – ☐ 60 – **17 ch** 500/950 – ½ P 475/675.

Aub. St-Jacques ⑤, ✆ 65 72 86 36, Fax 65 72 82 47 – ☎ P. ⊙ GB. ✗ rest
fermé janv. et lundi de nov. à avril – **Repas** 83/145 ♂ – ☐ 28 – **14 ch** 230/290 – ½ P 240/260

Le CONQUET 29217 Finistère 58 ③ **G. Bretagne** – 2 149 h alt. 30.

Voir Site★.

Office de Tourisme Parc de Beauséjour ✆ 98 89 11 31, Fax 98 89 08 20.

Paris 620 – ♦Brest 24 – Brignogan-Plages 58 – St-Pol-de-Léon 85.

Pointe Ste-Barbe ⑤, ✆ 98 89 00 26, Fax 98 89 14 81, ≤ mer et les îles – |‡| TV ☎ ✆ ♿ P – 🔏 40. AE ⊙ GB. ✗ rest
fermé 12 nov. au 17 déc. – **Repas** *(fermé lundi sauf du 1er juil. au 15 sept.)* 96/446, enf. 55 ☐ 36 – **49 ch** 189/619 – ½ P 306/522.

à la Pointe de St-Mathieu S : 4 km – ✉ 29217 Plougonvelin.

Voir Phare ✻★★ – Ruines de l'église abbatiale★.

Host. de la Pointe St-Mathieu M, ✆ 98 89 00 19, Fax 98 89 15 68, ≤ – |‡| TV ☎ ♿ 🔏 30. AE GB
fermé mi-janv. à mi-fév. – **Repas** *(fermé dim. soir sauf juil.-août)* 98/400, enf. 50 – ☐ 36 **15 ch** 300/400 – ½ P 300/355.

RENAULT Gar. Taniou, ✆ 98 89 00 29

Les CONTAMINES-MONTJOIE 74170 H.-Savoie 74 ⑧ **G. Alpes du Nord** – 994 h alt. 1164 – Sports d'hiver : 1 164/2 500 m ≤3 ≴23 ⛷.

Voir ≤★ sur gorges de la Gruvaz NE : 5 km.

Office de Tourisme pl. Mairie ✆ 50 47 01 58, Fax 50 47 09 54.

Paris 606 – Chamonix-Mont-Blanc 32 – Annecy 89 – Bonneville 49 – Megève 19 – St-Gervais-les-Bains 8,5.

La Chemenaz et rest. la Trabla, ✆ 50 47 02 44, Fax 50 47 12 73, ≤, 余, ⛱, 🌳 – |‡| TV ☎ P. GB
15 juin-10 sept. et 15 déc.-15 avril – **Repas** 110 (déj.), 125/150, enf. 60 – ☐ 50 – **38 ch** 535 ½ P 440.

Gai Soleil ⑤, ✆ 50 47 02 94, ≤, 🌳 – ☎ P. GB. ✗ rest
15 juin-16 sept. et 20 déc.-20 avril – **Repas** 99/140 – ☐ 36 – **19 ch** 280/420 – ½ P 320/350.

Le Chamois, ✆ 50 47 03 43, Fax 50 47 12 59, ≤, 🌳 – cuisinette TV ☎ P. GB
hôtel : 25 juin-15 sept. et 21 déc.-15 avril ; rest. : 25 juin-31 août et 21 déc.-15 avril – **Repas** (dîner seul. en été) 140 (déj.), 150/210 – ☐ 43 – **20 ch** 295/430 – ½ P 370/375.

Christiania, ✆ 50 47 02 72, Fax 50 47 06 90, ≤, 余, ⛱, 🌳 – TV ☎ P. AE ⊙ GB
15 juin-15 sept. et 15 déc.-15 avril – **Repas** snack (dîner seul. en été) 68/108 ♂ – ☐ 38 **14 ch** 205/450 – ½ P 360.

Le Vivier et H. Le Miage M ⑤ avec ch, ✆ 50 47 01 63, Fax 50 47 14 08, 余, 🌳 cuisinette TV ☎ P. GB
20 juin-10 sept. et 20 déc.-25 avril – **Repas** *(ouvert merc., jeudi et vend. le soir et dim. midi)* 130/150, enf. 50 – ☐ 45 – **14 ch** 500/600.

Les nouveaux Guides Verts touristiques Michelin, c'est :
– un texte descriptif plus riche,
– une information pratique plus claire,
– des plans, des schémas et des photos en couleurs,
... et, bien sûr, une actualisation détaillée et fréquente.
Utilisez toujours la dernière édition.

CONTAMINE-SUR-ARVE 74130 H.-Savoie 74 ⑦ – 1 125 h alt. 450.

aris 550 – Annecy 44 – Thonon-les-Bains 36 – Bonneville 8 – Chamonix-Mont-Blanc 62 – Genève 19 – Megève 50 – 'lorzine 47.

XX **Tourne Bride** avec ch, ✆ 50 03 62 18, Fax 50 03 91 99 – GB
fermé 15 au 28 juil., dim. soir et lundi – **Repas** 68 (déj.), 96/165 ♃ – ☕ 28 – **8 ch** 160/195 – ½ P 180/200.

CONTEVILLE 27210 Eure 55 ④ – 701 h alt. 33.

'aris 185 – ◆Le Havre 33 – Évreux 75 – Honfleur 13 – Pont-Audemer 12 – Pont-l'Évêque 28.

XX ✿ **Aub. du Vieux Logis** (Louet), ✆ 32 57 60 16, Fax 32 57 45 84 – AE ⓓ GB JCB
fermé 20 janv. au 1er mars, mardi soir et merc. – **Repas** 145 (déj.)/295 et carte 270 à 360
Spéc. Ravioles de Saint-Jacques aux poivrons doux (oct. à mai). Suprême de pigeon en persillade et ses cuisses en croûte. Charlotte tiède à l'ananas et son coulis de mangue.

CONTIS-PLAGE 40 Landes 78 ⑮ – ✉ 40170 St-Julien-en-Born.

'aris 716 – Mont-de-Marsan 76 – ◆Bayonne 89 – Castets 32 – Mimizan 23.

Neptune sans rest, ✆ 58 42 85 28 – P. GB
1er juin-30 sept. – ☕ 27 – **16 ch** 170/280.

CONTRES 41700 L.-et-Ch. 64 ⑰ – 2 979 h alt. 98.

'aris 202 – ◆Tours 64 – Blois 21 – Châteauroux 79 – Montrichard 21 – Romorantin-Lanthenay 26.

France, ✆ 54 79 50 14, Fax 54 79 02 95, 余, Ƒɑ, ⛱ – ⇔ ▤ rest TV ☎ ♿ 🚗 P – 🎪 30. AE ⓓ GB. ✂
Repas *(fermé 1er fév. au 10 mars)* 100/265 – ☕ 51 – **37 ch** 310/430 – ½ P 320/380.

X **La Botte d'Asperges,** ✆ 54 79 50 49, Fax 54 79 08 74 – GB
fermé lundi d'oct. à mars – **Repas** 82/200 ♃, enf. 50.

NE : 6 km par D 122, D 99 et VO – ✉ 41700 Contres :

Château de la Gondelaine ⛰, ✆ 54 79 09 14, Fax 54 79 64 92, « Parc » – TV ☎ P. AE ⓓ GB JCB
fermé 15 janv. au 1er mars – **Repas** *(fermé lundi midi et merc. d'oct. à juin)* 155/280 – ☕ 45 – **15 ch** 450/830 – ½ P 490/550.

à Oisly SO : 6 km par D 675 et D 21 – 319 h. alt. 120 – ✉ 41700 :

XX **St-Vincent,** ✆ 54 79 50 04, Fax 54 79 64 19 – GB
fermé 22 au 29 avril, 21 oct. au 4 nov., dim. soir, lundi et soirs fériés – **Repas** 90/220, enf. 45.

RENAULT Dubreuil Autom., N 15 à Chémery ✆ 54 71 80 06

CONTREVOZ 01 Ain 74 ⑭ – rattaché à Belley.

CONTREXÉVILLE 88140 Vosges 62 ⑭ **G. Alsace Lorraine** – 3 945 h alt. 342 – Stat. therm. – Casino Y.

ℹ Office de Tourisme, r. du Shah de Perse ✆ 29 08 08 68, Fax 29 08 25 40.

Paris 347 ③ – Épinal 46 ① – Langres 67 ② – Luxeuil 69 ② – ◆Nancy 85 ① – Neufchâteau 28 ③.

Cosmos, r. Metz ✆ 29 07 61 61, Fax 29 08 68 67, 余, Ƒɑ, ⛱, 🌳, ✂ – 🛗 TV ☎ 📞 P – 🎪 70 à 50. AE GB. ✂ rest — Y u
27 avril-13 oct. – **Repas** 157/205 – ☕ 47 – **76 ch** 380/451, 5 appart – ½ P 658/679.

H. de l'Établissement, Cour d'Honneur ✆ 29 08 17 30, Fax 29 08 92 38, 余 – 🛗 TV ☎ P. AE GB. ✂ rest — Z e
28 mars-13 sept. – **Repas** 157/205 – ☕ 43 – **29 ch** 297/338 – ½ P 538/551.

Sources, r. Ziwer-Pacha ✆ 29 08 04 48, Fax 29 08 63 01, 🌳 – TV ☎. AE GB. ✂ rest — Z x
avril-oct. – **Repas** 100/200, enf. 55 – ☕ 37 – **40 ch** 230/330 – ½ P 240/295.

La Souveraine sans rest, dans le parc ✆ 29 08 09 59, Fax 29 08 92 38 – TV ☎ P. GB — Y r
☕ 43 – **32 ch** 297/338.

Beauséjour, r. Ziwer-Pacha ✆ 29 08 04 89, Fax 29 08 62 28 – ☎. AE GB. ✂ rest — Z v
avril-5 oct. – **Repas** 98/220 ♃ – ☕ 38 – **31 ch** 220/280.

France, av. Roi Stanislas ✆ 29 08 04 13, Fax 29 08 69 96, 余 – ☎ P. AE GB — Z z
fermé 15 déc. au 15 janv. – **Repas** 80/200 ♃, enf. 55 – ☕ 32 – **33 ch** 160/280 – P 250/330.

CONTREXÉVILLE

Daudet (R.) . . . . Y 2
Division-Leclerc (R.) . . . . . Y 3
Hirschauer (R. du Gén.) . . . Y 4
Shah-de-Perse (R. du) . . . . Y 5
Stanislas (R. du Roi) . . . . . Z 6
Thomson (R. Gaston) . . . . . Z 7
Victoire (R. de la) . . . . Y 8
Wladimir (R. Grande-Duchesse) . . Z 9
Ziwer-Pacha (R.) . . . . Z 10

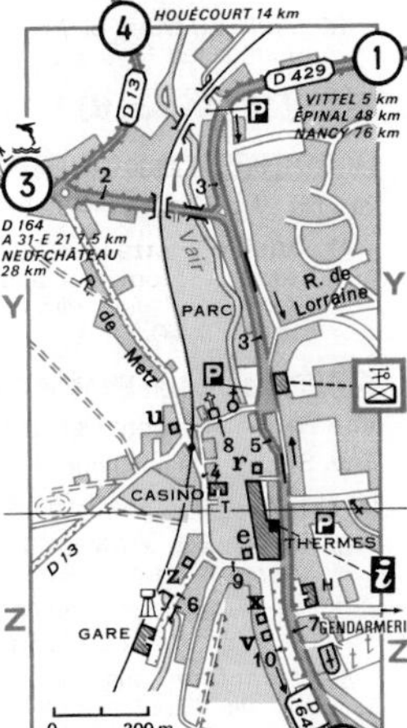

COQUELLES 62 P.-de-C. 51 ② – rattaché à Calais.

La COQUILLE 24450 Dordogne 72 ⑯ – 1 515 h alt. 337.

Paris 443 – ♦Limoges 44 – Brive-la-Gaillarde 82 – Nontron 30 – Périgueux 50 – St-Yrieix-la-Perche 24.

Voyageurs, N 21 ✆ 53 52 80 13, Fax 53 62 18 29, – TV ☎ P. GB
2 mai-30 sept. et fermé lundi (sauf hôtel) et dim. soir du 2 mai au 30 juin – **Repas** 100/260 enf. 60 – 38 – **10 ch** 200/320 – ½ P 210/290.

PEUGEOT Gar. Fauriat, ✆ 53 52 80 60 RENAULT Gar. Fayol, ✆ 53 52 81 35

CORBEHEM 62 P.-de-C. 53 ③ – rattaché à Douai.

CORBEIL-ESSONNES 91 Essonne 61 ①, 101 ㊲, 106 ㉜ – voir à Évry.

CORBIGNY 58800 Nièvre 65 ⑮ **G. Bourgogne** – 1 802 h alt. 203.

Paris 239 – Autun 75 – Avallon 37 – Clamecy 30 – Nevers 57.

La Buissonière, pl. St-Jean ✆ 86 20 02 13, Fax 86 20 13 85, – TV ☎ P. AE GB
Repas *(fermé 10 au 28 fév., dim. soir et lundi)* 79/265 bc – 30 – **23 ch** 250/280 – ½ P 245

CITROEN Gar. Philizot, ✆ 86 20 00 34 FORD Gar. Poinsard, ✆ 86 20 10 88 N ✆ 86 20 10 88

CORDES-SUR-CIEL 81170 Tarn 79 ⑳ **G. Pyrénées Roussillon** (plan) – 932 h alt. 279.

Voir Site★★ – Maisons gothiques★★ – Musée de l'Outil★ à Vindrac-Alayrac O : 5 km.

Office de Tourisme ✆ 63 56 00 52, Fax 63 56 19 52 et pl. Bouteillerie (saison) ✆ 63 56 14 11.

Paris 668 – ♦Toulouse 80 – Albi 25 – Montauban 59 – Rodez 82 – Villefranche-de-Rouergue 46.

✿ **Grand Écuyer** (Thuriès) M , ✆ 63 56 01 03, Fax 63 56 18 83, ≤ vallée, « Demeure gothique, bel intérieur » – TV ☎ – 30. AE GB
Pâques-oct. et fermé mardi midi et lundi sauf juil.-août et fériés – **Repas** 170/360 et carte 330 à 440 – 70 – **12 ch** 600/850 – ½ P 650
Spéc. Foie gras de canard cuit au torchon. "Méli-mélo" d'agneau du pays, sauce à l'ail. Gratin de fraises des bois au citron vert. **Vins** Gaillac.

Host. du Vieux Cordes M , ✆ 63 56 00 12, Fax 63 56 02 47, ≤, – TV ☎. AE GB
fermé janv. – **Repas** *(fermé dim. soir et lundi d'oct. à avril)* 80/180, enf. 50 – 40 – **21 ch** 265/420 – ½ P 295.

Annexe La Cité sans rest, ✆ 63 56 03 53 – ☎. AE GB
15 avril-15 oct. – 30 – **8 ch** 240/280.

CORDON 74 H.-Savoie 74 ⑦ ⑧ – rattaché à Sallanches.

CORENC 38 Isère 77 ⑤ – rattaché à Grenoble.

CORMEILLES-EN-VEXIN 95 Val-d'Oise 55 ⑲, 106 ⑤ – rattaché à Cergy-Pontoise.

CORMERY 37320 I.-et-L. 64 ⑮ **G. Châteaux de la Loire** – 1 323 h alt. 59.

Paris 246 – ♦Tours 22 – Blois 61 – Château-Renault 46 – Loches 21 – Montrichard 31.

XX **Aub. du Mail,** pl. Mail ✆ 47 43 40 32, – GB
fermé 8 au 18 juin, 14 au 30 nov., jeudi soir, vend. soir et sam. midi – **Repas** 98/270, enf. 60

CORNAS 07 Ardèche 76 ⑳ – rattaché à St-Péray.

CORNILLON 30630 Gard 80 ⑨ – 609 h alt. 168.

Paris 667 – Alès 52 – Avignon 50 – Bagnols-sur-Cèze 16 – Pont-St-Esprit 24.

Vieille Fontaine , ✆ 66 82 20 56, Fax 66 82 33 64, ≤, , « Piscine et jardin en terrasses dominant la vallée » – ch TV ☎. AE GB
fermé janv., fév., dim. soir et merc. de sept. à juin – **Repas** 195 – 55 – **8 ch** 550/850 – ½ P 550/700.

CORPS 38970 Isère 77 ⑮ ⑯ **G. Alpes du Sud** – 512 h alt. 939.

Voir Barrage★★, pont★ et lac★ du Sautet O : 4 km.

Env. Site★ de la basilique N.-D. de la Salette, ≤★ N : 15 km par D 212^{c}.

Office de Tourisme (juil.-août) ✆ 76 30 03 85 – Paris 634 – Gap 40 – ♦Grenoble 64 – La Mure 25.

Le Tilleul, ✆ 76 30 00 43, Fax 76 30 06 12, – ☎ . AE GB JCB
fermé 1er nov. au 15 déc. – **Repas** 67/155 , enf. 45 – 30 – **10 ch** 220/270 – ½ P 225/240

Nouvel H., ✆ 76 30 00 35, Fax 76 30 03 00, ≤, – ☎ P. AE GB
fermé 1er déc. au 31 janv. – **Repas** 80/140, enf. 40 – 30 – **20 ch** 220/350 – ½ P 220/240.

Napoléon sans rest, ✆ 76 30 00 42, Fax 76 30 06 83 – ☎. GB
1er mai-20 oct. et 12 fév.-10 mars – 32 – **22 ch** 200/310.

XX **Poste** avec ch, ✆ 76 30 00 03, Fax 76 30 02 73, – TV ☎ . AE GB
fermé 1er déc. au 15 janv. – **Repas** 98/265, enf. 70 – 38 – **20 ch** 230/430 – ½ P 240/350.

au NE : 4 km par rte La Salette et D 212c – alt. 1260 – ✉ **38970** Corps :

Boustigue H., ✆ 76 30 01 03, Fax 76 30 04 04, ≤, – 30. GB
20 avril-20 oct. – **Repas** 90/160, enf. 55 – 37 – **30 ch** 240/347 – ½ P 315/341.

CITROEN Gar. du Dauphiné, ✆ 76 30 01 10 N ✆ 76 30 00 28
RENAULT Gar. Rivière, ✆ 76 30 01 13 N ✆ 76 30 01 13

CORRENÇON-EN-VERCORS **38** Isère 77 ④ – rattaché à Villard-de-Lans.

CORRÈZE **19800** Corrèze 75 ⑨ **G. Berry Limousin** – 1 145 h alt. 455.

Paris 486 – Brive-la-Gaillarde 45 – ♦Limoges 89 – Tulle 18 – Ussel 50.

La Séniorie, ✆ 55 21 22 88, Fax 55 21 24 00, ≤, – 35. AE GB
fermé fév. – **Repas** *(vend. soir et sam.)* 135/250, enf. 50 – 52 – **29 ch** 550 – ½ P 420.

CORSE 90 **G. Corse** – 249 729 h.

Relations avec le continent : 50 mn env. par avion, 5 à 10 h par bateau (voir à Marseille, Nice et Toulon).

Plans pages suivantes

Ajaccio P **2A** Corse-du-Sud 90 ⑰ – 58 315 h – Casino Z – ✉ **20000** Ajaccio.

Voir Musée Fesch★★ Z – Maison Bonaparte★ Z – Place d'Austerlitz Y3 : monument de Napoléon Ier★ Y N – Jetée de la Citadelle ≤★ YZ – Place Gén.-de-Gaulle ≤★ Z.

Env. S : golfe d'Ajaccio★★ – Pointe de la Parata ≤★★ 12 km par ③ puis 30 mn.

Excurs. aux Iles Sanguinaires★★.

d'Ajaccio-Campo dell'Oro : ✆ 95 21 03 64, par ① : 7 km.

Office de Tourisme Hôtel de Ville, av. Serafini ✆ 95 21 40 87 et 95 21 53 39 – Automobile Club de la Corse 65 cours Napoléon ✆ 95 23 62 60.

Bastia 151 ① – Bonifacio 137 ① – Calvi 175 ① – Corte 81 ① – L'Ile-Rousse 151 ①.

Albion sans rest, 15 av. Gén. Leclerc ✆ 95 21 66 70, Télex 460846, Fax 95 21 17 55 – AE GB — Y k
40 – **62 ch** 400/490.

Costa sans rest, 2 r. Colomba ✆ 95 21 43 02, Télex 468080, Fax 95 21 59 82 – AE GB. — Y x
38 – **53 ch** 348/533.

Napoléon sans rest, 4 r. Lorenzo Vero ✆ 95 51 54 00, Fax 95 21 80 40 – AE GB — Z s
45 – **62 ch** 400/450.

San Carlu sans rest, 8 bd Casanova ✆ 95 21 13 84, Fax 95 21 09 99 – AE GB. — Z f
fermé 15 déc. au 15 janv. – 35 – **40 ch** 400/490.

Fesch sans rest, 7 r. Cardinal Fesch ✆ 95 21 50 52, Fax 95 21 83 36 – AE GB — Z y
fermé 15 déc. au 15 janv. – 35 – **77 ch** 350/420.

Spunta di Mare, rte aéroport par ① ✉ 20090 ✆ 95 23 74 40, Fax 95 20 80 02 – 30. AE GB. rest
fermé 20 déc. au 31 janv. – **Repas** 75 (déj.)/88 – 37 – **64 ch** 271/624 – ½ P 283/314.

A La Funtana, 9 r. Notre Dame ✆ 95 21 78 04, Fax 95 51 40 56 – AE GB JCB — Z a
fermé juin, dim. et lundi – **Repas** 120/280.

Point "U", 59 bis r. Cardinal Fesch ✆ 95 21 59 92 – GB — Z t
fermé 22 déc. au 4 janv. et dim. – **Repas** 90/250.

France, 59 r. Cardinal Fesch ✆ 95 21 11 00 – AE GB — Z n
fermé nov. et dim. – **Repas** 95/130.

Le Piano, 13 bd Roi Jérôme ✆ 95 51 23 81, – AE GB — Z e
fermé 15 janv. au 15 fév. et dim. – **Repas** 60/170.

à Afa par ① : 10 km par route de Bastia et D 161 – 1 726 h. alt. 150 – ✉ **20167** Mezzaria :

Aub. d'Afa, ✆ 95 22 92 27, – P. AE GB
fermé fév. et lundi – **Repas** 120/150.

Plaine de Cuttoli par ① : 10 km par rte de Bastia, gare de Mezzavia et rte secondaire – ✉ **20167** Mezzavia :

U Licettu, ✆ 95 25 61 57, Fax 95 53 71 00, ≤, « Jardin fleuri » – P. GB.
fermé nov. et lundi sauf août – **Repas** (prévenir) 200 bc.

à Bastelicaccia par ①, N 196 et D 3 : 11 km – 2 072 h. alt. 80 – ✉ **20129** Bastelicaccia :

Aub. Seta, ✆ 95 20 00 16, Fax 95 23 80 66, ≤ – GB
fermé janv., dim. soir et lundi hors sais. – **Repas** 130 (déj.), 180/220.

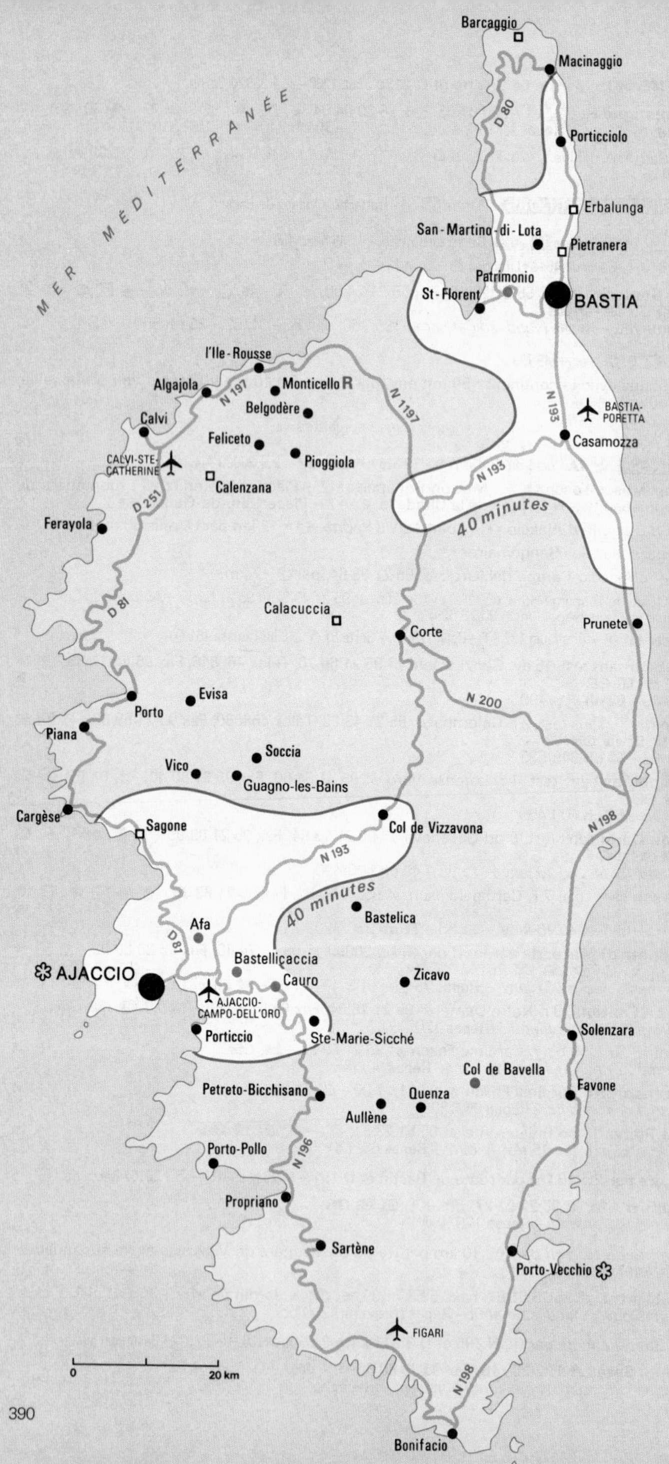

MER MÉDITERRANÉE
Barcaggio
Macinaggio
D 80
Porticciolo
Erbalunga
San-Martino-di-Lota
Pietranera
Patrimonio
St-Florent
BASTIA
l'Ile-Rousse
Algajola
N 197
Monticello R
Belgodère
N 1197
N 193
BASTIA-PORETTA
Calvi
Feliceto
Casamozza
Pioggiola
CALVI-STE-CATHERINE
Calenzana
N 193
40 minutes
D 251
Ferayola
D 81
Calacuccia
Corte
Prunete
N 200
Evisa
Porto
Piana
Soccia
Vico
Guagno-les-Bains
Cargèse
Sagone
Col de Vizzavona
N 198
N 193
40 minutes
Bastelica
Afa
D 81
Bastelicaccia
AJACCIO
Cauro
Zicavo
AJACCIO-CAMPO-DELL'ORO
Porticcio
Ste-Marie-Sicché
Solenzara
Col de Bavella
Favone
Petreto-Bicchisano
Quenza
Aullène
Porto-Pollo
N 196
Propriano
Sartène
Porto-Vecchio
FIGARI
0
20 km
N 198
Bonifacio

AJACCIO

Albert-1er (Bd) . . . . . . Y 2
Fesch (R. Cardinal) . . Z
Grandval (Cours) . . . . Z
Napoléon (Cours) . . YZ
Premier-Consul
(Av. du) . . . . Z 45

Austerlitz (Pl. d') . . . . Y 3
Bévérini Vico (Av.) . . . Y 4
Bonaparte (R.) . . . . . . Z 6
Casanova (Bd D.) . . . . Z 8
Citadelle (Q. de la) . . . Z 13
Dr-Ramaroni (Av. du) Z 17
Forcioli-Conti (R.) . . . . Z 20
Griffi (Square P.) . . . . Y 22
Leclerc (Cours Gén.) . Y 25
Macchini (Av. E.) . . . . Z 27
Madame-Mère (Bd) . . Y 29
Masséria (Bd) . . . . . . Y 32
Napoléon III (Av.) . . . . Y 37
Napoléon (Quai) . . . . . Z 38
Notre-Dame (R.) . . . . . Z 39
Ornano (Av. Col. d') . . Y 40
Paoli (Bd D.) . . . . Y 41
Pozzo-di-Borgo (R.) . . Z 44
Prince-Impérial
(Cours) . . . . Y 46
Roi-de-Rome (R.) . . . . Z 49
Sébastiani (R.) . . . . . . Z 50
Sérafini (Av. A.) . . . . . Z 52
Sœur-Alphonse (R.) . . Z 53
St-Charles (R.) . . . . . . Z 54
St-Jean (Montée) . . . . Y 56
Zévaco-Maire (R.) . . . . Z 60

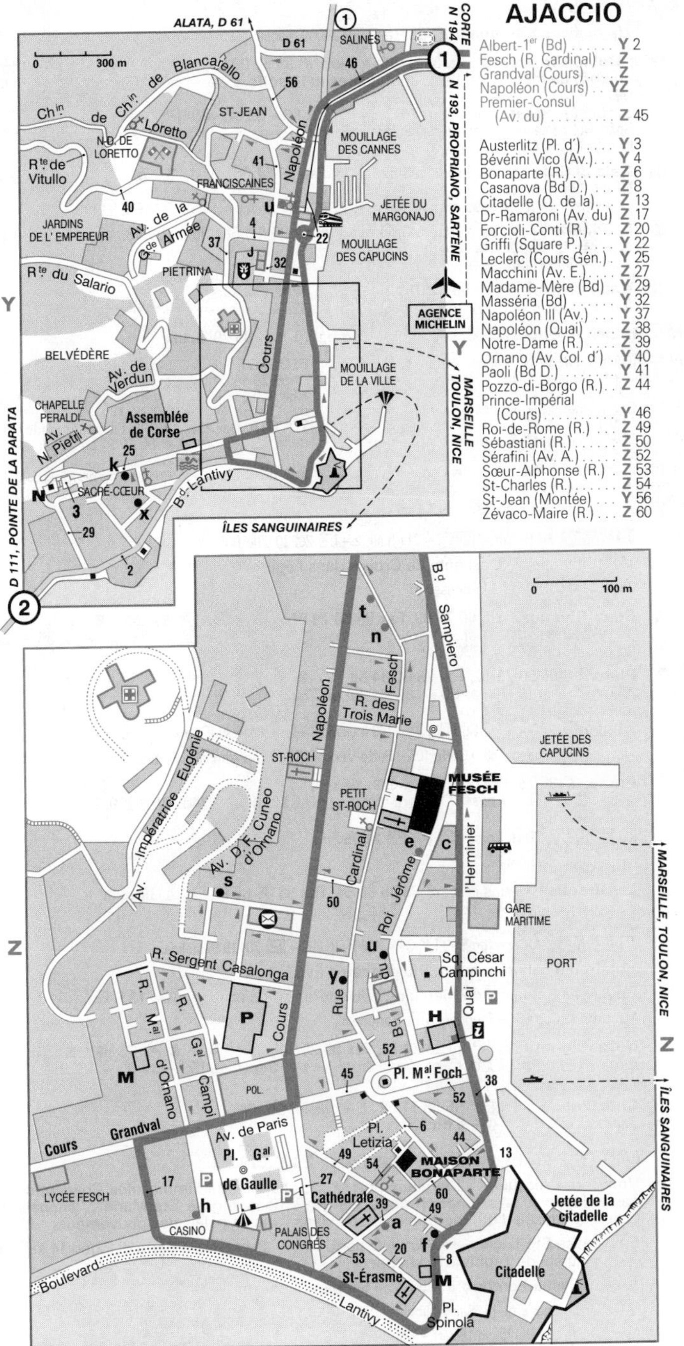

rte des îles Sanguinaires par ② – ✉ **20000** Ajaccio :

Dolce Vita et rest. La Mer ⛯, à 9 km ✆ 95 52 00 93, Fax 95 52 07 15, « Terrasse en bord de mer, », ≤ Iles Sanguinaires et le golfe », – ch ☎ P – 25. AE GB
avril-oct. – **Repas** 250 et carte 280 à 440 – ☐ 60 – **32 ch** 480/975 – ½ P 750/885
Spéc. Quiche de tomates confites au thon frais. Ragoût de chipirons et langoustines aux pommes de terre. Dos de loup gratiné aux herbes du maquis. **Vins** Nicrosi, Calvi.

Cala di Sole ⛯, à 6 km ✆ 95 52 01 36, Fax 95 52 00 20, ≤, – ch ☎ AE GB. rest
1er avril-1er oct. – **Repas** carte 210 à 310 – **31 ch** (½ pens. seul.) – ½ P 660.

La Pinède M ⛯ sans rest, à 3,5 km ✆ 95 52 00 44, Fax 95 52 09 48, ≤, – 50. AE GB JCB.
☐ 40 – **38 ch** 640/960.

Nausicaa, à 7 km ✆ 95 52 01 42, ≤, – P. AE GB
fermé mardi d'oct. à mars – **Repas** 110 (déj.), 120/160.

MICHELIN, Agence, D 503, Parc Ind. Vazzio par ① Y ✆ **95 20 30 55**

ALFA ROMEO, NISSAN Ajaccio-Technic-Auto, Résidence 1er Consul, r. Mar.-Lyautey ✆ 95 22 15 83
BMW Gar. Bernardini, rte de Mezzavia, le Stiletto ✆ 95 22 29 15
CITROEN Ajaccio-Nord-Autom., N 194, rte de Mezzavia par ① ✆ 95 20 97 61
FORD Ile de Beauté Autom., N 194 Pernicaggia Mezzavia Ajaccio ✆ 95 20 34 85
LADA Gar. Lombardi, 7 r. Bonardi ✆ 95 22 43 85
PEUGEOT S.D.A.C., rte de Mezzavia par ① ✆ 95 29 48 00
RENAULT Ajaccio Autom., N 193, Vignetta Campo dell Oro par ① ✆ 95 22 38 00
TOYOTA Gar. Emmanuelli, Espace Rocade Rd-Pt de la Rocade par ① ✆ 95 20 31 64

Autos-Pneus-Sce-Point S, rte de Mezzavia, km 3 ✆ 95 22 64 40

Algajola 2B H.-Corse 90 ⑬ – 211 h alt. 2 – ✉ **20220** L'Ile-Rousse.

Voir Citadelle★ – Descente de Croix★ dans l'église.

Bastia 81 – Calvi 15 – L'Ile-Rousse 9.

Beau Rivage, ✆ 95 60 73 99, Fax 95 60 79 51, ≤, – ☎ P. AE GB. rest
hôtel : 15 avril-15 oct. ; rest. : 1er mai-30 sept. – **Repas** 95/150 – ☐ 35 – **36 ch** (½ pens. seul.) – ½ P 300/382.

Plage, ✆ 95 60 72 12, Fax 95 60 64 89, ≤ – ☎ P. AE GB.
1er mai-30 sept. – **Repas** 90 – ☐ 20 – **36 ch** 280/340 – ½ P 250/265.

Aullène 2A Corse-du-Sud 90 ⑦ – 149 h alt. 825 – ✉ **20116** Aullène.

Ajaccio 69 – Bonifacio 88 – Corte 105 – Porto-Vecchio 59 – Propriano 36 – Sartène 35.

Poste, ✆ 95 78 61 21, ≤, – GB. rest
1er mai-30 sept. – **Repas** 90, enf. 65 – ☐ 30 – **20 ch** 140/240 – ½ P 200/240.

Barcaggio 2B H.-Corse 90 ① – ✉ **20275** Ersa.

Bastia 50 – St-Florent 67.

La Giraglia ⛯ sans rest, ✆ 95 35 60 54, Fax 95 35 65 92, ≤ La Giraglia
1er avril-30 sept. – ☐ 32 – **12 ch** 330/430.

Bastelica 2A Corse-du-Sud 90 ⑥ – 436 h alt. 800 – ✉ **20119** Bastelica.

Voir Route panoramique★★ du plateau d'Ese.

Env. A 400 m du col de Mercujo : belvédère★★ et cirque★★ SO : 13,5 km.

Ajaccio 39 – Corte 64 – Propriano 70 – Sartène 83.

U Castagnetu ⛯, ✆ 95 28 70 71, Fax 95 28 74 02, ≤, – ☎ P. AE GB
fermé 31 oct. au 31 déc. et mardi hors sais. – **Repas** 90/150 – ☐ 35 – **15 ch** 245/330 – ½ P 305.

Chez Paul avec ch, ✆ 95 28 71 59, ≤ – cuisinette. GB
Repas 75/125 – ☐ 20 – **6 ch** 200.

Bastia P 2B H.-Corse 90 ③ – 37 845 h alt. 3 – ✉ **20200** Bastia.

Voir Terra-Vecchia★ Y : le vieux port★★ Z, chapelle de l'Immaculée Conception★ Y – Terra-Nova★ Z : Assomption de la Vierge★★ dans l'église Ste-Marie Z, chapelle Ste-Croix★ Z, musée d'ethnographie corse★ dans l'ancien palais des gouverneurs Z **M**.

Env. Église Ste-Lucie ≤★★ 6 km NO par D 31 X – ✵★★★ de la Serra di Pigno 14 km par ③ – ≤★★ du col de Teghime10 km par ③.

✈ de Bastia-Poretta : ✆ 95 54 54 54, par ② : 20 km.

Office de Tourisme pl. Saint-Nicolas ✆95 31 00 89, Fax 95 32 49 77.

Ajaccio 151 ② – Bonifacio 168 ② – Calvi 95 ③ – Corte 70 ② – Porto 134 ②.

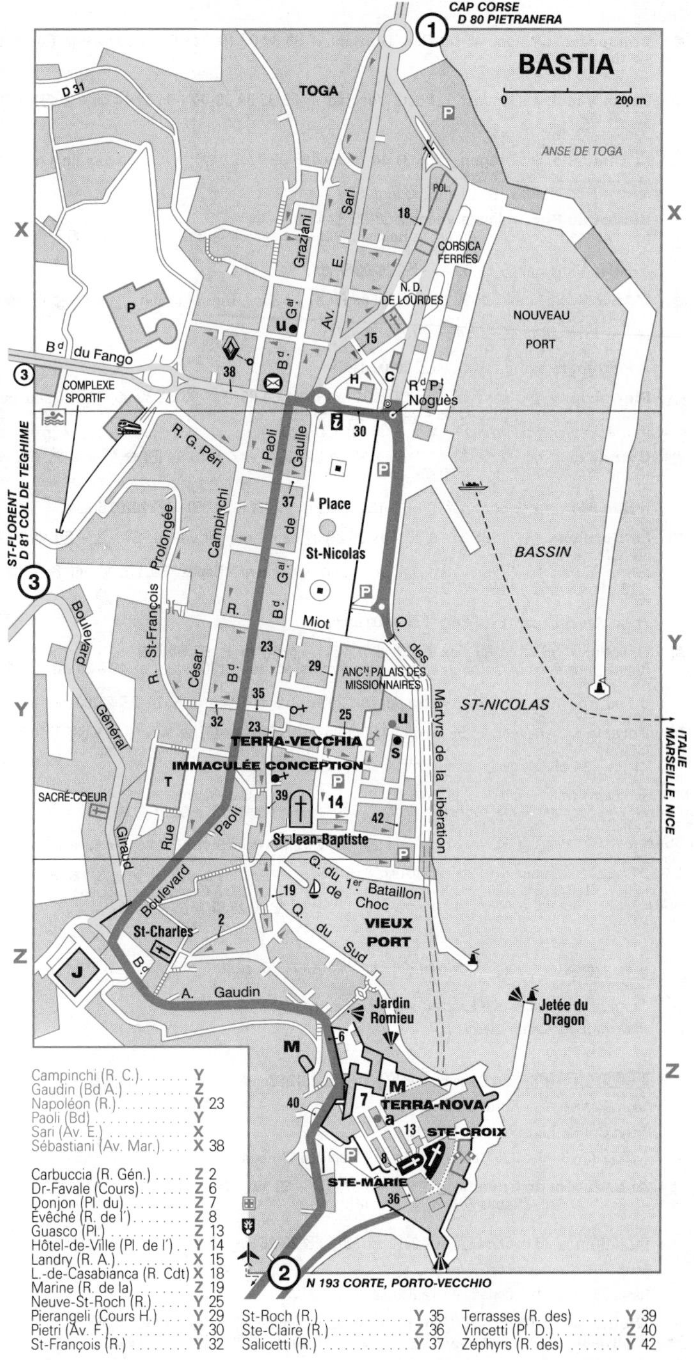
BASTIA
0
200 m
CAP CORSE
D 80 PIETRANERA
TOGA
D 31
ANSE DE TOGA
POL.
CORSICA FERRIES
N. D. DE LOURDES
NOUVEAU PORT
Sari
Graziani
Av. E.
Bd Gal
Bd du Fango
COMPLEXE SPORTIF
Rd Pt Noguès
R. G. Péri
Campinchi
Paoli
Gaulle
de
Place St-Nicolas
Miot
BASSIN
ST-FLORENT D 81 COL DE TEGHIME
Boulevard Général Giraud
R. St-François Prolongée
R. César
ANCN PALAIS DES MISSIONNAIRES
Q. des Martyrs de la Libération
ST-NICOLAS
ITALIE MARSEILLE, NICE
TERRA-VECCHIA
IMMACULÉE CONCEPTION
SACRÉ-COEUR
Rue Paoli
St-Jean-Baptiste
Q. du 1er Bataillon de Choc
Boulevard
St-Charles
Q. du Sud
VIEUX PORT
A. Gaudin
Jardin Romieu
Jetée du Dragon
TERRA-NOVA
STE-CROIX
STE-MARIE
N 193 CORTE, PORTO-VECCHIO
Campinchi (R. C.) . . . . Y
Gaudin (Bd A.) . . . . Z
Napoléon (R.) . . . . Y 23
Paoli (Bd) . . . . Y
Sari (Av. E.) X
Sébastiani (Av. Mar.) . . . . X 38
Carbuccia (R. Gén.) . . . . . Z 2
Dr-Favale (Cours) . . . . Z 6
Donjon (Pl. du) . . . . Z 7
Évêché (R. de l') . . . . Z 8
Guasco (Pl.) . . . . Z 13
Hôtel-de-Ville (Pl. de l') . . Y 14
Landry (R. A.) . . . . X 15
L.-de-Casabianca (R. Cdt) X 18
Marine (R. de la) . . . . Z 19
Neuve-St-Roch (R.) . . . . . Y 25
Pierangeli (Cours H.) . . . . Y 29
Pietri (Av. F.) . . . . Y 30
St-François (R.) . . . . Y 32
St-Roch (R.) . . . . Y 35
Ste-Claire (R.) . . . . Z 36
Salicetti (R.) . . . . Y 37
Terrasses (R. des) . . . . . . Y 39
Vincetti (Pl. D.) . . . . Z 40
Zéphyrs (R. des) . . . . Y 42

Bonaparte sans rest, 45 bd Gén. Graziani ☎ 95 34 07 10, Fax 95 32 35 62 – |‡| TV ☎. AE ⓓ GB JCB X u
☐ 40 – **23 ch** 275/600.

Posta Vecchia sans rest, r. Posta Vecchia ☎ 95 32 32 38, Fax 95 32 14 05 – |‡| TV ☎ ✆. AE ⓓ GB Y s
☐ 30 – **49 ch** 240/440.

XX **La Citadelle,** 6 r. Dragon ☎ 95 31 44 70, Fax 95 32 77 53, ☂, « Ancien moulin à huile de la citadelle » – ▤. AE GB Z a
fermé dim. – **Repas** 150 (déj.)/250, enf. 50.

X **Bistrot du Port,** r. Posta Vecchia ☎ 95 32 19 83 – ▤ Y u
fermé vacances de fév. et dim. – **Repas** (dîner seul. en juil.-août) carte 210 à 300.

à Palagaccio par ① : 2,5 km – ✉ **20200** Bastia :

L'Alivi ⛰ sans rest, ☎ 95 31 61 85, Fax 95 31 03 95, ≤ mer et jardin, ⛱, ☂ – |‡| TV ☎ P – 🎪 60. GB
fermé 13 au 25 déc. – ☐ 40 – **37 ch** 530/800.

à Pietranera par ① : 3 km – ✉ **20200** Bastia :

Pietracap M ⛰ sans rest, sur D 131 ☎ 95 31 64 63, Fax 95 31 39 00, ≤, « Beau parc arboré », ⛱ – ▤ TV ☎ ✆ P – 🎪 30. AE ⓓ GB
fermé 15 déc. au 1er mars – ☐ 40 – **38 ch** 450/790.

Cyrnea sans rest, ☎ 95 31 41 71, Fax 95 31 72 65, ≤, ☂ – ⊁ ▤ TV ☎ ✆ 🚗 P. GB. ✻
fermé 1er déc. au 1er fév. – **20 ch** ☐ 300/440.

à San Martino di Lota par ① et D 131 : 13 km – 2 466 h. alt. 350 – ✉ **20200** Bastia :

La Corniche ⛰, ☎ 95 31 40 98, Fax 95 32 37 69, ≤ mer et vallée, ☂, ⛱ – TV ☎ P. AE ⓓ GB. ✻ ch
fermé 20 déc. au 31 janv., dim. soir et lundi d'oct. à avril – **Repas** 130/175 ♁, enf. 65 – ☐ 35 – **19 ch** 300/450 – ½ P 330/380.

rte d'Ajaccio par ② : 4 km – ✉ **20600** Bastia :

Ostella, ☎ 95 33 51 05, Fax 95 33 11 70, ☂ – |‡| TV ☎ P. AE ⓓ GB
Repas *(fermé vend., sam. et dim. de nov. à mars)* 90 (déj.), 120/200 – ☐ 40 – **30 ch** 350/450

à l'aéroport de Bastia-Poretta par ② : 20 km par N 193 et D 507 – ✉ **20290** Lucciana :

Poretta M sans rest, ☎ 95 36 09 54, Fax 95 36 15 32 – ▤ TV ☎ ✆ 🚗 P – 🎪 150. AE ⓓ GB. ✻
☐ 35 – **34 ch** 340.

BMW Gar. Bernardini, ZI Furiani ☎ 95 36 01 00
CITROEN Gar. Socodia, N 193, sortie Sud par ② ☎ 95 33 36 09
NISSAN Gar. Costantini, ZI de Bastia ☎ 95 33 55 46
PEUGEOT Insulaire-Autom., N 193 à Furiani par ② ☎ 95 54 20 20 N ☎ 95 54 20 20
RENAULT Doria-Autom., av. de la Libération par ② ☎ 95 30 13 00
RENAULT Gar. Ginanni, 35 r. C.-Campinchi ☎ 95 31 09 02 N ☎ 95 31 46 86

Ferrari Point S, N 193 Précojo à Furiani ☎ 95 33 51 29
Ferrari Point S, 7 av. E.-Sari ☎ 95 31 06 46
Marcelli, N 193 à Casamozza-Lucciana ☎ 95 36 00 28 N ☎ 95 36 27 75

Konsultieren Sie vor Ihrer Reise die Michelin-Karte Nr. **911**.

Sie gibt die geschätzte Fahrzeit von Stadt zu Stadt an und trägt zur Zeitersparnis bei.

Bavella (Col de) 2A Corse-du-Sud 90 ⑦ – ✉ 20124 Zonza.

Voir ✻★★★ – E : Forêt de Bavella★★.

Env. Col de Larone ≤★★ NE : 13 km.

Ajaccio 97 – Bonifacio 75 – Porto-Vecchio 49 – Propriano 48 – Sartène 46.

X **Aub. du Col de Bavella,** ☎ 95 57 43 87, ☂ – AE ⓓ GB
15 avril-30 oct. – **Repas** 70/120 ♁, enf. 49.

Belgodère 2B H.-Corse 90 ⑬ – 331 h alt. 320 – ✉ 20226 Belgodère.

Voir ≤★ du vieux fort.

Bastia 79 – Calvi 41 – Corte 57 – L'Ile-Rousse 17.

Niobel ⛰, ☎ 95 61 34 00, Fax 95 61 35 85, ≤ vallée, ☂ – ⊁ ☎ P
1er avril-30 oct. – **Repas** 75/110 ♁ – ☐ 26 – **11 ch** 240/330 – ½ P 280/295.

Bonifacio **2A** Corse-du-Sud 90 ⑨ **G. Corse** (plan) – 2 683 h alt. 55 – ✉ **20169** Bonifacio.

Voir Site★★★ – Ville haute★★ : église St-Dominique★ – La Marine★ : Col St-Roch ≤★★ – Capo Pertusato ≤★ et phare de Pertusato ☼★ SE : 5 km.

Env. Ermitage de la Trinité ≤★★ NO : 6,5 km – Grotte du Sdragonato★ et tour des falaises★★ 45 mn en bateau.

18 de Sperone ✆ 95 73 17 13 à la pointe de Sprono, E : 6 km.

✈ de Figari-Sud-Corse : ✆ 95 71 00 22, N : 21 km.

Syndicat d'Initiative pl. de l'Europe ✆ 95 73 11 88.

Ajaccio 137 – Corte 147 – Sartène 53.

Genovese M sans rest, ville haute ✆ 95 73 12 34, Fax 95 73 09 03 – 25. AE GB
80 – **14 ch** 1700.

La Caravelle sans rest, 35 quai Comparetti ✆ 95 73 00 03, Fax 95 73 00 41 – AE GB
30 mars-15 oct. – **28 ch** 550/1500.

Roy d'Aragon M sans rest, 13 quai Comparetti ✆ 95 73 03 99, Fax 95 73 07 94 – AE GB.
45 – **31 ch** 590/890.

Le Voilier, à la Marine ✆ 95 73 07 06, Fax 95 73 14 27, – AE GB
fermé janv. à mi-mars, dim. soir et lundi d'oct. à déc. – **Repas** 100/260, enf. 50.

Calacuccia **2B** H.-Corse 90 ⑮ – 331 h alt. 830 – ✉ **20224** Calacuccia.

Voir Site★★ – Tour du lac de barrage★★ – Défilé de la Scala di Santa Régina★★ NE : 5 km – Casamaccioli ≤★ SO : 3 km – Chapelle St-Pancrace ≤★ NE : 4 km puis 15 mn.

Bastia 76 – Calvi 99 – Corte 29 – Piana 68 – Porto 58.

Acqua Viva sans rest, ✆ 95 48 06 90, Fax 95 48 08 82 – GB
45 – **12 ch** 380/400.

Calenzana **2B** H.-Corse 90 ⑭ – 1 535 h alt. 200 – ✉ **20214** Calenzana.

Voir Église Ste-Restitude★ NE : 1 km.

Bastia 99 – Calvi 12 – L'Ile-Rousse 27 – Porto 72.

Bel Horizon sans rest, ✆ 95 62 71 72, ≤ –
avril-sept. – 30 – **15 ch** 250/290.

Calvi **2B** H.-Corse 90 ⑬ – 4 815 h alt. 29 – ✉ **20260** Calvi.

Voir Citadelle★★ : fortifications★ – La Marine★.

Env. Belvédère N.-D. de-la-Serra ≤★★★ 6 km par ② – ☼★★ de la terrasse de l'église de Montemaggiore 11 km par ①.

Excurs. en bateau : Calvi-Girolata★★★.

9 de Spano ✆ 95 60 75 52, 16 km par ①.

✈ de Calvi-Ste-Catherine : ✆ 95 65 08 09, par ①.

Office du Tourisme Port de Plaisance ✆ 95 65 16 67, Fax 95 65 14 09 et à l'entrée de la Citadelle ✆ 95 65 36 74 (avril-oct.).

Bastia 95 ① – Corte 93 ① – L'Ile-Rousse 24 ① – Porto 75 ①.

La Villa M , chemin de Notre Dame de la Serra par ① : 1 km ✆ 95 65 10 10, Fax 95 65 10 50, ≤, , parc, , – 60. AE GB.
fermé 3 janv. au 31 mars – **Repas** carte 300 à 370 – 100 – **24 ch** 2000, 10 appart – ½ P 1150/1650.

Le Magnolia et rest. Le Jardin , près pl. Marché **(s)** ✆ 95 65 19 16, Fax 95 65 34 52, – AE GB. ch
fermé janv. et fév. – **Repas** *(fermé merc. du 15 sept. au 15 juil.)* 120 (déj.), 130/260 – 65 – **14 ch** 420/750 – ½ P 600/650.

Meridiana M sans rest, av. Santa Maria ✆ 95 65 31 38, Fax 95 65 32 72, ≤ – AE GB.
40 – **37 ch** 400/800.

L'Onda M sans rest, av. Christophe Colomb par ① : 1 km ✆ 95 65 35 00, Fax 95 65 16 26, ≤ – AE GB
1er avril-30 nov. – 35 – **24 ch** 400/560.

Balanea sans rest, 6 r. Clemenceau **(n)** ✆ 95 65 00 45, Fax 95 65 29 71, ≤ – AE GB
60 – **38 ch** 500/1200.

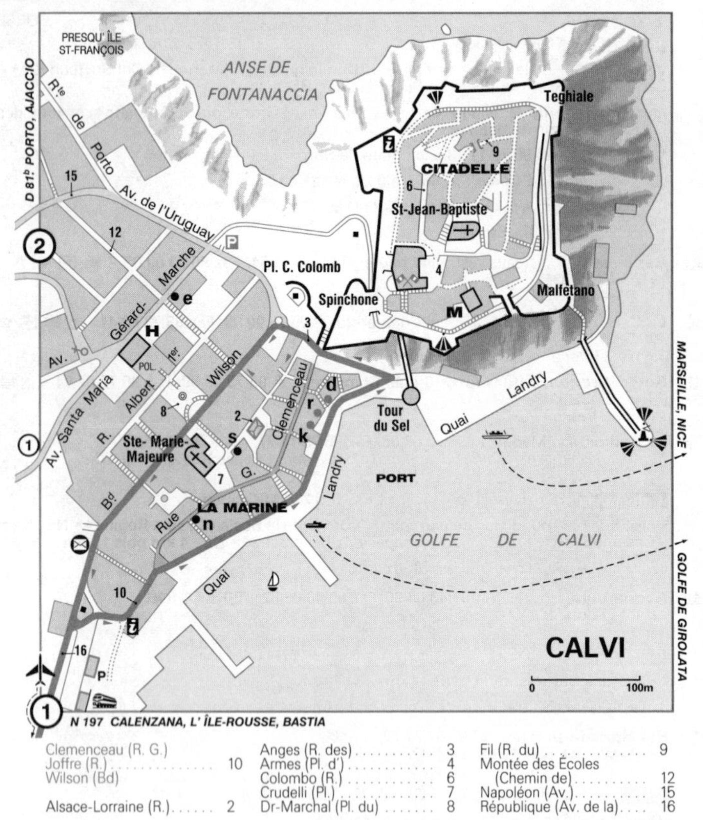

Clemenceau (R. G.)
Joffre (R.) 10
Wilson (Bd)

Alsace-Lorraine (R.) 2
Anges (R. des) 3
Armes (Pl. d') 4
Colombo (R.) 6
Crudelli (Pl.) 7
Dr-Marchal (Pl. du) 8
Fil (R. du) 9
Montée des Écoles (Chemin de) 12
Napoléon (Av.) 15
République (Av. de la) 16

St-Érasme sans rest, rte Ajaccio par ② : 0,8 km ☎ 95 65 04 50, Fax 95 65 32 62, ≤, ⛱, – 🛗 📺 ☎. ⓓ GB
1er avril-15 oct. – ☕ 40 – **30 ch** 420/624.

Revellata sans rest, av. Napoléon, rte d'Ajaccio par ② : 0,5 km ☎ 95 65 01 89, Fax 95 65 29 82, ≤ – ☎ 🅿. AE ⓓ GB.
1er avril-15 oct. – ☕ 25 – **43 ch** 400/450.

Caravelle 🐎, à la plage par ① : 0,5 km ☎ 95 65 01 21, Fax 95 65 00 03, – 📺 ☎. GB.
1er avril-20 oct. – **Repas** 125/220 – ☕ 40 – **34 ch** 550 – ½ P 395/460.

Corsica 🐎, par ①, N 197 et rte Pietra Major : 2,5 km ☎ 95 65 03 64, Fax 95 65 00 54, ≤, ⛱, – ☎ 🅿. AE ⓓ GB.
1er avril-fin oct. – **Repas** 120/200 – ☕ 30 – **48 ch** 900/1100 – ½ P 490/590.

Kallisté sans rest, 1 av. Cdt Marche **(e)** ☎ 95 65 09 81, Fax 95 65 35 65 – 🛗 ☎. AE ⓓ GB
mai-sept. – ☕ 35 – **28 ch** 300/400.

XXX **Emile's,** quai Landry **(k)** ☎ 95 65 09 60, Fax 95 65 27 34, ≤, – ▤. AE ⓓ GB
1er mai-30 sept. – **Repas** 150/450 et carte 270 à 430.

XX **Ile de Beauté,** quai Landry **(r)** ☎ 95 65 00 46, Fax 95 65 27 34, ≤, – ▤. AE ⓓ GB
fermé mars et mardi d'oct. à janv. – **Repas** 100/150.

X **Calellu,** quai Landry **(d)** ☎ 95 65 22 18, ≤, – AE GB
fermé 20 déc. au 1er fév., dim. soir et lundi d'oct. à mai – **Repas** 90/100 .

par ① rte de l'aéroport et chemin privé : 5 km – ✉ **20260** Calvi :

XXX **La Signoria** 🐎 avec ch, ☎ 95 65 23 73, Fax 95 65 38 77, « Ancienne demeure du 17e siècle dans un parc », ⛱, – ▤ ch 📺 ☎ 🅿. AE GB
1er avril-15 oct. – **Repas** *(fermé le midi en juil.-août sauf fériés et week-ends)* 360 – ☕ 70 – **10 ch** 850/1100 – ½ P 775/900.

Cargèse 2A Corse-du-Sud 90 ⑯ – 915 h alt. 75 – ✉ **20130** Cargèse.

Voir Église latine ≤★ – Site★★ depuis le belvédère de la pointe Molendino E : 3 km.

Ajaccio 50 – Calvi 107 – Corte 120 – Piana 20 – Porto 32.

Thalassa ⛰, plage du Pero N : 1,5 km ☎ 95 26 40 08, ≤, – ☎ & P. rest
hôtel : fin mai-fin sept. ; rest. : 1er juin-fin sept. – **Repas** (1/2 pens. seul.) – ☕ 25 – **21 ch** 200/300 – 1/2 P 380.

La Spelunca sans rest, ☎ 95 26 40 12, ≤ – ☎.
1er avril-30 oct. – ☕ 35 – **20 ch** 300/350.

Casamozza 2B H.-Corse 90 ③ – ✉ **20290** Borgo.

Bastia 19 – Corte 51 – Vescovato 6.

Chez Walter, N 193 ☎ 95 36 00 09, Télex 468141, Fax 95 36 18 92, – ch TV ☎ P – 80. AE GB
Repas *(fermé dim. du 15 sept. au 30 juin)* 110/150 – ☕ 35 – **53 ch** 300/400 – 1/2 P 375.

Cauro 2A Corse-du-Sud 90 ⑰ – 849 h alt. 450 – ✉ **20117** Cauro.

Ajaccio 20 – Sartène 64.

Napoléon, ☎ 95 28 40 78 – AE GB
fermé vend., sam. et dim. de sept. à juin – **Repas** 125.

Corte 2B H.-Corse 90 ⑤ **G. Corse** (plan) – 5 693 h alt. 396 – ✉ **20250** Corte.

Voir Ville haute★ : chapelle Ste-Croix★, citadelle ≤★, belvédère ★ – Mosaïques★ dans l'hôtel de ville.

Env. ★★ du Monte Cecu N : 7 km – SO : Vallée★★ et forêt★ de la Restonica – SE : Vallée du Tavignano★ – Col de Bellagranajo ★★ S : 9,5 km.

Office de Tourisme Hall de la Paix, av. du Gén.-de-Gaulle ☎ 95 46 06 76.

Bastia 70 – Bonifacio 147 – Calvi 93 – L'Ile-Rousse 69 – Porto 87 – Sartène 152.

dans les Gorges de la Restonica SO : 2 km sur D 623 – ✉ **20250** Corte :

Dominique Colonna ⛰, ☎ 95 61 05 45, Fax 95 61 03 91, – TV ☎ & P. AE GB
Repas *(ouvert 1er mars-31 oct.)* 95/165 – ☕ 45 – **28 ch** 450/500 – 1/2 P 400/420.

Erbalunga 2B H.-Corse 90 ② – ✉ **20222**.

Voir Village★.

Bastia 11 – Rogliano 28.

Castel Brando sans rest, ☎ 95 30 10 30, Fax 95 33 98 18, – cuisinette TV ☎ P. AE GB
31 mars-12 oct. – ☕ 30 – **16 ch** 580/830.

Évisa 2A Corse-du-Sud 90 ⑮ – 257 h alt. 850 – ✉ **20126** Évisa.

Voir Forêt d'Aïtone★★ – Cascades d'Aïtone★★ NE : 3 km puis 30 mn.

Env. Col de Vergio ≤★★ NE : 10 km.

Ajaccio 70 – Calvi 98 – Corte 64 – Piana 33 – Porto 23.

Aïtone, ☎ 95 26 20 04, Fax 95 26 24 18, ≤ vallée, – TV ☎ P. AE GB. rest
fermé mi-nov. à mi-janv. – **Repas** 85/160 – ☕ 38 – **32 ch** 200/550 – 1/2 P 280/470.

Scopa Rossa, ☎ 95 26 20 22, Fax 95 26 24 17, ≤, – ☎ P. GB
1er avril-31 oct. – **Repas** 90 (déj.), 100/150 – ☕ 35 – **25 ch** (1/2 pens. seul.) – 1/2 P 285/310.

Favone 2A Corse-du-Sud 90 ⑦ – ✉ **20144** Ste Lucie-de-Porto-Vecchio.

Ajaccio 131 – Bonifacio 55.

U Dragulinu ⛰, ☎ 95 73 20 30, Fax 95 73 22 06, ≤, – ☎ P. AE GB.
hôtel : 15 avril-15 oct. ; rest. : 1er juin-30 sept. – **Repas** 120, enf. 50 – ☕ 40 – **32 ch** 580/650 – 1/2 P 450/520.

Feliceto 2B H.-Corse 90 ⑭ – 145 h alt. 350 – ✉ **20225** Muro.

Bastia 95 – Calvi 25 – Corte 74 – L'Ile-Rousse 16.

Gd H. "Mare E Monti" ⛰, ☎ 95 61 73 06, Fax 95 61 78 67, ≤, , parc – P. AE GB
1er mai-30 sept. – **Repas** 110/140 – ☕ 30 – **18 ch** 241/364 – 1/2 P 278/328.

Ferayola 2B H.-Corse 90 ⑭ – ✉ **20245** Ferayola.

Bastia 116 – Calvi 21 – Porto 54.

Aub. de Ferayola ⛰, ☎ 95 65 25 25, Fax 95 65 20 78, ≤, – ☎ P. GB. ch
1er mai-30 sept. – **Repas** 95/140 – ☕ 40 – **10 ch** 320/430 – 1/2 P 350/380.

Guagno-les-Bains 2A Corse-du-Sud 90 ⑮ – ✉ 20160 Guagno-les-Bains.
Ajaccio 62 – Calvi 126 – Corte 94 – Vico 11,5.

Thermes M, ☎ 95 28 30 68, Fax 95 28 34 02, parc, – ☎ P. AE ① GB rest
15 mai-31 oct. – **Repas** 130/180 – 35 – **40 ch** 370/480 – ½ P 360.

L'Ile-Rousse 2B H.-Corse 90 ⑬ – 2 288 h alt. 6 – ✉ 20220 L'Ile-Rousse.
Voir Ile de la Pietra : phare ≤★ N : 2 km.
Office de Tourisme pl. Paoli ☎ 95 60 04 35, Fax 95 60 24 74.
Bastia 71 – Calvi 24 – Corte 69.

La Pietra, rte Port ☎ 95 60 01 45, Fax 95 60 15 92, ≤ mer et montagne, – c ☎ P. AE ① GB
1er avril-31 oct. – **Repas** (½ pens. seul.), enf. 50 – 50 – **40 ch** 420/525 – ½ P 370/413.

Funtana Marina M sans rest, 1 km par rte Monticello ☎ 95 60 16 12, Fax 95 60 35 44, ≤ les îles, – ☎ P. AE ① GB.
fermé janv. et fév. – 40 – **29 ch** 450.

Cala di l'Oru sans rest, bd Fogata ☎ 95 60 14 75, Fax 95 60 36 40, ≤ – ☎ P. GB
30 – **24 ch** 350/450.

Amiral M sans rest, bd Ch.-Marie Savelli ☎ 95 60 28 05, Fax 95 60 31 21, ≤ – ☎ P. GB.
1er avril-30 sept. – 45 – **25 ch** 380/480.

Santa Maria sans rest, rte Port ☎ 95 60 13 49, Fax 95 60 32 48, ≤, – ☎ P. AE ① GB
50 – **56 ch** 510/720.

Le Grillon, av. P. Doumer ☎ 95 60 00 49, Fax 95 60 43 69 – ☎. AE GB
1er mars-15 nov. – **Repas** 80/100 – 30 – **16 ch** 290/320 – ½ P 285.

à ***Monticello*** SE : 3 km – 944 h. alt. 220 – ✉ 20220 L'Ile-Rousse :

A Pastorella avec ch, ☎ 95 60 05 65, Fax 95 60 21 78, ≤, – rest ☎. GB. rest
fermé 10 nov. au 10 déc. – **Repas** *(fermé dim. soir du 10 déc. au 31 mars)* 140/200 – 40 – **12 ch** 270/340 – ½ P 350.

Macinaggio 2B H.-Corse 90 ① – ✉ 20248 Macinaggio.
Bastia 34.

U Libecciu, ☎ 95 35 43 22, Fax 95 35 46 08, – ☎ P. AE ① GB.
fin mars-oct. – **Repas** 95/125 – 30 – **30 ch** 280/350 – ½ P 370.

U Ricordu, ☎ 95 35 40 20, Fax 95 35 41 88, – ☎ GB
hôtel : fermé 4 janv. au 28 fév. ; rest. : ouvert 15 avril-15 oct. – **Repas** 85/100 – 30 – **54 ch** 390/480 – ½ P 280/320.

Patrimonio 2B H.-Corse 90 ③ – 546 h alt. 100 – ✉ 20253 .
Bastia 17 – St-Florent 6 – San-Michele-de-Murato 22.

Osteria di San Martinu, ☎ 95 37 11 93, – GB
1er mars-31 oct. et fermé merc. sauf du 1er mai au 30 sept. – **Repas** carte 120 à 170.

Petreto-Bicchisano 2A Corse-du-Sud 90 ⑰ – 585 h alt. 600 – ✉ 20140 Petreto-Bicchisano.
Ajaccio 48 – Sartène 35.

France avec ch, à Bicchisano ☎ 95 24 30 55, – ☎ P. AE ① GB.
fermé 15 déc. au 1er fév. – **Repas** (sur réservation seul.) 150/300, enf. 75 – 40 – **3 ch** (½ pens. seul.) – ½ P 335/385.

Piana 2A Corse-du-Sud 90 ⑮ – 500 h alt. 420 – ✉ 20115 Piana.
Voir Col de Lava ≤★★ S : 1 km – Route de Ficajola ≤★★ NO.
Env. Capo Rosso ≤★★ O : 9 km.
Ajaccio 71 – Calvi 87 – Évisa 33 – Porto 12.

Capo Rosso, ☎ 95 27 82 40, Fax 95 27 80 00, ≤ mer et calanche, – ☎ P. AE ① GB JCB. ch
31 mars-15 oct. – **Repas** 100/380 – 45 – **57 ch** (½ pens. seul.) – ½ P 490/565.

Le Scandola, rte Cargèse ☎ 95 27 80 07, Fax 95 27 80 00, ≤, – ☎ P. AE ① GB
20 mars-30 oct. – **Repas** 80/150 – 35 – **17 ch** (½ pens. seul.) – ½ P 320.

Continental sans rest, ☎ 95 27 82 02, – P
1er avril-30 sept. – 35 – **17 ch** 160/260.

Pioggiola 2B H.-Corse 90 ⑬ – 49 h alt. 880 – ✉ 20259 Pioggiola.
Bastia 82 – Calvi 43.

Aub. Aghjola, ☎ 95 61 90 48, Fax 95 61 92 99, – AE ① GB. rest
1er avril-fin oct. – **Repas** (nombre de couverts limité, prévenir) 75/160 – **10 ch** (½ pens. seul.) – ½ P 375.

Porticcio 2A Corse-du-Sud 90 ⑰ – ✉ **20166** Porticcio.

Ajaccio 17 – Sartène 68.

Le Maquis ⑤, ☎ 95 25 05 55, Fax 95 25 11 70, ≤ Ajaccio et golfe, ☂, ⛱, ☐, ⛺, ☂, ✗ – |‡| ≡ ch ☐ ☎ P – 🛇 40. AE ⓘ GB. ✻ rest
L'Arbousier : **Repas** 200 (déj.)/270, enf. 120 – ☐ 70 – **25 ch** 1980/2450, 5 appart – ½ P 1240/1475.

Sofitel ⑤, ☎ 95 29 40 40, Télex 460708, Fax 95 25 00 63, ≤ golfe, ☂, centre de thalassothérapie, ⛱, ⛺, ☂, ✗ – |‡| ⇆ ≡ ch ☐ ☎ P – 🛇 80. AE ⓘ GB. ✻ rest
Le Caroubier (fermé 7 au 28 janv.) **Repas** 150/290, enf. 90 – ☐ 80 – **98 ch** 1280/2270 – ½ P 1220.

Isolella, S : 4,5 km ☎ 95 25 41 36, Fax 95 25 58 31, ≤, ☂ – ≡ ch ☐ ☎ P. GB
Repas *(ouvert mai à sept.)* 96 – ☐ 30 – **32 ch** 340/360.

Porticciolo 2B H.-Corse 90 ② – ✉ **20228** Luri.

Ajaccio 177.

Caribou ⑤, à la Marine de Porticciolo ☎ 95 35 02 33, Fax 95 35 01 13, ≤, ☂, ⛱, ⛺, ☂, ✗ – ☎ P. AE ⓘ GB JCB
1er juil.-10 sept. – **Repas** 250/600, enf. 150 – ☐ 40 – **23 ch** 500/600 – ½ P 750.

Porto 2A Corse-du-Sud 90 ⑮ – ✉ **20150** Ota.

Voir La Marine★ – Tour génoise★.

Env. Golfe de Porto★★★ : les Calanche★★★ – en vedette : SO : les Calanche★★, NO : réserve de Scandola★★★, site★ de Girolata.

🅘 Office de Tourisme Golfe de Porto ☎ 95 26 10 55, Fax 95 26 14 25.

Ajaccio 83 – Calvi 75 – Corte 87 – Évisa 23.

Belvédère M ⑤ sans rest, à la Marine ☎ 95 26 12 01, Fax 95 26 11 97, ≤ – |‡| ≡ ☐ ☎ ♿. AE GB
☐ 40 – **20 ch** 450/500.

Capo d'Orto sans rest, ☎ 95 26 11 14, Fax 95 26 13 49, ≤, ⛱ – ☎ P. GB
15 avril-10 oct. – ☐ 33 – **30 ch** 320/370.

Porto, ☎ 95 26 11 20, Fax 95 26 13 92, ≤, ☂ – ☎. AE ⓘ GB. ✻
1er mai-30 sept. – **Repas** 95/130 – ☐ 30 – **28 ch** 250/350 – ½ P 300/350.

Le Romantique M ⑤, à la Marine ☎ 95 26 10 85, Fax 95 26 14 04, ≤, ☂ – ≡ ☐ ☎. GB. ✻ ch
hôtel : 1er avril-10 oct. ; rest : 1er mai-27 sept. – **Repas** 85/125 – ☐ 30 – **8 ch** 400 – ½ P 630.

Bella Vista, ☎ 95 26 11 08, Fax 95 26 15 18, ≤, ☂, ☂ – cuisinette P. GB. ✻ rest
15 avril-15 oct. – **Repas** 90/180 – ☐ 35 – **21 ch** 220/270 – ½ P 240/265.

au Nord 6 km par D 81 – ✉ **20147** Serrièra :

Eden Park ⑤, sur D 81 ☎ 95 26 10 60, Fax 95 26 11 57, ☂, parc, ⛱, ✗ – ≡ ch ☎ ♿ P. AE ⓘ GB. ✻
1er mai-30 sept. – **Repas** 100/120 – ☐ 50 – **33 ch** 550/700, 3 appart – ½ P 740.

Porto-Pollo 2A Corse-du-Sud 90 ⑱ – alt. 140 – ✉ **20140** Petreto-Bicchisano.

Ajaccio 50 – Sartène 32.

Les Eucalyptus ⑤, ☎ 95 74 01 52, Fax 95 74 06 56, ≤, ☂, ☂, ✗ – ☎ P. AE ⓘ GB. ✻ ch
hôtel : 10 mai-2 oct. ; rest. : 2 juin-2 oct. – **Repas** 80 bc (déj.), 98/150, enf. 45 – ☐ 35 – **27 ch** 330 – ½ P 315.

Porto-Vecchio 2A Corse-du-Sud 90 ⑧ – 9 307 h alt. 40 – ✉ **20137** Porto-Vecchio.

Env. Golfe de Porto-Vecchio★★ – Castello★ d'Arraggio ≤★★ N : 7,5 km.

✈ de Figari-Sud-Corse : ☎ 95 71 00 22, SO : 23 km.

🅘 Office de Tourisme pl. Hôtel de Ville ☎ 95 70 09 58, Fax 95 70 03 72.

Ajaccio 146 – Bonifacio 27 – Corte 120 – Sartène 62.

du Roi Théodore ⑤, rte Bastia : 2 km ☎ 95 70 14 94, Fax 95 70 41 34, ☂, ⛱, ☂, ✗ – ☐ ☎ ☏ P – 🛇 60. AE ⓘ GB
hôtel : 7 mars-15 déc.; rest. : 6 avril-15 oct. – ***Régina*** (dîner seul.) **Repas** carte 260 à 390, enf. 100 – ☐ 60 – **39 ch** 700/1000 – ½ P 750.

Belvédère M ⑤, rte plage de Palombaggia : 5 km ☎ 95 70 54 13, Fax 95 70 42 63, ≤, ☂, « Bel ensemble en bord de mer », ⛱, ⛺ – ⇆ ≡ ☐ ☎ ♿ P. AE ⓘ GB. ✻ ch
fermé début janv. à début mars – **Repas** *(fermé dim. soir et lundi du 1er oct. au 6 avril)* (1/2 pens. seul.) 190/380 – ☐ 60 – **16 ch** (½ pens. seul.), 3 appart – ½ P 1145.

La Rivière ⑤, rte Muratello O : 6 km par D 368, rte secondaire et D 159 ☎ 95 70 10 21, Fax 95 70 56 13, ☂, parc, ⛱, ✗ – ☎ P. AE ⓘ GB. ✻ rest
1er avril-15 oct. – **Repas** (dîner seul.) 90/150, enf. 50 – ☐ 40 – **29 ch** 500/700 – ½ P 500.

Alcyon M sans rest, 9 rte de Bastia ☎ 95 70 50 50, Fax 95 70 25 84 – TV. GB
45 – **40 ch** 500/700.

San Giovanni, rte Arca SO : 3 km par D 659 ☎ 95 70 22 25, Fax 95 70 20 11, « Parc fleuri », – P. AE GB. ch
1er avril-31 oct. – **Repas** (½ pens. seul.) – **29 ch** 404/520 – ½ P 399.

Golfe H. M, chemin de Mazzetta ☎ 95 70 48 20, Fax 95 70 11 71, – ch TV P – 40. AE GB. rest
Repas (dîner seul.) 75/145 – 40 – **38 ch** 540/780 – ½ P 575.

Le Goëland sans rest, à la Marine ☎ 95 70 14 15, Fax 95 72 05 18, – TV P.
1er avril-31 déc. – 35 – **22 ch** 300/600.

XXX **Le Baladin,** 13 r. Gén. Leclerc ☎ 95 70 08 62, Fax 95 70 55 95, – AE GB
fermé 15 nov. au 15 janv., le midi du 15 juin au 15 sept., sam. midi et dim. du 15 sept. 15 juin – **Repas** 160 et carte 240 à 350 - ***Le Troubadour*** (grill) *(1er juin-30 sept.)* **Rep** (dîner seul.) 95/120, enf. 50.

XX **Orée du Maquis,** à la Trinité N : 5 km et chemin de la Lézardière ☎ 95 70 22 21, – P. GB
mai-fin oct. et fermé dim. soir et lundi sauf juil.-août – **Repas** (dîner seul.)(nombre couverts limité, prévenir) 250/350.

au golfe de Santa Giulia S : 8 km par N 198 et VO – ✉ **20137** Porto-Vecchio :

Moby Dick M, ☎ 95 70 70 00, Fax 95 70 70 01, – TV P – 4
AE GB.
5 mai-29 sept. – **Repas** 170 (déj.), 180/220 – 60 – **44 ch** 600 – ½ P 450/1100.

Castell'Verde M sans rest, ☎ 95 70 71 00, Fax 95 70 71 01, golfe, –
P. AE GB.
5 mai-29 sept. – 50 – **30 ch** 900.

à Cala Rossa NE : 10 km par N 198, D 568 et D 468 – ✉ **20137** Porto-Vecchio :

Gd H. Cala Rossa, ☎ 95 71 61 51, Fax 95 71 60 11, « Dans les pins, jard plage aménagée », – TV P. AE GB.
6 avril-12 nov. – **Repas** 170 (déj.), 350/400 et carte 270 à 420 – 100 – **60 ch** (½ pens. seu – ½ P 1450/1900
Spéc. Pesto de langoustines aux poireaux confits. Pavé de loup au jus de poissons de roches. Pigeon rôti rosé au vin myrte. **Vins** Patrimonio, Porto-Vecchio.

PEUGEOT Piétri Autos., rte de Bonifacio ☎ 95 70 07 32 N ☎ 95 71 21 21

RENAULT Balesi-Auto, N 198, La Poretta ☎ 95 70 15 55 N ☎ 95 70 21 43

Propriano

2A Corse-du-Sud 90 ⑱ – 3 217 h alt. 5 – Stat. therm. (fermé déc.) aux Bains de Baracci ✉ **20110** Propriano.

Voir Port★.

Office de Tourisme 17 r. Gén.-de-Gaulle ☎ 95 76 01 49.

Ajaccio 70 – Bonifacio 67 – Corte 139 – Sartène 13.

Miramar, ☎ 95 76 06 13, Fax 95 76 13 14, golfe, – TV P – 25
saisonnier – **28 ch.**

Roc é Mare sans rest, ☎ 95 76 04 85, Fax 95 76 17 55, golfe, – P. AE
GB.
1er mai-15 oct. – 50 – **60 ch** 480/665.

Arcu di Sole, rte Barraci NE : 2 km ✉ 20113 Olmeto ☎ 95 76 05 10, Fax 95 76 13 3 – P. AE GB. rest
31 mars-31 oct. – **Repas** 90/150 – 35 – **51 ch** 528/556, 7 bungalows – ½ P 398/413.

Ibiscus sans rest, ☎ 95 76 01 56, Fax 95 76 23 88, – TV P. AE GB
40 – **27 ch** 340/400.

Loft H. sans rest, 3 r. Pandolfi ☎ 95 76 17 48, Fax 95 76 22 04 – TV P. GB.
fermé fév. – 30 – **25 ch** 300/350.

XX **Le Lido,** ☎ 95 76 06 37, Fax 95 76 06 54, « Au bord de l'eau » – P. AE GB
avril-fin sept. – **Repas** 130 (déj.)/210.

X **Le Cabanon,** av. Napoléon ☎ 95 76 07 76, Fax 95 76 27 97, – AE GB
1er mars-10 déc. – **Repas** 90/125, enf. 50.

PEUGEOT Insulaire de Diffusion, rte Corniche ☎ 95 76 00 91

Prunete

2B H.-Corse 90 ④ – alt. 300 – ✉ **20221** Cervione.

Bastia 46 – Bonifacio 123 – Corte 73.

Orizonte M, ☎ 95 38 01 04, Fax 95 38 03 45, – TV – 80. AE GB.
mars-oct. – **Repas** 120/220 – 70 – **50 ch** 410/660 – ½ P 468/600.

Quenza 2A Corse-du-Sud 90 ⑦ – 214 h alt. 840 – ✉ **20122** Quenza.

Ajaccio 81 – Bonifacio 74 – Porto-Vecchio 47 – Sartène 38.

Sole e Monti, ☎ 95 78 62 53, Fax 95 78 63 88, ≤, – TV ☎. AE GB. rest
15 mars-5 nov. et vacances de fév. – **Repas** 150/300 – ☐ 50 – **20 ch** (1/2 pens. seul.) – 1/2 P 400/450.

Sagone 2A Corse-du-Sud 90 ⑯ – ✉ **20118** Sagone.

Voir Golfe de Sagone★.

Ajaccio 38 – Piana 33 – Porto 45.

U Libbiu sans rest, ☎ 95 28 06 06, Fax 95 28 06 23, ≤, – cuisinette ☎ ♿ P. GB
mai-fin sept. – ☐ 40 – **22 ch** 575/870.

St-Florent 2B H.-Corse 90 ③ – 1 350 h alt. 10 – ✉ **20217** St-Florent.

Voir Église Santa Maria Assunta★★ – Vieille Ville★.

Office de Tourisme, Centre Administratif, ☎ 95 37 06 04.

Bastia 23 – Calvi 72 – Corte 80 – L'Ile-Rousse 48.

Bellevue, ☎ 95 37 00 06, Fax 95 37 14 83, ≤, parc, – TV ☎ P – 100. AE GB
15 mai-30 sept. – **Repas** 180/250 – ☐ 55 – **23 ch** 350/850 – 1/2 P 950.

Golfe M, rte Calvi et voie privée ☎ 95 37 10 10, Fax 95 37 13 13, ≤, – rest TV ☎ ♿ P – 100. AE GB. rest
hôtel : fermé fév. ; rest. : fermé 15 oct. au 15 déc. et 10 janv. au 28 fév. – **Repas** 150 – ☐ 55 – **49 ch** 600/800 – 1/2 P 610.

Dolce Notte M sans rest, ☎ 95 37 06 65, Fax 95 37 10 70, ≤ golfe, – TV ☎ P. AE GB
☐ 37 – **25 ch** 280/620.

Tettola M sans rest, N : 1 km sur D 81 ☎ 95 37 08 53, Fax 95 37 09 19, ≤, – cuisinette ☎ P. GB
☐ 30 – **32 ch** 520.

La Rascasse, promenade des Quais ☎ 95 37 06 99, ≤, « Terrasse panoramique sur le port » – . AE GB
1er avril-30 sept. et fermé lundi sauf du 15 juin au 15 sept. – **Repas** carte 190 à 260.

au Nord : 2 km par D 81 et voie privée – ✉ **20217** St-Florent :

Motel Treperi sans rest, ☎ 95 37 02 75, Fax 95 37 04 61, ≤, – ☎ P. AE GB
1er mars-15 nov. – ☐ 35 – **14 ch** 400.

Ste-Marie-Sicché 2A Corse-du-Sud 90 ⑰ – 355 h alt. 420 – ✉ **20190** Santa-Maria-Sicché.

Ajaccio 34 – Sartène 53.

Le Santa Maria, ☎ 95 25 72 65, Fax 95 25 71 34, – ☎ P. AE GB.
Repas 90/140 – ☐ 37 – **21 ch** 275/345 – 1/2 P 285/303.

Sartène SP 2A Corse-du-Sud 90 ⑱ **G. Corse** (plan) – 3 525 h alt. 310 – ✉ **20100** Sartène.

Voir Vieille ville★★ – Procession de Catenacciu★★ (vend. Saint).

Syndicat d'Initiative 6 r. Borgo ☎ 95 77 15 40.

Ajaccio 86 – Bonifacio 54 – Corte 152.

Villa Piana sans rest, rte Propriano ☎ 95 77 07 04, Fax 95 73 45 65, ≤, parc, – ☎ P. AE GB.
1er avril-15 oct. – ☐ 36 – **32 ch** 310/420.

Aub. Santa Barbara, rte de Propriano ☎ 95 77 09 06, Fax 95 77 09 09, – P. AE GB
mi-mars-mi-oct. et fermé lundi de mars à Pâques et en oct. – **Repas** 155.

La Chaumière, 39 r. Capit. Benedetti ☎ 95 77 07 13, Fax 95 77 17 13 – AE GB
fermé 2 janv. au 20 mars – **Repas** 90/110.

RENAULT Gar. Le Rd-Pt, r. J.-Nicoli ☎ 95 77 02 14

Soccia 2A Corse-du-Sud 90 ⑮ – 143 h alt. 670 – ✉ **20125** Soccia.

Ajaccio 67 – Calvi 131 – Corte 99 – Vico 17.

U Paese , ☎ 95 28 31 92, ≤ – ☎ P. GB.
fermé 20 nov. au 20 déc. – **Repas** 105/130 – ☐ 32 – **33 ch** 185/260 – 1/2 P 230.

Solenzara 2A Corse-du-Sud 90 ⑦ – ✉ **20145** Solenzara.

Ajaccio 119 – Bonifacio 67 – Sartène 75.

Maquis et Mer sans rest, ☎ 95 57 42 37, Fax 95 57 46 85 – ☎ P – 25. AE GB
15 mars-30 oct. – ☐ 50 – **43 ch** 400/800.

La Solenzara sans rest, ☎ 95 57 42 18, Fax 95 57 46 84, – TV ☎ P. AE GB
☐ 32 – **30 ch** 290/450.

A Mandria, N : 1 km ☎ 95 57 41 95, Fax 95 57 45 96, – P. AE GB
Repas 110/130.

Vico 2A Corse-du-Sud 90 ⑮ – 921 h alt. 400 – ✉ **20160** Vico.

Voir Couvent St-François : christ en bois★ dans l'église conventuelle.

Ajaccio 52 – Calvi 114 – Corte 81.

U Paradisu ⛰, ☎ 95 26 61 62, Fax 95 26 67 01, ☂, ⛱ – ☎ 🚗 P. AE ① GB
avril-déc. – **Repas** 95 (déj.), 100/170 ♁ – ☕ 40 – **21 ch** 390 – ½ P 340.

Vizzavona (Col de) 2B H.-Corse 90 ⑥ – alt. 1161 – ✉ **20219** Vivario.

Voir Forêt★★.

Bastia 101 – Bonifacio 136 – Corte 31.

Monte d'Oro ⛰, ☎ 95 47 21 06, Fax 95 47 22 05, en forêt, ☂, ✂ – P – 🏔 60. GB
✂ rest
1er mai-30 sept. – **Repas** 105/240 ♁ – ☕ 30 – **56 ch** 170/360 – ½ P 280/350.

Zicavo 2A Corse-du-Sud 90 ⑦ – 245 h alt. 700 – ✉ **20132** Zicavo.

Ajaccio 61 – Bonifacio 114 – Corte 79 – Porto-Vecchio 85 – Sartène 61.

Tourisme, ☎ 95 24 40 06, ← – ✂
Repas 70/150 ♁, enf. 30 – ☕ 20 – **15 ch** 170/220 – ½ P 225.

CORTE 2B H.-Corse 90 ⑤ – voir à Corse.

COSNES-ET-ROMAIN 54 M.-et-M. 57 ② – rattaché à Longwy.

COSNE-SUR-LOIRE SP **58200** Nièvre 65 ⑬ **G. Bourgogne** – 12 123 h alt. 150.

⛳ du Sancerrois ☎ 48 54 11 22 par ④ puis D 955 : 10 km.

ℹ Office de Tourisme pl. Hôtel de Ville ☎ 86 28 11 85.

Paris 186 ① – Bourges 61 ④ – Auxerre 76 ① – Montargis 72 ① – Nevers 53 ③ – ♦Orléans 109 ①.

COSNE-SUR-LOIRE

St-Jacques (R.)	22
Baudin (R. Alphonse)	2
Buchet-Desforges (R.)	4
Clemenceau (Pl. G.)	5
Dr-J. Moineau (Pl.)	6
Donzy (R. de)	7
Frères-Gambon (R. des)	8
Gambetta (R.)	9
Gaulle (R. du Général-de)	12
Leclerc (R. du Maréchal)	13
Pêcherie (Pl. de la)	15
Pelletan (R. Eugène)	16
République (Bd de la)	17
Rousseau (R. W.)	18
St-Agnan (R.)	21
Victor-Hugo (R.)	24
Vieille-Route	25
14-Juillet (R. du)	26

Pour un bon usage des plans de villes, voir les signes conventionnels dans l'introduction.

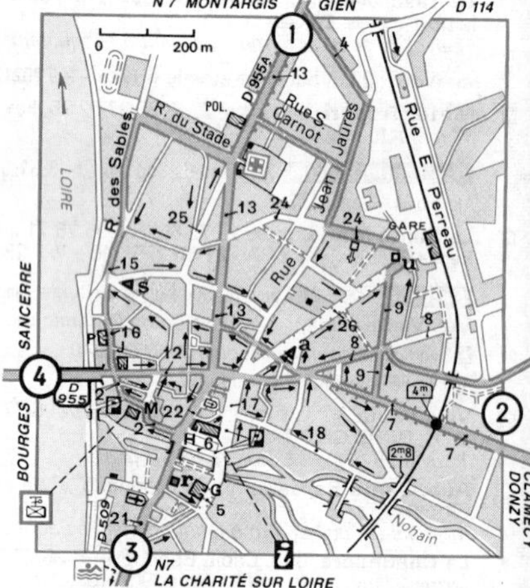

Saint-Christophe, pl. Gare **(u)** ☎ 86 28 02 01, Fax 86 26 94 28 – TV ☎ 📞. AE GB. ✂ ch
fermé 1er au 25 août, sam. du 15 oct. au 30 avril (sauf hôtel) et dim. soir – **Repas** 72/200 ♁ –
☕ 30 – **8 ch** 195/250 – ½ P 230/250.

XX ✿ **Le Sévigné** (Derbord), 16 r. 14 Juillet **(a)** ☎ 86 28 27 50 – AE ① GB
fermé 9 au 17 juin, 2 au 8 janv., dim. soir et lundi – **Repas** (nombre de couverts limité, prévenir) 95 (déj.), 140/215 et carte 220 à 310
Spéc. Oeufs de faisanne pochés au pouilly, crème de menthe (mars à juil.). Croustillant d'escargots du Nivernais, fleur d'ail sauvage. Coeur de faux filet charolais aux champignons des bois. **Vins** Coteaux du Giennois, Pouilly-Fumé.

X **Vieux Relais** avec ch, 11 r. St Agnan **(r)** ☎ 86 28 20 21, Fax 86 26 71 12 – TV ☎ 🚗. AE ① GB JCB
fermé vacances de Noël, de fév., vend. soir et sam. midi du 15 sept. au 30 avril – **Repas** 100/230, enf. 55 – ☕ 38 – **11 ch** 260/310 – ½ P 280/300.

X **La Panetière,** 18 pl. Pêcherie **(s)** ☎ 86 28 01 04, ☂ – AE ① GB
fermé dim. soir du 15 oct. au 15 avril et lundi soir – **Repas** 68 (déj.), 95/195, enf. 55.

rte de Cours NE : 3 km par D114 :

Aub. Campagnarde, ✆ 86 28 15 85, – **P**. GB
fermé 1er janv. au 15 fév. – **Repas** *(fermé 15 déc. au 1er mars)* 130/180, enf. 50 – 36 – **15 ch** 245/285 – ½ P 279.

ITROEN Gar. GRV, ch. rural du Gd Champ N 7 par) ✆ 86 39 58 68
EUGEOT Gds Gar. du Cher, N 7 ✆ 86 26 60 18
RENAULT Gar. Simonneau, 80 av. 85ème par ③ ✆ 86 26 81 81 **N** ✆ 86 21 73 32
Gar. Doubre, 235 r. Frères Gambon ✆ 86 28 27 31

COSQUEVILLE **50330** Manche 54 ② – 501 h alt. 22.
aris 360 – ♦Cherbourg 20 – ♦Caen 122 – Carentan 48 – St-Lô 76 – Valognes 25.

XX **Au Bouquet de Cosqueville,** ✆ 33 54 32 81, Fax 33 54 63 38 – GB
fermé 20 au 30 juin, 10 janv. au 10 fév., mardi soir et merc. sauf juil.-août – **Repas** 100/290, enf. 60.

Le COTEAU **42** Loire 73 ⑦ – rattaché à Roanne.

La CÔTE-ST-ANDRÉ **38260** Isère 77 ③ **G. Vallée du Rhône** (plan) – 3 966 h alt. 370.
aris 533 – ♦Grenoble 49 – ♦Lyon 65 – La Tour-du-Pin 34 – Valence 85 – Vienne 38 – Voiron 30.

XX ✿ **France** avec ch, pl. Église ✆ 74 20 25 99, Fax 74 20 35 30 – rest TV ☎ – 25. GB
fermé 7 au 21 janv., dim. soir et lundi sauf fériés – **Repas** 140/420, enf. 90 – 50 – **13 ch** 300/380 – ½ P 340/390
Spéc. Râble de lièvre à la crème (saison). Ris de veau aux truffes. Truite rose en croûte dorée, sauce béarnaise.

ITROEN Gar. Mary, ✆ 74 20 50 99
PEUGEOT Gar. Marazzi, ✆ 74 20 32 33

COTIGNAC **83570** Var 84 ⑤ ⑥ 114 ⑳ **G. Côte d'Azur** – 1 792 h alt. 262.
Office de Tourisme, 2 r. Bonaventure ✆ 94 04 61 87, Fax 94 04 78 98.
aris 833 – Brignoles 20 – Draguignan 35 – St-Raphaël 66 – Ste-Maxime 64 – ♦Toulon 69.

XX **Le Mas de Cotignac,** S : 3 km sur rte Carcès ✆ 94 04 66 57, Fax 94 04 74 27, , – **P**. GB
mars-oct. et fermé lundi et mardi – **Repas** 110/290 bc.

COTINIÈRE **17** Char.-Mar. 71 ⑬ ⑭ – rattaché à Oléron (Ile d').

COUCHES **71490** S.-et-L. 69 ⑧ **G. Bourgogne** – 1 457 h alt. 320.
aris 315 – Chalon-sur-Saône 28 – Autun 24 – Beaune 32 – Le Creusot 16.

Les 3 Maures, ✆ 85 49 63 93, Fax 85 49 50 29, – TV ☎ **P**. AE GB
fermé 22 au 26 déc., 15 fév. au 18 mars et lundi du 15 sept. au 5 juil. – **Repas** 78/180, enf. 50 – 35 – **16 ch** 220/250 – ½ P 230/250.

COUCHEY **21** Côte d'Or 66 ⑫ – rattaché à Dijon.

COUCOURON **07470** Ardèche 76 ⑰ **G. Vallée du Rhône** – 705 h alt. 1150.
aris 582 – Le Puy-en-Velay 44 – Langogne 20 – Privas 82.

Carrefour des Lacs, ✆ 66 46 12 70, Fax 66 46 16 42 – ☎ **P**. GB
fermé 15 déc. au 1er fév. – **Repas** 85/180 – 32 – **20 ch** 170/310 – ½ P 210/245.

COUDEKERQUE BRANCHE **59** Nord 51 ④ – rattaché à Dunkerque.

COUDRAY **53** Mayenne 63 ⑩ – rattaché à Château-Gontier.

Le COUDRAY-MONTCEAUX **91** Essonne 61 ① – rattaché à Évry Corbeil-Essonnes (Corbeil-Essonnes).

COUHÉ **86700** Vienne 68 ⑬ – 1 706 h alt. 140.
aris 371 – Poitiers 36 – Confolens 56 – Montmorillon 61 – Niort 67 – Ruffec 30.

Chêne Vert, r. Bons Enfants ✆ 49 59 20 42, Fax 49 53 42 20 – TV . GB
Repas 70 (déj.), 80/170 , enf. 45 – 28 – **9 ch** 190 – ½ P 200.

ITROEN Gar. Senelier, ✆ 49 59 22 30

COUILLY-PONT-AUX-DAMES **77860** S.-et-M. 56 ⑫ **G. Ile-de-France** – 1 635 h alt. 50.
'oir Musée Louis-Braille à Coupvray O : 5 km.
aris 45 – Coulommiers 19 – Lagny-sur-Marne 12 – Meaux 8 – Melun 46.

XX ✿ **Aub. de la Brie** (Pavard), rte Quincy (D 436) ✆ (1) 64 63 51 80, Fax 64 63 51 80, , – **P**. AE GB
fermé 8 au 28 août, vacances de fév., merc. soir, dim. soir et lundi – **Repas** (nombre de couverts limité, prévenir) 150/230 et carte 240 à 370
Spéc. Eventail de foie gras de canard, saumon fumé et salade de homard tiède. Noix de ris de veau braisée au cidre, pommes fruits. Millefeuille minute aux fruits de saison. **Vins** Champagne.

COULANDON **03** Allier 69 ⑭ – rattaché à Moulins.

COULANGES-LA-VINEUSE 89580 Yonne 65 ⑤ – 878 h alt. 193.

Paris 183 – Auxerre 13 – Avallon 43 – Clamecy 35 – Cosne-sur-Loire 67.

à Val-de-Mercy S : 4 km par D 165 et D 38 – 294 h. alt. 115 – ✉ 89580 :

XX **Aub. du Château** avec ch, ℘ 86 41 60 00, Fax 86 41 69 70, – TV ☎. AE GB
fermé 15 janv. au 15 mars et merc. – **Repas** (nombre de couverts limité, prévenir) 170/300 – ☐ 50 – **5 ch** 350/490 – ½ P 450/560.

COULOMBIERS 86600 Vienne 68 ⑬ – 962 h alt. 141.

Paris 351 – Poitiers 16 – Couhé 24 – Lusignan 8 – Parthenay 44 – Vivonne 10,5.

Le Centre Poitou, ℘ 49 60 90 15, Fax 49 50 05 84, – TV ☎. GB
fermé 10 au 25 janv., dim. soir et lundi d'oct. à mai – **Repas** 99/380, enf. 50 – ☐ 35 – **10 c** 300 – ½ P 290/350.

COULOMMIERS 77120 S.-et-M. 61 ③ 106 ㉔ **G. Ile de France** – 13 087 h alt. 85.

Office de Tourisme 11 r. Gén.-de-Gaulle ℘ (1) 64 03 88 09.

Paris 62 – Châlons-en-Champagne 108 – Château-Thierry 42 – Créteil 57 – Meaux 28 – Melun 49 – Provins 37 – Ser 76.

X **Le Clos du Theil,** quartier du Theil NE : 2 km - r. Theil ℘ (1) 64 65 11 63 Fax (1) 64 03 54 66, – AE GB
fermé 15 au 28 fév., lundi soir et mardi – **Repas** 130/200, enf. 60.

PEUGEOT Gar. Dehus, 2 av. de la Marne à Rebais ℘ (1) 64 04 50 28 N ℘ (1) 49 75 75 75
PEUGEOT Gar. Riester, bd de la Marne, ZI ℘ (1) 64 03 01 92

RENAULT Gar. Metz, 1 av. L.-Blum ℘ (1) 64 75 67 67
Euromaster, ZI 8 r. de l'Orgeval ℘ (1) 64 03 01 9

COULON 79510 Deux-Sèvres 71 ② **G. Poitou Vendée Charentes** – 1 870 h alt. 6.

Voir Marais poitevin★ (promenade en barque★★, 1 h à 1 h 30).

Office de Tourisme pl. Église ℘ 49 35 99 29, Fax 49 35 84 31.

Paris 416 – La Rochelle 56 – Fontenay-le-Comte 26 – Niort 10 – St-Jean-d'Angély 55.

Au Marais sans rest, ℘ 49 35 90 43, Fax 49 35 81 98, ≤ – TV ☎. AE GB JCB
fermé 5 au 24 janv. – ☐ 40 – **18 ch** 360/450.

XX **Central,** ℘ 49 35 90 20, Fax 49 35 81 07, – AE GB
fermé 23 sept. au 9 oct., 15 janv. au 8 fév., dim. soir et lundi – **Repas** 94/192, enf. 51.

COULONGES-SUR-L'AUTIZE 79160 Deux-Sèvres 71 ① – 2 021 h alt. 80.

Paris 418 – La Rochelle 63 – Bressuire 47 – Fontenay-le-Comte 18 – Niort 22 – Parthenay 35.

X **Citronnelle,** ℘ 49 06 17 67, – GB
fermé dim. soir et lundi – **Repas** 55/198.

COURBEVOIE 92 Hauts-de-Seine 55 ⑳, 101 ⑮ – voir à Paris, Environs.

COURCELLES-SUR-VESLE 02220 Aisne 56 ⑤ – 270 h alt. 75.

Paris 121 – ♦Reims 36 – Fère-en-Tardenois 19 – Laon 38 – Soissons 20.

Château de Courcelles M, ℘ 23 74 13 53, Fax 23 74 06 41, « Parc », TV ☎ P – 40. AE GB JCB
fermé 15 janv. au 15 fév. – **Repas** 230/360 – ☐ 75 – **14 ch** 600/1400 – ½ P 550/975.

COURCHEVEL 73120 Savoie 74 ⑱ **G. Alpes du Nord** – Sports d'hiver : 1 300/2 707 m 11 57.

de Courchevel ℘ 79 08 17 00 – Altiport International ℘ 79 03 31 14, S : 4 km.

Paris 631 ① – Albertville 49 ① – Chambéry 96 ① – Moûtiers 23 ①.

Plan page ci-contre

à Courchevel 1850.

Voir ★.

Office de Tourisme La Croisette ℘ 79 08 00 29, Fax 79 08 15 63.

Byblos des Neiges M, au jardin Alpin **(y)** ℘ 79 00 98 00, Fax 79 00 98 01, ≤, – TV ☎ P – 40. AE GB JCB. rest
mi-déc.-mi-avril – ***La Clairière :*** **Repas** 320 (déj.), 360/400 – ***L'Écailler :*** **Repas** (dîner seul.) 42 – ☐ 120 – **66 ch** 1700/3670, 11 appart – ½ P 1570/2320.

Airelles M, au Jardin Alpin **(h)** ℘ 79 09 38 38, Fax 79 08 38 69, ≤, – ☎ – 80. AE GB.
15 déc.-fin avril – **Repas** 330 (déj.)/440 – ☐ 150 – **52 ch** 3000/5900, 4 appart – ½ P 180 3150.

Carlina M, **(a)** ℘ 79 08 00 30, Fax 79 08 04 03, ≤, – TV ☎ P 25 à 60. AE GB. rest
19 déc.-17 avril – **Repas** 260 (déj.)/360 – ☐ 100 – **57 ch** (½ pens. seul.), 7 appart ½ P 1340/1760.

Bellecôte , **(d)** 79 08 10 19, Fax 79 08 17 16, < vallée, , , – – 40. AE GB. rest
20 déc.-20 avril – **Repas** 250 (déj.)/350 – 100 – **56 ch** 1700/1800 – ½ P 1200/1700.

Lana , **(p)** 79 08 01 10, Fax 79 08 36 70, <, , , – – 80. AE GB. rest
16 déc.-14 avril – **Repas** 240 (déj.)/440 – 95 – **68 ch** (½ pens. seul.), 6 appart – ½ P 1300/1650.

des Neiges , **(e)** 79 08 03 77, Fax 79 08 18 70, <, , – . AE GB.
15 déc.-15 avril – **Repas** carte 260 à 400 – 85 – **37 ch** (½ pens. seul.), 5 appart – ½ P 1165/1745.

Annapurna , rte Altiport 79 08 04 60, Fax 79 08 15 31, < la Saulire, , , – – 80. AE GB. rest
18 déc.-18 avril – **Repas** 330 (déj.)/350 – **64 ch** 1510/2960, 4 appart – ½ P 1365/1740.

Pralong 2000 , rte Altiport 79 08 24 82, Fax 79 08 36 41, < montagnes, , , – – 40. AE GB
mi-déc.-mi-avril – **Repas** 295 (déj.)/390 – **62 ch** (½ pens. seul.), 7 appart – ½ P 1020/2650.

La Sivolière M , NO : 1 km 79 08 08 33, Fax 79 08 15 73, <, , – . AE GB.
1er déc.-2 mai – **Repas** 120 (déj.), 240/320 – 75 – **30 ch** 850/1950 – ½ P 1010/1310.

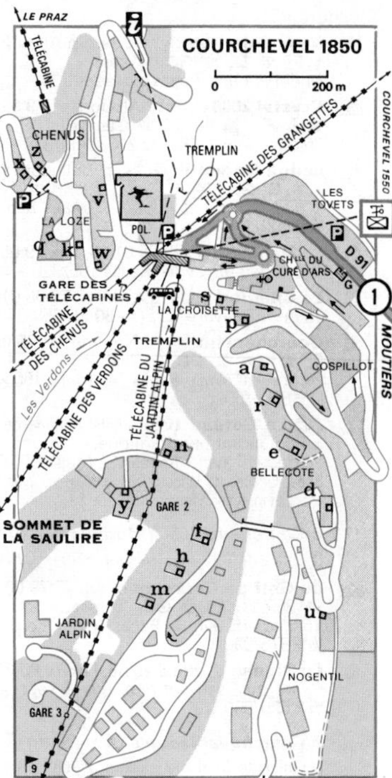

Trois Vallées M , **(q)** 79 08 00 12, Fax 79 08 17 98, <, « Élégant décor contemporain », – – 60. AE GB.
1er déc.-20 avril – **Repas** 210 (déj.), 310/370 – 120 – **30 ch** 1300/1600 – ½ P 1150/1450.

Le Mélezin M , **(r)** 79 08 01 33, Fax 79 08 08 96, <, , « Belle décoration contemporaine » – . AE GB.
20 déc.-20 avril – **Repas** carte 270 à 360, enf. 100 – **31 ch** 1950/3500, 3 appart.

Les Grandes Alpes M , **(s)** 79 08 03 35, Fax 79 08 12 52, <, , – – 40. AE GB. rest
1er juil.-31 août et 1er déc.-1er mai – **Repas** 95 (déj.), 110/350 – 60 – **37 ch** (½ pens. seul.) – ½ P 1000/1450.

✿✿ **Le Chabichou** (Rochedy) M , **(z)** 79 08 00 55, Fax 79 08 33 58, <, , – . AE GB JCB
fin juin-mi-sept. et fin nov.-fin avril – **Repas** 220 (déj.), 340/580 et carte 290 à 440 – 100 – **35 ch** (½ pens. seul.), 5 duplex – ½ P 880/1930
Spéc. Salade de homard et de Saint-Jacques. Tête de veau mitonnée à l'ancienne, ravigote aux truffes. Parfait à la réglisse, cookies au chocolat et caviar de framboises. **Vins** Roussette de Savoie, Mondeuse.

Pomme de Pin M , **(x)** 79 08 36 88, Fax 79 08 38 72, < vallée et montagnes, – – 40. AE GB
15 déc.-15 avril – **Repas** (voir aussi ***Le Bateau Ivre*** ci-après) - 190/250 – 60 – **49 ch** 1190 – ½ P 969/1123.

La Loze M sans rest, **(w)** 79 08 28 25, Fax 79 08 36 62 – . AE GB.
1er déc.-fin avril – 95 – **25 ch** 1250/1900.

Ducs de Savoie , au Jardin Alpin **(f)** 79 08 03 00, Fax 79 08 16 30, <, , , – – 40. AE GB. rest
déc.-avril – **Repas** 195 (déj.)/270 – 80 – **71 ch** (½ pens. seul.) – ½ P 840/1450.

Caravelle , au Jardin Alpin **(m)** 79 08 02 42, Fax 79 08 33 55, <, , , – . GB.
15 déc.-20 avril – **Repas** 120 (déj.)/280 – 75 – **60 ch** (½ pens. seul.), 5 appart – ½ P 775/1145.

New Solarium 🏱, au Jardin Alpin **(n)** ✆ 79 08 02 01, Fax 79 08 38 52, ≤, 🍽, Fб, 🏊 |♦| 📺 ☎. AE ⓓ GB. ✻ rest
Noël-Pâques – **Repas** 250 (déj.)/290 – ☕ 80 – **70 ch** 750/1000 – ½ P 1100/1250.

Crystal 2000 🏱, rte Altiport ✆ 79 08 28 22, Fax 79 08 28 39, ≤ montagnes, 🍽 – |♦| 📺 ☎ ♿ 🅿 – 🏔 40. AE ⓓ GB
20 déc.-9 avril – **Repas** 210 (déj.)/325 – **48 ch** (½ pens. seul.), 3 appart – ½ P 820/1110.

Lodge Nogentil Ⓜ 🏱, r. Bellecôte **(u)** ✆ 79 08 32 32, Fax 79 08 03 15, ≤ – |♦| 📺 ☎ 🚗. AE GB. ✻
1er juil.-31 août et 1er déc.-1er mai – **Repas** (dîner seul.) 200/250 – ☕ 50 – **10 ch** 1100/1900 ½ P 850/1050.

Le Dahu, (v) ✆ 79 08 01 18, Fax 79 08 11 98, ≤ – |♦| 📺 ☎. GB. ✻
début déc.-fin avril – **Repas** 165/320 – ☕ 80 – **38 ch** 750/980 – ½ P 850/900.

Le Chamois sans rest, **(k)** ✆ 79 08 01 56, Fax 79 08 34 23, ≤ – |♦| cuisinette 📺 ☎. GB
15 déc.-20 avril – ☕ 70 – **30 ch** 650/1400, 6 studios.

Courcheneige 🏱, r. Nogentil ✆ 79 08 02 59, Fax 79 08 11 79, ≤ montagnes, 🍽, Fб – |♦| 📺 ☎ 🚗. AE GB. ✻ rest
20 déc.-20 avril – **Repas** 140 (déj.)/160 🍷, enf. 50 – ☕ 70 – **83 ch** (½ pens. seul.), 3 appart ½ P 650/750.

XXX ✿✿ **Le Bateau Ivre** - hôtel Pomme de Pin - (Jacob), **(x)** ✆ 79 08 36 88, Fax 79 08 38 72
« Restaurant panoramique, ≤ massif de la Vanoise » – 🅿. AE ⓓ GB
20 déc.-15 avril – **Repas** 195 (déj.), 350/510 et carte 400 à 500, enf. 100
Spéc. Queues de langoustines dorées aux épices. Raviole de cuisses de grenouilles rôties. Mousse soufflée au chocolat mi-amer. **Vins** Roussette de Savoie, Apremont.

à Courchevel 1650 (Moriond) par ① : 3,5 km – ✉ **73120** Courchevel.

🅘 Office de Tourisme (saison) ✆ 79 08 03 29, Fax 79 08 06 12.

du Golf de Courchevel Ⓜ, ✆ 79 00 92 92, Fax 79 08 19 93, ≤, Fб – |♦| ⇆ 📺 ☎ 🚗 🏔 30 à 50. AE ⓓ GB. ✻ rest
15 déc.-15 avril – **Repas** (dîner seul.) 200/280 – ☕ 80 – **51 ch** 980/1780, 6 duplex ½ P 875/990.

Le Signal, ✆ 79 08 26 36, Fax 79 08 38 83, ≤ – ☎. GB. ✻
fermé mai, sam. et dim. du 15 sept. au 15 déc. – **Repas** 150/200 – ☕ 45 – **27 ch** 500 ½ P 520/550.

à Courchevel 1550 par ① : 5,5 km – ✉ **73120** Courchevel.

🅘 Office de Tourisme (saison) ✆ 79 08 04 10.

L'Adret d'Ariondaz 🏱, ✆ 79 08 00 01, Fax 79 08 37 95, ≤ – |♦| 📺 ☎. ⓓ GB. ✻
1er déc.-30 avril – **Repas** 140 (déj.)/160 – ☕ 60 – **27 ch** 1000 – ½ P 640.

Les Flocons 🏱, ✆ 79 08 02 70, Fax 79 08 11 29, ≤ – 📺 ☎ 🅿. GB. ✻
15 déc.-20 avril – **Repas** 100 (déj.), 120/175 – ☕ 70 – **29 ch** (½ pens. seul.) – ½ P 590/650.

COUR-CHEVERNY 41700 L.-et-Ch. 64 ⑰ ⑱ – 2 347 h alt. 86.

Voir Château de Cheverny★★★ (spectacle son et lumière) S : 1 km – Porte★ de la chapelle du Château de Troussay SO : 3,5 km, **G, Châteaux de la Loire.**

🅘 Office de Tourisme (avril-sept.) ✆ 54 79 95 63.

Paris 194 – ◆Orléans 71 – Blois 13 – Bracieux 9 – Châteauroux 89 – Montrichard 28 – Romorantin-Lanthenay 27.

Trois Marchands, ✆ 54 79 96 44, Fax 54 79 25 60 – 📺 ☎ 🅿 – 🏔 30. AE ⓓ GB JCB
fermé 5 fév. au 14 mars, lundi midi de Pâques au 30 juin et lundi d'oct. à Pâques – **Repas** 112/315, enf. 51 – ☕ 40 – **36 ch** 180/340 – ½ P 210/300.

St-Hubert, ✆ 54 79 96 60, Fax 54 79 21 17, 🍽 – ☎ 🅿. GB
fermé 10 janv. au 20 fév. et merc. hors sais. – **Repas** 98/280, enf. 58 – ☕ 35 – **18 ch** 220/320 – ½ P 280/320.

à Cheverny S : 1 km – 900 h. alt. 110 – ✉ **41700** :

Château du Breuil 🏱, O : 3 km par D 52 et voie privée ✆ 54 44 20 20, Fax 54 44 30 40, 🍽, « Dans un parc » – 📺 ☎ 🅿. AE GB. ✻ rest
fermé 2 janv. au 20 fév., dim. soir hors sais. et lundi midi – **Repas** 195/375 – ☕ 65 – **16 ch** 530/890 – ½ P 625/700.

X **Pousse Rapière,** ✆ 54 79 94 23, Fax 54 79 27 67 – AE GB
fermé 15 déc. au 15 janv., dim. soir et lundi – **Repas** 90/240, enf. 50.

PEUGEOT Gar. Duceau, ✆ 54 79 98 67

RENAULT Gar. Beaugrand, ✆ 54 79 96 41 🅽 ✆ 54 79 96 41

COURLANS 39 Jura 70 ⑭ – rattaché à Lons-le-Saunier.

COURLON-SUR-YONNE 89140 Yonne 61 ⑬ – 876 h alt. 66.

Paris 96 – Fontainebleau 37 – Auxerre 79 – Montereau-Fault-Yonne 20 – Nemours 40 – Sens 19.

X **Aub. du Bord de l'Yonne,** ✆ 86 66 84 82, 🍽 – GB
fermé oct., dim. soir, lundi soir et mardi – **Repas** 90/140 🍷.

COURPIÈRE 63120 P.-de-D. 73 ⑯ G. Auvergne – 4 674 h alt. 320.

Voir Église★.

Syndicat d'Initiative pl. de la Libération ☎ 73 51 20 27.

Paris 464 – ◆Clermont-Ferrand 53 – Ambert 39 – Issoire 54 – Lezoux 22 – Thiers 16.

- **L'Air du Temps,** av. Gare ☎ 73 51 25 91 – GB
  fermé dim. soir et lundi – **Repas** 55 (déj.), 95/160 ♨.

au Sud : 3,5 km sur D 906 – ✉ 63120 Courpière :

- **Clef des Champs,** ☎ 73 53 01 83, ☂ – P. GB
  fermé 2 janv. au 6 fév., dim. soir et lundi – **Repas** 80/160 ♨.

CITROEN Gar. Brouillet, à Néronde-sur-Dore ☎ 73 53 17 28

COURRUERO 83 Var 84 ⑰, 114 ㊱ – rattaché à Plan-de-la-Tour.

COURS 69470 Rhône 73 ⑧ – 4 637 h alt. 543.

Paris 461 – Mâcon 73 – Roanne 27 – L'Arbresle 52 – Chauffailles 17 – ◆Lyon 79 – Villefranche-sur-Saône 60.

- **Nouvel Hôtel,** 5 r. G. Clemenceau ☎ 74 89 70 21, Fax 74 89 84 41 – TV ☎. AE GB
  fermé 4 au 18 août et 25 déc. au 3 janv. – **Repas** *(fermé dim. soir)* 78/182 ♨ – ☕ 40 – **15 ch** 167/265 – ½ P 280/356.

au col du Pavillon E : 4 km par D 64 – ✉ 69470 Cours :

- **Le Pavillon** ♨, ☎ 74 89 83 55, Fax 74 64 70 26, ☂, – TV ☎ ♿ P – 🏔 30. GB
  fermé vacances de fév., vend. soir et sam. de nov. à mars – **Repas** 78/280 ♨ – ☕ 36 – **21 ch** 260/345 – ½ P 290/310.

CITROEN Cours Autos, ☎ 74 89 75 91
FORD Gar. Lachize, ☎ 74 89 81 67 N ☎ 74 89 81 67
PEUGEOT Gar. du Stade, ☎ 74 89 98 98
RENAULT Gar. Jalabert, ☎ 74 89 71 10

COUR-ST-MAURICE 25380 Doubs 66 ⑰ ⑱ – 155 h alt. 500.

Paris 483 – ◆Besançon 66 – Baume-les-Dames 44 – Montbéliard 43 – Maiche 10,5 – Morteau 35.

- **Le Moulin** ♨, à Moulin du Milieu, E : 3 km sur D 39 ☎ 81 44 35 18, ≤, « Jardin ombragé en bordure de rivière » – TV ☎ P. GB. ✻ rest
  fermé 5 au 10 oct., 15 janv. au 15 fév. et merc. – **Repas** (nombre de couverts limité, prévenir) 105/160 – ☕ 45 – **7 ch** 260/380 – ½ P 300/330.

COURSAN 11 Aude 83 ⑭ – rattaché à Narbonne.

COURSEGOULES 06140 Alpes-Mar. 84 ⑨ G. Côte d'Azur – 260 h alt. 1020.

Paris 861 – Castellane 60 – Grasse 32 – Nice 38.

- **Aub. de L'Escaou** M avec ch, ☎ 93 59 11 28, Fax 93 59 13 70, ≤ – |‡| TV ☎ ♿. GB
  hôtel : ouvert 1er avril-30 oct. et fermé dim. et lundi sauf du 15 juin au 30 sept. – **Repas** *(fermé janv., dim. soir et lundi du 1er oct. au 15 juin)* 98/165 ♨, enf. 45 – ☕ 35 – **12 ch** 265/280 – ½ P 270.

COURSEULLES-SUR-MER 14470 Calvados 55 ① G. Normandie Cotentin – 3 182 h alt. 4.

Voir Clocher★ de l'église de Bernières-sur-Mer E : 2,5 km – Tour★ de l'église de Ver-sur-Mer O : 5 km par D 514.

Env. Château★★ de Fontaine-Henry S : 6,5 km.

Office de Tourisme r. Mer ☎ 31 37 46 80.

Paris 256 – ◆Caen 18 – Arromanches-les-Bains 13 – Bayeux 21 – Cabourg 33.

- **Paris,** ☎ 31 37 45 07, Fax 31 37 51 63, ☂ – TV ☎ P. AE GB
  fermé 12 nov. au 12 déc., mardi, merc. et jeudi de janv. à mars sauf vacances scolaires – **Repas** 73/255, enf. 45 – ☕ 35 – **27 ch** 280/360 – ½ P 290/315.

COURTENAY 45320 Loiret 61 ⑬ – 3 292 h alt. 146.

18 de Clairis à Savigny-sur-Clairis (89) ☎ 86 86 33 90, N : 7,5 km.

Office de Tourisme pl. du Mail ☎ 38 97 00 60.

Paris 120 – Auxerre 54 – Nemours 44 – ◆Orléans 100 – Sens 26.

- **Gd H. de l'Étoile,** 1 r. Nationale ☎ 38 97 41 71, Fax 38 97 37 89 – TV P. GB
  1er mars-31 oct. – **Repas** *(fermé mardi soir et merc.)* 100/140, enf. 50 – ☕ 33 – **16 ch** 165/270.
- **Le Relais** avec ch, 34 r. Nationale ☎ 38 97 41 60, Fax 38 97 30 43 – TV ☎ P. AE ⓓ GB
  fermé dim. soir et lundi hors sais. – **Repas** 95/230 ♨, enf. 55 – ☕ 38 – **8 ch** 250/370 – ½ P 255/300.
- **Le Raboliot,** pl. Marché ☎ 38 97 44 52, Fax 38 97 44 52 – GB
  fermé lundi soir et jeudi – **Repas** 75/140.

Les Quatre Croix SE : 1,5 km par D 32 – ✉ **45320** Courtenay :

XXX ✿ **Aub. Clé des Champs** (Delion) M avec ch, ☎ 38 97 42 68, Fax 38 97 38 10, ≤, – TV ☎ ♿ P. AE GB
fermé 14 au 30 oct., 6 au 29 janv., mardi soir et merc. – **Repas** (nombre de couverts limité prévenir) 95/320 et carte 260 à 420 – ☕ 55 – **7 ch** 420/550
Spéc. Ris de veau à la crème de vanille et à l'oseille. Filet de boeuf façon ficelle à la crème de morilles. Noisettine a gianduja. **Vins** Irancy, Chitry.

à Ervauville NO : 9 km par N 60, D 32 et D 34 – 299 h. alt. 152 – ✉ **45320** :

XXX **Le Gamin,** ☎ 38 87 22 02, Fax 38 87 22 02 – GB
fermé 10 au 26 juin, 2 au 18 sept., dim. soir, lundi et mardi – **Repas** (nombre de couverts limité, prévenir) 210/300 et carte 320 à 390.

COUSSAC-BONNEVAL **87500** H.-Vienne 72 ⑰ ⑱ **G. Berry Limousin** – 1 447 h alt. 376.

Voir Château★ – Lanterne des morts★.

Office de Tourisme - Mairie ☎ 55 75 28 46.

Paris 439 – ◆Limoges 41 – Brive-la-Gaillarde 55 – St-Yrieix-la-Perche 11 – Uzerche 30.

XX **Voyageurs** avec ch, ☎ 55 75 20 24, Fax 55 75 28 90, – rest TV ☎. GB JCB
fermé janv., dim. soir et lundi d'oct. à Pâques – **Repas** 65/230 – ☕ 28 – **9 ch** 240/250 – ½ P 220.

COUTANCES **50200** Manche 54 ⑫ **G. Normandie Cotentin** – 9 715 h alt. 91.

Voir Cathédrale★★★ YZ – Jardin des Plantes★ YZ.

Office de Tourisme pl. Georges Leclerc ☎ 33 45 17 79, Fax 33 47 12 45.

Paris 334 ② – St-Lô 29 ② – Avranches 50 ③ – ◆Cherbourg 75 ⑤ – Vire 56 ③.

COUTANCES

St-Nicolas (R.) . . . . Y 30
Tancrède (R.) . . . . Y 32
Tourville (R.) . . . . Y 33

Albert-1er (Av.) . . . . Z 2
Croûte (R. de la) . . . . YZ 3
Daniel (R.) . . . . Y 5
Duhamel (R.) . . . . Z 6
Écluse-Chette (R. de l') . . . . Y 8
Encoignard (Bd) . . . . Z 9
Foch (R. Mar.) . . . . Z 10
Gambetta (R.) . . . . Y 12
Herbert (R. G.) . . . . Z 13
Leclerc (Av. Division) . . . . Y 15
Legentil-de-la-Galaisière (Bd) . . . . Z 16
Lycée (R. du) . . . . Z 17
Marest (R. Thomas du) . . . . Y 18
Milon (R.) . . . . Y 19
Montbray (R. G.-de) . . . . Z 20
Normandie (R. de) . . . . Y 21
Palais-de-Justice (R. du) . . . . Y 23
Paynel (Bd J.) . . . . Y 24
Quesnel-Morinière (R.) . . . . Z 26
République (Av. de la) . . . . Y 27
St-Dominique (R.) . . . . Y 29

Dans la liste des rues des plans de villes, les noms en rouge indiquent les principales voies commerçantes.

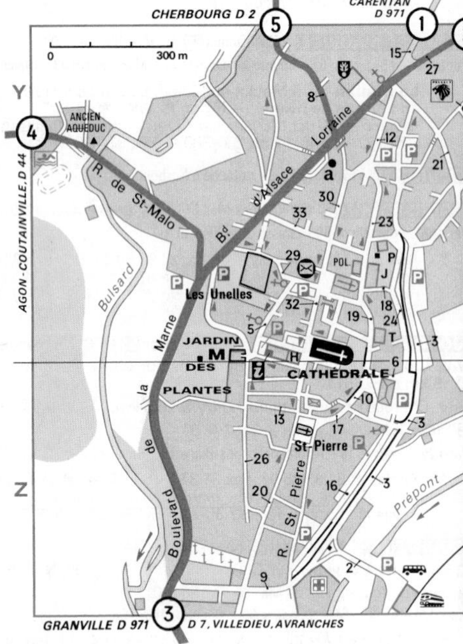

Cositel M, par ④ : 1 km sur D44 ☎ 33 07 51 64, Fax 33 07 06 23, ≤ – TV ☎ ♿ P – 200. AE GB
Repas 90/220, enf. 54 – ☕ 40 – **54 ch** 305/370 – ½ P 298.

Pocatière sans rest, 25 bd Alsace-Lorraine ☎ 33 45 13 77, Fax 33 45 77 18 – TV ☎ P. GB. Y
fermé 20 déc. au 20 janv. – ☕ 35 – **18 ch** 140/315.

à Gratot par ④ et D 244 : 4 km – 581 h. alt. 83 – ✉ **50200** :

Le Tourne-Bride, ✆ 33 45 11 00 – P. GB
fermé dim. soir et lundi – **Repas** 98/235, enf. 55.

TROEN Gar. Lebouteiller, rte de St-Lô, ZI par ② 33 76 64 65
UGEOT Gar. Lebailly-Horel, r. Acacias 33 07 34 00 N ✆ 33 07 24 24
RENAULT Gar. Sodiam, rte de St-Lô par ② ✆ 33 76 68 00 N ✆ 33 76 68 00
Chanut, av. Division-Leclerc ✆ 33 45 59 96

OUTRAS **33230** Gironde 75 ② – 6 689 h alt. 15.
Office de Tourisme à la Mairie ✆ 57 49 04 60, (15 juin-15 sept.) ✆57 69 36 53.
ris 528 – ♦Bordeaux 48 – Bergerac 63 – Blaye 49 – Jonzac 59 – Libourne 19 – Périgueux 81.

Henri IV sans rest, pl. 8 Mai 1945 ✆ 57 49 34 34, Fax 57 49 20 72 – TV ☎ P. AE ① GB
36 – **14 ch** 220/260.

TROEN Gar. Debenat, rte de Montpon, ZI 57 49 19 36 N ✆ 57 49 19 36
UGEOT Gar. Fostinelli, 173-175 r. Gambetta 57 49 05 94
PEUGEOT Gar. Ballon, 4 rte d' Angoulême ✆ 57 49 12 67
RENAULT Gar. Vacher, 144 r. Gambetta ✆ 57 49 04 91

RANSAC **12110** Aveyron 80 ① **G. Gorges du Tarn** (plan) – 2 180 h alt. 300 – Stat. therm. (15 avril-20 oct.).
Office de Tourisme, pl. J.-Jaurès ✆ 65 63 06 80.
ris 608 – Rodez 35 – Aurillac 73 – Espalion 64 – Figeac 32 – Villefranche-de-Rouergue 37.

Parc ⑤, r. Gén. Artous ✆ 65 63 01 78, Fax 65 63 20 36, , parc, – ☎ P. AE GB
1er avril-25 oct. – **Repas** 75/170, enf. 45 – 35 – **27 ch** 120/250 – ½P 155/225.

Host. du Rouergue, av. J. Jaurès ✆ 65 63 02 11, , – P. AE GB
15 mars-31 oct. – **Repas** 59 (déj.), 75/150, enf. 45 – 30 – **16 ch** 150/300 – ½P 205/250.

a CRAU **83260** Var 84 ⑮ 114 ㊻ – 11 257 h alt. 36.
Office de Tourisme, Mairie ✆ 94 66 70 93 et parking de Lattre-de-Tassigny (juin-sept.) ✆ 94 66 14 48.
ris 840 – ♦Toulon 15 – Brignoles 38 – Draguignan 71 – Hyères 07 – ♦Marseille 79.

Aub. du Fenouillet, 20 av. Gén. de Gaulle ✆ 94 66 76 74, Fax 94 35 19 09 – . GB
fermé 17 juil. au 18 août, 17 au 29 déc., lundi soir et merc. – **Repas** 140/185.

RÈCHES-SUR-SAÔNE **71** S.-et-L. 74 ① – rattaché à Mâcon.

RÉCY-EN-PONTHIEU **80150** Somme 52 ⑦ **G. Flandres Artois Picardie** – 1 491 h alt. 30.
ris 190 – ♦Amiens 54 – Abbeville 19 – Montreuil 29 – St-Omer 73.

de la Maye M, ✆ 22 23 54 35, Fax 22 23 53 32, – TV ☎ P. AE ① GB
fermé 17 fév. au 13 mars, dim. soir et lundi sauf juil.-août – **Repas** 60/170 – 30 – **11 ch** 250/340 – ½P 255/300.

RÉHEN **22130** C.-d'Armor 59 ⑤ – 1 493 h alt. 38.
ris 421 – St-Malo 25 – Dinan 20 – Dinard 18 – St-Brieuc 50.

Deux Moulins, D 768 ✆ 96 84 15 40, Fax 96 84 24 62, – P. GB
fermé vend. soir et dim. soir sauf juil.-août – **Repas** 68/160 – 28 – **16 ch** 190/250.

REIL **60100** Oise 56 ① ⑪ **G. Ile de France** – 31 956 h alt. 30.
Office de Tourisme pl. Gén.-de-Gaulle ✆ 44 55 16 07, Fax 44 55 05 27.
ris 60 ③ – Compiègne 37 ② – Beauvais 42 ① – Chantilly 7 ④ – Clermont 15 ①.

Plan page suivante

Petite Alsace, 8 pl. Ch. Brobeil (près gare) **(e)** ✆ 44 55 28 89, Fax 44 55 00 27 – AE GB
fermé 10 au 26 août, sam. midi, dim. soir et lundi – **Repas** 85/250, enf. 45.

à Nogent-sur-Oise par ① : 2 km – 19 537 h. alt. 37 – ✉ **60180** :

Sarcus, 7 r. Châteaubriand ✆ 44 74 01 31, Fax 44 71 58 85 – TV ☎ P – 50 à 200. AE ① GB
fermé 22 juil. au 18 août, sam. midi et dim. – **Repas** 80/180 bc, enf. 50 – 40 – **62 ch** 260 – ½P 245.

par ② : 2 km sur D 120 – ✉ **60100** Creil :

Ferme de Vaux, 11 et 19 rte Vaux ✆ 44 24 76 76, Fax 44 26 81 50 – TV ☎ P – 60. AE ① GB
fermé 27 juil. au 30 août – **Repas** *(fermé dim. soir)* 130 (déj.)/200, enf. 60 – 40 – **30 ch** 275/325 – ½P 340.

TROEN SO.FI.DAC., 38 av. 8 Mai, Nogent-sur-se par ① ✆ 44 71 72 62
RD Gar. Brie et Picardie, r. Marais Sec, ZI gent sur Oise ✆ 44 55 39 40
UGEOT C.D.A, 83 r. R.-Schuman par ③ 44 64 60 60
RENAULT Palais Autom., ZI r. Marais-Sec à Nogent-sur-Oise par ① ✆ 44 55 02 42 N ✆ 44 24 99 47
Euromaster, ZA Creil à St-Maximin ✆ 44 24 47 18
Pneu Paris Normandie Vulcopneu, 2 rte de Creil à St-Leu d'Esserent ✆ 44 56 62 56

CREIL

Barluet (R. H.) 3
Berteaux (R. M.) 4
Carnot (Pl.) 8
Duguet (R. Ch.-A.) 13
Faubourg (Pl. du) 14
Gaulle (Pl. Gén.-de) 16
Marl (R. de) 17
Philippe (R. M.) 21
Ribot (R.) 23
Uhry (Av. J.) 27
8-Mai (Pl. du) 28

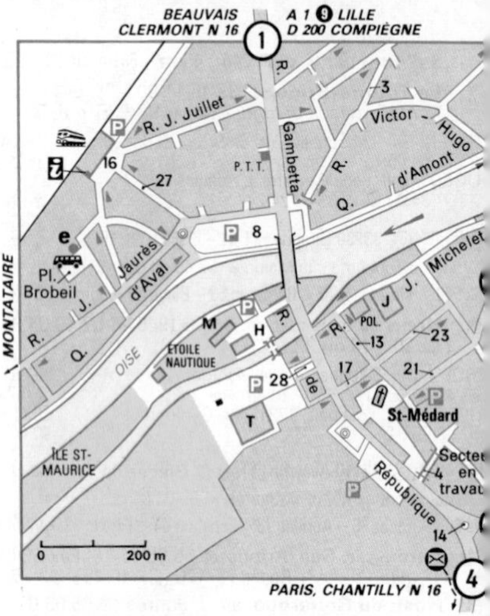

Pour un bon usage des plans de villes, voir les signes conventionnels dans l'introduction.

CRÉMIEU **38460** Isère 74 ⑬ **G. Vallée du Rhône** (plan) – 2 855 h alt. 200.

Office de Tourisme 5 r. du Four Banal ✆ 74 90 45 13.

Paris 489 – ♦Lyon 39 – Belley 47 – Bourg-en-Bresse 60 – ♦Grenoble 84 – La Tour-du-Pin 34 – Vienne 40.

- **Aub. de la Chaite** avec ch, ✆ 74 90 76 63, Fax 74 90 88 08, – ☎ 🅿. AE ⓓ GB
  fermé 9 au 15 avril, 2 au 31 janv., dim. soir et lundi – **Repas** 70/165 🍷, enf. 37 – ☕ 28 – **11** ch 145/245.

CRÉON **33670** Gironde 71 ⑨ **G. Pyrénées Aquitaine** – 2 508 h alt. 110.

Paris 595 – ♦Bordeaux 23 – Bergerac 73 – Libourne 20 – La Réole 40.

- **Château Camiac** 🐌, NE : 3 km par D 121 ✆ 56 23 20 85, Fax 56 23 38 84, ≤, , pa... – 🛗 TV ☎ 🅿 – 40. AE GB.
  Repas *(fermé début nov. à fin mars, le soir hors sais., merc. midi et mardi)* 130 (déj.), 160/2... – ☕ 65 – **21 ch** 390/990 – ½ P 420/685.

CREPON 14 Calvados 54 ⑮ **G. Normandie Cotentin** – 209 h alt. 52 – ✉ **14480** Creully.

Paris 261 – ♦Caen 23 – Bayeux 12 – Deauville 68.

- **La Rançonnière** 🐌, rte Arromanches-les-Bains ✆ 31 22 21 73, Fax 31 22 98 39, « Ancienne ferme aménagée », – TV ☎ ♿ 🅿. AE ⓓ GB
  Repas *(fermé 13 au 23 janv.)* 88/255, enf. 55 – ☕ 45 – **36 ch** 295/400 – ½ P 270/310.

  Annexe Ferme de Mathan 🐌 sans rest, à 800 m. – TV ☎ 🅿. AE ⓓ GB
  ☕ 45 – **7 ch** 380/480.

CRESSENSAC **46600** Lot 75 ⑱ – 570 h alt. 300.

Paris 505 – Brive-la-Gaillarde 20 – Sarlat-la-Canéda 46 – Cahors 80 – Gourdon 44 – Larche 17.

- **Chez Gilles** avec ch, N 20 ✆ 65 37 70 06, Fax 65 37 77 15 – ☎. AE ⓓ GB
  Repas 100/250 🍷 – ☕ 36 – **18 ch** 165/295 – ½ P 280/320.

CRESSERONS 14 Calvados 54 ⑯ – rattaché à Douvres-la-Délivrande.

CREST **26400** Drôme 77 ⑫ **G. Vallée du Rhône** – 7 583 h alt. 196.

Voir Donjon★ : ✲★ Y.

⛳9 du Domaine de Sagnol (saison) ✆ 75 40 98 89 à Gigors, 19 km par ①.

Office de Tourisme pl. Dr M.-Rozier ✆ 75 25 11 38, Fax 75 76 79 65.

Paris 592 ④ – Valence 28 ④ – Die 38 ① – Gap 132 ① – ♦Grenoble 109 ④ – Montélimar 37 ②.

Plan page ci-contre

- **Gd Hôtel,** 60 r. Hôtel de Ville ✆ 75 25 08 17, Fax 75 25 46 42 – TV ☎. GB Y
  fermé 23 fév. au 3 mars, 22 déc. au 22 janv., lundi sauf le soir d'avril à oct. et dim. soir d... sept. au 14 juin – **Repas** 80/200, enf. 47 – ☕ 33 – **20 ch** 140/330 – ½ P 195/270.

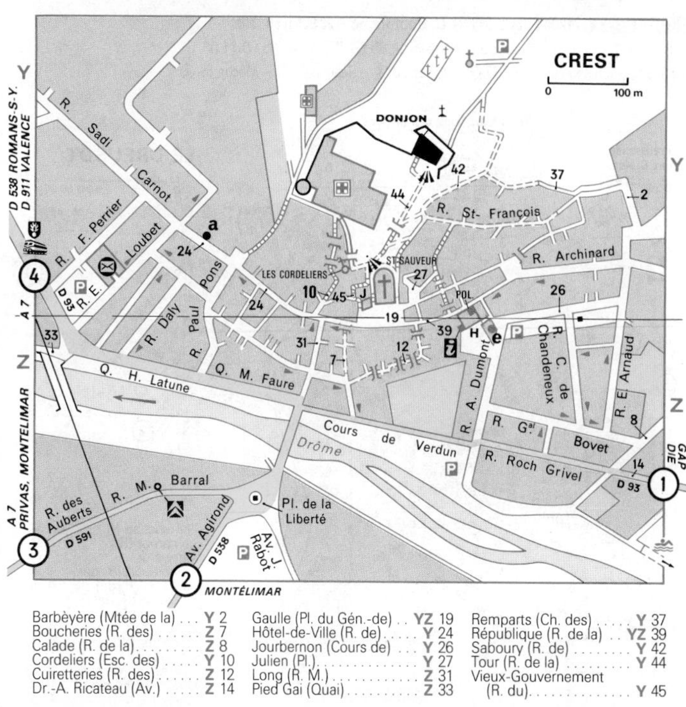

Barbèyère (Mtée de la) . . . Y 2
Boucheries (R. des) . . . . . . Z 7
Calade (R. de la) . . . . Z 8
Cordeliers (Esc. des) . . . . . Y 10
Cuiretteries (R. des) . . . . . . Z 12
Dr.-A. Ricateau (Av.) . . . . . Z 14
Gaulle (Pl. du Gén.-de) . . YZ 19
Hôtel-de-Ville (R. de) . . . . . Y 24
Jourbernon (Cours de) . . . Y 26
Julien (Pl.) . . . . Y 27
Long (R. M.) . . . . Z 31
Pied Gai (Quai) . . . . Z 33
Remparts (Ch. des) . . . . . Y 37
République (R. de la) . . YZ 39
Saboury (R. de) . . . . Y 42
Tour (R. de la) . . . . Y 44
Vieux-Gouvernement (R. du) . . . . Y 45

XX **Porte Montségur** avec ch, par ① : 0,5 km sur D 93 ☏ 75 25 41 48, Fax 75 25 22 63, 🌳, 🚗 – TV ☎ P. AE ⓓ GB
fermé vacances de Toussaint, de fév., lundi soir et merc. – **Repas** 96/290 – ☕ 42 – **9 ch** 265/290 – ½ P 330/355.

XX **Kléber** avec ch, 6 r. A. Dumont ☏ 75 25 11 69, Fax 75 76 82 82 – ▤ rest TV ☎. GB
fermé 15 août au 3 sept., 13 au 27 janv., dim. soir et lundi sauf fériés – **Repas** 92/245 – ☕ 35 – **7 ch** 180/280. Z **e**

ITROEN Gar. Rolland, 34 r. M.-Barral
? 75 25 01 13 N ☏ 75 25 01 13
ENAULT Gar. Cunzi, av. A.-Fayolle ☏ 75 25 10 85

Relais du Pneu, av. F.-Rozier, rte de Valence ☏ 75 25 44 51

CREST-VOLAND **73590** Savoie **74** ⑰ **G. Alpes du Nord** – 395 h alt. 1230 – Sports d'hiver : 1 230/1 950 m 17 ⛷.

Office de Tourisme ☏ 79 31 62 57, Fax 79 31 68 20.

aris 588 – Chamonix-Mont-Blanc 49 – Albertville 22 – Annecy 52 – Bonneville 56 – Chambéry 73 – Megève 14.

🏠 **Caprice des Neiges** 🐦, rte Saisies : 1 km ☏ 79 31 62 95, Fax 79 31 79 30, ≤, 🚗, 🎾 – ☎ P. GB. ✻ rest
22 juin-15 sept. et 16 déc.-28 avril – **Repas** 90/115, enf. 45 – ☕ 32 – **16 ch** 320 – ½ P 290/295.

🏠 **Mont Charvin,** au Cernix S : 1,5 km par rte secondaire ☏ 79 31 61 21, Fax 79 31 82 10, ≤, 🚗 – ☎ P. GB
29 juin-31 août et 15 déc.-30 mars – **Repas** 90/125, enf. 55 – ☕ 33 – **23 ch** 180/265 – ½ P 250.

CRÉTEIL **94** Val-de-Marne **61** ①, **101** ㉗ – voir à Paris, Environs.

CREULLY **14480** Calvados **54** ⑮ – 1 396 h alt. 27.

aris 257 – ◆ Caen 19 – Bayeux 13 – Deauville 64.

XX **St-Martin** avec ch, ☏ 31 80 10 11, Fax 31 08 17 64, « Belle salle voûtée » – TV ☎ P. AE GB
fermé vacances de Noël, de fév., dim. soir et lundi midi d'oct. à Pâques – **Repas** 62/200 🍷, enf. 40 – ☕ 30 – **12 ch** 220/250 – ½ P 280.

Le CREUSOT **71200** S.-et-L. 69 ⑧ **G. Bourgogne** – 28 909 h alt. 348.

Office de Tourisme Château de la Verrerie ✆ 85 55 02 46, Fax 85 80 11 03.

Paris 319 ② – Chalon-sur-Saône 37 ② – Autun 28 ③ – Beaune 46 ① – Mâcon 89 ②.

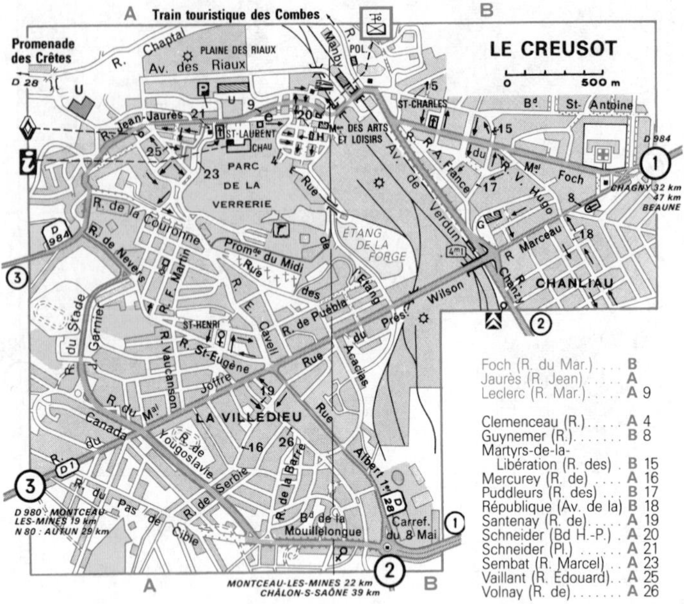

LE CREUSOT

Foch (R. du Mar.) .... **B**
Jaurès (R. Jean) ..... **A**
Leclerc (R. Mar.) ..... **A** 9

Clemenceau (R.) ..... **A** 4
Guynemer (R.) .... **B** 8
Martyrs-de-la-Libération (R. des) . **B** 15
Mercurey (R. de) .... **A** 16
Puddleurs (R. des) ... **B** 17
République (Av. de la) **B** 18
Santenay (R. de) ..... **A** 19
Schneider (Bd H.-P.) . **A** 20
Schneider (Pl.) ...... **A** 21
Sembat (R. Marcel) .. **A** 23
Vaillant (R. Edouard) . . **A** 25
Volnay (R. de) .... **A** 26

La Petite Verrerie, 4 r. J. Guesde ✆ 85 55 31 44, Fax 85 80 89 01 – TV ☎ P – 30. A GB
Repas *(fermé sam., dim. et fériés)* 75/195 ♁, enf. 60 – ☕ 45 – **50 ch** 320/390 – ½ P 295/33

au Breuil par ① : 3 km – 3 741 h. alt. 337 – ✉ **71670** :

Moulin Rouge ✆ 85 55 14 11, Fax 85 55 53 37, – TV ☎ P. AE GB
fermé vend. soir, sam. midi et dim. soir – **Repas** 100/280 ♁ – ☕ 45 – **32 ch** 220/400 ½ P 280/320.

à Torcy par ② : 4 km – 4 059 h. alt. 310 – ✉ **71210** :

XXX **Vieux Saule,** ✆ 85 55 09 53, Fax 85 80 39 99, – P. GB JCB
fermé dim. soir et lundi – **Repas** 122 bc/360 et carte 220 à 320 ♁, enf. 65.

CITROEN Gar. Broin, 77 rte de Montcenis par D 984 A ✆ 85 55 20 09
CITROEN Gar. Moderne, r. de Chanzy ✆ 85 80 88 51
PEUGEOT Gar. Martinet, 45 av. de la République à Montchanin ✆ 85 78 14 08

RENAULT Creusot-Gar., pl. Bozu ✆ 85 77 00 22 ✆ 85 77 32 74

Creusot-Pneus, 55 av. Abattoirs ✆ 85 55 60 93
Goesin, 3 r. de Chanzy ✆ 85 55 44 17

REUTZWALD **57150** Moselle 57 ⑤ – 15 169 h alt. 210.

ris 376 – ◆Metz 47 – Forbach 25 – Saarbrücken 35 – Sarreguemines 38 – Saarlouis 17.

X **Faisan d'Or,** rte Saarlouis NE : 2 km sur N 33 ☏ 87 93 01 36 – P. GB
fermé août et lundi – **Repas** 90/220 ♁.

PEL Gar. Esch, à Hargarten-aux-Mines ☏ 87 93 18 46

RÈVECOEUR-EN-AUGE **14340** Calvados 54 ⑰ **G. Normandie Vallée de la Seine** – 554 h alt. 49.

oir Manoir★.

ris 194 – ◆Caen 34 – Falaise 32 – Lisieux 17.

X **La Galetière,** ☏ 31 63 04 28, Fax 31 63 49 51 – GB
◆ *fermé mardi soir et merc. sauf juil.-août* – **Repas** 79/201 ♁, enf. 51.

REVOUX **05200** H.-Alpes 77 ⑱ **G. Alpes du Sud** – 117 h alt. 1577 – Sports d'hiver : 1 650/2 100 m ≴3 ⛷.

ris 727 – Briançon 59 – Gap 53 – Embrun 15 – Guillestre 31.

Parpaillon ⛯, ☏ 92 43 18 08, ← – ☎ P. AE ⓓ GB. ✻ rest
fermé 20 au 30 avril et 10 au 30 nov. – **Repas** 95/135 ♁, enf. 55 – ☕ 30 – **28 ch** 160/300 – ½ P 250/280.

L'atlante stradale Michelin della FRANCIA è :

– tutta la cartografia dettagliata (1/200 000) in un solo volume,

– decine di piante di città,

– un indice alfabetico delle località...

Lo strumento di viaggio indispensabile nel vostro veicolo.

RILLON **60112** Oise 52 ⑰ – 440 h alt. 110.

ris 96 – Compiègne 75 – Aumale 32 – Beauvais 16 – Breteuil 33 – Gournay-en-Bray 18.

XX **La Petite France,** 7 rte Gisors ☏ 44 81 01 13, Fax 44 81 01 13 – ▤. GB
◆ *fermé 15 août au 10 sept., vacances d'hiver, dim. soir, lundi soir et mardi* – **Repas** 80/165 ♁.

RILLON-LE-BRAVE **84410** Vaucluse 81 ⑬ – 370 h alt. 340.

ris 686 – Avignon 38 – Carpentras 13 – Nyons 41 – Vaison-la-Romaine 26.

Host. de Crillon le Brave ⛯, pl. Église ☏ 90 65 61 61, Fax 90 65 62 86, 亭, « Terrasse avec ← plaine et Mont Ventoux », ⛱ – ☎ P. AE GB
fermé 2 janv. au 14 mars – **Repas** *(fermé mardi sauf d'avril à oct.)* (dîner seul. en sem.) 240/340, enf. 100 – ☕ 80 – **15 ch** 750/1200, 8 appart – ½ P 655/1430.

RISENOY **77** S.-et-M. 61 ② – rattaché à Melun.

e CROISIC **44490** Loire-Atl. 63 ⑭ **G. Bretagne** – 4 428 h alt. 6.

oir Océarium★ AY – ←★ du Mont-Lénigo.

Office de Tourisme pl. 18 Juin 1940 ☏ 40 23 00 70, Fax 40 62 96 00.

ris 464 ① – ◆Nantes 86 ① – La Baule 13 ① – Guérande 11,5 ① – Le Pouliguen 9 ① – Redon 64 ① – Vannes 77 ①.

Plan page suivante

Les Vikings sans rest, à Port-Lin ☏ 40 62 90 03, Fax 40 23 28 03, ← – ▮ TV ☎ ♿ 🚗 – 🏛 40. AE GB — AZ **e**
☕ 55 – **24 ch** 390/600.

Maris Stella M sans rest, à Port-Lin ☏ 40 23 21 45, Fax 40 23 22 63, ←, ⛱, 🐎 – TV ☎ GB. ✻ — BZ **g**
☕ 50 – **7 ch** 495/795, 3 duplex.

XXX ✿ **L'Océan** ⛯ avec ch, à Port-Lin ☏ 40 62 90 03, Fax 40 23 28 03, « Sur les rochers de la Côte Sauvage, ← mer et côte » – TV ☎. AE GB — AZ **v**
Repas - produits de la mer - carte 230 à 460 – ☕ 55 – **14 ch** 470/600
Spéc. Bar en croûte de sel. Coquilles Saint-Jacques (oct. à avril). Homard grillé sauce océan. **Vins** Muscadet, Gros Plant.

XX **Bretagne,** 11 quai Petite Chambre ☏ 40 23 00 51, Fax 40 23 18 32 – AE ⓓ GB
fermé 15 nov. au 15 déc., dim. soir et lundi hors sais. – **Repas** - produits de la mer - 92/265, enf. 62. — BY **a**

XX **Castel Moor** avec ch, av. Castouillet, NO : 1,5 km sur D 45 ☏ 40 23 24 18, Fax 40 62 98 90, ←, 亭 – TV ☎ P. AE GB
fermé janv., lundi soir et mardi d'oct. à fév. – **Repas** 78 (déj.), 105/250, enf. 60 – ☕ 38 – **19 ch** 350/410 – ½ P 330/350.

X **Le Lénigo,** 11 quai Lénigo ☏ 40 23 00 31 – AE ⓓ GB — AY **b**
10 fév.-15 nov. et fermé lundi soir et mardi sauf de juil. à sept. – **Repas** 85/200, enf. 55.

UGEOT Gar. Rochard, ☏ 40 62 90 32 — RENAULT Gar. Propice, ☏ 40 23 02 09

LE CROISIC

Aiguillon (Quai d') .... AY 2
Armes (Pl. d') .... AY 3
Cordiers (R. des) .... BY 6
Europe (Rue de l') .... AY 7
Gaulle (Pl. du Gén.-de) .... AZ 9
Grande-Rue .... AY 12
Lénigo (Quai du) .... AY 13
Lepré (Pl. Domatien) .... AY 16
Mail de Broc (R. du) .... AY 17
Petite Chambre (Q. de la) .. BY 20
Pilori (R. du) .... BY 22
Poilus (R. des) .... BZ
Port Charly (Quai) .... AY
Port Ciguet (Quai du) .... AY
Port Lin (Av. de) .... AZ
Rielle (Quai Hervé) .... BY
Saint-Christophe (R.) .... BY
18-Juin-1940 (Pl. du) .... BZ

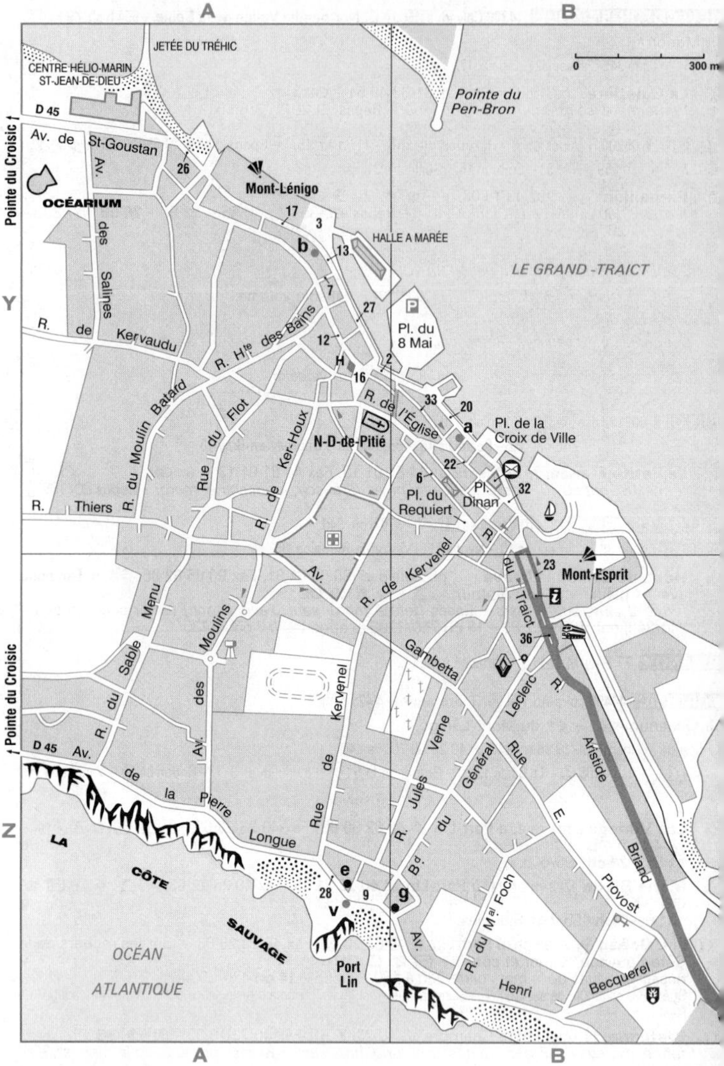

En juin et en septembre,
les hôtels sont moins chers qu'en pleine saison, le service est plus soigné.

CROISSY-BEAUBOURG **77** S.-et-M. 61 ②, 101 ㉚ – voir à Paris, Environs (Marne-la-Vallée).

CROISSY-SUR-SEINE **78** Yvelines 55 ⑳, 101 ⑬ – voir à Paris, Environs.

La CROIX-BLANCHE 71 S.-et-L. 69 ⑲ – ✉ 71960 Berzé-la-Ville.

Voir Berzé-la-Ville : peintures murales★★ de la chapelle aux Moines E : 2 km – Château★ de Berzé-le-Châtel N : 3 km, **G. Bourgogne.**

Paris 407 – Mâcon 13 – Charolles 42 – Cluny 11 – Roanne 84.

XX **Relais du Mâconnais** avec ch, ancienne N 79 ☎ 85 36 60 72, Fax 85 36 65 47, 🍽 – TV ☎ P. AE ⊙ GB
fermé 15 au 31 janv., dim. soir et lundi hors sais. – **Repas** 135/290, enf. 65 – ☐ 36 – **10 ch** 290/360 – ½ P 300/325.

CROIX (Col des) 88 Vosges 66 ⑦ – rattaché au Thillot.

CROIX-FRY (Col de) 74 H.-Savoie 74 ⑦ – rattaché à Manigod.

CROIX-MARE 76 S.-Mar. 52 ⑬ – rattaché à Yvetot.

La CROIX-VALMER 83420 Var 84 ⑰ 114 ㊲ **G. Côte d'Azur** – 2 634 h alt. 120.

Paris 878 – Fréjus 36 – Brignoles 68 – Draguignan 50 – Le Lavandou 26 – Ste-Maxime 16 – ◆Toulon 69.

🏨 **Parc** ⛰ sans rest, E : 1 km par D 93 ☎ 94 79 64 04, Fax 94 54 38 91, ←, parc, 🏊 – 🛗 ☎. ⊙ GB
1er mai-1er oct. – ☐ 45 – **33 ch** 360/530.

à Gigaro SE : 5 km par D 93 et rte secondaire – ✉ 83420 La Croix-Valmer :

🏨 ✿ **Souleias** M ⛰, ☎ 94 79 61 91, Fax 94 54 36 23, ← mer et îles, 🍽, « Au faîte d'une colline dominant le littoral », 🏊, 🌳, 🎾 – 🛗 ▤ ch TV ☎ – 🏛 25. AE ⊙ GB. ✗ rest
4 avril-13 oct. – **Repas** 245/360 et carte 320 à 450 – ☐ 83 – **42 ch** 820/1470, 6 appart – ½ P 675/1095
Spéc. Assiette de petits farcis provençaux. Saint-Pierre à la vapeur, tomates confites et croustilles d'aubergines. Volaille fermière au poivre de Setchouan et foie gras. **Vins** Côtes de Provence.

🏨 **Le Château de Valmer** M ⛰ sans rest, ☎ 94 79 60 10, Fax 94 54 22 68, ←, parc, « 🏊 bordée d'une palmeraie », 🎾 – 🛗 ▤ ch TV ☎ ♿
1er avril-30 sept. – ☐ 80 – **41 ch** 735/1250.

🏨 **Les Moulins de Paillas et Résidence Gigaro** M, ☎ 94 79 71 11, Fax 94 54 37 05, 🍽, 🏊, 🏖, 🌳, 🎾 – ▤ ch TV ☎ P. AE GB
11 mai-30 sept. – ***La Brigantine*** ☎ 94 79 67 16 **Repas** 105 (déj.), 160/260 🍷 – ☐ 70 – **68 ch** 700/1070 – ½ P 740/860.

🏨 **La Pinède** ⛰, ☎ 94 54 31 23, Fax 94 79 71 46, ←, 🍽, « En bord de mer », 🏊, 🏖, 🌳, 🎾 – TV ☎. AE ⊙ GB
1er mai-31 oct. – **Repas** (dîner seul.) 205, enf. 110 – ☐ 80 – **40 ch** 800/1400 – ½ P 685/985.

CROLLES 38920 Isère 77 ⑤ – 5 829 h alt. 250.

Paris 587 – ◆Grenoble 18 – Chambéry 41 – La Tour-du-Pin 83 – Voiron 44.

XX **Le Crolles,** Z.I. - 772 av. Ambroise Croizat ☎ 76 08 83 21, Fax 76 08 80 59, 🍽 – ▤. AE ⊙ GB
fermé 5 au 25 août, dim. sauf fêtes et sam. midi – **Repas** (déj. seul. sauf sam.) 95 (déj.), 120/200 bc, enf. 72.

Pneus Racing Sce, ☎ 76 92 02 76

CROS-DE-CAGNES 06 Alpes-Mar. 84 ⑨, 115 ㉖ – rattaché à Cagnes.

CROUTELLE 86 Vienne 67 ⑲ – rattaché à Poitiers.

CROZANT 23160 Creuse 68 ⑱ **G. Berry Limousin** – 636 h alt. 263.

Voir Ruines★.

Paris 334 – Argenton-sur-Creuse 31 – La Châtre 48 – Guéret 39 – Montmorillon 70 – La Souterraine 24.

XX **Aub. de la Vallée,** ☎ 55 89 80 03, Fax 55 89 83 22 – GB
◆ *fermé 2 janv. au 2 fév., lundi soir et mardi du 15 sept. au 30 juin* – **Repas** 72/225 🍷, enf. 41.

CROZON 29160 Finistère 58 ④ **G. Bretagne** – 7 705 h alt. 85.

Voir Retable★ de l'église.

Env. Pointe de Dinan ✳★★ SO : 6 km.

Office de Tourisme bd de la Plage ☎ 98 27 07 92, Fax 98 27 24 89.

Paris 613 – ◆Brest 57 – Quimper 52 – Châteaulin 33 – Douarnenez 43 – Morlaix 77.

XX **Le Mutin Gourmand,** pl. Église ☎ 98 27 06 51, Fax 98 27 06 51 – ▤. AE GB
fermé 12 nov. au 12 déc., dim. soir et lundi en hiver – **Repas** 78 (déj.), 100/350, enf. 55.

XX **La Pergola,** 25 r. Poulpatré ☎ 98 27 04 01 – GB
◆ *fermé dim. soir et lundi sauf juil.-août* – **Repas** 75/260, enf. 55.

au Fret N : 5,5 km par D 155 et D 55 – ✉ 29160 Crozon :

🏨 **Host. de la Mer,** ☎ 98 27 61 90, Fax 98 27 65 89, ← – ☎. AE GB
fermé 6 janv. au 2 fév. – **Repas** 105/260 – ☐ 45 – **25 ch** 265/340 – ½ P 290/360.

Prat Pneus, rte de Châteaulin ☎ 98 27 12 51

CRUSEILLES 74350 H.-Savoie 74 ⑥ **G. Alpes du Nord** – 2 716 h alt. 781.

Voir Ponts de la Caille★ S : 4 km.

Paris 539 – Annecy 18 – Bellegarde-sur-Valserine 45 – Bonneville 36 – Genève 25 – Thonon-les-Bains 58.

XX **L'Ancolie** M avec ch, au parc des Dronières ☎ 50 44 28 98, Fax 50 44 09 73, ←, TV ☎ P – 35. AE GB. rest
fermé vacances de fév. et dim. soir – **Repas** 120/365, enf. 70 – ☐ 48 – **10 ch** 350/450 ½ P 415/455.

CUCHERON (Col du) 38 Isère 77 ⑤ – rattaché à St-Pierre-de-Chartreuse.

CUCUGNAN 11350 Aude 86 ⑧ – 128 h alt. 310.

Voir Col Grau de Maury ✳★★ S : 2,5 km – Site★★ du château de Quéribus★ SE : 3 km.

Env. Château de Peyrepertuse★★★ NO : 7 km, **G. Pyrénées Roussillon.**

Paris 864 – ◆Perpignan 41 – Carcassonne 75 – Limoux 73 – Quillan 49.

X **Aub. de Cucugnan,** ☎ 68 45 40 84, Fax 68 45 01 52, « Grange aménagée » – P. GB
fermé vacances de fév. et merc. de janv. à mars – **Repas** 98 bc/250 bc, enf. 40.

CUERS 83390 Var 84 ⑮ 114 ㉝ – 7 027 h alt. 140.

Paris 836 – ◆Toulon 22 – Brignoles 24 – Draguignan 58 – ◆Marseille 86.

XXX ✿ **Le Lingousto** (Ryon), E : 2 km par rte Pierrefeu ☎ 94 28 69 10, Fax 94 48 63 79, P. AE GB
fermé 2 janv. au 1er mars, dim. soir et lundi sauf juil.-août – **Repas** 230/380, enf. 80
Spéc. Salade tiède du Lingousto. Rouelle de pigeon. Fleurs de courgettes farcies à la mousse de rascasse (juin à sep
Vins Côtes de Provence.

CUISEAUX 71480 S.-et-L. 70 ⑬ – 1 779 h alt. 280.

Paris 398 – Chalon-sur-Saône 61 – Mâcon 55 – Lons-le-Saunier 27 – Tournus 45.

XX **Commerce** avec ch, ☎ 85 72 71 79, Fax 85 72 54 22, – TV ☎ P. GB
fermé janv., lundi (sauf hôtel) et dim. soir d'oct. à fin mai sauf fériés – **Repas** 79/250, enf. 45 ☐ 32 – **16 ch** 195/250 – ½ P 200/220.

Gar. Berger, ☎ 85 72 71 39 N ☎ 85 72 71 39

CUISERY 71290 S.-et-L. 70 ⑫ – 1 505 h alt. 211.

Paris 370 – Chalon-sur-Saône 34 – Bourg-en-Bresse 46 – Lons-le-Saunier 48 – Mâcon 36 – St-Amour 37 – Tournus 7

XXX **Host. Bressane** avec ch, ☎ 85 40 11 63, Fax 85 40 14 96, – TV ☎ P. GB
fermé 3 au 12 juin, 15 nov. au 15 janv., merc. midi et mardi – **Repas** 110/300 et carte 220 340, enf. 70 – ☐ 45 – **15 ch** 220/400.

La CURE 39 Jura 70 ⑯ – rattaché aux Rousses.

CUREBOURSE (Col de) 15 Cantal 76 ⑫ ⑬ – rattaché à Vic-sur-Cère.

Le CURTILLARD 38 Isère 77 ⑥ – rattaché à La Ferrière.

CURTIL-VERGY 21 Côte-d'Or 66 ⑫ – rattaché à Nuits-St-Georges.

CURZAY-SUR-VONNE 86600 Vienne 68 ⑫ – 460 h alt. 125.

Paris 368 – Poitiers 28 – Lusignan 13 – Niort 52 – Parthenay 37 – St-Maixent-l'École 28.

Château de Curzay M, rte Jazeneuil ☎ 49 36 17 00, Fax 49 53 57 69, ←, , parc – ch TV ☎ P – 30. AE GB
Repas 170/310 – ☐ 70 – **18 ch** 700/1300.

CUSSAY 37 I.-et-L. 68 ⑤ – rattaché à Ligueil.

CUSSET 03300 Allier 73 ⑤ **G. Auvergne** – 13 567 h alt. 276.

Office de Tourisme 2 r. S.-Arloing ☎ 70 31 39 41.

Paris 406 ② – ◆Clermont-Ferrand 57 ① – Lapalisse 21 ② – Moulins 53 ② – Vichy 2 ①.

Plan page ci-contre

XX **Taverne Louis XI,** pl. Victor Hugo **(a)** ☎ 70 98 39 39, maison du 15e siècle – GB
fermé 1er au 14 juil., vacances de fév., dim. soir et lundi – **Repas** (nombre de couverts limit prévenir) 145/260.

CUSSET

rloing (R. S.) 2
onstitution (R. de la) 6
ambetta (R.) 9
ocher-Favyé (R.) 19
arge (R. de la) 3
ru (R. J. B.) 4
entenaire (Pl. du) 5
ornil (Pl. F.) 7
ureyras (R. H.) 8
rapeau (Av. du) 12
rés.-Wilson (R. du) 13
adoult-de-la-Fosse (Pl.) 16
aynal (R. du Gén.) 17
épublique (Pl. de la) 18
ausheim (R. de) 20
ictor-Hugo (Pl.) 21
9-Juillet (R. du) 22

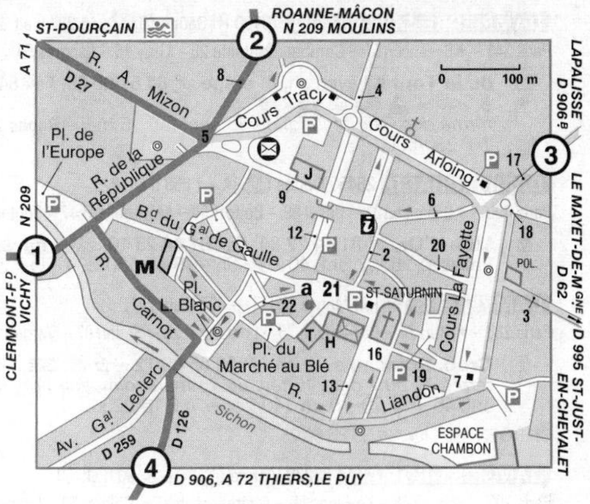

as de publicité payée ans ce guide.

Découvrez la France avec les **guides Verts Michelin** *:*
24 titres illustrés en couleurs.

CUSSEY-SUR-L'OGNON **25870** Doubs 66 ⑮ – 570 h alt. 227.
aris 414 – ♦Besançon 13 – Gray 37 – Vesoul 40.

XX **Vieille Auberge** avec ch, ✆ 81 57 78 35, Fax 81 57 62 30, ☂ – TV ☎. GB
fermé vacances de Noël, lundi (sauf hôtel) et dim. soir – **Repas** 100/215 ♁, enf. 55 – ☕ 35 – **8 ch** 240/320 – ½ P 250/280.

CUTS **60400** Oise 56 ③ – 736 h alt. 79.
aris 107 – Compiègne 25 – St-Quentin 45 – Chauny 15 – Noyon 9,5 – Soissons 28.

XX **Le Bois Doré,** 5 r. Ramée ✆ 44 09 77 66, Fax 44 09 79 27 – GB
fermé 12 fév. au 8 mars, dim. soir et lundi – **Repas** 65 (déj.), 85/180 ♁, enf. 40.

DABISSE **04** Alpes-de-H.-P. 81 ⑯ – ✉ **04190** Les Mées.
nv. Rochers des Mées★ NE : 8 km **G. Alpes du sud.**
aris 740 – Digne-les-Bains 33 – Forcalquier 19 – Manosque 23 – Sisteron 29.

XXX **Vieux Colombier,** S: 2 km sur D4 ✆ 92 34 32 32, Fax 92 34 34 26, ☂ – P. AE ⓓ GB
fermé 1er au 8 janv., dim. soir sauf juil.-août et merc. – **Repas** 135/295, enf. 85.

DACHSTEIN **67120** B.-Rhin 62 ⑨ – 957 h alt. 160.
aris 476 – ♦Strasbourg 21 – Molsheim 4 – Saverne 27 – Sélestat 40.

XX **Aub. de la Bruche,** ✆ 88 38 14 90, Fax 88 48 81 12, ☂ – GB. ✗
fermé 2 au 9 janv., 12 au 31 août, sam. midi et mardi – **Repas** 125/215 ♁.

La DAILLE **73** Savoie 74 ⑲ – rattaché à Val-d'Isère.

DAMBACH-LA-VILLE **67650** B.-Rhin 62 ⑨ **G. Alsace Lorraine** – 1 800 h alt. 210.
Office de Tourisme ✆ 88 92 61 00.
aris 504 – ♦Strasbourg 45 – Obernai 19 – Saverne 58 – Sélestat 9.

🏠 **Au Raisin d'Or,** ✆ 88 92 48 66, Fax 88 92 61 42 – ⇋ TV ☎ P. ⓓ GB. ✗
fermé 15 déc. au 1er fév., mardi midi et lundi – **Repas** 48 (déj.), 95/120 ♁, enf. 35 – ☕ 35 – **8 ch** 260/280 – ½ P 215/225.

🏠 **Le Vignoble** sans rest, ✆ 88 92 43 75 – TV ☎ ♿ P. GB. ✗
fermé 15 nov. au 8 déc., janv., fév., dim. soir et lundi du 1er oct. au 1er mars – ☕ 32 – **7 ch** 275/300.

DAMGAN **56750** Morbihan 63 ⑬ – 1 032 h.
aris 472 – Vannes 26 – Muzillac 9,5 – Redon 46 – La Roche-Bernard 24.

🏨 **L'Albatros,** ✆ 97 41 16 85, Fax 97 41 21 34, ≤ – ▤ rest TV ☎ ♿ P. GB
1er avril-30 sept. – **Repas** 88/230, enf. 50 – ☕ 30 – **28 ch** 260/370 – ½ P 210/295.

DAMPIERRE-EN-YVELINES **78720** Yvelines 60 ⑨ – 1 030 h alt. 100.
oir Château de Dampierre★★, **G. Ile de France.**
aris 41 – Chartres 56 – Longjumeau 27 – Rambouillet 16 – Versailles 18.

XX **Aub. St-Pierre,** 1 r. Chevreuse ✆ (1) 30 52 53 53, Fax (1) 30 52 58 57 – AE GB
fermé dim. soir, mardi soir et merc. – **Repas** 150/350.

DAMPIERRE-SUR-SALON **70180** H.-Saône 66 ④ – 1 227 h alt. 203.

Paris 344 – ◆ Besançon 51 – Combeaufontaine 25 – Gray 16 – Langres 54.

XX **de la Tour** M avec ch, 8e étage ☎ 84 67 00 65, Fax 84 67 02 28, ←, ☂ – |‡| ▤ rest TV
◆ ♿ ⇔ – 🏛 60. AE ⦿ GB
fermé dim. soir et lundi du 15 sept. au 15 mai – **Repas** 70/220 ♁ – ☕ 35 – **25 ch** 270/870
½ P 280/590.

DAMPRICHARD **25450** Doubs 66 ⑱ – 1 858 h alt. 825.

Paris 490 – ◆ Besançon 81 – Basel 99 – Belfort 64 – Montbéliard 47 – Pontarlier 67.

🏠 **Lion d'Or,** ☎ 81 44 22 84, Fax 81 44 23 10, ☂ – TV ☎ P. AE ⦿ GB
◆ **Repas** 80/250 ♁, enf. 40 – ☕ 35 – **19 ch** 150/300 – ½ P 220/240.

DAMVILLERS **55150** Meuse 57 ① – 627 h alt. 221.

Paris 286 – ◆ Metz 74 – Bar-le-Duc 76 – Longuyon 20 – Sedan 62 – Verdun 24.

X **Croix Blanche** avec ch, ☎ 29 85 60 12 – ☎ P. GB. ⚘
◆ *fermé 1er au 7 oct., 15 fév. au 15 mars, dim. soir hors sais. et lundi midi* – **Repas** 70/170
enf. 45 – ☕ 28 – **9 ch** 140/260 – ½ P 160/230.

CITROEN Gar. Iori, ☎ 29 85 60 25

DANGÉ-ST-ROMAIN **86220** Vienne 68 ④ – 3 150 h alt. 50.

Paris 293 – Poitiers 48 – Le Blanc 55 – Châtellerault 15 – Chinon 50 – Loches 42 – ◆ Tours 59.

X **La Crémaillère,** ☎ 49 86 40 24 – P. AE ⦿ GB
fermé merc. – **Repas** 89/189 ♁, enf. 59.

CITROEN Gar. Ory, ☎ 49 86 42 76 RENAULT Gar. Judes, ☎ 49 86 40 39

DANJOUTIN **90** Ter.-de-Belf. 66 ⑧ – rattaché à Belfort.

DANNEMARIE **68210** H.-Rhin 66 ⑨ – 1 820 h alt. 320.

Paris 455 – ◆ Mulhouse 23 – Basel 43 – Belfort 22 – Colmar 57 – Thann 26.

X **Ritter,** face gare ☎ 89 25 04 30, Fax 89 08 02 34, ☂, ⛱, ⛲ – P. ⦿ GB
◆ *fermé 18 au 31 déc., 21 au 28 fév., lundi soir et mardi* – **Repas** 57/190 ♁, enf. 60.

X **Wach,** près H. de Ville ☎ 89 25 00 01 – GB
◆ *fermé 16 au 27 août et 24 déc. au 7 janv.* – **Repas** (déj. seul.) 60/180 ♁, enf. 50.

FORD Gar. Christen, ☎ 89 25 00 33

DARDILLY **69** Rhône 74 ⑪ – rattaché à Lyon.

DAVÉZIEUX **07** Ardèche 76 ⑩ – rattaché à Annonay.

DAX ⟨SP⟩ **40100** Landes 78 ⑥ ⑦ **G. Pyrénées Aquitaine** – 19 309 h alt. 12 – Stat. therm. : Atrium – Casino
St. Paul les Dax.

ℹ Office de Tourisme pl. Thiers ☎ 58 90 20 00, Fax 58 74 85 69 – Automobile Club Zone Artisanale du Sabla
r. des Prairies ☎ 58 74 05 04.

Paris 734 ① – Biarritz 65 – Mont-de-Marsan 51 ② – ◆ Bayonne 51 ④ – ◆ Bordeaux 145 ① – Pau 85 ③.

Plan page ci-contre

🏨 **Splendid,** cours Verdun ☎ 58 56 70 70, Fax 58 74 76 33, ←, ⛱, ⛲ – |‡| ▤ rest TV ☎
🏛 150. AE ⦿ GB. ⚘ rest B
1er mars-24 nov. – **Repas** 130/185 – ☕ 55 – **159 ch** 340/460, 6 appart – ½ P 365/535.

🏨 **Gd Hôtel,** r. Source ☎ 58 90 53 00, Télex 540516, Fax 58 90 52 88 – |‡| cuisinette ▤ re
TV ☎ P – 🏛 50. GB. ⚘ rest B
Repas 88/185 – ☕ 31 – **129 ch** 268/304, 8 appart – ½ P 237/271.

🏠 **Le Vascon** sans rest, pl. Fontaine Chaude ☎ 58 56 64 60 – |‡| TV ☎ B
10 mars-8 déc. – ☕ 23 – **25 ch** 170/220.

🏠 **Jean Le Bon,** 12 r. Jean Le Bon ☎ 58 74 29 14, Fax 58 90 03 04, ⛱ – cuisinette ▤ rest
◆ P. AE GB A
Repas *(fermé 15 déc. au 5 janv., sam. soir et dim. de nov. à mars)* 75/225 ♁, enf. 50 – ☕ 3
– **27 ch** 250/280 – ½ P 235/255.

🏠 **Nord** sans rest, 68 av. St-Vincent-de-Paul ☎ 58 74 19 87, Fax 58 74 21 63 – ☎ P. GB
fermé 20 déc. au 15 janv. – ☕ 35 – **19 ch** 160/220. B

XX **Aub. des Pins** avec ch, 86 av. F. Planté ☎ 58 74 22 46, ☂ – TV ☎ P. GB A
◆ *fermé 15 déc. au 1er janv. et sam. de déc. à fév.* – **Repas** 63/160 ♁, enf. 50 – ☕ 27 – **13 c**
160/260 – ½ P 175/200.

St-Paul-lès-Dax – 9 452 h. alt. 21 – ✉ **40990** .

ℹ Office de Tourisme ☎ 58 91 60 01, Fax 58 91 97 44.

🏨 **du Lac** ⛰, au lac de Christus ☎ 58 90 60 00, Fax 58 91 34 88, ☂ – |‡| cuisinette ▤ re
◆ TV ☎ ♿ – 🏛 150. AE ⦿ GB. ⚘ rest A
Repas 80/122, enf. 69 – ☕ 31 – **172 ch** 316, 80 appart, 8 studios – ½ P 258/275.

DAX

Carmes (R. des) . . . . . B 6
Liberté (Av. de la) . . . . . A 17
Verdun (Cours de) . . . . . B 38

Augusta (Cours J.) . . . . . B 2
Baignots (Allée des) . . . . . B 3
Bouvet (Pl. C.) . . . . . B 5
Chanoine-Bordes (Pl.) . . . . . B 7
Chanzy (R.) . . . . . B 8
Clemenceau (Av. G.) . . . . . A 10
Ducos (Pl. R.) . . . . . B 12
Foch (Cours Mar.) . . . . . B 13
Foch (R. Mar.), ST-PAUL-LÈS-DAX . . . . . A 14
Fusillés (R. des) . . . . . B 15
Gaulle (Espl. Gén.-de) . . . . . B 16
Manoir (Bd Y. du) . . . . . A 19
Milliés-Lacroix (Av. E.) . . . . . B 20
Pasteur (Cours) . . . . . B 23
Résistance (Av. de la) . . . . . A 24
Sablar (Av. du) . . . . . B 25
St-Pierre (Pl.) . . . . . B 26
St-Pierre (R.) . . . . . B 27
St-Vincent (R.) . . . . . B 28
St-Vincent-de-Paul (Av.) . . . . . B 30
St-Vincent-de-Paul (Av.) ST-PAUL-LÈS-DAX . . . . . A 32
Sully (R.) . . . . . B 35
Thiers (Pl.) . . . . . B 36
Tuilleries (Av. des) . . . . . B 37
Victor-Hugo (Av.) . . . . . B 39

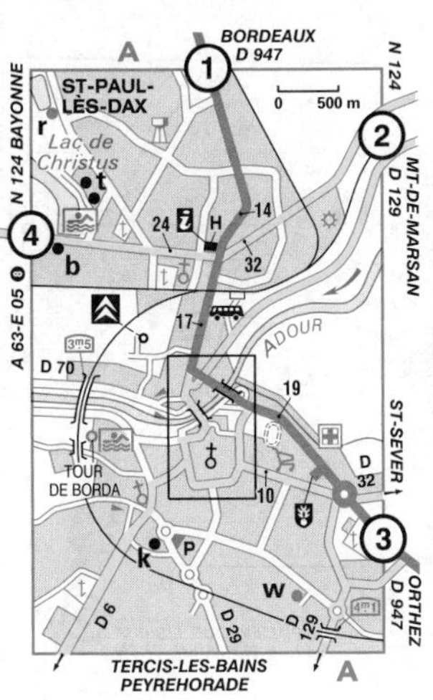

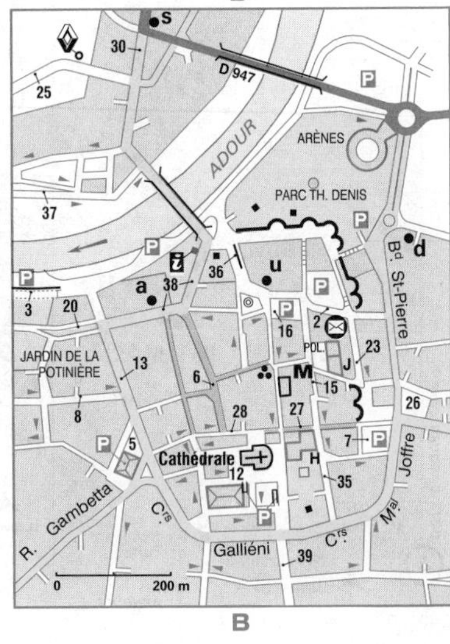

Campanile, rte Bayonne - N 124 ✆ 58 91 35 34, Fax 58 91 37 00 – TV ☎ & P – 40. AE ① GB — A b
Repas 84 bc/107 bc, enf. 39 – ☐ 32 – **49 ch** 270.

Climat de France, au lac de Christus ✆ 58 91 70 70, Fax 58 91 90 00, – TV ☎ & P – 40. AE ① GB JCB — A t
Repas 62 (déj.), 87/138 ♫, enf. 39 – ☐ 35 – **42 ch** 295.

XXX **Moulin de Poustagnacq,** ✆ 58 91 31 03, Fax 58 91 37 97, <, , « Ancien moulin au bord d'un étang » – P. AE ① GB JCB — A r
fermé dim. soir et lundi – **Repas** 135/300 et carte 250 à 340.

XX **Relais des Plages** avec ch, rte de Bayonne par ④ : 3 km ✆ 58 91 78 86, Fax 58 91 85 13, – ▤ rest TV ☎ P. AE GB
fermé lundi sauf juil.-août – **Repas** 70/200 ♫ – ☐ 30 – **10 ch** 220/300 – ½ P 320/350.

ITROEN S.A.A.D., ZAC du Sablar, r. Prairies ✆ 58 74 62 22 N ✆ 58 97 80 85
AT Gar. Molia, 145 av. V.-de-Paul ✆ 58 74 88 74
ORD Gar. Durruty, 21/23 av. de la Résistance à -Paul-les-Dax ✆ 58 91 11 11
ISSAN Auto Sce Dacquoise, rte de Bayonne à -Paul-les-Dax ✆ 58 91 86 36
PEL Gar. Duprat-Desclaux, rte de Bayonne à -Paul-les-Dax ✆ 58 91 78 04

PEUGEOT Dax Auto, rte de Bayonne à St-Paul-les-Dax par ④ ✆ 58 91 77 42 N ✆ 58 91 25 55
RENAULT Autom. Landaises, av. du Sablar ✆ 58 90 90 00 N ✆ 58 91 22 90

Euromaster, 122 av. St-V.-de-Paul ✆ 58 74 08 40
Morès Vulcopneu, ZI n° 1, rte de St-Pandelon ✆ 58 74 94 66

EAUVILLE 14800 Calvados 55 ③ **G. Normandie Vallée de la Seine** – 4 261 h alt. 2 – Casino AZ.

oir Mont Canisy <★ 5 km par ④ puis 20 mn.

18 ✆ 31 88 20 53, S : 3 km par D 278 AZ; 9 9 9 de St-Gatien-Deauville ✆ 31 65 19 99, : 10 km par D 74 BZ.

de Deauville-St-Gatien : ✆ 31 88 31 28, S : 3 km BY.

Office de Tourisme pl. Mairie ✆ 31 88 21 43, Fax 31 88 78 88.

aris 207 ③ – ♦Caen 47 ④ – ♦Le Havre 42 ③ – Évreux 94 ③ – Lisieux 30 ③ – ♦Rouen 89 ③.

DEAUVILLE

Fracasse (R. A.) . . . . . . AZ
Gambetta (R.) . . . . BY 9
Le-Hoc (R. D.) . . . . BZ 24
Morny (Pl. de) . . . . BZ 28
République (Av. de la) . ABZ
Blanc (R. E.) . . . . AZ 4
Colas (R. E.) . . . . AZ 5
Fossorier (R. R.) . . . . . ABZ 8
Gaulle (Av. Gén.-de) . . . AZ 10
Gontaut-Biron (R.) . . . AYZ 13
Hoche (R.) . . . . AYZ 20
Laplace (R.) . . . . AZ 23
Le Marois (R.) . . . . AZ 25
Mirabeau (R.) . . . . BY 26

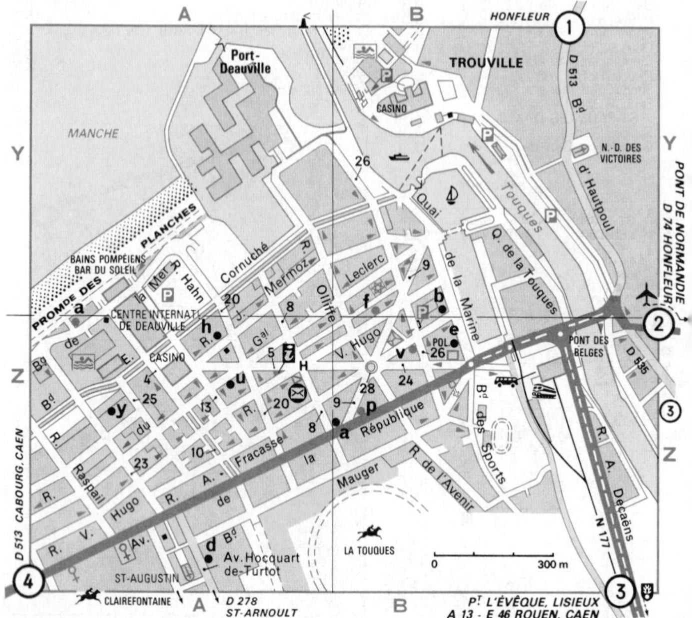

Normandy, 38 r. J. Mermoz ✆ 31 98 66 22, Télex 170617, Fax 31 98 66 23, ≤, – 160. AE GB JCB. rest AZ
La Potinière : (fermé merc. midi et mardi) **Repas** 250/420 – ***La Belle Époque*** *(ouvert vacances scolaires, week-ends et fériés)* **Repas** 185/350, enf.120 – ☐ 90 – **282 ch** 1500/2200, 26 appart.

Royal, bd E. Cornuché ✆ 31 98 66 33, Télex 170549, Fax 31 98 66 34, ≤, – 220. AE GB AZ
16 mars-15 nov. – ***L'Etrier*** **: Repas** 220/390 – ☐ 120 – **281 ch** 1700/2200, 17 appart.

L'Augeval M, 15 av. Hocquart de Turtot ✆ 31 81 13 18, Fax 31 81 00 40, – rest – 50. AE GB JCB. ch AZ
Repas 160/340 – ☐ 58 – **32 ch** 680/820 – ½ P 690/760.

Le Trophée M, 81 r. Gén. Leclerc ✆ 31 88 45 86, Fax 31 88 07 94, – rest AE GB JCB AZ
Repas 140/285 – ☐ 50 – **24 ch** 520/650 – ½ P 460/525.

Yacht Club M sans rest, 2 r. Breney ✆ 31 87 30 00, Fax 31 87 05 80 – GB JCB BY
☐ 50 – **47 ch** 650/750, 6 duplex.

Ibis, quai Marine ✆ 31 14 50 00, Fax 31 14 50 05 – – 35. AE GB BZ
Repas 99 bc, enf. 42 – ☐ 39 – **81 ch** 440, 14 duplex.

Le Chantilly sans rest, 120 av. République ✆ 31 88 79 75, Fax 31 88 41 29 – GB JCB BZ
fermé 12 nov. au 6 déc. – ☐ 38 – **17 ch** 180/470.

L'Espérance, 32 r. V. Hugo ✆ 31 88 26 88, Fax 31 88 33 29, – GB. ch
fermé 24 au 30 juin – **Repas** *(fermé merc. et jeudi sauf 1er juil. au 10 sept. et vacances scolaires)* 99/205 – ☐ 34 – **10 ch** 240/375 – ½ P 248/315. BY

XXXX **Ciro's,** prom. Planches ✆ 31 88 18 10, Fax 31 98 66 71, ≤, – AE GB JCB AZ
Repas 190/320 et carte 250 à 400.

XXX **Le Spinnaker,** 52 r. Mirabeau ✆ 31 88 24 40, Fax 31 88 43 58 – AE GB BZ
fermé janv., mardi et merc. d'oct. à Pâques – **Repas** 160/320 et carte 290 à 420.

XX **Le Yearling,** 38 av. Hocquart de Turtot ✆ 31 88 33 37, Fax 31 88 33 89 – AE GB
fermé 12 au 27 nov. et 6 au 23 janv. – **Repas** *(fermé lundi soir et mardi sauf du 12 juil. au 31 août)* 135/330 bc.

X **Le Garage,** 118 bis av. République ✆ 31 87 25 25, Fax 31 87 38 37 – AE ⓓ GB BZ **p**
fermé 15 au 30 nov., dim. soir et lundi d'oct. à mai sauf vacances scolaires – **Repas** 100/160 ⅛.

à l'aéroport Deauville-St-Gatien E : 7 km par D 74 – ✉ **14130** Pont-l'Évêque :

XX **Rest. Aéroport,** 1er étage ✆ 31 64 81 81, Fax 31 64 83 83, ←, 佘 – AE ⓓ GB
fermé 15 janv. au 20 fév., mardi soir et merc. sauf août – **Repas** 155/300.

à Touques par ③ : 2,5 km – 3 070 h. alt. 10 – ✉ **14800** :

L'Amirauté Ⓜ, N 177 ✆ 31 81 82 83, Fax 31 81 82 93, 佘, ₺, ⛱, ⊡, ✂ – |‡| TV ☎ ♿ P – 🚶 80 à 400. AE ⓓ GB JCB
Repas 115/195 – ☐ 60 – **115 ch** 725/825, 6 appart.

Le Relais du Haras, 23 r. Louvel et Brière ✆ 31 81 67 67, Fax 31 81 67 68 – ▤ rest TV ☎ ✆. AE ⓓ GB
Repas 135/255 – ☐ 45 – **8 ch** 590/720 – ½ P 438.

XX **Le Village** avec ch, 64 r. Louvel et Brière ✆ 31 88 01 77, Fax 31 88 99 24, 佘 – TV ☎. AE GB
fermé janv., mardi soir et merc. hors sais. – **Repas** 135/210 – ☐ 32 – **8 ch** 300 – ½ P 337.

XX **Aux Landiers,** 90 r. Louvel et Briere ✆ 31 88 00 39 – AE ⓓ GB
fermé fév., jeudi midi et merc. – **Repas** 100 (déj.), 140/300, enf. 65.

à Canapville par ③ : 6 km – 185 h. alt. 10 – ✉ **14800** :

XX **Jarrasse,** sur N 177 ✆ 31 65 21 80, Fax 31 65 03 75, 佘, ⛟ – P. GB
fermé 15 au 30 déc., vacances de fév., mardi et merc. sauf août – **Repas** 160 bc/200.

au New Golf S : 3 km par D 278 - BAZ – ✉ **14800** Deauville :

Golf 🐌, ✆ 31 88 19 01, Télex 170448, Fax 31 88 75 99, 佘, « Au milieu du golf, ← campagne deauvillaise », ₺, ⛱, ✂ – |‡| TV ☎ P – 🚶 30 à 150. AE ⓓ GB JCB. ✂ rest
20 mars-1er nov. – ***La Pommeraie :*** **Repas** 195 et carte 240 à 420, enf. 95 – ☐ 90 – **178 ch** 1200/1600 – ½ P 885/1085.

au Sud : 6 km par D 278 et D 27 – ✉ **14800** Deauville :

Host. de Tourgéville 🐌, ✆ 31 88 63 40, Fax 31 98 27 16, ←, 佘, parc, ₺, ⊡, ✂ – TV ☎ P. AE GB
11 mars-30 sept. – **Repas** *(fermé mardi midi et lundi du 11 mars au 2 avril)* 180/270 – ☐ 70 – **6 ch** 800, 6 appart, 13 duplex 1300.

ALFA ROMEO, FORD Gar. de la Plage, 26 r. Gén.-Leclerc ✆ 31 88 28 67
PEUGEOT SODEVA, rte de Paris par ② ✆ 31 88 66 22
RENAULT Les Autom. Deauvillaises, rte de Paris par ② ✆ 31 81 64 64 N ✆ 31 50 52 16

VAG Suter Automobiles, r. des anciennes écoles à Touques ✆ 31 98 59 59

Ⓜ Ollitrault Pneus Point S, ZI r. Tonneliers à Touques ✆ 31 88 46 13

☛ *Un automobiliste averti utilise le* **guide Michelin** *de l'année.*

DECAZEVILLE **12300** Aveyron 80 ① **G. Gorges du Tarn** – 7 754 h alt. 230.
ℹ Office de Tourisme square J.-Ségalat ✆ 65 43 18 36, Fax 65 43 19 89.
Paris 604 – Rodez 37 – Aurillac 66 – Figeac 27 – Villefranche-de-Rouergue 37.

Moderne, 16 av. A. Bos ✆ 65 43 04 33, Fax 65 43 17 17 – |‡| TV ☎ – 🚶 30. AE GB
fermé dim. – **Repas** 85/290 ⅛ – ☐ 28 – **31 ch** 185/290 – ½ P 220/260.

Foulquier, 16 av. V. Hugo ✆ 65 63 27 42, Fax 65 43 37 33 – TV ☎ ♿ P. AE GB
Repas *(fermé 23 déc. au 6 janv., sam. soir et dim.)* 55/120 ⅛, enf. 35 – ☐ 30 – **21 ch** 190/260 – ½ P 160/180.

CITROEN Gar. Rouquette-Fournier, Zone des Prades ✆ 65 43 09 35
PEUGEOT Gar. Cassan, 47 av. P.-Ramadier ✆ 65 43 06 06 N ✆ 65 43 20 94

RENAULT S.A.D.A.R., ZI des Prades ✆ 65 43 28 14

Ⓜ Sigal Pneus, ZI des Prades ✆ 65 43 02 33

La DÉFENSE **92** Hauts-de-Seine 55 ⑳, 101 ⑭ – voir à Paris, Environs.

DELME **57590** Moselle 57 ⑭ – 681 h alt. 220.
Paris 365 – ♦Metz 32 – ♦Nancy 31 – Château-Salins 12 – Pont-à-Mousson 30 – St-Avold 39.

Aub. de Delme, ✆ 87 01 33 33, Fax 87 01 38 12, 佘, ⛟ – TV ☎ P. AE ⓓ GB
Repas 62/225 ⅛ – ☐ 25 – **11 ch** 210/250 – ½ P 215.

X **A la Douzième Borne** avec ch, ✆ 87 01 30 18, Fax 87 01 38 39, 佘, ⛟ – |‡| ▤ rest TV ☎. AE ⓓ GB
Repas 56 (déj.), 92/235 ⅛ – ☐ 25 – **19 ch** 172/224 – ½ P 180/220.

DENNEMONT **78** Yvelines 55 ⑱ – rattaché à Mantes-la-Jolie.

DESCARTES 37160 I.-et-L. 68 ⑤ G. Poitou Vendée Charentes – 4 120 h alt. 50.

Office de Tourisme à la Mairie ✆ 47 59 70 50.

Paris 291 – ◆ Tours 57 – Châteauroux 92 – Châtellerault 25 – Chinon 48 – Loches 31.

Moderne, 15 r. Descartes ✆ 47 59 72 11, Fax 47 92 44 90 – TV ☎ P. GB
fermé 23 déc. au 2 janv., vacances de fév., sam. soir sauf hôtel et dim. hors sais. – **Repa**
80/180, enf. 37 – ☕ 38 – **11 ch** 258/305 – ½ P 255.

Aub. de l'Islette, à Lilette (86 Vienne) O : 3 km par D 58 et D5 ✉ 37160 Descarte
✆ 47 59 72 22 – P. GB
fermé 15 déc. au 15 janv. et sam. hors sais. – **Repas** 55/155.

Les DEUX-ALPES (Alpes de Mont-de-Lans et de Vénosc) 38860 Isère 77 ⑥ G. Alpes du Nord

Alpe de Vénosc, 1 660 m Alpe de Mont-de-Lans – Sports d'hiver : 1 250/3 600 m 9 54.

Voir Belvédère de la Croix★.

Office de Tourisme ✆ 76 79 22 00, Fax 76 79 01 38.

Paris 647 ① – ◆ Grenoble 77 ① – Le Bourg-d'Oisans 28 ① – La Grave 27 ① – Col du Lautaret 38 ①.

La Bérangère, (a) ✆ 76 79 24 11, Fax 76 79 55 08, ≤, ⚡, ⛱, 🏊 – 🛗 TV ☎ P – 🏛 25. AE GB. ✻ rest
15 juin-1er sept. et 1er déc.-29 avril – **Repas** 200 (déj.), 240/400 et carte 270 à 450 – ☕ 65 – **59 ch** 600/800 – ½ P 580/800
Spéc. Fricassée d'escargots aux cèpes. Rosace de sole en crème de morilles. Fondant au chocolat, sauce vanille. **Vins** Chignin-Bergeron.

La Farandole 🐎, (b) ✆ 76 80 50 45, Fax 76 79 56 12, ≤ massif de la Muzelle, ⛱, ⚡, 🏊, 🌳 – 🛗 TV ☎ P – 🏛 25 à 80. AE GB JCB
22 juin-1er sept. et 30 nov.-5 mai – **Repas** 180 (déj.), 220/280 – ☕ 60 – **46 ch** 600/900, 14 appart – ½ P 650/750.

Les Marmottes, (d) ✆ 76 79 21 91, Fax 76 79 25 79, ≤, ⚡, 🏊, 🎾 – 🛗 TV ☎ P – 🏛 50. AE GB. ✻ rest
20 juin-4 sept. et 17 déc.-30 avril – **Repas** 180 (déj.), 210/280 – ☕ 60 – **40 ch** 500/900 – ½ P 670.

Chalet Mounier, (n) ✆ 76 80 56 90, Fax 76 79 56 51, ≤, ⛱, ⚡, ⛱, 🏊, 🌳, 🎾 – 🛗 TV ☎ – 🏛 25 à 40. GB. ✻
29 juin-1er sept. et 21 déc.-1er mai – **Repas** 130/190 – ☕ 45 – **48 ch** 420/820, 3 duplex – ½ P 390/605.

Souleil'Or M 🐎, (t) ✆ 76 79 24 69, Fax 76 79 20 64, ≤, ⛱, ⚡, ⛱ – 🛗 TV ☎ P – 🏛 25. AE GB. ✻ rest
18 juin-3 sept. et 18 déc.-1er mai – **Repas** 140 (déj.)/160 – ☕ 50 – **42 ch** 680 – ½ P 550/585.

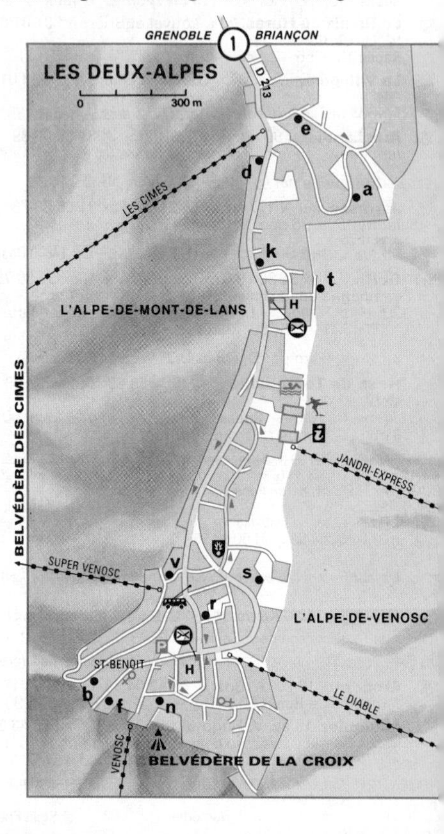

Edelweiss, (k) ✆ 76 79 21 22, Fax 76 79 24 63, ≤, ⛱, ⚡, ⛱ – 🛗 TV ☎ 🚗 – 🏛 3
GB. ✻ rest
16 juin-1er sept. et 15 déc.-2 mai – **Repas** 125/215 – ☕ 50 – **30 ch** 395/565, 5 appart
½ P 405/525.

Muzelle-Sylvana, (r) ✆ 76 80 50 93, Fax 76 79 04 06, ⚡ – 🛗 TV ☎ 🚗 P – 🏛 30. GB
✻ rest
15 déc.-15 avril – **Repas** 150/160 – ☕ 55 – **30 ch** 295/420 – ½ P 400/450.

La Mariande 🐎, (f) ✆ 76 80 50 60, Fax 76 79 04 99, ≤ massif de la Muzelle, ⛱, 🌳,
– TV ☎ P. GB. ✻ rest
29 juin-1er sept., vacances de Toussaint (sans rest.) et 14 déc.-6 avril – **Repas** 100/170
☕ 50 – **26 ch** 480/590, 3 duplex – ½ P 490.

Mélèzes, (s) ✆ 76 80 50 50, Fax 76 79 20 70, ≤, – ☎ P. GB. rest
18 déc.-1er mai – **Repas** 140/280 – ☐ 45 – **32 ch** 335/440 – ½ P 395/440.

L'Adret , **(e)** ✆ 76 79 24 30, Fax 76 79 57 08, ≤, , , , , – TV ☎ P. GB. rest
16 juin-1er sept. et 15 déc.-1er mai – **Repas** 150 – ☐ 40 – **23 ch** 360/520 – ½ P 500/570.

Le Provençal, (v) ✆ 76 80 52 58, Fax 76 79 24 02 – TV ☎ P. GB. rest
1er juil.-31 août et 2 déc.-1er mai – **Repas** (½ pens. seul.) – ☐ 35 – **18 ch** 310/360 – ½ P 340/390.

HUIZON 41220 L.-et-Ch. 64 ⑧ – 1 100 h alt. 93.

is 173 – ♦Orléans 43 – Beaugency 22 – Blois 28 – Romorantin-Lanthenay 27.

XX **Aub. Gd Dauphin** avec ch, ✆ 54 98 31 12, , – ☎. GB
fermé 15 janv. au 15 fév., dim. soir et lundi – **Repas** 90/240 , enf. 52 – ☐ 28 – **9 ch** 200/240 – ½ P 190/210.

IE 26150 Drôme 77 ⑬ ⑭ **G. Alpes du Sud** (plan) – 4 230 h alt. 415.

oir Mosaïque★ dans l'hôtel de ville.

Office de Tourisme pl. St-Pierre ✆ 75 22 03 03, Fax 75 22 40 46.

is 629 – Valence 69 – Gap 93 – ♦Grenoble 97 – Montélimar 75 – Nyons 84 – Sisteron 99.

Relais de Chamarges, rte Valence : 1 km ✆ 75 22 00 95, Fax 75 22 19 34, ≤, , – TV ☎ P. GB
fermé 15 janv. au 30 mars, dim. soir et lundi d'oct. à mars sauf fériés – **Repas** 85/250 – ☐ 38 – **13 ch** 240/270 – ½ P 280.

XX **La Petite Auberge** avec ch, av. Sadi-Carnot (face gare) ✆ 75 22 05 91, Fax 75 22 24 60, , – TV ☎ P. GB
fermé 23 au 29 sept., 15 déc. au 20 janv., lundi (sauf hôtel) en juil.-août, dim. soir et merc. hors sais. – **Repas** 90/220 – ☐ 40 – **11 ch** 280 – ½ P 220/280.

UGEOT Gar. Auto Val de Drôme, 75 22 06 47 N
75 22 06 47

ENAULT Gar. Combet, ✆ 75 22 02 11 N
75 22 02 11

Gar. Bouffier, ✆ 75 22 01 55

IEFFENTHAL 67650 B.-Rhin 87 ⑯ – 246 h alt. 185.

ris 506 – ♦Strasbourg 47 – Lunéville 98 – St-Dié 44 – Sélestat 7.

Les Châteaux M , ✆ 88 92 49 13, Fax 88 92 40 99, ≤, , – TV ☎ P – 25. GB
Repas 50/150 – ☐ 35 – **32 ch** 360/450 – ½ P 310.

IEFMATTEN 68780 H.-Rhin 66 ⑨ – 227 h alt. 300.

ris 437 – ♦Mulhouse 20 – Belfort 23 – Colmar 47 – Thann 14.

XXX **Aub. du Cheval Blanc,** ✆ 89 26 91 08, Fax 89 26 92 28, , – P. AE GB
fermé 15 au 31 juil., vacances de fév., mardi soir et lundi sauf fériés – **Repas** 95 bc (déj.), 130/400 et carte 240 à 380 , enf. 65.

IENNE 15300 Cantal 76 ③ **G. Auvergne** – 359 h alt. 1053.

ris 536 – Aurillac 59 – Allanche 20 – Condat 29 – Mauriac 53 – Murat 10 – St-Flour 34.

Poste, ✆ 71 20 80 40 – ☎ P. AE GB.
fermé 5 janv. au 5 fév. – **Repas** (dîner seul.) 95/120 – ☐ 30 – **10 ch** 260 – ½ P 210/230.

IEPPE 76200 S.-Mar. 52 ④ **G. Normandie Vallée de la Seine** – 35 894 h alt. 6 – Casino Municipal AY.

oir Église St-Jacques★ BY – Boulevard de la Mer ≤★ par D 75 AZ – Chapelle N.-D.-de-Bon-ecours ≤★ BY – Musée★ du château (ivoires dieppois★) AZ.

nv. Envermeu : choeur★ de l'église, 12 km par D 925 BY.

✆ 35 84 25 05, par D 74 AZ : **2 km.**

Office de Tourisme Quai du Carénage ✆ 35 84 11 77, Fax 35 06 27 66.

aris 171 ② – Abbeville 63 ① – Beauvais 107 ② – ♦Caen 171 ② – ♦Le Havre 106 ② – Rouen 64 ②.

Plan page suivante

Aguado sans rest, 30 bd Verdun ✆ 35 84 27 00, Fax 35 06 17 61, ≤ – TV ☎. GB. BY **s**
☐ 40 – **56 ch** 330/435.

La Présidence, 1 bd Verdun ✆ 35 84 31 31, Télex 180865, Fax 35 84 86 70, ≤ – rest TV ☎ – 90. AE GB AY **h**
Repas 110/190, enf. 45 – ☐ 47 – **89 ch** 270/540 – ½ P 391.

Europe sans rest, 63 bd Verdun ✆ 32 90 19 19, Fax 32 90 19 00, ≤ – TV ☎ – 25. GB BY **t**
☐ 35 – **60 ch** 270/340.

Plage sans rest, 20 bd Verdun ✆ 35 84 18 28, Fax 35 82 36 82, ≤ – TV ☎. GB. AY **n**
☐ 39 – **40 ch** 250/330.

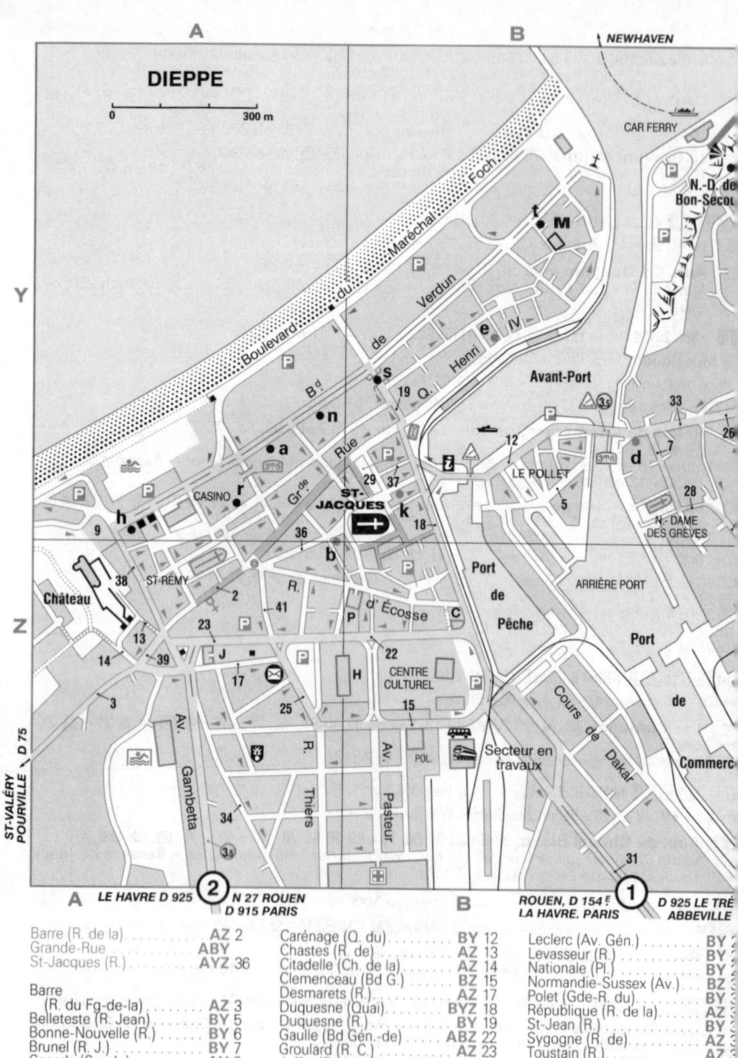

Barre (R. de la) . . . . AZ 2
Grande-Rue . . . . ABY
St-Jacques (R.) . . . . AYZ 36

Barre (R. du Fg-de-la) . . . . AZ 3
Belleteste (R. Jean) . . . . BY 5
Bonne-Nouvelle (R.) . . . . BY 6
Brunel (R. J.) . . . . BY 7
Canada (Sq. du) . . . . AY 9

Carénage (Q. du) . . . . BY 12
Chastes (R. de) . . . . AZ 13
Citadelle (Ch. de la) . . . . AZ 14
Clemenceau (Bd G.) . . . . BZ 15
Desmarets (R.) . . . . AZ 17
Duquesne (Quai) . . . . BYZ 18
Duquesne (R.) . . . . BY 19
Gaulle (Bd Gén.-de) . . . . ABZ 22
Groulard (R. C.) . . . . AZ 23
Joffre (Bd Mar.) . . . . AZ 25

Leclerc (Av. Gén.) . . . . BY
Levasseur (R.) . . . . BY
Nationale (Pl.) . . . . BY
Normandie-Sussex (Av.) . . . BZ
Polet (Gde-R. du) . . . . BY
République (R. de la) . . . . . . AZ
St-Jean (R.) . . . . BY
Sygogne (R. de) . . . . AZ
Toustain (R.) . . . . AZ
Victor-Hugo (R.) . . . . AZ

Epsom sans rest, 11 bd Verdun ✆ 35 84 10 18, Fax 35 40 03 00, ≤ – |‡| TV ☎ P. AE GB AY
☕ 32 – **28 ch** 260/315.

Ibis, par ② le Val Druel ✆ 35 82 65 30, Fax 35 82 41 52 – TV ☎ P – 30. AE ① GB
Repas 99 bc, enf. 39 – ☕ 35 – **45 ch** 285/295.

Continental, par ② le Val Druel Z.A.C. La Maison Blanche ✉ 76550 St-Aubin-sur-Sci ✆ 35 06 90 80, Fax 35 84 97 63, – TV ☎ ♿ P – 30. AE GB. rest
Repas 105 ♀, enf. 45 – ☕ 35 – **42 ch** 270 – ½ P 245.

Tourist H. sans rest, 16 r. Halle au Blé ✆ 35 06 10 10, Fax 35 84 15 87 – ☎. AE GB AY
fermé 5 au 19 janv. et dim. – ☕ 28 – **32 ch** 160/240.

XX ✿ **La Mélie** (Brachais), 2 Gde rue du Pollet ✆ 35 84 21 19 – AE ⓓ GB BY **d**
fermé 10 sept. au 10 oct., vacances de fév., dim. soir et lundi – **Repas** (week-ends, prévenir) 200 bc/230 bc et carte 200 à 280
Spéc. Langoustines rôties aux beignets d'aubergines. Filet de sole dieppoise. Filet de turbotin au vinaigre de cidre.

XX **Marmite Dieppoise,** 8 r. St-Jean ✆ 35 84 24 26, Fax 35 84 31 12 – GB BY **k**
fermé 20 nov. au 10 déc., vacances de fév., jeudi soir hors sais., dim. soir et lundi – **Repas** 83/215.

X **Au Grand Duquesne** avec ch, 15 pl. St-Jacques ✆ 35 84 21 51, Fax 35 84 29 83 – TV ☎.
AE ⓓ GB AYZ **b**
Repas 69/220, enf. 50 – ☐ 25 – **12 ch** 165/255 – ½ P 225/260.

X **La Musardière,** 61 quai Henri IV ✆ 35 82 94 14 – GB BY **e**
fermé 23 janv. au 7 fév., dim. soir sauf juil.août et lundi – **Repas** 89/158.

à Martin-Église par D 1 BZ : 7 km – 1 167 h. alt. 11 – ✉ **76370** :

XX **Aub. Clos Normand** ⛰ avec ch, ✆ 35 04 40 34, Fax 35 04 48 49, ⛱, « Parc en bordure de rivière » – TV ☎ P. AE GB
fermé 18 nov. au 18 déc., lundi soir et mardi – **Repas** 160 – ☐ 38 – **8 ch** 300/460 – ½ P 350/445.

aux Vertus par ② et N 27 : 3,5 km – ✉ **76550** Offranville :

XXX **La Bucherie,** ✆ 35 84 83 10, Fax 35 84 18 19, ⛱ – P. AE GB
fermé dim. soir et lundi – **Repas** 80/240 et carte 290 à 350.

CITROEN Gar. Leprince, R Normandie Sussex-ZI La Pénétrante BZ ✆ 35 84 16 77
FORD Gar. de la Plage, 4 r. Bouzard ✆ 35 84 10 36
MAZDA Thiers Auto, av. Vauban ✆ 35 06 99 99
NISSAN Gar. Gosse, 1 r. J.-Flouest ✆ 35 84 21 49
PEUGEOT Gar. Laffillé, ZI La Pénétrante BZ ✆ 35 06 92 92
VAG Gar. Picard, Parc Eurochannel à Neuville ✆ 35 82 02 16 N ✆ 35 84 90 28

Euromaster, 5 r. J.-Monod ZI Eurochannel ✆ 35 82 50 76
Léveillard Pneus, 7 quai Trudaine ✆ 35 84 17 00

CONSTRUCTEUR : Alpine, av. de Bréauté ✆ 35 82 37 21

DIEULEFIT 26220 Drôme 81 ② G. Vallée du Rhône – 2 924 h alt. 366.

Office de Tourisme pl. Abbé-Magnet ✆ 75 46 42 49.

Paris 628 – Valence 67 – Crest 32 – Montélimar 27 – Nyons 30 – Orange 58 – Pont-St-Esprit 61.

A l'Escargot d'Or, rte Nyons : 1 km ✆ 75 46 40 52, Fax 75 46 89 49, ⛱, ⛱, – ☎ P.
AE GB
fermé dim. soir et lundi d'oct. à mars – **Repas** 58/165 ♁, enf. 45 – ☐ 30 – **15 ch** 190/290 – ½ P 230/280.

XX **Relais du Serre** avec ch, rte Nyons : 3 km sur D 538 ✆ 75 46 43 45, Fax 75 46 40 98, ⛱ – TV ☎ P. GB
fermé 5 au 20 janv., dim. soir et lundi d'oct. à mars – **Repas** 75/180, enf. 40 – ☐ 35 – **8 ch** 220/300 – ½ P 240.

au Poët-Laval O : 5 km par D 540 – 652 h. alt. 311 – ✉ **26160**.
Voir Site★.

Les Hospitaliers M ⛰, ✆ 75 46 22 32, Fax 75 46 49 99, ≤ vallée et montagnes, ⛱, « Au vieux village », ⛱ – ☎ P – 🔔 30. AE ⓓ GB
fermé fév. et ouvert seul. sam. soir, dim. midi et vend. du 15 nov. au 15 mars – **Repas** 160/400 – ☐ 70 – **24 ch** 540/1010 – ½ P 480/650.

CITROEN Gar. Chauvin, ✆ 75 46 44 47 N ✆ 75 46 44 47
PEUGEOT Gar. Henry, ✆ 75 46 43 59

DIGNE-LES-BAINS P 04000 Alpes-de-H.-P. 81 ⑰ G. Alpes du Sud – 16 087 h alt. 608 – Stat. therm.

Voir Musée municipal★ B M[1] – Dalles à ammonites géantes★ N : 1 km par D 900[A].

Env. Musée du site de l'ichtyosaure★ N : 7 km par D 900[A] – Courbons : ≤★ de l'église, 6 km par ③ – ≤★ du Relais de Télévision, 8 km par ③.

18 ✆ 92 30 58 00 par ② : 7 km par N 85 puis D 12.

Office de Tourisme et Accueil de France le Rond-Point ✆ 92 31 42 73, Fax 92 32 27 24.

Paris 749 ③ – Aix-en-Provence 106 ③ – Antibes 138 ② – Avignon 164 ③ – Cannes 132 ② – Carpentras 139 ③ – Gap 87 ③.

Plan page suivante

✿ **Grand Paris** (Ricaud), 19 bd Thiers ✆ 92 31 11 15, Fax 92 32 32 82, ⛱ – TV ☎ ⛟ – 🔔 25. AE ⓓ GB A **a**
fermé 21 déc au 1er mars – **Repas** *(fermé dim. soir et lundi hors sais.)* 160 (déj.), 195/420 et carte 290 à 400 – ☐ 57 – **24 ch** 400/500, 5 appart – ½ P 460/550
Spéc. Courgettes-fleurs au jus de truffes (mai à oct.). Mignonnette d'agneau "Casimir Moisson". Pigeon en bécasse. **Vins** Châteauneuf-du-Pape, Cornas.

Tonic H. M ⛰, rte Thermes E : 2 km par av. 8-Mai B ✆ 92 32 20 31, Fax 92 32 44 54, ⛱, ⛱ – ⛱ TV ☎ ♿ – 🔔 50 à 150. AE ⓓ GB
fermé 1er au 26 déc. – **Repas** 90/158 – ☐ 35 – **60 ch** 350/400 – P 375.

DIGNE-LES-BAINS

Gassendi (Bd) . . . . AB
Hubac (R. de l') . . . . A 7
Pied-de-Ville (R.) . . . . A 13
Arès (Cours des) . . . . B 2
Capitoul (R.) . . . . B 3
Dr-Romieu (R. du) . . . . B 4
Gaulle (Pl. Ch. de) . . . . B 6
Mairie (R. de la) . . . . B 8
Mitan (Pl. du) . . . . B 1
Payan (R. du Col.) . . . . A 1
Tribunal (Cours du) . . . . B 1
11-Novembre 1918 (Rd-Pt du) . . . . A 1

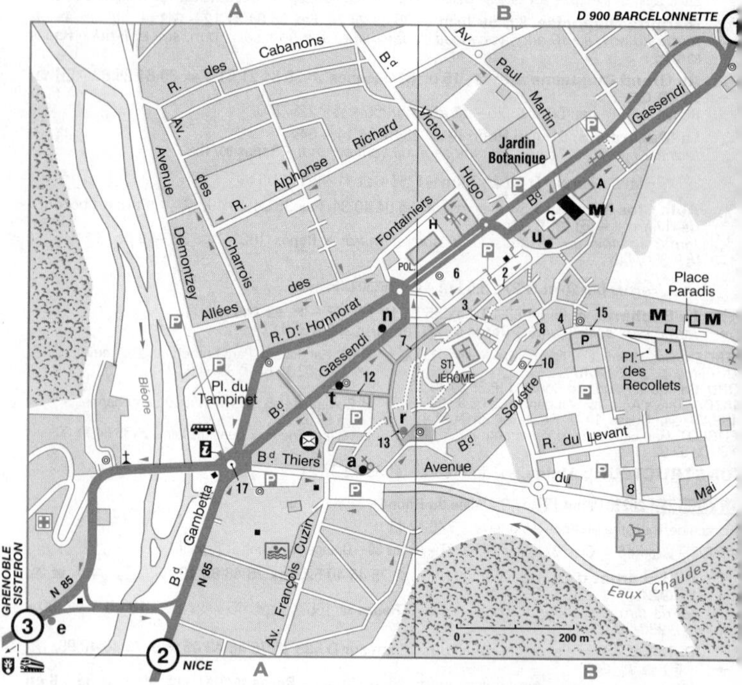

🏨 **Mistre,** 65 bd Gassendi ☎ 92 31 00 16 – ☎ 🚗 – 🏋 80. AE GB — A n
fermé 10 au 30 nov. – **Repas** *(fermé lundi hors sais. et dim. soir)* 135/320 🍷 – ☕ 45 – **19 ch** 350/480 – ½ P 390/440.

🏨 **Central** sans rest, 26 bd Gassendi ☎ 92 31 31 91, Fax 92 31 49 78 – TV ☎. AE GB — A t
☕ 30 – **21 ch** 150/290.

Le Petit St-Jean, 14 cours Arès ☎ 92 31 30 04, Fax 92 31 30 04 – 🚗. GB — B u
Repas 57/135 – ☕ 26 – **17 ch** 120/260 – ½ P 155/175.

✕✕ **Bourgogne** avec ch, 3 av. Verdun ☎ 92 31 00 19, Fax 92 32 30 59 – TV ☎ P. GB JCB — A e
fermé 20 déc. au 20 fév. – **Repas** *(fermé lundi sauf août)* 90/250, enf. 50 – ☕ 30 – **11 ch** 180/300 – P 360/450.

✕✕ **L'Origan** avec ch, 6 r. Pied-de-Ville ☎ 92 31 62 13, 🌳 – AE GB — A r
fermé 18 au 27 déc. et dim. – **Repas** (en saison, prévenir) 98/160 – ☕ 23 – **9 ch** 90/140 – P 190/210.

par ②, N 85 et VO : 2 km – ✉ **04000** Digne-les-Bains :

🏨 **Villa Gaïa** 🐌, ☎ 92 31 21 60, Fax 92 31 20 12, 🌳, parc, 🎾 – ☎ ♿
1er avril-31 oct. – **Repas** (résidents seul.) (dîner seul.) 150 – ☕ 55 – **12 ch** 300/530 – P 360/460.

ALFA ROMEO, FIAT, LANCIA Gar. Liotard, 10 av. du Col.-Noël ☎ 92 30 59 30 N ☎ 92 31 91 06
OPEL Gar. Meyran, 77 av. de Verdun ☎ 92 31 02 47
PEUGEOT S.D.A.D., rte de Marseille, quartier St-Christophe par ③ ☎ 92 31 06 11
VAG Digne Autos, quartier St-Christophe, N 85 ☎ 92 31 12 48 N ☎ 92 31 24 64

Ayme Pneus, ZI St-Christophe ☎ 92 31 34 67

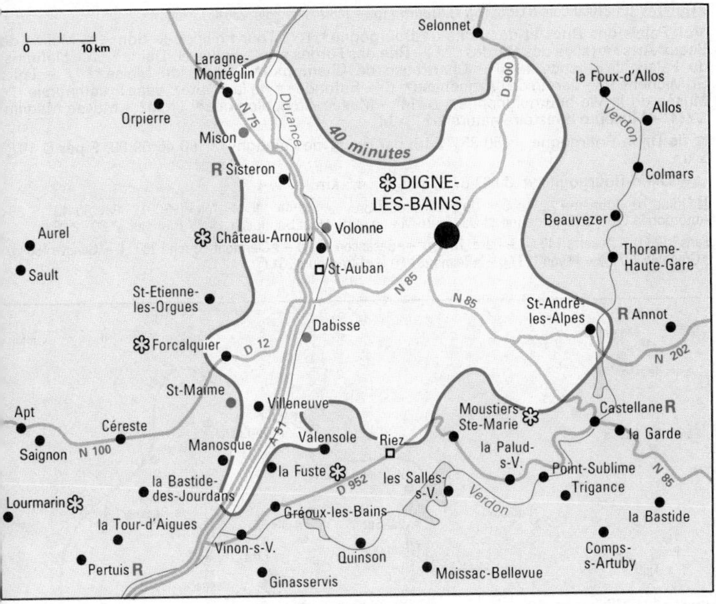

LES GUIDES VERTS MICHELIN

Paysages, monuments

Routes touristiques

Géographie

Histoire, Art

Itinéraires de visite

Plans de villes et de monuments

DIGOIN **71160** S.-et-L. 69 ⑯ **G. Bourgogne** – 10 032 h alt. 232.

Office de Tourisme 8 r. Guilleminot ✆ 85 53 00 81, Fax 85 53 27 54 et pl. de la Grève (saison) ✆ 85 88 56 12.

Paris 339 ① – Moulins 59 ③ – Autun 67 ① – Charolles 25 ② – Roanne 56 ③ – Vichy 68 ③.

XXX **Gare** avec ch, 79 av. Gén. de Gaulle **(s)**
✆ 85 53 03 04, Fax 85 53 14 70, – TV ☎ ✆ P. GB
fermé mi-janv. à mi-fév. et merc. sauf juil.-août – **Repas** 135/340 et carte 300 à 410 – ☐ 38 – **13 ch** 250/300 – ½ P 280/330.

à Neuzy par ① : 4 km – ✉ **71160** Digoin :

Merle Blanc, ✆ 85 53 17 13, Fax 85 88 91 71 – TV ☎ ✆ P. GB
fermé dim. soir et lundi midi de fin oct. à mars – **Repas** 75/200 – ☐ 35 – **12 ch** 175/260 – ½ P 180/200.

CITROEN Gar. Central, 2 av. Gén.-de-Gaulle ✆ 85 53 08 37
CITROEN Gar. Martel, rte de Vichy à Molinet (Allier) par ③ ✆ 85 53 11 04
PEUGEOT Jugnet et Fils, 19 av. Platanes ✆ 85 53 03 15
Gaudry Pneu Point S, La Fontaine St-Martin à Molinet ✆ 85 53 12 21

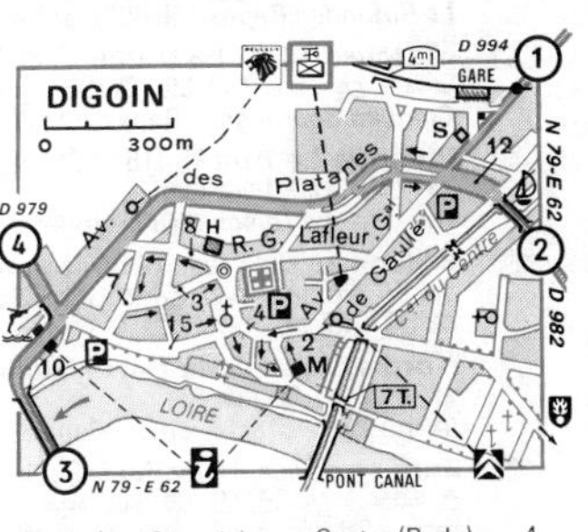

Gaulle (Av. Gén.-de)		Centre (R. du) ..	4
Nationale (R.)......	15	Dombe (R. de la)	7
		Dumaine (R. A.)	8
Bartoli (R.)	2	Grève (Pl. de la)	10
Bisefranc (R. de) ..	3	Launay (Av. de)	12

DIJON P 21000 Côte-d'Or 66 ⑫ **G. Bourgogne** – 146 703 h Agglo. 230 451 h alt. 245.

Voir Palais des Ducs et des États de Bourgogne★ DY : Tour Philippe-le-Bon ≤★, Musée des Beaux-Arts★★ (salle des Gardes★★★) – Rue des Forges★ DY – Église N.-Dame★ DY – plafonds du Palais de Justice DY **J** – Chartreuse de Champmol★ : Puits de Moïse★★ A – Église St-Michel★ DY – Jardin de l'Arquebuse★ CY – Rotonde★★ de la crypte★ dans la cathédrale CY – Musée de la Vie bourguignonne★ DZ **M**[5] – Musée Archéologique★ CY **M2** – Musée Magnin DY **M**[8] – Muséum d'histoire naturelle★ CY **M**[3].

18 de Dijon Bourgogne ✆ 80 35 71 10, par ① ; 18 de Quétigny ✆ 80 46 69 00, E par D 107[B] 5 km.

✈ Dijon-Bourgogne ✆ 80 67 67 67 par ⑤ : 4,5 km.

Office de Tourisme et Accueil de France pl. Darcy ✆ 80 44 11 44, Télex 350912, Fax 80 42 18 83 Automobile Club de Bourgogne, de la Haute Marne et du Haut Saonois, r. des Ardennes ✆ 80 72 08 00.

Paris 312 ⑦ – Auxerre 149 ⑦ – Basel 261 ③ – ♦Besançon 93 ③ – ♦Clermont-Ferrand 280 ④ – Genève 190 ③ ♦Grenoble 297 ④ – ♦Lyon 193 ④ – ♦Reims 297 ① – ♦Strasbourg 331 ③.

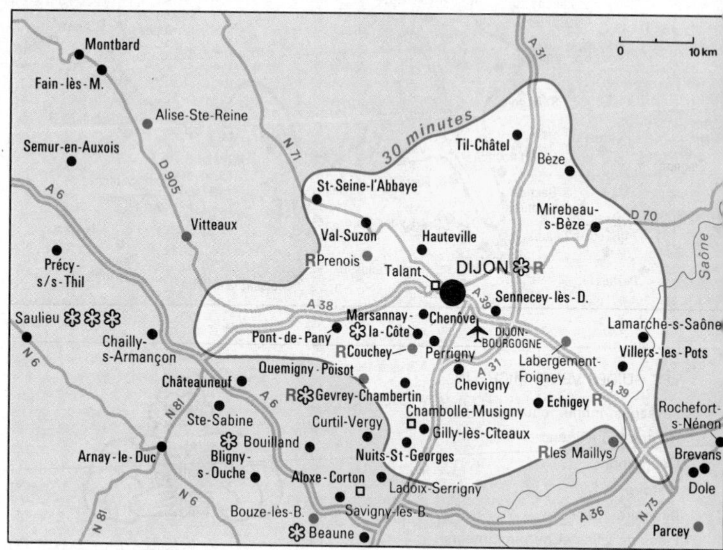

Host. Chapeau Rouge, 5 r. Michelet ✆ 80 30 28 10, Télex 350535, Fax 80 30 33 89 – rest TV ☎ – 50. AE GB JCB. rest CY a
Repas 155 bc/395 et carte 270 à 380 – ☕ 67 – **32 ch** 470/930 – ½ P 540/585
Spéc. Millefeuille d'escargots à la crème d'oseille. Navarin de homard au beurre blanc. Pigeon de ferme farci aux échalotes confites. **Vins** Bourgogne, Fixin.

Sofitel La Cloche M, 14 pl. Darcy ✆ 80 30 12 32, Fax 80 30 04 15, – ch TV ☎ – 100. AE GB JCB CY
La Rotonde : **Repas** 145/230, enf. 70 – ☕ 65 – **68 ch** 620/890, 4 duplex.

Mercure M, 22 bd Marne ✆ 80 72 31 13, Fax 80 73 61 45, – TV ☎ – 25 à 200. AE GB JCB EX z
Château Bourgogne : **Repas** 165/250, enf. 57 – ☕ 60 – **120 ch** 435/650.

Philippe Le Bon M, 18 r. Ste-Anne ✆ 80 30 73 52, Fax 80 30 95 51 – TV ☎ P – 25 à 50. AE GB DY p
voir rest. *La Toison d'Or* ci-après – ☕ 55 – **27 ch** 360/460 – ½ P 350.

Wilson M sans rest, pl. Wilson ✆ 80 66 82 50, Fax 80 36 41 54, « Ancien relais de poste du 17e siècle » – TV ☎. GB DZ k
☕ 53 – **27 ch** 380/470.

Nord et rest. de la Porte Guillaume, pl. Darcy ✆ 80 30 58 58, Fax 80 30 61 26 – TV ☎ – 30. AE GB CY w
fermé 22 déc. au 8 janv. – **Repas** 100/200, enf. 50 – ☕ 50 – **27 ch** 320/410 – ½ P 340.

Jura sans rest, 14 av. Mar. Foch ✆ 80 41 61 12, Télex 350485, Fax 80 41 51 13 – TV ☎ – 35. AE GB JCB CY r
fermé 20 déc. au 13 janv. – ☕ 50 – **79 ch** 265/500.

Ibis Central, 3 pl. Grangier ✆ 80 30 44 00, Télex 350606, Fax 80 30 77 12 – TV ☎ – 40. AE GB JCB CY e
La Rôtisserie (fermé dim.) **Repas** 149/340 bc – ☕ 42 – **90 ch** 305/380.

DIJON

Aiguillettes (Bd des) . . . . A 2
Albert-1er (Av.) . . . . A
Allobroges (Bd des) . . . . A 3
Auxonne (Rue d') . . . . B
Bachelard (Bd Gaston) . . . . . . A 4
Bellevue (R. de) . . . . A 5
Bertin (Av. J. B.) . . . . B 6
Bourroches (Bd des) . . . . A
Briand (Av. A.) . . . . B 8
Camus (Av. Albert) . . . . B 12
Castel (Bd du) . . . . A 13
Champollion (Av.) . . . . B
Chanoine-Kir (Bd) . . . . A 15
Chateaubriand (R. de) . . . . . . B 18
Chèvre-Morte (Bd de) . . . . . . A 19
Chevreul (R.) . . . . AB
Chicago (Bd de) . . . . B
Churchill (Bd W.) . . . . B 24
Clomiers (Bd des) . . . . A 26
Concorde (Av. de la) . . . . B 27
Cracovie (R. de) . . . . B
Dijon (R. de) . . . . A
Dr-Petitjean (Bd du) . . . . B
Doumer (Bd Paul) . . . . B
Drapeau (Av. du) . . . . B
Dumont (R. Ch.) . . . . AB
Eiffel (Av. G.) . . . . A
Einstein (Av. Albert) . . . . A 36
Europe (Bd de l') . . . . B 38
Europe (Rd Pt de l') . . . . B 40
Faubourg-St-Martin (R. du) . . A
Fauconnet (R. Gén.) . . . . AB 42
Fontaine-lès-Dijon (R.) . . . . . A 44
France-Libre (Pl. de la) . . . . AB 45
Gabriel (Bd) . . . . B 46
Gallieni (Bd Mar.) . . . . AB 48
Gaulle (Crs Gén. de) . . . . B 50
Gorgets (Bd des) . . . . A 52
Gray (R. de) . . . . B
Jaurès (Av. J.) . . . . A
Jeanne-d'Arc (Bd) . . . . B 55
Joffre (Bd Mar.) . . . . B
Jouvence (R. de) . . . . A
Kennedy (Bd J.) . . . . A 56
Langres (Av. de) . . . . B
Longvic (R. de) . . . . B
Magenta (R.) . . . . B 58
Maillard (Bd) . . . . A 60
Malines (R. de) . . . . B
Mansard (Bd) . . . . B 62
Mayence (R. de) . . . . B
Mirande (R. de) . . . . B
Mont-Blanc (Av. du) . . . . B 65
Moulins (R. des) . . . . A
Nations (Rd Pt de la) . . . . . . B 66
Orfèvres (R. des) . . . . A 68
Ouest (Bd de l') . . . . A 69
Parc (Cours du) . . . . B 70
Pascal (Bd) . . . . B
Poincaré (Av. R.) . . . . B
Pompidou (Rd Pt Georges) . . B 72
Pompidou (Voie Georges) . . . B
Pompon (Bd F.) . . . . A 73
Prat (Av. du Colonel) . . . . . . B 75
Rembrandt (Bd) . . . . B 78
Rolin (Q. Nicolas) . . . . A 79
Roosevelt (Av. F. D.) . . . . . . B 80
Saint-Exupéry (Pl.) . . . . B 85
Salengro (Pl. R.) . . . . B
Schuman (Bd Robert) . . . . . . B 88
Stalingrad (Av. de) . . . . B
Stearinerie (R. de la) . . . . . . A
Strasbourg (Bd de) . . . . B 90
Sully (R.) . . . . B
Talant (R. de) . . . . A
Trimolet (Bd) . . . . B 91
Troyes (Bd de) . . . . A
Université (Bd de l') . . . . . . B
Valendons (Bd des) . . . . A
Valendons (R. des) . . . . A
Victor-Hugo (Av.) . . . . A
1er-Consul (Av. du) . . . . A
8-Mai-1945 (Rd-Pt du) . . . . . B 96
26e Dragons (R. du) . . . . B 98

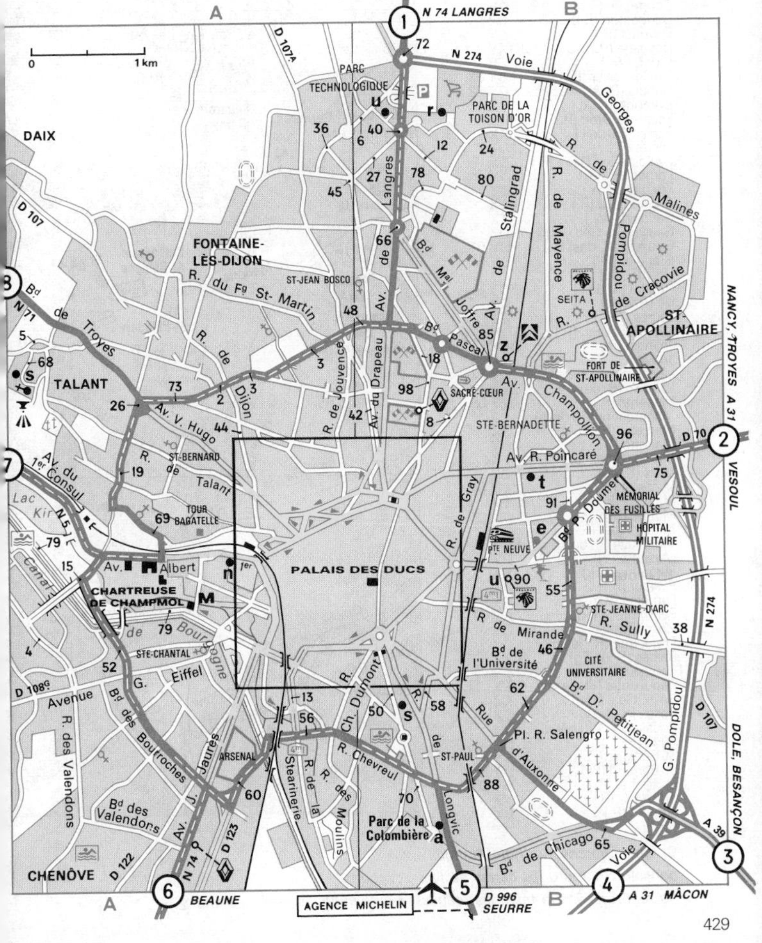

DIJON

Darcy (Pl.) . . . . CY
Foch (Av. Mar.) . . . . CY 43
Liberté (R. de la) . . . . CY

Albert-1er (Av.) . . . . CY
Arquebuse (R. de l') . . . . CY
Audra (R.) . . . . CY
Auxonne (R. d') . . . . EZ
Baudin (R. J.-B.) . . . . . . EYZ
Berbisey (R.) . . . . CYZ
Berlier (R.) . . . . DEY
Bossuet (R. et Pl.) . . . . CDY
Bouhey (Pl. J.) . . . . EX
Bourg (R. du) . . . . DY
Briand (Av. A.) . . . . EX 8
Brosses (Bd de) . . . . CY 9
Buffon (R.) . . . . DY
Cabet (R. P.) . . . . EY
Carnot (Bd) . . . . DEY
Cellerier (R. J.) CX
Chabot-Charny (R.) . . . . DYZ
Champagne (Bd de) . . . . EX 14
Charrue (R.) . . . . DY 16
Chouette (R. de la) . . . . . DY 20
Citeaux (R. du Petit) . . . . CZ
Clemenceau (Bd G.) . . . . EX
Condorcet (R.) . . . . CY
Courtépée (R.) . . . . DX
Daubenton (R.) . . . . CZ
Davoust (R.) . . . . EY
Devosge (R.) . . . . CDXY
Diderot (R.) . . . . EY
Dr-Chaussier (R.) . . . . . . CY 32
Dubois (Pl. A.) . . . . CY 33
Dumont (R. Ch.) . . . . DZ
École-de-Droit (R.) . . . . . DY 35
Égalité (R. de l') CX
Févret (R.) . . . . DZ
Fontaine-lès-Dijon (R.) . . CX
Forges (R. des) . . . . DY
Fremiet (R. A.) . . . . DX
Gagnereaux (R.) . . . . DX
Garibaldi (Av.) . . . . DX
Gaulle (Crs Gén.-de) . . . DZ
Godrans (R. des) . . . . DY 51
Grangier (Pl.) . . . . DY 54
Gray (R. de) . . . . EY
Hôpital (R. de l') . . . . CZ
Ille (R. de l') . . . . CZ
Jaurès (Av. J.) . . . . CZ
J.-J.-Rousseau (R.) . . . . . DY
Jeannin (R.) . . . . DEY
Jouvence (R. de) . . . . DX
Libération (Pl. de la) . . . . DY 57
Longvic (R. de) . . . . DEZ
Magenta (R.) . . . . EZ 58
Manutention (R. de la) . . CZ
Marceau (R.) . . . . DX
Mariotte (R.) . . . . CY
Marne (Bd de la) . . . . EX
Metz (R. de) . . . . EY
Michelet (R.) . . . . CY 64
Mirande (R. de) . . . . EY
Monge (R.) . . . . CY
Montchapet (R. de) CX
Mulhouse (R. de) . . . . . . EXY
Musette (R.) . . . . DY
Parmentier (R.) . . . . EX
Pasteur (R.) . . . . DYZ
Perrières (R. des) . . . . . . CY
Petit-Potet (R. du) . . . . . . DY 71
Piron (R.) . . . . DY
Préfecture (R. de la) . . . . DY
Raines (R. du Fg) . . . . . . CYZ
Rameau (R.) . . . . DY 77
République (Pl. de la) . . . DX
Rolin (Quai N.) . . . . CZ
Roses (R. des) CX
Roussin (R. Amiral) . . . . . DY
Rude (Pl. F.) . . . . DY
St-Bénigne (Pl.) . . . . CY 81
St-Bernard (Pl.) . . . . DY 82
St-Michel (Pl.) . . . . DY 86
Ste-Anne (R.) . . . . DYZ
Sambin (R.) . . . . DX

Sévigné (Bd de) . . . . CY
Suquet (Pl.) . . . . CZ
Tanneries (R. Pt des) . . . . . . CZ
Thiers (Bd) . . . . EY

Tivoli (R. de) . . . . CDZ
Transvaal (R. du) . . . . . CDZ
Trémouille (Bd de la) . . DXY
Turgot (R.) . . . . DZ

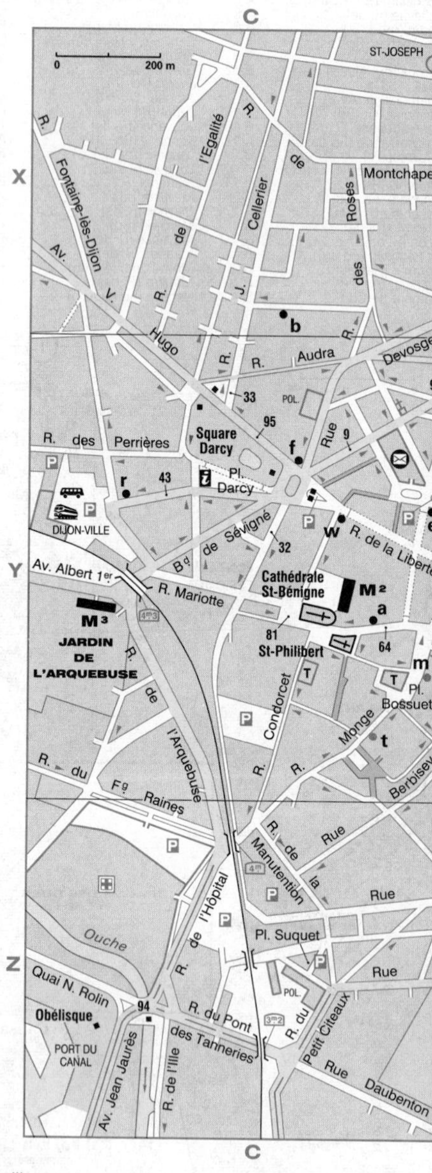

Si vous cherchez un hôtel tranquille,
consultez d'abord les cartes de l'introduction
ou repérez dans le texte les établissements indiqués avec le signe ⚘.

)ES RUES

'aillant (R.) . . . . DY 92
'annerie (R.) . . . . DY
'auban (R.) . . . . DY
'erdun (Bd de) . . . . EX 93
Verrerie (R.) . . . . DY
Victor-Hugo (Av.) . . . . CXY
Voltaire (Bd) . . . . EYZ
Wilson (Pl.) . . . . DZ
1er-Mai (Pl. du) . . . . CZ 94
1re-Armée-Fse (Av.) . . . . CY 95
26e-Dragons (R. du) . . . . EX 98
30-Octobre (Pl. du) . . . . . EY

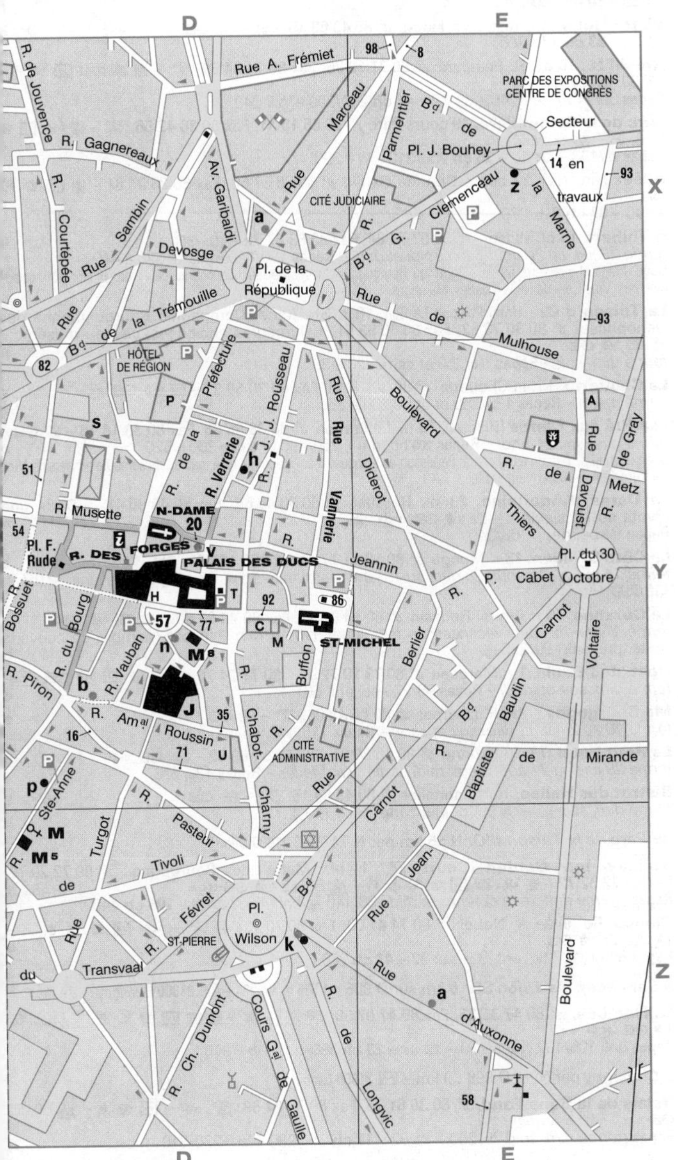

Wenn Sie ein ruhiges Hotel suchen,
benutzen Sie zuerst die Karten in der Einleitung
oder wählen Sie im Text ein Hotel mit dem Zeichen 🐦

Ibis Jardin de l'Arquebuse M, 15 av. Albert 1er ✆ 80 43 01 12, Fax 80 41 69 48, – 100. AE GB JCB A
Repas 89/120, enf. 39 – 40 – **128 ch** 310/340.

Jacquemart sans rest, 32 r. Verrerie ✆ 80 73 39 74, Fax 80 73 20 99 – GB DY
35 – **30 ch** 160/320.

Victor Hugo sans rest, 23 r. Fleurs ✆ 80 43 63 45 – GB. CX
28 – **23 ch** 170/265.

Grésill'H., 16 av. R. Poincaré ✆ 80 71 10 56, Fax 80 74 34 89, – rest 30. AE GB B
Repas 95/145, enf. 45 – 38 – **47 ch** 230/290 – ½ P 240.

Parc de la Colombière, 49 cours Parc ✆ 80 65 18 41, Fax 80 36 42 56, – 80. GB B
Repas 99/198 – 40 – **35 ch** 250/310 – ½ P 280.

Allées sans rest, 27 cours Gén. de Gaulle ✆ 80 66 57 50, Fax 80 36 24 81 – GB B
40 – **37 ch** 215/270.

XXX ✿ **Thibert,** 10 pl. Wilson ✆ 80 67 74 64, Fax 80 63 87 72 – GB DZ
fermé 29 juil. au 20 août, lundi midi et dim. – **Repas** 130/410 et carte 320 à 440
Spéc. Petits choux verts aux escargots de Bourgogne. Queues de langoustines au café vert. Pigeon rôti, salade d'herbes. **Vins** Côte de Nuits-Villages, Maranges.

XXX **La Toison d'Or** - Hôtel Philippe Le Bon, 18 r. Ste-Anne (Compagnie Bourguignonne des Oenophiles) ✆ 80 30 73 52, Fax 80 30 95 51, « Demeures anciennes, caveau-musée » – AE GB DY
fermé dim. soir – **Repas** 150/250 et carte 220 à 380.

XXX **La Chouette,** 1 r. la Chouette ✆ 80 30 18 10, Fax 80 30 59 93 – AE GB JCB DY
fermé mardi – **Repas** 130/350 et carte 260 à 360.

XX ✿ **Le Pré aux Clercs** (Billoux), 13 pl. Libération ✆ 80 38 05 05, Fax 80 38 16 16 – AE GB
fermé dim. soir et lundi – **Repas** 200 bc (déj.), 250/490 et carte 360 à 520 DY r
Spéc. Terrine de pigeon à l'ail confit. Paillasson de langoustines. Pigeon rôti rosé, gâteau de semoule aux raisins. **Vins** Saint-Romain, Pernand-Vergelesses.

XX **La Dame d'Aquitaine,** 23 pl. Bossuet ✆ 80 30 45 65, Fax 80 49 90 41, « Dans une crypte du 13e siècle » – AE GB JCB. CY m
Repas 155 bc (déj.), 168/340.

XX **La Côte St-Jean,** 13 r. Monge ✆ 80 50 11 77, Fax 80 50 18 75 – GB CY
fermé 14 juil. au 15 août, 26 déc. au 18 janv., sam. midi et mardi – **Repas** (prévenir) 98 (déj.), 118/290.

XX **Le Cézanne,** 40 r. Amiral Roussin ✆ 80 58 91 92, Fax 80 49 86 80 – AE GB
fermé 1er au 15 août, vacances de fév., lundi midi et dim. – **Repas** (nombre de couverts limité, prévenir) 99/225. DY b

XX **Host. de l'Étoile,** 1 r. Marceau ✆ 80 73 20 72, Fax 80 71 24 76, – AE GB JCB
fermé dim. soir et lundi – **Repas** 98/250 bc, enf. 66. DX a

XX **Ma Bourgogne,** 1 bd P. Doumer ✆ 80 65 48 06, – AE GB B e
fermé 10 au 25 août, dim. soir et sam. – **Repas** 115/175, enf. 60.

XX **Le Petit Vatel,** 73 r. Auxonne ✆ 80 65 80 64, Fax 80 31 69 92 – GB. EZ a
fermé 29 juil. au 21 août, sam. midi et dim. sauf fériés – **Repas** 130/220.

X **Bistrot des Halles,** 10 r. Bannelier ✆ 80 49 94 15, – GB DY s
fermé dim. soir – **Repas** 95 (déj.)et carte 130 à 160.

au Parc de la Toison d'Or N : 5 km par N 74 – ✉ **21000** Dijon :

Holiday Inn Garden Court M, 1 pl. Marie de Bourgogne ✆ 80 72 20 72, Fax 80 72 32 72 – 50. AE GB JCB B r
Repas *(fermé dim. midi et fériés le midi)* 80/140, enf. 45 – 60 – **100 ch** 440.

Campanile, allée A. Nobel ✆ 80 74 41 00, Fax 80 70 13 44, – 25. AE GB B u
Repas 84 bc/107 bc, enf. 39 – 32 – **47 ch** 270.

à Sennecey-lès-Dijon SE : 6 km sur D 905 – 1 535 h. alt. 224 – ✉ **21800** Quétigny :

La Flambée, ✆ 80 47 35 35, Fax 80 47 07 08, – 25. AE GB JCB
Repas grill 105/192, enf. 50 – 47 – **23 ch** 380/490 – ½ P 315.

à Chevigny par ⑤ et D 996 : 9 km – ✉ **21600** Longvic :

Relais de la Sans Fond, ✆ 80 36 61 35, Fax 80 36 94 89, – 60. AE GB
Repas *(fermé dim. soir)* 75/260 – 32 – **17 ch** 210/280 – ½ P 230/310.

à Chenôve par ⑥ : 6 km – 17 721 h. alt. 263 – ✉ **21300** :

Comfort Inn M, N 74 (rte Beaune) ✆ 80 52 15 35, Fax 80 51 44 70, – 50. AE GB
La Véranda : **Repas** 72/102, enf. 38 – 35 – **41 ch** 230/320.

à Marsannay-la-Côte par ⑥ : 8 km – 5 216 h. alt. 275 – ✉ **21160** :

Novotel M, rte Beaune ✆ 80 52 14 22, Télex 350728, Fax 80 51 02 28, ⛱, 🏊, 🌳 – 🛗 ⇔ ▤ TV ☎ ♿ P – 🏋 100. AE ⓓ GB
Repas carte environ 160, enf. 50 – ☕ 50 – **122 ch** 430/520.

XXX ✿ **Gourmets** (Perreaut), 8 r. Puits de Têt (près église) ✆ 80 52 16 32, Fax 80 52 03 01, ⛱ – AE ⓓ GB JCB
fermé 5 au 12 août, 10 au 17 fév., dim. soir et lundi – **Repas** 138/390 et carte 350 à 470
Spéc. Tarte fine à la moutarde et aux escargots. Salade moulée de tourteau (juin à oct.). "Déclinaison" d'agneau au thym. **Vins** Marsannay blanc et rouge.

à Perrigny-lès-Dijon par ⑥ : 8 km – 1 381 h. alt. 255 – ✉ **21160** :

Hôtellerie de la Côte, N 74 ✆ 80 51 10 00, Fax 80 58 82 97, ⛱ – ⇔ TV ☎ ✆ ♿ P – 🏋 40. AE ⓓ GB JCB
Repas *(fermé vend. soir, sam. midi et dim. soir du 5 nov. au 31 mars)* 90/170 🍷, enf. 45 – ☕ 35 – **41 ch** 245/265 – ½ P 235.

à Couchey par ⑥, N 74 et D 122^{D} : 11 km – 1 267 h. alt. 290 – ✉ **21160** :

XX **L'Écuyer de Bourgogne**, ✆ 80 52 03 14, ⛱, « Décor rustique » – P. AE GB
fermé 1er au 7 mars, 1er au 21 août, dim. soir et lundi – **Repas** 98/240, enf. 50.

à Talant : 4 km – 12 860 h. alt. 354 – ✉ **21240** :.
Voir Table d'orientation ⩤★.

La Bonbonnière 🐌 sans rest, au vieux village (près église) ✆ 80 57 31 95, Fax 80 57 23 92, 🌳 – 🛗 TV ☎ P. GB A s
☕ 40 – **20 ch** 280/380.

rte de Troyes par ⑧ : 4 km – ✉ **21121** Fontaines-lès-Dijon :

XX **Trois Ducs**, ✆ 80 56 59 75, Fax 80 58 28 99, ⛱ – P. AE ⓓ GB
fermé 4 au 18 août, 22 déc. au 5 janv. et dim. – **Repas** 139/170, enf. 65.

à Hauteville-lès-Dijon par ⑧ et D 107^{F} : 6 km – 963 h. alt. 402 – ✉ **21121** :

XX **La Musarde** 🐌 avec ch, ✆ 80 56 22 82, Fax 80 56 64 40, ⛱, 🌳 – TV ☎ ✆ P. AE ⓓ GB JCB
fermé dim. soir et lundi hors sais. – **Repas** 98/360, enf. 67 – ☕ 60 – **11 ch** 235/285 – ½ P 310/340.

MICHELIN, Agence régionale, ZA Acti Sud, r. de la Pièce Léger à Marsannay la Côte par ⑥ ✆ 80 67 35 38

ALFA ROMEO Gar. Nudant, 19 r. du Transvaal ✆ 80 67 71 51
CITROEN Succursale, impasse Chanoine-Bardy BZ ✆ 80 71 83 21 N ✆ 80 36 62 13
FIAT Gar. Sodia, 10 r. des Ardennes ✆ 80 71 14 12
FORD Gar. Montchapet, 12 r. des Ardennes ✆ 80 72 66 66
FORD Gar. Lignier, 3 r. Grands Champs ✆ 80 66 39 05 N ✆ 80 66 39 05
NISSAN Sad, 5 r. des Ardennes ✆ 80 72 19 19
PEUGEOT Gar. Château d'Eau, 1 bd Fontaine des Suisses B u ✆ 80 65 40 34
PEUGEOT Bourgogne Autom. Nord, r. de Cracovie ZI St-Apollinaire B ✆ 80 73 81 16 N ✆ 80 33 73 69
RENAULT Succursale, 139 av. J.-Jaurès A ✆ 80 51 51 51 N ✆ 80 33 53 00
VOLVO Gar. Nudant, 21 r. Transvaal ✆ 80 67 71 51

Périphérie et environs

BMW Gar. Savy 21, r. Charrières à Quetigny ✆ 80 46 01 51 N ✆ 80 46 01 51
CITROEN Succursale, rte de Beaune à Marsannay la Côte par ⑥ ✆ 80 71 83 10 N ✆ 80 36 62 13
FIAT Sodia, 125 rte de Beaune à Chenôve ✆ 80 52 60 02
MERCEDES Gar. Gremeau, 65 rte de Beaune à Chenôve ✆ 80 52 11 66
MITSUBISHI, PORSCHE Auto Sélection, 67 rte de Beaune à Chenôve ✆ 80 52 60 10
OPEL Gar. Heinzlé, r. Prof. L.-Neel, ZI à Longvic ✆ 80 66 52 78
RENAULT Auto Leader Bourgogne, 47 Rte de Beaune à Marsannay-la-Côte par ⑥ ✆ 80 52 12 15 N ✆ 80 52 12 16
SEAT Diderot autom., 2 r. Jean Moulin à Chenove ✆ 80 59 33 33
VAG Gd Gar. Diderot, ZAC de la Charmette, r. des Ruchottes à Ahuy ✆ 80 44 22 22

Euromaster, 11 r. A.-Becquerel, ZI à Chenôve ✆ 80 52 54 70
Euromaster, rte de Gray à St-Apollinaire ✆ 80 71 36 66
Métifiot, 1 r. de l'Escaut, ZI à St-Apollinaire ✆ 80 71 21 40

DINAN

SP **22100** C.-d'Armor 59 ⑮ **G. Bretagne** – 11 591 h alt. 92.

Voir Vieille ville★★ BY : Tour de l'Horloge ✳★★ BZ **E**, Jardin anglais ⩤★★ BY, Place des Merciers★ BZ 33, rue du Jerzual★ BY, Promenade de la Duchesse Anne ⩤★ BZ – Château★ : ✳★ AZ – Lanvallay ⩤★ 2 km par ②.

⛳ 9 ⛳ 18 de St-Malo, le Tronchet ✆ 99 58 96 69 par ② N 176 : 19 km ; ⛳ 9 le Corbinais Golf Club ✆ 96 27 64 81, Fax 96 27 68 45, E : 15 km.

ℹ Office de Tourisme 6 r. Horloge ✆ 96 39 75 40, Fax 96 39 01 64.

Paris 400 ② – St-Malo 32 ① – Avranches 69 ② – Fougères 71 ② – ◆Rennes 55 ② – St-Brieuc 60 ③ – Vannes 122 ③.

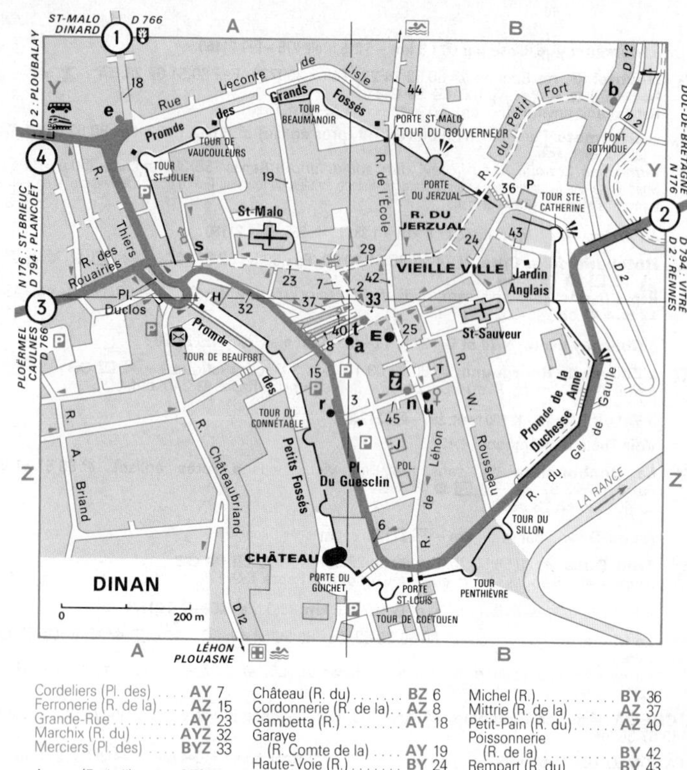

Cordeliers (Pl. des) .... **AY** 7
Ferronerie (R. de la) .... **AZ** 15
Grande-Rue .... **AY** 23
Marchix (R. du) ...... **AYZ** 32
Merciers (Pl. des) .... **BYZ** 33

Apport (R. de l') ..... **ABY** 2
Champ (Pl. du) ...... **ABZ** 3

Château (R. du) .... **BZ** 6
Cordonnerie (R. de la) .. **AZ** 8
Gambetta (R.) .... **AY** 18
Garaye (R. Comte de la) .... **AY** 19
Haute-Voie (R.) .... **BY** 24
Horloge (R. de l') ...... **BZ** 25
Lainerie (R. de la) ..... **BY** 29

Michel (R.) .... **BY** 36
Mittrie (R. de la) .... **AZ** 37
Petit-Pain (R. du) ...... **AZ** 40
Poissonnerie (R. de la) .... **BY** 42
Rempart (R. du) .... **BY** 43
St-Malo (R.) .... **BY** 44
Ste-Claire (R.) .... **BZ** 45

Le d'Avaugour, 1 pl. Champ ✆ 96 39 07 49, Fax 96 85 43 04, ⛱, 🍴 – ⧉ TV ☎. AE ⓓ GB — AZ
Repas *(fermé dim. soir)* 85/250 – ☕ 45 – **27 ch** 520/620.

Arvor sans rest, 5 r. Pavie ✆ 96 39 21 22, Fax 96 39 83 09 – ⧉ TV ☎ ✆ ♿ P. AE GB — BZ **u**
☕ 35 – **23 ch** 280/350.

Tour de l'Horloge sans rest, 5 r. Chaux ✆ 96 39 96 92, Fax 96 85 06 99 – cuisinette TV ☎. AE ⓓ GB — ABZ **a**
☕ 30 – **12 ch** 270/305.

France, 7 pl. 11-Novembre par ④ ✆ 96 39 22 56, Fax 96 39 08 96 – ▤ rest TV ☎ ✆ 🚗. AE ⓓ GB
fermé 22 déc. au 7 janv. et sam. de nov. à mars – **Repas** 90/210 🍷 – ☕ 35 – **14 ch** 220/300 – ½ P 310/330.

XXX **Mère Pourcel,** 3 pl. Merciers ✆ 96 39 03 80, Fax 96 87 07 58, « Maison bretonne du 15e siècle » – AE ⓓ GB — BZ **t**
fermé vacances de fév., dim. soir et lundi – **Repas** 97 (déj.), 162/370 et carte 280 à 380.

XXX **Les Grands Fossés,** 2 pl. Gén. Leclerc ✆ 96 39 21 50 – P. GB — AY **e**
fermé 27 janv. au 3 fév. et jeudi – **Repas** 90/285 et carte 220 à 330.

XX **Caravelle,** 14 pl. Duclos ✆ 96 39 00 11 – AE ⓓ GB — AY **s**
fermé 13 au 20 mars, 12 nov. au 6 déc., dim. soir et merc. du 6 déc. au 7 juil. – **Repas** 130/380.

XX **Relais des Corsaires,** Le Port ✆ 96 39 40 17, Fax 96 39 34 75, ⛱ – GB — BY **b**
fermé 10 janv. au 12 fév., dim. soir et merc. du 30 sept. au 1er juin – **Repas** 78 (déj.), 98/250.

X **Le Cantorbery,** 6 r. Ste-Claire ✆ 96 39 02 52 – AE GB — BZ **n**
fermé 1er au 15 mars, 15 au 30 nov., dim. soir et lundi – **Repas** 68/180, enf. 45.

CITROEN Gar. Jago, ZI de Quevert par ④ ✆ 96 39 04 91 N ✆ 96 83 90 42
PEUGEOT Gar. Brossard Autom., 14 r. des Prunus par ④ ✆ 96 39 24 38 N ✆ 99 24 17 91

RENAULT Gar. Lemenant, rte de Ploubalay à Taden ✆ 96 87 11 11 N ✆ 96 01 97 66

La Station du Pneu, ZI bd de Preval ✆ 96 85 10 62

DINARD 35800 I.-et-V. 59 ⑤ G. Bretagne – 9 918 h alt. 25 – Casino Municipal BY.

Voir Pointe du Moulinet ≤★★ BY – Grande Plage ou Plage de l'Écluse★ BY – Promenade du Clair de Lune★ BYZ – La Rance★★ en bateau – St-Lunaire : pointe du Décollé ≤★★ et grotte des Sirènes★ 4,5 km par ② – Usine marémotrice de la Rance : digue ≤★ SE : 4 km.

Env. Pointe de la Garde Guérin★ : ✻★★ par ② : 6 km puis 15 mn.

18 de St-Briac-sur-Mer ✆ 99 88 32 07, par ② : 7,5 km.

de Dinard-Pleurtuit-St-Malo ✆ 99 46 70 28, par ① : 5 km.

Office de Tourisme 2 bd Féart ✆ 99 46 94 12, Fax 99 88 21 07.

Paris 425 ① – St-Malo 11 ① – Dinan 22 ① – Dol-de-Bretagne 27 ① – Lamballe 46 ① – ♦Rennes 74 ①.

Plan page suivante

Gd Hôtel et rest. George V, 46 av. George V ✆ 99 88 26 26, Fax 99 88 26 27, ≤, – TV ☎ P – 100. AE GB BY v
1er avril-31 oct. – **Repas** *(fermé lundi du 1er sept. au 31 oct.)* 180 – 70 – **66 ch** 820/1200, 3 appart – ½ P 600/760.

Novotel Thalassa M, av. Château Hébert ✆ 99 82 78 10, Télex 741990, Fax 99 82 78 29, ≤ mer, , centre de thalassothérapie, , , , – TV ☎ P – 25 à 60. AE GB JCB. rest AY r
fermé 8 au 21 déc. – **Repas** 165/210, enf. 70 – 59 – **104 ch** 795 – ½ P 580.

Reine Hortense sans rest (annexe Castel Eugénie 6 ch), 19 r. Malouine ✆ 99 46 54 31, Fax 99 88 15 88, ≤ St-Malo – TV ☎. AE GB JCB BY e
25 mars-15 nov. – 60 – **10 ch** 490/980.

Roche Corneille, 4 r. G. Clemenceau ✆ 99 46 14 47, Fax 99 46 40 80 – TV ☎. AE GB
30 mars-15 nov. (fermé mardi et le midi sauf juil.-août et week-ends) – **Repas** 98/170, enf. 60 – 50 – **28 ch** 450/640 – ½ P 370/460. BY u

Vieux Manoir M sans rest, 21 r. Gardiner ✆ 99 46 14 69, Fax 99 46 87 87, « Jardin » – TV ☎ P. GB AY d
31 mars-15 nov. et vacances scolaires – 38 – **37 ch** 260/420.

Les Tilleuls, 36 r. Gare ✆ 99 82 77 00, Fax 99 82 77 55 – TV ☎ P. AE GB. rest AZ v
Repas *(fermé dim. soir et lundi du 30 sept. au 1er avril)* 82/185 , enf. 50 – 36 – **53 ch** 330/420 – ½ P 285/350.

Émeraude-Plage, 1 bd Albert 1er ✆ 99 46 15 79, Fax 99 88 15 31 – TV ☎ . GB. BY z
1er avril-1er oct. – **Repas** (dîner seul.) 95/125 – 38 – **59 ch** 280/550 – ½ P 300/400.

Balmoral sans rest, 26 r. Mar. Leclerc ✆ 99 46 16 97, Fax 99 88 20 48 – TV ☎. AE GB BY b
fermé janv., fév., dim. soir et lundi de nov. à mars – 40 – **31 ch** 300/380.

Plage et rest. Le Trezen, 3 bd Féart ✆ 99 46 14 87, Fax 99 46 55 52 – TV ☎. AE GB BY s
1er avril-15 oct. et fermé merc. sauf du 15 juin au 15 sept. – **Repas** 120 , enf. 60 – 40 – **18 ch** 280/420 – ½ P 340/380.

Améthyste sans rest, pl. Calvaire ✆ 99 46 61 81, Fax 99 46 96 91 – TV ☎. AE GB AY a
35 – **20 ch** 280/350.

Mont-St-Michel sans rest, 54 bd Lhôtellier ✆ 99 46 10 40, Fax 99 88 17 47 – TV ☎ P. GB. AY f
15 mars-30 oct. – 32 – **32 ch** 220/280.

Prieuré avec ch, 1 pl. Gén. de Gaulle ✆ 99 46 13 74, Fax 99 46 81 90, ≤ – TV ☎. GB
fermé 23 juin au 2 juil., 24 sept. au 1er oct., 2 au 30 janv., dim. soir hors sais. et lundi – **Repas** 92/165 – 37 – **5 ch** 270 – ½ P 290. BZ n

La Présidence, 29 bd Prés. Wilson ✆ 99 46 44 27 – AE GB BY t
fermé 15 au 31 mars, 2 au 16 déc., 6 au 13 janv., dim. soir et lundi – **Repas** 90/165, enf. 45.

à la Jouvente SE : 7 km par D 114 - BZ et D 5 – ✉ 35730 Pleurtuit :

Manoir de la Rance sans rest, ✆ 99 88 53 76, Fax 99 88 63 03, ≤, « Dans un jardin fleuri surplombant la Rance » – TV ☎ P. GB
fermé janv. et fév. – 50 – **9 ch** 450/800.

CITROEN Gar. Kopp, 21 r. de la Corbinais, ✆ 99 46 13 43
PEUGEOT Gar. de la Rive Gauche, ZA l'Hermitage à La Richardais par ① ✆ 99 46 75 78 N ✆ 99 88 44 27

RENAULT Gar. Martin, ZA L'Hermitage à la Richardais par ① ✆ 99 46 10 69

Emeraude Pneumatiques, La Fourberie à St-Lunaire ✆ 99 46 11 26

DINARD

Féart (Bd) . . . . BYZ
Leclerc (R. Mar.) . . . . . BYZ 16

Abbé Langevin (R.) . . . . AY 2
Albert-1er (Bd) . . . . BY 3
Boutin (Pl. J.) . . . . BY 4
Clemenceau (Av. G.) . . . . BY 6
Coppinger (R.) . . . . BY 7
Corbinais (R. de la) . . . . . AZ 8
Croix-Guillaume (R. de la) AZ 10
Douet-Fourchet (R. du) . . AZ 12
Français-Libres (R.) . . . . . BZ 13
Gaulle (Pl. du Gén.-de) . . BZ 14
Giraud (Av. du Gén.) . . BZ 15
Lhotellier (Bd) . . . . AY 17
Malouine (R. de la) . . . BY 18
Prés.-Wilson (Bd) . . . . BY 20
Renan (R. E.) . . . . AY 21
République (Pl. de la) . BY 22
St-Lunaire (R. de) . . . . AY 25
Verney (R. Y.) . . . . BY 26

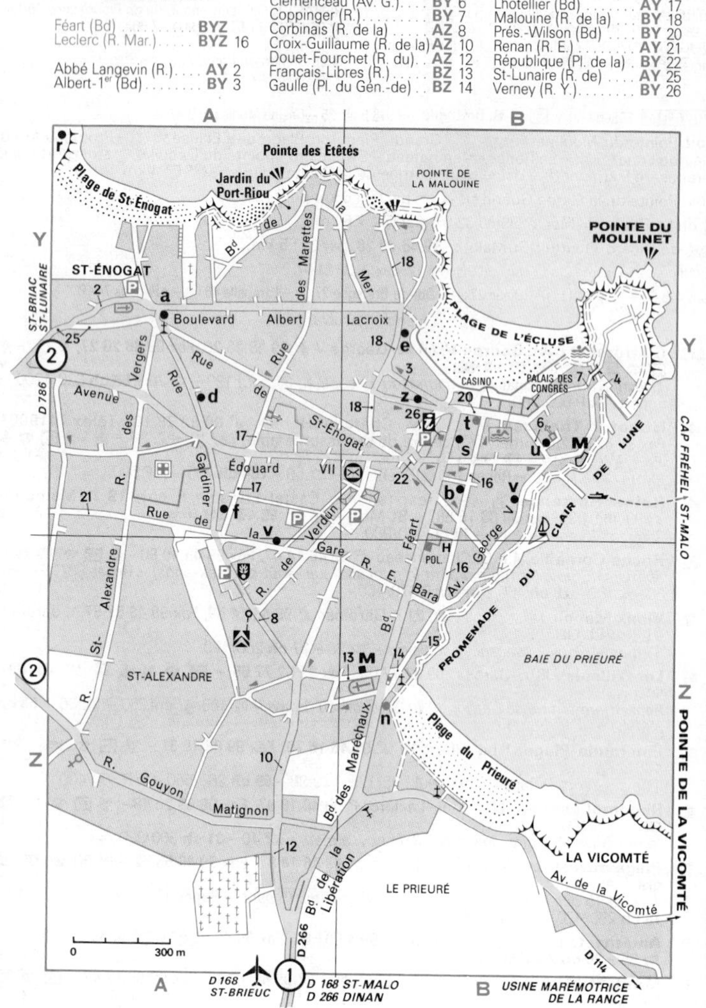

DIOU **36** Indre 68 ⑨ – rattaché à Issoudun.

DISNEYLAND PARIS **77** S.-et-M. 56 ⑫, 106 ㉒ – voir à Paris, Environs (Marne-La-Vallée).

DISSAY **86130** Vienne 68 ⑭ **G. Poitou Vendée Charentes** – 2 498 h alt. 69.

Voir Peintures murales★ du château.

Syndicat d'Initiative à la Mairie ✆ 49 52 40 24.

Paris 321 – Poitiers 16 – Châtellerault 18.

Les Rives du Clain M, av. du Clain ✆ 49 52 62 42, Fax 49 52 62 62, … – … – 80. AE GB
Repas *(fermé lundi midi, vend. midi et sam. midi)* 85 bc/125, enf. 45 – ☐ 33 – **43 ch** 270/310 – ½ P 274.

XX **Le Binjamin** avec ch, N 10 ✆ 49 52 42 37, Fax 49 62 59 06, ⛱, 🌳 – ▤ rest 📺 ☎ 🅿. AE GB – *fermé vacances de fév., sam. midi, dim. soir et lundi* – **Repas** 98/245 – ☕ 40 – **10 ch** 280/330 – ½ P 260/360.

X **Le Clos Fleuri,** r. Église ✆ 49 52 40 27, Fax 49 62 37 29 – 🅿. GB
fermé dim. soir – **Repas** 89/198, enf. 60.

CITROEN Gar. Pinaudeau, ✆ 49 52 42 31

DIVES-SUR-MER 14 Calvados 54 ⑰ – rattaché à Cabourg.

DIVONNE-LES-BAINS 01220 Ain 70 ⑯ **G. Jura** (plan) – 5 580 h alt. 486 – Stat. therm. (6 fév.-25 nov.) – Casino .

18 ✆ 50 40 34 11, O : 2 km.

Office de Tourisme r. des Bains ✆ 50 20 01 22, Fax 50 20 32 12.

Paris 498 – Thonon-les-Bains 51 – Bourg-en-Bresse 126 – Genève 19 – Gex 8 – Lausanne 50 – Nyon 13.

🏨 ✿ **Le Grand Hôtel** 🐦, ✆ 50 40 34 34, Télex 385716, Fax 50 40 34 24, ≤, 🍴, « Parc ombragé », ⛱, 🎾 – 🛗 ⛔ ▤ rest 📺 ☎ 📞 🅿 – 🏛 200. AE ① GB. ✻ rest
fermé 8 au 28 fév. – ***La Terrasse*** **: Repas** 200/370 et carte 310 à 510, enf. 100 – ☕ 95 – **116 ch** 800/1500, 8 appart
Spéc. Poêlée d'écrevisses tièdes aux jeunes légumes. Omble chevalier du Léman au fumet de vin jaune. Symphonie tout chocolat. **Vins** Seyssel, Mondeuse.

🏨 ✿ **Château de Divonne** 🐦, 115 r. Bains ✆ 50 20 00 32, Fax 50 20 03 73, ≤ lac et Mt-Blanc, 🍴, « Dans un parc ombragé », 🎾 – 🛗 ▤ rest 📺 ☎ 🅿 – 🏛 40. AE ① GB JCB
fermé janv. et fév. – **Repas** 270/490 – ☕ 80 – **21 ch** 700/1250, 5 appart – ½ P 1045/1315
Spéc. Pommes de terre confites au beaufort, croustilles de poitrine roulée. Millefeuille de perches au basilic (15 nov. au 15 août). Volaille de Bresse grillée à la moutarde et romarin. **Vins** Roussette de Savoie, Arbois.

🏨 **Jura** 🐦 sans rest, rte Arbère ✆ 50 20 05 95, Fax 50 20 21 21, 🌳 – 📺 ☎ 🚗 🅿. AE GB
☕ 35 – **22 ch** 280/465.

🏨 **Coccinelles** 🐦 sans rest, rte Lausanne ✆ 50 20 06 96, Fax 50 20 01 18, 🌳 – 🛗 📺 ☎ 🅿. AE GB – ☕ 32 – **24 ch** 145/290.

XX **Bellevue-rest. Marquis** 🐦 avec ch, par av. d'Arbère ✆ 50 20 02 16, Fax 50 20 26 55, ≤, 🍴, 🌳 – 📺 ☎ 🅿. AE ① GB
1er mars-30 nov. – **Repas** *(fermé mardi midi et lundi)* 100 (déj.)/165 – ☕ 40 – **15 ch** 220/370 – ½ P 280/310.

XX **Champagne,** 51 av. Salève ✆ 50 20 13 13, 🍴, 🌳 – 🅿. GB
fermé 15 au 24 avril, 26 déc. au 4 janv., jeudi midi et merc. – **Repas** grill carte 220 à 350.

XX **La Marée,** av. Genève ✆ 50 20 01 87, Fax 50 20 35 35, 🍴 – AE ① GB
fermé 1er au 15 juil., 1er au 7 janv., dim. soir et lundi – **Repas** 140/240.

X **Aub. du Vieux Bois,** rte Gex : 1 km ✆ 50 20 01 43, 🍴 – 🅿. AE GB
fermé 1er au 15 fév., dim. soir et lundi – **Repas** 98 (déj.)/270 🍷, enf. 65.

DOLANCOURT 10 Aube 61 ⑱ – rattaché à Bar-sur-Aube.

DOL-DE-BRETAGNE 35120 I.-et-V. 59 ⑥ **G. Bretagne** (plan) – 4 629 h alt. 20.

Voir Cathédrale★★ – Promenade des Douves★ : ≤★ – Mont-Dol ✻★ 4,5 km NO par D 155.

18 Château des Ormes ✆ 99 73 49 60, S par D 795 : 9 km.

Office de Tourisme Hôtel de Ville ✆ 99 48 15 37.

Paris 375 – St-Malo 25 – Alençon 154 – Dinan 26 – Fougères 51 – ◆Rennes 56.

🏨 **Bretagne,** pl. Châteaubriand ✆ 99 48 02 03, Fax 99 48 25 75, 🍴 – 📺 ☎. ① GB
◆ *fermé oct., vacances de fév. et sam. du 1er nov. à Pâques* – **Repas** 63/155 🍷 – ☕ 28 – **27 ch** 116/295 – ½ P 147/225.

XX **La Bresche Arthur** avec ch, 36 bd Deminiac ✆ 99 48 01 44, Fax 99 48 16 32 – ☎. GB
◆ *fermé fév., dim. soir et lundi d'oct. à juin* – **Repas** 78/195, enf. 50 – ☕ 38 – **24 ch** 180/280 – ½ P 275.

X **La Grabotais,** 4 r. Ceinte ✆ 99 48 19 89 – AE GB
◆ *fermé début janv. au 15 fév., dim. soir du 1er nov. à Pâques et lundi sauf le soir en sais.* – **Repas** 70/189 🍷, enf. 45.

DOLE ‹SP› 39100 Jura 70 ③ **G. Jura** – 26 577 h alt. 220.

Voir Le Vieux Dole★★ BZ – Grille★ en fer forgé de l'église St-Jean-l'Evangéliste AZ.

9 Val d'Amour ✆ 84 71 04 23, par ③ : 9 km par D 405 et N 5.

Office de Tourisme 6 pl. Grévy ✆ 84 72 11 22 et rte Paris (saison) ✆ 84 72 05 41 – Automobile Club r. J. Jacquard ZI les Epenottes ✆ 84 72 30 62.

Paris 369 ① – ◆Dijon 48 ⑤ – ◆Besançon 54 ① – Chalon-sur-Saône 62 ④ – Genève 140 ③ – Lons-le-Saunier 51 ③.

Plan page suivante

🏨 **La Chaumière** 🐦, 346 av. Mar. Juin par ③ : 3 km ✆ 84 70 72 40, Fax 84 79 25 60, 🍴, ⛱, 🌳 – 📺 ☎ 📞 🚗 🅿 – 🏛 25. GB JCB
fermé 15 au 24 juin, 15 déc. au 15 janv., dim. (sauf hôtel de mai à oct.) et sam. midi – **Repas** 98/230, enf. 62 – ☕ 42 – **18 ch** 295/400 – ½ P 300/335.

🏨 **La Cloche** sans rest, 2 pl. Grévy ✆ 84 82 00 18, Fax 84 72 73 82 – 🛗 📺 ☎. AE GB BY **v**
voir rest. ***Le Grévy*** ci-après – ☕ 38 – **29 ch** 260/280.

DOLE

Arènes (R. des) . . . . ABZ
Besançon (R. de) . . . . BYZ
Grande-Rue . . . . BZ

Boyvin (R.) . . . . BZ 4
Chifflot (R. L.) . . . . AZ 5
Duhamel (Av. J.) . . . . AZ 6
Jean-Jaurès (Av.) . . . . BY 8
Juin (Av. du Mar.) . . . . BZ 10
Messageries (R. des) . . . . . . AY 12

Nationale, Charles-de-Gaulle (Pl.) . . . . . . BZ
Parlement (R. du) . . . . BZ
Rockefeller (R. J.) . . . . BY
Sous-Préfecture (R. de la) . . . . BY

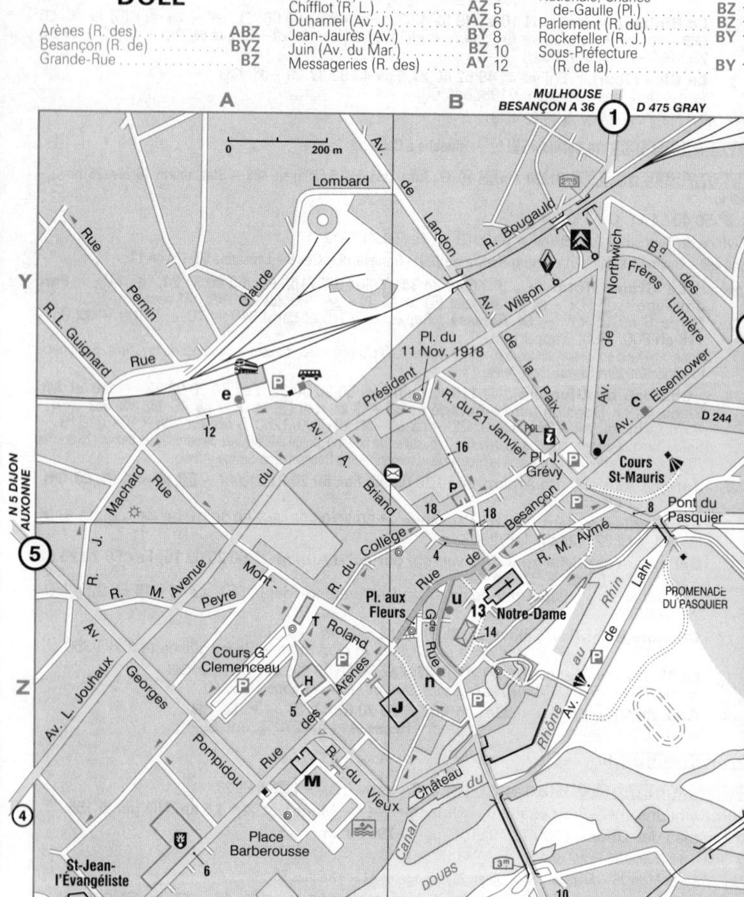

XXX **Les Templiers,** 35 Gde Rue ✆ 84 82 78 78, Fax 84 72 87 62, « Ancienne chapelle du 13e siècle » – ▤. AE ⓓ GB BZ u
fermé lundi de nov. à avril et dim. soir – **Repas** 85/250 et carte 240 à 330.

XX **Le Grévy,** 2 av. Eisenhower ✆ 84 82 44 42, 🏠 – GB
fermé sam. – **Repas** 91/165 🍼, enf. 40.

XX **La Romanée,** 13 r. Vieilles Boucheries ✆ 84 79 19 05, Fax 84 79 26 97, « Salle voûtée » – AE ⓓ GB BZ n
fermé merc. sauf juil.-août – **Repas** 70/180 🍼, enf. 50.

X **Buffet Gare,** ✆ 84 82 00 48, Fax 84 82 35 14, 🏠 – GB AY e
Repas 64/180 🍼.

à Rochefort-sur-Nenon par ② : 7 km par N 73 – 599 h. alt. 210 – ✉ **39700** :

🏠 **Fernoux-Coutenet** 🐦, r. Barbière ✆ 84 70 60 45, Fax 84 70 50 89, 🏠 – TV ☎ 📞 P. GB
fermé 20 déc. au 15 janv. – **Repas** *(fermé dim. hors sais. et sam. midi)* 80/170 🍼, enf. 55 – ☕ 45 – **20 ch** 240/300 – ½ P 240/260.

à Brévans E : 2 km sur D 244 BY – 610 h. alt. 220 – ✉ **39100** :

Au Village 🔇, ☎ 84 72 56 40, Fax 84 82 61 94, 🌳 – TV ☎ P – 🏊 25. GB. 🚫 rest
fermé 15 au 31 mars, 1er au 15 oct., sam. midi et dim. soir – **Repas** 85/190 🍷 – ☕ 38 – **11 ch** 240/300 – ½ P 250/270.

à Parcey par ③ : 8 km sur N 5 – 818 h. alt. 197 – ✉ **39100** :

XX **Les Jardins Fleuris,** ☎ 84 71 04 84, Fax 84 71 09 43, 🌳 – GB
fermé 18 août au 10 sept., sam. midi, dim. soir et lundi soir – **Repas** 80/220, enf. 50.

rte de Lons-le-Saunier par ③ : 10 km par N 5 – ✉ **39100** Parcey :

As de Pique M, carrefour N5 - D 475 ☎ 84 71 00 76, Fax 84 71 09 18, 🌳, 🌲 – TV ☎ P. AE GB
fermé dim. soir et lundi midi – **Repas** 99/244 – ☕ 38 – **7 ch** 260/295 – ½ P 300/340.

CITROEN Jeanperin, 2 av. de Gray ☎ 84 82 34 23
FIAT, LANCIA Est Autom., 155 av. Eisenhower ☎ 84 82 19 01
PEUGEOT S.C.A.D., 32 av. de Lattre-de-Tassigny par ① ☎ 84 82 07 79 N ☎ 84 91 91 78
RENAULT Cone Autom., 8 bd Wilson ☎ 84 82 67 67 N ☎ 84 82 82 53
Lehmann-Point S, 42 av. Mar.-Juin ☎ 84 72 61 77

DOMAGNÉ 35113 I.-et-V. 63 ⑧ – 1 499 h alt. 87.

Paris 325 – ♦Rennes 27 – La Guerche-de-Bretagne 21 – Vitré 17.

Le Ricordeau, r. St-Pierre ☎ 99 00 06 06, Fax 99 00 00 32, 🌳 – TV ☎ ♿. AE GB. 🚫 rest
fermé dim. soir – **Repas** 50 bc (déj.), 78/160, enf. 55 – ☕ 28 – **12 ch** 170/225 – ½ P 160/208.

DOMFRONT 61700 Orne 59 ⑩ G. Normandie Cotentin – 4 410 h alt. 185.

Voir Site★ – Église N.-D.-sur-l'Eau★ – Jardin du donjon ✳★ – Croix du Faubourg ✳★ – Centre ancien★.

ℹ Office de Tourisme r. Dr Barrabé ☎ 33 38 53 97, Fax 33 37 48 99.

Paris 252 – Alençon 61 – Argentan 54 – Avranches 64 – Fougères 56 – Mayenne 36 – Vire 39.

à Domfront-Gare :

Le Relais St-Michel, r. Mont-St-Michel ☎ 33 38 64 99, Fax 33 37 37 96 – 🚫 TV ☎ 🚗. AE GB
fermé 20 déc. au 10 janv. et vend. soir – **Repas** 65/140 🍷, enf. 42 – ☕ 38 – **13 ch** 170/280 – ½ P 250/320.

PEUGEOT Gar. Champ, 22 r. Fossés Plissons ☎ 33 38 42 35

DOMFRONT-EN-CHAMPAGNE 72240 Sarthe 60 ⑬ – 850 h alt. 131.

Paris 214 – ♦Le Mans 17 – Alençon 42 – Laval 76 – Mayenne 56.

XX **Midi,** D 304 ☎ 43 20 52 04, Fax 43 20 56 03 – ▤. GB
fermé fév., lundi et le soir sauf vend. et sam. – **Repas** 77/250 🍷, enf. 50.

DOMME 24250 Dordogne 75 ⑰ G. Périgord Quercy (plan) – 1 030 h alt. 250.

Voir Promenade des Falaises ✳★★★ – La bastide★.

ℹ Office de Tourisme pl. Halle (fermé matin oct.- mars) ☎ 53 28 37 09.

Paris 534 – Cahors 52 – Sarlat-la-Canéda 12 – Fumel 57 – Gourdon 21 – Périgueux 75.

✿ **Esplanade** (Gillard) 🔇, ☎ 53 28 31 41, Fax 53 28 49 92, ≤, 🌳 – ▤ rest TV ☎. AE GB
début fév.-2 nov. – **Repas** *(fermé lundi hors sais.)* 170/380 – ☕ 50 – **24 ch** 320/590 – ½ P 420/525
Spéc. "Truffinettes" au velours de truffes. Filet d'agneau en croûte farci de foie gras et truffes. Saucisson de canard truffé, pommes à l'huile. **Vins** Pécharmant, Cahors.

DOMPAIRE 88270 Vosges 62 ⑮ – 907 h alt. 300.

Paris 376 – Épinal 19 – Lunéville 54 – Luxeuil-les-Bains 60 – ♦Nancy 60 – Neufchâteau 53 – Vittel 24.

XX **Commerce** avec ch, ☎ 29 36 50 28, Fax 29 36 66 12 – ☎. GB
fermé 20 déc. au 18 janv. – **Repas** *(fermé dim. soir et lundi)* 67/165 🍷 – ☕ 26 – **10 ch** 160/270 – ½ P 160/200.

DOMPIERRE-SUR-BESBRE 03290 Allier 69 ⑮ – 3 807 h alt. 234.

Voir Vallée de la Besbre★, **G. Auvergne.**

Paris 326 – Moulins 33 – Bourbon-Lancy 17 – Decize 52 – Digoin 26 – Lapalisse 36.

XX **Aub. de l'Olive** avec ch, av. Gare ☎ 70 34 51 87, Fax 70 34 61 68 – TV ☎. GB
fermé 15 nov. au 8 déc., vacances de fév. et vend. sauf juil.-août – **Repas** 60/245 🍷, enf. 40 – ☕ 25 – **10 ch** 190/250 – ½ P 180/200.

CITROEN Gar. Burtin, ☎ 70 34 50 37 N ☎ 70 34 50 37
FORD Gar. Cannet, ☎ 70 34 51 61 N ☎ 70 34 51 61
PEUGEOT Gar. Central, ☎ 70 34 50 10
RENAULT Gar. Champenois, ☎ 70 34 51 20
Gar. Cartier, ☎ 70 34 54 84 N ☎ 70 34 58 08

DOMPIERRE-SUR-VEYLE 01240 Ain 74 ③ – 828 h alt. 285.

Paris 437 – Mâcon 52 – Belley 71 – Bourg-en-Bresse 16 – ◆Lyon 58 – Nantua 44 – Villefranche-sur-Saône 44.

X **Aubert,** ℘ 74 30 31 19, Fax 74 30 36 98, 余 – GB
fermé 18 au 28 juil., 7 fév. au 8 mars, dim. soir, merc. soir et jeudi – **Repas** 115/235.

DOMRÉMY-LA-PUCELLE 88630 Vosges 62 ③ **G. Alsace Lorraine** – 182 h alt. 280.

Voir Maison natale de Jeanne d'Arc★.

Paris 329 – ◆Nancy 58 – Neufchâteau 11 – Toul 34.

Jeanne d'Arc sans rest, ℘ 29 06 96 06 – ⇔. ✻
1er avril-15 nov. – ☐ 25 – **7 ch** 150/190.

DONGES 44480 Loire-Atl. 63 ⑮ **G. Bretagne** – 6 377 h alt. 11.

Voir Église★.

Paris 427 – ◆Nantes 50 – La Baule 25 – Redon 44 – St-Nazaire 16.

rte de Pontchâteau N : 7 km par D 4, D 773 et rte secondaire – ✉ 44480 Donges :

XX **La Duchée,** ℘ 40 45 28 41, Fax 40 45 36 72, 余 – P. AE GB
fermé 15 au 30 mars, 15 août au 4 sept., dim. soir et lundi – **Repas** 95/200.

DONON (Col du) 67 B.-Rhin 62 ⑧ **G. Alsace Lorraine** – ✉ 67130 Schirmeck.

Paris 395 – ◆Strasbourg 61 – Lunéville 57 – St-Dié 40 – Sarrebourg 37 – Sélestat 54.

Donon ⑤, ℘ 88 97 20 69, Fax 88 97 20 17, ≤, 余, 余, ✻ – ☎ P. GB
fermé 18 au 22 mars, 18 nov. au 8 déc. et jeudi hors sais. – **Repas** 60/250 ♁, enf. 39 – ☐ 35
21 ch 230/300 – ½ P 250/280.

DONZENAC 19270 Corrèze 75 ⑧ **G. Périgord Quercy** – 2 050 h alt. 204.

Syndicat d'Initiative à la Mairie ℘ 55 85 72 83.

Paris 478 – Brive-la-Gaillarde 9,5 – ◆Limoges 81 – Tulle 29 – Uzerche 25.

rte de Limoges sur N 20 :

Relais Bas Limousin, à 6 km ℘ 55 84 52 06, Fax 55 84 51 41, 余, ⛱, 余 – TV ☎ P
25. GB
Repas *(fermé dim. soir du 20 sept. au 20 juin)* 82/250 ♁, enf. 50 – ☐ 33 – **22 ch** 210/350 –
½ P 260/300.

Soph' Motel ⑤, à 10 km ℘ 55 84 51 02, Fax 55 84 50 14, 余, ⛱, 余, ✻ – TV ☎ P
– 30. AE ⓓ GB
fermé 24 déc. au 10 janv. – **Repas** 75/185 ♁, enf. 30 – ☐ 36 – **25 ch** 330/400 – ½ P 295.

La Maleyrie, à 5 km ℘ 55 84 50 67, Fax 55 84 20 63, 余 – ☎ ⇔ P. GB
22 mars-4 nov. – **Repas** 65/170 ♁, enf. 48 – ☐ 28 – **15 ch** 100/230 – ½ P 155/220.

PEUGEOT Gar. Chanourdie, ℘ 55 85 78 76 N ℘ 55 85 65 56

DONZY 58220 Nièvre 65 ⑬ **G. Bourgogne** – 1 719 h alt. 188.

Paris 202 – Bourges 77 – Auxerre 65 – Château-Chinon 86 – Clamecy 37 – Cosne-sur-Loire 16 – Nevers 49.

XX **Gd Monarque** avec ch, près église ℘ 86 39 35 44, Fax 86 39 37 09, 余 – TV ☎ P. GB
Repas *(fermé dim. soir et lundi sauf août)* 80/210, enf. 55 – ☐ 36 – **11 ch** 280.

CITROEN Gar. Petit, ℘ 86 39 30 93 RENAULT Gar. Rouleau, ℘ 86 39 35 34

Le DORAT 87210 H.-Vienne 72 ⑦ **G. Berry Limousin** – 2 203 h alt. 209.

Voir Collégiale St-Pierre★★.

Office de Tourisme pl. Collégiale ℘ 55 60 76 81.

Paris 376 – ◆Limoges 52 – Poitiers 76 – Bellac 12 – Le Blanc 50 – Guéret 68.

Bordeaux, 39 pl. Ch. de Gaulle ℘ 55 60 76 88 – ☎. GB
fermé 9 au 15 oct. – **Repas** *(fermé dim. soir)* 68/185 ♁, enf. 50 – ☐ 29 – **10 ch** 160/215 –
½ P 190/205.

X **La Promenade** avec ch, 3 av. Verdun ℘ 55 60 72 09 – ☎ ⇔ P. GB
fermé 1er au 15 sept., 1er au 21 fév., dim. soir et lundi – **Repas** 65/180 ♁ – ☐ 25 – **8 ch**
140/200 – ½ P 140/160.

CITROEN Gar. Laguzet, ℘ 55 60 72 79

DORMANS 51700 Marne 56 ⑮ **G. Champagne** – 3 125 h alt. 70.

Paris 117 – ◆Reims 39 – Château-Thierry 24 – Épernay 24 – Meaux 71 – Soissons 46.

XX **La Table Sourdet,** ℘ 26 58 20 57, Fax 26 58 88 82 – AE GB
fermé dim. soir et soirs fériés – **Repas** 135 (déj.), 180/270.

DORRES 66760 Pyr.-Or. 86 ⑯ **G. Pyrénées Roussillon** – 192 h alt. 1458.

Voir Angoustrine : Retables★ dans l'église O : 5 km.

Paris 881 – Font-Romeu-Odeillo-Via 17 – Ax-les-Thermes 46 – Bourg-Madame 8,5 – ◆Perpignan 103 – Prades 59.

Marty ⑤, ℘ 68 30 07 52, ≤, 余 – TV ☎ P. GB
fermé 25 oct. au 20 déc. – **Repas** 75 bc/170 ♁ – ☐ 32 – **34 ch** 160/270 – ½ P 180/215.

OUAI <SP> **59500** Nord 53 ③ **G. Flandres Artois Picardie** – 42 175 h Agglo. 199 562 h alt. 31.

'oir Beffroi★ BY **D** – Musée de la Chartreuse★ AX.

nv. Centre historique minier de Lewarde★★ SE : 8 km par ②.

de Thumeries Moncheaux ✆ 20 86 58 98, par ① et D 8 : 15 km.

Office de Tourisme 70 pl. d'Armes ✆ 27 88 26 79, Fax 27 96 42 29 – A.C. 155 pl. d'Armes ✆ 27 88 90 79.

aris 195 ③ – ♦Lille 37 ④ – ♦Amiens 93 ③ – Arras 25 ③ – Charleville-Mézières 148 ② – Lens 21 ④ – St-Quentin 2 ② – Tournai 38 ① – Valenciennes 40 ②.

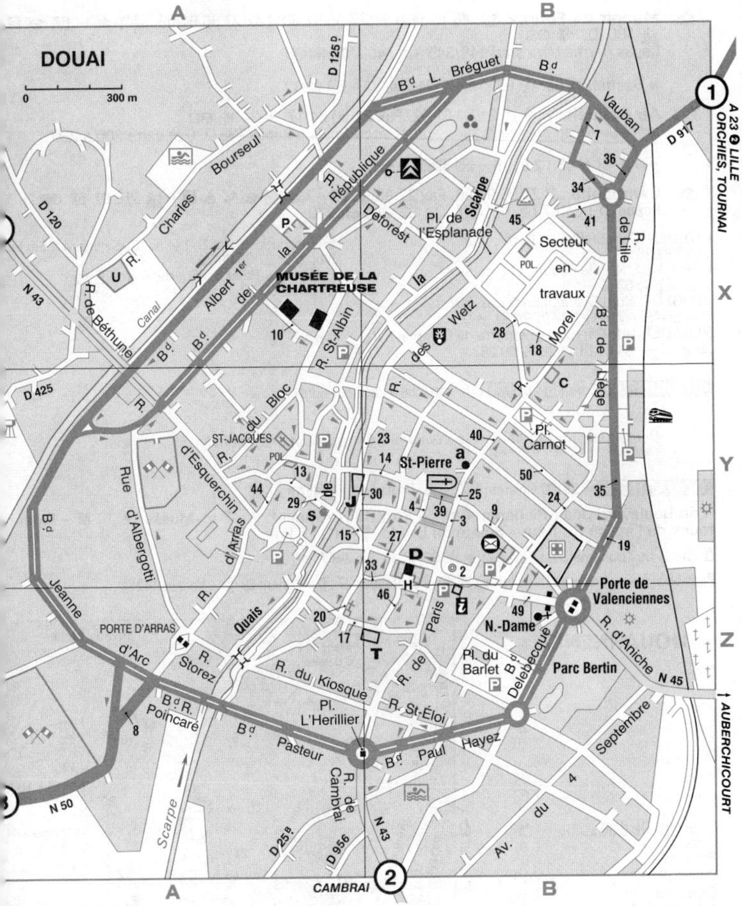

Armes (Pl. d') . . . . . . **BY** 2
Bellain (R. de) . . . . . . **BY** 3
Carnot (Pl.) . . . . . . **BY**
Madeleine (R. de la) . . . . . . **BY** 25
Mairie (R. de la) . . . . . . **BY** 27
Paris (R. de) . . . . . . **BZ**
St-Christophe (R.) . . . . . . **BY** 39
St-Jacques (R.) . . . . . . **BY** 40

Bellegambe (R. J.) . . . . . . **BY** 4
Boutique (R. A.) . . . . . . **BX** 7
Brebières (R. de) . . . . . . **AZ** 8
Canteleu (R. du) . . . . . . **BY** 9
Chartreux (R. des) . . . . . . **AX** 10
Cloche (R. de la) . . . . . . **AY** 13
Clocher-St-Pierre (R. du) . . . . **BY** 14
Cloris (R. de la) . . . . . . **AY** 15
Comédie (R. de la) . . . . . . **AZ** 17
Dubois (R. P.) . . . . . . **BX** 18
Faidherbe (Bd) . . . . . . **BY** 19
Foulons (R. des) . . . . . . **AZ** 20
Gouvernement (R. du) . . . . **BY** 23
Leclerc (Av. Mar.) . . . . . . **BY** 24
Massue (R. de la) . . . . . . **AY** 29

Marceline (R.) . . . . . . **BX** 28
Merlin-de-Douai (R.) . . . . . . **BY** 30
Minimes (Ruelle des) . . . . . . **BY** 33
Orchies (R. d') . . . . . . **BX** 34
Phalempin (Bd Paul) . . . . . . **BY** 35
Raches (R. de) . . . . . . **BX** 36
St-Michel (R.) . . . . . . **BX** 41
St-Samson (R.) . . . . . . **AY** 44
St-Sulpice (R.) . . . . . . **BX** 45
Université (R. de l') . . . . . . **BZ** 46
Valenciennes (R. de) . . . . . . **BZ** 49
Victor-Hugo (R.) . . . . . . **BY** 50

La Terrasse, 36 terrasse St-Pierre ✆ 27 88 70 04, Fax 27 88 36 05 – ▤ rest TV ☎ P – 25. AE GB BY **a**
Repas 135 bc/395 – ☕ 40 – **26 ch** 295/660.

XX **Au Turbotin,** 9 r. Massue ☎ 27 87 04 16 – ▤. AE ⓞ GB AY
fermé août, 21 au 28 fév., sam. midi, dim. soir et lundi – **Repas** 91/255.

à Roost-Warendin par ①, D 917 et D 8 : 10 km – 6 413 h. alt. 22 – ✉ **59286** :

XXX **Le Chat Botté,** Château de Bernicourt ☎ 27 80 24 44, Fax 27 80 35 81, 🏠, parc – P. G
fermé août, dim. soir et lundi – **Repas** 105 (déj.), 150/250 et carte 230 à 330.

à Corbehem par ③ et D 45 : 6 km – 2 346 h. alt. 32 – ✉ **62112** :

Manoir de Fourcy 🐌, 48 r. gare ☎ 27 95 91 00, Fax 27 95 91 09, 🏠, 🏞 – TV ☎ P
🏛 180. AE ⓞ GB
Repas *(fermé dim. soir)* 148/345 – ☕ 40 – **8 ch** 380.

à Brebières par ③ : 7 km – 4 324 h. alt. 48 – ✉ **62117** :

XXX **Air Accueil,** N 50 ☎ 21 50 01 02, Fax 21 50 84 17, 🏞 – P. GB
fermé lundi en juil.-août, dim. soir et soirs fériés – **Repas** 138/220 et carte 200 à 280.

par ④ et N 43 : 2,5 km – ✉ **59553** Cuincy :

Campanile, ☎ 27 96 97 00, Fax 27 98 98 93 – ⇔ TV ☎ ✆ ♿ P – 🏛 25. AE ⓞ GB
Repas 84 bc/107 bc, enf. 39 – ☕ 32 – **49 ch** 270.

CITROEN Cabour, 884 bd République ☎ 27 87 36 22
FORD Paty, N 17 le Raquet à Lambres ☎ 27 87 30 63
PEUGEOT Nord Distribution Autos, 537 rte de Cambrai par ② ☎ 27 87 22 76 N ☎ 05 44 24 24
RENAULT Gds Gar. Douaisiens, rte de Cambrai par ② ☎ 27 93 84 84 N ☎ 28 02 09 28

Ⓜ Europneus Point S, 174 av. R.-Salengro à Sin le Noble ☎ 27 88 69 70
Europneus-Point S, 59 r. de Warenghien ☎ 27 87 00 63

DOUAINS **27** Eure 55 ⑰, 106 ① – rattaché à Pacy-sur-Eure.

Demandez chez le libraire le catalogue des publications Michelin.

DOUARNENEZ **29100** Finistère 58 ⑭ **G. Bretagne** – 16 457 h alt. 25.

Voir Boulevard Jean-Richepin ≤★ Y – Port du Rosmeur★ Y – Port-Musée★★ YZ **M** – Ploaré tour★ de l'église S : 1 km – Pointe de Leydé ≤★ NO : 5 km.

ℹ Office de Tourisme 2 r. Dr-Mével ☎ 98 92 13 35, Fax 98 74 46 09.

Paris 580 ① – Quimper 23 ② – ◆Brest 76 ① – Châteaulin 27 ① – Lorient 89 ② – Vannes 142 ②.

DOUARNENEZ

Sens unique en saison : flèche noire

Anatole-France (R.) . . . . . . Y 2
Duguay-Trouin (R.) . . . . . YZ 15
Jaurès (R. Jean) . . . . YZ
Jean-Bart (R.) . . . . Y 24
Voltaire (R.) . . . . Y 62

Baigneurs (R. des) . . . . Y 5
Barré (R. J.) . . . . YZ 7
Berthelot (R.) . . . . Z 8
Centre (R. du) . . . . Y 10
Croas-Talud (R.) . . . . Z 14
Enfer (Pl. de l') . . . . YZ 16
Grand-Port (Quai du) . . . . Y 19
Grand-Port (R. du) . . . . Y 20
Kerivel (R. E.) . . . . YZ 21
Laënnec (R.) . . . . Z 25
Lamennais (R.) . . . . Z 27
Marine (R. de la) . . . . Y 32
Michel (R. L.) . . . . Y 36
Monte-au-Ciel (R.) . . . . Z 37
Péri (Pl. Gabriel) . . . . Y 42
Petit-Port (Quai du) . . . . . . Y 43
Plomarc'h (R. des) . . . . . . YZ 44
Stalingrad (Pl.) . . . . Z 56
Vaillant (Pl. E.) . . . . Y 59
Victor-Hugo (R.) . . . . Z 60

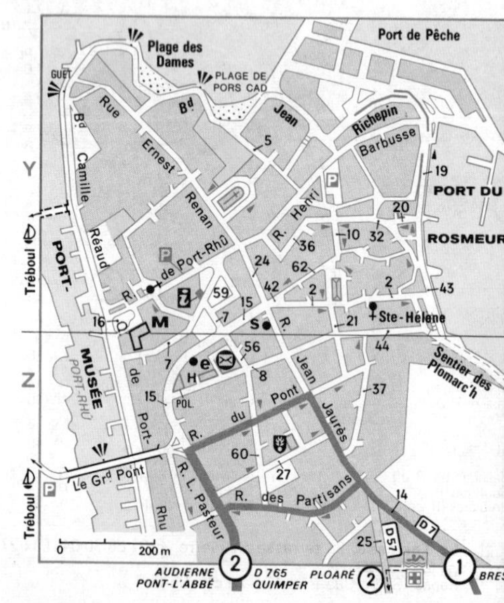

France, 4 r. J. Jaurès ☎ 98 92 00 02, Fax 98 92 27 05 – TV. AE GB. ✻ rest Y s
Repas *(fermé 6 au 27 janv., dim. soir et lundi sauf juil.-août)* 92/210 – ☐ 30 – **26 ch** 270/280 – ½ P 275.

Bretagne sans rest, 23 r. Duguay-Trouin ☎ 98 92 30 44 – |♦|. GB Z e
☐ 25 – **27 ch** 115/240.

à Tréboul NO : 3 km – ✉ **29100** :

Thalasstonic M, r. des Professeurs Curie ☎ 98 74 45 45, Fax 98 74 36 07 – |♦| TV ☎ ♿ P – 🏠 25. AE GB. ✻ rest
Repas 100/195 – ☐ 45 – **50 ch** 350/480 – ½ P 385.

Ty Mad ♨, près chapelle St-Jean ☎ 98 74 00 53, Fax 98 74 15 16, ←, 🏖, 🌳 – P. GB. ✻ rest
1er avril-3 nov. – **Repas** 62/155 – ☐ 37 – **23 ch** 230/320 – ½ P 295/305.

Simon Pneus, ZA de Brehuel ☎ 98 92 15 99

DOUCIER 39130 Jura 70 ⑭ ⑮ **G. Jura** – 231 h alt. 526.

Voir Lac de Chalain★★ N : 4 km.

Paris 416 – Champagnole 19 – Lons-le-Saunier 25.

✕✕ **Sarrazine,** ☎ 84 25 70 60, 🏖 – P. GB
début fév.-début nov. et fermé merc. soir et jeudi hors sais. – **Repas** - grillades - 80/180, enf. 60.

RENAULT Gar. Gaillard, ☎ 84 25 70 94

DOUDEVILLE 76560 S.-Mar. 52 ⑬ – 2 492 h alt. 120.

Paris 179 – ♦Rouen 42 – Bolbec 31 – Dieppe 38 – Fécamp 36 – Yvetot 13.

✕✕ **Relais du Puits Saint-Jean** avec ch, ☎ 35 96 50 99, 🏖, 🌳 – TV P. GB. ✻ ch
fermé 15 fév. au 15 mars – **Repas** 80/480, enf. 60 – ☐ 30 – **4 ch** 230 – ½ P 280.

DOUÉ-LA-FONTAINE 49700 M.-et-L. 67 ⑧ **G. Châteaux de la Loire** – 7 260 h alt. 75.

Voir Parc zoologique des Minières★★ O : 2 km.

Office de Tourisme pl. Champ de Foire ☎ 41 59 20 49.

Paris 329 – ♦Angers 38 – Châtellerault 85 – Cholet 49 – Saumur 17 – Thouars 30.

La Saulaie, rte Montreuil-Bellay : 2 km ☎ 41 59 96 10, Fax 41 59 96 11 – TV ☎ ♿ P. GB
fermé Noël au Jour de l'An, sam. soir et dim. en hiver – **Repas** 62/140, enf. 42 – ☐ 35 – **20 ch** 250/320 – ½ P 260.

✕✕✕ **France** avec ch, 17 pl. Champ de Foire ☎ 41 59 12 27, Fax 41 59 76 00 – TV ☎. GB
fermé du 1er au 7 juil., 24 déc. au 20 janv., dim. soir et lundi sauf juil.-août – **Repas** 75/225, enf. 50 – ☐ 28 – **18 ch** 200/280 – ½ P 210/230.

✕✕ **Aub. Bienvenue,** rte Cholet (près Zoo) ☎ 41 59 22 44, Fax 41 59 93 49, 🏖 – P. GB
fermé vacances de fév., dim. soir sauf juil.-août et lundi – **Repas** 95/280, enf. 60.

DOURDAN 91410 Essonne 60 ⑨ 106 ㊶ **G. Ile de France** – 9 043 h alt. 100.

Voir Place du Marché aux grains★ – Vierge au Perroquet★ au musée.

18 de Rochefort ☎ 30 41 91 81, N : 8 km par D 836 et D 149.

Office de Tourisme pl. Gén.-de-Gaulle ☎ (1) 64 59 86 97, Fax(1) 60 81 05 69.

Paris 54 – Chartres 46 – Étampes 17 – Évry 38 – ♦Orléans 78 – Rambouillet 23 – Versailles 45.

✕✕ **Aub. de l'Angélus,** 4 pl. Chariot ☎ (1) 64 59 83 72, 🏖 – AE ⓓ GB
fermé 4 au 20 mars, 12 août au 4 sept., mardi soir et merc. – **Repas** 110/265.

CITROEN Gar. Ménard, ZI de la Gaudrée ☎ (1) 64 59 64 00

PEUGEOT Gar. Famel, 2 av. du 14 juillet ☎ (1) 64 59 71 86

RENAULT Lesage, 30 av. de Paris ☎ (1) 64 59 70 83

DOURLERS 59228 Nord 53 ⑥ – 582 h alt. 171.

Paris 245 – St-Quentin 75 – Avesnes-sur-Helpe 7,5 – ♦Lille 92 – Maubeuge 13 – Le Quesnoy 26 – Valenciennes 40.

✕✕✕ **Aub. du Châtelet,** Les Haies à Charmes S : 1 km sur N 2 ✉ 59440 Avesnes-sur-Helpe ☎ 27 61 06 70, Fax 27 61 20 02, 🌳 – P. AE ⓓ GB
fermé 16 août au 7 sept., 2 au 8 janv., dim. soir et soirs fériés – **Repas** (nombre de couverts limité, prévenir) 150/350 bc et carte 220 à 330, enf. 80.

DOUSSARD 74 H.-Savoie 74 ⑯ – rattaché à Bout-du-Lac.

Le pastiglie numerate delle piante di città ①, ②, ③
sono riportate anche sulle **carte stradali Michelin** *in scala 1/200 000.*

Questi riferimenti, comuni nella guida e nella carta stradale,
facilitano il passaggio di una pubblicazione all'altra.

DOUVAINE 74140 H.-Savoie 70 ⑯ – 3 354 h alt. 428.

Paris 558 – Thonon-les-Bains 16 – Annecy 63 – Annemasse 18 – Bonneville 34 – Genève 21.

XXX **Aub. Gourmande,** à Massongy E : 2 km par N 5 et rte secondaire ✉ 74140 Douvaine ☎ 50 94 16 97, Fax 50 94 16 97, ←, 🏞, ⛱, 🎾 – 🅿. AE ⓪ GB
fermé jeudi midi et merc. – **Repas** 98/260 et carte 230 à 290, enf. 80.

DOUVRES LA DÉLIVRANDE 14440 Calvados 54 ⑯ – 3 983 h alt. 19.

Paris 250 – ◆Caen 12 – Bayeux 26 – Deauville 44.

XX **Jacques Quirié,** 1 pl. Ancienne Mairie ☎ 31 37 20 04 – 🅿. AE GB
fermé vacances de fév., dim. soir et lundi – **Repas** 68 (déj.), 88/225.

à ***Cresserons*** E : 3 km par D 35 – 953 h. alt. 9 – ✉ 14440 :

XXX **La Valise Gourmande,** rte Lion sur Mer ☎ 31 37 39 10, Fax 31 37 59 13, 🏞, « Élégante demeure bourgeoise », 🌳 – 🅿. GB
fermé dim. soir et lundi sauf fériés – **Repas** 110/290 et carte 280 à 360.

DRACY-LE-FORT 71 S.-et-L. 69 ⑨ – rattaché à Chalon-sur-Saône.

DRAGUIGNAN <SP> 83300 Var 84 ⑦ 114 ㉓ **G. Côte d'Azur** – 30 183 h alt. 178.

Voir Musée des Arts et Traditions populaires★ Z **M²**.

⛳18 de St-Endréol à la Motte ☎ 94 99 22 99, SE : 14 km par ② et D 47.

ℹ Office de Tourisme 9 bd Clemenceau ☎ 94 68 63 30, Fax 94 47 10 76.

Paris 861 ② – Fréjus 28 ② – Aix-en-Provence 112 ② – Cannes 64 ② – Digne-les-Bains 107 ④ – Grasse 55 ① – Manosque 88 ③ – ◆Marseille 124 ② – ◆Nice 89 ② – ◆Toulon 79 ②.

DRAGUIGNAN

Cisson (R.) YZ 3
Clemenceau (Bd) Z
Clément (R. P.) Z 5
Gay (Pl. C.) Y 6
Grasse (Av. de) Y 8
Joffre (Bd Mar.) Z 9
Juiverie (R. de la) Y 12
Kennedy (Bd J.) Z 13
Leclerc (Bd Gén.) Z 14
Marchands (R. des) Y 15
Marché (Pl. du) Y 16
Martyrs-de-la-R. (Bd des) Z 17
Marx-Dormoy (Bd) Z 18
Mireur (R. F.) Y 19
Observance (R. de l') Y 20
République (R. de la) Z 23
Rosso (Av. P.) Z 24

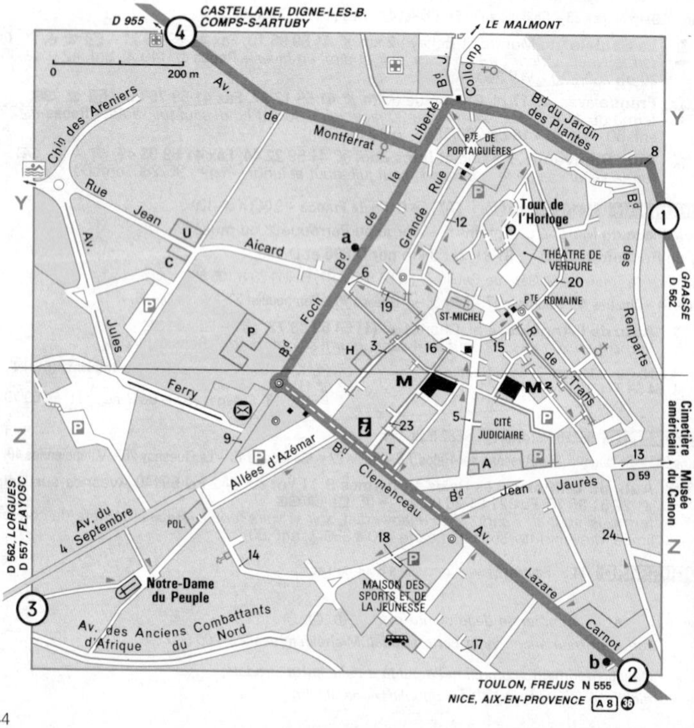

D 955 ④ CASTELLANE, DIGNE-LES-B. COMPS-S-ARTUBY
LE MALMONT
① GRASSE D 562
③ D 562 LORGUES D 557 FLAYOSC
② TOULON, FREJUS N 555 NICE, AIX-EN-PROVENCE A 8 ㉟
Cimetière américain ↓ Musée du Canon
Tour de l'Horloge
Notre-Dame du Peuple
MAISON DES SPORTS ET DE LA JEUNESSE
CITÉ JUDICIAIRE
THÉATRE DE VERDURE

Victoria Ⓜ, 54 av. Carnot ✆ 94 47 24 12, Fax 94 68 31 69, – AE GB Z **b**
Repas (fermé janv., sam. midi et dim.) 68/145 – 55 – **24 ch** 260/700 – ½ P 260/320.

Parc sans rest, 21 bd Liberté ✆ 94 68 53 84, Fax 94 47 11 92 – P. AE GB JCB Y **a**
35 – **20 ch** 250/290.

par ③ et D 557 : 4 km – ✉ **83300** Draguignan :

Les Oliviers Ⓜ sans rest, rte Flayosc ✆ 94 68 25 74, Fax 94 68 57 54, – P. AE GB
fermé 5 au 15 janv. – 30 – **12 ch** 230/315.

à Flayosc par ③ et D 557 : 7 km – 3 233 h. alt. 310 – ✉ **83780** :

L'Oustaou, ✆ 94 70 42 69, – AE GB
fermé 11 nov. au 9 déc., dim. soir et lundi – **Repas** 115/265, enf. 70.

:ITROEN Gar. Piaget, quartier la Beaume à :alernes ✆ 94 70 60 44 N ✆ 94 70 70 53
EUGEOT Trans Auto Plus, rte de Draguignan à :rans-en-Provence par ② ✆ 94 47 18 58 N ✆ 94 67 02 02
:ENAULT S.A.M.V.A., quartier de la Foux par ② ✆ 94 50 51 52 N ✆ 05 05 15 15

Ecopneu, N 555 à Trans-en-Provence par ② ✆ 94 70 89 72
Forni Pneu Vulcopneu, ZA St-Hermentaire ✆ 94 67 13 53

Le DRAMONT 83 Var 84 ⑧, 114 ㉖ – rattaché à St-Raphaël.

DREUX 28100 E.-et-L. 60 ⑦ 106 ㉕ G. Normandie Vallée de la Seine – 35 230 h alt. 82.

/oir Beffroi★ AY B – Vitraux★ de la chapelle royale AY.

Office de Tourisme 4 r. Porte-Chartraine ✆ 37 46 01 73, Fax 37 42 98 48.

²aris 80 ② – Alençon 112 ⑥ – Argentan 114 ⑥ – Chartres 34 ④ – Évreux 43 ⑥ – ♦Le Mans 153 ④ – Mantes-la-Jolie 42 ①.

Plan page suivante

Le Beffroi sans rest, 12 pl. Métézeau ✆ 37 50 02 03, Fax 37 42 07 69 – AE GB AZ **e**
35 – **16 ch** 298/315.

Le St-Pierre, 19 r. Sénarmont ✆ 37 46 47 00 – AE GB BY **r**
fermé 18 au 25 mars, 16 sept. au 1er oct., dim. soir et lundi – **Repas** 73/169.

à Cherisy par ② : 4,5 km – 1 741 h. alt. 88 – ✉ **28500** :

Vallon de Chérisy, ✆ 37 43 70 08, Fax 37 43 86 00, – P. GB
fermé 10 au 28 août, mardi soir et merc. – **Repas** 120/170, enf. 38.

à Ste-Gemme-Moronval par ②, N 12 et D 308² : 6 km – 613 h. alt. 79 – ✉ **28500** :

L'Escapade, ✆ 37 43 72 05, Fax 37 43 86 96 – P. AE GB
fermé 16 juil. au 7 août, 19 fév. au 4 mars, dim. soir, lundi soir et mardi – **Repas** 170/300.

à Écluzelles par ③ : 5,5 km – 166 h. alt. 84 – ✉ **28500** :

L'Aquaparc, ✆ 37 43 74 75, Fax 37 43 76 80, <, – P. AE GB
fermé dim. soir et lundi – **Repas** 135/220.

à Vernouillet-centre S par D 311 : 2 km – 11 680 h. alt. 97 – ✉ **28500** :

Aub. Vallée Verte avec ch, (près Église) ✆ 37 46 04 04, Fax 37 42 91 17 – P. AE GB. ch
fermé 31 juil. au 22 août, 25 déc. au 10 janv., vend. soir, dim. soir et lundi – **Repas** 138/300 bc – 35 – **11 ch** 230/290 – ½ P 250/280.

FORD Gar. Perrin, bd de l'Europe à Vernouillet ✆ 37 46 23 31
MERCEDES Gar. Avenue, ZI Nord ✆ 37 46 17 98 N ✆ 05 24 24 30
RENAULT Gar. Chanoine, N 12, Les Fenots par ⑥ ✆ 37 46 17 35 N ✆ 37 38 73 83

Boin, N 154 à Sérazereux ✆ 37 65 22 22

Breton Pneus Point S, 14 r. des Livraindières ✆ 37 42 44 22
Marsat Pneus, 9 pl. Vieux Pré ✆ 37 50 03 60
Marsat Pneus, ZI Plein Sud, r. de Rome à Vernouillet ✆ 37 42 02 98
Marsat Pneus, 27 av. Fenots ✆ 37 46 04 11

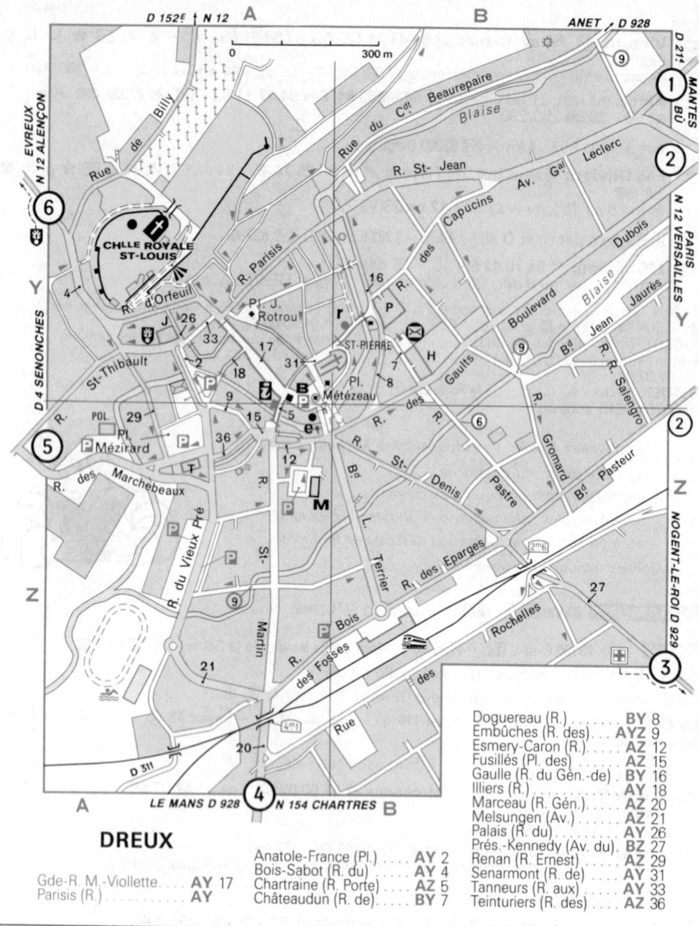

Gde-R. M.-Viollette	AY	17
Parisis (R.)	AY	
Anatole-France (Pl.)	AY	2
Bois-Sabot (R. du)	AY	4
Chartraine (R. Porte)	AZ	5
Châteaudun (R. de)	BY	7
Doguereau (R.)	BY	8
Embûches (R. des)	AYZ	9
Esmery-Caron (R.)	AZ	12
Fusillés (Pl. des)	AZ	15
Gaulle (R. du Gén.-de)	BY	16
Illiers (R.)	AY	18
Marceau (R. Gén.)	AZ	20
Melsungen (Av.)	AZ	21
Palais (R. du)	AY	26
Prés.-Kennedy (Av. du)	BZ	27
Renan (R. Ernest)	AZ	29
Senarmont (R. de)	AY	31
Tanneurs (R. aux)	AY	33
Teinturiers (R. des)	AZ	36

DRUYES-LES-BELLES-FONTAINES 89 Yonne 65 (14) **G. Bourgogne** – 302 h alt. 168 – ✉ **89560** Druyes-Belles-Fontaines.

Paris 183 – Auxerre 33 – Clamecy 15 – Gien 74 – Montargis 86.

Aub. des Sources , ☎ 86 41 55 14, Fax 86 41 90 31 – [TV] ☎ [P]. GB
fermé 5 janv. au 15 mars, mardi midi et lundi – **Repas** 85/210, enf. 48 – ☕ 45 – **17 ch** 220/430 – ½ P 220/270.

DUCEY **50220** Manche 59 (8) **G. Normandie Cotentin** – 2 069 h alt. 15.

Paris 306 – St-Lô 70 – Avranches 9,5 – Fougères 37 – ♦Rennes 71 – St-Hilaire-du-Harcouët 16.

Moulin de Ducey [M] sans rest, ☎ 33 60 25 25, Télex 772318, Fax 33 60 26 76, « Ancien moulin sur la Sélune » – [TV] ☎ [P]. AE GB JCB
☕ 50 – **28 ch** 320/500.

Aub. de la Sélune, ☎ 33 48 53 62, Fax 33 48 90 30, « Jardin en bordure de rivière » – ☎ [P]. AE GB. ch
fermé mi-janv. à mi-fév. et lundi du 1er oct. au 1er mars – **Repas** 80/200 – ☕ 40 – **20 ch** 270/295 – ½ P 300/312.

RENAULT Gar. Lefort, ☎ 33 48 51 11 Gar. Ducey, ☎ 33 48 50 74 [N] ☎ 33 48 47 23

DUCLAIR 76480 S.-Mar. 55 ⑥ G. Normandie Vallée de la Seine – 3 822 h alt. 8.

du Parc de Brotonne ✆ 35 05 32 97 à Jumièges S : 10 km par D 982-D65.

Bac : renseignements ✆ 35 37 53 11.

Paris 153 – ◆Rouen 19 – Dieppe 59 – Lillebonne 32 – Yvetot 20.

- **Poste,** quai Libération ✆ 35 37 50 04, Fax 35 37 39 19, ← – |‡| TV ☎ ✆. AE ⓓ GB. ✗ *fermé 1er au 14 juil., vacances de Toussaint, de fév., lundi(sauf hôtel) et dim. soir sauf fériés* – **Repas** 80/250 ♁ - ***Grill :*** *(fermé 15 au 30/7, 11 au 17/11 , 1 au 15/2, jeudi, vend. et dim. soirs et sam. midi sauf juil.-août)* **Repas** 70/160♁, enf. 45 – ☕ 28 – **16 ch** 200/300 – ½ P 260/280.

DUILHAC-SOUS-PEYREPERTUSE 11350 Aude 86 ⑧ G. Pyrénées Roussillon – 87 h alt. 336.

Paris 868 – ◆Perpignan 45 – Carcassonne 79 – Millas 35 – Mouthoumet 27 – Narbonne 67.

- **Aub. du Vieux Moulin,** ✆ 68 45 02 17, Fax 68 45 02 18, 余, ancien moulin à huile – ☎ ♿. GB. ✗ *fermé 15 janv. au 10 fév. et lundi d'oct. à fév.* – **Repas** 48/138 ♁ – ☕ 30 – **14 ch** 220.

DUINGT 74410 H.-Savoie 74 ⑥ G. Alpes du Nord – 635 h alt. 450.

Voir Site★.

Paris 549 – Annecy 13 – Albertville 32 – Megève 48 – St-Jorioz 3,5.

- **Lac** M, ✆ 50 68 90 90, Fax 50 68 50 18, ←, 余, « Jardin au bord du lac », ⛵ – |‡| TV ☎ P. GB. ✗ ch *hôtel : Pâques-oct. et fermé dim. soir et lundi hors sais. ; rest. : début mai-fin sept.* – **Repas** 135/230 – ☕ 40 – **23 ch** 380/460 – ½ P 375/410.
- **Clos Marcel,** ✆ 50 68 67 47, Fax 50 68 61 11, ←, 余, « Jardin au bord du lac », ⛵ – TV ☎ P. GB. ✗ rest *Pâques-30 sept.* – **Repas** 125/150 – ☕ 42 – **15 ch** 290/370 – ½ P 325/420.
- ✗✗ **Aub. du Roselet** avec ch, ✆ 50 68 67 19, Fax 50 68 64 80, 余, « Terrasse au bord de l'eau », ⛵, 🚗 – TV ☎ P. GB *fermé 11 nov. au 8 janv., mardi soir et merc. hors sais.* – **Repas** 100/300, enf. 60 – ☕ 35 – **14 ch** 350 – ½ P 350.

Le località sottolineate in rosso sulle carte stradali Michelin in scala 1/200 000 figurano in questa guida.

Approfittate di questa informazione, utilizzando una carta di edizione recente.

DUNES 82340 T.-et-G. 79 ⑮ – 853 h alt. 120.

Paris 732 – Agen 19 – Auvillar 13 – Miradoux 12 – Moissac 31.

- ✗✗ **Les Templiers,** ✆ 63 39 86 21, 余 – GB *fermé 15 au 31 oct., dim. soir et lundi* – **Repas** 98/190, enf. 48.

RENAULT Gar. Menon, ✆ 63 39 94 60

DUNIÈRES 43220 H.-Loire 76 ⑧ – 3 009 h alt. 760.

Paris 551 – Le Puy-en-Velay 51 – ◆St-Étienne 35 – St-Agrève 33.

- **La Tour,** ✆ 71 66 86 66, Fax 71 66 82 32 – TV ☎ ♿ P. GB *hôtel : fermé dim. soir* – **Repas** *(fermé 1er au 15 déc., dim. soir et lundi midi)* 60/160 ♁, enf. 49 – ☕ 35 – **11 ch** 209/240 – ½ P 190.

DUNKERQUE SP 59140 Nord 51 ③ ④ G. Flandres Artois Picardie – 70 331 h Agglo. 190 879 h alt. 4 – Casino à Malo-les-Bains.

Voir Port★★ AX – Musées : Art Contemporain★★ CDY, Beaux-Arts★ CDZ **M**1.

Dunkerque-Fort-Vallières ✆ 28 61 07 43.

Office de Tourisme Beffroi ✆ 28 66 79 21, Télex 132011, Fax 28 26 27 80 et 48 Digue de mer ✆ 28 26 28 88 (avril-nov.) – Automobile Club 3 r. Folconnier ✆ 28 66 70 68.

Paris 293 ② – ◆Calais 45 ③ – ◆Amiens 148 ② – Ieper 54 ② – ◆Lille 72 ② – Oostende 55 ①.

Plans pages suivantes

- **Europ'H.** M, 13 r. Leughenaer ✆ 28 66 29 07, Fax 28 63 67 87 – |‡| ▤ rest TV ☎ – 🔔 25 à 150. AE ⓓ GB — CY **s** *Le Valentin (fermé sam. midi et lundi)* **Repas** 75, enf. 30 – ***La Ferme*** *(fermé dim.)* **Repas** carte 100 à 140 ♁, enf. 27 – ☕ 46 – **120 ch** 330/380.
- **Borel** M sans rest, 6 r. L'Hermitte ✆ 28 66 51 80, Fax 28 59 33 82 – |‡| ⇆ TV ☎. AE ⓓ GB — CY **u** ☕ 50 – **48 ch** 350/410.
- **Welcome H.** M, 37 r. Poincaré ✆ 28 59 20 70, Fax 28 21 03 49 – |‡| ▤ rest TV ☎ ♿. AE GB JCB — CZ **e** **Repas** 85 bc (déj.), 100/220 ♁ – ☕ 44 – **39 ch** 330/380.

DUNKERQUE

Berteaux (Av. M.) . . . . . **AX** 10
Bonpain (Pl. de l'Abbé). **BX** 13
Cambon (Bd P.) . . . . **BX** 17
Clemenceau (R.) ST-POL **AX** 22
Darses (Chaussées des). **AX** 25
Jaurès (R. Jean) . . . . **BX** 39
Lille (R. de) . . . . **BX** 45
Malo (R. Célestin) . . . . . **BX** 50
Mendès-France (Bd) . . **BX** 52
Pasteur (R.) . . . . **BX** 56
République (R. de la) . . **AX** 61
Waldeck-Rousseau (R.) **BX** 73

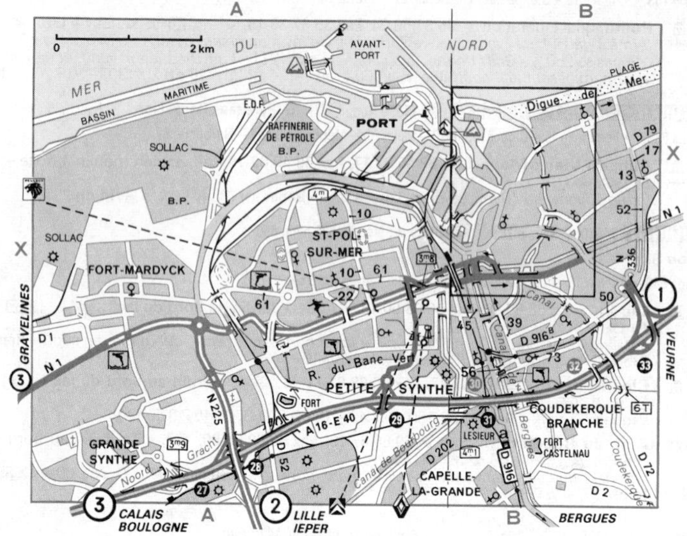

à Malo-les-Bains – ✉ **59240** Dunkerque :

Hirondelle, 46 av. Faidherbe ☎ 28 63 17 65, Fax 28 66 15 43 – 40. GB. ch DY
Repas *(fermé 18 août au 8 sept., vacances de fév., dim. soir et lundi midi)* 65/155 – 28 – **42 ch** 255/306 – ½ P 240.

Trianon sans rest, 20 r. Colline ☎ 28 63 39 15, Fax 28 63 34 57 – AE GB DY
30 – **12 ch** 180/240.

Au Rivage avec ch, 7 r. Flandre ☎ 28 63 19 62, Fax 28 66 38 59 – AE GB
hôtel : fermé 1er au 8 janv. et week-ends du 12 au 27 oct. – **Repas** *(fermé 10 au 31 oct., 1er au 8 janv., vacances de fév., dim. soir et lundi)* 66/163, enf. 49 – 30 – **16 ch** 150/250 – ½ P 190/230. DY

à Téteghem par ① et D 204 : 6 km – 5 839 h. alt. 1 – ✉ **59229**

La Meunerie avec ch, au Galghouck SE : 2 km par D 4 ☎ 28 26 14 30, Fax 28 26 17 32, « Décor élégant », – rest GB
fermé 20 déc. au 17 janv., dim. soir et lundi – **Repas** 330 bc/480 et carte 440 à 640 – 80 – **10 ch** 550/850
Spéc. Salade d'huîtres tièdes au caviar. Craquant aux girolles sur coulis aux herbes (été). Pigeon fermier en cocotte aux poires frites et légumes de saison (été-automne).

à Coudekerque-Branche S : 4 km sur D 916 – 23 644 h. alt. 1 – ✉ **59210** :

Le Soubise, 49 rte Bergues ☎ 28 64 66 00, Fax 28 25 12 19 – AE GB BX
fermé sam. midi et dim. soir – **Repas** 95/198, enf. 45.

à Cappelle-la-Grande Sud par D 916 : 5 km – 8 908 h. – ✉ **59180** :

Le Bois de Chêne, 48 rte Bergues ☎ 28 64 21 80, Fax 28 61 22 00, – AE GB
fermé 8 au 21 avril, vacances de fév., dim. soir et sam. – **Repas** 110/245.

au Lac d'Armbouts-Cappel par ② et N 225 (sortie Bourbourg) : 9 km – 2 656 h. – ✉ **59380** Armbouts-Cappel :

Mercure ☎ 28 60 70 60, Fax 28 61 06 39, – 80
Le Lac : **Repas** 130, enf. 60 – 55 – **66 ch** 280/460.

Campanile, ☎ 28 64 64 70, Fax 28 60 53 12 – 25. AE GB
Repas 84 bc/107 bc, enf. 39 – 32 – **39 ch** 270.

CITROEN Succursale, 715 av. Petite Synthe AX ☎ 28 61 64 00 ☎ 28 64 42 37
RENAULT Succursale, 561 av. Villette AX ☎ 28 62 73 00 ☎ 28 02 09 40
VAG Auto Expo, av. de la Villette ☎ 28 64 16 55

Euromaster, 47 r. Abbé Choquet ☎ 28 24 36 15
Gar. Hamez, 98 r. Albert Mahieu ☎ 28 63 52 01
La Clinique du Pneu, 12 quai 4 Ecluses ☎ 28 64 62 70

DUNKERQUE

bert-1er (R.) CZ 2
exandre-III (Bd) CZ 3
emenceau (R.) CZ 21
gue de Mer DY
idherbe (Av.) DY
eeraert (Av. Adolphe) DY
an-Bart (Pl.) CZ 41
alo (Av. Gaspard) DY 49
iers (R.) CZ 65
irenne (Pl.) DY 67

'bres (R. des) CDY 6
sseman (Pl. P.) DY 8

Bergues (R. du Canal-de) CZ 9
Bollaert (Pl. Émile) CZ 12
Calonne (Pl.) DZ 16
Carton Lurat (Av.) DZ 18
Écluse-de-Bergues (R.) CZ 26
Fusiliers-Marins (R.) CZ 30
Gare (Pl. de la) CZ 32
Gaulle (Pl. du Gén.-de) CZ 33
Hermitte (R. l') CY 35
Hollandais (Quai des) CZ 36
Hôtel-de-Ville (R. de l') DY 37
Jardins (Quai des) CZ 38
Jaurès (R. Jean) CZ 40
Jeu-de-Paume (R. du) CZ 42
Leclerc (R. du Mar.) CY 43
Leughenaer (R. du) CY 44

Lille (R. de) CZ 45
Magasin-Général (R.) CZ 48
Mar.-de-France (Av. des) DY 51
Minck (Pl. du) CY 53
Paris (R. de) CZ 54
Prés.-Poincaré (R. du) CZ 57
Prés.-Wilson (R. du) CZ 58
Quatre-Écluses (Quai) CZ 59
République (Bd de la) DY 60
Sainte-Barbe (Bd) CZ 63
Valentin (Pl. C.) CZ 68
Verley (Bd Paul) DY 69
Victoire (Pl. et R. de la) CDY 70
Victor-Hugo (Bd) CZ 72

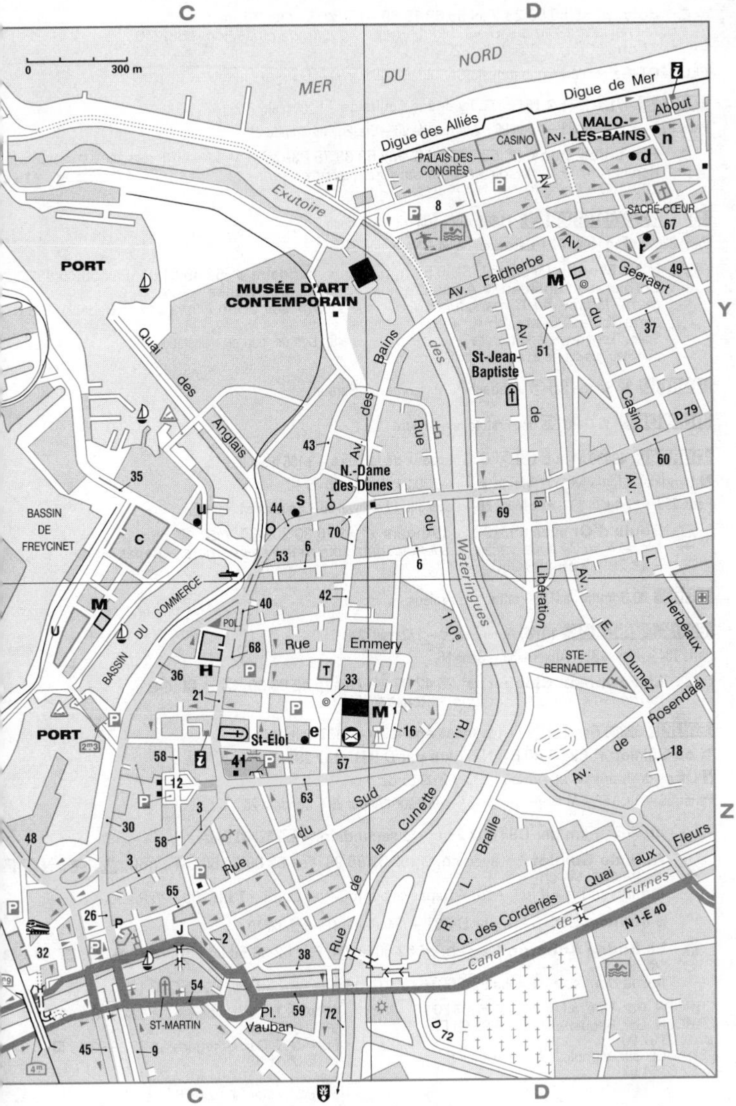

Périphérie et environs

PEUGEOT Gar. Dubus, av. Maurice Berteaux à St Pol sur Mer ☎ 28 29 28 00 N ☎ 28 02 21 15

Gar. Hamez, 11 rte de Mardyck à Grande Synthe ☎ 28 27 41 55

Littoral Pneus Services, r. A.-Carrel à Petite Synthe ☎ 28 60 02 00

Littoral Pneus Services, 75 r. Vauban à St Pol sur Mer ☎ 28 24 24 20

Pneus et Services D.K., 16 r. Samaritaine à St Pol sur Mer ☎ 28 64 76 74

Réform Pneus Point S, ZI r. Albeck à Petite Synthe ☎ 28 61 43 10

DUN-LE-PALESTEL 23800 Creuse 68 ⑱ – 1 203 h alt. 370.

Office de Tourisme r. des Sabots (saison) ☎ 55 89 24 61 et à la Mairie ☎ 55 89 01 30.

Paris 338 – Aigurande 22 – Argenton-sur-Creuse 39 – La Châtre 48 – Guéret 28 – La Souterraine 19.

Joly, ☎ 55 89 00 23, Fax 55 89 15 89 – TV ☎ ♿. GB. rest
fermé 1er au 20 mars, 5 au 25 oct., dim. soir et lundi midi – **Repas** 88/240, enf. 45 – ☕ 30
27 ch 210/320 – ½ P 200/220.

PEUGEOT Gar. Colas, Chabannes à St Sulpice le Dunois ☎ 55 89 16 48

DURAS 47120 L.-et-G. 79 ⑬ **G. Pyrénées Aquitaine** – 1 200 h alt. 122.

Paris 578 – Périgueux 93 – Agen 90 – Marmande 23 – Ste-Foy-la-Grande 21.

Host. des Ducs, ☎ 53 83 74 58, Fax 53 83 75 03, , , – TV ☎ P. AE GB
Repas *(fermé dim. soir et lundi sauf juil., août et sept.)* 77/235, enf. 47 – ☕ 38 – **16 c**
200/400 – ½ P 310.

DURBAN-CORBIERES 11360 Aude 86 ⑨ – 673 h alt. 95.

Paris 833 – ◆Perpignan 67 – Carcassonne 64 – Narbonne 31.

XXX ✿ **Le Moulin** (Moreno), S : 0,5 km par rte secondaire ☎ 68 45 81 03, Fax 68 45 83 31,
Corbières et château, « Ancien moulin au milieu des vignes » – P. GB
fermé 15 janv. au 1er mars, lundi midi en sais., dim. soir et lundi hors sais. – **Repas** 168/317
carte 250 à 380, enf. 55
Spéc. "Espardenes a la plancha", tomates en vinaigrette. Dos de loup en macération d'huile d'olive. Côtes et
d'agneau, jus simple à l'ail et au thym. **Vins** Corbières.

DUREIL 72 Sarthe 64 ② – rattaché à Malicorne-sur-Sarthe.

DURFORT 30 Gard 80 ⑰ – rattaché à Anduze.

DURTAL 49430 M-et-L. 64 ② **G. Châteaux de la Loire** – 3 195 h alt. 39.

Syndicat d'Initiative à la Mairie ☎ 41 76 30 24, Fax 41 76 06 10.

Paris 259 – ◆Angers 39 – ◆Le Mans 60 – La Flèche 12 – Laval 66 – Saumur 54.

XX **Boule d'Or** avec ch, 19 av. d'Angers ☎ 41 76 30 20 – P. GB. ch
fermé 4 au 29 août, vacances de fév., dim. soir, mardi soir et merc. – **Repas** 65/195, enf. 3
– ☕ 28 – **5 ch** 190/250.

DURY 80 Somme 52 ⑱ – rattaché à Amiens.

EAUX-PUISEAUX 10130 Aube 61 ⑯ – 172 h alt. 220.

Paris 164 – Troyes 31 – Auxerre 56 – Sens 56.

X **La Ferme du Clocher,** ☎ 25 42 02 21, Fax 25 42 03 30, – P. GB
fermé janv., dim. soir et lundi – **Repas** 90/155.

EAUZE 32800 Gers 82 ③ **G. Pyrénées Aquitaine** – 4 137 h alt. 164.

18 de Guinlet ☎ 62 09 80 84, N : 7 km par D 931 et D 29.

Office de Tourisme pl. Armagnac ☎ 62 09 85 62.

Paris 730 – Auch 56 – Mont-de-Marsan 57 – Aire-sur-l'Adour 39 – Condom 28.

au NE : 7 km par D931, D 29 et rte secondaire – ✉ **32800** Eauze :

X **Aub. de Guinlet** avec ch, ☎ 62 09 85 99, Fax 62 09 84 50, , golf, , , – TV
☎ P. GB. ch
fermé vend. sauf juil.-août – **Repas** 60 bc/160 – ☕ 28 – **7 ch** 230 – ½ P 230.

à Manciet SO : 9 km par D 931 – 784 h. alt. 131 – ✉ **32370** :

XX **La Bonne Auberge** avec ch, ☎ 62 08 50 04, Fax 62 08 58 84 – TV ☎ – 25. AE GB

fermé dim. soir – **Repas** 85/260 – ☕ 40 – **13 ch** 250/350 – ½ P 235/250.

CITROEN Gar. Fitte, à Manciet ☎ 62 08 50 15

CITROEN Gar. Requena, ☎ 62 09 95 90 N ☎ 62 09 97 00

RENAULT Gar. Vignoli, N 124 à Manciet ☎ 62 08 51 57

RENAULT Gar. Catherine, ☎ 62 09 78 21 N ☎ 62 09 72 26

RENAULT Gar. Gourgues, ☎ 62 09 93 15 N ☎ 05 05 15 15

Euromaster, ☎ 62 09 81 52

es ÉCHELLES 73360 Savoie 74 ⑮ G. Alpes du Nord – 1 246 h alt. 386.

Syndicat d'Initiative de la Vallée de Chartreuse ✆ 79 36 56 24, Fax 79 36 51 65.

ris 540 – ◆Grenoble 39 – Chambéry 23 – ◆Lyon 89 – Valence 103.

X **Centre** avec ch, ✆ 79 36 60 14, Fax 79 36 61 72, – . AE GB
fermé 15 janv. au 15 fév., dim. soir et lundi sauf juil.-août – **Repas** 65 (déj.), 85/200 – ☕ 30 – **15 ch** 120/280 – ½ P 230/280.

à Chailles N : 5 km – ✉ 73360 Les Échelles :

Aub. du Morge, N 6 ✆ 79 36 62 76, Fax 79 36 51 65, , – ☎ P. GB. ch
fermé 1er déc. au 20 janv. et merc. sauf vacances scolaires – **Repas** 75/230 – ☕ 30 – **8 ch** 200/220 – ½ P 250.

ENAULT Gar. Sauge-Merle, ✆ 79 36 62 68 N ✆ 79 36 62 68

ÉCHENEVEX 01 Ain 70 ⑮ – rattaché à Gex.

Les ÉCHETS 01 Ain 74 ② – alt. 276 – ✉ 01700 Miribel.

aris 457 – ◆Lyon 20 – L'Arbresle 28 – Bourg-en-Bresse 45 – Meximieux 31 – Villefranche-sur-Saône 28.

XXX **La Table des Dombes** avec ch, ✆ 78 91 80 05, Fax 78 91 00 69, – TV ☎ P. AE GB
fermé 12 au 26 août, 19 fév. au 1er mars, dim. soir et lundi – **Repas** 98/330, enf. 65 – ☕ 35 – **7 ch** 290/310.

XXX **Marguin** avec ch, ✆ 78 91 80 04, Fax 78 91 06 83, , – TV ☎ P. AE ⓓ GB
fermé 1er au 22 août et 24 déc. au 3 janv. – **Repas** 98/298 et carte 290 à 400, enf. 65 – ☕ 45 – **8 ch** 240/310.

En juin et en septembre,
les hôtels sont moins chers qu'en pleine saison, le service est plus soigné.

ÉCHIGEY 21 Côte-d'Or 66 ⑫ – rattaché à Genlis.

ÉCHIROLLES 38 Isère 77 ⑤ – rattaché à Grenoble.

ÉCLUZELLES 28 E.-et-L. 60 ⑦, 106 ㉕ – rattaché à Dreux.

ÉCOUCHÉ 61 Orne 60 ② – rattaché à Argentan.

Les ÉCRENNES 77820 S.-et-M. 61 ② – 557 h alt. 113.

Paris 64 – Fontainebleau 20 – Melun 17 – Montereau-Fault-Yonne 16 – Provins 37.

XX ✿ **Aub. Briarde** (Guichard), ✆ (1) 60 69 47 32, Fax (1) 60 66 60 11, – AE ⓓ GB
fermé 1er au 20 août, dim. soir et lundi sauf fériés – **Repas** 135/435 et carte 260 à 460
Spéc. Bar rôti aux cèpes (saison). Pigeon désossé sur crème de pois. Gibier (saison).

ÉGLETONS 19300 Corrèze 75 ⑩ – 4 487 h alt. 650.

Syndicat d'Initiative, r. Joseph Vialancix (saison) ✆ 55 93 04 34, Fax 55 93 21 01.

Paris 469 – Aurillac 98 – Aubusson 76 – ◆Limoges 110 – Mauriac 49 – Tulle 29 – Ussel 28.

Ibis, rte Ussel par N 89 : 1,5 km ✆ 55 93 25 16, Fax 55 93 37 54, , – TV ☎ ♿ P – 30. AE ⓓ GB
Repas 99 bc, enf. 39 – ☕ 35 – **41 ch** 270/290.

CITROEN Gar. Courteix, 68 av. Ch. de Gaulle ✆ 55 93 07 64
FORD Gar. Lachaud, rte de Tulle ✆ 55 93 14 33 N ✆ 55 93 14 33
PEUGEOT Gar. Leyris, N 89 ✆ 55 93 12 18 N ✆ 55 93 12 18

EGUISHEIM 68420 H.-Rhin 62 ⑱ ⑲ G. Alsace Lorraine – 1 530 h alt. 210.

Voir Village★ – Route des Cinq Châteaux★ SO : 3 km.

Paris 489 – Colmar 5,5 – Belfort 65 – Gérardmer 50 – Guebwiller 21 – ◆Mulhouse 41 – Rouffach 10.

St-Hubert M sans rest, r. Trois Pierres ✆ 89 41 40 50, Fax 89 41 46 88, ≤, – TV ☎ ♿ P. GB.
☕ 50 – **12 ch** 410/560.

Host. du Pape M, 10 Grand Rue ✆ 89 41 41 21, Fax 89 41 41 31, – TV ☎ ♿ P – 30. AE ⓓ GB
fermé 8 janv. au 11 fév. – **Repas** *(fermé dim. soir et lundi)* 90 (déj.), 125/270 , enf. 55 – ☕ 50 – **33 ch** 300/490 – ½ P 360.

Host. du Château M , 2 r. Château ✆ 89 23 72 00, Fax 89 23 68 80 – ♿. AE ⓓ GB. ch
voir rest. *Le Caveau d'Éguisheim* – ☕ 48 – **12 ch** 480/750.

Aub. des Comtes, 1 pl. Ch. de Gaulle ✆ 89 41 16 99, Fax 89 24 97 10, – ☎ P. GB
Repas *(fermé 24 juin au 7 juil., 15 janv. au 4 fév., mardi soir du 1er nov. au 30 juin et merc.)* 75/190 – ☕ 38 – **20 ch** 175/315 – ½ P 220/285.

XX **Caveau d'Eguisheim,** 3 pl. Château St-Léon ✆ 89 41 08 89, Fax 89 23 79 99 – AE ⓓ G
fermé 1er janv. au 1er mars et merc. – **Repas** (nombre de couverts limité, prévenir) 140/395
♁.

XX **Caveau du Vigneron,** 16 r. Trois Châteaux ✆ 89 24 01 90, Fax 89 23 91 25, ☂ – GB
fermé 4 au 25 mars, 23 déc. au 2 janv., merc. midi et mardi – **Repas** 98/320.

XX **La Grangelière,** 59 r. Rempart Sud ✆ 89 23 00 30, Fax 89 23 61 62 – GB
fermé 1er fév. au 1er mars et jeudi hors sais. – **Repas** 120 bc/390 bc.

X **Le Pavillon Gourmand,** 101 r. Rempart-Sud ✆ 89 24 36 88, Fax 89 23 93 94 – GB
fermé 1er au 22 juil., vacances de fév., dim. soir du 1er nov. au 1er mars, mardi soir et merc.
Repas 88/330 bc ♁, enf. 57.

ELBEUF **76500** S.-Mar. 55 ⑥ **G. Normandie Vallée de la Seine** (plan) – 16 604 h alt. 6.

Paris 128 – ◆Rouen 18 – Conches-en-Ouche 39 – Évreux 41 – Pont-Audemer 47.

XX **Les Chandeliers,** 2 cours Gambetta ✆ 35 77 69 21 – AE GB
fermé 11 au 25 août, sam. midi, dim. soir et lundi soir – **Repas** 125/225.

ÉLINCOURT-STE-MARGUERITE **60** Oise 56 ② – rattaché à Compiègne.

ELNE **66200** Pyr.-Or. 86 ⑳ **G. Pyrénées Roussillon** – 6 262 h alt. 30.

Voir Cloître★★.

ℹ Office de Tourisme 2 r. Pdt Bolte ✆ 68 22 05 07, Fax 68 37 95 05.

Paris 877 – ◆Perpignan 13 – Argelès-sur-Mer 7,5 – Céret 27 – Port-Vendres 18 – Prades 50.

ALFA ROMEO SEAT Gar. du Platane, 7 r. Denis Papin, ZI ✆ 68 22 75 93
CITROEN Gar. Falguéras, 8 bd Évadés-de-France ✆ 68 22 07 58
CITROEN Gar. Subiros, rte d'Alenya, ZI ✆ 68 22 07 02 N ✆ 68 22 07 02
RENAULT Gar. Martre, rte de Perpignan ✆ 68 22 23 00

ÉLOISE **74** H.-Savoie 74 ⑤ – rattaché à Bellegarde-sur-Valserine.

ELSENHEIM **67390** B.-Rhin 87 ⑦ – 637 h alt. 179.

Paris 493 – Colmar 18 – Ribeauvillé 15 – Sélestat 14 – ◆Strasbourg 65.

XX **Cottage Fleuri,** 22 r. Principale ✆ 88 92 51 59, Fax 88 74 98 00, ☂ – GB
fermé 28 juil. au 12 août, 2 au 13 janv. dim. soir et lundi – **Repas** 120/240 ♁, enf. 40.

CITROEN Gar Krimm, ✆ 88 92 56 64

ELVEN **56250** Morbihan 63 ③ – 3 312 h alt. 100.

Voir Forteresse de Largoët★ SO : 4 km, **G. Bretagne.**

Paris 440 – Vannes 18 – Ploërmel 30 – Redon 45 – ◆Rennes 98 – La Roche-Bernard 39.

🏠 **Host. du Lion d'Or,** 5 pl. Le Franc ✆ 97 53 33 52, Fax 97 53 55 08 – ☎. GB
fermé 22 oct. au 7 nov., 21 au 26 déc., 24 fév. au 11 mars, dim. soir et lundi sauf juil.-août
Repas 68/180, enf. 52 – ☕ 25 – **10 ch** 210/280 – ½ P 190/210.

CITROEN Gar. Tastard, 19 r. du Calvaire ✆ 97 53 31 11
PEUGEOT Gar. Tastard, 4 r. Rochefort ✆ 97 53 33 65

EMBRUN **05200** H.-Alpes 77 ⑰ ⑱ **G. Alpes du Sud** (plan) – 5 793 h alt. 871.

Voir Cathédrale N.-Dame★ : trésor★ – Peintures murales★ dans la chapelle des Cordeliers.

ℹ Office de Tourisme pl. Gén.-Dosse ✆ 92 43 01 80, Fax 92 43 54 06.

Paris 712 – Briançon 50 – Gap 38 – Barcelonnette 56 – Digne-les-Bains 93 – Guillestre 22 – Sisteron 83.

🏠 **Mairie,** pl. Mairie ✆ 92 43 20 65, Fax 92 43 47 02, ☂ – ▤ rest TV ☎. AE ⓓ GB
fermé 1er au 20 mai, 1er oct. au 30 nov., dim. soir et lundi sauf vacances scolaires – **Repa**
90/120 ♁ – ☕ 35 – **22 ch** 240/260 – ½ P 240/250.

🏠 **Notre-Dame,** av. Gén. Nicolas ✆ 92 43 08 36, Fax 92 43 58 41, ☂, 🌳 – ☎. ⓓ GB
fermé 5 au 30 janv., dim. soir et lundi sauf vacances scolaires – **Repas** 75/165, enf. 55 – ☕ 3
– **15 ch** 180/250 – ½ P 250.

rte de Gap SO : 3 km – ✉ **05200** Embrun :

🏨 **Les Bartavelles,** ✆ 92 43 20 69, Fax 92 43 11 92, ≤, ☂, 🏊, 🌳, 🎾 – ▤ rest TV ☎ P
ⓓ GB
Repas 98/285, enf. 70 – ☕ 45 – **36 ch** 265/480 – ½ P 320/420.

OPEL Gar. Espitallier, rte du Lycée ✆ 92 43 02 49
PEUGEOT Gar. Esmieu, rte de St-André ✆ 92 43 04 18 N ✆ 92 43 04 18
RENAULT Gar. du Lac, à Baratier ✆ 92 43 02 79

ÉMERAINVILLE **77** S.-et-M. 61 ②, 101 ㉙ – voir à Paris, Environs (Marne-la-Vallée).

ÉMERINGES **69840** Rhône 74 ① – 182 h alt. 353.

Paris 411 – Mâcon 19 – Chauffailles 45 – ◆Lyon 66.

XX **Les Vignerons,** ✆ 74 04 45 72, Fax 74 04 48 96, ☂ – ▤. GB
fermé 15 au 31 janv., lundi soir, mardi et merc. – **Repas** (nombre de couverts limité, prévenir
250.

ENCAMP 86 ⑭ – voir à Andorre (Principauté d').

NCAUSSE-LES-THERMES 31160 H.-Gar. 86 ① – 560 h alt. 362.
ris 790 – Bagnères-de-Luchon 38 – St-Gaudens 9 – St-Girons 42 – Sauveterre-de-Comminges 8,5 – ◆Toulouse 94.

XX **Marronniers** avec ch, ✆ 61 89 17 12, – P. GB
fermé dim. soir et lundi hors sais. et hôtel : fermé 15 nov. au 31 mars ; rest : fermé 2 janv. au 1er fév. – **Repas** 69/160 – ☕ 32 – **10 ch** 145/165 – ½ P 170.

NGHIEN-LES-BAINS 95 Val-d'Oise 55 ⑳, 101 ⑤ – voir à Paris, Environs.

NGLOS 59 Nord 51 ⑮, 111 ㉑ – rattaché à Lille.

NNEZAT 63720 P.-de-D. 73 ④ **G. Auvergne** – 1 915 h alt. 320.
oir Église★.
ris 417 – ◆Clermont Ferrand 20 – Lezoux 18 – Riom 9 – Thiers 33 – Vichy 34.

Hure d'Argent, 5 r. Horloge ✆ 73 63 80 39, Fax 73 63 96 47 – TV ☎. AE GB
Repas 58 (déj.), 85/140 ♁, enf. 50 – ☕ 27 – **14 ch** 200/275.

NSISHEIM 68190 H.-Rhin 66 ⑩ **G. Alsace Lorraine** – 6 164 h alt. 217.
nv. Ecomusée d'Alsace★★ SO : 9 km.
aris 484 – ◆Mulhouse 17 – Colmar 26 – Guebwiller 13 – Thann 23.

XXX **La Couronne** avec ch, 47 r. 1e Armée Française ✆ 89 81 03 72, Fax 89 26 40 05, « Maison du 17e siècle » – TV ☎ P. AE GB
fermé 5 au 19 août, sam. midi, dim. soir et lundi – **Repas** 205/395 et carte 330 à 410 - ***Le Thaler*** *(fermé le midi et dim)* **Repas** carte environ 170 ♁ – ☕ 42 – **10 ch** 280/650.

EUGEOT Gar. Wadel, rte de Wittenheim ✆ 89 81 00 11

NTRAIGUES-SUR-LA-SORGUE 84 Vaucluse 81 ⑫ – rattaché à Sorgues.

NTRAYGUES-SUR-TRUYÈRE 12140 Aveyron 76 ⑫ **G. Gorges du Tarn** (plan) – 1 495 h alt. 236.
'oir Pont gothique★ – Rue Basse★.
nv. SE : Gorges du Lot★★ – Barrage de Couesque★ N : 8 km.
Office de Tourisme Tour-de-Ville ✆ 65 44 56 10.
aris 603 – Aurillac 46 – Rodez 47 – Figeac 61 – St-Flour 93.

Truyère, ✆ 65 44 51 10, Fax 65 44 57 78, ←, – ☎ P. GB. rest
1er avril-15 nov. – **Repas** *(fermé lundi)* 65/195 ♁, enf. 48 – ☕ 43 – **25 ch** 170/285 – ½ P 255/298.

au Fel O : 10 km par D 107 et D 573 – ✉ **12140** Entraygues-sur-Truyère :

Aub. du Fel, ✆ 65 44 52 30, – ☎ P. GB
1er avril-24 nov. – **Repas** 68/190 ♁ – ☕ 32 – **11 ch** 200/275 – ½ P 205/245.

RENAULT Gar. Marty, 21 av. Pont-de-Truyère ✆ 65 44 51 14

NTRECHAUX 84 Vaucluse 81 ③ – rattaché à Vaison-la-Romaine.

NTZHEIM 67 B.-Rhin 87 ⑤ – rattaché à Strasbourg.

NVEITG 66 Pyr.-Or. 86 ⑯ – 545 h alt. 1260 – ✉ **66760** Bourg-Madame.
'aris 873 – Font-Romeu-Odeillo-Via 18 – Andorra-la-Vella 59 – Ax-les-Thermes 38 – ◆Perpignan 105.

Transpyrénéen, ✆ 68 04 81 05, Fax 68 04 83 75, ←, – TV ☎ P. AE GB
hôtel : 1er mai-30 sept., 25 déc.-10 janv. et 10 fév.-20 avril ; rest. : 1er mai-30 sept. et 10 fév.-20 avril – **Repas** 75/160, enf. 50 – ☕ 38 – **30 ch** 190/290 – ½ P 250/290.

ÉPERNAY SP 51200 Marne 56 ⑯ **G. Champagne** – 26 682 h alt. 75.
/oir Caves de Champagne★★ BYZ – Collection archéologique★ du musée municipal BY **M** – Côte des Blancs★ par ③.
Office de Tourisme 7 av. de Champagne ✆ 26 55 33 00, Fax 26 51 95 22.
'aris 143 ④ – ◆Reims 25 ① – Châlons-en-Champagne 34 ② – Château-Thierry 49 ④ – Meaux 96 ③ – Soissons 71 ① – Troyes 110 ③.

Plan page suivante

Berceaux, 13 r. Berceaux ✆ 26 55 28 84, Fax 26 55 10 36 – rest TV ☎. AE GB AZ **a**
Repas *(fermé 19 fév. au 7 mars et dim. soir)* 90 (déj.), 140/320, enf. 60 – ☕ 40 – **29 ch** 320/430 – ½ P 390.

Ibis, 19 r. Chocatelle ✆ 26 55 34 34, Fax 26 55 41 72 – TV ☎ AE GB AZ **e**
Repas 99 bc, enf. 39 – ☕ 36 – **64 ch** 290.

Climat de France, r. Lorraine par ② : 1 km ✆ 26 54 17 39, Fax 26 51 88 78, – TV ☎ P. – 25. AE GB
Repas 85/105 ♁, enf. 39 – ☕ 35 – **33 ch** 280.

St Pierre sans rest, 14 av. P. Chandon ✆ 26 54 40 80 – TV ☎. GB AZ **s**
fermé vacances de fév. – ☕ 27 – **15 ch** 113/200.

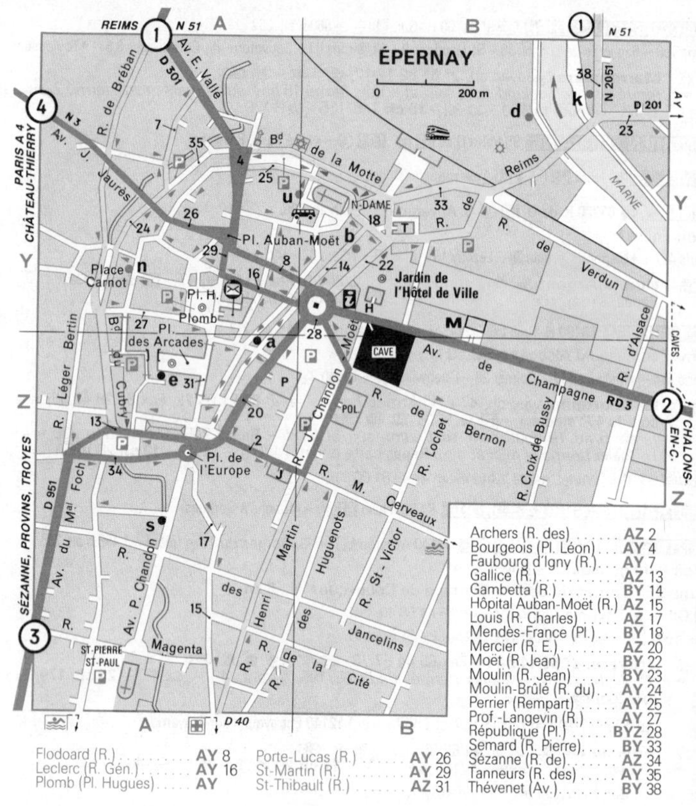

Archers (R. des) . . . . . . AZ 2
Bourgeois (Pl. Léon) . . . AY 4
Faubourg d'Igny (R.) . . . AY 7
Gallice (R.) . . . . AZ 13
Gambetta (R.) . . . . BY 14
Hôpital Auban-Moët (R.) AZ 15
Louis (R. Charles) . . . . . AZ 17
Mendès-France (Pl.) . . . BY 18
Mercier (R. E.) . . . . AZ 20
Moët (R. Jean) . . . . BY 22
Moulin (R. Jean) . . . . . . BY 23
Moulin-Brûlé (R. du) . . . AY 24
Perrier (Rempart) . . . . . AY 25
Prof.-Langevin (R.) . . . . AY 27
République (Pl.) . . . . . BYZ 28
Semard (R. Pierre) . . . . . BY 33
Sézanne (R. de) . . . . AZ 34
Tanneurs (R. des) . . . . . AY 35
Thévenet (Av.) . . . . BY 38

Flodoard (R.) . . . . AY 8
Leclerc (R. Gén.) . . . . AY 16
Plomb (Pl. Hugues) . . . . . AY
Porte-Lucas (R.) . . . . AY 26
St-Martin (R.) . . . . AY 29
St-Thibault (R.) . . . . AZ 31

XX **Chez Pierrot,** 16 r. Fauvette ☎ 26 55 16 93, Fax 26 54 51 30 – ▤. GB AY
fermé 1er au 19 août, sam. midi, dim. et fériés – **Repas** 120.

X **Au Petit Comptoir,** 3 r. Dr Rousseau ☎ 26 51 53 53, Fax 26 58 42 68 – ▤. AE GB
fermé 10 au 26 août, 21 déc. au 13 janv., dim. soir et lundi – **Repas** 125/190. ABY u

X **La Cave à Champagne,** 16 r. Gambetta ☎ 26 55 50 70, Fax 26 51 07 24 – ▤. GB
fermé mardi d'avril à oct. et dim. de nov. à mars – **Repas** (nombre de couverts limité prévenir) 69/130 ₰. BY b

X **La Terrasse,** 7 quai Marne ☎ 26 55 26 05, Fax 26 55 33 79 – AE GB BY d
fermé 22 au 30 déc., dim. soir et lundi – **Repas** 90/260 ₰, enf. 50.

X **Chez Max,** 13 av. A. A. Thévenet (à Magenta) ☎ 26 55 23 59 – ▤. AE ◑ GB BY k
fermé 5 au 25 août, 3 au 17 janv., dim. soir et lundi – **Repas** 91/145 ₰, enf. 45.

à Champillon par ① : 6 km – 533 h. alt. 210 – ✉ **51160** :

Royal Champagne M ⛰, N 2051 ☎ 26 52 87 11, Télex 830111, Fax 26 52 89 69, ≤ Épernay, vignoble et vallée de la Marne, – TV ☎ – P – 30. AE ◑ GB
Repas 190 (déj.), 275/360 et carte 330 à 460 – ☕ 85 – **27 ch** 870/1350, 3 appart – ½ P 865/1030
Spéc. Feuilleté d'escargots. Poulet de Bresse en croûte de fleur de sel. Médaillon de lièvre à la royale (nov. et déc.). Vins Cumières.

rte de Reims par ① : 8 km – ✉ **51160** St-Imoges :

XX **Maison du Vigneron,** N 51 ☎ 26 52 88 00, Fax 26 52 86 03 – P. AE ◑ GB
fermé vacances de fév. et merc. – **Repas** 120/270.

à Vinay par ③ : 6 km – 489 h. alt. 102 – ✉ **51530** :

Host. La Briqueterie M, rte. de Sézanne ☎ 26 59 99 99, Fax 26 59 92 10, ⛹, ⛳, – TV ☎ ♿ – P – 30. AE GB
fermé 22 au 27 déc. – **Repas** 135 (déj.), 345/410, enf. 110 – ☕ 75 – **40 ch** 620/870.

rte de Château-Thierry par ④ : 7 km – ✉ **51480** :

✗ **Aub. de la Chaussée** avec ch, La Chaussée de Damery sur N 3 ✆ 26 58 40 66 – ☎ 🅿. GB
fermé 23 août au 12 sept., 20 au 27 fév. et lundi soir – **Repas** 65/135 ♁, enf. 40 – ☕ 25 – **9 ch** 120/200 – ½ P 160/200.

TROEN Gar. Ardon, rte de Reims à Dizy par N 51 BY ✆ 26 55 58 11
AT, LANCIA Magenta-Automobiles, 64 av. évenet à Magenta BY ✆ 26 51 04 56
RD Gar. Rebeyrolle, 7 quai Villa ✆ 26 55 59 65
ERCEDES, TOYOTA Gar. Ténédor, 1 pl. Martyrs-sistance ✆ 26 51 97 77

PEUGEOT Gar. Beuzelin, 71 av. Thévenet à Magenta BY ✆ 26 51 10 66
RENAULT Automotor, 100 av. Thévenet à Magenta par N 2051 ✆ 26 55 67 11 🅽 ✆ 07 57 50 02

Euromaster, 94 av. A.-Thévenet à Magenta ✆ 26 55 27 47

PINAL 🅿 **88000** Vosges 62 ⑯ **G. Alsace Lorraine** – 36 732 h alt. 324.

oir Vieille ville★ : Basilique★ – Parc du château★ – Musée départemental d'art ancien et ntemporain★.

✆ 29 34 65 97, par ② à 3 km du centre.

Office de Tourisme 13 r. Comédie ✆ 29 82 53 32, Fax 29 35 26 16 – Automobile Club av. du Gén.-de-Gaulle 29 35 29 67.

ris 393 ⑥ – Belfort 96 ④ – Colmar 93 ③ – ♦Mulhouse 106 ③ – ♦Nancy 71 ① – Vesoul 89 ③.

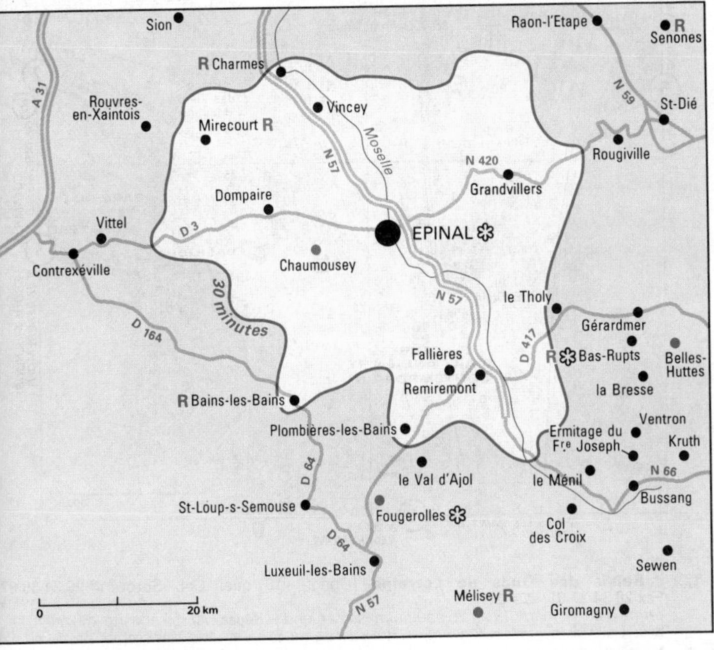

Mercure, 13 pl. E. Stein ✆ 29 35 18 68, Télex 960277, Fax 29 35 12 11 – |‡| ⇹ TV ☎ ✆ ♿ – 🏛 30 à 100. AE ⓓ GB — AZ **e**
Repas 99 ♁, enf. 48 – ☕ 55 – **46 ch** 330/430.

Ariane H. sans rest, 12 av. Gén. de Gaulle ✆ 29 82 10 74, Fax 29 35 35 14 – TV ☎ 🚗. AE ⓓ GB — AY **b**
fermé 23 déc. au 2 janv. – ☕ 38 – **45 ch** 285/315.

Ibis, quai Mar. de Contades ✆ 29 64 28 28, Télex 850053, Fax 29 35 37 88 – |‡| ⇹ ▤ rest TV ☎ ✆ ♿ 🚗 – 🏛 30 à 50. AE ⓓ GB — BY **d**
Repas 99 bc, enf. 39 – ☕ 36 – **60 ch** 290/320.

Azur sans rest, 54 quai Bons Enfants ✆ 29 64 05 25, Fax 29 64 00 40 – ⇹ TV ☎. AE ⓓ GB — AZ **r**
☕ 32 – **20 ch** 140/290.

ÉPINAL

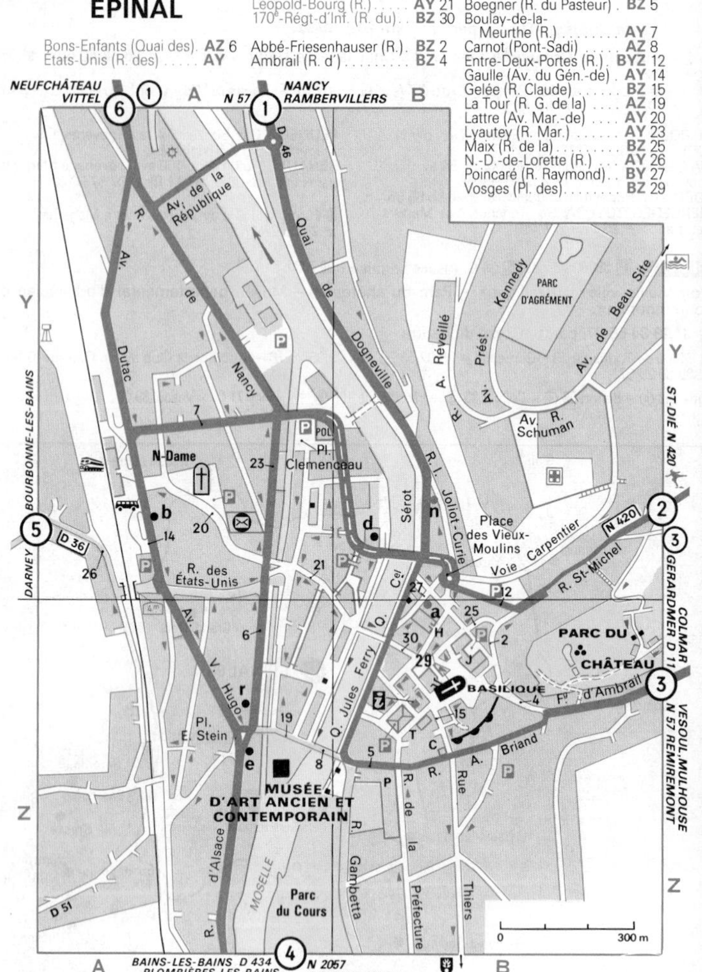

XXX ❀ **Relais des Ducs de Lorraine** (Obriot), 16 quai Col. Sérot ✆ 29 34 39 87, Fax 29 34 27 61 – AE GB BY **n**
fermé 5 au 10 mars, 13 au 26 août, dim. soir et lundi – **Repas** 175/365 et carte 260 à 440
Spéc. Croustillant d'anguille et de grenouilles. Steack de lapereau. Soufflé mirabelle. **Vins** Pinot noir, Gris de Toul.

XX **Le Petit Robinson,** 24 r. R. Poincaré ✆ 29 34 23 51, Fax 29 31 27 17 – AE GB BZ **a**
fermé 15 juil. au 15 août, sam. midi et dim. – **Repas** 98/180 ♁, enf. 60.

par ① : 3 km – ✉ **88000** Épinal :

La Fayette M, parc économique Le Saut Le Cerf ✆ 29 31 15 15, Fax 29 31 07 08, ☂, ⚖, ✂ – ✈ ▤ TV ☎ ✆ ♿ ⇔ P – ⚑ 50. AE ⓓ GB
Repas 110/270 – ▭ 48 – **48 ch** 415/550 – ½ P 360.

Campanile, Bois Voivre ✆ 29 31 38 38, Fax 29 34 71 65, ☂ – ✈ TV ☎ ✆ ♿ P – ⚑ 30. AE ⓓ GB
Repas 84 bc/107 bc, enf. 39 – ▭ 32 – **43 ch** 270.

à Chaumousey par ⑤ et D 460 : 10 km – 756 h. alt. 360 – ✉ **88390** :

XX **Le Calmosien,** ✆ 29 66 80 77, Fax 29 66 89 41, ☂ – GB
fermé dim. soir – **Repas** 115/290, enf. 50.

LFA ROMEO Prestige Automobile, Zone Ciale le é Droué à Chavelot ✆ 29 31 92 54
MW Pré Droué, r. Barry, pôle d'Activité du Pré oué à Chavelot ✆ 29 31 35 34 N ✆ 29 34 55 54
ITROEN Gar. Anotin, av. de St-Dié par ② 29 31 93 94 N ✆ 29 34 55 54
ORD Gds Gar. Spinaliens, 17 r. Mar.-Lyautey 29 82 47 47

PEUGEOT Epinal-Autom. Theiller, 91 r. d'Alsace AZ ✆ 29 82 05 94
RENAULT SODISEP, 50, av. de St-Dié par ② ✆ 29 68 44 44 N ✆ 29 64 54 51

Malnoy-Pneus - Point S, 13 av. Fontenelle ✆ 29 82 22 93

ÉPINAY-SUR-SEINE 93 Seine-St-Denis 56 ⑪, 101 ⑮ – voir à Paris, Environs.

L'ÉPINE 51 Marne 56 ⑱ – rattaché à Châlons-en-Champagne.

L'ÉPINE 85 Vendée 67 ① – voir à Noirmoutier (Ile de).

ÉPINEAU-LES-VOVES 89 Yonne 65 ④ – rattaché à Joigny.

ÉQUEURDREVILLE-HAINNEVILLE 50 Manche 54 ① – rattaché à Cherbourg.

ERBALUNGA 2B H.-Corse 90 ② – voir à Corse.

ERDEVEN 56410 Morbihan 63 ① – 2 352 h alt. 18.

Paris 489 – Vannes 37 – Auray 18 – Carnac 8,5 – Lorient 27 – Quiberon 21 – Quimperlé 48.

Voyageurs, r. Océan ✆ 97 55 64 47, Fax 97 55 64 24 – ☎ P. GB
1er avril-30 sept. et fermé mardi hors sais. – **Repas** 58/150 ♨, enf. 40 – ☕ 33 – **20 ch** 190/285 – ½ P 230/285.

ERGAL 78 Yvelines 60 ⑨, 106 ⑯ ㉘ – rattaché à Pontchatrain.

ERMENONVILLE 60950 Oise 56 ⑫ 106 ⑨ **G. Ile de France** – 782 h alt. 92.

Voir Parc★ – Forêt d'Ermenonville★ – Abbaye de Chaalis★ N : 3 km – Clocher★ de l'église de Montagny-Ste-Félicité E : 4 km.

Paris 50 – Compiègne 42 – Beauvais 65 – Meaux 24 – Senlis 13 – Villers-Cotterêts 36.

Château d'Ermenonville 🐦, ✆ 44 54 00 26, Fax 44 54 01 00, ←, 🏞, « Château du 18e siècle dans un parc » – |₿| ☎ ♿ P – 🏛 60. AE ① GB
Repas 145 (déj.), 190/490 bc – ☕ 75 – **55 ch** 390/1220, 5 appart – ½ P 750/830.

Le Prieuré sans rest, ✆ 44 54 00 44, Fax 44 54 02 21, « Demeure du 18e siècle, jardin » – TV ☎ P. AE ① GB JCB
fermé fév. – ☕ 50 – **11 ch** 450/600.

à Ver-sur-Launette S : 3 km par D 84 – 825 h. alt. 85 – ✉ **60950** :

Rabelais, ✆ 44 54 01 70, Fax 44 54 05 20 – AE GB
fermé 1er au 13 août, dim. soir et merc. – **Repas** 145/300, enf. 100.

ERMITAGE DU FRÈRE JOSEPH 88 Vosges 62 ⑰ – rattaché à Ventron.

ERNÉE 53500 Mayenne 59 ⑲ **G. Normandie Cotentin** – 6 052 h alt. 120.

Office de Tourisme, Bureau d'accueil, pl. Mairie (saison) ✆ 43 05 21 10.

Paris 303 – Domfront 46 – Fougères 20 – Laval 30 – Mayenne 25 – Vitré 29.

Grand Cerf avec ch, 19 r. A.-Briand ✆ 43 05 13 09, Fax 43 05 02 90 – TV ☎ 📞. AE GB. ✂ ch
fermé 15 au 31 janv., dim. soir et lundi hors sais. – **Repas** 108/148, enf. 70 – ☕ 35 – **8 ch** 195/230 – ½ P 280/320.

CITROEN Gar. Lory, 14 bd Duvivier ✆ 43 05 11 89 N ✆ 43 05 11 89

PEUGEOT Gar. Vele, 31 rte de laval ✆ 43 05 17 14

ERQUY 22430 C.-d'Armor 59 ④ **G. Bretagne** – 3 568 h alt. 12.

Voir Cap d'Erquy ★ NO : 3,5 km puis 30 mn.

Office de Tourisme bd de la Mer ✆ 96 72 30 12, Fax 96 72 02 88.

Paris 455 – St-Brieuc 35 – Dinan 47 – Dinard 39 – Lamballe 23 – ◆Rennes 103.

Beauséjour, 21 r. Corniche ✆ 96 72 30 39, Fax 96 72 16 30 – ☎ ♿ P. GB
fermé 18 nov. au 3 déc. et lundi du 15 sept. au 15 mai – **Repas** 75/155, enf. 46 – ☕ 35 – **16 ch** 250/290 – ½ P 295/315.

L'Escurial, bd Mer ✆ 96 72 31 56, Fax 96 63 57 92, ← – GB. ✂
fermé 10 au 14 juin, 7 au 21 oct., vacances de fév., dim. soir et lundi sauf juil.-août – **Repas** 98/198 et carte 220 à 330, enf. 80.

Le Nelumbo, 5 r. Église ✆ 96 72 31 31, Fax 96 72 08 54, 🏞 – AE GB
fermé 14 au 27 nov., vacances de fév. et merc. hors sais. – **Repas** 72/180, enf. 40.

CITROEN Gar. Clerivet, ✆ 96 72 14 20
RENAULT Gar. Thomas, ✆ 96 72 30 37

Autoservice AD, ✆ 96 72 02 07

ERSTEIN 67150 B.-Rhin 62 ⑩ – 8 600 h alt. 150.

Paris 502 – ♦Strasbourg 22 – Colmar 48 – Molsheim 24 – St-Dié 67 – Sélestat 26.

Le Crystal M sans rest, av. Gare ✆ 88 98 89 12, Fax 88 98 11 29 – |‡| TV ☎ ♿ 🚗 P 25 à 50. AE GB. ✻
fermé dim. – ☕ 35 – **72 ch** 305/550.

XXX **Jean-Victor Kalt,** 41 av. Gare ✆ 88 98 09 54, Fax 88 98 83 01 – ▤ P. AE ⓓ GB JCB
fermé 29 juil. au 11 août, dim. soir et lundi – **Repas** 250/350 et carte 240 à 370.

CITROEN Gar. Fritsch, 39 av. de la Gare ✆ 88 98 89 00 N ✆ 88 98 89 00
RENAULT Gar. Fechter, 10 r. Gén.-de-Lattre ✆ 88 98 04 24 N ✆ 88 98 17 71
Gar. Louis, 3 rte de Lyon ✆ 88 98 07 13 N ✆ 88 98 07 13

ERVAUVILLE 45 Loiret 61 ⑬ – rattaché à Courtenay.

Les ESCALDES-ENGORDANY 86 ⑭ – voir à Andorre (Principauté d').

L'ESCRINET (Col de) 07 Ardèche 76 ⑲ – rattaché à Privas.

ESPALION 12500 Aveyron 80 ③ G. Gorges du Tarn (plan) – 4 614 h alt. 342.

Voir Église de Perse★ SE : 1 km – Chapelle romane★ de St-Pierre-de-Bessuéjouls O : 4 km par D 556.

Office de Tourisme à la Mairie ✆ 65 44 10 63, Fax 65 48 02 57.

Paris 601 – Rodez 32 – Aurillac 73 – Figeac 93 – Mende 102 – Millau 77 – St-Flour 83.

Moderne et rest. l'Eau Vive, bd Guizard ✆ 65 44 05 11, Fax 65 48 06 94 – |‡| ▤ rest ♿. GB
fermé 15 nov. au 5 déc., 1er au 15 janv, lundi (sauf hôtel) et dim. soir – **Repas** 80/280 enf. 50 – ☕ 40 – **28 ch** 250/340 – ½ P 260/290.

XX **Le Méjane,** r. Méjane ✆ 65 48 22 37 – ▤. AE ⓓ GB
fermé 24 au 28 juin, vacances de fév., dim. soir et merc. sauf août – **Repas** 115/260, enf. 6

CITROEN Gar. Cadars, av. de St-Côme ✆ 65 44 00 73 N ✆ 65 48 22 03

ESPELETTE 64250 Pyr.-Atl. 85 ③ G. Pyrénées Aquitaine – 1 661 h alt. 77.

Paris 793 – Biarritz 24 – ♦Bayonne 21 – Cambo-les-Bains 5,5 – Pau 120 – St-Jean-de-Luz 25.

Euzkadi, ✆ 59 93 91 88, Fax 59 93 90 19, 🏊, 🌳, ✻ – ☎ ♿ P. GB. ✻ ch
fermé 5 nov. au 15 déc., mardi hors sais. et lundi – **Repas** 90/170, enf. 60 – ☕ 38 – **32 c** 210/260 – ½ P 275.

ESPIAUBE 65 H.-Pyr. 85 ⑲ – rattaché à St-Lary-Soulan.

ESQUIÈZE-SÈRE 65 H.-Pyr. 85 ⑱ – rattaché à Luz-St-Sauveur.

ESTAING 12190 Aveyron 80 ③ G. Gorges du Tarn – 665 h alt. 313.

Syndicat d'Initiative à la Mairie (15 juin-15 sept.) ✆ 65 44 72 72.

Paris 603 – Rodez 41 – Aurillac 63 – Conques 40 – Espalion 10 – Figeac 78.

Aux Armes d'Estaing, ✆ 65 44 70 02, Fax 65 44 74 54 – ☎ 🚗. GB
fermé 13 au 31 janv. – **Repas** 68/155 🍷 – ☕ 28 – **40 ch** 145/250 – ½ P 180/220.

ESTAING 65400 H.-Pyr. 85 ⑰ G. Pyrénées Aquitaine – 86 h alt. 970.

Voir Lac d'Estaing★ S : 4 km.

Paris 838 – Pau 66 – Argelès-Gazost 11 – Arrens 6,5 – Laruns 42 – Lourdes 23 – Tarbes 43.

X **Lac d'Estaing** 🐌 avec ch, au Lac S : 4 km ✆ 62 97 06 25, ≤, 🌂 – P. GB
1er mai-15 oct. – **Repas** 85/160 – ☕ 30 – **8 ch** 165/195 – ½ P 200/210.

ESTÉRENÇUBY 64 Pyr.-Atl. 85 ③ – rattaché à St-Jean-Pied-de-Port.

ESTIVAREILLES 03 Allier 69 ⑫ – rattaché à Montluçon.

ESTRABLIN 38 Isère 74 ⑫ – rattaché à Vienne.

ESTRÉES-ST-DENIS 60190 Oise 52 ⑲ – 3 498 h alt. 70.

Paris 75 – Compiègne 15 – Beauvais 45 – Clermont 20 – Senlis 26.

XX **Moulin Brûlé,** 70 r. Flandres ✆ 44 41 97 10, Fax 44 41 00 75, 🌂, 🌳 – GB
fermé 1er au 20 fév., dim. soir et lundi – **Repas** 130/240.

ÉTAIN 55400 Meuse 57 ⑫ G. Alsace Lorraine – 3 577 h alt. 210.

Office de Tourisme, square Didion ✆ 29 87 20 80.

Paris 287 – ♦Metz 47 – Briey 25 – Longwy 46.

Sirène, r. Prud'homme-Havette ✆ 29 87 10 32, Fax 29 87 17 65, 🌂, ✻ – TV ☎ P. GB
fermé 23 déc. au 1er fév., dim. soir (sauf hôtel) et lundi hors sais. – **Repas** 65/250 🍷 – ☕ 30 – **24 ch** 190/210.

TAMPES ⟨SP⟩ **91150** Essonne **60** ⑩ **106** ㊷ **G. Ile de France** – 21 457 h alt. 80.

oir Cathédrale N.-Dame★ A.

de Belesbat ✆ (1) 69 23 19 10 à Boutigny-s-Essonne : 17 km par ②.

Office de Tourisme Hôtel Anne-de-Pisseleu ✆ (1) 69 92 69 00 et (1) 69 92 69 03.

ris 50 ① – Fontainebleau 45 ② – Chartres 60 ⑦ – Évry 35 ① – Melun 45 ② – ♦Orléans 71 ⑤ – Versailles 51 ①.

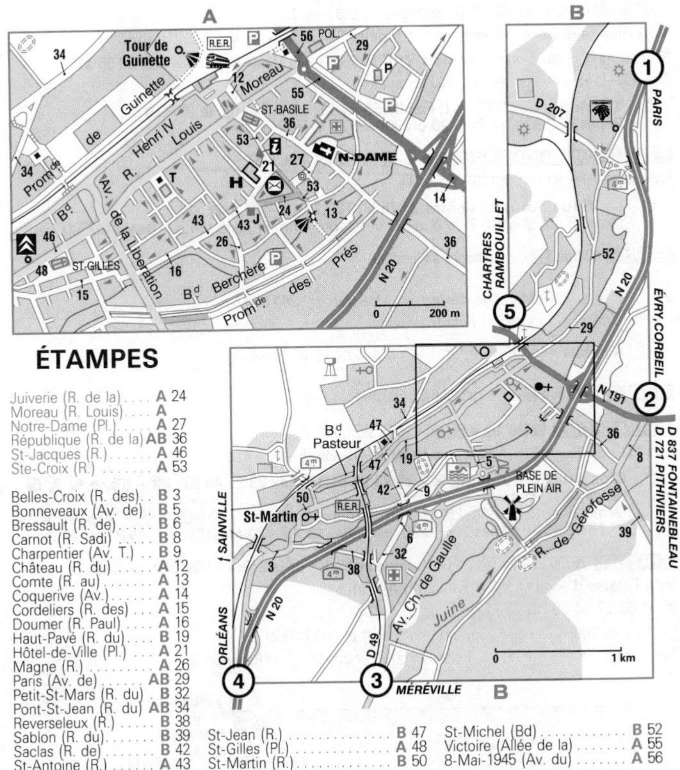

ÉTAMPES

Juiverie (R. de la) . . . . A 24
Moreau (R. Louis) . . . . A
Notre-Dame (Pl.) . . . . A 27
République (R. de la) AB 36
St-Jacques (R.) . . . . . . A 46
Ste-Croix (R.) . . . . A 53

Belles-Croix (R. des) . . B 3
Bonneveaux (Av. de) . B 5
Bressault (R. de) . . . . . B 6
Carnot (R. Sadi) . . . . . B 8
Charpentier (Av. T.) . . B 9
Château (R. du) . . . . . A 12
Comte (R. au) . . . . A 13
Coquerive (Av.) . . . . . . A 14
Cordeliers (R. des) . . . A 15
Doumer (R. Paul) . . . . A 16
Haut-Pavé (R. du) . . . . B 19
Hôtel-de-Ville (Pl.) . . . A 21
Magne (R.) . . . . A 26
Paris (Av. de) . . . . . . AB 29
Petit-St-Mars (R. du) . B 32
Pont-St-Jean (R. du) AB 34
Reverseleux (R.) . . . . . B 38
Sablon (R. du) . . . . B 39
Saclas (R. de) . . . . B 42
St-Antoine (R.) . . . . . . A 43
St-Jean (R.) . . . . B 47
St-Gilles (Pl.) . . . . A 48
St-Martin (R.) . . . . B 50
St-Michel (Bd) . . . . B 52
Victoire (Allée de la) . . . . A 55
8-Mai-1945 (Av. du) . . . . A 56

à Champigny N : 5 km par Morigny, D 17 et rte secondaire – ✉ **91150** Morigny-Champigny :

Host. de Villemartin ⛰, ✆ (1) 64 94 63 54, Fax (1) 64 94 24 68, ←, « Gentilhommière dans un parc », 🎾 – TV ☎ P – 🏃 30. AE ⓓ GB
fermé 29 juil. au 26 août, dim. soir et lundi sauf fériés – **Repas** 140/340 🍷 – ☕ 47 – **14 ch** 310/490 – ½ P 500.

à Ormoy-la-Rivière par ④ et rte secondaire : 5 km – 874 h. alt. 81 – ✉ **91150** :

Aub. du Vieux Chaudron, ✆ (1) 64 94 39 46, 🏖 – GB
fermé 19 août au 16 sept., dim. soir et lundi – **Repas** 98/195.

CITROEN Sté Ind. Autom., 146 r. St-Jacques ✆ (1) 64 94 01 81 **N** ✆ (1) 64 95 03 51
FORD G.D.S. Autom., ZI r. des Rochettes à Morigny-Champigny ✆ (1) 64 94 59 27
NISSAN M.G.C. Autos, N 20 à Morigny-Champigny ✆ (1) 69 92 93 16
PEUGEOT Gar. Auclert, 12 r. Rochettes à Morigny-Champigny ✆ (1) 69 92 12 60

RENAULT Gar. du Rempart, N 20 à Morigny-Champigny ✆ (1) 64 94 35 45 **N** ✆ (1) 05 05 15 15
ROVER Gar. St-Pierre, rte de Pithiviers ✆ (1) 64 94 90 00

Ⓟ Euromaster, ZI 9 r. Rochettes à Morigny-Champigny ✆ (1) 64 94 94 44

Ne prenez pas la route au hasard !
*3615 - 3617 MICHELIN vous apportent sur votre **Minitel** ou sur **fax** ses conseils routiers, hôteliers et touristiques.*

ÉTANG-SUR-ARROUX 71190 S.-et-L. 69 ⑦ – 1 835 h alt. 277.

Paris 307 – Chalon-sur-Saône 60 – Moulins 86 – Autun 17 – Decize 66 – Digoin 50 – Mâcon 112.

XX **Host. du Gourmet** avec ch, rte Toulon ☎ 85 82 20 88 – ☎. GB
fermé janv., dim. soir et lundi sauf juil.-août – **Repas** 75/240 – ☕ 35 – **12 ch** 150/205 – ½P 172/202.

RENAULT Gar. des Tuilleries, r. d'Autun ☎ 85 82 21 48 N ☎ 85 82 21 48

ETEL 56410 Morbihan 63 ① **G. Bretagne** – 2 318 h alt. 20.

Voir Rivière d'Etel★ – Site★ de la chapelle St-Cado N : 5 km puis 15 mn.

Syndicat d'Initiative pl. des Thoniers ☎ 97 55 23 80, à la Mairie (hors saison) ☎ 97 55 35 19.

Paris 492 – Vannes 37 – Lorient 26 – Quiberon 25.

Trianon, ☎ 97 55 32 41, Fax 97 55 44 71, – TV ☎ P. GB
Repas 85/190 – ☕ 50 – **20 ch** 300/450 – ½P 320/345.

ÉTOILE-SUR-RHÔNE 26800 Drôme 77 ⑫ – 3 504 h alt. 170.

Paris 575 – Valence 13 – Crest 16 – Privas 33.

XX **Le Vieux Four,** pl. Centre ☎ 75 60 72 21, – GB.
fermé 5 au 26 août, 2 au 8 janv., dim. soir, lundi et soirs fériés – **Repas** 95/300 ♿.

ÉTOUY 60 Oise 56 ① – rattaché à Clermont.

*Die auf den **Michelin-Karten** im Maßstab 1 : 200 000 rot unterstrichenen Orte sind in diesem Führer erwähnt.*

Nur eine neue Karte gibt Ihnen die aktuellsten Hinweise.

L'ÉTRAT 42 Loire 73 ⑲ – rattaché à St-Étienne.

ETRÉAUPONT 02580 Aisne 53 ⑯ – 966 h alt. 127.

Paris 182 – St-Quentin 51 – Avesnes-sur-Helpe 25 – Hirson 15 – Laon 42.

Clos du Montvinage, N 2 ☎ 23 97 91 10, Fax 23 97 48 92, – TV ☎ ♿ P – 40. AE GB. ch
fermé 6 au 22 août, 26 fév. au 4 mars, dim. soir et lundi midi – ***Aub. du Val de l'Oise*** ☎ 23 97 40 18 **Repas** 90bc/225, enf. 68 – ☕ 49 – **20 ch** 290/500 – ½P 310/420.

ÉTRETAT 76790 S.-Mar. 52 ⑪ **G. Normandie Vallée de la Seine** – 1 565 h alt. 8 – Casino A.

Voir Falaise d'Aval★★★ A – Falaise d'Amont★★ B.

18 ☎ 35 27 04 89 A.

Office de Tourisme pl. M.-Guillard (mars-oct.) ☎ 35 27 05 21.

Paris 211 ③ – ◆Le Havre 28 ④ – Bolbec 26 ③ – Fécamp 16 ② – ◆Rouen 88 ②.

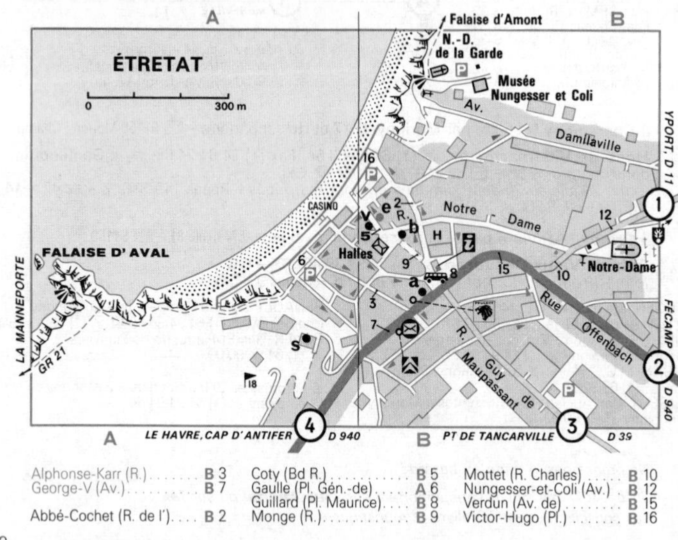

Alphonse-Karr (R.) .... B 3	Coty (Bd R.) .... B 5	Mottet (R. Charles) ...... B 10
George-V (Av.) .... B 7	Gaulle (Pl. Gén.-de) ..... A 6	Nungesser-et-Coli (Av.) . B 12
	Guillard (Pl. Maurice) .... B 8	Verdun (Av. de) .... B 15
Abbé-Cochet (R. de l') .... B 2	Monge (R.) .... B 9	Victor-Hugo (Pl.) .... B 16

Dormy House ⛰, rte Le Havre ✆ 35 27 07 88, Fax 35 29 86 19, ≤ falaise et mer, parc – TV ☎ P – 40. AE GB. rest — A s
fermé 3 janv. au 16 fév. – **Repas** 135 bc/240, enf. 90 – 50 – **51 ch** 320/650 – ½ P 350/480.

Falaises sans rest, bd R. Coty ✆ 35 27 02 77 – TV ☎ — B v
30 – **24 ch** 250/380.

Normandie, pl. Foch ✆ 35 27 06 99, Fax 35 27 69 51 – TV ☎. AE GB — B b
fermé 15 nov. au 20 déc. – **Repas** 98/239 – 35 – **17 ch** 220/350 – ½ P 235/300.

Poste, av. George V ✆ 35 27 01 34, Fax 35 27 76 28 – TV ☎. GB — B a
fermé janv., dim. soir et lundi hors sais. sauf vacances scolaires – **Repas** 85/135, enf. 45 – 30 – **17 ch** 200/250 – ½ P 240/265.

Galion, bd R. Coty ✆ 35 29 48 74 – GB — B e
fermé 1er au 31 déc., jeudi midi et merc. sauf vacances scolaires – **Repas** 118/226.

au Tilleul par ④ et D 940 : 3 km – 564 h. alt. 107 – ✉ 76790 Étretat :

St-Christophe M sans rest, ✆ 35 28 84 29, Fax 35 28 84 30 – TV ☎. GB.
35 – **21 ch** 290/330.

CITROEN Gar. Enz, ✆ 35 27 04 69

PEUGEOT Gar. Capron, ✆ 35 27 03 98

EU 76260 S.-Mar. 52 ⑤ G. Normandie Vallée de la Seine (plan) – 8 344 h alt. 19.

Voir Église Notre-Dame et St-Laurent★ – Mausolées★ dans la chapelle du Collège.

Office de Tourisme 41 r. P.-Bignon ✆ 35 86 04 68, Fax 35 50 16 03.

Paris 166 – ♦Amiens 71 – Abbeville 32 – Blangy-sur-Bresle 21 – Dieppe 31 – ♦Rouen 88 – Le Tréport 3.

Pavillon de Joinville ⛰, O : 1 km par D 1915 ✆ 35 50 52 52, Fax 35 50 27 37, parc, – TV ☎ P – 30 à 100. AE GB. rest
Repas *(fermé 17 nov. au 15 déc., 1er janv. au 30 mars, dim. soir et lundi de sept. à mai)* 100 (déj.), 195/350 – 90 – **23 ch** 570/880 – ½ P 533/920.

La Cour Carrée M sans rest, Le Briquet, SO : 2 km par rte Dieppe ✆ 35 50 60 60, Fax 35 50 60 61 – TV ☎ P – 90. AE GB
50 – **28 ch** 280/370.

Gare, 20 pl. Gare ✆ 35 86 16 64, Fax 35 50 86 25 – TV ☎ P. AE GB
fermé 18 août au 2 sept. et dim. soir – **Repas** 85/250 – 35 – **22 ch** 250/300 – ½ P 295.

CITROEN Gar. Amand, 18 pl. Gén.-de-Gaulle ✆ 35 86 00 89
PEUGEOT Gar. Laffille, rte de Mers ✆ 35 86 56 44
RENAULT Carrosserie Eudoise, ZI rte de Mers ✆ 35 86 11 44 N ✆ 35 86 38 50
Gar. Vassard, 22 r. des Belges ✆ 35 86 34 16 N ✆ 35 86 33 04

Comptoir du Caoutchouc, 91 r. Ch.-de-Gaulle à Gamaches (80) ✆ 22 26 11 23
Marsat Pneus, 7 r. des Belges ✆ 35 86 29 12

EUGÉNIE-LES-BAINS 40320 Landes 82 ① – 467 h alt. 65 – Stat. therm. (12 fév.-nov.).

Office de Tourisme (fév.-déc.) ✆ 58 51 13 16.

Paris 731 – Mont-de-Marsan 25 – Aire-sur-l'Adour 12 – Dax 68 – Orthez 53 – Pau 57.

✿✿✿ **Les Prés d'Eugénie** (Guérard) M ⛰, ✆ 58 05 06 07, Télex 540470, Fax 58 51 10 10, ≤, « Demeure du 19e siècle élégamment décorée - parc », – TV ☎ P – 50. AE GB.
fermé 2 déc. au 27 fév. – **Repas** (menus minceur, résidents seul.) 320 - ***rest. Michel Guérard*** (nbre de couverts limité-prévenir) *(fermé jeudi midi et merc. sauf du 12 juil. au 10 sept. et fériés)* **Repas** 390/690 et carte 460 à 610, enf. 100 – 110 – **28 ch** 1300/1500, 7 appart
Spéc. Oreiller moelleux de mousserons et morilles aux asperges. Dorade royale au plat. Trois sorbets servis "comme un jardin". **Vins** Tursan blanc, Côtes de Gascogne.

Le Couvent des Herbes M ⛰,, ≤, parc, « Ancien couvent du 18e siècle » – TV ☎ P. AE GB. rest
fermé 2 déc. au 27 fév. – **Repas** voir ***Les Prés d'Eugénie*** et rest. ***Michel Guérard*** – 110 – **5 ch** 1500/1700, 3 appart.

Maison Rose M ⛰ (voir aussi rest. Michel Guérard), ✆ 58 05 06 07, Fax 58 51 10 10, « Ambiance guesthouse », – cuisinette TV ☎ P. AE GB.
fermé 2 au 21 déc. et 5 janv. au 9 fév. – **Repas** (résidents seul.) – 70 – **27 ch** 470/580, 5 appart – P 600/780.

La Ferme aux Grives, ✆ 58 51 19 08, Fax 58 51 10 10, « Reconstitution d'une auberge de village », – P. GB
fermé 3 janv. au 8 fév., lundi soir et mardi du 11 sept. au 11 juil. sauf fériés – **Repas** 175.

Utilisez toujours les **cartes Michelin** récentes.
Pour une dépense minime vous aurez des informations sûres.

ÉVIAN-LES-BAINS **74500** H.-Savoie **70** ⑰ **G. Alpes du Nord** – 6 895 h alt. 370 – Stat. therm. – Casino B.

Voir Lac Léman★★★.

Royal Club Evian ✆ 50 75 46 66, SO : 2,5 km.

✆ 36 35 35 35.

Office de Tourisme pl. d'Allinges ✆ 50 75 04 26, Fax 50 75 61 08.

Paris 578 ③ – Thonon-les-Bains 9 ③ – Annecy 83 ③ – Chamonix-Mont-Blanc 108 ③ – Genève 46 ③ Montreux 37 ①.

ÉVIAN-LES-BAINS

Libération (Pl. de la) .... C 6
Nationale (Rue) .... B 9
Blonay (Q. Baron de) .... B
Dupas (Av. Gén.) .... A
Folliet (R. Gaspard) .... B 3
Gare (Av. de la) .... A
Grottes (Av. des) .... C 4
Jean-Jaurès (Bd) .... ABC
Larringes (Av. de) .... AB 5
Monnaie (R. de la) .... B 7
Narvik (Av. de) .... B 8
Neuvecelle (Av. de) C
Port (Pl. du) .... C 1
Sources (Av. des) .... B

Royal , ✆ 50 26 85 00, Télex 385759, Fax 50 75 61 00, ≤ lac et montagnes, , parc, , , , – – 50. AE GB JCB. rest C z
fermé début déc. à mi-fév. – ***Le Café Royal :*** **Repas** 340/380 – 95 – **127 ch** 1690/2980, 29 appart – ½ P 1220/1740.

La Verniaz et ses Chalets , rte Abondance ✆ 50 75 04 90, Fax 50 70 78 92, , parc, « Chalets isolés dans la verdure : jolie vue, », – . AE GB C q
fermé fin nov. à début fév. – **Repas** 210/330 – 75 – **34 ch** 800/1100, 5 chalets – ½ P 760/900.

Ermitage , ✆ 50 26 85 00, Télex 385759, Fax 50 75 61 00, ≤ lac et montagnes, , parc, , , – – 200. AE GB JCB. rest C a
fermé début déc. à mi-fév. – ***Le Gourmandin :*** **Repas** 170/340, enf. 60 – 90 – **87 ch** 1130/2800, 4 appart – ½ P 1040/1620.

Bourgogne, pl. Charles Cottet ✆ 50 75 01 05, Fax 50 75 04 05, – . AE GB JCB B d
fermé nov. à mi-déc. – **Repas** *(fermé dim. soir et lundi)* 135/295 - ***Brasserie :*** **Repas** 68/95, enf. 50 – 39 – **31 ch** 480/520 – ½ P 450.

Le Littoral M sans rest, quai Baron de Blonay ✆ 50 75 64 00, Fax 50 75 30 04, ≤, – . AE GB B e
fermé 19 janv. au 9 fév. – 39 – **30 ch** 410/510.

Savoy H. [M], 17 quai Ch. Besson ✆ 50 70 70 81, Fax 50 75 68 07, ≤ – |‡| ⇹ [TV] ☎ ♿. AE ⓓ GB JCB — B r
Repas 115 bc/245 bc – ☕ 55 – **24 ch** 500/650 – ½ P 550.

Bellevue, face au Port ✆ 50 75 01 13, Fax 50 75 17 77, ≤, 🌳 – |‡| [TV] ☎. AE ⓓ GB. ✻ rest — C f
15 mai-30 sept. – **Repas** 110/170 🍷 – ☕ 35 – **50 ch** 400/600 – ½ P 450.

France [M] sans rest, 59 r. Nationale ✆ 50 75 00 36, Fax 50 75 32 47, 🌳 – |‡| [TV] ☎ – 🏛 30. AE ⓓ GB — B a
fermé 24 nov. au 16 déc. – ☕ 30 – **46 ch** 350/420.

Continental sans rest, 65 r. Nationale ✆ 50 75 37 54, Fax 50 75 31 11 – |‡| ☎. AE ⓓ GB. ✻ — B m
☕ 30 – **34 ch** 270/330.

XXXX ✿ **La Toque Royale,** au Casino ✆ 50 75 03 78, Fax 50 75 48 40, ≤, 🏡 – ▤ [P]. AE ⓓ GB JCB. ✻ — B
fermé 5 au 26 janv. et dim. – **Repas** 160 (déj.), 240/550 et carte 320 à 450
Spéc. Bricelet d'agneau des Alpilles au jus d'ail vert. Epigrammes d'omble chevalier (janv. à mai). Palet royal amer au sirop des chartreux. **Vins** Roussette de Savoie, Mondeuse.

à Grande-Rive par ① : 2 km

Panorama, ✆ 50 75 14 50, Fax 50 75 59 12, ≤, 🌳 – [TV] ☎. AE GB
30 avril-1er oct. – **Repas** 72/170, enf. 50 – ☕ 35 – **29 ch** 330 – ½ P 250/290.

rte de Thollon par ② : 7 km – alt. 825 – ✉ **74500** Évian-les-Bains :

✿ **Les Prés Fleuris sur Evian** (Frossard) 🐦, ✆ 50 75 29 14, Fax 50 70 77 75, ≤ lac et montagnes, 🏡, parc – [TV] ☎ [P]. AE GB. ✻ rest
mi-mai-début oct. – **Repas** (nombre de couverts limité, prévenir) 280/420 et carte 360 à 540 – ☕ 100 – **12 ch** 950/1400 – ½ P 1200
Spéc. Fricassée de champignons des bois (saison). Omble chevalier beurre blanc. Volaille de Bresse à la crème d'estragon. **Vins** Marin, Ripaille.

IAT Impérial-Gar., 9 av. d'Abondance ✆ 50 75 01 90
ENAULT Gar. Sautenet, av. Gare ✆ 50 75 00 32
OVER Gar. Giroud, Petite-Rive à Maxilly-sur-éman ✆ 50 75 13 00
VAG Évian Automobiles, 18 bd Jean-Jaurès ✆ 50 75 13 99

ÉVISA **2A** Corse-du-Sud 90 ⑮ – voir à Corse.

ÉVREUX

[P] **27000** Eure 55 ⑯ ⑰ **G. Normandie Vallée de la Seine** – 49 103 h alt. 64.

Voir Cathédrale★ BZ – Châsse★★ dans l'église St-Taurin AZ – Musée★★ BZ **M.**

✆ 32 39 66 22 à l'hippodrome, 3 km par ④.

Office de Tourisme 1 pl. Gén-de-Gaulle ✆ 32 24 04 43, Fax 32 31 28 45 – A.C.O. 6 r. Borville-Dupuis ✆ 32 33 03 84.

Paris 102 ② – ♦Rouen 53 ① – Alençon 116 ③ – Beauvais 99 ② – ♦Caen 130 ④ – Chartres 77 ③ – ♦Le Havre 120 ④ – Lisieux 73 ④.

Plan page suivante

Mercure [M], bd Normandie ✆ 32 38 77 77, Télex 770495, Fax 32 39 04 53 – |‡| ⇹ ▤ [TV] ☎ ✆ ♿ 🚗 [P] – 🏛 90. AE ⓓ GB — AZ s
Repas 95 🍷, enf. 39 – ☕ 50 – **60 ch** 390.

L'Orme [M] sans rest, 13 r. Lombards ✆ 32 39 34 12, Fax 32 33 62 48 – |‡| [TV] ☎ ✆ ♿ – 🏛 40. AE GB — BY t
☕ 35 – **41 ch** 270/370.

Normandy, 37 r. E. Feray ✆ 32 33 14 40, Fax 32 31 24 74 – [TV] ☎ [P] – 🏛 40. AE GB
Repas *(fermé 11 au 25 août et dim. sauf fêtes)* 92/168 🍷 – ☕ 38 – **24 ch** 280/380 – ½ P 280/340. — BY n

Hospitel [M], 4 r. Buzot ✆ 32 29 45 00, Fax 32 33 42 40, 🏋 – |‡| ⇹ [TV] ☎ ♿ 🚗 [P] – 🏛 100. AE GB — BY k
Repas *(fermé sam. et dim.)* 60/120 bc – ☕ 29 – **70 ch** 300/350 – ½ P 215.

XXX **France** avec ch, 29 r. St-Thomas ✆ 32 39 09 25, Fax 32 38 38 56 – [TV] ☎ ✆. ⓓ GB. ✻ ch — AY e
Repas *(fermé dim. soir et lundi)* 145/190 – ☕ 35 – **15 ch** 260/330 – ½ P 285.

XX **Vieille Gabelle,** 3 r. Vieille Gabelle ✆ 32 39 77 13 – AE GB — BY s
fermé dim. soir et lundi – **Repas** 69/250.

XX **Le Français,** pl. Clemenceau (marché) ✆ 32 33 53 60, Fax 32 38 60 17 – AE ⓓ GB
fermé 25 déc. au 1er janv. – **Repas** 69/129 🍷, enf. 39. — ABY r

XX **Michel Thomas,** 87 r. Joséphine ✆ 32 33 05 70 – AE GB — AZ u
(fermé dim.) – **Repas** 135 🍷.

X **Le Bretagne,** 3 r. St-Louis ✆ 32 39 27 38, Fax 32 39 62 63 – AE ⓓ GB — BY v
fermé 1er au 14 août, merc. soir et lundi – **Repas** 56 (déj.), 72/160 🍷, enf. 42.

X **La Gazette,** 7 r. St-Sauveur ✆ 32 33 43 40 – AE GB JCB — AY f
fermé dim. soir et lundi – **Repas** 100/140.

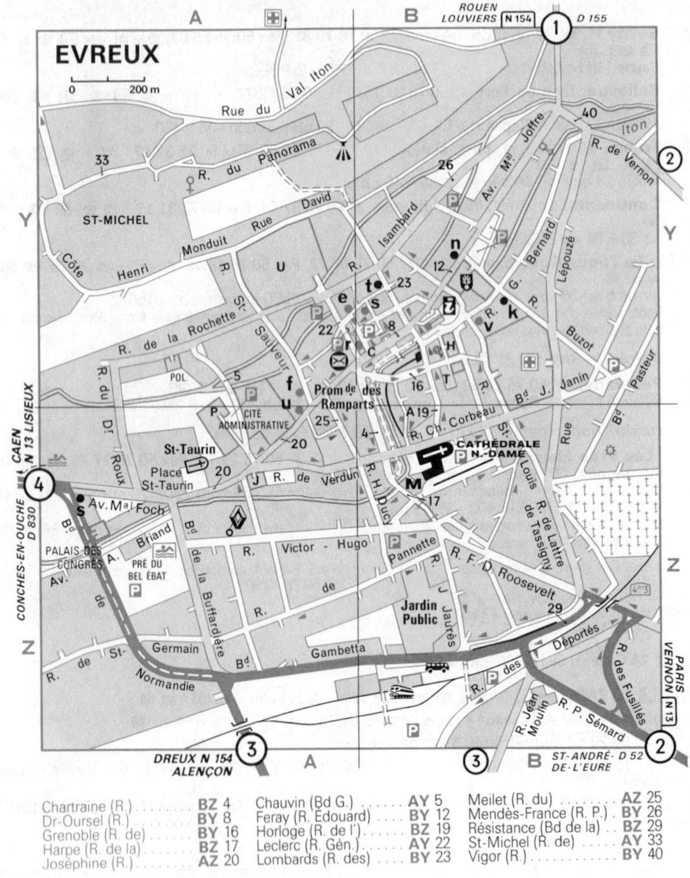

Chartraine (R.) . . . . BZ 4
Dr-Oursel (R.) . . . . BY 8
Grenoble (R. de) . . . . BY 16
Harpe (R. de la) . . . . BZ 17
Joséphine (R.) . . . . AZ 20

Chauvin (Bd G.) . . . . . . AY 5
Feray (R. Édouard) . . . . BY 12
Horloge (R. de l') . . . . . . BZ 19
Leclerc (R. Gén.) . . . . . . AY 22
Lombards (R. des) . . . . BY 23

Meilet (R. du) . . . . AZ 25
Mendès-France (R. P.) . BY 26
Résistance (Bd de la) . . BZ 29
St-Michel (R. de) . . . . . AY 33
Vigor (R.) . . . . BY 40

à Parville par ④ : 4 km – 340 h. alt. 130 – ✉ **27180** :

XXX ⚘ **Aub. de Parville,** rte Lisieux ☎ 32 39 36 63, Fax 32 33 22 76, ⌂ – P. AE GB
fermé dim. soir et lundi – **Repas** 135/285 et carte 260 à 370
Spéc. Gaspacho de langoustines et mousse de courgette. Rougets barbets, confit niçois, tapenade d'olives. Agneau en croûte de sel au romarin, croustillant d'abats.

BMW, NISSAN Gar. du Stade, r. Gay Lussac-ZI 1 ☎ 32 33 44 50 N ☎ 05 00 16 24
CITROEN Succursale, 81 rte d'orléans par r. Jean Moulin BZ ☎ 32 23 35 49 N ☎ 32 23 10 24
FIAT, CHRYSLER, TOYOTA Normandy Gar., N 154 rte de Dreux à Angerville-la-Campagne ☎ 32 28 81 31
FORD Gar. Hôtel de Ville, 4 r. G.-Bernard ☎ 32 39 58 63
MERCEDES A.M.E., à Angerville ☎ 32 28 27 45

PEUGEOT Gar. de l'Ouest, N 154 Caer à Normanville par ① ☎ 32 29 17 18 N ☎ 05 44 24 24
RENAULT Succursale, 2 r. Jacquard, ZI n° 2 par ③ ☎ 32 23 32 32 N ☎ 32 31 93 85
Gar. Carrère, 16 bis r. Lepouze ☎ 32 39 33 49

Marsat-Pneus, 54 av. Foch ☎ 32 33 42 43
Sube Pneurama-Point S, 1 r. Cocherel ☎ 32 39 09 86

ÉVRON 53600 Mayenne 60 ⑪ G. Normandie Cotentin – 6 904 h alt. 114.

Voir Basilique★ : chapelle N.-D.-de l'Épine★★.

Office de Tourisme pl. Basilique ☎ 43 01 63 75.

Paris 256 – ◆Le Mans 57 – Alençon 56 – La Ferté-Bernard 107 – La Flèche 67 – Laval 34 – Mayenne 24.

Gare, pl. Gare ☎ 43 01 60 29, Fax 43 37 26 53 – TV ☎. GB
Repas *(fermé dim.)* 80/155, enf. 50 – ☕ 30 – **8 ch** 219/242 – ½ P 238/251.

à Mézangers NO : 7 km par rte Mayenne – 555 h. alt. 115 – ✉ 53600.
Voir Château du Rocher★ 30 mn.

Relais du Gué de Selle, ✆ 43 90 64 05, Fax 43 90 60 82, – TV ☎ ♿ P – 80. AE GB
fermé 23 déc. au 8 janv., 15 fév. au 3 mars, dim. soir et lundi d'oct. à avril – **Repas** 100/250, enf. 42 – ☕ 44 – **25 ch** 298/475, 7 duplex – ½ P 255/340.

ÉVRY CORBEIL-ESSONNES 91 Essonne 61 ① 106 ㉜ 101 ㊲.

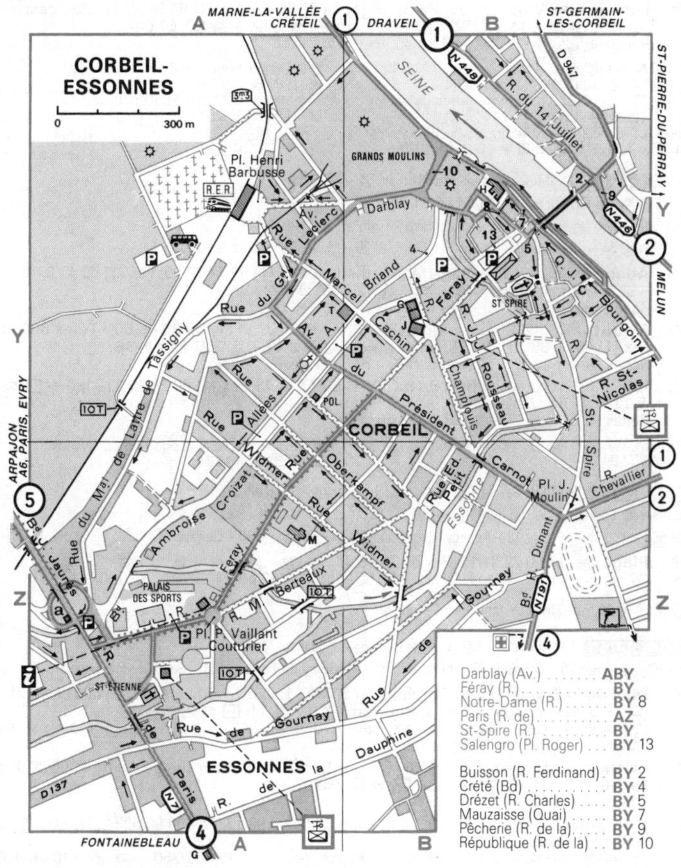

Corbeil-Essonnes 91 – 40 345 h alt. 37 – ✉ 91100.

St-Pierre-du-Perray ✆ (1) 60 75 17 47, NE : 5 km ; Green-Parc à St-Pierre-du-Perray ✆ (1) 60 75 40 60.

Office de Tourisme 4 pl. Vaillant-Couturier ✆ (1) 64 96 23 97.

Paris 39 – Fontainebleau 32 – Chartres 85 – Créteil 25 – Étampes 41 – Melun 18 – Versailles 44.

Campanile, par ⑤ et D 26 rte de Lisses : 1,5 km - av. P. Maintenant ✆ (1) 60 89 41 45, Fax (1) 60 88 17 74, – TV ☎ ♿ P – 25. AE GB
Repas 84 bc/107 bc, enf. 39 – ☕ 32 – **78 ch** 270.

XXX **Aux Armes de France** avec ch, 1 bd J. Jaurès ✆ (1) 64 96 24 04, Fax (1) 60 88 04 00 – rest TV ☎ P. AE GB JCB AZ **a**
fermé août – **Repas** *(fermé dim. soir)* 120/335 et carte 280 à 390 – ☕ 32 – **11 ch** 170/210 – ½ P 257.

au Coudray-Montceaux SE : 5 km par bord de Seine – 2 494 h. alt. 81 – ✉ **91830** :

Mercure M, rte Milly-la-Forêt sur D 948 : 1 km ✆ (1) 64 99 00 00, Télex 60369 Fax (1) 64 93 95 55, « Parc avec aménagements sportifs », – – 100. AE GB
Repas carte 150 à 210, enf. 50 – 60 – **125 ch** 595.

Aub. du Barrage, par bord de Seine - 40 ch. Halage ✆ (1) 64 93 81 16, Fa (1) 69 90 41 32, ≤, – AE GB JCB
fermé 2 au 12 mars, 15 oct. au 15 nov., dim. soir et lundi – **Repas** 145/275.

à Lisses par ⑤, D 26 et D 153 : 4 km – 6 860 h. alt. 86 – ✉ **91090** :

Léonard de Vinci M, av. Parcs ✆ (1) 64 97 66 77, Fax (1) 64 97 59 21, , centre d balnéothérapie, – rest – 50. AE GB
Repas 98/220 – 50 – **76 ch** 450/500 – ½ P 300.

CITROEN Evry-Corbeil Auto, 33 av. du 8 Mai 45 ✆ (1) 60 89 21 10 ✆ (1) 05 05 24 24
PEUGEOT Gar. Desrues, 29 bd J.-Kennedy par ④ ✆ (1) 60 88 20 90 ✆ (1) 05 44 24 24
RENAULT Gd Gar. Féray, 46 av. 8 Mai 1945 par ⑤ N 446 ✆ (1) 60 90 50 50 ✆ (1) 05 05 15 15

Coursaux Pneus, 116 bd J.-Kennedy ✆ (1) 60 88 07 09
Euromaster, 80 bd de Fontainebleau ✆ (1) 60 89 15 25

Évry P G. Ile de France – 45 531 h alt. 54 – ✉ **91000**.

du Coudray ✆ (1) 64 93 81 76, par ④ : 7,5 km.

Office de Tourisme 23 cours Blaise Pascal ✆ (1) 60 78 79 99.

Paris 34 – Chartres 80 – Créteil 31 – Étampes 36 – Melun 23 – Versailles 39.

Adagio M, 52 bd Coquibus (face cathédrale) ✆ (1) 69 47 30 00, Fax (1) 69 47 30 10, – rest – 120. AE GB
Repas 130/200 – 60 – **114 ch** 490/555 – ½ P 430.

Novotel M, Z.I. Évry, quartier Bois Briard ✆ (1) 69 36 85 00, Télex 600685 Fax (1) 69 36 85 10, – – 250. AE GB
Repas carte environ 160 , enf. 50 – 55 – **174 ch** 470/495.

Ibis, Z.I. Évry, quartier Bois Briard ✆ (1) 60 77 74 75, Fax (1) 60 78 06 03 – – 100. AE GB
Repas 99 bc, enf. 39 – 35 – **132 ch** 305.

RENAULT Gar. de l'Agora, à Courcouronnes par ⑤ ✆ (1) 64 97 94 95

Vaysse, Angle N 7, bd Champs Elysées ✆ (1) 60 77 19 39

EXCENEVEX 74140 H.-Savoie 70 ⑰ G. Alpes du Nord – 657 h alt. 375.

Office de Tourisme (fermé après-midi) ✆ 50 72 89 22.

Paris 568 – Thonon-les-Bains 13 – Annecy 73 – Bonneville 44 – Douvaine 10 – Genève 31.

Plage , ✆ 50 72 81 12, Fax 50 72 93 44, ≤, , , – P. GB.
25 mars-15 nov. – **Repas** 80/180, enf. 60 – 34 – **22 ch** 240/270 – ½ P 280/295.

EYBENS 38 Isère 77 ⑤ – rattaché à Grenoble.

EYGALIÈRES 13810 B.-du-R. 84 ① G. Provence – 1 594 h alt. 134.

Paris 705 – Avignon 29 – Cavaillon 13 – ♦Marseille 81 – St-Rémy-de-Provence 11 – Salon-de-Provence 27.

Mas de la Brune , rte St-Rémy par D 74^A : 1,5 km ✆ 90 95 90 77, Fax 90 95 99 21, , « Belle demeure du 16e siècle, parc, » – ch P. GB. rest
26 avril-14 oct. – **Repas** *(fermé mardi)* (dîner seul.)(résidents seul.) 350 bc – **9 c** (½ pens. seul.) – ½ P 1025/1220.

La Bastide M sans rest, rte Orgon (D 24^B) et chemin privé : 1 km ✆ 90 95 90 0 Fax 90 95 90 06, ≤, , – . GB
45 – **12 ch** 460.

Crin Blanc , rte Orgon (D 24^B) : 3 km ✆ 90 95 93 17, Fax 90 90 60 62, ≤, , , – P. GB
15 mars-15 nov. et 25 déc.-4 janv. – **Repas** *(fermé lundi)* 150/250 – 45 – **10 ch** 400 ½ P 390.

Mas Dou Pastre sans rest, rte Orgon (D 24^B) : 1,5 km ✆ 90 95 92 61, Fax 90 90 61 7 , – P. GB.
48 – **8 ch** 320/550.

Bistrot d'Eygalières, r. République ✆ 90 90 60 34, Fax 90 90 60 37 – GB
fermé 15/11 à début déc., 15/1 à début fév., mardi midi de Pâques au 1/10, dim. soir d 1/10 à Pâques et lundi – **Repas** (nombre de couverts limité, prévenir) 120 (déj.) et carte 200 270 .

EYGUIÈRES 13430 B.-du-R. 84 ① G. Provence – 4 481 h alt. 75.

Office de Tourisme, pl. Hôtel de Ville ✆ 90 59 82 44 et Mairie ✆ 90 57 90 08, Fax 90 57 82 58.

Paris 717 – Avignon 38 – Aix-en-Provence 46 – Arles 40 – Istres 23 – ♦Marseille 64.

Relais du Coche, pl. Monier ✆ 90 59 86 70, , « Anciennes écuries » – AE GB
fermé 2 au 22 janv. et lundi sauf fériés – **Repas** 100 (déj.), 148/190.

EYMOUTIERS 87120 H.-Vienne 72 ⑲ G. Berry Limousin – 2 441 h alt. 417.

Voir Croix reliquaire★ dans l'église.

Paris 419 – ◆ Limoges 42 – Aubusson 55 – Guéret 64 – Tulle 71 – Ussel 70.

XX **Pré l'Anneau,** Pont de Nedde ✆ 55 69 12 77, ☂, ⛱ – P. GB. ✗
fermé 20 déc. au 20 janv., dim. soir et lundi sauf fériés – **Repas** 100/160 ♁.

FORD Gar. Memery, 5 rte de Limoges ✆ 55 69 11 13
PEUGEOT Gar. Chemartin, 1 promenade des Sports ✆ 55 69 14 79
RENAULT Gar. Coignac, av. de la Paix ✆ 55 69 14 73

EYSINES 33 Gironde 71 ⑨ – rattaché à Bordeaux.

Les EYZIES-DE-TAYAC 24620 Dordogne 75 ⑯ G. Périgord Quercy – 853 h alt. 70.

Voir Musée national de Préhistoire★★ – Grotte du Grand Roc★★ : ≤★ – Grotte de Font-de-Gaume★.

Office de Tourisme pl. Mairie ✆ 53 06 97 05, Fax 53 06 90 79.

Paris 522 – Périgueux 45 – Sarlat-la-Canéda 20 – Brive-la-Gaillarde 62 – Fumel 62 – Lalinde 36.

Centenaire (Mazère) M (annexe ⛰ ≤ site des Eyzies), ✆ 53 06 97 18, Fax 53 06 92 41, ☂, « Bel aménagement intérieur », Fa, ⛱, – ▤ ch TV ☎ P. AE ⓓ GB
début avril-début nov. – **Repas** *(fermé mardi midi sauf fériés)* 155 (déj.), 280/510 et carte 400 à 530 – ☕ 80 – **20 ch** 450/700, 4 appart – ½ P 580/820
Spéc. Terrine chaude de cèpes du pays. Esturgeon caramélisé, crème de maïs au caviar de truffe. Steack d'oie "Rossini" et gratin de macaroni au vieux cantal. Vins Bergerac, Montravel.

Cro-Magnon, ✆ 53 06 97 06, Fax 53 06 95 45, ☂, exposition d'objets archéologiques, « Jardin et piscine » – ☎ P. AE ⓓ GB JCB
début mai-8 oct. – **Repas** *(fermé merc. midi)* 140/350 – ☕ 50 – **18 ch** 350/550, 4 appart – ½ P 420/505.

Moulin de la Beune ⛰, ✆ 53 06 94 33, Fax 53 06 98 06, ☂, « Ancien moulin », ⛱ – ☎ P. AE GB
hôtel : 1er avril-31 oct. – **Repas** *(fermé 3 janv. au 15 fév. et mardi midi)* 105/290, enf. 65 – ☕ 50 – **20 ch** 270/310 – ½ P 330/350.

Les Glycines, rte Périgueux ✆ 53 06 97 07, Fax 53 06 92 19, ≤, ☂, « Parc fleuri », ⛱ – ☎ P. AE GB
mi-avril- mi-oct. – **Repas** *(fermé sam. midi sauf de juil. à sept. et fériés)* 135/200 – ☕ 50 – **23 ch** 398/410 – ½ P 395/450.

Les Roches sans rest, rte Sarlat ✆ 53 06 96 59, Fax 53 06 95 54, ⛱, ⛱ – ☎ ♿ P. GB. ✗
Pâques-15 oct. – ☕ 38 – **41 ch** 280/360.

Centre, ✆ 53 06 97 13, Fax 53 06 91 63, ☂ – ☎. GB
fin mars-15 nov. – **Repas** 105/320, enf. 55 – ☕ 37 – **20 ch** 250/300 – ½ P 305/325.

RENAULT Gar. Dupuy, ✆ 53 06 97 32 N ✆ 53 06 97 32

ÈZE 06360 Alpes-Mar. 84 ⑩ 115 ㉗ G. Côte d'Azur (plan) – 2 446 h alt. 390.

Voir Site★★ (village perché) – Jardin exotique ✳★★★ – Les rues d'Èze★ – "Belvédère" d'Èze ≤★★ O : 4 km – La Turbie : Trophée des Alpes★ (✳★★★), intérieur★ de l'église St-Michel-Archange, place Neuve ≤★, NE : 4,5 km.

Office de Tourisme pl. Gén.-de-Gaulle (saison) ✆ 93 41 26 00, Fax 93 41 04 80.

Paris 944 – Monaco 7 – ◆ Nice 12 – Cap d'Ail 4,5 – Menton 19 – Monte-Carlo 8,5.

Château de la Chèvre d'Or ⛰, r. Barri (accès piétonnier) ✆ 92 10 66 66, Fax 93 41 06 72, ≤ côte et presqu'île, « Site pittoresque dominant la mer », ⛱ – ▤ TV ☎ ✆. AE ⓓ GB JCB
1er mars-30 nov. – **Repas** *(fermé merc. en mars et en nov.)* (prévenir) 250 (déj.)/560 et carte 420 à 540 - ***Café du Jardin*** *(1er juin-31 août et fermé lundi)* **Repas** 100(déj.)/160, enf. 70 – ☕ 105 – **23 ch** 1600/2600, 6 appart
Spéc. Dos de loup rôti sur sa peau. Carré d'agneau des Alpilles au gratin dauphinois. Soufflé chaud aux framboises. Vins Bellet, Côtes de Provence.

Les Terrasses d'Eze M ⛰, NE : direction la Turbie 1,5 km ✆ 93 41 24 64, Fax 93 41 13 25, ≤ mer, ☂, ⛱, ⛱, ✗ – 🛗 ▤ TV ☎ P – 🏛 25 à 120. AE ⓓ GB
Repas 175 – ☕ 65 – **75 ch** 850/950, 6 appart – ½ P 715.

Hermitage du Col d'Èze, NO : 2,5 km par D 46 et Gde Corniche ✆ 93 41 00 68, Fax 93 41 00 68, ≤, ⛱ – TV ☎ P. AE GB. ✗ rest
hôtel : fermé 15 déc. au 15 janv. ; rest. : fermé 15 oct. au 15 fév., jeudi midi et lundi – **Repas** 90/180 – ☕ 27 – **14 ch** 190/295 – ½ P 205/260.

XXXX **Château Eza** ⛰ avec ch, (accès piétonnier) ✆ 93 41 12 24, Fax 93 41 16 64, ≤ côte et presqu'île, ☂, « Terrasses dominant la baie » – ▤ ch TV ☎. AE ⓓ GB JCB
fermé 1er nov. au 15 déc. – **Repas** 150 (déj.), 380/530 et carte 430 à 580 – **6 ch** ☕ 1600/3000, 4 appart

XXX **Richard Borfiga,** pl. Gén. de Gaulle ✆ 93 41 05 23, Fax 93 41 26 79 – ▤. AE ⓓ GB
fermé 10 janv. au 10 fév. et lundi – **Repas** 200/450 et carte 290 à 450.

XX **Troubadour,** (accès piétonnier) ✆ 93 41 19 03 – GB
fermé 1er au 10 juil., 25 nov. au 20 déc., vacances de fév., lundi midi et dim. – **Repas** 11
(déj.), 165/245.

X **Le Grill du Château,** r. Barri (accès piétonnier) ✆ 93 41 00 17, Fax 93 41 06 72 – AE
GB
fermé 1er nov. au 15 déc. et jeudi sauf fériés – **Repas** 95 (déj.)/150.

ÈZE-BORD-DE-MER 06360 Alpes-Mar. 84 ⑩ 115 ㉗ **G. Côte d'Azur.**
Paris 954 – Monaco 6,5 – ♦Nice 14 – Beaulieu 3 – Cap d'Ail 4 – Menton 20.

XX **Aub. Éric Rivot** avec ch, ✆ 93 01 51 46, Fax 93 01 58 40, – TV ☎. AE GB
fermé 14 nov. au 28 déc. – **Repas** *(fermé merc. midi)* 115/220 – ☕ 30 – **10 ch** 280
½ P 280/300.

ÉZY-SUR-EURE 27 Eure 55 ⑰, 106 ⑬ – rattaché à Anet.

FAGNON 08 Ardennes 53 ⑱ – rattaché à Charleville-Mézières.

FAIN-LÈS-MONTBARD 21 Côte-d'Or 65 ⑦ – rattaché à Montbard.

FALAISE 14700 Calvados 55 ⑫ **G. Normandie Cotentin** – 8 119 h alt. 132.
Voir Château★ A – Église de la Trinité★ A.
Office de Tourisme bd de la Libération ✆ 31 90 17 26.
Paris 259 ③ – ♦Caen 26 ① – Argentan 23 ③ – Flers 38 ⑤ – Lisieux 45 ① – St-Lô 95 ①.

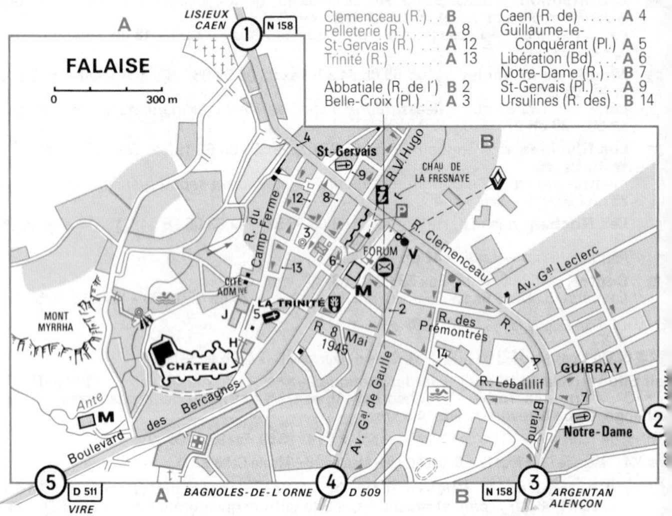

Poste, 38 r. G. Clemenceau ✆ 31 90 13 14, Fax 31 90 01 81 – TV ☎ P. AE GB B
fermé 15 au 22 oct., 20 déc. au 15 janv., lundi (sauf hôtel) et dim. soir – **Repas** 85/250 – ☕ 3
– **21 ch** 200/390 – ½ P 220/315.

Ibis M, à l'Attache par ① : 1,5 km ✆ 31 90 11 00, Fax 31 90 08 00, – TV ☎
– 25 à 50. AE GB
Repas 99 bc, enf. 39 – ☕ 35 – **53 ch** 265.

XX **La Fine Fourchette,** 52 r. G. Clemenceau ✆ 31 90 08 59, Fax 31 90 00 83 – AE GB
fermé 8 au 28 fév., mardi soir et merc. soir hors sais. – **Repas** 80/269, enf. 50. B

X **L'Attache,** rte Caen par ① : 1,5 km ✆ 31 90 05 38 – AE GB.
fermé 24 au 31 juil., 23 au 30 oct. et merc. sauf juil.-août – **Repas** (nombre de couver
limité, prévenir) 85/310.

SO par ⑤ et D 44, rte de Fourneaux-le-Val : 5 km – ✉ **14700** St-Martin-de-Mieux :

XXX ✿ **Château du Tertre** avec ch, ✆ 31 90 01 04, Fax 31 90 33 16, ←, « Château d
18e siècle dans un grand parc » – TV ☎ P. AE GB.
fermé 22 au 28 déc., 14 janv. au 10 fév., dim. soir et lundi – **Repas** 160/295 et carte 320 à 4
– ☕ 55 – **9 ch** 590/880 – ½ P 780/980
Spéc. Homard en civet de Châteauneuf-du-Pape. Bar à l'émulsion d'huile de noisette. Tarte au chocolat amer.

ITROEN Gar. Lepy, rte de Trun ✆ 31 90 16 25 N
✆ 31 90 16 25
EUGEOT Falaise Autom., rte d'Argentan N158 par
) ✆ 31 90 04 89
ENAULT Gar. Lanos, 34 r. G.-Clemenceau
✆ 31 90 01 00 N ✆ 31 90 01 00

Gar. **Lacoudrée,** 51 av. Hastings ✆ 31 90 19 69

Laguerre Pneus, rte de Putanges ✆ 31 90 10 60
Marsat Pneus, rte de Bretagne ✆ 31 40 06 40

Le FALGOUX **15380** Cantal 76 ② – 226 h alt. 930 – Sports d'hiver : 1 050/1 350 m 2.

Voir N Vallée du Falgoux★.

Env. Cirque du Falgoux★★ SE : 6 km – Puy Mary ★★★ : 1 h AR du Pas de Peyrol★★ SE : 12 km, **G. Auvergne.**

Paris 561 – Aurillac 54 – Mauriac 28 – Murat 34 – Salers 12.

Voyageurs, ✆ 71 69 51 59, ← – GB
fermé 10 nov. au 12 déc. – **Repas** 70/130, enf. 55 – ☐ 28 – **15 ch** 170/190 – ½ P 160/230.

FALICON **06950** Alpes-Mar. 84 ⑩ 115 ㉖ **G. Côte d'Azur** – 1 498 h alt. 396.

Voir Terrasse ←★.

Env. Mont Chauve d'Aspremont ★★ N : 8,5 km puis 30 mn.

Paris 942 – ♦Nice 10,5 – Aspremont 9,5 – Colomars 13 – Levens 16 – Sospel 39.

XX **Bellevue,** ✆ 93 84 94 57, ←, – GB
fermé oct., le soir de nov. à mai, dim. soir de juin à sept. et lundi – **Repas** 118/168.

FALLIÈRES **88** Vosges 62 ⑯ – rattaché à Remiremont.

Le FAOU **29580** Finistère 58 ⑤ **G. Bretagne** – 1 522 h alt. 10.

Voir Site★ – Corniche de Térénez★ O – Retables★ dans l'église de Rumengol E : 2,5 km – Quimerc'h ←★ SE : 4,5 km.

Office de Tourisme 10 r. Gén.-de-Gaulle (15 juin-15 sept.) ✆ 98 81 06 85.

Paris 558 – ♦Brest 31 – Carhaix-Plouguer 53 – Châteaulin 18 – Landerneau 23 – Morlaix 50 – Quimper 42.

Vieille Renommée, pl. Mairie ✆ 98 81 90 31, Fax 98 81 92 93 – TV – 50. GB. rest
fermé dim. soir du 1er oct. au 15 juin – **Repas** 99/200 – ☐ 35 – **32 ch** 290/370 – ½ P 285/315.

RENAULT Gar. Kervella, ✆ 98 81 90 69 N ✆ 98 81 90 69

FARROU **12** Aveyron 79 ⑩ – rattaché à Villefranche-de-Rouergue.

La FAUCILLE (Col de) ★★ **01** Ain 70 ⑮ **G. Jura** – Sports d'hiver : 900/1 680 m 2 18 – ✉ **01170** Gex.

Voir Descente sur Gex (N 5) ←★★ SE : 2 km – Mont-Rond ★★★ (accès par télécabine - gare à 200 m au SO du col).

Paris 484 – Bourg-en-Bresse 106 – Genève 31 – Gex 11,5 – Morez 26 – Nantua 60 – Les Rousses 18.

La Mainaz , S : 1 km par N5 ✆ 50 41 31 10, Fax 50 41 31 77, ← lac Léman et les Alpes, , , – TV P. AE GB.
fermé 19 au 26 avril et nov. – **Repas** *(fermé merc. midi hors sais.)* 135/300 – ☐ 60 – **24 ch** 395/465 – ½ P 440.

La Couronne, ✆ 50 41 32 65, Fax 50 41 32 47, ←, , – TV P. AE GB
fermé 15 avril au 3 mai et 15 oct. au 1er déc. – **Repas** 110/200 – ☐ 40 – **17 ch** 220/280 – ½ P 320.

La Petite Chaumière , ✆ 50 41 30 22, Fax 50 41 33 22, ← – TV P. GB
27 avril-6 oct. et 21 déc.-6 avril – **Repas** 95/192, enf. 58 – ☐ 42 – **34 ch** 278/350 – ½ P 335.

FAULQUEMONT **57380** Moselle 57 ⑮ – 5 432 h alt. 275.

Paris 367 – ♦Metz 38 – Château-Salins 28 – Saarlouis 42 – Sarreguemines 38.

Chatelain M sans rest, près Église ✆ 87 90 70 80, Fax 87 90 74 78 – TV . AE GB
☐ 30 – **25 ch** 250/280.

FAUVILLE-EN-CAUX **76640** S.-Mar. 52 ⑫ – 1 871 h alt. 124.

Paris 185 – ♦Le Havre 50 – ♦Rouen 51 – Bolbec 13 – Fécamp 21 – St-Valery-en-Caux 28 – Yvetot 14.

XX **Normandie,** ✆ 35 96 72 33 – P. GB
fermé 6 au 27 août, 8 au 29 janv. et mardi – **Repas** (déj. seul.) (dim. prévenir) 78/170.

FAVERGES **74210** H.-Savoie 74 ⑯ ⑰ **G. Alpes du Nord** – 6 334 h alt. 507.

Env. Col de la Forclaz ←★★ NO : 15 km.

Office de Tourisme pl. M.-Piquand ✆ 50 44 60 24.

Paris 563 – Albertville 19 – Annecy 26 – Megève 34.

Florimont, NE : 2,5 km sur N 508 ✆ 50 44 50 05, Fax 50 44 43 20, ≤, 🏵, 🏞 – |♦| 📺 ☎ 🅿 – 🔔 30. AE ⊕ GB. ⛔ rest
Repas *(fermé dim. soir d'oct. à juin)* 110/300 🍷 – ☕ 45 – **27 ch** 310/420 – ½ P 350/400.

Genève, 34 r. République ✆ 50 32 46 90, Fax 50 44 48 09 – |♦| 📺 ☎ 📞 ♿ 🅿. AE ⊕ GB
Repas 78/135 🍷 – ☕ 35 – **30 ch** 280/320 – ½ P 245/295.

Carte d'Autrefois, 25 r. Gambetta ✆ 50 32 49 98 – GB
fermé 1er au 8 juil., 24 déc. au 2 janv., dim. soir et merc. – **Repas** 75/165 🍷, enf. 45.

au Tertenoz SE : 4 km par D 12 et rte secondaire – ✉ **74210** Faverges :

Gay Séjour 🐦, ✆ 50 44 52 52, Fax 50 44 49 52, ≤, 🏵 – ☎ 📞 🅿. AE ⊕ GB. ⛔
fermé 5 au 26 janv., dim. soir et lundi sauf vacances scolaires – **Repas** 140/420 – ☕ 60 **12 ch** 250/480 – ½ P 420/470.

CITROEN Gar. de la Sambuy, ✆ 50 44 53 04
PEUGEOT Vauthier Autom., ✆ 50 32 43 27
RENAULT Gar. Fontaine, ✆ 50 44 51 09 🅽 ✆ 50 4 45 80

FAVERGES-DE-LA-TOUR **38** Isère 74 ⑭ – rattaché à La Tour-du-Pin.

La FAVIÈRE **83** Var 84 ⑯, 114 ㊽ – rattaché au Lavandou.

FAVIÈRES **80120** Somme 52 ⑥ – 406 h alt. 1.
Voir Le Crotoy : Butte du Moulin ≤★ SO : 5 km, **G. Flandres Artois Picardie.**
Paris 200 – ♦Amiens 65 – Abbeville 21 – Berck-Plage 29 – Le Crotoy 5.

La Clé des Champs, ✆ 22 27 88 00 – 🅿. AE ⊕ GB
fermé 26 août au 12 sept. et janv. – **Repas** (prévenir) 78/190.

Nelle piante di città il Nord è sempre in alto.

FAVONE **2A** Corse-du-Sud 90 ⑦ – voir à Corse.

FAYENCE **83440** Var 84 ⑦ 114 ⑪ ㉔ 115 ㉒ **G. Côte d'Azur** – 3 502 h alt. 350.
Voir ≤★ de la terrasse de l'église.
Env. Mons : site★, ≤★★ de la place St-Sébastien N : 14 km par D 563.
ℹ Office de Tourisme pl. L.-Roux ✆ 94 76 20 08, Fax 94 76 18 05.
Paris 901 – Castellane 55 – Draguignan 33 – Fréjus 34 – Grasse 26 – St-Raphaël 37.

Moulin de la Camandoule 🐦, O : 3 km par D 19 et chemin N.-D.-des-Cyprè ✆ 94 76 00 84, Fax 94 76 10 40, ≤, 🏵, parc, « Ancien moulin à huile », 🏊 – 📺 ☎ 🅿. G
Repas *(1er mars-31 oct., 20 déc.-2 janv. et fermé mardi midi)* 185/285 – ☕ 51 – **12 c** 300/655 – ½ P 465/575.

Les Oliviers sans rest, quartier Ferrage ✆ 94 76 13 12, Fax 94 76 08 05, 🏊, 🏞 – |♦| 📺 🅿. GB
fermé 5 nov. au 15 déc. et 10 janv. au 10 fév. – ☕ 40 – **22 ch** 270/390.

✿ **Le Castellaras** (Carro), O : 4 km par rte Seillans et rte secondaire ✆ 94 76 13 8 Fax 94 84 17 50, ≤, 🏵, 🏊, 🏞 – 🅿. AE GB
fermé 3 au 9 juil., 20 nov. au 10 déc., vacances de fév. et mardi – **Repas** 175/265 et carte 28 à 370
Spéc. Noisettes de filet de chevreuil sauce velours (janv.-fév.). Rosace de Saint-Jacques et filets de rouget (mars mai). Tronçon de loup rôti à l'huile d'olive (juil. à sept.). **Vins** Côtes de Provence.

Le FAYET **74** H.-Savoie 74 ⑧ – voir à St-Gervais-les-Bains.

FAYL-BILLOT **52500** H.-Marne 66 ④ **G. Champagne** – 1 511 h alt. 349.
Voir École nationale d'Osiériculture et de Vannerie.
Paris 318 – Chaumont 60 – Bourbonne-les-Bains 29 – ♦Dijon 86 – Gray 46 – Langres 25 – Vesoul 50.

Cheval Blanc avec ch, pl. Barre ✆ 25 88 61 44, 🏵 – ☎ 📞 🚗. GB
fermé 15 au 25 oct., 15 au 31 janv., dim. soir du 15 nov. au 15 mars et lundi – **Repas** 6 155 🍷, enf. 45 – ☕ 27 – **10 ch** 130/220 – ½ P 165/210.

FÉCAMP **76400** S.-Mar. 52 ⑫ **G. Normandie Vallée de la Seine** – 20 808 h alt. 15 – Casino AZ.
Voir Église de la Trinité★★ BZ – Palais Bénédictine★★ AY – Musée Centre-des-Arts★ BZ **M**2 Musée des Terre-Neuvas★ AY **M**1 – Chapelle N.-D.-du-Salut ✵★★ N : 2 km par D 79 BY.
ℹ Office de Tourisme 113 r. Alexandre Le Grand ✆ 35 28 51 01, Fax 35 27 07 77 et Front de mer (juin-sep ✆ 35 29 16 34.
Paris 205 ③ – ♦Le Havre 40 ③ – ♦Amiens 161 ② – ♦Caen 106 ③ – Dieppe 66 ① – ♦Rouen 71 ②.

Plan page ci-contre

Plage sans rest, 87 r. Plage ✆ 35 29 76 51, Fax 35 28 68 30 – |♦| 📺 ☎. AE GB — AY
☕ 32 – **22 ch** 230/340.

Mer sans rest, 89 bd Albert 1er ✆ 35 28 24 64, Fax 35 28 27 67, ≤ – 📺 ☎. GB — AYZ
☕ 35 – **8 ch** 270/330.

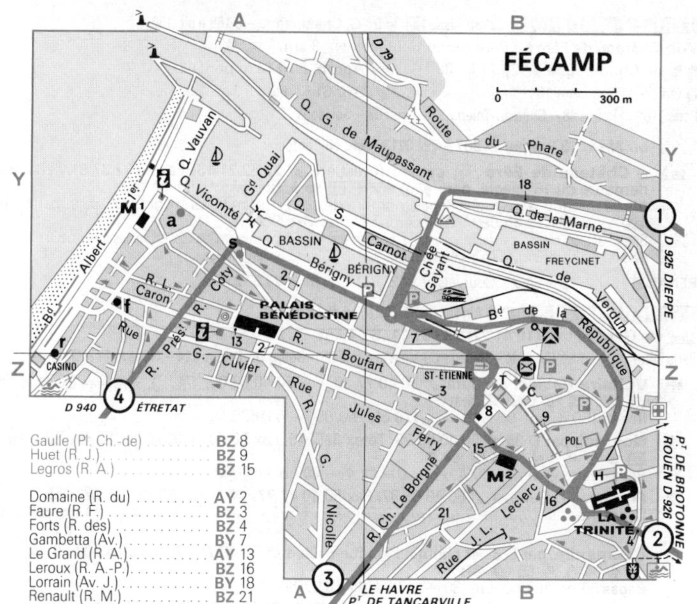

XXX **Aub. de la Rouge** avec ch, par ③ : 2 km ✆ 35 28 07 59, Fax 35 28 70 55, ..., – TV ✆ & P. AE ① GB JCB
Repas *(fermé dim. soir et lundi)* 105/260 et carte 250 à 330 ♁, enf. 50 – ☐ 30 – **8 ch** 300/370.

XX **Le Maritime,** 2 pl. N. Selles ✆ 35 28 21 71, Fax 35 27 22 08 – AE GB AY **s**
fermé mardi d'oct. à mars – **Repas** 92/220.

XX **La Plaisance,** 33 quai Vicomté ✆ 35 29 38 14, Fax 35 29 52 57 – AE GB AY **a**
fermé 15 au 30 nov., vacances de fév., mardi soir et merc. soir – **Repas** 125/260 ♁.

ITROEN Fécamp Autom., 45 bd République ✆ 35 29 25 72
ORD Gar. Lefèbvre, 15 r. Prés.-Coty ✆ 35 28 05 75
EUGEOT Gar. Lachèvre, rte du Havre à St-éonard par ③ ✆ 35 28 20 30

RENAULT S.E.L.C.O., 209 r. G.-Couturier par ② ✆ 35 28 24 02 N ✆ 35 27 50 65

Brument Pneus, 6 rte de Valmont ✆ 35 28 28 81
Comptoir du Pneu, 8 et 10 r. Ch.-Le-Borgne ✆ 35 28 14 99

La FECLAZ **73** Savoie 74 ⑮ **G. Alpes du Nord** – Sports d'hiver : 1 180/1 550 m ⛷14 – ✉ **73230** Les éserts.

Office de Tourisme Chalet du S.I. ✆ 79 25 80 49, Fax 79 25 81 30.

aris 562 – Annecy 38 – Aix-les-Bains 27 – Chambéry 19 – Lescheraines 12.

Bon Gîte, ✆ 79 25 82 11, Fax 79 25 80 91, ..., – cuisinette ✆ P – 30. GB
mi-juin-mi-sept. et mi-déc.-début avril – **Repas** 70/145 ♁, enf. 56 – ☐ 37 – **32 ch** 220/390 – ½ P 215/310.

au col de Plainpalais E : 4 km par D 913 et D 912 – Sports d'hiver 1 200/1 450 m ⛷2 – ✉ **73230** St-Alban-Leysse :

Plainpalais ..., ✆ 79 25 81 79, Fax 79 25 85 42, ←, – ✆ P. GB
1er juin-24 sept. et 18 déc.-début avril – **Repas** 88/175, enf. 52 – ☐ 35 – **20 ch** 210/355 – ½ P 264/310.

EGERSHEIM **67** B.-Rhin 62 ⑩ – rattaché à Strasbourg.

ELDBACH **68640** H.-Rhin 87 ⑳ **G. Alsace Lorraine** – 374 h alt. 410.

ris 462 – ◆ Mulhouse 32 – Altkirch 13 – Basel 33 – Belfort 43 – Colmar 71 – Montbéliard 43.

XX **Cheval Blanc,** ✆ 89 25 81 86, Fax 89 07 72 88, – P. GB
fermé 15 au 31 juil., 15 au 28 fév., mardi soir et merc. – **Repas** 51 (déj.), 74/210 ♁, enf. 40.

ELICETO **2B** H.-Corse 90 ⑭ – voir à Corse.

ERAYOLA **2B** H.-Corse 90 ⑭ – voir à Corse.

FÈRE-EN-TARDENOIS 02130 Aisne 56 ⑭ ⑮ G. Champagne – 3 168 h alt. 180.

Voir Château de Fère★ : Pont monumental★★ N : 3 km.

de Champagne ✆ 23 71 62 08 à Villers-Agron, E : 17 km par D 2.

Office de Tourisme 18 r. E.-Moreau-Nélaton ✆ 23 82 31 57, Fax 23 82 28 19.

Paris 110 – ♦Reims 48 – Château-Thierry 22 – Laon 53 – Soissons 26.

au Nord : 3 km par D 967 – ✉ 02130 Fère-en-Tardenois :

Château de Fère, par rte forestière ✆ 23 82 21 13, Fax 23 82 37 81, ←, « Belle demeure du 16e siècle, parc », – ✆ ♿ P – 🏛 30. AE ⓓ GB
fermé mi-janv. à mi-fév. – **Repas** (nombre de couverts limité, prévenir) 180/480 et carte 210 à 480 – ☕ 90 – **19 ch** 990/1200, 6 appart – ½ P 875/980
Spéc. Gâteau croustillant de langoustines aux saveurs du Siam. Homard breton en minestrone, petits cannellonis d'herbes fraîches. Coeur de pigeonneau rôti au jus truffé. **Vins** Cumières rouge.

RENAULT Gar. Huguenin, av. Courvoisier ✆ 23 82 21 85 N ✆ 23 82 21 85

FERNEY-VOLTAIRE 01210 Ain 70 ⑯ G. Jura – 6 408 h alt. 430.

de Genève : ✆ (19 41 22) 799 31 11, S : 4 km.

Paris 500 – Thonon-les-Bains 44 – Bellegarde-sur-Valserine 35 – Bourg-en-Bresse 114 – Genève 11 – Gex 10,5.

Voltaire Palace, av. Jura ✆ 50 40 77 90, Fax 50 40 83 00, – TV ✆ ♿ P 🏛 120. AE ⓓ GB. rest
Repas 150 🍷, enf. 60 – ☕ 75 – **120 ch** 750/850 – ½ P 525.

Novotel, par D 35 ✆ 50 40 85 23, Télex 385046, Fax 50 40 76 33, – TV ✆ ♿ P – 🏛 100. AE ⓓ GB
Repas carte environ 160 🍷, enf. 50 – ☕ 49 – **80 ch** 470/500.

France, 1 r. Genève ✆ 50 40 63 87, Fax 50 40 47 27, – TV ✆. AE GB JCB
Repas *(fermé lundi midi et dim.)* 120 (déj.), 175/245, enf. 50 – ☕ 40 – **14 ch** 290/360 – ½ P 275.

Campanile, par D 35 et chemin Planche Brûlée ✆ 50 40 74 79, Fax 50 42 97 29, – TV ✆ ♿ P. AE ⓓ GB
Repas 84 bc/107 bc, enf. 39 – ☕ 32 – **60 ch** 270.

XXX **Le Pirate,** av. Genève ✆ 50 40 63 52, Fax 50 40 64 50, – P. AE ⓓ GB JCB
fermé 1er au 21 juil., 22 déc. au 5 janv., lundi midi et dim. – **Repas** - produits de la mer - 200 bc (déj.), 260/350 et carte 330 à 470.

PEUGEOT Gar. Chevalley, à Ornex ✆ 50 40 58 12
RENAULT Auto Service, à Prévessin Moens ✆ 50 40 59 52 N ✆ 05 05 15 15
VAG Gar. Dunand, 55 rue de Genève ✆ 50 40 61 94
Euromaster ✆ 50 40 58 02

FERRETTE 68480 H.-Rhin 66 ⑨ ⑩ G. Alsace Lorraine – 863 h alt. 470.

Voir Site★ – Ruines du Château ←★.

Office de Tourisme r. Château ✆ 89 40 40 01.

Paris 478 – ♦Mulhouse 38 – Altkirch 19 – Basel 31 – Belfort 49 – Colmar 83 – Montbéliard 47.

à Moernach O : 5 km par D 473 – 454 h. alt. 470 – ✉ 68480 :

XX **Aux Deux Clefs** avec ch, ✆ 89 40 80 56, Fax 89 08 10 47, – ✆ P. GB
fermé 28 oct. au 8 nov. et 17 fév. au 3 mars – **Repas** *(fermé vend. midi d'oct. à mars et jeudi)* 49 (déj.), 92/290 🍷, enf. 45 – ☕ 30 – **7 ch** 200/265 – ½ P 260/270.

XX **Au Raisin,** ✆ 89 40 80 73, Fax 89 08 11 33, – P. GB
fermé 22 janv. au 7 fév., lundi soir et mardi – **Repas** 85/225 🍷, enf. 40.

à Lutter SE : 8 km par D 23 – 283 h. alt. 428 – ✉ 68480 :

XX **Aub. Paysanne** avec ch, r. Principale ✆ 89 40 71 67, Fax 89 07 33 38, – TV ✆ P. GB
Repas *(fermé lundi)* 62 (déj.), 130/300 🍷, enf. 50 – ☕ 38 – **7 ch** 220/285 – ½ P 270.

Annexe Host. Paysanne, « Reconstitution d'une ancienne ferme alsacienne du 17e siècle », – TV ✆ P. GB
Repas voir ***Aub. Paysanne*** – ☕ 38 – **9 ch** 370/430 – ½ P 300/350.

PEUGEOT Gar. Nickel, à Bouxwiller ✆ 89 40 42 13
RENAULT Gar. Fritsch, ✆ 89 40 41 41 N ✆ 05 05 15 15

La FERRIÈRE 38580 Isère 77 ⑥ – 191 h alt. 926.

Paris 590 – ♦Grenoble 51 – Allevard 12.

au Curtillard S : 2 km par D 525A – ✉ 38580 La Ferrière :

Curtillard, ✆ 76 97 50 82, Fax 76 97 56 57, ←, – cuisinette TV P 🏛 30. GB.
15 juin-15 sept. et 20 déc.-15 avril – **Repas** 95/210, enf. 65 – ☕ 45 – **16 ch** 277/450, 6 studios – ½ P 340/407.

Baroz, ✆ 76 97 50 81, Fax 76 45 84 75, ←, – cuisinette ✆ P. GB.
hôtel : fin juin-début sept. et 26 déc.-Pâques ; rest : mai-sept. et 26 déc.-Pâques – **Repas** (déj. seul. en mai et juin) 100/140 – ☕ 32 – **17 ch** 230/250, 3 chalets – ½ P 235/245.

La FERRIÈRE-AUX-ÉTANGS 61 Orne 60 ① – rattaché à Flers.

FERRIÈRES 45210 Loiret 61 ⑫ **G. Bourgogne** – 2 896 h alt. 96.

Voir Croisée du transept★ de l'église St-Pierre et St-Paul.

Office de Tourisme pl. des Eglises (avril-oct.) ☏ 38 96 58 86.

Paris 102 – Auxerre 79 – Fontainebleau 41 – Montargis 13 – Nemours 26 – ♦Orléans 83 – Sens 41.

Abbaye, ☏ 38 96 53 12, Fax 38 96 57 63, – TV ☎ ♿ P – 30. GB
Repas 97/240, enf. 62 – ☕ 41 – **20 ch** 240/280 – ½ P 235.

La FERTÉ-BERNARD 72400 Sarthe 60 ⑮ **G. Châteaux de la Loire** (plan) – 9 355 h alt. 90.

Voir Église N.-D.-des Marais★★.

du Perche à Souancé-au-Perche (28) ☏ 37 29 17 33 ; NE : 21 km par N 23 et D 137[11].

Office de Tourisme, 15, pl. de la Lice ☏ 43 71 21 21 et à la Mairie, ☏ 43 93 04 42.

Paris 163 – ♦Le Mans 54 – Alençon 58 – Chartres 76 – Châteaudun 66 – Mortagne-au-Perche 43.

XXX **Perdrix** avec ch, 2 r. Paris ☏ **43 93 00 44, Fax 43 93 74 95** – rest TV ☎ . GB
fermé fév., lundi soir et mardi – **Repas** 110/250 et carte 230 à 290 – ☕ 35 – **7 ch** 220/320.

CITROEN Gar. Hulot, av. J.-Monnet ☏ 43 93 00 37
RENAULT Espace Fertois, av. Verdun
☏ 43 93 05 10 N ☏ 43 77 98 27

Euromaster, la Chapelle du Bois, la Petite Cibole ☏ 43 93 90 44

La FERTÉ-IMBAULT 41300 L.-et-Ch. 64 ⑲ – 1 047 h alt. 99.

Paris 193 – Bourges 58 – ♦Orléans 68 – Romorantin-Lanthenay 17 – Vierzon 23.

Aub. A La Tête de Lard M, ☏ **54 96 22 32, Fax 54 96 06 22** – rest TV ☎ P. GB. ch
fermé 1er au 15 sept., vacances de fév., dim. soir et lundi sauf fériés – **Repas** 95/290 –
☕ 43 – **11 ch** 265/470 – ½ P 310.

La FERTÉ-MACÉ 61600 Orne 60 ① ② **G. Normandie Cotentin** – 6 913 h alt. 250.

Office de Tourisme 13 r. Victoire ☏ 33 37 10 97, Fax 33 37 13 37.

Paris 227 ② – Alençon 46 ④ – Argentan 32 ② – Domfront 22 ⑤ – Falaise 39 ① – Flers 25 ⑥ – Mayenne 41 ④.

XX **Le Céleste** avec ch, 6 r. Victoire **(n)** ☏ **33 37 22 33, Fax 33 38 12 25,** – TV ☎. AE GB
fermé 28 au 31 oct., 27 janv. au 3 fév., dim. soir et lundi – **Repas** 90/260, enf. 48 – ☕ 28 – **14 ch** 85/300 – ½ P 145/220.

X **Aub. de Clouet** avec ch, Le Clouet **(a)** ☏ **33 37 18 22,** « Terrasse fleurie » – TV ☎ P – 25. GB. ch
fermé 15 au 31 oct., dim. soir et lundi du 1er oct. au 31 mars – **Repas** 85/300 – ☕ 40 – **7 ch** 260/350 – ½ P 330.

X **L'Aub. Fertoise,** 23 r. St-Denis **(s)** ☏ 33 37 01 19 – AE GB
fermé 15 au 30 juil., 15 au 30 janv. et jeudi – **Repas** 78/145 –
La Cervoise : ☏ 33 37 89 98 **Repas** 50/60.

X **L'Espérance,** 13 r. Barre **(e)** ☏ 33 37 38 21 – GB
fermé 15 mars au 1er avril, 20 au 27 août, 20 au 27 déc. et dim. du 1er nov. au 1er avril – **Repas** 68/170 .

CITROEN Gar. Hardy, 74 r. Dr-Poulain ☏ 33 37 09 11
PEUGEOT Gar. Dérouet, 76 r. Dr-Poulain ☏ 33 37 16 33
RENAULT Gar. Dubourg, 9 r Dr-Poulain ☏ 33 37 20 97
RENAULT Gar. Guillochin, rte de Paris par ② ☏ 33 37 07 11 N ☏ 33 37 07 11

Hautvie (R. d')	8	Barre (R. de la)	5
Leclerc (Pl. du Gén.)	9	Hamonic (Bd A.)	6
République (Pl.)	13	Prés.-Coty (Av. du)	12
		Sorbiers (Av. des)	14
Amand-Macé (R.)	3	Teinture (R. de la)	16

La FERTÉ-ST-AUBIN 45240 Loiret 64 ⑨ **G. Châteaux de la Loire** – 6 414 h alt. 114.

de Sologne ☏ 38 76 57 33, sur D 18 à l'Ouest : 3,5 km.

Office de Tourisme pl. des Jardins ☏ 38 64 67 93, Fax 38 64 61 39.

Paris 154 – ♦Orléans 21 – Blois 55 – Romorantin-Lanthenay 46 – Salbris 33.

L'Orée des Chênes Ⓜ, NE : 3 km par rte Marcilly ✆ 38 64 84 00, Fax 38 64 84 20, « Parc avec étang » – TV ☎ ♿ P – 30. GB
fermé dim. soir et lundi de nov. à mars – **Repas** 120/230 – ☕ 60 – **21 ch** 450/600 – ½ P 315/425.

Ferme de la Lande, NE : 2,5 km par rte Marcilly ✆ 38 76 64 37, Fax 38 64 68 87, parc, « Ancienne ferme aménagée » – P. AE GB
fermé 19 août au 2 sept., vacances de fév., dim. soir et lundi sauf fériés – **Repas** 138/224 carte 210 à 280, enf. 80.

Les Brémailles, N : 3 km sur N 20 ✆ 38 76 56 60, Fax 38 64 68 04, parc – P. AE G

fermé lundi soir et mardi – **Repas** 99/195, enf. 59.

Aub. de l'Écu de France, 6 r. Gén. Leclerc ✆ 38 64 69 22 – GB
fermé vacances de Toussaint, de fév., mardi soir et merc. – **Repas** 76/195, enf. 50.

CITROEN Gar. Gorin, N 20 Sud ✆ 38 76 50 36
FIAT Gar. Gidoin, N 20 ✆ 38 76 51 17 N ✆ 05 24 90 90
PEUGEOT Gar. Trémillon, 73 bd Mar.-Foch ✆ 38 76 64 09
RENAULT Gar. Viet, N 20 ✆ 38 76 53 14 N ✆ 05 24 90 90

La FERTÉ-ST-CYR 41220 L.-et-Ch. 64 ⑧ – 809 h alt. 82.

Paris 165 – ♦Orléans 35 – Beaugency 14 – Blois 31 – Romorantin 35.

St Cyr, ✆ 54 87 90 51, Fax 54 87 95 17, – TV ☎ P. GB. rest
fermé 10 janv. au 18 mars, lundi midi du 15 juin au 15 sept., dim. soir et lundi du 15 sept. au 15 juin – **Repas** 75/210 – ☕ 32 – **20 ch** 200/270 – ½ P 220/265.

Before setting out on your journey through France
Consult the Michelin Map no 911 *FRANCE – Route Planning.*
On this map you will find
– distances
– journey times
– alternative routes to avoid traffic congestion
– 24-hour petrol stations
Plan for a cheaper and trouble-free journey.

La FERTÉ-SOUS-JOUARRE 77260 S.-et-M. 56 ⑬ 106 ㉔ – 8 236 h alt. 58.

Office de Tourisme 26 pl. Hôtel de Ville ✆ (1) 60 22 63 43.

Paris 66 ⑥ – Melun 67 ⑤ – ♦Reims 84 ① – Troyes 120 ③.

LA FERTÉ-SOUS-JOUARRE

Faubourg (R. du) 5
Pelletiers (R. des) 17

Anglais (Q. des) 2
Chanzy (R.) 3
Clemenceau (Bd) 4
Fauvet (R. M.) 6
Gare (R. de la) 7
Jaurès (R. Jean) 8
Jouarre (R. de) 9
Leclerc (Av. du Gén.) 12
Marx (R. P.) 13
Montmirail (Av. de) 14
Pasteur (Bd) 16
Petit-Morin (R. du) 18
Planson (Q. André) 19
Reuil (R. de) 20
St-Nicolas (R.) 21
Ste-Beuve (Pl.) 22
Turenne (Bd) 24

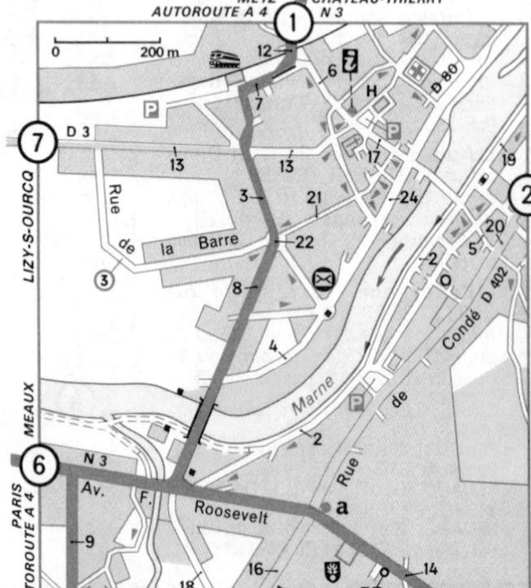

Ne cherchez pas au hasard un hôtel agréable et tranquille mais consultez les cartes de l'introduction.

Château des Bondons M ✎ sans rest, rte Montménard par ③ et D 70 : 2 km ✆ (1) 60 22 00 98, Fax (1) 60 22 97 01, parc – TV ☎ P. AE ⓓ GB
☐ 60 – **11 ch** 400/550.

XXX ✿ **Aub. de Condé** (Tingaud), 1 av. Montmirail **(a)** ✆ (1) 60 22 00 07, Fax (1) 60 22 30 60, ☂ – ▤ P. AE ⓓ GB
fermé lundi soir et mardi – **Repas** 210/460 et carte 400 à 570
Spéc. Poularde fermière à la briarde. Aiguillettes de caneton au champagne rosé. Filets de sole "Vincent Bourrel". **Vins** Champagne.

XX **Aub. du Petit Morin,** rte Rebais par ④ : 1,5 km ✆ (1) 60 22 02 39, ☂ – GB
fermé 2 au 23 sept., 12 au 26 janv., dim. soir et lundi sauf fériés – **Repas** 98/230, enf. 60.

à Jouarre par ⑤ : 3 km – 3 274 h. alt. 141 – ✉ **77640**.

Voir Crypte★ de l'abbaye, **G. Ile de France.**

Le Plat d'Étain, ✆ (1) 60 22 06 07, Fax (1) 60 22 35 63 – TV ☎ P. GB
fermé 15 au 30 déc., dim. soir et vend. – **Repas** 96/192 ♖ – ☐ 32 – **24 ch** 145/330 – ½ P 195/260.

ITROEN Gar. du Parc, 10 av. Montmirail
' (1) 60 22 90 00 N ✆ (1) 60 22 90 00

Ⓜ Pezzetta Dememe, 42 av. F.-Roosevelt
✆ (1) 60 22 02 06

*Konsultieren Sie vor Ihrer Reise die **Michelin-Karte Nr. 911**.*

Sie gibt die geschätzte Fahrzeit von Stadt zu Stadt an und trägt zur Zeitersparnis bei.

FEURS 42110 Loire **73** ⑱ **G. Vallée du Rhône** – 7 803 h alt. 343.

Office de Tourisme 3 r. V.-de-Laprade ✆ 77 26 05 27.

aris 520 – Roanne 38 – ◆St-Étienne 39 – ◆Lyon 63 – Montbrison 26 – Thiers 68 – Vienne 88.

Motel Etésia M sans rest, rte Roanne ✆ 77 27 07 77, Fax 77 27 03 33 – TV ☎ ✆ ♿ P. AE ⓓ GB
fermé 5 au 25 août et 22 au 6 janv. – ☐ 30 – **15 ch** 230/280.

L'Astrée sans rest, 2 chemin du Bout du Monde ✆ 77 26 54 66, Fax 77 27 06 61 – TV ☎ P. GB
☐ 30 – **17 ch** 120/220.

XX **La Boule d'Or,** rte Lyon ✆ 77 26 20 68, Fax 77 26 56 84, ☂ – P. GB
fermé 1er au 21 août, 12 au 19 fév., dim. soir et lundi sauf fériés – **Repas** 92/285, enf. 65.

LFA-ROMEO, SEAT Gar. Cheminal, 15 r. de la
oire ✆ 77 26 08 14 N ✆ 77 26 24 63
EUGEOT Gar. Faure, 18 r R.-Cassin ✆ 77 26 03 65

Ⓜ Feurs Pneus, ZA les Planchettes, r. St-Exupéry
✆ 77 26 39 98

FEY **57** Moselle **57** ⑬ – rattaché à Metz.

FIGEAC ✿ **46100** Lot **79** ⑩ **G. Périgord Quercy** – 9 549 h alt. 214.

Voir Le vieux Figeac★ : hôtel de la Monnaie★ **M**[1], musée Champollion★ **M**[2] près de la place aux critures★ – Vallée du Célé★ par ⑤.

Office de Tourisme pl. Vival ✆ 65 34 06 25, Fax 65 50 04 58.

aris 576 ⑥ – Rodez 64 ② – Aurillac 65 ① – Brive-la-Gaillarde 91 ⑥ – Cahors 68 ⑤ – Villefranche-de-Rouergue 6 ③.

Plan page suivante

Château du Viguier du Roy ✎ sans rest, r. É. Zola **(e)** ✆ 65 50 05 05, Fax 65 50 06 06, « Bel aménagement intérieur », ⛱, ⌂ – ⫿ ✈ ▤ TV ☎ ✆ P – ♙ 25. AE ⓓ GB. ✻
29 mars-12 nov. et 14 déc.-6 janv. – ☐ 85 – **18 ch** 630/1250.

Pont du Pin sans rest, 3 allées V. Hugo par ② ✆ 65 34 12 60 – ☎. GB. ✻
☐ 36 – **23 ch** 240/350.

à St-Julien-d'Empare par ② : 10 km – ✉ **12700** Capdenac-Gare (Aveyron).

Voir Capdenac : site★ et ≤★ d'une terrasse proche de l'église N : 4 km.

Aub. la Diège ✎, ✆ 65 64 70 54, Fax 65 80 81 58, ☂, Ⓛ, ⛱, ⌂, ✂ – TV ☎ ✆ ♿ P – ♙ 30. GB
fermé 23 déc. au 4 janv. – **Repas** *(fermé vend. soir, dim. soir et sam. d'oct. à mars)* 75/218 ♖ – ☐ 44 – **24 ch** 255/295 – ½ P 240.

ITROEN Diffusion Autom., 31 av. J.-Jaurès
' 65 34 06 67
EUGEOT Gar. Pont du Pin, 12 av. d'Aurillac par ①
' 65 34 11 44
ENAULT S.A.F.D.A., rte de Cahors, ZI par ⑤
' 65 34 00 23 N ✆ 65 50 01 50

RENAULT Central Gar., 16 av. Ch.-de-Gaulle à Capdenac-Gare par ② ✆ 65 64 74 78

Ⓜ Figeac Pneus, 41 faubourg du Pin ✆ 65 34 64 64
SOCAMAQ, rte d'Aurillac ✆ 65 34 20 74

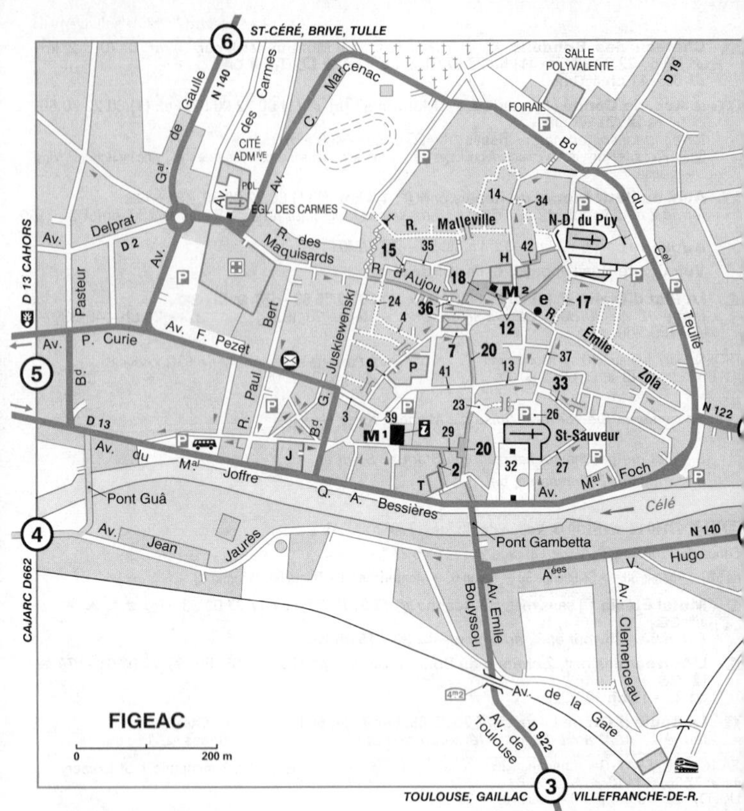

Aujou (R. d')
Carnot (Pl.) 7
Gambetta (R.) 20

Balène (R.) 2
Barthal (R.) 3
Bonhore (R.) 4
Caviale (R.) 9
Champollion (Pl. et R. des Frères) 12

Clermont (R.) 13
Colomb (R. de) 14
Crussol (R. de) 15
Delzhens (R.) 17
Ecritures (Pl. des) 18
Herbes (Pl. aux) 23
Laurière (R.) 24
Michelet (Pl. E.) 26
Monastère (R. du) 27
Orthabadial (R.) 29

Raison (Pl. de la) . . . .
Roquefort (R. du) . . . .
St-Jacques (Ruelle)
St-Thomas (R.) . . . .
Seguier (R.) . . . .
Tomfort (R.) . . . .
Vival (Pl.) . . . .
11-Novembre (R. du) . . . .
16-Mai (R. du) . . . .

FIRMINY **42700** Loire 76 (8) **G. Vallée du Rhône** – 23 123 h alt. 475.

Paris 531 – ♦St-Étienne 14 – Ambert 79 – Montbrison 39 – Yssingeaux 37.

XXX **de Cordes,** 17 r. Cordes ✆ 77 61 93 78, , – P. AE GB
fermé 29 juil. au 27 août, vacances de fév., dim. soir et lundi – **Repas** (nombre de couve limité, prévenir) 100/220.

RENAULT Gar. Durand, 16 r. Tour-de-Varan ✆ 77 56 35 66 N ✆ 05 05 15 15

FITOU **11510** Aude 86 (9) (10) – 579 h alt. 38.

Paris 839 – ♦Perpignan 29 – Carcassonne 88 – Narbonne 38.

X **Cave d'Agnès,** ✆ 68 45 75 91 – P. GB
1er avril-29 sept. et fermé merc. – **Repas** (nombre de couverts limité, prévenir) 105/140 enf. 50.

FLAGY **77** S.-et-M. 61 (13) – rattaché à Montereau.

LAINE 74 H.-Savoie 74 ⑧ **G. Alpes du Nord** – alt. 1600 – Sports d'hiver : 1 600/2 500 m 3 28 –
✉ **74300** Cluses.

✆ 50 90 85 44, 4 km par D 106 – Office de Tourisme ✆ 50 90 80 01, Télex 385662, Fax 50 90 86 26.

aris 595 – Chamonix-Mont-Blanc 60 – Annecy 77 – Bonneville 37 – Cluses 23 – Megève 43 – Morzine 42 – honon-les-Bains 72.

Totem M, ✆ 50 90 80 64, Fax 50 90 88 47, ← – TV ☎. AE GB. rest
6 juil.-31 août et 14 déc.-19 avril – **Repas** 130/160 – 50 – **91 ch** 390/1010, 4 appart – ½P 480/695.

LAMANVILLE 50340 Manche 54 ① – 1 781 h alt. 74.

aris 376 – •Cherbourg 26 – Barneville-Carteret 24 – Valognes 33.

Bel Air sans rest, ✆ 33 04 48 00, Fax 33 04 49 56, – TV ☎ P. GB
fermé 1er au 15 janv. – 42 – **10 ch** 240/390.

LAVIGNY-SUR-MOSELLE 54 M.-et-M. 62 ⑤ – rattaché à Nancy.

LAYOSC 83 Var 84 ⑦, 114 ㉒ – rattaché à Draguignan.

a FLÈCHE 72200 Sarthe 64 ② **G. Châteaux de la Loire** – 14 953 h alt. 33.

oir Prytanée militaire★ Y – Boiseries★ de la chapelle N.-D.-des-Vertus Y – Parc zoologique du ertre Rouge★ 5 km par ② puis D 104.

nv. Bazouges-sur-le-Loir : pont ←★, 7 km par ④.

Office de Tourisme, Espace P.-Mendès-France ✆ 43 48 53 70.

aris 242 ① – •Angers 52 ④ – •Le Mans 43 ① – Châteaubriant 106 ④ – Laval 69 ⑤ – •Tours 70 ②.

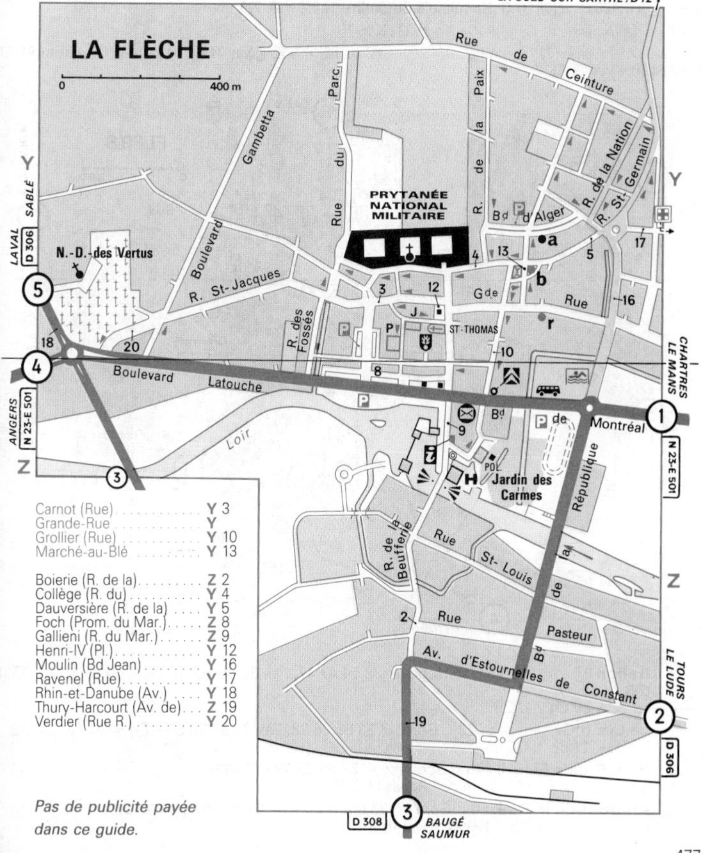

Pas de publicité payée dans ce guide.

Relais Cicero sans rest, 18 bd Alger ☎ 43 94 14 14, Fax 43 45 98 96, « Demeure d 17ᵉ siècle, belle décoration intérieure », – (TV) ☎. AE GB. Y
fermé 20 déc. au 6 janv. – ☐ 45 – **21 ch** 350/675.

La Fesse d'Ange, pl. 8 Mai 1945 ☎ 43 94 73 60, Fax 43 45 97 33 – GB Y
fermé 1ᵉʳ au 21 août, vacances de fév., dim. soir et lundi – **Repas** 102/200.

Vert Galant avec ch, 70 Gde Rue ☎ 43 94 00 51, Fax 43 45 11 24, – (TV) ☎ P. GB.
fermé 15 déc. au 16 janv. et jeudi sauf juil.-août – **Repas** 80/175 – ☐ 28 – **9 ch** 229/276 ½ P 250/310. Y

CITROEN B.S.A., bd de Montréal ☎ 43 94 01 41
FORD Gar. Bouttier, av. de Verdun ☎ 43 94 04 08
PEUGEOT Gar. Vadeble, av. Rhin-et-Danube par ⑤ ☎ 43 94 01 73 N ☎ 43 94 01 73
ROVER Gar. Gambetta, 51 bd Gambetta ☎ 43 94 06 20

VAG Gar. Clerfond, la Jalêtre, av. Rhin-et-Danube ☎ 43 94 10 48

Robles Pneus, bd Rhin-et-Danube ☎ 43 45 20 3

FLÉRÉ-LA-RIVIÈRE 36700 Indre 68 ⑥ – 628 h alt. 95.
Paris 272 – Tours 60 – Le Blanc 50 – Châtellerault 60 – Châtillon-sur-Indre 7 – Loches 16.

Le Relais du Berry, 2 rte Tours ☎ 54 39 32 57 – GB
fermé mi-juin au 10 juil., dim. soir sauf juil.-août et lundi sauf fériés – **Repas** 70/190.

When looking for a hotel or restaurant use the most efficient method.
Look for the names of towns underlined in red
on the Michelin maps scale: 1:200 000.
But make sure you have an up-to-date map!

FLERS 61100 Orne 60 ① **G. Normandie Cotentin** – 17 888 h alt. 270.
Office de Tourisme pl. Gén.-de-Gaulle ☎ 33 65 06 75.
Paris 239 ② – Alençon 71 ③ – Argentan 43 ② – ♦Caen 58 ① – Fougères 77 ④ – Laval 88 ④ – Lisieux 84 ① St-Lô 64 ① – Vire 29 ⑥.

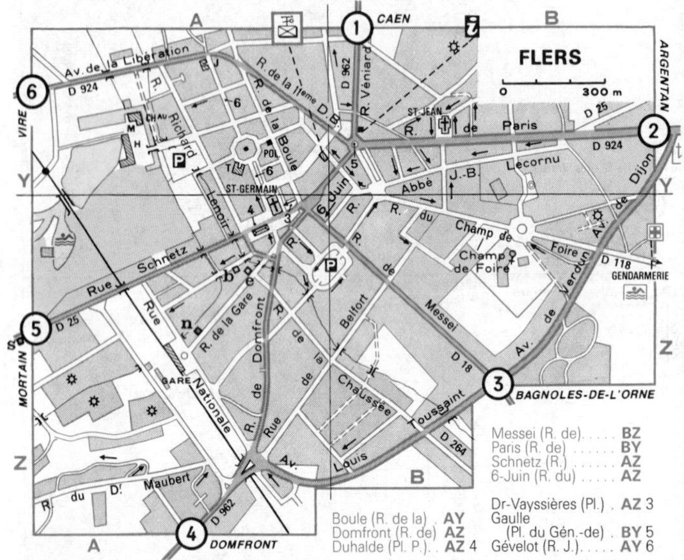

Galion M sans rest, 5 r. V. Hugo ☎ 33 64 47 47, Fax 33 65 10 10, – (TV) ☎ P. GB AZ
☐ 30 – **30 ch** 220/260.

Le Lys d'Or sans rest, 22 r. Gare ☎ 33 65 28 28, Fax 33 65 20 56 – (TV) ☎ P. AE GB AZ
☐ 25 – **11 ch** 190/220.

Aub. Relais Fleuri, 115 r. Schnetz ☎ 33 65 23 89 – AE GB AZ
fermé 1ᵉʳ au 21 août et lundi – **Repas** 95/210.

Au Bout de la Rue, 60 r. Gare ☎ 33 65 31 53, Fax 33 65 46 81 – GB AZ
fermé dim. et fériés – **Repas** 100/148.

au Buisson-Corblon par ② : 3 km – ✉ **61100** Flers :

XX **Aub. des Vieilles Pierres,** ✆ 33 65 06 96, Fax 33 65 80 72 – P. GB
fermé 7 au 29 août, vacances de fév., dim. soir et lundi – **Repas** 76/200.

à La Ferrière-aux-Étangs par ③ : 10 km – 1 727 h. alt. 304 – ✉ **61450** :

XX **Aub. de la Mine,** le Gué-Plat S : 2 km par rte Domfront ✆ 33 66 91 10, Fax 33 96 73 90 – P. AE ① GB
fermé 4 au 20 sept., 2 au 20 janv., mardi soir et merc. – **Repas** 92/162, enf. 50.

CITROEN S.A.C.O.A., ZI rte de Domfront ✆ 33 64 46 46 N ✆ 33 64 46 46
NISSAN Fleury Autom., La Chapelle au Moine ✆ 33 64 14 66
OPEL Gar. Bédouelle, 31 r. Abbé-Lecornu ✆ 33 65 22 21
PEUGEOT Gar. Daniaud, av. des Canadiens à St-Georges des Groseillers ✆ 33 65 25 98 N ✆ 33 64 95 13
RENAULT Gar. Manson, rte de Domfront, ZI par ④ ✆ 33 65 77 55 N ✆ 31 25 93 49
VAG Avenir Autom., 184 r. Véniard à St-Georges-des-Groseillers ✆ 33 65 24 88

Alexandre Pneus, 58 bis r. Messei ✆ 33 65 02 15
Clabeaut Pneus, 91 r. de la Chaussée ✆ 33 65 26 18
Grosos Pneus Vulcopneu, Le Tremblay ✆ 33 65 29 60

FLEURANCE 32500 Gers 82 ⑤ **G. Pyrénées Aquitaine** – 6 368 h alt. 97.

✆ 62 06 26 26, S par N 21 : 4 km.

Office de Tourisme 60 bis r. Gambetta ✆ 62 64 00 00, Fax 62 06 27 80.

Paris 760 – Auch 24 – Agen 47 – Castelsarrasin 57 – Condom 30 – Montauban 66 – ♦Toulouse 83.

Fleurance sans rest, rte Agen : 2 km ✆ 62 06 14 85, Fax 62 64 05 12, – TV ☎ P. AE ① GB
fermé 15 déc. au 15 janv. – ☕ 35 – **24 ch** 210/380.

Le Relais sans rest, rte Auch ✆ 62 06 05 08, Fax 62 06 03 84 – TV ☎ P. AE GB
fermé 15 au 30 nov. et vend. du 1er déc. au 28 fév. – ☕ 30 – **25 ch** 190/275.

RENAULT Gar. Palacin, ✆ 62 06 11 69 N ✆ 62 06 11 69
Gar. Carol, av. Gén.-de-Gaulle ✆ 62 06 11 81 N ✆ 62 10 77 99

FLEURIE 69820 Rhône 74 ① **G. Vallée du Rhône** – 1 105 h alt. 320.

Paris 413 – Mâcon 21 – Bourg-en-Bresse 43 – Chauffailles 42 – ♦Lyon 59 – Villefranche-sur-Saône 26.

Grands Vins sans rest, S : 1 km par D 119E ✆ 74 69 81 43, Fax 74 69 86 10, ≤, – ☎ P. GB.
fermé 31 juil. au 7 août et 1er déc. au 15 janv. – ☕ 47 – **20 ch** 360/420.

XXX ✿✿ **Aub. du Cep,** pl. Église ✆ 74 04 10 77, Fax 74 04 10 28 – ▤. AE GB
fermé 30 juil. au 7 août, mi-déc. à mi-janv., dim. soir et lundi – **Repas** (prévenir) 190/400 et carte 270 à 450
Spéc. Cuisses de grenouilles rôties. Queues d'écrevisses en petit ragoût. Volaille mijotée au vin de Fleurie. Vins Beaujolais, Fleurie.

FLEURINES 60700 Oise 56 ① – 1 494 h alt. 110.

Paris 56 – Compiègne 31 – Beauvais 50 – Clermont 23 – Roye 53 – Senlis 8.

XXX **Vieux Logis,** ✆ 44 54 10 13, Fax 44 54 12 47, , – P. AE ① GB.
fermé 1er au 15 août, vacances de fév., sam. midi, dim. soir et lundi – **Repas** 180/250 et carte 230 à 360.

FLEURVILLE 71260 S.-et-L. 69 ⑲ ⑳ – 485 h alt. 174.

Paris 376 – Mâcon 17 – Cluny 26 – Pont-de-Vaux 6 – St-Amour 39 – Tournus 14.

Château de Fleurville, ✆ 85 33 12 17, Fax 85 33 95 34, , parc, – TV ☎ P. ① GB
1er mars-31 oct. – **Repas** 100 (déj.), 180/290, enf. 50 – ☕ 45 – **14 ch** 450 – ½ P 450/600.

XX **Le Fleurvil** avec ch, ✆ 85 33 10 65, Fax 85 33 10 37 – ☎ P. AE GB
fermé 3 au 12 juin, 15 nov. au 15 déc., lundi soir et mardi – **Repas** 90/215, enf. 59 – ☕ 35 – **9 ch** 180/250.

à St-Oyen-Montbellet N : 3 km par N6 – ✉ **71260** Lugny :

XX **La Chaumière** avec ch, ✆ 85 33 10 41, Fax 85 33 12 99, , « Jardin fleuri » – TV ☎ P. GB
fermé jeudi midi et merc. – **Repas** 100/200 – ☕ 40 – **10 ch** 210/310.

FLEURY-SUR-ORNE 14 Calvados 55 ⑪ – rattaché à Caen.

FLORAC 48400 Lozère 80 ⑥ **G. Gorges du Tarn** (plan) – 2 065 h alt. 542.

Voir S : Corniche des Cévennes★★★ – O : Gorges du Tarn★★★.

Office de Tourisme Château de Florac ✆ 66 45 01 14, Fax 66 45 25 80.

Paris 635 – Mende 38 – Alès 68 – Millau 75 – Rodez 132 – Le Vigan 73.

Gd H. Parc, ✆ 66 45 03 05, Fax 66 45 11 81, parc, piscine, jardin – ascenseur TV ☎ P – 40. AE GB. ch
15 mars-1er déc. et fermé dim. soir (sauf hôtel) et lundi hors sais. – **Repas** 90/185, enf. 50 – ☕ 35 – **60 ch** 175/320 – ½ P 250/290.

Gorges du Tarn sans rest, ✆ 66 45 00 63 – TV ☎ P. GB.
1er mai-30 sept. et fermé sam. et dim. sauf juil.-août – ☕ 30 – **27 ch** 250.

à Cocurès NE : 5,5 km par N 106 et D 998 – 153 h. alt. 600 – ✉ 48400 :

La Lozerette, ✆ 66 45 06 04, Fax 66 45 12 93 – ☎ P. AE GB. rest
Pâques-vacances de Toussaint et fermé le mardi hors sais. – **Repas** 80/120, enf. 65 – ☕ 34 – **21 ch** 270/380 – ½ P 270/315.

CITROEN Gar. chez Momo, ZA St-Julien, rte de Mende ✆ 66 45 00 27
PEUGEOT Gar. Pascal, ✆ 66 45 00 65
Gar. Baubrier, ✆ 66 45 01 52
Covinhes Pneus, ZA ✆ 66 45 08 84

FLORENSAC 34510 Hérault 83 ⑮ – 3 583 h alt. 9.

Paris 758 – ◆Montpellier 47 – Agde 8,5 – Béziers 25 – Lodève 55 – Mèze 14 – Pézenas 10.

XX ✿ **Léonce** (Fabre) avec ch, pl. République ✆ 67 77 03 05, Fax 67 77 88 89 – rest ☎ – 25. AE GB. rest
fermé 23 sept. au 7 oct., 15 fév. au 15 mars, dim. soir sauf juil.-août et lundi – **Repas** (en saison prévenir) 140/340 et carte 260 à 360 – ☕ 40 – **10 ch** 240/270
Spéc. Supions en fricassée. Poitrine de pigeon cuisinée sur os, cuisses farcies. Sublime "Léonce", glace verveine. **Vins** Faugères, Picpoul-de-Pinet.

FLORENT-EN-ARGONNE 51 Marne 56 ⑲ – rattaché à Ste-Menehould.

La FLOTTE 17 Char.-Mar. 71 ⑫ – voir à Ré (Ile de).

FLOURE 11800 Aude 86 ⑧ – 255 h alt. 77.

Paris 805 – ◆Perpignan 104 – Carcassonne 11 – Narbonne 43.

Château de Floure, ✆ 68 79 11 29, Fax 68 79 04 61, ←, parc, piscine, tennis – TV ☎ P AE GB. rest
1er avril-30 oct. – **Repas** *(fermé dim. soir et merc.)* 160/190 – ☕ 60 – **12 ch** 400/790 – ½ P 430/570.

FLUMET 73590 Savoie 74 ⑦ G. Alpes du Nord – 760 h alt. 920 – Sports d'hiver : 1 000/1 600 m 11.

Office de Tourisme "Le Dodécagone" ✆ 79 31 61 08.

Paris 606 – Chamonix-Mont-Blanc 45 – Albertville 21 – Annecy 51 – Chambéry 72 – Megève 10.

Host. Parc des Cèdres, ✆ 79 31 72 37, Fax 79 31 61 66, ←, parc, « Parc » – TV ☎ P AE GB JCB
hôtel : 8 juin-23 sept., 20 déc.-6 janv. et 1er fév.-Pâques – **Repas** *(22 juin-9 sept., 20 déc. 6 janv. et 1er fév.-Pâques)* 90/230, enf. 52 – ☕ 40 – **20 ch** 250/380 – ½ P 300/350.

à St-Nicolas-la-Chapelle SO : 1,2 km par N 212 – 416 h. alt. 950 – ✉ 73590 :

Vivier, sur N 212 ✆ 79 31 73 79, Fax 79 31 60 70, ←, parc, jardin – TV ☎ P. GB
fermé 12 nov. au 19 déc. – **Repas** *(fermé lundi hors sais.)* 60/120, enf. 40 – ☕ 32 – **20 ch** 220/265 – ½ P 215/230.

Gar. Joly, ✆ 79 31 71 86

FOIX [P] **09000** Ariège 86 ④ ⑤ **G. Pyrénées Roussillon** – 9 964 h alt. 375.

Voir Site★ – ✻★ de la tour du château A – Route Verte★★ O par D17 A.

Env. Rivière souterraine de Labouiche★ NO : 6,5 km par D1.

de l'Ariège à la Bastide-de-Sérou, ✆ 61 64 56 78 par ③ : 15 km.

Office de Tourisme 45 cours G.-Fauré ✆ 61 65 12 12, Fax 61 65 64 63.

Paris 780 ① – Andorra la Vella 105 ② – Carcassonne 89 ① – ♦Perpignan 136 ② – St-Girons 44 ③ – ♦Toulouse 84 ①.

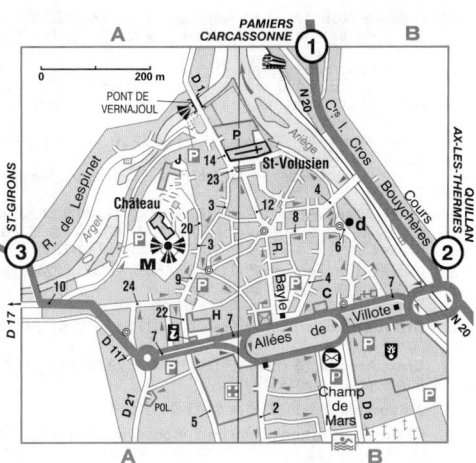

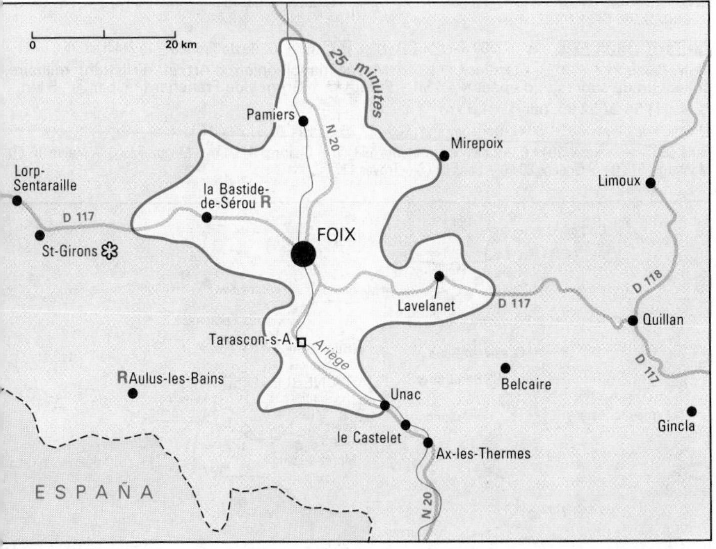

🏨 **Pyrène** M sans rest, par ② : 2 km sur N 20 ✆ 61 65 48 66, Fax 61 65 46 69, ⛱, 🌳, 🎾 – TV ☎ P. GB
fermé 20 déc. au 20 janv. – ☕ 32 – **20 ch** 270/330.

🏨 **Lons,** 6 pl. G. Duthil ✆ 61 65 52 44, Fax 61 02 68 18, ← – 🛗 TV ☎ – 🏛 40. AE ① GB
fermé 20 déc. au 20 janv. – **Repas** *(fermé sam. en hiver)* 72/142 – ☕ 34 – **40 ch** 250/360 – ½ P 222/292. B **d**

FOIX

Bayle (R.) . . . . **B**
Delcassé (R. Th.) . . . . . **B** 4
Marchands (R. des) . . . **B** 12
St-James (R.) . . . . **A** 22

Alsace-Lorraine (Av.) . . . . . . **B** 2
Chapeliers (R. des) . . . **A** 3
Delpech (R. Lt P.) . . . . **A** 5
Duthil (Pl.) . . . . **B** 6
Fauré (Av. G.) . . . . . . **AB** 7
Labistour (R. de) . . . . . **B** 8
Lazéma (R.) . . . . **A** 9
Lérida (Av. de) . . . . **A** 10
Préfecture (R. de la) . . **A** 14
Rocher (R. du) . . . . **A** 20
St-Volusien (Pl.) . . . . . . **A** 23
Salenques (R. des) . . . **A** 24

Les plans de villes sont orientés le Nord en haut.

au Sud par ② : 7 km bifurcation N 20 et D 117 – ✉ **09000** St-Paul-de-Jarrat :

La Charmille avec ch, ✆ 61 64 17 03, Fax 61 64 10 05, – **P**. GB. ch
fermé 1er au 15 oct., 23 déc. au 2 fév., dim. soir hors sais. et lundi – **Repas** 75/210, enf. 45
– 32 – **10 ch** 210/250 – ½ P 220.

CITROEN Gar. Grau, N 20 à Peyssales par ② ✆ 61 02 12 40
PEUGEOT Stival Autom., N 20 ZI de Labarre par ① ✆ 61 65 42 22 **N** ✆ 62 10 74 00
RENAULT Autorama, rte d'Espagne par ② ✆ 61 02 32 60 **N** ✆ 61 02 51 54
VAG Ariège Autom., 16 bis av. Mar.-Leclerc ✆ 61 02 74 44

Euromaster, 33 av. Mar.-Leclerc ✆ 61 65 01 68
Lautier Pneus, 16 av. de Barcelone ✆ 61 65 01 41

FONTAINEBLEAU

77300 S.-et-M. 61 ② ⑫ 106 ㊺ ㊻ **G. Ile de France** – **15 714 h alt. 75.**

Voir Palais★★★ ABZ – Jardins★ ABZ – Musée napoléonien d'Art et d'Histoire militaire collection de sabres et d'épées★ AY **M1** – Forêt★★★ – Gorges de Franchard★★ par ⑥ : 5 km.

18 ✆ (1) 64 22 22 95, par ⑤ : 1,5 km.

Office de Tourisme 31 pl. N.-Bonaparte ✆ (1) 64 22 25 68, Fax (1) 64 22 43 31.

Paris 65 ⑦ – Auxerre 104 ④ – Châlons-sur-Marne 158 ③ – Chartres 111 ⑦ – Meaux 73 ① – Melun 16 ① Montargis 52 ④ – ♦Orléans 89 ⑤ – Sens 54 ③ – Troyes 117 ③.

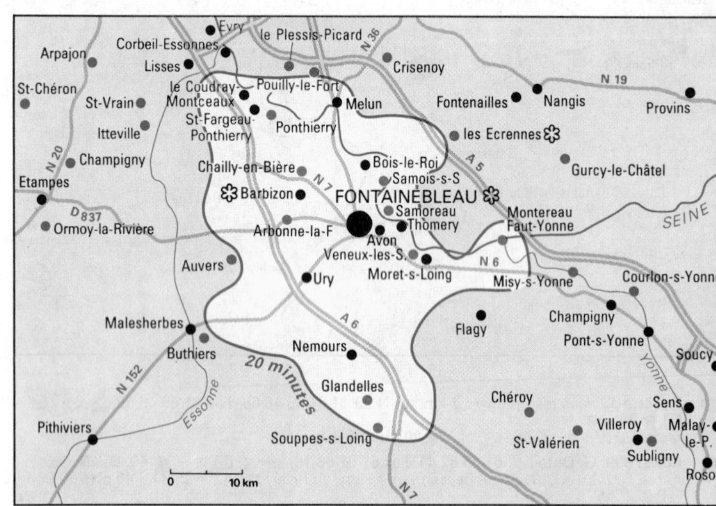

Aigle Noir M, 27 pl. Napoléon ✆ (1) 64 22 32 65, Télex 694080, Fax (1) 64 22 17 3., « Bel aménagement intérieur », – – 50. AE GB JCB — AZ
Le Beauharnais (*fermé 15 juil. au 14 août et 23 au 30 déc.*) **Repas** 180/450, carte 290 à 450, enf. 80 – 90 – **51 ch** 1050, 6 appart – ½ P 919
Spéc. Tartare de turbotin et truite de mer au gingembre. Morue fraîche mi-fumée, purée de ratte à l'huile d'olive. Ris de veau à la compote de pommes et gingembre.

Napoléon M, 9 r. Grande ✆ (1) 64 22 20 39, Fax (1) 64 22 20 87, – – 8 AE GB JCB — BZ
fermé 20 au 28 déc. – ***La Table des Maréchaux*** : **Repas** 130/320, enf. 60 – 60 – **57 c** 650/700 – ½ P 495.

Gd H. Mercure M, 41 r. Royale ✆ (1) 64 69 34 34, Télex 694420, Fax (1) 64 69 34 3, parc, – – 50. AE GB — AZ
Repas carte 150 à 190, enf. 45 – 55 – **97 ch** 610/800.

Ibis M, 18 r. Ferrare ✆ (1) 64 23 45 25, Télex 692240, Fax (1) 64 23 42 22, – – 60. AE GB — AZ
Repas 101 bc, enf. 39 – 40 – **81 ch** 350.

Croquembouche, 43 r. France ✆ (1) 64 22 01 57, Fax (1) 60 72 08 73 – AE GB. — AZ
fermé août, jeudi et merc. – **Repas** 125/195.

Chez Arrighi, 53 r. France ✆ (1) 64 22 29 43, Fax (1) 60 72 68 02 – AE GB — AZ
fermé lundi – **Repas** 95/155.

à Avon par ② – 13 873 h. alt. 71 – ✉ **77210** :

Climat de France M, 46 av. F. Roosevelt ✆ (1) 64 22 30 21, Fax (1) 64 22 43 76, – – 25 à 80. AE GB – **Repas** 89/120, enf. 36 – 39 – **67 ch** 310.

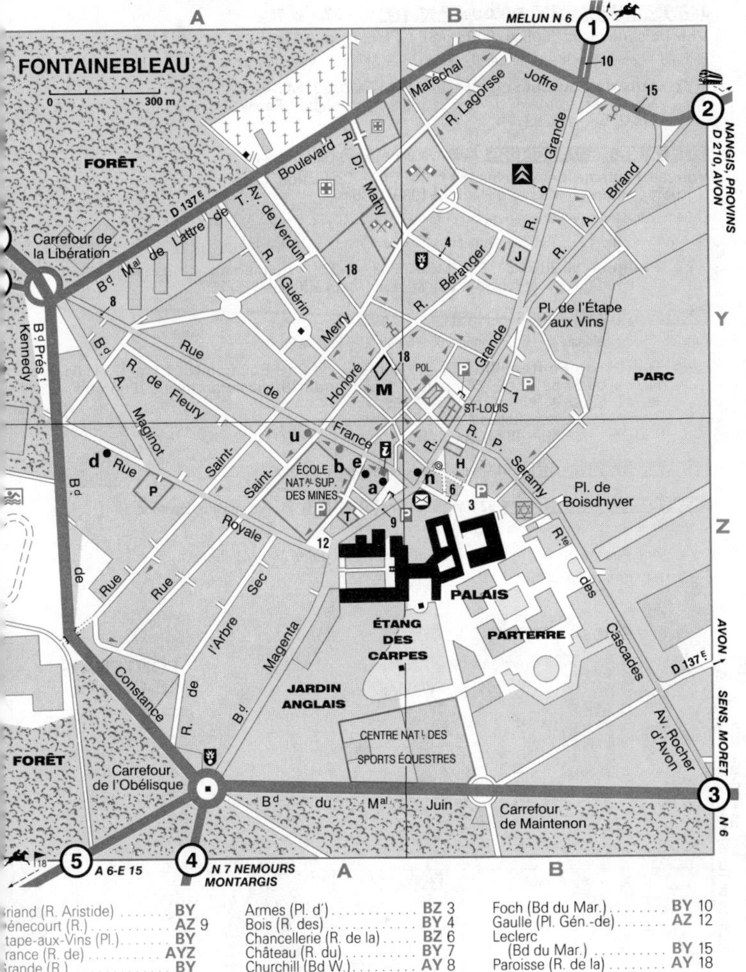

riand (R. Aristide) . . . . BY
énecourt (R.) . . . . AZ 9
tape-aux-Vins (Pl.) . . . . . . BY
rance (R. de) . . . . AYZ
rande (R.) . . . . BY

Armes (Pl. d') . . . . BZ 3
Bois (R. des) . . . . BY 4
Chancellerie (R. de la) . . . . . BZ 6
Château (R. du) . . . . BY 7
Churchill (Bd W.) . . . . AY 8

Foch (Bd du Mar.) . . . . BY 10
Gaulle (Pl. Gén.-de) . . . . AZ 12
Leclerc
(Bd du Mar.) . . . . BY 15
Paroisse (R. de la) . . . . AY 18

à Thomery E : 9 km par ③, N 6 et D 901 – 3 025 h. alt. 48 – ✉ **77810** :

XXX **Le Vieux Logis** avec ch, **5 r. Sadi Carnot** ☎ **(1) 60 96 44 77, Fax (1) 60 70 01 42,** ★, ⛱ – TV ☎ P. AE GB
Repas 145/240 et carte 250 à 350 – ☕ 50 – **14 ch** 400 – 1/2 P 365.

à Ury par ⑤ : 10 km – 706 h. alt. 117 – ✉ **77760** :

Novotel M ♨, **NE par N 152 et rte secondaire** ☎ **(1) 64 24 48 25, Fax (1) 64 24 46 92,** ←, ★, « En lisière de forêt », ⛱, ★, ✂ – ⇌ ▤ rest TV ☎ ♿ P – ★ 80. AE ⓓ GB
Repas carte environ 160, enf. 50 – ☕ 55 – **127 ch** 490/540.

LFA ROMEO, FIAT Gar. Patton Sud, 27 av. .-Roosevelt à Avon ☎ (1) 64 69 52 00
MW D.A.B., 72 av. de Valvins à Avon ☎ (1) 64 69 50 70
ITROEN Ste Nlle Sud Auto, 177 r. Grande ☎ (1) 64 69 53 30 N ☎ (1) 64 45 90 71
ORD Gar. François 1er autom., 9 r. Gambetta à von ☎ (1) 60 72 20 34
IONDA Gar. Europe, 2 av. F.-Roosevelt à Avon ☎ (1) 64 22 38 71

PEUGEOT S.C.G.C., 66 av. de Valvins à Avon par ② ☎ (1) 60 72 14 05 N ☎ (1) 05 05 24 24
RENAULT Gar. du Viaduc, 40 r. du Viaduc à Avon par ② ☎ (1) 64 22 37 78
RENAULT Gar. Centre, 56 av. de Valvins à Avon par ② ☎ (1) 64 69 56 56 N ☎ 05 05 15 15
ROVER, TOYOTA Ile-de-France Autom., 86 r. de France ☎ (1) 64 22 31 59

Ⓜ Forum Pneus, 65-67 r. de France ☎ (1) 64 22 25 85

FONTAINE-CHAALIS 60300 Oise 56 ⑫ 106 ⑨ – 366 h alt. 70.

Voir Boiseries★ de l'église de Baron E : 4 km, **G. Ile de France.**

Paris 48 – Compiègne 38 – Beauvais 61 – Meaux 30 – Senlis 9 – Villers-Cotterets 37.

XX **Aub. de Fontaine** avec ch, ℘ 44 54 20 22, Fax 44 60 25 38, – ☎ P. GB
fermé fév. et mardi de nov. à mars sauf fériés – **Repas** 135/280, enf. 65 – ☕ 40 – **7 c**
245/275 – ½ P 293.

FONTAINE-DE-VAUCLUSE 84800 Vaucluse 81 ⑬ **G. Provence** (plan) – 580 h alt. 75.

Voir La Fontaine de Vaucluse★★★ 30 mn – Collection Casteret★ au Monde souterrain d Norbert Casteret – Musée d'Histoire 1939-1945★.

Syndicat d'Initiative, Chemin de la Fontaine ℘ 90 20 32 22, Fax 90 20 21 37.

Paris 705 – Avignon 33 – Apt 31 – Carpentras 21 – Cavaillon 17 – Orange 49.

XX **Philip,** ℘ 90 20 31 81, Fax 90 20 28 63, ←, « Au pied des cascades » – GB
1er avril-30 sept. et fermé le soir sauf juil.-août – **Repas** 115/165.

FONTENAILLES 77370 S.-et-M. 61 ③ – 773 h alt. 102.

Paris 68 – Fontainebleau 29 – Coulommiers 35 – Melun 21 – Provins 26.

Golf H. de Fontenailles M, Domaine du Bois Boudran N : 1 km ℘ (1) 64 60 51 0
Fax (1) 60 67 52 12, ←, parc, « Château du 19e siècle au milieu d'un golf », –
rest TV ☎ P – 50. AE GB JCB.
1er mars-30 nov. – **Repas** *(fermé le soir sauf vend. et sam. du 1er mars au 30 nov.)* 120 (déj.
180/250 – ☕ 60 – **48 ch** 650/1450, 3 appart – ½ P 660.

FONTENAI-SUR-ORNE 61 Orne 60 ② – rattaché à Argentan.

FONTENAY-AUX-ROSES 92 Hauts-de-Seine 60 ⑩, 101 ㉕ – voir à Paris, Environs.

Avec votre guide Rouge utilisez la carte et le guide Vert Michelin : ils sont inséparables.

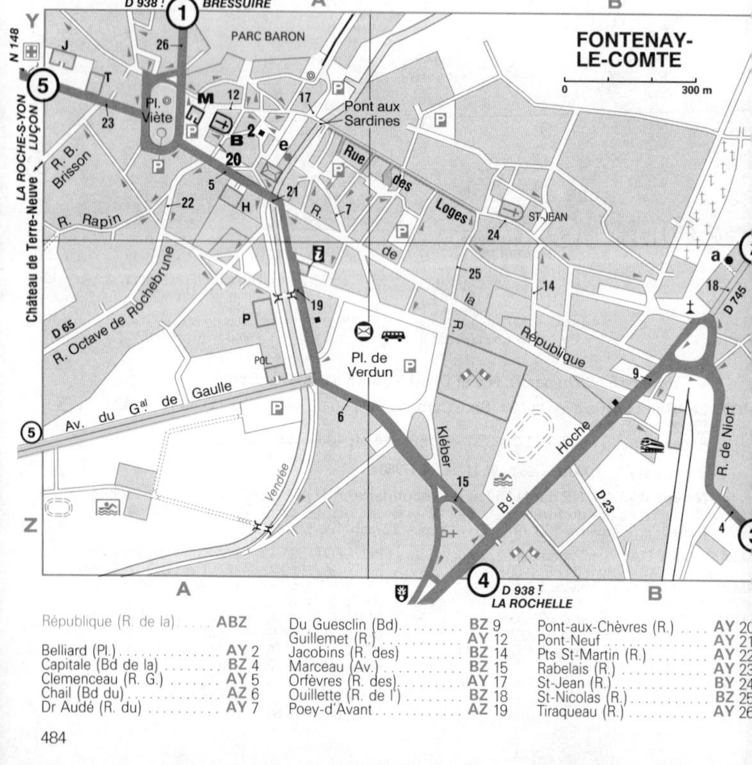

République (R. de la) ...... ABZ

Belliard (Pl.) ...... AY 2
Capitale (Bd de la) ...... BZ 4
Clemenceau (R. G.) ...... AY 5
Chail (Bd du) ...... AZ 6
Dr Audé (R. du) ...... AY 7
Du Guesclin (Bd) ...... BZ 9
Guillemet (R.) ...... AY 12
Jacobins (R. des) ...... BZ 14
Marceau (Av.) ...... BZ 15
Orfèvres (R. des) ...... AY 17
Ouillette (R. de l') ...... BZ 18
Poey-d'Avant ...... AZ 19
Pont-aux-Chèvres (R.) ...... AY 2
Pont-Neuf ...... AY 2
Pts St-Martin (R.) ...... AY 2
Rabelais (R.) ...... AY 2
St-Jean (R.) ...... BY 2
St-Nicolas (R.) ...... BZ 2
Tiraqueau (R.) ...... AY 2

FONTENAY-LE-COMTE 85200 Vendée 71 ① G. Poitou Vendée Charentes – 14 456 h alt. 21.

Voir Clocher★ de l'église N.-Dame AY B – Intérieur★ du château de Terre-Neuve.

Office de Tourisme quai Poey-d'Avant ✆ 51 69 44 99, Fax 51 50 00 90 et rte de Niort (16 juin-16 sept.) ✆ 51 53 00 09.

Paris 436 ① – La Rochelle 49 ④ – La Roche-sur-Yon 64 ⑤ – Cholet 75 ①.

Plan page ci-contre

Rabelais, rte Parthenay ✆ 51 69 86 20, Télex 701737, Fax 51 69 80 45, – ☎ & P – 70. AE GB. rest — BZ a
Repas 68/128 ₰, enf. 42 – 37 – **54 ch** 280/320 – ½ P 260.

Chouans Gourmets, 6 r. Halles ✆ 51 69 55 92 – AE GB — AY e
fermé 3 au 15 janv., dim. soir et lundi sauf fêtes – **Repas** 91/220 ₰, enf. 42.

à St-Martin-de-Fraigneau par ③ et N 148 : 5 km – 697 h. alt. 35 – ✉ 85200 :

Eleis, ✆ 51 53 03 30, Fax 51 53 01 56, – ☎ & P. AE GB
Repas snack *(fermé dim. midi)* 80/160 ₰, enf. 45 – 30 – **31 ch** 200/270 – ½ P 235/270.

à Velluire par ④, D 938 ter et D 68 : 11 km – 514 h. alt. 9 – ✉ 85770 :

Aub. de la Rivière M avec ch, ✆ 51 52 32 15, Fax 51 52 37 42, ≤, « En bordure de la Vendée » – ☎. GB
fermé 3 janv. au 25 fév., dim. soir (sauf hôtel) de sept. à juin et lundi sauf le soir en juil.-août – **Repas** 100/220 et carte 190 à 310 – 60 – **11 ch** 350/410 – ½ P 370/400.

CITROEN Les Gar. Murs, ZI 67 r. Ancienne Capitale du Bas Poitou par ③ ✆ 51 69 06 76
FIAT, LANCIA Gar. Lamy, bd du Chail ✆ 51 69 30 98
RENAULT Fontenaisienne Autom., rte de la Rochelle par ④ ✆ 51 69 49 74 N ✆ 51 36 94 64
VAG Gar. Couturier, av. Gén.-de-Gaulle ✆ 51 69 92 67 N ✆ 51 69 05 77
Gar. Aubert, rte de Niort ✆ 51 69 30 79

FONTENAY-SOUS-BOIS 94 Val-de-Marne 56 ⑪, 101 ⑰ – voir à Paris, Environs.

FONTENAY-TRÉSIGNY 77610 S.-et-M. 61 ② 106 ㉞ ㉟ – 4 518 h alt. 102.

Paris 53 – Coulommiers 22 – Meaux 31 – Melun 25 – Provins 38 – Sézanne 64.

Le Manoir , près aérodrome E : 4 km par N 4 et D 402 ✆ (1) 64 25 91 17, Fax (1) 64 25 95 49, ≤, « Ancien pavillon de chasse dans un parc avec étang », – ☎ & P – 100. AE GB
fermé mardi sauf fériés – **Repas** 240 bc/350 – 70 – **15 ch** 790/830, 5 appart – ½ P 790/1060.

FONTEVRAUD-L'ABBAYE 49590 M.-et-L. 67 ⑨ G. Châteaux de la Loire – 1 108 h alt. 75.

Voir Abbaye★★ – Église St-Michel★.

18 de Loudun (86) ✆ 49 98 78 06, par D 947 : 3 km.

Office de Tourisme Chapelle Ste-Catherine (15 mai-sept.) ✆ 41 51 79 45.

Paris 304 – ◆Angers 64 – Chinon 20 – Loudun 19 – Poitiers 76 – Saumur 15 – Thouars 36.

Hôtellerie Prieuré St-Lazare , ✆ 41 51 73 16, Télex 722341, Fax 41 51 75 50, , « Dans l'ancien prieuré de l'abbaye », – ☎ P – 100. AE GB.
fermé 2 déc. au 28 fév. – **Repas** 98/240 – 60 – **52 ch** 300/450 – ½ P 360.

Croix Blanche, pl. Plantagenets ✆ 41 51 71 11, Fax 41 38 15 38, – ☎ P – 40. AE GB
fermé 12 au 22 nov. et 13 janv. au 9 fév. – **Repas** 98/210 ₰, enf. 57 – 36 – **21 ch** 307/561 – ½ P 287/372.

✿ **La Licorne,** allée Ste-Catherine ✆ 41 51 72 49, Fax 41 51 70 40, , – AE GB JCB
fermé déc. à mi-janv., dim. soir et lundi d'oct. à avril – **Repas** (nombre de couverts limité, prévenir) 110/280 et carte 280 à 380
Spéc. Ravioli de langoustines au basilic. Saumon au beurre de vanille (saison). Poire pochée en cage. **Vins** Saumur Champigny, Chinon.

Abbaye, rte Montsoreau ✆ 41 51 71 04, Fax 41 51 43 10 – GB
fermé 2 au 26 oct., 2 au 26 fév., mardi soir et merc. – **Repas** 68/165 ₰, enf. 50.

FONTJONCOUSE 11360 Aude 86 ⑨ – 102 h alt. 298.

Paris 833 – ◆Perpignan 66 – Carcassonne 55 – Narbonne 31.

Aub. du Vieux Puits, ✆ 68 44 07 37, Fax 68 44 08 31 – P. GB
fermé 6 janv. au 12 fév., dim. soir et lundi sauf juil.-août – **Repas** 120 (déj.), 142/305 et carte 230 à 330, enf. 60.

FONT-ROMEU 66120 Pyr.-Or. 86 ⑯ G. Pyrénées Roussillon – 1 857 h alt. 1800 – Sports d'hiver : 1 800/2 450 m 1 21 – Casino .

Voir Ermitage★ (camaril★★) et calvaire ★★ de Font-Romeu NE : 2 km puis 15 mn.

9 de Font-Romeu ✆ 68 30 10 78, N : 1 km.

Office de Tourisme av. E.-Brousse ✆ 68 30 68 30, Fax 68 30 29 70.

Paris 891 – Andorra la Vella 78 – Ax-les-Thermes 56 – Bourg-Madame 19 – ◆Perpignan 89.

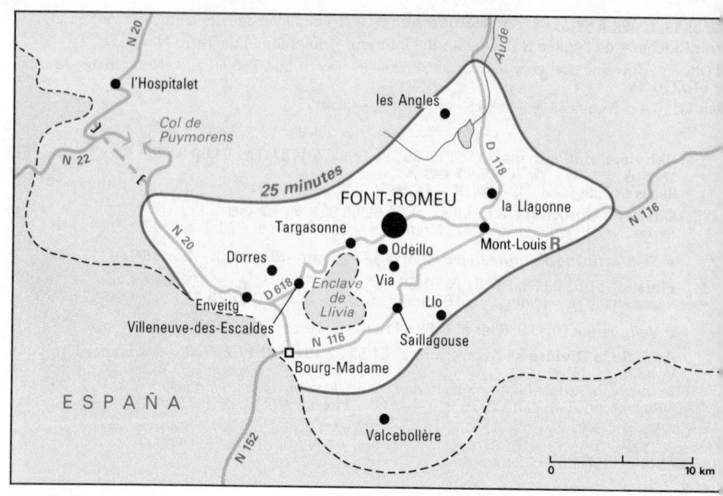

🏨 **Carlit,** ✆ 68 30 80 30, Fax 68 30 80 68, 🏊, 🌳 – 🛗 cuisinette 📺 ☎ – 🎪 35. AE GB. ✂ rest
fermé 1er oct. au 1er déc. – **Repas** 135/245 🍷, enf. 65 – ☕ 45 – **45 ch** 350/450, 13 duplex – ½ P 350/400.

🏨 **Gd Tétras** sans rest, ✆ 68 30 01 20, Fax 68 30 35 67, 🏋 – 🛗 📺 ☎ 🚗. AE ⓓ GB
☕ 38 – **36 ch** 240/335.

🏨 **Clair Soleil,** rte Odeillo : 1 km ✆ 68 30 13 65, Fax 68 30 08 27, ≤ montagnes et four solaire, 🏊, 🌳 – 🛗 📺 ☎ 🅿. AE GB
fermé 15 oct. au 15 déc. – **Repas** *(fermé dim. soir et lundi hors sais.)* 75 (déj.), 95/195, enf. 45 – ☕ 38 – **31 ch** 190/330 – ½ P 240/320.

🏨 **L'Orée du Bois** sans rest, ✆ 68 30 01 40, Fax 68 30 41 60, ≤ – 🛗 🚭 📺 ☎ ♿ 🚗. AE GB
☕ 37 – **37 ch** 260/290.

🏨 **La Montagne,** ✆ 68 30 36 44, Fax 68 30 14 14, ≤, 🏋, 🏊 – 🛗 cuisinette 📺 ☎ ♿ 🚗 🅿 – 🎪 40. AE ⓓ GB. ✂ rest
hôtel : fermé 15 au 30 nov. ; rest : fermé 15 sept. au 15 déc., 15 avril au 30 juin et dim. du 1er au 15 sept. – **Repas** 110 🍷, enf. 50 – ☕ 40 – **16 ch** 430, 7 duplex – ½ P 355/380.

🏨 **Sun Valley,** ✆ 68 30 21 21, Fax 68 30 30 38 – 🛗 📺 ☎ 🚗. GB. ✂ rest
fermé nov. – **Repas** (résidents seul.) 90/120 🍷 – ☕ 45 – **41 ch** 350/450 – ½ P 345/390.

🏨 **Pyrénées,** ✆ 68 30 01 49, Fax 68 30 35 98, ≤ Cerdagne, 🏡, 🏋, 🏊 – 🛗 📺 ☎ 📞 – 🎪 25. ⓓ GB
fermé 1er mai au 1er juin et 5 nov. au 5 déc. – **Repas** 82/155, enf. 50 – ☕ 40 – **37 ch** 280/330 – ½ P 290/330.

🏠 **Y Sem Bé** 🐌, ✆ 68 30 00 54, Fax 68 30 25 42, ≤ Cerdagne, 🏡, 🌳 – 🚭 📺 ☎. GB. ✂ rest
8 juin-22 sept. et 14 déc.-20 avril – **Repas** 90 (déj.)/110 🍷 – ☕ 40 – **24 ch** 170/420 – ½ P 240/360.

à Odeillo SO : 3 km par D 29 – ✉ **66120** Font-Romeu-Odeillo Via :

🏠 **Le Romarin,** ✆ 68 30 09 66, Fax 68 30 18 52, ≤ Cerdagne – ☎ 🅿. AE GB
✈ *fermé 30 sept. au 15 nov.* – **Repas** 60/120 🍷, enf. 60 – ☕ 37 – **15 ch** 252/284 – ½ P 225/263.

à Targasonne O : 4 km par D 10F et D 618 – 133 h. alt. 1600 – ✉ **66120** :

🏠 **La Tourane** 🐌, ✆ 68 30 15 03, ≤ – ☎ 🅿. GB
fermé 1er nov. au 15 déc. – **Repas** 85/200 – ☕ 35 – **25 ch** 175/215 – ½ P 195/215.

à Via S : 5 km par D 29 – ✉ **66120** Font-Romeu :

🏨 **L'Oustalet** 🐌, ✆ 68 30 11 32, Fax 68 30 31 89, ≤, 🏡, 🏊, 🌳 – 🛗 📺 ☎ 🅿. AE GB.
✈ ✂ rest
fermé 10 au 20 mai et 1er oct. au 20 déc. – **Repas** 80/170, enf. 50 – ☕ 40 – **28 ch** 260/320 – ½ P 245/300.

Prices For notes on the prices quoted in this Guide, see the explanatory pages.

ONTVIEILLE 13990 B.-du-R. 83 ⑩ **G. Provence** – 3 642 h alt. 20.

oir Moulin de Daudet ≤★ – Chapelle St-Gabriel★ N : 5 km.

Office de Tourisme pl. Honorat ✆ 90 54 67 49, Fax 90 54 69 82.

aris 722 – Avignon 30 – Arles 10 – ♦Marseille 90 – St-Rémy-de-Provence 17 – Salon-de-Provence 36.

La Regalido (Michel) ⛰, r. F. Mistral ✆ 90 54 60 22, Fax 90 54 64 29, ⛱, « Jardin fleuri » – ▤ TV ☎ P. AE ① GB
fermé 2 au 31 janv. – **Repas** *(fermé lundi d'oct. à juin, lundi midi et mardi midi de juil. à sept.)* 170 bc (déj.), 260/400 et carte 310 à 400, enf. 130 – ☕ 95 – **15 ch** 650/1440 – ½ P 1045/1835
Spéc. Gratin de moules aux épinards. Nage de loup à l'huile d'olive. Tranche de gigot en casserole et à l'ail. **Vins** Coteaux des Baux.

Host. St-Victor ⛰ sans rest, chemin des Fourques par rte Arles ✆ 90 54 66 00, Fax 90 54 67 88, ⛱, 🏊 – ▤ TV ☎ P. AE ① GB
☕ 70 – **11 ch** 375/625.

Val Majour ⛰, rte Arles ✆ 90 54 62 33, Fax 90 54 61 67, ≤, ⛱, « Parc », 🏊, 🎾 – TV ☎ P – 🏛 50. AE GB. ✻ rest
1er avril-31 oct. – **Repas** *(fermé le midi sauf sam., dim. et juil.-août)* 110/190 🍷, enf. 68 – ☕ 50 – **32 ch** 380/450 – ½ P 325/440.

Le Patio, 117 rte du Nord ✆ 90 54 73 10, Fax 90 54 63 52, ⛱, « Ancienne bergerie du début du siècle » – AE ① GB
fermé 17 fév. au 4 mars et merc. sauf le soir en sais. – **Repas** 98/190.

La Table du Meunier, 42 cours Hyacinthe Bellon ✆ 90 54 61 05, Fax 90 54 77 24 – ▤ P. GB
fermé vacances de Toussaint, 17 au 27 déc., vacances de fév., merc. sauf le soir en juil.-août et mardi soir – **Repas** (nombre de couverts limité, prévenir) 100/150.

Laetitia avec ch, r. Lion ✆ 90 54 72 14, ⛱ – ☎. GB
fermé déc. et janv. – **Repas** *(fermé mardi midi et lundi sauf fériés)* 95/140 🍷 – ☕ 35 – **10 ch** 185/220 – ½ P 195/250.

rte des Baux E : 4 km par D 17 et D 78F – ✉ **13990** Fontvieille :

La Ripaille, ✆ 90 54 73 15, Fax 90 54 60 69, ⛱, 🏊, 🌳 – TV ☎ P. GB
1er avril-15 oct. – **Repas** *(fermé merc. midi sauf juil.-août)* 85 (déj.)/135 – ☕ 50 – **20 ch** 275/360 – ½ P 330/360.

FORBACH <SP> 57600 Moselle 57 ⑥ **G. Alsace Lorraine** – 27 076 h alt. 222.

Office de Tourisme à l'Hôtel de Ville ✆ 87 85 02 43.

aris 383 ② – ♦Metz 54 ② – St-Avold 20 ② – Sarreguemines 20 ② – Saarbrücken 9 ①.

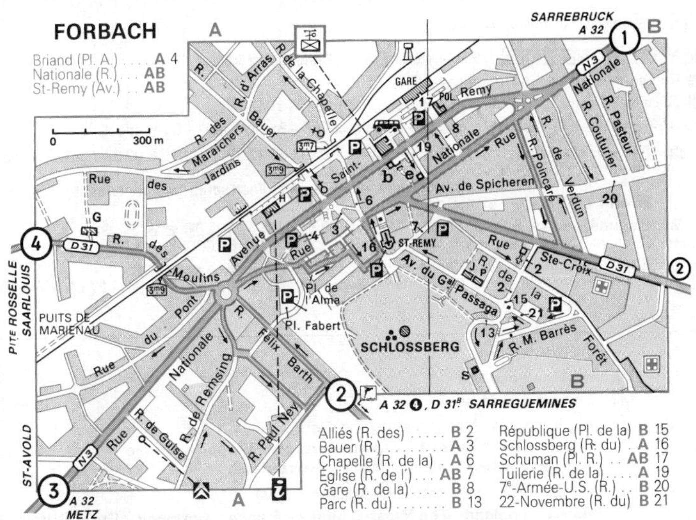

Poste sans rest, 57 r. Nationale ✆ 87 85 08 80, Fax 87 85 91 91 – TV ☎ P. AE GB — A e
☕ 35 – **29 ch** 150/290.

Berg sans rest, 50 av. St-Rémy ✆ 87 85 09 12, Fax 87 85 27 38 – TV ☎ 📞 P. GB. ✻ — A b
☕ 40 – **21 ch** 250/300.

du Schlossberg, 13 r. Parc ✆ 87 87 88 26, Fax 87 87 83 86 – AE ① GB JCB. ✻ — B s
fermé mardi soir et merc. – **Repas** 168/320.

à Stiring-Wendel par ① : 3 km – 13 743 h. alt. 240 – ✉ **57350** :

XXX ✿ **Bonne Auberge** (Mlle Egloff), 15 r. Nationale ✆ 87 87 52 78, Fax 87 87 18 19, 🏠 – 🅿. GB
fermé 27 déc. au 3 janv., sam. midi, dim. soir et lundi sauf fériés – **Repas** 170 (déj.), 265/41 et carte 310 à 460
Spéc. Soupe de boudin noir du "père Armand" (oct. à mi-mars). Krumberkichl de sandre au brou de noix. Gratinée à bière blonde, sauce tango.

à Rosbrück par ③ : 6 km – 1 014 h. alt. 200 – ✉ **57800** :

XXX **Aub. Albert Marie**, 1 r. Nationale ✆ 87 04 70 76, Fax 87 90 52 55, – 🅿. GB JCB
fermé dim. soir et lundi sauf les midis fériés – **Repas** 150 bc/350 et carte le soir 260 à 420

CITROEN Gar. Herber, r. de Guise ✆ 87 85 11 89 **N** ✆ 87 85 11 89
FORD Lehmann Autom., 143 r. Nationale à Stiring-Wendel ✆ 87 87 42 10
PEUGEOT Derr Forbach Auto, 327 RN carr. de l'Europe par ③ ✆ 87 85 11 23

RENAULT Moselle Autom., r. St-Guy ✆ 87 84 45 00 **N** ✆ 87 84 45 00

Leclerc Pneus, carr. du Schoeneck ✆ 87 85 78 4
Leclerc Pneus, carr. de l'Europe ZI ✆ 87 85 46 26

FORCALQUIER

04300 Alpes-de-H.-P. **81** ⑮ **G. Alpes du Sud** (plan) – 3 993 h alt. 550.

Voir Site★ – Cimetière★ – ✳★ de la terrasse N.-D. de Provence – Prieuré de Salagon★ S : 4 km

Office de Tourisme pl. Bourguet ✆ 92 75 10 02, Fax 92 75 26 76.

Paris 752 – Digne-les-Bains 48 – Aix-en-Provence 77 – Apt 42 – Manosque 22 – Sisteron 41.

✿ **Host. des Deux Lions**, 11 pl. Bourguet ✆ 92 75 25 30, Fax 92 75 06 41 – TV ☎. GB
fermé 1er au 20 déc., 3 janv. au 28 fév., dim. soir hors sais. et lundi (sauf le soir en sais. e fêtes) – **Repas** (nombre de couverts limité, prévenir) 160/320 et carte 270 à 350, enf. 80 – ☕ 48 – **16 ch** 300/450 – ½ P 390
Spéc. Terrine de queue de boeuf et foie gras de canard. Enrubannée de filet de sole aux écrevisses. Pétales de figue fraîches caramélisées. **Vins** Côtes du Luberon, Côtes du Ventoux.

Aub. Charembeau sans rest, E : 4 km par N 100 et rte secondaire ✆ 92 75 05 69 Fax 92 75 24 37, ←, – cuisinette ☎ 🅿. AE GB
fermé 30 nov. au 1er fév. – ☕ 42 – **13 ch** 270/450.

Colombier , S : 4 km par D 16 et rte secondaire ✆ 92 75 03 71, Fax 92 75 14 30, ← – ☎ 🅿. AE GB. rest
hôtel : 1er mars-17 nov.; rest : 1er avril-4 nov. – **Repas** *(fermé le midi sauf dim. et lund.* 128/190 – ☕ 42 – **15 ch** 310/460 – ½ P 325/400.

FORÊT

voir au nom propre de la forêt.

La FORÊT-FOUESNANT

29940 Finistère **58** ⑮ **G. Bretagne** – 2 369 h alt. 19.

de Quimper et de Cornouaille ✆ 98 56 97 09.

Office de Tourisme 2, r. du Vieux Port ✆ 98 56 94 09, Fax 98 51 42 07.

Paris 546 – Quimper 18 – Carhaix-Plouguer 62 – Concarneau 10,5 – Pont-l'Abbé 22 – Quimperlé 35.

Manoir du Stang , N : 1,5 km par V 7 ✆ 98 56 97 37, Fax 98 56 97 37, « Manoir dans un parc », – ☎ 🅿.
hôtel : 15 mai-15 sept. ; rest. : juil.-août – **Repas** (dîner seul.) (résidents seul.) 170/180 – **26 ch** ☕ 575/940 – ½ P 450/590.

Beauséjour, pl. Baie ✆ 98 56 97 18, Fax 98 51 40 77, – TV ☎ ♿ 🅿. GB
25 mars-15 oct. – **Repas** 74/240 , enf. 50 – ☕ 34 – **25 ch** 160/290 – ½ P 220/290.

Espérance, pl. Église ✆ 98 56 96 58, Fax 98 51 42 25, – ☎ 🅿. GB
4 avril-27 sept. et fermé merc. midi – **Repas** 85/205 , enf. 55 – ☕ 34 – **27 ch** 160/340 – ½ P 220/290.

FORÊT-SUR-SÈVRE 79380 Deux-Sèvres 67 ⑯ – 2 395 h alt. 153.

Paris 372 – Bressuire 16 – ♦Nantes 101 – Niort 61 – La Roche-sur-Yon 71.

X **Aub. du Cheval Blanc,** ☎ 49 80 86 35 – GB
fermé lundi – **Repas** 70 (déj.), 105/160.

La FORGE-DE-L'ILE 36 Indre 68 ⑧ – rattaché à Châteauroux.

FORGES-LES-EAUX 76440 S.-Mar. 55 ⑧ **G. Normandie Vallée de la Seine** – 3 376 h alt. 161 – Stat. therm. – Casino.

Office de Tourisme r. Mar. Leclerc ☎ 35 90 52 10, Fax 35 90 34 80.

Paris 116 – ♦Amiens 70 – ♦Rouen 45 – Abbeville 71 – Beauvais 52 – ♦Le Havre 123.

XX **Paix** avec ch, 15 r. Neufchâtel ☎ 35 90 51 22, Fax 35 09 83 62, – TV ☎ & P. AE ① GB
fermé 16 déc. au 8 janv., dim. soir hors sais. et lundi sauf le soir en sais. – **Repas** 78/168 ₰, enf. 54 – ☕ 36 – **18 ch** 230/343 – ½ P 224/246.

XX **Aub. du Beau Lieu** avec ch, SE : 2 km sur D 915 ☎ 35 90 50 36, Fax 35 90 35 98, – TV ☎ P. AE ① GB
fermé mardi sauf juil.-août – **Repas** 158/325 – ☕ 38 – **3 ch** 335.

RENAULT Gar. Goullier, Rte de Sommery à Buchy ☎ 35 34 40 30
Gar. du Parc, ☎ 35 90 52 83
Parin Pneus, ☎ 35 90 51 17

Ne prenez pas la route sans connaître votre temps de parcours.

La carte Michelin n° 911 c'est "la carte du temps gagné".

FORT-MAHON-PLAGE 80790 Somme 51 ⑪ **G. Flandres Artois Picardie** – 1 042 h alt. 2 – Casino.

Env. Parc ornithologique du Marquenterre★★ S : 15 km.

18 de Belle Dune ☎ 22 23 45 50 (près de l'Aquaclub).

Office de Tourisme ☎ 22 23 36 00, Fax 22 23 93 40.

Paris 214 – ♦Calais 90 – Abbeville 36 – ♦Amiens 80 – Berck-sur-Mer 18 – Étaples 28 – Montreuil 24.

Terrasse, ☎ 22 23 37 77, Fax 22 23 36 74, ≤ – |♦| TV ☎ & P – 80. AE ① GB. ch
fermé 12 fév. au 2 mars – **Repas** 80/180, enf. 50 – ☕ 45 – **56 ch** 250/500 – ½ P 260/335.

Victoria, ☎ 22 27 71 05 – ☎. GB
fermé 15 au 30 mars, 15 au 30 janv. et jeudi – **Repas** 75/160, enf. 40 – ☕ 30 – **15 ch** 170/240 – ½ P 190/230.

XXX **Aub. le Fiacre** avec ch, à Routhiauville SE : 2 km par rte de Rue ✉ 80120 Rue ☎ 22 23 47 30, Fax 22 27 19 80, , « Ancienne ferme aménagée », – TV ☎ & P. GB. ch
fermé 15 janv. au 15 fév., merc. midi du 15 nov. au 15 mars – **Repas** 99/210 et carte 220 à 340 – ☕ 40 – **11 ch** 390 – ½ P 390.

La FOSSETTE (Plage de) 83 Var 84 ⑯, 114 ㊽ – rattaché au Lavandou.

FOS-SUR-MER 13270 B.-du-R. 84 ⑪ **G. Provence** – 11 605 h alt. 11.

Voir Bassins de Fos★.

Office de Tourisme pl. Hôtel de Ville ☎ 42 47 71 96, Fax 42 05 59 42 et av. du Sable d'Or (juil.-août) ☎ 42 05 34 38.

Paris 753 – ♦Marseille 50 – Aix-en-Provence 56 – Arles 41 – Martigues 11,5 – Salon-de-Provence 29.

Mercure , rte Istres : 3 km ☎ 42 05 00 57, Télex 410812, Fax 42 05 51 00, ≤, , , – cuisinette TV ☎ & P – 50. AE ① GB
Repas *(fermé sam. et dim.)* 90/145 ₰ – ☕ 50 – **62 ch** 460/640, 6 studios – ½ P 350/530.

Mas de Cantegrillet sans rest, 455 chemin de Phion, N : 2 km par Allée des Pins ☎ 42 05 03 27, Fax 42 05 58 76, – TV ☎ P. GB
fermé août et 23 déc. au 3 janv. – ☕ 42 – **14 ch** 190/340.

Azur sans rest, 20 av. J. Moulin ☎ 42 05 20 50, Fax 42 05 55 25 – TV ☎ P. GB.
fermé 22 déc. au 3 janv. – ☕ 48 – **16 ch** 285/370.

FOUDAY 67 B.-Rhin 62 ⑧ **G. Alsace Lorraine** – ✉ 67130 Le Ban-de-la-Roche.

Paris 405 – ♦Strasbourg 60 – St-Dié 33 – Saverne 53 – Sélestat 36.

Julien, N 420 ☎ 88 97 30 09, Fax 88 97 36 73, , – |♦| TV ☎ & P. GB
fermé 15 mars au 1er avril, 1er au 7 oct. et mardi – **Repas** 60 (déj.), 90/180 ₰, enf. 48 – ☕ 40 – **30 ch** 250/330 – ½ P 330.

FOUESNANT 29170 Finistère 58 ⑮ **G. Bretagne** – 6 524 h alt. 30.

18 de Quimper et Cornouaille ☎ 98 56 97 09 à la Forêt-Fouesnant, 4 km.

Office de Tourisme 5 r. Armor ☎ 98 56 00 93, Fax 98 56 64 02.

Paris 549 – Quimper 15 – Carhaix-Plouguer 65 – Concarneau 14 – Quimperlé 39 – Rosporden 18.

Le Roudou, rte St-Evarzec ☎ 98 56 01 26, Fax 98 56 62 69, – ☎ ♿ P. GB. ✻ res
hôtel : Pâques-29 sept. ; rest. : 1er mai-29 sept. – **Repas** 70/160, enf. 40 – ☐ 34 – **28 ch** 240/320 – ½ P 240/290.

Orée du Bois sans rest, 4 r. Kergoadic ☎ 98 56 00 06, Fax 98 56 14 17 – ☎. AE GB
☐ 32 – **15 ch** 150/255.

au Cap Coz SE : 2,5 km par rte secondaire – ✉ **29170** Fouesnant :

Pointe Cap Coz, ☎ 98 56 01 63, Fax 98 56 53 20, ≤ mer et port – ☎. AE GB. ✻
fermé 1er janv. au 15 fév. – **Repas** *(fermé dim. soir et merc. du 15 sept. au 15 juin)* 100/250
enf. 65 – ☐ 36 – **18 ch** 227/387 – ½ P 255/336.

Belle-Vue, ☎ 98 56 00 33, Fax 98 51 60 85, ≤, – ☎ P. GB. ✻
hôtel : 1er mars-31 oct. ; rest. : vacances de printemps-15 sept. et fermé mardi sauf juil.-août – **Repas** 83/130, enf. 60 – ☐ 37 – **20 ch** 140/340 – ½ P 220/295.

à la Pointe de Mousterlin SO : 6 km par D 145 et D 134 – ✉ **29170** Fouesnant :

Pointe Mousterlin, ☎ 98 56 04 12, Fax 98 56 61 02, ≤, – ☎ ♿ P –
30. AE GB. ✻
6 avril-30 sept. – **Repas** 90/210, enf. 60 – ☐ 38 – **52 ch** 305/435 – ½ P 335/430.

NISSAN Gar. Munoz, 20 r. de Cornouaille
☎ 98 56 00 39
PEUGEOT Gar. Merrien, rte de Quimper
☎ 98 56 00 17

RENAULT Gar. Bourhis, rte de Quimper
☎ 98 56 02 65 N ☎ 98 56 02 65

FOUGÈRES SP **35300** I.-et-V. 59 ⑱ **G. Bretagne** – 22 239 h alt. 115.

Voir Château★★ AY – Église St-Sulpice★ AY – Jardin public★ : ≤★ AY – Vitraux★ de l'église St-Léonard AY.

Office de Tourisme pl. A.-Briand ☎ 99 94 12 20, Fax 99 99 42 41 et au Château pl. P.-Simon (saison) ☎ 99 9
79 59.

Paris 323 ③ – Avranches 41 ⑤ – Laval 53 ② – ♦Le Mans 128 ② – ♦Rennes 48 ④ – St-Malo 76 ⑤.

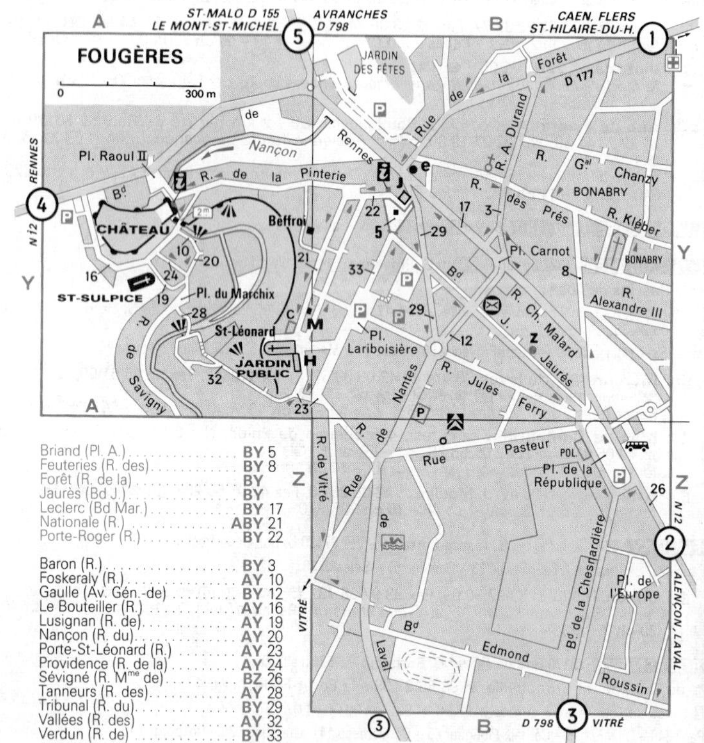

Briand (Pl. A.)	BY 5
Feuteries (R. des)	BY 8
Forêt (R. de la)	BY
Jaurès (Bd J.)	BY
Leclerc (Bd Mar.)	BY 17
Nationale (R.)	ABY 21
Porte-Roger (R.)	BY 22
Baron (R.)	BY 3
Foskeraly (R.)	AY 10
Gaulle (Av. Gén.-de)	BY 12
Le Bouteiller (R.)	AY 16
Lusignan (R. de)	AY 19
Nançon (R. du)	AY 20
Porte-St-Léonard (R.)	AY 23
Providence (R. de la)	AY 24
Sévigné (R. Mme de)	BZ 26
Tanneurs (R. des)	AY 28
Tribunal (R. du)	BY 29
Vallées (R. des)	AY 32
Verdun (R. de)	BY 33

Campanile, par ② : 1 km sur N 12 ✆ 99 94 54 00, Fax 99 99 04 01, – P. AE GB
Repas 84 bc/107 bc, enf. 39 – 32 – **49 ch** 270.

H. Voyageurs sans rest, 10 pl. Gambetta ✆ 99 99 08 20, Fax 99 99 99 04 – . AE GB BY **e**
32 – **37 ch** 180/270.

Le Haute Sève, 37 bd J. Jaurès ✆ 99 94 23 39 – AE GB BY **z**
fermé 15 juil. au 15 août, 1er au 15 janv., dim. soir et lundi – **Repas** 100 bc (déj.), 110/260.

Rest. Voyageurs, 10 pl. Gambetta ✆ 99 99 14 17, Fax 99 99 28 89 – . AE GB
fermé 22 août au 4 sept., dim. soir et sam. sauf juil.-août – **Repas** (nombre de couverts limité, prévenir) 90/210. BY **e**

à Landéan par ① : 8 km – 1 199 h. alt. 142 – ✉ **35133** :

Au Cellier, D 177 ✆ 99 97 20 50 – AE GB
fermé 17 juil. au 7 août, dim. soir et lundi – **Repas** 90/220, enf. 48.

à la Templerie par ② : 11 km – ✉ **35133** Fougères :

La Petite Auberge, sur N 12 ✆ 99 95 27 03, Fax 99 95 27 03 – P. GB
fermé 2 au 9 janv., dim. soir et lundi – **Repas** 98 bc/195.

CITROEN Succursale, 17 r Pasteur, ✆ 99 94 54 94
FORD Gar. Cofa, 3 pl de l'Europe ✆ 99 99 66 95
NISSAN Gar. Juillé, 25 r. Pipon ✆ 99 99 01 98
RENAULT Gar. Guilmault, ZAC de Guénaudière par ② ✆ 99 94 40 20 N ✆ 99 74 91 55
VOLVO Gar. Gaillard, 26 r. Dr-Bertin ✆ 99 99 07 60
Euromaster, bd Groslay ✆ 99 94 55 01

FOUGEROLLES **70220** H.-Saône 66 ⑥ **G. Jura** – 4 167 h alt. 311.

Voir Ecomusée de la distillation★.

Paris 385 – Épinal 46 – Luxeuil-les-Bains 10 – Plombières-les-Bains 12 – Remiremont 24 – Vesoul 43.

✿ **Au Père Rota** (Kuentz), ✆ 84 49 12 11, Fax 84 49 14 51 – P. AE GB
fermé 24 au 27 juin, 2 au 24 janv., dim. soir et lundi sauf fériés – **Repas** 155/310 et carte 270 à 410
Spéc. Terrine de canard. Petite nage de turbot aux écrevisses et vin jaune. Crêpes fourrées aux griottines. **Vins** Champlitte, Côtes du Jura.

FOURAS **17450** Char.-Mar. 71 ⑬ **G. Poitou Vendée Charentes** – 3 238 h alt. 5 – Casino.

Voir Donjon ✶★.

Office de Tourisme Fort Vauban ✆ 46 84 60 69, Fax 46 84 28 04.

Paris 478 – La Rochelle 29 – Châtelaillon-Plage 15 – Rochefort 13.

Gd H. des Bains, r. Gén.-Bruncher ✆ 46 84 03 44, Fax 46 84 58 26, – . GB
15 mars-1er nov. – **Repas** (dîner seul.) 115/145, enf. 50 – 38 – **34 ch** 240/340 – ½ P 245/290.

Commerce, r. Gén. Bruncher ✆ 46 84 22 62, Fax 46 84 14 50 – . GB
15 fév.-15 nov. – **Repas** 85/160, enf. 40 – 29 – **12 ch** 160/300 – ½ P 184/254.

FOURMIES **59610** Nord 53 ⑯ **G. Flandres Artois Picardie** – 14 505 h alt. 200.

Voir Musée du textile et de la vie sociale★.

Office de Tourisme pl. Verte ✆ 27 60 40 97, Fax 27 57 30 44.

Paris 201 – St-Quentin 62 – Avesnes-sur-Helpe 17 – Charleroi 61 – Guise 34 – Hirson 13 – ♦Lille 113 – Vervins 29.

aux Étangs des Moines E : 2 km par D 964 et rte secondaire – ✉ **59610** Fourmies :

Ibis M sans rest, ✆ 27 60 21 54, Fax 27 57 40 44 – – 40. AE GB
37 – **31 ch** 280.

Aub. des Étangs des Moines, ✆ 27 60 02 62, Fax 27 60 10 25, ←, – GB
fermé 15 août au 8 sept., 1er au 15 janv., dim. soir et sam. sauf fêtes – **Repas** 98/200, enf. 50.

CITROEN Gar. Losson, 13 r. A.-Renaud ✆ 27 59 90 27
Gar. Cohidon, 51 r. des Etangs ✆ 27 60 43 27 N ✆ 27 60 43 27

FOURQUES **30** Gard 83 ⑩ – rattaché à Arles.

Le FOUSSERET **31430** H.-Gar. 82 ⑯ – 1 370 h alt. 280.

Paris 751 – Auch 67 – ♦Toulouse 55 – Foix 67 – Pamiers 64 – St-Gaudens 41 – St-Girons 51.

Voyageurs avec ch, ✆ 61 98 53 06, , –
fermé 7 août au 7 sept., dim. soir et sam. – **Repas** 120/220 – 25 – **7 ch** 100/160 – ½ P 160/180.

La FOUX D'ALLOS 04 Alpes-de H.-P. 81 ⑧ – rattaché à Allos.

FRANCESCAS 47600 L.-et-G. 79 ⑭ – 625 h alt. 109.

Paris 720 – Agen 31 – Condom 15 – Nérac 12 – ◆Toulouse 138.

XXX **Relais de la Hire,** ✆ 53 65 41 59, Fax 53 65 86 42, « Demeure du 18e siècle », P. AE ① GB JCB
fermé dim. soir et lundi sauf fériés – **Repas** (prévenir) 115/255 et carte environ 220, enf. 70.

FRANCHEVILLE 69340 Rhône 74 ⑪ – 10 863 h alt. 240.

Paris 459 – ◆Lyon 9,5 – L'Arbresle 24 – Vienne 31 – Villefranche-sur-Saône 31.

Aub. de la Vallée, 39 av. Chater ✆ 78 59 11 88, Fax 78 59 47 16, – TV ☎. AE GB
Repas *(fermé 22 juil. au 20 août, vacances de fév., dim. soir et lundi)* 68 (déj.), 99/250 – 30 – **13 ch** 190/280 – ½ P 205/250.

PEUGEOT Gar. Fahy, 25 av. du Chater ✆ 78 34 00 20

Gar. du Chater, 72 bis av. du Chater ✆ 78 59 05 45

FRANQUEVILLE-ST-PIERRE 76 S.-Mar. 55 ⑦ – rattaché à Rouen.

La FRANQUI 11 Aude 86 ⑩ **G. Pyrénées Roussillon** – ✉ **11370** Leucate.

Paris 836 – ◆Perpignan 39 – Carcassonne 86 – Leucate 5 – Narbonne 36 – Port-la-Nouvelle 17.

Plage, face plage ✆ 68 45 70 23, Fax 68 45 65 64, ←, – ☎. AE GB
hôtel : 1er mai-30 sept. ; rest. : 15 mai-30 sept. – **Repas** 60/140 – 35 – **32 ch** 270 ½ P 270.

Find out how long your journey will take before setting out.

The ***Michelin Map*** *no* **911** *helps you gain time.*

FRÉHEL 22240 C.-d'Armor 59 ④ – 1 995 h alt. 72 – Casino.

Office de Tourisme ✆ 96 41 53 81, en saison Sables d'Or les Pins ✆ 96 41 51 97, Fax 96 41 59 46.

Paris 429 – St-Malo 38 – Dinan 38 – Dol-de-Bretagne 54 – Lamballe 29 – St-Brieuc 41 – St-Cast-le-Guildo 14.

XX **Le Victorine,** pl. Mairie ✆ 96 41 55 55, – GB
fermé mardi soir et merc. hors sais. – **Repas** 70/210, enf. 40.

FRÉHEL (Cap) 22 C.-d'Armor 59 ⑤ **G. Bretagne** – ✉ **22240** Fréhel.

Voir Site★★★ – ★★★ – Fort La Latte : site★★, ★★ SE : 5 km.

Paris 451 – St-Malo 46 – Dinan 45 – Dinard 38 – Lamballe 36 – ◆Rennes 107 – St-Brieuc 49.

Le Fanal sans rest, S : 2,5 km par D 16 ✆ 96 41 43 19, – ☎ P. GB.
1er avril-30 sept. – 34 – **9 ch** 240/330.

Relais de Fréhel , S : 2,5 km par D 16 et rte secondaire ✆ 96 41 43 02, – ☎ P. GB.
1er avril-3 nov. – **Repas** 68/172, enf. 30 – 33 – **13 ch** 187/267 – ½ P 257/287.

X **La Fauconnière,** à la Pointe ✆ 96 41 54 20, ← mer et côte – GB
1er avril-1er nov. et fermé merc. soir – **Repas** 105/220, enf. 50.

La FREISSINOUSE 05 H.-Alpes 81 ⑥ – rattaché à Gap.

FRÉJUS 83600 Var 84 ⑧ 114 ㉕ 115 ㉝ **G. Côte d'Azur** – 41 486 h alt. 20.

Voir Quartier épiscopal★★ C : baptistère★★, cloître★★, cathédrale★ – Ville romaine★ A arènes★ – Parc zoologique★ N : 5 km par ③.

18 de Valescure ✆ 94 82 40 46, NE : 8 km ; 18 de Roquebrune ✆ 94 82 92 91, O : 7 km par D 8 et D 7.

✆ 36 35 35 35.

Office de Tourisme r. J.-Jaurès ✆ 94 17 19 19, Fax 91 51 00 26.

Paris 872 ③ – Brignoles 63 ③ – Cannes 41 ④ – Draguignan 28 ③ – Hyères 90 ②.

Plans pages suivantes

L'Aréna M, 139 bd Gén. de Gaulle ✆ 94 17 09 40, Fax 94 52 01 52, « Décor provençal » – TV ☎ . AE GB. ch C
fermé 5 au 30 janv. – **Repas** *(fermé lundi midi et sam. midi)* 120/195 – 45 – **30 ch** 400/480 – ½ P 380/450.

XX **Le Vieux Four** avec ch, 57 r. Grisolle ✆ 94 51 56 38, « Salle rustique » – TV ☎. AE ① GB JCB C
fermé 15 nov. au 5 déc., dim. midi du 1er juil. au 15 sept. et lundi du 15 sept. au 30 juil. – **Repas** 138/270 – 30 – **8 ch** 225/265.

X **Les Potiers,** 135 r. Potiers ✆ 94 51 33 74 – . AE GB C
Repas *(dîner seul. en sais.)* (nombre de couverts limité, prévenir) 160.

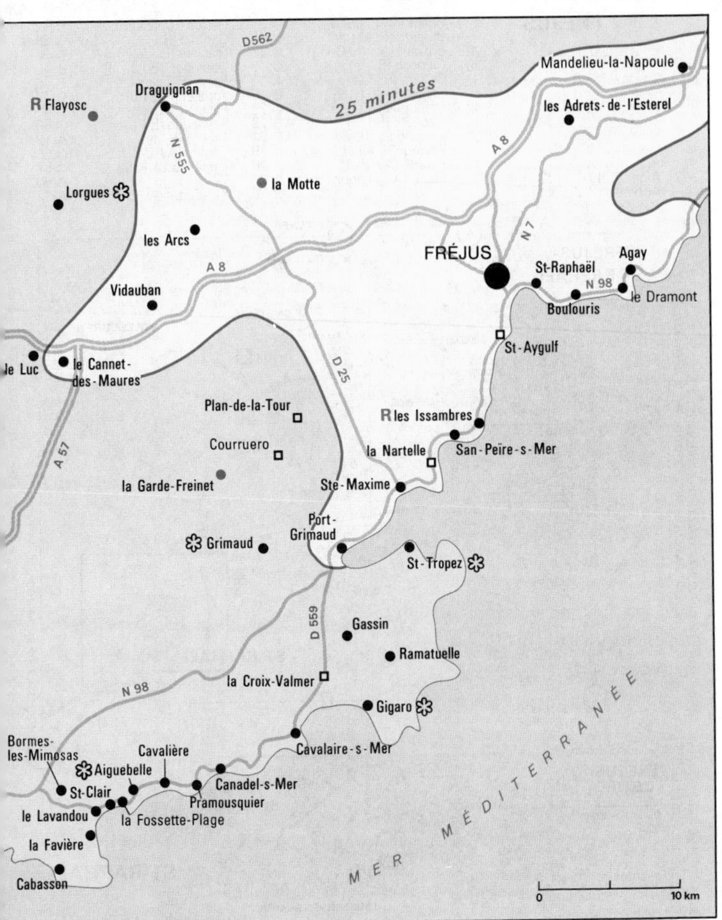

à Fréjus-plage AB – ✉ **83600** Fréjus :

Syndicat d'Initiative bd Libération ✆ 94 51 48 42.

Sable et Soleil Ⓜ sans rest, 158 r. P. Arène ✆ 94 51 08 70, Fax 94 53 49 12 – TV ☎ ♿ P. GB. — A **u**
30 – **20 ch** 280/320.

H. Oasis sans rest, imp. Charcot ✆ 94 51 50 44 – TV ☎ P. GB. — B **h**
15 fév.-15 oct. – 30 – **27 ch** 350/400.

XXX **La Toque Blanche,** 394 av. V. Hugo ✆ 94 52 06 14, – AE GB — B **v**
fermé 25 juin au 12 juil. et lundi – **Repas** 135/270 et carte 260 à 310.

XXX **Port-Royal,** pl. Tambourinaire à Port-Fréjus ✆ 94 53 09 11, Fax 94 53 75 24, ←, – AE GB — A **d**
fermé 10 janv. au 10 fév. et merc. hors sais. – **Repas** 145 (déj.), 195/280 et carte 290 à 370.

CITROEN Gar. Bacchi, av. A.-Léotard B ✆ 94 40 27 89 N ✆ 94 44 70 28
FORD Gar. Vagneur, 449 bd de la Mer ✆ 94 51 38 39 N ✆ 94 53 86 32
PEUGEOT Gar. Ortelli, N 7 ZI de la Palud par ③ ✆ 94 44 20 40

RENAULT Satac, N 7 par ③ ✆ 94 44 55 59 N ✆ 07 56 80 59

Euromaster, 238 av. de Verdun ✆ 94 51 01 54
Euromaster, ZI la Palud ✆ 94 51 29 20
Massa Pneu Vulcopneu, 1111 bd de-Lattre-de-Tassigny ✆ 94 51 44 72

FRÉJUS

Fleury (R. de) . . . . C 28
Formigé (Pl.) . . . . C 29
Grisolle (R.) . . . . C 37
Jaurès (R. Jean) C
Liberté (Pl. de la) . . . . . . C 42
Montgolfier (R.) . . . . C 44
Sieyès (R.) . . . . C 52

Agachon (Av. de l') . . . . . A 2
Alger (Bd) . . . . B 5
Aubenas (R. Joseph) . . . . C 7
Beausset (R. du) . . . . C 9
Bidoure (R. Martin) . . . . . C 10
Brosset (Av. du Gén.) . . AB 13
Camelin (R. de) . . . . C 15
Carrara (R. Jean) . . . . . . A 16
Clemenceau (R. G.) . . . . . C 19
Craponne (R.) . . . . C 22
Decuers (Bd S.) . . . . . . AC 23
Donnadieu (R.) . . . . B 24
Einaudi (R. Albert) . . . . . A 25
Europe (Av. de l') . . . . . . A 26
Fabre (Av. Hippolyte) . . . B 27
Gallus . . . . C 30
Garros (R. Roland) . . . . . . B 32
Girardin (R.) . . . . C 35
Glacière (Pl. de la) . . . . . C 36
Libération (Bd de la) . . . . B 40
Papin (R. Denis) . . . . B 46
Portalet (Pge du) . . . . . . C 48
Potiers (R. des) . . . . C 49
Reynaude (R.) . . . . C 50
Triberg (R. de) . . . . A 53
Verdun (Av. de) . . . . . . AC 56
Vernet (Espl. Paul) . . . . . C 57
Victor-Hugo (Av.) . . . . . . B 60
XVe-Corps (Av. du) . . . . . A 62

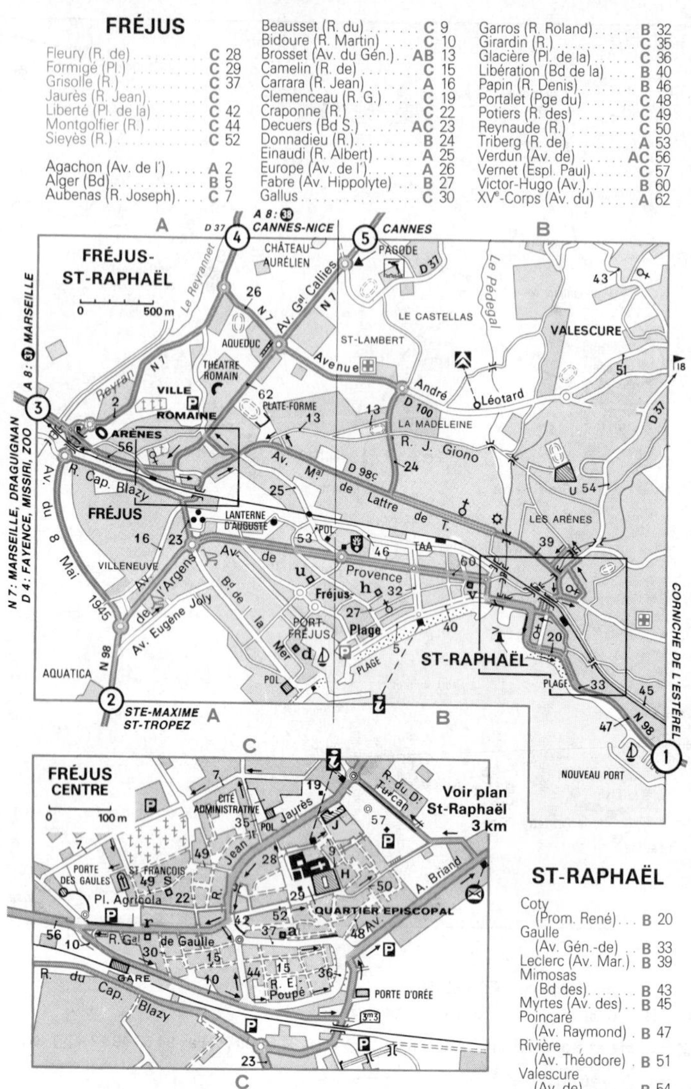

ST-RAPHAËL

Coty (Prom. René) . . . B 20
Gaulle (Av. Gén.-de) . . B 33
Leclerc (Av. Mar.) . B 39
Mimosas (Bd des) . . . . . . B 43
Myrtes (Av. des) . . B 45
Poincaré (Av. Raymond) . B 47
Rivière (Av. Théodore) . B 51
Valescure (Av. de) . . . . . . B 54

Le FRENEY-D'OISANS 38142 Isère 77 ⑥ – 177 h alt. 926.

Voir Barrage du Chambon★★ SE : 2 km – Gorges de l'Infernet★ SO : 2 km, **G. Alpes du Nord.**

Syndicat d'Initiative ✆ 76 80 05 82.

Paris 630 – Bourg-d'Oisans 11,5 – La Grave 17 – ♦Grenoble 61.

Cassini, ✆ 76 80 04 10, Fax 76 80 23 06, ≤, – ☎ . GB
fermé 2 au 25 oct. et week-ends en mai – **Repas** 85/175, enf. 55 – ☕ 33 – **13 ch** 185/295 – ½ P 255/300.

*à **Mizoën*** NE : 4 km par N 91 et D 25 – 122 h. alt. 1100 – ⊠ **38142** :

Panoramique Ⓜ, ✆ 76 80 06 25, Fax 76 80 25 12, ≤ montagne et vallée, – TV ☎ P. GB. rest – *1er juin-30 sept. et 22 déc.-1er mai* – **Repas** 95/165, enf. 60 – ☕ 34 – **10 ch** 250/305 – ½ P 240/265.

FRESNAY-EN-RETZ 44580 Loire-Atl. 67 ② – 848 h alt. 15.

Paris 426 – ◆Nantes 38 – La Roche-sur-Yon 59 – Challans 25 – St-Nazaire 49.

XX **Le Colvert,** ✆ 40 21 46 79, Fax 40 21 95 99 – AE ⓓ GB
fermé 24 au 31 déc., vacances de fév., dim. soir et lundi – **Repas** 90 (déj.), 115/230, enf. 65.

FRESNAY-SUR-SARTHE 72130 Sarthe 60 ⑫ ⑬ **G. Normandie Cotentin** – 2 452 h alt. 95.

Office de Tourisme à la Mairie ✆ 43 97 23 75.

Paris 234 – Alençon 20 – ◆Le Mans 37 – Laval 72 – Mamers 31 – Mayenne 53.

Ronsin, 5 av. Ch. de Gaulle ✆ 43 97 20 10, Fax 43 33 50 47 – TV ☎. AE ⓓ GB
fermé 18 déc. au 8 janv., dim. soir et lundi midi du 10 sept. au 30 juin – **Repas** 55 bc (déj.), 72/220 – 29 – **12 ch** 246/298 – ½ P 250/310.

CITROEN Gar. Goupil, ✆ 43 97 20 08

RENAULT Gar. Lechat, ✆ 43 97 24 45

Le FRET 29 Finistère 58 ④ – rattaché à Crozon.

FRÉVENT 62270 P.-de-C. 51 ⑬ **G. Flandres Artois Picardie** – 4 121 h alt. 86.

Paris 189 – ◆Amiens 47 – Abbeville 42 – Arras 38 – St-Pol-sur-Ternoise 12.

Amiens, r. Doullens ✆ 21 03 65 43 – ☎ P. GB
Repas 62/195, enf. 45 – 25 – **10 ch** 140/220 – ½ P 150/180.

RENAULT Gar. Frevent, ✆ 21 03 61 97 N ✆ 21 03 61 97

FRICHEMESNIL 76690 S.-Mar. 52 ⑭ – 406 h alt. 150.

Paris 140 – ◆Rouen 32 – Dieppe 40 – Yerville 20 – Yvetot 32.

XX **Au Souper Fin,** ✆ 35 33 33 88, Fax 35 33 50 42 – GB
fermé 16 août au 6 sept., vacances de fév., merc. soir et jeudi – **Repas** 165/230.

FROENINGEN 68 H.-Rhin 66 ⑨ – rattaché à Mulhouse.

FROIDETERRE 70 H.-Saône 66 ⑦ – rattaché à Lure.

FRONTIGNAN 34110 Hérault 83 ⑯ ⑰ **G. Gorges du Tarn** – 16 245 h alt. 2.

Office de Tourisme r. de la Raffinerie ✆ 67 48 33 94, Fax 67 43 26 34.

Paris 783 – ◆Montpellier 22 – Lodève 65 – Sète 7,5.

XX **Jas d'Or,** 2 bd V. Hugo ✆ 67 43 07 57 – ▤. GB
fermé lundi midi et sam. midi en sais., mardi soir et merc. hors sais. – **Repas** 90 (déj.), 150/190.

au Nord-Est : 4 km sur N 112 – ✉ **34110** Frontignan :

Host. de Balajan, ✆ 67 48 13 99, Fax 67 43 06 62, – ▤ rest TV ☎ P. AE GB. rest
fermé 24 déc. au 3 janv. et fév. – **Repas** *(fermé sam. midi)* 78/235 – 43 – **20 ch** 295/395 – ½ P 298/330.

CITROEN Azur Automobiles, ZAC La Peyrade ✆ 67 48 87 63

FROTEY-LÈS-VESOUL 70 H.-Saône 66 ⑥ – rattaché à Vesoul.

FUISSÉ 71960 S.-et-L. 69 ⑲ **G. Bourgogne** – 321 h alt. 290.

Paris 407 – Mâcon 9,5 – Charolles 53 – Chauffailles 53 – Villefranche-sur-Saône 45.

XX **Pouilly Fuissé,** ✆ 85 35 60 68, Fax 85 35 60 68, – GB
fermé 31 juil. au 7 août, 2 au 24 janv. et merc. – **Repas** (sam. et dim. prévenir) 80/220, enf. 50.

FUMEL 47500 L.-et-G. 79 ⑥ – 5 882 h alt. 70.

Voir Église★ de Monsempron O : 2 km, **G. Pyrénées Aquitaine.**

Env. Château de Bonaguil★★ NE : 8 km, **G. Périgord Quercy.**

Syndicat d'Initiative pl. G.-Escande ✆ 53 71 13 70, Fax 53 71 40 91.

Paris 601 – Agen 57 – Bergerac 69 – Cahors 48 – Montauban 76 – Villeneuve-sur-Lot 28.

Climat de France, pl. Église ✆ 53 40 93 93, Fax 53 71 27 94, , – TV ☎ – 40. AE ⓓ GB
Repas 95/130, enf. 49 – 36 – **32 ch** 300 – ½ P 260/275.

XX **72 Avenue** avec ch, av. Usine ✆ 53 71 80 22, Fax 53 71 15 08 – ▤ rest TV ☎ P. GB
Repas *(fermé 1er août au 2 sept., dim. soir et lundi)* 60 bc/220, enf. 55 – 30 – **8 ch** 210/250 – ½ P 200.

CITROEN Gar. Calassou, ZI Condezaygue, rte de Villeneuve sur Lot ✆ 53 40 99 99 N ✆ 53 40 98 29
PEUGEOT Gar. Cousset, Montayral ✆ 53 71 03 58
RENAULT Gar. Mons, ZI à Montayral ✆ 53 40 92 22

Euromaster, ZI Clos Bardy, rte de Périgueux ✆ 53 71 01 50

La FUSTE 04 Alpes-de-H.-P. 81 ⑮, 114 ⑤ – rattaché à Manosque.

FUTEAU 55 Meuse 56 ⑲ – rattaché à Ste-Menehould (51 Marne).

GABARRET 40310 Landes 79 ⑬ – 1 335 h alt. 153.

Office de Tourisme ✆ 58 44 35 77.

Paris 718 – Agen 66 – Mont-de-Marsan 47 – Auch 76 – ◆Bordeaux 138 – Pau 94.

Glycines sans rest, ✆ 58 44 92 90 – TV ☎ P. GB
30 – **10 ch** 200/250.

RENAULT Gar. Lescure, ✆ 58 44 90 27 N ✆ 58 44 90 27

GABRIAC 12340 Aveyron 80 ③ – 403 h alt. 580.

Paris 614 – Rodez 28 – Espalion 13 – Mende 89 – St-Geniez-d'Olt 19 – Sévérac-le-Château 33.

Bouloc, ✆ 65 44 92 89, Fax 65 48 86 74, ⛱, – TV ☎ P. GB
fermé 18 au 24 mars, 24 juin au 1er juil., 30 sept. au 21 oct. et merc. sauf juil.-août – **Repa**
80/180 , enf. 48 – 32 – **11 ch** 265/285 – ½ P 290.

La GACILLY 56200 Morbihan 63 ⑤ – 2 268 h alt. 22.

Paris 404 – Châteaubriant 66 – Dinan 89 – Ploërmel 30 – Redon 14 – ◆Rennes 62 – Vannes 53.

France avec ch, ✆ 99 08 11 15, Fax 99 08 25 88 – ☎ ♿ P. GB
fermé 24 déc. au 3 janv. et dim. soir d'oct. à avril – **Repas** 68/180 , enf. 45 – 28 – **10 c**
120/180 – ½ P 140/170.

Annexe Le Square sans rest, – TV ☎
28 – **25 ch** 230/250.

RENAULT Gar. Roblin, ✆ 99 08 10 17 N ✆ 99 08 84 72

GAGNY 93 Seine-St-Denis 56 ⑪, 101 ⑱ – voir à Paris, Environs.

GAILLAC 81600 Tarn 82 ⑨ ⑩ **G. Pyrénées Roussillon** (plan) – 10 378 h alt. 143.

Env. Plafond★ du château de Mauriac N : 8 km par D 3.

Office de Tourisme pl. Libération ✆ 63 57 14 65.

Paris 670 – ◆Toulouse 57 – Albi 22 – Cahors 87 – Castres 47 – Montauban 50.

Occitan sans rest, pl. Gare ✆ 63 57 11 52, Fax 63 57 56 18 – TV ☎ P. AE GB
32 – **13 ch** 130/270.

CITROEN Gar. Joulie, 40 av. St-Exupéry ✆ 63 57 11 88 N ✆ 63 57 23 54
PEUGEOT Picard Autos, 83 av. Ch.-de-Gaulle ✆ 63 57 08 48 N ✆ 63 47 87 17
RENAULT Gaillac-Auto, av. St-Exupéry ✆ 63 81 18 18 N ✆ 63 42 70 18
Deldossi, 124 av St Exupéry ✆ 63 57 03 29
François Pneus, 24 bd Gambetta ✆ 63 57 13 96

GAILLAN-EN-MÉDOC 33 Gironde 71 ⑰ – rattaché à Lesparre-Médoc.

GAILLON 27600 Eure 55 ⑰ **G. Normandie Vallée de la Seine** – 6 303 h alt. 15.

9 ✆ 32 53 89 40, E : 1 km par D 515.

Paris 97 – ◆Rouen 47 – Les Andelys 12 – Évreux 24 – Vernon-sur-Eure 14.

La Campagnette, 12 r. P. Brossolette ✆ 32 53 51 10 – GB
fermé dim. soir, lundi soir et mardi soir – **Repas** 89/145.

à Vieux-Villez O : 4 km par N 15 – 134 h. alt. 125 – ✉ **27600** :

Host. Clos Corneille , ✆ 32 53 88 00, Fax 32 52 45 14, – TV ☎ ♿ P. AE GB
Repas 85/160 – 38 – **25 ch** 260/295 – ½ P 290.

PEUGEOT Gar. Berrier, 44 rte de Rouen ✆ 32 53 01 43
RENAULT Gar. Gaillonnais, 44 av. du Mar.-Leclerc ✆ 32 53 14 35

GALIMAS 47 L.-et-G. 79 ⑮ – rattaché à Agen.

GAMBAIS 78950 Yvelines 60 ⑧ 106 ㉗ – 1 730 h alt. 119.

Paris 55 – Dreux 26 – Mantes-la-Jolie 28 – Rambouillet 22 – Versailles 37.

Aub. du Clos St-Pierre, 2 bis r. Goupigny ✆ (1) 34 87 10 55, – GB
fermé 5 au 25 fév., dim. soir, lundi soir et mardi soir – **Repas** 105 (déj.), 135/210.

GANGES 34190 Hérault 83 ⑥ **G. Gorges du Tarn** – 3 343 h alt. 175.

Voir Gorges de la Vis★★ SO – Aven des Lauriers★ SE : 3 km.

Env. Grotte des Demoiselles★★★ SE : 9 km.

Paris 706 – ◆Montpellier 44 – Alès 48 – Nîmes 58 – Le Vigan 19.

Aub. Les Norias avec ch, à Cazilhac, E sur D 25 ✆ 67 73 55 90, Fax 67 73 62 08, ,
– TV ☎ P. AE GB
fermé mardi sauf le soir en sais. et lundi soir – **Repas** 100/220, enf. 55 – 35 – **11 ch**
250/300 – ½ P 275.

CITROEN Gar. Cayrel, rte de Nimes ✆ 67 73 81 30
PEUGEOT Gar. Jourdan, 1 av. du Vigan ✆ 67 73 81 65
RENAULT Gar. Boissière, 16 r. de l'Albarède ✆ 67 73 82 15

GAP 🅿 05000 H.-Alpes 77 ⑯ G. Alpes du Sud – 33 444 h alt. 735.

de Gap Bayard ✆ 92 50 16 83, 7 km par ①.

Office de Tourisme 12 r. Faure du Serre ✆ 92 51 57 03, Fax 92 53 63 29 – Automobile Club des Alpes, 25 rte de la Justice, ZI des Fauvins ✆ 92 51 22 12.

Paris 674 ① – Avignon 170 ④ – ♦Grenoble 104 ① – Sisteron 49 ③ – Valence 160 ①.

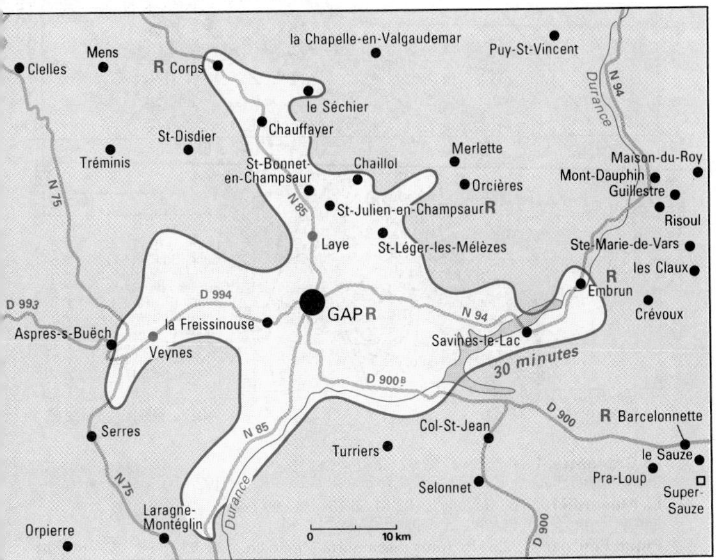

Gapotel Ⓜ, av. Embrun par ② ✆ 92 52 37 37, Fax 92 52 06 46, – 40 à 100. AE ⓓ GB
Repas *(fermé dim. soir du 1er nov. au 30 avril)* 85/150 – ☕ 44 – **60 ch** 330/650, 3 appart – ½ P 250.

Porte Colombe Ⓜ, 4 pl. F. Euzières ✆ 92 51 04 13, Télex 405834, Fax 92 52 42 50 – rest. AE ⓓ GB Z n
Repas *(fermé 6 au 28 janv., vend. soir et sam. du 1er oct. au 14 juil.)* 110/180, enf. 60 – ☕ 36 – **26 ch** 230/350 – ½ P 265/275.

La Grille, 2 pl. F. Euzières ✆ 92 53 84 84, Fax 92 52 42 38 – cuisinette ch. AE ⓓ GB Z r
Repas *(fermé 3 au 15 janv., dim. soir et lundi sauf août)* 80/140 – ☕ 35 – **29 ch** 290/340 – ½ P 270/300.

Mokotel sans rest, par ③ : 2,5 km (près piscine), rte Marseille ✆ 92 51 57 82, Fax 92 51 56 52, – . AE ⓓ GB
☕ 30 – **27 ch** 215/295.

Ibis Ⓜ, bd G. Pompidou ✆ 92 53 57 57, Fax 92 53 38 15 – – 25 à 70. AE GB Y x
Repas 99 bc, enf. 39 – ☕ 35 – **61 ch** 295.

Inter Service H. Ⓜ, par ③ : 2 km rte Marseille ✆ 92 53 53 52, Fax 92 53 56 23, – – 25. AE GB
Repas *(fermé dim. soir de nov. à mai)* 75/160, enf. 30 – ☕ 40 – **40 ch** 250/290 – ½ P 260.

Ferme Blanche sans rest, par ① et D 92 : 2 km ✆ 92 51 03 41, Fax 92 51 35 39, ≤, – – 30. AE ⓓ GB
☕ 40 – **28 ch** 180/315.

Paix sans rest, 1 pl. F. Euzières ✆ 92 51 03 29, Fax 92 52 19 87 – . GB Z v
☕ 30 – **23 ch** 130/250.

Le Patalain, 7 av. Alpes (près gare) ✆ 92 52 30 83 – . AE ⓓ GB Y d
fermé juil., sam. midi et dim. – **Repas** 115/265 et carte 230 à 320.

La Roseraie, par ① et D 92 : 2 km ✆ 92 51 43 08, Fax 92 53 80 21, ≤, – . AE ⓓ GB
fermé lundi sauf le soir du 14 juil. au 20 août et dim. soir – **Repas** 130/400, enf. 60.

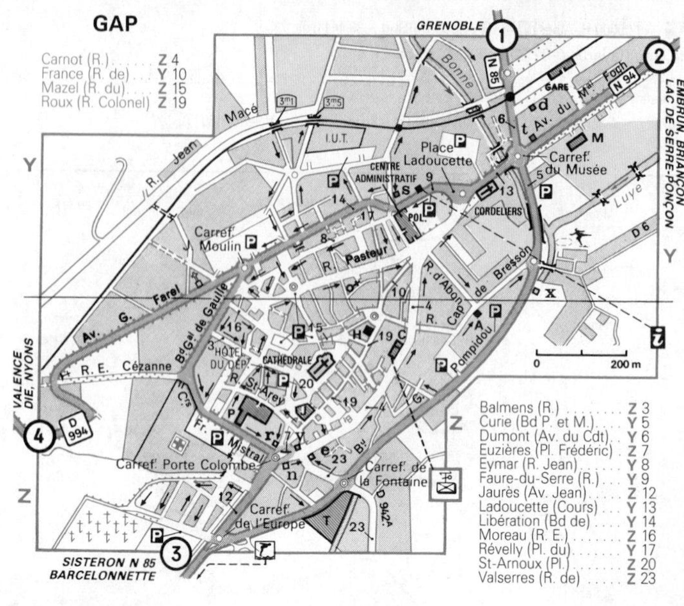

X **La Grangette,** 1 av. Foch ☎ 92 52 39 82 – GB — Y
fermé 12 au 26 juin, 12 au 22 fév., dim. soir et lundi – **Repas** 102/170.

X **La Musardière,** 3 pl. Révelly ☎ 92 51 56 15 – ▤. ⓓ GB — Y
fermé 1er au 10 juin et merc. – **Repas** 98/148, enf. 40.

X **Pique Feu,** par ③ : 2,5 km, (près piscine) rte Marseille ☎ 92 52 16 06, 🏠 – P. GB
fermé 15 au 30 juin, dim. soir et lundi – **Repas** 65/150.

X **La Petite Marmite,** 79 r. Carnot ☎ 92 51 14 20, 🏠 – GB JCB — Z
Repas 79/115, enf. 55.

à la Freissinouse par ④ : 9 km – 365 h. alt. 965 – ✉ **05000** :

Azur, D 994 ☎ 92 57 81 30, Fax 92 57 92 37, ≤, parc, 🏊 – TV ☎ 🚗 P. GB
Repas 85/170 ♿, enf. 50 – ☕ 30 – **45 ch** 240/300 – ½ P 270/310.

ALFA-ROMEO, NISSAN Alpes-Sport-Autos, 5 r. de Tokoro ☎ 92 51 18 65
BMW, FIAT Transalp-Auto, 85-86 av. d'Embrun ☎ 92 52 02 57
CITROEN France-Auto, Tokoro Leplan de Gap par ② ☎ 92 53 88 11
FORD Gar. Europ-Auto, rte de Briançon ☎ 92 52 05 46
HYUNDAI MERCEDES D.A.G.A., 3 av. Mar.-Foch ☎ 92 52 62 00
LANCIA Gar. Rouit, 52 av. de Provence Fontreyne ☎ 92 51 18 26
MAZDA Alpes Motor Service, bd d'Orient Espace Tokoro ☎ 92 53 77 78
OPEL T.A.G., Espace Tokoro ☎ 92 52 09 99
PEUGEOT France-Alpes, rte de Marseille par ③ ☎ 92 52 15 17
RENAULT Gap-Automobiles, 90 av. d'Embrun par ② ☎ 92 53 96 96 N ☎ 92 40 52 60
ROVER Gar. de Verdun, 25 av. J.-Jaurès ☎ 92 51 26 18
TOYOTA Balagna-Fougairolle, Espace Tokoro ☎ 92 51 12 97
VAG Gar. Gap, rte de Briançon ☎ 92 52 25 56

Ⓜ Barneaud Pneus, 15 rte de St-Jean ☎ 92 51 00 59
Euromaster, av. d'Embrun ☎ 92 52 20 28
Meizenq-Pneus-Point S, Espace Tokoro 74 av. d'Embrun ☎ 92 52 22 33

GARABIT (Viaduc de) ★★ 15 Cantal 76 ⑭ G. Auvergne – ✉ 15390 Loubaresse.

Env. Maison du paysan★ à Loubaresse S : 7 km – Belvédère de Mallet ≤★★ SO : 13 km puis 10 mn.

Paris 528 – Aurillac 85 – Mende 70 – Le Puy-en-Velay 92 – St-Flour 12.

Garabit-Hôtel, ☎ 71 23 42 75, Fax 71 23 49 60, ≤, « Terrasse au bord du lac », 🏊 –
TV ☎ 🚗 P. GB
avril-oct. – **Repas** 70/180, enf. 45 – ☕ 32 – **47 ch** 185/350 – ½ P 220/290.

Beau Site, N 9 ☎ 71 23 41 46, Fax 71 23 46 34, ≤ viaduc et lac, 🏊, 🌳, 🎾 – cuisinette
TV ☎ 🚗 P. GB
Pâques-1er nov. – **Repas** 71/190 ♿, enf. 43 – ☕ 35 – **16 ch** 240/270, 3 studios – ½ P 250/280

Viaduc, N 9 ☎ 71 23 43 20, Fax 71 23 45 19, ≤, 🏊, 🎾 – ☎ P. GB
1er avril-15 nov. – **Repas** 70/138 ♿, enf. 44 – ☕ 32 – **25 ch** 180/250 – ½ P 190/260.

GARANCIÈRES 78890 Yvelines 60 ⑧ 106 ⑮ – 1 923 h alt. 124.

aris 49 – Dreux 33 – Mantes-la-Jolie 21 – Rambouillet 24 – Versailles 30.

XX **Aub. de la Malvina,** la Haute Perruche ✆ (1) 34 86 45 76, Fax (1) 34 86 46 11, 🏠 – GB
fermé 2 janv. au 2 fév., merc. soir et jeudi – **Repas** 95 (déj.), 160/250.

EUGEOT S E G C, 18 r. du Gén. Leclerc ✆ (1) 34 86 41 20

RENAULT Gar. Carissan, r. de la Gare ✆ (1) 34 86 51 95

GARCHES 92 Hauts-de-Seine 55 ⑳, 101 ⑭ – voir à Paris, Environs.

La GARDE 04 Alpes-de-H.-P. 81 ⑱, 114 ⑩ – rattaché à Castellane.

La GARDE 48 Lozère 76 ⑮ – rattaché à St-Chély-d'Apcher.

La GARDE-ADHÉMAR 26700 Drôme 81 ① **G. Vallée du Rhône** – 1 108 h alt. 178.

Voir Église★ – ≤★ de la terrasse.

aris 625 – Montélimar 21 – Nyons 39 – Pierrelatte 6.

XX **Logis de l'Escalin** 🐌 avec ch, N : 1 km par D 572 ✆ 75 04 41 32, Fax 75 04 40 05, 🏠, 🚗 – 🅿. GB. ✗
fermé 10 au 16 juin, 16 au 22 sept., 2 au 8 janv. et dim. soir – **Repas** 98/230 – ☕ 40 – **6 ch** 180/250 – ½ P 270/310.

La GARDE-FREINET 83310 Var 84 ⑰ 114 ㊱ **G. Côte d'Azur** – 1 465 h alt. 380.

aris 856 – Fréjus 42 – Brignoles 46 – Hyères 54 – ♦Toulon 74 – St-Tropez 20 – Ste-Maxime 22.

X **La Faücado,** ✆ 94 43 60 41, 🏠, « Belle terrasse fleurie » – GB
fermé 20 janv. au 10 mars – **Repas** 130 (déj.), 180/300.

La GARDE-GUÉRIN 48800 Lozère 80 ⑦ **G. Gorges du Tarn.**

Voir Donjon ✳★.

Paris 615 – Alès 61 – Aubenas 67 – Florac 72 – Langogne 36 – Mende 57 – Vallon-Pont-d'Arc 64.

🏠 **La Regordane,** ✆ 66 46 82 88, Fax 66 46 90 29, 🏠, « Demeure du 16ᵉ siècle » – ⇆ ☎. GB
4 avril-4 nov. – **Repas** 98/170, enf. 55 – ☕ 36 – **15 ch** 250/335 – ½ P 280/310.

GARDOUCH 31 H.-Gar. 82 ⑲ – rattaché à Villefranche-de-Lauragais..

La GARENNE-COLOMBES 92 Hauts-de-Seine 55 ⑳, 101 ⑭ – voir à Paris, Environs.

La GARETTE 79 Deux-Sèvres 71 ② **G. Poitou Vendée Charentes** – ✉ **79270** Sansais.

Paris 417 – La Rochelle 53 – Fontenay-le-Comte 29 – Niort 11,5 – St-Jean-d'Angély 57.

XX **Mangeux de Lumas,** ✆ 49 35 93 42, Fax 49 35 82 89, 🏠 – GB
fermé 5 au 25 janv., lundi soir et mardi sauf juil.-août – **Repas** 115/285, enf. 65.

GARNACHE 85 Vendée 67 ⑫ – rattaché à Challans.

GARONS 30 Gard 80 ⑲ – rattaché à Nîmes.

GASSIN 83580 Var 84 ⑰ 114 ㊲ **G. Côte d'Azur** – 2 622 h alt. 200.

Voir Boulevard circulaire ≤★ – Moulins de Paillas ✳★★ SE : 3,5 km.

Paris 876 – Fréjus 34 – Brignoles 67 – Le Lavandou 32 – St-Tropez 10,5 – Ste-Maxime 14 – Toulon 71.

XX **Le Carat,** carrefour D 61-D 98, N : 3,5 km ✆ 94 56 50 10, 🏠, 🏊 – 🅿. GB
fermé 15 nov. au 15 déc. et dim. soir hors sais. – **Repas** 98 (déj.), 149/295, enf. 49.

XX **Aub. la Verdoyante,** N : 2 km par rte St-Tropez et chemin privé ✆ 94 56 16 23, Fax 94 56 43 10, ≤, 🏠 – 🅿. GB
fin mars-début nov. et fermé merc. sauf le soir en juil.-août – **Repas** 135/185.

GAUDENT 65 H.-Pyr. 85 ⑳ – rattaché à St-Bertrand-de-Comminges.

GAURIAC 33710 Gironde 71 ⑧ – 809 h alt. 50.

Paris 551 – ♦Bordeaux 42 – Blaye 10 – Jonzac 56 – Libourne 37.

X **La Filadière,** O : 2 km sur D 669[E1] ✆ 57 64 94 05, Fax 57 64 94 06, ≤, 🏠 – 🅿. GB
fermé merc. d'oct. à avril sauf fériés – **Repas** 90/240, enf. 50.

GAVARNIE 65120 H.-Pyr. 85 ⑱ **G. Pyrénées Aquitaine** – 177 h alt. 1350 – Sports d'hiver Sports d'hiver : 1 350/2 400 m ⛷12 ⛷.

Voir Cirque de Gavarnie★★★ S : 3 h 30.

Env. Pic de Tantes ✳★★ SO : 11 km.

ℹ Office de Tourisme ✆ 62 92 49 10, Télex 533765, Fax 62 92 46 12.

Paris 873 – Pau 93 – Lourdes 50 – Luz-St-Sauveur 20 – Tarbes 70.

Vignemale Ⓜ, ✆ 62 92 40 00, Fax 62 92 40 08, ←, – ascenseur – 25. GB.
1er juin-30 sept. – **Repas** *(fermé lundi sauf vacances scolaires)* 130/250, enf. 55 – 58
24 ch 520/1200 – ½ P 498.

Le Marboré, ✆ 62 92 40 40, Fax 62 92 40 30, ←, – . AE GB JCB
fermé 15 nov. au 15 déc. – **Repas** 95/198, enf. 40 – 32 – **24 ch** 235/295 – ½ P 275.

La Ruade, ✆ 62 92 48 49, Fax 62 92 48 49 – GB
mi-juin-mi-sept. – **Repas** 78/98, enf. 40.

à Gèdre N par D 921 : 8,5 km – 317 h. alt. 1000 – ✉ **65120** :

Brèche de Roland, ✆ 62 92 48 54, Fax 62 92 46 05, ←, – . GB. rest
1er mai-15 oct., week-ends et vacances scolaires du 26 déc. à Pâques – **Repas** 96/200
enf. 50 – 30 – **28 ch** 270/290 – ½ P 235.

GAVRINIS (Ile) 56 Morbihan 63 ⑫ **G. Bretagne.**

Voir Cairn★★ 15 mn en bateau de Larmor-Baden.

GÈDRE 65 H.-Pyr. 85 ⑱ – rattaché à Gavarnie.

GÉMENOS 13420 B.-du-R. 84 ⑭ 114 ㉚ **G. Provence** – 5 025 h alt. 150.

Voir Parc de St-Pons★ E : 3 km – Aubagne : musée de la Légion Etrangère★ O : 5 km – Forêt de la Ste-Baume★★ NE.

Office de Tourisme Cours Pasteur ✆ 42 32 18 44.

Paris 792 – ◆Marseille 21 – ◆Toulon 50 – Aix-en-Provence 36 – Brignoles 47.

Relais de la Magdeleine, ✆ 42 32 20 16, Fax 42 32 02 26, , « Elégante demeure avec mobilier ancien, parc », – – 30. GB
15 mars-1er déc. – **Repas** *(fermé dim. soir et lundi hors sais. sauf fériés)* 255 – 70 – **23 ch** 470/800 – ½ P 645/750.

Parc, Vallée St Pons par D 2 : 1 km ✆ 42 32 20 38, Fax 42 32 10 26, , – –
30. AE GB
Repas 90/230 – 35 – **11 ch** 280/350 – ½ P 255.

Le Baron Brisse, 48 chemin Jouques (D 42) ✆ 42 32 00 60, Fax 42 32 09 60, – . AE GB
fermé 19 août au 9 sept., vacances de fév., dim. soir et lundi – **Repas** 145/250 bc.

Le Fer à Cheval, pl. Mairie ✆ 42 32 20 97, Fax 42 32 23 27, – AE GB
fermé 15 au 31 août, 1er au 7 janv., sam. midi, dim. soir et lundi soir – **Repas** 105 (déj.)/170 bc
enf. 75.

GENAS 69740 Rhône 74 ⑫ – 9 316 h alt. 218.

Syndicat d'Initiative de la Plaine du Lyonnais, 43 av. République ✆ 78 40 16 76.

Paris 474 – ◆Lyon 13 – Meyzieu 8 – Pont-de-Chéruy 18 – St-Priest 10.

Forum H. Ⓜ, 1 r. R. Salengro ✆ 78 40 60 50, Fax 78 40 17 85 – – 60.
AE GB
Repas *(fermé dim. midi)* 92/130, enf. 59 – 40 – **76 ch** 270/350 – ½ P 254.

GÉNÉRARGUES 30 Gard 80 ⑰ – rattaché à Anduze.

GENESTON 44140 Loire-Atl. 67 ③ – 1 958 h alt. 28.

Paris 400 – ◆Nantes 19 – La Roche-sur-Yon 46 – Cholet 54.

Le Pélican, 13 pl. G. Gaudet ✆ 40 04 77 88 – GB.
fermé 1er au 22 août, vacances de fév., dim. soir, lundi soir et merc. – **Repas** 85/185, enf. 42.

Le GENESTOUX 63 P.-de-D. 73 ⑬ – rattaché au Mont-Dore.

GENÈVE Suisse 74 ⑥ 217 ⑪.

Ressources hôtelières : voir Guide Rouge Michelin ***Suisse/Schweiz/Svizzera***

GENILLÉ 37460 I.-et-L. 64 ⑯ **G. Châteaux de la Loire** – 1 428 h alt. 88.

Paris 240 – ◆Tours 51 – Amboise 32 – Blois 56 – Loches 10,5 – Montrichard 21.

Agnès Sorel avec ch, ✆ 47 59 50 17, – . GB
fermé janv., dim. soir et lundi sauf fériés – **Repas** 100/240, enf. 50 – 32 – **3 ch** 195/230 – ½ P 260/290.

GÉNIN (Lac de) 01 Ain 74 ④ – rattaché à Oyonnax.

GENLIS 21110 Côte-d'Or 66 ⑫ ⑬ – 5 241 h alt. 199.

Paris 329 – ◆Dijon 17 – Auxonne 15 – Dole 31 – Gray 45.

à Labergement Foigney NE : 3 km par D 25 – 407 h. alt. 203 – ✉ **21110** Genlis :

Aub. des Mésanges, ✆ 80 31 22 33, Fax 80 37 81 51 – AE GB
fermé merc. d'oct. à juin, lundi en juil.-août et dim. soir – **Repas** 73/270, enf. 53.

à Échigey S : 8 km par D 25 et D 34 – 184 h. alt. 197 – ✉ 21110 :

XX **Place-Rey** avec ch, ✆ 80 29 74 00, Fax 80 29 79 55, – ☎ P. AE ⦿ GB
fermé 4 au 12 août, janv., dim. soir et lundi sauf fériés – **Repas** 70/220 – ☕ 30 – **13 ch** 120/210 – ½ P 220/240.

PEUGEOT Gar. Bourbon, ✆ 80 31 35 41 N ✆ 80 31 57 44

RENAULT Côte-d'Or Auto., ✆ 80 37 81 04 N ✆ 80 33 52 12

GENNES 49350 M.-et-L. 64 ⑫ **G. Châteaux de la Loire** – 1 867 h alt. 28.

Voir Église★★ de Cunault SE : 2,5 km – Église★ de Trèves-Cunault SE : 3 km.

Office de Tourisme square Europe (mai-sept.) ✆ 41 51 84 14, Fax 41 51 83 48.

Paris 301 – ♦Angers 32 – Bressuire 64 – Cholet 61 – La Flèche 47 – Saumur 16.

Aux Naulets d'Anjou ⛰, ✆ 41 51 81 88, Fax 41 38 00 78, ←, – ☎ P. GB
fermé fév. – **Repas** *(fermé merc. soir et le midi sauf dim. et fériés)* 98/160 – ☕ 32 – **19 ch** 220/280 – ½ P 250.

X **L'Aubergade,** ✆ 41 51 81 07, Fax 41 38 07 85 – GB
fermé vacances de fév., mardi soir et merc. hors sais. – **Repas** 108/215.

GÉNOLHAC 30450 Gard 80 ⑦ **G. Gorges du Tarn** – 827 h alt. 490.

Office de Tourisme ✆ 66 61 18 32.

Paris 643 – Alès 36 – Florac 50 – La Grand-Combe 27 – Nîmes 83 – Villefort 16.

Mont Lozère, D 906 ✆ 66 61 10 72, Fax 66 61 23 91, – ☎ P. ⦿ GB. ✗
vacances de fév.-2 nov. et fermé merc. sauf du 15 juin au 15 sept. – **Repas** 85/165 ♨, enf. 45 – ☕ 32 – **14 ch** 180/260 – ½ P 260.

GENOUILLAC 23350 Creuse 68 ⑲ – 775 h alt. 306.

Paris 329 – La Châtre 28 – Guéret 26 – Montluçon 57.

X **Relais d'Oc** avec ch, ✆ 55 80 72 45 – ☎. ✗ ch
hôtel : 15 avril-1er oct. et fermé dim. soir et lundi – **Repas** *(31 mars-11 nov. et fermé mardi en oct. et nov., lundi sauf fériés et dim. soir)* 95/260, enf. 50 – ☕ 35 – **7 ch** 200/300 – ½ P 240/300.

GENSAC 33890 Gironde 75 ⑬ – 752 h alt. 78.

Paris 610 – Bergerac 40 – ♦Bordeaux 62 – Libourne 31 – La Réole 38.

XX **Remparts** M ⛰ avec ch, 16 r. Château ✆ 57 47 43 46, Fax 57 47 46 76, ←, – TV ☎ P. GB
fermé janv. et fév., dim. soir sauf hôtel et lundi sauf juil.-août – **Repas** 95 (déj.), 145/240, enf. 50 – ☕ 30 – **7 ch** 260/310 – ½ P 300/340.

GENTILLY 94 Val-de-Marne 60 ⑩, 101 ㉖ – voir à Paris, Environs.

GÉRARDMER 88400 Vosges 62 ⑰ **G. Alsace Lorraine** – 8 951 h alt. 669 – Sports d'hiver : 750/1 150 m ⛷20 ⛷ – Casino AZ.

Voir Site★★ – Lac★ – Saut des Cuves★ E : 3 km par ①.

Office de Tourisme pl. des Déportés ✆ 29 26 23 23, Fax 29 26 23 25.

Paris 438 ③ – Colmar 51 ① – Épinal 43 ③ – Belfort 77 ② – St-Dié 27 ① – Thann 48 ②.

Plan page suivante

Gd Hôtel Bragard, pl. Tilleul ✆ 29 63 06 31, Fax 29 63 46 81, , « ⛱, parc », – |♦| TV ☎ P – 🏛 25 à 60. AE ⦿ GB AZ **f**
Grand Cerf : **Repas** 125/360, enf. 70 – ☕ 60 – **56 ch** 425/730, 6 appart – ½ P 405/515.

Jamagne, 2 bd Jamagne ✆ 29 63 36 86, Fax 29 60 05 87, , ⛱ – |♦| TV ☎ P – 🏛 50. GB. ✗ rest AY **g**
fermé 16 mars au 5 avril et 4 nov. au 19 déc. – **Repas** 69/210 ♨, enf. 50 – ☕ 40 – **50 ch** 340/440 – ½ P 310/350.

La Réserve, esplanade du Lac ✆ 29 63 21 60, Fax 29 60 81 60, ← – |♦| TV ☎ ✆ P – 🏛 35. AE ⦿ GB AY **a**
fermé 2 nov. au 21 déc. et merc. midi sauf vacances scolaires – **Repas** 120 (déj.), 150/240, enf. 60 – ☕ 46 – **24 ch** 305/530 – ½ P 325/435.

Les Loges du Parc, 12 av. Ville de Vichy ✆ 29 63 32 43, Fax 29 63 17 03, , ⛱ – TV ☎ P. AE GB. ✗ AZ **u**
fermé 6 mars au 5 avril et 6 nov. au 20 déc. – **Repas** 110/300 ♨, enf. 65 – ☕ 43 – **30 ch** 280/360 – ½ P 290/340.

Beau Rivage, esplanade du Lac ✆ 29 63 22 28, Fax 29 63 29 83, ←, , ⛱ – |♦| TV ☎ P. GB. ✗ ch AY **e**
fermé 17 mars au 1er avril, 15 au 29 juin, 10 oct. au 23 déc., 6 au 24 janv. et merc. midi – **Repas** 95 (déj.), 125/250, enf. 55 – **15 ch** ☕ 470/720 – ½ P 370/450.

Paix, 6 av. Ville de Vichy ✆ 29 63 38 78, Fax 29 63 18 53, – TV ☎ ✆ P. AE ⦿ GB
Repas 95/260 ♨, enf. 60 – ☕ 40 – **23 ch** 270/420 – ½ P 300/380. AZ **s**

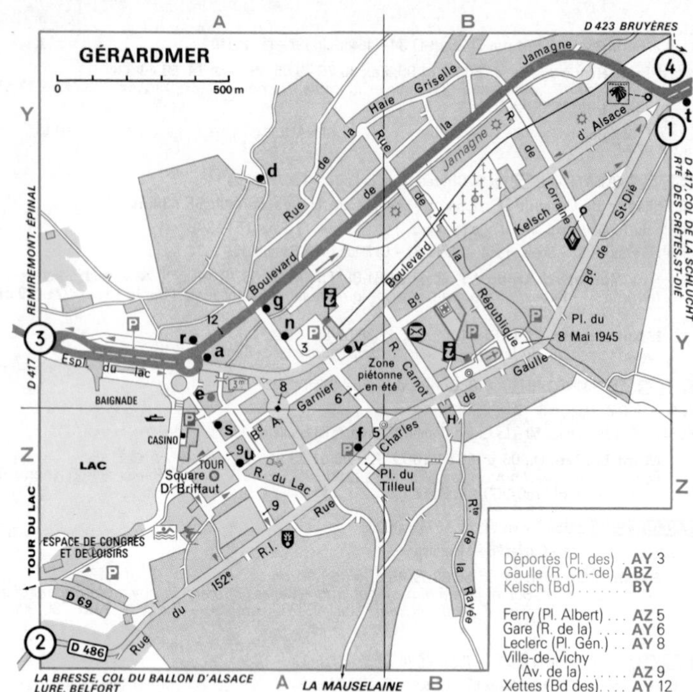

Lac' Hôtel et rest. Bleu Marine, Esplanade du Lac ℘ 29 63 38 23, Fax 29 60 01 49, ←, 🏞 – |♦| TV ☎. AE GB — AY **r**
fermé 12 nov. au 20 déc. – **Repas** *(fermé dim. soir et lundi)* 77/240 ♁ – ☕ 42 – **14 ch** 345/395 – ½ P 301/333.

Relais de la Mauselaine ⛰, au pied des pistes SE : 2,5 km rte de la Rayée - BZ ℘ 29 60 06 60, Fax 29 60 81 08, ←, 🏞 – TV ☎ P. GB. ✻
fermé 25 sept. au 25 oct., 5 nov. au 15 déc. et merc. midi hors sais. – **Repas** 80/250 ♁, enf. 45 – ☕ 42 – **16 ch** 340 – ½ P 290/300.

Viry et rest. l'Aubergade, pl. Déportés ℘ 29 63 02 41, Fax 29 63 14 03, 🏞 – TV ☎. AE ⓓ GB — AY **n**
Repas *(fermé 26 nov. au 3 déc., vend. soir et dim. soir hors sais.)* 78/240 ♁, enf. 45 – ☕ 40 – **17 ch** 250/350 – ½ P 310/335.

Chalet du Lac, par ③ : 1 km rte Épinal ℘ 29 63 38 76, Fax 29 60 91 63, ← lac, 🌳 – TV ☎ P. GB
fermé oct. – **Repas** *(fermé vend. sauf vacances scolaires)* 80/110 ♁, enf. 60 – ☕ 38 – **11 ch** 280 – ½ P 270.

Améthystes sans rest, ℘ 29 60 81 81, Fax 29 63 12 98 – |♦| cuisinette TV ☎. AE GB
fermé dim. soir en nov. et déc. – ☕ 40 – **27 ch** 250/290, 3 studios. — BY **t**

L'Abri ⛰ sans rest, rte Miselle ℘ 29 63 02 94, 🌳 – ☎ P. GB. ✻ — AY **d**
fermé 20 sept. au 10 oct. et merc. sauf vacances scolaires – ☕ 30 – **14 ch** 180/260.

Liserons, 5 bd Kelsch ℘ 29 63 02 61, Fax 29 63 28 02, 🏞 – TV. GB. ✻ rest — AY **v**
fermé 17 au 31 mars, 13 oct. au 14 déc. et merc. hors sais. – **Repas** 100/200 ♁ – ☕ 35 – **13 ch** 260/300 – ½ P 280.

aux Bas Rupts par ② : 4 km – ✉ **88400** Gérardmer :

Chalet Fleuri Ⓜ, ℘ 29 63 09 25, Fax 29 63 00 40, ←, « Beau décor rustique », 🏊, 🌳, 🎾 – TV ☎ P. AE GB
voir rest. ***Host. Bas-Rupts*** ci-après – ☕ 80 – **13 ch** 550/780 – ½ P 680/740.

XXX ✿ **Host. des Bas-Rupts** (Philippe) avec ch, ℘ 29 63 09 25, Fax 29 63 00 40, ←, 🏞, 🏊, 🌳, 🎾 – ▤ rest TV ☎ P. AE GB
Repas (dim. et fêtes prévenir) 160/450 et carte 310 à 400, enf. 100 – ☕ 80 – **18 ch** 400/680 – ½ P 500/580
Spéc. Tripes au riesling à l'ancienne. Hachis parmentier de tourteau au coulis d'écrevisses. Civet de joues de porcelet en chevreuil. **Vins** Riesling, Tokay-Pinot gris.

XX **A La Belle Marée,** ℘ 29 63 06 83, ≤ – P. AE ⓞ GB
fermé 24 juin au 6 juil., dim. soir et lundi – **Repas** - produits de la mer - 88/270 ♁, enf. 60.

IAT Gar. Cabut, 87 bd d'Alsace ℘ 29 60 03 34
'EUGEOT Gar. Thiébaut, bd de la Jamagne, la :roisette ℘ 29 63 14 50

RENAULT Gar. Defranoux, 60 bd Kelsch ℘ 29 63 01 95

GERMIGNY-L'ÉVÊQUE 77 S.-et-M. 56 ⑬, 106 ⑳ – rattaché à Meaux.

GÉTIGNÉ 44 Loire-Atl. 67 ④ – rattaché à Clisson.

Les GETS 74260 H.-Savoie 74 ⑧ **G. Alpes du Nord** – 1 287 h alt. 1170 – Sports d'hiver : 1 172/1 850 m 5 54.

8 des Gets ℘ 50 79 74 06, E : 3 km.

Office de Tourisme ℘ 50 75 80 80, Fax 50 79 76 90.

'aris 585 – Thonon-les-Bains 36 – Annecy 72 – Bonneville 31 – Chamonix-Mont-Blanc 62 – Cluses 22 – Morzine 6.

La Marmotte M, ℘ 50 75 80 33, Fax 50 75 83 26, ≤, « Décor de chalet savoyard », – TV ☎ P – 30. AE ⓞ GB JCB. rest
29 juin-8 sept. et 21 déc.-6 avril – **Repas** (résidents seul.) 95 (déj.), 125/150 – ☐ 50 – **43 ch** 640/850, 5 duplex – ½ P 500/720.

Le Labrador M, rte La Turche ℘ 50 75 80 00, Fax 50 79 87 03, ≤, , , , , – rest TV ☎ P. AE ⓞ GB JCB. rest
29 juin-9 sept. et 21 déc.-9 avril – ***Le St-Laurent*** : **Repas** 98/198, enf. 60 – ☐ 40 – **23 ch** 500/760 – ½ P 500/580.

Mont Chéry, ℘ 50 75 80 75, Fax 50 79 70 13, ≤, , (été), – rest TV ☎ P. GB.
1er juil.-5 sept. et 15 déc.-20 avril – **Repas** 95/250, enf. 50 – **26 ch** ☐ 440/850 – ½ P 650.

Le Crychar sans rest, par rte La Turche ℘ 50 75 80 50, Fax 50 79 83 12, ≤, (été), , – TV ☎ P. AE ⓞ GB.
1er juil.-10 sept. et 20 déc.-15 avril – ☐ 53 – **12 ch** 560/610.

Alpages, rte La Turche ℘ 50 75 80 88, Fax 50 79 76 98, ≤, , – TV ☎ P. AE ⓞ GB
1er juil.-31 août et 20 déc.-10 avril – **Repas** 120/190 – ☐ 60 – **22 ch** 700/800 – ½ P 750.

Alissandre M sans rest, ℘ 50 79 80 65, ≤, – TV ☎ P. AE GB
☐ 30 – **14 ch** 500/680.

Régina, ℘ 50 75 80 44, Fax 50 79 87 29, ≤ – TV ☎ P. AE ⓞ GB. rest
hôtel : 1er juil.-31 août et 21 déc.-20 avril ; rest. : 21 déc.-20 avril – **Repas** 75/180, enf. 40 – ☐ 35 – **21 ch** 350/380 – ½ P 360/400.

Alpina , par rte La Turche ℘ 50 75 80 22, Fax 50 75 83 48, ≤ – ☎ . AE ⓞ GB. rest
15 juin-15 sept. et 20 déc.-20 avril – **Repas** 86 (dîner), 90/120 – ☐ 31 – **31 ch** 280/410 – ½ P 370/390.

Maroussia , à La Turche ℘ 50 75 80 85, Fax 50 75 87 62, ≤ – ☎ P. GB. rest
28 juin-8 sept. et 21 déc.-mi-avril – **Repas** 90/130 – ☐ 40 – **22 ch** 300/490 – ½ P 310/410.

PEUGEOT Gar. de la Colombière, ℘ 50 79 75 64

GEVREY-CHAMBERTIN 21220 Côte-d'Or 66 ⑫ **G. Bourgogne** – 2 825 h alt. 275.

Office de Tourisme pl. Mairie (saison) ℘ 80 34 38 40.

Paris 318 – ◆Dijon 13 – Beaune 32 – Dole 60.

Les Grands Crus sans rest, ℘ 80 34 34 15, Fax 80 51 89 07, « Jardin fleuri » – ☎ P. GB
fermé 2 déc. au 1er mars – ☐ 45 – **24 ch** 350/430.

Arts et Terroirs sans rest, rte Dijon ℘ 80 34 30 76, Fax 80 34 11 79 – TV ☎ P. AE ⓞ GB
☐ 45 – **20 ch** 250/480.

XXX ✿ **Les Millésimes** (Sangoy), 25 r. Église ℘ 80 51 84 24, Fax 80 34 12 73, , « Cave aménagée, décor élégant » – P. GB
fermé 22 déc. au 25 janv., merc. midi et mardi – **Repas** 300/580 et carte 360 à 500
Spéc. Petite salade de foie gras poêlé, homard, champignons et truffes. Noisettes d'agneau rôties à la fleur de thym, crème d'ail. Canette de barbarie au miel et aux épices. **Vins** Saint-Romain, Gevrey-Chambertin.

XXX **La Rôtisserie du Chambertin,** ℘ 80 34 33 20, Fax 80 34 12 30, « Caves anciennes aménagées, petit musée » – P. GB JCB
fermé 1er au 15 août, 15 au 28 fév., dim. soir et lundi sauf fériés – **Repas** 190/330 et carte 310 à 420, enf. 80 - ***Le Bonbistrot*** ℘ 80 34 30 02 **Repas** carte environ 150.

XX **La Sommellerie,** ℘ 80 34 31 48, Fax 80 58 52 20 – . GB JCB
fermé 30 juin au 7 juil., 15 déc. au 6 janv., vacances de fév. et dim. – **Repas** 97/360 ♁.

X **Sangoy Côté Cour,** N 74 ℘ 80 58 53 58, Fax 80 58 52 73, – GB
Repas 65/145, enf. 55.

GEX <SP> **01170** Ain **70** ⑮ ⑯ **G. Jura** (plan) – 6 615 h alt. 626.

Office de Tourisme, Square Jean Clerc, ✆ 50 41 53 85, Fax 50 41 81 00.

Paris 495 – Genève 20 – Lons-le-Saunier 96 – Pontarlier 110 – St-Claude 44.

Parc, av. Alpes ✆ 50 41 50 18, Fax 50 42 37 29, 🍽, 🛋 – TV ☎ P. AE GB. ✂ ch
fermé 15 sept. au 1er oct., 26 déc. au 1er fév., dim. soir et lundi – **Repas** 120 (déj.), 180/335 – ☕ 45 – **17 ch** 220/330.

XX **La Cravache,** 60 r. Genève ✆ 50 41 69 61 – GB
fermé 16 juil. au 13 août, sam. midi et mardi – **Repas** 148 (déj.), 198/320.

à Echenevex S : 4 km par D 984c – 997 h. alt. 580 – ✉ **01170** Gex :

Aub. des Chasseurs 🐦, ✆ 50 41 54 07, Fax 50 41 90 61, ←, 🍽, « Terrasse fleurie, jardin », 🏊, 🎾 – TV ☎ P – 🏠 40. AE GB
10 mars-30 oct. – **Repas** *(fermé dim. soir sauf juil.-août et lundi)* (prévenir) 120 (déj.), 180/300, enf. 80 – ☕ 55 – **15 ch** 400/650 – ½ P 500/580.

à Chevry S : 7 km par D 984c – 733 h. alt. 500 – ✉ **01170** :

XX **Aub. Gessienne,** ✆ 50 41 01 67, 🍽 – P. GB
fermé 28 juil. au 20 août, lundi midi et dim. – **Repas** 120 bc (déj.), 130/290.

FORD Gar. Piron, Le Martinet Cessy ✆ 50 41 50 94
MAZDA Gar. Dago, Le Martinet Cessy ✆ 50 41 55 52
RENAULT G.M.G. Automobiles, N 5 à Cessy ✆ 50 41 55 17 N ✆ 05 05 15 15
ROVER, VOLVO Gar. Jordan-Meille, à Sauverny ✆ 50 41 18 14
Gar. Modernes Husson, Les Vertes Campagnes ✆ 50 41 54 24

GIAT **63620** P.-de-D. **73** ⑫ – 1 049 h alt. 750.

Paris 406 – Aubusson 36 – ◆Clermont-Ferrand 63 – Le Mont-Dore 46 – Montluçon 77 – Ussel 42.

Commerce, ✆ 73 21 72 38, Fax 73 21 79 00, 🛋 – ☎. AE ⊕ GB
fermé 3 au 25 oct. – **Repas** *(fermé lundi d'oct. à juin)* (prévenir) 65/180 🍼 – ☕ 30 – **8 ch** 120/250 – ½ P 180.

CITROEN Gar. Simonnet, ✆ 73 21 72 86 N ✆ 73 21 74 96
RENAULT Gar. Richin, ✆ 73 21 72 16 N ✆ 73 21 72 16

GIEN

Gambetta (R.) . . . . Z 6
Thiers (R.) . . . . Z 23
Victor-Hugo (R.) . . . . . Z 24

Anne-de-Beaujeu (R.) . Z 2
Bildstein (R.) . . . . Y 3
Briqueteries (R. des) . . Y
Château (Pl. du) . . . . . Z
Clemenceau (R. G.) . . . Z 5
Curie (Place) . . . . Y
Hôtel-de-Ville (R. de l') . Z 7
Jean-Jaurès (Pl.) . . . . Z 9
Jeanne-d'Arc (R.) . . . YZ
Joffre (Q. du Mar.) . . . Z
Leclerc (Av. du Mar.) . . Z 12
Lenoir (Quai) . . . . Z
Louis-Blanc (R.) . . . . . Z 13
Marienne (R. de l'Adj. Chef) . . Z 15
Montbricon (R. de) . . YZ
Noé (R. de) . . . . Y
Paris (R. de) . . . . YZ
Paul-Bert (R.) . . . . Z 16
Président-Wilson (Av.) Y 17
République (Av. de la) Y 19
Verdun (R. de) . . . . . . Y
Vieille-Boucherie (R.) . . Z 25
Villejean (Av. J.) . . . . . Y

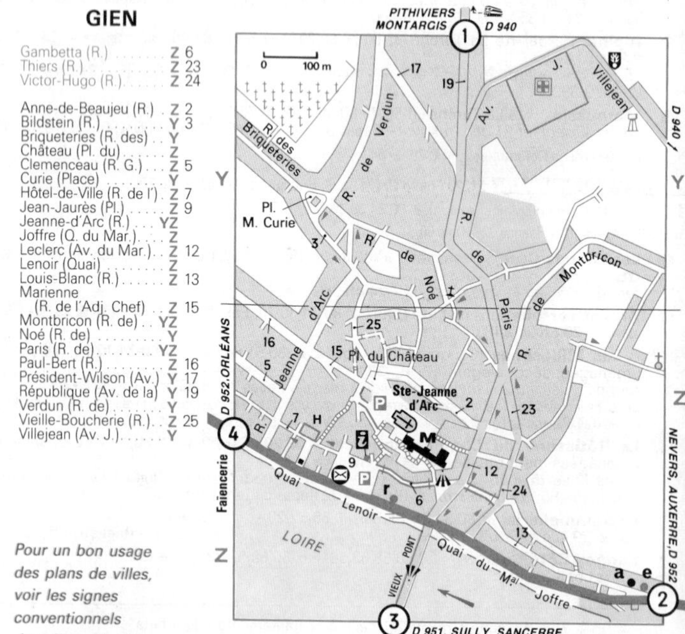

Pour un bon usage des plans de villes, voir les signes conventionnels dans l'introduction.

GIEN 45500 Loiret 65 ② G. Châteaux de la Loire – 16 477 h alt. 162.

Voir Château★ : musée de la Chasse★★ Z M – Pont ≤★ Z.

Office de Tourisme, Centre Anne-de-Beaujeu ☎ 38 67 25 28, Fax 38 38 23 16.

Paris 153 ① – ♦Orléans 68 ④ – Auxerre 85 ② – Bourges 78 ③ – Cosne-sur-Loire 41 ② – Vierzon 74 ③.

Plan page ci-contre

Rivage, 1 quai Nice ☎ 38 37 79 00, Fax 38 38 10 21, ≤ – ▤ rest TV ☎ P. AE ⓓ GB JCB Z a
Repas *(fermé 13 fév. au 8 mars et dim. soir du 10 nov. au 12 mars)* 140/380 et carte 260 à 360 – ☕ 47 – **16 ch** 305/520, 3 appart
Spéc. Sandre rôti, miroir au sancerre rouge (saison). Pied de cochon farci de ses oreilles. "Paris-Gien" aux framboises rôties (saison). Vins Sancerre, Pouilly-Fumé.

Axotel M sans rest, r. Bosserie N : 3 km par ① ☎ 38 67 11 99, Fax 38 38 16 61, ⛱ – ▤ TV ☎ & P – 35. AE GB
☕ 45 – **48 ch** 280/330.

Anne de Beaujeu M sans rest, 10 rte Bourges par ③ ☎ 38 67 12 42, Fax 38 38 27 29 – TV ☎ & P – 30. AE ⓓ GB
☕ 40 – **30 ch** 260/320.

Sanotel, 21 quai Sully par ③ ☎ 38 67 61 46, Fax 38 67 13 01, ≤, – TV ☎ & P – 60. GB
Repas snack *(fermé dim.)* (dîner seul.) 80 – ☕ 42 – **60 ch** 270/320.

La Poularde avec ch, 13 quai Nice ☎ 38 67 36 05, Fax 38 38 18 78 – ▤ rest TV ☎. AE ⓓ GB Z e
fermé 1er au 15 janv., dim. soir et lundi du 1er nov. au 31 janv. – **Repas** 95/295, enf. 56 – ☕ 40 – **9 ch** 240/300 – ½ P 260.

Côté Jardin, 14 rte Bourges par ③ ☎ 38 38 24 67 – GB
fermé vacances de fév., lundi soir et sam. midi d'oct. à avril – **Repas** (prévenir) 95/210.

Loire, 18 quai Lenoir ☎ 38 67 00 75 – GB Z r
fermé 4 au 18 sept., 8 fév. au 1er mars, mardi soir et merc. – **Repas** 80/170.

CITROEN S.A.G.V.R.A., rte de Bourges à Poilly-lez-Gien par ③ ☎ 38 67 30 82
PEUGEOT S.A.G., rte de Bourges à Poilly-lez-Gien par ③ ☎ 38 67 35 43 N ☎ 05 44 24 24
RENAULT Gar. Reverdy, rte de Bourges à Poilly-lez-Gien par ③ ☎ 38 67 28 98
Euromaster, r. J.-César ☎ 38 67 42 08

GIENS 83 Var 84 ⑯ 114 ㊻ G. Côte d'Azur – ✉ 83400 Hyères.

Voir Ruines du château ★★ X.

Paris 863 – ♦Toulon 26 – Carqueiranne 11 – Draguignan 88 – Hyères 11.

Voir plan de Giens à Hyères.

Le Provençal, ☎ 94 58 20 09, Fax 94 58 95 44, ≤, , « Parc ombragé et fleuri en terrasses », ⛱, , – TV ☎ P – 40 à 70. AE ⓓ GB. rest X s
30 mars-30 oct. – **Repas** 130/210, enf. 65 – ☕ 65 – **41 ch** 335/650 – ½ P 465/600.

Le Tire Bouchon, ☎ 94 58 24 61, ≤, – ▤. AE GB X a
fermé 10 déc. au 15 janv., mardi sauf le midi de sept. à juin et merc. sauf le soir en juil.-août – **Repas** 135/240, enf. 60.

La GIETTAZ 73590 Savoie 74 ⑦ – 506 h alt. 1120.

Paris 592 – Chamonix-Mont-Blanc 52 – Albertville 28 – Annecy 44 – Bonneville 37 – Chambéry 79 – Flumet 7 – Megève 17.

Flor'Alpes, ☎ 79 32 90 88, ≤, – ☎ P. AE GB
10 juin-20 sept. et 20 déc.-20 avril – **Repas** 75 (déj.), 85/95 – ☕ 30 – **11 ch** 175/210 – ½ P 200/205.

GIFFAUMONT-CHAMPAUBERT 51290 Marne 61 ⑨ G. Champagne – 227 h alt. 130.

Voir Lac du Der-chantecoq★★.

Paris 207 – Bar-le-Duc 48 – Chaumont 69 – Joinville 36 – Montier-en-Der 8,5 – St-Dizier 111 – Vitry-le-François 28.

Cheval Blanc , ☎ 26 72 62 65, Fax 26 73 96 97, – TV ☎ P – 25. AE GB. ch
fermé 2 au 24 sept., dim. soir et lundi – **Repas** 120/320 , enf. 55 – ☕ 35 – **16 ch** 260/320 – ½ P 260.

GIGARO 83 Var 84 ⑰, 114 ㊲ – rattaché à La Croix-Valmer.

GIGNAC 34150 Hérault 83 ⑥ G. Gorges du Tarn – 3 652 h alt. 53.

Office de Tourisme pl. Gén.-Claparède ☎ 67 57 58 83, Fax 67 57 67 95.

Paris 738 – ♦Montpellier 29 – Béziers 49 – Clermont-l'Hérault 11,5 – Lodève 30 – Sète 45.

Motel du Vieux Moulin , à 1 km par rte Lodève et rte secondaire ☎ 67 57 57 95, Fax 67 57 69 19, , ⛱, – TV ☎ P. GB
hôtel : fermé du 1er au 15 fév. – **Repas** *(fermé fév., lundi sauf le midi hors sais. et vacances scolaires et sam. midi)* 93/187 – ☕ 36 – **12 ch** 230/310 – ½ P 240.

Capion, 3 bd Esplanade ☎ 67 57 50 83, Fax 67 57 50 60 – GB
fermé 2 au 28 fév., dim. soir et lundi sauf juil.-août – **Repas** 145/240, enf. 60.

à Aniane NE : 5 km sur D 32 – 1 725 h. alt. 62 – ✉ **34150**.

Voir Grotte de Clamouse★★ et gorges de l'Hérault★ NO : 4 km.

Host. St Benoit, rte St-Guilhem ✆ 67 57 71 63, Fax 67 57 47 10, – 30. GB
fermé 4 janv. au 14 fév. – **Repas** 99/145 – 37 – **30 ch** 270/310 – ½ P 265/275.

GIGONDAS 84190 Vaucluse 81 ② – 612 h alt. 313.

Paris 666 – Avignon 36 – Nyons 30 – Orange 20 – Vaison-la-Romaine 14.

Les Florets avec ch, E : 1,5 km par rte secondaire ✆ 90 65 85 01, Fax 90 65 83 80, – AE GB JCB
fermé janv., fév., mardi soir hors sais. et merc. – **Repas** 120/210 – 50 – **13 ch** 350/410 – ½ P 360/390.

à Montmirail S : 6 km par D 7, D 8 et rte secondaire – ✉ **84190** Gigondas :

Montmirail, ✆ 90 65 84 01, Fax 90 65 81 50, – GB
1er avril-3 nov. – **Repas** 135 (déj.), 165/220 – 50 – **46 ch** 285/450 – ½ P 420/440.

GILETTE 06830 Alpes-Mar. 81 ⑳ **G. Côte d'Azur** – 1 024 h alt. 420.

Voir ≤★ des ruines du château.

Paris 952 – Antibes 43 – ♦Nice 35 – St-Martin-Vésubie 44.

à Vescous par rte de Rosquesteron (D 17) : 9 km – ✉ **06830** Gilette :

La Capeline, ✆ 93 08 58 06, – GB
fermé le soir sauf juil.-août, lundi et mardi – **Repas** 95 (déj.), 125/150, enf. 50.

GILLY-LÈS-CÎTEAUX 21 Côte-d'Or 65 ⑳ – rattaché à Vougeot.

GIMBELHOF 67 B.-Rhin 57 ⑲ – rattaché à Lembach.

GIMONT 32200 Gers 82 ⑥ **G. Pyrénées Aquitaine** – 2 819 h alt. 180.

Las Martines ✆ 62 07 27 12, E par N 124 : 23 km.

Syndicat d'Initiative, 83 rte Nationale ✆ 62 67 77 87.

Paris 717 – Auch 24 – Agen 84 – Castelsarrasin 57 – Montauban 68 – St-Gaudens 73 – ♦Toulouse 55.

Château Larroque, rte Toulouse ✆ 62 67 77 44, Fax 62 67 88 90, ≤, « Parc », – 150. AE GB. rest
fermé janv., fév., dim. soir et lundi d'oct. à Pâques – **Repas** 140/290 – 70 – **14 ch** 480/1080 – ½ P 590/800.

Coin du Feu M, bd Nord ✆ 62 67 71 56, Fax 62 67 88 28, – 120. GB
Repas 78/270 – 44 – **25 ch** 210/240, 3 appart – ½ P 250/270.

GINASSERVIS 83560 Var 84 ④ 114 ⑤ – 911 h alt. 407.

Paris 787 – Digne-les-Bains 75 – Aix-en-Provence 52 – Brignoles 56 – Draguignan 65 – Manosque 22.

Le Bastier, O : 2 km par rte St-Paul ✆ 94 80 11 78, Fax 94 80 13 12, ≤, parc, – 80 à 500. AE GB
Repas 220/350 – 50 – **24 ch** 450 – ½ P 500.

GINCLA 11140 Aude 86 ⑰ – 49 h alt. 570.

Paris 846 – Foix 85 – ♦ Perpignan 65 – Carcassonne 75 – Quillan 23.

Grand Duc, ✆ 68 20 55 02, Fax 68 20 61 22, – GB
1er avril-15 nov. – **Repas** *(fermé merc. midi sauf juil.-août)* 100/250, enf. 55 – 38 – **10 ch** 230/310 – ½ P 275/305.

GIROMAGNY 90200 Ter.-de-Belf. 66 ⑧ **G. Jura** – 3 226 h alt. 495.

Office de Tourisme Parc du Paradis des Loups ✆ 84 29 09 00.

Paris 412 – Épinal 81 – ♦ Mulhouse 45 – Belfort 12 – Lure 30 – Masevaux 21 – Thann 33 – Le Thillot 32.

Le Vieux Relais, à Auxelles-Bas O : 4 km par D 12 ✆ 84 29 31 80, Fax 84 29 56 13 – GB
fermé 1er au 15 juil., 1er au 7 mars, dim. soir et lundi – **Repas** 85 (déj.), 130/280.

Saut de la Truite avec ch, rte Ballon d'Alsace N : 7 km par D 465 - alt. 701 ✆ 84 29 32 64, Fax 84 29 57 42, ≤, « Jardin dans le vallon » – AE GB
fermé 1er déc. au 1er fév. et vend. sauf juil.-août – **Repas** 95/175 – 33 – **7 ch** 240 – ½ P 260.

GIROUSSENS 81 Tarn 82 ⑨ – rattaché à Lavaur.

GISORS 27140 Eure 55 ⑧ ⑨ **G. Normandie Vallée de la Seine** – 9 481 h alt. 60.

Voir Château fort★★ – Église St-Gervais et St-Protais★.

Office de Tourisme pl. Carmélites ✆ 32 27 30 14.

Paris 75 – ♦ Rouen 57 – Beauvais 33 – Évreux 67 – Mantes-la-Jolie 40 – Pontoise 36.

XXX **La Halte Henri II,** 25 rte Dieppe ✆ 32 27 37 37, Fax 32 55 79 19, ☂ – GB
fermé 16 juil. au 6 août, 27 janv. au 3 fév., dim. soir et lundi – **Repas** 150/260 et carte 210 à 290, enf. 80.

XX **Le Cygne,** 8 pl. Blanmont ✆ 32 55 23 76, Fax 32 27 05 68 – GB
fermé 15 août au 1er sept., jeudi midi et merc. – **Repas** 110 bc (déj.), 145/350 bc.

XX **Le Cappeville,** 17 r. Cappeville ✆ 32 55 11 08, Fax 32 55 93 92 – AE GB
fermé 20 août au 10 sept., 5 au 22 janv., mardi soir et merc. – **Repas** 100/240, enf. 60.

à Bazincourt-sur-Epte N : 6 km par D 14 – 496 h. alt. 55 – ✉ **27140** :

Château de la Rapée ⛰, O : 2 km par rte secondaire ✆ 32 55 11 61, Fax 32 55 95 65, ≤, « Parc » – TV ☎ P – 🏛 30. AE ⓓ GB. ✗
fermé fév. – **Repas** *(fermé 16 au 30 août et merc.)* 170/225 – ☕ 50 – **12 ch** 425/550 – 1/2 P 400/440.

à St-Denis-le-Ferment NO : 12 km par D 14 et rte secondaire – 405 h. alt. 70 – ✉ **27140** :

XXX **Aub. de l'Atelier,** ✆ 32 55 24 00, ☂ – P. GB
fermé 30 sept. au 15 oct., dim. soir et lundi sauf fériés – **Repas** 125/235 et carte 230 à 300.

CITROEN SAGA, r. de la Libération ✆ 32 27 04 00 N ✆ 32 27 04 00
RENAULT Gar. Dumorlet, 38 rte de Dieppe ✆ 32 55 22 56
RENAULT Gar. Lemoine, 2 r. de Dieppe ✆ 32 55 22 29 N ✆ 05 05 15 15
Ⓜ Berry-Pneus, 34 fg Cappeville ✆ 32 55 27 64
Marsat Pneus, 4 r. Pré-Nattier ✆ 32 55 17 51

GIVERNY 27620 Eure 55 ⑱ G. Normandie Vallée de la Seine – 548 h alt. 17.

Voir Maison de Claude Monet★ – Musée américain★.

Paris 76 – ♦ Rouen 66 – Beauvais 67 – Évreux 35 – Mantes-la-Jolie 19.

XXX **Les Jardins de Giverny,** D 5 ✆ 32 21 60 80, Fax 32 51 93 77, ☂, parc – P. AE GB
fermé fév., le soir (sauf vend. et sam.) et lundi – **Repas** 130/250.

Get your copy of the Michelin Green Guide to New York City.

GIVET 08600 Ardennes 53 ⑨ G. Champagne – 7 775 h alt. 103.

Voir ≤★ du fort de Charlemont – Site nucléaire de Chooz★ S : 6 km.

ℹ Office de Tourisme, pl. de la Tour ✆ 24 42 03 54, Fax 24 40 10 70.

Paris 281 – Charleville-Mézières 56 – Fumay 23 – Rocroi 41.

Val St-Hilaire M sans rest, 7 quai des Fours ✆ 24 42 38 50, Fax 24 42 07 36 – ⇔ TV ☎ ♿ P – 🏛 25. GB
fermé 20 déc. au 5 janv. et dim. soir du 5 janv. au 15 mars – ☕ 42 – **20 ch** 290/340.

Roosevelt sans rest, 78 av. Roosevelt ✆ 24 42 14 14, Fax 24 42 15 15 – TV ☎ ♿ P. GB
☕ 40 – **14 ch** 250/330.

Rivhôtel sans rest, 14 quai Remparts ✆ 24 42 66 66, Fax 24 42 15 15 – ⇔ TV ☎. GB. ✗
☕ 45 – **8 ch** 280/330.

XXX **Méhul Gourmand,** 10 r. Flayelle ✆ 24 42 78 37, Fax 24 42 78 37 – AE GB
fermé 19 août au 9 sept., 6 au 14 janv., dim. soir et lundi – **Repas** 135/275 et carte 230 à 360.

CITROEN Gar. de la Gare, ✆ 24 42 03 81 N ✆ 24 42 08 74
RENAULT Gar. Franco Belge, 23 av. Roosevelt ✆ 24 42 01 85 N ✆ 24 42 08 74
VAG Gar. Henocq, ✆ 24 42 04 53

GIVORS 69700 Rhône 74 ⑪ G. Vallée du Rhône – 19 777 h alt. 156.

Paris 483 – ♦ Lyon 23 – Rive-de-Gier 15 – Vienne 12.

à Loire-sur-Rhône : 5 km par N 86, rte de Condrieu – 1 927 h. alt. 140 – ✉ **69700** :

XX **Camerano,** ✆ 78 07 96 36, Fax 72 49 99 94, ☂ – AE ⓓ GB
fermé 4 au 25 août, lundi soir et dim. – **Repas** 100/260.

PEUGEOT Gar. Moret, 31 r. de Dobëln, les Vernes ✆ 78 73 01 69
RENAULT Givors autom., 42 r. J.-Ligonnet ✆ 78 73 09 80
Ⓜ Comptoir du Pneu, 16 r. M.-Cachin ✆ 78 73 15 13

GIVRY 71640 S.-et-L. 69 ⑨ G. Bourgogne – 3 340 h alt. 247.

Paris 343 – Chalon-sur-Saône 9 – Autun 47 – Chagny 13 – Mâcon 65 – Montceau-les-Mines 37.

X **Halle** avec ch, pl. Halle ✆ 85 44 32 45, Fax 85 44 49 45 – ☎. GB
fermé vacances de Toussaint, de fév., dim. soir et lundi sauf juil.-août – **Repas** 90/180 – ☕ 30 – **9 ch** 230 – 1/2 P 280.

GLANDELLES 77 S.-et-M. 61 ⑫ – rattaché à Nemours.

GLUGES 46 Lot 75 ⑱ ⑲ – rattaché à Martel.

GLUIRAS 07190 Ardèche 76 ⑲ – 380 h alt. 800.

Paris 611 – Valence 50 – Le Cheylard 21 – Lamastre 42 – Privas 34.

X **Relais de Sully,** ☏ 75 66 63 41 – GB
fermé 6 janv. au 1er mars, merc. (sauf hôtel d'avril à sept.) et dim. soir – **Repas** 90/19 enf. 50.

Le GOLFE-JUAN 06 Alpes-Mar. 84 ⑨ 115 ㉟ ㊴ **G. Côte d'Azur** – ✉ **06220** Vallauris.

Office de Tourisme 84 av. Liberté ☏ 93 63 73 12, Fax 93 63 95 01.

Paris 911 – Cannes 5 – Antibes 4,5 – Grasse 20 – ◆Nice 28.

Beau Soleil M, impasse Beau-Soleil par N 7 ☏ 93 63 63 63, Fax 93 63 02 89, – GB.
25 mars-15 oct. – **Repas** *(fermé merc. midi)* 98, enf. 45 – 50 – **30 ch** 500/570 ½ P 395/430.

Lauvert sans rest, impasse des Hameaux de Beau-Soleil par N 7 ☏ 93 63 46 06, – cuisinette GB
1er fév.-15 oct. – 28 – **28 ch** 430.

Palm H., 17 av. Palmeraie ☏ 93 63 72 24, Fax 93 63 18 45, – AE GB
Repas *(fermé nov.)* 95/140, enf. 45 – 35 – **25 ch** 350/400 – ½ P 300/345.

XX ✿ **Tétou,** à la plage ☏ 93 63 71 16, ← –
fermé 30 oct. au 20 déc. et mars – **Repas** - produits de la mer - carte 510 à 730
Spéc. Bouillabaisse. Langouste grillée. Poisson au four. **Vins** Bellet.

XX **Nounou,** à la plage ☏ 93 63 71 73, Fax 93 63 46 91, ← – AE GB JCB
fermé 12 nov. au 25 déc., le midi du 6 janv. au 30 mars, lundi sauf le soir en juil.-août et dim. soir – **Repas** 175/230.

XX **Bistrot du Port,** au port ☏ 93 63 70 64 – AE GB.
fermé janv. et lundi sauf juil.-août – **Repas** 100/170.

à Vallauris NO : 2,5 km par D 135 – 24 325 h. alt. 120 – ✉ **06220**.

Voir Musée national "la Guerre et la Paix" (château) – Musée de l'Automobile★ NO 4 km.

Office de Tourisme square du 8-Mai-45, parking entrée Sud ☏ 93 63 82 58.

Val d'Auréa sans rest, 11 bis bd M. Rouvier ☏ 93 64 64 29 – AE GB V
1er avril-30 sept. – 30 – **26 ch** 250.

XX **La Gousse d'Ail,** 11 av. Grasse ☏ 93 64 10 71 – AE GB V
fermé 12 nov. au 11 déc., lundi soir d'oct. à juin et mardi – **Repas** 105/180, enf. 68.

GOMETZ-LE-CHATEL 91 Essonne 60 ⑩, 106 ㉚, 101 ㉝ – voir à Paris, Environs.

GONFREVILLE L'ORCHER 76 S.-Mar. 52 ⑪ – rattaché au Havre.

GORDES 84220 Vaucluse 81 ⑬ **G. Provence** – 2 031 h alt. 372.

Voir Site★ – Château : cheminée★, musée Vasarely★ – Village des Bories★ SO : 2 km par D 1 puis 15 mn – Abbaye de Sénanque★★ NO : 4 km – Pressoir★ dans le musée des Moulins à huil S : 5 km.

Office de Tourisme pl. Château ☏ 90 72 02 75.

Paris 715 – Apt 21 – Avignon 35 – Carpentras 25 – Cavaillon 16 – Sault 35.

Les Bories M, rte Vénasque : 2 km ☏ 90 72 00 51, Fax 90 72 01 22, ← le Luberon, parc, – ch AE GB
fermé fin nov. à mi-fév. – **Repas** *(fermé lundi sauf saison et fériés)* (prévenir) 160 (déj.) 205/380 – 85 – **17 ch** 950/1800 – ½ P 810/1160.

Bastide de Gordes M sans rest, ☏ 90 72 12 12, Fax 90 72 05 20, ← le Luberon, – AE GB
15 mars-3 nov. – 78 – **18 ch** 700/1150.

Le Gordos M sans rest, rte Cavaillon : 1,5 km ☏ 90 72 00 75, Fax 90 72 07 00, – AE GB
15 mars-4 nov. – 58 – **19 ch** 540/800.

Les Romarins M sans rest, rte Sénanque ☏ 90 72 12 13, Fax 90 72 13 13, ←, – AE GB JCB.
fermé 15 janv. au 15 fév. – 53 – **10 ch** 430/700.

La Gacholle, rte Murs par D 15 : 1,5 km ☏ 90 72 01 36, Fax 90 72 01 81, ←, – GB.
15 mars-15 nov. – **Repas** 165/380 – 60 – **12 ch** 550/620 – ½ P 490/570.

X **Comptoir du Victuailler,** pl. Château ☏ 90 72 01 31, Fax 90 72 14 28, bistrot – GB
fermé 10 nov. au 15 déc., 15 janv. au 1er avril, merc. sauf juil.-août et mardi soir – **Repa** (prévenir) 165 (déj.) et dîner à la carte 250 à 300.

par D 2 E : rte d'Apt – ✉ **84220** Gordes :

Ferme de la Huppe, à 5 km ☏ 90 72 12 25, Fax 90 72 01 83, « Ancienne ferme provençale du 18e siècle », – ch GB.
30 mars-4 nov. – **Repas** *(fermé jeudi)* (dîner seul. en semaine) (prévenir) 145/200, enf. 110 – **8 ch** 400/650 – ½ P 345/470.

Aub. de Carcarille ⑤, à 4 km ℘ 90 72 02 63, Fax 90 72 05 74, ⌂, ⛱, ⚘ – ▣ ☎ ⓟ. GB. ✂
fermé 15 nov. au 28 déc. et vend. sauf le soir d'avril à sept. – **Repas** 98/195 – ☕ 40 – **11 ch** 330/380 – ½ P 340/370.

Les Vordenses, à 2,5 km ℘ 90 72 10 12, Fax 90 72 11 63, ⌂ – ⓟ. AE ⓓ GB JCB
fermé 1er déc. au 3 janv. et merc. – **Repas** 115/195, enf. 55.

rte des Imberts SO : 4 km par D 2 et D 103 – ✉ **84220** Gordes :

Mas Tourteron, ℘ 90 72 00 16, Fax 90 72 09 81, ⌂, « Demeure provençale aménagée avec élégance » – ⓟ. AE GB
fermé 15 nov. au 27 déc., 10 janv. au 13 fév., dim. soir d'oct. à avril et lundi – **Repas** (nombre de couverts limité, prévenir) 150 (déj.), 280/380, enf. 100.

GORGES voir au nom propre des gorges.

GORZE 57680 Moselle 57 ⑬ **G. Alsace Lorraine** – 1 389 h alt. 300.
Paris 312 – ♦Metz 18 – Jarny 21 – Pont-à-Mousson 21 – St-Mihiel 41 – Verdun 51.

Host. du Lion d'Or avec ch, ℘ 87 52 00 90, Fax 87 52 09 62, ⌂, ⚘ – ▣ ☎ – 🔺 25. GB
fermé dim. soir et lundi – **Repas** 90/340, enf. 60 – ☕ 38 – **18 ch** 160/320 – ½ P 320.

GOSNAY 62 P.-de-C. 51 ⑭ – rattaché à Béthune.

GOUESNACH 29950 Finistère 58 ⑮ – 1 769 h alt. 33.
Paris 558 – Quimper 13 – Bénodet 6 – Concarneau 23 – Pont-l'Abbé 16 – Rosporden 27.

Aux Rives de l'Odet, ℘ 98 54 61 09, Fax 98 54 73 21, ⚘ – ▣ ☎ ⓟ. GB
fermé 1er au 15 mars, 1er oct. au 7 nov. et lundi du 1er oct. au 30 mai – **Repas** 80 (dîner), 85/125, enf. 55 – ☕ 28 – **35 ch** 155/290 – ½ P 183/255.

Parcourez les pays d'Europe avec les cartes Michelin de la série à couverture rouge nos 980 à 991.

La GOUESNIÈRE 35350 I.-et-V. 59 ⑥ – 942 h alt. 22.
Paris 408 – St-Malo 13 – Dinan 24 – Dol-de-Bretagne 12 – Lamballe 57 – ♦Rennes 61 – St-Cast 37.

✿ **H. Tirel-Guérin,** à la Gare N : 1,5 km D 76 ℘ 99 89 10 46, Fax 99 89 12 62, ⌂, ⚒, ⛱, ⚘, ✂ – ▤ rest ▣ ☎ ✆ ♿ ⓟ – 🔺 100. AE ⓓ GB JCB
fermé mi-déc. à mi-janv. – **Repas** *(fermé dim. soir du 1er oct. à Pâques sauf vacances scolaires)* (dim. et fêtes prévenir) 125/235 et carte 210 à 330, enf. 80 – ☕ 45 – **60 ch** 270/420, 3 studios – ½ P 320/460
Spéc. Escalope de foie de canard poêlée aux pommes. Homard breton braisé "Jean-Luc". Pigeonneau aux poivres vanillés.

GOUJOUNAC 46250 Lot 79 ⑦ **G. Périgord Quercy** – 174 h alt. 250.
Paris 580 – Cahors 27 – Gourdon 30 – Villeneuve-sur-Lot 51.

Host. de Goujounac avec ch, ℘ 65 36 68 67, Fax 65 36 60 54, ⌂ – ▣ ☎. GB
fermé oct., 15 au 28 fév., dim. soir et lundi d'oct. à juin – **Repas** 100 bc/220 ♁ – ☕ 35 – **5 ch** 210/260 – ½ P 230/280.

GOULT 84220 Vaucluse 81 ⑬ 114 ① – 1 281 h alt. 258.
Paris 715 – Apt 13 – Avignon 38 – Carpentras 36 – Cavaillon 19.

Aub. La Bartavelle, ℘ 90 72 33 72, ⌂, « Salle voûtée » – AE GB
fermé 15 nov. au 1er fév., le midi en juil.-août, jeudi midi et merc. de sept. à juin – **Repas** 85 (déj.), 115/155 ♁, enf. 60.

GOUMOIS 25470 Doubs 66 ⑱ – 136 h alt. 490.
Voir Corniche de Goumois★★, **G. Jura.**
Paris 512 – ♦Besançon 92 – Biel 43 – Montbéliard 53 – Morteau 47.

Taillard ⑤, alt. 605 ℘ 81 44 20 75, Fax 81 44 26 15, ≤, ⌂, ⛱, ⚘ – ▣ ☎ ⓟ. AE ⓓ GB
mi-mars-mi-nov. et fermé merc. sauf d'avril à sept. – **Repas** 137/385, enf. 70 – ☕ 52 – **14 ch** 280/400, 3 appart – ½ P 380/430.

Moulin du Plain ⑤, N : 5 km par rte secondaire ℘ 81 44 41 99, Fax 81 44 45 70, ≤ – ☎ ⓟ. GB
1er mars-31 oct. – **Repas** 95/195 ♁, enf. 62 – ☕ 36 – **22 ch** 204/295 – ½ P 228/244.

GOUPILLIÈRES 14 Calvados 55 ⑪ – rattaché à Thury-Harcourt.

GOURDON ⟨SP⟩ 46300 Lot 75 ⑱ **G. Périgord Quercy** (plan) – 4 851 h alt. 250.
Voir Rue du Majou★ – Cuve baptismale★ dans l'église des Cordeliers – Esplanade ✻★ – Grottes de Cougnac★ NO : 3 km.
ℹ Office de Tourisme r. du Majou ℘ 65 41 06 40, Fax 65 41 44 74.
Paris 549 – Cahors 44 – Sarlat-la-Canéda 26 – Bergerac 90 – Brive-la-Gaillarde 64 – Figeac 64 – Périgueux 92.

Domaine du Berthiol M, E : 1 km par D 704 ✆ 65 41 33 33, Fax 65 41 14 52, ←, parc, ✂, – ≡ rest TV ☎ ♿ P – 25. AE GB. ch
1er avril-31 oct. – **Repas** 120 /260 – 55 – **29 ch** 430/750 – ½ P 390.

Host. de la Bouriane, pl. Foirail ✆ 65 41 16 37, Fax 65 41 04 92, – ≡ rest TV P. AE GB
fermé 15 janv. au 5 mars, dim. soir du 1er nov. à Pâques et lundi sauf le soir de Pâques au 1 nov. – **Repas** 80/275, enf. 58 – 40 – **20 ch** 300/360 – ½ P 340/360.

Bissonnier La Bonne Auberge, bd Martyrs ✆ 65 41 02 48, Fax 65 41 44 67 – ☎ P. GB. ch
fermé 1er déc. au 15 janv. et vend. soir du 15 janv. au 30 mars – **Repas** 80/250 – 38
26 ch 250/380 – ½ P 300/355.

CITROEN Espace Autos, rte de Cahors ✆ 65 41 12 03
RENAULT S.A.B.A.G., rte du Vigan ✆ 65 41 10 24
N ✆ 65 41 09 09
Garrigue Vulcopneu, rte de Salviac ✆ 65 41 00 7

GOURETTE 64 Pyr.-Atl. 85 ⑰ **G. Pyrénées Aquitaine** – alt. 1400 – Sports d'hiver : 1 400/2 400 m 3 23
✉ **64440** Eaux Bonnes.

Voir Site★ – Col d'Aubisque ★★ N : 4 km.

Office de Tourisme pl. Sarrière ✆ 59 05 12 17, Fax 59 05 12 56 et à Eaux-Bonnes ✆ 59 05 33 08.

Paris 825 – Pau 51 – Argelès-Gazost 34 – Eaux-Bonnes 8 – Laruns 14 – Lourdes 46.

Boule de Neige, ✆ 59 05 10 05, Fax 59 05 11 81, ← – TV ☎. GB.
hôtel : 6 juil.-8 sept. et vacances de Noël-vacances de printemps ; rest. : vacances de Noël-vacances de printemps – **Repas** 80 (déj.), 98/180, enf. 45 – 39 – **20 ch** 320/420 ½ P 330/340.

Pene Blanque, ✆ 59 05 11 29, Fax 59 05 10 85, ←, (été), – TV ☎ P. AE GB rest
1er juil.-31 août et 20 déc.-Pâques – **Repas** 80/190, enf. 50 – 40 – **24 ch** 270/390 ½ P 280/350.

GOURNAY-EN-BRAY **76220** S.-Mar. 55 ⑧ **G. Normandie Vallée de la Seine** – 6 147 h alt. 94.

Paris 100 ③ – ♦Rouen 50 ⑤ – Amiens 78 ① – Les Andelys 37 ④ – Beauvais 32 ② – Dieppe 75 ⑦ – Gisors 25 ③.

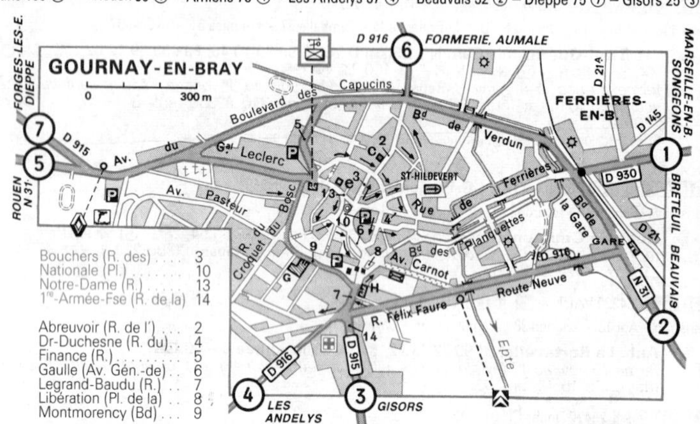

Le Cygne sans rest, 20 r. Notre Dame **(e)** ✆ 35 90 27 80, Fax 35 90 59 00 – TV ☎ P. AE GB JCB
35 – **30 ch** 270/340.

CITROEN Central Gar., 30 r. F.-Faure ✆ 35 90 00 75
RENAULT Gournay-Autos, av. Gén.-Leclerc ✆ 35 90 04 77 N ✆ 05 05 15 15
Mouquet Pneus - Point S, 7 r. Bouchers ✆ 35 90 01 50

GOUSSAINVILLE 95 Val-d'Oise 56 ①, 101 ⑦ – voir à Paris, Environs.

GOUVIEUX 60 Oise 56 ⑪, 106 ⑦ ⑧ – rattaché à Chantilly.

GOUZON 23230 Creuse 73 ① – 1 370 h alt. 378.

18 de la Jonchère ✆ 55 62 23 05, N : 2 km par D 997 et D 7.

Paris 365 – Aubusson 29 – La Châtre 56 – Guéret 31 – Montluçon 34.

Lion d'Or, ✆ 55 62 28 54, Fax 55 62 21 63 – TV ☎. GB. ch
fermé 17 au 27 juin et dim. soir – **Repas** 85/250, enf. 40 – 40 – **12 ch** 170/280 – ½ P 280

GRADIGNAN 33 Gironde 71 ⑨ – rattaché à Bordeaux.

GRAMAT 46500 Lot 75 ⑲ G. Périgord Quercy – 3 526 h alt. 305.

Office de Tourisme pl. République (Pentecôte-sept.) ✆ 65 38 73 60.

Paris 541 – Cahors 53 – Brive-la-Gaillarde 56 – Figeac 35 – Gourdon 36 – St-Céré 21.

Lion d'Or, pl. République ✆ 65 38 73 18, Fax 65 38 84 50, – rest. GB
fermé du 15 déc. au 15 janv. – **Repas** 100/300 – 45 – **15 ch** 260/420 – ½ P 360.

Le Relais des Gourmands M, av. Gare ✆ 65 38 83 92, Fax 65 38 70 99, – . GB. ch
fermé dim. soir et lundi midi – **Repas** 85/225, enf. 50 – 45 – **16 ch** 300/450 – ½ P 320/410.

Host. du Causse, SO : 1 km sur D 677 ✆ 65 38 78 08, Fax 65 38 81 99, – . GB
fermé 5 janv. au 31 mars – **Repas** 69/140, enf. 45 – 40 – **32 ch** 300/360 – ½ P 300.

Centre, pl. République ✆ 65 38 73 37, Fax 65 38 73 66 – rest. AE GB
fermé sam. sauf vacances scolaires – **Repas** 78/280, enf. 39 – 38 – **14 ch** 230/350 – ½ P 300/320.

à Lavergne NE : 4 km par D 677 – 387 h. alt. 320 – ✉ 46500 :

Le Limargue, ✆ 65 38 76 02 – . GB
fermé 15 au 30 oct. et merc. du 1er oct. au 30 mai – **Repas** 50 (déj.), 69/165, enf. 40.

rte de Brive 4,5 km par N 140 et rte secondaire – ✉ 46500 Gramat :

Château de Roumégouse, ✆ 65 33 63 81, Fax 65 33 71 18, ≤ Causse de Gramat, « Château du 19e siècle dans un parc », – . AE GB
5 avril-20 oct. – **Repas** *(fermé lundi sauf juil.-août et fériés)* 105 (déj.), 185/325, enf. 95 – 65 – **16 ch** 600/980 – ½ P 710/900.

RENAULT Gar. Barat, ✆ 65 38 72 15 N ✆ 65 38 72 15

Garrigue Vulcopneu, ✆ 65 38 77 61

Get your copy of the Michelin Green Guide to Canada.

Le GRAND-BORNAND 74450 H.-Savoie 74 ⑦ G. Alpes du Nord – 1 925 h alt. 934 – Sports d'hiver : 1 000/2 100 m 2 38.

Office de Tourisme pl. Église ✆ 50 02 78 00, Fax 50 02 78 01 et annexe du Chinaillon (saison) ✆ 50 02 78 02.

Paris 578 – Annecy 32 – Chamonix-Mont-Blanc 78 – Albertville 46 – Bonneville 23 – Megève 35.

Delta M sans rest, L'Envers de Villeneuve ✆ 50 02 26 25, Fax 50 02 32 71 – . GB
15 juin-15 sept. et 15 déc.-30 avril – 30 – **15 ch** 290.

Les Glaïeuls, au télécabine la Joyère ✆ 50 02 20 23, Fax 50 02 25 00, ≤ – . GB. rest
15 juin-15 sept. et 20 déc.-15 avril – **Repas** 88/235, enf. 55 – 38 – **21 ch** 312/380 – ½ P 331.

Croix St-Maurice, ✆ 50 02 20 05, Fax 50 02 35 37 – . GB. rest
hôtel : 23 juin-10 sept. et 20 déc.-8 avril ; rest. : 20 déc.-8 avril – **Repas** 87/190, enf. 50 – 33 – **21 ch** 230/310 – ½ P 285/325.

Les Écureuils, au télécabine La Joyère ✆ 50 02 20 11, Fax 50 02 39 47, ≤, – . GB
20 juin-15 sept. et 20 déc.-20 avril – **Repas** 87/120, enf. 42 – 33 – **20 ch** 205/290 – ½ P 296/324.

Everest H., rte Chinaillon : 1 km ✆ 50 02 20 35, ≤ – . rest
21 juin-10 sept. et 20 déc.-vacances de printemps – **Repas** 75 (dîner), 80/95 – 28 – **17 ch** 180/210 – ½ P 210.

au Chinaillon N : 5,5 km par D 4 – ✉ 74450 Le Grand-Bornand :

Le Cortina, ✆ 50 27 00 22, Fax 50 27 06 31, ≤ montagnes et pistes, – . GB
20 juin-15 sept. et Noël-vacances de printemps – **Repas** 90/260, enf. 53 – 36 – **30 ch** 290/340 – ½ P 275/375.

GRANDCAMP-MAISY 14450 Calvados 54 ③ – 1 881 h alt. 5.

Paris 298 – Cherbourg 71 – St-Lô 40 – Caen 60.

Duguesclin, ✆ 31 22 64 22, Fax 31 22 34 79, ≤, – . AE GB
fermé 15 au 22 oct. et 15 janv. au 15 fév. – **Repas** 60/125 – 30 – **20 ch** 150/300, 5 duplex – ½ P 225/300.

La Marée, ✆ 31 22 60 55, Fax 31 92 66 77, ≤, – GB
fermé janv., dim. soir et lundi sauf en été – **Repas** 99/228.

La GRAND-COMBE 30110 Gard 80 ⑦ ⑧ – 7 107 h alt. 185.

Paris 692 – Alès 13 – Aubenas 79 – Florac 57 – Nîmes 57 – Vallon-Pont-d'Arc 51 – Villefort 43.

au NO : 6 km par rte de Florac – ✉ 30110 La Grand-Combe :

du Lac, ✆ 66 34 12 85, – ☎ P. GB
fermé 17 au 24 nov. et fév. – **Repas** *(fermé merc.)* 75/135, enf. 45 – ☕ 28 – **13 ch** 125/2 – ½ P 165/205.

Escoffier Pneus Vulcopneu, N 87, Les Salles-du-Gardon ✆ 66 34 17 21

GRAND'COMBE-CHÂTELEU 25 Doubs 70 ⑦ – rattaché à Morteau.

La GRANDE-MOTTE 34280 Hérault 83 ⑧ **G. Gorges du Tarn** (plan) – 5 016 h alt. 1 – Casino.

18 18 de la Grande-Motte ✆ 67 56 05 00.

Office de Tourisme pl. du 1er octobre 1974 ✆ 67 29 03 37, Fax 67 29 03 45.

Paris 753 – ♦Montpellier 23 – Aigues-Mortes 10 – Lunel 17 – Nîmes 45 – Palavas-les-Flots 13 – Sète 44.

Golf M, av. Golf ✆ 67 29 88 88, Fax 67 29 17 01, ←, – ☎ P 50. AE GB
1er mars-30 nov. – **Repas** 85 (déj.)/120 – ☕ 50 – **81 ch** 460/515 – ½ P 407.

Mercure, r. du Port ✆ 67 56 90 81, Fax 67 56 92 29, ← le littoral, – ☎ P 30 à 90. AE GB
Repas *(fermé 31 oct. au 15 mars)* 120/135, enf. 50 – ☕ 55 – **135 ch** 350/680 – ½ P 470.

Europe sans rest, près de la poste ✆ 67 56 62 60, Fax 67 56 93 07, – TV ☎ P. AE GB.
☕ 38 – **34 ch** 350/430.

Azur sans rest, esplanade de la Capitainerie ✆ 67 56 56 00, Fax 67 29 81 26, ←, TV ☎ P. AE GB
☕ 45 – **20 ch** 580/680.

Acropolis sans rest, quartier du Couchant ✆ 67 56 76 22 – ☎ P. GB.
Pâques-30 sept. – ☕ 40 – **24 ch** 320/420.

XX **Alexandre,** esplanade de la Capitainerie ✆ 67 56 63 63, Fax 67 29 74 69, ← – P. GB.
fermé 6 janv. au 9 fév., dim. soir et lundi sauf juil.-août – **Repas** 195/380, enf. 85.

Le GRAND-PRESSIGNY 37350 I.-et-L. 68 ⑤ **G. Châteaux de la Loire** – 1 120 h alt. 63.

Voir Musée de Préhistoire★ dans le château.

Office de Tourisme, Mairie ✆ 47 94 90 37.

Paris 285 – Poitiers 65 – Le Blanc 44 – Châteauroux 82 – Châtellerault 28 – Loches 33 – ♦Tours 59.

XX **L'Espérance** avec ch, ✆ 47 94 90 12 – P. AE GB. ch
fermé lundi – **Repas** 110/200 – ☕ 40 – **10 ch** 150 – ½ P 210.

X **Aub. Savoie-Villars** avec ch, ✆ 47 94 96 86, Fax 47 94 96 86 – GB
fermé mi-janv. à mi-fév. et mardi sauf hôtel en sais. – **Repas** 60 (déj.), 95/140 – ☕ 30
7 ch 120/180 – ½ P 175/205.

CITROEN Gar. Viet, ✆ 47 94 90 25 N ✆ 47 94 90 25

RENAULT Gar. Jouzeau, ✆ 47 94 90 65

Le GRAND-QUEVILLY 76 S.-Mar. 55 ⑥ – rattaché à Rouen.

GRAND-VILLAGE-PLAGE 17 Char.-Mar. 71 ⑭ – voir à Oléron (île d').

GRANDVILLARS 90600 Ter.-de-Belf. 66 ⑧ – 2 874 h alt. 357.

Paris 442 – ♦Besançon 95 – ♦Mulhouse 53 – Basel 58 – Belfort 16 – Montbéliard 18.

XX **Le Choix de Sophie,** N 19 ✆ 84 27 76 03 – P. GB.
fermé 16 au 31 août, dim. soir et lundi – **Repas** 92/200 bc.

VAG Gar. Dangel, ✆ 84 27 81 77

GRANDVILLERS 88600 Vosges 62 ⑯ – 666 h alt. 365.

Paris 413 – Épinal 21 – Lunéville 49 – Gérardmer 28 – Remiremont 38 – St-Dié 29.

Europe et Commerce, ✆ 29 65 71 17, Fax 29 65 85 23, – TV ☎ P – 25 GB. ch
Repas *(fermé dim. soir et merc. soir)* 70/190, enf. 55 – ☕ 30 – **21 ch** 200/300 – ½ P 200/225.

CITROEN Gar. Keller, ✆ 29 65 71 25

GRANE 26400 Drôme 77 ⑫ – 1 384 h alt. 175.

Paris 594 – Valence 34 – Crest 9 – Montélimar 31 – Privas 28.

Patrick Giffon, ✆ 75 62 60 64, Fax 75 62 70 11, – rest TV ☎ P – 30. AE GB
fermé dim. soir du 1er oct. au 1er mai et lundi – **Repas** 130 (déj.), 180/380 – ☕ 55 – **14 ch** 230/580 – ½ P 380/500.

GRANGES-LÈS-BEAUMONT 26 Drôme 77 ② – rattaché à Romans-sur-Isère.

Les GRANGETTES 25160 Doubs 70 ⑥ – 169 h alt. 864.

Paris 448 – ◆Besançon 71 – Champagnole 38 – Morez 50 – Pontarlier 11,5.

Bon Repos ⛰, ✆ 81 69 62 95, ←, 🌳 – ☎ P. AE GB. ✻
fermé 20 oct. au 21 déc., 17 au 30 mars, mardi soir et merc. hors sais. – **Repas** 67/164 ♁, enf. 40 – ☕ 29 – **16 ch** 158/232 – ½ P 209/251.

GRANVILLE 50400 Manche 59 ⑦ **G. Normandie Cotentin** – 12 413 h alt. 10 – Casino Z et à St-Pair-sur-Mer.

Voir Site★ – Le tour des remparts★ : place de l'Isthme ←★ Z – Pointe du Roc : site★ Y.

18 ✆ 33 50 23 06, à Bréville par ① : 5,5 km ; 9 de Bréhal ✆ 33 51 58 88, par ① : 15 km.

Office de Tourisme 4 cours Jonville ✆ 33 91 30 03, Fax 33 91 30 19.

Paris 346 ② – St-Lô 53 ① – St-Malo 89 ③ – Avranches 25 ③ – ◆Caen 105 ② – ◆Cherbourg 104 ① – Coutances 28 ① – Vire 55 ②.

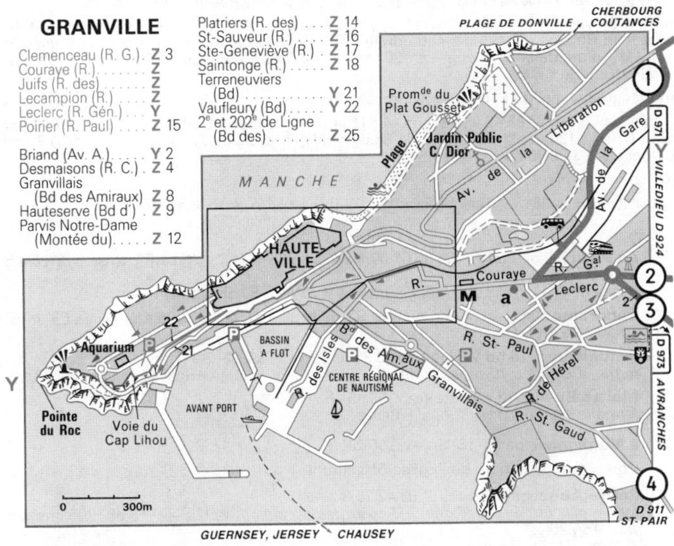

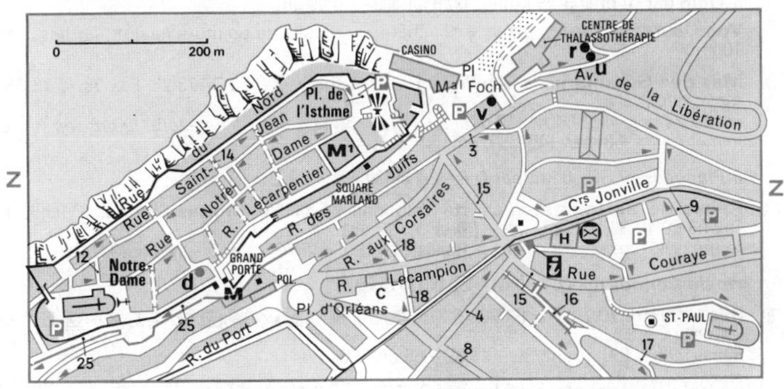

Bains, 19 r. G. Clemenceau ✆ 33 50 17 31, Fax 33 50 89 22, ← – ⧉ TV ☎. AE GB — Z **v**
fermé 1er déc. au 28 fév. – **Repas** *(fermé merc. midi et mardi)* 98/188 – ☕ 40 – **47 ch** 350/950 – ½ P 470/540.

Grand Large M, 5 r. Falaise ✆ 33 91 19 19, Fax 33 91 19 00, ← – ⧉ cuisinette TV ☎ ✆ ♿ 🚗 – 🏛 40. AE GB. ✻ — Z **r**
Repas (résidents seul.) 105/120 ♁ – ☕ 40 – **38 ch** 440/530, 9 duplex – ½ P 365/410.

Michelet sans rest, 5 r. J. Michelet ✆ 33 50 06 55, Fax 33 50 12 25 – TV ☎ P. AE GB. ✻ — Z **u**
☕ 32 – **19 ch** 130/290.

XXX **La Gentilhommière,** 152 r. Couraye ✆ 33 50 17 99 – GB JCB Y
fermé 1er au 15 fév., dim. soir et lundi du 10 sept. au 20 juin – **Repas** (nombre de couver limité, prévenir) 95/180 et carte 200 à 290.

XX **La Citadelle,** 10 r. Cambernon ✆ 33 50 34 10, 🏖 – GB Z
fermé 20 au 30 sept., 20 janv. au 10 fév., sam. midi, dim. soir et lundi sauf juil.-août – **Repa** 105 (déj.), 145/245.

CITROEN Manche Auto, ZI par ② ✆ 33 50 69 76 N ✆ 33 70 84 24
FORD Gar. Gosselin, ZI, r. du Mesnil ✆ 33 50 43 42
MERCEDES Durey, N 24 bis à St-Planchers ✆ 33 51 65 54
PEUGEOT Automobiles Sud Manche, rte de Villedieu par ② ✆ 33 50 11 92 N ✆ 33 50 11 92

RENAULT S.O.R.E.V.A., av. des Vendéens par ③ ✆ 33 90 64 99 N ✆ 33 90 18 28

Schmitt Pneus Vulcopneu, ZI du Mesnil ✆ 33 50 02 55

GRASSE SP 06130 Alpes-Mar. 84 ⑧ 114 ⑬ 115 ㉔ **G. Côte d'Azur** – 41 388 h alt. 250.

Voir Vieille ville★ : Place du Cours★ Z, musée d'Art et d'Histoire de Provence★ Z **M**1 (<★) Toiles★ de Rubens dans l'anc. cathédrale Z **B** – Salle Fragonard★ dans la Villa-Musée Fragc nard Z **M**2 – Parc de la Corniche <★★ 30 mn Z – Jardin de la Princesse Pauline <★ X **K** – Musé de la Parfumerie★ Z **M**3.

Env. Montée au col du Pilon <★★ 9 km par ④.

18 Opio-Valbonne ✆ 93 42 00 08 par D 4 : 11 km X; 9 Victoria Golf Club ✆ 93 42 07 98 par D 4 D 3 et D 103 : 13 km ; 18 de la Grande Bastide à Opio ✆ 93 09 71 22, E : 6 km par D 7 ; 9 18 d St-Donat ✆ 93 09 76 60 par ② : 5,5 km.

Office de Tourisme 22 cours H. Cresp ✆ 93 36 66 66, Fax 93 36 86 36.

Paris 909 ② – Cannes 16 ② – Digne-les-Bains 116 ④ – Draguignan 55 ③ – ♦Nice 35 ②.

Plan page ci-contre

du Patti M, pl. Patti ✆ 93 36 01 00, Fax 93 36 36 40, 🏖 – |♦| ▤ TV ☎ ♿ – 🏛 25 à 50. AE ⓓ GB JCB Y
Repas *(fermé dim.)* 82 bc (déj.), 99/230 🍷 – ☕ 40 – **50 ch** 340/430 – ½ P 310.

Panorama sans rest, 2 pl. Cours ✆ 93 36 80 80, Fax 93 36 92 04 – |♦| ⚡ ▤ TV ☎. AE GB ☕ 40 – **36 ch** 305/485. Z

X **Amphitryon,** 16 bd V. Hugo ✆ 93 36 58 73 – ▤. AE ⓓ GB Z
fermé 10 août au 10 sept., 22 déc. au 3 janv., dim. et fêtes – **Repas** 120/250, enf. 79.

X **Maître Boscq,** 13 r. Fontette ✆ 93 36 45 76 – GB Y
fermé le soir hors sais. et dim. – **Repas** 129.

*à **Magagnosc*** par ① : 5 km – ✉ **06520**.

Voir <★ du cimetière de l'Eglise St-Laurent.

X **Petite Auberge** avec ch, ✆ 93 42 75 32 – GB
fermé juil. et 19 au 26 fév. – **Repas** *(fermé merc.)* 86/125 🍷 – **5 ch** (½ pens. seul.) – ½ P 215/220.

*à **Opio*** par ① et D 3 : 8 km – 1 792 h. alt. 300 – ✉ **06650**.

Voir Gourdon : site★★, place <★★, château : musée de peinture naïve★, jardins <★★ N 10 km.

XX **Mas des Géraniums,** à San Peyre E : 1 km sur D 7 ✆ 93 77 23 23, Fax 93 77 76 05, 🏖, 🌳 – P. GB
fermé 24 oct. au 27 nov., 19 déc. au 1er janv., jeudi midi en juil.-août, mardi soir de sept. à juin et merc. – **Repas** 145/230, enf. 70.

*à **Plascassier*** SE : 6 km par D 4 – ✉ **06130** :

XX **Relais de Sartoux** avec ch, rte Valbonne ✉ 06370 Mouans-Sartoux ✆ 93 60 10 57 Fax 93 60 17 36, 🏖, 🏊, 🌳 – TV ☎ P. AE GB. ✗ ch
fermé nov. et merc. hors sais. – **Repas** 140/180, enf. 70 – ☕ 35 – **12 ch** 300/370 – ½ P 310.

rte de Cannes par ② : 3 km – ✉ **06130** Grasse :

Ibis, ✆ 93 70 70 70, Fax 93 70 46 31, 🏖, 🏊, 🎾 – |♦| ⚡ ▤ TV ☎ ✆ ♿ P – 🏛 25 à 80. AE ⓓ GB
Repas 99 bc/150 🍷, enf. 39 – ☕ 38 – **65 ch** 360/485.

au Val de Tignet par ③ : 8 km par D 2562 – ✉ **06530** Peymeinade :

XX **Aub. Chantegrill,** ✆ 93 66 12 33, Fax 93 66 02 31, 🏖 – P. AE GB
fermé 15 au 30 nov. et lundi de sept. à mai – **Repas** 98/230.

*à **Cabris*** : 5 km par D 4 X – 1 307 h. alt. 550 – ✉ **06530**.

Voir Site★ – <★★ des ruines du château.

Horizon 🔇 sans rest, ✆ 93 60 51 69, Fax 93 60 56 29, <, 🏊 – |♦| TV ☎ ✆ P. AE ⓓ GB. ✗
1er avril-15 oct. – ☕ 45 – **22 ch** 330/610.

GRASSE

Jeu-de-Ballon (Bd) **YZ**
Ossola (R. Jean) . . . **Z** 38
Thiers (Av.) . . . . **Y**

Barri (Pl. du). . . . . . . **Z** 4
Bellevue (Bd). . . . . . **X** 5
Charabot (Bd) . . . . . **Y** 6
Conte (R. D.) . . . . . . **Y** 7
Cresp (Cours H.) . . . **Z** 8
Crouët (Bd J.) . . . . . **X** 10
Droite (R.) . . . . **Y** 12
Duval (Av. M.). . . . . . **X** 14
Fontette (R. de). . . . **Y** 15
Foux (Pl. de la) . . . . **Y** 17
Fragonard (Bd) . . . . **Z** 18
Gaulle (Av. Gén.-de) **X** 20
Gazan (R.) . . . . **Z** 22
Herbes (Pl. aux). . . . **Y** 23
Journet (R. M.) . . . **YZ** 26
Juin (Av. Mar.) . . . . **Y** 27
Lattre-de-Tassigny (Av. Mar.-de). . . . **X** 28
Leclerc (Bd Mar.) . . **X** 30
Libération (Av.) . . . . **X** 32
Mougins-Roquefort (R.) . . . . **Z** 33
Onze-Novembre (R. du). . . . . **XY** 34
Oratoire (R. de l'). . . **Y** 35
Petit-Puy (Pl. du) . . . **Z** 42
Prés.-Kennedy (Bd). **X** 45
Reine-Jeanne (Bd) . **X** 48
Rothschild (Bd de) . **X** 49
St-Martin (Traverse) **Z** 50
Sémard (Av. P.). . . . **X** 53
Tracastel (R.) . . . . . . **Z** 57
Touts-Petits (Trav.) . **Z** 58
Victor-Hugo (Bd) . **XZ** 59
Victoria (Av.) . . . . . . **X** 60

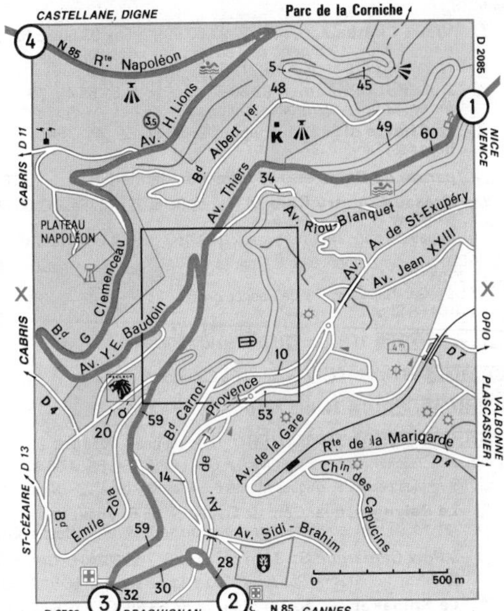

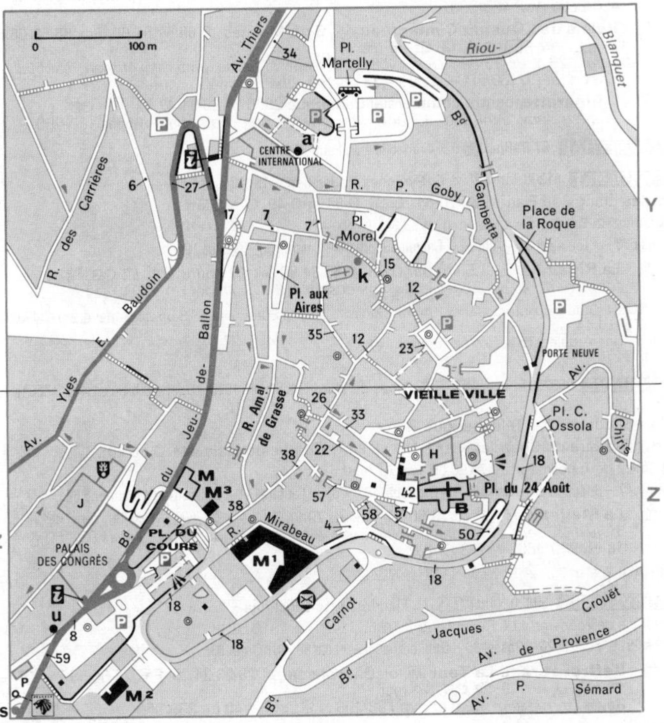

0 100 m
Av. Thiers
Pl. Martelly
Riou-Blanquet
Bd Gambetta
CENTRE INTERNATIONAL
a
R. P. Goby
R. des Carrières
Pl. Morel
k
Pl. aux Aires
Place de la Roque
Av. Yves E. Baudoin
Bd du Jeu-de-Ballon
PORTE NEUVE
VIEILLE VILLE
R. Amal de Grasse
Pl. C. Ossola
Av. Chiris
M M³
H
Pl. du 24 Août
B
J
PALAIS DES CONGRÈS
PL. DU COURS
R. Mirabeau
M¹
u
M²
Bd Carnot
Bd Jacques Crouët
Av. de Provence
Av. P. Sémard
Y
Z

XX **Vieux Château** avec ch, ☎ 93 60 50 12, Fax 93 60 63 62, ☂ – GB. ✻ ch
fermé 26 fév. au 8 mars et 2 au 13 déc. – **Repas** *(fermé merc. soir de mars à juin, mardi sc et merc. du 16 sept. à fév.)* 110 (déj.), 154/235, enf. 80 – ☐ 48 – **4 ch** 390/500 – ½ P 320/44

X **Aub. Petit Prince,** ☎ 93 60 51 40, Fax 93 60 51 40, ☂ – AE ① GB
fermé 12 nov. au 15 déc., mardi soir sauf juil.-août et merc. – **Repas** 98/168.

X **La Chèvre d'Or,** 1 pl. Puits ☎ 93 60 54 22, ☂ – GB
Repas 95/195.

par rte de Digne et D 11 (direction Cabris) : 6 km – ✉ **06130** Grasse :

Grasse Country Club M ⛭, ☎ 93 60 55 44, Fax 93 60 55 19, ←, ☂, parc, golf, ⛱ – ▤ TV ☎ ♿ P. AE GB JCB
Repas *(fermé lundi hors sais.)* 140/150 ♁ – ☐ 60 – **15 ch** 700/1125 – ½ P 725.

PEUGEOT Grasse-Autom., 6 bd E.-Zola ☎ 93 36 36 50
RENAULT Gar. Balavoine, rte de Cannes par ② ☎ 93 70 64 38 N ☎ 07 73 68 64

Ⓜ Euromaster, 249 rte de Pégomas ☎ 93 70 66 65
Tosello, 132 rte Marigarde Le Moulin de Brun ☎ 93 70 16 48

GRATENTOUR 31 H.-Gar. 82 ⑧ – rattaché à Toulouse.

GRATOT 50 Manche 54 ⑫ – rattaché à Coutances.

Le GRAU-D'AGDE 34 Hérault 83 ⑮ – rattaché à Agde.

Le GRAU-DU-ROI 30240 Gard 83 ⑧ **G. Provence** – 5 253 h alt. 2.
ℹ Office de Tourisme bd Front-de-Mer ☎ 66 51 67 70, Fax 66 51 06 80.
Paris 756 – ♦Montpellier 29 – Aigues-Mortes 6 – Arles 53 – Lunel 22 – Nîmes 47 – Sète 50.

X **Le Palangre,** quai Gén. de Gaulle ☎ 66 51 76 30, ☂ – GB
fermé 15 nov. au 15 fév. et mardi de sept. à mai – **Repas** 88/235.

à Port Camargue S : 3 km par D 62B – ✉ **30240** Le Grau-du-Roi.
ℹ Office de Tourisme Carrefour 2000 (Pâques-sept.) ☎ 66 51 71 68.

Le Spinaker ⛭, pointe Môle ☎ 66 53 36 37, Fax 66 53 17 47, ←, ☂, ⛱ – ▤ rest TV ☎ P – 🏛 40. AE GB
28 mars-4 nov. – **Repas** *(fermé lundi sauf juil.-août et fêtes)* 150/395, enf. 95 – ☐ 55 – **21 ch** 490/580 – ½ P 425/530.

Relais de l'Oustau Camarguen ⛭, 3 rte Marines ☎ 66 51 51 65, Fax 66 53 06 65, ☂, ⛱, ⛱, ☂ – TV ☎ ♿ P. AE ① GB
hôtel : 29 mars-13 oct. ; rest : 1er mai-30 sept. et fermé lundi midi et merc. sauf juil. – **Repas** 120 bc (déj.), 160/200 – ☐ 50 – **38 ch** 490 – ½ P 395/440.

XX **L'Amarette,** centre commercial Camargue 2000 ☎ 66 51 47 63, ← – GB
fermé mi-nov. à mi-déc., 1er janv. au 10 fév. et merc. hors sais. – **Repas** 180/250.

GRAUFTHAL 67 B.-Rhin 57 ⑰ – rattaché à La Petite-Pierre.

GRAULHET 81300 Tarn 82 ⑩ **G. Pyrénées Roussillon** – 13 523 h alt. 166.
⛳18 des Étangs de Fiac ☎ 65 70 64 70, S : D 84 et D 49, O : 18 km.
ℹ Office de Tourisme square Foch ☎ 63 34 75 09.
Paris 688 – ♦Toulouse 61 – Albi 32 – Castelnaudary 61 – Castres 30 – Gaillac 19.

XX **La Rigaudié,** E : 1,5 km par D 26 ☎ 63 34 50 07, ☂, parc – P. AE GB. ✻
fermé août, 23 au 29 déc., dim. soir et sam. – **Repas** 77 (déj.), 120/240.

CITROEN Graulhet Autom., 49 av. Ch.-de-Gaulle ☎ 63 34 51 44
FORD Gar. Arquier, 15 bis av. de l'Europe ☎ 63 34 70 41

Ⓜ Euromaster, 78 bd de Genève ☎ 63 42 06 21

La GRAVE 05320 H.-Alpes 77 ⑦ **G. Alpes du Nord** – 455 h alt. 1526 – Sports d'hiver : 1 400/3 550 m ⛷2 ⛷2 ⛷.
Voir Situation★★ – Téléphérique ←★★★.
Env. Oratoire du Chazelet ←★★★ NO : 6 km – Combe de Malaval★ O : 6 km.
ℹ Office de Tourisme ☎ 76 79 90 05, Fax 76 79 91 65.
Paris 647 – Briançon 39 – Gap 127 – ♦Grenoble 78 – Col du Lautaret 11 – St-Jean-de-Maurienne 66.

La Meijette M, ☎ 76 79 90 34, Fax 76 79 94 76, ←, ☂ – |♦| TV ☎ P. GB. ✻ rest
1er juin-20 sept., 1er mars-1er mai et fermé mardi sauf juil.-août – **Repas** 95/160 ♁ – ☐ 37 – **18 ch** 280/460 – ½ P 300/420.

RENAULT Gar. Pic, ☎ 76 79 91 38 N ☎ 76 79 91 89

GRAVELINES 59820 Nord 51 ③ **G. Flandres Artois Picardie** – 12 336 h.
ℹ Office de Tourisme 11 r. République ☎ 28 65 21 28, Fax 28 65 58 19.
Paris 291 – ♦Calais 26 – Cassel 36 – Dunkerque 20 – ♦Lille 90 – St-Omer 33.

Beffroi et rest. La Tour M, pl. Ch. Valentin ☎ 28 23 24 25, Fax 28 65 59 71, ☂ – |♦| TV ☎ ♿ – 🏛 40. AE ① GB. ✻ rest
Repas *(fermé sam. midi et dim.)* 98/158 ♁ – ☐ 35 – **40 ch** 330/350 – ½ P 225/258.

ITROEN Gar. Herant, 11 r. de Dunkerque 28 23 06 56

EUGEOT Gar. Vauban, r. des Islandais 28 23 11 51 N ✆ 28 23 11 51

RENAULT Gar. Rabat, r. des Islandais ✆ 28 23 13 50

GRAVESON **13690** B.-du-R. **80** ⑳ **G. Provence** – 2 752 h alt. 14.

Voir Musée Auguste-chabaud★.

aris 704 – Avignon 14 – Carpentras 36 – Cavaillon 27 – ◆Marseille 98 – Nîmes 36.

Moulin d'Aure sans rest, rte de Châteaurenard ✆ 90 95 84 05, Fax 90 95 73 84, ⛱, – ☎ P. GB JCB. 🚫
1er avril-30 oct. – ☕ 37 – **14 ch** 270/330.

Mas des Amandiers, rte d'Avignon : 1,5 km ✆ 90 95 81 76, Fax 90 95 85 18, ⛱, – ☎ ♿ P – 🏛 30. AE ⓓ GB
15 mars-15 oct. – **Repas** (dîner seul.) 98, enf. 68 – ☕ 38 – **25 ch** 290/310 – ½ P 270/280.

Cadran Solaire 🐴 sans rest, ✆ 90 95 71 79, Fax 90 90 55 04, – ☎ P. AE ⓓ GB
fermé 16 au 30 nov. et 1er au 15 fév. – ☕ 34 – **12 ch** 230/270.

RENAULT Gar. Eletti et Massacèse, ✆ 90 95 74 27

GRAY **70100** H.-Saône **66** ⑭ **G. Jura** – 6 916 h alt. 220.

Voir Collection de dessins★ de Prud'hon au musée Baron-Martin Y **M**[1].

Office de Tourisme Ile Sauzay ✆ 84 65 14 24.

Paris 346 ⑤ – ◆Besançon 44 ③ – ◆Dijon 49 ⑤ – Dole 44 ④ – Langres 56 ① – Vesoul 56 ②.

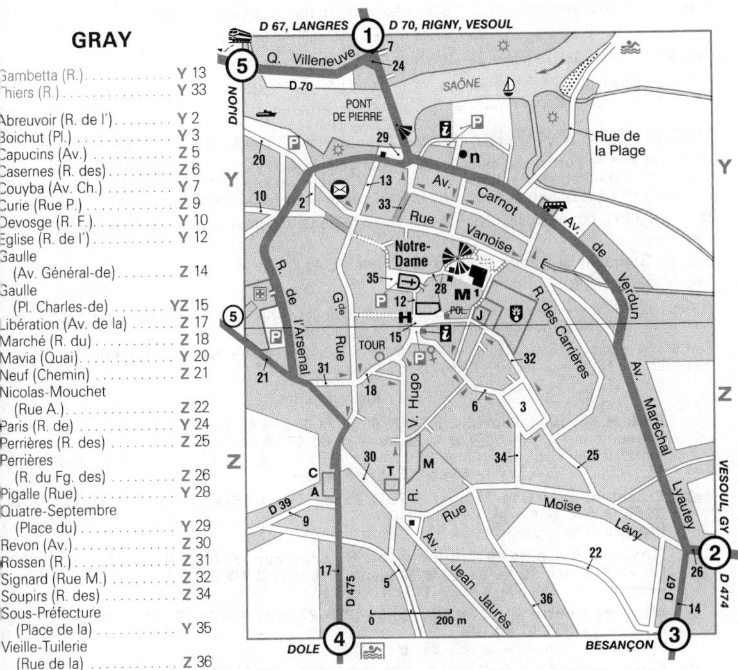

Le Fer à Cheval sans rest, 9 av. Carnot ✆ 84 65 32 55, Fax 84 65 42 63 – TV ☎ ♿ P. AE ⓓ GB JCB Y **n**
fermé 23 déc. au 4 janv. – ☕ 30 – **46 ch** 190/255.

à Rigny par ① D 70 et D 2 : 5 km – 529 h. alt. 196 – ✉ **70100** :

Château de Rigny 🐴, ✆ 84 65 25 01, Fax 84 65 44 45, <, « Parc aménagé en bordure de la Saône », ⛱, 🎾 – TV ☎ P – 🏛 25. AE ⓓ GB. 🚫 rest
fermé 6 au 30 janv. – **Repas** 190/320 – ☕ 58 – **23 ch** 380/700 – ½ P 460/600.

à Nantilly par ① et D 2 : 5 km – 456 h. alt. 200 – ✉ **70100** :

Château de Nantilly Ⓜ, ✆ 84 67 78 00, Fax 84 67 78 01, ←, parc, ✕ – 25 à 60. AE ⓓ GB
fermé 23 au 27 déc. et 3 janv. au 29 fév. – **Repas** (*fermé dim. soir et lundi de sept. à ma* 190/580, enf. 100 – ☕ 75 – **31 ch** 700/800, 3 appart, 7 duplex – ½ P 623.

CITROEN Gar. Comtois, Chemin Neuf ✆ 84 65 00 91 🅽 ✆ 84 31 20 02
PEUGEOT Gar. Boffy, à Arc-lès-Gray par ① ✆ 84 64 80 79
Bailly, 15 chaussée d'Arc ✆ 84 65 07 06

GRENADE-SUR-L'ADOUR

40270 Landes 82 ① – 2 187 h alt. 55.

Paris 719 – Mont-de-Marsan 14 – Aire-sur-l'Adour 18 – Orthez 50 – St-Sever 13 – Tartas 32.

Pain Adour et Fantaisie (Garret) Ⓜ, 14 pl. Tilleuls ✆ 58 45 18 80, Fax 58 45 16 57, ←, « Terrasse au bord de l'eau » – ch. AE ⓓ GB
fermé dim. soir de sept. à juin et lundi sauf le soir en juil.-août – **Repas** 175/400 et carte 23 à 440 – ☕ 75 – **12 ch** 380/700 – ½ P 440/715
Spéc. Dentelle craquante de tourteau au blé noir. Petits farcis à la charpie d'oie (juin à sept.) "Coffret" à la compotée c fraises d'Eugénie (avril à oct.). **Vins** Jurançon.

France, 3 pl. Tilleuls ✆ 58 45 19 02, Fax 58 45 11 48, – GB
fermé 2 au 18 janv., dim. soir et lundi sauf juil.-août et fériés – **Repas** 70/195.

PEUGEOT Gar. de l'Adour, ✆ 58 45 91 45
RENAULT Grenade Automobile, ✆ 58 45 92 62 🅽 ✆ 58 45 94 92

GRENDELBRUCH

67190 B.-Rhin 62 ⑧ ⑨ – 918 h alt. 500.

Voir Signal de Grendelbruch ✻★ SO : 2 km puis 15 mn, **G. Alsace Lorraine.**

ℹ Syndicat d'Initiative, Mairie ✆ 88 97 40 79, Accueil (juil.-août) ✆ 88 97 47 50.

Paris 488 – ♦Strasbourg 41 – Erstein 32 – Molsheim 17 – Obernai 16 – Sélestat 37.

La Couronne, rte Schirmeck ✆ 88 97 40 94 – ☎ 🅿. GB
fermé déc. – **Repas** 60/150 – ☕ 33 – **8 ch** 180/250 – ½ P 195/235.

GRENOBLE

🅿 **38000** Isère 77 ⑤ **G. Alpes du Nord** – 150 758 h Agglo. 404 733 h alt. 213.

Voir Site★★★ – Fort de la Bastille ✻★★ par téléphérique EY – Vieille ville★ EY : Palais de Justice★ EY J – Patio★ de l'hôtel de ville FZ – Crypte★ de l'église St-Laurent FY – Musées : de Grenoble★★★ FY, Dauphinois★ EY, de la Résistance et de la Déportation★ FZ **M**5.

18 ✆ 76 73 65 00, à Bresson par D 269 BX ; 18 de St-Quentin-s-Isère ✆ 76 93 67 28, 23 km par ⑤.

✈ de Grenoble-St-Geoirs ✆ 76 65 48 48, par ⑥ : 45 km.

✆ 36 35 35 35.

ℹ Office de Tourisme et Accueil de France 14 r. République ✆ 76 42 41 41, Télex 980718, Fax 76 51 28 69 – Automobile Club Dauphinois 4 pl. Grenette ✆ 76 44 41 54, Fax 76 51 93 92.

Paris 573 ⑥ – Bourg-en-Bresse 150 ⑥ – Chambéry 56 ② – Genève 144 ② – ♦Lyon 105 ⑥ – ♦Marseille 272 ⑥ – ♦Nice 332 ④ – ♦St-Étienne 158 ⑥ – Torino 235 ② – Valence 92 ⑥.

Plans pages suivantes

Park H. Ⓜ, 10 pl. Paul Mistral ✆ 76 85 81 23, Fax 76 46 49 88, « Beaux aménagements intérieurs » – 60. AE ⓓ GB JCB FZ w
fermé 27 juil. au 18 août et 21 déc. au 4 janv. – ***La Ripaille*** (*fermé dim. midi*) **Repas** 145/245, enf. 60 – ☕ 60 – **50 ch** 695/995, 10 appart.

Président Ⓜ, r. Gén. Mangin ✆ 76 56 26 56, Télex 308393, Fax 76 56 26 82, – 🅿 – 120. AE ⓓ GB AX y
Repas 105 (déj.), 125/165 – ☕ 53 – **105 ch** 455/620.

Novotel Atria Ⓜ, à Europole, pl. R. Schuman ✆ 76 70 84 84, Télex 320207, Fax 76 70 24 93 – 550. AE ⓓ GB AV r
Repas 85/150, enf. 60 – ☕ 52 – **118 ch** 505/605.

Mercure Centre Ⓜ, 12 bd Mar. Joffre ✆ 76 87 88 41, Fax 76 47 58 52 – 300. AE ⓓ GB EZ d
Repas 110, enf. 48 – ☕ 55 – **88 ch** 430/495.

Europole Ⓜ, 29 r. P. Sémard ✆ 76 49 51 52, Fax 76 21 99 00 – 50. AE ⓓ GB AV d
Brasserie Midi-Minuit : **Repas** 98/165 – ***Via Brasil*** : **Repas** (dîner seul.) 135/155, enf. 42 – ☕ 45 – **71 ch** 420/480.

Angleterre Ⓜ sans rest, 5 pl. V.-Hugo ✆ 76 87 37 21, Télex 320297, Fax 76 50 94 10 – AE ⓓ GB EZ z
☕ 50 – **66 ch** 430/670.

Porte de France sans rest, 27 quai C. Bernard ✆ 76 47 39 73, Fax 76 50 95 03 – AE GB DY k
fermé 20 déc. au 5 janv. – ☕ 37 – **40 ch** 275/400.

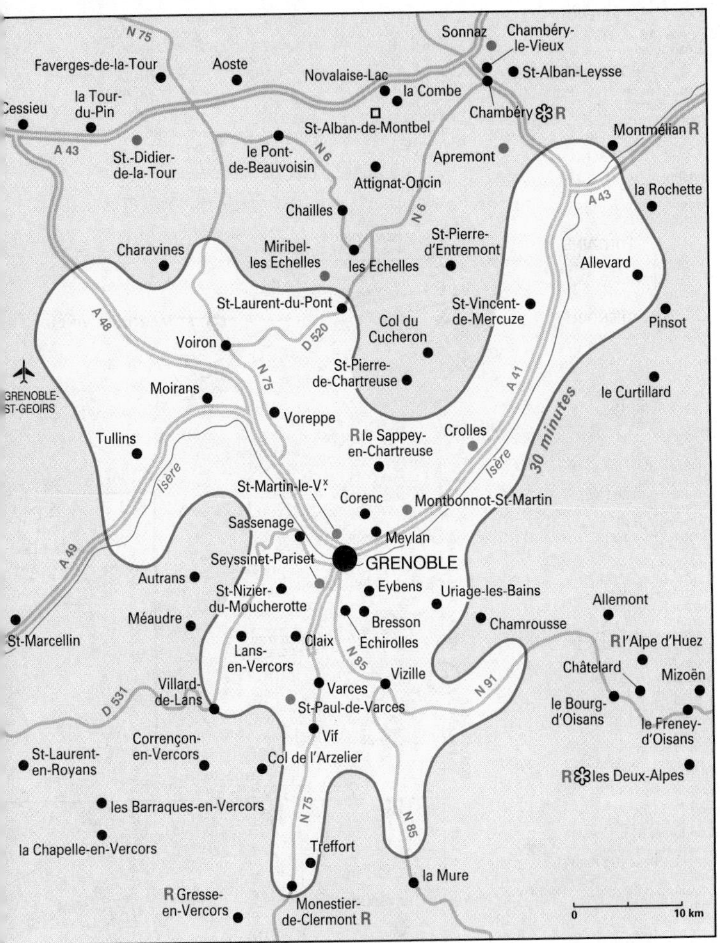

🏨 **Splendid** sans rest, 22 r. Thiers ✆ 76 46 33 12, Fax 76 46 35 24 – |♦| ⇆ TV ☎ ♿ P. AE ⓓ GB JCB — DZ **q**
☕ 30 – **45 ch** 219/410.

🏨 **Patinoires** sans rest, 12 r. Marie Chamoux ✉ 38100 ✆ 76 44 43 65, Fax 76 44 44 77 – |♦| TV ☎ P. AE ⓓ GB JCB — GZ **b**
☕ 26 – **35 ch** 215/300.

🏨 **Alpes** sans rest, 45 av. F. Viallet ✆ 76 87 00 71, Fax 76 56 95 45 – |♦| TV ☎ 🚗. GB — DY **z**
☕ 27 – **67 ch** 240/300.

🏨 **Bastille** sans rest, 25 av. F. Viallet ✆ 76 43 10 27, Fax 76 87 52 69 – |♦| TV ☎ 🚗. GB — DY **b**
☕ 27 – **54 ch** 240/300.

🏠 **Tilleuls** sans rest, 236 cours Libération ✉ 38100 ✆ 76 09 17 34, Fax 76 40 64 56 – |♦| ☎ P. AE GB — AX **s**
☕ 25 – **39 ch** 170/235.

🏠 **Ibis** M, 5 r. Miribel - centre commercial les Trois Dauphins ✆ 76 47 48 49, Fax 76 47 78 22, 🍴 – |♦| ⇆ TV ☎ 📞 🚗 – 🏢 60. AE ⓓ GB JCB — EY **f**
Repas 99 bc, enf. 39 – ☕ 35 – **71 ch** 320.

🏠 **Trianon** sans rest, 3 r. P. Arthaud ✆ 76 46 21 62, Fax 76 46 37 56 – |♦| TV ☎. AE ⓓ GB JCB — DZ **m**
☕ 32 – **38 ch** 207/350.

CORENC

Eygala (Av. de l') . . . . BV
Grésivaudan (Av. du) . . . . BCV

ÉCHIROLLES

États-Généraux (Av. des) . . AX 29
Grugliasco (Av. de) . . . . AX
Jaurès (Cours J.) . . . . AX
8 Mai 1945 (Av. du) . . . . AX 75

EYBENS

Innsbruck (Av. d') . . . . BX 36
Jaurès (Av. J.) . . . . BX
Mendès-France (R.) . . . . . . BX
Poisat (Av. de) . . . . BX 47

FONTAINE

Briand (Av. A.) . . . . AV
Joliot-Curie (Bd) . . . . AV
Vercors (Av. du) . . . . AV

GRENOBLE

Blanchard (R. P.) . . . . EYZ
Bonne (R. de) . . . . EY 10
Foch (Bd Mar.) . . . . DEZ
Grande-Rue . . . . EY 36
Grenette (Pl.) . . . . EY
Lafayette (R.) . . . . EY 37
Poulat (R. F.) . . . . EZ 48
Victor-Hugo (Pl.) . . . . EZ

Alliés (R. des) . . . . AX
Alma (R. de l') . . . . FY 2
Alsace-Lorraine (Av.) . . . . DYZ 3
Ampère (R.) . . . . AV
Augereau (R.) . . . . DZ
Bastille (Pl. de la) . . . . DY 5
Bayard (R.) . . . . FY 6
Belgique (Av. Albert-Ier de) . . . . . . EFZ 7
Belgrade (R. de) . . . . EY 9
Berriat (Cours de) . . . . . AV-DZ
Bernard (Q. Cl.) . . . . DY
Berthelot (Av. M.) . . . . BX
Bizanet (R.) . . . . FGY
Blum (Av. L.) . . . . AX
Boissieux (R. B.-de) . . . . EZ
Brenier (R. C.) . . . . DY 12
Briand (Pl. A.) . . . . DY 13
Brocherie (R.) . . . . EY 15
Casimir-Périer (R.) . . . . EZ 16
Champollion (R.) . . . . FZ 17
Champon (Av. Gén.) . . . . FZ
Chanrion (R. J.) . . . . FYZ 18
Clemenceau (Bd) . . . . FGZ
Clot-Bey (R.) . . . . EZ 21
Condillac (R.) . . . . EZ
Condorcet (R.) . . . . DZ
Créqui (Q.) . . . . DEY
Diables-Bleus (Bd des) . . . . FZ 24
Diderot (R.) . . . . AV 25
Dr-Girard (Pl.) . . . . FY 26
Driant (Bd Col.) . . . . FZ 27
Esclangon (R. F.) . . . . AV 28
Esmonin (Av. E.) . . . . AX
Fantin-Latour (R.) . . . . FZ
Faure (R. E.) . . . . FZ
Flandrin (R. J.) . . . . GZ
Fourier (R.) . . . . FZ 32
France (Q. de) . . . . DEY
Gambetta (Bd) . . . . DEZ
Gaulle (Av. Gén.-de) . . . . . . BX 33
Graille (Q. de la) . . . . DY
Gueymard (R. E.) . . . . DY
Haxo (R.) . . . . FZ
Hébert (R.) . . . . FY
Hoche (R.) . . . . EZ
Jaurès (Cours J.) . . . . DYZ
Jay (Q. S.) . . . . EY
Jeanne-d'Arc (Av.) . . . . GZ
Joffre (Bd Mar.) . . . . EZ
Jongking (Q.) . . . . FY
Jouhaux (R. L.) . . . . BX
Jouvin (Q. X.) . . . . FY
Lafontaine (Cours) . . . . EZ
Lakanal (R.) . . . . EZ
Lavalette (Pl.) . . . . FY 38
Leclerc (Av. Mar.) . . . . FY
Lesdiguières (R.) . . . . EZ
L'Herminier (R. Cdt) . . . . . . FY 41
Libération (Crs de la) . . . . . . AX
Lyautey (Bd Mar.) . . . . EZ 42
Lyon (Rte de) . . . . DY
Malakoff (R.) . . . . FGZ
Mallifaud (R.) . . . . EFZ
Martyrs (R. des) . . . . AV
Mistral (Pl. P.) . . . . FZ
Montorge (R.) . . . . EY 44
Mortillet (R. de) . . . . FGY
Moyrand (R.) . . . . FGZ
Notre-Dame (Pl.) . . . . FY
Pain (Bd J.) . . . . FZ
Pasteur (Pl.) . . . . FZ 45
Perrière (Q.) . . . . EY 46
Perrot (Av. J.) . . . . BX-FZ
Prévost (R. J.) . . . . DZ
Randon (Av. Mar.) . . . . FY
Rey (Bd Ed.) . . . . EY
Reynier (R. A.) . . . . AX 49
Reynoard (Av. M.) . . . . BX 50
Rhin-et-Danube (Av.) . . . . . . AX 52
Rivet (Pl. G.) . . . . EZ 53
Rousseau (R. J.-J.) . . . . EY 55
Sablon (Pont du) . . . . GY
St-André (Pl.) . . . . EY 56
Ste-Claire (Pl.) . . . . EY 57
Sembat (Bd A.) . . . . EZ
Servan (R.) . . . . FY 59
Stalingrad (R. de) . . . . AX 60
Strasbourg (R. de) . . . . FZ 62
Thiers (R.) . . . . DZ
Très-Cloîtres (R.) . . . . FY 63

renne (R.) . . . . DZ
llès (Av. J.) . . . . BV
llier (Bd J.) . . . . AVX
lmy (Av. de) . . . . GZ
rdun (Pl.) . . . . FZ
allet (Av. F.) . . . . DEY
cat (R.) . . . . EZ 66
lars (R. D.) . . . . FZ
ltaire (R.) . . . . FY 68

MEYLAN

hamrousse (Av. de) . . . CV 20
ercors (Av. du) CV
erdun (Av. de) CV

SEYSSINET

Coubertin (Av. P. de) . . . AX 22
Desaire (Bd des Frères) . AV 23
Gaulle (Av. Gén.-de) 34
République (Av. de la) . AVX
Victor-Hugo (Av.) . . . . . AX 67

SEYSSINS

Gaulle (Av. Gén.-de) . . . . AX 35

ST-MARTIN-D'HÈRES

Antoine (R.) CX
Cachin (Av. M.) . . . . BX
Croizat (Av. A.) . . . . BCV
Galochère (Av. de la) . . . CX
Jaurès (Av. J.) CX
Péri (Av. G.) . . . . BCV
Poitié (Av.) . . . . BX
Prévert (Av. J.) CX
Romain-Rolland (Av.) . . . CX 54
September (Bd Dulcie) . . BX 58

LA TRONCHE

Chantourne (Bd de la) . . BV 19
Grande-Rue . . . . BV
Maquis-de-Grésivaudan
(Av. des) . . . . BV 43

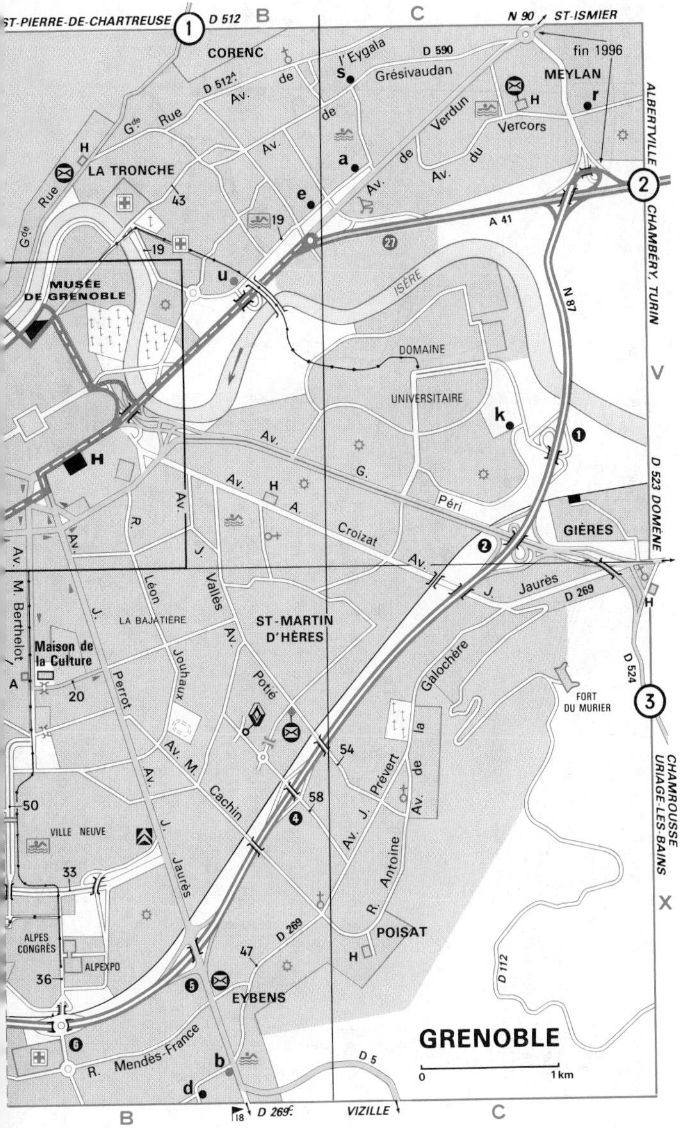

GRENOBLE

Blanchard (R. P.) .... **EYZ**
Bonne (R. de)........... **EY** 10
Foch (Bd Mar.) .... **DEZ**
Grande-Rue .... **EY** 36
Grenette (Pl.) .... **EY**

Lafayette (R.) .... **EY** 37
Poulat (R. F.) .... **EZ** 48
Victor-Hugo (Pl.) .... **EZ**

Alma (R. de l') .... **FY** 2
Alsace-Lorraine
(Av.) .... **DZ** 3
Bastille (Pl. de la) ...... **DY** 5

Bayard (R.)............... **FY**
Belgique
(Av. Albert-I[er]-de) ... **EFZ**
Belgrade (R. de) .... **EY**
Brenier (R. C.) .... **DY**
Briand (Pl. A.) .... **DY**
Brocherie (R.)........... **EY**
Casimir-Perier (R.) ...... **EZ**

Champollion (R.) . . . . **FZ** 17
Chanrion (R. J.) . . . . **FYZ** 18
Clot-Bey (R.). . . . . **EZ** 21
Diables-Bleus (Bd des) . . . **FZ** 24
Dr Girard (Pl.) . . . . **FY** 26
Driant (Bd Col.) . . . . **FZ** 27
Fantin-Latour (R.) . . . . **FZ** 30
Flandrin (R. J.) . . . . **GZ** 31
Fourier (R.) . . . . **FZ** 32
Lavalette (Pl.) . . . . **FY** 38
L'Herminier (R. Cdt). . . . . **FY** 41
Lyautey (Bd Mar.) . . . . **EZ** 42
Montorge (R.) . . . . **EY** 44
Pasteur (Pl.) . . . . **FZ** 45
Perrière (Q.) . . . . **EY** 46
Rivet (Pl. G.) . . . . **EZ** 53
Rousseau (R. J.-J.) . . . . . **EY** 55
St-André (Pl.) . . . . **EY** 56
Ste-Claire (Pl.) . . . . **EY** 57
Servan (R.) . . . . **FY** 59
Strasbourg (R. de) . . . . . . **FZ** 62
Très-Cloîtres (R.) . . . . **FY** 64
Vicat (R.) . . . . **EZ** 66
Voltaire (R.) . . . . **FY** 68

Gambetta [M], 59 bd Gambetta ✆ 76 87 22 25, Fax 76 87 40 94 – |♦| ▤ rest [TV] ☎. AE ⓓ GB JCB EZ
Repas *(fermé sam.)* 62/99 ♁ – ☕ 31 – **44 ch** 180/290 – ½ P 191/208.

Paris-Nice sans rest, 61 bd J. Vallier ✉ 38100 ✆ 76 96 36 18, Fax 76 48 07 79 – [TV] ☎ ✆. AE ⓓ GB AVX
☕ 30 – **29 ch** 150/260.

Gallia sans rest, 7 bd Mar Joffre ✆ 76 87 39 21, Fax 76 87 65 76 – |♦| [TV] ☎. AE ⓓ GB JCB EZ
fermé 1er au 25 août – ☕ 26 – **35 ch** 160/265.

XXX **Poularde Bressane,** 12 pl. P.-Mistral ✆ 76 87 08 90, Fax 76 87 52 97 – ▤. AE ⓓ GB FZ
fermé 22 juil. au 22 août, sam. midi et dim. – **Repas** 125/248 et carte 250 à 340.

XXX **Aub. Napoléon,** 7 r. Montorge ✆ 76 87 53 64 – ▤. AE ⓓ GB EY
fermé 15 juil. au 10 août, lundi midi et dim. – **Repas** (nombre de couverts limité, prévenir) 160/350 et carte 230 à 350, enf. 70.

XX **L'Escalier,** 6 pl. Lavalette ✆ 76 54 66 16, Fax 76 63 01 58 – AE ⓓ GB JCB FY
fermé sam. midi et dim. – **Repas** 140 (déj.), 190/310.

XX **Brasserie de Strasbourg,** 11 av. Alsace-Lorraine ✆ 76 46 18 03, Fax 76 46 18 03 – ▤ AE GB DEZ
fermé 1er au 20 août, lundi soir et dim. – **Repas** 90/160 ♁.

XX **A Ma Table,** 92 cours J. Jaurès ✆ 76 96 77 04 – ▤. GB DZ
fermé août, sam. midi, dim. et lundi – **Repas** (nombre de couverts limité, prévenir) carte 19 à 270.

XX **La Madelon,** 55 av. Alsace-Lorraine ✆ 76 46 36 90 – AE ⓓ GB DZ
fermé 1er au 15 août, sam. midi, dim. et fériés – **Repas** 89/200.

X **L'Arche,** 4 r. P. Duclot ✆ 76 44 22 62, Fax 76 44 70 04, 🏕 – AE ⓓ GB EY
fermé 26 août au 2 sept., 1er au 15 janv., mardi midi et lundi – **Repas** 95/185 ♁.

à St-Martin-le-Vinoux : 2 km par A 48 et N 75 – 5 139 h. alt. 250 – ✉ **38950** :

XXX **Pique-Pierre,** ✆ 76 46 12 88, Fax 76 46 43 90, 🏕 – ▤ [P]. AE GB AV
fermé 28 juil. au 19 août, dim. soir et lundi sauf fériés – **Repas** 128/298 et carte 200 à 350, enf. 65.

au Nord : 4 km par D 57 rte Clémencières - AV – ✉ **38950** St-Martin-le-Vinoux :

Bellevue 🐦 sans rest, ✆ 76 87 68 17, Fax 76 46 18 37, ≤ Grenoble – [TV] ☎ ✆ [P]. AE ⓓ GB JCB. ✻
fermé 23 déc. au 2 janv. – ☕ 28 – **19 ch** 210/270.

à Corenc : 3 km – 3 356 h. alt. 450 – ✉ **38700** :

Trois Roses, 32 av. Grésivaudan ✆ 76 90 35 09, Fax 76 90 71 72 – |♦| ⇆ [TV] ☎ [P] 🎙 45. AE ⓓ GB JCB. ✻ rest CV
Repas *(fermé 3 au 18 août, 21 déc. au 2 janv., sam. midi et dim. midi)* 125/195 – ☕ 49 **50 ch** 435/460.

à Meylan : 3 km par N 90 – 17 863 h. alt. 331 – ✉ **38240** :

Alpha [M], 34 av. Verdun ✆ 76 90 63 09, Télex 980444, Fax 76 90 28 27, 🏕, ⛱ – |♦| ⇆ ▤ rest [TV] ☎ 🚗 [P] – 🎙 80 à 150. AE ⓓ GB JCB BV
Repas 75 bc/165 ♁, enf. 45 – ☕ 52 – **60 ch** 395/505, 26 studios.

Belle Vallée sans rest, 32 av. Verdun ✆ 76 90 42 65, Fax 76 90 65 98 – ⇆ ▤ [TV] ☎ ✆ 🚗 [P]. AE ⓓ GB JCB CV
☕ 35 – **30 ch** 270/300.

Les Relais de Meylan, 6 av. Granier ✆ 76 90 44 22, Fax 76 41 04 60, 🏕 – [TV] ☎ [P] 🎙 35. AE ⓓ GB JCB CV
Repas *(fermé dim. midi)* 65 bc (déj.), 85 bc/100 ♁, enf. 48 – ☕ 30 – **50 ch** 280 – ½ P 255.

à Montbonnot-St-Martin NE par av. de Verdun : 7 km sur N 90 – 2 808 h. alt. 310 – ✉ 3833
Voir Bec de Margain ≤★★ NE : 13 km puis 30 mn.

XXX **Les Mésanges,** ✆ 76 90 21 57, Fax 76 90 94 48, 🏕, « Jardin et terrasse ombragés » AE GB JCB
fermé 1er au 15 août, 1er au 7 janv., dim. soir et lundi – **Repas** 110/370 et carte 280 à 420.

à Eybens : 5 km – 8 013 h. alt. 230 – ✉ **38320** :

Château de la Commanderie 🐦, av. Échirolles ✆ 76 25 34 58, Fax 76 24 07 31, 🏕, ⛱, 🌳 – [TV] ☎ ✆ [P] – 🎙 25. AE ⓓ GB JCB. ✻ rest BX
Repas *(fermé 1er au 15 janv., dim. sauf le soir en juil.-août et sam.)* 142/225 – ☕ 55 – **25 c** 400/650 – ½ P 380/430.

XX **Rustique Auberge,** 134 av. J. Jaurès ✆ 76 25 24 70, Fax 76 62 39 53 – ▤. AE ⓓ GB JCB BX
fermé 14 au 31 juil., sam. midi et dim. – **Repas** 90/200 ♁.

à Bresson Sud par av. J. Jaurès : 8 km par D 269ᶜ – 753 h. alt. 300 – ✉ **38320** :

XXX **Chavant** avec ch, ✆ 76 25 15 14, Fax 76 62 06 55, 余, « Jardin ombragé », ⛱ – |‡| ▤ TV ☎ P. AE ⓓ GB. ✻ rest
fermé 26 au 31 déc. – **Repas** *(fermé lundi d'oct. à mai et sam. midi)* 180/245 et carte 280 à 400, enf. 60 – ☕ 55 – **9 ch** 580/680.

à Échirolles : 4 km – 34 435 h. alt. 237 – ✉ **38130** :

🏨 **Dauphitel** M, av. Grugliasco ✆ 76 33 60 60, Fax 76 33 60 00, 余, ⛱, ✻ – |‡| ⇆ ▤ rest TV ☎ P – 🏛 25. AE ⓓ GB. ✻ rest AX e
Repas *(fermé 10 au 25 août, 21 déc. au 6 janv., sam. midi et dim.)* 128 – ☕ 43 – **68 ch** 315/360 – ½ P 275.

à Seyssinet-Pariset E : 8 km par D 106ᴮ rte de St-Nizier – 13 241 h. alt. 218 – ✉ **38170** :

XXX **La Gentilhommière**, sur D 106ᴮ ✆ 76 49 73 50, Fax 76 70 22 86, 余, 🌳 – P. AE GB
fermé fév., dim. soir et lundi – **Repas** 95/200 et carte 230 à 310, enf. 70.

par la sortie ④ :

à Claix : 9 km par A 480, sortie 9 – 6 960 h. alt. 300 – ✉ **38640** :

🏨 **Primevère** M, Z.A.C. de Font Ratel-r. Europe ✆ 76 98 84 54, Fax 76 98 66 22, 余, ⛱ – ⇆ ▤ TV ☎ 📞 ♿ P – 🏛 35. AE GB
Repas 83/180 🍷, enf. 42 – ☕ 32 – **45 ch** 280.

à Varces : 13 km par N 75 – 4 592 h. alt. 274 – ✉ **38760** :

XXX **Relais L'Escale** 🐦 avec ch, ✆ 76 72 80 19, Fax 76 72 92 58, 余, « Chalets dans un jardin ombragé », ⛱ – ▤ ch TV ☎ P. AE GB
fermé janv., mardi du 30 mai au 15 sept., dim. soir et lundi du 15 sept. au 30 mai – **Repas** 125/295 et carte 210 à 290 – ☕ 70 – **7 ch** 420/490, (chalets) – ½ P 525.

par la sortie ⑥ :

à Sassenage : 5 km par A 480 – 9 788 h. alt. 209 – ✉ **38360** :

ℹ Office de Tourisme pl. Libération ✆ 76 53 17 17.

🏨 **Relais de Sassenage** M, Z.I. l'Argentière ✆ 76 27 20 21, Fax 76 53 56 04, 余, ⛱, 🌳 – ▤ rest TV ☎ ♿ P – 🏛 40. AE GB
Repas *(fermé sam. midi)* 115/179 🍷, enf. 77 – ☕ 48 – **47 ch** 285/315.

MICHELIN, Agence régionale, r. A.-Bergès, ZI des Iles, Le Pont de Claix par ④ ✆ **76 98 51 54**

PEUGEOT Bernard Libération, 237 cours Libération AX a ✆ 76 69 62 00 N ✆ 05 30 94 05
PEUGEOT Bernard Bastille, 53 rte de Lyon ✆ 76 46 71 67 N ✆ 76 60 21 80
RENAULT Splendid-Gar., 4 r. E.-Delacroix FY ✆ 76 42 74 72

RENAULT Galtier Jaurès, 22 Crs J.-Jaurès DZ ✆ 76 87 55 27 N ✆ 76 74 06 32
RENAULT Galtier Libération, 73 Crs de la Libération AX e ✆ 76 70 39 40 N ✆ 76 74 06 32

Ⓜ Euromaster, 86 Crs J.-Jaurès ✆ 76 46 00 91

Périphérie et environs

CITROEN Gar. Imbert, 104 Crs St-André à Pont-de-Claix par ④ ✆ 76 98 84 62 N ✆ 76 98 84 62
CITROEN Gar. Jourdan, 30 av. Houille Blanche à Seyssinet-Pariset AX ✆ 76 21 07 45
CITROEN S.A.D.A., 38 av. J.-Jaurès à Eybens par D 269c BX ✆ 76 24 20 63
FORD Gar. Gauduel, ZI r. du Béal à St Martin-d'Hères ✆ 76 25 75 45
FORD Gar. Gauduel, 46 av. A. Croizat à Fontaine ✆ 76 26 00 18
NISSAN Challenge Auto 38, rte de Lyon à St-Egrève ✆ 76 75 03 36
RENAULT Esso-Sce du Moucherotte, 117 Crs J.-Jaurès à Echirolles par ④ ✆ 76 09 16 24
RENAULT Gar. Lambert, 24 av. de Romans à Sassenage par ⑤ ✆ 76 27 40 62
RENAULT Percevalière Autom., 11 r. Tuilerie à Seyssinet-Pariset AX u ✆ 76 48 57 99 N ✆ 76 21 ⁝ 74
RENAULT Auto Losange, bd P.-Langevin à Fontaine par ⑤ ✆ 76 28 22 22 N ✆ 05 05 15 15
RENAULT Auto Dauphiné, ZA Pré Ruffier à St-Martin d'Hères BX ✆ 76 62 42 22 N ✆ 05 05 15 15

RENAULT Galtier Sud, r. Jean-Pierre Timbaud à Echirolles par av. du 8 Mai AX ✆ 76 33 78 78 N ✆ 76 74 06 32
VAG Gar. Guillaumin, 57 bd P. Langevin à Fontaine ✆ 76 53 55 55
VOLVO Gar. Jeanne d'Arc, 9 av. de l'Ile Brune à St-Egrève ✆ 76 75 88 31

Ⓜ Euromaster, 96 Crs J.-Jaurès à Echirolles ✆ 76 09 11 95
Euromaster, 91 av. G.-Péri à St-Martin d'Hères ✆ 76 42 10 59
Euromaster, 71 Crs J.-Jaurès à Echirolles ✆ 76 09 33 45
Euromaster, 39 bd P.-Langevin à Fontaine ✆ 76 26 32 45 N ✆ 76 29 55 49
Euromaster, ZI av. de l'Ile Brune à St-Egrève ✆ 76 75 86 69
Gonthier Frères, 1 r. de Chamechaude à Sassenage ✆ 76 27 11 11
Gonthier Frères-Point S, 131 av. G.-Péri à St-Martin-d'Hères ✆ 76 54 36 83

GRÉOUX-LES-BAINS **04800** Alpes-de-H.-P. 84 ④ ⑤ 114 ⑤ **G. Alpes du Sud** – 1 718 h alt. 386 – Stat. therm. (12 fév.-21 déc.).

ℹ Office de Tourisme, av. Marronniers ✆ 92 78 01 08, Fax 92 74 24 82.

Paris 769 – Digne-les-Bains 66 – Aix-en-Provence 52 – Brignoles 58 – Manosque 13 – Salernes 52.

La Crémaillère M ⛬, rte Riez ✆ 92 74 22 29, Fax 92 78 19 80, – ⎅ ⛔ TV ☎ ♿ P – 🏛 40. AE ⓓ GB
1er mars-27 nov. – **Repas** 145/170 – ☕ 48 – **51 ch** 370 – P 460.

Villa Borghèse ⛬, ✆ 92 78 00 91, Fax 92 78 09 55, – ⎅ ▤ ch TV ☎ P – 🏛 40 à 80. AE ⓓ GB. ✗ rest
25 mars-25 nov. – **Repas** 155/240 – ☕ 55 – **67 ch** 390/570 – P 550/625.

Lou San Peyre, rte Riez ✆ 92 78 01 14, Fax 92 78 03 85, – ⎅ TV ☎ ♿ P AE ⓓ GB. ✗ rest
15 mars-15 nov. – **Repas** 98/160, enf. 56 – ☕ 33 – **46 ch** 330/370 – 1/2 P 350/385.

La Chêneraie M ⛬, Les Hautes Plaines ✆ 92 78 03 23, Fax 92 78 11 72, ←, – ⎅ TV ☎ ♿ P. AE GB
fermé mi-déc. à mi-fév. – **Repas** 85/165 – ☕ 35 – **20 ch** 270/350 – P 330/360.

Gd Jardin (annexe 7 ch. ouvert toute l'année), ✆ 92 74 24 74, Fax 92 74 24 79, – ⎅ TV ☎ P – 🏛 40. AE ⓓ GB. ✗ rest
10 mars-20 nov. – **Repas** 85 (dîner), 95/170, enf. 45 – ☕ 35 – **90 ch** 190/320 – P 275/360.

Colonnes, av. des Marronniers ✆ 92 78 00 04, Fax 92 77 64 37 – TV ☎ P. GB
20 mars-10 nov. – **Repas** 90/160 – ☕ 33 – **35 ch** 210/260 – P 270/320.

RENAULT Gar. Gallégo, ✆ 92 78 00 50 N ✆ 92 78 00 50

GRESSE-EN-VERCORS 38650 Isère 77 ⑭ **G. Alpes du Nord** – 265 h alt. 1205 – Sports d'hiver : 1 205/1 800 m ⛷16 ⛷.

Voir Col de l'Allimas ←* S : 2 km.

Office de Tourisme ✆ 76 34 33 40, Fax 76 34 31 26.

Paris 616 – ◆Grenoble 47 – Clelles 20 – Monestier-de-Clermont 13 – Vizille 43.

Le Chalet M ⛬, ✆ 76 34 32 08, Fax 76 34 31 06, ←, – TV ☎ P. GB. ✗
11 mai-20 oct. et 20 déc.-30 mars – **Repas** 90/280, enf. 55 – ☕ 42 – **25 ch** 270/400 – 1/2 P 327/367.

Rochas, ✆ 76 34 31 20 – ☎. GB. ✗ ch
fermé 15 oct. au 20 déc. et 9 au 22 avril – **Repas** 85 – ☕ 35 – **7 ch** 160/260 – 1/2 P 240/260

GRESSWILLER 67190 B.-Rhin 87 ⑮ – 1 181 h alt. 200.

Paris 481 – ◆Strasbourg 29 – Obernai 13 – Saverne 32 – Sélestat 38.

A l'Écu d'Or, Z.A. : 1 km par D 217 ✆ 88 50 16 00, Fax 88 50 15 11 – TV ☎ ♿ P. GB ✗ rest
fermé 2 au 31 janv. – **Repas** 45 (déj.), 75/199 – ☕ 40 – **25 ch** 250/280 – 1/2 P 250.

CITROEN Gar. Fritsch, ✆ 88 50 04 10

GRESSY 77410 S.-et-M. 56 ⑫ 101 ⑩ – 868 h alt. 98.

Paris 32 – Meaux 21 – Melun 57 – Senlis 34.

Le Manoir de Gressy M ⛬, ✆ (1) 60 26 68 00, Fax (1) 60 26 45 46, – ⎅ ⛔ ▤ rest TV ☎ ♿ P – 🏛 100. AE ⓓ GB JCB
Repas 140/230 – ☕ 70 – **88 ch** 750/1150.

GRÉSY-SUR-AIX 73 Savoie 74 ⑮ – rattaché à Aix-les-Bains.

GRÉSY-SUR-ISÈRE 73740 Savoie 74 ⑯ – 890 h alt. 350.

Env. Site** et ←** du château de Miolans* SO : 7 km, **G. Alpes du Nord.**

Paris 581 – Albertville 19 – Aiguebelle 12 – Chambéry 37 – St-Jean-de-Maurienne 47.

La Tour de Pacoret ⛬, NE : 1,5 km par D 201 ✉ 73460 Frontenex ✆ 79 37 91 5
Fax 79 37 93 84, ← vallée et montagnes, , parc – TV ☎ P. GB. ✗ rest
Pâques-1er nov. – **Repas** *(fermé mardi sauf le soir en juil.-août)* (nombre de couverts limit prévenir) 95 (déj.), 120/220 – ☕ 50 – **9 ch** 280/450 – 1/2 P 300/355.

GRÉZIEU-LA-VARENNE 69290 Rhône 74 ⑪ – 3 256 h alt. 332.

Paris 462 – ◆Lyon 14 – L'Arbresle 17 – Villefranche-sur-Saône 30.

XXX **Host. de la Varenne,** 9 r. É. Evellier ✆ 78 57 31 05, Fax 78 57 31 05, – AE GB
fermé dim. soir et lundi – **Repas** 145/360 et carte 200 à 350, enf. 70.

La GRIÈRE 85 Vendée 71 ⑪ – rattaché à La Tranche-sur-Mer.

GRIGNAN 26230 Drôme 81 ② **G. Provence** (plan) – 1 300 h alt. 198.

Voir Château** : ※*.

Paris 633 – Crest 47 – Montélimar 28 – Nyons 23 – Orange 51 – Pont-St-Esprit 37 – Valence 73.

La Roseraie ⛬, rte Valréas ✆ 75 46 58 15, Fax 75 46 91 55, , « Élégant manoir da un parc, » – cuisinette TV ☎ ♿ P. AE ⓓ GB
fermé 5 janv. au 16 fév. et lundi hors sais. – **Repas** (nombre de couverts limité, préven 180/230, enf. 120 – ☕ 90 – **14 ch** 680/1050 – 1/2 P 610/820.

XX **Relais de Grignan,** rte Montélimar D 541 : 1 km ✆ 75 46 57 22, Fax 75 46 92 96, 斎, 兩 – P. AE GB
fermé 12 nov. au 3 déc., 2 au 12 janv., merc. soir du 15 oct. au 14 mars, dim. soir et lundi – **Repas** 100/285, enf. 60.

CITROEN Gar. Ferretti, ✆ 75 46 51 78 N ✆ 75 46 51 78

RENAULT Gar. Monier, ✆ 75 46 51 24 N ✆ 75 46 53 28

GRIMAUD 83310 Var 84 ⑰ 114 ㊲ **G. Côte d'Azur** – 3 322 h alt. 105.

Office de Tourisme bd des Aliziers ✆ 94 43 26 98, Fax 94 43 32 40 et annexe St.-Pons-les-Mures (saison) ✆ 94 56 28 87.

Paris 867 – Fréjus 31 – Brignoles 57 – Le Lavandou 32 – St-Tropez 9 – Ste-Maxime 11,5 – ♦Toulon 64.

La Boulangerie ⛰, O : 2 km par D 14 et rte secondaire ✆ 94 43 23 16, Fax 94 43 38 27, ←, 斎, parc, ⛱, ✂ – ▤ ch ☎ ✆ P. AE GB
hôtel : Pâques-10 oct. ; rest. : 15 mai-15 sept. – **Repas** (déj. seul.)(résidents seul.) carte 180 à 300 – ☐ 60 – **11 ch** 680/820.

Athénopolis M ⛰ sans rest, O : 3,5 km par rte La Garde Freinet ✆ 94 43 24 24, Fax 94 43 37 05, ←, ⛱, 兩 – TV ☎ & P. AE ⓓ GB
1er avril-30 oct. – ☐ 45 – **11 ch** 520/640.

Host. Coteau Fleuri ⛰, ✆ 94 43 20 17, Fax 94 43 33 42, ←, 斎, 兩 – ☎. AE GB. ✂ rest
fermé 2 au 19 déc. et 6 au 23 janv. – **Repas** *(fermé mardi sauf juil.-août)* 145 bc (déj.), 190/285 – ☐ 45 – **14 ch** 375/495 – ½ P 415/475.

XXX ✿ **Les Santons** (Girard), ✆ 94 43 21 02, Fax 94 43 24 92, « Cadre provençal » – ▤. AE ⓓ GB JCB
15 mars-2 nov., 23 déc.-2 janv. et fermé merc. sauf juil.-août – **Repas** 180 (déj.), 260/420 et carte 350 à 510
Spéc. Poissons. Agneau de Sisteron rôti à la fleur de thym sauvage. Gibier (saison). **Vins** Bandol.

Aude-Point S, N 98, Valensole à Cogolin ✆ 94 54 13 11

En juin et en septembre,
les hôtels sont moins chers qu'en pleine saison, le service est plus soigné.

GRIS-NEZ (Cap) ★★ 62 P.-de-C. 51 ① **G. Flandres Artois Picardie** – ✉ 62179 Audinghen.

Paris 308 – ♦ Calais 28 – Arras 128 – Boulogne-sur-Mer 20 – Marquise 13 – St-Omer 60.

Mauves, ✆ 21 32 96 06, 斎, 兩 – ☎ P. GB. ✂
1er avril-15 nov. – **Repas** 112/225 ⅄ – ☐ 40 – **16 ch** 250/500 – ½ P 300/450.

X **La Sirène,** ✆ 21 32 95 97, Fax 21 32 74 75, ← mer – P. AE GB
fermé 17 déc. au 3 fév., le soir de sept. à Pâques (sauf sam.), lundi de sept. à juin et dim. soir – **Repas** 105/185, enf. 42.

La GRIVE 38 Isère 74 ⑬ – rattaché à Bourgoin-jallieu.

GROIX (Ile de) ★ 56590 Morbihan 58 ⑫ **G. Bretagne** – 2 472 h alt. 38.

Voir Site★ de Port-Lay – Trou de l'Enfer★.

Accès par transports maritimes pour **Port-Tudy** (en été **réservation recommandée** pour le passage des véhicules).

⛴ depuis **Lorient.** Traversée 45 mn – Tarifs, se renseigner : Cie Morbihannaise et Nantaise de Navigation, bd A.-Pierre ✆ 97 64 77 64 - Fax 97 64 77 69.

Office de Tourisme Mairie ✆ 97 86 53 08 et Port Tudy (saison) ✆ 97 86 54 86.

La Marine, au Bourg ✆ 97 86 80 05, Fax 97 86 56 37, 斎, 兩 – ☎. GB
fermé janv., dim. soir et lundi hors sais. sauf vacances scolaires – **Repas** 70/150, enf. 48 – ☐ 43 – **22 ch** 215/440 – ½ P 240/341.

Ty Mad, au port ✆ 97 86 80 19, Fax 97 86 50 79 – TV ☎ P. AE ⓓ GB JCB. ✂
hôtel : fermé 2 janv. au 31 mars ; rest. : ouvert 1er avril-30 sept., Noël-Jour de l'An – **Repas** 80/190 – ☐ 40 – **32 ch** 220/350 – ½ P 210/360.

GROLÉJAC 24250 Dordogne 75 ⑰ – 545 h alt. 67.

Paris 544 – Sarlat-la-Canéda 12 – Gourdon 13 – Périgueux 78.

Le Grillardin, ✆ 53 28 11 02, Fax 53 28 53 09, 斎, 兩 – ☎ P. GB. ✂
avril-oct. – **Repas** 68/160 ⅄, enf. 45 – ☐ 30 – **14 ch** 140/240 – ½ P 170/220.

GROSLÉE 01680 Ain 74 ⑭ – 286 h alt. 280.

Paris 496 – Belley 19 – Bourg-en-Bresse 68 – ♦Lyon 76 – La Tour-du-Pin 29 – Vienne 70 – Voiron 43.

XX **Penelle,** à Port de Groslée SO : 1 km sur D 19 ✆ 74 39 71 01, ←, 斎 – P. GB
fermé 1er janv. au 15 fév., lundi et mardi – **Repas** 85/210.

GROTTE voir au nom propre de la grotte.

GROUIN (Pointe du) 35 I.-et-V. 59 ⑥ – rattaché à Cancale.

GRUISSAN 11430 Aude 86 ⑩ **G. Pyrénées Roussillon** – 2 170 h alt. 2 – Casino.

Office de Tourisme bd du Pech Maynaud ☎ 68 49 03 25, Fax 68 49 33 12.

Paris 812 – ♦Perpignan 75 – Carcassonne 71 – Narbonne 17.

Corail M, quai Ponant, au port ☎ 68 49 04 43, Fax 68 49 62 89, ←, – ⎙ TV P. AE GB
2 fév.-30 oct. – **Repas** 90/160, enf. 45 – ☐ 40 – **32 ch** 360/395 – ½ P 300/320.

Plage sans rest, à la Plage ☎ 68 49 00 75 –
Pâques-mi-sept. – **17 ch** ☐ 300.

L'Estagnol, au Village ☎ 68 49 01 27, – GB
1er avril-30 nov. et fermé lundi – **Repas** 95 (déj.), 135/210 ♂, enf. 45.

Le GUA 17 Char.-Mar. 71 ⑭ – rattaché à Saujon.

GUAGNO-LES-BAINS 2A Corse-du-Sud 90 ⑮ – voir à Corse.

GUEBERSCHWIHR 68420 H.-Rhin 62 ⑱ ⑲ **G. Alsace Lorraine** – 703 h alt. 260.

Paris 494 – Colmar 12 – Guebwiller 17 – ♦Mulhouse 34 – ♦Strasbourg 85.

Relais du Vignoble et rest. Belle Vue ⛰, ☎ 89 49 22 22, Fax 89 49 27 82, ←, –
TV ☎ ♿ P – 40. GB
fermé 26 janv. au 3 mars – **Repas** *(fermé merc. soir du 15 nov. au 15 avril et jeudi)* 80/250 ♂
☐ 45 – **30 ch** 220/450 – ½ P 280/300.

GUEBWILLER 68500 H.-Rhin 62 ⑱ **G. Alsace Lorraine** (plan) – 10 942 h alt. 300.

Voir Église St-Léger★ : façade Ouest★★ – Intérieur★★ de l'église N.-Dame★ : Assomption★★ Hôtel de Ville★ – Musée du Florival : décor★ d'une salle de bains, vase★ – Vallée d Guebwiller★★ NO – Buhl : retable de Buhl★★ dans l'église N : 3 km par D 430.

Env. Église★ de Lautenbach SE : 7 km.

Office de Tourisme, Hôtel de Ville ☎ 89 76 10 63, Fax 89 76 52 72.

Paris 482 – ♦Mulhouse 22 – Belfort 49 – Colmar 26 – Épinal 103 – ♦Strasbourg 103.

Château de la Prairie ⛰ sans rest, allée Marroniers ☎ 89 74 28 57, Fax 89 74 71 8
parc – TV ☎ P. AE GB
☐ 50 – **18 ch** 390/890.

L'Ange, 4 r. Gare ☎ 89 76 22 11, Fax 89 76 50 08 – ⎙ TV ☎ ♿ P – 30. AE GB
Repas *(fermé dim. soir et lundi du 1er nov. au 1er avril)* 60/300 ♂ – ☐ 40 – **36 ch** 225/360
½ P 300.

à Murbach NO : 5 km par D 40II – 116 h. alt. 420 – ✉ **68530**.

Voir Église★★.

Host. St-Barnabé ⛰, ☎ 89 76 92 15, Fax 89 76 67 80, , « Maison fleurie dans vallon, jardin », – TV ☎ P – 30. AE GB JCB
fermé vacances de fév. et dim. soir de nov. à mars – **Repas** 128/318 – ☐ 55 – **27 ch** 410/56
– ½ P 458/571.

à Jungholtz SO : 6 km par D 51 – 677 h. alt. 332 – ✉ **68500** :

Résidence Les Violettes ⛰, à Thierenbach ☎ 89 76 91 19, Fax 89 74 29 12, ←, « Co lection de voitures anciennes », – ⎙ TV ☎ P. AE GB
fermé 22 janv. au 5 fév. – **Repas** *(fermé lundi soir et mardi sauf fériés)* 170/400 – ☐ 60
25 ch 480/740.

Host. de Thierenbach "Les Iris" ⛰, à Thierenbach ☎ 89 76 93 01, Fax 89 74 37 4
, , – TV ☎ P. GB
fermé lundi – **Repas** 85/270 ♂ – ☐ 48 – **16 ch** 390/490 – ½ P 380/470.

Biebler avec ch, ☎ 89 76 85 75, Fax 89 74 91 45, , « Jardin » – TV ☎ P
60. AE GB
fermé jeudi soir et vend. de sept. à juin – **Repas** 80/280 ♂ – ☐ 40 – **7 ch** 180/300 – ½ P 26

à Hartmannswiller S : 7 km par D 5 – 503 h. alt. 255 – ✉ **68500** :

Meyer, sur D 5 ☎ 89 76 73 14, Fax 89 76 79 57, , – TV ☎ P. AE GB.
fermé 15 au 30 juin et 15 au 31 janv. – **Repas** *(fermé sam. midi et vend.)* 70/300 ♂, enf. 45
☐ 38 – **12 ch** 220/340 – ½ P 245/320.

à Rimbach-près-Guebwiller O : 11 km par D 51 – 223 h. alt. 550 – ✉ **68500** :

Aigle d'Or ⛰, ☎ 89 76 89 90, Fax 89 74 32 41, , « Jardin » – ☎ P. AE GB
fermé 19 fév. au 14 mars et lundi d'oct. à juin – **Repas** 55 (déj.), 70/165 ♂, enf. 40 – ☐ 22
21 ch 100/210 – ½ P 175/210.

PEUGEOT Gar. du Parc, 11 rte de Soultz ☎ 89 76 83 15

RENAULT Gar. du Florival, Pénétrante N 83 ☎ 89 76 27 27 N ☎ 05 05 15 15

GUÉMENE-SUR-SCORFF 56160 Morbihan 59 ⑪ – 1 332 h alt. 180.

Paris 479 – Vannes 69 – Concarneau 71 – Lorient 44 – Pontivy 21 – ♦Rennes 134 – St-Brieuc 72.

Bretagne, r. J. Peres ☎ 97 51 20 08, Fax 97 39 30 49, – TV ☎ P – 30. GB
fermé 1er au 15 sept., 20 déc. au 10 janv. et sam. hors sais. – **Repas** 58/195 ♂, enf. 35 – ☐
– **19 ch** 156/224 – ½ P 188/200.

GUENROUËT 44530 Loire-Atl. 63 ⑮ – 2 383 h alt. 30.

aris 405 – ♦Nantes 54 – Redon 22 – St-Nazaire 42 – Vannes 69.

XX **Relais St-Clair,** rte Nozay ✆ 40 87 66 11, Fax 40 87 71 01 – GB
fermé vacances de fév., de Toussaint, dim. soir et lundi d'oct. à mai – **Repas** 95/355.

RENAULT Gar. Richard, ✆ 40 87 60 79

GUÉRANDE 44350 Loire-Atl. 63 ⑭ **G. Bretagne** (plan) – 11 665 h alt. 54.

oir Le tour des remparts★ – Collégiale St-Aubin★.

Office de Tourisme 1 pl. Marché aux Bois ✆ 40 24 96 71, Fax 40 62 04 24.

aris 454 – ♦Nantes 77 – La Baule 7 – St-Nazaire 19 – Vannes 65.

Voyageurs, pl. du 8 Mai 1945 ✆ 40 24 90 13, Fax 40 62 06 64, – TV ☎. GB.
fermé 15 déc. au 10 janv., dim. soir et lundi sauf juil.-août – **Repas** *(fermé le soir d'oct. à mars)* 54/205 – 32 – **12 ch** 230/290 – ½ P 280/295.

Eurocéan sans rest, parc d'activités Villejames ✆ 40 42 90 42 – ☎ ♿ P. GB
fermé 25 déc. au 2 janv. – 30 – **33 ch** 250/280.

Roc Maria sans rest, 1 r. Halles (intra-muros) ✆ 40 24 90 51, Fax 40 62 13 03 – ☎. GB
fermé 15 nov. au 10 déc. et jeudi hors sais. sauf vacances scolaires – 40 – **10 ch** 280/310.

XX **Les Remparts** avec ch, bd Nord ✆ 40 24 90 69, Fax 40 62 17 99 – ☎. GB
fermé 1er déc. au 8 janv. et hôtel : fermé dim. soir sauf du 1er juil. au 15 sept. – **Repas** *(fermé le soir du 15 oct. au 1er avril, dim. soir et lundi sauf du 1er juil. au 15 sept.)* 100/215 – 35 – **8 ch** 245/275 – ½ P 280/290.

CITROEN Gar. Mercier, 2 r. Letilly ✆ 40 24 90 35
PEUGEOT Gar. Cottais, rte de la Turballe ✆ 40 24 90 39 N ✆ 40 24 94 28
RENAULT Gar. Guihard, r. de l'Océan à St-Molf ✆ 40 62 51 75 N ✆ 40 62 51 75

La GUERCHE-DE-BRETAGNE 35130 I.-et-V. 63 ⑧ **G. Bretagne** – 4 123 h alt. 77.

aris 325 – Châteaubriant 30 – Laval 54 – Redon 85 – ♦Rennes 41 – Vitré 22.

XX **La Calèche** M avec ch, 16 av. Gén. Leclerc ✆ 99 96 21 63, Fax 99 96 49 52, – TV ☎ P. GB
fermé 1er au 21 août, dim. soir et lundi – **Repas** 72/168 – 45 – **10 ch** 205/275 – ½ P 300.

Billon-Pneus, rte de Vitré ✆ 99 96 22 51

GUÉRET P 23000 Creuse 72 ⑨ **G. Berry Limousin** – 14 706 h alt. 457.

oir Salle du Trésor d'orfèvrerie★ du musée de la Sénatorerie Z **M**[1].

Office de Tourisme 1 av. Ch.-de-Gaulle ✆ 55 52 14 29.

aris 355 ① – ♦Limoges 89 ② – Bourges 123 ① – Châteauroux 89 ① – ♦Clermont-Ferrand 132 ① – Montluçon 5 ② – Tulle 135 ③.

Plan page suivante

Auclair, 19 av. Sénatorerie ✆ 55 41 22 00, Fax 55 52 86 89, – TV ☎ Z GB
Repas 85/230 – 39 – **32 ch** 215/300 – ½ P 350. s

Campanile, av. R. Cassin vers ① par av. Ch. de Gaulle ✆ 55 51 54 00, Fax 55 52 56 16, – TV ☎ ♿ P – 25. AE GB
Repas 84 bc/107 bc, enf. 39 – 32 – **47 ch** 270.

à Ste-Feyre par ② : 7 km – 2 250 h. alt. 450 – ✉ **23000.**

XX **Touristes,** ✆ 55 80 00 07, Fax 55 81 11 04 – GB.
fermé mardi soir et merc. – **Repas** 85/200, enf. 49.

CITROEN ASC, 21 av. Ch.-de-Gaulle ✆ 55 52 48 52
FIAT, LANCIA Gar. Bellevue, Le Verger N 145 à Ste-Feyre ✆ 55 52 43 65
FORD Gar. Martin, 15 r. E.-France ✆ 55 52 14 44
PEUGEOT Gar. Daraud, rte de Montluçon à Ste-Feyre par ② ✆ 55 52 52 00 N ✆ 55 61 31 42
RENAULT Gén. Autom. Creusoise, 31 av. Gén.-de-Gaulle Y ✆ 55 52 06 60 N ✆ 55 76 40 79
TOYOTA Gar. de l'Avenir, ZI Cher du Prat ✆ 55 52 73 73 N ✆ 55 51 97 50
VAG Gar. St-Christophe, rte de Paris à Cherdemont ✆ 55 51 97 50 N ✆ 55 51 97 50

Pneu Poughon Vulcopneu, 27 av. Ch.-de-Gaulle ✆ 55 52 01 65

GUÉRET

Ancienne-Mairie (R. de l') . Z 4
Grande-Rue . . . . Z 15
Piquerelle (Pl.) . . . . Y 22

Allende (R. Salvador) . . . . . Y 2
Bonnyaud (Pl.) . . . . Z 5
Corneille (R. Pierre) . . . . . Y 7
Ducouret (R.) . . . . Z 9
Gane
(Rond-Point de la) . . . . Y 12
Grand (R. Alfred) . . . . Y 13
Jaurès (R. Jean) . . . . Z 16
Londres (R. de) . . . . Y 17
Musset (R. Alfred-de) . . . Y 19
Pasteur (Av.) . . . . YZ 20
Poitou (Av. du) . . . . Y 23
Rollinat (R. Maurice) . . . . Y 25
Roosevelt (R. Franklin) . . . Y 26
St-Pardoux (Bd) . . . . Y 28
Verdun (R. de) . . . . Z 29
Zola (Bd Émile) . . . . Y 30

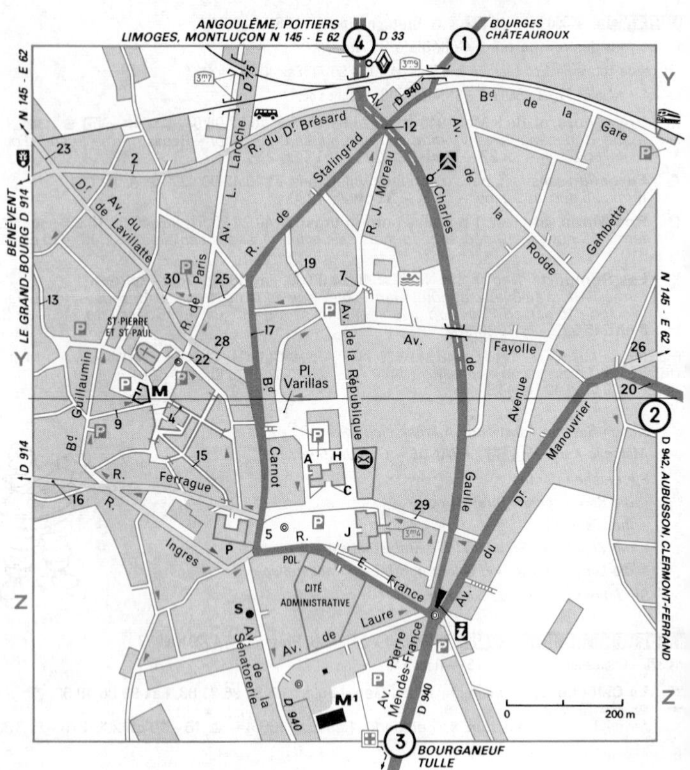

Don't use yesterday's maps for today's journey.

GUÉTHARY 64210 Pyr.-Atl. 78 ⑪ ⑱ **G. Pyrénées Aquitaine** – 1 105 h alt. 15.

Office de Tourisme pl. du Fronton ☎ 59 26 56 60, Fax 59 54 92 67.

Paris 788 – Biarritz 9 – ◆Bayonne 16 – Pau 122 – St-Jean-de-Luz 6.

Pereria ⛰, ☎ 59 26 51 68, ≤, 🌳, 🌲 – ☎ 🅿. GB. ✗ rest
10 mars-1er nov. – **Repas** 80/190 – ☐ 28 – **32 ch** 115/220 – ½ P 190/280.

Brikétenia sans rest, ☎ 59 26 51 34, Fax 59 54 71 55, ≤, 🌲 – TV ☎ 🅿. ⓓ GB
1er mars-31 oct. – ☐ 40 – **21 ch** 300/450.

RENAULT Gar. Labourd, ☎ 59 26 50 52

Le GUÉTIN 18 Cher 69 ③ – ✉ 18150 La Guerche-sur-l'Aubois.

Paris 244 – Bourges 58 – La Guerche-sur-l'Aubois 10,5 – Nevers 11 – St-Pierre-le-Moutier 27.

XX **Aub. du Pont-Canal,** D 976 ☎ 48 80 40 76, Fax 48 80 45 11, 🌳 – GB
fermé 2 au 31 janv. et lundi – **Repas** *(déj. seul. de nov. à mars sauf sam.)* 95/180, enf. 39.

GUEUGNON 71130 S.-et-L. 69 ⑰ – 9 697 h alt. 243.

Paris 342 – Moulins 62 – Autun 51 – Bourbon-Lancy 26 – Digoin 16 – Mâcon 89 – Montceau-les-Mines 27.

Centre, 34 r. Liberté ☎ 85 85 21 01, Fax 85 85 02 67 – ▤ rest TV ☎ 🅿. AE GB
Repas *(fermé dim. soir)* 80/170 🍷, enf. 55 – ☐ 38 – **20 ch** 130/270.

XX **Relais Bourguignon** avec ch, 47 r. Convention ✆ 85 85 25 23, Fax 85 84 47 22 – TV ☎ 🚗 P. AE ⓓ GB
fermé 5 au 27 août, dim. soir et lundi – **Repas** 95/230 🍷 – ☕ 32 – **8 ch** 160/210.

CITROEN Gar. Milli, rte de Digoin ✆ 85 85 06 02 N ✆ 85 85 06 02

Goesin, ZA rte de Rigny-sur-Arroux ✆ 85 85 25 40

GUEWENHEIM **68116** H.-Rhin 87 ⑲ – 1 140 h alt. 323.

Paris 439 – ♦Mulhouse 20 – Altkirch 21 – Belfort 24 – Thann 8.

XX **Gare,** ✆ 89 82 51 29, Fax 89 82 84 62, 🌳 – P. GB
fermé 22 juil. au 11 août, 19 fév. au 3 mars, mardi soir et merc. – **Repas** 50 (déj.), 125/320 🍷.

PEUGEOT Gar. Maranzana, ✆ 89 82 50 69

GUIGNIÈRE **37** I.-et-L. 64 ⑭ ⑮ – rattaché à Tours.

GUILHERAND-GRANGES **07** Ardèche 77 ⑫ – rattaché à Valence (26 Drôme).

GUILLESTRE **05600** H.-Alpes 77 ⑱ **G. Alpes du Sud** – 2 000 h alt. 1000.

Voir Porche★ de l'église – Pied-la-Viste ≤★ E : 2 km – Peyre-Haute ≤★ S : 4 km puis 15 mn.
Env. Combe du Queyras★★ NE : 5,5 km.

Office de Tourisme, pl. Salva ✆ 92 45 04 37, Fax 92 45 09 19.

Paris 722 – Briançon 36 – Gap 60 – Barcelonnette 52 – Digne-les-Bains 119.

Barnières II 🐎, ✆ 92 45 04 87, Fax 92 45 28 74, ≤ vallée et montagnes, 🏋, 🏊, 🌳, 🎾 – 🛗 TV ☎ P. GB
fermé 15 oct. au 20 déc. – **Repas** 105/200 – ☕ 42 – **45 ch** 400 – ½ P 420.

Barnières I 🐎, ✆ 92 45 05 07, Fax 92 45 28 74, ≤, 🏊, 🌳, 🎾 – ☎ P. GB
1er juin-30 sept. – **Repas** 105/200 – ☕ 45 – **36 ch** 300/380 – ½ P 380.

Catinat Fleuri, ✆ 92 45 07 62, Fax 92 45 28 88, ≤, 🏊, 🌳, 🎾 – TV ☎ P. AE GB
Repas 82/160 – ☕ 36 – **30 ch** 345/380 – ½ P 330.

XX **Epicurien,** ✆ 92 45 20 02, 🌳 – GB
fermé 1er au 15 juin, 15 au 30 nov., lundi soir et mardi – **Repas** 145/215.

à Mont-Dauphin gare NO : 4 km par D 902A et N 94 – 73 h. alt. 1050 – ✉ **05600**.
Voir Charpente★ de la caserne Rochambeau.

Lacour et rest. Gare, ✆ 92 45 03 08, Fax 92 45 40 09, 🌳 – TV ☎ 📞 ♿ P. GB
fermé sam. du 1er mai au 30 juin et du 1er sept. au 20 déc. – **Repas** 78/180 🍷 – ☕ 36 – **44 ch** 160/320 – ½ P 195/265.

à La Maison du Roy NE : 5,5 km par D 902 – ✉ **05600** Guillestre :

Maison du Roy, ✆ 92 45 08 34, Fax 92 45 44 45, ≤, 🌳, 🌳, 🎾 – ☎ P. ⓓ GB. ✖ rest
fermé 1er au 8 mai, 27 oct. au 20 déc. et lundi en mai, juin, sept. et oct. – **Repas** 100/210 🍷, enf. 56 – ☕ 45 – **30 ch** 210/380 – ½ P 260/325.

PEUGEOT Gar. du Tourisme, à Mont-Dauphin ✆ 92 45 07 09

Gar. du Guil, le Villard ✆ 92 45 03 05 N ✆ 92 45 03 05

GUILLIERS **56490** Morbihan 63 ④ – 1 207 h alt. 86.

Paris 413 – Vannes 60 – Dinan 63 – Lorient 90 – Ploërmel 13 – ♦Rennes 64.

Relais du Porhoët, ✆ 97 74 40 17, Fax 97 74 45 65, 🌳 – TV ☎ P – 🏛 30. AE ⓓ GB
Repas 65/195 🍷, enf. 48 – ☕ 35 – **15 ch** 200/270 – ½ P 200/240.

GUILVINEC **29730** Finistère 58 ⑭ **G. Bretagne** – 3 365 h alt. 5.

Paris 580 – Quimper 30 – Douarnenez 39 – Pont-l'Abbé 11,5.

Centre, r. Gén. de Gaulle ✆ 98 58 10 44, Fax 98 58 31 05, 🌳 – TV ☎ P. GB
fermé 1er au 15 fév., dim. soir et lundi d'oct. à mars – **Repas** 65/230 🍷, enf. 45 – ☕ 38 – **17 ch** 200/330 – ½ P 260/320.

XX **Le Chandelier,** 16 r. Marine ✆ 98 58 91 00 – GB
fermé vacances de Toussaint, de fév., mardi soir et lundi hors sais. – **Repas** 85/300.

au Nord-Est : 3 km par D 153 – ✉ **29730** Guilvinec :

Gentilhommière 🐎 sans rest, ✆ 98 58 13 29, 🏊, 🌳 – ☎ P. GB
☕ 35 – **6 ch** 230/320.

GUINGAMP <SP> **22200** C.-d'Armor 59 ② **G. Bretagne** – 7 905 h alt. 81.

Voir Basilique★ B.

Office de Tourisme pl. du Champ au Roy ✆ 96 43 73 89.

Paris 486 ③ – St-Brieuc 33 ③ – Carhaix-Plouguer 47 ⑥ – Lannion 32 ⑦ – Morlaix 52 ⑦ – Pontivy 60 ④.

Plan page suivante

D'Armor sans rest, 44 bd Clemenceau ✆ 96 43 76 16, Fax 96 43 89 62 – TV ☎ 📞. AE ⓓ GB B s
☕ 30 – **23 ch** 250/285.

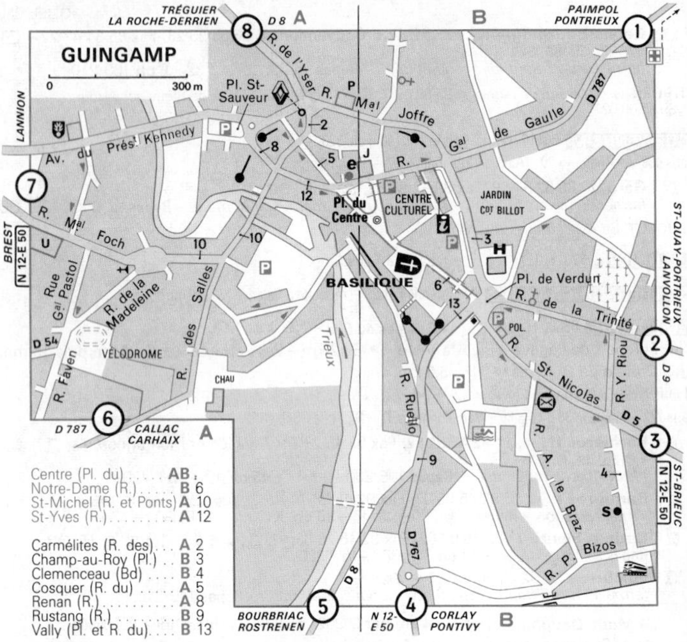

XXX **Relais du Roy** avec ch, pl. Centre ✆ 96 43 76 62, Fax 96 44 08 01 – TV ☎ – 25. AE O GB
A
fermé vacances de Noël – **Repas** *(fermé dim. du 15 nov. au 15 mars)* 135/300 et carte 220 à 340, enf. 75 – ☕ 52 – **7 ch** 450/600 – ½ P 400.

CITROEN Gar. Kerambrun, ZI de Bellevue à Ploumagoar par ③ ✆ 96 43 79 07 N ✆ 96 43 74 71
PEUGEOT Gds Gar. de Guingamp, ZI r. de Porsmin à Grâces par ⑥ ✆ 96 40 68 20

RENAULT Gar. Menguy, 9 r. Carmélites ✆ 96 40 68 10 N ✆ 05 05 15 15

Pneu Armorique Vulcopneu, ZI de Grâces-Guingamp ✆ 96 43 96 82 N ✆ 96 55 95 23

GUISE **02120** Aisne 53 ⑮ **G. Flandres Artois Picardie** – 5 976 h alt. 97.

Voir Château★.

Office de Tourisme ✆ 23 60 45 71.

Paris 174 – St-Quentin 27 – Avesnes-sur-Helpe 40 – Cambrai 49 – Hirson 38 – Laon 38.

Champagne Picardie, 41 r. A. Godin ✆ 23 60 43 44, – TV ☎ P – 25. O GB
ch
hôtel : fermé 28 juil. au 13 août et dim. ; rest. : fermé 28/7 au 13/8, 23 déc. au 2 janv., lundi soir et dim. – **Repas** grill 60/135 – ☕ 24 – **12 ch** 240/290 – ½ P 180.

XX **Guise** avec ch, 103 pl. Lesur ✆ 23 61 17 58 – TV ☎. GB
Repas *(fermé Noël au Jour de l'An, vend. soir, dim. soir et sam. en hiver)* 75/150 – ☕ 25 – **8 ch** 185/200 – ½ P 250.

PEUGEOT Donnay Autom., 35 r. de Flavigny ✆ 23 61 09 43

GUJAN-MESTRAS **33470** Gironde 78 ② **G. Pyrénées Aquitaine** – 11 433 h alt. 5.

Voir Parc ornithologique du Teich★ E : 5 km.

9 18 ✆ 56 66 86 36, S par N 250 puis D 652 : 5 km.

Office de Tourisme 19 av. de Lattre-de-Tassigny ✆ 56 66 12 65, Fax 56 66 94 44.

Paris 643 – ♦Bordeaux 54 – Andernos-les-Bains 26 – Arcachon 15.

La Guérinière, à Gujan ✆ 56 66 08 78, Fax 56 66 13 39, , – TV ☎ P – 25. AE O GB
Repas 120/320 – ☕ 50 – **27 ch** 450/490 – ½ P 450.

UNDERSHOFFEN 67110 B.-Rhin 57 ⑲ – 3 377 h alt. 180.

ris 466 – ♦Strasbourg 44 – Haguenau 15 – Sarreguemines 62 – Wissembourg 34.

XX ✿ **Le Cygne** (Paul), 35 Gd Rue ✆ 88 72 96 43, Fax 88 72 86 47 – ▤. GB
fermé 5 au 26 août, 6 au 13 janv., vacances de fév., jeudi soir, dim. soir et lundi sauf fériés – **Repas** 175/280 et carte 280 à 360 ♁
Spéc. Pigeonneau en aiguillettes sur purée soubise. Suprême de sandre rôti dans sa croûte de pommes de terre. Escalopes de ris de veau pochées au vin de Xérès. **Vins** Edelzwicker.

XX **Chez Gérard** avec ch, à la Gare ✆ 88 72 91 20, Fax 88 72 89 25, ☂ – ⇹. GB
fermé 23 juil. au 6 août, vancances de fév., lundi soir et mardi – **Repas** 48/260 ♁ – ☕ 25 – **6 ch** 150.

URCY-LE-CHÂTEL 77520 S.-et-M. 61 ③ – 352 h alt. 129.

ris 85 – Fontainebleau 34 – Coulommiers 47 – Melun 38 – Provins 22.

X **Loiseau,** 21 r. Ampère ✆ (1) 60 67 34 00 – GB
fermé 16 août au 2 sept., 17 au 26 fév., dim. soir et lundi – **Repas** 56 (déj.), 66/135 ♁.

Y 70700 H.-Saône 66 ⑭ **G. Jura** – 943 h alt. 237.

ris 356 – ♦Besançon 32 – ♦Dijon 67 – Dôle 49 – Gray 19 – Langres 74 – Vesoul 36.

Pinocchio M ⛰, ✆ 84 32 95 95, Fax 84 32 95 75, ☂, ⛱, ⛱, ✂ – cuisinette TV ☎ ♿ P – 🏛 35. AE GB
Absolut ✆ 84 32 84 32 *(fermé 21 oct. au 11 nov., dim. soir et lundi)* **Repas** 68(déj.)100/220♁, enf. 45 – ☕ 40 – **14 ch** 280/480.

YÉ-SUR-SEINE 10250 Aube 61 ⑱ – 485 h alt. 172.

ris 209 – Troyes 43 – Bar-sur-Aube 41 – Châtillon-sur-Seine 24 – Tonnerre 47.

X **Voyageurs** avec ch, ✆ 25 38 20 09, Fax 25 38 25 37, ☂, ⛱ – GB
fermé 1er au 15 fév. et merc. du 1er déc. au 1er mars – **Repas** 72/180 ♁ – ☕ 28 – **8 ch** 140/165 – ½ P 156.

ABÈRE-POCHE 74420 H.-Savoie 70 ⑰ – 662 h alt. 945 – Sports d'hiver : 930/1 600 m ⛷8 ⛷.

oir Col de Cou★ NO : 4 km, **G. Alpes du Nord.**

Syndicat d'Initiative ✆ 50 39 54 46.

ris 567 – Thonon-les-Bains 21 – Annecy 61 – Bonneville 32 – Genève 37.

Chardet ⛰, à Ramble, N : 2,5 km ✆ 50 39 51 46, Fax 50 39 57 18, ≤, ☂, ⛱, ⛱, ⛱, ✂ – |‡| TV ☎ 🚗 P. GB
1er juin-15 oct., 15 déc.-10 avril et week-ends d'avril à juin – **Repas** 98/190 – ☕ 38 – **32 ch** 240/380 – ½ P 270/320.

XX **Le Tiennolet,** ✆ 50 39 51 01, Fax 50 39 58 15, ☂ – GB
fermé 3 au 30 juin, 21 oct. au 22 nov., mardi soir et merc. sauf vacances scolaires – **Repas** 88 (déj.), 118/255, enf. 60.

'HABITARELLE 48 Lozère 76 ⑯ – ✉ 48170 Châteauneuf-de-Randon.

ris 582 – Mende 28 – Le Puy-en-Velay 61 – Langogne 19.

Poste, ✆ 66 47 90 05, Fax 66 47 91 41 – TV ☎ ♿ 🚗 P. GB
fermé 25 oct. au 4 nov., 20 déc. au 15 janv., vend. soir et sam. midi sauf juil.-août – **Repas** 85/160 ♁, enf. 28 – ☕ 38 – **17 ch** 250/280 – ½ P 240/260.

AGENTHAL-LE-BAS 68220 H.-Rhin 66 ⑩ – 896 h alt. 369.

privé de Bâle ✆ 89 68 50 91, N : 2 km.

ris 491 – ♦Mulhouse 34 – Altkirch 25 – Basel 12 – Colmar 72.

Jenny M, NE : 2,5 km par D 12B près golf ✆ 89 68 50 09, Fax 89 68 58 64, ☂, ⛱ – |‡| TV ☎ ♿ P – 🏛 30. AE ⓓ GB
fermé 20 au 30 déc. – **Repas** 160/490 bc, enf. 48 – ☕ 45 – **26 ch** 440/490 – ½ P 370/420.

UGEOT Gar. Klein, D 12B, dir. St-Louis ✆ 89 68 50 17

AGENTHAL-LE-HAUT 68220 H.-Rhin 87 ⑩ – 428 h alt. 400.

ris 492 – ♦Mulhouse 35 – Altkirch 26 – Basel 16 – Colmar 73.

XX ✿ **A l'Ancienne Forge,** ✆ 89 68 56 10, ☂ – GB
fermé 15 juil. au 5 août, 24 au 31 déc., dim. et lundi – **Repas** 190 (déj.), 290/390 et carte 300 à 430
Spéc. Terrine de saumon cru au fromage de chèvre. Strudel de pied et jarret de porc à la truffe. Pain perdu à la marmelade de pêche, glace vanille (été).

AGETMAU 40700 Landes 78 ⑦ **G. Pyrénées Aquitaine** – 4 449 h alt. 96.

ris 738 – Mont-de-Marsan 28 – Aire-sur-l'Adour 33 – Dax 48 – Orthez 25 – Pau 56 – Tartas 29.

XX **Le Jambon** avec ch, r. Carnot ✆ 58 79 32 02, Fax 58 79 34 78 – ▤ rest TV ☎. GB. ⛔ ch
fermé 15 au 30 oct., dim. soir et lundi – **Repas** 98/230 – ☕ 35 – **7 ch** 250/280 – ½ P 280/320.

TROEN Gar. Lacourrège, ✆ 58 79 31 80
UGEOT Gar. Maurin, ✆ 58 79 58 58
RENAULT Gar. Labadie, ✆ 58 79 38 11

HAGONDANGE 57300 Moselle 57 ④ **G. Alsace Lorraine** – 8 222 h alt. 160.

Office de Tourisme pl. Jean Burger ☎ 87 70 35 27, Fax 87 71 31 27.

Paris 323 – ◆Metz 17 – Briey 20 – Saarlouis 54 – Thionville 15.

Agena M, 50 r. 11 Novembre ☎ 87 70 21 32, Fax 87 70 11 48, – TV ☎ & P. GB
Repas *(fermé dim. soir et sam.)* 75 (déj.), 98/155 ₰, enf. 47 – ☐ 35 – **41 ch** 275/330 – ½ P 215/230.

RENAULT Sallet Auto Diffusion, rte de Metz ☎ 87 71 70 54

HAGUENAU 67500 B.-Rhin 57 ⑲ **G. Alsace Lorraine** – 27 675 h alt. 150.

Voir Musée historique★ BZ **M**[1].

de Soufflenheim Baden-Baden ☎ 88 05 77 00 par ② et D138 : 14 km.

Office de Tourisme pl. de la Gare ☎ 88 93 70 00, Fax 88 93 69 89 et Musée Alsacien ☎ 88 73 30 41.

Paris 479 ④ – ◆Strasbourg 29 ④ – Baden-Baden 43 ② – Épinal 147 ④ – Karlsruhe 64 ② – Lunéville 116 ④ – ◆Nancy 135 ④ – St-Dié 119 ④ – Sarreguemines 94 ⑥.

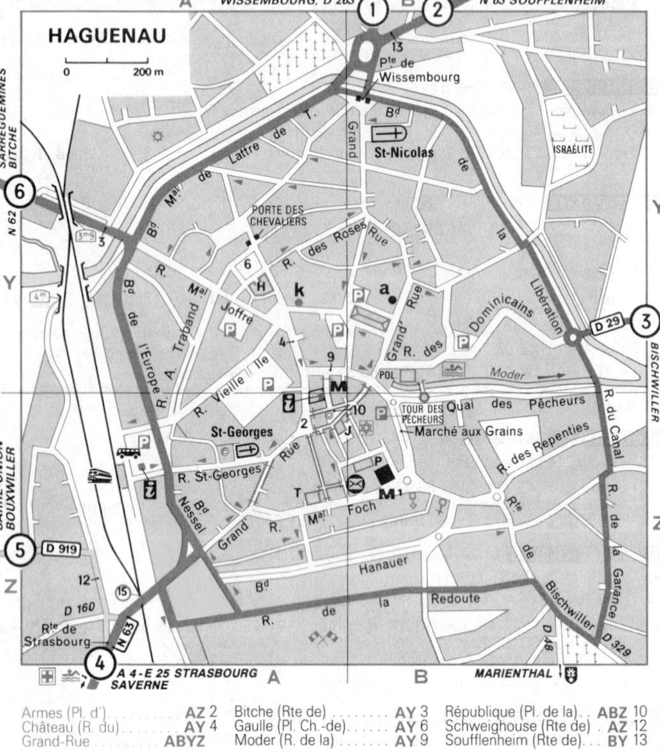

Armes (Pl. d')	AZ 2	Bitche (Rte de)	AY 3	République (Pl. de la)	ABZ 10
Château (R. du)	AY 4	Gaulle (Pl. Ch.-de)	AY 6	Schweighouse (Rte de)	AZ 12
Grand-Rue	ABYZ	Moder (R. de la)	AY 9	Soufflenheim (Rte de)	BY 13

Kaiserhof, 119 Gd Rue ☎ 88 73 43 43, Fax 88 73 28 91, – TV ☎ &. AE GB. ch — BY
Repas *(fermé 1er au 19 juil., vacances de fév., mardi soir et lundi)* 63 (déj.), 110/185 ₰ – ☐ – **15 ch** 275/330 – ½ P 260/265.

Barberousse, 8 pl. Barberousse ☎ 88 73 31 09, Fax 88 73 45 14, – GB — AY
fermé 26 juil. au 15 août, dim. soir et lundi – **Repas** 65/230 ₰, enf. 40.

à l'aérodrome SE par D 329 : 3,5 km – ✉ **67500** Haguenau :

Lindbergh M, Z.I. r. St-Exupéry ☎ 88 93 30 13, Fax 88 73 90 04 – rest TV ☎ & 60. AE GB
Repas snack 50/150 ₰ – ☐ 35 – **40 ch** 280/320 – ½ P 410.

à Schweighouse-sur-Moder par ⑤ : 4 km – 4 354 h. alt. 150 – ✉ **67590** :

XX **Aub. Cheval Blanc** avec ch, 46 r. Gén. de Gaulle ☏ 88 72 76 96, Fax 88 72 07 32 – TV P. GB
fermé 27 juil. au 20 août, 26 déc. au 9 janv., dim. soir (sauf hôtel) et sam. – **Repas** 78/200 ♁, enf. 55 – ☕ 33 – **8 ch** 130/210.

MW L'Espace, 81 rte de Bischwiller 88 93 49 49 N ☏ 88 93 49 49
TROEN Sodifa, 101 rte de Marienthal par D 48 88 90 60 60
AT Gar. Gloeckler, 1 bd de l'Europe 88 73 41 00
RD Gar. Wolff, 91 rte de Bischwiller 88 93 12 13 N ☏ 88 93 12 13
EUGEOT Nord Alsace Autom., 121a rte de rasbourg par ④ ☏ 88 63 86 86 N ☏ 88 26 57 77
RENAULT Gar. Grasser, 134 rte de Weitbruch par D 48 BZ ☏ 88 06 16 26 N ☏ 88 53 72 12
Euromaster, 4 ch. des Prairies ☏ 88 73 30 79
Kautzmann, 105 rte de Strasbourg ☏ 88 93 11 38
Pneus et Services D.K., 2 rte de Strasbourg ☏ 88 93 93 59

a HAIE FOUASSIÈRE 44 Loire-Atl. 67 ④ – rattaché à Nantes.

es HALLES 69610 Rhône 73 ⑲ – 259 h alt. 650.
ris 481 – ◆St-Étienne 50 – ◆Lyon 46 – Montbrison 37.

XX **Charreton** avec ch, ☏ 74 26 63 05 – GB. ✻ ch
fermé dim. soir et merc. – **Repas** 125/220 ♁ – ☕ 30 – **5 ch** 250/300 – ½ P 250.

HALLINES 62 P.-de-C. 52 ① – rattaché à St-Omer.

HAM 80400 Somme 53 ⑬ G. Flandres Artois Picardie – 5 532 h alt. 65.
ris 123 – Compiègne 44 – St-Quentin 19 – ◆Amiens 68 – Noyon 19 – Péronne 24 – Roye 26 – Soissons 56.

Valet, 58 r. Noyon ☏ 23 81 10 87, Fax 23 81 24 76 – TV ☎. GB
fermé 21 déc. au 2 janv. – **Repas** *(fermé sam. soir et dim.)* 50 (déj.), 65/150 ♁, enf. 40 – ☕ 30 – **23 ch** 145/240 – ½ P 150/210.

XX **France** avec ch, 5 pl. H. de Ville ☏ 23 81 00 22 – TV ☎. GB. ✻ ch
fermé dim. soir – **Repas** 110/180 – ☕ 30 – **6 ch** 210/240 – ½ P 180.

TROEN Gar. de Picardie, 7 r. de Noyon 23 81 01 86
MAZDA, OPEL Gar. Secret, 46 rue de noyon ☏ 23 36 45 97

HAMBYE 50450 Manche 54 ⑬ G. Normandie Cotentin – 1 218 h alt. 111.
oir Ruines de l'abbaye★★ S : 5 km.
ris 323 – St-Lô 25 – Coutances 21 – Granville 29 – Tessy-sur-Vire 16 – Villedieu-les-Poêles 17.

à l'Abbaye S : 3,5 km par D 51 – ✉ **50650** Hambye :

XXX **Auberge de l'Abbaye** avec ch, ☏ 33 61 42 19, Fax 33 61 00 85 – TV ☎ P. AE GB
fermé 20 sept. au 10 oct., 10 au 25 fév., dim. soir et lundi sauf fériés – **Repas** (week-ends prévenir) 100/290 et carte 170 à 250 – ☕ 38 – **7 ch** 290 – ½ P 280.

HANAU (Étang-de) 57 Moselle 57 ⑱ – rattaché à Philippsbourg.

HARCOURT 27800 Eure 55 ⑮ G. Normandie Vallée de la Seine – 957 h alt. 142.
oir Château★.
ris 139 – ◆Rouen 44 – Bernay 23 – Évreux 33 – Lisieux 46 – Pont-Audemer 33.

X **Aub. du Château,** ☏ 32 45 02 29, Fax 32 44 27 31, ☂ – GB
fermé vacances de fév., merc. hors sais. et mardi soir – **Repas** 99/175 ♁.

HARDELOT-PLAGE 62 P.-de-C. 51 ⑪ G. Flandres Artois Picardie – ✉ **62152** Neufchâtel-Hardelot.
18 ☏ 21 83 73 10, E : 1 km.
ris 242 – ◆Calais 50 – Arras 118 – Boulogne-sur-Mer 15 – Montreuil 31 – Le Touquet-Paris-Plage 25.

Parc M, 111 av. Francois 1er ☏ 21 33 22 11, Fax 21 83 29 71, ☂, ⛱, ✻ – 🛗 ⊭ rest TV ☎ & P – 150. AE GB JCB
fermé 19 déc. au 25 janv. – **Repas** 135, enf. 50 – ☕ 51 – **80 ch** 525/630 – ½ P 461.

Régina, av. François 1er ☏ 21 83 81 88, Fax 21 87 44 01 – 🛗 TV ☎ P – 70. GB. ✻ rest
15 fév.-15 nov. – **Repas** *(fermé dim. soir et lundi sauf juil.-août)* 99/133 – ☕ 37 – **40 ch** 345 – ½ P 302.

HARFLEUR 76 S.-Mar. 55 ③ – rattaché au Havre.

HARTMANNSWILLER 68 H.-Rhin 66 ⑨ – rattaché à Guebwiller.

HASPARREN 64240 Pyr.-Atl. 85 ③ G. Pyrénées Aquitaine – 5 399 h alt. 50.
nv. Grottes d'Oxocelhaya et d'Isturits★★ SE : 11 km.
Office de Tourisme pl. Saint-Jean ☏ 59 29 62 02.
ris 792 – Biarritz 36 – ◆Bayonne 22 – Cambo-les-Bains 10 – Pau 105 – Peyrehorade 37 – St-Jean-Pied-de-Port 33.

Tilleuls (annexe Relais 30, 15 ch), pl. Verdun 59 29 62 20, Fax 59 29 13 58 – TV. GB.
fermé 8 au 27 oct., dim. soir (sauf hôtel) et sam. du 28 sept. au 30 juin – **Repas** 77/150 – 32 – **25 ch** 190/320 – ½ P 200/250.

HASPRES 59198 Nord 53 ④ – 2 715 h alt. 44.

Paris 198 – ♦Lille 66 – Avesnes-sur-Helpe 45 – Cambrai 17 – Valenciennes 15.

Aub. St-Hubert, 27 25 70 97, Fax 27 25 76 21 – P. AE GB
fermé dim. soir et lundi sauf fériés – **Repas** 143/200, enf. 50.

HAUTEFORT 24390 Dordogne 75 ⑦ **G. Périgord Quercy** – 1 048 h alt. 160.

Voir Château★★ : charpente★★ de la tour du Sud-Ouest.

Syndicat d'Initiative du Canton de Hautefort 53 50 40 27.

Paris 467 – Brive-la-Gaillarde 46 – Périgueux 43 – Lanouaille 19 – Sarlat-la-Canéda 52 – Uzerche 62.

Aub. du Parc, 53 50 88 98, Fax 53 50 61 72, – AE GB JCB
fermé fév., merc. du 1er oct. au 1er mars et mardi – **Repas** 65 bc/180, enf. 30.

PEUGEOT Gar. du Centre, 53 50 47 17

HAUTERIVES 26390 Drôme 77 ② **G. Vallée du Rhône** – 1 202 h alt. 299.

Voir Le Palais Idéal★.

Office de Tourisme pl. de la Galaure 75 68 86 82, Fax (Mairie) 75 68 90 94.

Paris 532 – Valence 49 – ♦Grenoble 72 – ♦Lyon 72 – Vienne 41.

Le Relais, 75 68 81 12, Fax 75 68 92 42, – P. GB
fermé mi-janv. à fin fév., dim. soir (sauf rest. en juil.-août) et lundi – **Repas** 70/140 – 28 – **17 ch** 140/240 – ½ P 220/280.

Le feu est le plus terrible ennemi de la forêt.

Soyez prudent !

Les HAUTES-RIVIÈRES 08800 Ardennes 53 ⑲ **G. Champagne** – 2 077 h alt. 175.

Voir Croix d'Enfer ←★ S : 1,5 km par D 13 puis 30 mn – Vallon de Linchamps★ N : 4 km.

Paris 257 – Charleville-Mézières 21 – Dinant 66 – Sedan 41.

Les Saisons, 24 53 40 94, Fax 24 54 57 51 – AE GB
fermé fév., dim. soir et lundi sauf fériés – **Repas** 60/200.

HAUTEVILLE-LÈS-DIJON 21 Côte-d'Or 65 ⑳ – rattaché à Dijon.

HAUTEVILLE-LOMPNES 01110 Ain 74 ④ – 3 895 h alt. 825 – Sports d'hiver : 920/1 021 m 6.

Voir Chute et gorges de l'Albarine★, **G. Jura.**

Office de Tourisme à l'Ancienne Mairie 74 35 39 73, Fax 74 35 24 68.

Paris 485 – Aix-les-Bains 55 – Belley 33 – Bourg-en-Bresse 55 – ♦Lyon 89 – Nantua 33.

La Chapelle, r. Chapelle 74 35 20 11, Fax 74 35 13 99, – TV P. GB
fermé 11 au 18 mars, 9 au 18 sept., dim. soir et lundi – **Repas** 92/120, enf. 50 – 25 – **14 ch** 190/210 – ½ P 220.

Villa Corbet, r. Fontanettes 74 35 30 04, Fax 74 35 28 55, chambres non-fumeu exclusivement – TV P. GB.
Repas (dîner pour résidents seul.) 60/90 – 26 – **8 ch** 160/220 – ½ P 180/200.

au col de la Lèbe rte de Belley : 9 km – 01260 Champagne-en-Valromey :

Aub. du Col de la Lèbe avec ch, 79 87 64 54, Fax 79 87 54 26, ←, – P. GB. ch
début mars-20 juin, 30 juin-15 nov. et fermé mardi sauf le soir en juil.-août et lundi – **Rep** 83 (déj.), 98/265 – 32 – **8 ch** 185/265 – ½ P 225/245.

CITROEN Gar. Deschombeck, 74 35 30 45
HYUNDAI, LADA Gar. Lay, 74 35 37 80
PEUGEOT Gar. Miguet, 74 35 35 74
RENAULT Gar. Depierre, 74 35 31 15 N 74 35 31 15

Le HAVRE SP 76600 S.-Mar. 55 ③ **G. Normandie Vallée de la Seine** – 195 854 h Agglo. 253 627 h alt.

Voir Port★★ EZ – Quartier moderne★ EFYZ : intérieur★★ de l'église St-Joseph★ EZ, pl. l'Hôtel-de-Ville★ FY47, Av. Foch★ EFY – Fort de Ste-Adresse ★★ EY **E** – Bd Président-Féli Faure : table d'Orientation ★ à Ste-Adresse A **F** – Musée des Beaux-Arts★ EZ.

Env. Pont de Normandie★★ par ④ : 17 km. Péage : 32 F pour autos, 40 à 80 F pour autocars gratuit pour motos.

18 35 46 36 50, N par ① : 10 km.

du Havre-Octeville : 35 54 65 00 A.

Office de Tourisme, Forum Hôtel de Ville 35 21 22 88, Fax 35 42 38 39 – A.C. 49 r. Racine 35 42 39

Paris 204 ④ – ♦Amiens 178 ③ – ♦Caen 87 ④ – ♦Lille 294 ③ – ♦Nantes 378 ④ – ♦Rouen 86 ③.

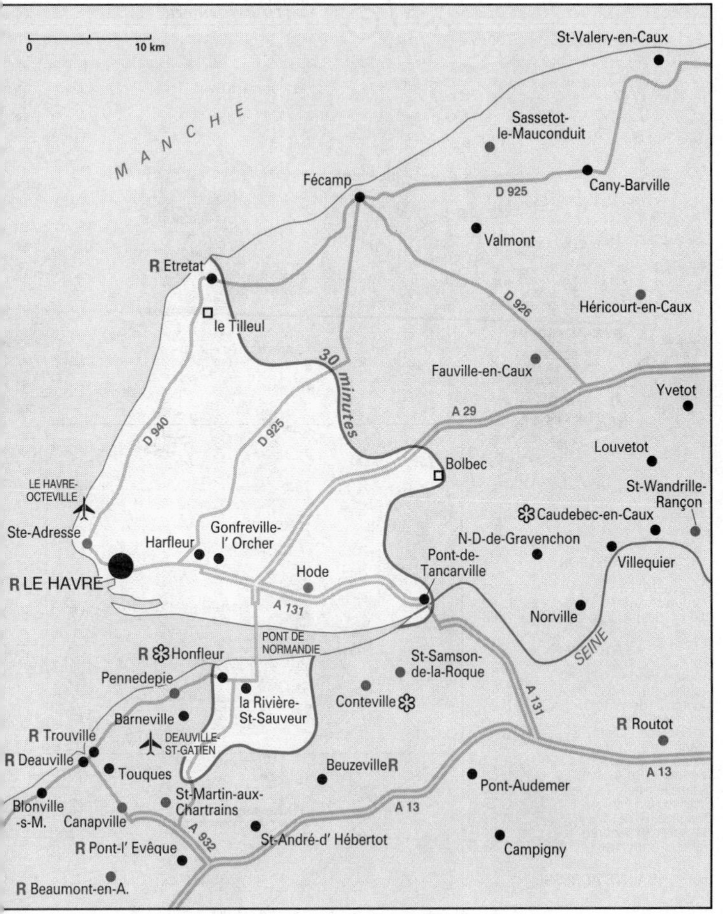

Mercure [M], chaussée d'Angoulême ✆ 35 19 50 50, Fax 35 19 50 99 – 25 à 200. AE GB — GZ **b**
Repas 129/159, enf. 49 – 55 – **96 ch** 495/645.

Bordeaux [M] sans rest, 147 r. L. Brindeau ✆ 35 22 69 44, Fax 35 42 09 27 – AE GB — FZ **v**
45 – **31 ch** 370/500.

Le Marly sans rest, 121 r. Paris ✆ 35 41 72 48, Fax 35 21 50 45 – AE GB JCB — FZ **n**
42 – **37 ch** 340/420.

Foch sans rest, 4 r. Caligny ✆ 35 42 50 69, Fax 35 43 40 17 – AE GB — EZ **b**
39 – **33 ch** 295/330.

Clarine [M], quai Colbert ✆ 35 26 49 49, Fax 35 25 10 13 – 80. AE GB — HZ **m**
Repas 78/120, enf. 39 – 30 – **83 ch** 300/325.

Ibis [M], r. 129e Régt Inf. ✆ 35 22 29 29, Fax 35 21 00 00 – 70. AE GB — GZ **a**
Repas 99 bc, enf. 39 – 35 – **91 ch** 340/360.

Petit Vatel sans rest, 86 r. L.-Brindeau ✆ 35 41 72 07, Fax 35 21 37 86 – AE GB — FZ **t**
30 – **27 ch** 180/260.

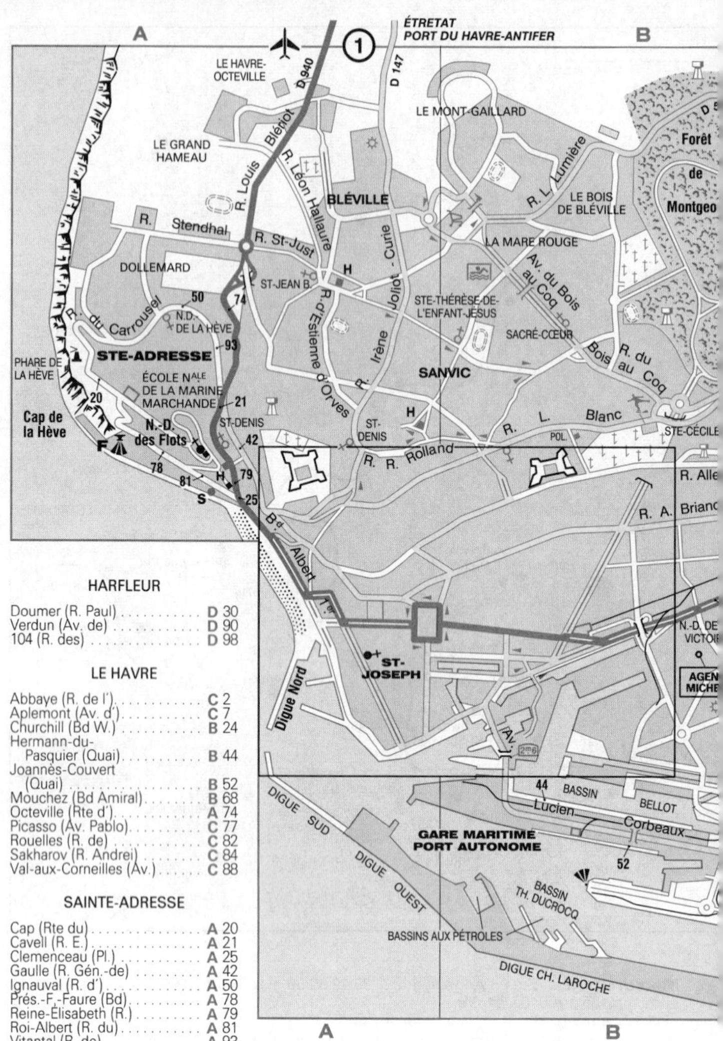

HARFLEUR

Doumer (R. Paul) . . . . D 30
Verdun (Av. de) . . . . D 90
104 (R. des) . . . . D 98

LE HAVRE

Abbaye (R. de l') . . . . C 2
Aplemont (Av. d') . . . . C 7
Churchill (Bd W.) . . . . B 24
Hermann-du-Pasquier (Quai) . . . . . . B 44
Joannès-Couvert (Quai) . . . . B 52
Mouchez (Bd Amiral) . . . . B 68
Octeville (Rte d') . . . . A 74
Picasso (Av. Pablo) . . . . C 77
Rouelles (R. de) . . . . C 82
Sakharov (R. Andrei) . . . . C 84
Val-aux-Corneilles (Av.) . . . . . . C 88

SAINTE-ADRESSE

Cap (Rte du) . . . . A 20
Cavell (R. E.) . . . . A 21
Clemenceau (Pl.) . . . . A 25
Gaulle (R. Gén.-de) . . . . A 42
Ignauval (R. d') . . . . A 50
Prés.-F.-Faure (Bd) . . . . A 78
Reine-Élisabeth (R.) . . . . A 79
Roi-Albert (R. du) . . . . A 81
Vitantal (R. de) . . . . A 93

🏨 **Parisien** sans rest, 1 cours République ✆ 35 25 23 83, Fax 35 25 05 06 – |¢| TV ☎ ✆. AE ⓓ GB JCB
☕ 35 – **22 ch** 210/280. HZ

🏨 **Celtic** sans rest, 106 r. Voltaire ✆ 35 42 39 77, Fax 35 21 67 65 – TV ☎. AE ⓓ GB
☕ 32 – **14 ch** 195/265. FZ

🏨 **Angleterre** sans rest, 1 r. Louis-Philippe ✆ 35 42 48 42, Fax 35 22 70 69 – TV ☎. AE GB
☕ 31 – **27 ch** 180/280. EY

🏨 **Richelieu** sans rest, 132 r. Paris ✆ 35 42 38 71, Fax 35 21 07 28 – TV ☎. AE ⓓ GB
☕ 30 – **19 ch** 160/270. FZ

XXX **Le Petit Bedon,** 39 r. L. Brindeau ✆ 35 41 36 81, Fax 35 21 09 24 – ▤. AE ⓓ G JCB EZ
fermé 1er au 15 août, vacances de fév., sam. midi et dim. sauf fériés – **Repas** 155/330 et cart 220 à 360.

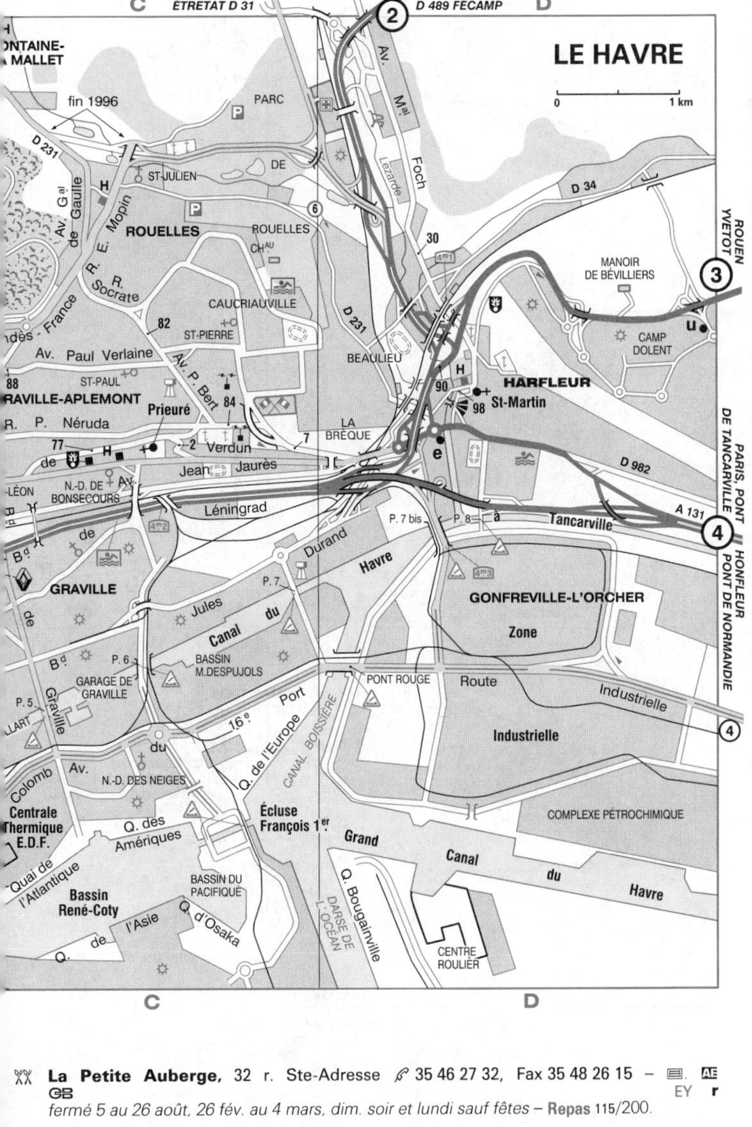

XX **La Petite Auberge,** 32 r. Ste-Adresse ✆ 35 46 27 32, Fax 35 48 26 15 – ▤. AE GB EY **r**
fermé 5 au 26 août, 26 fév. au 4 mars, dim. soir et lundi sauf fêtes – **Repas** 115/200.

XX **L'Odyssée,** 41 r. Gén. Faidherbe ✆ 35 21 32 42 – AE GB JCB GZ **s**
fermé 15 août au 1er sept., 15 au 28 fév., sam. midi, dim. soir et lundi – **Repas** 125/195.

XX **Le Thalassa,** 58 r. Sauveteurs ✆ 35 42 63 73 – ▤. AE GB EZ **a**
Repas 125/168.

X **La Réserve,** 98 r. Prés. Wilson ✆ 35 21 31 73 – AE GB EY **k**
fermé dim. soir et lundi sauf fêtes – **Repas** 69/139 ♨.

à Ste-Adresse - A – 8 047 h. alt. 100 – ✉ **76310** :

XX **Yves Page,** 7 pl. Clemenceau ✆ 35 46 06 09, Fax 35 46 85 38, ← – AE GB JCB A **s**
fermé 15 août au 6 sept., dim. soir et lundi – **Repas** 98/210.

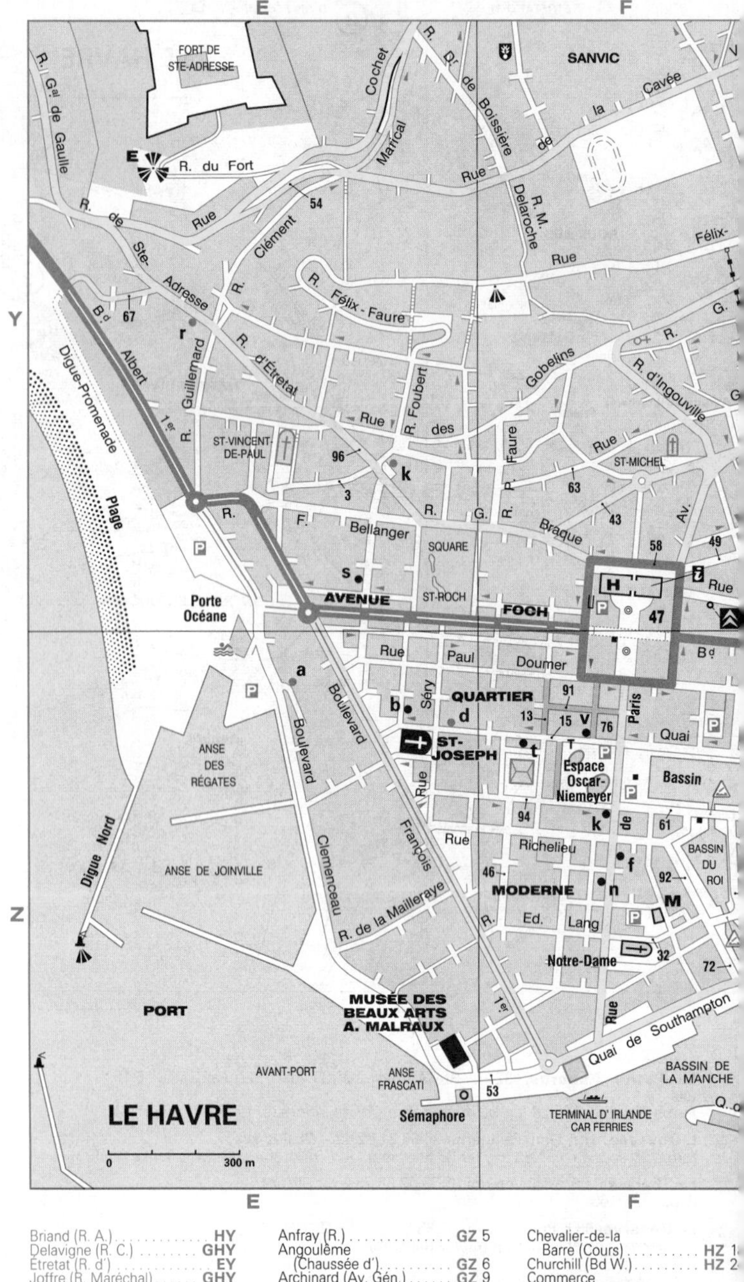

E F

Briand (R. A.) . . . . HY
Delavigne (R. C.) . . . . GHY
Étretat (R. d') . . . . EY
Joffre (R. Maréchal) . . . . . . GHY
Paris (R. de) . . . . FZ
République (Cours de la) . . . HY

Alma (R. de l') . . . . EY 3

Anfray (R.) . . . . GZ 5
Angoulême (Chaussée d') . . . . GZ 6
Archinard (Av. Gén.) . . . . . . GZ 9
Bernardin-de-St-Pierre (R.) . . . . FZ 13
Bretagne (R. de) . . . . FGZ 14
Brindeau (R. L.) . . . . EFZ 15

Chevalier-de-la Barre (Cours) . . . . HZ 1
Churchill (Bd W.) . . . . HZ 2
Commerce (Passerelle du) . . . . GZ 2
Delavigne (Quai C.) . . . . GZ 2
Drapiers (R. des) . . . . FZ 3
Faidherbe (R. Gén.) . . . . GZ 3

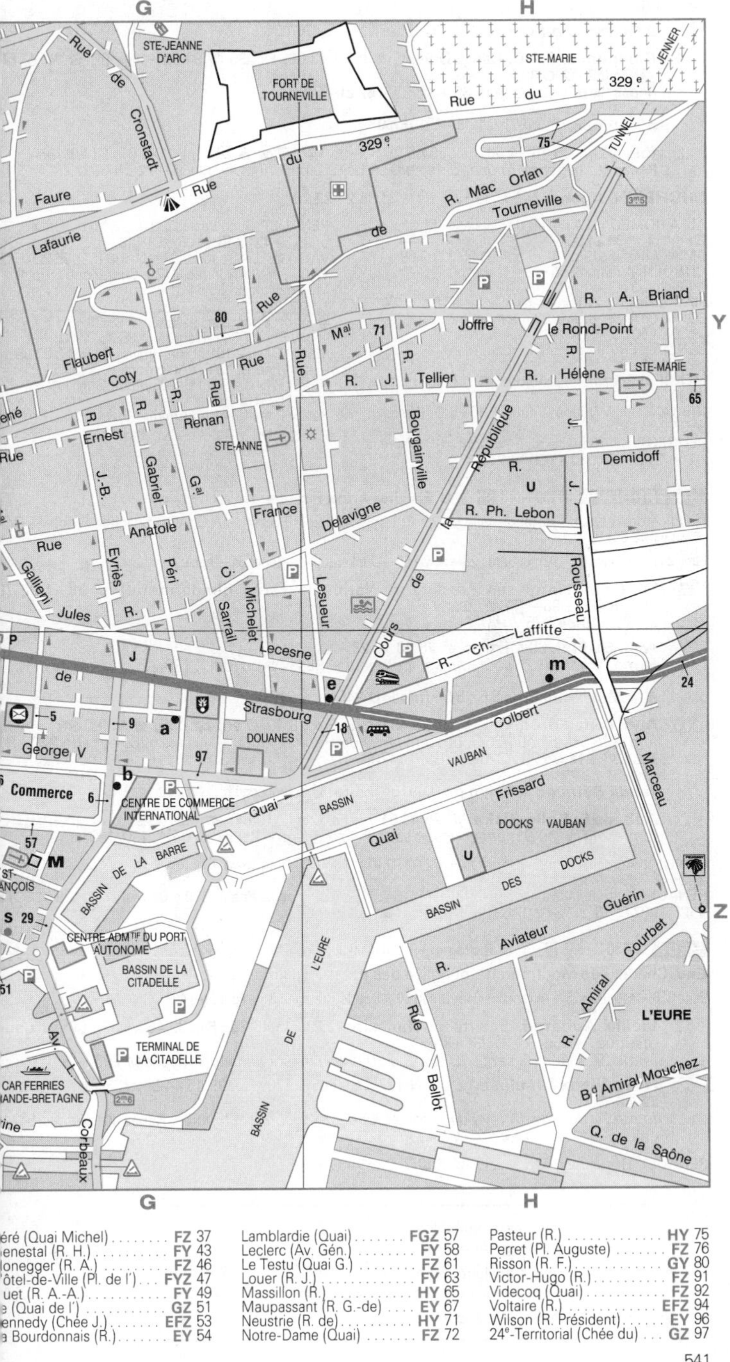

éré (Quai Michel) . . . . FZ 37
enestal (R. H.) . . . . FY 43
onegger (R. A.) . . . . FZ 46
ôtel-de-Ville (Pl. de l') . . . FYZ 47
uet (R. A.-A.) . . . . FY 49
e (Quai de l') . . . . GZ 51
ennedy (Chée J.) . . . . EFZ 53
a Bourdonnais (R.) . . . . EY 54

Lamblardie (Quai) . . . . FGZ 57
Leclerc (Av. Gén.) . . . . FY 58
Le Testu (Quai G.) . . . . FZ 61
Louer (R. J.) . . . . FY 63
Massillon (R.) . . . . HY 65
Maupassant (R. G.-de) . . . . EY 67
Neustrie (R. de) . . . . HY 71
Notre-Dame (Quai) . . . . FZ 72

Pasteur (R.) . . . . HY 75
Perret (Pl. Auguste) . . . . FZ 76
Risson (R. F.) . . . . GY 80
Victor-Hugo (R.) . . . . FZ 91
Videcoq (Quai) . . . . FZ 92
Voltaire (R.) . . . . EFZ 94
Wilson (R. Président) . . . . . . EY 96
24e-Territorial (Chée du) . . . GZ 97

à Gonfreville-l'Orcher D – 10 202 h. alt. 90 – ✉ **76700** :

Campanile, Z.A.C. Camp Dolent ✆ 35 51 43 00, Fax 35 47 94 58 – 25. AE GB
Repas 84 bc/107 bc, enf. 39 – 32 – **47 ch** 270. D

à Harfleur D – 9 180 h. alt. 18 – ✉ **76700** :

Ibis M, ✆ 35 45 54 00, Fax 35 45 25 58 – – 30 à 60. AE GB
Repas *(fermé sam. midi et dim. soir)* 99 bc/110 bc, enf. 39 – 35 – **72 ch** 302/324. D

MICHELIN, Agence, 41 r. de Fleurus B ✆ 35 25 22 20

ALFA ROMEO, SEAT Gar. des Halles, 14 bis r. Berthelot ✆ 35 24 08 64
BMW Auto 76, 19 r. G.-Braque ✆ 35 22 69 69
CITROEN Alteam 3, 50 r. Dr Piasceki C ✆ 35 24 60 60
FIAT S.N.D.A., 216 bd de Graville ✆ 35 53 27 27
FORD Cazaux Autom., 32 r. Lamartine ✆ 35 24 60 30
LANCIA JFR Autom., 58 r. Dicquemare ✆ 35 41 21 91
MERCEDES Lamartine Autom., 10-12 r. Lamartine ✆ 35 24 46 06
NISSAN Gar. Winston Churchill, 109 r. Dr Piasceki ✆ 35 24 44 82
PEUGEOT S.I.A. du Havre, 94 r. Denfert-Rochereau HZ ✆ 35 25 25 05 N ✆ 05 44 24 24
RENAULT Succursale, 239 à 273 bd de Graville C ✆ 35 53 42 42 N ✆ 05 05 15 15
VAG Gar. Le Troadec, 93 r. Lesueur ✆ 35 22 45 0
VAG Gar. Le Troadec, 447 r. Curie Zone Emploi Montgaillard ✆ 35 54 61 61

Euromaster, 26 r. Lesueur ✆ 35 22 40 14
Legay Pneus, 34 r. Fleurus ✆ 35 25 07 89
Marsat Pneus, 161 bd de Graville ✆ 35 25 32 85
Marsat Pneus, 12 r. d'Aplemont ✆ 35 53 11 20
Norais Pneus - Point S, 203 bd de Graville ✆ 35 26 50 68
Renov Pneus, 141 bd Amiral-Mouchez ✆ 35 26 64 64

HAZEBROUCK 59190 Nord 51 ④ G. Flandres Artois Picardie – 20 567 h alt. 25.

Office de Tourisme Hôtel de Ville ✆ 28 49 59 89, Fax 28 49 53 04 – A.C. Auto-Scanner av. de St-Om ✆ 28 41 92 66.

Paris 241 – ◆Calais 63 – Armentières 28 – Arras 60 – Dunkerque 41 – Ieper 34 – ◆Lille 45.

Le Gambrinus sans rest, 2 r. Nationale (près gendarmerie) ✆ 28 41 98 7 Fax 28 43 11 06 – GB.
35 – **15 ch** 275.

Aub. St-Éloi, 60 r. Église ✆ 28 40 70 23 – GB
fermé 22 juil. au 21 août, dim. soir et merc. – **Repas** 98 bc (déj.), 130/225.

à la Motte-au-Bois SE : 5,5 km par D 946 – ✉ **59190** :

Aub. de la Forêt avec ch, ✆ 28 48 08 78, Fax 28 40 77 76, – P. GB
fermé 18 au 25 août, 26 déc. au 15 janv., dim. soir et lundi – **Repas** 133/265 et carte 220 à 3
– 38 – **12 ch** 200/320 – ½ P 270/470.

rte de Béthune S : 7 km par D 916 – ✉ **59189** Steenbecque :

Aub. de la Belle Siska, ✆ 28 43 61 77, Fax 28 42 10 84, – P. GB
fermé 24 fév. au 9 mars et le soir sauf vend. et sam. – **Repas** 85 (déj.), 130/190.

CITROEN Autocit, 88 rte de Borre ✆ 28 42 92 92 N ✆ 28 42 92 96
RENAULT Gar. de la Lys, 223 r. Notre-Dame ✆ 28 41 87 85 N ✆ 28 02 07 69
VAG Auto Expo, av. de St-Omer ✆ 28 41 55 46

François Pneus, 199 r. de Merville ✆ 28 41 59 4

HÉDÉ 35630 I.-et-V. 59 ⑯ G. Bretagne – 1 500 h alt. 90.

Env. Château de Montmuran★ et église des Iffs★ O : 8 km.

Paris 370 – ◆Rennes 25 – Avranches 64 – Dinan 30 – Dol-de-Bretagne 31 – Fougères 49.

Vieille Auberge, E : rte de Tinténiac ✆ 99 45 46 25, Fax 99 45 51 35, , « Cad rustique, jardin » – P. AE GB
fermé 27 août au 2 sept., 15 janv. au 10 fév., dim. soir et lundi – **Repas** 98/295.

Host. Vieux Moulin avec ch, N 137 ✆ 99 45 45 70, Fax 99 45 44 86, , – AE GB
fermé 20 déc. au 1er fév., dim. soir et lundi du 22 août au 15 juil. – **Repas** 85 (déj.), 115/24 enf. 65 – 34 – **14 ch** 250/280 – ½ P 250/280.

RENAULT Gar. Delacroix, ✆ 99 45 46 23 N ✆ 99 45 46 23

Les hôtels ou restaurants agréables sont indiqués dans le guide par un symbole rouge.

Aidez-nous en nous signalant les maisons où, par expérience, vous savez qu'il fait bon vivre.

Votre guide Michelin sera encore meilleur.

HENDAYE 64700 Pyr.-Atl. 85 ① **G. Pyrénées Aquitaine** – 11 578 h alt. 30 – Casino AX.

Voir Grand crucifix★ dans l'église St-Vincent BY **B** – Corniche basque★★ par ①.

Office de Tourisme 12 r. Aubépines ✆ 59 20 00 34, Fax 59 20 79 17.

Paris 806 ② – Biarritz 29 ② – Pau 141 ② – St-Jean-de-Luz 13 ② – San Sebastián 23 ③.

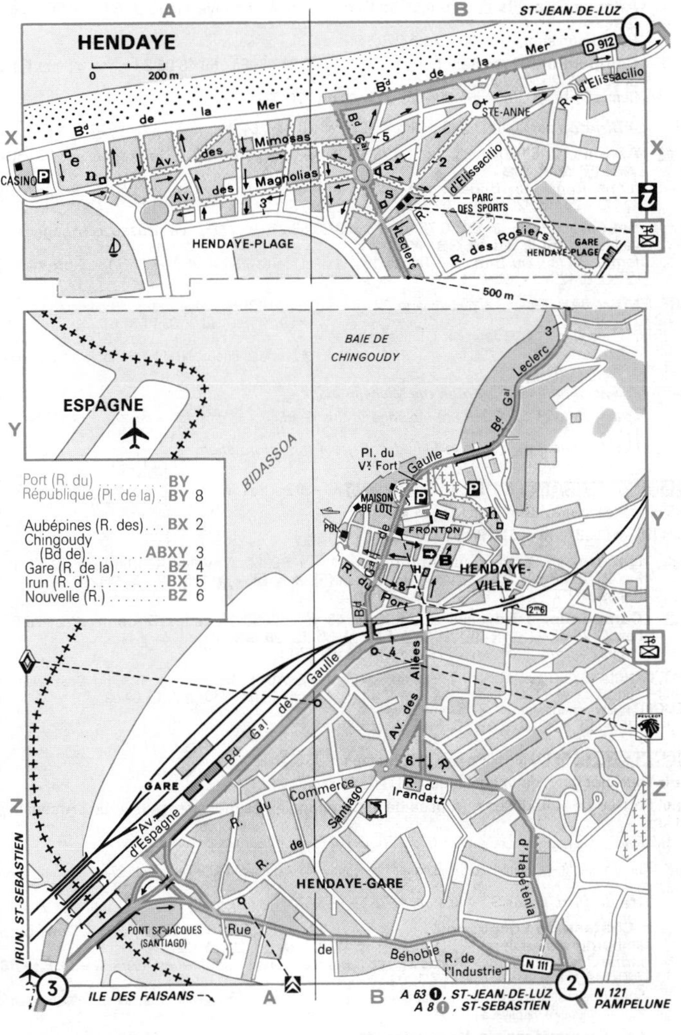

à Hendaye Plage :

H. Serge Blanco M, bd Mer ✆ 59 51 35 35, Fax 59 51 36 00, ←, complexe de thalassothérapie, – rest TV ☎ – 🅿 30 à 90. AE ⓓ GB AX **e**
fermé 23 au 30 déc. – **Repas** 180/250 – ☕ 50 – **82 ch** 520/980, 8 duplex – ½ P 765/890.

Ibaïa M, 76 av. Mimosas ✆ 59 48 88 88, Fax 59 48 88 89, ←, – TV ☎ – 🅿 25. AE ⓓ GB AX **n**
fermé fév. – ***Enbata :*** *(fermé dim. soir et lundi de sept. à mai)* **Repas** 90(déj.), 160/250, enf. 75 – ☕ 50 – **61 ch** 750/800 – ½ P 620/720.

Paris sans rest, Rond-Point ✆ 59 20 05 06, Fax 59 48 02 82 – ☎. AE ⓓ GB BX **a**
début mai-fin sept. – ☕ 35 – **37 ch** 270/400.

à Hendaye Ville :

Chez Antoinette, pl. Pellot ☎ 59 20 08 47, Fax 59 48 11 64 – TV ☎ P. GB. ch
Pâques-oct. – **Repas** *(fermé lundi sauf juil.-août)* 130, enf. 50 – ☐ 30 – **16 ch** 220/350 ½ P 240/260. BY

Annexe Gitanilla sans rest, bd Gén. Leclerc à Hendaye-Plage ☎ 59 20 04 65, – GB. BX
Pâques-fin sept. – ☐ 30 – **7 ch** 220/380.

Campanile, 102 rte Béhobie par ② ☎ 59 48 06 48, Fax 59 48 05 83 – ▤ rest TV ☎ P – 25. AE ⓓ GB
Repas 84 bc/107 bc, enf. 39 – ☐ 32 – **49 ch** 270.

à Biriatou par ② et D 258 : 4 km – 694 h. alt. 60 – ✉ **64700** :

Atxenia, ☎ 59 20 38 83, Fax 59 20 57 78, ←, « Terrasse ombragée sur la vallée » – TV ☎ P. GB
fermé 15 nov. au 15 déc., dim. soir et lundi sauf du 15 juin au 30 sept. – **Repas** 90/180 – ☐ 30 – **26 ch** 320/380 – ½ P 290.

Bakéa avec ch, ☎ 59 20 76 36, Fax 59 20 58 21, ←, « Terrasse ombragée sur vallée » – TV ☎. AE ⓓ GB. ch
fermé 24 fév. au 6 mars – **Repas** 155/205 et carte 230 à 350 – ☐ 50 – **7 ch** 240/400 ½ P 390/420.

CITROEN Gar. de la Place, 41 r. de Santiago ☎ 59 20 00 86
PEUGEOT Gar. Laguillon, ZI Joncaux, r. Industrie ☎ 59 20 18 63
RENAULT Hendaye-Autos, 49 bd Ch.-de-Gaulle ☎ 59 20 78 61 N ☎ 09 71 31 61

Barbosa Pneus, N 111 à Béhobie ☎ 59 20 66 52

Towns underlined in red on the Michelin maps at a scale of 1 : 200 000 are included in this Guide.

Use the latest map to take full advantage of this information.

HÉNIN-BEAUMONT 62110 P.-de-C. 51 ⑮ 111 ㉚ – 26 257 h alt. 30.

Syndicat d'Initiative 188 r. Pasteur ☎ 21 49 86 86.

Paris 195 – ◆Lille 31 – Arras 21 – Béthune 30 – Douai 11 – Lens 11.

Novotel M, échangeur Autoroute A1 ✉ 62950 Noyelles-Godault ☎ 21 75 16 0 Fax 21 75 88 59, – ▤ rest TV ☎ P – 120. AE ⓓ GB. rest
Repas 99/135, enf. 50 – ☐ 49 – **79 ch** 420/445.

Campanile, à Noyelles-Godault, N 43 ✉ 62950 Noyelles-Godault ☎ 21 76 26 2 Fax 21 75 22 21 – TV ☎ P – 35. AE ⓓ GB
Repas 84 bc/107 bc, enf. 39 – ☐ 32 – **53 ch** 270.

FIAT, LANCIA Gar. Hanot-Mariani, ZI Sud bd Darchicourt ☎ 21 79 30 20
PEUGEOT Beaumont Autom., ZI la Peupleraie ☎ 21 75 16 50 N ☎ 28 02 47 07
RENAULT Gar. Sandrah, 1230 bd A.-Schweitzer ☎ 21 75 03 78 N ☎ 21 69 07 89

HENNEBONT 56700 Morbihan 63 ① G. Bretagne – 13 624 h alt. 15.

Voir Tour-clocher★ de la basilique N.-D.-de-Paradis.

Env. Port-Louis : citadelle★★ (musée de la Compagnie des Indes★★, musée de l'Arsenal★) S 13 km.

Office de Tourisme 9 pl. Maréchal Foch ☎ 97 36 24 52, Fax 97 36 21 91.

Paris 483 – Vannes 48 – Concarneau 57 – Lorient 12 – Pontivy 46 – Quiberon 43 – Quimperlé 27.

rte de Port-Louis S : 4 km par D 781 – ✉ **56700** Hennebont :

Château de Locguénolé, ☎ 97 76 29 04, Fax 97 76 82 35, ←, « Dans un pa en bordure de rivière », – TV ☎ P – 50. AE ⓓ GB. rest
fermé 2 janv. au 8 fév. – **Repas** *(fermé lundi d'oct. à avril sauf fériés)* 190/490 – ☐ 82 – **18 c** 790/1480, 4 appart – ½ P 857/1202
Spéc. Langoustines grillées aux noisettes. Turbot rôti aux grenailles de Noirmoutier et lard fumé. Pigeonneau de "l'a Paul" à l'andouille de Baye.

Les Chaumières de Kerniaven sans rest, à 3 km ☎ 97 81 14 14, « Ancienn ferme du 15e siècle », – TV ☎ P. AE ⓓ GB
5 avril-30 sept. – ☐ 82 – **7 ch** 430/690, 4 duplex.

Jubin Pneus, ZI Kerandré r. D.-Papin ☎ 97 36 16 88

HERBAULT 41190 L.-et-Ch. 64 ⑥ – 926 h alt. 138.

Paris 197 – ◆Tours 45 – Blois 15 – Château-Renault 18 – Montrichard 36 – Vendôme 27.

Trois Marchands, ☎ 54 46 12 18 – ⓓ GB
fermé déc., dim. soir de nov. à mars, lundi soir et mardi – **Repas** 85/195, enf. 55.

RENAULT Gar. Mantois, ☎ 54 46 12 16 N ☎ 54 46 12 16

es HERBIERS 85500 Vendée 67 ⑮ G. Poitou Vendée Charentes – 13 413 h alt. 110.

oir Ecomusée de la Vendée★ – Mont des Alouettes ≤★★ N : 2 km – Cinéscénie du Puy du u★★★.

v. Le Grand Parcours★ (parc de loisirs) NE : 12,5 km.

Office de Tourisme 4 Grande Rue ✆ 51 92 92 92 et Mont des Alouettes (juil.-août) ✆ 51 67 18 39.

is 374 – La Roche-sur-Yon 40 – Bressuire 45 – Chantonnay 24 – Cholet 24 – Clisson 34.

Relais, 18 r. Saumur ✆ **51 91 01 64**, Fax 51 67 36 50 – TV ☎. AE ⓓ GB. ch
fermé 28 juil. au 8 août, dim. soir et lundi – **Repas** 93/190, enf. 40 – ☕ 30 – **27 ch** 240/300 – ½ P 285.

Chez Camille, rte de Mouchamps S : 2,5 km ✆ **51 91 07 57**, Fax 51 67 19 28, – rest TV ☎ ♿ P. AE GB JCB
Repas *(fermé 1er au 10 août, 23 déc. au 21 janv. et vend. soir du 15 sept. au 15 mai)* 68/170 – ☕ 35 – **13 ch** 230/280 – ½ P 265/295.

Mont des Alouettes, N : 3 km sur N 160 ✆ **51 67 02 18**, Fax 51 67 03 22, ≤, – P. GB
fermé 7 au 23 oct., 26 fév. au 14 mars, mardi soir d'oct. à fin mars et lundi soir – **Repas** 68 (déj.), 90/180.

TROEN Gar. Martineau, 40 av. G.-Clemenceau 51 91 07 50
UGEOT Gar. du Bocage, rte de Cholet 51 91 04 12
RENAULT Herbretaise, 2, r. Industrie ✆ 51 91 01 71 N ✆ 51 65 50 63
Euromaster, ZA de la Buzenière ✆ 51 91 19 08

IERBIGNAC 44410 Loire-Atl. 63 ⑭ – 4 175 h alt. 18.

ris 446 – ◆Nantes 70 – La Baule 22 – Redon 36 – St-Nazaire 28.

rte de Guérande S : 7 km sur D 774 – ✉ 44410 Herbignac :

Aub. L'Eau de Mer, ✆ **40 91 32 36**, , « Chaumière briéronne » – P. GB
fermé 2 au 24 janv., dim. soir sauf juil.-août et lundi – **Repas** (nombre de couverts limité, prévenir) 98 bc (déj.), 110/250.

ENAULT Gar. Hervy, ✆ 40 88 90 05 N ✆ 40 88 90 60

HÉRICOURT-EN-CAUX 76560 S.-Mar. 52 ⑬ – 730 h alt. 65.

ris 187 – ◆Le Havre 58 – ◆Rouen 45 – Bolbec 24 – Dieppe 46 – Fécamp 30 – Yvetot 10.

Saint-Denis, ✆ **35 96 55 23**, – P. GB
fermé 15 au 30 oct., vacances de fév. et merc. – **Repas** 82/255.

HERMENT 63470 P.-de-D. 73 ⑫ – 350 h alt. 824.

aris 413 – ◆Clermont-Ferrand 54 – Aubusson 49 – Le Mont-Dore 35 – Montluçon 79 – Ussel 39.

Souchal, ✆ **73 22 10 55**, Fax 73 22 13 63 – TV ☎ P. AE GB
Repas 60/180 – ☕ 25 – **26 ch** 130/225 – ½ P 190/210.

HÉROUVILLE 95300 Val-d'Oise 55 ⑳ – 439 h alt. 120.

aris 44 – Compiègne 73 – Beauvais 48 – Chantilly 31 – L'Isle-Adam 09 – Pontoise 08 – Taverny 12.

Vignes Rouges, pl. Église ✆ **(1) 34 66 54 73**, Fax (1) 34 66 20 88 – AE GB
fermé 15 août au 1er sept., 2 au 17 janv., dim. soir, lundi et soirs fériés – **Repas** 174/240.

HÉROUVILLE-ST-CLAIR 14 Calvados 55 ⑫ – rattaché à Caen.

HESDIN 62140 P.-de-C. 51 ⑫ ⑬ G. Flandres Artois Picardie – 2 713 h alt. 27.

aris 202 – ◆Calais 86 – Abbeville 37 – Arras 58 – Boulogne-sur-Mer 59 – ◆Lille 88.

Les Trois Fontaines , 16 rte Abbeville à Marconne ✆ **21 86 81 65**, Fax 21 86 33 34, – TV ☎ P. AE ⓓ GB
fermé 1er au 10 sept. et 24 déc. au 1er janv. – **Repas** 95/180 – ☕ 40 – **10 ch** 320 – ½ P 250/280.

Les Flandres, r. Arras ✆ **21 86 80 21**, Fax 21 86 28 01 – TV ☎ P. GB
fermé 29 juin au 8 juil. et 20 déc. au 10 janv. – **Repas** 90/200 , enf. 45 – ☕ 43 – **14 ch** 270/320 – ½ P 320.

CITROEN Gar. St Christophe, 33 av. Mar.-Leclerc ✆ 21 86 91 74
RENAULT Gar. Hesdinois, 5 av. d'Arras à Marconne ✆ 21 86 96 44 N ✆ 21 86 96 44
Au Pneu Hesdinois, rte de St-Pol ✆ 21 86 83 97
La Maison du Pneu, 3 pl. Garbé ✆ 21 86 86 19

HESDIN L'ABBÉ 62 P.-de-C. 51 ⑪ – rattaché à Boulogne-sur-Mer.

HÉSINGUE 68 H.-Rhin 66 ⑩ – rattaché à St-Louis.

HEUDICOURT-SOUS-LES-CÔTES 55 Meuse 57 ⑫ – rattaché à St-Mihiel.

HEYRIEUX 38540 Isère 74 ⑫ – 3 872 h alt. 220.

aris 493 – ◆Lyon 25 – Pont-de-Chéruy 20 – La Tour-du-Pin 34 – Vienne 24.

L'Alouette, rte St-Jean-de-Bournay : 3 km ✆ **78 40 06 08**, Fax 78 40 54 74 – P. AE GB
fermé 15 août au 15 sept., 1er au 8 janv., dim. soir et lundi – **Repas** 125 (déj.), 180/270, enf. 75.

HINSINGEN **67260** B.-Rhin 57 ⑯ – 82 h alt. 220.

Paris 406 – St-Avold 35 – Sarrebourg 36 – Sarreguemines 21 – ♦Strasbourg 91.

La Grange du Paysan, ☎ 88 00 91 83, Fax 88 00 93 23 – [P]. GB
fermé lundi – **Repas** 65/265 .

HIRMENTAZ **74** H.-Savoie 70 ⑰ – rattaché à Bellevaux.

HIRTZBACH **68** H.-Rhin 66 ⑨ – rattaché à Altkirch.

Le HODE **76** S.-Mar. 55 ④ – ✉ **76430** St-Vigor-d'Ymonville.

Paris 186 – ♦Le Havre 19 – Bolbec 27 – Évreux 103 – Honfleur 19 – Pont-Audemer 30.

Aub. des Falaises, ☎ 35 20 06 97, Fax 35 30 21 02 – [P]. AE GB.
Repas (déj. seul.) 110/195.

HOERDT **67720** B.-Rhin 87 ④ – 3 836 h alt. 135.

Paris 485 – ♦Strasbourg 16 – Haguenau 15 – Molsheim 44 – Saverne 45.

A la Charrue, 30 r. République ☎ 88 51 31 11, Fax 88 51 31 11, – [P]. AE GB
fermé 12 au 31 août, Noël au Jour de l'An et jeudi – **Repas** (spéc. d'asperges d'avril à juin) 270/490) 85 (déj.), 125/185 .

HOHRODBERG **68** H.-Rhin 62 ⑱ **G. Alsace Lorraine** – alt. 750 – ✉ **68140** Munster.

Voir ≤★★.

Paris 474 – Colmar 26 – Gérardmer 36 – Guebwiller 35 – Munster 7,5 – Le Thillot 57.

Panorama , ☎ 89 77 36 53, Fax 89 77 03 93, ≤ vallée et montagnes, – TV ☎
AE GB
fermé 13 nov. au 9 déc. – **Repas** 95/230 , enf. 42 – 35 – **30 ch** 250/355 – ½ P 230/295.

Roess , ☎ 89 77 36 00, Fax 89 77 01 95, ≤ vallée et montagnes, – TV [P]. GB
ch
fermé 4 nov. au 15 déc. – **Repas** 102/198 – 35 – **31 ch** 195/300 – ½ P 270/290.

Le HOHWALD **67140** B.-Rhin 62 ⑨ **G. Alsace Lorraine** – 360 h alt. 570 – Sports d'hiver : 600/1 100 m .

Env. Le Neuntelstein ≤★★ N : 6 km puis 30 mn – Champ du Feu ✻★★ SO : 14 km.

Office de Tourisme ☎ 88 08 33 92.

Paris 423 – ♦Strasbourg 47 – Lunéville 85 – Molsheim 30 – St-Dié 47 – Sélestat 25.

Clos Ermitage M , à 1,5 km par rte secondaire ☎ 88 08 31 31, Fax 88 08 34 99, « En lisière de forêt », , – cuisinette TV ☎ [P]. GB. rest
fermé janv. – **Repas** *(fermé jeudi)* 80 (dîner), 100/210 – 50 – **1 ch** 420, 13 studios 500 – ½ P 340/380.

Marchal , ☎ 88 08 31 04, Fax 88 08 34 05, ≤, – ☎ [P]. GB. rest
fermé 15 nov. au 18 déc. – **Repas** *(fermé lundi sauf juil.-août)* 115/190 , enf. 60 – 33 – **17 ch** 265 – ½ P 235/265.

Aub. du Lilsbach sans rest, SE : 2 km par D 425 ☎ 88 08 31 47, – [P]. GB
30 – **10 ch** 150/250.

La Petite Auberge, ☎ 88 08 33 05, Fax 88 08 34 62, – [P]. GB
fermé 29 juin au 11 juil., 1er janv. au 5 fév., mardi soir et merc. – **Repas** (carte le dim.) 85/13 , enf. 40.

au col du Kreuzweg SO : 5 km par D 425 – ✉ **67140** Le Hohwald :

Zundelkopf , ☎ 88 08 30 41, ≤, – [P]
fermé 15 au 31 mars et 3 nov. au 18 déc. – **Repas** (résidents seul.) – 34 – **22 ch** 200/220 – ½ P 200/230.

HOLNON **02** Aisne 53 ⑬ – rattaché à St-Quentin.

HOMPS **11200** Aude 83 ⑬ – 611 h alt. 48.

Paris 822 – Carcassonne 33 – Lézignan-Corbières 10 – Narbonne 25 – ♦Perpignan 88.

Aub. de l'Arbousier M , av. Carcassonne ☎ 68 91 11 24, Fax 68 91 12 61, ≤, –
[P]. GB
fermé du 1er au 23 nov., 15 fév. au 15 mars, lundi en juil.-août, dim. soir et merc. de sept. à juin – **Repas** 80/195 , enf. 45 – 35 – **7 ch** 220/290 – ½ P 210/245.

HONFLEUR **14600** Calvados 55 ③ ④ **G. Normandie Vallée de la Seine** – 8 272 h alt. 5.

Voir le vieux Honfleur★★ : Vieux bassin★★ AZ, église Ste-Catherine★ AY et clocher★ AY B – Côte de Grâce★★AY : calvaire ✻★★.

Env. Pont de Normandie★★ par ① : 4 km. Péage : 32 F pour autos, 40 à 80 F pour autocars et gratuit pour motos.

Office de Tourisme pl. A.-Boudin ☎ 31 89 23 30, Fax 31 89 18 76.

Paris 199 ① – ♦Caen 62 ② – ♦Le Havre 25 ① – Lisieux 33 ② – ♦Rouen 81 ①.

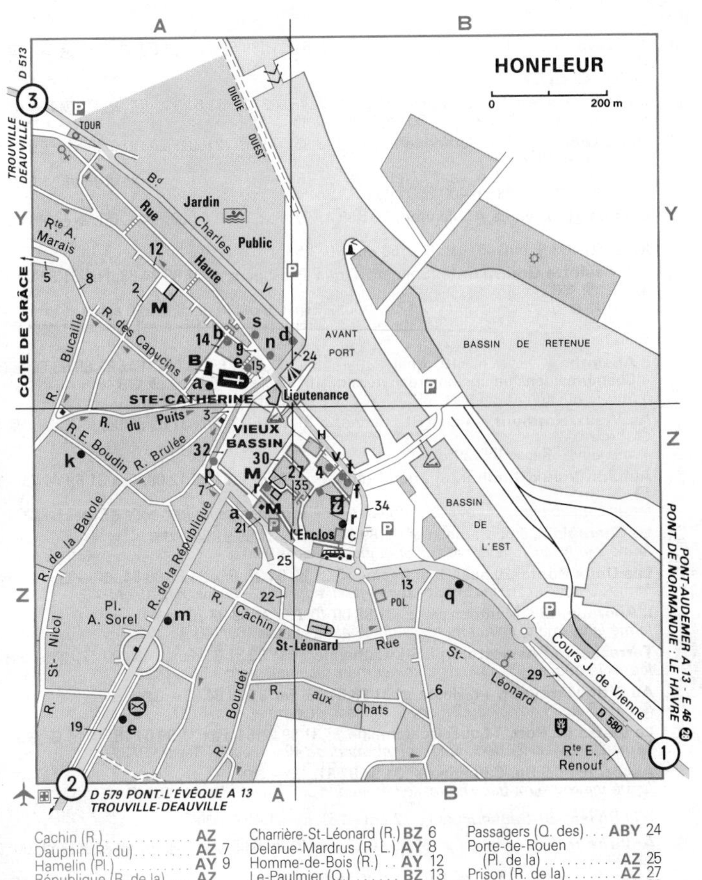

Cachin (R.) . . . . AZ
Dauphin (R. du) . . . . AZ 7
Hamelin (Pl.) . . . . AY 9
République (R. de la) . . . AZ

Albert-1er (R.) . . . . AY 2
Berthelot (Pl. P.) . . . . AZ 3
Boudin (Pl. A.) . . . . BZ 4
Charrière-de-Grâce . . . . . AY 5
Charrière-St-Léonard (R.) BZ 6
Delarue-Mardrus (R. L.) AY 8
Homme-de-Bois (R.) . . AY 12
Le-Paulmier (Q.) . . . . . . BZ 13
Lingots (R. des) . . . . AY 14
Logettes (R. des) . . . . . AY 15
Manuel (Cours A.) . . . . . AZ 19
Montpensier (R.) . . . . . . AZ 21
Notre-Dame (R.) . . . . . . AZ 22
Passagers (Q. des) . . . ABY 24
Porte-de-Rouen (Pl. de la) . . . . AZ 25
Prison (R. de la) . . . . AZ 27
Revel (R. J.) . . . . BZ 29
St-Étienne (Quai) . . . . . AZ 30
Ste-Catherine (Quai) . . . AZ 32
Tour (Quai de la) . . . . . . BZ 34
Ville (R. de la) . . . . BZ 35

✿ **Ferme St-Siméon**, r. A. Marais par ③ ✆ 31 89 23 61, Fax 31 89 48 48, ≤, « Parc ombragé dominant l'estuaire », – 50. AE GB JCB. ch
Repas 240 (déj.), 420/550 et carte 500 à 770 – 95 – **21 ch** 790/2300, 12 appart – ½ P 1195/1625
Spéc. Foie gras chaud. Saint-Pierre de petit bateau rôti sur l'arête. Feuilleté léger de rhubarbe, glace au lait.

Le Butin de la Mer, r. A. Marais par ③ ✆ 31 81 63 00, Fax 31 89 48 48, parc – AE GB JCB. ch
Repas *(30 mars-11 nov. et fermé jeudi midi et merc. sauf de juil. à sept.)* 145 – 65 – **9 ch** 640/1970 – ½ P 930/1420.

L'Ecrin sans rest, 19 r. E. Boudin ✆ 31 14 43 45, Fax 31 89 24 41, « Demeure du 18e siècle », – AE GB. AZ **k**
50 – **22 ch** 370/900.

Castel Albertine sans rest, 19 cours Albert-Manuel ✆ 31 98 85 56, Fax 31 98 83 18, « Jardin ombragé » – AE GB AZ **e**
50 – **26 ch** 350/600.

La Diligence sans rest, 53 r. République ✆ 31 14 47 47, Fax 31 98 83 87 – AE GB AZ **m**
40 – **16 ch** 450/750.

Mercure sans rest, r. Vases ✆ 31 89 50 50, Fax 31 89 58 77 – TV ☎ – 30. AE GB BZ
50 – **56 ch** 585.

La Tour sans rest, 3 quai Tour ✆ 31 89 21 22, Fax 31 89 53 51 – TV ☎. AE GB JCB
fermé 17 nov. au 26 déc. – 36 – **44 ch** 340/460, 4 duplex. BZ

Host. Lechat, pl. Ste-Catherine ✆ 31 89 23 85, Télex 772153, Fax 31 89 28 61 – TV ☎. GB JCB. ch AY
fermé 6 janv. au 7 fév. sauf hôtel le sam. – **Repas** *(fermé merc. soir et jeudi)* 110 (déj 150/215 – 50 – **23 ch** 400/550 – ½ P 370/445.

Otelinn M, 62 cours A. Manuel ✆ 31 89 41 77, Fax 31 89 48 09, – TV ☎ P. AE GB
Repas 85/108, enf. 40 – 36 – **50 ch** 310 – ½ P 270.

XXX ✿ **L'Assiette Gourmande** (Bonnefoy), quai Passagers ✆ 31 89 24 88, Fax 31 89 90 17 AE GB. ABY
fermé 1er au 15 déc. et lundi sauf juil.-août – **Repas** 160/415 et carte 310 à 430
Spéc. Gaspacho de homard. Tartare de Saint-Jacques en vinaigrette de carotte (oct. à mai). Poitrine de pigeon rôti, j aux herbes.

XXX **L'Absinthe** avec ch, 10 quai Quarantaine ✆ 31 89 39 00, Fax 31 89 53 60, « Chambres dans un ancien presbytère du 16e siècle » – TV ☎. GB JCB BZ
fermé 12 au 30 nov. – **Repas** 159/300 et carte 290 à 480 – 55 – **7 ch** 700.

XX **Au Vieux Honfleur,** 13 quai St-Étienne ✆ 31 89 15 31, Fax 31 89 92 04, ≤, – AE GB JCB AZ
fermé janv. – **Repas** 155/295.

XX **Aub. du Vieux Clocher,** 9 r. de l'Homme de Bois ✆ 31 89 12 06, Fax 31 89 44 75 – GB JCB AY
fermé 2 au 25 janv., 24 fév. au 1er mars, dim. soir et merc. sauf juil.-août – **Repas** 125/209.

XX **Le Champlain,** 6 pl. Hamelin ✆ 31 89 14 91, Fax 31 89 91 84 – GB AY
fermé 3 janv. au 15 fév., merc. soir et jeudi – **Repas** 98/158.

XX **Les Deux Ponts,** 20 quai Quarantaine ✆ 31 89 04 37, Fax 31 89 08 64, – AE GB JCB
fermé 20 nov. au 26 déc., merc. soir et jeudi hors sais. – **Repas** 95/270, enf. 49. BZ

XX **L'Ancrage,** 12 r. Montpensier ✆ 31 89 00 70, Fax 31 89 92 78 – GB AZ
fermé janv., mardi soir et merc. sauf juil.-août – **Repas** 100/160.

X **Terrasse de l'Assiette,** 8 pl. Ste-Catherine ✆ 31 89 31 33, Fax 31 89 90 17, – GB
fermé 15 déc. au 15 janv., dim. soir et merc. sauf juil.-août – **Repas** 129. AY

X **Au P'tit Mareyeur,** 4 r. Haute ✆ 31 98 84 23, Fax 31 98 84 23 – GB AY
fermé 13 au 29 nov., 7 au 24 janv., lundi soir et mardi – **Repas** 120.

X **Le Bistro du Port,** 14 quai Quarantaine ✆ 31 89 21 84, Fax 31 89 04 16, – AE GB
fermé 20 nov. au 27 déc., lundi soir et mardi de janv. à avril – **Repas** 99/169. BZ

X **Ascot,** 76 quai Ste-Catherine ✆ 31 98 87 91, – GB AZ
fermé mi-nov. à mi-déc., merc. soir et jeudi d'oct. à avril – **Repas** 99/189.

à la Rivière-St-Sauveur par ① : 2 km – 1 584 h. alt. 1 – ✉ **14600** :

Antarès M, Les 4 Francs ✆ 31 89 10 10, Fax 31 89 58 57, ≤ – TV ☎ P – 60. GB JCB
Repas *(avril-oct. et fermé dim. soir et lundi soir)* (dîner seul.) 98/170 – 50 – **46 ch** 440/660, 10 duplex – ½ P 338.

à Barneville par ②, D 62 et D 279 : 5 km – 124 h. alt. 48 – ✉ **14600** :

Aub. de la Source, ✆ 31 89 25 02, Fax 31 89 44 40, , – TV ☎ P. GB.
15 fév.-1er nov. – **Repas** (dîner seul.)(résidents seul.) – **16 ch** (½ pens. seul.) – ½ P 320/430.

par ③ rte de Trouville : 3 km – ✉ **14600** Vasouy :

La Chaumière, rte du Littoral ✆ 31 81 63 20, ≤, , parc – TV ☎ P. AE GB JCB ch
fermé merc. midi et mardi d'oct. à juin – **Repas** (nombre de couverts limité, prévenir 190/380 – 75 – **9 ch** 990/1350 – ½ P 875/1650.

à Pennedepie par ③ : 5 km – 234 h. alt. 20 – ✉ **14600** :

X **Moulin St-Georges,** ✆ 31 81 48 48 – GB
fermé mi-fév. à mi-mars, mardi soir et merc. – **Repas** 78/159, enf. 36.

par ③ rte de Trouville et rte secondaire : 8 km – ✉ **14600** Honfleur :

Romantica, chemin Petit Paris ✆ 31 81 14 00, Fax 31 81 54 78, ≤, , – TV ☎ P. AE GB. rest
Repas *(fermé 12 nov. au 20 déc., jeudi midi d'oct. à mars et merc. sauf le soir d'avril à sept.* 100/250 – 38 – **19 ch** 300/480 – ½ P 290/385.

RENAULT Gar. Senecal, rte de Genneville à Ablon ✆ 31 98 75 10 N ✆ 31 98 75 10

Pneu Normandie Vulcopneu, ✆ 31 89 20 37

L'HÔPITAL-CAMFROUT 29460 Finistère 58 ⑤ – 1 505 h alt. 20.
Voir Daoulas : enclos paroissial★ et cloître★ de l'abbaye N : 4,5 km, **G. Bretagne.**
Paris 564 – ♦Brest 25 – Morlaix 59 – Quimper 48.

Diverres-Bernicot, ✆ 98 20 01 01, Fax 98 20 06 91 – ☎. GB
fermé 15 sept. au 1er oct., dim. soir et vend. soir d'oct. à fin mai – **Repas** 68/160 ⅓, enf. 40 – ☕ 35 – **16 ch** 130/240 – ½ P 160/215.

L'HÔPITAL-ST-BLAISE 64130 Pyr.-Atl. 85 ⑤ **G. Pyrénées Aquitaine** – 76 h alt. 145.
Paris 816 – Pau 50 – Cambo-les-Bains 73 – Oloron-Ste-Marie 16 – Orthez 35 – St-Jean-Pied-de-Port 53.

Aub. du Lausset ⛰, ✆ 59 66 53 03, ☂ – ☎. GB. ✗ ch
fermé 20 oct. au 10 nov., mardi soir (sauf hôtel) et merc. du 1er sept. au 15 juin – **Repas** 55 (déj.), 85/175 ⅓, enf. 40 – ☕ 30 – **7 ch** 220 – ½ P 230.

L'HÔPITAL-SUR-RHINS 42 Loire 73 ⑧ – ✉ 42132 St-Cyr-de-Favières.
Paris 402 – Roanne 10,5 – ♦Lyon 76 – Montbrison 54 – ♦St-Étienne 77 – Thizy 27.

Le Favières, ✆ 77 64 80 30, ☂ – GB
fermé 7 au 24 janv., dim. soir et lundi d'oct. à mai – **Repas** 70/220 ⅓, enf. 40.

Les HÔPITAUX-NEUFS 25370 Doubs 70 ⑦ **G. Jura** – 369 h alt. 1000 – Sports d'hiver : voir Métabief.
Paris 455 – ♦Besançon 77 – Champagnole 44 – Morez 50 – Mouthe 17 – Pontarlier 18.

Robbe, ✆ 81 49 11 05 – ☎ P. GB. ✗ rest
25 juin-10 sept. et 20 déc.-2 avril – **Repas** 80/130 – ☕ 32 – **15 ch** 180/200 – ½ P 240/250.

CITROEN Gar. Drezet, ✆ 81 49 10 56 N ✆ 81 49 10 56

HORBOURG 68 H.-Rhin 62 ⑲ – rattaché à Colmar.

L'HORME 42 Loire 73 ⑲ – rattaché à St-Chamond.

L'HOSPITALET-PRÈS-L'ANDORRE 09390 Ariège 86 ⑮ – 146 h alt. 1446.
Paris 847 – Font-Romeu-Odeillo-Via 38 – Andorra-la-Vella 43 – Ax-les-Thermes 18 – Bourg-Madame 27 – Foix 60.

Puymorens, ✆ 61 05 20 03 – ☎. GB
Repas 87/107 ⅓ – ☕ 26 – **14 ch** 140/205.

HOSSEGOR 40150 Landes 78 ⑰ **G. Pyrénées Aquitaine** – alt. 4 – Casino .
Voir Le lac★.
18 ✆ 58 43 56 99, SE : 0,5 km.
Office de Tourisme pl. Pasteur ✆ 58 43 72 35, Fax 58 41 70 15.
Paris 759 – Biarritz 27 – Mont-de-Marsan 88 – ♦Bayonne 21 – ♦Bordeaux 170 – Dax 37.

Beauséjour ⛰, av. Tour du lac ✆ 58 43 51 07, Fax 58 43 70 13, ☂, ⛱, 🛋 – ▮ TV ☎ P – 🏛 25. AE ⓓ GB
7 mai-15 oct. – **Repas** 140/300 ⅓, enf. 85 – ☕ 65 – **45 ch** 490/735 – ½ P 535/680.

Les Hortensias du Lac M ⛰ sans rest, av. Tour du Lac ✆ 58 43 99 00, Fax 58 43 42 81, ≤, 🛋 – TV ☎ ♿ P. GB. ✗
1er avril-31 oct. – ☕ 40 – **21 ch** 390/430, 10 duplex.

Lacotel, av. Touring Club ✆ 58 43 93 50, Fax 58 43 59 69, ≤, ☂, ⛱ – ▮ TV ☎ ✆ ♿ P – 🏛 40. ⓓ GB
fermé 15 déc. au 15 janv. – **Repas** *(fermé dim. soir et lundi du 15 janv. au 30 mars)* 85/115, enf. 50 – ☕ 35 – **42 ch** 440 – ½ P 390.

PEUGEOT Gar. de l'Avenue, à Soorts ✆ 58 43 50 38

Les HOUCHES 74310 H.-Savoie 74 ⑧ **G. Alpes du Nord** – 1 947 h alt. 1004 – Sports d'hiver : 1 000/1 960 m 🚡2 ⛷15 ⛷.
Office de Tourisme pl. Église ✆ 50 55 51 71, Télex 385000, Fax 50 55 53 16.
Paris 605 – Chamonix-Mont-Blanc 10 – Annecy 87 – Bonneville 47 – Megève 28.

Mont Alba M, La Griaz ✆ 50 54 50 35, Fax 50 55 50 87, ≤, ☂, ⛱ – ▮ TV ☎ ✆ ♿ P – 🏛 40. AE GB JCB
fermé 8 nov. au 14 déc. – **Repas** 99/160, enf. 60 – ☕ 45 – **43 ch** 480 – ½ P 470.

Aub. Beau Site et rest. Le Pèle, ✆ 50 55 51 16, Fax 50 54 53 11, ≤, ☂, « Jardin fleuri » – ▮ TV ☎ P. AE ⓓ GB JCB. ✗
mi-mai-10 oct. et 24 déc.-20 avril – **Repas** *(fermé merc. de mi-mai au 15 juin, le midi en mai, juin et oct. sauf week-ends et fériés)* 125/150 – ☕ 45 – **18 ch** 490 – ½ P 390.

Chris-Tal, ✆ 50 54 50 55, Fax 50 54 45 77, ≤, ☂, ⛱, 🛋, 🎾 – ▮ TV ☎ 🚗 P. AE ⓓ GB JCB
16 mai-30 sept., 21 déc.-12 avril – **Repas** 98/160, enf. 55 – ☕ 45 – **25 ch** 495 – ½ P 345/395.

au Prarion par télécabine – Sports d'hiver : 1 000/1 900 m 🚡2 ⛷11 – ✉ **74170** St-Gervais-les-Bains.
Voir ✻★★ 30 mn.

Le Prarion ⛰, alt. 1 860 ✆ 50 54 40 07, Fax 50 54 40 03, ✻ sommets, glaciers et vallées, ☂ – ✗ ☎. GB. ✗ ch
20 juin-15 sept. et Noël-Pâques – **Repas** 120/200 – ☕ 50 – **18 ch** 180/570 – ½ P 330/430.

HOUDAN 78550 Yvelines 60 ⑧ 106 ⑭ **G. Ile de France** (plan) – 2 912 h alt. 104.

des Yvelines ☎ (1) 34 86 48 89, Est par N 12 : 12 km ; de la Vaucouleurs Civry-la-Forêt ☎ (1) 34 87 62 29 ; sortie Est N 12, N 183 et D 166 : 10 km.

Syndicat d'Initiative à la Mairie ☎ (1) 30 59 60 19.

Paris 60 – Chartres 46 – Dreux 20 – Évreux 49 – Mantes-la-Jolie 27 – Rambouillet 28 – Versailles 40.

XXX ✿ **La Poularde** (Vandenameele), 24 av. République ☎ (1) 30 59 60 50, Fax (1) 30 59 79 7, « Jardin » – P. GB
fermé 1er au 15 mars, mardi soir et merc. – **Repas** 130/350 et carte 240 à 420
Spéc. Salade du coquetier. Aumônière de poulette truffée, sauce suprême. Autour d'une pomme (automne-hiver).

X **Le Donjon**, 14 r. Epernon (près église) ☎ (1) 30 59 79 14, Fax (1) 30 88 12 31 – GB
fermé 6 au 28 août, dim. soir et lundi – **Repas** 139/200.

HOUDEMONT 54 M.-et-M. 62 ⑤ – rattaché à Nancy.

HOULGATE 14510 Calvados 55 ② **G. Normandie Vallée de la Seine** – 1 654 h alt. 11 – Casino.

Voir Falaise des Vaches Noires★ au NE – de Beuzeval ☎ 31 24 80 49.

Office de Tourisme bd Belges ☎ 31 24 34 79, Fax 31 24 42 27 et r. d'Axbridge (saison) ☎ 31 24 62 31.

Paris 218 – ◆Caen 33 – Deauville 14 – Lisieux 32 – Pont-l'Évêque 24.

Santa Cecilia sans rest, ☎ 31 28 71 71, Fax 31 28 51 73, – ☎. AE GB.
35 – **12 ch** 305/385.

X **Mon Castel** avec ch, 1 bd Belges ☎ 31 24 83 47, Fax 31 28 50 36 – ☎. GB. ch
fermé oct., mardi soir et merc. sauf juil.-août – **Repas** 62/175, enf. 42 – 32 – **10 c** 180/220 – 1/2 P 200/230.

Le HOURDEL 80 Somme 52 ⑥ **G. Flandres Artois Picardie** – ✉ **80410** Cayeux-sur-Mer.

Paris 205 – ◆Amiens 71 – Abbeville 27 – Dieppe 56 – Le Tréport 28.

X **Le Parc aux Huîtres** avec ch, ☎ 22 26 61 20, Fax 22 26 13 80 – rest ☎. GB
fermé 15 déc. au 15 janv., mardi soir et merc. sauf août – **Repas** 85/240, enf. 45 – 32
7 ch 220/320 – 1/2 P 270/290.

HUELGOAT 29690 Finistère 58 ⑥ **G. Bretagne** (plan) – 1 742 h alt. 149.

Voir Site★★ – Rochers★★ – Forêt★ – **Env.** St-Herbot : clôture★★ de l'église★ SO : 7 km.

Office de Tourisme pl. Mairie (saison) ☎ 98 99 72 32.

Paris 521 – ◆Brest 73 – Carhaix-Plouguer 17 – Châteaulin 36 – Landerneau 45 – Morlaix 29 – Quimper 56.

à Locmaria-Berrien-Gare SE : 7 km par D 764 – 272 h. alt. 150 – ✉ **29690** :

X **Aub. de la Truite**, ☎ 98 99 73 05, meubles bretons, – P. GB
Pâques-1er nov. et fermé dim. soir et lundi – **Repas** 125/325.

HUNAWIHR 68150 H.-Rhin 87 ⑰ **G. Alsace Lorraine** – 503 h alt. 260.

Paris 447 – Colmar 14 – Gérardmer 62 – Ribeauvillé 2 – St-Dié 44 – Sélestat 15.

XX **Relais du Poëte**, ☎ 89 73 60 14, Fax 89 73 36 86, – P. GB.
fermé vacances de fév., dim. soir et lundi – **Repas** 95/160, enf. 50.

HUNINGUE 68 H.-Rhin 66 ⑩ – rattaché à St-Louis.

HUSSEREN-LES-CHÂTEAUX 68420 H.-Rhin 62 ⑲ **G. Alsace Lorraine** – 377 h alt. 380.

Paris 492 – Colmar 8,5 – Belfort 66 – Gérardmer 53 – Guebwiller 22 – ◆Mulhouse 43.

Husseren-les-Châteaux M, r. Schlossberg ☎ 89 49 22 93, Fax 89 49 24 84, ←, – rest ☎ P – 120. AE GB
fermé 8 au 15 déc. et 8 au 21 janv. – **Repas** 95/320 – 55 – **38 ch** 520/850 – 1/2 P 530.

HYÈRES 83400 Var 84 ⑮ ⑯ 114 ㊻ ㊼ **G. Côte d'Azur** – 48 043 h alt. 40 – Casino des Palmiers Z.

Voir ←★ de la place St-Paul Y **49** – Jardins Olbius Riquier★ V – ←★ du parc St-Bernard Y – Chapelle N.-D. de Consolation★ V **N** : verrières★, ←★ de l'esplanade S : 3 km – Sommet du Fenouillet ★ NO : 4 km puis 30 mn.

de Toulon-Hyères : ☎ 94 22 81 60, SE : 4 km V.

Office de Tourisme Rotonde J.-Salusse, av. Belgique ☎ 94 65 18 55, Fax 94 35 85 05.

Paris 857 ③ – ◆Toulon 20 ③ – Aix-en-Provence 100 ③ – Cannes 121 ③ – Draguignan 79 ③.

Plan page ci-contre

Mercure M, 19 av. A. Thomas ☎ 94 65 03 04, Télex 404508, Fax 94 35 58 20, – ☎ P – 120. AE GB JCB — V
Repas grill carte 140 à 190, enf. 44 – 54 – **84 ch** 395/495.

Casino des Palmiers M, 1 r. A. Thomas ☎ 94 12 80 80, Fax 94 35 25 46 – ☎ P – 35 à 560. AE GB. rest — Z
Jack Pat (fermé lundi) **Repas** (dîner seul.) 135/200 – 45 – **14 ch** 560.

Centrotel M sans rest, 45 av. E. Cawell ☎ 94 38 38 10, Fax 94 38 37 73 – ☎ AE GB — V
45 – **24 ch** 330/420.

HYÈRES GIENS

Denis (Av. A.) . . . . . Y
Dr-Perron (Av.) . . . . Z 14
Gambetta (Av.) . . . . Z
Gaulle (Av. de) . . . . Y 16
Iles-d'Or (Av.) . . . . . Z
Massillon (Pl. et R.) . . . . Y 29

Barbacane (R.) . . . . Y 2
Barruc (R.) . . . . Y 3
Belgique (Av. de) . . Y 4
Bourgneuf (R.) . . . . . Y 5
Carqueiranne (Rte de) . . . . X 6
Chateaubriand (Bd) . . . . Y 7
Clemenceau (Pl.) . . . Y 9
Clotis (Av. J.) . . . . . . Z 10
Costebelle (Mtée) . . V 12
Degioanni (Rue R.) . . X 13
Foch (Av. Mar.) . . . . Z 15
Geoffroy St-Hilaire (Av.) . . . V 17
Godillot (Av. A.) . . . . V 18
Herriot (Bd E.) . . . . . X 20
Lattre-de-T. (Av.) . . . V 22
Lefebvre (Pl. Th.) . . . Z 23
Macri (Ch. Soldat) . . . . . V 25
Madrague (Rte) . . . . X 26
Mangin (Av. Gén.) . Y 28
Millet (Av. E.) . . . . . . Z 32
Moulin-Premier (Ch. du) . . . . V 33
Noailles (Mtée de) . Y 35
Palyvestre (Ch. du) . V 36
Paradis (R. de) . . . . . Y 37
Plaine-de-Bouisson (Ch.) . . . X 40
Provence (R.) . . . . . . Z 41
Rabaton (R.) . . . . . . Y 42
République (Pl. et R.) Y 43
Riquier (Av. O.) . . . . V 44
Roubaud (Ch.) . . . . . V 45
St-Bernard (R.) . . . . . Y 46
St-Esprit (R.) . . . . . . Y 47
St-Paul (Pl., R.) . . . . . Y 49
Ste-Catherine (R.) . . Y 50
Ste-Claire (R.) . . . . . Y 51
Strasbourg (Crs) . . . . Y 52
Victoria (Av.) . . . . Z 53
11-Novembre (Pl.) . . . V 56
15e-Corps-d'Armée (Av. du) . . . . V 57

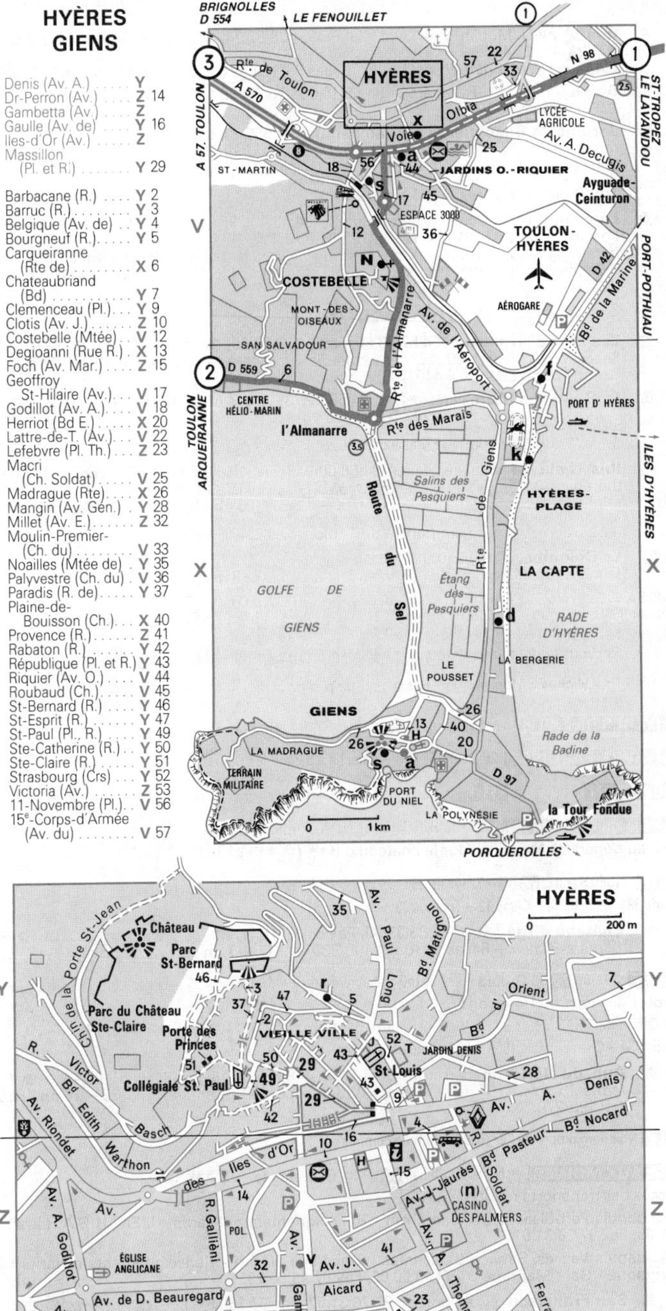

Ibis M, av. J. Moulin ✆ 94 38 83 38, Fax 94 38 57 24, , – rest – 45. AE GB JCB V
L'Atrium : (fermé dim. d'oct. à mars) **Repas** 85/129 , enf. 60 – 39 – **46 ch** 345/445.

Soleil sans rest, r. Rempart ✆ 94 65 16 26, Fax 94 35 46 00 – . AE GB Y
38 – **22 ch** 200/430.

XX **Jardins de Bacchus,** 32 av. Gambetta ✆ 94 65 77 63 – . AE GB Z
fermé 6 au 12 janv., dim. soir en hiver, sam. midi en juil.-août et lundi – **Repas** 140/30
enf. 60.

aux Salins d'Hyères E : 6 km – ✉ **83400** :

XX **La Frégate** avec ch, Port Pothuau ✆ 94 66 40 29, Fax 94 66 38 14, ≤ rade d'Hyère Porquerolles, – rest – 25. AE GB
hôtel : juin-sept. et fermé dim. soir sauf juil.-août et lundi – **Repas** *(fermé 16 au 30 déc vacances de fév., dim. soir sauf juil.-août et lundi)* 125/200, enf. 65 – 33 – **4 ch** 265
½ P 290.

à Hyères-Plage SE : 5 km - X – ✉ **83400** Hyères :

Les Pins d'Argent, ✆ 94 57 63 60, Fax 94 38 33 65, , parc, – . AE GB
Repas *(ouvert 5 avril-30 sept. et fermé dim. soir et lundi sauf juil.-août)* 100/180, enf. 60
45 – **20 ch** 530 – ½ P 440/485. X

La Rose des Mers sans rest, ✆ 94 58 02 73, Fax 94 58 06 16, ≤, – . GB.
31 mars-15 oct. – 40 – **20 ch** 350/420. X

à La Capte SE : 8 km – ✉ **83400** Hyères :

Ibis Thalassa M, allée Mer ✆ 94 58 00 94, Fax 94 58 09 35, ≤, , centre de Thalasso thérapie, , , – – 35. AE GB. rest X
fermé 7 au 28 janv. – **Repas** 130, enf. 50 – 39 – **96 ch** 495/545 – ½ P 404/430.

à La Bayorre O : 2,5 km par rte de Toulon – ✉ **83400** Hyères :

XX **La Colombe,** ✆ 94 65 02 15 – GB
fermé dim. soir en hiver, lundi en été et sam. midi – **Repas** 135.

NISSAN Gar. Lafosse, quai St-Gervais rte de Toulon La Bayorre ✆ 94 65 20 79

PEUGEOT Les Gds Gar. du Var, 6 ch. de la Villette ✆ 94 57 69 16 N ✆ 91 97 34 41

Find out how long your journey will take before setting out.

The ***Michelin Map*** *no* **911** *helps you gain time.*

HYÈRES (Iles d') **83** Var 84 ⑯ ⑰ 114 ㊽ ㊾.

HYÈVRE-PAROISSE **25** Doubs 66 ⑰ – rattaché à Baume-les-Dames.

IBARRON **64** Pyr.-Atl. 85 ② – rattaché à St-Pée-sur-Nivelle.

IF (Ile du Château d') **13** B.-du-R. 84 ⑬ 114 ㉗ **G. Provence.**
au départ de **Marseille** pour le château d'If★★ (✻★★★) 1 h 30.

IGÉ **71960** S.-et-L. 70 ⑪ – 729 h alt. 265.
Paris 391 – Mâcon 14 – Cluny 12 – Tournus 33.

Château d'Igé , ✆ 85 33 33 99, Fax 85 33 41 41, – – 60. AE GB
1er mars-30 nov. – **Repas** 150 (déj.), 190/360 – 65 – **7 ch** 555/720, 6 appart – ½ P 490/598

ILAY **39** Jura 70 ⑮ **G. Jura** – ✉ **39150** St-Laurent-en-Grandvaux.
Voir Cascades du Hérisson★★★.
Office de Tourisme ✆ 84 60 15 25 et annexe des Piards ✆ 84 60 40 38.
Paris 434 – Champagnole 18 – Lons-le-Saunier 37 – Morez 23 – St-Claude 39.

Aub. du Hérisson, carrefour D 75-D 39 ✆ 84 25 58 18, Fax 84 25 51 11, – . GB
fermé 15 nov. au 1er fév. – **Repas** 70 (déj.), 100/230 , enf. 45 – 39 – **16 ch** 185/310 -
½ P 190/270.

ILE voir nom propre de l'île (sauf si nom de commune).

ILE AUX MOINES ★ **56780** Morbihan 63 ⑫ ⑬ **G. Bretagne** – 617 h alt. 16.
Accès par transports maritimes.

depuis **Port-Blanc.** Traversée 5 mn - Renseignements et tarifs : IZENAH S.A.R.L ✆ 97 26 31 45, Fax 97 26 31 01.

depuis **Vannes.** Service Saisonnier - Traversée 30 mn - Renseignements et tarifs : Navix Bretagne - Gare Maritime ✆ 97 46 60 00, Fax 97 46 60 29.

San Francisco , au port ✆ 97 26 31 52, Fax 97 26 35 59, ≤, – . AE GB
fermé 15 nov. au 20 déc. – **Repas** *(fermé jeudi du 1er nov. à Pâques)* 135/230, enf. 60 – 50
– **8 ch** 440/525 – ½ P 315/380.

'ILE BOUCHARD 37220 I.-et-L. 68 ④ G. Châteaux de la Loire – 1 800 h alt. 41.

oir Chapiteaux★ dans le prieuré St-Léonard – Cathèdre★ dans l'église St-Maurice – Tavant : esques★ dans l'église O : 3 km.

ris 284 – ♦Tours 51 – Châteauroux 120 – Chinon 16 – Châtellerault 49 – Saumur 42.

XX **Aub. de l'Ile,** ✆ 47 58 51 07, 🏠 – GB
fermé 2 janv. au 20 fév., dim. soir et lundi – **Repas** 98/280, enf. 50.

LE-D'ARZ 56840 Morbihan 63 ⑬ G. Bretagne – 256 h alt. 25.

ccès par transports maritimes.

– depuis **Conleau.** Traversée 15 mn - Renseignements auprès de la Sté le Didroux-Gilard ' 97 66 92 06.

– depuis **Vannes.** Services quotidiens - Traversée 30 mn - Renseignements : Navix Bretagne, are Maritime ✆ 97 46 60 00 (Vannes), Fax 97 46 60 29.

LE-DE-BRÉHAT ★ 22870 C.-d'Armor 59 ② G. Bretagne – 461 h alt. 7.

oir Tour de l'île★★ en vedette 1 h – Phare du Paon★ – Croix de Maudez <★ – Chapelle t-Michel <★ – Bois de la citadelle <★.

ccès par transports maritimes, pour **Port-Clos.**

– depuis la **Pointe de l'Arcouest.** Traversée 15 mn - Renseignements et tarifs : Vedettes de réhat (Ile de Bréhat) ✆ 96 55 86 99, Fax 96 55 73 96.

– depuis **St-Quay-Portieux.** Service saisonnier - Traversée 1 h 15 mn - Renseignements et arifs : Voir ci-dessus.

Bellevue ⑤, Port-Clos ✆ 96 20 00 05, Fax 96 20 06 06, <, 🏠, 🌳 – |‡| ☎. GB
fermé 4 janv. au 15 fév. – **Repas** 94 (déj.), 115/175, enf. 68 – ☐ 50 – **17 ch** 430/800 – ½ P 395/420.

La Vieille Auberge ⑤, au bourg ✆ 96 20 00 24, Fax 96 20 05 12, 🏠 – ☎. GB. ✻ ch
Pâques-nov. – **Repas** 89/250, enf. 55 – ☐ 42 – **14 ch** (½ pens. seul.) – ½ P 360/420.

LE D'HOUAT 56 Morbihan 63 ⑫ G. Bretagne – 390 h alt. 31 – ✉ 56170 Quiberon.

ccès par transports maritimes.

– depuis **Quiberon.** Traversée 40 mn - Renseignements et tarifs : Cie Morbihannaise et antaise de Navigation ✆ 97 50 06 90 (Quiberon), Fax 97 50 11 40.

La Sirène ⑤, ✆ 97 30 66 73, Fax 97 30 66 94, <, 🏠 – TV ☎. AE GB. ✻ ch
Pâques-15 nov. – **Repas** 95/240 – ☐ 40 – **14 ch** (½ pens. seul.) – ½ P 380/410.

X **Iles,** ✆ 97 30 68 02, Fax 97 30 66 61, <, 🏠 – GB. ✻
1er avril-30 sept. et vacances de Toussaint – **Repas** 80/200, enf. 50.

'ILE-ROUSSE 2B H.-Corse 90 ⑬ – voir à Corse.

as ILLAS 66 Pyr.-Or. 86 ⑲ – rattaché à Maureillas-las-Illas.

LLHAEUSERN 68970 H.-Rhin 62 ⑲ – 578 h alt. 173.

aris 489 – Colmar 16 – Artzenheim 14 – St-Dié 53 – Sélestat 12 – ♦Strasbourg 63.

La Clairière M ⑤ sans rest, rte Guémar ✆ 89 71 80 80, Fax 89 71 86 22, 🏊, ✻ – |‡| TV ☎ P. GB
fermé 1er janv. au 1er mars – ☐ 70 – **26 ch** 430/980.

Les Hirondelles, ✆ 89 71 83 76, Fax 89 71 86 40, 🌳 – TV ☎ P. GB. ✻ rest
hôtel : fermé 30 juin au 5 juil. et 1er fév. au 10 mars – **Repas** *(ouvert 20 mars-30 juin, 7 juil.-10 oct. et fermé dim. soir)* (dîner seul.)(résidents seul.) – ☐ 32 – **19 ch** 230/260 – ½ P 235/265.

XXXX ✿✿✿ **Auberge de l'Ill** (Haeberlin), ✆ 89 71 89 00, Fax 89 71 82 83, « Élégante installation au bord de l'Ill, < jardins fleuris » – ▤ P. AE ⓓ GB
fermé 5 fév. au 8 mars, lundi sauf le midi d'avril à oct. et mardi – **Repas** (prévenir) 500/710 et carte 500 à 660
Spéc. Gelée de maquereau, radis "ostergrüss" et livèche (juin à sept.). Filets de carpe et perche aux haricots cocos blancs. Canard Colvert laqué aux épices (août à janv.). **Vins** Pinot blanc, Riesling.

H. des Berges M ⑤, ✆ 89 71 87 87, Fax 89 71 87 88, <, « Reconstitution d'un séchoir à tabac du Ried », 🌳 – |‡| ▤ ch TV ☎ ♿ 🚗. AE ⓓ GB JCB
fermé fév., lundi soir et mardi - voir rest. ***Aub. de l'Ill*** – ☐ 130 – **7 ch** 1450/1700.

LLIERS-COMBRAY 28120 E.-et-L. 60 ⑰ G. Châteaux de la Loire – 3 329 h alt. 160.

Syndicat d'Initiative, r. Henri Germond ✆ 37 24 21 79.

aris 114 – Chartres 25 – Châteaudun 29 – ♦Le Mans 94 – Nogent-le-Rotrou 35.

XX **Le Florent,** 13 pl. Marché (près église) ✆ 37 24 10 43 – GB
fermé dim. soir et lundi sauf fériés – **Repas** 98/220, enf. 50.

ITROEN Gar. Troquet, 26 r de Chartres ✆ 37 24 00 53 N ✆ 37 24 00 53

PEUGEOT Gar. Ringuedé, 59 r. de Chartres ✆ 37 24 33 41

LLKIRCH-GRAFFENSTADEN 67 B.-Rhin 62 ⑩ – rattaché à Strasbourg.

MSTHAL (Étang d') 67 B.-Rhin 57 ⑰ ⑱ – rattaché à La Petite-Pierre.

NGERSHEIM 68 H.-Rhin 87 ⑰ – rattaché à Colmar.

INGRANDES 49123 M.-et-L. 63 ⑲ **G. Châteaux de la Loire** – 1 410 h alt. 20.

Voir S : Route★ de Montjean-sur-Loire à St-Florent-le-Vieil (D 210).

Paris 326 – ◆Angers 32 – Ancenis 21 – Châteaubriant 56 – Château-Gontier 57 – Cholet 48.

Lion d'Or, r. Pont ✆ 41 39 20 08, Fax 41 39 21 03 – TV ☎ P. AE GB
fermé 15 fév. au 10 mars – **Repas** 65/180 bc, enf. 48 – ☕ 30 – **16 ch** 160/260 – ½ P 181/227.

INNENHEIM 67880 B.-Rhin 62 ⑨ – 840 h alt. 150.

Paris 488 – ◆Strasbourg 20 – Molsheim 11 – Obernai 9,5 – Sélestat 31.

Au Cep de Vigne, N 422 ✆ 88 95 75 45, Fax 88 95 79 73, – TV ☎ ♿ P – 40. GB
fermé 15 au 28 fév. – **Repas** *(fermé lundi)* 130/240, enf. 60 – ☕ 37 – **40 ch** 180/450 – ½ P 200/300.

INOR 55700 Meuse 56 ⑩ – 183 h alt. 180.

Paris 249 – Charleville-Mézières 50 – Carignan 13 – Longwy 64 – Sedan 27 – Verdun 52.

Faisan Doré, ✆ 29 80 35 45, Fax 29 80 37 92, – ☎ P. AE GB JCB
Repas 68/180 – ☕ 25 – **13 ch** 180/250 – ½ P 250.

ISIGNY-SUR-MER 14230 Calvados 54 ⑬ **G. Normandie Cotentin** – 3 018 h alt. 4.

Paris 300 – ◆Cherbourg 61 – St-Lô 29 – Bayeux 32 – ◆Caen 62 – Carentan 11.

France, 17 r. E. Demagny ✆ 31 22 00 33, Fax 31 22 79 19 – TV ☎ P – 25. AE GB
fermé 1er déc. au 15 janv., vend. soir et sam. du 20 sept. au 20 mars – **Repas** 58/170, enf. 40 – ☕ 34 – **19 ch** 180/310 – ½ P 230/335.

PEUGEOT Gar. Etasse, ✆ 31 22 02 52 N ✆ 31 22 02 52

RENAULT Isigny Gar., ✆ 31 22 02 33 N ✆ 31 22 02 33

Entrate nell'albergo o nel ristorante con la Guida alla mano, dimostrando in tal modo la fiducia in chi vi ha indirizzato.

L'ISLE-ADAM 95290 Val-d'Oise 55 ⑳ **G. Ile de France** – 9 979 h alt. 28.

Voir Chaire★ de l'église St-Martin.

18 l'Isle Adam ✆ 34 69 69 50, NE : 5 km.

Office de Tourisme Le Castel Rose, 1 av. de Paris ✆ 34 69 41 09.

Paris 40 – Compiègne 66 – Beauvais 48 – Chantilly 24 – Pontoise 19 – Taverny 14.

XX **Gai Rivage,** 11 r. Conti ✆ (1) 34 69 01 09, Fax (1) 34 69 30 37, – GB
fermé vacances de Toussaint, de fév., dim. soir et lundi – **Repas** 130/190.

X **Le Relais Fleuri,** 61 bis r. St-Lazare ✆ (1) 34 69 01 85, – GB
fermé 16 au 31 août, lundi soir et mardi – **Repas** 150/200 bc.

CITROEN Gar. Crocqfer, 6 Grande-Rue ✆ (1) 34 69 00 01
PEUGEOT Gar. Pétillon 12 r. de Beaumont ✆ (1) 34 69 01 13 N ✆ (1) 05 44 24 24

RENAULT Gar. de l'Ile de France, 60 av. de Paris ✆ (1) 34 69 05 66

L'ISLE-D'ABEAU 38 Isère 74 ⑬ – rattaché à Bourgoin-Jallieu.

L'ISLE-JOURDAIN 32600 Gers 82 ⑥ ⑦ – 5 029 h alt. 116.

9 Las Martines ✆ 62 07 27 12, N : 4,5 km.

Paris 703 – Auch 43 – ◆Toulouse 36 – Montauban 57.

Host. du Lac, O : 1 km sur N 124 ✆ 62 07 03 91, Fax 62 07 04 37, ←, – TV ☎ P – 30. GB
fermé vacances de fév. – **Repas** 60 bc/230 – ☕ 30 – **27 ch** 205/235 – ½ P 210/240.

à Pujaudran E : 8 km par N 124 – 816 h. alt. 302 – ✉ 32600 :

XXX **Puits St-Jacques,** ✆ 62 07 41 11, Fax 62 07 44 09 – AE GB JCB
fermé 1er au 15 août, vacances de fév., sam. midi et lundi – **Repas** 100 (déj.), 150/260 et carte 250 à 330, enf. 75.

rte de Toulouse par N 124 : 11 km – ✉ 32600 L'Isle-Jourdain :

XXX **Frachengues,** ✆ 62 07 40 63, Fax 62 07 42 16, – P. AE GB
fermé 15 au 31 août, dim. soir et lundi – **Repas** 100/250 et carte 230 à 320, enf. 60.

CITROEN Gar. Lisle, ✆ 62 07 02 57
FORD Gar. St-Germier-Poudebat, 39 av. de Toulouse ✆ 62 07 00 13
PEUGEOT Gar. Rigal, ✆ 62 07 03 16 N ✆ 62 07 03 16

RENAULT Gar. Gascogne-Sce, ✆ 62 07 13 07 N ✆ 62 07 13 07

Rivière-Point S, ✆ 62 07 08 46

L'ISLE-JOURDAIN 86150 Vienne 72 ⑤ G. Poitou Vendée Charentes – 1 269 h alt. 142.

Office de Tourisme (saison) ✆ 49 48 80 36 et à la Mairie ✆ 49 48 70 54.

Paris 386 – Poitiers 52 – Confolens 28 – Niort 107.

au Port de Salles S : 7 km par D 8 et rte secondaire : – ✉ 86150 Le Vigeant :

Val de Vienne M sans rest, ✆ 49 48 27 27, Fax 49 48 47 47, ←, – P. GB
48 – **20 ch** 520.

CITROEN Gar. Foussier, ✆ 49 48 88 24
PEUGEOT Gar. Rigaud, ✆ 49 48 70 37 N ✆ 49 48 70 37
RENAULT Perrin, ✆ 49 48 70 22 N ✆ 49 48 70 22

L'ISLE-SUR-LA-SORGUE 84800 Vaucluse 81 ⑫ ⑬ G. Provence (plan) – 15 564 h alt. 57.

Voir Décoration intérieure★ de l'église – Église★ du Thor O : 5 km.

Provence Country Club ✆ 90 20 20 65, E : 4 km sur D 25.

Office de Tourisme pl. Église ✆ 90 38 04 78.

Paris 698 – Avignon 22 – Apt 32 – Carpentras 17 – Cavaillon 9,5 – Orange 41.

Araxe H. M, rte Apt : 1,5 km ✆ 90 38 40 00, Fax 90 20 84 74, « Jardin en bordure de la Sorgue », – cuisinette P – 50. AE GB. rest
Repas 90/168, enf. 50 – 45 – **51 ch** 270/650, 4 duplex – ½ P 290/480.

Cantosorgue M sans rest, cours de la Pyramide (rte Carpentras) ✆ 90 20 81 81, Fax 90 38 40 30 – P – 80. GB
35 – **39 ch** 275.

La Prévôté, 4 r. J.-J. Rousseau (derrière l'église) ✆ 90 38 57 29, – GB
fermé nov., dim. soir sauf du 1er juin au 30 oct. et lundi – **Repas** 125 (déj.), 195/280.

rte d'Apt SE : 6 km par N 100 – ✉ 84800 L'Isle-sur-la-Sorgue :

Mas des Grès, ✆ 90 20 32 85, Fax 90 20 21 45, – P. GB.
1er mars-15 nov. et 20 déc.-2 janv. – **Repas** (dîner seul.) (résidents seul.) 150 – 55 – **12 ch** 400/600 – ½ P 400/500.

à Petit-Palais SE : 6 km par D 31 ou par N 100 et D 24 – ✉ 84800 L'Isle-sur-la-Sorgue :

Bernard Auzet, ✆ 90 38 09 74, Fax 90 20 91 26, – P. GB
fermé merc. sauf fêtes – **Repas** 99 (déj.), 149/260 et carte 270 à 380.

au SO : 2 km par rte de Caumont – ✉ 84800 L'isle-sur-la-Sorgue :

Mas de Cure Bourse avec ch, ✆ 90 38 16 58, Fax 90 38 52 31, « Dans un parc au milieu des vergers, » – P – 50. GB
Repas *(fermé 15 au 31 oct., 1er au 15 janv., mardi midi et lundi)* 165/260 et carte 210 à 300 – 45 – **13 ch** 350/550 – ½ P 380/495.

CITROEN Gar. Roquebrune, rte d'Apt ✆ 90 38 18 48
FORD Gar. Germain, rte d'Avignon ZI ✆ 90 38 46 46
PEUGEOT Gar. Manni, 7 quai Charité ✆ 20 21 28 88
RENAULT Automobile Cavaillonnaise, rte de Pernes-les-Fontaines, quartier la Rode ✆ 90 38 68 68 N ✆ 05 05 15 15

Magnan-Pneus, ZA Grande Marine, rte du Thor ✆ 90 38 00 89

L'ISLE-SUR-SEREIN 89440 Yonne 65 ⑥ – 533 h alt. 190.

Paris 212 – Auxerre 49 – Avallon 15 – Montbard 30 – Tonnerre 38.

Aub. Pot d'Étain avec ch, ✆ 86 33 88 10, Fax 86 33 90 93, – rest. GB
fermé 15 au 22 oct., fév., dim. soir et lundi sauf juil.-août – **Repas** 98/298, enf. 55 – 38 – **8 ch** 220/390 – ½ P 290/320.

RENAULT Gar. Cervo, ✆ 86 33 84 87

ISOLA 2000 06420 Alpes-Mar. 81 ⑩ 115 ⑤ G. Alpes du Sud – alt. 2000 – Sports d'hiver : 1 800/2 610 m 1 22.

Voir Vallon de Chastillon★ O.

Office de Tourisme ✆ 93 23 15 15, Fax 93 23 14 25.

Paris 820 – Barcelonnette 81 – ♦Nice 93 – St-Martin-Vésubie 59.

Diva M, ✆ 93 23 17 71, Fax 93 23 12 14, ← montagnes, – P – 25. AE GB. rest
1er juil.-31 août et 20 déc.-30 avril – **Repas** 250, enf. 110 – 80 – **18 ch** 2170/2250, 5 appart – ½ P 1325.

Le Chastillon, ✆ 93 23 10 60, Fax 93 23 17 66, ←, – P – 40 à 150. AE GB JCB. rest
déc.-avril – **Repas** 130 (déj.), 150/220, enf. 65 – **54 ch** 1025/1390, 3 appart – ½ P 790.

ISPE 40 Landes 78 ⑬ – rattaché à Biscarrosse.

Les ISSAMBRES 83380 Var 84 ⑱ 114 ㊳ G. Côte d'Azur.

Paris 882 – Fréjus 10 – Draguignan 37 – St-Raphaël 12 – Ste-Maxime 10 – Toulon 100.

à San-Peire-sur-Mer – ✉ 83380 Les Issambres :

Provençal, N 98 ✆ 94 96 90 49, Fax 94 49 62 48, ←, – P. AE GB
11 fév.-4 nov. – **Repas** *(fermé lundi midi)* 150/270 – 40 – **28 ch** 410/480 – ½ P 401/439.

au parc des Issambres – ✉ 83380 Les Issambres :

La Quiétude, N 98 ✆ 94 96 94 34, Fax 94 49 67 82, ≤, – . GB JCB
22 fév.-15 oct. – **Repas** 92/173, enf. 52 – 35 – **19 ch** 295/340 – ½ P 322/335.

Villa-St-Elme avec ch, N 98 ✆ 94 49 52 52, Fax 94 49 63 18, ≤, – . AE GB JCB
fermé 5 janv. au 7 fév. et merc. midi du 6 nov. à début fév. – **Repas** 185/350 et carte 270 440, enf. 85 – **12 ch** 1465/1800, 4 appart – ½ P 2000.

à la calanque des Issambres – ✉ 83380 Les Issambres :

Chante-Mer, au village ✆ 94 96 93 23, – . GB
fermé 15 déc. au 31 janv., dim. soir et lundi sauf juil.-août – **Repas** 120/205.

à la pointe de la Calle – ✉ 83380 Les Issambres :

Le St-Pierre, N 98 ✆ 94 96 89 67, ≤ baie de St-Raphaël, – . AE GB
fermé janv., mardi midi et vend. midi en juil.-août, lundi soir et mardi hors sais. – **Repas** produits de la mer - 160/210 et carte 190 à 300.

Au Jardin Gourmand, N 98 ✆ 94 49 61 10, Fax 94 49 61 10, ≤, – . AE GB
fermé 1er au 15 déc., 1er au 15 fév., merc. soir et jeudi du 1er oct. au 15 juin – **Repas** 149/29 et carte 270 à 360, enf. 75.

ISSIGEAC 24560 Dordogne 75 ⑮ **G. Périgord Quercy** – 638 h alt. 106.

Syndicat d'Initiative pl. 8 Mai ✆ 53 58 79 62.

Paris 563 – Périgueux 66 – Bergerac 19 – ◆Bordeaux 109 – Cahors 88 – Villeneuve-sur-Lot 44.

La Brucelière, ✆ 53 58 72 28, – . GB
fermé nov., fév., dim. soir et lundi – **Repas** 65 (déj.), 95/165, enf. 50 – 35 – **7 ch** 200/32 – ½ P 205/240.

ISSOIRE 63500 P.-de-D. 73 ⑭ ⑮ **G. Auvergne** – 13 559 h alt. 400.

Voir Anc. abbatiale St-Austremoine★★ : chevet★★ Z.

Env. Puy d'Yssou ☀★ SO : 10 km par D 32.

Office de Tourisme pl. Gén.-de-Gaulle ✆ 73 89 15 90.

Paris 456 ① – ◆Clermont-Ferrand 38 ① – Aurillac 122 ③ – Le Puy-en-Velay 95 ③ – Rodez 180 ③ – ◆St-Étienn 176 ① – Thiers 57 ① – Tulle 172 ①.

ISSOIRE

Berbiziale (R. de la) Y
Châteaudun (R. de) Z 5
Gambetta (R.) Z 6
Pont (R. du) Z 14
Ponteil (R. du) Y 16
République (Pl. de la) Z

Altaroche (Pl.) Z 2
Ambert (R. d') Y
Ancienne-Caserne (R. de l') Z 3
Buisson (Bd A.) Y
Cerf-Volant (R. du) Y 4
Cibrand (Bd J.) Y
Dr Sauvat (R.) Z
Duprat (Pl. Ch.) Y
Espagnon (R. d') Z
Foirail (Pl. du) Y
Fours (R. des) Z
Gare (Av. de la) Z 10
Gaulle (Pl. du Gén. de) Y
Gauttier (R. E.) Y
Haïnl (Bd G.) Z
Hauterive (R. E. d') Z
Manlière (Bd de la) Z
Mas (R. du) Y
Montagne (Pl. de la) Y
Notre-Dame-des-Filles (R.) Z 12
Palais (R. du) Y
Pomel (Pl. N.) Z 13
Postillon (R. du) Z
St-Avit (Pl.) Y 22
Sous-Préfecture (Bd de la) Z
Terraille (R. de la) Z 24
Triozon-Bayle (Bd) YZ 25
Verdun (Pl. de) Z 26

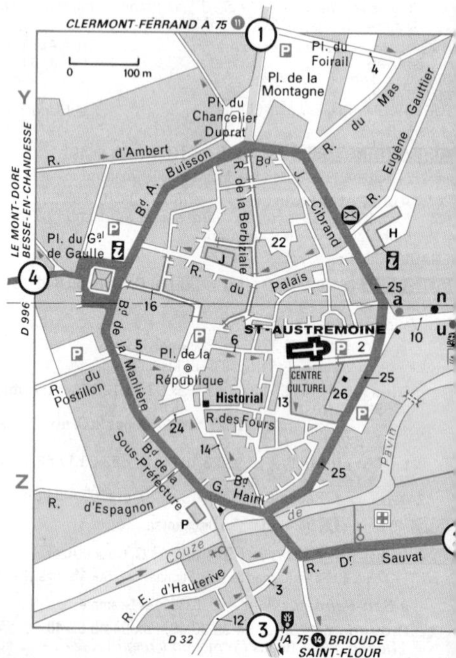

Une réservation confirmée par écrit est toujours plus sûre.

Grilotel, Z.A.C. des Prés (ctre comm. Continent) NE : 1,5 km par D 716 ou D 9 ℘ 73 89 60 76, Fax 73 89 41 83, – . AE GB
Repas *(fermé dim. midi de déc. à mars)* 59/125, enf. 30 – 30 – **36 ch** 195 – ½ P 200.

Tourisme sans rest, 13 av. Gare ℘ 73 89 23 68, Fax 73 89 65 28 – . AE GB
fermé 1er au 15 oct. – 30 – **13 ch** 160/220. YZ **n**

Le Relais avec ch, 1 av. Gare ℘ 73 89 16 61, Fax 73 89 55 62 – . GB. rest
fermé 15 au 31 oct., 15 au 28 fév., dim. soir et lundi hors sais. – **Repas** 58/158, enf. 40 – 30 – **6 ch** 175/250 – ½ P 190/220. YZ **a**

Le Parc avec ch, 2 av. Gare ℘ 73 89 23 85, Fax 73 89 44 76, , – . GB
Repas *(fermé sam. midi)* 102/230 – 49 – **7 ch** 290. Z **u**

à Parentignat par ② : 4 km – 398 h. alt. 314 – ✉ **63500** :

Tourette, ℘ 73 55 01 78, Fax 73 89 65 62, – . GB. ch
fermé vacances de Toussaint, de Noël, vend. soir et sam. sauf du 1er juil. au 15 sept. – **Repas** 82/205 – 34 – **36 ch** 215/300 – ½ P 250/265.

à Sarpoil par ② et D 999 : 10 km – ✉ **63490** St-Jean-en-Val :

La Bergerie, ℘ 73 71 02 54 – . AE GB
fermé 9 au 15 sept., janv., dim. soir et lundi – **Repas** (nombre de couverts limité, prévenir) 119/330.

à Perrier par ④ et D 996 : 5 km – 727 h. alt. 415 – ✉ **63500** :

La Cour Carrée, ℘ 73 55 15 55, – . GB
fermé 6 au 30 sept., 22 au 28 déc. et sam. – **Repas** (déj. seul.) 70/250, enf. 50.

CITROEN Issoire diffusion automobiles, rte de Clermont par ① ℘ 73 89 76 86
PEUGEOT Gar. Morette, 66 av. Kennedy par ① ℘ 73 55 02 44
RENAULT Gar. Granval, rte de Clermont par ① ℘ 73 89 22 56 N ℘ 73 55 41 48

VAG Issoire-Autos, rte de St-Germain-Lembron ℘ 73 89 23 08

Euromaster, 63 bd Kennedy ℘ 73 89 18 83
Pneu Service Issoirien, 42 av. de la Libération ℘ 73 89 05 27

ISSONCOURT 55 Meuse 56 ⑳ – 119 h alt. 260 – ✉ 55220 Souilly.

Paris 264 – Bar-le-Duc 24 – St-Mihiel 29 – Verdun 28.

Relais de la Voie Sacrée avec ch, ℘ 29 70 70 46, Fax 29 70 75 75, , – . GB
fermé 20 janv. au 8 mars, dim. soir de nov. à Pâques et lundi – **Repas** 85/260, enf. 65 – 38 – **7 ch** 220/250 – ½ P 300/330.

ISSOUDUN 36100 Indre 68 ⑨ G. Berry Limousin – 13 859 h alt. 130.

Voir Musée St-Roch : arbre de Jessé★ dans la chapelle et apothicairerie★ AB.

18 des Sarrays ℘ 54 49 54 49, S : 12 km par ⑤.

Office de Tourisme pl. St-Cyr ℘ 54 21 74 57.

Paris 245 ① – Bourges 35 ② – Châteauroux 29 ⑤ – ♦Tours 127 ① – Vierzon 33 ①.

Plan page suivante

H. La Cognette M, r. Minimes ℘ 54 21 21 83, Fax 54 03 13 03 – . AE GB JCB A **e**
voir rest. ***La Cognette*** ci-après – 60 – **11 ch** 330/650, 3 appart – ½ P 400/600.

France et rest. Les Trois Rois, 3 r. P. Brossolette ℘ 54 21 00 65, Fax 54 21 50 61 – . AE GB JCB A **s**
fermé mi-sept. à mi-oct., dim. soir et mardi – **Repas** 80/130, enf. 65 – 35 – **17 ch** 180/260.

Campanile M, par ② : N 151 ℘ 54 21 06 40, Fax 54 21 20 33, – – 25. AE GB
Repas 84 bc/107 bc, enf. 39 – 39 – **40 ch** 270.

✿ **Rest. La Cognette** -Hôtel La Cognette- (Nonnet), bd Stalingrad ℘ 54 21 21 83, Fax 54 03 13 03 – . AE GB JCB A **z**
fermé 6 au 29 janv., dim. soir et lundi hors sais. sauf fériés – **Repas** (prévenir) 200 bc/420 et carte 260 à 390
Spéc. Crème de lentilles aux truffes. Carpe farcie à l'ancienne. Poulet aux escargots et ravioli. **Vins** Bourgueil, Reuilly.

à Diou par ① : 12 km sur D 918 – 212 h. alt. 130 – ✉ **36260** :

L'Aubergeade, rte Issoudun ℘ 54 49 22 28, , – . GB
fermé merc. soir et dim. soir – **Repas** 95/195 bc.

PEUGEOT Gar. Fougere, rte de Châteauroux à St-Aoustrille par ⑤ ℘ 54 21 03 24

Euromaster, N 151, rte de Bourges ℘ 54 21 02 68

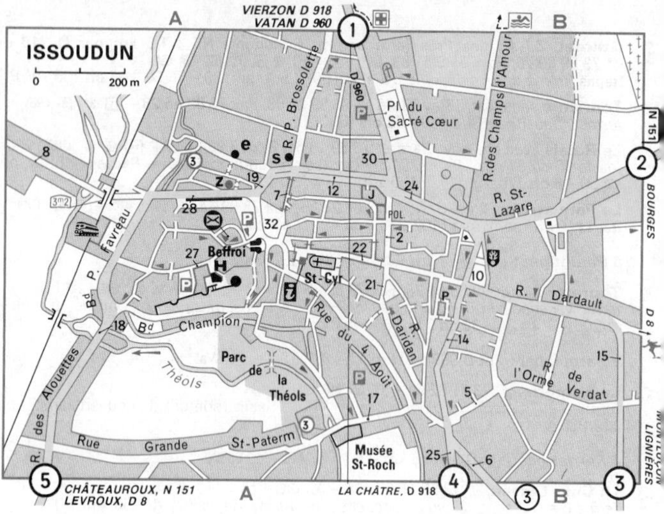

ISSOUDUN

Casanova (R. D.)	A 7		Chinault (Av. de)	A 8		Ponts (R. des)	A 18
Dormoy (Bd M.)	A 12		Croix-de-Pierre (Pl. de la)	B 10		Poterie (R. de la)	A 19
République (R. de la)	AB 22		Fossés-de-Villatte (R. des)	B 14		Quatre-Vents (R. des)	B 21
10-Juin (Pl. du)	A 32		Gaulle (Av. Ch. de)	B 15		Roosevelt (Bd Prés.)	B 24
Avenir (R. de l')	B 2		Hospices St-Roch (R.)	B 17		St-Martin (R.)	B 25
Bons-Enfants (R. des)	B 5					Sémard (R. P.)	A 27
Capucins (R. des)	B 6					Stalingrad (Bd de)	A 28
						Trois-Places (R. des)	B 30

Antes de ponerse en carretera, consulte el mapa Michelin nº 911 "FRANCIA - Grandes Itinerarios".
En él encontrará :
– distancias kilométricas,
– duraciones medias de los recorridos,
– zonas de "atascos" e itinerarios alternativos,
– gasolineras abiertas durante las 24 horas del dia...
Su viaje será más económico y seguro.

ISSY-LES-MOULINEAUX **92** Hauts-de-Seine 60 ⑩, 101 ㉕ – voir à Paris, Environs.

ISTRES <SP> **13800** B.-du-R. 84 ① **G. Provence** – 35 163 h alt. 32.

Office de Tourisme 30 allées J.-Jaurès ✆ 42 55 51 15, Fax 42 56 59 50.

Paris 746 ③ – ◆ Marseille 53 ② – Arles 44 ③ – Martigues 15 ② – St-Rémy-de-Provence 38 ① – Salon-de-Provence 23 ②.

Plan page ci-contre

Le Castellan sans rest, pl. Ste-Catherine ✆ 42 55 13 09, Fax 42 56 91 36 – TV ☎ P. GB AX
☕ 32 – **17 ch** 255/290.

Peyreguet sans rest, bd J.J. Prat ✆ 42 55 04 52, Fax 42 55 66 41 – TV ☎ P. AE GB AY
☕ 28 – **25 ch** 160/220.

XX **St-Martin,** Port des Heures Claires, SE : 3 km ✆ 42 56 07 12, Fax 42 56 04 59, ≤, – GB BZ
fermé nov., mardi soir et merc. – **Repas** 160/220.

CITROEN Gar. Clavel, bd J.-J.-Prat ✆ 42 11 01 01 N ✆ 91 97 02 56
RENAULT S.I.D.A., Carrefour F. Gouin et Radoff Zell, ✆ 42 56 91 22 N ✆ 05 05 15 15

Morcel Pneus, 12 ch. de Tivoli ✆ 42 56 34 46

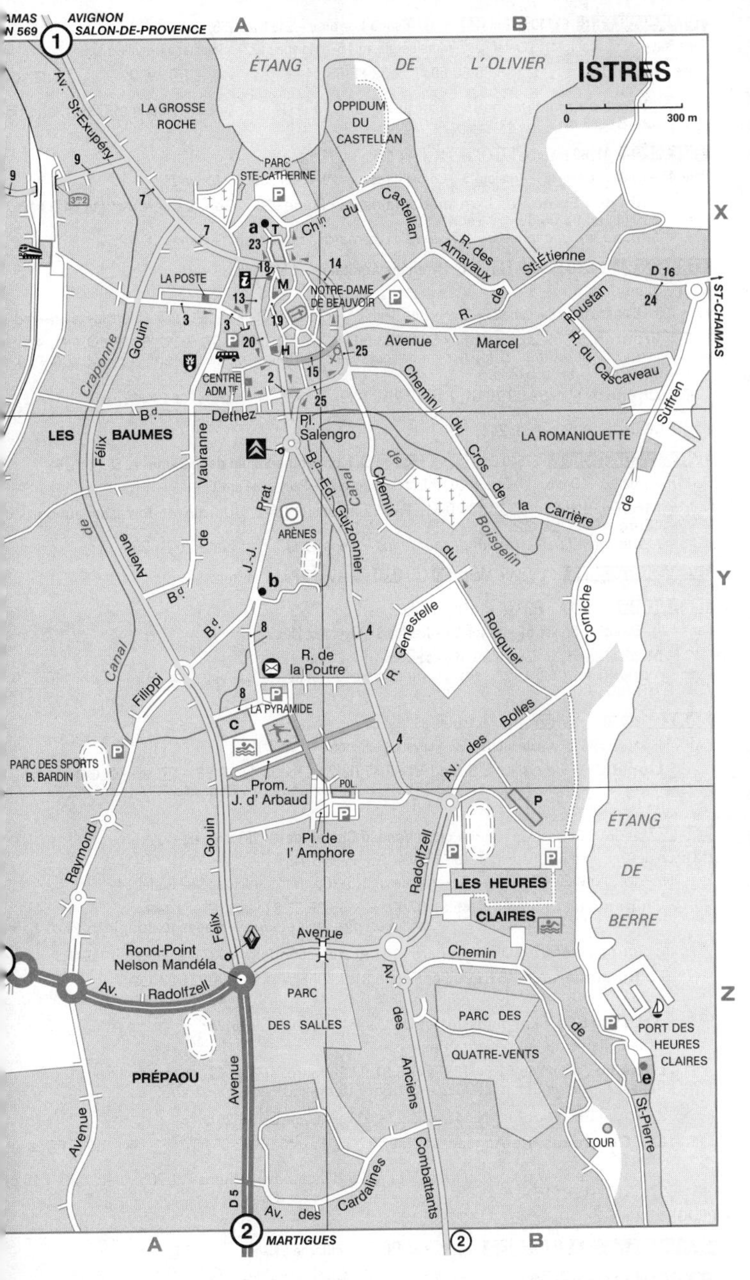

Boucher (Av. H.) . . . . AX 2
Briand (Av. A.) . . . . AX 3
Chave (Av. Alderic) . . . . BY 4
Craponne (Av. A. de) . . . . . . AX 7
Equerre (R. de l') . . . . BY 8
Guynemer (Av. G.) . . . . AX 9
Jaurès (Allée J.) . . . . AX 13
Mistral (Bd F.) . . . . ABX 14
Painlevé (Bd P.) . . . . ABX 15
Porte d'Arles (Pl. de la) . . . . AX 18
Puits-Neuf (Pl. du) . . . . AX 19
République (Bd de la) . . . . . AX 20
Ste-Catherine (R.) . . . . AX 23
St-Chamas (Rte de) . . . . BX 24
Victor-Hugo (Bd) . . . . ABX 25

ITTERSWILLER 67140 B.-Rhin 62 ⑨ G. Alsace Lorraine – 248 h alt. 235.

Paris 503 – ♦Strasbourg 41 – Erstein 23 – Mittelbergheim 4,5 – Molsheim 27 – Sélestat 14 – Villé 13.

Arnold M, 88 85 50 58, Fax 88 85 55 54, ←, – TV P – 40. AE GB ch
- *Winstub Arnold (fermé dim. soir du 1er nov. au 31 juil. et lundi)* **Repas** 95/398, enf. 65 – 48 – **28 ch** 440/695 – ½ P 400/550.

ITTEVILLE 91760 Essonne 61 ① 106 ㊸ – 4 685 h alt. 72.

Paris 44 – Fontainebleau 36 – Arpajon 13 – Corbeil-Essonnes 20 – Étampes 19 – Melun 28.

Aub. de l'Épine, N : 3 km, au domaine de l'Épine (29 r. Gén.-Leclerc) (1) 64 93 10 7 Fax (1) 64 93 09 89, – GB.
fermé août, vacances de fév., lundi soir, mardi soir et merc. – **Repas** 160/220.

ITXASSOU 64250 Pyr.-Atl. 85 ③ G. Pyrénées Aquitaine – 1 563 h alt. 39.

Voir Église★.

Paris 795 – Biarritz 26 – ♦Bayonne 23 – Cambo-les-Bains 6,5 – Pau 121 – St-Jean-de-Luz 33 – St-Jean-Pied-de-Port 3

Fronton, 59 29 75 10, Fax 59 29 23 50, ←, – TV P. AE GB. ch
fermé 1er janv. au 15 fév. et merc. hors sais. – **Repas** 90/208, enf. 42 – 27 – **14 c** 235/265 – ½ P 265/285.

Chêne, 59 29 75 01, Fax 59 29 27 39, ←, – P. GB. rest
fermé 1er janv. au 1er mars, lundi et mardi sauf juil.-août – **Repas** 75/190, enf. 45 – 30 **16 ch** 170/230 – ½ P 245.

IVRY-LA-BATAILLE 27540 Eure 55 ⑰ 106 ⑬ G. Normandie Vallée de la Seine – 2 563 h alt. 54.

Paris 76 – Anet 5,5 – Dreux 21 – Évreux 30 – Mantes-la-Jolie 24 – Pacy-sur-Eure 17.

Moulin d'Ivry, 32 36 40 51, Fax 32 26 05 15, « Jardin et terrasse au bord d l'Eure » – P. AE GB
fermé fév., dim. soir et lundi sauf fériés – **Repas** 165/300 et carte 250 à 360.

IVRY-SUR-SEINE 94 Val-de-Marne 61 ①, 101 ㉖ – voir à Paris, Environs.

IZERNORE 01580 Ain 74 ④ – 1 170 h alt. 452.

Paris 480 – Bourg-en-Bresse 51 – ♦Lyon 93 – Nantua 9 – Oyonnax 11,5.

Michaillard, 74 76 96 46 – P. ch
fermé 16 août au 15 sept. et lundi soir – **Repas** 60/170 – 29 – **13 ch** 110/220 ½ P 140/200.

JANZÉ 35150 I.-et-V. 63 ⑦ – 4 500 h alt. 83.

Paris 336 – ♦Rennes 25 – Châteaubriant 32 – Laval 63 – Redon 64 – Vitré 31.

Lion d'Or avec ch, r. A. Briand 99 47 03 21, Fax 99 47 29 88 – TV. GB
fermé 31 août au 17 sept., 2 au 16 fév., dim. soir et lundi – **Repas** 68/160, enf. 42 – 20 **8 ch** 100/250.

JARNAC 16200 Charente 72 ⑫ G. Poitou Vendée Charentes – 4 786 h alt. 26.

Office de Tourisme pl. Château 45 81 09 30, Fax 45 36 52 45.

Paris 455 – Angoulême 29 – Barbezieux 28 – ♦Bordeaux 110 – Cognac 15 – Jonzac 38 – Ruffec 54.

Château, pl. Château 45 81 07 17, Fax 45 35 35 71 – . AE GB
fermé août, vacances de fév., sam. midi, dim. soir et lundi – **Repas** 100 (déj.), 150/220.

à Bourg-Charente O : 6 km par N 141 et rte secondaire – 722 h. alt. 14 – ✉ **16200** :

La Ribaudière, 45 81 30 54, Fax 45 81 28 05, – P. AE GB
fermé 15 janv. au 15 fév., dim. soir hors sais. et lundi – **Repas** 125/290 et carte 250 à 320.

à Bassac SE : 7 km par N 141 et D 22 – 464 h. alt. 20 – ✉ **16120** :.

Voir Église★ de l'abbaye de Bassac.

L'Essille, 45 81 94 13, Fax 45 81 97 26, parc – TV P. GB
Repas *(fermé dim. soir)* 100/220 – 35 – **10 ch** 250/340 – ½ P 280/320.

à Vibrac SE 11 km par N 141 et D 22 – 223 h. alt. 25 – ✉ **16120** :

Les Ombrages, rte Angeac 45 97 32 33, Fax 45 97 32 05, – TV P GB.
fermé 10 déc. au 5 janv., dim. soir et lundi d'oct. à avril – **Repas** 72/205 – 35 – **10 c** 270/315 – ½ P 205/270.

PEUGEOT Gar. Forgeau, 45 81 18 35

JARVILLE-LA-MALGRANGE 54 M.-et-M. 62 ⑤ – rattaché à Nancy.

JAVRON 53 Mayenne 60 ① – 1 400 h alt. 176 – ✉ **53250** Javron-les-Chapelles.

Paris 227 – Alençon 36 – Bagnoles-de-l'Orne 20 – ♦Le Mans 66 – Mayenne 25.

La Terrasse, 43 03 41 91 – GB
fermé janv., dim. soir et lundi sauf fériés – **Repas** 98/195 et carte environ 230, enf. 45.

ERSEY (Ile de) ★★ Ile 54 ⑤ **G. Normandie Cotentin.**

ccès par transports maritimes pour **St-Hélier (réservation indispensable).**

depuis **St-Malo.** (réservation obligatoire) : par car-ferry - Traversée 1 h 15 mn – Renseignements et tarifs à Emeraude Lines, Terminal Ferry du Naye (St-Malo) ✆ 99 40 48 40, Fax 9 40 04 43.

depuis **St-Malo.** Catamaran (traversée : 1 h 15 mn) par Emeraude Lines, Gare Maritime e la Bourse (St-Malo) ✆ 99 40 48 40, Fax 99 40 57 47 – Hydroglisseur (traversée : 1 h) par ondor Ferries. Renseignements : Morvan Fils Voyages, Gare Maritime de la Bourse (St-Malo) ✆ 99 20 03 00, Fax 99 56 39 27.

depuis **Granville.** Service saisonnier en catamaran (traversée 1 h 10 mn) par Emeraude nes ✆ 33 52 61 39, Fax 33 53 51 57.

epuis **Carteret et Portbail** (réservation recommandée) rotations saisonnières - Traversée) mn - renseignements à Emeraude Lines ✆ 33 52 61 39, Fax 33 53 51 57.

ervice aérien avec Paris Roissy I ✆ (1) 42 96 02 44 et Dinard ✆ 99 46 22 81 par Jersey uropean Airways, avec Cherbourg ✆ 33 22 91 32 et Dinard ✆ 99 46 70 28 par Aurigny Air ervices.

Ressources hôtelières : voir Guide Rouge Michelin : **Great Britain and Ireland**

OIGNY **89300** Yonne 65 ④ **G. Bourgogne** – 9 697 h alt. 79.

oir Vierge au sourire★ dans l'église St-Thibault A **E** – Côte St-Jacques ⩽★ 1,5 km par D 20 A.

nv. Laduz : musée rural des arts populaires★ S : 15 km.

du Roncemay ✆ 86 73 68 87, 18 km par ④.

Office de Tourisme 4 quai H.-Ragobert ✆ 86 62 11 05, Fax 86 91 76 38.

aris 147 ⑤ – Auxerre 27 ③ – Gien 75 ⑤ – Montargis 62 ⑤ – Sens 31 ⑥ – Troyes 77 ②.

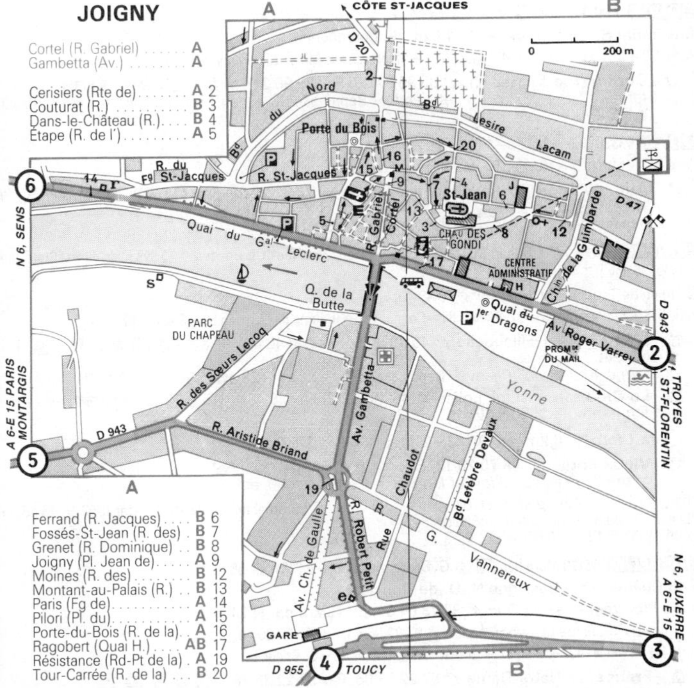

⌂⌂⌂ ✿✿✿ **La Côte St-Jacques** (Lorain) M ⚘, 14 fg Paris ✆ 86 62 09 70, Fax 86 91 49 70, ⩽, « Belle décoration intérieure », ⛱, 🚗 – ⫶ ▤ TV ☎ 🚗 P – 🏊 30. AE ◑ GB A r

Repas (dim. prévenir) **380** (déj.)/720 et carte 540 à 730, enf. 180 – ☕ 110 – **25 ch** 720/1750, 4 appart

Spéc. Huîtres bretonnes en petite terrine océane. Noix de Saint-Jacques, endives et chanterelles. Poularde de Bresse à la vapeur de champagne. **Vins** Chardonnay, Irancy.

🏨 **Le Rive Gauche** Ⓜ 🐦, r. Port au Bois ✆ 86 91 46 66, Fax 86 91 46 93, ←, 🏞, 🌳, 🎾 | 🛗 ▤ rest 📺 ☎ ♿ 🅿 – 🎪 25 à 50. AE GB A
Repas 98/260 bc, enf. 65 – ☕ 50 – **42 ch** 250/660 – ½ P 310/410.

🏨 **Modern'H. Godard,** 17 av. R. Petit ✆ 86 62 16 28, Fax 86 62 44 33, 🏞, 🏊 – 📺 ☎ 🅿 – 🎪 30. AE ⓓ GB JCB A
Repas 140/360, enf. 120 – ☕ 45 – **21 ch** 195/500 – ½ P 468.

à Épineau-les-Voves par ③ : 7,5 km – 659 h. alt. 92 – ✉ 89400 :

XX **L'Orée des Champs,** N 6 ✆ 86 91 20 39, Fax 86 91 24 92, 🏞, 🌳 – 🅿. GB
fermé 26 août au 6 sept., vacances de fév., mardi soir et merc. – **Repas** 72/174 🍷, enf. 40.

CITROEN Joigny Automobiles, N 6 à Champlay par ③ ✆ 86 62 06 45
RENAULT Gar. Busset, 31 r. d'Aillant-sur-Tholon à Senan par ④ ✆ 86 63 41 66 🅽 ✆ 86 63 41 66
RENAULT Gar. Moutardier, à Sépeaux par ⑤ ✆ 86 73 13 25
RENAULT Jovinienne Auto Saja, Rte de Migenne par ② ✆ 86 62 22 00 🅽 ✆ 05 05 15 15
VAG Autom. Fournet, 29 r. A.-Briand ✆ 86 62 09
Ⓜ Jeandot, 9 av. R.-Petit ✆ 86 62 18 84

JOINVILLE 52300 H.-Marne 62 ① G. Champagne – 4 755 h alt. 195.

Voir Château du Grand Jardin★.

ℹ Office de Tourisme r. A.-Briand ✆ 25 94 17 90.

Paris 239 – Bar-le-Duc 44 – Bar-sur-Aube 47 – Chaumont 43 – Neufchâteau 51 – St-Dizier 32 – Toul 73 – Troyes 94.

🏨 **Soleil d'Or,** 9 r. Capucins ✆ 25 94 15 66, Fax 25 94 39 02 – ▤ 📺 ☎ 📞 ♿ 🚗. AE ⓓ G
fermé 29 juil. au 5 août, 24 fév. au 3 mars, lundi (sauf hôtel) et dim. soir – **Repas** 95/320 ☕ 55 – **17 ch** 220/440 – ½ P 280/360.

XX **Poste** avec ch, pl. Grève ✆ 25 94 12 63, Fax 25 94 36 23 – 📺 ☎ 📞 🚗. AE ⓓ GB
fermé 10 janv. au 1er fév. – **Repas** 80/230 🍷, enf. 45 – ☕ 25 – **10 ch** 220/300.

JOINVILLE-LE-PONT 94 Val-de-Marne 61 ①, 101 ㉗ – voir à Paris, Environs.

JONCY 71460 S.-et-L. 69 ⑱ – 424 h alt. 236.

Env. Mont St-Vincent ✻★★ O : 12 km, G. Bourgogne.

Paris 372 – Chalon-sur-Saône 34 – Mâcon 51 – Montceau-les-Mines 25 – Paray-le-Monial 45.

XX **Commerce** Ⓜ avec ch, ✆ 85 96 27 20, Fax 85 96 21 76, 🏞 – 📺 ☎ 📞 🅿. GB
fermé 1er oct. au 5 nov. et vend. – **Repas** 85/290 🍷, enf. 55 – ☕ 40 – **9 ch** 250/330 ½ P 240/300.

JONS 69330 Rhône 74 ⑫ – 1 001 h alt. 205.

Paris 480 – ♦Lyon 27 – Meyzieu 9 – Montluel 8 – Pont-de-Chéruy 13.

🏨 **Aub. de Jons** Ⓜ, rte de Montluel : 1 km ✆ 78 31 29 85, Fax 72 02 48 24, ←, 🏞, 🏊, 🎾 ▤ rest 📺 ☎ ♿ 🅿 – 🎪 40. AE ⓓ GB
Repas *(fermé dim. soir)* 125/320 – ☕ 40 – **26 ch** 380/420 – ½ P 350.

JONZAC ⟨SP⟩ 17500 Char.-Mar. 71 ⑥ G. Poitou Vendée Charentes – 3 998 h alt. 40 – Stat. therr (19 fév.-30 nov.).

ℹ Office de Tourisme pl. Château ✆ 46 48 49 29.

Paris 513 – Angoulême 55 – ♦Bordeaux 84 – Cognac 35 – Libourne 83 – Royan 59 – Saintes 40.

🏨 **L'Ecu** Ⓜ, 3 pl. Fillaudeau ✆ 46 48 50 56, Fax 46 48 43 49, 🏞 – 🛗 📺 ☎ ♿ 🅿 – 🎪 30. A ⓓ GB
fermé 10 déc. au 10 janv. – **Repas** 60/140 🍷 – ☕ 27 – **26 ch** 215/255 – ½ P 275.

🏨 **Le Club** sans rest, pl. Église ✆ 46 48 02 27, Fax 46 48 17 15 – 📺 ☎ 🚗. GB. 🐕
fermé nov. – ☕ 28 – **10 ch** 175/270.

à Clam N : 6 km par D 142 – 237 h. alt. 67 – ✉ 17500 :

XX **Vieux Logis,** ✆ 46 70 20 13, Fax 46 70 20 64, 🏞 – 🅿. GB
fermé 27 janv. au 10 fév. et lundi soir – **Repas** 85/190, enf. 58.

CITROEN Gar. Mallet, ✆ 46 48 00 04
PEUGEOT Belot, Pl du Champ de Foire ✆ 46 48 08 77 🅽 ✆ 46 97 36 32
Ⓜ Euromaster, 30 av. du 19 Mai 1962 ✆ 46 48 35 0

JOSSELIN 56120 Morbihan 63 ④ G. Bretagne (plan) – 2 338 h alt. 58.

Voir Château★★ – Basilique N.-D.-du-Roncier★.

⛳ de Ploermel - Lac au Duc ✆ 97 73 64 64, E : 12 km par N 24.

ℹ Office de Tourisme pl. Congrégation ✆ 97 22 36 43, Fax 97 22 20 44.

Paris 422 – Vannes 43 – Dinan 87 – Lorient 76 – ♦Rennes 78 – St-Brieuc 80.

🏨 **France,** pl. Notre-Dame ✆ 97 22 23 06, Fax 97 22 35 78 – 📺 ☎ 🅿. AE GB
fermé dim. soir et lundi du 15 oct. au 15 mars – **Repas** 81/100, enf. 53 – ☕ 35 – **20 c** 240/380 – ½ P 252/295.

🏨 **Château,** ✆ 97 22 20 11, Fax 97 22 34 09, ← – 📺 ☎ 🚗 🅿. AE ⓓ GB
fermé 23 au 30 déc. et fév. – **Repas** 80/210 🍷 – ☕ 35 – **36 ch** 195/320 – ½ P 260/335.

CITROEN Gar. Joubard, ✆ 97 22 23 04

JOUARRE 77 S.-et-M. 56 ⑬ – rattaché à La Ferté-sous-Jouarre.

JOUCAS 84220 Vaucluse 81 ⑬ – 258 h alt. 263.

Paris 719 – Apt 14 – Avignon 39 – Carpentras 31 – Cavaillon 20.

Host. le Phébus ⑤, rte Murs ✆ 90 05 78 83, Fax 90 05 73 61, ≤ le Luberon, ☂, ⛱, ⛰, ✂ – ▤ ch ☐ ☎ ♿ P. AE GB
15 mars-oct. – **Repas** 160/345 – ☐ 75 – **17 ch** 735/1080, 5 appart – ½ P 760/925.

✿ **Mas des Herbes Blanches** ⑤, rte Murs : 2,5 km ✆ 90 05 79 79, Fax 90 05 71 96, ≤ le Luberon, ☂, ⛱, ✂ – ▤ ch ☐ ☎ ⛟ P – 🏛 25. AE ⓓ GB JCB
fermé 2 janv. au 8 mars – **Repas** 280 (déj.)/385 et carte 330 à 480 – ☐ 85 – **16 ch** 915/1890, 3 appart – ½ P 905/1390
Spéc. Tarte fine aux langoustines et coulis de poivrons doux (mars-juin). Escalope de foie gras poêlée au vinaigre de framboises et sa pomme dorée au miel de lavande. Gratin de fraises des bois au citron vert et sa tuile géante. **Vins** Côtes du Luberon, Côtes du Ventoux.

Mas du Loriot M ⑤, rte Murs : 4 km ✆ 90 72 62 62, Fax 90 72 62 54, ≤ le Luberon, ☂, ⛱ – ☐ ☎ P. GB
fermé fév. – **Repas** (prévenir)(dîner seul.) 180 – ☐ 70 – **6 ch** 490/500 – ½ P 498.

JOUÉ-LÈS-TOURS 37 I.-et-L. 64 ⑮ – rattaché à Tours.

JOUGNE 25370 Doubs 70 ⑦ **G. Jura** – 1 162 h alt. 1001 – Sports d'hiver : voir Métabief.

Paris 457 – ◆Besançon 79 – Champagnole 46 – Lausanne 47 – Morez 53 – Pontarlier 20.

Couronne, ✆ 81 49 10 50, ⛰ – ☎. GB. ✻ ch
fermé 25 oct. au 30 nov., dim. soir et lundi hors sais. – **Repas** 90/190, enf. 50 – ☐ 32 – **14 ch** 190/230 – ½ P 260/270.

à Entre-les-Fourgs SE : 4,5 km par D 423 – ✉ **25370** Les Hôpitaux-Neufs :

Les Petits Gris ⑤, ✆ 81 49 12 93, Fax 81 49 13 93, ≤, ⛰ – ☎. ⓓ GB. ✻ ch
fermé 16 sept. au 6 oct. – **Repas** *(fermé merc.)* 75/175 ♁, enf. 50 – ☐ 42 – **13 ch** 300 – ½ P 270/310.

Get your copy of the **Michelin Green Guide** *to* **Scotland.**

JOYEUSE 07260 Ardèche 80 ⑧ **G. Vallée du Rhône** – 1 411 h alt. 180.

Voir Corniche du Vivarais Cévenol★★ O.

ℹ Office de Tourisme D 104 ✆ 75 39 56 76, Fax 75 39 58 87.

Paris 653 – Alès 52 – Mende 96 – Privas 52.

Les Cèdres, ✆ 75 39 40 60, Fax 75 39 90 16, ⛱, ⛰ – 🛗 ▤ ☐ ☎ ♿ P – 🏛 30. AE ⓓ GB
15 avril-15 oct. – **Repas** 70/175, enf. 45 – ☐ 39 – **45 ch** 250/300 – ½ P 300.

au Gua NO : 12 km par D 203 et rte secondaire – ✉ **07110** Joyeuse :

La Guaribote ⑤ avec ch, ✆ 75 39 44 09, Fax 75 39 55 89, ≤, « En bordure de la Beaume » – ▤ rest ☎ P. ⓓ GB
1er avril-30 sept. – **Repas** 98/195 – ☐ 39 – **12 ch** 260/460, 4 duplex – ½ P 285.

RENAULT Gar. Duplan, ✆ 75 39 43 91 — Ⓜ Thomas, ✆ 75 39 40 00

JUAN-LES-PINS 06160 Alpes-Mar. 84 ⑨ 115 ㉟ ㊴ **G. Côte d'Azur** – alt. 2 – Casino Eden Beach B.

ℹ Office de Tourisme 51 bd Ch. Guillaumont ✆ 92 90 53 05.

Paris 914 ② – Cannes 8,5 ③ – Aix-en-Provence 158 ② – ◆Nice 27 ①.

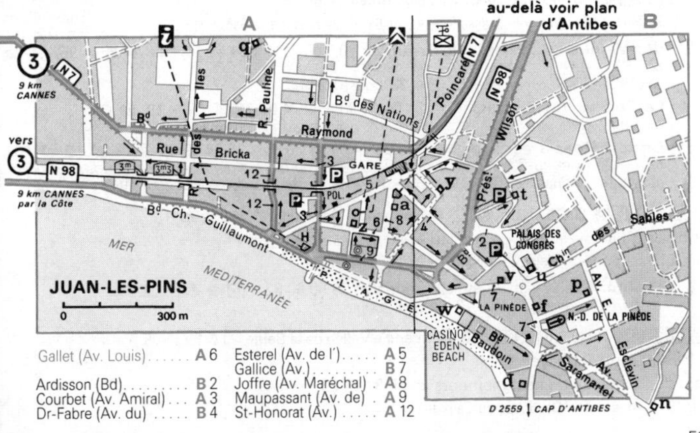

Gallet (Av. Louis)	A 6	Esterel (Av. de l')	A 5
		Gallice (Av.)	B 7
Ardisson (Bd)	B 2	Joffre (Av. Maréchal)	A 8
Courbet (Av. Amiral)	A 3	Maupassant (Av. de)	A 9
Dr-Fabre (Av. du)	B 4	St-Honorat (Av.)	A 12

Juana et rest. La Terrasse, la Pinède, av. G. Gallice 93 61 08 70, Télex 470778, Fax 93 61 76 60, – ch. AE GB B
avril-fin oct. – **Repas** *(fermé merc. sauf juil.-août et fériés)* 260 (déj.), 395/620 et carte 500 à 670 – 95 – **45 ch** 950/2050, 5 appart – ½ P 845/1425
Spéc. Cannelloni de supions et palourdes à l'encre de seiche. Selle d'agneau de Pauillac cuite en terre d'argile. Millefeuille aux fraises des bois à la crème de mascarpone. **Vins** Côtes de Provence, Palette.

Belles Rives, bd du Littoral 93 61 02 79, Fax 93 67 43 51, mer et massif de l'Estérel, – AE GB. rest B
1er avril-10 oct. – **Repas** (dîner seul.) – carte 300 à 360 ***Plage Belles Rives*** *(déj. seul.)* **Repas** 190, enf. 110 – 110 – **41 ch** 750/2350, 4 appart – ½ P 1130/1555.

Garden Beach H. M, 15 bd Baudoin 92 93 57 57, Télex 470888, Fax 92 93 57 56, – 40. AE GB. rest B
Repas (dîner seul.) 150/195 – 95 – **156 ch** 950/1900, 15 appart – ½ P 710/855.

Ambassadeur M, 50 chemin des Sables 93 67 82 15, Télex 461164, Fax 93 67 79 85, – 30 à 150. AE GB JCB. rest B
Cézanne : **Repas** 180/400 bc – ***Brasserie Le Gauguin :*** **Repas** carte environ 150, enf. 60 – 9 – **235 ch** 750/1150 – ½ P 750/850.

Beauséjour sans rest, av. Saramartel 93 61 07 82, Fax 93 61 86 78, – AE GB B
15 avril-30 sept. – 50 – **30 ch** 700/1150.

Mimosas sans rest, r. Pauline 93 61 04 16, Fax 92 93 06 46, « Parc », – GB. A
1er avril-30 sept. – 50 – **34 ch** 470/620.

Ste-Valérie, r. Oratoire 93 61 07 15, Fax 93 61 47 52, – ch. AE GB. rest B
26 avril-30 sept. – **Repas** 115 – 40 – **30 ch** 520/840 – ½ P 410/545.

Welcome sans rest, 7 av. Dr Hochet 93 61 26 12, Fax 93 61 38 04, – AE GB B
mars-oct. – 48 – **29 ch** 450/720.

Astoria M, 15 av. Mar. Joffre 93 61 23 65, Fax 93 67 10 40 – 25. AE GB. rest A
Repas 120 – 55 – **49 ch** 560/750 – ½ P 530.

Pré Catelan, 22 av. Lauriers 93 61 05 11, Fax 93 67 83 11, – AE GB JCB. ch B
Repas *(fermé 12 nov. au 22 déc., 10 janv. au 10 fév. et lundi sauf vacances scolaires)* 140/205 – 45 – **18 ch** 400/500 – ½ P 400/500.

Eden H. sans rest, 16 av. L. Gallet 93 61 05 20, Fax 92 93 05 31 – GB A
15 fév.-2 nov. – 26 – **17 ch** 250/370.

XX **Le Perroquet**, av. G. Gallice 93 61 02 20, – GB B
fermé 6 nov. au 26 déc. – **Repas** 140/160, enf. 60.

CITROEN Gar. St-Charles, 8 r. St-Charles 93 61 08 16

JUILLAC 33890 Gironde 75 ⑬ – 200 h alt. 98.

Paris 607 – Bergerac 42 – ◆Bordeaux 59 – Libourne 28 – La Réole 35.

XX **Belvédère**, E par rte secondaire et D 130 : 4 km 57 47 40 33, Fax 57 47 48 07, AE GB
fermé oct., mardi soir et merc. sauf juil.-août – **Repas** 99 bc (déj.), 135/300, enf. 45.

JULIÉNAS 69840 Rhône 74 ① G. Vallée du Rhône – 703 h alt. 276.

Paris 406 – Mâcon 13 – Bourg-en-Bresse 52 – ◆Lyon 64 – Villefranche-sur-Saône 31.

des Vignes sans rest, rte St-Amour : 0,5 km 74 04 43 70, Fax 74 04 41 95, – GB
fermé dim. soir en hiver – 35 – **22 ch** 210/275.

XX **Le Coq au Vin**, pl. Marché 74 04 41 98, Fax 74 04 41 44, – AE GB
fermé mi-déc. à mi-janv. et merc. de mi-nov. à Pâques – **Repas** 98/210.

X **Chez la Rose** avec ch, pl. Marché 74 04 41 20, Fax 74 04 49 29, – AE GB
fermé 25 nov. au 20 déc., 8 janv. au 19 fév., mardi midi sauf fériés et lundi sauf hôtel en juil.-août – **Repas** 98/300, enf. 65 – 40 – **11 ch** 120/290 – ½ P 250/310.

JULLOUVILLE 50610 Manche 59 ⑦ G. Normandie Cotentin – 2 046 h alt. 60.

Office de Tourisme av. Mar.-Leclerc (juil.-août) 33 61 82 48.

Paris 351 – St-Lô 59 – St-Malo 86 – Avranches 22 – Granville 8,5.

Equinoxe sans rest, 28 av. Libération 33 50 60 82 – AE GB
1er avril-1er nov. – 30 – **12 ch** 260/280.

JUMIÈGES 76118 S.-Mar. 55 ⑤ G. Normandie Vallée de la Seine – 1 641 h alt. 25.

Voir Ruines de l'abbaye★★★.

Bac: de Jumièges : renseignements 35 37 24 23.

Paris 165 – ◆Rouen 27 – Caudebec-en-Caux 14.

X **Aub. des Ruines,** ✆ 35 37 24 05, 🍽 – AE GB
fermé 20 au 30 août, 23 déc. au 5 janv., vacances de fév., dim. soir et lundi – **Repas** *(fermé le soir sauf vend. et sam. du 15 oct. au 31 mars)* 93/240.

UNGHOLTZ 68 H.-Rhin 66 ⑨ – rattaché à Guebwiller.

es JUNIES 46150 Lot 79 ⑦ **G. Périgord Quercy** – 255 h alt. 115.
ris 584 – Cahors 23 – Gourdon 34 – Villeneuve-sur-Lot 55.

XX **La Ribote,** rte Goujounac 2 km ✆ 65 36 25 55, Fax 65 36 28 91, 🍽, « Ancien moulin », – P. AE ⓓ GB
fermé 5 janv. au 12 fév. et merc. du 15 sept. au 30 juin – **Repas** 95/290, enf. 65.

URANÇON 64 Pyr.-Atl. 85 ⑥ – rattaché à Pau.

UVIGNAC 34 Hérault 83 ⑦ – rattaché à Montpellier.

UVIGNY-SOUS-ANDAINE 61140 Orne 60 ① – 1 105 h alt. 200.
aris 241 – Alençon 50 – Argentan 48 – Bagnoles-de-l'Orne 10,5 – Domfront 11 – Mayenne 32.

Forêt, ✆ 33 38 11 77 – ☎. GB
fermé janv. – **Repas** 68/120 🍷 – ☕ 30 – **7 ch** 165/270 – ½ P 220/250.

XX **Au Bon Accueil** avec ch, ✆ 33 38 10 04, Fax 33 37 44 92 – TV ☎ 🚗. GB
fermé 1er fév. au 5 mars, dim. soir et lundi – **Repas** 135/285 – ☕ 40 – **8 ch** 250/325 – ½ P 295.

KATZENTHAL 68230 H.-Rhin 87 ⑰ – 505 h alt. 280.
aris 483 – Colmar 8 – Gérardmer 50 – Munster 18 – St-Dié 52.

A l'Agneau, ✆ 89 80 90 25, Fax 89 27 59 58, 🍽 – ☎ P. GB. ✻ ch
fermé 24 juin au 1er juil. (sauf hôtel) et 20 déc. au 1er mars – **Repas** *(fermé le midi sauf dim. de nov. à mars, mardi midi en sais. et lundi)* 70/280 🍷, enf. 45 – ☕ 35 – **11 ch** 260/290 – ½ P 250/280.

KAYSERSBERG 68240 H.-Rhin 62 ⑱ **G. Alsace Lorraine** (plan) – 2 755 h alt. 242.
Voir Église★ : retable★★ – Hôtel de ville★ – Pont fortifié★ – Maison Brief★.
Office du Tourisme, 39 r. du Gén.-de-Gaulle ✆ 89 78 22 78.
aris 476 – Colmar 12 – Gérardmer 50 – Guebwiller 34 – Munster 22 – St-Dié 45 – Sélestat 25.

✿ **Chambard et sa Résidence** (Irrmann) M 🐕, r. Gén. de Gaulle ✆ 89 47 10 17, Fax 89 47 35 03 – |‡| TV ☎ P. AE GB JCB
fermé 1er au 21 mars – **Repas** *(fermé mardi midi et lundi)* 250/450 et carte 340 à 480 - ***Le Bistrot*** *(fermé mardi midi et lundi)* **Repas** carte 150 à 230 🍷, enf. 60 – ☕ 60 – **20 ch** 500/750 – ½ P 600/650
Spéc. Pot-au-feu de foie d'oie au gros sel. Turbot en écailles au vin rouge. Trois mousses au chocolat. **Vins** Riesling, Tokay-Pinot gris.

Arbre Vert (annexe Belle Promenade 14 ch), ✆ 89 47 11 51, Fax 89 78 13 40 – TV ☎. GB. ✻ ch
fermé 3 janv. au 3 fév. – **Repas** *(fermé lundi)* 120/230 🍷 – ☕ 39 – **22 ch** 310/380 – ½ P 350/375.

Remparts 🐕 sans rest (annexe Les Terrasses M |‡| 11 ch), ✆ 89 47 12 12, Fax 89 47 37 24 – cuisinette TV ☎ 📞 ♿ 🚗 P – 🏛 25. AE GB
☕ 42 – **38 ch** 320/420.

Constantin M 🐕 sans rest, 10 r. Père Kohlman ✆ 89 47 19 90, Fax 89 47 37 82 – |‡| TV ☎ 🚗 – 🏛 25. GB. ✻
☕ 39 – **20 ch** 310/360.

XX **Au Lion d'Or,** ✆ 89 47 11 16, Fax 89 47 19 02, 🍽 – AE GB
fermé 2 au 23 janv., mardi soir de nov. à avril et merc. – **Repas** 98/240 🍷, enf. 60.

XX **La Vieille Forge,** 1 r. Écoles ✆ 89 47 17 51, Fax 89 78 13 53 – ▤. GB
fermé 28 juin au 17 juil., 1er au 9 janv., mardi et merc. sauf fériés – **Repas** 105/270 🍷, enf. 55.

X **Château** avec ch, ✆ 89 78 24 33 – ☎ 📞. GB
fermé 1er au 8 juil., 15 fév. au 5 mars, merc. soir hors sais. et jeudi – **Repas** 80/200 🍷, enf. 55 – ☕ 35 – **8 ch** 150/300 – ½ P 220/285.

à Kientzheim E : 3 km par D 28 – 933 h. alt. 225 – ✉ **68240**.
Voir Pierres tombales★ dans l'église.

Host. Abbaye d'Alspach 🐕 sans rest, ✆ 89 47 16 00, Fax 89 78 29 73, « Ancien couvent du 13e siècle » – TV ☎ P. AE GB
fermé 10 janv. au 15 mars – ☕ 45 – **29 ch** 320/420.

Schwendi, ✆ 89 47 30 50, Fax 89 49 04 49, 🍽 – TV ☎. AE GB
20 mars-20 nov. – **Repas** *(fermé mardi)* 93/220 🍷, enf. 48 – ☕ 34 – **17 ch** 290/350 – ½ P 312/335.

PEUGEOT Gar. Hiltenfinck, ✆ 89 78 23 08 N
✆ 89 47 13 00

RENAULT Gar. Flesch, ✆ 89 47 10 43

KIENTZHEIM 68 H.-Rhin 62 ⑱ ⑲ – rattaché à Kaysersberg.

Le KREMLIN-BICÊTRE 94 Val-de-Marne 61 ①, 101 ㉖ – voir à Paris, Environs.

KREUZWEG (Col du) 67 B.-Rhin 62 ⑧ ⑨ – rattaché au Hohwald.

KRUTH 68820 H.-Rhin 62 ⑱ – 976 h alt. 498.

Voir Cascade St-Nicolas★ SO : 3 km par D 13b1, **G. Alsace Lorraine.**

Paris 461 – Épinal 66 – ◆Mulhouse 38 – Colmar 59 – Gérardmer 30 – Thann 18 – Le Thillot 25.

Aub. de France, rte Oderen ✆ 89 82 28 02, Fax 89 82 24 05, – TV ☎ P. GB
fermé 2 nov. au 10 déc. et jeudi – **Repas** 55 (déj.), 85/210 – ☕ 35 – **16 ch** 180/230 – ½ P 190/200.

RENAULT Gar. du Lac, ✆ 89 82 26 90 N ✆ 89 82 26 90

LABAROCHE 68910 H.-Rhin 62 ⑱ – 1 676 h alt. 750.

Paris 480 – Colmar 19 – Gérardmer 49 – Munster 23 – St-Dié 49.

Tilleul , ✆ 89 49 84 46, – TV ☎ P. GB. rest
fermé 5 janv. au 5 fév. – **Repas** 60 (dîner), 67/130 – ☕ 30 – **32 ch** 260 – ½ P 220.

Gar. Girard, Les Correaux ✆ 89 49 82 68

LABARTHE-INARD 31800 H.-Gar. 86 ② – 762 h alt. 330.

Paris 777 – Bagnères-de-Luchon 57 – Boussens 16 – St-Gaudens 9,5 – St-Girons 33 – ◆Toulouse 81.

Host. du Parc, N 117 ✆ 61 89 08 21, Fax 61 95 99 14, , – ☎ P. GB
fermé 15 janv. à fin fév. et lundi d'oct. à juin sauf fériés – **Repas** 70/260 , enf. 50 – ☕ 32 – **14 ch** 200/260.

LABARTHE-SUR-LÈZE 31 H.-Gar. 82 ⑱ – rattaché à Muret.

LABASTIDE-BEAUVOIR 31450 H.-Gar. 82 ⑲ – 599 h alt. 260.

Paris 722 – ◆Toulouse 24 – Carcassonne 76 – Castres 55 – Pamiers 51.

Aub. du Courdil, ✆ 61 81 82 55, – P. GB
fermé 4 au 31 janv., dim. soir et lundi – **Repas** 55/150 .

LABASTIDE-MURAT 46240 Lot 75 ⑱ **G. Périgord Quercy** – 610 h alt. 447.

Paris 559 – Cahors 31 – Sarlat-la-Canéda 47 – Brive-la-Gaillarde 74 – Figeac 44 – Gourdon 22.

Climat de France, ✆ 65 21 18 80, Fax 65 21 10 97, – TV ☎ . AE GB
fermé 15 déc. au 15 janv. – **Repas** 65 bc (déj.), 90/135 , enf. 40 – ☕ 40 – **20 ch** 330/350.

LABÈGE 31 H.-Gar. 82 ⑱ – rattaché à Toulouse.

LABERGEMENT-FOIGNEY 21 Côte-d'Or 66 ⑬ – rattaché à Genlis.

LAC voir au nom propre du lac.

LACABARÈDE 81240 Tarn 83 ⑫ – 304 h alt. 325.

Paris 757 – Béziers 70 – Carcassonne 66 – Castres 36 – Mazamet 20 – Narbonne 61.

Demeure de Flore , ✆ 63 98 32 32, Fax 63 98 47 56, , parc – TV ☎ P. GB
mars-nov. – **Repas** 85/115 – ☕ 54 – **11 ch** 350/460 – ½ P 374/399.

LACANAU-OCÉAN 33680 Gironde 71 ⑱ **G. Pyrénées Aquitaine.**

Voir Lac de Lacanau★ E : 5 km.

18 de Lacanau ✆ 56 03 25 60, E : 2 km ; 9 la Méjanne ✆ 56 03 28 80.

Paris 636 – ◆Bordeaux 60 – Andernos-les-Bains 42 – Arcachon 86 – Lesparre-Médoc 51.

Aplus H. Village Cheval M , rte Baganais ✆ 56 03 91 00, Fax 56 03 91 10, , parc , , – TV ☎ P – 50. AE GB. rest
fermé janv. et fév. – **Repas** 75 bc/145 – ☕ 50 – **59 ch** 500/600 – ½ P 470.

du Golf , au golf ✆ 56 03 23 15, Fax 56 26 30 57, ≤, , , – TV ☎ P – 50. AE GB
hôtel : 1er avril-30 sept. ; rest : fermé le soir du 1er oct. au 31 mars – **Repas** 100/150 – ☕ 50 – **50 ch** 450/600 – ½ P 470.

Étoile d'Argent, ✆ 56 03 21 07, Fax 56 03 25 29, – TV ☎ P. AE GB
fermé 1er déc. au 15 janv. et lundi sauf vacances scolaires – **Repas** 70/250, enf. 50 – ☕ 35 – **14 ch** 260/350 – ½ P 300/350.

LACAPELLE-MARIVAL 46120 Lot 75 ⑲ ⑳ **G. Périgord Quercy** – 1 201 h alt. 375.

Office de Tourisme pl. Halle ✆ 65 40 81 11.

Paris 561 – Cahors 64 – Aurillac 66 – Figeac 21 – Gramat 20 – Rocamadour 30 – Tulle 82.

Terrasse, ✆ 65 40 80 07, Fax 65 40 99 45, , – TV ☎. GB
fermé 10 janv. au 10 mars, dim. soir et lundi hors sais. – **Repas** 88/210 , enf. 55 – ☕ 38 – **9 ch** 150/275 – ½ P 230/270.

ACAPELLE-VIESCAMP 15150 Cantal 76 ⑪ – 438 h alt. 550.

ris 554 – Aurillac 18 – Figeac 58 – Laroquebrou 11,5 – St-Céré 51.

Lac ⑤, ☎ 71 46 31 57, Fax 71 46 31 64, ≤, 🏊, 🌳 – TV ☎ ♿ P. GB
fermé 1er janv. au 31 mars – **Repas** 85/195 ₰, enf. 40 – ☕ 33 – **23 ch** 260/280 – ½ P 235/255.

ACAUNE 81230 Tarn 83 ③ **G. Gorges du Tarn** – 3 117 h alt. 793 – Casino.

Office de Tourisme pl. Gén.-de-Gaulle ☎ 63 37 04 98.

ris 730 – Albi 68 – Béziers 84 – Castres 46 – Lodève 72 – Millau 72 – ♦Montpellier 131.

H. Fusiès, r. République ☎ 63 37 02 03, Fax 63 37 10 98, ⛱, 🏊, 🌳 – |♦| ☎ – 🏃 30. AE ⓓ GB JCB
fermé dim. soir du 15 nov. au 15 mars – **Repas** 92/320 ₰, enf. 68 – ☕ 42 – **56 ch** 270/330 – ½ P 320/350.

Calas, pl. Vierge ☎ 63 37 03 28, Fax 63 37 09 19, 🏊, 🌳 – TV ☎. AE ⓓ GB
fermé 22 déc. au 15 janv., vend. soir et sam. midi d'oct. à avril – **Repas** 72/206 ₰, enf. 52 – ☕ 26 – **16 ch** 175/300 – ½ P 240/330.

TROEN Gar. Milhau, ☎ 63 37 06 08
ЕUGEOT Gar. Rouquette, ☎ 63 37 00 16 N
' 63 37 00 16

Ⓜ Nicouleau Pneus, ☎ 63 37 02 48

ACAVE 46200 Lot 75 ⑱ – 241 h alt. 130.

oir Grottes★ – Site★ du château de Belcastel O : 2,5 km, **G. Périgord Quercy.**

ıris 532 – Brive-La-Gaillarde 47 – Sarlat-La-Canéda 39 – Cahors 60 – Gourdon 25 – Rocamadour 11,5.

Château de la Treyne ⑤, O : 3 km par D 43 et voie privée ☎ 65 27 60 60, Fax 65 27 60 70, ≤, ⛱, « Dans un parc dominant la Dordogne », 🏊, 🌳, 🎾 – ▤ ch TV ☎ P. AE ⓓ GB
fin mars-mi-nov. – **Repas** *(fermé merc. midi et jeudi midi sauf juil.-août)* 180 bc (déj.), 280/380 – ☕ 80 – **14 ch** 700/1800 – ½ P 840/1250.

XXX ✿ **Pont de l'Ouysse** (Chambon) M ⑤ avec ch, ☎ 65 37 87 04, Fax 65 32 77 41, ≤, ⛱, « Promenade aménagée au bord de la rivière », 🏊, 🌳 – TV ☎ P. AE ⓓ GB
fermé 15 nov. au 15 déc., 1er janv. à début mars et lundi sauf le soir en sais. – **Repas** 160/500 et carte 340 à 410 – ☕ 60 – **12 ch** 350/600 – ½ P 650
Spéc. Foie de canard "Bonne Maman". Poêlée d'écrevisses au jus de tomate aillé (juin à nov.). Pigeonneau de ferme rôti en cocotte. **Vins** Cahors.

ACHASSAGNE 69 Rhône 74 ① – rattaché à Anse.

ACROST 71 S.-et-L. 69 ⑳ – rattaché à Tournus.

ADOIX-SERRIGNY 21 Côte-d'Or 69 ⑨ – rattaché à Beaune.

ADON 45270 Loiret 61 ⑪ – 1 212 h alt. 100.

aris 110 – Châteauneuf-sur-Loire 29 – Gien 50 – Montargis 15 – ♦Orléans 56 – Pithiviers 29.

X **Cheval Blanc** avec ch, ☎ 38 95 51 79 – 🚗 P. GB
fermé 15 au 30 sept., Noël au jour de l'An, dim. soir et lundi – **Repas** 58/125 ₰ – ☕ 30 – **9 ch** 110/170.

LAGARDE-ENVAL 19150 Corrèze 75 ⑨ – 766 h alt. 480.

aris 499 – Brive-la-Gaillarde 36 – Aurillac 76 – Mauriac 69 – St-Céré 50 – Tulle 15.

X **Le Central** avec ch, ☎ 55 27 16 12, Fax 55 27 31 85 – TV ☎. GB. 🚫 ch
fermé sept. et lundi sauf juil.-août – **Repas** 65 (déj.), 100/180 ₰ – ☕ 25 – **7 ch** 180/220 – ½ P 250.

LAGARRIGUE 47 L.-et-G. 79 ⑭ – rattaché à Aiguillon.

LAGNY-SUR-MARNE 77 S.-et-M. 56 ⑫, 101 ⑳ – voir à Paris, Environs (Marne-la-Vallée).

LAGUIAN-MAZOUS 32170 Gers 85 ⑨ – 237 h alt. 254.

/oir Puntous de Laguian ✱★★ O : 2 km, **G. Pyrénées Aquitaine.**

aris 786 – Auch 43 – Aire-sur-l'Adour 62 – Lannemezan 44 – Mirande 18 – St-Gaudens 73 – Tarbes 31.

X **Relais des Puntous,** O : 1,5 km ☎ 62 67 52 51, ⛱ – P. GB
fermé 15 fév. au 15 mars, lundi soir et mardi – **Repas** 88 (déj.), 98/145, enf. 50.

LAGUIOLE 12210 Aveyron 76 ⑬ **G. Gorges du Tarn** – 1 264 h alt. 1004 – Sports d'hiver : 1 100/1 400 ⛷11 ⛷.

/oir Église ✱★.

; de Mezeyrac à Soulages Bonneval ☎ 65 44 41 41 par D 541 et 213 : 10 ; km.

Office de Tourisme, pl. du Foirail, ☎ 65 44 35 94.

aris 578 – Aurillac 76 – Rodez 55 – Espalion 23 – Mende 88 – St-Flour 60.

Gd Hôtel Auguy, ☎ 65 44 31 11, Fax 65 51 50 81, 🌳 – |♦| TV ☎ 🚗. GB
fermé 10 au 17 juin, 24 nov. au 12 janv., dim. soir et lundi sauf vacances scolaires. – **Repas** 112/200, enf. 42 – ☕ 40 – **28 ch** 245/340 – ½ P 255/295.

Régis, ☎ 65 44 30 05, Fax 65 48 46 44, 🏊 – |♦| 🚭 TV ☎ P. GB
Repas 81/133 ₰, enf. 60 – ☕ 27 – **23 ch** 215/322 – ½ P 213/244.

à l'Est : 6 km par rte d'Aubrac (D 15) – ✉ **12210** Laguiole :

Michel Bras Ⓜ, ℰ 65 44 32 24, Fax 65 48 47 02, « Au sommet d'une colline, v panoramique sur les paysages de l'Aubrac » – rest TV ☎ P. AE GB. *début avril-31 oct. et fermé mardi midi et lundi sauf juil.-août* – **Repas** (nombre de couve limité, prévenir) 210/650 et carte 430 à 600, enf. 110 – ☐ 93 – **15 ch** 980/1640
Spéc. "Gargouillou" de jeunes légumes. Viandes, volailles de pays. Biscuit de chocolat coulant. **Vins** Marcillac, Gail

à Soulages-Bonneval O : 5 km par D 541 – 259 h. alt. 830 – ✉ **12210** :

Aub. du Moulin, ℰ 65 44 32 36, – P. GB
fermé janv. – **Repas** 60/120 – ☐ 25 – **12 ch** 120/160 – ½ P 170/190.

CITROEN Gar. Charles, ℰ 65 44 34 40 RENAULT Gar. Troussillie, ℰ 65 44 32 21

La LAIGNE **17170** Char.-Mar. **71** ② – 243 h alt. 12.

Paris 437 – La Rochelle 33 – Fontenay-le-Comte 37 – Niort 30 – Rochefort 40.

Aub. Aunisienne, ℰ 46 51 08 00, – AE GB
fermé 15 au 28 fév. et mardi soir du 10 sept. au 30 juin – **Repas** 93/280, enf. 65.

à l'ouest : 4 km par N 11 – ✉ **17170** Courçon :

Relais de Benon, carrefour N 11 et D 116 ℰ 46 01 61 63, Fax 46 01 70 89, , pa – TV ☎ P – 150. AE GB
Repas 88/230, enf. 58 – ☐ 49 – **30 ch** 360/430 – ½ P 370.

LALACELLE **61320** Orne **60** ② – 251 h alt. 300.

Paris 211 – Alençon 19 – Argentan 34 – Carrouges 12 – Domfront 41 – Falaise 58 – Mayenne 41.

La Lentillère avec ch, E : 1,5 km sur N 12 ℰ 33 27 38 48, Fax 33 27 38 30, – ☎
AE GB
fermé 20 janv. au 15 fév., dim. soir et lundi – **Repas** 74/215, enf. 48 – ☐ 34 – **7 ch** 150/2 – ½ P 200/220.

LALINDE **24150** Dordogne **75** ⑮ – 3 029 h alt. 46.

Paris 548 – Périgueux 52 – Bergerac 22 – Brive-La-Gaillarde 98 – Cahors 88 – Villeneuve-sur-Lot 58.

Château Ⓜ, ℰ 53 61 01 82, Fax 53 24 74 60, ←, , « En bordure de la Dordogne » –
☎. AE GB
fermé 18 au 23 sept., 2 janv. au 1er fév. et dim. soir de nov. à mars – **Repas** *(fermé dim. s de nov. à mars et lundi sauf le soir en juil.-août)* 100 (déj.), 160/220 – ☐ 60 – **7 ch** 390/540 ½ P 450/500.

Périgord, pl. Mairie ℰ 53 61 19 86, Fax 53 61 27 49, – TV ☎. AE GB
fermé 16 au 23 mars, 15 déc. au 2 janv., vend. soir et dim. soir sauf juil.-août – **Rep** 60 (déj.), 75/250, enf. 45 – ☐ 35 – **20 ch** 200/350 – ½ P 240/340.

à St-Capraise-de-Lalinde O : 4 km – 584 h. alt. 42 – ✉ **24150** :

Relais St-Jacques avec ch, ℰ 53 63 47 54 – rest ☎ – 25. GB. ch
fermé merc. sauf le soir en août – **Repas** 85 bc (déj.), 120/240, enf. 55 – ☐ 34 – **6 ch** 210/2 – ½ P 240/280.

PEUGEOT Arbaudie, ℰ 53 61 00 22 N ℰ 53 61 00 22

LALLEYRIAT **01130** Ain **74** ④ – 191 h alt. 850.

Paris 486 – Bourg-en-Bresse 57 – Genève 57 – Nantua 11,5 – Oyonnax 23.

Aub. Gentianes, ℰ 74 75 31 80, Fax 74 75 30 60 – GB
fermé 1er au 15 nov., dim. soir et merc. – **Repas** 69 (déj.), 90/180.

LALOUVESC **07520** Ardèche **76** ⑨ **G. Vallée du Rhône** – 514 h alt. 1050.

Voir ✳★.

Paris 559 – Valence 56 – Annonay 24 – Lamastre 27 – Privas 83 – St-Agrève 31 – Tournon-sur-Rhône 40 – Yssingea 42.

Poste, ℰ 75 67 82 84 – ☎. GB. rest
fermé 1er déc. au 1er janv., dim. soir et merc. soir du 15 sept. au 1er mai – **Repas** 68/160 enf. 45 – ☐ 28 – **12 ch** 150/215 – ½ P 210/220.

LAMAGDELAINE **46** Lot **79** ⑧ – rattaché à Cahors.

LAMALOU-LES-BAINS **34240** Hérault **83** ④ **G. Gorges du Tarn** – 2 194 h alt. 200 – Stat. therm. (mi fév fin nov.) – Casino .

Voir Église de St-Pierre-de-Rhèdes★ SO : 1,5 km.

ℰ 67 95 15 15, SE : 2 km par D 908.

Office de Tourisme av. Dr-Ménard ℰ 67 95 70 91, Fax 67 95 64 52.

Paris 752 – ◆Montpellier 81 – Béziers 40 – Lacaune 53 – Lodève 39 – St-Affrique 78 – St-Pons-de-Thomières 35.

L'Arbousier et Paix, ℰ 67 95 63 11, Fax 67 95 67 78, – TV ☎ P. AE GB
1er mars-15 nov. – **Repas** 85/255, enf. 45 – ☐ 33 – **31 ch** 190/240 – P 240/290.

Belleville, ℰ 67 95 57 00, Fax 67 95 64 18, – ☎ P. GB
Repas 79/185, enf. 42 – ☐ 30 – **62 ch** 125/320 – P 220/290.

ROEN Gar. Marsal, ✆ 67 95 60 38
JGEOT Gar. Gayout, ✆ 67 95 64 22
JGEOT Bédarieux Autom., rte de St-Pons à darieux ✆ 67 95 07 05

RENAULT Gar. Sandoval, 66 av. J.-Jaurès à Bédarieux ✆ 67 95 00 30

AMARCHE-SUR-SAÔNE **21** Côte-d'Or 66 ⑬ – rattaché à Auxonne.

AMASTRE **07270** Ardèche 76 ⑲ **G. Vallée du Rhône** – 2 717 h alt. 375.

v. Ruines du château de Rochebloine ≤★★ 12 km par D 236 puis15 mn.

Office de Tourisme av. Boissy d'Anglas (fermé après-midi hors saison) ✆ 75 06 48 99.

is 575 – Valence 41 – Privas 57 – Le Puy-en-Velay 73 – ◆St-Étienne 89 – Vienne 85.

Château d'Urbilhac ⌂, SE : 2 km par rte Vernoux-en-Vivarais ✆ 75 06 42 11, Fax 75 06 52 75, ≤ montagnes, parc, « Élégante installation, mobilier ancien », – ☎ P. AE ① GB
1er mai-1er oct. – **Repas** *(fermé le midi sauf sam. et dim.)* 230 – 65 – **13 ch** 500/700 – ½ P 550/625.

✿ **Midi** (Perrier), pl. Seignobos ✆ 75 06 41 50, Fax 75 06 49 75, – TV ☎ . AE ① GB JCB
fermé début déc. à début mars, lundi (sauf le soir en juil.-août) et dim. soir – **Repas** 180/435 et carte 280 à 390 – 65 – **12 ch** 300/490 – ½ P 425/485
Spéc. Salade tiède de foie gras de canard aux champignons des bois. Pain d'écrevisses sauce cardinal (juin à déc.). Soufflé glacé aux marrons. **Vins** Saint-Joseph, Saint-Péray blanc.

RD Ferraton, ✆ 75 06 41 56
UGEOT Rugani, ✆ 75 06 42 20 N ✆ 75 06 42 20

Gar. des Stades, ✆ 75 06 49 91 N ✆ 75 06 43 58

AMBALLE **22400** C.-d'Armor 59 ④ ⑭ **G. Bretagne** – 9 894 h alt. 55.

oir Haras★.

Office de Tourisme, pl. Martray ✆ 96 31 05 38, Fax 96 50 01 96.

ris 432 ② – St-Brieuc 23 ④ – Dinan 41 ② – Pontivy 63 ③ – ◆Rennes 80 ② – St-Malo 53 ① – Vannes 107 ③.

LAMBALLE

Bario (R.) 3
Cartel (R. Ch.) 8
Dr-A.-Calmette (R. du) 15
Martray (Pl. du)
Val (R. du)

Augustins (R. des) 2
Beloir (Pl. du) 4
Blois (R. Ch. de) 5
Boucouets (R. des) 7
Caunelaye (R. de la) 9
Champ-de-Foire (Pl. du) 12
Charpentier (R. Y.) 14
Dr-Lavergne (R. du) 16
Foch (R. Mar.) 19
Gesle (Ch. de la) 23
Grand Boulevard (R. du) 24
Hurel (R. du Bg) 25
Jeu de Paume (R. du) 26
Leclerc (R. Gén.) 29
Marché (Pl. du) 30
N.-Dame (R.) 33
Poincaré (R.) 34
Préville (R.) 35
St-Jean (R.) 37
St-Lazare (R.) 38
Tour aux Chouettes (R.) 39
Villedeneu (R.) 45

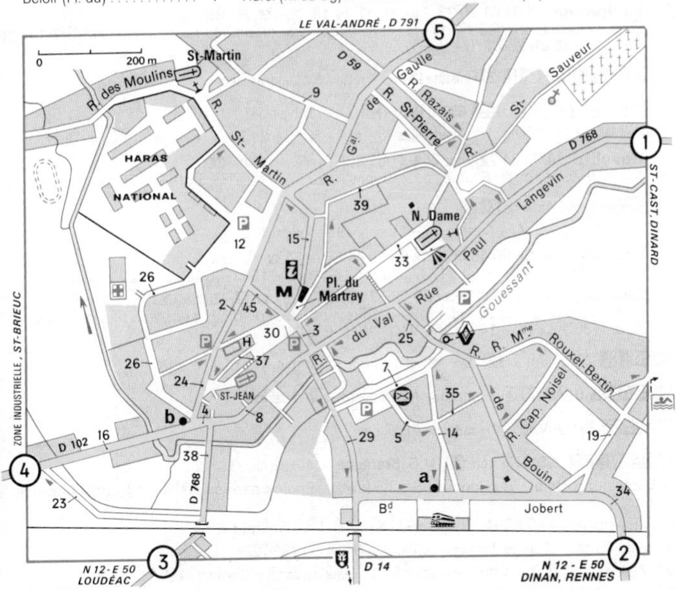

Les Alizés, Z.I., par ④ : 2 km ✆ 96 31 16 37, Fax 96 31 23 89, – TV ☎ ♿ P 25 à 120. AE GB JCB
fermé 23 déc. au 6 janv. – **Repas** *(fermé dim. soir)* 78 bc (déj.), 89/189 – ☐ 40 – **32** 270/310 – ½ P 250.

Angleterre, 29 bd Jobert **(a)** ✆ 96 31 00 16, Fax 96 31 91 54 – TV ☎. AE GB JCB
fermé 1er au 19 fév. et dim. soir sauf juil.-août – **Repas** 87/350, enf. 50 – ☐ 38 – **20** 290/340 – ½ P 290.

Tour d'Argent, 2 r. Dr Lavergne **(b)** ✆ 96 31 01 37, Fax 96 31 37 59 – ▤ rest TV ☎ 50. AE GB
Repas *(fermé 3 au 20 janv. et sam. d'oct. à fin mars)* 82/195, enf. 52 – ☐ 38 – **31** 240/380 – ½ P 245/280.

à la Poterie E : 3,5 km par ① et D 28 – ✉ **22400** Lamballe :

Aub. Manoir des Portes, ✆ 96 31 13 62, Fax 96 31 20 53, – TV ☎ P. AE GB
fermé 20 janv. au 28 fév. et lundi sauf le soir en juil.-août – **Repas** 110/170 bc – ☐ 40 **16 ch** 345/560 – ½ P 405/483.

CITROEN Armor Auto, ZI, 40 r. d'Armor par ④ ✆ 96 31 04 32 N ✆ 96 31 04 32
PEUGEOT Gar. Léna, 26 r. Dr-Lavergne par ④ ✆ 96 31 01 40
RENAULT Gar. Le Moal Poirier, 1 r. Bouin ✆ 96 31 02 83 N ✆ 05 05 15 15
Pneu Armorique Vulcopneu, rte de Plancoët ✆ 96 31 03 11
Pneu Armorique Vulcopneu, rte de St-Brieuc ✆ 96 31 05 33

If you are held up on the road - from 6pm onwards - confirm your hotel booking by telephone.

It is safer and quite an accepted practice.

LAMOTTE-BEUVRON 41600 L.-et-Ch. 64 ⑨ – 4 247 h alt. 114.
Paris 171 – ◆Orléans 35 – Blois 59 – Gien 58 – Romorantin-Lanthenay 40 – Salbris 20.

Tatin M, face gare ✆ 54 88 00 03, Fax 54 88 96 73, – ▤ TV ☎ P. AE GB
fermé 10 au 20 mars, 15 janv. au 6 fév., dim. soir et lundi – **Repas** 135/280, enf. 55 – ☐ 45 **13 ch** 280/450 – ½ P 300/345.

CITROEN Gar. Germain, ✆ 54 88 04 49
PEUGEOT Gar. Labé, ✆ 54 88 07 70
VAG Gar. Gorin, ✆ 54 88 00 21

LAMOURA 39310 Jura 70 ⑮ – 388 h alt. 1156 – Sports d'hiver : voir aux Rousses.
Paris 479 – Genève 51 – Gex 29 – Lons-le-Saunier 76 – St-Claude 16.

La Spatule, ✆ 84 41 20 23, Fax 84 41 24 16, ← – ☎ P. GB.
25 mai-13 oct., 21 déc.-Pâques et fermé dim. soir et lundi hors sais. – **Repas** 75/145, enf. 4 – ☐ 35 – **25 ch** 250/270 – ½ P 250/270.

LAMPAUL-GUIMILIAU 29 Finistère 58 ⑤ – rattaché à Landivisiau.

LAMURE-SUR-AZERGUES 69870 Rhône 73 ⑨ – 782 h alt. 383.
Paris 442 – Mâcon 55 – Roanne 51 – Chauffailles 26 – ◆Lyon 52 – Tarare 34 – Villefranche-sur-Saône 30.

Ravel, ✆ 74 03 04 72, Fax 74 03 05 26, – ☎ P. GB
fermé nov. et vend. d'oct. à mai – **Repas** 80/225 – ☐ 26 – **9 ch** 140/265 – ½ P 200/240.

LANARCE 07660 Ardèche 76 ⑰ – 248 h alt. 1180.
Paris 588 – Le Puy-en-Velay 47 – Aubenas 42 – Langogne 18 – Privas 70.

Provence, ✆ 66 69 46 06, Fax 66 69 41 56 – TV ☎ P. GB
1er avril-15 nov. – **Repas** 72/170, enf. 40 – ☐ 30 – **15 ch** 150/240 – ½ P 170/210.

Sapins, ✆ 66 69 46 08, Fax 66 69 42 87, – TV ☎ P. AE GB
fermé 11 nov. au 20 déc., 2 janv. au 15 fév. et dim. soir du 15 sept. au 15 juin – **Repas** 70/18, enf. 36 – ☐ 30 – **14 ch** 160/240 – ½ P 190/230.

LANCIEUX 22 C.-d'Armor 59 ⑤ – rattaché à St-Briac-sur-mer.

LANCRANS 01 Ain 74 ⑤ – rattachBe Aa Bellegarde-sur-Valserine.

LANDÉAN 35 I.-et-V. 59 ⑱ – rattaché à Fougères.

LANDERNEAU 29800 Finistère 58 ⑤ **G. Bretagne** – 14 269 h alt. 10.
Voir Enclos paroissial★ de Pencran S : 3,5 km Z – Enclos paroissial★ de la Roche-Maurice NE 5 km par ①.

Brest-Iroise ✆ 98 85 16 17, SE : 5 km par r. J.-L.-Rolland Z.

Office de Tourisme Pont de Rohan ✆ 98 85 13 09, Fax 98 21 39 27.

Paris 577 ③ – ◆Brest 25 ③ – Carhaix-Plouguer 59 ② – Morlaix 38 ③ – Quimper 64 ③.

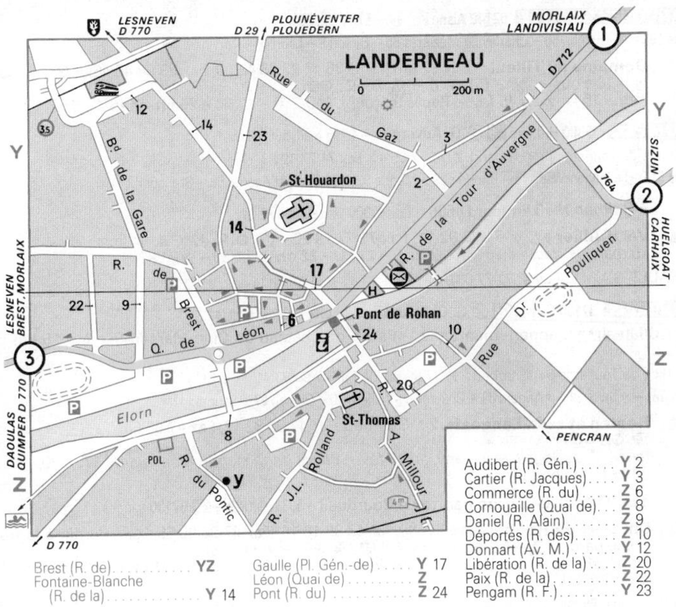

Brest (R. de) . . . . YZ
Fontaine-Blanche (R. de la) . . . . Y 14
Gaulle (Pl. Gén.-de) . . . . . Y 17
Léon (Quai de) . . . . Z
Pont (R. du) . . . . Z 24
Audibert (R. Gén.) . . . . . Y 2
Cartier (R. Jacques) . . . . . Y 3
Commerce (R. du) . . . . . Z 6
Cornouaille (Quai de) . . . Z 8
Daniel (R. Alain) . . . . Z 9
Déportés (R. des) . . . . . . Z 10
Donnart (Av. M.) . . . . Y 12
Libération (R. de la) . . . . Z 20
Paix (R. de la) . . . . Z 22
Pengam (R. F.) . . . . Y 23

Clos du Pontic , r. Pontic ✆ 98 21 50 91, Fax 98 21 34 33, parc – TV ☎ ♿ P – 30. GB Z y
Repas *(fermé dim. soir hors sais. et sam. midi)* 95 (dîner), 165/235, enf. 60 – ☕ 35 – **32 ch** 270/350 – ½ P 265/285.

'EUGEOT S.B.G.B., rte de Sizun par ② ✆ 98 21 41 80 N ✆ 98 62 21 26
'AG Gar. Le Lannier, 4 bd de la Gare ✆ 98 85 00 29 N ✆ 98 85 00 29

Euromaster, 27 bis r. H.-de-Guebriant ✆ 98 85 01 56

LANDERSHEIM 67700 B.-Rhin 87 ⑭ – 151 h alt. 200.

'aris 461 – ♦Strasbourg 25 – Haguenau 33 – Molsheim 21 – Saverne 13.

Aub. du Kochersberg avec ch, ✆ 88 69 91 58, Fax 88 69 91 42, – rest TV ☎ P – 40. AE ① GB
Repas *(fermé dim. soir et lundi)* 330/700 et carte 280 à 450, enf. 110 ***D'Landerstueb*** ✆ 88 69 90 90 **Repas** carte 120 à 170, enf. 78 – ☕ 70 – **14 ch** 380/530 – ½ P 550.

LANDEVANT 56690 Morbihan 63 ② – 2 083 h alt. 29.

'aris 478 – Vannes 35 – Auray 15 – Hennebont 14 – Lorient 24.

La Forestière, rte de Nostang : 1 km ✆ 97 56 90 55, – P. GB
fermé 1er au 15 oct., 15 fév. au 15 mars, dim. soir et lundi – **Repas** 120/250.

LANDIVISIAU 29400 Finistère 58 ⑤ **G. Bretagne** – 8 254 h alt. 75.

'oir Porche★ de l'église St-Thivisiau.

Office de Tourisme 14 av. Mar.-Foch ✆ 98 68 03 50, Fax 98 68 12 98.

'aris 560 – ♦Brest 37 – Landerneau 16 – Morlaix 22 – Quimper 70 – St-Pol-de-Léon 23.

Relais du Vern, Z.A. Le Vern par rte Roscoff : 2 km ✆ 98 24 42 42, Fax 98 24 42 00, – TV ☎ ♿ P – 30. AE ① GB
Repas grill *(fermé vend. soir et dim. soir d'oct. à Pâques)* 70/160, enf. 38 – ☕ 42 – **52 ch** 290/330 – ½ P 280/350.

à Lampaul Guimiliau SE : 4 km par D 11 – 2 037 h. alt. 103 – ✉ 29400.
Voir Enclos paroissial★ : intérieur★★ de l'église.

L'Enclos, ✆ 98 68 77 08, Fax 98 68 61 06, ← – TV ☎ P. AE ① GB
fermé vend. soir, sam. midi et dim. soir de nov. à mars – **Repas** 69/98, enf. 45 – ☕ 30 – **36 ch** 228/265 – ½ P 255.

:ITROEN Gar. Palut, 47 av. Libération ✆ 98 68 22 82
RENAULT Renault Landivisiau, 31-33 r. de la Tour d'Auvergne ✆ 98 68 91 85 N ✆ 98 68 91 85

Simon Pneus, av. Foch ✆ 98 68 13 88

LANDOUZY-LA-VILLE 02140 Aisne 53 ⑯ – 578 h alt. 200.

Paris 186 – St-Quentin 60 – Charleville-Mézières 55 – Hirson 9 – Laon 46 – Vervins 11.

Domaine du Tilleul, N : 2 km par D 36 ☎ 23 98 48 00, Fax 23 98 46 46, « Grand par golf 18 trous », – TV ☎ P – 25. AE GB
fermé 15 janv. au 15 fév. – **Repas** 95 (déj.), 140/200 – ☕ 50 – **26 ch** 400/600 – ½ P 450/55

LANGEAC 43300 H.-Loire 76 ⑤ **G. Auvergne** – 4 195 h alt. 505.

Office de Tourisme pl. A.-Briand ☎ 71 77 05 41, Fax 71 77 19 93.

Paris 516 – Le Puy-en-Velay 45 – Brioude 29 – Mende 92 – St-Chély-d'Apcher 58 – St-Flour 49.

à Reilhac N : 3 km par D 585 – ✉ 43300 Mazeyrat d'Allier :

Val d'Allier M, ☎ 71 77 02 11, Fax 71 77 19 20 – TV ☎ P. GB. rest
15 mars-15 déc. – **Repas** 105/260 – ☕ 36 – **22 ch** 285/330 – ½ P 290.

RENAULT S.A.M.V.A.L., ☎ 71 77 04 07

Carlet Pneus, ☎ 71 77 10 40

LANGEAIS 37130 I.-et-L. 64 ⑭ **G. Châteaux de la Loire** – 3 960 h alt. 41.

Voir Château★★ : appartements★★★ – Parc★ du château de Cinq-Mars-la-Pile NE : 5 km pa N 152.

Office de Tourisme 9 r. Gambetta ☎ 47 96 58 22, Fax 47 96 83 41.

Paris 261 – ◆Tours 24 – ◆Angers 86 – Château-la-Vallière 30 – Chinon 27 – Saumur 42.

Hosten et rest. Langeais, 2 r. Gambetta ☎ 47 96 82 12, Fax 47 96 56 72 – TV ☎. D GB JCB
fermé 1er au 15 juil. et 10 janv. au 10 fév. – **Repas** *(fermé lundi soir et mardi)* 175/280 – ☕ 5 – **11 ch** 360/550.

à St-Patrice O : 10 km par rte de Bourgueil – 593 h. alt. 39 – ✉ 37130 Langeais :

Château de Rochecotte M, ☎ 47 96 16 16, Fax 47 96 90 59, <, « Jardin à la fran çaise, parc », – TV ☎ P – 40. AE D GB JCB. rest
fermé 24 nov. au 8 déc. et 1er au 15 fév. – **Repas** 195/285 – ☕ 55 – **27 ch** 580/930, 3 appart ½ P 500/680.

PEUGEOT Gar. Denis, ☎ 47 96 80 49

Robles, ☎ 47 96 81 60

Get your copy of the Michelin Green Guide to Rome.

LANGOGNE 48300 Lozère 76 ⑰ **G. Gorges du Tarn** – 3 380 h alt. 913.

Voir Intérieur★ de l'église.

Office de Tourisme bd Capucins ☎ 66 69 01 38, Fax 66 69 16 79.

Paris 583 – Mende 47 – Le Puy-en-Velay 42 – Alès 97 – Aubenas 60 – Villefort 44.

rte de Mende 3 km par N 88 – ✉ 48300 Langogne :

Domaine de Barres M, ☎ 66 69 71 00, Fax 66 69 71 29, « Décor contemporain parc et golf », – TV ☎ P – 50. AE GB. rest
5 avril-3 nov. et fermé dim. soir et lundi sauf juil.-août – **Repas** 140/320 – ☕ 45 – **20 ch** 360/520 – ½ P 380/425.

RENAULT Gar. Blanquet, ☎ 66 69 11 55 N ☎ 66 69 11 55

Prouhèze, ☎ 66 69 09 30
R.I.P.A., ☎ 66 69 05 45 N ☎ 66 69 05 45

Carlet Pneus, ☎ 66 69 17 33

LANGON ⟨SP⟩ 33210 Gironde 79 ② **G. Pyrénées Aquitaine** – 5 842 h alt. 10.

Office de Tourisme allées J.-Jaurès ☎ 56 62 34 00.

Paris 628 – ◆Bordeaux 48 – Bergerac 81 – Libourne 52 – Marmande 47 – Mont-de-Marsan 83.

✿ **Claude Darroze,** 95 cours Gén. Leclerc ☎ 56 63 00 48, Fax 56 63 41 15, – TV ☎ P – 40. AE D GB
fermé 15 oct. au 6 nov. et 5 au 25 janv. – **Repas** 210/450 et carte 300 à 390 – ☕ 70 – **16 ch** 320/450
Spéc. Cassolette de poissons et fruits de mer au coulis de crustacés. Foie de canard des Landes aux pomme caramélisées. Gibier (saison). **Vins** Graves, Sauternes.

à St-Macaire N : 2 km – 1 459 h. alt. 15 – ✉ 33490.

Voir Verdelais : calvaire <★ N : 3 km – Ste-Croix-du-Mont : <★, grottes★ NO : 5 km.

XX **L'Abricotier,** N 113 ☎ 56 76 83 63, Fax 56 76 28 51, – P. GB
fermé 12 au 30 nov. et mardi soir – **Repas** 100, enf. 50.

CITROEN SAGA, N 113 à Toulenne ☎ 56 63 55 37
FIAT-LANCIA Gar. Cazenave, ☎ 56 63 18 59
FORD Auto Service 33, ☎ 56 63 30 14
PEUGEOT Doux et Trouillot, ☎ 56 63 50 47 N ☎ 56 76 06 44
RENAULT Autom. Mazères Service, à Mazères ☎ 56 63 44 69 N ☎ 05 05 15 15

TOYOTA MERCEDES SOGIDA, ☎ 56 62 30 52

Euromaster, ☎ 56 62 33 44
Euromaster, av. Libération à Beguey ☎ 56 62 17 61
Média pneu Vulcopneu, ZA de Beguey à Beguey ☎ 56 62 90 83
Saphore Point S, ☎ 57 98 01 36

LANGRES 52200 H.-Marne 66 ③ **G. Champagne** – 9 987 h alt. 466.

Voir Site★★ – Promenade des remparts★★ – Cathédrale★ Y.

Office de Tourisme square Olivier Lahalle ✆ 25 87 67 67, Fax 25 88 99 07.

Paris 293 ④ – Chaumont 35 ④ – Auxerre 159 ④ – ◆Besançon 101 ③ – ◆Dijon 76 ③ – Dole 117 ③ – Épinal 113 ① – ◆Nancy 137 ① – Troyes 121 ④ – Vesoul 75 ②.

LANGRES

Diderot (R.)	YZ	
Roussat (R. Jean)	Y	35
Ziegler (Pl.)	Y	45
Aubert (R.)	Y	2
Barbier-d'Aucourt (R.)	Y	3
Belle-Allée (La)	Y	4
Beligné (R. Ch.)	Y	5
Boulière (R.)	Y	6
Canon (R.)	Y	7
Chavannes (R. des)	Z	10
Coutellerie (R. de la)	Y	13
Crémaillère (R. de la)	Y	14
Croc (R. du)	Y	15
Denfert-Rochereau (R.)	Z	16
Durand (R. Pierre)	Y	17
Gambetta (R.)	Y	18
Grand-Bie (R. du)	Y	19
Grand-Cloître (R. du)	Y	20
Grouchy (Pl. Col.-de)	Z	21
Jenson (Pl.)	Z	23
Lambert-Payen (R.)	Y	24
Leclerc (R. Général)	Y	25
Lescornet (R.)	Y	26
Longe-Porte (R.)	X	27
Mance (Square J.)	Y	28
Minot (R.)	Z	31
Morlot (R. Card.)	Y	32
Roger (R.)	Y	33
St-Didier (R.)	Y	36
Terreaux (R. des)	Y	37
Tournelle (R. de la)	Y	39
Turenne (R. de)	Y	41
Ursulines (R. des)	Y	43
Walferdin (R.)	Y	44

PORTES

Boulière	Y
Gallo-Romaine	Y
Henri-IV	Y
Hôtel-de-Ville (de l')	Y
Longe-Porte	X
Moulins (des)	Z
Neuve	Y

TOURS

Navarre et d'Orval (de)	Z
Petit-Saut (du)	X
Piquante	X
St-Ferjeux	Z
St-Jean	X
Sous-Murs (de)	Y
Virot	Y

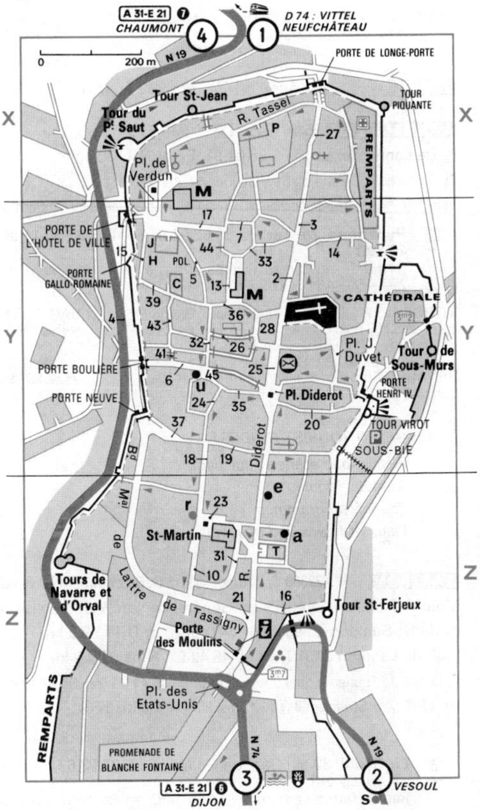

Cheval Blanc, 4 r. Estres ✆ 25 87 07 00, Fax 25 87 23 13 – TV ☎ 🚗. AE GB — Z a
fermé 15 déc. au 15 janv., merc. soir sauf hôtel du 1er nov. au 1er mai, mardi soir et merc. midi – **Repas** 105/250, enf. 65 – ☐ 40 – **17 ch** 275/370 – ½ P 280/330.

Gd H. Europe, 23 r. Diderot ✆ 25 87 10 88, Fax 25 87 60 65 – TV ☎ P. AE GB JCB — Z e
fermé 6 au 20 mai, 1er au 22 oct., lundi sauf le soir du 23 mai au 23 oct. et dim. soir – **Repas** 73/202 ♁ – ☐ 33 – **28 ch** 210/280 – ½ P 220/235.

Poste sans rest, 10 pl. Ziegler ✆ 25 87 10 51, Fax 25 88 46 18 – TV ☎ P. GB — Y u
☐ 35 – **35 ch** 160/250.

Lion d'Or avec ch, rte Vesoul ✆ 25 87 03 30, Fax 25 87 60 67, ←, – TV ☎ P. AE GB — Z s
fermé fin déc. à début fév., vend. soir et sam. – **Repas** 78/198 ♁, enf. 42 – ☐ 36 – **14 ch** 180/300.

Aub. Jeanne d'Arc avec ch, 26 r. Gambetta ✆ 25 87 03 18, Fax 25 88 82 85 – GB
fermé fin oct. à fin nov., mardi sauf le soir en sais. et lundi soir – **Repas** 70/210 ♁, enf. 45 – ☐ 28 – **9 ch** 170/220. — Z r

au lac de la Liez par ② N 19 et D 284 : 4 km – ✉ 52200 Langres :

Aub. des Voiliers avec ch, au bord du Lac ✆ 25 87 05 74, Fax 25 87 24 22, ←, – TV ☎. GB
fermé 1er fév. au 15 mars, dim. soir du 1er oct. au 1er mai et lundi – **Repas** (déj. seul. en sem. du 1er nov. au 1er mars) 78/250 ♁, enf. 40 – ☐ 35 – **8 ch** 220/250 – ½ P 255.

à Sts-Geosmes par ③ : 4 km – 872 h. alt. 440 – ✉ 52200 Langres :

XX **Aub. des Trois Jumeaux** avec ch, ☎ 25 87 03 36, Fax 25 87 58 68, – TV ☎. AE GB
fermé 15 au 30 nov., dim. soir du 30 oct. au 1er juin et lundi – **Repas** 85 (déj.), 135/300 enf. 40 – 32 – **10 ch** 200/280 – ½ P 200/325.

CITROEN Gar. Lingon, rte de Dijon à Sts-Geosmes par ③ ☎ 25 87 11 83 N ☎ 25 87 11 83
VAG Gar. Europe, La Collinière ☎ 25 87 03 78

Langres Pneus, 1 av. Capit.-Baudoin ☎ 25 87 36 31

LANGUEUX 22 C.-d'Armor 59 ③ – rattaché à St-Brieuc.

LANNEMEZAN 65300 H.-Pyr. 85 ⑨ ⑲ – 6 704 h alt. 589.

18 de Lannemezan ☎ 62 98 01 01, E par N 117 : 4 km.

Office de Tourisme pl. République ☎ 62 98 08 31.

Paris 827 – Bagnères-de-Luchon 54 – Auch 67 – St-Gaudens 30 – Tarbes 34.

Pyrénées, rte Tarbes ☎ 62 98 01 53, Fax 62 98 11 85, , – TV ☎ P – 25. AE GB
fermé 1er au 8 nov. – **Repas** *(fermé sam. de nov. à janv.)* 80/250, enf. 40 – 45 – **30 ch** 270/450 – ½ P 320/350.

CITROEN S.P.G.D., rte de Tarbes par r. Clemenceau ☎ 62 98 05 91
PEUGEOT Laffitte, 610 r. G.-Clemenceau ☎ 62 98 34 33 N ☎ 59 35 41 49
RENAULT Auto Sce des 4 Vallées, 500 r. Alsace-Lorraine ☎ 62 98 03 88 N ☎ 62 38 72 35

VAG Dambax, 430 r. 8 Mai 1945 ☎ 62 98 35 45
Nervol, 538 r. 8 Mai 1945 ☎ 62 98 01 67

Ibos, 227 rte La Barthe, ZI ☎ 62 98 09 78 N ☎ 62 98 09 78

GREEN TOURIST GUIDES
Picturesque scenery, buildings
Attractive routes
Touring programmes
Plans of towns and buildings

LANNION 22300 C.-d'Armor 59 ① **G. Bretagne** – 16 958 h alt. 12.

Voir Maisons anciennes★ (pl.Général Leclerc **Y17**) – Église de Brélévenez★ Y.

18 de St-Samson ☎ 96 23 87 34, par ① et D 11 : 9,5 km.

de Lannion : T.A.T. ☎ 96 48 42 92, N par ① : 2 km.

Office de Tourisme quai d'Aiguillon ☎ 96 46 41 00, Fax 96 37 19 64.

Paris 516 ③ – St-Brieuc 68 ③ – ♦Brest 95 ⑤ – Morlaix 37 ⑤.

Plan page ci-contre

Le Graal, 30 av. Gén. de Gaulle ☎ 96 37 03 67, Fax 96 46 45 83, – TV ☎ – 40. AE GB Z a
Repas *(fermé sam. midi et dim. midi en juil.-août, sam. soir et dim. de sept. à juin)* 78/115 enf. 43 – 32 – **42 ch** 295/350 – ½ P 230.

X **Le Serpolet,** 1 r. F. Le Dantec ☎ 96 46 50 23 – GB Y e
fermé 10 au 18 mars, 10 au 18 juin, 20 au 25 oct., dim. soir sauf juil.-août et lundi sauf le soir en juil.-août – **Repas** 78/175 , enf. 55.

rte de Perros Guirec par ① – ✉ 22300 Lannion :

Bryan, à 5 km ☎ 96 48 01 26, Fax 96 48 08 35, , , – TV ☎ P – 25. AE GB
Repas 75/150 – 35 – **14 ch** 275/360, 6 duplex – ½ P 248/260.

à La Ville Blanche par ② : 5 km sur D 786 – ✉ 22300 Lannion :

XX ❀ **Ville Blanche** (Jaguin), ☎ 96 37 04 28, Fax 96 46 57 82 – P. AE GB JCB
fermé 14 au 21 oct., 6 janv. au 14 fév., dim. soir et lundi sauf juil.-août – **Repas** 95 (déj.) 180/330, enf. 80
Spéc. Salade de carrelet à l'artichaut. Lotte au cidre et pommes de terre du pays. Tarte au fromage blanc et son sorbet à la mélisse.

CITROEN Gar. Sobreva, rte de Morlaix par r. Frères Lagadec Z ☎ 96 37 04 33 N ☎ 96 37 04 33
FORD Gar. Corre, av. Résistance ☎ 96 48 45 41 N ☎ 96 48 83 35
PEUGEOT Gd Gar. de Lannion, rte de Perros-Guirec par ① ☎ 96 48 52 71 N ☎ 96 05 92 49
RENAULT Gar. des Côtes d'Armor, rte de Guingamp Z ☎ 96 46 64 64 N ☎ 05 05 15 15

Pneu Armorique Vulcopneu, rte de Perros-Guirec ☎ 96 48 44 11
Pneu Armorique Vulcopneu, ZI du Rusquet ☎ 96 48 58 36

LANNION

Augustins (R. des) . . . . . . Z 3
Leclerc (Pl. Gén.) . . . . . . Y 17
Pont-Blanc
(R. Geoffroy-de) . . . . . . Z 25

Aiguillon (Quai d') . . . . . . Z 2
Buzulzo (R. de) . . . . Z 4
Chapeliers (R. des) . . . . . . Y 6
Cie-Roger-de-Barbé (R.) . Y 7
Coudraie (R. de la) . . . . . . Y 8
Du Guesclin (R.) . . . . Z 9
Frères-Lagadec (R. des) . Z 12
Keriavily (R. de) . . . . Z 14
Kermaria (R. et Pont) . . . . Z 16
Le-Dantec (R. F.) . . . . Y 18
Le-taillandier (R. E.) . . . . . Z 20
Mairie (R. de la) . . . . Y 21
Palais-de-Justice
(Allée du) . . . . Z 24
Pors an Prat (R. de) . . . . . Y 26
Roud Ar Roc'h (R. de) . . . Z 28
St-Malo (R. de) . . . . Z 29
St-Nicolas (R.) . . . . Z 30
Trinité (R. de la) . . . . Y 32

LANS-EN-VERCORS **38250** Isère 77 ④ – 1 451 h alt. 1120 – Sports d'hiver : 1 400/1 880 m ⛷16 ⛷.

Office de Tourisme pl. Église ✆ 76 95 42 62, Fax 76 95 45 69.

Paris 587 – ◆Grenoble 27 – Villard-de-Lans 9 – Voiron 42.

Col de l'Arc, pl. Église ✆ 76 95 40 08, Fax 76 95 41 25, ☎, ☐, ☐, ☐ – ☐ ☎ P. AE ⓓ GB
Repas 75/145 ☐, enf. 55 – ☐ 35 – **26 ch** 240/340 – ½ P 280/320.

Val Fleuri, ✆ 76 95 41 09, ≤, ☐ – ☎ ☐ P. ☐ rest
20 juin-15 sept. et 20 déc.-20 mars – **Repas** (résidents seul.) 107/180 – ☐ 34 – **16 ch** 168/310 – ½ P 226/300.

Au Bon Accueil, D 531 ✆ 76 95 42 02, Fax 76 95 44 32, ☐ – ☎ ☐ P. GB
fermé 20 au 28 avril, vend. soir et sam. hors sais. – **Repas** 93/190 ☐ – ☐ 38 – **18 ch** 200/290 – ½ P 230/280.

Participez à notre effort permanent de mise à jour

Adressez-nous vos remarques et vos suggestions.

Cartes et guides Michelin

46 avenue de Breteuil - 75324 Paris Cedex 07

LANSLEBOURG-MONT-CENIS **73480** Savoie **77** ⑨ **G. Alpes du Nord** – 647 h alt. 1399 – Sports d'hive 1 400/2 800 m 1 22.

Office de Tourisme de Val Cenis ✆ 79 05 23 66, Fax 79 05 82 17.

Paris 670 – Albertville 116 – Briançon 88 – Chambéry 126 – St-Jean-de-Maurienne 54 – Torino 89 – Val-d'Isère 49.

Alpazur, ✆ 79 05 93 69, Fax 79 05 86 55 – TV ☎. AE GB. rest
15 juin-15 sept. et 20 déc.-20 avril – **Repas** 98/180 – 40 – **24 ch** 320/400 – ½ P 363/380

Vieille Poste, ✆ 79 05 93 47, Fax 79 05 86 85 – ☎. AE GB
15 mai-1er nov. et 26 déc.-15 avril – **Repas** 70/110 – 38 – **19 ch** 230/270 – ½ P 355.

CITROEN Alp' autos, ✆ 79 05 82 00
RENAULT Gar. Burdin, ✆ 79 05 94 33

LANSLEVILLARD **73480** Savoie **77** ⑨ **G. Alpes du Nord** – 392 h alt. 1500 – Sports d'hiver (voir à Lansl bourg-Mont-Cenis).

Voir Peintures murales★ dans la chapelle St-Sébastien.

Office de Tourisme ✆ 79 05 92 43.

Paris 673 – Albertville 119 – Briançon 87 – Chambéry 129 – Val-d'Isère 46.

Les Mélèzes, ✆ 79 05 93 82, ≤, – ☎ P.
25 juin-8 sept. et 21 déc.-20 avril – **Repas** (en été dîner seul.) 85/150 – 33 – **18 c** 300/310, 4 studios – ½ P 265/315.

Grand Signal, ✆ 79 05 91 24, Fax 79 05 82 47, ≤, – ☎ P. GB
16 juil.-8 sept. et 22 déc.-10 avril – **Repas** 95/160, enf. 46 – 35 – **18 ch** 270/290 ½ P 320/340.

Die neuen Grünen Michelin-Reiseführer :
– ausführliche Beschreibungen
– praktische, übersichtliche Hinweise
– farbige Pläne, Kartenskizzen und Fotos
... und natürlich stets gewissenhaft aktualisiert.
Benutzen Sie immer die neusten Ausgaben.

LANVOLLON **22290** C.-d'Armor **59** ② – 1 427 h alt. 90.

Paris 478 – St-Brieuc 26 – Guingamp 16 – Lannion 43 – Paimpol 19 – St-Quay-Portrieux 12.

Lucotel, E : 1 km sur D 6 ✆ 96 70 01 17, Fax 96 70 08 84, – rest TV ☎ P 70. AE GB
Repas 69 (déj.), 79/220, enf. 44 – 34 – **25 ch** 240/320 – ½ P 270.

LAON P **02000** Aisne **56** ⑤ **G. Flandres Artois Picardie** – 26 490 h alt. 181.

Voir Site★★ – Cathédrale N-Dame★★ : nef★★★ CYZ – Rempart du Midi et porte d'Ardon★ CZ **R** Église St-Martin★ AZ **D** – Porte de Soissons★ AZ **E** – Rue Thibesard ≤★ BZ **51** – Musée e chapelle des Templiers★ CZ **M** – Circuit du Laonnois★ par D 7 X.

de l'Ailette ✆ 23 24 83 99, S : 16 km par ④.

Office de Tourisme pl. du Parvis de la Cathédrale ✆ 23 20 28 62, Fax 23 20 68 11.

Paris 138 ⑤ – ♦Reims 58 ③ – St-Quentin 45 ① – ♦Amiens 120 ① – Charleville-Mézières 93 ① – Compiègne 75 ⑤ Soissons 38 ⑤.

Plan page ci-contre

Host. St-Vincent, av. Ch. de Gaulle ✆ 23 23 42 43, Fax 23 79 22 55 – TV ☎ P 30. AE GB X
Repas *(fermé sam. midi)* 69/169, enf. 45 – 37 – **47 ch** 285/295 – ½ P 230.

La Petite Auberge, 45 bd Brossolette ✆ 23 23 02 38, Fax 23 23 31 01, – AE GB
fermé sam. midi et dim. sauf fériés – **Repas** 149/260 et carte 260 à 390 - ***Bistrot St-Amour*** **Repas** 75/89, enf. 50. BY

Bannière de France avec ch, 11 r. F. Roosevelt ✆ 23 23 21 44, Fax 23 23 31 56 – TV AE GB. BY
fermé 20 déc. au 19 janv. – **Repas** 90/310, enf. 50 – 40 – **18 ch** 235/380 – ½ P 270/310

*à **Samoussy** par ② et D 977 : 7 km* – 410 h. alt. 84 – ✉ **02840** :

Relais Charlemagne, ✆ 23 22 21 50, Fax 23 22 18 75, – AE GB
fermé 29 juil. au 12 août, vacances de fév., dim. soir et lundi sauf fériés – **Repas** 155 bc/350 e carte 330 à 430.

BMW, TOYOTA Gar. Bachelet, 50 r. Porte de Laon à Bruyères et Montbérault ✆ 23 24 74 00
FIAT, LANCIA Gar. Colbeaux, ZAC Ile de France ✆ 23 20 64 64
FORD S.I.C.B., 121 av. M.-France ✆ 23 79 14 08 N ✆ 23 23 73 73
NISSAN, VOLVO Petetin, rte de Fismes à Bruyères-et-Montbérault ✆ 23 24 70 36
PEUGEOT Tuppin, 132 av. M.-France ✆ 23 27 16 70
RENAULT S.O.D.A.L., av. M.-France par ① ✆ 23 23 24 35 N ✆ 23 23 92 52

Dupont Pneus, 21 r. P.-Bourdan ✆ 23 79 49 44
Euromaster, 10 r. des Minimes ✆ 23 23 01 17
Euromaster, 5 bd Gras Brancourt ✆ 23 23 02 27

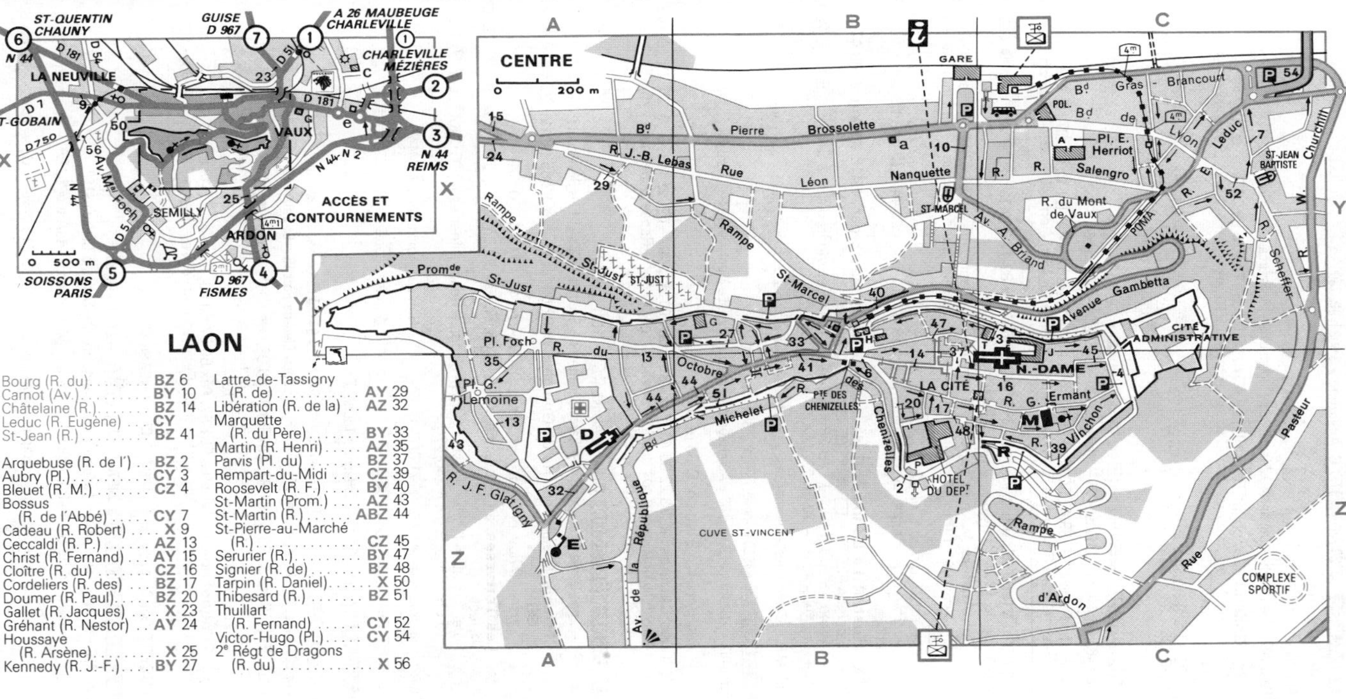

LAON

Bourg (R. du) . . . . BZ 6
Carnot (Av.) . . . . BY 10
Châtelaine (R.) . . . . BZ 14
Leduc (R. Eugène) . . . CY
St-Jean (R.) . . . . BZ 41

Arquebuse (R. de l') . . BZ 2
Aubry (Pl.) . . . . CY 3
Bleuet (R. M.) . . . . CZ 4
Bossus
(R. de l'Abbé) . . . . . CY 7
Cadeau (R. Robert) . . . . X 9
Ceccaldi (R. P.) . . . . . . AZ 13
Christ (R. Fernand) . . . AY 15
Cloître (R. du) . . . . CZ 16
Cordeliers (R. des) . . . BZ 17
Doumer (R. Paul) . . . . . BZ 20
Gallet (R. Jacques) . . . . X 23
Gréhant (R. Nestor) . . AY 24
Houssaye
(R. Arsène) . . . . X 25
Kennedy (R. J.-F.) . . . . BY 27

Lattre-de-Tassigny
(R. de) . . . . AY 29
Libération (R. de la) . . AZ 32
Marquette
(R. du Père) . . . . BY 33
Martin (R. Henri) . . . . . . AZ 35
Parvis (Pl. du) . . . . BZ 37
Rempart-du-Midi . . . . CZ 39
Roosevelt (R. F.) . . . . . BY 40
St-Martin (Prom.) . . . . AZ 43
St-Martin (R.) . . . . ABZ 44
St-Pierre-au-Marché
(R.) . . . . CZ 45
Serurier (R.) . . . . BY 47
Signier (R. de) . . . . BZ 48
Tarpin (R. Daniel) . . . . . . X 50
Thibesard (R.) . . . . BZ 51
Thuillart
(R. Fernand) . . . . CY 52
Victor-Hugo (Pl.) . . . . . CY 54
2e Régt de Dragons
(R. du) . . . . X 56

LAPALISSE 03120 Allier 73 ⑥ G. Auvergne – 3 603 h alt. 280.

Voir Château★★.

Office de Tourisme, pl. Ch. Bécaud ✆ 70 99 08 39.

Paris 342 – Moulins 48 – Digoin 44 – Mâcon 123 – Roanne 49 – St-Pourçain-sur-Sioule 30.

XX **Galland** avec ch, pl. République ✆ 70 99 07 21, Fax 70 99 34 64 – ☎ P. GB
fermé 1er au 15 mars, 22 au 29 nov. et merc. – **Repas** (dim. et fêtes, prévenir) 120/265 – ☕ 3 – **8 ch** 250/290.

CITROEN Désormière, ✆ 70 99 19 68
PEUGEOT Cantat-Bardon, ✆ 70 99 00 77
PEUGEOT Gar. Gabard, ✆ 70 99 26 99
RENAULT Gar. Dupereau, ✆ 70 99 01 01 N ✆ 70 99 01 01

LAPOUTROIE 68650 H.-Rhin 62 ⑱ – 1 981 h alt. 420.

Paris 467 – Colmar 21 – Munster 25 – Ribeauvillé 20 – St-Dié 36 – Sélestat 34.

du Faudé, ✆ 89 47 50 35, Fax 89 47 24 82, (été), – TV ☎ P. AE GB
fermé 3 au 21 mars et 3 nov. au 5 déc. – **Repas** 75/360 ♁, enf. 40 – ☕ 40 – **25 ch** 295/450 – ½ P 290/360.

Au Vieux Moulin sans rest, ✆ 89 47 56 55, Fax 89 47 24 41 – TV ☎ P. AE GB
fermé 12 au 22 nov. – ☕ 40 – **20 ch** 220/305.

XX **Les Alisiers** avec ch, SO : 3 km par rte secondaire ✆ 89 47 52 82, Fax 89 47 22 38, rest. non-fumeurs exclusivement, « Restaurant panoramique, ≤ vallon », – ☎ P. GB
fermé 27 juin au 3 juil., 22 au 25 déc., 2 au 31 janv., lundi soir et mardi (sauf hôtel du 15 mai au 15 nov.) – **Repas** (dim., prévenir) 80/153 ♁, enf. 50 – ☕ 44 – **13 ch** 250/380 – ½ P 235/380.

XX **Host. A La Bonne Truite** avec ch, à Hachimette E par N 415 : 1 km ✆ 89 47 50 07, Fax 89 47 25 35 – TV ☎ P. AE GB
fermé 18 au 28 juin, 12 au 28 nov., janv., mardi et merc. d'oct. à juin – **Repas** 105/280 ♁, enf. 48 – ☕ 40 – **10 ch** 230/270 – ½ P 260/280.

RENAULT Canton Vert Automobiles, ✆ 89 47 54 44 N ✆ 89 47 56 57

LAQUEUILLE 63820 P.-de-D. 73 ⑬ – 382 h alt. 1000.

Paris 462 – ◆Clermont-Ferrand 38 – Aubusson 72 – Mauriac 72 – Le Mont-Dore 14 – Ussel 44.

à la gare O : 3 km par D 98 et D 82 :

Les Clarines, ✆ 73 22 00 43, Fax 73 22 06 10, – TV ☎ – 25. AE GB
4 avril-15 nov., vacances de Noël et vacances de fév. – **Repas** (dîner seul.) 75/160 ♁, enf. 5. – ☕ 35 – **12 ch** 250/320 – ½ P 240/280.

LARAGNE-MONTÉGLIN 05300 H.-Alpes 81 ⑤ – 3 371 h alt. 571.

Paris 694 – Digne-les-Bains 55 – Gap 41 – Barcelonnette 89 – Sault 61 – Serres 17 – Sisteron 17.

Chrisma M sans rest, rte de Grenoble ✆ 92 65 09 36, Fax 92 65 08 12, – ☎ P. GB
1er mars-10 nov. et fermé dim. d'oct. à juin – ☕ 40 – **17 ch** 220/270.

Les Terrasses, av. Provence ✆ 92 65 08 54, Fax 92 65 21 08, – ☎ P. AE GB rest
hôtel : 1er avril-1er nov. ; rest. : 1er mai-1er oct. – **Repas** (dîner seul.) 95/140 ♁, enf. 55 – ☕ 3. – **15 ch** 180/280 – ½ P 240/270.

FORD Gar. Audibert, ✆ 92 65 09 71 N ✆ 92 65 09 71
RENAULT Gar. Lambert, ✆ 92 65 00 05
Gar. des Alpes, ✆ 92 65 04 79
Bernaudon-Pneus, ✆ 92 65 16 91

LARÇAY 37 I.-et-L. 64 ⑮ – rattaché à Tours.

LARCEVEAU 64 Pyr.-Atl. 85 ④ – 406 h alt. 147 – ✉ 64120 Larceveau-Arros-Cibits.

Paris 807 – Biarritz 61 – ◆Bayonne 57 – Pau 86 – St-Jean-Pied-de-Port 16 – St-Palais 15.

Espellet, ✆ 59 37 81 91, Fax 59 37 86 09, – rest ☎ P. AE GB
fermé 5 au 31 déc. et mardi du 1er oct. au 1er juil. sauf fériés – **Repas** 58/140 ♁, enf. 45 – ☕ 28 – **19 ch** 130/250 – ½ P 190/210.

X **Trinquet** avec ch, ✆ 59 37 81 57, Fax 59 37 80 06, – TV ☎. GB
fermé 12 nov. au 2 déc. et lundi sauf juil.-août et fériés – **Repas** 60/140, enf. 30 – ☕ 25 – **10 ch** 130/220 – ½ P 195/210.

PEUGEOT Gar. Thambo, ✆ 59 37 80 37 N ✆ 59 37 80 37

Le LARDIN-ST-LAZARE 24570 Dordogne 75 ⑦ – 2 047 h alt. 86.

Paris 490 – Brive-la-Gaillarde 27 – Lanouaille 38 – Périgueux 47 – Sarlat-la-Canéda 32.

Sautet, ✆ 53 51 45 00, Fax 53 51 45 29, « Parc fleuri », – cuisinette TV ☎ P. GB
début mars-début nov. – **Repas** *(fermé sam. midi)* 95/215 ♁, enf. 63 – ☕ 42 – **29 ch** 390 – 4 studios – ½ P 355.

à Coly SE : 6 km par D 62 – 193 h. alt. 113 – ✉ **24120** :

Voir Église★★ de St-Amand-de-Coly SO : 3 km, **G. Périgord Quercy.**

Manoir d'Hautegente 🐁, ☎ 53 51 68 03, Fax 53 50 38 52, ☂, « Bel aménagement interieur, jardin », 🏊 – TV ☎ P. AE GB
début avril-début nov. – **Repas** *(fermé lundi midi, mardi midi et merc. midi)* 150 (déj.), 195/260 – ☕ 60 – **12 ch** 650/900 – ½ P 480/700.

au Sud : 4 km par D 704, D 62 et rte secondaire – ✉ **24570** Condat-Le Lardin :

Château de la Fleunie 🐁, ☎ 53 51 32 74, Fax 53 50 58 98, ←, ☂, « Château du 15e siècle dans un parc », 🏊, 🎾 – TV ☎ P – 🔺 100. AE GB
fermé dim. du 15 nov. au 1er avril – **Repas** 150/350 – ☕ 50 – **33 ch** 330/800 – ½ P 350/560.

LARGENTIÈRE SP **07110** Ardèche 80 ⑧ **G. Vallée du Rhône** – 1 990 h alt. 240.

Office de Tourisme pl. des Récollets ☎ 75 39 14 28, Fax 75 39 23 66.

Paris 648 – Aubenas 17 – Alès 64 – Privas 47.

à Rocher N : 4 km par D 5 – ✉ **07110** Largentière :

Le Chêne Vert 🐁, ☎ 75 88 34 02, Fax 75 88 33 85, ←, ☂, 🏊, 🌳 – ☎ P – 🔺 30. GB. ✻ rest
20 mars-15 nov. – **Repas** 75/190, enf. 40 – ☕ 38 – **22 ch** 280/360 – ½ P 260/320.

RENAULT Gar. Soboul, ☎ 75 39 13 66

LARMOR-PLAGE **56260** Morbihan 63 ① **G. Bretagne** – 8 078 h alt. 4.

Paris 502 – Vannes 64 – Lorient 6 – Quimper 73.

Les Mouettes M 🐁, Anse de Kerguélen O : 1 km ☎ 97 65 50 30, Fax 97 33 65 33, ← – 🚭 ▤ rest TV ☎ ♿ P. AE ⓓ GB
Repas 90/220 🍷 – ☕ 39 – **21 ch** 340/420 – ½ P 340.

Eine gute Ergänzung
zum vorliegenden Hotelführer
sind die gelben **Michelin-Abschnittskarten**
im Maßstab 1 : 200 000.

LARRAU **64560** Pyr.-Atl. 85 ⑭ – 241 h alt. 636.

Paris 838 – Pau 77 – Oloron-Ste-Marie 42 – St-Jean-Pied-de-Port 46 – Sauveterre-de-Béarn 56.

Etchemaïté 🐁, ☎ 59 28 61 45, Fax 59 28 72 71, ←, ☂, 🌳 – ☎. GB. ✻ ch
fermé 15 au 31 janv. et lundi hors sais. sauf vacances scolaires – **Repas** 80/180, enf. 50 – ☕ 30 – **16 ch** 210/250 – ½ P 190/250.

Despouey 🐁, ☎ 59 28 60 82, 🌳 – ☎ P. AE GB. ✻
fermé 12 nov. au 15 fév. – **Repas** (résidents seul.) – ☕ 28 – **10 ch** 150/200 – ½ P 180/200.

LARUNS **64440** Pyr.-Atl. 85 ⑯ – 1 466 h alt. 523.

Paris 811 – Pau 37 – Argelès-Gazost 48 – Lourdes 52 – Oloron-Ste-Marie 32.

Aub. Bellevue, ☎ 59 05 31 58, ←, ☂ – P. GB
fermé 10 janv. au 15 fév., mardi soir et merc. sauf juil.-août – **Repas** 75/180.

RENAULT Gar. d'Ossau, ☎ 59 05 34 64 N ☎ 59 05 34 64

LATILLÉ **86190** Vienne 68 ⑬ – 1 305 h alt. 150.

Paris 347 – Poitiers 26 – Châtellerault 51 – Parthenay 31 – St-Maixent-l'École 34 – Saumur 89.

Centre, ☎ 49 51 88 75, Fax 49 54 81 86 – ☎. GB. ✻ rest
Repas *(fermé dim. du 1er oct. au 31 mars)* 75/110 🍷 – ☕ 35 – **14 ch** 150/200 – ½ P 155/180.

LATTES 34 Hérault 83 ⑦ – rattaché à Montpellier.

LAUTARET (Col du) **05** H.-Alpes 77 ⑦ **G. Alpes du Nord** – ✉ **05220** Le Monetier-les-Bains.

Voir ✻★★ – Jardin alpin★.

Env. Col du Galibier ✻★★★ N : 7,5 km.

Paris 658 – Briançon 28 – ♦Grenoble 89 – Lanslebourg-Mont-Cenis 82 – St-Jean-de-Maurienne 55.

Glaciers 🐁, ☎ 92 24 42 21, Fax 92 24 44 81, ←, ☂ – ☎ P. GB
mai-oct. – **Repas** 79/135, enf. 39 – ☕ 35 – **33 ch** 260 – ½ P 200.

LAUTERBOURG **67630** B.-Rhin 57 ⑳ – 2 372 h alt. 115.

Paris 520 – ♦Strasbourg 62 – Haguenau 41 – Karlsruhe 23 – Wissembourg 19.

XXX **La Poêle d'Or,** 35 r. Gén. Mittelhauser ☎ 88 94 84 16, Fax 88 54 62 30, ☂ – AE ⓓ GB
fermé 22 juil. au 1er août, 3 janv. au 1er fév., merc. et jeudi – **Repas** 195 (déj.), 330/420 et carte 280 à 390.

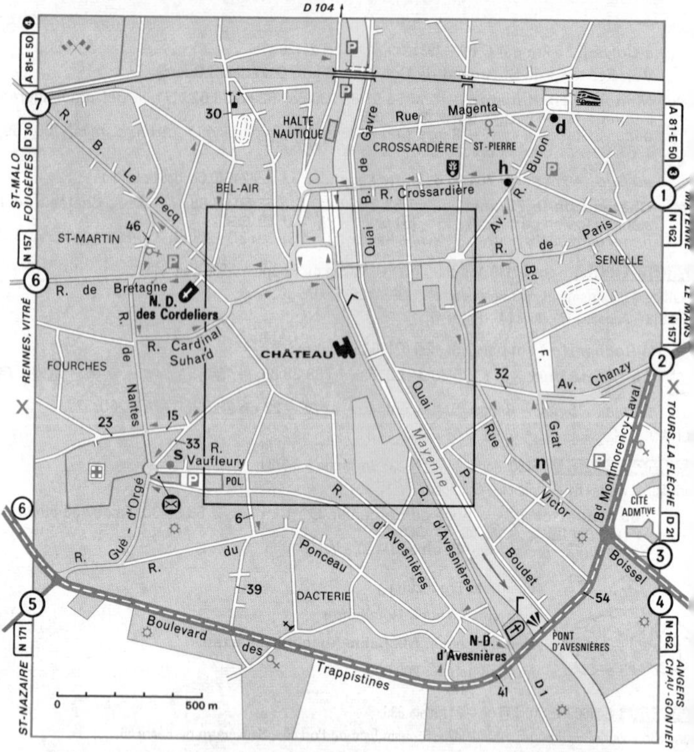

D 104
A 81-E 50 ④
7
D 30
ST-MALO FOUGÈRES
R. B. Le Pecq
30
HALTE NAUTIQUE
Rue Magenta
d
CROSSARDIÈRE
ST-PIERRE
h
Quai B. de Gavre
R. Crossardière
BEL-AIR
Av. R. Buron
A 81-E 50 ③
1
N 162
46
ST-MARTIN
N 157
R. de Paris
SENELLE
6
R. de Bretagne
N. D. des Cordeliers
R. Cardinal Suhard
CHÂTEAU
Bd F. Grat
LE MANS
N 157
2
FOURCHES
RENNES, VITRÉ
R. de Nantes
Av. Chanzy
32
X
Quai Mayenne
Rue P.
X
TOURS, LA FLÈCHE
23
15
33
S
R. Vaufleury
POL.
R. Guê-d'Orgé
n
Bd Montmorency-Laval
Victor
CITÉ ADMTIVE
D 21
6
R. d'Avesnières
Q. d'Avesnières
3
6
R. du Ponceau
R.
Boudet
Boissel
5
39
DACTERIE
54
4
N 171
Boulevard des Trappistines
N-D. d'Avesnières
PONT D'AVESNIÈRES
N 162
ST-NAZAIRE
D1
41
ANGERS CHAU-GONTIER
0 500 m

LAVAL

Déportés (R. des) . . Y 13
Gaulle (R. Gén.-de) . Y
Paix (R. de la) . . . . . Y

Avesnières (Q. d') . . Z 2
Avesnières (R. d') . . Z 3
Bourg-Hersent (R.) . X 6
Briand (Pont A.) . . . . Y 8
Britais (R. du) . . . . . . Y 9
Chapelle (R. de) . . . . Z 12
Douanier-Rousseau (R.) . . . Z 14
Étaux (R. des) . . . . . . X 15
Gambetta (Quai) . . . Y 16
Gavre (Q. B. de) . . . Y 17
Grande-Rue . . . . Z 19
Hardy-de-Lévaré (Pl.) . . . . . . Z 22
Haut-Rocher (R.) . . . X 23
Jean-Fouquet (Q.) . . Y 26
La Trémoille (Pl. de) . . . . Z 28
Macé (R. J.) . . . . X 30
Mans (R. du) . . . . . . X 32
Messager (R.) . . . . . X 33
Moulin (Pl. J.) . . . . . Y 34
Orfèvres (R. des) . . . Z 36
Paradis (R. de) . . . . . Z 37
Picardie (R. de) . . . . X 39
Pin-Doré (R. du) . . . Z 40
Pont-d'Avesnières (Bd du) . . . . X 41
Pont-de-Mayenne (R. du) . . . . Z 43
Renaise (R.) . . . . Y 44
Résistance (Crs de la) . Y 45
St-Martin (R.) . . . . . . X 46
Serruriers (R. des) . . Z 47

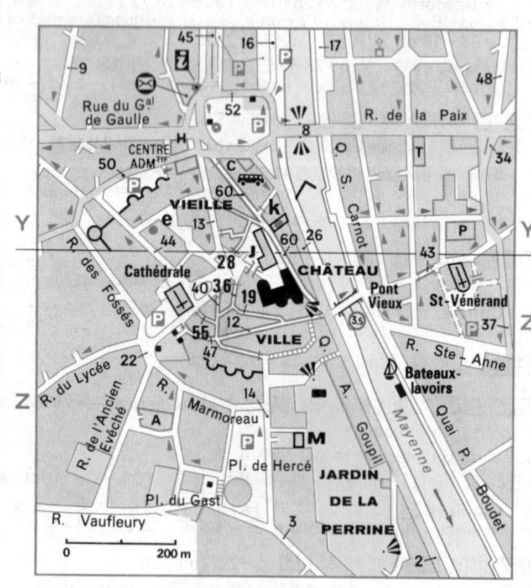

Solférino (R.) . . . . Y 48
Souchu-Servinière (R.) . . . . . Y 50
Strasbourg (R. de) . . . . Y 52
Tisserands (Bd des) . . . . X 54
Trinité (R. de la) . . . . Z 55
Val de Mayenne (R. du) . . YZ 60

LAVAL 🅿 53000 Mayenne 63 ⑩ **G. Normandie Cotentin** – 50 473 h alt. 65.

Voir Vieux château★ Z : charpente★★ du donjon, musée d'Art naïf★ – Vieille ville★ YZ – Les quais★ – Jardin de la Perrine★ Z – Chevet★ de la basilique N.-D. d'Avesnières X.

18 la Chabossière, à Changé ☎ 43 53 16 03, N par ① : 8 km.

Office de Tourisme pl. du 11-Nov. ☎ 43 49 46 46, Fax 43 49 46 21 – A.C. 7 pl. J.-Moulin ☎ 43 56 47 54.

Paris 278 ① – ◆Angers 78 ④ – ◆Caen 146 ① – ◆Le Havre 219 ① – ◆Le Mans 83 ① – ◆Nantes 134 ⑤ – ◆Rennes 74 ⑦ – St-Nazaire 151 ⑤.

Plan page ci-contre

Impérial H. sans rest, 61 av. R. Buron ☎ 43 53 55 02, Fax 43 49 16 74 – TV ☎. AE GB JCB. X h
fermé 4 au 27 août et 24 déc. au 3 janv. – 34 – **34 ch** 200/440.

Campanile, par ⑥ rte Fougères : 3 km ☎ 43 69 04 00, Fax 43 02 89 25, – TV ☎ 🅿 – 25. AE GB
Repas 84 bc/107 bc, enf. 39 – 32 – **39 ch** 270.

Ibis, rte Mayenne par ① : 3 km ☎ 43 53 81 82, Fax 43 53 11 19, – TV ☎ 🅿 – 60. AE GB
Repas 99 bc, enf. 41 – 35 – **51 ch** 305/325.

Marin'H. sans rest, 102 av. R. Buron ☎ 43 53 09 68, Fax 43 56 95 35 – TV ☎. AE GB X d
32 – **25 ch** 225/295.

XXX ✿ **Bistro de Paris** (Lemercier), 67 r. Val de Mayenne ☎ 43 56 98 29, Fax 43 56 52 85 – GB Y k
fermé 13 au 27 août, sam. midi et dim. – **Repas** 135/245 et carte environ 260, enf. 85
Spéc. Petites entrées gourmandes. "Sifflets" de sole au jus de homard. Pigeonneau laqué aux épices. **Vins** Savennières, Anjou rouge.

XXX **Le Capucin Gourmand,** 66 r. Valfleury ☎ 43 66 02 02, Fax 43 26 25 05 – GB X s
fermé 4 au 26 août, dim. soir et lundi – **Repas** 110/250 et carte 200 à 260.

XX **Les Blés d'Or** M avec ch, 83 r. V.-Boissel ☎ 43 53 14 10, Fax 43 49 02 84 – TV ☎. AE GB JCB. ch X n
fermé lundi sauf hôtel et dim. soir – **Repas** 165 – 55 – **8 ch** 320/530.

XX **A la Bonne Auberge** avec ch, 170 r. Bretagne par ⑥ ☎ 43 69 07 81, Fax 43 91 15 02 – TV ☎ 🅿. GB
fermé 1er au 25 août, vacances de fév., vend. soir (sauf hôtel) du 15 nov. au 28 fév., sam. et dim. – **Repas** 82/250 – 35 – **11 ch** 220/280.

XX **L'Antiquaire,** 5 r. Béliers ☎ 43 53 66 76 – GB Y e
fermé 15 au 25 juil., sam. midi et merc. – **Repas** 82 (déj.), 97/205, enf. 45.

à Changé au Nord par D 104 : 4 km – 4 323 h. alt. 55 – ✉ **53810** :

XX **La Table Ronde,** pl. Elva (1er étage) ☎ 43 53 43 33, Fax 43 49 05 60, – GB
fermé dim. soir et lundi – **Repas** 110/280 bc - ***Le Bistrot :*** **Repas** 75/98, enf. 68.

à Louvigné par ②, N 157 et D 131 : 11 km – 664 h. alt. 90 – ✉ **53210** :

XX **Au Vieux Pressoir,** ☎ 43 37 30 84, – GB
fermé dim. soir et lundi – **Repas** 98 bc (déj.), 120/230.

BMW Gar. Bassaler, 110 bd de Buffon, ZI des Touches ☎ 43 53 31 59 N ☎ 43 69 32 32
CITROEN Piganeau, 12 r. Henri Batard ZA des Alignées ☎ 43 69 19 00
MERCEDES Deloumel, rte du Mans à Bonchamp-les-Laval ☎ 43 53 17 58
PEUGEOT Gd Gar. du Maine, av. de Paris à St-Berthevin par ⑥ ☎ 43 01 24 24 N ☎ 43 96 42 85
RENAULT Laval Autom., av. de Paris à St-Berthevin par ⑥ ☎ 43 01 22 22 N ☎ 05 05 15 15
TOYOTA Bassaler Autom., Parc Activité des Morandières ☎ 43 56 24 22
VOLVO Defrance, rte de Rennes à St-Berthevin ☎ 43 68 01 44

Euromaster, 10 bd des Loges à St-Berthevin ☎ 43 69 15 08
Euromaster, 4 r. du Laurier ☎ 43 53 10 04

Le LAVANCHER 74 H.-Savoie 74 ⑨ – rattaché à Chamonix.

Le LAVANDOU 83980 Var 84 ⑯ 114 ㊽ G. Côte d'Azur – 5 212 h alt. 1.

Office de Tourisme quai G.-Péri ☎ 94 71 00 61, Fax 94 64 73 79.

Paris 880 ② – Fréjus 62 ① – Cannes 103 ① – Draguignan 76 ① – Ste-Maxime 42 ① – ♦Toulon 43 ②.

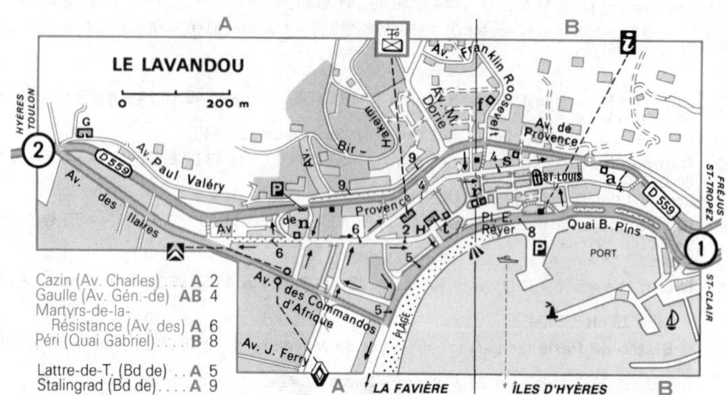

Aub. de la Calanque, 62 av. Gén. de Gaulle ☎ 94 71 05 96, Fax 94 71 20 12, ←, – 25. AE GB — B
fermé 6 nov. au 15 déc. et 3 janv. au 15 fév. – ***L'Algue Bleue*** *(fermé merc. sauf juil.-août)*
Repas 195/380, enf. 100 – 60 – **37 ch** 550/1200 – ½ P 505/580.

L'Espadon, pl. E. Reyer ☎ 94 71 00 20, Fax 94 64 79 19 – TV. AE GB — A
15 fév.-15 oct. et fermé merc. du 15 fév. au 15 juin – **Repas** (dîner seul.) 150/170, enf. 75 – 40 – **21 ch** 440/600 – ½ P 370/450.

La Petite Bohème, av. F.-Roosevelt ☎ 94 71 10 30, Fax 94 64 73 92, , – GB — B
15 mars-15 nov. – **Repas** 95/165, enf. 45 – 40 – **19 ch** 350/400 – ½ P 340/380.

L'Escapade, chemin du Vannier ☎ 94 71 11 52, Fax 94 71 22 14, – ch TV P. GB. — B
hôtel : 15 mars-6 nov. et 20 déc.-4 janv. ; rest : 1er mai-30 sept. – **Repas** (dîner seul.) 100/120 – 35 – **16 ch** 250/350 – ½ P 315/330.

La Ramade sans rest, r. Patron Ravello ☎ 94 71 20 40, Fax 94 15 22 55 – cuisinette TV. AE GB — AB
fermé 15 nov. au 15 déc. – 35 – **6 ch** 320/420, 8 appart 660/760.

Terminus (annexe M 14 ch), pl. des Joyeuses Vacances ☎ 94 71 00 62, Fax 94 15 17 51 – TV. AE GB — A
avril-oct. – **Repas** *(fermé dim. sauf juil.-août)* 75 – 25 – **39 ch** 180/300 – ½ P 190/250.

Le Krill, r. Patron Ravello ☎ 94 71 06 43, ←, – . AE GB — B
fermé 1er nov. au 20 déc. et lundi hors sais. – **Repas** 95/165.

à la Favière S : 2 km - A – ✉ 83230 Bormes-les-Mimosas :

Plage, ☎ 94 71 02 74, Fax 94 71 77 22, , – P. AE GB. rest
avril-fin sept. – **Repas** 78/150, enf. 56 – 35 – **45 ch** 261/350 – ½ P 270/310.

à St-Clair par ① : 3 km – ✉ 83980 Le Lavandou :

Belle Vue, ☎ 94 71 01 06, Fax 94 71 64 72, ←, – P. AE GB.
avril-oct. – **Repas** (dîner seul.) 180 – 60 – **19 ch** 320/750 – ½ P 400/670.

Roc H. sans rest, ☎ 94 71 12 07, Fax 94 15 06 00, ← – TV P. GB
1er avril-15 oct. – 39 – **26 ch** 430/555.

Tamaris M sans rest, ☎ 94 71 79 19, Fax 94 71 88 64 – TV P. AE GB
29 mars-2 nov. – 38 – **41 ch** 450/500.

Méditerranée, ☎ 94 71 02 18, Fax 94 71 33 47, ←, – ch TV P. GB. rest
20 mars-20 oct. – **Repas** (½ pens. seul.) 110 – 36 – **21 ch** 365/510 – ½ P 335/400.

à La Fossette-Plage par ① : 3 km – ✉ 83980 Le Lavandou :

83 Hôtel M, ☎ 94 71 20 15, Fax 94 71 63 42, ← côte et mer, , , , , – TV P. GB. rest
Pâques-fin sept. – **Repas** 210, enf. 100 – 65 – **28 ch** 550/950 – ½ P 650/750.

à Aiguebelle par ① : 4,5 km – ✉ **83980** Le Lavandou :

✿ **Les Roches** Ⓜ, ✆ 94 71 05 07, Fax 94 71 08 40, ≤ mer et les îles, « Agréables terrasses en bordure de mer », – ch ☎ P – 40. AE GB. rest
fermé janv. et fév. – **Repas** *(fermé dim. soir et lundi d'oct. à mars)* 295/620 et carte 460 à 650 – **42 ch** 1800/2500, 6 appart – ½ P 1275/1625
Spéc. Bouillabaisse royale en quatre services. Poêlée de rougets de roches en meunière de betteraves aux câpres (mars à sept.). Tronçon de loup, verdure de blettes et foie gras au jus rôti. **Vins** Côtes de Provence.

Les Alcyons sans rest, ✆ 94 05 84 18, Fax 94 05 70 89, ≤ – ☎ P. AE GB
1er avril-mi-oct. – 35 – **24 ch** 470/520.

Beau Soleil, ✆ 94 05 84 55, Fax 94 05 70 89, – ☎ P – 25. AE GB
Pâques-début oct. – **Repas** 98/170, enf. 48 – 35 – **17 ch** 470 – ½ P 350/390.

Plage, ✆ 94 05 80 74, Fax 94 05 78 05, ≤, – ☎ P. GB
hôtel : Pâques-30 sept. ; rest. : fin mai-25 sept. – **Repas** (dîner seul.) 120 – 35 – **24 ch** 410/540 – ½ P 325/400.

CITROEN Gar. des Maures, ✆ 94 71 14 93

MERCEDES, RENAULT Gar. St-Christophe, ✆ 94 71 14 90

LAVARDAC 47230 L.-et-G. 79 ⑭ **G. Pyrénées Aquitaine** – 2 454 h alt. 52.
Paris 700 – Agen 31 – Casteljaloux 25 – Houeillès 23 – Marmande 48 – Nérac 7.

Chaumière d'Albret, rte Nérac ✆ 53 65 51 75, – ☎ P. GB
fermé 6 au 21 oct., vacances de fév., dim. soir et lundi sauf juil.-août – **Repas** 55/165 – 25 – **8 ch** 150/235 – ½ P 180/210.

LAVARDIN 41 L.-et-Ch. 64 ⑤ – rattaché à Montoire-sur-le-Loir.

LAVAUR 81500 Tarn 82 ⑨ **G. Pyrénées Roussillon** – 8 148 h alt. 140.
Voir Cathédrale St-Alain★.
18 des Étangs de Fiac ✆ 63 70 64 70, E : 11 km par D 112.
Office de Tourisme Tour des Rondes ✆ 63 58 02 00, Mairie (hors saison) ✆ 63 83 12 20.
Paris 702 – ◆Toulouse 44 – Albi 50 – Castelnaudary 60 – Castres 39 – Montauban 56.

à Giroussens NO : 10 km par D 87 – 1 051 h. alt. 204 – ✉ **81500** :

L'Échauguette avec ch, ✆ 63 41 63 65, Fax 63 41 63 13, ≤, – AE GB
fermé 15 au 30 sept., 1er au 21 fév., dim. soir et lundi d'oct. à juin – **Repas** 60/260, enf. 55 – 26 – **5 ch** 140/250.

ALFA ROMEO, FIAT Barboule et Laval, 4 et 5 av. G.-Péri ✆ 63 58 08 16
RENAULT Vauréenne Autom., rte de Toulouse ✆ 63 83 18 00 N ✆ 63 42 70 18

VAG Gar. Rigal, rte de Castres ✆ 63 58 03 83
Lavaur Pneus, rte de Castres ✆ 63 58 25 48

LAVEISSIÈRE 15300 Cantal 76 ③ – 611 h alt. 937.
Paris 532 – Aurillac 44 – Condat 41 – Le Lioran 6 – Murat 5,5.

Bellevue, ✆ 71 20 01 22, Fax 71 20 09 55, – ☎ P. GB. rest
fermé 16 oct. au 25 déc. – **Repas** 75/105, enf. 38 – 35 – **16 ch** 250 – ½ P 270.

LAVELANET 09300 Ariège 86 ⑤ – 7 740 h alt. 512.
Office de Tourisme Maison de Lavelanet ✆ 61 01 22 20, Fax 61 03 06 39.
Paris 801 – Foix 26 – Carcassonne 71 – Castelnaudary 52 – Limoux 46 – Pamiers 41.

rte de Foix par D 117 : 10 km – ✉ **09300** Roquefixade :

Relais des Trois Châteaux avec ch, ✆ 61 01 33 99, Fax 61 01 73 73, – ☎ P. GB
fermé 12 au 27 nov., 27 janv. au 26 fév., lundi soir et mardi du 1er oct. au 30 avril – **Repas** 69/205 – 45 – **7 ch** 280/350 – ½ P 220/255.

Gar. Vidal, 51 av. Alsace Lorraine ✆ 61 01 00 84

Lautier Pneus, 94 av. Gén.-de-Gaulle ✆ 61 01 03 58

LAVERGNE 46 Lot 75 ⑲ – rattaché à Gramat.

LAVILLEDIEU 07 Ardèche 80 ⑨ – rattaché à Aubenas.

LAVIOLLE 07530 Ardèche 76 ⑱ – 119 h alt. 650.
Env. Mézilhac : Piton de la Croix ≤★★ N : 9 km **G. Vallée du Rhône.**
Paris 612 – Le Puy-en-Velay 65 – Aubenas 20 – Lamastre 51 – Mézilhac 8 – Privas 42.

Plantades, rte Antraigues S : 2 km sur D 578 ✆ 75 38 71 58, ≤, – P
fermé 3 janv. au 1er fév., mardi soir et merc. de nov. à Pâques – **Repas** 58/130, enf. 40 – 25 – **10 ch** 170/250 – ½ P 150/190.

LAXOU 54 M.-et-M. 62 ⑤ – rattaché à Nancy.

LAYE 05 H.-Alpes 77 ⑯ – rattaché à Bayard (Col).

LAYRAC 47390 L.-et-G. 79 ⑮ G. Pyrénées Aquitaine – 2 983 h alt. 60.

Paris 719 – Agen 09 – Lectoure 28 – Moissac 42 – Nérac 33.

XX **La Terrasse** avec ch, ☎ 53 87 01 69, Fax 53 87 14 13, – . GB
fermé 30 sept. au 7 oct., 21 janv. au 4 fév. et lundi – **Repas** 85/260 bc, enf. 50 – ☐ 30 – **5 c**
150/165 – ½ P 240.

La LÈBE (Col de) 01 Ain 74 ④ – rattaché à Hauteville-Lompnes.

La LÉCHÈRE 73260 Savoie 74 ⑰ G. Alpes du Nord – 1 936 h alt. 461 – Stat. therm. (25 mars-19 oct.).

Office de Tourisme av. de l'Isère (en saison) ☎ 79 22 51 60.

Paris 604 – Albertville 22 – Celliers 17 – Chambéry 68 – Moûtiers 7.

Radiana M, ☎ 79 22 61 61, Fax 79 22 56 65, ←, parc – rest
30. AE GB. rest
hôtel : 24 mars-20 oct. et 16 fév.-16 mars ; rest : 24 mars-20 oct. – **Repas** 100/210 – ☐ 50
87 ch 330/770 – ½ P 400/510.

Les LECQUES 83 Var 84 ⑭, 114 ㊸ – rattaché à St-Cyr-sur-Mer.

LECTOURE 32700 Gers 82 ⑤ G. Pyrénées Aquitaine – 4 034 h alt. 155.

Voir Site★ – Promenade du bastion ←★ – Musée municipal★.

Office de Tourisme cours Hôtel de Ville ☎ 62 68 76 98, Fax 62 68 79 30.

Paris 749 – Agen 36 – Auch 35 – Condom 24 – Montauban 72 – ◆Toulouse 94.

De Bastard, r. Lagrange ☎ 62 68 82 44, Fax 62 68 76 81, , –
25 à 40. AE GB
fermé vacances de Toussaint, 2 au 20 janv. et vacances de fév. – **Repas** 85/250, enf. 50
☐ 40 – **29 ch** 190/350 – ½ P 280/340.

RENAULT Gar. Franczak, ☎ 62 68 71 81 N ☎ 62 68 84 94

LEIGNÉ-LES-BOIS 86450 Vienne 68 ⑤ – 500 h alt. 125.

Paris 320 – Poitiers 53 – Le Blanc 35 – Châtellerault 16 – Loches 53 – La Roche-Posay 10.

XX **Bernard Gautier**, ☎ 49 86 53 82, Fax 49 86 58 05 – GB
fermé 11 au 30 nov., fév., dim. soir et lundi – **Repas** 100/260.

LELEX 01410 Ain 70 ⑮ – 232 h alt. 900 – Sports d'hiver :900/1 680 m 2 18 .

Paris 490 – Bourg-en-Bresse 91 – Gex 28 – Morez 38 – Nantua 43 – St-Claude 32.

Centre, ☎ 50 20 90 81, Fax 50 20 93 97 – . GB
1er juil.-30 sept. et 20 déc.-30 avril – **Repas** *(fermé vend. soir et sam. hors sais.)* 85/130
☐ 30 – **19 ch** 240/300 – ½ P 280/310.

Crêt de la Neige, ☎ 50 20 90 15, Fax 50 20 94 46, , , – . AE GB. rest
20 juin-8 sept. et 21 déc.-18 avril – **Repas** 82/140 – ☐ 30 – **29 ch** 180/335 – ½ P 240/300

Mont-Jura, ☎ 50 20 90 53, Fax 50 20 95 20 – . GB. rest
fermé 28 oct. au 15 déc., dim. soir et lundi hors sais. – **Repas** 90/130 – ☐ 28 – **12 c**
180/280 – ½ P 250/291.

LEMBACH 67510 B.-Rhin 57 ⑲ G. Alsace Lorraine – 1 710 h alt. 190.

Env. Château de Fleckenstein★★ NO : 7 km.

Office de Tourisme rte Bitche ☎ 88 94 43 16, Fax 88 94 20 04.

Paris 471 – ◆Strasbourg 55 – Bitche 33 – Haguenau 26 – Niederbronn-les-Bains 18 – Wissembourg 15.

Au Heimbach sans rest, 15 rte Wissembourg ☎ 88 94 43 46, Fax 88 94 20 85 –
☐ 35 – **16 ch** 285/385.

Vosges du Nord sans rest, 59 rte Bitche ☎ 88 94 43 41, Fax 88 94 23 08 – .
fermé 20 au 31 août et lundi – ☐ 24 – **8 ch** 235/245.

XXXX ✿✿ **Aub. Cheval Blanc** (Mischler), 4 rte Wissembourg ☎ 88 94 41 86, Fax 88 94 20 74
« Ancien relais de poste », – . AE GB
fermé 8 au 26 juil., 3 au 21 fév., lundi et mardi – **Repas** 175/410 et carte 300 à 380
Spéc. Farandole de quatre foies d'oie chauds. Suprême de sandre et "schniderspattle". Médaillons de chevreu "Fleckenstein" (25 mai au 10 fév.). **Vins** Pinot blanc, Muscat.

à Gimbelhof N : 10 km par D 3, D 925 et rte forestière – ✉ 67510 Lembach :

X **Gimbelhof** avec ch, ☎ 88 94 43 58, Fax 88 94 23 30, ←, – . GB
fermé 15 nov. au 26 déc. et vacances de fév. – **Repas** *(fermé lundi et mardi)* 60/120, dîner la carte en sem. , enf. 32 – ☐ 25 – **8 ch** 220 – ½ P 150/180.

CITROEN Gar. Weisbecker, ☎ 88 94 41 96 N ☎ 88 94 41 96

LENCLOITRE 86140 Vienne 68 ③ G. Poitou Vendée Charentes – 2 222 h alt. 71.

Paris 318 – Poitiers 28 – Châtellerault 17 – Mirebeau 12 – Richelieu 24.

X **Champ de Foire**, ☎ 49 90 74 91 – GB.
fermé 15 au 30 juin, dim. soir et lundi sauf fériés – **Repas** 80/180.

CITROEN Gar. Raison, ☎ 49 90 70 31

.ENS ⟨SP⟩ **62300** P.-de-C. 51 ⑮ 111 ㉘ – 35 017 h Agglo. 323 174 h alt. 38.

nv. Mémorial canadien de Vimy★ 9 km par ④ – N.-D.-de-Lorette ✳★ SO : 11 km, **G. Flandres rtois Picardie.**

Office de Tourisme ✆ 21 44 34 34, Fax 21 78 40 85 – A.C. ZI du Gard ✆ 21 28 34 89.

aris 199 ③ – ♦Lille 34 ① – Arras 19 ③ – Béthune 18 ④ – Douai 21 ② – St-Omer 64 ④.

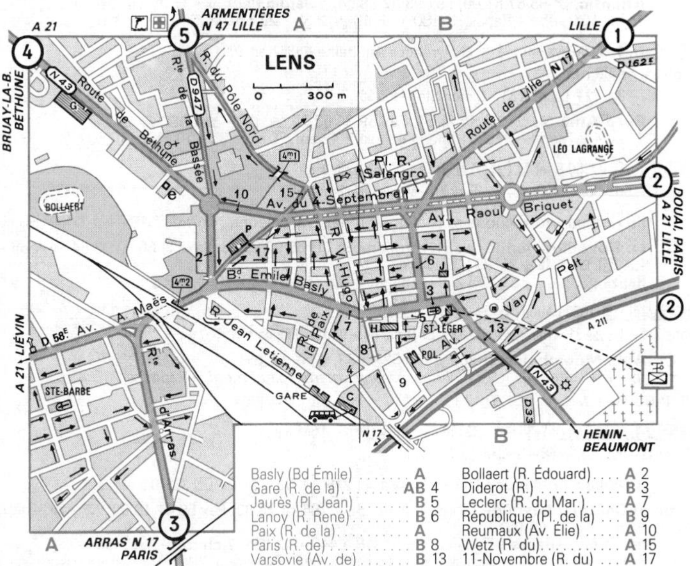

Basly (Bd Émile)	A	Bollaert (R. Édouard)	A 2
Gare (R. de la)	AB 4	Diderot (R.)	B 3
Jaurès (Pl. Jean)	B 5	Leclerc (R. du Mar.)	A 7
Lanoy (R. René)	B 6	République (Pl. de la)	B 9
Paix (R. de la)	A	Reumaux (Av. Élie)	A 10
Paris (R. de)	B 8	Wetz (R. du)	A 15
Varsovie (Av. de)	B 13	11-Novembre (R. du)	A 17

Lensotel et rest. L'Escarpolette, centre commercial Lens 2 par ⑤ : 3,5 km ✉ 62880 Vendin-le-Vieil ✆ 21 79 36 36, Fax 21 79 36 00, 🏊, 🌳 – ⇔ TV ☎ P – 🏛 100. AE ⓓ GB
Repas 90/208 – ☕ 40 – **70 ch** 310/350 – ½ P 270.

Espace Bollaert M, 13C rte Béthune ✆ 21 78 30 30, Fax 21 78 24 83 – 🛗 ⇔ TV ☎ ✆ ♿ P – 🏛 60. AE ⓓ GB A **e**
Repas *(fermé vend. soir, sam. midi et dim. soir)* 110/150 – ☕ 33 – **54 ch** 255/285 – ½ P 210/220.

LFA ROMEO, FIAT G.N.D., 44 rte de Lille à Loison ✆ 21 70 61 63
ONDA, TOYOTA Gar. Barre, 247 rte de Béthune ✆ 21 42 42 21 N ✆ 28 09 10 76
PEL Thirion, 60 av. A.-Maes ✆ 21 79 45 40
EUGEOT Wantiez, N à Loison par ① ✆ 21 70 17 65
ENAULT Evrard, 2 r. de la Convention à Liévin par 58 A ✆ 21 43 42 44 N ✆ 21 69 07 89
ENAULT Gar. Lensois, 50 rte de Lille à Loison par) ✆ 21 70 19 68 N ✆ 21 69 07 89

RENAULT Gar. Derache, bd Maurice Thorez à Avion par ③ ✆ 21 42 35 35
SEAT Sarels Auto, 79 av. Van-Pelt ✆ 21 74 87 77
VAG S.A.M.A., 267 bd Martel à Avion ✆ 21 28 18 16

Chamart Vulcopneu, 81 av. Van-Pelt ✆ 21 28 60 54
La Maison du Pneu, 346 rte de Lille ✆ 21 78 62 78

ÉON **40550** Landes 78 ⑯ – 1 330 h alt. 9.

'oir Courant d'Huchet★ en barque NO : 1,5 km, **G. Pyrénées Aquitaine.**

⛳18 de la Côte d'Argent ✆ 58 48 54 65, SO par D 652 puis D 117 : 8 km.

Office de Tourisme Grand Rue ✆ 58 48 76 03.

aris 728 – Mont-de-Marsan 78 – Castets 14 – Dax 29 – Mimizan 41 – St-Vincent-de-Tyrosse 32.

Lac 🌿, au Lac NO : 1,5 km ✆ 58 48 73 11, ← – ☎. GB. ✻ ch
1er mai-30 sept. – **Repas** 70/150, enf. 45 – ☕ 26 – **15 ch** 180/240 – ½ P 220/250.

TROEN Ducasse, ✆ 58 48 73 10

RENAULT Gar. Bidou, ✆ 58 48 74 34

ÉRÉ **18240** Cher 65 ⑫ **G. Berry Limousin** – 1 161 h alt. 145.

aris 178 – Auxerre 75 – Bourges 66 – Montargis 64 – Nevers 62 – ♦Orléans 101.

✗✗ **Lion d'Or** avec ch, ✆ 48 72 60 12, Fax 48 72 56 18 – ▤ rest TV ☎. GB
Repas *(fermé dim. soir et lundi du 20 sept. au 15 mai)* 95/295 – ☕ 35 – **7 ch** 240 – ½ P 330.

LÉRINS (Iles de) 06 Alpes-Mar. 84 ⑨ – voir à Ste-Marguerite et St-Honorat.

LESCAR 64 Pyr.-Atl. 85 ⑥ – rattaché à Pau.

LESCONIL 29740 Finistère 58 ⑭ **G. Bretagne.**

Paris 576 – Quimper 27 – Douarnenez 43 – Guilvinec 6 – Loctudy 8 – Pont-l'Abbé 8,5.

Atlantic, ✆ 98 87 81 06, Fax 98 87 88 04, « Jardin fleuri » – ☎ P. AE GB
1er avril-30 sept. – **Repas** 85/180, enf. 40 – ☐ 35 – **23 ch** 240/280 – ½ P 325.

LESCUN 64490 Pyr.-Atl. 85 ⑮ **G. Pyrénées Aquitaine** – 198 h alt. 900.

Voir ☼★★ 30 mn.

Paris 860 – Pau 72 – Lourdes 89 – Oloron-Ste-Marie 36.

Pic d'Anie ⛰, ✆ 59 34 71 54, Fax 59 34 53 22, ≤, 斎 – ☎. GB. ✽ ch
1er avril-20 sept. – **Repas** (dîner seul.) 90/200, enf. 70 – ☐ 35 – **10 ch** 220/280 – ½ P 250/27

LÉSIGNY 77150 S.-et-M. 61 ② 101 ㉙ – 7 865 h alt. 95.

Paris 33 – Brie-Comte-Robert 7,5 – Évry 27 – Melun 26 – Provins 60.

au golf par rte secondaire S : 2 km ou par Francilienne : sortie n° 19 – ✉ **77150** Lésigny :

Le Réveillon, ferme des Hyverneaux ✆ (1) 60 02 25 26, Fax (1) 60 02 03 84, ≤, golf – ⇔ TV ☎ ♿ P – 🎓 80. AE ⦿ GB
Repas 135 (déj.), 151/165 ⅀, enf. 51 – ☐ 40 – **47 ch** 300/340 – ½ P 315.

LESMONT 10500 Aube 61 ⑧ – 244 h alt. 111.

Paris 211 – Troyes 31 – Bar-sur-Aube 32 – St-Dizier 54 – Vitry-le-François 41.

XX **Aub. Munichoise,** D 960 ✆ 25 92 45 33, 斎 – AE GB
fermé 18 sept. au 10 oct., 14 au 30 janv., mardi soir et merc. – **Repas** 60/215 ⅀.

RENAULT Gar. Millon, ✆ 25 92 45 13

LESPARRE-MÉDOC SP 33340 Gironde 71 ⑰ – 4 661 h alt. 12.

Paris 642 – ◆Bordeaux 65 – Soulac-sur-Mer 29.

à Gaillan-en-Médoc NO : 5 km par N 215 – 1 773 h. alt. 9 – ✉ **33340** :

XXX ✿ **Château Layauga** (Jorand) avec ch, ✆ 56 41 26 83, Fax 56 41 19 52, 斎, 🌳 – ⇔ ☎ ♿ 🚗 P. AE GB
fermé fév. – **Repas** 195/345 et carte 340 à 440 – ☐ 65 – **7 ch** 525 – ½ P 650
Spéc. Truffes du Périgord. Sauté de homard aux petits légumes. Pigeonneau rôti farci à l'ancienne au jus de truffe. Vi Médoc.

à Queyrac par N 215 : 8 km – 1 129 h. alt. 4 – ✉ **33340** :

Les Vieux Acacias ⛰ sans rest, ✆ 56 59 80 63, Fax 56 59 85 93, 🌳 – ☎ P. GB
fermé 15 déc. au 1er fév. – ☐ 35 – **15 ch** 220/310, 3 appart.

CITROEN SADAM, ✆ 56 41 10 77

Médoc Pneu, à Gaillan ✆ 56 41 06 73
Pneu Echappement 2000, ✆ 56 41 11 78

LESTELLE-BÉTHARRAM 64800 Pyr.-Atl. 85 ⑦ **G. Pyrénées Aquitaine** – 865 h alt. 299.

Voir Grottes de Bétharram★★ S : 5 km.

Paris 795 – Pau 26 – Laruns 35 – Lourdes 17 – Nay 8,5 – Oloron-Ste-Marie 43.

Touristes, ✆ 59 71 93 05, 斎 – ☎ P. GB
fermé 2 janv. au 15 fév. et lundi d'oct. à juin. – **Repas** 72/185 ⅀, enf. 50 – ☐ 30 – **14 c** 120/230 – ½ P 120/230.

X **Central** avec ch, ✆ 59 71 92 88, 斎 – ☎. GB
fermé mi-oct. à mi-nov. – **Repas** 74 bc/190 ⅀ – ☐ 35 – **18 ch** 165/240 – ½ P 225/250.

au SE : 3 km par D 937 et rte des Grottes – ✉ **64800** Lestelle-Bétharram :

Le Vieux Logis M ⛰, ✆ 59 71 94 87, Fax 59 71 96 75, ≤, 斎, « Parc », 🏊 – |♦| TV ☎ P – 🎓 30. AE GB
fermé 15 janv. au 1er mars, dim. soir et lundi du 1er nov. au 1er avril – **Repas** 70/210, enf. 45 ☐ 35 – **35 ch** 210/270, 5 chalets – ½ P 248/278.

LEUCATE 11370 Aude 86 ⑩ **G. Pyrénées Roussillon** – 2 177 h alt. 21.

Voir ≤★ du sémaphore du Cap E : 2 km.

i Office de Tourisme Centre Commercial ✆ 68 40 91 31.

Paris 836 – ◆Perpignan 39 – Carcassonne 86 – Narbonne 36 – Port-la-Nouvelle 17.

XX **Jouve** M avec ch, sur la plage ✆ 68 40 02 77, ≤, 斎 – TV ☎. AE GB. ✽ ch
31 mars-29 sept. et fermé lundi sauf de juin à sept. – **Repas** *(fermé lundi sauf le soir juil.-août et dim. soir de sept. à juin)* 105/215 – ☐ 37 – **7 ch** 350/480 – ½ P 340.

à Port-Leucate S : 7 km par D 627 – ✉ **11370** :

Deux Golfs M ⛰ sans rest, sur le port ✆ 68 40 99 42, Fax 68 40 79 79, ≤ – |♦| TV ☎ P. AE GB
☐ 40 – **30 ch** 295/395.

EVALLOIS-PERRET 92 Hauts-de-Seine 55 ⑳, 101 ⑮ – voir à Paris, Environs.

EVENS 06670 Alpes-Mar. 84 ⑲ 115 ⑯ G. Côte d'Azur – 2 686 h alt. 600.

'oir ≤★.

nv. Saut des Français ≤★★ N : 8 km – Utelle : retable★ de l'église N : 22 km – Madonne 'Utelle ✳★★★ N : 29 km.

aris 952 – Antibes 46 – Cannes 54 – ♦Nice 25 – Puget-Théniers 47 – St-Martin-Vésubie 37.

La Vigneraie ⑤, SE : 1,5 km (rte St-Blaise) ✆ 93 79 70 46, ☂, ⊼ – TV P. GB
28 janv.-14 oct. – **Repas** 100/145 (dîner pour résidents seul.) – ☐ 25 – **18 ch** 120/210 – ½ P 260.

Malausséna, ✆ 93 79 70 06, Fax 93 79 85 89 – TV ☎. AE GB. ✻ ch
fermé 25 oct. au 15 déc. – **Repas** *(fermé le soir de sept. à juin)* 95/150 – ☐ 35 – **13 ch** 180/230 – ½ P 200/230.

Les Santons, au village ✆ 93 79 72 47, ☂ – GB
fermé 24 juin au 3 juil., 30 sept. au 9 oct., 6 janv. au 12 fév. et merc. – **Repas** (prévenir) 100/238.

ar. de la Fanga, Quartier de la Fanga ✆ 93 79 79 56

EVERNOIS 21 Côte-d'Or 69 ⑨ – rattaché à Beaune.

Wenn Sie ein ruhiges Hotel suchen,
benutzen Sie zuerst die Karten in der Einleitung
oder wählen Sie im Text ein Hotel mit dem Zeichen ⑤.

EVROUX 36110 Indre 68 ⑧ G. Berry Limousin – 3 045 h alt. 142.

'oir Collégiale St-Sylvain★ : stalles★, buffet d'orgues★.

nv. Château de Bouges★★, parc★ NE : 9,5 km.

Office de Tourisme à la Mairie ✆ 54 35 70 54.

aris 257 – Blois 78 – Châteauroux 21 – Châtellerault 95 – Loches 55 – Vierzon 51.

Cloche, 3 r. Nationale ✆ 54 35 70 43, Fax 54 35 67 43 – GB. ✻ ch
fermé fév., lundi soir et mardi – **Repas** 85/220 ♈ – ☐ 28 – **26 ch** 160/320.

Relais St-Jean, 34 r. Nationale ✆ 54 35 81 56, Fax 54 35 36 09, ☂ – AE GB
fermé 26 fév. au 10 mars, dim. soir et merc. soir sauf fêtes – **Repas** 85/205, enf. 55.

ITROEN Gar. Bailly, 35 av. du Gén.-de-Gaulle
' 54 35 70 30 N ✆ 54 37 70 30
EUGEOT Gar. Bottin, 15 r. Gambetta
' 54 35 70 28

PEUGEOT Gar. Tricoche, 101 rte de Châteauroux
✆ 54 35 71 42
RENAULT Gar. Tranchant, 95 rte de Châteauroux
✆ 54 35 71 45

ÉZIGNAN-CORBIÈRES 11200 Aude 83 ⑬ – 7 881 h alt. 51.

Office de Tourisme pl. République ✆ 68 27 05 42.

aris 823 – ♦ Perpignan 85 – Carcassonne 39 – Narbonne 20 – Prades 129.

Tassigny et rest. Tournedos, pl. de Lattre-de-Tassigny ✆ 68 27 11 51, Fax 68 27 67 31 – ▤ rest TV ☎ ♿. GB
fermé lundi sauf hôtel et dim. soir – **Repas** 72/175 ♈, enf. 38 – ☐ 30 – **20 ch** 180/300 – ½ P 300/350.

ITROEN Gar. Algrain, rte de Narbonne
' 68 27 11 57
EUGEOT Gar. Belmas, ZI de Gaujac, rte de
abrézan ✆ 68 27 01 66 N ✆ 68 27 01 66

RENAULT Lézignan-Auto, 63 av. G.-Clémenceau
✆ 68 27 74 00 N ✆ 05 05 15 15

Belotti Pneus, 35 av. Mar.-Joffre ✆ 68 27 01 72

EZOUX 63190 P.-de-D. 73 ⑮ G. Auvergne – 4 819 h alt. 340.

'oir Moissat-Bas : châsse de St-Lomer★★ dans l'église S : 5 km.

Syndicat d'Initiative à la Mairie ✆ 73 73 01 00.

aris 444 – ♦ Clermont-Ferrand 27 – Ambert 61 – Issoire 43 – Riom 28 – Thiers 17 – Vichy 46.

Voyageurs avec ch, pl. de la Mairie ✆ 73 73 10 49, Fax 73 73 92 60 – TV ☎ ✆. GB
fermé 1er au 14 oct., 30 janv. au 13 fév., dim. soir et lundi – **Repas** 95/250 ♈ – ☐ 32 – **9 ch** 185/300 – ½ P 185/215.

à Bort-l'Étang SE : 8 km par D 223 et D 309 – 409 h. alt. 420 – ✉ **63190**.

Voir ✳★ de la terrasse du château★ à Ravel O : 5 km.

Château de Codignat ⑤, O : 1 km ✆ 73 68 43 03, Fax 73 68 93 54, ≤, ☂, parc, « Château du 15e siècle décoré avec raffinement », ⚒, ⛱, ✂ – ▤ ch TV ☎ P – 🚶 40. AE ① GB
20 mars-3 nov. – **Repas** 290/350, enf. 180 – ☐ 75 – **12 ch** 790/1300, 4 appart – ½ P 790/1050.

EUGEOT Gar. Rozière, ✆ 73 73 10 98

LIANCOURT 60140 Oise 56 ① – 6 178 h alt. 59.

Paris 72 – Compiègne 33 – Beauvais 36 – Chantilly 18 – Creil 10 – Senlis 20.

Host. Parc, av. Ile-de-France ☎ 44 73 04 99, Fax 44 73 67 75, – TV ☎ P. AE ⓞ GB JCB
Repas *(fermé lundi en juil.-août et dim. soir)* 100/145 – 35 – **13 ch** 298/341.

LIBOURNE SP 33500 Gironde 75 ⑫ **G. Pyrénées Aquitaine** – 21 012 h alt. 7.

18 de Cameyrac ☎ 56 72 96 79 par ④ : 12 km ; 9 de Teynac ☎ 56 72 85 62 par ④ et N 89 : 15 km.

Office de Tourisme pl. A.-Surchamp ☎ 57 51 15 04.

Paris 578 ⑤ – ♦Bordeaux 29 ④ – Agen 129 ③ – Angoulême 101 ① – Bergerac 61 ③ – Périgueux 95 ② – Royan 119 ⑤.

LIBOURNE

Ferry (R. J.) AZ 7
Gambetta (R.) ABY
Jaurès (R. J.) ABZ
Montaigne (R. M.) BZ 21
Montesquieu (R.) BY 23

Prés.-Carnot (R. du) ABY
Surchamp (Pl. A.) AZ
Thiers (R.) AZ

Amade (Q. du Gén. d') AZ 4
Clemenceau (Av. G.) BY 5
Decazes (Pl.) BY 6
Foch (Av. du Mar.) BY 8

J.-J.-Rousseau (R.) ABZ
Lattre-de-Tassigny (Pl. du Mar.-de) AZ
Prés.-Doumer (R. du) ABY
Prés.-Wilson (R. du) BY
Princeteau (Pl.) ABY
Salinières (Quai des) AY
Waldeck-Rousseau (R.) AY

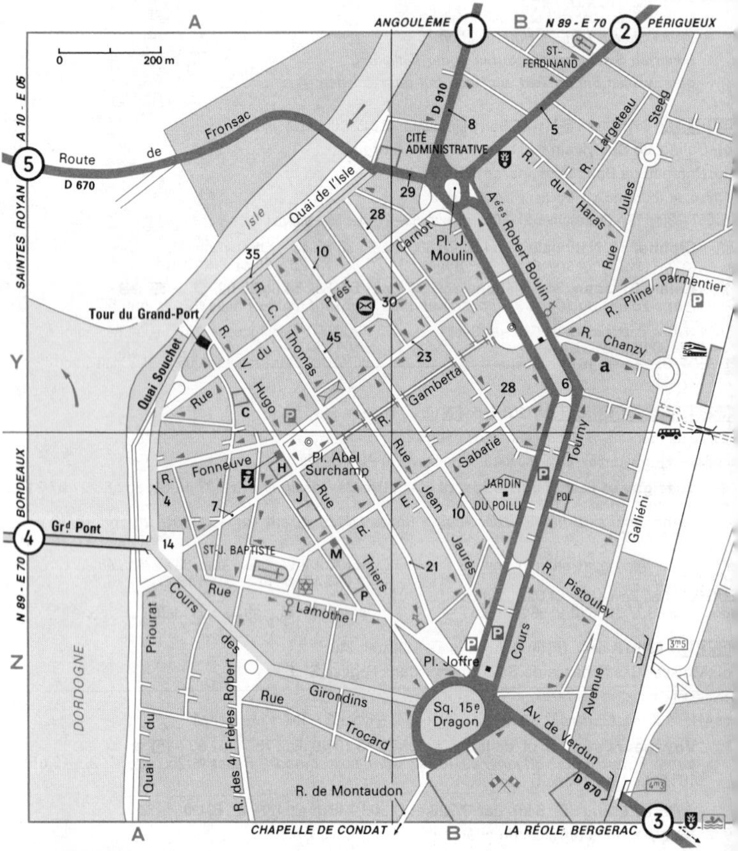

Bistrot Chanzy, 16 r. Chanzy ☎ 57 51 84 26 – GB BY
fermé lundi soir et dim. – **Repas** 85.

à l'aérodrome d'Artigues par ② et N 89 : 12 km – ✉ 33570 Les Artigues de Lussac :

Chez Servais, ☎ 57 24 31 95, – P. GB
fermé 15 au 31 août, vacances de fév., dim. soir et lundi – **Repas** 125/260.

ITROEN Libourne Autom., 140 av. Ch.-de-Gaulle ar ③ ✆ 57 55 32 32
EUGEOT Agence Centrale Autom. Libournaise 12 av. Gén.-de-Gaulle par ③ ✆ 57 51 40 81 N ✆ 57 91 13 62
ENAULT Gar. Bastide, ZI Ballastière, rte d'Angoume par ① ✆ 57 25 60 60 N ✆ 56 76 04 08

Da Silva Pneu-Point S, rte de Bordeaux Port-du-Noyer à Arveyres ✆ 57 51 54 56
Da Silva Pneu-Point S, av. de Gaulle, rte de Castillon ✆ 57 51 66 03
Euromaster, 113 av. G.-Pompidou ✆ 57 51 24 24
Service du Pneu-Point S, rte de Bergerac à Castillon la Bataille ✆ 57 40 38 38

LIEPVRE 68660 H.-Rhin 62 ⑱ – 1 558 h alt. 272.

aris 465 – Colmar 34 – Ribeauvillé 24 – St-Dié 29 – Sélestat 14.

Élisabeth, à La Vancelle NE : 2,5 km par rte secondaire ✉ 67730 ✆ 88 57 90 61, Fax 88 57 91 51, – TV ☎ P – 25. GB.
fermé janv. – **Repas** *(fermé dim. soir et lundi)* 60 (déj.), 120/240, enf. 45 – 50 – **12 ch** 230/280 – ½ P 230/280.

Aub. Frankenbourg, à La Vancelle NE : 2,5 km par rte secondaire ✉ 67730 ✆ 88 57 93 90, Fax 88 57 91 31, – TV ☎. GB
fermé 14 fév. au 8 mars – **Repas** *(fermé mardi soir et merc.)* 110/265 – 35 – **11 ch** 210/260 – ½ P 235.

A la Vieille Forge, à Bois-l'Abbesse E : 3 km rte Sélestat ✆ 89 58 92 54, Fax 89 58 43 58 – P. AE GB
fermé 9 au 26 juil., 18 au 25 fév., lundi soir et mardi – **Repas** 115/275.

OYOTA Gar. Gerber, ✆ 89 58 92 03

LIESSIES 59740 Nord 53 ⑥ **G. Flandres Artois Picardie** – 531 h alt. 165.

oir Lac du Val Joly★ E : 5 km.

aris 215 – St-Quentin 75 – Avesnes-sur-Helpe 15 – Charleroi 45 – Hirson 24 – Maubeuge 26.

Château de la Motte, S : 1 km par rte secondaire ✆ 27 61 81 94, Fax 27 61 83 57, parc – TV ☎ P – 50. GB
fermé 20 déc. au 31 janv., lundi soir et mardi soir hors sais. et dim. soir – **Repas** 105/190, enf. 60 – 35 – **12 ch** 160/370 – ½ P 233/318.

Le Carillon, ✆ 27 61 80 21, Fax 27 61 82 34 – AE GB
fermé 13 au 27 nov., 2 au 15 janv. et merc. – **Repas** 85 bc/193.

LIEUSAINT 77127 S.-et-M. 61 ① 101 ㊳ – 5 200 h alt. 89.

aris 43 – Brie-Comte-Robert 12 – Évry 11 – Melun 12.

Le Flamboyant M, 98 r. Paris (près N 6) ✆ (1) 60 60 05 60, Fax (1) 60 60 05 32, – rest TV ☎ P – 30 à 80. AE GB
Repas *(fermé dim. soir)* 95/180, enf. 50 – 35 – **72 ch** 320/350 – ½ P 310.

LIGNAN-SUR-ORB 34 Hérault 83 ⑭ – rattaché à Béziers.

LIGNY-LE-CHÂTEL 89144 Yonne 65 ⑤ **G. Bourgogne** – 1 122 h alt. 130.

aris 183 – Auxerre 23 – Sens 57 – Tonnerre 24 – Troyes 64.

Relais St-Vincent, ✆ 86 47 53 38, Fax 86 47 54 16, – TV ☎ P – 50. AE GB JCB
Repas 78/160 – 42 – **15 ch** 230/380 – ½ P 230/310.

Aub. du Bief, ✆ 86 47 43 42, Fax 86 47 48 14, – P. AE GB
fermé 26 déc. au 26 janv., dim. soir et lundi – **Repas** 98/260.

LIGUEIL 37240 I.-et-L. 68 ⑤ **G. Châteaux de la Loire** – 2 201 h alt. 85.

aris 271 – ♦Tours 45 – Le Blanc 56 – Châteauroux 79 – Châtellerault 37 – Chinon 50 – Loches 18.

Le Colombier, pl. Gén. Leclerc ✆ 47 59 60 83 – ☎ P. GB
fermé 1er au 15 sept., 2 janv. au 15 fév., dim. soir et vend. sauf juil.-août – **Repas** 58/180, enf. 45 – 30 – **11 ch** 155/250 – ½ P 220/250.

à Cussay SO : 3,5 km par D 31 – 551 h. alt. 105 – ✉ **37240** :

Aub. du Pont Neuf avec ch, ✆ 47 59 66 37, – TV ☎ P. AE GB
fermé fév. et lundi – **Repas** 68/150, enf. 48 – 35 – **7 ch** 140/200.

ENAULT Gar. Chapet, ✆ 47 59 64 10 N ✆ 47 59 64 10

LILLE P 59000 Nord 51 ⑯ 111 ㉒ G. Flandres Artois Picardie – 172 142 h Agglo. 952 234 h alt. 10.

Voir Le Vieux Lille★★ : Vieille Bourse★★ EY **D**, place du Général-de-Gaulle EY 66, Hospic comtesse★ (voûte en carène★★) EY, rue de la Monnaie★ EY 120 – Citadelle Vauban★ – Quarti St-Sauveur : Porte de Paris★, ≤★ du beffroi de l'hôtel de ville FZ – Musée des Beaux-Arts★★ EZ (réouverture prévue automne 96) – Maison natale du Général De Gaulle EY.

9 des Flandres (privé) ℘ 20 72 20 74 par N 350 : 4,5 km HS ; 18 du Sart (privé) ℘ 20 72 02 5 par N 356 : 7 km HS ; 18 de Brigode à Villeneuve-d'Ascq ℘ 20 91 17 86 par D 146 : 9 km JS ; 18 de Bondues ℘ 20 23 20 62, par N 17 : 9,5 km HR.

de Lille-Lesquin : ℘ 20 49 68 68, par A1 : 8 km HT.

℘ 36 35 35 35.

Office de Tourisme Palais Rihour ℘ 20 30 81 00, Télex 110213, Fax 20 30 82 24 – Automobile Club du No 8 r. Quennette ℘ 20 55 21 41.

Paris 221 ⑩ – Bruxelles 116 ⑧ – Gent 74 ② – Luxembourg 312 ⑧ – ♦Strasbourg 525 ⑧.

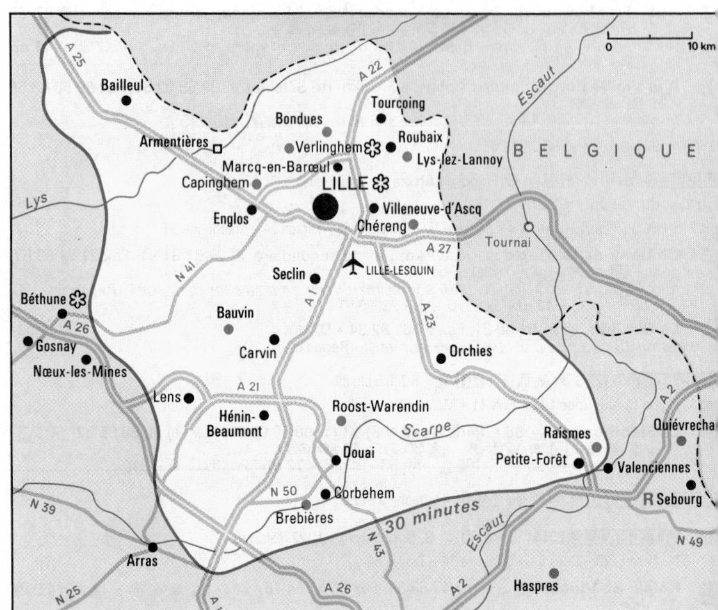

Alliance M, 17 quai du Wault ✉ 59800 ℘ 20 30 62 62, Fax 20 42 94 25, « Ancie couvent du 17e siècle » – TV – 120. AE GB JCB. rest BV
Repas 98/195 – 70 – **75 ch** 670, 8 appart.

Carlton, 3 r. Paris ✉ 59800 ℘ 20 13 33 13, Télex 110400, Fax 20 51 48 17 – – 25 à 100. AE GB JCB EY
Brasserie Jean (fermé dim. midi) **Repas** carte 150 à 230, – 70 – **57 ch** 800/102 3 appart.

Novotel Lille Centre M, 116 r. Hôpital Militaire ✉ 59800 ℘ 20 30 65 2 Fax 20 30 04 04 – TV – 30. AE GB EY
Repas carte environ 160, enf. 51 – 51 – **102 ch** 550/600.

Gd H. Bellevue sans rest, 5 r. J. Roisin ✉ 59800 ℘ 20 57 45 64, Fax 20 40 07 93 – TV – 50. AE GB JCB EY
62 – **61 ch** 450/615.

Mercure Royal M sans rest, 2 bd Carnot ✉ 59800 ℘ 20 51 05 11, Fax 20 74 01 65 – TV – 25. AE GB JCB EY
53 – **102 ch** 480.

Fimotel M, 75 bis r. Gambetta ℘ 20 42 90 90, Fax 20 57 14 24 – TV – 80. AE GB JCB EZ
Repas *(fermé vend. soir, dim. midi et sam.)* 89/115, enf. 36 – 40 – **98 ch** 370.

Paix sans rest, 46 bis r. Paris ✉ 59800 ℘ 20 54 63 93, Fax 20 63 98 97 – TV . AE GB EY
38 – **35 ch** 340/430.

Treille M sans rest, 7 pl. L. de Bettignies ✉ 59800 ☎ 20 55 45 46, Fax 20 51 51 69 – ⎈ TV ☎ – 🎤 40. AE ⓓ GB EY d
☕ 45 – **40 ch** 350/380.

Ibis Centre M, av. Ch. St-Venant ✉ 59800 ☎ 20 55 44 44, Fax 20 31 06 25, 🍽 – ⎈ ⊁ TV ☎ ☏ ♿ 🚗 – 🎤 25 à 70. AE ⓓ GB FYZ a
Repas 99 bc, enf. 39 – ☕ 35 – **151 ch** 350.

Lille Europe M sans rest, allée de Liège, av. Le Corbusier ☎ 20 21 41 51, Fax 20 21 41 59 – ⎈ TV ☎ ♿ P. AE ⓓ GB FY m
☕ 38 – **97 ch** 340.

Ibis Opéra M sans rest, 21 r. Lepelletier ✉ 59800 ☎ 20 06 21 95, Fax 20 74 91 30 – ⎈ ⊁ TV ☎ ☏. AE ⓓ GB EY b
☕ 36 – **60 ch** 340.

Nord H., 46 r. Fg d'Arras ☎ 20 53 53 40, Fax 20 53 20 95 – ⎈ TV ☎ ☏ P – 🎤 40. AE ⓓ GB GT a
Repas 80 (dîner), 98/138 🍷 – ☕ 35 – **80 ch** 270/290 – ½ P 330/345.

XXXX ✿ **A L'Huîtrière**, 3 r. Chats Bossus ✉ 59800 ☎ 20 55 43 41, Fax 20 55 23 10, « Original décor de céramiques dans la poissonnerie » – ▤. AE ⓓ GB EY g
fermé 22 juil. au 23 août, dim. soir et soirs fériés – **Repas** 260 et carte 300 à 420
Spéc. Huîtres et produits de la mer. Homard aux légumes façon "waterzoï". Saint-Pierre au thym aux écailles de pommes de terre.

XXX **Le Sébastopol**, 1 pl. Sébastopol ☎ 20 57 05 05, Fax 20 40 11 31 – AE GB EZ a
fermé dim. en juil.-août et sam. midi – **Repas** 150/260 et carte 290 à 370.

XXX **La Laiterie**, 138 av. Hippodrome à Lambersart NO : 2 km ✉ 59130 Lambersart ☎ 20 92 79 73, Fax 20 22 16 19, 🍽, 🌳 – P. AE ⓓ GB AV s
fermé dim. soir – **Repas** 150/260 et carte 330 à 490.

XX **Le Paris**, 52 bis r. Esquermoise ✉ 59800 ☎ 20 55 29 41 – AE ⓓ GB EY f
fermé début août à début sept. et dim. sauf fériés – **Repas** 205/342 bc.

XX **Baan Thaï**, 22 bd J.-B. Lebas ☎ 20 86 06 01, Fax 20 86 03 23 – AE GB. ⚔ EZ s
fermé 22 juil. au 18 août, sam. midi et dim. – **Repas** - cuisine thaïlandaise - 100 (déj.), 150/220.

XX **Le Club**, 16 r. Pas ✉ 59800 ☎ 20 57 01 10, Fax 20 57 39 69 – AE ⓓ GB EY n
fermé 1er au 20 août, Noël au Jour de l'An, lundi soir et dim. – **Repas** 138/208 🍷.

XX **Le Champlain**, 13 r. N. Leblanc ☎ 20 54 01 38, Fax 20 40 07 28, 🍽 – AE ⓓ GB. ⚔ EZ u
fermé 4 au 25 août, sam. midi, dim. soir et lundi soir – **Repas** 145 bc (déj.), 165/350 bc.

XX **Le Cardinal**, 84 façade Esplanade ✉ 59800 ☎ 20 06 58 58, Fax 20 51 42 59 – AE GB BV x
fermé 12 au 18 août, sam. midi et dim. – **Repas** 260 bc.

XX **Le Varbet**, 2 r. Pas ✉ 59800 ☎ 20 54 81 40, Fax 20 57 55 18 – AE ⓓ GB EY t
fermé 18 juil. au 21 août, Noël au Jour de l'An, dim., lundi et fériés – **Repas** 165.

XX **Le Bistrot Tourangeau**, 61 bd Louis XIV ✉ 59800 ☎ 20 52 74 64, Fax 20 85 06 39 – AE GB CV t
fermé dim. – **Repas** (prévenir) 100/149.

XX **Le Queen, l'Écume des Mers**, 10 r. Pas ✉ 59800 ☎ 20 54 95 40, Fax 20 54 96 66 – ▤. AE GB EY n
fermé 27 juil. au 21 août, dim. midi en juil., dim. soir et soirs fériés – **Repas** 98 🍷.

XX **Lutterbach**, 10 r. Faidherbe ✉ 59800 ☎ 20 55 13 74 – AE ⓓ GB EY u
fermé 29 juil. au 11 août – **Repas** 100/130 🍷, enf. 55.

XX **La Coquille**, 60 r. St-Étienne ✉ 59800 ☎ 20 54 29 82, Fax 20 54 29 82, maison du 17e siècle – GB EY e
fermé 1er au 25 août, vacances de fév., sam. midi et dim. – **Repas** 128 bc (déj.), 155/210.

XX **Charlot II**, 26 bd J.-B. Lebas ☎ 20 52 53 38 – AE GB EZ m
fermé 22 juil. au 18 août, sam. midi, dim. et soirs fériés – **Repas** - produits de la mer - carte 210 à 330.

X **Le Hochepot**, 6 r. Nouveau Siècle ☎ 20 54 17 59, Fax 20 54 32 67, 🍽 – GB EY a
fermé 1er au 20 août, sam. midi, dim. et fériés – **Repas** 140/180.

à Bondues 9 km par N 17 – 10 281 h. alt. 37 – ✉ **59910** :

XX **Val d'Auge**, 805 av. Gén. de Gaulle ☎ 20 46 26 87, Fax 20 37 43 78 – P. AE GB HR a
fermé août, 19 au 26 fév., dim. soir, mardi soir et merc. – **Repas** 150 bc/200.

à Marcq-en-Baroeul – 36 601 h. alt. 15 – ✉ **59700**.
Voir Château du Vert Bois★.

Sofitel M, av. Marne, par N 350 : 5 km ☎ 20 72 17 30, Télex 132785, Fax 20 89 92 34 – ⎈ ⊁ ▤ TV ☎ ☏ ♿ P – 🎤 200. AE ⓓ GB JCB HS s
L'Europe ☎ 20 65 80 60 **Repas** 98/150, 🍷, enf. 50 – ☕ 75 – **125 ch** 750/1300.

XXX **Septentrion**, parc du château Vert-Bois, par N 17 : 9 km ☎ 20 46 26 98, Fax 20 46 38 33, 🍽, « Dans un parc, pièce d'eau » – P. AE ⓓ GB HR n
fermé 1er au 23 août, vacances d'hiver, dim. soir, jeudi soir et lundi – **Repas** 150/290.

XXX **L'Épicurien**, 18 av. Flandre par N 350 : 4 km ☎ 20 45 82 15, Fax 20 45 82 15, 🍽 – P. GB HS e
fermé dim. soir – **Repas** 135/290 et carte 170 à 290.

HAUBOURDIN

Carnot (R. Sadi) . . . . GT 22
Vanderhaghen (R. A.) . . . GT 157

HELLEMMES-LILLE

Salengro (R. Roger) . . . . . HS 142

HEM

Clemenceau . . . . JS 28
Croix (R. de) . . . . JS 40
Gaulle (Av. Ch. de) . . . . . . JS 64

LAMBERSART

Hippodrome (Av. de l') . . GS 76

LANNOY

Leclerc (R. du Gén.) . . . . . JS 97
Tournai (R. de) . . . . JS 153

LILLE

Arras (R. du Fg-d') . . . . . . GT 4
Lambret (Av. Oscar) . . . . GT 90
Postes (R. du Fg-des) . . GST 129

LOMME

Dunkerque (Av. de) . . . . . GS 52

LOOS

Doumer (R. Paul) . . . . GT 49
Foch (R. du Mar.) . . . . . GST 58
Potié (R. Georges) . . . . . . GT 130

LYS-LEZ-LANNOY

Guesde (R. Jules) . . . . JS 75
Lebas (R. J.-B.) . . . . JS 94

MADELEINE (LA)

Gambetta (R.) . . . . GS 63
Gaulle (R. du Gén.-de) . . HS 69
Lalau (R.) . . . . HS 87

MARCQ-EN-BARŒUL

Clemenceau . . . . HS 30
Couture (R. de la) . . . . . . HS 39
Foch (Av. Mar.) . . . . HS 57
Nationale (Rue) . . . . HS 122

MARQUETTE-LEZ-LILLE

Lille (R. de) . . . . GS 103
Menin (R. de) . . . . HS 117

MONS-EN-BARŒUL

Gaulle (R. du Gén.-de) . . HS 70

MOUVAUX

Carnot (Bd) . . . . HR 21

ST-ANDRE

Lattre-de-Tassigny
(Av. du Mar. de) . . . . . . GS 91
Leclerc (R. du Gén.) . . . . GS 99

TOUFFLERS

Déportés (R. des) . . . . JS 48

TOURCOING

Yser (R. de l') . . . . JR 165
3 Pierres (R. des) . . . . JR 166

VILLENEUVE-D'ASCQ

Ouest (Bd de l') . . . . HS 124
Ronsse (R. Ch.) . . . . JT 136
Tournai (Bd de) . . . . JT 151

WAMBRECHIES

Marquette (R. de) . . . . . . GS 108

WATTIGNIES

Clemenceau (R.) . . . . GT 31
Gaulle (R. du Gén.-de) . . . GT 72
Victor-Hugo (R.) . . . . GT 160

WATTRELOS

Carnot (R.) . . . . JRS 24
Jaurès (R. J.) . . . . JR 82
Lebas (R. J.-B.) . . . . JR 96
Mont-à-Leux (R. du) . . . . JR 121

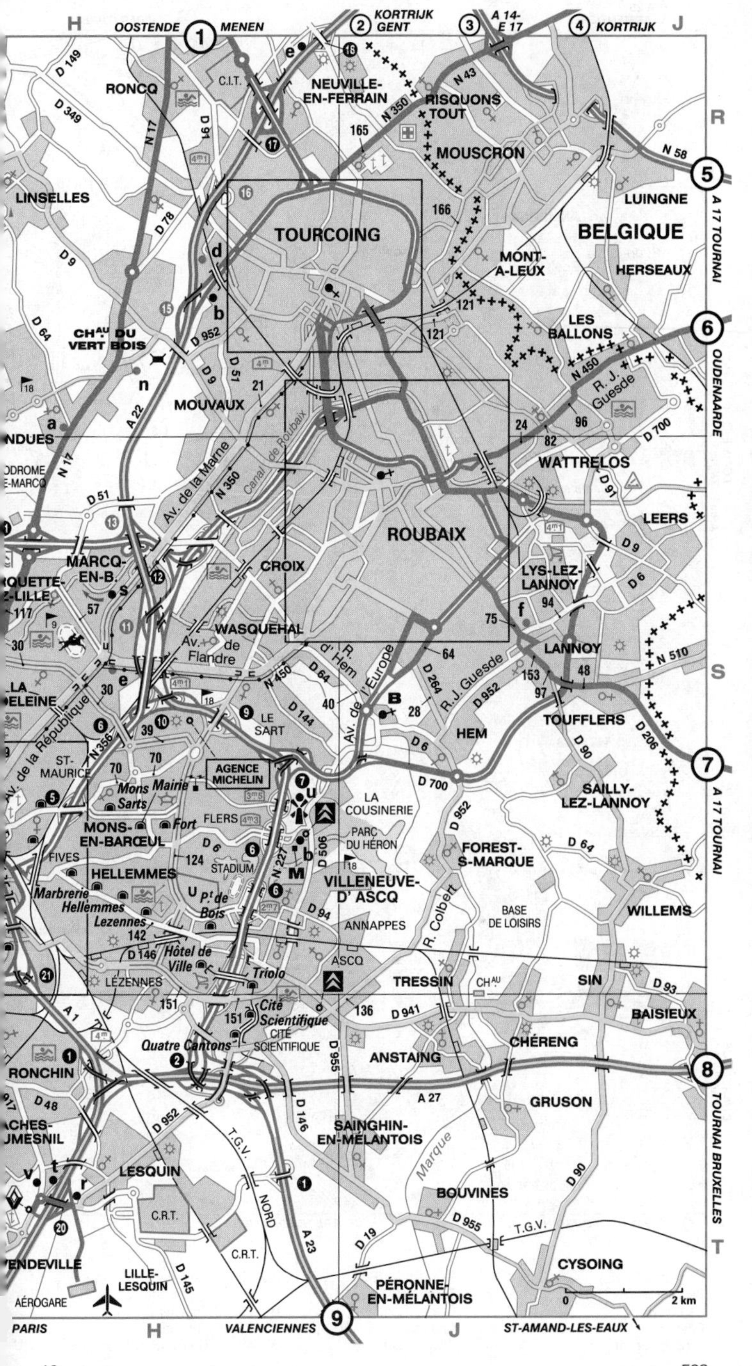
OOSTENDE
MENEN
KORTRIJK GENT
A 14-E 17
KORTRIJK
RONCQ
NEUVILLE-EN-FERRAIN
RISQUONS TOUT
MOUSCRON
LINSELLES
TOURCOING
LUINGNE
BELGIQUE
MONT-A-LEUX
HERSEAUX
CH.AU DU VERT BOIS
LES BALLONS
MOUVAUX
A 17 TOURNAI
OUDENAARDE
WATTRELOS
ROUBAIX
LEERS
MARCQ-EN-B.
CROIX
LYS-LEZ-LANNOY
WASQUEHAL
LANNOY
Av. de Flandre
Av. de la Marne
Canal de Roubaix
R. J. Guesde
Av. de la République
LE SART
Av. de l'Europe
HEM
TOUFFLERS
ST-MAURICE
AGENCE MICHELIN
LA COUSINERIE
SAILLY-LEZ-LANNOY
Mons Sarts
Mairie
MONS-EN-BARŒUL
Fort
FLERS
PARC DU HÉRON
FOREST-S-MARQUE
FIVES
STADIUM
HELLEMMES
VILLENEUVE-D' ASCQ
Marbrerie Hellemmes
P.t de Bois
Lezennes
ANNAPPES
BASE DE LOISIRS
WILLEMS
R. Colbert
Hôtel de Ville
Triolo
ASCQ
TRESSIN
SIN
LÉZENNES
Cité Scientifique
CITÉ SCIENTIFIQUE
BAISIEUX
Quatre Cantons
ANSTAING
CHÉRENG
RONCHIN
A 27
GRUSON
T.G.V.
SAINGHIN-EN-MÉLANTOIS
Marque
LESQUIN
NORD
BOUVINES
C.R.T.
A 23
TOURNAI BRUXELLES
CYSOING
LILLE-LESQUIN
PÉRONNE-EN-MÉLANTOIS
AÉROGARE
0
2 km
PARIS
VALENCIENNES
ST-AMAND-LES-EAUX

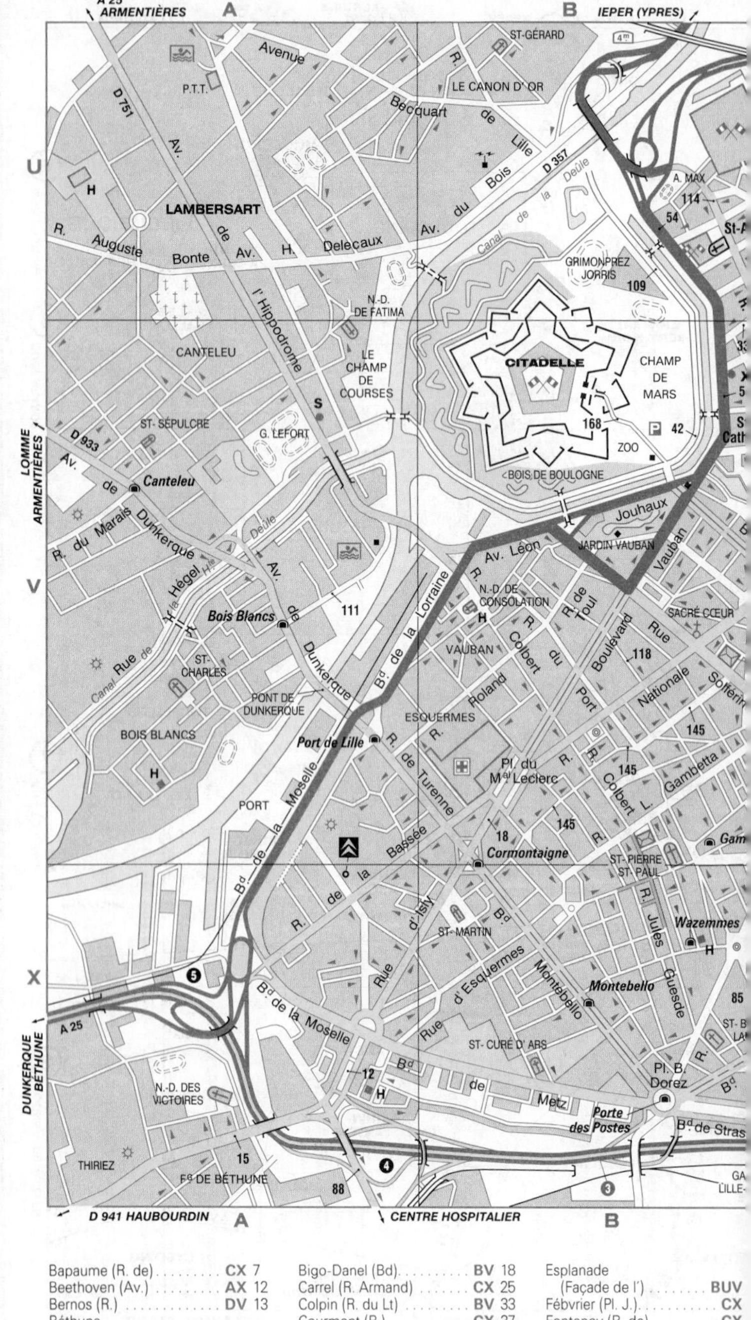

Bapaume (R. de)	**CX** 7	Bigo-Danel (Bd)	**BV** 18
Beethoven (Av.)	**AX** 12	Carrel (R. Armand)	**CX** 25
Bernos (R.)	**DV** 13	Colpin (R. du Lt)	**BV** 33
Béthune (R. du Fg-de)	**AX** 15	Courmont (R.)	**CX** 37
		Cuvier (Av.)	**BV** 42

Esplanade (Façade de l')	**BUV**
Fébvrier (Pl. J.)	**CX**
Fontenoy (R. de)	**CX**
Gaulle (R. du Gén.-de)	**CU**

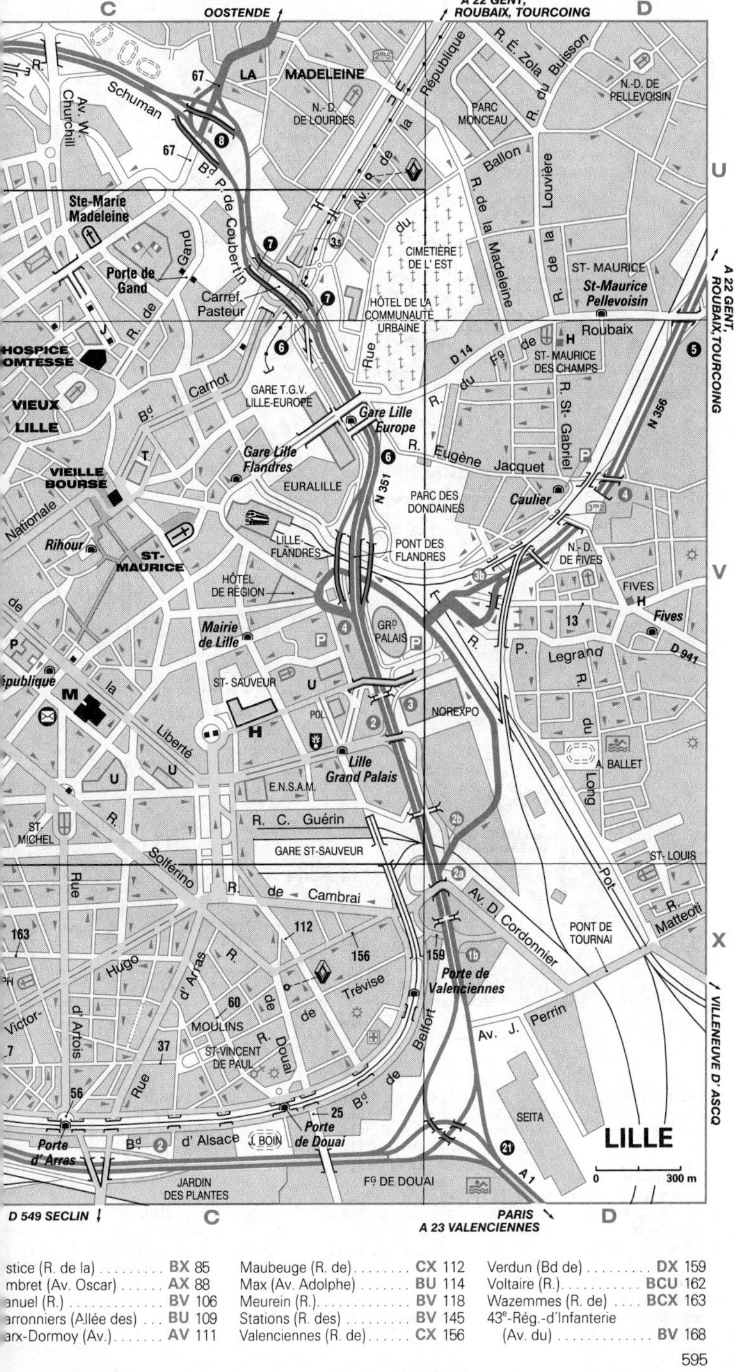

stice (R. de la) .... BX 85
mbret (Av. Oscar) .... AX 88
anuel (R.) .... BV 106
arronniers (Allée des) ... BU 109
arx-Dormoy (Av.)........ AV 111
Maubeuge (R. de)......... CX 112
Max (Av. Adolphe) .... BU 114
Meurein (R.)............... BV 118
Stations (R. des) .... BV 145
Valenciennes (R. de)...... CX 156
Verdun (Bd de) .... DX 159
Voltaire (R.)............. BCU 162
Wazemmes (R. de) .... BCX 163
43e-Rég.-d'Infanterie (Av. du) .... BV 168

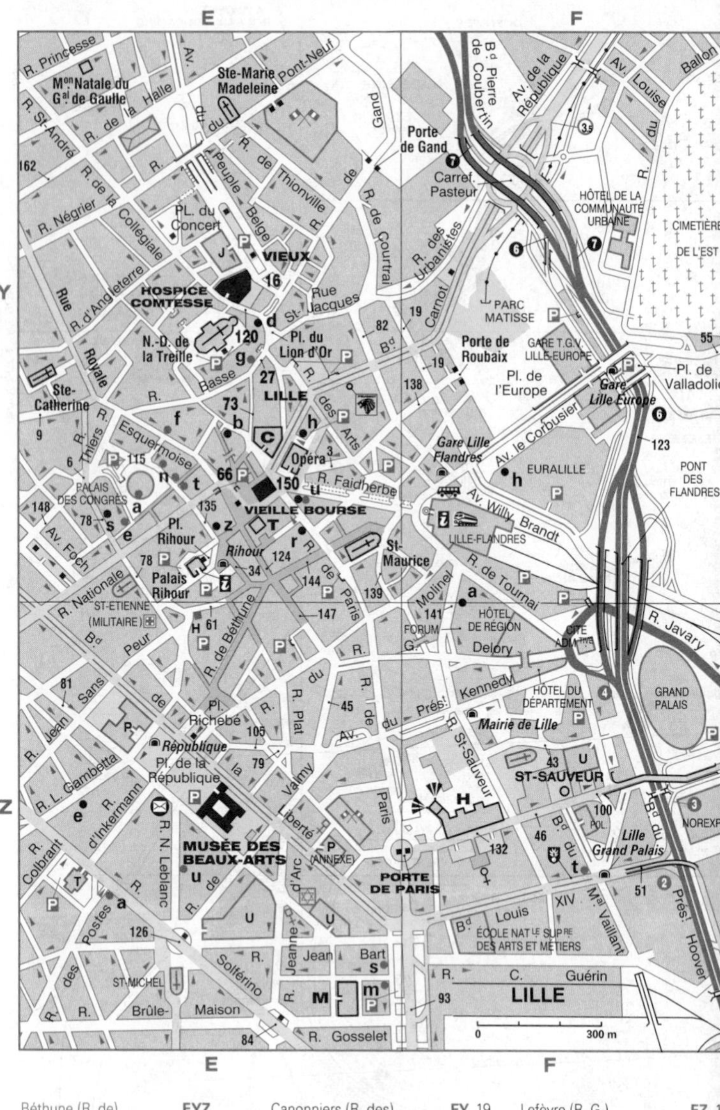

Béthune (R. de) EYZ
Esquermoise (R.) EY
Faidherbe (R.) EY
Gambetta (R. Léon) EZ
Gaulle (Pl. Gén.-de) (Grand Place) EY 66
Grande Chaussée (R. de la) EY 73
Monnaie (R. de la) EY 120
Nationale (R.) EYZ
Neuve (R.) EY 123

Anatole-France (R.) EY 3
Arsenal (Pl. de l') EY 6
Barre (R. de la) EY 9
Bettignies (Pl. L. de) EY 16

Canonniers (R. des) FY 19
Chats-Bossus (R. des) EY 27
Comédie (R. de la) EY 34
Debierre (R. Ch.) FZ 43
Delesalle (R. E.) EZ 45
Déportés (R. des) FY 46
Dr.-Calmette (Bd) FY 51
Faubourg-de-Roubaix FY 55
Fosses (R. des) EYZ 61
Hôpital-Militaire (R.) EY 78
Jacquart (Pl.) EZ 79
Jacquemars-Giélée (R.) EZ 81
Jardins (R. des) EY 82
Jeanne-d'Arc (Pl.) EZ 84
Lebas (Bd J.-B.) FZ 93

Lefèvre (R. G.) FZ 1
Maillotte (R.) EZ 1
Mendès-France (Pl.) EY 1
Pasteur (Bd L.) FY 1
Philippe-le-Bon (Pl.) EZ 1
Réduit (R. du) FZ 1
Roisin (R. Jean) EY 1
Roubaix (R. de) EFY 1
St-Génois (R.) EY 1
St-Venant (Av. Ch.) FYZ 1
Sec-Arembault (R. du) EY 1
Tanneurs (R. des) EYZ 1
Tenremonde (R.) EY 1
Théâtre (Pl. du) EY 1
Voltaire (R.) EY 1

à Villeneuve d'Ascq 7 km par N 356 et autoroute de Roubaix (sortie Recueil-la Cousinerie) – 65 320 h. alt. 26 – ✉ **59650**.

Voir Musée d'Art Moderne★★ KT **M²**.

Comfort Inn M, 13 av. Créativité, Parc des Moulins ☎ 20 47 46 46, Fax 20 91 36 55, – ⧉ ⇌ TV ☎ ♿ P – 🏛 100. AE ⓓ GB HS **u**
Repas *(fermé dim. soir)* 62/120 🍷, enf. 38 – ☕ 35 – **84 ch** 310.

Campanile, av. Canteleu, La Cousinerie ☎ 20 91 83 10, Fax 20 67 21 18 – ⇌ TV ☎ ♿ P. AE ⓓ GB HS **b**
Repas 84 bc/107 bc, enf. 39 – ☕ 32 – **46 ch** 270.

à l'Aéroport de Lille-Lesquin 8 km par A 1 – ✉ **59810** Lesquin :

Mercure Lille Aéroport M, ☎ 20 87 46 46, Fax 20 87 46 47 – ⧉ ⇌ ≡ TV ☎ ♿ P – 🏛 25 à 800. AE ⓓ GB JCB HT **r**
Grill La Flamme : **Repas** carte 160 à 220, enf. 40 – *Le Poêlon (fermé sam. et dim.)* **Repas** carte 90 à 140, enf. 40 – ☕ 58 – **212 ch** 490/580.

Novotel Lille Aéroport, ☎ 20 62 53 53, Fax 20 97 36 12, ⛱, ⛲, 🏞 – ⇌ ≡ rest TV ☎ P – 🏛 25 à 200. AE ⓓ GB HT **t**
Repas carte environ 160 🍷, enf. 35 – ☕ 50 – **92 ch** 460/480.

Agena sans rest, ✉ 59155 Faches-Thumesnil ☎ 20 60 13 14, Fax 20 97 31 79 – TV ☎ ♿ P. AE GB JCB HT **v**
☕ 48 – **40 ch** 340/370.

à Englos 10 km par A 25 (sortie Lomme) – 510 h. alt. 46 – ✉ **59320** :

Novotel Lille Englos M, ☎ 20 10 58 58, Fax 20 10 58 59, ⛱, ⛲, 🏞 – ⇌ TV ☎ ♿ P – 🏛 60. AE ⓓ GB GS **s**
Repas carte environ 160 🍷, enf. 50 – ☕ 49 – **124 ch** 420/445.

à Capinghem 8 km par D 933 – 1 170 h. alt. 50 – ✉ **59160** :

La Marmite, 93 r. Poincaré ☎ 20 92 12 41 – AE ⓓ GB GS **v**
fermé mi-juil. à mi-août, dim. soir, merc. soir et lundi – **Repas** carte environ 160.

à Verlinghem 8 km par D 257 – 2 182 h. alt. 27 – ✉ **59237** :

XXX ✿ **Château Blanc,** 20 rte Lambersart ☎ 20 40 71 02, Fax 20 40 99 40, ⛱, parc – P. AE GB GS **b**
fermé 5 au 18 août, dim. soir et lundi – **Repas** 250/300 et carte 260 à 380
Spéc. Saint-Jacques rôties au jus de pomme verte (oct. à avril). Blanc de turbot poêlé, moelle pochée et bière de garde. Pigeon rôti au pain d'épices.

MICHELIN, Agence régionale, 30 r. de la Couture, ZI de la Pilaterie à Wasquehal HS ☎ 20 98 40 48

CITROEN Succursale, 143-145 r. de Wazemmes BX ☎ 20 15 55 15 N ☎ 20 88 19 14
PEUGEOT S.I.A. Nord, 50 bd Carnot EY ☎ 20 42 39 00 N ☎ 07 83 08 80
RENAULT Gar. Crépin, 95 r. de Douai CX ☎ 20 52 52 48
VAG Castel Auto, 57 bd de Strasbourg ☎ 20 42 02 02

Ⓜ Laloyer, 62 r. Abelard ☎ 20 29 85 10
Nord Pneus Point S, 20 r. d'Isly ☎ 20 09 19 69
Pneus et Services D.K., 148 bis r. d'Esquermes ☎ 20 93 71 36

Périphérie et environs

ALFA ROMEO Italia Motors, 96 allée Gabriel à Marcq-en-Baroeul ☎ 20 72 26 00
BMW Autolille, 873 av. République à Marcq-en-Baroeul ☎ 20 72 90 72
CITROEN Gar. Fayen, 186 r. Fusillés à Villeneuve-d'Ascq HT ☎ 20 41 23 05
CITROEN Succursale, 449-453 av. de Dunkerque à Lomme GS ☎ 20 08 54 54
FERRARI Auto 2000, 122 av. de la République à La Madeleine ☎ 20 51 53 89
MERCEDES C.I.C.A., 1033 av. République à Marcq-en-Baroeul ☎ 20 72 39 39 N ☎ 20 44 94 94
PEUGEOT S.I.A.N. Lille Sud, 225 r. Clemenceau à Wattignies GT ☎ 20 95 92 52 N ☎ 07 83 08 80
RENAULT Succursale, 140 av. République à La Madeleine CU ☎ 20 42 40 40 N ☎ 20 60 50 50
RENAULT Gar. de la Lys, à Englos FT ☎ 20 09 25 55 N ☎ 28 40 36 53

RENAULT Succursale, 1 rte de Vendeville à Faches-Thumesnil HT ☎ 20 88 59 59 N ☎ 20 60 50 50
VAG Gar. du Château, 100 av. Champollion à Villeneuve-d'Ascq ☎ 20 47 30 00 N ☎ 20 75 40 03

Ⓜ François-Pneus, 331 av. Gén.-de-Gaulle à Hallennes ☎ 20 07 70 44
Nord Pneus Point S, 261 bis av. République à La Madeleine ☎ 20 55 52 70
Pneus et Services D.K., 2 r. Croix-Bougard à Lesquin ☎ 20 87 82 72
Prévost, 322 r. Gén.-de-Gaulle à Mons-en-Baroeul ☎ 20 04 88 08
Réform'Pneus-Point S, Centre Routier - r. Croix-Bougard à Lesquin ☎ 20 87 90 60
Wattelle, 111 r. Gén.-de-Gaulle à La Madeleine ☎ 20 55 67 55

LIMEUIL **24510** Dordogne 75 ⑯ **G. Perigord Quercy** – 335 h alt. 65.

Voir Site★.

Paris 537 – Périgueux 47 – Sarlat-la-Canéda 37 – Bergerac 42 – Brive-la-Gaillarde 79.

XX **Terrasses de Beauregard** avec ch, rte de Trémolat 1,5 km ☎ 53 63 30 85 Fax 53 24 53 55, – ☎ P. GB
1er mai-fin sept. – **Repas** *(fermé mardi midi et vend. midi)* 90/300 – ☐ 40 – **8 ch** 265/285 ½ P 320/330.

LIMOGES P **87000** H.-Vienne 72 ⑰ **G. Berry Limousin** – 133 464 h Agglo. 170 065 h alt. 300.

Voir Cathédrale St-Etienne★ CZ – Église St-Michel-des-Lions★ BZ – Cour du temple★ BZ 60 – Jardins de l'évêché★ CZ – Musée A. Dubouché★★ (porcelaines) BY – Musée Municipal★ CZ M

Env. Solignac : église abbatiale★★ S : 13 km.

18 Municipal de St-Lazare ☎ 55 30 21 02, par ⑤ : 3 km ; 18 de la Porcelaine ☎ 55 31 10 69, par ② N 421 puis VC : 9 km.

✈ de Limoges-Bellegarde : ☎ 55 43 30 30, par ⑦ : 10 km.

Office de Tourisme et Accueil de France bd Fleurus ☎ 55 34 46 87, Fax 55 34 19 12 – Automobile Club Limousin 211 r. Toulouse ☎ 55 06 27 81.

Paris 399 ① – Angoulême 103 ⑦ – Brive-la-Gaillarde 91 ④ – Châteauroux 128 ① – ◆Clermont-Ferrand 175 ② – Périgueux 94 ⑤.

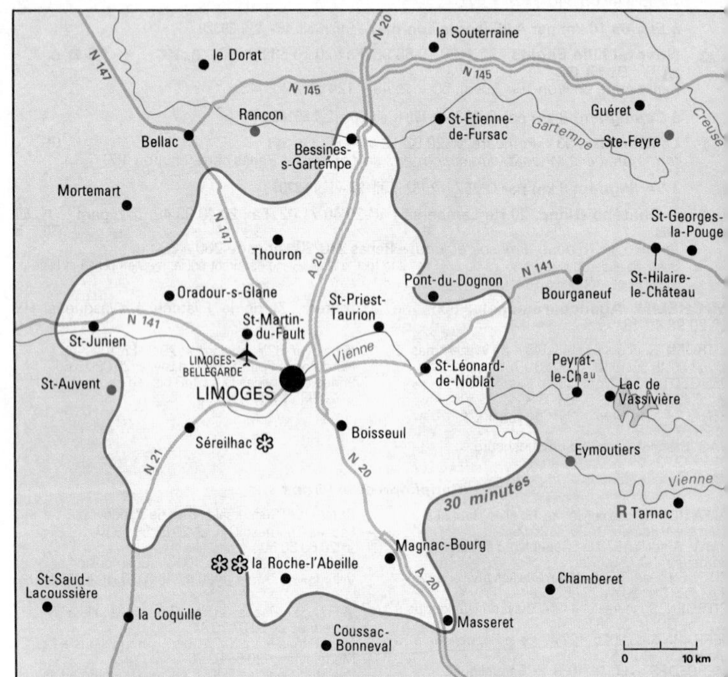

Royal Limousin M sans rest, 1 pl. République ☎ 55 34 65 30, Fax 55 34 55 21 – ☎ – 150. AE GB CY
☐ 50 – **76 ch** 440/680.

Richelieu M sans rest, 40 av. Baudin ☎ 55 34 22 82, Fax 55 32 48 73 – TV ☎ P. AE GB BZ
☐ 48 – **32 ch** 295/450.

Luk H. sans rest, 29 pl. Jourdan ☎ 55 33 44 00, Fax 55 34 33 57 – TV ☎. AE GB JCB CY
☐ 30 – **57 ch** 230/370.

Caravelle sans rest, 21 r. A. Barbès ☎ 55 77 75 29, Fax 55 79 27 60 – TV ☎. AE GB AX
☐ 35 – **37 ch** 275/350.

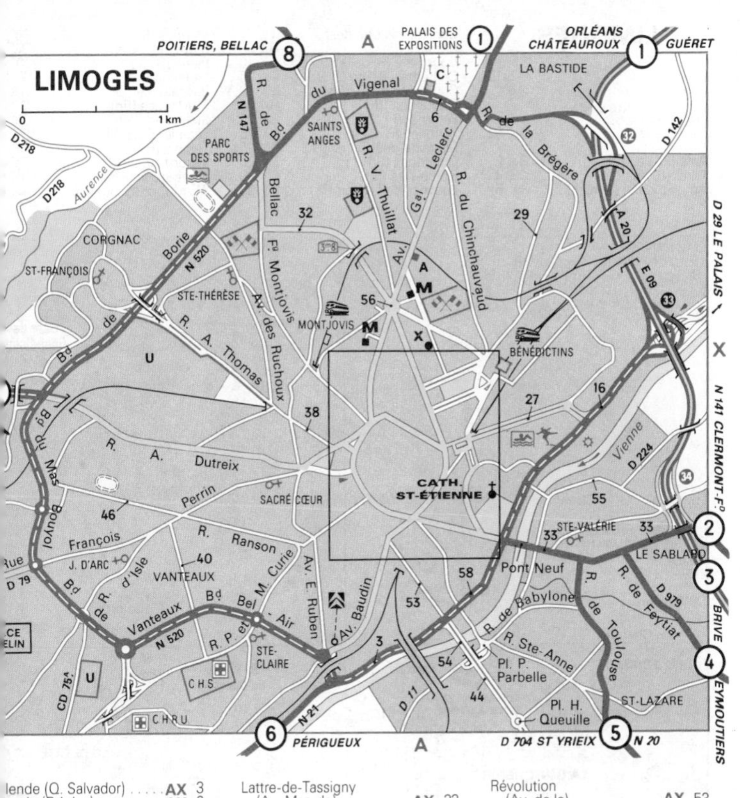

lende (Q. Salvador) ..... AX 3	Lattre-de-Tassigny (Av. Mar. de) ..... AX 33	Révolution (Av. de la) ..... AX 53
cade (Bd des) ..... AX 6	Mauvendière (R. de la) ..... AX 38	Révolution (Pont de la) ..... AX 54
sseaux (Av. des) ..... AX 16	Naugeat (Av. de) ..... AX 40	Sablard (Av. du) ..... AX 55
agnant (Av. J.) ..... AX 27	Pompidou (Av. G.) ..... AX 44	Sadi-Carnot (Pl.) ..... AX 56
rand-Treuil (R. du) ..... AX 29	Puy-Las-Rodas (R. du) ..... AX 46	St-Martial (Quai) ..... AX 58
bussière (Av. E.) ..... AX 32		

Musset, 5 r. du 71e Mobiles ☎ 55 34 34 03, Fax 55 32 45 28, « Salle à manger au décor 1900 » – TV ☎. AE GB — CZ **b**
fermé vacances de fév., sam. soir (sauf hôtel) et dim. – **Repas** 100/250 – ☐ 29 – **28 ch** 195/320 – ½ P 320.

Jeanne-d'Arc sans rest, 17 av. Gén. de Gaulle ☎ 55 77 67 77, Fax 55 79 86 75 – TV ☎ P – 30. AE GB — CY **s**
fermé 24 déc. au 1er janv. – ☐ 35 – **50 ch** 240/440.

Petit Paris, 48 bis av. Garibaldi ☎ 55 77 39 82, Fax 55 77 23 99 – ch TV ☎. GB — CY **n**
fermé vacances de Noël – **Repas** *(fermé vend. sam. et dim. hors saison)* 75/130, enf. 45 – ☐ 30 – **24 ch** 240/270.

Paix sans rest, 25 pl. Jourdan ☎ 55 34 36 00, Fax 55 32 37 06, « Collection de phonographes » – TV ☎. GB — CY **r**
☐ 30 – **31 ch** 200/330.

XXX **Philippe Redon,** 3 r. d'Aguesseau ☎ 55 34 66 22 – AE GB — BZ **t**
fermé 1er au 16 août, 1er au 9 janv., dim. et lundi – **Repas** 98 (déj.), 170/290.

XXX **Champlevé,** 1 pl. Wilson ☎ 55 34 43 34 – AE GB JCB — CZ **v**
fermé 1er au 8 juil., sam. midi et dim. – **Repas** 98 (déj.), 140/210 et carte 160 à 240.

XX **Amphitryon,** 26 r. Boucherie ☎ 55 33 36 39, Fax 55 32 98 50 – AE GB. — BZ **u**
fermé 4 au 19 août, vacances de fév., lundi midi et dim. – **Repas** 98 (déj.), 130/290.

XX **Petits Ventres,** 20 r. Boucherie ☎ 55 33 34 02, « Maison du 15e siècle » – GB JCB — BZ **u**
fermé 14 au 18 juil., lundi midi et dim. – **Repas** 95/185, enf. 49.

X **Buffet Gare Bénédictins,** ☎ 55 77 54 54, Fax 55 79 97 32 – GB — CY
Repas 61/154.

LIMOGES

Clocher (R. du) . . . . BZ 18
Consulat (R. du) . . . . BZ
Jaurès (R. J.) . . . . BCZ
République
(Pl. de la) . . . . CY 52

Aine (Pl. de l') . . . . BZ 2
Allois (R. des) . . . . CZ 4
Amphithéâtre (R. de l') . . . . BY 5
Bénédictins (Av. des) . . . . . CY 7
Betoulle (Pl. L.) . . . . CZ 9
Boucherie (R. de la) . . . . . . BZ 10
Cathédrale (R. de la) . . . . . CZ 15
Coopérateurs (R. des) . . . . . BY 19
Dupuytren (R.) . . . . BZ 20
Ferrerie (R.) . . . . BZ 23
Fonderie (R. de la) . . . . BY 25
Fontaine-des-Barres (Pl.) . . BY 26
Giraudoux (Sq. J.) . . . . BY 28
Haute-Cité (R.) . . . . CZ 30
Louvrier-de-Lajolais (R.) . . . BY 35
Maupas (R. du) . . . . CY
Motte (Pl. de la) . . . . BZ
Perrin (R. G.) . . . . CY
Préfecture (R. de la) . . . . . . BY
Raspail (R.) . . . . CZ
St-Maurice (Bd) . . . . CZ
Stalingrad (Pl.) . . . . BY
Temple (Cour du) . . . . BZ
Temple (R. du) . . . . BZ
Victor-Hugo (Bd) . . . . BY
Vigne-de-Fer (R.) . . . . BZ
71e Mobile (R. du) . . . . CZ

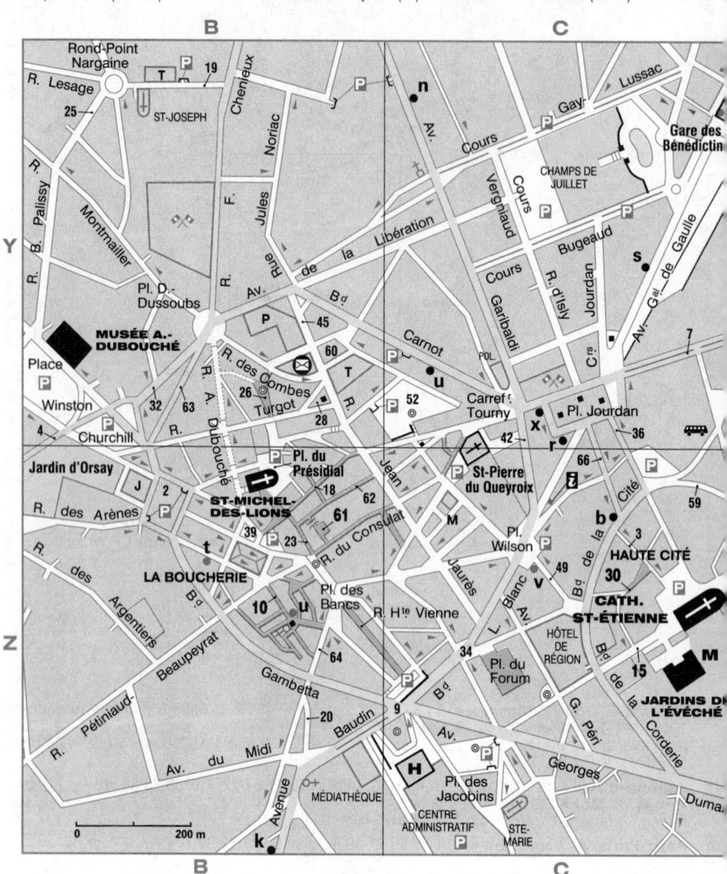

par la sortie ① :

Z.I. Nord Quartier du Lac : 5 km – ✉ **87280** Beaubreuil :

Novotel M, ☎ 55 37 20 98, Fax 55 37 06 12, ... – |$| ▤ rest TV ☎ ♿ P 25 à 200. AE ⓓ GB – **Repas** carte environ 160 ⅓, enf. 50 – ☕ 50 – **90 ch** 410/465.

rte de Paris : 9 km sortie Beaune-les-Mines – ✉ **87280** Beaune-les-Mines :

La Résidence, ☎ 55 39 90 47, ... – TV ☎ P – 40. GB. ch
fermé 10 au 25 août, vacances de fév., sam. (sauf hôtel) et dim. soir – **Repas** 85/200, enf. – ☕ 25 – **20 ch** 160/210.

par la sortie ③ :

sur N 20 Z.I. Romanet : 6 km – ✉ **87220** Feytiat :

Climat de France M, ☎ 55 06 14 60, Fax 55 06 38 93, ... – TV ☎ ♿ P – 50. AE GB
Repas 65 (déj.), 75/98 ⅓, enf. 39 – ☕ 34 – **50 ch** 270 – ½ P 225.

par la sortie ④ :

sur rte d'Eymoutiers (D 979) : 12 km – ✉ **87220** Feytiat :

XXX **Aub. du Bonheur,** ✆ 55 00 28 19, 🏔, parc, « Maison limousine, collection d'objets anciens » – 🅿. ⓓ GB
fermé mi-août à mi-sept., dim. soir et lundi sauf fériés – **Repas** 80 (déj.), 140/240 🍷, enf. 80.

par la sortie ⑤ :

au golf municipal : 3 km – ✉ **87000** Limoges :

Albatros Ⓜ 🐦, plaine St-Lazare ✆ 55 06 00 00, Fax 55 06 23 49, ≤, 🏔, « A l'orée du golf » – 📺 ☎ 📞 ♿ 🅿 – 🎪 80. GB
Repas *(fermé dim. soir)* 69/130 🍷 – ☕ 35 – **34 ch** 303/318 – ½ P 255.

par la sortie ⑧ :

à St-Martin-du-Fault par N 147 et D 35 : 12 km – ✉ **87510** Nieul :

La Chapelle St-Martin 🐦, ✆ 55 75 80 17, Fax 55 75 89 50, ≤, 🏔, « Gentilhommière dans un parc », 🏊, 🎾 – 📺 ☎ 🚗 🅿 – 🎪 25. AE GB. ✗ rest
fermé 1er janv. au 15 fév. – **Repas** *(fermé lundi)* (nombre de couverts limité, prévenir) 190 (déj.)/270 – ☕ 75 – **10 ch** 590/980, 3 appart – ½ P 650/850.

sur rte de Bellac (N 147) : 12 km – ✉ **87510** Nieul :

XX **Les Justices** avec ch, ✆ 55 75 84 54, 🌳 – 🅿. GB
fermé dim. soir et lundi sauf fériés le midi – **Repas** (nombre de couverts limité, prévenir) 156/196 – ☕ 39 – **3 ch** 250.

MICHELIN, Agence régionale, ZI les Courrières à Isle par D 79 AX ✆ **55 05 18 18**

BMW Gar. Fraisseix, 213 r. de Toulouse ✆ 55 30 42 70
CITROEN Midi Auto 87, r. de Feytiat par ④ ✆ 55 06 42 00 🅽 ✆ 55 06 31 00
CITROEN Gar. Baudin, 176 av. Baudin ✆ 55 34 15 74
FORD Gar. Fraisseix, N 20 à Crochat ✆ 55 30 46 47
FORD Limousin Nord Autom., r. Serpollet ZI Nord ✆ 55 37 03 29
MERCEDES Gar. Launay, av. L.-Armand, ZI Nord ✆ 55 38 16 17 🅽 ✆ 05 24 24 30
NISSAN Gar. Fourniou, r. de Feytiat Zone Bellevue ✆ 55 06 22 01
PEUGEOT Gds Gar. Limousin, ZI Magre par ④ ✆ 55 31 44 44 🅽 ✆ 55 38 01 28
RENAULT Gar. Boissou, 45 av. Pasteur à Aixe-sur-Vienne par ⑥ ✆ 55 70 20 59
RENAULT Renault Limoges, av. L.-Armand, ZI Nord par ⑤ ✆ 55 04 48 48 🅽 ✆ 05 05 15 15

TOYOTA Gar. Carnot, 34 av. L.-Armand ✆ 55 37 37 38
VAG Gar. Auto-Sport, à Feytiat ✆ 55 31 23 85
VAG Gar. Auto-Sport, r. Serpollet ZI Nord ✆ 55 35 01 00

Ⓜ Aixe Pneu Sce, 23 bis av. J.-Rebier à Aixe-sur-Vienne ✆ 55 70 17 58
Euromaster, 56 av. Gén.-Leclerc ✆ 55 38 42 43
Euromaster, ZI du Ponteix à Feytiat ✆ 55 06 06 47
Euromaster, 5-9 r. A.-Comte, ZI Nord ✆ 55 38 10 71
Faucher, 55-59 r. Th.-Bac ✆ 55 77 27 02
Omnium Pneus, 61 av. Gén.-Leclerc ✆ 55 77 52 88
Pneus et Caoutchouc, 230 av. Baudin ✆ 55 34 51 21
Talandier Pneus, Mas Sarrazin, N 147 à Couzeix ✆ 55 77 52 42

CONSTRUCTEUR : RENAULT Véhicules Industriels, rte du Palais par D 29 AX ✆ 55 77 58 35

LIMONEST 69 Rhône 74 ⑪ – rattaché à Lyon.

LIMOUX <SP> **11300** Aude 86 ⑦ **G. Pyrénées Roussillon** – 9 665 h alt. 172.

ℹ Office de Tourisme, promenade Tivoli ✆ 68 31 11 82, Fax 68 31 87 14.

Paris 795 – Foix 70 – Carcassonne 25 – ♦Perpignan 99 – ♦Toulouse 96.

Gd H. Moderne et Pigeon, 1 pl. Gén. Leclerc ✆ 68 31 00 25, Fax 68 31 12 43, 🏔 – 📺 ☎ 📞. AE ⓓ GB
fermé 5 déc. au 15 janv. – **Repas** *(fermé sam. midi et lundi)* 140/205, enf. 70 – ☕ 50 – **19 ch** 300/480 – ½ P 310/395.

sur rte de Castelnaudary par D 623 : 13 km – ✉ **11240** Belvèze-du-Razès :

XX **Relais Touristique de Belvèze** avec ch, carrefour D 623 - D 18 ✆ 68 69 08 78, Fax 68 69 07 65, 🏔, 🌳 – ▤ rest 📺 ☎ 🅿. AE ⓓ GB
Repas 75 bc/235 – ☕ 27 – **7 ch** 195/200 – ½ P 240.

CITROEN Gar. Nivet, rte de Perpignan ✆ 68 31 06 00
FORD Gar. Huillet, 25 av. Fabre-d'Eglantine ✆ 68 31 01 48
PEUGEOT Gar. de Flassian, rte de Carcassonne ✆ 68 31 21 92 🅽 ✆ 68 72 91 58

RENAULT SODAC, rte de Carcassonne ✆ 68 31 08 87 🅽 ✆ 05 05 15 15
VAG Gar. Bardavio, 22 av. A.-Chenier ✆ 68 31 02 43

Ⓜ Belotti Pneus, av. de Catalogne ✆ 68 31 13 84

LINAS 91 Essonne 60 ⑩, 101 ㉟ – voir à Paris, Environs.

LINGOLSHEIM 67 B.-Rhin 62 ⑩ – rattaché à Strasbourg.

LIOCOURT 57590 Moselle 57 ⑭ – 107 h alt. 290.

Paris 360 – ♦Metz 27 – ♦Nancy 32 – Château-Salins 16 – Pont-à-Mousson 30 – St-Avold 45.

XX **Au Savoy**, ✆ 87 01 36 72, Fax 87 01 42 94 – GB
fermé fév., dim. soir sauf juil.-août et lundi – **Repas** 96/225 ♁, enf. 55.

Le LIOUQUET 13 B.-du-R. 84 ⑭, 114 ㊸ – rattaché à La Ciotat.

LIPSHEIM 67 B.-Rhin 87 ⑤ – rattaché à Strasbourg.

LISIEUX <SP> 14100 Calvados 55 ⑬ **G. Normandie Vallée de la Seine** – 23 703 h alt. 51 Pèlerinage (1 septembre).

Voir Cathédrale St-Pierre★ BY.

Env. Château★ de St-Germain-de-Livet 7 km par ④.

ℹ Office de Tourisme 11 r. Alençon ✆ 31 62 08 41, Fax 31 62 35 22.

Paris 177 ② – ♦Caen 62 ⑥ – Alençon 91 ④ – Argentan 56 ④ – ♦Cherbourg 183 ⑥ – Dieppe 142 ① – Évreux 73 ② – ♦Le Havre 57 ① – ♦Le Mans 139 ④ – ♦Rouen 80 ②.

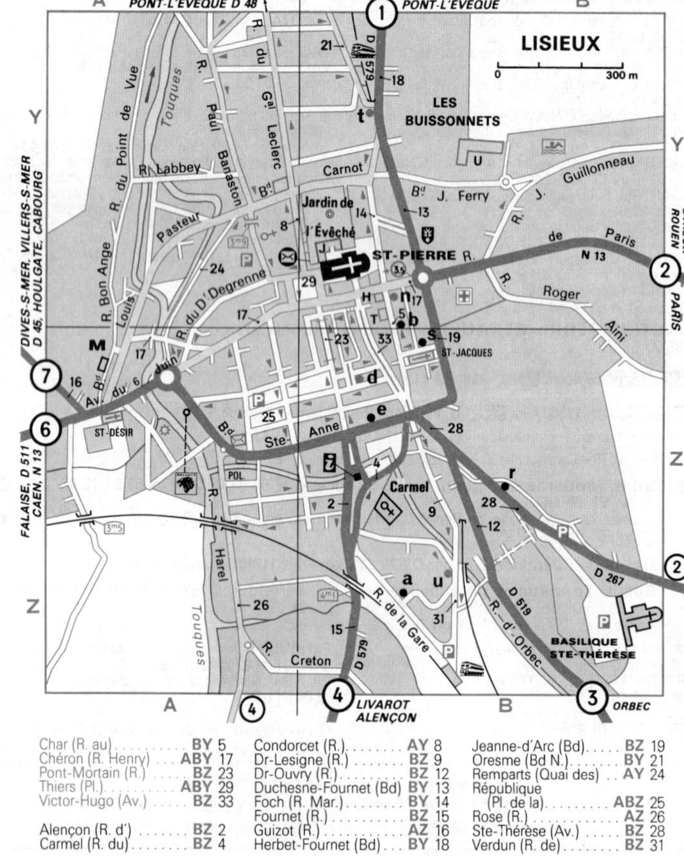

Char (R. au) . . . . BY 5	Condorcet (R.) . . . . AY 8	Jeanne-d'Arc (Bd) . . . . . BZ 19
Chéron (R. Henry) . . . ABY 17	Dr-Lesigne (R.) . . . . BZ 9	Oresme (Bd N.) . . . . BY 21
Pont-Mortain (R.) . . . . . BZ 23	Dr-Ouvry (R.) . . . . BZ 12	Remparts (Quai des) . . AY 24
Thiers (Pl.) . . . . ABY 29	Duchesne-Fournet (Bd) BY 13	République (Pl. de la) . . . . ABZ 25
Victor-Hugo (Av.) . . . . . BZ 33	Foch (R. Mar.) . . . . BY 14	Rose (R.) . . . . AZ 26
	Fournet (R.) . . . . BZ 15	Ste-Thérèse (Av.) . . . . . BZ 28
Alençon (R. d') . . . . BZ 2	Guizot (R.) . . . . AZ 16	Verdun (R. de) . . . . BZ 31
Carmel (R. du) . . . . BZ 4	Herbet-Fournet (Bd) . . . BY 18	

Mercure Ⓜ, par ② : 2,5 km sur N 13 ✆ 31 61 17 17, Fax 31 32 33 43, ⛱, 🏊 – ⛓ ▤ rest 📺 ☎ ✆ ♿ 🅿 – 🏛 25 à 70. AE ⓞ GB
Repas grill 112/135 ⅋, enf. 58 – ☕ 50 – **69 ch** 330/430.

Azur Ⓜ sans rest, 15 r. au Char ✆ 31 62 09 14, Fax 31 62 16 06 – ⛓ 📺 ☎ ✆. AE GB BYZ **b**
☕ 40 – **15 ch** 380/450.

Espérance et rest. Pays d'Auge, 16 bd Ste Anne ✆ 31 62 17 53, Fax 31 62 34 00 – ⛓ 🚭 📺 ☎ ✆ 🚗. AE ⓞ GB BZ **e**
mi-avril-mi-oct. – **Repas** 89/149 – ☕ 39 – **100 ch** 350/390 – ½ P 275/335.

Terrasse H., 25 av. Ste Thérèse ✆ 31 62 17 65, Fax 31 62 20 25 – 📺 ☎. AE GB BZ **r**
fermé 23 déc. au 5 janv., 10 janv. au 12 fév., dim. soir et vend. du 1er déc. au 15 fév. – **Repas** 89/155, enf. 46 – ☕ 33 – **17 ch** 186/276 – ½ P 215/260.

Régina, 14 r. Gare ✆ 31 31 15 43, Fax 31 31 71 83 – ⛓ 📺 ☎ 🅿. GB BZ **a**
fermé 15 déc. au 15 fév. et week-ends en hiver – **Repas** 90/190 ⅋, enf. 40 – ☕ 40 – **45 ch** 265/410 – ½ P 250/280.

St-Louis sans rest, 4 r. St-Jacques ✆ 31 62 06 50 – 📺 ☎. GB BZ **s**
fermé 2 au 16 fév. – ☕ 35 – **17 ch** 190/290.

XXX **Le Parc,** 21 bd H. Fournet ✆ 31 62 08 11, Fax 31 62 79 55, « Salle à manger néo-gothique » – GB BY **t**
fermé dim. soir – **Repas** 98/210 et carte 230 à 320.

XXX **Ferme du Roy,** par ① : 2 km ✆ 31 31 33 98, ⛱, « Ancienne ferme, jardin » – 🅿. AE GB. ✂
fermé dim. soir et lundi – **Repas** (prévenir) 95/195.

XX **Aux Acacias,** 13 r. Résistance ✆ 31 62 10 95 – GB BZ **d**
fermé 26 fév. au 10 mars, 22 juil. au 4 août, dim. soir et lundi sauf fériés – **Repas** 90/175, enf. 50.

XX **France,** 5 r. au Char ✆ 31 62 03 37 – AE GB BY **n**
fermé 24 au 30 juin, 1er au 7 janv., lundi de fin mars à mi-nov., dim. soir et lundi soir de mi-nov. à fin mars – **Repas** 85/170, enf. 59.

XX **Aub. du Pêcheur,** 2 bis r. Verdun ✆ 31 31 16 85, Fax 31 31 76 80 – AE ⓞ GB JCB BZ **u**
fermé 15 déc. au 15 janv., mardi et merc. – **Repas** 110/215.

à Manerbe par ⑦ : 7 km – 498 h. alt. 58 – ✉ **14340** :

XX **Pot d'Étain,** ✆ 31 61 00 94, ⛱, « Jardin fleuri » – 🅿. AE GB
fermé 15 au 30 nov., mi-janv. à mi-fév., mardi soir et merc. – **Repas** 110/265, enf. 55.

FORD Gar. des Loges, 24 r. Fournet ✆ 31 62 25 17
MERCEDES Gar. Christophe, ZI Nord Est ✆ 31 62 99 28 🅽 ✆ 31 62 99 28
NISSAN Gar. Ehanno, ZI de la vallée r. P.-Cornu ✆ 31 62 69 35
PEUGEOT Gar. Jonquard, 61 bd Ste-Anne ✆ 31 31 00 71 🅽 ✆ 07 02 10 65
RENAULT Gar. de la Vallée, ZA r. P.-Cornu par bd Oresme ✆ 31 32 44 44 🅽 ✆ 31 65 52 73
VAG Gar. Lepelletier, r. P.-Cornu ✆ 31 31 49 58

Ⓟ Ollitrault Pneus Point S, 5 r. G.-Bouffay ✆ 31 62 29 10
Renov. Pneu, 29 r. de Paris ✆ 31 62 03 04

LISSES 91 Essonne 61 ①, 106 ㉜ – rattaché à Evry-Corbeil-Essonnes (Corbeil-Essonnes).

LIVERDUN 54460 M.-et-M. 62 ④ G. Alsace Lorraine – 6 435 h alt. 205.

Voir Site★.

⛳ de Nancy-Aingeray ✆ 83 24 53 87, SO : 2 km.

ℹ Syndicat d'Initiative, Mairie ✆ 83 24 46 76, Fax 83 24 61 64.

Paris 343 – ◆Nancy 14 – ◆Metz 51 – Pont-à-Mousson 25 – Toul 20.

XX **Host. Gare,** pl. Gare ✆ 83 24 44 76 – AE ⓞ GB
fermé mardi soir sauf fériés – **Repas** 95/260.

à Aingeray SO : 6 km par D 90 – 585 h. alt. 220 – ✉ **54460** :

XX **La Poêle d'Or,** 1 r. Liverdun ✆ 83 23 22 31 – GB
fermé dim. soir, lundi et mardi – **Repas** 130/360 ⅋.

LIVRY-GARGAN 93 Seine-St-Denis 56 ⑪, 101 ⑱ – voir à Paris, Environs.

La LLAGONNE 66 Pyr.-Or. 86 ⑯ – rattaché à Mont-Louis.

LLO 66 Pyr.-Or. 86 ⑯ – rattaché à Saillagouse.

LOCHES <SP> 37600 I.-et-L. 68 ⑥ G. Châteaux de la Loire – 6 544 h alt. 80.

Voir Cité médiévale★★ : château★★, donjon★★, église St-Ours★, Porte Royale★ – Hôtel de ville★ Y H.

Env. Portail★ de la Chartreuse du Liget E : 10 km par ②.

ℹ Office de Tourisme pl. Wermelskirchen ✆ 47 59 07 98, Fax 47 91 61 50.

Paris 257 ① – ◆Tours 43 ① – Blois 68 ① – Châteauroux 72 ③ – Châtellerault 55 ④.

LOCHES

Balzac (R.)	YZ	
Blé (Pl. au)	Y	3
Château (R. du)	YZ	5
Descartes (R.)	Y	9
Grande-Rue	Y	13
Marne (Pl. de la)	Y	
Picois (R.)	Y	
République (R. de la)	Y	
St-Antoine (R.)	Y	21
Auguste (Bd Ph.)	Z	
Bas-Clos (Av. des)	Y	2
Cordeliers (Pl. des)	Y	6
Donjon (Mail du)	Z	
Droulin (Mail)	Z	
Foulques-Nerra (R.)	Z	10
Gaulle (Av. Gén.-de)	Y	12
Lansyer (R.)	Z	14
Moulins (R. des)	Y	16
Pactius (R. T.)	Z	17
Poterie (Mail de la)	Z	
Ponts (R. des)	Y	18
Porte-Poitevine (R. de la)	Z	19
Quintefol (R.)	YZ	
Ruisseaux (R. des)	Z	20
St-Ours (R.)	Z	22
Tours (R. de)	Y	
Verdun (Pl. de)	Y	
Victor-Hugo (R.)	Y	
Vigny (R. A.-de)	Y	
Wermelskirchen (Pl. de)	Y	29

Dans la liste des rues des plans de villes, les noms en rouge indiquent les principales voies commerçantes.

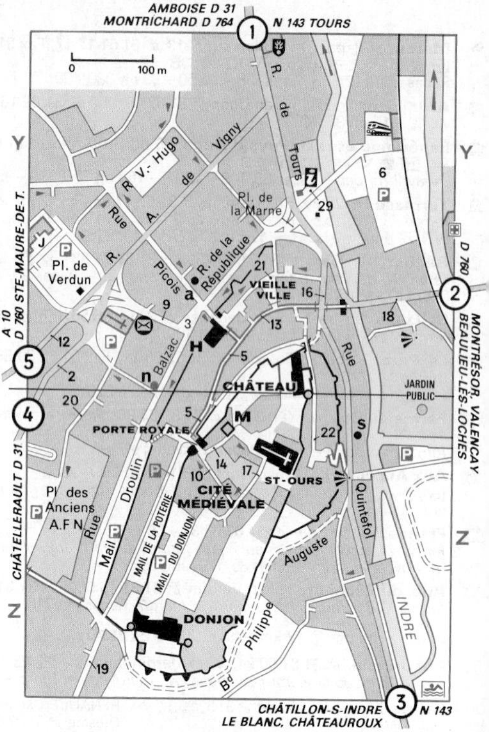

France, 6 r. Picois ✆ 47 59 00 32, Fax 47 59 28 66, – TV ☎ . GB — Y
fermé 9 janv. au 14 fév., lundi midi en juil.-août, dim. soir et lundi de sept. à juin – **Repa**
85/260 – ☕ 33 – **19 ch** 220/340 – ½ P 245/300.

George Sand, 39 r. Quintefol ✆ 47 59 39 74, Fax 47 91 55 75, – ☎. GB — Z
Repas 90/210, enf. 60 – ☕ 38 – **20 ch** 270/620 – ½ P 245/410.

Luccotel , r. Lézards, par ⑤ : 1 km ✆ 47 91 30 30, Fax 47 91 30 35, , ,
rest TV ☎ & P – 60 à 100. GB
Repas *(fermé 18 déc. au 14 janv. et sam. midi)* 90/195, enf. 50 – ☕ 35 – **42 ch** 340
½ P 280.

Gerbe d'Or, 22 r. Balzac ✆ 47 59 06 38, – GB — Y
fermé fév., lundi soir et mardi – **Repas** 80/180, enf. 50.

CITROEN Loches Autom., La Cloutière à Perrusson ✆ 47 91 24 24
PEUGEOT Gar. Lorillou, Zone ciale de Tivoli par ③ ✆ 47 59 00 41
RENAULT Sud Touraine Autom., r. Fontaine Charbonnelle par ① ✆ 47 59 00 77 N ✆ 47 40 91 43

Touraine Pneus, 48 av. Pierruche à Perrusson ✆ 47 59 03 86

LOCMARIA-BERRIEN 29 Finistère 58 ⑥ – rattaché à Huelgoat.

LOCMARIAQUER 56740 Morbihan 63 ⑫ **G. Bretagne** – 1 309 h alt. 5.

Voir Ensemble mégalithique ★★ puis dolmens de Mané Lud★ et de Mané Rethual★ – Tumulu de Mané-er-Hroech★ S : 1 km – Dolmen des Pierres Plates★ SO : 2 km – Pointe de Kerpenhi ≤★ SE : 2 km.

Office de Tourisme, pl. de la Mairie (avril-sept.) ✆ 97 57 33 05.

Paris 486 – Vannes 31 – Auray 13 – Quiberon 32 – La Trinité-sur-Mer 8,5.

Trois Fontaines M sans rest, rte Auray ✆ 97 57 42 70, Fax 97 57 30 59 – TV ☎ & P. GB
ouvert Pâques-30 sept., vacances de Toussaint et week-ends d'oct. – ☕ 48 – **18 c**
380/550.

Lautram, ✆ 97 57 31 32, Fax 97 57 37 87 – ☎. GB
début avril-fin sept. – **Repas** 75/210, enf. 38 – ☕ 35 – **29 ch** 180/330 – ½ P 230/305.

OCMINÉ **56500** Morbihan 63 ③ **G. Bretagne** – 3 346 h alt. 108.

ris 447 – Vannes 29 – Concarneau 95 – Lorient 50 – Pontivy 25 – Quimper 112 – ◆Rennes 104.

XX **Aub. Ville au Vent,** r. O. de Clisson ℘ 97 60 08 40 – AE ⓓ GB
fermé 16 nov. au 2 déc., dim. soir et lundi – **Repas** 82/340.

Corbel Point S, à Moréac ℘ 97 60 57 18 — Rio Pneus, ℘ 97 60 01 24

OCQUIREC **29241** Finistère 58 ⑦ **G. Bretagne** – 1 226 h alt. 15.

oir Église★ – Tour de la Pointe de Locquirec★ 30 mn – Table d'orientation de Marc'h Sammet ★ O : 3 km.

Office de Tourisme pl. du Port ℘ 98 67 40 83, Fax 98 79 32 50.

ıris 536 – ◆Brest 79 – Guingamp 52 – Lannion 22 – Morlaix 21.

X **Le St-Quirec,** rte Plestin : 1,5 km ℘ 98 67 41 07 – P. GB
fermé 15 nov. au 20 déc., mardi soir et merc. sauf juil.-août – **Repas** 105/250.

OCRONAN **29180** Finistère 58 ⑮ **G. Bretagne** – 796 h alt. 105.

'oir Place★★ – Église et chapelle du Pénity★★ – Montagne de Locronan ※★ E : 2 km – Kergoat : itraux★ de la chapelle NE : 3,5 km.

nv. Guengat : vitraux★ de l'église S : 10 km par D 63 et D 56.

Office de Tourisme pl. de la Mairie (15 juin-15 sept.) ℘ 98 91 70 14.

ıris 563 – Quimper 17 – ◆Brest 65 – Briec 19 – Châteaulin 16 – Crozon 34 – Douarnenez 10.

Prieuré, ℘ 98 91 70 89, Fax 98 91 77 60, – TV ☎ P – 30. GB. ch
17 mars-31 oct. – **Repas** 67/240, enf. 36 – 42 – **11 ch** 290/330, 3 duplex – ½ P 290/310.

au NO : 3 km par C 10 – ✉ **29550** Plonévez-Porzay :

Manoir de Moëllien , ℘ 98 92 50 40, Fax 98 92 55 21, ←, – TV ☎ P. AE ⓓ GB
25 mars-13 nov. et 15 déc.-2 janv. – **Repas** *(fermé merc. du 15 sept. au 15 nov.)* 120/300, enf. 75 – 40 – **10 ch** 355/360 – ½ P 355/365.

Pour les grands voyages d'affaires ou de tourisme,
Guide Rouge MICHELIN : EUROPE.

ODÈVE **34700** Hérault 83 ⑤ **G. Gorges du Tarn** – 7 602 h alt. 165.

'oir Anc. cathédrale St-Fulcran★ – Musée Fleury★.

Office de Tourisme, 7 pl. République ℘ 67 88 86 44.

aris 713 ② – ◆Montpellier 59 ② – Alès 99 ① – Béziers 63 ② – Millau 59 ① – Pézenas 46 ②.

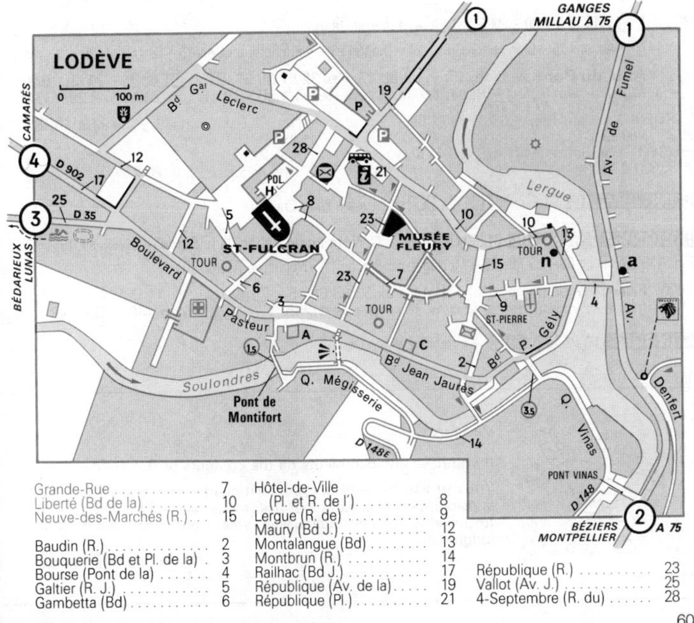

Grande-Rue 7
Liberté (Bd de la) 10
Neuve-des-Marchés (R.) 15

Baudin (R.) 2
Bouquerie (Bd et Pl. de la) 3
Bourse (Pont de la) 4
Galtier (R. J.) 5
Gambetta (Bd) 6
Hôtel-de-Ville (Pl. et R. de l') 8
Lergue (R. de) 9
Maury (Bd J.) 12
Montalangue (Bd) 13
Montbrun (R.) 14
Railhac (Bd J.) 17
République (Av. de la) 19
République (Pl.) 21
République (R.) 23
Vallot (Av. J.) 25
4-Septembre (R. du) 28

🏨 **Paix,** 11 bd Montalangue **(n)** ✆ 67 44 07 46, Fax 67 44 30 47 – ▤ rest ☎. GB
fermé 1er janv. au 15 mars, dim. soir et lundi d'oct. à avril sauf vacances scolaires – **Rep**
85/170, enf. 50 – ☕ 25 – **21 ch** 210/230 – ½ P 210.

🏨 **Croix Blanche,** 6 av. Fumel **(a)** ✆ 67 44 10 87, Fax 67 44 38 33 – ☎ 🅿. GB
1er avril-1er déc. et fermé vend. midi – **Repas** 70/160, enf. 45 – ☕ 25 – **32 ch** 130/220
½ P 160/220.

à St-Jean-de-la-Blaquière par ② et D 144E : 14 km – 338 h. alt. 115 – ✉ **34700** :

🏨 **Le Sanglier** 🐎, E : 3,5 km par rte de Rabieux et rte secondaire ✆ 67 44 70 5
Fax 67 44 72 33, ≤, 🌳, « Dans la garrigue », 🏊, 🌳, 🎾 – ☎ 🅿. GB. 🐕 ch
25 mars-25 oct. – **Repas** *(fermé merc. midi hors sais.)* 98 (déj.), 144/215 🍷, enf. 60 – ☕ 40
10 ch 400 – ½ P 390/580.

PEUGEOT Gar. Ryckwaert, 6 av. Denfert ✆ 67 44 02 49 🅽 ✆ 67 96 07 31

LODS **25930** Doubs 70 ⑥ **G. Jura** – 284 h alt. 361.

Paris 439 – ♦Besançon 36 – Baume-les-Dames 51 – Levier 22 – Pontarlier 23 – Vuillafans 4,5.

🏨 **Truite d'Or,** ✆ 81 60 95 48, Fax 81 60 95 73, 🌳, 🌳 – 📺 ☎ 🅿. GB
fermé 15 déc. au 31 janv., dim. soir et lundi de fin sept. à Pâques – **Repas** 95/260, enf. 55
☕ 30 – **12 ch** 240 – ½ P 280.

LOGELHEIM **68** H.-Rhin 62 ⑲ – rattaché à Colmar.

Les LOGES-EN-JOSAS **78** Yvelines 60 ⑩, 101 ㉓ – voir à Paris, Environs.

LOGNES **77** S.-et-M. 56 ⑫, 101 ㉙ – voir à Paris, Environs (Marne-la-Vallée).

LOGUIVY-DE-LA-MER **22** C.-d'Armor 59 ② – rattaché à Paimpol.

LOHÉAC **35550** I.-et-V. 63 ⑥ – 508 h alt. 50.

Voir Manoir de l'automobile★, **G. Bretagne.**

Paris 381 – ♦Rennes 35 – Châteaubriant 49 – Ploërmel 44 – Redon 32.

🏨 **La Gibecière,** ✆ 99 34 06 14, Fax 99 34 10 37, 🌳 – 📺 ☎ ♿ 🅿. GB
Repas 68/195 🍷 – ☕ 30 – **18 ch** 180/280 – ½ P 180/200.

LOIRE-SUR-RHÔNE **69** Rhône 74 ⑪ – rattaché à Givors.

LOMENER **56** Morbihan 58 ⑫ – rattaché à Ploemeur.

LONDINIÈRES **76660** S.-Mar. 52 ⑮ – 1 119 h alt. 78.

Paris 147 – ♦Amiens 75 – Blangy-sur-Bresle 24 – Dieppe 26 – Neufchâtel-en-Bray 13 – Le Tréport 29.

✕ **Aub. du Pont** avec ch, ✆ 35 93 80 47, Fax 32 97 00 57, 🌳 – 📺 ☎ 🅿 – 🏛 30. GB
fermé 1er au 15 fév. – **Repas** 52/190 🍷, enf. 39 – ☕ 30 – **10 ch** 150/220 – ½ P 294/364.

CITROEN Gar. Hardiville, ✆ 35 93 80 22 🅽 ✆ 35 93 80 22
PEUGEOT Gar. Boutleux, ✆ 35 93 80 48 🅽 ✆ 35 93 80 48
RENAULT Gar. Courtaud, ✆ 35 93 80 81 🅽 ✆ 35 93 80 81

Ⓜ Parin Pneus, ✆ 35 93 80 27

LONGJUMEAU **91** Essonne 60 ⑩, 101 ㉟ – voir à Paris, Environs.

LONGNY-AU-PERCHE **61290** Orne 60 ⑤ **G. Normandie Vallée de la Seine** – 1 575 h alt. 165.

Paris 136 – Alençon 56 – L'Aigle 28 – Mortagne-au-Perche 17 – Nogent-le-Rotrou 30.

✕✕ **France** avec ch, ✆ 33 73 64 11, Fax 33 83 68 05 – 📺 ☎. GB
fermé lundi sauf fériés et dim. soir – **Repas** 85/245 🍷 – ☕ 28 – **6 ch** 140/190 – ½ P 160/180

LONGUES **63** P.-de-D. 73 ⑭ – rattaché à Vic-le-Comte.

Write us...

If you have any comments on the contents of this Guide.

Your praise as well as your criticisms will receive careful consideration and, with your assistance, we will be able to add to our stock of information and, where necessary, amend our judgments.

Thank you in advance!

LONGUYON **54260** M.-et-M. 57 ② – 6 064 h alt. 213.

Office de Tourisme pl. Allende ✆ 82 39 21 21.

Paris 315 – ◆Metz 81 – ◆Nancy 110 – Sedan 69 – Thionville 57 – Verdun 43.

XXX ✿ **Le Mas et H. Lorraine** (Tisserant) avec ch, **face gare** ✆ **82 26 50 07, Fax 82 39 26 09,** – TV ☎ – 40. AE ① GB JCB
fermé 6 janv. au 3 fév. – **Repas** *(fermé lundi du 20 sept. au 1er juil.)* 109/360 et carte 260 à 370 – ☕ 35 – **14 ch** 225/290 – ½ P 295
Spéc. Langoustines en feuilleté à la julienne de morilles. Rognon de veau en déclinaison d'oignon. Saint-Jacques au flan d'asperges vertes (fév.-juil.). **Vins** Côtes de Toul.

XX **Table de Napo et H. de la Gare** avec ch, ✆ **82 26 50 85, Fax 82 39 21 33** – P. AE ① GB JCB – *fermé 1er au 12 mars, 9 au 30 sept. et vend. soir* – **Repas** 75/220 – ☕ 35 – **7 ch** 200/250 – ½ P 315/365.

à Rouvrois-sur-Othain (Meuse) S : 7,5 km par N 18 – 201 h. alt. 223 – ✉ **55230** :

X **La Marmite,** ✆ **29 85 90 79, Fax 29 85 99 23** – ▤. GB
fermé 26 août au 2 sept., 24 fév. au 3 mars, dim. soir et lundi sauf fériés – **Repas** 85 (déj.), 130/220.

PEUGEOT Gar. de l'Est, 75 r. Hôtel de Ville ✆ 82 26 50 67

LONGWY **54400** M.-et-M. 57 ② **G. Alsace Lorraine** – 15 439 h alt. 262.

Office de Tourisme Gare Routière (fermé matin) ✆ 82 24 27 17.

Paris 333 ④ – Luxembourg 36 ② – ◆Metz 65 ③ – Sedan 75 ④ – Thionville 41 ③ – Verdun 58 ④.

LONGWY

Briand (R. A.) 2
Labro (R. A.) ......
Leclerc (Pl. Gén.) ... 8
Banque (R. de la) .. 3
Faïencerie (R.) 5
Giraud (Pl.) 6
Margaine (Av.) 10
Récollets (R. des) .. 12
Saintignon (Av. de) . 14

à Longwy-Haut :

Nord sans rest, pl. Darche **(a)** ✆ **82 23 40 81, Fax 82 23 17 73** – TV ☎ – 25. AE GB
☕ 32 – **19 ch** 240/290.

à Cosnes et Romain O : 2 km par D 43 – 2 053 h. alt. 378 – ✉ **54400** :

XX **Aub. des Trois Canards,** 69 rue de Lorraine ✆ **82 24 35 36** – AE ① GB JCB
fermé 19 août au 11 sept., 26 fév. au 11 mars, dim. soir et lundi – **Repas** 114/204.

CITROEN Gar. Inglebert, 50 r. Alsace-Lorraine à Longlaville par ② ✆ 82 24 33 96 N ✆ 82 25 68 57
RENAULT Gar. Robert, N à Mexy par ③ ✆ 82 24 56 61 N ✆ 05 05 15 15
ROVER Gar. Pacci, 22 r. J.-B.-Blondeau à Mont-St-Martin ✆ 82 23 35 05 N ✆ 82 23 35 05

Leclerc Pneu, 36 r. Chiers ✆ 82 24 40 79
Pneus D.M., av. de Saintignon ✆ 82 24 23 45

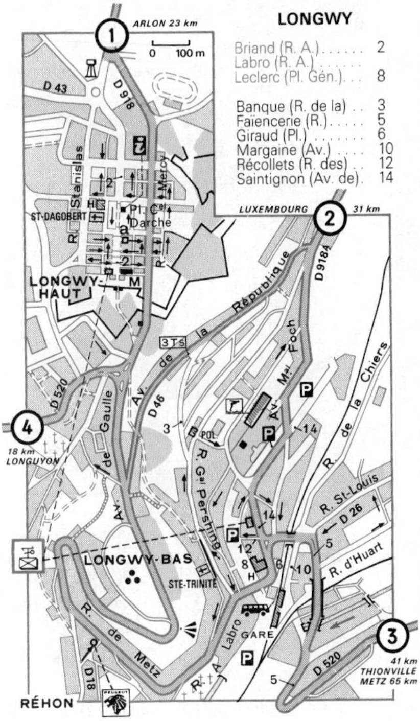

LONS-LE-SAUNIER P **39000** Jura 70 ④ ⑭ **G. Jura** – 19 144 h alt. 255 – Stat. therm. (4 avril-29 oct.) – Casino.

Voir Rue du Commerce★ Y – Grille★ de l'hôpital Y.

Env. Creux de Revigny★ 7,5 km par ②.

Val de Sorne, ✆ 84 43 04 80, S : 6 km par D 117 et D 41.

Office de Tourisme 1 r. Pasteur ✆ 84 24 65 01 – Automobile Club Jurassien ✆ 84 24 20 63, Fax 84 43 04 22.

Paris 393 ③ – Chalon-sur-Saône 65 ③ – ◆Besançon 86 ① – Bourg-en-Bresse 62 ③ – ◆Dijon 96 ① – Dole 51 ① – Mâcon 79 ③ – Pontarlier 77 ②.

Plan page suivante

Nouvel H., 50 r. Lecourbe ✆ **84 47 20 67, Fax 84 43 27 49** – TV ☎ P. AE ① GB JCB. Y **r**
fermé 20 déc. au 10 janv. – **Repas** *(fermé vend. soir, sam. soir et dim. soir hors sais.)* (dîner seul.) 65/95 – ☕ 35 – **26 ch** 205/295 – ½ P 203/248.

XX **Relais d'Alsace,** 74 rte Besançon par ① ✆ **84 47 24 70, Fax 84 47 24 70,** – P. GB
fermé vacances de fév., dim. soir et lundi – **Repas** 98/200, enf. 35.

XX **Comédie,** 65 r. Agriculture ✆ **84 24 20 66** – ▤. GB Y **e**
fermé vacances de printemps, 5 au 25 août, lundi soir et dim. – **Repas** 98/155.

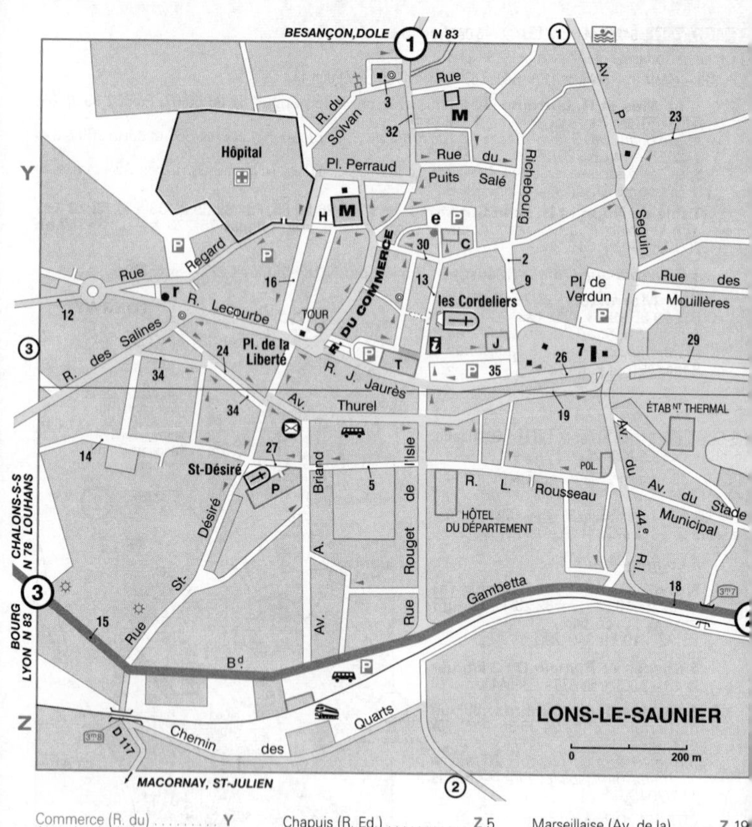

Commerce (R. du) . . . . Y
Jean-Jaurès (R.) . . . . YZ
Lafayette (R.) . . . . Y 16
Lecourbe (R.) . . . . Y
Liberté (Pl. de la) . . . . Y
Moulin (Av. J.) . . . . Y 26

Anc.-Collège (Pl. de l') . . . . . . Y 2
Bichat (Pl.) . . . . Y 3
Chapuis (R. Ed.) . . . . Z 5
Chevalerie (Prom. de la) . . . . . Y 7
Chevalerie (R. de la) . . . . Y 9
Colbert (Cours) . . . . Y 12
Cordeliers (R. des) . . . . Y 13
Écoles (R. des) . . . . Z 14
Ferry (Bd J.) . . . . Z 15
Lattre-de-T. (Bd Mar. de) . . . . . Z 18
Marseillaise (Av. de la) . . . . . Z 19
Mendès-France (Av. P.) . . . . . Y 23
Monot (R. E.) . . . . Y 24
Préfecture (R. de la) . . . . Z 27
Prost (Av. C.) . . . . Y 29
Sébile (R.) . . . . Y 30
Trouillot (R. G.) . . . . Y 32
Vallière (R. de) . . . . YZ 34
11-Novembre (Pl. du) . . . . Y 35

à Chille par ① et D 157 : 3 km – 217 h. alt. 330 – ✉ **39570** :

Parenthèse M ≫, ☎ 84 47 55 44, Fax 84 24 92 13, parc, – ⇕ TV ☎ ♿ P – 🚶 30. AE GB
Repas *(fermé vacances de fév., dim. soir hors sais. et lundi sauf le soir en sais.)* 85/250, enf. 50 – ☕ 38 – **24 ch** 260/360 – ½ P 350/385.

au Sud : 6 km par D 117 et D 41 – ✉ **39570** Vernantois :

Golf du Val de Sorne M ≫, ☎ 84 43 04 80, Fax 84 47 31 21, ←, « Sur le golf », – ⇕ ▤ rest TV ☎ ♿ P – 🚶 50. GB
Repas *(fermé 26 déc. au 15 janv. et dim. soir)* 95/148 – ☕ 50 – **36 ch** 460 – ½ P 400.

rte de Chalon par ③ : 1, 5 km – ✉ **39570** Montmorot :

Clos Fleuri, r. A. Briand ☎ 84 47 11 34, Fax 84 47 59 48 – P. GB
fermé 1er au 15 août, dim. soir et sam. – **Repas** 85 (déj.), 120/195, enf. 45.

à Courlans par ③ et N 78 : 6 km – 640 h. alt. 227 – ✉ **39570** :

✿ **Aub. de Chavannes** (Carpentier), ☎ 84 47 05 52, Fax 84 43 26 53, – ▤ P. GB
fermé 25 juin au 2 juil., fév., dim. soir et lundi – **Repas** (nombre de couverts limité, prévenir) 165/350 et carte 300 à 390
Spéc. Paupiette de Morteau aux escargots. Suprême de poularde de Bresse en rouelles. Filets de pigeon du Louhannais. **Vins** L'Etoile, Arbois-Pupillin.

MW Gar. Parizon, à Messia ☏ 84 47 05 45
TROEN Gar. Baud, Bd de l'Europe ZI par r. des ouillères Y ☏ 84 43 18 17
RD Gar. Lecourbe, 58 bis r. Lecourbe 84 47 20 13
SSAN Gar. Labet, à Montmorot ☏ 84 47 46 18
UGEOT Sonalp, 281 rte de Conliège à Perrigny r av. Prost ☏ 84 24 37 96
ENAULT S.O.R.E.C.A., 47 av. C.-Prost par ② 84 35 66 66 N ☏ 84 35 66 66

Jurassienne du Pneumatique, ZI r. V.-Bérard ☏ 84 24 01 59 N ☏ 84 44 24 33
Lehmann Point S, à Messia-sur-Sorne ☏ 84 24 62 43
Lédo Pneus, 96 r. St-Désiré ☏ 84 47 09 75
Pneu Services, 32 av. C.-Prost ☏ 84 43 16 91
Quillot Vulcopneu, 6 bd Duparchy ☏ 84 47 12 63

OON-PLAGE 59279 Nord 51 ③ – 6 435 h alt. 5.

ris 290 – ◆Calais 31 – Cassel 32 – Dunkerque 11,5 – ◆Lille 80 – St-Omer 33.

Climat de France, O : 1 km par rte Gravelines ☏ 28 27 32 88, Fax 28 21 36 11 – TV ☎ ♿ P – 50. AE GB
Repas *(fermé sam. midi)* 84/125, enf. 39 – 30 – **55 ch** 280.

ORAY 25390 Doubs 66 ⑰ – 372 h alt. 745.

aris 452 – ◆Besançon 44 – Baume-les-Dames 35 – Montbéliard 63 – Morteau 20 – Pontarlier 40.

XX **Vieille-Robichon** avec ch, ☏ 81 43 21 67, Fax 81 43 26 10, – TV ☎ P – 30. GB
fermé dim. soir et lundi sauf juil.-août – **Repas** 70/355, enf. 60 – 35 – **11 ch** 220/260 – ½ P 240/250.

ORGUES 83510 Var 84 ⑥ 114 ㉒ G. Côte d'Azur – 6 340 h alt. 200.

aris 855 – Fréjus 37 – Brignoles 33 – Draguignan 12 – St-Raphaël 40 – ◆Toulon 73.

XXX ✿ **Bruno** avec ch, SE : 3 km par route des Arcs ☏ 94 73 92 19, Fax 94 73 78 11, ≤, – TV ☎ P. AE GB
fermé dim. soir et lundi du 15 sept. au 15 juin – **Repas** (menu unique)(nombre de couverts limité, prévenir) 270 – 60 – **3 ch** 480/750
Spéc. Pigeon en feuilleté au foie gras et truffes. Ravioles au truffes. Gibier (15 sept. à fin janv.). **Vins** Côtes de Provence, Coteaux-d'Aix-en-Provence.

Benutzen Sie den Hotelführer des laufenden Jahres.

LORIENT SP 56100 Morbihan 63 ① G. Bretagne – 59 271 h Agglo. 115 488 h alt. 4.

Voir Base des sous-marins★ AZ – Intérieur★ de l'église N.-D.-de-Victoire BY **E**.

du Val Quéven ☏ 97 05 17 96, N : 8 km par D 765 et D 6 à dr. AY ; 18 de Ploemeur-Océan ☏ 97 32 81 82, O par D 162 : 13 km.

de Lorient Lann-Bihoué : ☏ 97 87 21 50, par D 162 : 8 km AZ.

Office de Tourisme quai de Rohan ☏ 97 21 07 84, Fax 97 21 99 44 – Automobile Club 61 r. du Mar. Foch ☏ 97 21 03 07.

aris 496 ③ – Vannes 58 ③ – Quimper 68 ③ – St-Brieuc 114 ③ – St-Nazaire 134 ③.

Plan page suivante

Mercure M sans rest, 31 pl. J. Ferry ☏ 97 21 35 73, Fax 97 64 48 62 – TV ☎ ♿ – 30. AE GB — BZ **m**
48 – **58 ch** 405/455.

Centre sans rest, 30 r. Du Couëdic ☏ 97 64 13 27, Fax 97 64 17 39 – TV ☎ P. AE GB JCB — BY **x**
35 – **33 ch** 220/325.

Astoria sans rest, 3 r. Clisson ☏ 97 21 10 23, Fax 97 21 03 55 – TV ☎. AE GB — BY **q**
30 – **40 ch** 125/265.

Cléria sans rest, 27 bd Mar. Franchet d'Esperey ☏ 97 21 04 59, Fax 97 64 19 10 – TV ☎ – 30. AE GB — AY **k**
fermé 24 déc. au 2 janv. – 30 – **33 ch** 220/240.

Léopol sans rest, 11 r. W. Rousseau ☏ 97 21 23 16, Fax 97 84 93 27 – TV ☎. AE GB — BY **r**
fermé 24 déc. au 5 janv. – 30 – **32 ch** 180/250.

H. Victor-Hugo sans rest, 36 r. L. Carnot ☏ 97 21 16 24, Fax 97 84 95 13 – TV ☎. AE GB — BZ **f**
30 – **30 ch** 140/250.

St-Michel sans rest, 9 bd Mar. Franchet d'Esperey ☏ 97 21 17 53, Fax 97 64 29 91 – TV ☎. GB — AY **z**
fermé dim. – 30 – **23 ch** 120/220.

Armor sans rest, 11 bd Mar. Franchet d'Esperey ☏ 97 21 73 87, Fax 97 64 48 50 – TV ☎. AE GB — AY **e**
25 – **21 ch** 115/225.

Arvor, 104 r. L. Carnot ☏ 97 21 07 55 – GB. — AZ **x**
Repas *(fermé vacances de Noël et dim.)* 85/150 – 25 – **20 ch** 120/190 – ½ P 180/200.

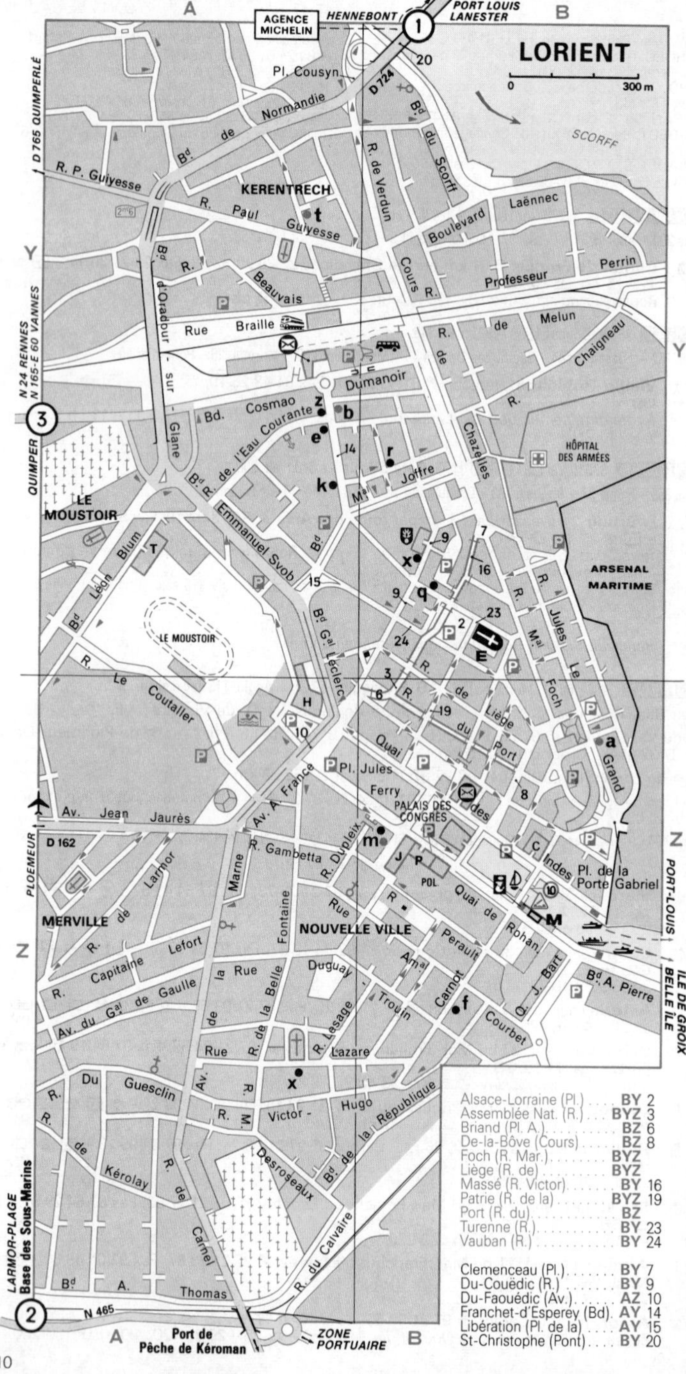
LORIENT
0
300 m
AGENCE MICHELIN
HENNEBONT
PORT LOUIS
LANESTER
D 765 QUIMPERLÉ
N 24 RENNES
N 165-E 60 VANNES
QUIMPER
PLOEMEUR
D 162
LARMOR-PLAGE
Base des Sous-Marins
N 465
Port de
Pêche de Kéroman
ZONE
PORTUAIRE
PORT-LOUIS
ÎLE DE GROIX
BELLE ÎLE
SCORFF
KERENTRECH
LE MOUSTOIR
MERVILLE
NOUVELLE VILLE
HÔPITAL
DES ARMÉES
ARSENAL
MARITIME
PALAIS DES
CONGRÈS
Pl. Cousyn
D 724
Bd de Normandie
R. P. Guiyesse
R. Paul Guiyesse
R. de Verdun
Bd du Scorff
Boulevard Laënnec
R. Professeur Perrin
Cours
R. de Melun
R. Chaigneau
Bd d'Oradour-sur-Glane
R. Beauvais
Rue Braille
Dumanoir
Bd. Cosmao
R. de Chazelles
R. de l'Eau Courante
Mal Joffre
Bd Emmanuel Svob
Bd Léon Blum
R. Le Coutaller
Bd Gal Leclerc
R. Jules Le Grand
Mal Foch
R. de Liège
R. du Port
Quai des Indes
Pl. Jules Ferry
Av. Jean Jaurès
Av. A. France
R. Gambetta
R. Dupleix
Marne
Fontaine
Rue Duguay Trouin
R. Amal Courbet
Perault
Carnot
Quai de Rohan
Q. J. Bart
Bd A. Pierre
Pl. de la Porte Gabriel
R. de Larmor
R. Capitaine Lefort
Av. du Gal de Gaulle
Rue de la Belle
R. de la Belle
R. Lesage
Rue Lazare
Du Guesclin
Av. de la Marne
R. M. Victor-Hugo
Bd de la République
Desroseaux
R. de Kérolay
R. de Carmel
R. du Calvaire
Bd A. Thomas
POL
A
B
Y
Z
Alsace-Lorraine (Pl.) . . . . BY 2
Assemblée Nat. (R.) . . . BYZ 3
Briand (Pl. A.) . . . . BZ 6
De-la-Bôve (Cours) . . . . . BZ 8
Foch (R. Mar.) . . . . BYZ
Liège (R. de) . . . . BYZ
Massé (R. Victor) . . . . . . BY 16
Patrie (R. de la) . . . . . . BYZ 19
Port (R. du) . . . . BZ
Turenne (R.) . . . . BY 23
Vauban (R.) . . . . BY 24
Clemenceau (Pl.) . . . . BY 7
Du-Couëdic (R.) . . . . BY 9
Du-Faouëdic (Av.) . . . . . . AZ 10
Franchet-d'Esperey (Bd) . AY 14
Libération (Pl. de la) . . . . AY 15
St-Christophe (Pont) . . . . BY 20

XXX **Le Poisson d'Or,** 1 r. Maître Esvelin ✆ 97 21 57 06, Fax 97 64 65 42 – AE ⓓ GB BZ **m**
fermé vacances de Noël et dim. – **Repas** 95/360 et carte 230 à 330.

XX **Rest. Victor-Hugo,** 36 r. L. Carnot ✆ 97 64 26 54, Fax 97 64 24 87 – AE ⓓ GB BZ **f**
Repas *(fermé sam. midi et dim.)* 80/250 ꝭ, enf. 55.

XX **Le Jardin Gourmand,** 46 r. J. Simon ✆ 97 64 17 24, Fax 97 64 15 75, 余 – AE GB
fermé 1er au 16 sept., 3 au 13 fév. et dim. – **Repas** 89/130 et carte le soir 150 à 210. AY **t**

XX **Neptune** avec ch, 15 av. Perrière par ② ✆ 97 37 04 56, Fax 97 87 07 54 – TV ☎ ✆. AE ⓓ GB JCB
fermé 23 sept. au 15 oct. et dim. – **Repas** 70/280 ꝭ – ☕ 30 – **23 ch** 210/300 – ½ P 235.

XX **Le Pic,** 2 bd Mar. Franchet d'Esperey ✆ 97 21 18 29, Fax 97 21 92 64 – GB AY **b**
fermé sam. midi et dim. sauf fériés – **Repas** 93/185 ꝭ.

X **Le Saint-Louis,** 48 r. J. Le Grand ✆ 97 21 50 45, Fax 97 84 00 77 – GB BZ **a**
fermé 1er au 20 sept., 15 au 28 fév., mardi soir et merc. – **Repas** 62/190.

Z.I. de Kerpont par ① : 6 km – ✉ **56850** Caudan :

Novotel M ⚘, centre hôtelier de Bellevue ✆ 97 76 02 16, Fax 97 76 00 24, 余, ⛱, 🌳 – ⇔ TV ☎ ✆ ♿ P – 🏋 120. AE ⓓ GB JCB
Repas carte environ 160 ꝭ, enf. 50 – ☕ 49 – **88 ch** 405/445.

Ibis M sans rest, centre hôtelier de Bellevue ✆ 97 76 40 22, Fax 97 81 28 56 – ⇔ TV ☎ ♿ P. AE ⓓ GB
☕ 35 – **41 ch** 275/300.

au NO : 3,5 km par D 765 – ✉ **56100** Lorient :

XXX ✿ **L'Amphitryon** (Abadie), 127 r. Col. Müller ✆ 97 83 34 04, Fax 97 37 25 02 – ▤. AE GB. ✂
fermé vacances de printemps, 26 août au 10 sept., sam. midi et dim. – **Repas** 115 (déj.), 155/380 et carte 320 à 400, enf. 75
Spéc. Sardines farcies à l'araignée (avril à oct.). Oeuf de ferme à la coque aux truffes. Homard grillé à la salamandre (mars à nov.).

MICHELIN, Agence régionale, r. Arago ZI Kerpont, direction d'Hennebont après Lanester par ① à Caudan ✆ 97 76 03 60

BMW Auto Port, Rd-Pt du Pléneno ✆ 97 83 87 41 **N** ✆ 97 37 03 33
CITROEN S.C.A.O., ZI Kerpont à Lanester par ① ✆ 97 81 19 81 **N** ✆ 97 37 03 33
MERCEDES Gar. Allanic, Rte de Quimperlé, ZI de Keryado ✆ 97 83 00 90 **N** ✆ 97 37 03 33
MITSUBITSCHI, PORSCHE Sport Bretagne Autom., ZI Kerpont à Lanester ✆ 97 81 19 20
OPEL Gar. L'Automobile, 42 r. Trudaine à Lanester, ✆ 97 76 92 69 **N** ✆ 97 37 03 33
PEUGEOT Gar. Chrétien, Zone Ciale de Bellevue à Caudan par ① ✆ 97 76 13 56 **N** ✆ 05 44 24 24
RENAULT Gar. Court, ZI Kerpont à Caudan par ① ✆ 97 87 67 67 **N** ✆ 05 05 15 15
ROVER Gar. Auto Océane, Rd-Pt Base Sous Marine, 1 r. F.-Toullec ✆ 97 87 07 07
VAG Atlantic Auto, ZI Kerpont à Lanester ✆ 97 76 89 89

Ⓜ Euromaster, 68 av. A.-Croizat à Lanester ✆ 97 76 03 02
Pneu Armorique Vulcopneu, 1 bd L.-Blum ✆ 97 87 72 00 **N** ✆ 97 65 33 38

LORMES 58140 Nièvre 65 ⑯ G. Bourgogne – 1 464 h alt. 420.

Voir Terrasse du cimetière ✲★ – Mont de la Justice ✲★ NO : 1,5 km.

Syndicat d'Initiative 5 r. de Narveau ✆ 86 22 82 74.

Paris 249 – Autun 63 – Avallon 28 – Clamecy 35 – Nevers 74.

Perreau, 8 rte Avallon ✆ 86 22 53 21, Fax 86 22 82 15 – TV ☎ P. GB
fermé 10 janv. au 25 fév., dim. soir et lundi d'oct. à mars – **Repas** 85/220 ꝭ – ☕ 32 – **17 ch** 250/300 – ½ P 220/250.

PEUGEOT Gar. Orgueil, ✆ 86 22 83 43

LORP-SENTARAILLE 09 Ariège 86 ③ – rattaché à St-Girons.

LORRIS 45260 Loiret 65 ① G. Châteaux de la Loire – 2 620 h alt. 126.

Voir Église N.-Dame★.

Office de Tourisme près des Halles ✆ 38 94 81 42, Fax 38 94 88 00.

Paris 124 – ◆Orléans 53 – Gien 26 – Montargis 22 – Pithiviers 41 – Sully-sur-Loire 19.

Sauvage, ✆ 38 92 43 79, Fax 38 94 82 46 – TV ☎. GB
fermé 3 au 19 oct. et 31 janv. au 23 fév. – **Repas** 110/260 ₰, enf. 48 – ☕ 32 – **8 ch** 250/350 – ½ P 270/300.

Guillaume de Lorris, ✆ 38 94 83 55 – GB
fermé 25 juil. au 10 août, 20 fév. au 10 mars, dim. soir, mardi soir et merc. – **Repas** 115/19[...] enf. 65.

Point du Jour, ✆ 38 92 40 21 – GB
fermé janv. et lundi – **Repas** 60 bc/195 ₰, enf. 45.

LOUBRESSAC 46130 Lot 75 ⑲ G. Périgord Quercy – 449 h alt. 320.

Voir Site★ du château.

Office de Tourisme Mairie ✆ 65 38 18 30.

Paris 538 – Brive-la-Gaillarde 49 – Cahors 70 – Figeac 42 – Gourdon 53 – Gramat 17 – St-Céré 8,5.

Lou Cantou ⛰, ✆ 65 38 20 58, Fax 65 38 25 37, ← – rest TV ☎ ♿ P. AE GB
fermé 20 oct. au 15 nov. et lundi du 1er oct. au 1er avril – **Repas** 75/210 ₰, enf. 40 – ☕ 35 – **12 ch** 270/300 – ½ P 295/305.

à Py au NO : 3,5 km par D 118 et D 14 – ✉ 46130 Loubressac :

Les Calèches de Py M ⛰ sans rest, ✆ 65 39 75 06, Fax 65 38 61 04 – ☎ P. GB
Pâques-1er nov. – ☕ 35 – **9 ch** 250/270.

LOUDÉAC 22600 C.-d'Armor 58 ⑲ G. Bretagne – 9 820 h alt. 155.

Syndicat d'Initiative, pl. Gén.-de-Gaulle (15 juin-15 sept.) ✆ 96 28 25 17, Fax 96 28 61 94.

Paris 438 – St-Brieuc 46 – Carhaix-Plouguer 66 – Dinan 74 – Pontivy 21 – ◆Rennes 86.

Voyageurs, 10 r. Cadélac ✆ 96 28 00 47, Fax 96 28 22 30 – TV ☎ – 40. AE GB
fermé 24 déc. au 2 janv. – **Repas** *(fermé sam. hors sais.)* 70/250 ₰, enf. 50 – ☕ 30 – **25 ch** 190/290 – ½ P 185/250.

France, 1 r. Cadélac ✆ 96 28 00 15, Fax 96 28 61 94 – TV ☎ P – 30 à 100. AE GB
fermé Noël au Jour de l'An – **Repas** *(fermé sam. soir et dim. d'oct. à avril)* 74/170 ₰, enf. 41 – ☕ 34 – **39 ch** 180/300 – ½ P 190/240.

à La Prénessaye E : 7 km sur N 164 – 854 h. alt. 109 – ✉ 22210 Plémet :

Motel d'Armor, ✆ 96 25 90 87, Fax 96 25 76 72, ← – TV ☎ P. GB
fermé vacances de fév. – ***Le Boléro*** *(fermé dim. soir)* **Repas** 78/230, enf. 50 – ☕ 35 – **10 ch** 225/280 – ½ P 245/280.

PEUGEOT Centre auto Loudéac, bd Victor Etienne ✆ 96 28 23 33
RENAULT E.L.D.A. Michard, pl. Gén.-de-Gaulle ✆ 96 28 00 07 N ✆ 05 05 15 15
VAG Gar. Lebreton, 23 r. de Pontivy ✆ 96 28 00 59
Pneu Armorique Vulcopneu, ZI de Kersuguet ✆ 96 28 05 73

LOUDUN 86200 Vienne 67 ⑨ G. Poitou Vendée Charentes – 7 854 h alt. 120.

Voir Tour carrée ✻★ AY.

18 ✆ 49 98 78 06 par ① BY : 16,5 km.

Office de Tourisme à l'Hôtel de Ville ✆ 49 98 15 96, Fax 49 98 12 88.

Paris 309 ② – ◆Angers 76 ① – Châtellerault 44 ③ – Parthenay 62 ④ – Poitiers 57 ④ – ◆Tours 72 ②.

Plan page ci-contre

Host. Roue d'Or, 1 av. Anjou ✆ 49 98 01 23, Fax 49 22 31 05 – TV ☎ ♿ P. AE GB
Repas 75/215 ₰ – ☕ 33 – **14 ch** 275/370. BY e

Renaudot sans rest, 40 av. de Leuze ✆ 49 98 19 22, Fax 49 98 94 22 – TV ☎. GB
☕ 45 – **29 ch** 320/390. BY a

Reine Blanche, 6 pl. Boeuffeterie ✆ 49 98 51 42, Fax 49 98 62 24 – GB BY s
fermé 22 janv. au 10 fév., dim. soir et lundi – **Repas** 98/200.

CITROEN Gar. Terradillos, r. Artisans AZ ✆ 49 98 34 30
RENAULT Gar. Delacote, 2 bd G.-Chauvet ✆ 49 98 12 93 N ✆ 49 98 12 93
VAG Autom. Loudunaise, 9 bd G.-Chauvet ✆ 49 98 15 57
Loudun Pneus, ZI Nord, av. de Ouagadougou ✆ 49 98 19 39 N ✆ 49 66 06 52
Pneurénov, 17 bd G.-Chauvet ✆ 49 98 01 22

LOUDUN

...rte-de-Chinon (R.) .... BY
...jou (Av. d') .... BY 2
...âteau (R. du) .... AY 3
...evreau (R. U.) .... BZ 4
Collège (R. du) .... BZ 6
Croix-Bruneau (R. de la) ... AY 7
Grand-Cour .... BY 8
Leuze (Av. de) .... BY 10
Meures (R. des) .... BY 12
Palais (R. du) .... BYZ 13
Portail-Chaussé (R. du) .... BY 14
Poitou (Av. du) .... BZ 15
Porte de Chinon (Pl.) ...... BY 16
Porte Mirebeau (Pl.) .... BZ 18
Porte Mirebeau (R.) .... BZ 19
Porte St-Nicolas (R.) ...... AY 20
Renaudot (R.) .... BY 22
Touraine (Av. de) .... BY 23
Vieille Charité (R.) .... BZ 25
Vieille porte du Martray.... AY 26

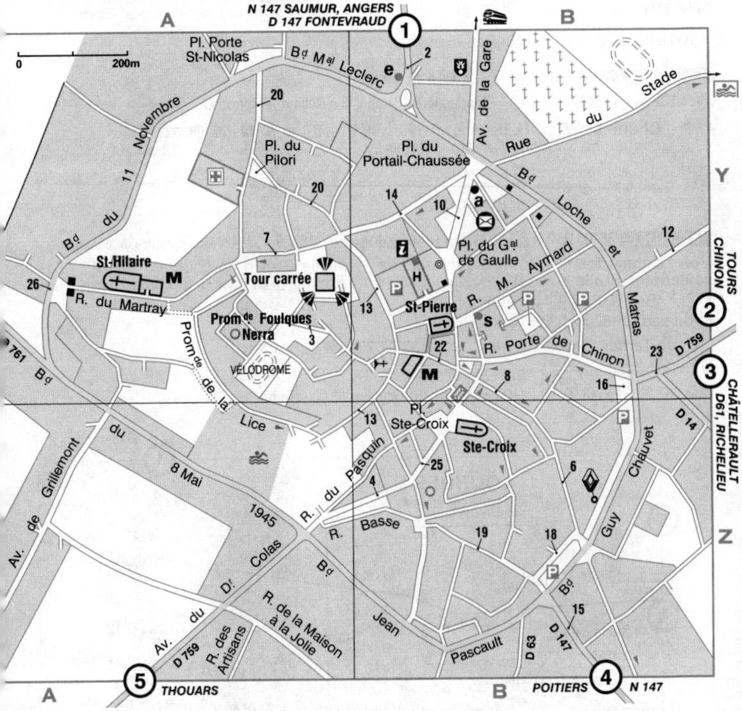

LOUÉ 72540 Sarthe 60 ⑫ – 1 929 h alt. 112.

Paris 228 – ◆Le Mans 27 – Laval 58 – Rennes 125 – Sillé-le-Guillaume 26.

Ricordeau, 13 r. Libération ✆ 43 88 40 03, Fax 43 88 62 08, – TV ☎. AE ① GB
fermé 2 janv. au 1er mars, dim. soir et lundi d'oct. à avril – **Repas** 110/305 – ☕ 48 – **16 ch** 345/504, 4 appart – ½ P 380/515.

LOUHANS 71500 S.-et-L. 70 ⑬ **G. Bourgogne** – 6 140 h alt. 179.

Voir Grande-Rue★.

Office de Tourisme Arcades St-Jean ✆ 85 75 05 02.

Paris 375 – Chalon-sur-Saône 38 – Bourg-en-Bresse 51 – ◆Dijon 87 – Dole 68 – Tournus 29.

Moulin de Bourgchâteau, r. Guidon (rte Chalon) ✆ 85 75 37 12, Fax 85 75 45 11, parc, « Ancien moulin sur la Seille » – TV ☎ P. AE GB
fermé 20 déc. au 20 janv., mardi midi de Pâques à oct., dim. d'oct. à Pâques et lundi midi – **Repas** 100/195 – ☕ 45 – **18 ch** 220/300.

Host. Cheval Rouge, 5 r. Alsace ✆ 85 75 21 42, Fax 85 75 44 48, – TV ☎. GB
fermé 1er au 8 juil., 26 déc. au 15 janv., mardi midi et lundi du 1er sept. au 30 juin – **Repas** 85/200, enf. 50 – ☕ 40 – **12 ch** 130/280 – ½ P 200/250.

La Cotriade, 4 r. Alsace ✆ 85 75 19 91, Fax 85 75 19 91 – AE ① GB
fermé 1er au 7 juil., 15 au 30 nov., mardi soir et jeudi soir sauf juil.-août – **Repas** 68/198, enf. 50.

à Beaurepaire-en-Bresse E : 14 km par N 78 – 502 h. alt. 147 – ✉ **71580** :

Aub. Croix Blanche, ☎ 85 74 13 22, Fax 85 74 13 25, 🏛, 🪑 – TV ☎ 📞 P. GB
fermé 5 au 10 mai, 25 au 30 sept., 12 au 30 nov., dim. soir et lundi sauf juil.-août – **Repa**
86/210 🍷, enf. 58 – ☕ 40 – **13 ch** 205/275 – ½ P 260/285.

CITROEN Gar. Chevrier, ☎ 85 75 11 56
PEUGEOT Gar. Hengy, ☎ 85 75 23 59

Collet Vulcopneu, Châteaurenaud ☎ 85 75 12 82
Relais Pneus, 79 r. des Bordes ☎ 85 76 01 80

Bayle Pneus, Châteaurenaud ☎ 85 75 04 41

La LOUPE **28240** E.-et-L. 60 ⑥ – 3 820 h alt. 248.

Paris 129 – Chartres 38 – Dreux 42 – Mortagne-au-Perche 40 – Nogent-le-Rotrou 22.

Chêne Doré, pl. H. de Ville ☎ 37 81 06 71 – TV ☎ 📞 P. AE ⓓ GB
fermé lundi sauf hôtel et dim. – **Repas** 93/230 🍷, enf. 46 – ☕ 30 – **12 ch** 200/260 – ½ P 26

CITROEN Gar. Leproust, ☎ 37 81 00 69
FIAT Gar. Malbet, ☎ 37 81 07 63
PEUGEOT Gar. Gonsard, ☎ 37 81 08 05

RENAULT St-Thibault Auto, ☎ 37 81 06 23 N
☎ 37 81 02 77

LOURDES **65100** H.-Pyr. 85 ⑱ **G. Pyrénées Aquitaine** – 16 300 h alt. 420 Grand centre de pèlerinage.

Voir Château fort★ AY : musée pyrénéen★ – Musée Grévin de Lourdes★ AZ **M**[1] – Basiliqu souterraine St-Pie X AYZ **B** – Pic du Jer ✻★★ 1,5 km par ③ et funiculaire puis 20 mn – Le Béou ✻★ 1 km par ③ et téléphérique.

18 du Lac, ☎ 62 42 02 06, par ④ : 3 km.

✈ de Tarbes-Ossun-Lourdes : ☎ 62 32 92 22, par ① : 11 km.

Office de Tourisme, pl. Peyramale ☎ 62 42 77 40, Fax 62 94 60 95.

Paris 807 ① – Pau 43 ⑤ – ◆Bayonne 148 ⑤ – St-Gaudens 83 ② – Tarbes 19 ①.

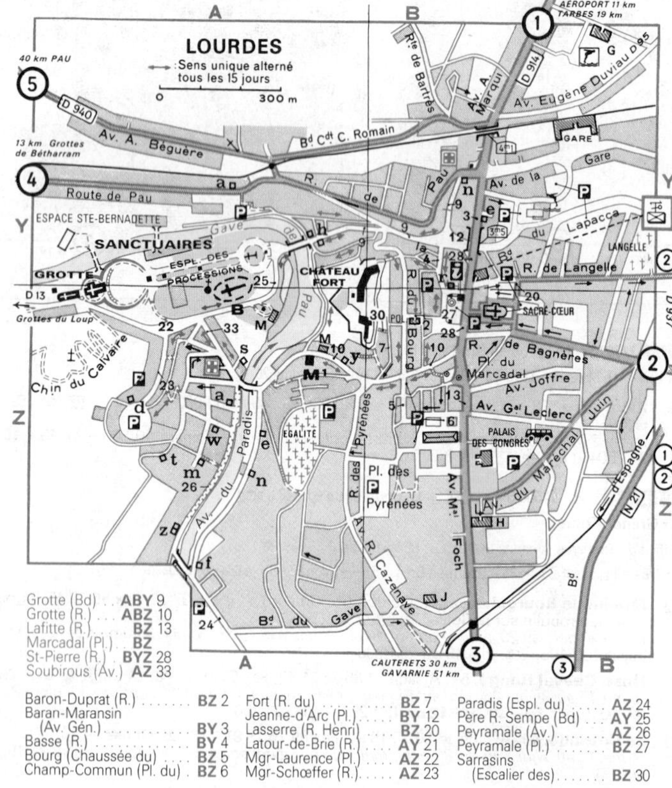

Grotte (Bd) . . ABY 9
Grotte (R.) . . . ABZ 10
Lafitte (R.) . . . . BZ 13
Marcadal (Pl.) . . BZ
St-Pierre (R.) . BYZ 28
Soubirous (Av.) AZ 33

Baron-Duprat (R.) . . . . BZ 2
Baran-Maransin (Av. Gén.) . . . . BY 3
Basse (R.) . . . . BY 4
Bourg (Chaussée du) . . . . BZ 5
Champ-Commun (Pl. du) . BZ 6
Fort (R. du) . . . . BZ 7
Jeanne-d'Arc (Pl.) . . . . BY 12
Lasserre (R. Henri) . . . . BZ 20
Latour-de-Brie (R.) . . . . AY 21
Mgr-Laurence (Pl.) . . . . AZ 22
Mgr-Schœffer (R.) . . . . AZ 23
Paradis (Espl. du) . . . . . AZ 24
Père R. Sempe (Bd) . . . AY 25
Peyramale (Av.) . . . . . . AZ 26
Peyramale (Pl.) . . . . BZ 27
Sarrasins (Escalier des) . . . . BZ 30

Gd H. de la Grotte, 66 r. Grotte ☎ 62 94 58 87, Fax 62 94 20 50, ≤, – |‡| ⇔ ▤ rest TV ☎ 📞 P. AE ⦿ GB JCB AZ **y**
1er avril-28 oct. – **Repas** 80 (déj.), 90/160 – ☕ 60 – **77 ch** 340/520, 3 appart – ½ P 365/445.

Paradis M, 15 av. du Paradis ☎ 62 42 14 14, Fax 62 94 64 04, ≤ – |‡| ▤ rest ☎ ♿ 🚗 – 🏛 150. AE GB AZ **n**
1er avril-25 oct. – **Repas** 120 – ☕ 45 – **300 ch** 370/480 – ½ P 350/380.

Alba, 27 av. Paradis ☎ 62 42 70 70, Télex 530114, Fax 62 94 54 52, ≤, – |‡| ▤ rest ☎ ♿ 🚗 – 🏛 200. AE GB AZ **f**
fin mars-fin oct. – **Repas** 75/140 – ☕ 37 – **237 ch** 320/420 – ½ P 285/340.

Solitude M, 3 passage St-Louis ☎ 62 42 71 71, Fax 62 94 40 65, ≤ – |‡| ▤ rest ☎ ♿ 🚗 – 🏛 100. AE ⦿ GB AZ **s**
1er mars-1er déc. – **Repas** 90 – ☕ 50 – **291 ch** 370/420 – ½ P 325/375.

Jeanne d'Arc, 1 r. Alsace-Lorraine ☎ 62 94 35 42, Fax 62 94 96 52 – |‡| ▤ rest ☎ ♿ – 🏛 70. AE GB AZ **w**
1er avril-25 oct. – **Repas** 120 – ☕ 45 – **158 ch** 370/480 – ½ P 350/380.

Roissy, 16 av. Mgr Schoepfer ☎ 62 94 13 04, Fax 62 94 72 76 – |‡| ☎ ♿ – 🏛 70. GB. ✻ ch AZ **d**
3 avril-15 oct. – **Repas** 87 – ☕ 32 – **187 ch** 377 – ½ P 309.

Excelsior, 83 bd Grotte ☎ 62 94 02 05, Télex 520343, Fax 62 94 82 88 – |‡| ☎. AE ⦿ GB JCB AY **h**
4 avril-25 oct. – **Repas** 110/125 – ☕ 45 – **79 ch** 320/430 – ½ P 320.

Christ-Roi, 9 r. Mgr Rhodain ☎ 62 94 24 98, Fax 62 94 17 65 – |‡| ▤ rest ☎ ♿ 🚗. AE GB. ✻ rest AZ **t**
Pâques-15 oct. – **Repas** 85/90 – ☕ 35 – **180 ch** 250/350 – ½ P 290.

Espagne M, 9 av. Paradis ☎ 62 94 50 02, Fax 62 94 58 15, ≤ – |‡| ▤ rest ☎ ♿ – 🏛 25. AE GB. ✻ rest AZ **e**
Pâques-30 oct. – **Repas** 96/102 – ☕ 35 – **129 ch** 392/451 – ½ P 300.

Ambassadeurs, 66 bd Grotte ☎ 62 94 32 85, Fax 62 94 46 90 – |‡| ☎ P. AE ⦿ GB. ✻ rest AY **h**
15 avril-3 nov. – **Repas** 65/160 – ☕ 60 – **49 ch** 275/470 – ½ P 335/353.

Miramont, 40 av. Peyramale ☎ 62 94 70 00, Télex 520841, Fax 62 94 50 17, ≤ – |‡| ▤ rest TV ☎. AE GB. ✻ rest AZ **z**
1er avril-30 oct. – **Repas** 85/95 🍷 – ☕ 35 – **94 ch** 330/460 – ½ P 320/360.

Christina, 42 av. Peyramale ☎ 62 94 26 11, Télex 531062, Fax 62 94 97 09, ≤, – |‡| ☎ 🚗 – 🏛 25. AE ⦿ GB JCB AZ **z**
début avril-mi-oct. – **Repas** 110/150, enf. 70 – ☕ 35 – **210 ch** 268/379 – ½ P 300.

Aneto, 5 r. St Félix ☎ 62 94 23 19, Fax 62 42 31 26 – |‡| ☎. AE GB. ✻ rest AZ **m**
1er avril-30 oct. – **Repas** 85 🍷 – ☕ 35 – **80 ch** 240/360 – ½ P 270/300.

N.-D. de France, 8 av. Peyramale ☎ 62 94 91 45, Fax 62 94 57 21, ≤ – |‡| ▤ rest. AE GB. ✻ rest AZ **a**
3 avril-12 oct. – **Repas** 85/90 – ☕ 33 – **76 ch** 270/350, 3 duplex – ½ P 350.

Campanile, rte Tarbes par ① ☎ 62 94 07 07, Fax 62 94 77 31, – ⇔ ▤ rest TV ☎ 📞 ♿ P – 🏛 25. AE ⦿ GB
Repas 84 bc/107 bc, enf. 39 – ☕ 32 – **49 ch** 270.

Acropolis, 5 bd Grotte ☎ 62 94 23 18, Fax 62 42 23 25 – |‡| TV ☎. AE GB. ✻ rest BY **n**
1er avril-15 oct. – **Repas** 70/100 🍷 – ☕ 35 – **25 ch** 235/320 – ½ P 230/255.

Majestic, 9 av. Maransin ☎ 62 94 27 23, Fax 62 94 64 91 – |‡| ▤ rest ☎. GB BY **e**
1er avril-15 oct. – **Repas** 50/85, enf. 40 – ☕ 30 – **34 ch** 180/260 – ½ P 200/220.

N.-D.-de Lorette, 12 rte Pau ☎ 62 94 12 16 – |‡| ☎ P. ✻ AY **a**
1er avril-15 oct. – **Repas** 89/93 – ☕ 25 – **20 ch** 126/226 – ½ P 185/219.

Le Magret, 10 r. 4 Frères Soulan ☎ 62 94 20 55 – ▤. AE ⦿ GB JCB BY **r**
fermé 2 au 13 janv., sam. midi et lundi de nov. à avril – **Repas** 80/350.

à Saux par ① : 3 km – ✉ **65100** Lourdes :

Le Relais de Saux avec ch, ☎ 62 94 29 61, Fax 62 42 12 64, ≤, – TV ☎ P. AE ⦿ GB. ✻ rest
Repas 140 (déj.), 180/310 et carte 230 à 360 – ☕ 45 – **7 ch** 500/600 – ½ P 385/475.

à Adé par ① : 4,5 km – 637 h. alt. 428 – ✉ **65100** :

Le Virginia, ☎ 62 94 66 18, Fax 62 94 61 32, – |‡| TV ☎ 🚗 P. AE GB
Repas 95/160, enf. 50 – ☕ 34 – **45 ch** 260/350 – ½ P 240/280.

Dupouey-Lopez, ☎ 62 94 29 62, Fax 62 94 60 32, – ☎ ♿ P. GB. ✻
fermé 1er janv. au 5 fév. et lundi d'oct. à avril – **Repas** 59/189, enf. 42 – ☕ 26 – **38 ch** 150/245 – ½ P 150/225.

à Orincles NE : 12 km par D 937 et D 407 – 236 h. alt. 360 – ✉ **65380** :

Miramont ⛰ sans rest, ☎ 62 45 41 02, ⛱, 🌳 – ☎ 🅿. GB
☕ 27 – **9 ch** 240.

CITROEN T.D.A., rte de Tarbes par ① ☎ 62 94 32 32
FORD Gar. Fabre, 46-48 av. A.-Marqui ☎ 62 42 11 11
NISSAN Gar. Raoux, 14 av. A.-Marqui ☎ 62 94 23 08
PEUGEOT Alliance Autom., 102 av. A.-Marqui par ① ☎ 62 94 75 68
Gar. Vincent, 4 av. A.-Béguère AY u ☎ 62 94 07 8
Pneu Ouest Vulcopneu, 27 av. F.-Lagardère ☎ 62 94 06 70

LOURMARIN 84160 Vaucluse 84 ③ 114 ② G. Provence – 1 108 h alt. 224.

Voir Château★ – Cadenet : fonts baptismaux★ dans l'église N : 5 km.

Env. Abbaye de Silvacane★★ SO : 11 km.

Office de Tourisme, av. Ph.-de-Girard ☎ 90 68 10 77.

Paris 735 – Digne-les-Bains 111 – Apt 18 – Aix-en-Provence 33 – Cavaillon 31 – Manosque 42 – Salon-de-Provence 3

Le Moulin de Lourmarin (Loubet) M ⛰, r. Temple ☎ 90 68 06 69, Fax 90 68 31 76, – 🛗 ▤ TV ☎. AE ⓓ GB JCB
fermé 15 janv. au 16 fév., merc. midi et mardi hors sais. – **Repas** 180/430 – ☕ 80 – **17 c** 600/1900, 3 appart – ½ P 800/950
Spéc. Petite aubergine et sa croûte d'épeautre. Carré d'agneau de Sisteron au serpolet. Croquant coulant de choco amer.

de Guilles ⛰, rte Vaugines : 2 km ☎ 90 68 30 55, Fax 90 68 37 41, <, « Ma provençal au milieu des vignes et vergers », ⛱, 🌳, 🎾 – TV ☎ 🅿 – 25. AE ⓓ GB
fermé 1er nov. au 13 déc. et 3 janv. au 12 fév. – ***L'Agneau Gourmand*** ☎ 90 68 21 04 *(ferm merc. sauf le soir en juil.-août et jeudi midi)* **Repas** 145(déj.)180/320, enf. 85 – ☕ 65 – **28 c** 400/620 – ½ P 440/550.

XXX **La Fenière** (Mme Sammut), r. Grand Pré (transfert prévu au S : 2 km sur D 943 rte c Cadenet) ☎ 90 68 11 79, Fax 90 68 18 60 – ▤. AE ⓓ GB
fermé 3 au 30 juin, 8 au 29 janv., dim. soir de fév. à mai et lundi – **Repas** 190/290 et carte 35 à 470
Spéc. Barigoule de petits artichauts violets (oct. à mai). Pieds et paquets marseillais. Tarte fine aux pommes de ter truffes et foie gras façon "Tatin" (mi-déc. à fin mars). Vins Côtes du Lubéron.

LOURY 45470 Loiret 60 ⑲ ⑳ – 1 810 h alt. 128.

Paris 106 – ◆Orléans 20 – Chartres 72 – Châteauneuf-sur-Loire 19 – Étampes 56 – Pithiviers 24.

X **Relais de la Forge** avec ch, N 152 ☎ 38 65 60 27, Fax 38 52 77 56, 🌳 – TV ☎ 🚗 🅿 GB
fermé 2 au 16 janv., dim. soir et lundi – **Repas** 100/235, enf. 50 – ☕ 40 – **5 ch** 220 – ½ P 27

LOUVETOT 76490 S.-Mar. 52 ⑬ 54 ⑨ 55 ⑤ – 562 h alt. 137.

Paris 171 – ◆Le Havre 54 – ◆Rouen 44 – Bolbec 18 – Fécamp 34 – Yvetot 7,5.

Au Grand Méchant Loup, carr. D 131 - D 33 ☎ 35 95 46 56, Fax 35 95 33 73 – TV ☎ 🅿 – 60. AE GB
fermé dim. soir (sauf hôtel), sam. midi et vend. – **Repas** 72/154 🍷, enf. 43 – ☕ 30 – **24 c** 250/260 – ½ P 226.

LOUVIE-JUZON 64260 Pyr.-Atl. 85 ⑯ – 1 014 h alt. 425.

Paris 800 – Pau 26 – Laruns 11 – Lourdes 41 – Oloron-Ste-Marie 21.

Forestière ⛰, rte Pau ☎ 59 05 62 28, Fax 59 05 75 74, <, 🌳 – ☎ 🅿. AE ⓓ GB
fermé 15 nov. au 15 déc. – **Repas** 85 (déj.), 130/250, enf. 60 – ☕ 60 – **15 ch** 400/500 ½ P 400/500.

Dhérété ⛰, ☎ 59 05 61 01, Fax 59 05 79 25, <, 🌳 – ☎ 🚗 🅿. AE GB JCB. ✂
fermé 15 oct. au 15 déc., lundi sauf hôtel et dim. soir sauf vacances scolaires – **Repa** 85 (déj.), 95/175 – ☕ 28 – **18 ch** 250/310 – ½ P 270/280.

FORD Gar. Loustaunau, ☎ 59 05 84 87
PEUGEOT Gar. Bersans, ☎ 59 05 62 14 N ☎ 59 05 62 14

LOUVIERS 27400 Eure 55 ⑯ ⑰ G. Normandie Vallée de la Seine – 18 658 h alt. 15.

Voir Église N.-Dame★ : oeuvres d'art★ BY.

18 du Vaudreuil (privé) ☎ 32 59 02 60, NE par ② : 6,5 km.

Office de Tourisme 10 r. Mar.-Foch ☎ 32 40 04 41.

Paris 108 ③ – ◆Rouen 31 ② – Les Andelys 22 ③ – Bernay 51 ⑤ – Lisieux 74 ⑤ – Mantes-la-Jolie 51 ③.

Plan page ci-contre

Pré-St-Germain M ⛰, 7 r. St-Germain ☎ 32 40 48 48, Fax 32 50 75 60, – 🛗 TV ☎ ♿ 🅿 – 70. AE ⓓ GB BY
Repas *(fermé sam. midi et dim.)* 110/260 bc, enf. 70 – ☕ 40 – **34 ch** 450/560 – ½ P 335.

LOUVIERS

Foch (R. Mar.)	BZ 7	Anc. Combattants d'Afrique du N. (R.)	BY 2
Gaulle (R. Gén.-de)	AZ 8	Beaulieu (R. de)	AZ 3
Matrey (R. du)	AZ 14	Citadelle (R. de la)	AY 5
Quai (R. du)	BY	Dr-Postel (Av. du)	BZ 6
		Halle aux Drapiers (Pl.)	AZ 9
		Jaurès (Pl. Jean)	BZ 13
		Mendès-France (R. P.)	AY 15
		Pénitents (R. des)	BY 16
		Porte-de-l'Eau (Pl.)	BY 17
		Poste (R. de la)	BY 18
		St-Jean (R.)	BZ 21
		Thorel (Pl. E.)	AY 22
		Vexin (Chaussée du)	BY 24

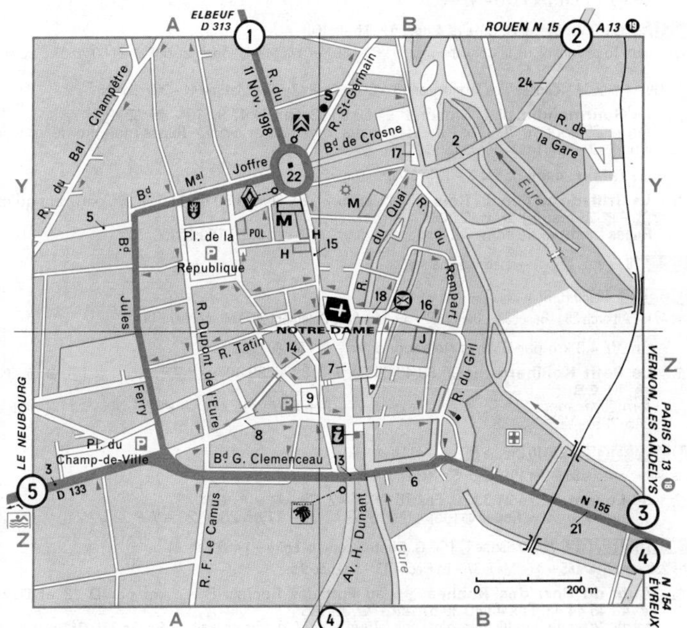

à St-Pierre-du-Vauvray par ② : 8 km – 1 113 h. alt. 20 – ✉ 27430 :

Host. St-Pierre ⛶, bords de Seine ✆ 32 59 93 29, Fax 32 59 41 93, ≤, – |‡| TV ☎ P. AE ⓓ GB
15 mars-15 nov. – **Repas** 135 (déj.), 195/295, enf. 85 – ☐ 60 – **14 ch** 660/940 – ½ P 540/640.

à Vironvay par ③ : 5 km – 276 h. alt. 119 – ✉ 27400.

Voir Église*.

XXX **Les Saisons** avec ch, ✆ 32 40 02 56, Fax 32 25 05 26, , « Pavillons dans un jardin », – TV ☎ ♿ P – 30. AE ⓓ GB.
fermé 20 fév. au 18 mars, dim. soir et lundi – **Repas** 160/220 et carte 280 à 380 – ☐ 60 – **13 ch** 450/750 – ½ P 530/630.

CITROEN Cambour Autom., 4 pl. E.-Thorel ✆ 32 40 37 01
PEUGEOT Gar. Dubreuil, 4 pl. J.-Jaurés ✆ 32 40 02 28
RENAULT Gar. Duchemin, 1 pl. E.-Thorel ✆ 32 40 15 97 N ✆ 32 25 12 50

Marsat Pneus, 49 rte de paris ✆ 32 40 21 16

LOUVIGNÉ **53** Mayenne 63 ⑩ – rattaché à Laval.

LOUVIGNY **14** Calvados 55 ⑪ – rattaché à Caen.

LOYETTES **01360** Ain 74 ⑬ – 2 256 h alt. 192.

Paris 485 – ♦Lyon 36 – Bourg-en-Bresse 56 – Bourgoin-Jallieu 28 – La Tour-du-Pin 41 – Vienne 46.

XXX ✿ **Terrasse** (Antonin), pl. Église ✆ 78 32 70 13, Fax 78 32 73 32, ≤, – AE GB
fermé 15 au 28 fév., dim. soir et lundi – **Repas** 200/400 et carte 260 à 380
Spéc. Foie gras de canard aux fruits poivrés. Poissons. Gibier (saison). **Vins** Chiroubles, Seyssel.

Si vous êtes retardé sur la route, dès 18 h, confirmez votre réservation par téléphone, c'est plus sûr... et c'est l'usage.

LUBBON **40240** Landes 79 ⑫ ⑬ – 99 h alt. 140.

Paris 689 – Mont-de-Marsan 49 – Aire-sur-l'Adour 61 – Condom 41 – Nérac 35.

Le Bon Coin "Chez Jeanne", D 933 ✆ 58 93 60 43, Fax 58 93 61 42, – P. AE GB JCB. ch
fermé 8 au 30 sept., 5 au 20 janv., vend. soir et sam. sauf juil.-août – **Repas** 65/200, enf. 40 – 25 – **7 ch** 180/220 – ½ P 200.

Le LUC **83340** Var 84 ⑯ **G. Côte d' Azur** – 6 929 h alt. 160.

Office de Tourisme, pl. de la Convention ✆ 94 60 74 51 et à la Mairie (hors saison) ✆ 94 60 70 03, Fax 94 60 93 67.

Paris 840 – Fréjus 39 – Cannes 75 – Draguignan 28 – St-Raphaël 42 – Ste-Maxime 44 – ♦Toulon 58.

Le Gourmandin, pl. L. Brunet ✆ 94 60 85 92, Fax 94 47 91 10 – . AE GB
fermé 25 août au 10 sept., 1er au 10 mars, dim. soir et lundi – **Repas** (nombre de couverts limité, prévenir) 102 (déj.), 138/230.

à l'Ouest : 4 km par N 7 – ✉ **83340** Le Luc :

La Grillade au Feu de Bois, ✆ 94 69 71 20, Fax 94 59 66 11, ←, parc, antiquités, – rest TV P. AE GB
Repas (nombre de couverts limité, prévenir) 180 – 50 – **15 ch** 400/900.

LUCÉ **28** E.-et-L. 60 ⑦ – rataché à Chartres.

LUCELLE **68480** H.-Rhin 66 ⑲ – 71 h alt. 640.

Paris 471 – Altkirch 29 – Basel 38 – Belfort 52 – Colmar 96 – Delémont 20 – Montbéliard 49.

au NE 4,3 km par D 41 et rte secondaire – ✉ **68480** Lucelle :

Le Petit Kohlberg, ✆ 89 40 85 30, Fax 89 40 89 40, ←, – TV P – 40. GB
fermé vacances de Toussaint et de fév. – **Repas** *(fermé mardi)* 85/245 – 60 – **35 ch** 245/295 – ½ P 295/380.

LUC-EN-DIOIS **26310** Drôme 77 ⑭ – 478 h alt. 560.

Paris 648 – Valence 88 – Die 19 – Gap 75 – ♦Grenoble 95.

du Levant, ✆ 75 21 33 30, Fax 75 21 31 42, – P. GB
1er avril-1er nov. – **Repas** 65 (déj.), 89/169 – 32 – **17 ch** 200/320 – ½ P 210/250.

LUCHÉ-PRINGÉ **72800** Sarthe 64 ③ **G. Châteaux de la Loire** – 1 486 h alt. 34.

Paris 239 – ♦ Angers 65 – ♦ Le Mans 37 – La Flèche 13 – Le Lude 9,5.

Aub. du Port des Roches, au Port des Roches E : 2 km par D 13 et D 214 ✆ 43 45 44 48, Fax 43 45 39 61, – P. GB
fermé 20 janv. au 10 fév., dim. soir et lundi sauf le soir en sais. – **Repas** 110/185 – 32 – **12 ch** 240/300 – ½ P 260/290.

LUCHON **31** H.-Gar. 85 ⑳ – voir Bagnères-de-Luchon.

LUÇON **85400** Vendée 71 ⑪ **G. Poitou Vendée Charentes** – 9 099 h alt. 8.

Voir Cathédrale N.-Dame★ – Jardin Dumaine★.

Office de Tourisme square E.-Herriot ✆ 51 56 36 52.

Paris 433 – La Rochelle 40 – La Roche-sur-Yon 32 – Cholet 86 – Fontenay-le-Comte 32.

Boeuf Couronné avec ch, rte de la Roche-sur-Yon : 2 km ✆ 51 56 11 32, Fax 51 56 98 25 – TV P. AE GB
fermé dim. soir et lundi – **Repas** 70/191 – 30 – **4 ch** 250.

La Mirabelle, 89 bis r. de Gaulle ✆ 51 56 93 02, Fax 51 56 35 92 – GB
fermé vacances de Toussaint, de fév., sam. midi et mardi – **Repas** (nombre de couverts limité, prévenir) 78/250, enf. 50.

CITROEN Gar. Murs, 99 av. Mar.-de-Lattre-de-Tassigny ✆ 51 56 01 29
FORD Gar. Marratier, 2, quai Ouest ✆ 51 56 01 17
PEUGEOT Gar. Grelé, rte des Sables ✆ 51 56 04 71 N ✆ 51 36 90 50
RENAULT Gar. Rallet, 162 av. Mar.-de-Lattre-de-Tassigny ✆ 51 56 18 21

LUC-SUR-MER **14530** Calvados 54 ⑯ **G. Normandie Cotentin** – 2 902 h – Casino .

Voir Parc municipal★.

Office de Tourisme r. Dr-Charcot ✆ 31 97 33 25, Fax 31 96 65 09.

Paris 253 – ♦ Caen 15 – Arromanches-les-Bains 21 – Bayeux 29 – Cabourg 29.

Thermes et du Casino, ✆ 31 97 32 37, Fax 31 96 72 57, ←, – TV P – 50. AE GB
Pâques-1er nov. – **Repas** 125/260, enf. 75 – 45 – **48 ch** 420/470 – ½ P 360/385.

Le LUDE **72800** Sarthe 64 ③ **G. Châteaux de la Loire** – 4 424 h alt. 48.

Voir Château★★ (spectacle son et lumière).

Office de Tourisme pl. F.-de-Nicolay ✆ 43 94 62 20, Fax 43 94 48 46.

Paris 244 – ♦ Le Mans 44 – ♦Angers 74 – Chinon 63 – La Flèche 20 – Saumur 50 – ♦Tours 50.

Maine, 17 av. Saumur ✆ 43 94 60 54, Fax 43 94 19 74, – TV ☎ P – 30. GB
Repas (fermé sam. midi) 75 (déj.), 107/198 – ☕ 35 – **24 ch** 205/305 – ½ P 225/305.

NAULT Gar. Charpentier, av. de Talhouet 43 94 63 13 N ✆ 43 77 99 70

VAG Gar. Grosbois, à La Pointe ✆ 43 94 60 89

UGON ET L'ILE-DU-CARNEY 33 Gironde 71 ⑧ – 1 026 h alt. 36 – ✉ 33240 St-André-de-Cubzac.

ris 566 – ♦Bordeaux 30 – Libourne 11,5 – St-André-de-Cubzac 9,5.

Host. Château du Vieux Raquine sans rest, S : 0,8 km par D 138 et rte secondaire ✆ 57 84 42 77, Fax 57 84 83 77, ←, – TV ☎ P. GB.
☕ 52 – **9 ch** 450/580.

UGOS 33830 Gironde 78 ③ – 476 h alt. 40.

ris 645 – ♦Bordeaux 56 – Arcachon 41 – ♦Bayonne 139.

La Bonne Auberge, ✆ 57 71 95 28, Fax 57 71 94 32, – P. GB
fermé nov. et lundi hors sais. – **Repas** 70/190 – ☕ 25 – **7 ch** 230/250 – ½ P 230.

UGRIN 74500 H.-Savoie 70 ⑱ – 2 025 h alt. 413.

oir Site★ de Meillerie E : 4 km, **G. Alpes du Nord.**

ris 584 – Thonon-les-Bains 15 – Annecy 89 – Évian-les-Bains 6 – St-Gingolph 11.

Tour Ronde, à Tourronde NO : 1,5 km ✆ 50 76 00 23, ← – ☎ P. GB
mi-fév.-mi-oct. et fermé dim. soir et lundi de fév. à mai – **Repas** 80/170 – ☕ 30 – **25 ch** 160/265 – ½ P 187/220.

ULLIN 74470 H.-Savoie 70 ⑰ – 549 h alt. 850 – Sports d'hiver : 1 050/1 350 m 4.

ris 575 – Thonon-les-Bains 17 – Annecy 69 – Bonneville 40 – Genève 45.

Poste, ✆ 50 73 81 10, Fax 50 73 84 45, – ☎ P. GB
16 mai-16 sept., 20 déc.-20 avril et fermé lundi hors sais. – **Repas** 70/120 – ☕ 30 – **21 ch** 230/240 – ½ P 230.

Die Stadtpläne sind eingenordet (Norden = oben).

UMBRES 62380 P.-de-C. 51 ③ – 3 944 h alt. 45.

ris 258 – ♦Calais 42 – Aire-sur-la-Lys 27 – Arras 77 – Boulogne-sur-Mer 39 – Hesdin 42 – Montreuil 43 – St-Omer 10.

Moulin de Mombreux (Gaudry) M, O : 2 km par N 42 et rte secondaire ✆ 21 39 62 44, Fax 21 93 61 34, parc – TV ☎ P – 25. AE GB
fermé 20 au 29 déc. – **Repas** (dim. prévenir) 210 bc/550 bc et carte 290 à 400 – ☕ 60 – **24 ch** 500/720
Spéc. Duo de sole et homard aux deux sauces. Filet de boeuf à la ficelle. Gibier (15 oct. au 15 janv.).

ENAULT Gar. Basquin, 57 bis av. B.-Chochoy ✆ 21 39 64 25

UNEL 34400 Hérault 83 ⑧ – 18 404 h alt. 6.

Office de Tourisme pl. Martyrs-de-la-Résistance ✆ 67 71 01 37.

aris 739 – ♦Montpellier 23 – Aigues-Mortes 16 – Alès 55 – Arles 57 – Nîmes 31.

Via Domitia M, av. Louis Lumière par rte Nîmes 1,5 km ✆ 67 83 11 55, Fax 67 71 02 19, – TV ☎ P – 40. AE GB
Repas 70/150 – ☕ 40 – **62 ch** 315/365 – ½ P 270.

Chodoreille, 140 r. Lakanal ✆ 67 71 55 77, – AE GB
fermé 1er au 11 juil. et dim. sauf le midi d'oct. à mai – **Repas** 120/320.

La Toque, 173 bd Sarrail, rte Sommières ✆ 67 83 19 38 – AE GB
fermé dim. soir, lundi soir et mardi soir – **Repas** 85 bc/180.

ITROEN Gar. Brunel, 121 r. Boutonnet ✆ 67 71 11 48
ORD Fenouillet Autom., av. du Vidourle, rte de Nîmes ✆ 67 83 02 12
ENAULT Gar. Autovia, rte de la Mer ✆ 67 71 00 06

VAG Gar. des Fournels, rte de Montpellier, ZI ✆ 67 71 10 59

Lunel Pneus, ZI Fournels, rte de Montpellier ✆ 67 71 14 95
Mateu, 103 bd Gén.-de-Gaulle ✆ 67 71 11 75

LUNÉVILLE 54300 M.-et-M. 62 ⑥ **G. Alsace Lorraine** – 20 711 h alt. 224.

oir Château★ A – Parc des Bosquets★ AB – Boiseries★ de l'église St-Jacques A.

Office de Tourisme au Château ✆ 83 74 06 55, Fax 83 73 57 95.

aris 339 ④ – ♦Nancy 36 ④ – Épinal 64 ③ – ♦Metz 94 ① – Neufchâteau 79 ④ – St-Dié 51 ② – ♦Strasbourg 127 ②.

Plan page suivante

Oasis M sans rest, 3 av. Voltaire ✆ 83 73 52 85, Fax 83 73 02 28 – TV ☎ P. GB B **b**
☕ 35 – **32 ch** 290/395.

des Pages, 5 quai Petits Bosquets ✆ 83 74 11 42, Fax 83 73 46 63 – TV ☎ P – 50. AE GB A **u**
Le Petit Comptoir ✆ 83 73 14 55 *(fermé 22 au 29 déc. et dim.)* **Repas** 98, enf. 50 et carte le sam. – ☕ 35 – **31 ch** 220/250 – ½ P 240.

LUNÉVILLE

Banaudon (R.) . . . . A 2
Carnot (R.) . . . . B 6
Castara (R.) . . . . A 7
Chanzy (R.) . . . . A 9
Charité (R. de la) . . . . A 10
Gambetta (R.) . . . . B 15
Leclerc (R. Gén.) . . . . A 18
Léopold (Pl.) . . . . AB 20

Alsace (R. d') . . . . B
Basset (R. R.) . . . . B
Bosquets (R. des) . . . . B
Carmes (Pl. des) . . . . A
Château (R. du) . . . . A 13
Girardet (R.) . . . . A
Guérin (R. Ch.) . . . . B
Lattre-de-T. (Av. de) . . . . B
Lorraine (R. de) . . . . AB
Ménagerie (Ch. de la) . . . . B
Petits Bosquets (Q. des) . . . . AB
République (R.) . . . . A 24
St-Rémy (Pl.) . . . . A 31
Sarrebourg (R. de) . . . . A 34
Villebois Mareuil (R.) . . . . B
Viller (R. de) . . . . A 38
Vue (R. Ch.) . . . . B
2e-Div.-de-Cavalerie (Pl. de la) . . . . A 39

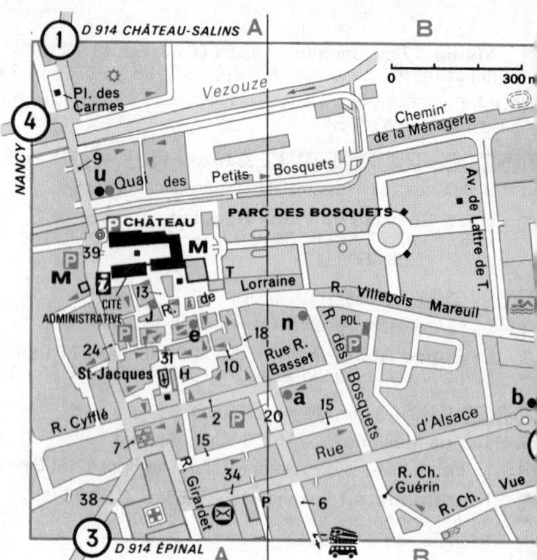

XX **Floréal,** 1 pl. Léopold (1er étage) ✆ 83 73 39 80, Fax 83 73 39 80 – AE GB — B
fermé dim. soir et lundi – **Repas** 80/200 ⅓, enf. 50.

X **Marie Leszczynska,** 30 r. Lorraine ✆ 83 73 11 85, 🍴 – AE GB — A
fermé 20 déc. au 5 janv., dim. soir et lundi – **Repas** 85/200 ⅓.

X **Les Bosquets,** 2 r. Bosquets ✆ 83 74 00 14 – AE GB — B
fermé 12 au 31 août, merc. soir et sam. – **Repas** 89/200 ⅓.

à Moncel-lès-Lunéville par ② : 2,5 km – 364 h. alt. 234 – ✉ 54300 :

XX **Relais St Jean,** N 59 ✆ 83 74 08 65 – ▤ P. AE GB
fermé 8 juil. au 8 août, dim. soir et vend. – **Repas** 89/265 ⅓, enf. 55.

à l'Échangeur Lunéville-Z.I. par ② : 3 km – ✉ 54300 Moncel-lès-Lunéville :

Acacia M, ✆ 83 73 49 00, Fax 83 73 46 51 – TV ☎ ✆ ♿ P. GB
Repas 75/130 ⅓ – ☕ 30 – **42 ch** 210/240 – ½ P 230/265.

au Sud par ③ puis av. G. Pompidou et cités Ste-Anne : 5 km – ✉ 54300 Lunéville :

XXX ✿ **Château d'Adomenil** (Million) M avec ch, ✆ 83 74 04 81, Fax 83 74 21 78, 🍴 « Parc » – TV ☎ ✆ P – 🏛 25. AE ⓓ GB
fermé 24 fév. au 10 mars, dim. soir du 1/11 au 15/4, lundi sauf le soir du 16/4 au 31/10 et mardi midi – **Repas** (nombre de couverts limité, prévenir) 245/460 et carte 360 à 470, enf. 100 – ☕ 70 – **12 ch** 600/950 – ½ P 720/900
Spéc. Salade de pigeonneau au sucre de coriandre. Pot-au-feu d'omble chevalier aux herbes. Assiette gourmande
Vins Côtes de Toul.

CITROEN Nouveau Gar., ZA "Ecosseuse" à Moncel-lès-Lunéville par ② ✆ 83 73 00 75
OPEL Gar. du Champ de Mars, à Chanteheux ✆ 83 74 11 13
RENAULT SODIAL, 95 fg de Menil par ③ ✆ 83 76 25 21 N ✆ 83 76 51 80

LURBE-ST-CHRISTAU **64660** Pyr.-Atl. 85 ⑥ **G. Pyrénées Aquitaine** – 214 h alt. 260 – Stat. therm. St-Christau (avril-oct.).

Paris 833 – Pau 43 – Laruns 30 – Lourdes 60 – Oloron-Ste-Marie 10 – Tardets-Sorholus 28.

Au Bon Coin M, rte des Thermes ✆ 59 34 40 12, Fax 59 34 46 40, ⛱, 🍴 – TV ☎ ♿ P – 🏛 25. GB
fermé dim. soir et lundi du 10 oct. au 1er mars – **Repas** 85/235 – ☕ 35 – **18 ch** 280/360 – ½ P 250.

CITROEN Gar. Camsuzou, à Asasp Arros ✆ 59 34 41 57 N ✆ 59 34 41 57
RENAULT Gar. Grégoire, à Sarrance ✆ 59 34 54 74 N ✆ 59 34 54 85

LURE **70200** H.-Saône 66 ⑥ **G. Jura** – 8 843 h alt. 290.

Paris 380 – ◆Besançon 83 – Belfort 32 – Épinal 75 – Montbéliard 34 – Vesoul 31.

Eric H. M, 92 av. République ✆ 84 30 03 03, Fax 84 62 76 62, 🍴 – ▮ TV ☎ ♿ P – 🏛 40. AE ⓓ GB
Repas *(fermé sam. midi et dim. soir)* 55/140 ⅓, enf. 37 – ☕ 30 – **40 ch** 210/240 – ½ P 160.

à Froideterre NE : 3 km par D 486 – 278 h. alt. 306 – ✉ **70200** :

XX **Host. des Sources,** 4 r. Grand Bois ✆ 84 30 13 91, Fax 84 30 29 87, 🏞 – 🅿. GB. 🚫
fermé 4 au 11 août, 16 fév. au 2 mars, sam. midi et dim. soir du 1er oct. au 1er mai et lundi sauf fériés – **Repas** (nombre de couverts limité, prévenir) 90/260, enf. 55.

NAULT Mauffrey Frères, rte de Belfort 84 30 20 00 🅽 ✆ 84 49 30 56

Ⓜ Hyper Pneus, 67 av. de la République ✆ 84 30 17 08
Servi Pneus-Point S, ZI des Cloyes ✆ 84 62 86 12

USIGNAN **86600** Vienne 68 ⑬ **G. Poitou Vendée Charentes** – 2 749 h alt. 134.

ris 361 – Poitiers 25 – Angoulême 91 – Confolens 72 – Niort 51.

🏠 **Chapeau Rouge,** r. Nationale ✆ 49 43 31 10, 🏞 – TV ☎ 🅿. GB
fermé 15 au 31 oct., vacances de fév., dim. soir et lundi sauf juil.-août et fériés – **Repas** 90/200 🍷, enf. 45 – ☕ 30 – **8 ch** 220/270 – ½ P 220/250.

TROEN Gar. des Promenades, ✆ 49 43 31 28

USSAC-LES-CHÂTEAUX **86320** Vienne 68 ⑮ **G. Poitou Vendée Charentes** – 2 297 h alt. 104.

nv. Nécropole mérovingienne★ de Civaux NO : 6 km sur D 749.

Syndicat d'Initiative, Mairie ✆ 49 48 40 33.

ris 370 – Poitiers 38 – Bellac 42 – Châtellerault 50 – Montmorillon 12 – Niort 109 – Ruffec 50.

🏠 **Montespan** sans rest, ✆ 49 48 41 42, Fax 49 84 96 10 – TV ☎ 🅿. GB
fermé 22 déc. au 8 janv. et sam. – ☕ 27 – **22 ch** 198/260.

XX **Aub. du Connestable Chandos** avec ch, au pont de Lussac O : 2 km sur rte Poitiers (N 147) ✆ 49 48 40 24, Fax 49 84 07 89 – TV ☎ 🅿. AE ⓓ GB – *fermé 12 au 26 nov., 10 fév. au 3 mars, dim. soir et lundi sauf fériés* – **Repas** (dim. prévenir) 98/245 – ☕ 32 – **7 ch** 180/250 – ½ P 260/280.

UTTER 68 H.-Rhin 66 ⑩ ⑳ – rattaché à Ferette.

UXEUIL-LES-BAINS **70300** H.-Saône 66 ⑦ **G. Alsace Lorraine** – 8 790 h alt. 305 – Stat. therm. – Casino.

Voir Hôtel Cardinal Jouffroy★ **B** – Hôtel des Échevins★ **M** – Anc. Abbaye St-Colomban★ – Maison François1er★ **F**.

✆ 84 95 82 00 à Genevrey, par ③ : 1 km.

Office de Tourisme 1 av. Thermes ✆ 84 40 06 41, Fax 84 93 74 47.

Paris 386 ④ – Épinal 56 ① – Belfort 51 ③ – St-Dié ① – Vesoul 32 ③ – Vittel 71 ④.

🏨 **Beau Site,** 18 r. G. Moulimard **(u)** ✆ 84 40 14 67, Fax 84 40 50 25, 🏞, « Jardin fleuri », 🏊 – 🛗 ✈ TV ☎ 🅿. GB. 🚫 rest
fermé vend. soir et dim. soir du 15 nov. au 15 mars – **Repas** 90/220 🍷, enf. 40 – ☕ 40 – **33 ch** 220/360 – ½ P 270/300.

🏠 **France,** 6 r. G. Clemenceau **(s)** ✆ 84 40 13 90, Fax 84 40 33 12, 🏞, 🌳 – TV ☎ 🅿. GB
Repas *(fermé dim. soir)* 70/165 🍷, enf. 40 – ☕ 30 – **17 ch** 180/260 – ½ P 180/210.

OPEL Gar. Marchal, 5 r. Parc ✆ 84 40 11 80 🅽 ✆ 84 40 30 76
VAG Gar. Hajmann, 31 r. Martyrs-de-la-Résistance ✆ 84 40 23 17
Ⓜ La Maison du Pneu Mariotte, r. Martyrs-de-la-Résistance ✆ 84 40 27 01 🅽 ✆ 84 40 54 08

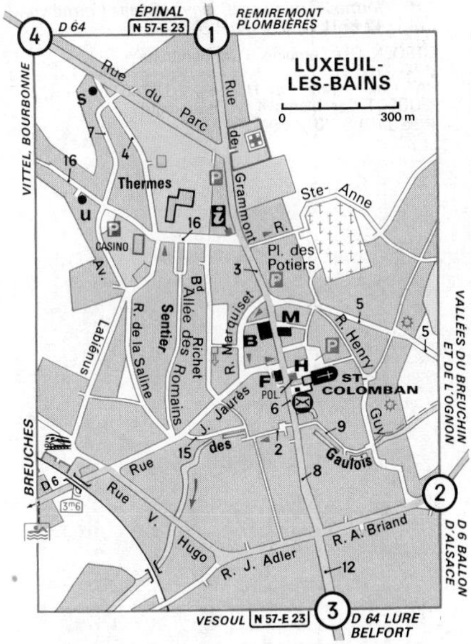

Carnot (R.)	3	Gambetta (R.)	5
Genoux (R. V.)	6	Hoche (R.)	7
Jeanneney (R. J.)	8	Lavoirs (R. des)	9
		Maroselli (Allées A.)	12
Cannes (R. des)	2	Morbief (R. du)	15
Clemenceau (R. G.)	4	Thermes (Av. des)	16

LUYNES **37230** I.-et-L. 64 ⑭ **G. Châteaux de la Loire** – 4 128 h alt. 60.

Voir Église★ au Vieux-Bourg de St-Etienne de Chigny O : 3 km.

Office de Tourisme Maison du XVè ✆ 47 55 77 14, Fax (Mairie) 47 55 52 56.

Paris 249 – ♦Tours 11,5 – ♦Angers 99 – Château-la-Vallière 28 – Chinon 41 – Langeais 14 – Saumur 56.

🏰 **Domaine de Beauvois** 🐎, NO : 4 km par D 49 ✆ 47 55 50 11, Télex 750204, Fax 47 55 59 62, ≤, 🏞, parc, 🏊, 🎾 – 🛗 TV ☎ 🅿 – 🎤 40. AE ⓓ GB. 🚫 rest
fermé 10 janv. au 10 mars – **Repas** 210 bc (déj.), 265/365, enf. 100 – ☕ 80 – **38 ch** 950/1450 – ½ P 700/1145.

LUZARCHES 95270 Val-d'Oise 56 ⑪ 106 ⑧ **G. Ile de France** – 3 371 h alt. 70.
Paris 31 – Compiègne 54 – Chantilly 10 – Montmorency 18 – Pontoise 30 – St-Denis 22.

Château de Chaumontel ⛺, à Chaumontel NE : 0,5 km ✆ (1) 34 71 00 30, Fax (1) 34 71 26 97, « Parc ombragé et fleuri » – TV ☎ P – 🏛 25 à 80. AE GB
Repas 159/380 – ☕ 50 – **17 ch** 500/700 – ½ P 460/610.

LUZ-ST-SAUVEUR 65120 H.-Pyr. 85 ⑱ **G. Pyrénées Aquitaine** – 1 173 h alt. 710 – Stat. therm. (2 mai-15 oct.) – Sports d'hiver : 1 680/2 450 m ⛷19.
Voir Église fortifiée★ – Vallée de Gavarnie★★ S.
🅸 Office de Tourisme pl. 8-Mai ✆ 62 92 81 60, Fax 62 92 87 19.
Paris 846 – Pau 74 – Argelès-Gazost 19 – Cauterets 23 – Lourdes 31 – Tarbes 51.

à Esquièze-Sère : au Nord – 500 h. alt. 710 – ✉ **65120** :

Le Montaigu M ⛺, rte Vizos ✆ 62 92 81 71, Fax 62 92 94 11, ←, – |♦| TV ☎ P 🏛 30. AE GB. ✾ rest
3 mai-15 oct. et 15 déc.-15 avril – **Repas** 90/200, enf. 60 – ☕ 45 – **35 ch** 350/420 – ½ P 340/360.

Touristic, ✆ 62 92 82 09, Fax 62 92 95 41, – |♦| ☎ P. GB. ✾ rest
ouvert : vacances scolaires d'été et d'hiver et week-ends en hiver – **Repas** (dîner seul) 52/220, enf. 35 – ☕ 35 – **25 ch** 180/280 – ½ P 240/260.

CITROEN Gar. Crepel, à Sassis ✆ 62 92 83 58
PEUGEOT Gar. des Pyrénées, à Esquière-Sère ✆ 62 92 80 87

LUZY 58170 Nièvre 69 ⑥ **G. Bourgogne** – 2 422 h alt. 275.
Paris 324 – Moulins 65 – Autun 34 – Château-Chinon 39 – Nevers 79.

Morvan, 73 av. Dr Dollet ✆ 86 30 00 66, Fax 86 30 04 92, – TV ☎ P. AE GB
fermé 20 déc. au 10 janv. – **Repas** *(fermé vend. soir d'oct. à mars)* 50/150 🍷, enf. 38 – ☕ 28 – **12 ch** 130/200 – ½ P 200/240.

CITROEN Gar. Lemoine, 2 Crs Gambetta ✆ 86 30 06 61
FIAT Gar. Poynter, 4 av. Hoche ✆ 86 30 06 86
PEUGEOT Gar. Martin, 4 av. Dr Bramard ✆ 86 30 01 21 N ✆ 86 30 20 87
PEUGEOT Gar. Dache, 7 av. Marceau ✆ 86 30 01 53
RENAULT Gar. Cyrille, 3 pl. du Champ-de-Foire ✆ 86 30 04 77 N ✆ 86 30 42 14

LYON P **69000** Rhône 74 ⑪ ⑫ G. Vallée du Rhône – 415 487 h Agglo. 1 262 223 h alt. 175.

Voir Site★★★ (panorama ★★ depuis Fourvière) – Colline de Fourvière : Basilique Notre-Dame, musée de la Civilisation gallo-romaine ★★ (table claudienne★★★) EY **M**[3], théâtres romains – Le Vieux Lyon★★ : rue St-Jean★ FX, primatiale St-Jean★, hôtel de Gadagne★ (musée historique de Lyon★ et musée international de la Marionnette★ EX **M**[1], guignol de Lyon FX **N** – La Presqu'île : au Nord, place Bellecour, musée des Hospices civils (apothicairerie★) FY **M**[8], musée de l'imprimerie et de la banque★★ FX **M**[6], place des Terreaux, hôtel de ville, palais St-Pierre, musée des Beaux-Arts★★ FX **M**[4] – au Sud, basilique St-Martin d'Ainay (chapiteaux★) FY, musée historique des Tissus★★★ FY **M**[2], musée des Arts décoratifs★★ FY **M**[5] – La Croix-Rousse : maison des Canuts FV **M**[11], amphithéâtre des Trois Gaules FV **E** – Parc de la Tête d'Or★ – Musée Guimet d'Histoire naturelle★★ GV **M**[7] – Centre d'histoire de la résistance et de déportation★ FZ **M**[9] – Château-Lumière CQ **M**[12].

Env. Rochetaillée : Musée de l'automobile Henri-Malartre★★ par ⑫ : 12 km.

18 de Lyon-Verger, à St-Symphorien-d'Ozon ☎ 78 02 84 20 par ⑥ : 14 km ; 18 de Lyon-Chassieu à Chassieu ☎ 78 90 84 77, E : 12 km par D 29 ; 18 de Salvagny (privé) à la Tour de Salvagny ☎ 78 48 83 60 ; sortie Lyon-Ouest : 8 km par ⑨.

✈ de Lyon-Satolas : ☎ 72 22 75 05, par ④ : 27 km.

☎ 36 35 35 35.

Office de Tourisme pl. Bellecour ☎ 78 42 25 75, Fax 78 42 04 32 – Automobile Club du Rhône 7 r. Grôlée ☎ 78 42 51 01.

Paris 462 ⑩ – Genève 151 ② – ♦Grenoble 105 ④ – ♦Marseille 313 ⑥ – ♦St-Étienne 60 ⑥ – Torino 300 ④.

Plans : Lyon p. 2 à 8

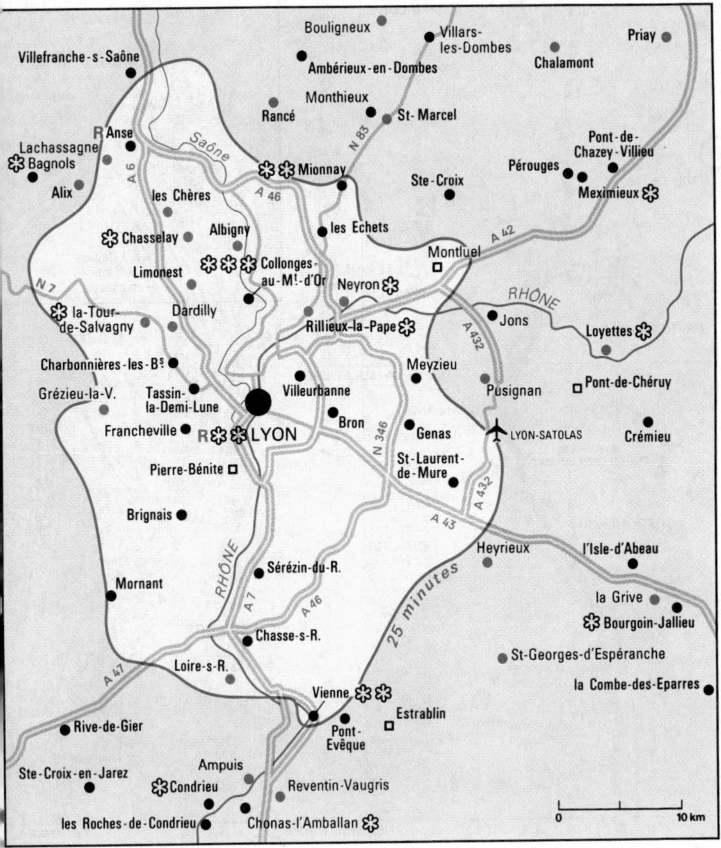

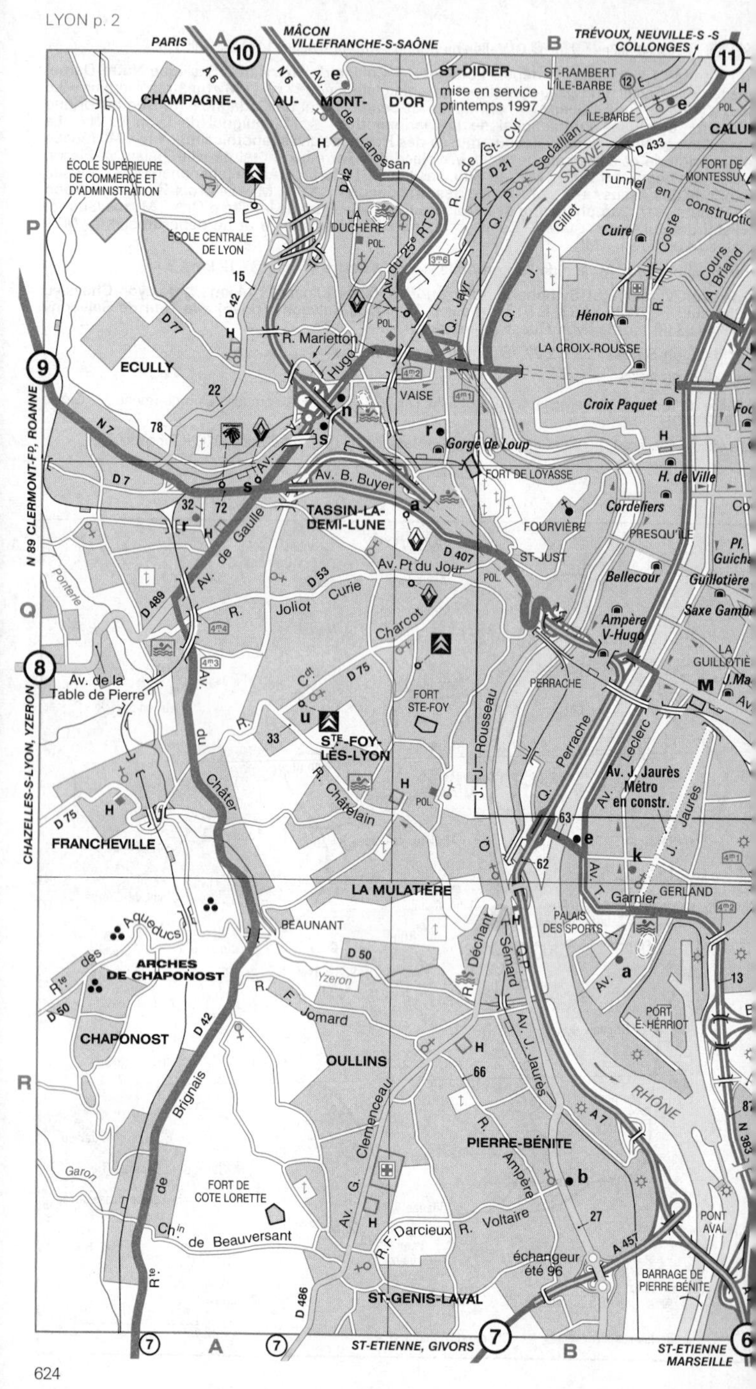
PARIS
MÂCON
VILLEFRANCHE-S-SAÔNE
TRÉVOUX, NEUVILLE-S -S
COLLONGES
CHAMPAGNE- AU- MONT- D'OR
ST-DIDIER
mise en service printemps 1997
ST-RAMBERT L'ÎLE-BARBE
ÎLE-BARBE
ÉCOLE SUPÉRIEURE DE COMMERCE ET D'ADMINISTRATION
ÉCOLE CENTRALE DE LYON
LA DUCHÈRE
Tunnel en construction
FORT DE MONTESSUY
Cuire
Hénon
LA CROIX-ROUSSE
Croix Paquet
ECULLY
R. Mariettion
VAISE
Gorge de Loup
FORT DE LOYASSE
TASSIN-LA-DEMI-LUNE
FOURVIÈRE
ST-JUST
H. de Ville
Cordeliers
PRESQU'ÎLE
Bellecour
Guillotière
Ampère V-Hugo
Saxe Gambetta
N 89 CLERMONT-FD, ROANNE
CHAZELLES-S-LYON, YZERON
Av. de la Table de Pierre
FORT STE-FOY
STE-FOY-LÈS-LYON
PERRACHE
Av. J. Jaurès Métro en constr.
FRANCHEVILLE
LA MULATIÈRE
BEAUNANT
GERLAND
PALAIS DES SPORTS
ARCHES DE CHAPONOST
Rte des Aqueducs
CHAPONOST
OULLINS
PORT E. HERRIOT
RHÔNE
PIERRE-BÉNITE
FORT DE COTE LORETTE
Chin de Beauversant
échangeur été 96
BARRAGE DE PIERRE BÉNITE
PONT AVAL
ST-GENIS-LAVAL
ST-ETIENNE, GIVORS
ST-ETIENNE MARSEILLE

LYON

N 83 BOURG-EN-B.
A 46 MÂCON
A 46 MÂCON
A 42 BOURG, GENÈVE
PARC DE MIRIBEL-JONAGE
mise en service printemps 1997
CUIRE
RHÔNE
Pont de Croix Luizet
VAULX- EN- VELIN
ST-JEAN
Av. 8 Mai 1945
Av. M. Cachin
Av. R. Salengro
République
Charpennes
Gratte-Ciel
Brotteaux
Flachet
L. Bonnevay
Cusset
R. du 4 Août 1789
Lafayette
LA PART DIEU
VILLEURBANNE
Cours Tolstoï
Rue Léon Blum
Av. de Böhlen
MORESTEL CRÉMIEU
D 517
MONCHAT
Av. Lacassagne
Sans-Souci
Monplaisir Lumière
É-HERRIOT
Grange-blanche
CENTRE INTAL DE RECHERCHE SUR LE CANCER
VINATIER
Laënnec
MONPLAISIR
BRON
R. de la Poudrette
Av. P. Brossolette
Bd des Droits de l'Homme
PARC DES EXPOSITIONS
FORT DE BRON
AÉRODROME DE LYON-BRON
Av. Mermoz
Mermoz Pinel
A 43
PARC DÉPARTEMENTAL DE PARILLY
Parilly
Bd des États-Unis
ÉTATS-UNIS
Bonnevay
Pl. J. Grandclément
Av. Ch. de Gaulle
Av. J. Guesde
Av. J. Jaurès
VÉNISSIEUX
Av. de la République
R. G. Péri
Gare de Vénissieux
RENAULT VÉHICULES INDUSTRIELS
R. du Dauphiné
Ch. de la Côte
CHAMBÉRY, GRENOBLE SATOLAS, BOURGOIN-J.
ST-PRIEST
R. Gambetta
Bd É. Herriot
R. A. Briand
R. du Lyonnais
Ch. du Charbonnier
Bd A. Croizat
Av. J. Cagne
N 7
VIENNE VALENCE
CORBAS
AGENCE MICHELIN
A 46 HEYRIEUX

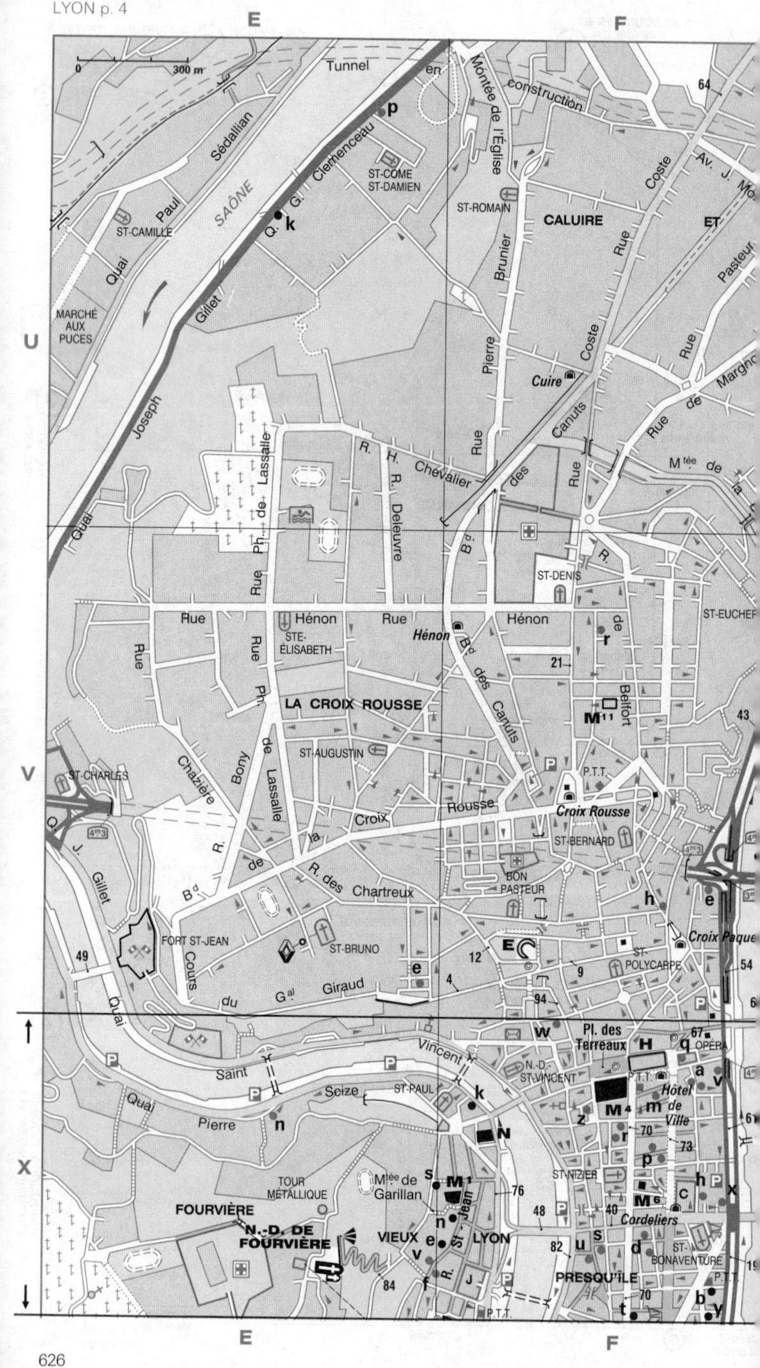
E
F
Tunnel en construction
Quai Paul Sédallian
SAÔNE
Q. G. Clemenceau
ST-COME ST-DAMIEN
Montée de l'Église
ST-ROMAIN
CALUIRE
ET
Rue Coste
Av. J. Mo
Pasteur
ST-CAMILLE
MARCHÉ AUX PUCES
Quai Joseph Gillet
Rue Pierre Brunier
Cuire
Rue de Margnolles
Rue des Canuts
R. H. Chevalier
Rue Ph. de Lassalle
R. Deleuvre
Bd des Canuts
ST-DENIS
Rue Hénon
Hénon
STE-ÉLISABETH
ST-EUCHER
Rue de Belfort
LA CROIX ROUSSE
Rue Chazière
R. Bony
R. de Lassalle
ST-AUGUSTIN
ST-CHARLES
Q. J. Gillet
Croix Rousse
Bd de la Croix Rousse
ST-BERNARD
R. des Chartreux
BON PASTEUR
FORT ST-JEAN
Cours du Gal Giraud
ST-BRUNO
ST-POLYCARPE
Croix Paquet
Pl. des Terreaux
OPÉRA
Quai Saint Vincent
N.-D.-ST-VINCENT
Hôtel de Ville
Quai Pierre Scize
ST-PAUL
ST-NIZIER
TOUR MÉTALLIQUE
Mtée de Garillan
FOURVIÈRE
N.-D. DE FOURVIÈRE
VIEUX LYON
R. St-Jean
Cordeliers
ST-BONAVENTURE
PRESQU'ÎLE
P.T.T.
U
V
X

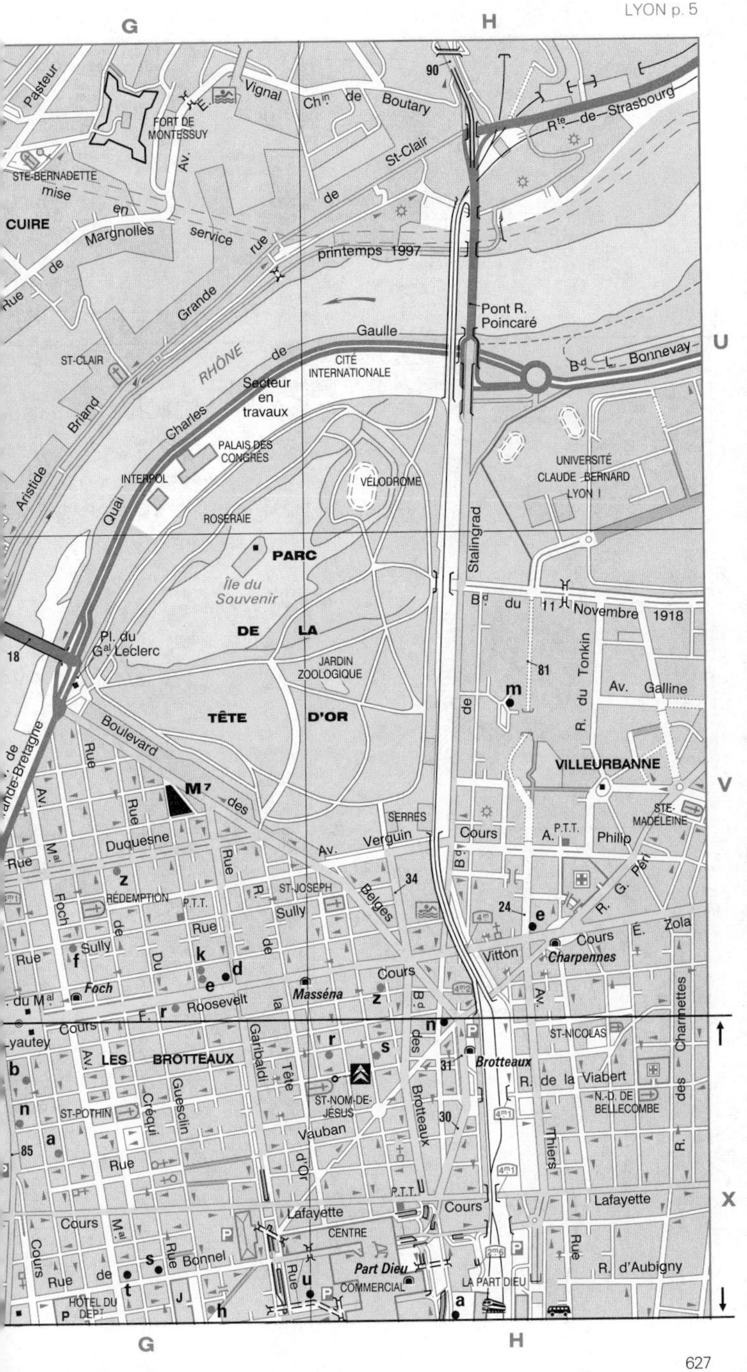
G
H
U
V
X
FORT DE MONTESSUY
STE-BERNADETTE
CUIRE
Vignal
Chin de Boutary
Rte de Strasbourg
St-Clair
mise en service printemps 1997
Rue de Margnolles
Grande rue de
Pont R. Poincaré
Gaulle
Bd L. Bonnevay
ST-CLAIR
RHÔNE
CITÉ INTERNATIONALE
Secteur en travaux
Quai Charles de
Aristide Briand
PALAIS DES CONGRÈS
INTERPOL
VÉLODROME
UNIVERSITÉ CLAUDE BERNARD LYON I
ROSERAIE
PARC DE LA TÊTE D'OR
Île du Souvenir
Stalingrad
Bd du 11 Novembre 1918
Pl. du Gal Leclerc
JARDIN ZOOLOGIQUE
R. du Tonkin
Av. Galline
Boulevard des Belges
VILLEURBANNE
SERRES
Av. Verguin
Cours A. Philip
STE-MADELEINE
Rue Duquesne
RÉDEMPTION
ST-JOSEPH
R. G. Péri
Cours Vitton
Cours É. Zola
Charpennes
Foch
Masséna
Cours F. Roosevelt
Cours Lyautey
LES BROTTEAUX
ST-NICOLAS
Brotteaux
R. de la Viabert
N.-D. DE BELLECOMBE
ST-POTHIN
ST-NOM-DE-JÉSUS
Vauban
Thiers
R. des Charmettes
Cours Lafayette
CENTRE COMMERCIAL
Part Dieu
LA PART DIEU
Rue Bonnel
R. d'Aubigny
HÔTEL DU DEPT
627

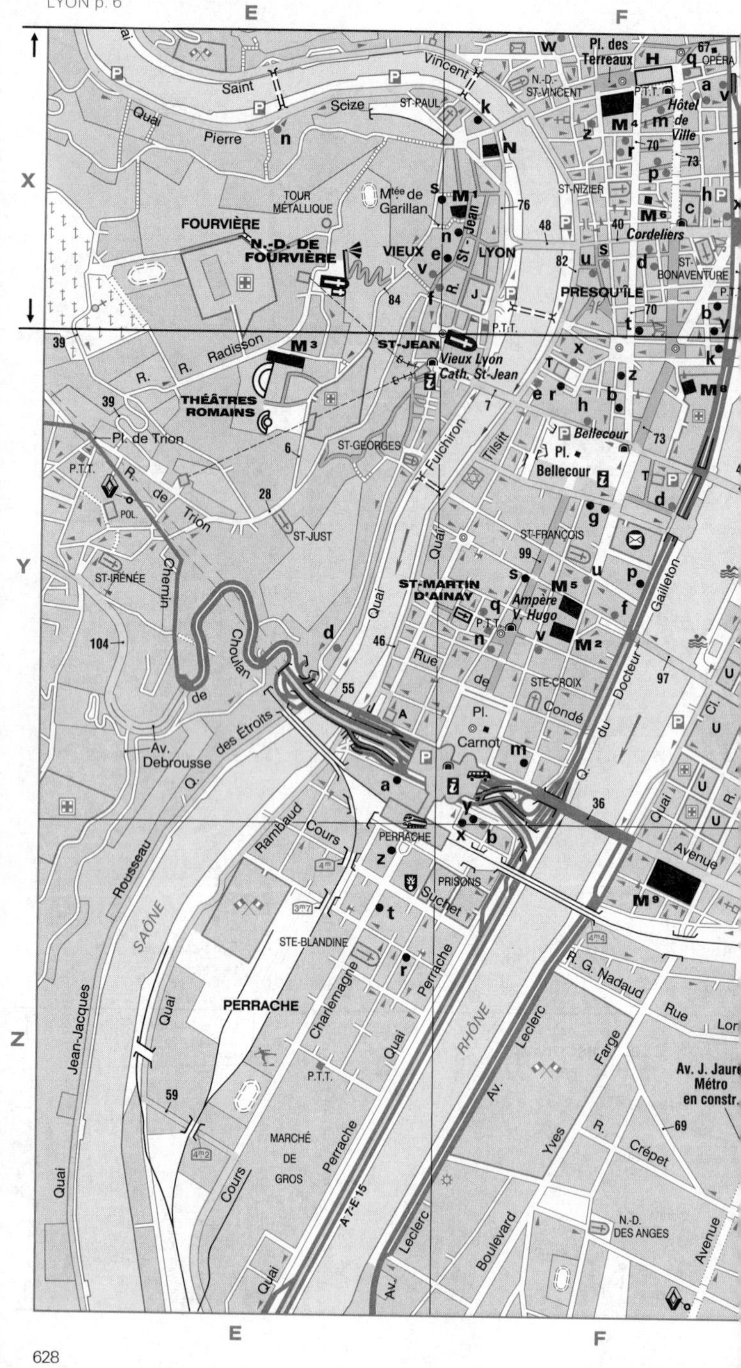
E
F
X
Y
Z
Pl. des Terreaux
OPÉRA
Hôtel de Ville
N.-D. ST-VINCENT
ST-PAUL
Quai Pierre Scize
Saint Vincent
TOUR MÉTALLIQUE
Mtée de Garillan
FOURVIÈRE
N.-D. DE FOURVIÈRE
VIEUX LYON
R. St-Jean
ST-NIZIER
Cordeliers
ST-BONAVENTURE
PRESQU'ÎLE
ST-JEAN
Vieux Lyon Cath. St-Jean
R. Radisson
THÉÂTRES ROMAINS
Pl. de Trion
R. de Trion
ST-GEORGES
Fulchiron
Tilsitt
Bellecour
Pl. Bellecour
ST-JUST
ST-FRANÇOIS
ST-IRÉNÉE
Chemin de Choulan
ST-MARTIN D'AINAY
Ampère V. Hugo
Quai Gailleton
Rue de Condé
STE-CROIX
Pl. Carnot
Av. Debrousse
Q. des Étroits
Q. du Docteur
PERRACHE
PRISONS
Cours Rambaud
Suchet
Avenue
STE-BLANDINE
SAÔNE
Quai Jean-Jacques Rousseau
Charlemagne
Quai Perrache
RHÔNE
R. G. Nadaud
Rue
Av. Leclerc
Farge
Av. J. Jaurès
Métro en constr.
MARCHÉ DE GROS
Cours
Yves
R. Crépet
A7-E15
Boulevard
N.-D. DES ANGES
Avenue
Quai

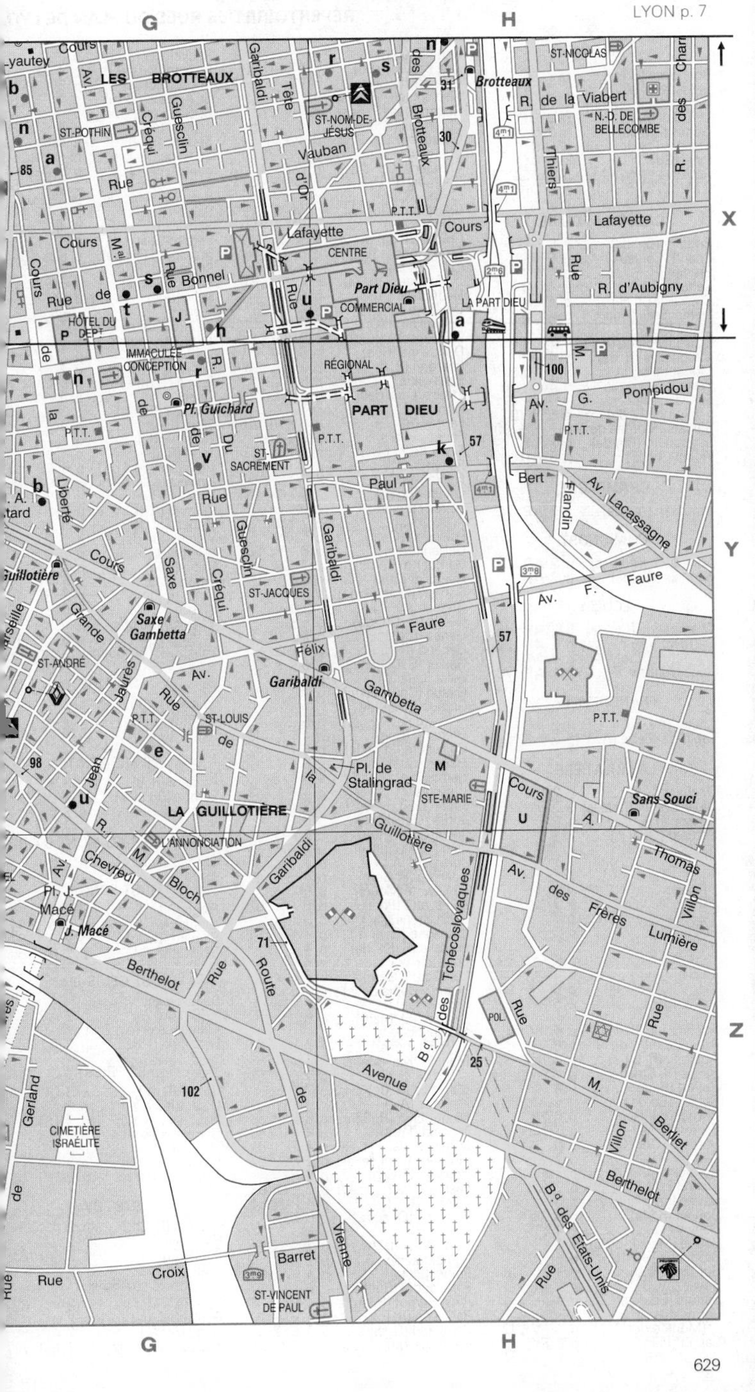
G
H
LES BROTTEAUX
Brotteaux
ST-NICOLAS
R. de la Viabert
N.-D. DE BELLECOMBE
ST-POTHIN
ST-NOM-DE-JÉSUS
Vauban
Cours Lafayette
CENTRE
Part Dieu
COMMERCIAL
LA PART DIEU
R. d'Aubigny
Rue Bonnel
HÔTEL DU DEPT
IMMACULÉE CONCEPTION
RÉGIONAL
PART DIEU
Av. G. Pompidou
Pl. Guichard
ST-SACREMENT
Paul Bert
Av. Lacassagne
Flandin
ST-JACQUES
Garibaldi
Guillotière
Saxe Gambetta
Av. F. Faure
Félix Faure
Cours Gambetta
ST-ANDRÉ
ST-LOUIS
Pl. de Stalingrad
STE-MARIE
Sans Souci
LA GUILLOTIÈRE
L'ANNONCIATION
Grande Rue de la Guillotière
Av. des Frères Lumière
Thomas
Villon
Pl. J. Macé
J. Macé
Berthelot
Route de Vienne
Bd des Tchécoslovaques
Avenue Berthelot
M. Berliet
CIMETIÈRE ISRAÉLITE
Gerland
Bd des Etats-Unis
Barret
Croix
ST-VINCENT DE PAUL
X
Y
Z

BRON

Bonnevay (Bd L.) ... p. 3 **DQ**
Brossolette (Av. P.) .. p. 3 **DQ**
Droits-de-l'Homme
(Bd des) .... p. 3 **DQ**
Genas (Rte de) ...... p. 3 **CDQ**
Mendès-France (Av. P.) p. 3 **DR** 58
Pinel (Bd) .... p. 3 **CQ**
Roosevelt (Av. F.) ... p. 3 **DQR** 79
8 Mai 1945 (R. du) .. p. 3 **DR** 110

CALUIRE ET CUIRE

Boutary (Ch. de) .... p. 5 **HU**
Briand (Cours A.) ... p. 5 **GUV**
Brunier (R. P.) ...... p. 4 **FU**
Canuts (Bd des) ..... p. 4 **FU**
Chevalier (R. H.) .... p. 4 **EFU**
Clémenceau (Quai G.) p. 4 **EU**
Coste (Rue) .... p. 4 **FU**
Eglise (Montée de l') . p. 4 **FU**
Margnolles (R. de) .. p. 4 **FGU**
Monnet (Av. J.) ..... p. 4 **FU**
Pasteur (R.) .... p. 4 **FGU**
St-Clair
(Grande R. de) .... p. 5 **GHU**
Soldats (Montée des) p. 5 **HU** 90
Strasbourg (Rte de) . p. 3 **CP**
Vignal (Av. E.) ...... p. 5 **GU**

CHAMPAGNE

Lanessan (Av. de) ... p. 2 **AP**

CHAPONOST

Aqueducs (Rte des) . p. 2 **AR**
Brignais (Rte de) .... p. 2 **AR**

ÉCULLY

Champagne (Rte de) p. 2 **AP** 15
Dr-Terver (Av.) ..... p. 2 **AP** 22
Marietton (Rue) ..... p. 2 **AP**
Roosevelt (Av. F.) ... p. 2 **AP** 78

FRANCHEVILLE

Chater (Av. du) ..... p. 2 **AQ**
Table-de-Pierre (Av.). p. 2 **AQ**

LA MULATIÈRE

Dechant (R. S.) ..... p. 2 **BR**
Mulatière (Pont de la) p. 2 **BQ** 62
Rousseau (Quai J.J.). p. 2 **BQ**
Sémard (Quai P.) .... p. 2 **BR**

LYON

Guillotière
(Grande R. de la) .. p. 7 **GYZ**
Jaurès (Av. J.) ...... p. 7 **GY**
La Part Dieu .... p. 7 **HXY**
République
(R. de la) .... p. 6 **FXY** 73
Terme (Rue) .... p. 4 **FV** 94
Victor-Hugo (Rue) ... p. 6 **FY** 99
Vitton (Cours) ...... p. 5 **HV**

Annonciade (R. de l') . p. 4 **FV** 4
Antiquaille (R. de l') . p. 6 **EY** 6
Aubigny (R. d') ..... p. 5 **HX**
Barret (R. Croix) .... p. 7 **GZ**
Belfort (R. de) ...... p. 4 **FV**
Belges (Bd des) ..... p. 5 **GHV**
Bellecour (Place) .... p. 6 **FY**
Berliet (R. M.) ...... p. 7 **HZ**
Bernard (Quai Cl.) ... p. 6 **FY**
Bert (R. P.) .... p. 7 **GHY**
Berthelot (Av.) ...... p. 7 **GHZ**
Bloch (R. M.) .... p. 7 **GZ**
Bonaparte (Pont) .... p. 6 **FY** 7
Bonnel (R. de) ...... p. 5 **GX**
Bony (R.) .... p. 4 **EV**
Boucle (Montée de la) p. 4 **FU**
Brotteaux (Bd des) .. p. 5 **HVX**
Burdeau (Rue) ...... p. 4 **FV** 9
Buyer (Av. B.) ...... p. 2 **AQ**
Canuts (Bd des) .... p. 4 **FUV**
Carmélites
(Montée des) ..... p. 4 **FV** 12
Carnot (Pl.) .... p. 6 **FY**
Chambaud de
la Bruyère (Bd) ... p. 2 **BR** 13
Charcot (R. Cdt) .... p. 2 **ABQ**
Charlemagne (Cours) . p. 6 **EZ**
Charmettes (R. des) . p. 5 **HVX**
Chartreux (R. des) ... p. 4 **EV**
Chazière (Rue) ...... p. 4 **EV**
Chevreul (Rue) ..... p. 7 **GYZ**
Choulans (Ch. de) ... p. 6 **EY**
Churchill (Pt W.) .... p. 5 **GV** 18
Condé (R. de) ...... p. 6 **FY**
Courmont (Quai J.) .. p. 4 **FX** 19
Crepet (Rue) .... p. 6 **FZ**
Créqui (R. de) ...... p. 5 **GVY**
Croix-Rousse (Bd) ... p. 4 **EFV**
Croix-Rousse
(Grande R. de la) .. p. 4 **FV** 21
Debrousse (Av.) .... p. 6 **EY**
Deleuvre (R.) .... p. 4 **EUV**
Dr-Gailleton (Quai) .. p. 6 **FY**
Du Guesclin (Rue) ... p. 5 **GVY**
Duquesne (Rue) .... p. 5 **GV**
Épargne (R. de l') ... p. 7 **HZ** 25
États-Unis (Bd des) .. p. 3 **CQR**
Étroits (Quai des) ... p. 6 **EY**
Farge (Bd Y.) .... p. 6 **FZ**
Farges (R. des) ..... p. 6 **EY** 28
Faure (Av. F.) .... p. 7 **GHY**
Favre (Bd J.) .... p. 5 **HX** 30
Ferry (Pl. J.) .... p. 5 **HX** 31
Flandin (R. M.) ...... p. 7 **HXY**
France (Bd A.) ...... p. 5 **HV** 34
Frères Lumière
(Av. des) .... p. 7 **HZ**
Fulchiron (Quai) .... p. 6 **EY**
Gallieni (Pont) ...... p. 6 **FY** 36
Gambetta (Cours) ... p. 7 **GHY**
Garibaldi (Rue) ..... p. 7 **GVZ**
Garillan (Montée de) . p. 4 **EFX**
Garnier (Av. T.) ..... p. 2 **BR**
Gaulle (Q. Ch.-de) ... p. 5 **GHU**
Genas (Rte de) ..... p. 3 **CDQ**
Gerland (R. de) ..... p. 7 **GZ**
Gerlier (R. Cardinal) .. p. 6 **EY** 39
Gillet (Quai J.) ...... p. 4 **EUV**
Giraud (Cours Gén.) . p. 4 **EV**
Grande-Bretagne
(Av. de) .... p. 5 **GV**
Grenette (Rue) ..... p. 4 **FX** 40
Guillotière (Pt de la) . p. 6 **FY** 42
Hénon (Rue) .... p. 4 **EFV**
Herbouville
(Cours d') .... p. 4 **FV** 43
Jayr (Quai) .... p. 2 **BP**
Joffre (Quai Mar.) ... p. 6 **EY** 46
Joliot-Curie (Rue) ... p. 2 **AQ**
Juin (Pt Alphonse) .. p. 4 **FX** 48
Jutard (Pl. A.) ...... p. 7 **GY**
Koening (Pt Gén.) ... p. 4 **EV** 49
La Fayette (Cours) ... p. 5 **GHX**
La Fayette (Pont) .... p. 5 **GX** 51
Lacassagne (Av.) .... p. 3 **CQ**
Lassagne (Quai A.) .. p. 4 **FV** 54
Lassalle (R. Ph. de) .. p. 4 **EUV**
Leclerc (Av.) .... p. 6 **EFZ**
Leclerc (Pl. Gén.) .... p. 5 **GV**
Liberté (Cours de la) . p. 7 **GXY**
Lortet (Rue) .... p. 6 **FZ**
Lyautey (Pl. Mar.) ... p. 5 **GVX**
Marchand
(Pt Kitchener) ..... p. 6 **EY** 55
Marius-Vivier-Merle
(Bd) .... p. 7 **HY** 57
Marseille (R. de) .... p. 7 **GY**
Mermoz (Av.) .... p. 3 **CQ**
Montrochet (R. P.) .. p. 6 **EZ** 59
Morand (Pont) ...... p. 4 **FVX** 60
Moulin (Quai J.) ..... p. 4 **FX** 61
Mulatière (Pont de la) . p. 2 **BQ** 62
Nadaud (R. G.) ..... p. 6 **FZ**
Pasteur (Pont) ...... p. 2 **BQ** 63
Peissel (R. F.) ...... p. 4 **FU** 64
Perrache (Quai) ..... p. 6 **EZ**
Pinel (Bd) .... p. 3 **CQ**
Point-du-Jour (Av.) .. p. 2 **ABQ**
Pompidou (Av. G.) ... p. 7 **HY**
Pradel (Pl. L.) ...... p. 4 **FX** 67
Pré-Gaudry (Rue) ... p. 6 **FZ** 69
Prés. Herriot (R. du) . p. 4 **FX** 70
Radisson (R. R.) .... p. 6 **EY**
Rambaud (Quai) .... p. 6 **EYZ**
Repos (R. du) ...... p. 7 **GZ** 71
Rockefeller (Av.) ... p. 3 **CQ** 75
Rolland (Quai R.) ... p. 4 **FX** 76
Roosevelt (Cours F.) p. 5 **GVX**
St-Antoine (Quai) .. p. 4 **FX** 82
St-Bartélemy
(Montée) .... p. 4 **EX** 84
St-Jean (Rue) ...... p. 4 **FX**
St-Vincent (Quai) ... p. 4 **EFX**
Santy (Av. P.) ...... p. 3 **CQ**
Sarrail (Quai Gén.) . p. 5 **GX** 85
Saxe (Av. Mar. de) . p. 7 **GXY**
Scize (Quai P.) ..... p. 4 **EX**
Sedallian (Quai P.) . p. 4 **EU**
Serbie (Quai de) ... p. 5 **GV**
Stalingrad (Bd de) .. p. 5 **GHU**
Stalingrad (Pl. de) . p. 7 **GHY**
Suchet (Cours) .... p. 6 **EFZ**
Sully (Rue) .... p. 5 **GV**
Tassigny
(Pt de-Lattre-de) . p. 4 **FV** 93
Tchécoslovaques
(Bd des) .... p. 7 **HZ**
Terreaux (Pl. des) .. p. 4 **FX**
Tête d'Or (Rue) .... p. 5 **GVX**
Thiers (Av.) .... p. 5 **HVX**
Thomas (Crs A.) ... p. 3 **CQ** 96
Tilsitt (Quai) .... p. 6 **FY**
Trion (Pl. de) ...... p. 6 **EY**
Trion (R. de) ...... p. 6 **EY**
Université (Pont de l') p. 6 **FY** 97
Université (R. de l') . p. 7 **GY** 98
Vauban (Rue) ...... p. 5 **GHX**
Verguin (Av.) ...... p. 5 **HV**
Viabert (R. de la) ... p. 5 **HX**
Vienne (Rte de) .... p. 7 **GZ**
Villette (R. de la) ... p. 7 **HY** 10
Villon (Rue) .... p. 7 **HZ**
Vitton (Cours) ..... p. 5 **HV**
Vivier (R. du) ...... p. 7 **GZ** 10
Wilson (Pont) ..... p. 6 **FY** 10
1re-Div.-Fr.-Libre
(Av.) .... p. 6 **EY** 10
25e-R.T.S. (Av. du) . p. 2 **ABP**

OULLINS

Jaurès (Av. J.) ..... p. 2 **BR**
Jomard (R. F.) ..... p. 2 **AR**
Perron (R. du) ..... p. 2 **BR** 66

PIERRE-BÉNITE

Ampère (Rue) ..... p. 2 **BR**
Europe (Bd de l') ... p. 2 **BR** 27
Voltaire (Rue) ..... p. 2 **BR**

ST-DIDIER-AU-MONT-D'OR

St-Cyr (R. de) ..... p. 2 **BP**

ST-FONS

Farge (Bd Y.) ..... p. 3 **CR**
Jaurès (Av. J.) .... p. 3 **CR** 44
Sémard (Bd P.) .... p. 2 **BR** 87
Sembat (R. M.) .... p. 2 **BR** 88

ST-GENIS-L.

Beauversant
(Ch. de) .... p. 2 **AR**
Clemenceau (Av. G.) p. 2 **AR**
Darcieux (R. F.) .... p. 2 **ABR**

ST-PRIEST

Briand (R. A.) ..... p. 3 **DR**
Côte (Ch. de la) .... p. 3 **DR**
Dauphiné (R. du) ... p. 3 **DR**
Gambetta (Rue) .... p. 3 **DR**
Herriot (Bd E.) ..... p. 3 **DR**
Lyonnais (R. du) ... p. 3 **DR**
Parilly (Bd de) ..... p. 3 **DR**

STE-FOY

Charcot (R. Cdt) ... p. 2 **ABQ**
Châtelain (R.) ..... p. 2 **AQ**
Fonts (Ch. des) .... p. 2 **AQ** 33

TASSIN

Foch (Av. Mar.) .... p. 2 **AQ** 32
Gaulle (Av. de) .... p. 2 **AQ**
Hugo (Av. V.) ..... p. 2 **APQ**
République (Av.) ... p. 2 **AQ** 72

VAULX-EN-VELIN

ende (Av. S.) . . . . . p. 3 **DP** 3
hlen (Av. de) . . . . . p. 3 **DQ**
chin (Av. M.) . . . . . p. 3 **DP**
mas (R. A.) . . . . . . p. 3 **DQ**
ulle (Av. Ch.-de) . . p. 3 **DP** 37
andclément (Av.) . p. 3 **DP**
arcellin (Av. P.) . . . . p. 3 **DP**
ri (Av. G.) . . . . p. 3 **DP**
osevelt (Av. F.) . . . p. 3 **DQ**
lengro (Av. R.) . . . . p. 3 **DQ**
Mai-1945 (Av.) . . . . p. 3 **DP**

VÉNISSIEUX

nnevay (Bd L.) . . . p. 3 **CR**
chin (Av. M.) . . . . . p. 3 **CR** 10
gne (Av. J.) . . . . . . p. 3 **CR**
arbonnier (Chin du) p. 3 **CDR**

Croizat (Bd A.) . . . . p. 3 **CR**
Farge (Bd Y.) . . . . p. 3 **CR**
Gaulle (Av. Ch.-de) . . . . p. 3 **CR**
Grandclément
(Pl. J.) . . . . p. 3 **CR**
Guesde (Av. J.) . . . . p. 3 **CR**
Joliot-Curie (Bd I.) . . . . . p. 3 **CR**
Péri (R. G.) . . . . p. 3 **CR**
République
(Av. de la) . . . . p. 3 **CR**
Thorez (Av. M.) . . . . p. 3 **CR**
Vienne (Rte de) . . . . p. 3 **CQR**

VILLEURBANNE

Blum (R. L.) . . . . p. 3 **CDQ**
Bonnevay (Bd L.) . . . . . . p. 3 **CP**
Charmettes (R. des) . . . p. 5 **HVX**
Croix-Luizet
(Pont de) . . . . p. 3 **CDP**
Dutrievoz (Av. A.) . . . p. 5 **HV** 24
Galline (Av.) . . . . p. 5 **HV**
Genas (Rte de) . . . . . p. 3 **CDQ**
Jaurès (R. J.) . . . . p. 3 **CQ** 45
Philip (Cours A.) . . . . p. 5 **HV**
Poincaré (Pt R.) . . . . . . p. 5 **HU**
Poudrette
(R. de la) . . . . p. 3 **DQ**
Rossellini (Av. R..) . . . p. 5 **HV** 81
Salengro
(Av. R.) . . . . p. 3 **CP**
Stalingrad
(Bd de) . . . . p. 5 **HUV**
Tolstoï (Cours) . . . . . . p. 3 **CQ**
Tonkin (R. du) . . . . . . p. 5 **HV**
Zola (Crs E.) . . . . p. 3 **CP**
4-Août-1789
(R. du) . . . . p. 3 **CQ**
11-Novembre-1918
(Bd du) . . . . p. 5 **HV**

LISTE ALPHABÉTIQUE
des hôtels et restaurants

page

A

drets (Les) 15
lexandrin (L') 14
rgenson 15
riana 13
rtistes 11
ssiette et Marée
(r. Servient) 15
ssiette et Marée
(r. Bourse) 15
ub. de Fond-Rose . . 13
ub. de l'Ile 14
xotel
et rest. Le Chalut . . 11

B

ayard 11
eaulieu 16
erlioz 11
ernachon Passion . . 15
istrot d'En Face (Le) 15
leu Marine 12
oeuf d'Argent 15
ouchon (Le) 16
ouchon aux Vins . . . 15
ouchon
de Fourvière 15
rasserie Georges . . 15
ristol 11
runoise (La) 14

C

afé des Fédérations 15
ampanile Tassin . . . 16
arlton 11
azenove 14
Charlemagne 11
Château Perrache . . . 11
Châteaubriand 16
Chevallier 14
Christian Grisard 14
Christian Têtedoie . . . 13
Climat de France
Satolas 16
Congrès 13
Cour des Loges 12
Créqui 12

D

Dau Ly 13

E

Élysée H. 11
Epicurien (L') 15
Europe 13

F

Fédora 13
Fernand Duthion 14
Fleur de Sel 14

G

Garet (Le) 15
Garioud 14
Gd H. des Beaux-Arts 11
Gd Hôtel Concorde . . 11
Gervais 14
Globe et Cécil 11
Gourmet de Sèze . . . 14
Grande Corbeille (La) 16
Grenadin (Le) 15
Grille (La) 15

H - I

Holiday Inn Crowne
Plaza 12
Hugon (Chez) 16
Ibis Bron Eurexpo . . . 13
Ibis La Part-Dieu Gare 12
Ibis Lyon Nord 17
Ibis Université 12

J

J.-C. Pequet 14
J.-P. Bergier 14
Jean-François (Chez) 15
Jura (Le) 16

L

Laennec 13
Larivoire 16
Léon de Lyon 13
Lutétia 12
Lyon Métropole 12

M

Maison Villemanzy . . 15
Mercure
Charbonnières 16
Mercure Gerland 12

Mercure La Part-Dieu . . . 12
Mercure Lyon Charpennes 13
Mercure Lyon Nord. . 17
Mère Brazier 14
Meunière (La) 16
Muses de l'Opéra (Les) 15

N

Nandron 13
Neuf (Le) 15
Nord (Le) 14
Normandie. 11
Novotel Bron 13
Novotel Lyon Nord . . 17
Novotel Tassin. 16

O

Olympique 12
Orée du Parc (L') 16
Orsi 13

P

Panorama (Le). 17
Passage (Le) 14
Paul Bocuse 13
Petit Bouchon "chez Georges" (Au) 16
Petit Duc 15
Phénix H. 12
Pinte à Gones (La) . . 15
Plaza République . . . 11
Pullman Part-Dieu. . . 12
Puy d'Or (Le) 17

R

Relais Mercure Park H. 13
Relais Porte des Alpes 13
Relais St-Martin 16
Résidence (La) 11
Romanée (La) 15
Rotonde (La) 16
Royal 11

S

Saint Alban (Le) 1
Saphir. 1
Savoies (des) 1
Sofitel. 1
Sofitel Satolas. 1
Soupière (La). 1
Sud (Le). 1
Sylvain (Chez) 1

T

Table de Pierre (La) . 1
Tante Alice. 1
Tassée (La) 1
Thierry Gache 1
Tour Rose. 1

V

Villa Florentine 1
Vivarais. 1
Voûte (La) 1

Hôtels

Centre-ville (Bellecour-Terreaux) :

Sofitel M, 20 quai Gailleton ✉ 69002 ☎ 72 41 20 20, Télex 330225, Fax 72 40 05 50, < – ♿ AE GB JCB – 200. AE ◑ GB JCB p. 6 FY **p**
Les Trois Dômes (au 8e étage) ☎ 72 41 20 97 *(fermé août)* **Repas** 170/250, enf. 90 – ***Sofi Shop*** (rez-de-chaussée) ☎ 72 41 20 80 **Repas** 94/125, enf. 47 – ☕ 77 – **138 ch** 940, 29 appart.

Gd Hôtel Concorde, 11 r. Grolée ✉ 69002 ☎ 72 40 45 45, Télex 330244, Fax 78 37 52 55 – – 80. AE ◑ GB JCB. rest
Le Fiorelle : ☎ 78 42 99 84 *(fermé 3 au 19 août, dim. midi et sam.)* **Repas** 98/168, – ☕ 69 – **143 ch** 650/930. p. 6 FX **y**

Royal, 20 pl. Bellecour ✉ 69002 ☎ 78 37 57 31, Fax 78 37 01 36 – ch. AE ◑ GB JCB p. 6 FY **g**
Repas 98/142 – ☕ 68 – **80 ch** 680/920.

Carlton sans rest, 4 r. Jussieu ✉ 69002 ☎ 78 42 56 51, Télex 310787, Fax 78 42 10 71 – . AE ◑ GB p. 6 FX **b**
☕ 57 – **83 ch** 420/695.

Plaza République M sans rest, 5 r. Stella ✉ 69002 ☎ 78 37 50 50, Télex 310222, Fax 78 42 33 34 – – 35. AE ◑ GB p. 6 FY **k**
☕ 58 – **78 ch** 485/750.

Gd H. des Beaux-Arts sans rest, 75 r. Prés. E. Herriot ✉ 69002 ☎ 78 38 09 50, Fax 78 42 19 19 – – 25. AE ◑ GB JCB p. 6 FX **t**
☕ 57 – **79 ch** 360/620.

Globe et Cécil sans rest, 21 r. Gasparin ✉ 69002 ☎ 78 42 58 95, Fax 72 41 99 06 – . AE ◑ GB JCB p. 6 FY **b**
☕ 50 – **65 ch** 399/550.

Artistes sans rest, 8 r. G. André ✉ 69002 ☎ 78 42 04 88, Télex 375664, Fax 78 42 93 76 – . AE ◑ GB. p. 6 FY **r**
☕ 48 – **45 ch** 330/450.

La Résidence sans rest, 18 r. V. Hugo ✉ 69002 ☎ 78 42 63 28, Télex 900950, Fax 78 42 85 76 – . AE ◑ GB p. 6 FY **s**
☕ 35 – **64 ch** 298/330.

Élysée H. sans rest, 92 r. Prés. E. Herriot ✉ 69002 ☎ 78 42 03 15, Fax 78 37 76 49 – . ◑ GB p. 6 FY **z**
☕ 39 – **29 ch** 294/387.

Bayard sans rest, 23 pl. Bellecour ✉ 69002 ☎ 78 37 39 64, Fax 72 40 95 51 – . AE GB p. 6 FY **g**
☕ 33 – **15 ch** 273/357.

Perrache :

Château Perrache, 12 cours Verdun ✉ 69002 ☎ 72 77 15 00, Télex 330500, Fax 78 37 06 56, « Décor Art Nouveau » – – 250. AE ◑ GB JCB
Les Belles Saisons : **Repas** 137/177, enf. 65 – ☕ 67 – **123 ch** 490/840. p. 6 EY **a**

Charlemagne M, 23 cours Charlemagne ✉ 69002 ☎ 72 77 70 00, Fax 78 42 94 84, – – 120. AE ◑ GB p. 6 EZ **t**
Repas *(fermé août, sam. et dim.)* 85/140 – ☕ 52 – **116 ch** 395/545.

Axotel et rest. Le Chalut M, 12 r. Marc-Antoine Petit ✉ 69002 ☎ 78 42 17 18, Télex 380736, Fax 72 40 00 65, – – 100. AE ◑ GB p. 6 EZ **r**
fermé 23 déc. au 2 janv. – **Repas** *(fermé 29 juil. au 25 août, 23 déc. au 2 janv., sam. midi et dim.)* 140/265 – ☕ 45 – **128 ch** 340/370.

Bristol M sans rest, 28 cours de Verdun ✉ 69002 ☎ 78 37 56 55, Fax 78 37 02 58 – – 35. AE ◑ GB JCB p. 6 FY **y**
☕ 45 – **113 ch** 350/600.

des Savoies sans rest, 80 r. Charité ✉ 69002 ☎ 78 37 66 94, Fax 72 40 27 84 – . AE ◑ GB p. 6 FY **m**
☕ 28 – **46 ch** 240/300.

Berlioz M sans rest, 12 cours Charlemagne ✉ 69002 ☎ 78 42 30 31, Télex 330862, Fax 72 40 97 58 – . AE ◑ GB JCB p. 6 EZ **z**
☕ 40 – **38 ch** 237/353.

Normandie sans rest, 3 r. Bélier ✉ 69002 ☎ 78 37 31 36, Fax 72 40 98 56 – . AE ◑ GB JCB p. 6 FZ **x**
☕ 27 – **39 ch** 160/299.

à Vaise :

Saphir M, 18 r. L. Loucheur ✉ 69009 ☎ 78 83 48 75, Fax 78 83 30 81 – – 50. AE ◑ GB p. 2 BP **r**
Repas 95/150 – ☕ 50 – **111 ch** 450/470.

Vieux-Lyon :

Villa Florentine M, 25 montée St-Barthélémy ✉ 69005 ✆ 72 56 56 5
Fax 72 40 90 56, ≤ Lyon, – AE GB p. 4 EFX
Les Terrasses de Lyon : **Repas** 160(déj.), 270/380 et carte 310 à 440 – ☕ 80 – **16 ch** 120
1900, 3 appart
Spéc. Homard tiède à la lyonnaise. Saint-Jacques grillées à l'émulsion de corail. Couronne d'agneau de lait aux anch
de Collioure. **Vins** Condrieu, Côte-Rôtie.

Cour des Loges M, 6 r. Boeuf ✉ 69005 ✆ 78 42 75 75, Fax 72 40 93 61, « Décor
tion contemporaine originale dans des maisons du Vieux Lyon » –
– 40. AE GB JCB p. 4 FX
Les Loges : **Repas** carte environ 270 – ☕ 110 – **53 ch** 1150/1800, 10 appart.

Tour Rose (Chavent) M, 22 r. Boeuf ✉ 69005 ✆ 78 37 25 90, Fax 78 42 26 0
« Maison du 17e siècle, élégante décoration sur le thème de la soie », –
AE GB JCB p. 4 EFX
Repas *(fermé dim.)* 295/595 et carte 420 à 600 – ☕ 95 – **6 ch** 950/1650, 6 appart, 4 duple
Spéc. Saumon mi-cuit au fumoir. Salade de pommes de terre à la crème de caviar. Foie chaud de canard et filet
rouget barbet poêlés aux lentilles confites à l'ail. **Vins** Brouilly, Viognier.

Phénix H. M sans rest, 7 quai Bondy ✉ 69005 ✆ 78 28 24 24, Fax 78 28 62 86 –
– 35. AE GB p. 4 FX
☕ 65 – **36 ch** 620/1080.

La Croix-Rousse (bord de Saône) :

Lyon Métropole M, 85 quai J. Gillet ✉ 69004 ✆ 78 29 20 20, Fax 78 39 99 20,
– – 350. AE GB p. 4 EU
Les Eaux Vives : **Repas** 150/290, enf. 100 – ***Grill :*** **Repas** 80/122, enf. 50 – ☕ 70 – **119 c**
570/670.

Les Brotteaux :

Lutétia M sans rest, 114 bd Belges ✉ 69006 ✆ 78 24 44 68, Fax 78 24 82 36 –
AE GB p. 5 HX
☕ 45 – **55 ch** 385/495.

Olympique sans rest, 62 r. Garibaldi ✉ 69006 ✆ 78 89 48 04, Fax 78 89 49 97 –
AE GB p. 5 GV
☕ 30 – **23 ch** 255/285.

La Part-Dieu :

Holiday Inn Crowne Plaza M, 29 r. Bonnel ✉ 69003 ✆ 72 61 90 90, Fax 72 61 17 5
– – 300. AE GB JCB p. 5 GX
Repas 105/190 – ☕ 80 – **156 ch** 895/1500.

Pullman Part-Dieu M, 129 r. Servient (32e étage) ✉ 69003 ✆ 78 63 55 00, Té
lex 380088, Fax 78 63 55 20, ≤ Lyon et vallée du Rhône – – 170. A
GB JCB. rest p. 5 GX
L'Arc-en-Ciel *(fermé 15 juil. au 21 août et sam. midi)* **Repas** 195/295, enf. 95 – ***La Ripaille*** gri
(rez-de-chaussée) *(fermé vend. soir, sam. soir et dim. sauf du 15 juil. au 21 août)* **Repa**
97, enf. 55 – ☕ 70 – **245 ch** 560/790.

Mercure La Part-Dieu M, 47 bd Vivier-Merle ✉ 69003 ✆ 72 13 51 51, Télex 30646
Fax 72 13 51 99 – – 80. AE GB JCB p. 7 HX
Repas *(fermé sam. midi et dim. midi du 13 juil. au 18 août)* 110/170 bc, enf. 46 – ☕ 57
124 ch 585/615.

Créqui M sans rest, 158 r. Créqui ✉ 69003 ✆ 78 60 20 47, Fax 78 62 21 12 –
AE GB p. 5 GX
☕ 47 – **28 ch** 360/390.

Ibis La Part-Dieu Gare, pl. Renaudel ✉ 69003 ✆ 78 95 42 11, Fax 78 60 42 85, –
– 40. AE GB p. 7 HY
Repas 99 bc, enf. 39 – ☕ 35 – **144 ch** 345.

La Guillotière :

Bleu Marine M sans rest, 4 r. Mortier ✉ 69003 ✆ 78 60 03 09, Télex 30510
Fax 78 60 01 95 – – 40. AE GB JCB p. 7 GY
☕ 60 – **129 ch** 290/480.

Ibis Université M sans rest, 51 r. Université ✉ 69007 ✆ 78 72 78 42, Fax 78 69 24 36
AE GB p. 7 GY
☕ 36 – **53 ch** 345.

Gerland :

Mercure Gerland M, 70 av. Leclerc ✉ 69007 ✆ 72 71 11 11, Télex 305484
Fax 72 71 11 00, – – – 200. AE GB JCB
Repas 127 bc, enf. 45 – ☕ 56 – **194 ch** 510/680. p. 2 BQ

Montchat-Monplaisir :

Relais Mercure Park H., 4 r. Prof. Calmette ✉ 69008 ✆ 78 74 11 20, Télex 380230, Fax 78 01 43 38, – AE GB p. 3 CQ **v**
Repas *(fermé 10 au 26 août, 27 déc. au 2 janv., dim. midi et sam.)* 100/130 – 48 – **72 ch** 380/425.

Laennec sans rest, 36 r. Seignemartin ✉ 69008 ✆ 78 74 55 22, Fax 78 01 00 24 – AE GB p. 3 CQ **n**
37 – **14 ch** 285/390.

à Villeurbanne – 116 872 h. alt. 168 – ✉ **69100** :

Congrès, pl. Cdt Rivière ✆ 78 89 81 10, Fax 78 94 64 86 – 130. AE GB JCB p. 5 HV **m**
Repas *(fermé 22 déc. au 1er janv.)* 140/270 – 55 – **134 ch** 355/385.

Mercure Lyon Charpennes M, 7 pl. Ch. Hernu ✆ 72 44 46 46, Fax 78 89 10 14 – 30. AE GB p. 5 HV **e**
Repas *(fermé dim. midi du 14 juil. au 25 août et sam. midi)* 98/145, enf. 48 – 53 – **98 ch** 450/650.

Ariana M sans rest, 163 cours É. Zola ✆ 78 85 32 33, Fax 78 03 02 82 – GB p. 3 CP **k**
48 – **102 ch** 265/398.

à Bron – 39 683 h. alt. 204 – ✉ **69500** :

Novotel Bron M, av. J. Monnet ✆ 78 26 97 48, Fax 78 26 45 12, – 25 à 800. AE GB p. 3 DR **f**
Repas carte environ 180, enf. 50 – 50 – **189 ch** 495/520.

Dau Ly sans rest, 28 r. Prévieux ✆ 78 26 04 37, Fax 78 26 62 47 – AE GB p. 3 DQ **e**
32 – **22 ch** 260/310.

Ibis Bron Eurexpo, r. M. Bastié ✆ 72 37 01 46, Fax 78 26 65 43 – 40. AE GB p. 3 DR **n**
Repas 99 bc, enf. 39 – 35 – **79ch** 305.

Relais Porte des Alpes M, r. Col. Chambonnet ✆ 72 37 00 14, Fax 78 26 95 05, – AE GB JCB p. 3 DR **n**
Repas *(fermé dim.)* 92/170 – 35 – **44 ch** 270/290 – ½ P 250.

à Pierre-Bénite – 9 574 h. alt. 167 – ✉ **69310** :

Europe sans rest, 67 bd Europe ✆ 78 50 55 55, Fax 78 50 16 01 – AE GB
35 – **34 ch** 260/290. p. 2 BR **b**

Restaurants

XXXXX ✿✿✿ **Paul Bocuse,** au pont de Collonges N : 12 km par bords Saône (D 433, D 51) ✉ 69660 Collonges-au-Mont-d'Or ✆ 72 42 90 90, Fax 72 27 85 87 – AE GB p. 2 BP
Repas 450/740 et carte 480 à 700, enf. 110
Spéc. Soupe aux truffes. Rouget barbet en écailles de pommes de terre. Volaille de Bresse. **Vins** Saint-Véran, Brouilly.

XXXX ✿ **Orsi,** 3 pl. Kléber ✉ 69006 ✆ 78 89 57 68, Fax 72 44 93 34, « Décor élégant » – AE GB JCB p. 5 GV **e**
fermé dim. sauf fériés – **Repas** 240 (déj.), 400/500 et carte 300 à 490, enf. 150
Spéc. Ravioles de foie gras au jus de porto. Homard et rouget en barigoule d'artichaut. Pigeonneau rôti en cocotte aux gousses d'ail confites. **Vins** Mâcon-Clessé, Côte-Rôtie.

XXXX ✿✿ **Léon de Lyon** (Lacombe), 1 r. Pleney ✉ 69001 ✆ 78 28 11 33, Fax 78 39 89 05 – AE GB JCB p. 6 FX **r**
fermé 11 au 19 août et dim. – **Repas** 280 (déj.), 490/600 et carte 420 à 500, enf. 85
Spéc. Cochon de lait, foie gras et oignons confits en terrine rustique. Brochet de la Dombes en quenelle et meunière, étuvée de grenouilles. Six desserts sur le thème de la praline. **Vins** Chiroubles, Saint-Véran.

XXX **Christian Têtedoie,** 54 quai Pierre Scize ✉ 69005 ✆ 78 29 40 10, Fax 72 07 05 65 – AE GB p. 4 EX **n**
fermé août, sam. midi et dim. sauf fériés – **Repas** 160/280 et carte 240 à 360.

XXX **Aub. de Fond-Rose,** 23 quai Clemenceau ✉ 69300 Caluire-et-Cuire ✆ 78 29 34 61, Fax 72 00 28 67, « Jardin ombragé et fleuri, volière » – AE GB JCB
fermé 2 au 10 nov., vacances de fév., lundi du 15 sept. au 15 mai, dim. soir et soirs fériés – **Repas** 140/460 et carte 250 à 360. p. 4 EU **p**

XXX ✿ **Nandron,** 26 quai J. Moulin ✉ 69002 ✆ 78 42 10 26, Fax 78 37 69 88 – AE GB JCB p. 4 FX **x**
fermé 26 juil. au 25 août et sam. – **Repas** 200 (déj.), 300/450 et carte 310 à 500
Spéc. Terrine de queue de boeuf et lapereau en gelée. Quenelle de brochet à la Nantua. Rognon de veau rôti en cocotte au thym. **Vins** Côtes-du-Rhône, Beaujolais.

XXX **Fédora,** 249 r. M. Mérieux ✉ 69007 ✆ 78 69 46 26, Fax 72 73 38 80, – AE GB p. 2 BQ **k**
fermé 11 au 18 août, 22 déc. au 4 janv., sam. midi et dim. – **Repas** - produits de la mer - 139/420 et carte 250 à 420.

XXX ✿ **Mère Brazier,** 12 r. Royale ✉ 69001 ✆ 78 28 15 49, Fax 78 28 63 63, « Ambianc lyonnaise » – AE ⊙ GB p. 4 FV
fermé 26 juil. au 27 août, sam. (sauf le soir d'août à mai) et dim. – **Repas** 170/370 et car 200 à 300
Spéc. Fond d'artichaut au foie gras. Quenelle au gratin. Volaille "demi-deuil". **Vins** Brouilly, Saint-Joseph.

XXX **Le Saint Alban,** 2 quai J. Moulin ✉ 69001 ✆ 78 30 14 89, Fax 72 00 88 82 – ▤. A GB p. 4 FX
fermé 1er au 21 août, vacances de fév., sam. midi, dim. et fériés – **Repas** 150/295 et carte 26 à 360.

XXX **Fernand Duthion,** 18 r. D. Vincent à Champagne-au-Mont-d'Or ✉ 69410 Champagne au-Mont-d'Or ✆ 78 35 04 78, Fax 78 35 59 58, 🏠 – P. GB p. 2 AP
fermé 15 août au 8 sept., dim. soir et lundi – **Repas** 110/345 et carte 240 à 320.

XXX **La Soupière,** 14 r. Molière ✉ 69006 ✆ 78 52 75 34, Fax 78 65 03 92 – ▤. A GB p. 5 GX
fermé août, sam. midi et dim. de mai à août – **Repas** 150/350 et carte 220 à 350.

XX **Cazenove,** 75 r. Boileau ✉ 69006 ✆ 78 89 82 92, Fax 72 44 93 34, « Évocation Bell Époque » – ▤. AE GB JCB p. 5 GV
fermé août, sam. et dim. – **Repas** 200/280.

XX **J.-C. Pequet,** 59 pl. Voltaire ✉ 69003 ✆ 78 95 49 70, Fax 78 62 85 26 – ▤. AE ⊙ GB p. 7 GY
fermé 5 au 25 août, 24 déc. au 2 janv., sam. et dim. – **Repas** 150/260.

XX **Le Passage,** 8 r. Plâtre ✉ 69001 ✆ 78 28 11 16, Fax 72 00 84 34 – ▤. AE GB
fermé sam. midi, dim. et fériés – **Repas** 150 (déj.), 220/290. p. 6 FX

XX ✿ **L'Alexandrin** (Alexanian), 83 r. Moncey ✉ 69003 ✆ 72 61 15 69, Fax 78 62 75 57 – ▤ AE GB p. 5 GX
fermé 28 avril au 1er mai, 16 au 20 mai, 4 au 26 août, 22 déc. au 5 janv., dim., lundi et fériés – **Repas** 160/208 et carte 260 à 370
Spéc. Buchettes de saumon fumé et palourdes roses en gelée de livèche. Filet de boeuf au jus de truffes. Feuillantin et sorbet "pur cacao". **Vins** Saint-Joseph, Saint-Péray.

XX ✿ **Aub. de l'Ile** (Ansanay), quartier St-Rambert, Ile Barbe ✉ 69009 ✆ 78 83 99 49 Fax 78 47 80 46 – P. AE ⊙ GB. ✂ p. 2 BP e
fermé 5 au 19 août, vacances de fév., dim. soir et lundi – **Repas** 150 (déj.), 185/380 et cart 320 à 410
Spéc. Nage d'huîtres au saumon et caviar (sept. à mars). Noix de Saint-Jacques rôties au céleri (sept. à mars). Cano d'agneau en croûte d'olives noires (Pâques à oct.). **Vins** Morgon, Condrieu.

XX **Gourmet de Sèze,** 129 r. Sèze ✉ 69006 ✆ 78 24 23 42, Fax 78 24 23 42 – ▤. AE GB p. 5 HV z
fermé 1er au 21 août, vacances de fév., sam. midi et dim. – **Repas** (nombre de couverts limité, prévenir) 125/250.

XX **Garioud,** 14 r. Palais Grillet ✉ 69002 ✆ 78 37 04 71, Fax 72 40 98 07 – ▤. AE GB JCB
fermé 4 au 18 août, sam. midi et dim. – **Repas** 126/286. p. 6 FX d

XX **Fleur de Sel,** 7 r. A. Perrin ✉ 69002 ✆ 78 37 40 37, Fax 78 37 26 37 – GB p. 6 FY q
fermé août, sam. midi et dim. – **Repas** 120 (déj.), 198/260.

XX **Thierry Gache,** 37 r. Thibaudière ✉ 69007 ✆ 78 72 81 77, Fax 78 72 01 75 – ▤. AE GB p. 7 GY e
fermé dim. soir – **Repas** 99 bc (déj.), 125/265.

XX **La Tassée,** 20 r. Charité ✉ 69002 ✆ 78 37 02 35, Fax 72 40 05 91 – ▤. AE ⊙ GB JCB p. 6 FY u
fermé sam. en juil.-août et dim. – **Repas** 130/260 ♁.

XX **Vivarais,** 1 pl. Gailleton ✉ 69002 ✆ 78 37 85 15, Fax 78 37 59 49 – ▤. AE ⊙ GB JCB p. 6 FY f
fermé 25 déc. au 1er janv. et dim. – **Repas** 115 ♁.

XX **La Brunoise,** 4 r. A. Boutin à Villeurbanne ✉ 69100 Villeurbanne ✆ 78 52 07 77 – ▤. GB p. 3 CP b
fermé août, sam., dim. et le soir sauf jeudi – **Repas** 110/200.

XX **Gervais,** 42 r. P. Corneille ✉ 69006 ✆ 78 52 19 13, Fax 72 74 99 14 – AE ⊙ GB
fermé 14 juil. au 15 août, dim. et fêtes – **Repas** 98 (déj.), 150/185 ♁. p. 5 GX a

XX **Tante Alice,** 22 r. Remparts d'Ainay ✉ 69002 ✆ 78 37 49 83 – ▤. AE GB p. 6 FY v
fermé 27 juil. au 26 août, vend. soir et sam. – **Repas** 94/194 ♁.

XX **Chevallier,** 40 r. Sergent Blandan ✉ 69001 ✆ 78 28 19 83, Fax 78 29 42 32 – AE GB p. 4 FX w
fermé 18 juil. au 20 août, mardi midi et lundi – **Repas** 90 (déj.), 125/205, enf. 80.

XX **J.-P. Bergier,** 20 r. Sully ✉ 69006 ✆ 78 89 07 09, Fax 78 89 89 94 – GB p. 5 GV f
fermé 1er au 25 août, sam. midi et dim. – **Repas** 110 bc (déj.), 128/270.

XX **La Voûte,** 11 pl. A. Gourju ✉ 69002 ✆ 78 42 01 33, Fax 78 37 36 41 – ▤. AE ⊙ GB
fermé dim. – **Repas** 115 (déj.), 122/137. p. 6 FY e

XX **Le Nord,** 18 r. Neuve ✉ 69002 ✆ 78 28 24 54, Fax 78 28 76 58, 🏠 – ▤. AE GB
Repas brasserie 120/158, enf. 48. p. 6 FX p

XX **Christian Grisard,** 158 r. Cuvier ✉ 69006 ✆ 78 24 77 98 – ▤. AE ⊙ GB p. 5 HX r
fermé août, dim. et lundi – **Repas** 85/300.

XX **Boeuf d'Argent,** 29 r. Boeuf ✉ 69005 ☎ 78 42 21 12, Fax 72 40 24 65 – AE GB p. 6 EFX **f**
fermé 13 juil. au 12 août, 23 fév. au 11 mars, sam. midi et dim. – **Repas** 80 (déj.), 125/210 ♌.

XX **La Pinte à Gones,** 59 r. Ney ✉ 69006 ☎ 78 24 81 75 – ▤. AE GB p. 5 HX **s**
fermé août, 24 déc. au 2 janv., sam. midi, dim. et fêtes – **Repas** 85/148 ♌.

XX **Assiette et Marée,** 49 r. Bourse ✉ 69002 ☎ 78 37 36 58 – ▤. GB p. 4 FX **h**
Repas - produits de la mer - 100 bc et carte 140 à 190.

XX **Brasserie Georges,** 30 cours Verdun ✉ 69002 ☎ 72 56 54 54, Fax 78 42 51 65, brasserie 1925 – AE ⓓ GB JCB p. 6 FZ **b**
Repas 85/138 ♌, enf. 49.

XX **Petit Duc,** 26bis r. Duquesne ✉ 69006 ☎ 78 93 20 91, 🏠 – AE GB. ✽ p. 5 GV **z**
fermé 4 au 25 août, sam. midi et dim. – **Repas** 98/230 ♌.

XX **L'Epicurien,** 3 r. Bugeaud ✉ 69006 ☎ 78 24 49 51 – AE GB p. 5 GX **n**
fermé 5 au 25 août, sam. midi et dim. – **Repas** 105/160.

XX **Chez Jean-François,** 2 pl. Célestins ✉ 69002 ☎ 78 42 08 26, Fax 72 40 04 51 – ▤. AE GB JCB p. 6 FY **x**
fermé 4 au 9 avril, 20 juil. au 21 août, dim. et fériés – **Repas** 90/160 ♌.

X **Le Sud,** 11 pl. Antonin Poncet ✉ 69002 ☎ 72 77 80 00, Fax 72 77 80 01, 🏠 – ▤. AE GB p. 6 FY **d**
Repas 120 bc/158, enf. 48.

X **Le Grenadin,** 27 r. Franklin ✉ 69002 ☎ 78 37 80 94, Fax 72 41 81 06 – ▤. AE ⓓ GB JCB p. 6 FY **n**
fermé 5 au 31 août, vacances de fév., lundi midi et dim. sauf férés – **Repas** 95/175 ♌.

X **Le Neuf,** 7 pl. Bellecour ✉ 69002 ☎ 78 42 07 59 – ▤. AE GB p. 6 FY **h**
fermé août et dim. – **Repas** 110 ♌.

X **Les Muses de l'Opéra,** pl. Comédie, au 7e étage de l'Opéra ✉ 69001 ☎ 72 00 45 58, Fax 78 29 34 01, ≤, 🏠 – ▤. AE GB p. 6 FX **q**
Repas 89/149.

X **Assiette et Marée,** 26 r. Servient ☎ 78 62 89 94, Fax 78 60 39 27 – ▤. GB p. 7 GY **n**
fermé 15 au 19 août, 24 au 31 déc. et dim. – **Repas** - produits de la mer - carte 140 à 190.

X **Les Adrets,** 30 r. Boeuf ✉ 69005 ☎ 78 38 24 30, Fax 78 42 79 52 – GB p. 4 EX **v**
fermé août, 1er au 8 janv., sam. et dim. – **Repas** 75 bc (déj.), 95/175, enf. 55.

X **Bernachon Passion,** 42 cours Franklin-Roosevelt ✉ 69006 ☎ 78 52 23 65 – ▤. GB p. 5 GV **r**
fermé 21 juil. au 20 août, dim. et fériés – **Repas** (nombre de couverts limité, prévenir)(déj. seul.) carte 180 à 240.

X **La Romanée,** 19 r. Rivet ✉ 69001 ☎ 72 00 80 87, Fax 72 07 88 44 – ▤. GB p. 4 EV **e**
fermé août, sam. midi, dim. soir et lundi – **Repas** (prévenir) 98/195.

X **La Table de Pierre,** 36 r. Mail ✉ 69004 ☎ 78 29 29 18, Fax 78 29 29 18 – ⓓ GB JCB. ✽ p. 4 FV **r**
fermé 1er au 20 août, dim. soir et lundi soir – **Repas** 69 (déj.), 120/500 bc.

X **Bouchon aux Vins,** 62 r. Mercière ✉ 69002 ☎ 78 42 88 90, Fax 72 41 76 56 – AE GB JCB p. 6 FX **u**
fermé dim. – **Repas** 130.

X **Bouchon de Fourvière,** 9 r. de la Quarantaine ✉ 69005 ☎ 72 41 85 02, Fax 78 37 46 28 – AE GB JCB p. 6 EY **d**
fermé août, sam. et dim. – **Repas** 65 (déj.), 95/115.

X **Argenson,** 40 allée P. de Coubertin ✉ 69007 ☎ 78 72 64 53, Fax 78 61 78 02, 🏠 – P. AE GB p. 2 BR **a**
fermé sam. et dim. – **Repas** (déj. seul.) 98 bc /165.

X **Maison Villemanzy,** 25 montée St-Sébastien ✉ 69001 ☎ 78 39 37 00, Fax 78 30 44 69, ≤, 🏠 – AE GB p. 4 FV **h**
fermé 11 au 19 août et dim. – **Repas** 115.

X **Le Bistrot d'En Face,** 220 r. Duguesclin ✉ 69003 ☎ 72 61 96 16, Fax 78 60 59 97 – AE GB p. 7 GY **r**
fermé 1er au 22 août et dim. – **Repas** 112.

X **La Grille,** 106 r. S. Gryphe ✉ 69007 ☎ 78 72 46 58 – AE GB p. 7 GY **s**
fermé 5 au 20 août et dim. – **Repas** 80/250 ♌.

LES BOUCHONS : dégustation de vins régionaux et cuisine locale dans une ambiance typiquement lyonnaise

X **Le Garet,** 7 r. Garet ✉ 69001 ☎ 78 28 16 94, Fax 72 00 06 84 – ▤. AE GB p. 4 FX **a**
fermé 15 juil. au 15 août, 23 déc. au 1er janv., sam. et dim. – **Repas** (prévenir) 86/115 ♌.

X **Chez Sylvain,** 4 r. Tupin ✉ 69002 ☎ 78 42 11 98 – GB p. 6 FX **s**
fermé 7 au 27 août, vacances de fév., sam. et dim. – **Repas** (prévenir) 65/109 dîner à la carte.

X **Café des Fédérations,** 8 r. Major Martin ✉ 69001 ☎ 78 28 26 00 – AE GB p. 4 FX **z**
fermé 15 juil. au 15 août, sam. et dim. – **Repas** 110 (déj.)/145.

✗ **La Meunière,** 11 r. Neuve ✉ 69001 ℘ 78 28 62 91 – AE ⓓ GB p. 6 FX
fermé 14 juil. au 15 août, dim. et lundi – **Repas** (prévenir) 95/145.

✗ **Le Jura,** 25 r. Tupin ✉ 69002 ℘ 78 42 20 57 – AE GB p. 6 FX
fermé 27 juil. au 18 août, lundi midi d'oct. à avril, sam. midi de mai à sept. et dim. – **Rep** (prévenir) carte environ 160.

✗ **Au Petit Bouchon "chez Georges",** 8 r. Garet ✉ 69001 ℘ 78 28 30 46 GB p. 4 FX
fermé 5 au 25 août, vacances de fév., sam. et dim. – **Repas** 82/110 carte le soir.

✗ **Chez Hugon,** 12 rue Pizay ✉ 69001 ℘ 78 28 10 94 – ⓓ GB p. 4 FX
fermé août, sam. et dim. – **Repas** (prévenir) 110/135.

Environs

à Tassin-la-Demi-Lune : 5 km par D 407 – 15 460 h. alt. 220 – ✉ **69160** :

Novotel Tassin M, 13 D av. V. Hugo ℘ 78 64 68 69, Télex 310497, Fax 78 64 61 11, – ⇳ ⊁ ▤ TV ☎ ♿ P – 25 à 60. AE ⓓ GB p. 2 AP
Repas carte environ 160, enf. 50 – ☕ 49 – **104 ch** 450/480.

Campanile Tassin, 12 r. Montribloud ℘ 78 36 69 69, Fax 78 36 02 68 – ⇳ ⊁ ▤ rest ☎ ♿ P – 25 à 50. AE ⓓ GB p. 2 AP
Repas 84 bc/107 bc, enf. 39 – ☕ 32 – **103 ch** 270.

✗✗ **Châteaubriand,** 12av. Mar. Foch ℘ 78 34 15 64, , – P. AE GB p. 2 AQ
fermé août, dim. soir, merc. soir et sam. – **Repas** 130/320 ⅄.

à Collonges-au-Mont-d'Or N : 12 km par bords de Saône (D 433, D 51) – 3 165 h. alt. 176 ✉ **69660** :

Relais St-Martin, 1 pl. St-Martin ℘ 78 22 02 75, Fax 78 22 77 96, – TV ☎ P. GB JCB
Repas *(fermé dim. soir et lundi)* 70 (déj.), 98/240 – ☕ 27 – **15 ch** 250/290.

voir aussi ✗✗✗✗✗ ✿✿✿ **Paul Bocuse** à Lyon

par la sortie ① :

à Rillieux-la-Pape : 7 km par N 83 et N 84 – 30 791 h. alt. 269 – ✉ **69140** :

✗✗✗ ✿ **Larivoire** (Constantin), chemin des Iles ℘ 78 88 50 92, Fax 78 88 35 22, – P GB
fermé 16 au 22 août, lundi soir et mardi – **Repas** 160 (déj.), 200/400 et carte 320 à 400
Spéc. Ravioles de tourteau, jus à l'estragon. Papillote de sandre au poivre de Sechuan. Canard des Dombes laqué "poivre et miel". **Vins** Crozes-Hermitage, Saint-Véran.

par la sortie ④ :

à l'aérogare de Satolas : 27 km par A 43 – ✉ **69125** Lyon Satolas Aéroport :

Sofitel Satolas M sans rest, 3e étage ℘ 72 23 38 00, Télex 380480, Fax 72 23 98 00, ≤ ⇳ ⊁ ▤ TV ☎ ♿. AE ⓓ GB JCB
☕ 70 – **120 ch** 780.

Climat de France Satolas M, zone de frêt ℘ 72 23 90 90, Fax 72 23 80 32 – ⇳ ▤ res TV ☎ ♿ P – 40. AE ⓓ GB
Repas 90/110, enf. 39 – ☕ 35 – **84 ch** 330.

✗✗✗ **La Grande Corbeille,** 1er étage ℘ 72 22 71 76, Fax 72 22 71 72, ≤ – ▤. AE ⓓ GB JCB
fermé août, sam. et dim. – **Repas** 185/350 et carte 220 à 340.

✗ **Le Bouchon,** 1er étage ℘ 72 22 71 86, Fax 72 22 71 72 – ▤. AE ⓓ GB
Repas brasserie 105/180, enf. 52.

par la sortie ⑨

à Charbonnières-les-Bains : 8 km par N 7 – 4 033 h. alt. 233 – Stat. therm. – ✉ **69260** :.

Voir Parc Lacroix Laval : château de la Poupée★.

Mercure Charbonnières, N 7 ℘ 78 34 72 79, Télex 900972, Fax 78 34 88 94, , ▤ ch TV ☎ P – 30 à 150. AE ⓓ GB
Repas *(fermé sam. midi et dim.)* 118, enf. 40 – ☕ 50 – **60 ch** 385/400.

Beaulieu sans rest, 19 av. Gén. de Gaulle ℘ 78 87 12 04, Fax 78 87 00 62 – ⇳ ⊁ TV ☎ P – 40. AE ⓓ GB
☕ 29 – **40 ch** 240/290.

✗ **L'Orée du Parc,** 8 av. Victoire ℘ 78 87 14 51, Fax 78 87 63 62, – GB
fermé dim. soir et lundi – **Repas** 78 (déj.), 100/200.

à La Tour-de-Salvagny : 11 km par N 7 – 3 226 h. alt. 356 – ✉ **69890** :

✗✗✗✗ ✿ **La Rotonde,** au Casino Le Lyon Vert ℘ 78 87 00 97, Fax 78 87 81 39 – ▤. AE ⓓ GE JCB
fermé août, dim. soir et lundi – **Repas** 160 (déj.), 190/450 et carte 330 à 480
Spéc. Courgettes à la fleur aux dés de tomates et basilic. Tajine de homard aux petits farcis. Cannelloni glacés d chocolat amer, glace crème brûlée. **Vins** Crozes-Hermitage.

par la sortie ⑩ :

Porte de Lyon - Échangeur A6 N 6 Sortie Limonest N : 10 km – ✉ **69570** Dardilly :

Novotel Lyon Nord Ⓜ, ☏ 72 17 29 29, Télex 330962, Fax 78 35 08 45, ⛱, 🏊, 🌳 – 🛗 🚭 ▤ 📺 ☎ 📞 🅿 – 🏛 150. AE ⓓ GB
Repas carte environ 160 🍼, enf. 50 – ☕ 49 – **107 ch** 440/480.

Mercure Lyon Nord, ☏ 78 35 28 05, Télex 330045, Fax 78 47 47 15, ⛱, 🏊, 🎾 – 🛗 🚭 ▤ rest 📺 ☎ 🅿 – 🏛 30 à 80. AE ⓓ GB JCB
Repas 125, enf. 48 – ☕ 48 – **165 ch** 320/400.

Ibis Lyon Nord Ⓜ, ☏ 78 66 02 20, Fax 78 47 47 93, ⛱, 🏊, 🌳 – 🚭 📺 ☎ 📞 ♿ 🅿 – 🏛 30. AE ⓓ GB
Repas 81/120 🍼, enf. 40 – ☕ 36 – **64 ch** 325/355.

à Dardilly par D 77 – 6 688 h. alt. 338 – ✉ **69570** :

XXX **Le Panorama,** à Dardilly-le-Haut, face église, ☏ 78 47 40 19, Fax 78 43 20 31, ⛱, 🌳 – AE ⓓ GB
fermé dim. soir et lundi – **Repas** 155/330 et carte 290 à 440.

à Limonest : 13 km par A 6 et D 42 – 2 459 h. alt. 390 – ✉ **69760** :

X **Le Puy d'Or,** carrefour N 6 et D 42 ☏ 78 35 12 20, Fax 78 64 55 15 – AE GB
fermé 16 août au 1er sept., dim. soir, mardi soir et merc. – **Repas** 115 (déj.), 135/280, enf. 70.

MICHELIN, Agences régionales, 5-7-9 r. Lavoisier - PA les Portes du Dauphiné à St-Pierre de Chandieu ☏ 72 37 17 35

CONSTRUCTEUR : Renault Véhicules Industriels, Tour du Crédit Lyonnais, 129 r. Servient 69003 LYON EX ☏ 78 76 81 11 et Vénissieux CDR

1e Arrondissement

RENAULT Gar. Haond, 12 pl. Chartreux EV ☏ 78 28 62 33 🅽 ☏ 72 29 99 13

3e Arrondissement

BMW 6e Avenue, 82 bd Vivier Merle ☏ 78 63 55 66
VAG Gar. Bouteille, 195 av. F.-Faure ☏ 72 13 13 13
VOLVO Saxe Autom., 87 av. F.-Faure ☏ 78 95 40 04

⓪ Deshayes Pneus, 13 r. Louise ☏ 78 54 47 91

Deshayes Pneus, 19 r. F.-Garcin ☏ 78 95 25 74
Euromaster, 234 Crs Lafayette ☏ 72 33 68 77
Gaudry Pneu Point S, 43-45 Crs A.-Thomas ☏ 78 53 25 73
Métifiot, 70 r. Rancy ☏ 78 60 36 93

4e et 5e Arrondissements

RENAULT Gar. Choulans, 25 r. Basses-Verchères (5e) EY ☏ 78 36 24 11
RENAULT Gar. Point du Jour, 55 bis av. Point-du-Jour (5e) AQ ☏ 78 25 02 52

RENAULT Gar. Mondon, 31 av. Barthélémy-Buyer (5e) BQ **a** ☏ 78 25 29 18 🅽 ☏ 78 36 88 57

⓪ Charcot Pneus, 20 r. Jeunet ☏ 78 36 05 29

6e Arrondissement

CITROEN Gar. Métropole, 115 r. Bugeaud HX ☏ 78 52 01 10 🅽 ☏ 78 84 55 56
MERCEDES Alcia Lyon Centre, 65-73 rue du Bourbonnais ☏ 72 43 31 60 🅽 ☏ 05 24 24 30

⓪ Euromaster, 55 bd des Brotteaux ☏ 78 52 04 89

7e Arrondissement

CITROEN Succursale, 35 r. de Marseille GY ☏ 72 72 57 57 🅽 ☏ 05 05 24 24
FORD Galliéni Autom., 47 av. Berthelot ☏ 78 72 02 27
HONDA Gar. Clamagirand, 32 r. Aguesseau ☏ 78 58 62 06
LANCIA City Autom., 56 rte de Vienne ☏ 78 72 37 34
MAZDA Gar. Kennings, 72 à 76 r. de Marseille ☏ 78 58 16 53

OPEL Gar. Stala, 136 av. Berthelot ☏ 72 73 21 21
RENAULT Gar. Prost, 244 av. J.-Jaurès BQ ☏ 78 72 61 46
RENAULT Gar. AD. Paulauto, 39 r. Béchevelin GY ☏ 78 72 93 89

⓪ Euromaster, 190 av. Berthelot ☏ 78 72 41 76

8e Arrondissement

FORD Veyet Autom., 60 r. M.-Berliet ☏ 78 77 60 07
PEUGEOT Gar. Poulet, 322 av. Berthelot HZ ☏ 78 74 18 09

⓪ Euromaster, 22 bis r. A.-Lumière ☏ 78 00 73 25
Métifiot, 71 av. J.-Mermoz ☏ 78 78 82 82

9e Arrondissement

RENAULT Succursale, 5 r. St-Simon ABP ☏ 72 20 72 20 🅽 ☏ 05 05 15 15

⓪ Euromaster, 48 r. de Bourgogne ☏ 78 83 77 76

Brignais

⓪ Métifiot, rte d'Irigny, ZI Nord ☏ 78 05 33 04

Champagne-au-Mont-d'Or

PEUGEOT S.L.I.C.A. Lyon Nord, 15 av. Gén-de-Gaulle ☏ 78 43 89 89

Dardilly

⓪ Euromaster, r. Moulin Carron, ZI le Paisy ☏ 78 35 58 50

Ecully

CITROEN Succursale, 5 r. J-M.-Vianney AP ✆ 78 18 77 00

Limonest

FORD Gauduel Lyon Nord, r. de l'étang N 6 ✆ 78 35 77 99

Meyzieu

PEUGEOT Gar. des Servizières, 116 r. République par ③ ✆ 78 31 40 59

Oullins

Ⓜ Comptoir du Pneu, 44 ch. des Célestins ✆ 78 51 04 06

Pneus Rhône Alpes Vulcopneu, 133 av. des Aqueducs de Beaunant ✆ 78 51 61 90

Rillieux

PEUGEOT Gar. Slica, 971 av. Hippodrome par D 48E CP ✆ 72 01 30 50 **N** ✆ 78 88 39 19

RENAULT Gar. Bronner, Ch. du Champ-de-Lierre ✆ 78 88 04 44 **N** ✆ 72 55 24 58

Saint-Fons

CITROEN Gar. J.-Jaurès, 52 av. J.-Jaurès CR **e** ✆ 78 70 94 61

Gar. Centre, 12 av. G.-Péri CR **u** ✆ 78 70 94 62

Saint-Priest

CITROEN Gar. du Stade, 40 r. H.-Maréchal par D 518 DR ✆ 78 20 23 92

PEUGEOT Gar. Laval, 30 rte de Lyon par D 518 DR ✆ 78 20 07 85

RENAULT Gar. Caimi, 37 rte d'Heyrieux par D 518 DR ✆ 78 20 19 59

Ⓜ Comptoir du Pneu, 10 bis r. A.-Briand ✆ 78 20 29 28

Euromaster, 52 r. L.-Pradel, ZI à Corbas ✆ 78 20 98 56

Gaudry Pneu Point S, 200 rte de Grenoble ✆ 78 90 73 77

Métifiot, ZI Lyder rte de Lyon ✆ 78 21 58 80

Sainte-Foy-lès-Lyon

CITROEN Gar. de la Plaine, 117 bis r. Cdt-Charcot AQ **u** ✆ 78 59 62 15

CITROEN Gar. des Provinces, 2 r. Franche Comté BQ ✆ 78 25 67 79

RENAULT FLB Autom., 27 av. des Acqueducs ✆ 72 39 76 76

Tassin-la-Demi-Lune

PEUGEOT Tassin Autom., 100 av. République AQ ✆ 78 34 31 36

RENAULT Gar. Méjat, 11 pl. P.-Vauboin AQ **s** ✆ 78 34 23 50

Ⓜ Pneu Rhône Alpes Vulcopneu, 142 av. Ch.-de-Gaulle ✆ 78 34 33 00

Vaulx-en-Velin

CITROEN Succursale, 15 av. Ch.-de-Gaulle ✆ 78 79 42 42 **N** ✆ 05 05 24 24

PEUGEOT S.L.I.C.A., 40 av. de Bohlen DQ **a** ✆ 72 37 13 13

RENAULT Succursale Lyon Est, 52 av. de Bohlen JS ✆ 72 35 30 30 **N** ✆ 05 05 15 15

VAG Gar. Excelsior, r. J.M.-Merle ZAC ✆ 78 80 68 93

Ⓜ Euromaster, 178 av. R.-Salengro ✆ 72 37 54 35

Villeurbanne

CITROEN Gar. Badel, 38 r. F.-Chirat CQ ✆ 78 54 58 50

SEAT Gar. Talas, 37 r. P.-Verlaine ✆ 78 84 81 44

Ⓜ Ayme Pneus, r. du Boulevard ✆ 78 89 78 08

Cintas Pneus, 10 r. Sylvestre ✆ 78 52 59 42

Comptoir du Pneu, 27 r. J.-Jaurès ✆ 78 54 84 53

Deshayes Pneus, 51 r. A.-France ✆ 78 68 33 34

La Maison des Pneus, 42 à 46 r. A.-Perrin ✆ 78 53 28 52

Rhône Pneus, 80 Crs Tolstoï ✆ 78 84 95 24

Vénissieux

CITROEN Gar. du Centre, 50-52 bd L.-Gérin CR **u** ✆ 72 50 09 61

MERCEDES Alcia Lyon Sud, bd L.-Bonnevay ✆ 78 75 18 01

PEUGEOT S.L.I.C.A., 2 r. Frères Bertrand CR **s** ✆ 78 77 30 30 **N** ✆ 72 29 89 46

RENAULT Succursale Lyon Sud, 364 rte de Vienne CR **n** ✆ 78 77 78 77 **N** ✆ 05 05 15 15

Ⓜ Euromaster, 69 r. A.-Sentuc, ZAC l'Arsenal ✆ 72 51 05 08

LYONS-LA-FORÊT 27480 Eure 55 ⑧ G. Normandie Vallée de la Seine – 701 h alt. 88.

Voir Forêt★★ : hêtre de la Bunodière★ – N.-D.-de la Paix ≤★ O : 1,5 km.

Office de Tourisme Mairie ✆ 32 49 31 65.

Paris 105 – ♦Rouen 35 – Les Andelys 20 – Forges-les-Eaux 29 – Gisors 29 – Gournay-en-Bray 24.

La Licorne ⚲, ✆ **32 49 62 02, Fax 32 49 80 09,** ⛱, **« Jardin fleuri » – ☎ P – ⚘ 30. AE ⓓ GB.** ✗ ch
fermé 15 déc. au 20 janv., dim. soir et lundi d'oct. à fin mars – **Repas** 185/260 – ☕ 50 – **12 ch** 380/480, 6 appart – ½ P 450/550.

LYS-LEZ-LANNOY 59 Nord 51 ⑯, 111 ⑮ – rattaché à Roubaix.

MACÉ 61 Orne 60 ③ – rattaché à Sées.

MACHILLY 74140 H.-Savoie 70 ⑯ – 829 h alt. 525.

Paris 551 – Thonon-les-Bains 18 – Annemasse 11 – Genève 21.

XX **Refuge des Gourmets,** D 206 ✆ 50 43 53 87, Fax 50 43 53 87, – P. AE GB
fermé 15 juil. au 8 août, 2 au 9 janv., dim. soir et lundi – **Repas** 150 (déj.), 165/255, enf. 60.

La MACHINE (Col de) 26 Drôme 77 ⑬ – rattaché à St-Jean-en-Royans.

MACINAGGIO 2B H.-Corse 90 ① – voir à Corse.

MÂCON P 71000 S.-et-L. 69 ⑲ **G. Bourgogne** – 37 275 h alt. 175.

Voir Musée municipal des Ursulines★ BY M¹ – Musée Lamartine BZ M² – Apothicairerie★ de l'Hôtel-Dieu BY.

Env. Roche de Solutré★★ O : 9 km – Clocher★ de l'église de St-André de Bagé E : 8,5 km.

de la Commanderie ✆ 85 30 44 12, par ② : 7 km ; de la Salle ✆ 85 36 09 71, 14 kms par ①.

Office de Tourisme 187 r. Carnot ✆ 85 39 71 37, Fax 85 39 72 19 – Maison Mâconnaise des Vins (dégustation et machon bourguignon, ventes de vin AOC à emporter), 484 av. de-Lattre-de-Tassigny ✆ 85 38 36 70 BY.

Paris 393 ① – Bourg-en-Bresse 36 ② – Chalon-sur-Saône 58 ① – ♦Lyon 69 ③ – Roanne 95 ④.

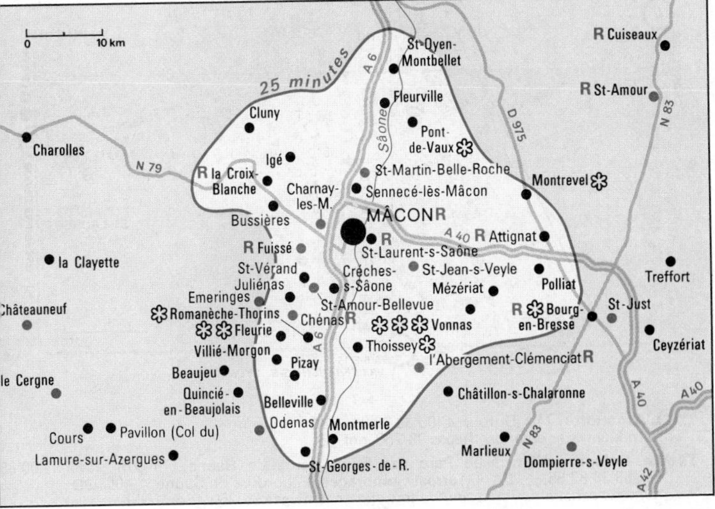

Altea Bord de Saône M, 26 r. Coubertin par ① : 0,5 km ✆ 85 38 28 06, Fax 85 39 11 45, ←, – | – 80. AE GB JCB
Le St-Vincent : **Repas** 145, enf. 50 – ☐ 54 – **63 ch** 460/540.

Bellevue, 416 quai Lamartine ✆ 85 21 04 04, Fax 85 21 02 – | P. AE GB JCB — BZ **u**
Repas *(fermé dim. midi sauf fériés)* 135/290, enf. 72 – ☐ 52 – **24 ch** 398/590 – ½ P 360/530.

Terminus, 91 r. V. Hugo ✆ 85 39 17 11, Fax 85 38 02 75, – | rest – 35. AE GB — AZ **t**
Repas 91/175, enf. 45 – ☐ 41 – **48 ch** 270/390 – ½ P 285/324.

Bourgogne M, 6 r. V. Hugo ✆ 85 38 36 57, Télex 809270, Fax 85 38 65 92 – | P – 25. AE GB JCB — AYZ **n**
La Perdrix ✆ 85 39 07 05 *(fermé 8 au 29 déc. et dim.)* **Repas** 56/120, enf.42 – ☐ 44 – **48 ch** 269/376 – ½ P 284/312.

Nord sans rest, 313 quai J. Jaurès ✆ 85 38 08 68, Fax 85 39 01 92 – | . AE GB — BY **a**
☐ 30 – **21 ch** 130/210.

Concorde sans rest, 73 r. Lacretelle ✆ 85 34 21 47, Fax 85 29 21 79 – . GB — AY **d**
☐ 30 – **15 ch** 170/250.

XX **Rocher de Cancale,** 393 quai J. Jaurès ✆ 85 38 07 50, Fax 85 38 70 47 – . AE GB — BZ **r**
fermé dim. soir et lundi sauf fériés – **Repas** 98/220, enf. 65.

XX **Pierre,** 7 r. Dufour ✆ 85 38 14 23, Fax 85 39 84 04 – AE GB — BZ **k**
fermé dim. soir et lundi – **Repas** 98/315, enf. 75.

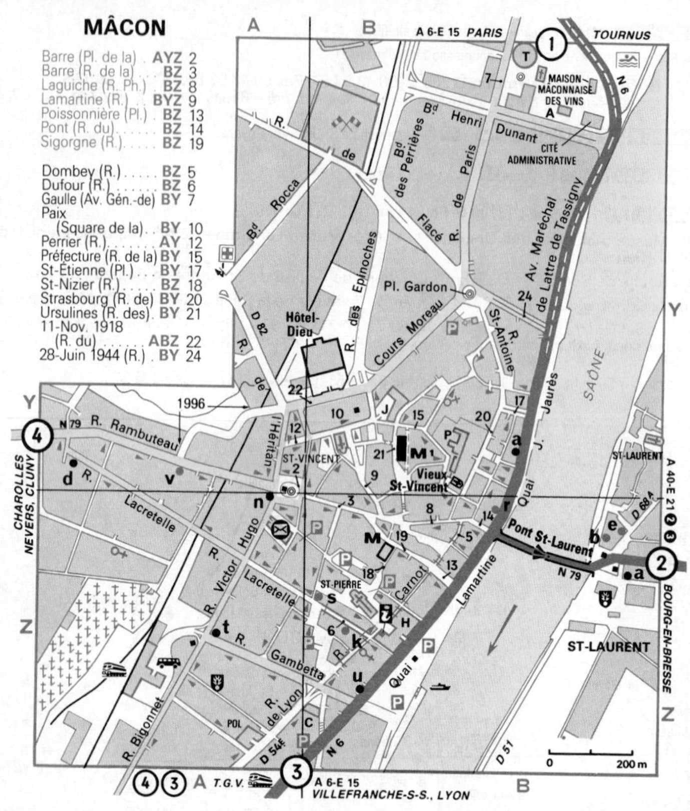

XX **L'Amandier,** 74 r. Dufour ✆ 85 39 82 00 – GB — BZ s
fermé dim. soir et lundi – **Repas** 98/260, enf. 50.

XX **Le Poisson d'Or,** allée Parc par ① et bords de Saône : 1 km ✆ 85 38 00 88
Fax 85 38 82 55, ←, 🏞, « Terrasse ombragée en bordure de Saône » – 🅿. GB
fermé vacances de Toussaint, de fév. et merc. – **Repas** 96/250 🍷, enf. 50.

X **Le Charollais,** 71 r. Rambuteau ✆ 85 38 36 23 – GB — AY v
fermé du 7 au 30 juin, dim. soir et lundi – **Repas** 72/195 🍷.

à ***St-Laurent-sur-Saône*** (Ain), rive gauche - Est du plan – 1 710 h. alt. 176 – ✉ **0175**
St-Laurent :

🏨 **Beaujolais** sans rest, face pont St-Laurent ✆ 85 38 42 06, Fax 85 38 78 02 – 📺 ☎.
GB — BZ a
fermé 22 sept. au 6 oct., 23 déc. au 5 janv. et dim. soir d'oct. à mars – ☕ 30 – **15 ch**
170/225.

XXX **Les Capucines,** 47 r. J. Jaurès ✆ 85 39 11 05, Fax 85 38 29 60 – ▤. AE ◑ GB — BZ e
Repas 98/285 🍷, enf. 60.

X **Le Saint-Laurent,** 1 quai Bouchacourt ✆ 85 39 29 19, Fax 85 38 29 77, ←, 🏞, cadre
bistrot – AE GB — BZ b
fermé 15 nov. au 15 déc. – **Repas** 98/230, enf. 65.

à l'échangeur A6-N6 de Mâcon-Nord par ① : 7 km – ✉ **71000** Mâcon :

🏨 **Novotel** M, ✆ 85 20 40 00, Télex 800869, Fax 85 20 40 33, 🏞, 🏊, 🌳 – ⇆ ▤ 📺 ☎ ♿
🅿 – 🏛 25 à 120. AE ◑ GB
Repas 115, enf. 50 – ☕ 49 – **115 ch** 410/525.

à Sennecé-lès-Mâcon par ① : 7,5 km – ✉ **71000** Mâcon :

🏨 **de la Tour,** ✆ 85 36 02 70, Fax 85 36 03 47, 🏞 – ⇆ 📺 ☎ 🅿. GB
Repas 100/190 🍷, enf. 55 – ☕ 38 – **22 ch** 190/330 – ½ P 220/265.

à St-Martin-Belle-Roche par ① : 10 km – 1 150 h. alt. 208 – ✉ **71118** :

XX **Port St-Nicolas,** en bordure de Saône ☎ 85 36 00 86, Fax 85 37 53 20, ←, 🍽 – P. GB
fermé 15 janv. au 15 fév. et mardi soir – **Repas** 100/250 ♂, enf. 60.

par ② rte de Bourg-en-Bresse – ✉ **01750** Replonges :

La Huchette M, à 4,5 km sur N 79 ☎ 85 31 03 55, Fax 85 31 10 24, ←, 🍽, parc, « Décor élégant », 🏊 – TV ☎ P. AE ⓓ GB
Repas *(fermé mardi midi et lundi)* 160/230 – ☕ 62 – **12 ch** 470/630 – ½ P 540/580.

Oréon M, à 5 km près accès sortie n°3 sur A40 ☎ 85 31 00 10, Fax 85 31 00 90, 🏊 – TV ☎ P – 🏛 70. AE GB
Repas *(fermé sam. midi et dim.)* 78/130 ♂ – ☕ 35 – **35 ch** 250/280 – ½ P 250.

à Crèches-sur-Saône S : 8 km par ③ – 2 531 h. alt. 180 – ✉ **71680** :

Château de la Barge, par rte gare T.G.V. ☎ 85 37 12 04, Fax 85 37 17 18, parc – 🛗 ☎ P – 🏛 40. AE ⓓ GB
fermé25 oct. au 3 nov., 20 déc. au 6 janv., sam. et dim. de nov. à avril et lundi en juil.-août – **Repas** 98/210, enf. 52 – ☕ 42 – **24 ch** 220/300 – ½ P 260/315.

à Charnay-lès-Mâcon par ④ : 2,5 km – 6 102 h. alt. 217 – ✉ **71850** :

XX **Moulin du Gastronome,** ☎ 85 34 16 68, Fax 85 34 37 25, 🍽 – ▤ P. AE GB
fermé vacances de printemps, 27 juil. au 9 août, merc. soir et dim. soir – **Repas** 100/310.

PEL, VOLVO, MAZDA Chauvot Autom., N 6 rte e Lyon ☎ 85 32 82 60 N ☎ 85 32 82 60
EUGEOT Nomblot, 89 rte de Lyon par ③ ☎ 85 29 60 60 N ☎ 85 29 60 63

RENAULT Filiale, carr.de l'Europe et r. de Lyon par ③ ☎ 85 32 78 00 N ☎ 05 05 15 15

Ⓜ Cintas Pneus, 120 r. des Flandines ☎ 85 29 25 04
Gaudry Pneu-Point S, 71 rte de Lyon ☎ 85 34 70 10

Périphérie et environs

MW Gar. Favède, N 6 ZAC des Plâtières à Sance ☎ 85 38 46 05
ITROEN Autom. du Maconnais, ZAC des Plâtières Sancé par ① ☎ 85 38 58 40 N ☎ 85 38 84 96

FORD Gar. Corsin, N 6 à Sancé ☎ 85 38 73 33

a MADELAINE-SOUS-MONTREUIL 62 P.-de-C. 51 ⑫ – rattaché à Montreuil.

MADIÈRES 30 Gard 80 ⑯ – ✉ 34190 Ganges.

aris 721 – ♦Montpellier 63 – Lodève 32 – Nîmes 78 – Le Vigan 19.

Château de Madières M 🐎, ☎ 67 73 84 03, Fax 67 73 55 71, ←, 🍽, parc, « Ancienne place forte surplombant les gorges de la Vis », Fő, 🏊 – TV ☎ P. AE ⓓ GB. ✂ rest
30 mars-4 nov. – **Repas** 190/380 – ☕ 80 – **10 ch** 650/1330 – ½ P 660/900.

MADIRAN 65700 H.-Pyrénées 82 ② – 553 h alt. 125.

aris 752 – Pau 47 – Aire-sur-l'Adour 28 – Auch 69 – Mirande 50 – Tarbes 40.

Le Prieuré 🐎, ☎ 62 31 92 50, Fax 62 31 90 66, 🍽, 🌳 – TV ☎ P. AE GB
fermé dim. soir et lundi d'oct. à mai – **Repas** 92/235, enf. 65 – ☕ 30 – **10 ch** 230/290 – ½ P 255.

MAFFLIERS 95560 Val-d'Oise 55 ⑳ 106 ⑦ – 1 168 h alt. 145.

aris 29 – Compiègne 67 – Beaumont-sur-Oise 9,5 – Beauvais 54 – Senlis 38.

Novotel Château de Maffliers M 🐎, ☎ (1) 34 08 35 35, Télex 605701, Fax (1) 34 69 97 49, 🍽, « Parc », 🎾 – ⇆ TV ☎ ♿ & P – 🏛 120. AE ⓓ GB
Repas 139/150, enf. 55 – ☕ 57 – **80 ch** 515/540.

MAGAGNOSC 06 Alpes-Mar. 84 ⑧, 114 ⑬ – rattaché à Grasse.

MAGESCQ 40140 Landes 78 ⑯ – 1 218 h alt. 28.

aris 728 – Biarritz 59 – Mont-de-Marsan 65 – ♦Bayonne 46 – Castets 12 – Dax 15 – Soustons 10.

✿✿ **Relais de la Poste** (Coussau) M 🐎, ☎ 58 47 70 25, Télex 571349, Fax 58 47 76 17, 🍽, parc, 🏊, 🎾 – ▤ rest TV ☎ 🚗 P. AE ⓓ GB JCB. ✂ ch
fermé 11 nov. au 20 déc., lundi soir et mardi de sept. à juin et lundi midi en juil.-août – **Repas** (week-ends, prévenir) 290/395 et carte 290 à 420 – ☕ 60 – **12 ch** 500/650
Spéc. Foie gras de canard chaud aux raisins. Lamproie de l'Adour aux poireaux (mars à juin). Gibier (oct. à fév.). **Vins** Tursan.

XX **Le Cabanon,** N : 0,8 km sur ancienne N 10 ☎ 58 47 71 51, Fax 58 47 75 19, 🍽, « Demeure landaise rustique », 🌳 – P. GB
fermé 20 sept. au 20 oct., dim. soir et lundi – **Repas** 129/198 ♂ - ***La Grange au Canard :*** **Repas** 237/320.

Découvrez la France avec les guides Verts Michelin :

24 titres illustrés en couleurs.

MAGNAC-BOURG 87380 H.-Vienne 72 ⑱ – 857 h alt. 444.

Paris 426 – ♦Limoges 29 – St-Yrieix-la-Perche 27 – Uzerche 27.

Midi, ✆ 55 00 80 13, Fax 55 48 70 96, – TV ☎ P. AE GB
fermé 18 au 30 nov., 15 janv. au 15 fév. et lundi hors sais. sauf fêtes – **Repas** 85/280, enf. 55
– 35 – **13 ch** 220/260 – ½ P 280.

XX **Voyageurs** avec ch, ✆ 55 00 80 36, Fax 55 00 56 37 – TV ☎. AE GB
fermé 9 au 20 juin, 12 au 25 sept., 2 au 17 janv., sam. sauf vacances scolaires et mardi soir
Repas 85/260, enf. 70 – 35 – **7 ch** 210/250 – ½ P 240/270.

XX **Aub. de l'Étang** avec ch, ✆ 55 00 81 37, Fax 55 48 70 74, – TV ☎ – 30.
fermé 15 au 27 oct., 23 déc. au 23 janv., dim. soir et lundi hors sais. – **Repas** 75/230, enf.
– 32 – **14 ch** 220/320 – ½ P 285/330.

MAGNY-COURS 58 Nièvre 69 ③ ④ – rattaché à Nevers.

MAGNY-EN-VEXIN 95420 Val-d'Oise 55 ⑱ ⑲ 106 ③ – 5 050 h alt. 60.

de Villarceaux ✆ (1) 34 67 73 83, SO : 9 km.

Paris 61 – Beauvais 46 – Gisors 16 – Mantes-la-Jolie 22 – Pontoise 29 – ♦Rouen 63 – Vernon-sur-Eure 28.

X **Cheval Blanc,** r. Carnot ✆ (1) 34 67 00 37 – AE GB
fermé 5 au 30 août, le soir (sauf sam.) et merc. – **Repas** 83 (déj.), 135/180.

CITROEN Gar. de la Place d'Armes, ✆ (1) 34 67 00 70
PEUGEOT Gar. Beauval, ✆ (1) 34 67 00 44
RENAULT Magny Autom., 61 r. de Crosne ✆ (1) 34 67 00 46 N ✆ (1) 34 67 00 46
Euromaster, 11 r. Dr.-Fourniols ✆ (1) 34 67 13 9

MAÎCHE 25120 Doubs 66 ⑱ **G. Jura** – 4 168 h alt. 777.

Paris 482 – ♦Besançon 74 – Baume-les-Dames 55 – Montbéliard 41 – Morteau 28 – Pontarlier 60.

Panorama , ✆ 81 64 04 78, Fax 81 64 08 95, ←, – cuisinette TV ☎ P. AE GB
fermé 6 au 19 janv., dim. soir et vend. d'oct. à fin mars sauf vacances scolaires – **Rep**
100/240, enf. 50 – 37 – **32 ch** 220/335 – ½ P 240/305.

PEUGEOT Gar. Glasson, ✆ 81 64 00 12
RENAULT Gar. Guillaume, ✆ 81 64 24 56
TOYOTA Gar. Schell, ✆ 81 64 07 73
Gar. Boibessot, ✆ 81 64 09 21

MAILLANE 13 B.-du-R. 81 ⑪ ⑫ – rattaché à St-Rémy-de-Provence.

MAILLEZAIS 85420 Vendée 71 ① **G. Poitou Vendée Charentes** – 930 h alt. 6.

Voir Ancienne abbaye de Maillezais★.

Office de Tourisme ✆ 51 87 23 01.

Paris 434 – La Rochelle 44 – Fontenay-le-Comte 12 – Niort 29 – La Roche-sur-Yon 77.

St-Nicolas sans rest, ✆ 51 00 74 45, Fax 51 87 29 10 – TV ☎ P. GB
fermé 15 nov. au 15 fév. – 37 – **16 ch** 220/350.

MAILLY-LE-CHÂTEAU 89660 Yonne 65 ⑤ **G. Bourgogne** – 555 h alt. 180.

Voir ←★ de la terrasse.

Paris 197 – Auxerre 29 – Avallon 30 – Clamecy 22 – Cosne-sur-Loire 64.

XX **Le Castel** avec ch, **près Eglise** ✆ 86 81 43 06, Fax 86 81 49 26, – ☎. GB
15 mars-15 nov. et fermé mardi soir et merc. du 1er oct. au 1er avril – **Repas** 75/170 – 36
12 ch 230/380 – ½ P 320.

Les MAILLYS 21 Côte-d'Or 66 ⑬ – rattaché à Auxonne.

MAISON-DU-ROY 05 H.-Alpes 77 ⑱ – rattaché à Guillestre.

MAISON NEUVE 16 Charente 72 ⑭ – rattaché à Angoulême.

MAISONS-ALFORT 94 Val-de-Marne 61 ①, 101 ㉗ – voir à Paris, Environs.

MAISONS-LAFFITTE 78 Yvelines 55 ⑳, 101 ⑬ – voir à Paris, Environs.

MAISONS-LÈS-CHAOURCE 10 Aube 61 ⑰ – rattaché à Chaource.

MALAKOFF 92 Hauts-de-Seine 60 ⑩, 101 ㉕ – voir à Paris, Environs.

MALAUCÈNE 84340 Vaucluse 81 ③ **G. Provence** – 2 172 h alt. 333.

Voir O : Dentelles de Montmirail★.

Env. Mont Ventoux ✻★★★ E : 21 km.

Office de Tourisme pl. Mairie ✆ et Fax 90 65 22 59.

Paris 679 – Avignon 43 – Carpentras 18 – Vaison-la-Romaine 9,5.

X **Host. La Chevalerie** avec ch, ✆ 90 65 11 19, Fax 90 12 69 22, – ☎. AE GB
fermé 1er au 8 juil., 23 au 30 oct., 7 au 30 janv., mardi soir hors sais. et merc. – **Repas** 92/2
– 35 – **6 ch** 235/350 – ½ P 250/280.

CITROEN Gar. Meffre, ✆ 90 65 20 26
RENAULT Gar. du Ventoux, ✆ 90 65 20 23

MALAY 71460 S.-et-L. 70 ⑪ **G. Bourgogne** – 200 h alt. 242.

Paris 370 – Chalon-sur-Saône 34 – Mâcon 39 – Montceau-les-Mines 37 – Paray-le-Monial 54.

La Place M, sur D 981 ✆ 85 50 15 08, Fax 85 50 13 23, – TV ☎ P. GB
fermé 6 janv. au 9 fév. et dim. soir de nov. à mars – **Repas** 75/180, enf. 50 – ☐ 42 – **30 ch** 255/275 – ½ P 250.

MALAY-LE-PETIT 89 Yonne 61 ⑭ – rattaché à Sens.

MALBUISSON 25160 Doubs 70 ⑥ **G. Jura** – 366 h alt. 900.

Voir Lac de St-Point★.

Office de Tourisme Lac St-Point ✆ 81 69 31 21.

Paris 452 – ◆Besançon 75 – Champagnole 38 – Pontarlier 16 – St-Claude 72 – Salins-les-Bains 46.

Le Lac, ✆ 81 69 34 80, Fax 81 69 35 44, ←, – TV ☎ P. GB
fermé 13 nov. au 20 déc. sauf week-ends – **Repas** 105/240, enf. 50 - ***Rest. du Fromage*** (cuisine fromagère) **Repas** 105, enf.45 – ☐ 50 – **54 ch** 230/340 – ½ P 230/290.

annexe Beau Site M sans rest, ✆ 81 69 70 70 – cuisinette TV ☎ P. GB
fermé 13 nov. au 20 déc. sauf week-ends – ☐ 40 – **17 ch** 170/200, 3 appart.

Le Bon Accueil, ✆ 81 69 30 58, Fax 81 69 37 60, – TV ☎ P. GB.
fermé 9 au 16 avril, 9 déc. au 15 janv., dim. soir du 1er oct. au 15 avril, mardi midi et lundi – **Repas** 105/260, enf. 80 – ☐ 42 – **12 ch** 250/380 – ½ P 270/330.

XXX ✿ **Jean-Michel Tannières** avec ch, ✆ 81 69 30 89, Fax 81 69 39 16, – TV ☎ P. AE GB
fermé 9 au 19 avril, 3 au 25 janv., dim. soir d'oct. à mai et lundi sauf le soir en juil.-août – **Repas** 135/395 et carte 240 à 420, enf. 75 – ☐ 55 – **6 ch** 230/300 – ½ P 320/390
Spéc. Petite brioche farcie à la crème de morilles. Filet de boeuf en croûte de sel. Savarin à l'ancienne aux fruits rouges (juin à sept.). **Vins** Côtes du Jura, Arbois blanc.

La MALÈNE 48210 Lozère 80 ⑤ **G. Gorges du Tarn** – 188 h alt. 450.

Voir O : les Détroits★★ et cirque des Baumes★★ (en barque).

Syndicat d'Initiative (juil.-août) ✆ 66 48 50 77 et à la Mairie (hors saison) ✆ 66 48 51 16.

Paris 625 – Mende 41 – Florac 40 – Millau 42 – Sévérac-le-Château 32 – Le Vigan 82.

Manoir de Montesquiou, ✆ 66 48 51 12, Fax 66 48 50 47, « Belle demeure du 15e siècle », – TV ☎ P. GB. rest
1er avril-31 oct. – **Repas** 165/250, enf. 70 – ☐ 60 – **12 ch** 430/760 – ½ P 515/610.

au Nord-Est 5,5 km sur D 907bis – ✉ 48210 Ste-Énimie :

Château de la Caze, ✆ 66 48 51 01, Fax 66 48 55 75, ←, « Château du 15e siècle au bord du Tarn, parc », – TV ☎ P. AE GB. rest
Pâques-1er nov. et fermé jeudi midi du 15 sept. au 1er nov. et merc. sauf du 15 juin au 15 sept. – **Repas** 170/250, enf. 70 – ☐ 60 – **19 ch** 600/1400 – ½ P 500/900.

MALESHERBES 45330 Loiret 61 ⑪ **G. Ile de France** – 5 778 h alt. 108.

Office de Tourisme 2 r. Pilonne ✆ 38 34 81 94.

Paris 82 – Fontainebleau 27 – Étampes 26 – Montargis 63 – ◆Orléans 62 – Pithiviers 18.

Écu de France, pl. Martroi ✆ 38 34 87 25, Fax 38 34 68 99 – TV ☎ P. AE GB
Repas *(fermé jeudi soir)* 100/240, enf. 38 - ***Brasserie de l'Écu :*** *(fermé jeudi soir)* **Repas** carte 100 à 160, enf. 38 – ☐ 35 – **13 ch** 130/350.

à Buthiers (77 S.-et-M.) SE : 2 km – 668 h. alt. 75 – ✉ 77760 :

XX **Roches Gourmandes,** ✆ (1) 64 24 14 00 – GB
fermé 11 sept. au 1er oct., lundi sauf le midi du 22 mars au 9 oct. et mardi – **Repas** 90/180, enf. 60.

CITROEN Gar. Amant, 20 av. Gén.-Leclerc ✆ 38 34 84 56
PEUGEOT Gar. Thomas, 17 r. A.-Cochery ✆ 38 34 81 41
RENAULT Gar. Central, 39 av. Gén.-Patton ✆ 38 34 60 36 N ✆ 05 05 15 15

MALICORNE-SUR-SARTHE 72270 Sarthe 64 ② **G. Châteaux de la Loire** – 1 659 h alt. 39.

Paris 237 – ◆Le Mans 31 – Château-Gontier 52 – La Flèche 16.

XX **La Petite Auberge,** au pont ✆ 43 94 80 52, Fax 43 94 31 37, – GB
fermé 1er fév. au 7 mars, mardi soir, dim. soir et lundi du 1er sept. au 31 mai – **Repas** (dîner seul. de nov. à fin mars sauf vend. et sam.) 80/280.

à Dureil NO : 6 km par D 8 et rte secondaire – 77 h. alt. 40 – ✉ 72270 :

X **Aub. des Acacias,** ✆ 43 95 34 03, – GB
fermé dim. soir et lundi sauf fériés – **Repas** (prévenir) 80/207.

RENAULT Gar. Georget, ✆ 43 94 80 20

MALO-LES-BAINS 59 Nord 51 ④ – rattaché à Dunkerque.

Le MALZIEU-VILLE 48140 Lozère 76 ⑮ – 947 h alt. 860.

Paris 553 – Le Puy-en-Velay 76 – Mende 51 – Millau 106 – Rodez 123 – St-Flour 37.

Voyageurs, rte Saugues ✆ 66 31 70 08, Fax 66 31 80 36 – ☎ P. GB. ✻
fermé 20 déc. au 28 fév. – **Repas** *(fermé dim. soir)* 75/150 ♂, enf. 38 – ☐ 36 – **18 ch** 250/30 – ½ P 250.

CITROEN Gar. Vidal, ✆ 66 31 71 85

MAMERS ⟨SP⟩ 72600 Sarthe 60 ⑭ **G. Normandie Vallée de la Seine** – 6 071 h alt. 128.

🅘 Office de Tourisme pl. République ✆ 43 97 60 63.

Paris 183 – Alençon 26 – ♦Le Mans 43 – Mortagne-au-Perche 24 – Nogent-le-Rotrou 38.

Dauphin, 54 r. Fort ✆ 43 34 24 24 – TV ☎ P. AE GB
Repas 62/148 ♂ – ☐ 28 – **12 ch** 165/230 – ½ P 140/175.

Bon Laboureur avec ch, 1 r. P.-Bert ✆ 43 97 60 27, Fax 43 97 16 19 – TV ☎. AE ◑ GB
fermé 16 au 30 août, vacances de fév., vend. soir et sam. midi d'oct. à avril, dim. soir et lun. midi – **Repas** 61 (déj.), 90/178 ♂ – ☐ 30 – **9 ch** 195/275 – ½ P 246.

au Pérou (61 Orne) E : 6 km par rte de Bellême – ✉ **61360** Chemilly :

Petite Auberge, ✆ 33 73 11 34, 余, ☞ – P. GB
fermé lundi soir et mardi – **Repas** 65 (déj.), 88/270, enf. 50.

CITROEN Autos du Saosnois, 103 rte du Mans ✆ 43 97 60 17 🅽 ✆ 43 97 98 77
PEUGEOT Gar. du Saosnois, rte de Bellême à Suré ✆ 43 97 64 92
RENAULT Gar. Foullon Dagron, ZI Bellevue bd de l'Europe ✆ 43 97 63 03 🅽 ✆ 43 97 63 03
SEAT, VAG Poirier Autom., Les Fosses ✆ 43 97 13 80

MANCIET 32 Gers 82 ③ – rattaché à Eauze.

MANDELIEU-LA-NAPOULE 06210 Alpes-Mar. 84 ⑧ 114 ㉖ 115 ㉞ **G. Côte d'Azur** – 16 493 h alt. 4 Casino.

Voir N : Route de Mandelieu ≤★★.

Golf-Club de Cannes-Mandelieu ✆ 93 49 55 39, S : 2 km ; Riviera Golf Club, ✆ 93 38 3 55, SO : 2 km.

🅘 Office de Tourisme av. Cannes ✆ 93 49 14 39 et bd H.-Clews ✆ 93 49 95 31.

Paris 896 – Cannes 7 – Fréjus 29 – Brignoles 86 – Draguignan 53 – ♦Nice 37 – St-Raphaël 32.

Domaine d'Olival M ⑤ sans rest, 778 av. Mer ✆ 93 49 31 00, Fax 92 97 69 28, « Jard fleuri », ⛱, ✻ – cuisinette ▤ TV ☎ P. AE ◑ GB
fermé 31 oct au 15 janv. – ☐ 58 – **7 ch** 925/1500, 11 appart 925/1780.

Host. du Golf M ⑤, 780 av. Mer ✆ 93 49 11 66, Fax 92 97 04 01, 余, ⛱, ☞, ✻ – |‡| ☎ P – 🔬 25. AE ◑ GB JCB
Repas 140/170 – ☐ 40 – **45 ch** 570/640, 10 appart – ½ P 370/480.

Les Bruyères M sans rest, 1400 av. Fréjus ✆ 93 49 92 01, Fax 93 49 21 55, ⛱ – cu sinette TV ☎ P. AE GB
☐ 40 – **14 ch** 360.

Acadia ⑤ sans rest, 681 av. Mer ✆ 93 49 28 23, Fax 92 97 55 54, ⛱, ☞, ✻ – |‡| TV P. AE GB. ✻
fermé 15 nov. au 27 déc. – ☐ 35 – **27 ch** 390/490, 6 appart.

La Napoule – ✉ **06210**.

Voir Site★ du château-musée.

Paris 899 – Cannes 8,5 – Mandelieu-la-Napoule 3 – ♦Nice 40 – St-Raphaël 36.

Royal M, ✆ 92 97 70 00, Télex 461820, Fax 93 49 51 50, ≤, 余, Fo, ⛱, ✻ – |‡| ⇔ ▤ ☎ ✆ & P – 🔬 70 à 700. AE ◑ GB JCB
Le Fereol : **Repas** 205 (déj)/250, enf. 110 – ☐ 95 – **210 ch** 1230/1580, 15 appart, 9 duplex ½ P 1485/1835.

Ermitage du Riou, av. H.-Clews ✆ 93 49 95 56, Fax 92 97 69 05, ≤, 余, ⛱, ☞ – ▤ ch TV ☎ & P – 🔬 25. AE ◑ GB JCB
Repas 175/320, enf. 75 – ☐ 80 – **41 ch** 980/1350 – ½ P 770/955.

Parisiana sans rest, r. Argentière ✆ 93 49 93 02 – ☎. ✻
Pâques-15 oct. – ☐ 28 – **12 ch** 250/350.

Corniche d'Or sans rest, pl. Fontaine ✆ 93 49 92 51 – ✻
15 avril-15 oct. – ☐ 26 – **12 ch** 170/290.

XXXX ✿✿ **L'Oasis,** ✆ 93 49 95 52, Fax 93 49 64 13, 余, « Patio ombragé et fleuri » – ▤. AE GB JCB
fermé dim. soir et lundi de nov. à mars – **Repas** 275 bc (déj.), 350/650 et carte 440 à 620
Spéc. Fricassée de sot-l'y-laisse et d'écrevisses (avril à nov.). Saint-Pierre rôti en tian aux senteurs de Proven (printemps-été). Selle de chevreuil en noisettes aux myrtilles (automne-hiver). **Vins** Côtes de Provence.

XXX **La Maison de Bruno et Judy,** pl. Château ✆ 93 49 95 15, Fax 93 49 95 15, 余 – AE GB
1er avril-1er nov. – **Repas** 155/195 et carte 300 à 420.

XX **Brocherie II,** au Port ✆ 93 49 80 73, Fax 93 49 70 51, ≤, 🍽, décor marin – AE GB
fermé janv. – **Repas** 190.

XX **La Pomme d'Amour,** 209 av. 23-Août ✆ 93 49 95 19, 🍽 – AE GB
fermé 15 nov. au 15 déc., sam. midi et mardi sauf le soir de juil. à sept. et merc. midi – **Repas** 98/190.

MANDEREN 57 Moselle 57 ④ – rattaché à Sierck-les-Bains.

MANERBE 14 Calvados 55 ⑬ – rattaché à Lisieux.

MANIGOD 74230 H.-Savoie 74 ⑦ – 636 h alt. 950.

Voir Vallée de Manigod★★, G. Alpes du Nord.

Office de Tourisme Chef Lieu ✆ 50 44 92 44, Fax 50 44 93 58.

Paris 562 – Annecy 26 – Chamonix-Mont-Blanc 92 – Albertville 40 – Bonneville 37 – La Clusaz 17 – Megève 38 – Thônes 6.

rte du col de la Croix-Fry : 5 ,5 km :

Chalet H. Croix-Fry 🐦, ✆ 50 44 90 16, Fax 50 44 94 87, ≤ montagnes, 🍽, 🏊, 🌳, 🎾 – ☎ 🅿. AE GB
10 juin-15 sept. et 15 déc.-15 avril – **Repas** 145/385 – ☕ 80 – **12 ch** 600/1500 – ½ P 500/900.

au col de la Croix-Fry NE : 7 km – ✉ 74230 Thônes :

Rosières 🐦, ✆ 50 44 90 27, Fax 50 44 94 70, ≤, 🍽 – 📺 ☎ 🅿. GB
fermé 16 avril au 31 mai et 1er nov. au 14 déc. – **Repas** 70/140 🍷, enf. 38 – ☕ 30 – **17 ch** 220/250 – ½ P 300.

MANOSQUE 04100 Alpes-de-H.-P. 81 ⑮ 114 ⑤ **G. Alpes du Sud** – 19 107 h alt. 387.

Voir Porte Saunerie★ – Sarcophage★ dans l'église N.-D. de Romigier – Fondation Carzou★ M – ★ du Mont d'Or NE : 1,5 km – ≤★ de la chapelle St-Pancrace 2 km par ③.

Country Club de Pierrevert (privé) ✆ 92 72 17 19 ; SO : 7 km par ③ et D 6.

Office de Tourisme pl. Dr. P.-Joubert ✆ 92 72 16 00, Fax 92 72 58 98.

Paris 761 ③ – Digne-les-Bains 58 ① – Aix-en-Provence 53 ② – Avignon 91 ③ – ♦Grenoble 191 ① – ♦Marseille 85 ②.

MANOSQUE

Grande (R.)	10
Hôtel-de-Ville (Pl. de l')	13
Marchands (R. des)	15
Arthur-Robert (R.)	2
Aubette (R. d')	3
Bret (Bd M.)	5
Chacundier (R.)	6
Dauphine (R.)	8
Giono (Av. J.)	9
Guilhempierre (R.)	12
J.-J. Rousseau (R.)	14
Mirabeau (Bd)	16
Mont d'Or (R. du)	17
Observantins (Pl. des)	19
Ormeaux (Pl. des)	20
Pelloutier (Bd C.)	22
Plaine (Bd de la)	23
République (R. de la)	26
St-Lazare (Av.)	28
Saunerie (R. de la)	30
Soubeyran (R.)	32
Tanneurs (R. des)	33
Tourelles (R. des)	34
Voland (R.)	35
5e-Bies-Richesses (Montée des)	36

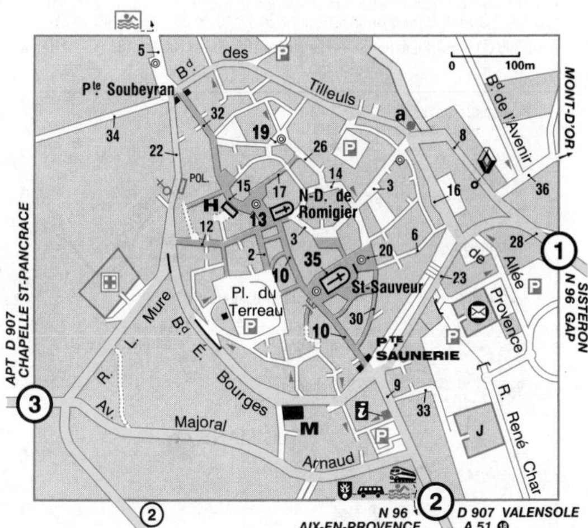

Pré St-Michel M 🐦, N : 1,5 km par bd M. Bret et rte Dauphin ✆ 92 72 14 27, Fax 92 72 53 04, 🏊 – 📺 ☎ 🅿. AE GB
voir rest. *la Source* ci-après – ☕ 33 – **24 ch** 275/320 – ½ P 283/566.

Campanile, par ① ✆ 92 87 59 00, Fax 92 87 43 78, 🍽 – 🚭 📺 ☎ 📞 🅿 – 🏛 25. AE ⓓ GB
Repas 84 bc/107 bc, enf. 39 – ☕ 32 – **31 ch** 270.

XX **La Source,** N : 1,5 km par bd M. Bret et rte Dauphin ✆ 92 72 12 79, 🍽 – 🅿. GB
fermé 1er au 15 nov., sam. midi et lundi – **Repas** 98/235.

X **La Rôtisserie,** 43 bd Tilleuls **(a)** ✆ 92 72 32 28, Fax 92 72 92 93 – ▤. AE ⓓ GB
fermé dim. soir et lundi – **Repas** 90/150, enf. 50.

à La Fuste SE : 6,5 km sur D 4 par ② et D 907 – ✉ **04210** Valensole :

🏨 ❀ **Host. de la Fuste** (Jourdan) 🐎, ☎ 92 72 05 95, Fax 92 72 92 93, ≤, 🍽, « Parc fleuri » 🏊 – 📺 ☎ ♿ 🚗 🅿. AE ⓪ GB
fermé 10 janv. au 10 mars, dim. soir et lundi d'oct. à juin sauf fériés – **Repas** (nombre couverts limité, prévenir) 270/450 et carte 340 à 590, enf. 130 – ☕ 90 – **14 ch** 600/1100 ½ P 850/1050
Spéc. Truffes du pays. Agneau du pays de Forcalquier. Gibier (début sept. à fin mars). **Vins** Côtes de Luberon, Pale...

à Villeneuve par ① et N 96 : 12 km – 2 516 h. alt. 441 – ✉ **04180** :

🏠 **Mas St-Yves** 🐎, ☎ 92 78 42 51, Fax 92 78 59 93, ≤, 🍽, parc, 🏊 – 📺 ☎ 📞 🅿. GB
fermé janv. – **Repas** 89/265, enf. 49 – ☕ 35 – **12 ch** 265/365 – ½ P 335.

à St-Maime N : 14 km par ① et D13 – 528 h. alt. 440 – ✉ **04300** :

XX **Bois d'Asson,** ☎ 92 79 51 20, Fax 92 79 50 50, 🍽 – 🅿. AE ⓪ GB
fermé 4 au 18 mars, 26 août au 4 sept., dim. soir d'oct. à mars et lundi – **Repas** 160/330.

CITROEN Alpes de Provence Autom., rte de Marseille par ② ☎ 92 72 09 94
FORD Gar. Chailan, Av. F.-Mistral ☎ 92 72 41 70
PEUGEOT Gar. Renardat, Prés Combaux av. de la Libération par ② ☎ 92 70 74 40 🅽 ☎ 92 70 74 40
RENAULT SEPAL, rte d'Aix-en-Provence par ② ☎ 92 70 14 70
RENAULT Gar. Roubaud, 14 r. Dauphine ☎ 92 72 06 09

ROVER Gar. Staiano, 45 r. G.-Pompidou ☎ 92 72 55 03
VOLVO Gar. de la Durance, 240 av. du Lubéron ☎ 92 72 34 99

Ⓜ Euromaster, rte de la Durance ☎ 92 87 72 00
Meizenq Pneus-Point S, ZI de St-Joseph 144 av. 1er-Mai ☎ 92 72 36 61

Une réservation confirmée par écrit est toujours plus sûre.

Le MANS 🅿 **72000** Sarthe 60 ⑬ 64 ③ **G. Châteaux de la Loire** – 145 502 h Agglo. 189 107 h alt. 80.

Voir Cathédrale St-Julien★★ : chevet★★★ – Le Vieux Mans★★ : maison de la Reine Bérengère BV **M2** – Église de la Couture★ : Vierge★★ – Église Ste-Jeanne-d'Arc★ – Musée de Tessé★ Abbaye de l'Épau★ : 4 km par D 152 Z – Musée de l'Automobile★★ : 5 km par ⑤.

⛳18 ☎ 43 42 00 36, par ⑤ : 11 km ; ⛳18 de Sargé ☎ 43 76 25 07, 6 km par ①.

Circuit des 24 heures et circuit Bugatti : 5 km par ⑤.

🅸 Office de Tourisme Hôtel des Ursulines, r. Étoile ☎ 43 28 17 22, Télex 720006, Fax 43 23 37 19 – Automob... Club de l'Ouest, Circuit des 24 heures ☎ 43 40 24 24, Fax 43 40 24 15.

Paris 205 ② – ◆Angers 95 ⑤ – ◆Le Havre 198 ⑧ – ◆Nantes 185 ⑤ – ◆Rennes 152 ⑦ – ◆Tours 80 ④.

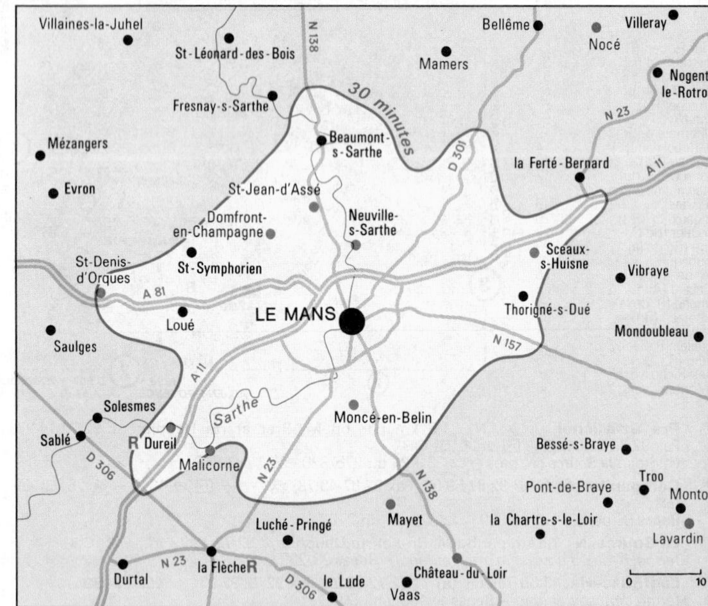

LE MANS

Ambroise Paré (R.) . . . . Z 2
Ballon (R. de) . . . . Z 3
Bertinière (R. de la) . . . . Z 4
Bollée (Av.) . . . . Z 6
Brossolette (Bd P.) . . . . Z 7
Carnot (Bd) . . . . Z 8
Cogner (R. du) . . . . Z 10
Cugnot (Bd N.) . . . . Z 12
Demorieux (Bd) . . . . Z 13
Dr-Mac (Av. du) . . . . Z 15
Estienne-d'Orves (Bd d') . . . Z 17
Gèneslay (Av. F.) . . . . Z 19
Grande-Maison (R. de la) . . Z 20
Heuzé (Av. Olivier) . . . . Z 21
Isaac (R. d') . . . . Z 22
Maillets (R. des) . . . . Z 23
Mariette (R. de la) . . . . Z 24
Monthéard (R. de) . . . . Z 25
Pied-Sec (R. de) . . . . Z 27
Polygone (Rue du) . . . . Z 28
Rhin-et-Danube (Av.) . . . . . . Z 29
Riffaudières (Bd) . . . . Z 31
Rubillard (Av.) . . . . Z 32
St-Lazare (⊞) . . . . Z 35
St-Martin (⊞) . . . . Z 36
Victimes du Nazisme (R. des) . . . . Z 39

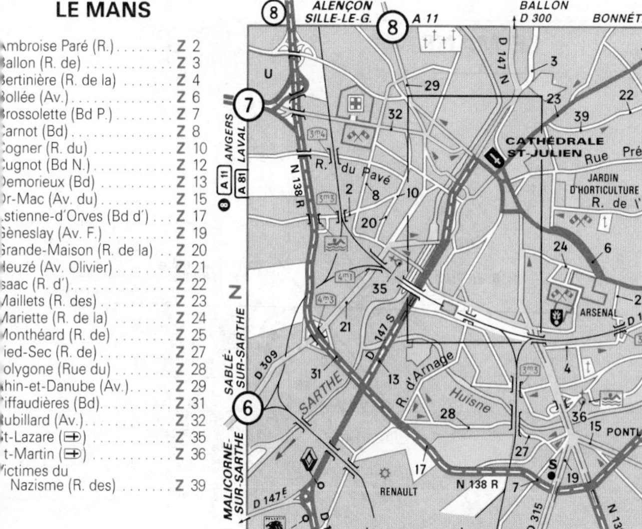

Pas de publicité payée dans ce guide.

Concorde, 16 av. Gén. Leclerc ✆ 43 24 12 30, Télex 720487, Fax 43 24 85 74, 🍽 – |‡| TV ☎ 🚗 – 🏛 40. AE ⓓ GB — AX **b**
Repas 95/195 – ☕ 49 – **55 ch** 460/660 – ½ P 429/529.

Novotel, bd R. Schumann (Z.A.C. Sablons) ✉ 72100 ✆ 43 85 26 80, Fax 43 75 31 76, 🍽, 🏊 – |‡| ⇔ ▤ rest TV ☎ ✆ ♿ P – 🏛 150. AE ⓓ GB — Z **a**
Repas carte environ 150 ♁, enf. 50 – ☕ 49 – **94 ch** 415/460.

Chantecler Ⓜ sans rest, 50 r. Pelouse ✆ 43 24 58 53, Fax 43 77 16 28 – |‡| TV ☎ ✆ P. GB — AY **f**
☕ 36 – **32 ch** 310/330, 3 appart.

Relais Bleus Ⓜ, 79 bd A. Oyon (gare Sud) ✆ 43 85 49 00, Fax 43 85 25 95 – |‡| TV ☎ ♿ – 🏛 100. AE ⓓ GB JCB — AY **a**
Repas 78/140 ♁, enf. 45 – ☕ 32 – **66 ch** 295.

Emeraude sans rest, 18 r. Gastelier ✆ 43 24 87 46, Fax 43 24 60 64 – |‡| TV ☎ 🚗. GB — AY **z**
fermé Noël au 1er janv. – ☕ 39 – **33 ch** 250/320.

Atlantique sans rest, 26 r. E. Chesne ✉ 72100 ✆ 43 84 35 11, Fax 43 85 75 41 – TV ☎ ✆ P. AE GB — Z **s**
fermé 24 déc. au 2 janv. – ☕ 30 – **29 ch** 170/320.

Commerce sans rest, 41 bd Gare ✆ 43 24 85 40, Fax 43 28 53 36 – TV ☎ ✆. AE ⓓ GB — AY **d**
fermé 14 juil. au 15 août – ☕ 40 – **31 ch** 215/270.

L'Escale sans rest, 72 r. Chanzy ✆ 43 84 55 92, Fax 43 84 76 82 – |‡| TV ☎ P. AE GB — BY **u**
☕ 30 – **46 ch** 140/230.

Patrick Bonneville, 14 r. Bourg Belé ✆ 43 23 75 00, Fax 43 23 93 10 – P. GB — BY **k**
fermé 14 juil. au 15 août, vacances de fév., dim. soir, mardi soir et merc. – **Repas** 170 bc/310 et carte 230 à 300.

Le Grenier à Sel, 26 pl. Éperon ✆ 43 23 26 30, Fax 43 77 00 80 – ▤. AE GB — AX **x**
fermé 1er au 20 août, vacances de fév., dim. soir et lundi – **Repas** 125/260, enf. 80.

Hippolyte, 12 r. H. Lecornué ✆ 43 87 51 00, Fax 43 87 51 01 – ▤. GB — AX **v**
Repas brasserie 102 ♁, enf. 49.

La Feuillantine, 19 bis r. Foisy ✆ 43 28 00 38, Fax 43 23 22 31 – AE GB — AY **f**
fermé 10 au 25 août, 25 déc. au 6 janv., sam. midi, dim. et fériés – **Repas** 75/300 bc.

Chez Jean, 9 r. Dorée ✆ 43 28 22 96, Fax 43 28 22 96, 🍽 – AE GB JCB — AX **e**
fermé 15 au 30 août, 6 au 12 janv., dim. soir et lundi – **Repas** 136 (déj.), 185/350 ♁.

La Ciboulette, 14 r. Vieille Porte ✆ 43 24 65 67, Fax 43 87 51 18 – AE GB — AX **x**
fermé 28 juil. au 18 août, sam. midi et dim. – **Repas** 115/208 ♁.

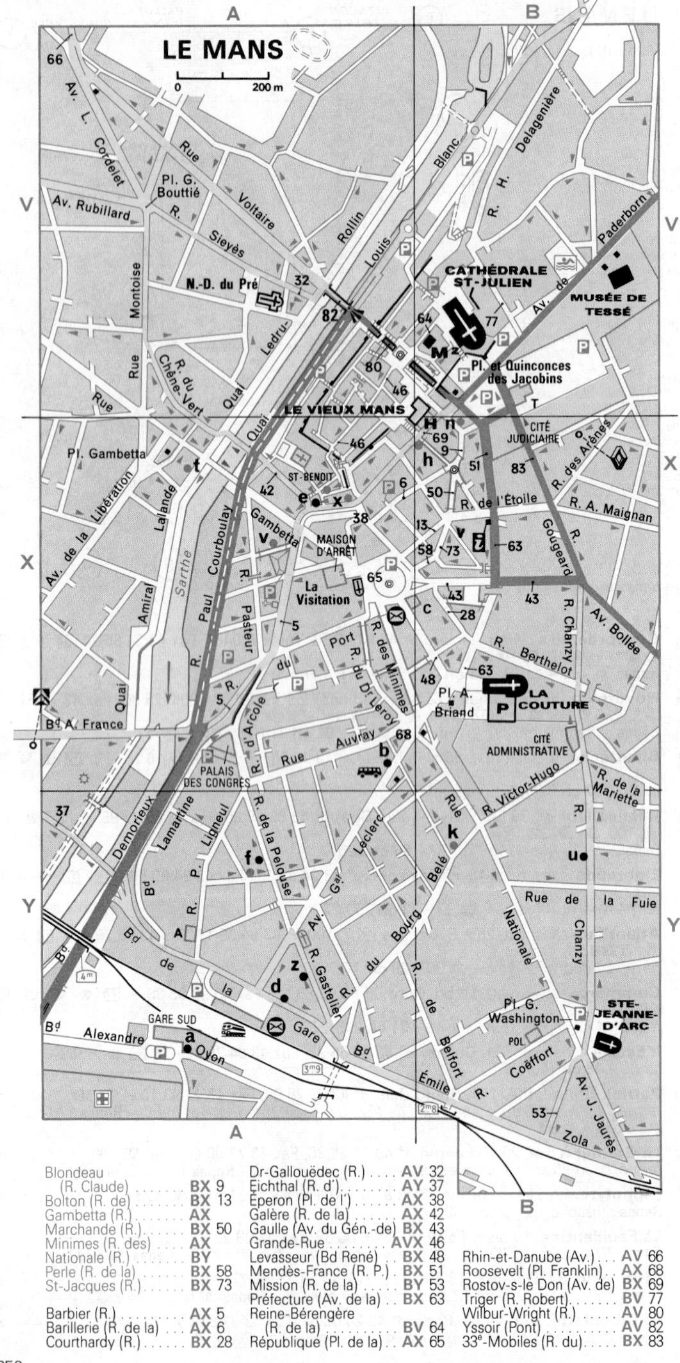

Blondeau (R. Claude) .... BX 9	Dr-Galloüedec (R.) ..... AV 32	
Bolton (R. de) .... BX 13	Eichthal (R. d') .... AY 37	
Gambetta (R.) .... AX	Éperon (Pl. de l') ...... AX 38	
Marchande (R.) .... BX 50	Galère (R. de la) ...... AX 42	
Minimes (R. des) ...... AX	Gaulle (Av. du Gén.-de) BX 43	
Nationale (R.) .... BY	Grande-Rue .... AVX 46	
Perle (R. de la) ...... BX 58	Levasseur (Bd René) .... BX 48	Rhin-et-Danube (Av.) ... AV 66
St-Jacques (R.) .... BX 73	Mendès-France (R. P.) . BX 51	Roosevelt (Pl. Franklin) . AX 68
	Mission (R. de la) ..... BY 53	Rostov-s-le Don (Av. de) BX 69
	Préfecture (Av. de la) .. BX 63	Triger (R. Robert) ...... BV 77
Barbier (R.) .... AX 5	Reine-Bérengère	Wilbur-Wright (R.) ..... AV 80
Barillerie (R. de la) ... AX 6	(R. de la) .... BV 64	Yssoir (Pont) .... AV 82
Courthardy (R.) ...... BX 28	République (Pl. de la) .. AX 65	33e-Mobiles (R. du) ..... BX 83

XX **La Grillade,** 1 bis r. C. Blondeau ✆ 43 24 21 87, Fax 43 28 52 04 – AE ⓓ GB. ✂
fermé 15 juil. au 10 août, dim. soir et lundi – **Repas** 70/300 ♀. BX **n**

XX **Le Beaulieu,** 24 r. Ponts Neufs ✆ 43 87 78 37, Fax 43 87 78 27 – AE GB BX **h**
fermé 5 au 18 août, sam. midi et dim. – **Repas** 142/310.

X **Grand Cerf,** 8 quai Amiral Lalande ✆ 43 24 16 83, Fax 43 23 98 72 – GB AX **t**
fermé 12 juil. au 19 août, sam. midi, dim. soir et lundi – **Repas** 75/149 bc.

par ② et rte de l'Éventail : 4 km – ✉ **72000** Le Mans :

La Pommeraie ⛰ sans rest, ✆ 43 85 13 93, « Jardin fleuri » – TV ☎ P
☕ 24 – **33 ch** 89/240.

par ④ sur N 138 : 4 km – ✉ **72100** Le Mans :

Green 7 M, 447 av. G. Durand (rte de Tours) ✆ 43 85 05 73, Fax 43 86 62 78, 🍽, 🌳 – TV ☎ 📞 ♿ – 🏛 40. GB
Repas *(fermé vend. soir et dim. soir)* 79/195 ♀, enf. 39 – ☕ 33 – **50 ch** 255/305.

sur D 147ᵉ par ⑤ et rte d'Arnage : 10 km – ✉ **72230** Arnage :

XXX **Aub. des Matfeux,** 289 rte Nationale (dir. La Flèche) ✆ 43 21 10 71, Fax 43 21 25 23, 🌳 – P. AE ⓓ GB
fermé 15 juil. au 14 août, vacances de fév., dim. soir, soirs fériés et lundi – **Repas** 111/343 et carte 290 à 400.

par ⑦ sur N 157 : 4 km – ✉ **72000** Le Mans :

La Closerie et rest. de la Foresterie M, rte de Laval ✆ 43 28 28 44, Fax 43 28 54 58, 🍽, 🏊, 🌳 – ⇆ TV ☎ ♿ P – 🏛 60. AE ⓓ GB
Repas *(fermé dim. soir)* 95/290, enf. 75 – ☕ 47 – **29 ch** 400/510 – ½ P 450/550.

à Neuville-sur-Sarthe par ⑧ et D 197 : 11 km – 2 121 h. alt. 60 – ✉ **72190** :

XX **Vieux Moulin,** ✆ 43 25 31 84, Fax 43 25 50 80, ←, 🍽, « Dans un parc au bord de la Sarthe » – GB. ✂
fermé 15 au 31 oct., janv., dim. soir et lundi – **Repas** 140/400, enf. 85.

BMW Le Mans Autom., ZI Sud rte d Allonnes ✆ 43 85 00 11 N ✆ 43 85 66 99
CITROEN Gar. Loinard, 49-51 bd A.-France ✆ 43 28 12 84
CITROEN Alteam, bd P.-Lefaucheux ZI Sud par D 147 Z ✆ 43 84 20 90
MAZDA S.O.V.M.A., 124 r. Chanzy/84 r.Bazeilles ✆ 43 84 53 08
MERCEDES Sarthe Autom., 425 av. Bollée ✆ 43 72 72 33 N ✆ 88 72 00 94
NISSAN A.M.S., ZI Sud Allée Spoutnik ✆ 43 23 25 30
OPEL Opel Le Mans, ZI Sud rte d Allonnes ✆ 43 84 54 60 N ✆ 43 85 66 99
PEUGEOT Gar. Cottereau, 125 av. G.-Durand par ④ ✆ 43 84 05 99
PEUGEOT Gar. de la Sarthe, bd P.-Lefaucheux ZI Sud par D147 Z ✆ 45 50 65 06 N ✆ 43 96 60 00
RENAULT Gar. des Jacobins, 8 r. du Cirque ✆ 43 81 73 50
RENAULT Succursale, 261 bd Demorieux ✆ 43 78 78 78 N ✆ 05 05 72 72
ROVER Gar. Soupizet, 153 bd P.-Lefaucheux à Arnage ✆ 43 21 68 50
VAG Gar. Robineau, ZI Sud rte d'Allonnes ✆ 43 86 22 39 N ✆ 43 85 66 99

Ⓟ Equipneu, rte de Parigne ✆ 43 84 30 05
Euromaster, 6 pl. Gambetta ✆ 43 24 27 74
Marsat Pneus, r. P.-Martin ZI Sud ✆ 43 72 91 19
Marsat Pneus, 7 et 9 r. Pasteur ✆ 43 23 83 93
Sofrap-Point S, 30 av. O.-Heuzé ✆ 43 24 75 82
Tours Pneus Vulcopneu, ZI Sud rte d'Allonnes ✆ 43 85 84 31

MANSLE 16230 Charente 72 ③ ④ – 1 601 h alt. 65.

Paris 419 – Angoulême 25 – Cognac 52 – ♦Limoges 92 – Poitiers 86 – St-Jean-d'Angély 61.

Trois Saules ⛰, à St-Groux, NO : 3 km ✆ 45 20 31 40, Fax 45 22 73 81, 🌳 – TV ☎ P. GB
fermé 27 oct. au 12 nov., 24 fév. au 2 mars, dim. soir et lundi midi hors sais. – **Repas** 58/160 ♀, enf. 30 – ☕ 27 – **10 ch** 175/225 – ½ P 185/225.

PEUGEOT Gar. Suire-Huguet, ✆ 45 20 30 31 N ✆ 45 20 30 31

MANTES-LA-JOLIE ⟨SP⟩ 78200 Yvelines 55 ⑱ 106 ⑮ G. Ile de France – 45 087 h alt. 34.

Voir Collégiale Notre-Dame★★ BB.

18 du Prieuré à Sailly-en-Vexin ✆ (1) 34 76 70 12, par ① : 12 km ; 9 Golf sur Seine ✆ (1) 30 92 45 45, SE : 6 km par ③ puis D 158 ; 18 Moisson (Base de Loisirs) ✆ 34 79 33 34 par N 13 et D 124 : 14 km.

Office de Tourisme pl. Jean-XXIII ✆ (1) 34 77 10 30.

Paris 59 ③ – Beauvais 68 ① – Chartres 77 ④ – Évreux 45 ④ – ♦Rouen 79 ④ – Versailles 45 ③.

XX **La Galiote,** 1 r. Fort ✆ (1) 34 77 03 02, Fax (1) 34 77 07 90 – AE GB B **e**
fermé dim. soir et lundi soir – **Repas** 155/265.

Plan page suivante

à Mantes-la-Ville par ③ : 2 km – 19 081 h. alt. 36 – ✉ **78200** :

XXX **Moulin de la Reillère,** 171 rte Houdan ✆ (1) 30 92 22 00, Fax (1) 30 92 22 00, 🍽, parc – P. GB
fermé 15 au 22 juil., 20 janv. au 11 fév., dim. soir et lundi – **Repas** 135/240.

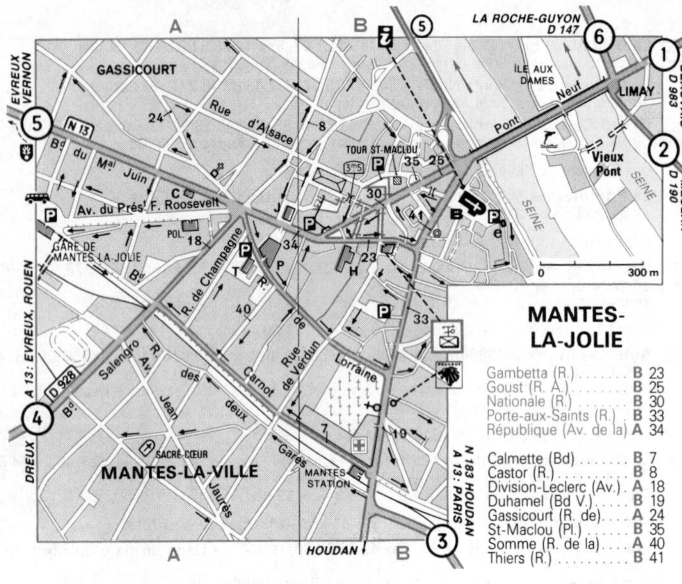

MANTES-LA-JOLIE

Gambetta (R.) . . . . B 23
Goust (R. A.) . . . . B 25
Nationale (R.) . . . . B 30
Porte-aux-Saints (R.) . B 33
République (Av. de la) A 34

Calmette (Bd) . . . . B 7
Castor (R.) . . . . B 8
Division-Leclerc (Av.) . A 18
Duhamel (Bd V.) . . . . . B 19
Gassicourt (R. de) . . . . A 24
St-Maclou (Pl.) . . . . . . B 35
Somme (R. de la) . . . . A 40
Thiers (R.) . . . . B 41

à ***Rosay*** par ③ : 10 km – 348 h. alt. 98 – ✉ **78790** :

XX ✿ **Aub. de la Truite** (Lemoine), ✆ **(1) 34 76 30 52, Fax (1) 34 76 30 65,** 🏠 – AE GB
fermé 1er au 6 janv., dim. soir et lundi – **Repas** 140/260
Spéc. Champignons farcis au canard de Barbarie. Sole cuite au plat. Tarte chaude au chocolat.

à ***Dennemont*** par ⑥ : 3 km – ✉ **78520** :

XX **Port Maria,** 35 r. J. Jaurès ✆ **(1) 34 77 18 22, Fax (1) 34 97 57 58,** 🏠 – P. AE GB
fermé 10 au 28 nov. et lundi – **Repas** 140/250.

à ***St-Martin-la-Garenne*** par ⑥ et D 147 : 7 km – 654 h. alt. 125 – ✉ **78520** Limay :

XX **Aub. St-Martin,** ✆ **(1) 34 77 58 45** – P. GB
fermé 29 juil. au 28 août, lundi et mardi – **Repas** 125/155.

CITROEN Nord-Ouest Autom., 87 bd Salengro à Mantes-la-Ville par ④ ✆ (1) 34 77 04 30
FIAT Gar. de l'Avenue, 4 r. de la Somme ✆ (1) 34 77 02 00
FORD Gar. Chantereine, 2 r. Chantereine à Mantes-la-Ville ✆ (1) 34 77 31 75
MERCEDES **TOYOTA** Gar. Mongazons, av. de l'Europe à Magnanville ✆ (1) 34 77 10 75
PEUGEOT Ste Mantaise Automobile, 13 bd Duhamel ✆ (1) 34 77 08 27
RENAULT Succursale, 6 r. Ouest à Mantes-la-Ville par ④ ✆ (1) 30 98 28 28 N ✆ (1) 05 05 15 15

RENAULT Phénix Autom., 21 av. de Paris à Gargenville ✆ (1) 30 93 63 12
ROVER Gar. Dupille, av. de l'Europe à Magnanvill
✆ (1) 34 77 28 08
VAG M.P.L. Autom., 2 av. de la Durance ZA à Buchelay ✆ (1) 30 63 85 25

Ⓜ Bertault Pneus, 45 r. Martraits ✆ (1) 34 77 11 8
Marsat Pneus, 125 bd R.-Salengro à Mantes-la-Vi
✆ (1) 30 92 49 49
Marsat-Pneus, 141 bd Mar.-Juin ✆ (1) 30 94 07 4
Nony Pneus, N 190 à Gargenville ✆ (1) 30 93 65 2

MANTES-LA-VILLE **78** Yvelines 55 ⑱ – rattaché à Mantes-la-Jolie.

MANZAC-SUR-VERN **24110** Dordogne 75 ⑤ – 488 h alt. 80.

Paris 513 – Périgueux 19 – Bergerac 33 – ♦Bordeaux 112.

XX **Lion d'Or** avec ch, ✆ **53 54 28 09, Fax 53 54 25 50,** 🏠, 🌳 – ☎ – 🏠 25. AE ⓓ GB
fermé 25 oct. au 10 nov., vacances de fév., dim. soir sauf juil.-août et lundi – **Repas** 70 (dé
100/200, enf. 52 – ☕ 32 – **7 ch** 190/210 – ½ P 250.

Les hôtels ou restaurants agréables sont indiqués dans le guide par un symbole rouge.
Aidez-nous en nous signalant les maisons où, par expérience, vous savez qu'il fait bon vivre.
Votre **guide Michelin** sera encore meilleur.

🏨🏨 ... 🏨
XXXXX ... X

MARANS 17230 Char.-Mar. 71 ⑫ G. Poitou Vendée Charentes – 4 170 h alt. 1.
aris 460 – La Rochelle 23 – La Roche-sur-Yon 60 – Fontenay-le-Comte 26 – Niort 48.

X **Porte Verte,** 20 quai Foch ✆ 46 01 09 45, ☂ – GB
fermé vacances de fév., dim. soir hors sais. et merc. – **Repas** (nombre de couverts limité, prévenir) 85/165 ♗.

MARBOUÉ 28 E.-et-L. 60 ⑰ – rattaché à Châteaudun.

MARÇAY 37 I.-et-L. 67 ⑨ – rattaché à Chinon.

MARCENAY 21330 Côte-d'Or 65 ⑧ – 130 h alt. 220.
aris 233 – Auxerre 70 – Chaumont 72 – ♦Dijon 89 – Montbard 35 – Troyes 67.

Le Santenoy ⊗, au Lac : 1 km ✆ 80 81 40 08, Fax 80 81 43 05, ≤, ☂, ☂ – TV ☎ ✆ ♿ P – 🏃 30 à 80. GB
Repas 70 bc/188 ♗, enf. 50 – ☕ 30 – **18 ch** 138/245 – ½ P 165/220.

à Balot SE : 7 km par D 5F et D 118 – 93 h. alt. 272 – ✉ **21330** :

Aub. de la Baume, ✆ 80 81 40 15, Fax 80 81 62 87 – TV ☎. GB
fermé 24 déc. au 2 janv. et vend. soir d'oct. à mars – **Repas** 65/160 ♗, enf. 54 – ☕ 30 – **10 ch** 190/250 – ½ P 220.

MARCILLAC-LA-CROISILLE 19320 Corrèze 75 ⑩ G. Berry Limousin – 787 h alt. 550.
aris 486 – Aurillac 79 – Argentat 25 – Égletons 17 – Mauriac 38 – Tulle 27.

au Pont du Chambon SE : 15 km par D 978 et D 13 – ✉ **19320** St-Merd-de-Lapleau :

XX **Fabry** (Au Rendez-vous des Pêcheurs) ⊗ avec ch, ✆ 55 27 88 39, Fax 55 27 83 19, ☂ – TV ☎ P. GB
fermé 12 nov. au 20 déc., janv., vend. soir et sam. midi d'oct. à mars – **Repas** 75/225 ♗ – ☕ 35 – **8 ch** 235/265 – ½ P 250/260.

MARCOUSSIS 91 Essonne 60 ⑩, 106 ㉚, 101 ㉞ – voir à Paris, Environs.

MARCQ-EN-BAROEUL 59 Nord 51 ⑯, 111 ⑬ – rattaché à Lille.

MARENNES 17320 Char.-Mar. 71 ⑭ G. Poitou Vendée Charentes – 4 634 h alt. 10.
oir ✻★ de la tour de l'église.
nv. Remparts★★ de Brouage NE : 6,5 km.
ont de la Seudre : passage gratuit.
Office de Tourisme pl. Chasseloup-Laubat ✆ 46 85 04 36, Fax 46 85 14 20.
aris 492 – La Rochelle 56 – Royan 33 – Rochefort 22 – Saintes 42.

à Bourcefranc-le-Chapus NO : 5 km – 2 851 h. alt. 5 – ✉ **17560**.
Voir A la pointe du Chapus ≤★ sur le pont d'Oléron NO : 3 km.

Terminus, au port du Chapus ✆ 46 85 02 42, Fax 46 85 32 39, ≤ – TV ☎. GB. ✻ ch
Repas 80/160, enf. 40 – ☕ 30 – **10 ch** 240 – ½ P 260.

Pneu Plus Ouest Vulcopneu, ✆ 46 85 00 08

MARGAUX 33460 Gironde 71 ⑧ G. Pyrénées Aquitaine – 1 387 h alt. 16.
aris 602 – ♦Bordeaux 31 – Lesparre-Médoc 41.

Relais de Margaux M ⊗, N : 2 km par rte secondaire ✆ 57 88 38 30, Fax 57 88 31 73, ≤, ☂, parc, ⛱, ✂ – 🛗 ✻ TV ☎ P – 🏃 80. AE ⊙ GB
hôtel : fermé 24 déc. au 30 janv. ; rest. : fermé 11 déc. au 9 fév., dim. soir et lundi d'oct. à mai – **Repas** 190/350 – ☕ 75 – **28 ch** 780/980, 3 appart.

XX **Le Savoie,** ✆ 57 88 31 76, Fax 57 88 31 76, ☂ – ✻
fermé vacances de fév., lundi soir en hiver, dim. et fériés – **Repas** 80/130.

à Arcins NO : 6 km sur D 2 – 304 h. alt. 10 – ✉ **33460** :

X **Lion d'Or,** ✆ 56 58 96 79 – AE GB
fermé 23 au 31 déc., juil., dim. et lundi – **Repas** (nombre de couverts limté, prévenir) 64 bc et carte seul. sam. soir ♗, enf. 42.

MARGUERITTES 30 Gard 80 ⑲ – rattaché à Nîmes.

MARIGNANE 13700 B.-du-R. 84 ⑫ 114 ㉗ G. Provence – 32 325 h alt. 10.
oir Canal souterrain du Rove★ SE : 3 km.
✈ de Marseille-Provence : ✆ 42 78 21 00.
Office de Tourisme 4 bd F.-Mistral ✆ 42 09 78 83, Fax 42 77 80 38 – Automobile Club 8 av. Europe ✆ 42 88 99 64.
ris 756 – ♦Marseille 26 – Aix-en-Provence 25 – Martigues 15 – Salon-de-Provence 37.

à l'aéroport au Nord – ✉ **13700** Marignane :

Sofitel M, ☎ 42 78 42 78, Télex 401980, Fax 42 78 42 70, 🏞, 🏋, ⛱, 🏊, 🎾 – |⇕| ⇎ ▤ TV ☎ 📞 ♿ P – 🏢 200. AE ⓓ GB JCB
Repas 190 🍷 – ☕ 70 – **176 ch** 760, 3 appart.

Primotel M, ✉ 13127 Vitrolles ☎ 42 79 79 19, Télex 420809, Fax 42 89 69 18, 🏞, ⛱, 🎾 – |⇕| ▤ TV ☎ ♿ P – 🏢 100. AE ⓓ GB
Repas 75/120 🍷, enf. 55 – ☕ 50 – **120 ch** 360.

Ibis M, ☎ 42 79 61 61, Fax 42 89 93 13, 🏞, ⛱ – |⇕| ⇎ ▤ TV ☎ 📞 ♿ P – 🏢 50. AE ⓓ GB JCB
Repas 100 bc, enf. 40 – ☕ 35 – **85 ch** 310.

XX **Le Romarin**, Aérogare Terminal 1 ☎ 42 78 23 64, Fax 42 75 07 48 – ▤. AE ⓓ GB
Repas (déj. seul.) 145, enf. 46.

Z.I. Les Estroublans NE : 4 km par D 9 (rte Vitrolles) – ✉ **13127** Vitrolles :

Novotel M, 5e Rue ☎ 42 89 90 44, Télex 420670, Fax 42 79 07 04, 🏞, ⛱, 🏊 – |⇕| ⇎ ▤ TV ☎ P – 🏢 200. AE ⓓ GB
Repas carte environ 160 🍷, enf. 51 – ☕ 49 – **140 ch** 430/460.

CITROEN SADAM, 67 Av. du 8 Mai 1945 ☎ 42 89 92 90 N ☎ 91 43 80 37
PEUGEOT Provence Autom., 45 av. 8 Mai 1945 ☎ 42 88 54 54
RENAULT Marignane Autom., av. 8 Mai 1945 ☎ 42 89 93 94 N ☎ 05 05 15 15
RENAULT Vitrolles Autom., r. Bastide Blanche ZAC Griffon à Vitrolles ☎ 42 89 92 99

Ⓜ Ayme Pneus, 2e av. N 4 ZI Estroublans à Vitrolles ☎ 42 79 04 00
Denizon Pneu, av. 8 Mai 1945 à St-Victoret ☎ 42 79 79 42
Euromaster, 11 r. 2è av. ZI à Vitrolles ☎ 42 79 70 23
Gay Pneus, 29 1e av. ZI à Vitrolles ☎ 42 89 06 97

MARIGNIER 74 H.-Savoie 74 ⑦ – 4 322 h alt. 472 – ✉ 74130 Bonneville.

Paris 567 – Chamonix-Mont-Blanc 47 – Thonon-les-Bains 47 – Annecy 50 – Bonneville 9 – Cluses 7 – Megève 37 – Morzine 28.

XX **Le Pontvys**, ☎ 50 34 63 58, Fax 50 34 63 58, 🏞 – P. GB
fermé 6 au 22 août, dim. soir et lundi – **Repas** 75/180, enf. 42.

MARIGNY 50570 Manche 54 ⑬ – 1 668 h alt. 101.

Paris 318 – St-Lô 13 – Carentan 27 – Coutances 17.

XX **Poste**, ☎ 33 55 11 08, Fax 33 55 25 67 – AE ⓓ GB
fermé 23 sept. au 10 oct., dim. soir et lundi – **Repas** 110/290, enf. 55.

RENAULT Gar. Vigot, ☎ 33 55 15 28 N ☎ 33 55 15 28

MARIGNY-ST-MARCEL 74150 H.-Savoie 74 ⑤ – 581 h alt. 404.

Paris 538 – Annecy 18 – Aix-les-Bains 21 – Bellegarde-sur-Valserine 43 – Rumilly 6.

XX **Blanc**, ☎ 50 01 09 50, Fax 50 68 13 01 – P. AE ⓓ GB
fermé sam. – **Repas** 80 (déj.), 110/300.

MARINGUES 63350 P.-de-D. 73 ⑤ G. Auvergne – 2 345 h alt. 315.

Paris 417 – ◆Clermont-Ferrand 31 – Lezoux 16 – Riom 21 – Thiers 23 – Vichy 28.

XX **Clos Fleuri** avec ch, rte Clermont ☎ 73 68 70 46, Fax 73 68 75 58, 🏞, « Jardin ombragé » – TV ☎ 📞 ♿ P. GB. ⚘ ch
fermé vacances de fév., dim. soir et lundi du 15 sept. au 15 juin – **Repas** 75/220 🍷 – ☕ 32 – **15 ch** 170/300 – ½ P 200/250.

PEUGEOT Gar. Larzat et Meyronne, ☎ 73 68 70 50

MARLENHEIM 67520 B.-Rhin 62 ⑨ – 2 956 h alt. 195.

Paris 467 – ◆Strasbourg 20 – Haguenau 35 – Molsheim 12 – Saverne 18.

Host. Reeb, ☎ 88 87 52 70, Fax 88 87 69 73, 🏞 – ▤ rest TV ☎ 📞 P – 🏢 25. AE ⓓ GB ⚘ ch
fermé dim. soir et lundi de nov. à mars – **Repas** 180/300 🍷 *La Crémaillère* : **Repas** 55(déj.)9 160🍷, enf. 50 – ☕ 40 – **35 ch** 260/280 – ½ P 275.

XXXX ✿✿ **Le Cerf** (Husser) avec ch, ☎ 88 87 73 73, Fax 88 87 68 08, 🏞 – TV ☎ P. AE ⓓ GB
fermé mardi et merc. – **Repas** 250 bc (déj.), 295/500 et carte 260 à 370 🍷, enf. 85 – ☕ 60 – **15 ch** 300/600
Spéc. Ravioles de foie de canard fumé en pot-au-feu. Choucroute au cochon de lait rôti et foie gras fumé. Aumônière aux griottines, coulis de framboises, glace au fromage blanc. **Vins** Pinot noir, Riesling.

CITROEN Gar. Kah-Fuchs, 10 rte de Strasbourg à Furdenheim ☎ 88 69 01 39
FORD Gar. Schaeffer, rte de Kirschheim ☎ 88 87 55 64 N ☎ 88 87 55 64

PEUGEOT Gar. Eberle, 3 r. du Gén. de Gaulle ☎ 88 87 71 79
RENAULT Gar. Baehrel, 32 r. du Gén. de Gaulle ☎ 88 87 52 41

MARLIEUX 01240 Ain 74 ② – 633 h alt. 269.

Paris 428 – Mâcon 37 – Bourg-en-Bresse 19 – ♦Lyon 45 – Villefranche-sur-Saône 35.

X **Lion d'Or** avec ch, ✆ 74 42 85 15, , ⛱ – TV. GB. ✻ ch
fermé lundi soir et mardi sauf juil.-août – **Repas** 95/280 – ☕ 35 – **8 ch** 220/260 – ½ P 250.

MARLY-LE-ROI 78 Yvelines 55 ⑲ ⑳, 101 ⑫ ⑬ – voir à Paris, Environs.

MARMAGNE 71710 S.-et-L. 69 ⑧ – 1 339 h alt. 310.

Paris 310 – Chalon-sur-Saône 45 – Autun 19 – Le Creusot 9 – Mâcon 97 – Montceau-les-Mines 23.

XX **Vieux Jambon** avec ch, rte Creusot ✆ 85 78 20 32, Fax 85 78 29 91 – ☎ P. GB. ✻ ch
fermé 20 nov. au 3 déc. – **Repas** *(fermé dim. soir et lundi midi d'oct. à avril)* 70/220 ♨ – ☕ 35 – **13 ch** 185/250 – ½ P 180/245.

RENAULT Gar. Détang, D 61 à St-Symphorien-de-Marmagne ✆ 85 54 40 43 N ✆ 85 54 40 43

Ne prenez pas la route sans connaître votre temps de parcours.

La carte Michelin n° 911 c'est "la carte du temps gagné".

MARMANDE SP 47200 L.-et-G. 79 ③ G. Pyrénées Aquitaine – 17 568 h alt. 30.

✆ 53 20 87 60, E : 4 km.

Office de Tourisme bd Gambetta ✆ 53 64 44 44.

Paris 644 ④ – Agen 67 ② – Bergerac 58 ① – ♦Bordeaux 90 ③ – Libourne 65 ④.

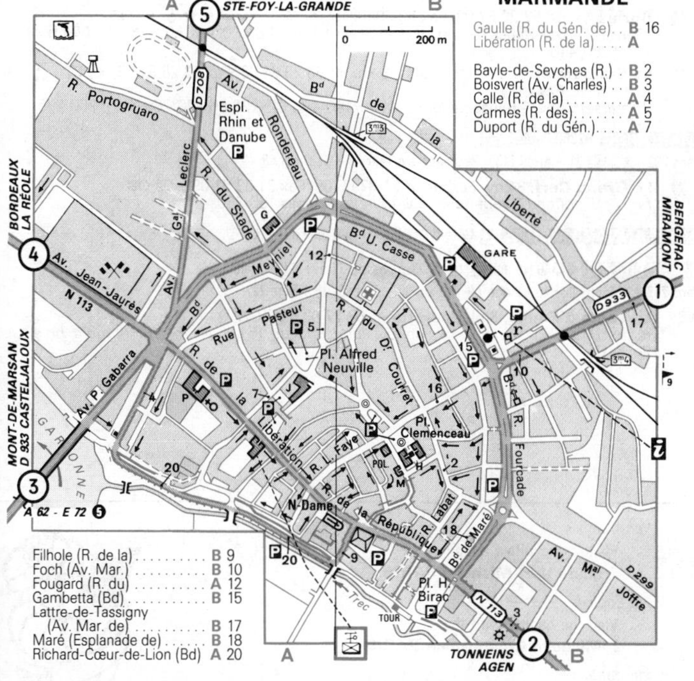

🏨 **Capricorne,** rte Agen par ② ✆ 53 64 16 14, Fax 53 20 80 18, ⛱, – ▤ rest TV ☎ ✆ P – 🏋 40. AE ⓓ GB
fermé 20 déc. au 5 janv. – ***Le Trianon*** ✆53 20 80 94 *(fermé 2 au 7 janv., sam. midi et dim.)* **Repas** 75/200, ♨, enf. 50 – ☕ 35 – **34 ch** 260/280 – ½ P 230.

🏨 **Europ'H.** sans rest, pl. Couronne ✆ 53 20 93 93, Fax 53 64 46 31 – 🛗 TV ☎ ✆ 🚗. AE GB B r
☕ 40 – **21 ch** 230/250.

à l'Est par ①, D 933 et D 267 : 7 km – ✉ 47200 Virazeil :

XX **Aub. Moulin d'Ané,** ☎ 53 20 18 25, Fax 53 89 67 99 – ▤ P. AE ① GB JCB
fermé vacances de fév., dim. soir et lundi sauf fériés – **Repas** 98/230 ♁, enf. 65.

par ③ près échangeur A 62 : 9 km – ✉ 47430 Sainte-Marthe :

Les Rives de l'Avance M ⛰ sans rest, ☎ 53 20 60 22, Fax 53 20 98 76, parc – ⊁ TV
♿ P. GB
☕ 35 – **16 ch** 190/280.

rte de Bordeaux par ④ : 2,5 km – ✉ 47200 Marmande :

Campanile, ☎ 53 94 39 80, Fax 53 20 77 49, ☂ – ⊁ ▤ rest TV ☎ ♿ P – 25.
① GB
Repas 84 bc/107 bc, enf. 39 – ☕ 32 – **50 ch** 270.

à Mauvezin-sur-Gupie par ⑤, D 708 et D 115 : 11 km – ✉ 47200 Marmande :

X **Poulet à la Ficelle,** ☎ 53 94 21 26, ☂, « Cadre rustique », – P
Repas (nombre de couverts limité, prévenir) 95.

CITROEN Gar. Baudrin, rte de Bordeaux à Ste-Bazeille par ④ ☎ 53 64 30 53
PEUGEOT Guyenne Gascogne Autom., 95 av. J.-Jaurès par ④ ☎ 53 64 34 47
RENAULT A.M.C., rte de Bordeaux à Ste-Bazeille par ④ ☎ 53 20 80 80 N ☎ 53 89 92 64

Martinet Pneu, 37 av. J.-Jaurès ☎ 53 64 23 52
Relais Marmandais Vulcopneu, 123 av. J.-Jaurès ☎ 53 89 26 74

MARNE-LA-VALLÉE 77 S.-et-M. 56 ⑫, 101 ⑲ – voir à Paris, Environs.

MARQUAY 24620 Dordogne 75 ⑰ – 473 h alt. 175.

Paris 516 – Brive-la-Gaillarde 57 – Périgueux 58 – Sarlat-la-Canéda 11,5 – Les Eyzies-de-Tayac 13.

Bories ⛰, ☎ 53 29 67 02, Fax 53 29 64 15, ≤, ☂, ⛱, – ☎ ♿ P. GB
1er avril-2 nov. – **Repas** *(fermé lundi midi sauf fériés)* 85/180, enf. 50 – ☕ 31 – **30 ch** 220/27
– ½ P 280/410.

La Condamine ⛰, rte Meyrals : 1 km ☎ 53 29 64 08, Fax 53 28 81 59, ≤, ☂, ⛱,
☎ ♿ P. AE GB
31 mars-15 nov. – **Repas** (dîner seul.) 90/180 – ☕ 32 – **22 ch** 220/260 – ½ P 250/270.

MARQUISE 62250 P.-de-C. 51 ① – 4 453 h alt. 57.

Paris 292 – ♦Calais 21 – Arras 113 – Boulogne-sur-Mer 14 – St-Omer 48.

XX **Le Grand Cerf,** 34 av. Ferber ☎ 21 87 55 05, Fax 21 33 61 09 – AE GB
fermé 15 août au 5 sept., dim. soir et lundi – **Repas** 130/320.

MARSANNAY-LA-CÔTE 21 Côte-d'Or 66 ⑫ – rattaché à Dijon.

MARSEILLAN 34340 Hérault 83 ⑯ **G. Gorges du Tarn** – 4 950 h alt. 3.

Paris 762 – ♦Montpellier 46 – Agde 7 – Béziers 30 – Pézenas 15 – Sète 22.

XX **La Table d'Emilie,** 8 pl. Couverte ☎ 67 77 63 59 – GB
fermé 14 au 30 nov., vacances de fév., lundi midi du 15 juin au 15 sept. et merc. hors sais.
Repas 95/270.

ARSEILLE P **13000** B.-du-R. 84 ⑬ 114 ㉘ **G. Provence** – 800 550 h Agglo. 1 230 936 h.

oir Basilique N.-D.-de-la-Garde ※★★★ – Vieux Port★★ – Basilique St-Victor★ : crypte★★ DU – alais Longchamp★ GS : musée des Beaux-Arts★, muséum d'Histoire naturelle★ – Ancienne athédrale de la Major★ DS **N** – Hôtel du département et Dôme-Nouvel Alcazar★ CX – Parc du haro ≤★ – Centre de La Vieille Charité★★ (archéologie méditerranéenne) DS **R** – Musées : robet-Labadié★★ GS **M**[7], Cantini★ FU **M**[5], Vieux Marseille★ DT **M**[3], Histoire de Marseille★ ET **M**[1] Marché aux poissons (quai des Belges ET 5).

nv. Route en corniche★★ de Callelongue S : 13 km par la Promenade de la plage.

xcurs. : Château d'If★★ (※★★★) 1 h 30.

de Marseille-Aix ✆ 42 24 20 41, par ① : 22 km ; 18 d'Allauch-Fonvieille (privé) ✆ 91 05 20 60, ortie Marseille Est ; 15 km par D 2 et D 4[A] ; 18 Country Club de la Salette ✆ 91 27 12 16, par ② :) km.

de Marseille-Provence : ✆ 42 78 21 00, par ① : 28 km.

✆ 36 35 35 35.

pour la Corse : Société Nationale Corse-Méditerranée (S.N.C.M.), 61 bd des Dames (2e) enseignements : ✆ 91 56 30 10 DS - Réservations : ✆ 91 56 30 30, Fax 91 56 35 86.

Office de Tourisme 4 la Canebière (1er) ✆ 91 54 91 11, Fax 91 33 05 03 et gare St-Charles (1er) 91 50 59 18.
Automobile Club de Provence, 149 bd Rabatau (10è) ✆ 91 78 83 00.

ris 772 ④ – ♦Lyon 312 ④ – ♦Nice 188 ② – Torino 372 ② – ♦Toulon 64 ② – ♦Toulouse 401 ④.

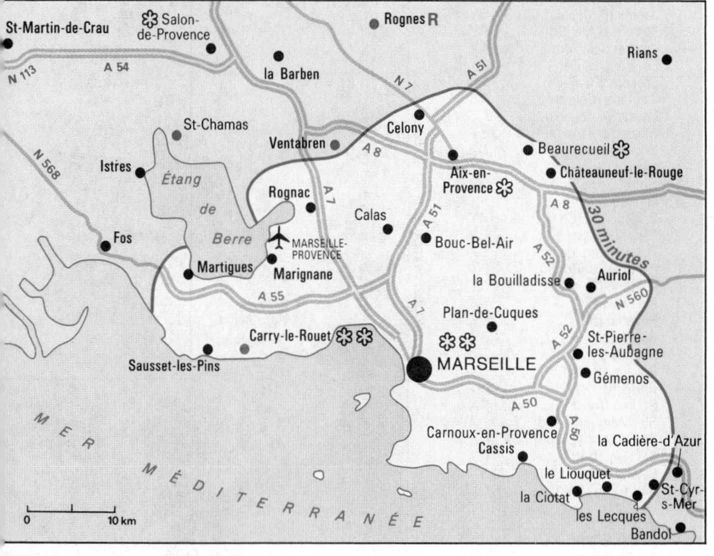

Sofitel Vieux Port M, 36 bd Ch. Livon ✉ 13007 ✆ 91 52 90 19, Télex 401270, Fax 91 31 46 52, ≤, « Restaurant panoramique ≤ vieux port », – 80. AE GB p. 4 DU **n**
Repas 210 – 70 – **127 ch** 660/990, 3 appart.

Concorde-Palm Beach M, 2 prom. G. Pompidou ✉ 13008 ✆ 91 16 19 00, Fax 91 16 19 39, ≤, – P – 400. AE GB JCB. rest
***La Réserve :* Repas** 178/209 – ***Les Voiliers :* Repas** 117, – 65 – **145 ch** 675. p. 2 AZ **s**

✿✿ **Le Petit Nice** (Passédat) M, anse de Maldormé (hauteur 160 corniche Kennedy) ✉ 13007 ✆ 91 59 25 92, Fax 91 59 28 08, , « Villas dominant la mer, beaux aménagements intérieurs, ≤ », – P. AE GB p.4 AZ **d**
Repas *(fermé sam. midi et dim. de nov. à début avril)* 310 bc (déj.), 590/750 et carte 500 à 780 – 115 – **13 ch** 1000/1900, 3 appart – 1/2 P 1155/2605
Spéc. Compressé de "bouille-abaisse" port d'Orient. Tronçon de loup "Lucie Passédat". Blue lobster "Nono's way". **Vins** Palette, Bandol.

MARSEILLE

Rue	Carré	N°
Aix (R. d')	**BY**	
Canebière (La)	**BY**	
Paradis (R.)	**BYZ**	
St-Pierre (R.)	**BCY**	
Anthoine (R. d')	**AX**	
Baille (Bd)	**BCY**	
Belsunce (Cours)	**BY**	
Blancarde (Bd de la)	**CY**	
Bompard (Bd)	**AYZ**	
Briançon (Bd de)	**BX**	14
Cadenat (Pl. B.)	**BX**	
Cantini (Av. Jules)	**BCZ**	
Capelette (Av. de la)	**CZ**	
Castellane (Pl.)	**BY**	
Catalans (R. des)	**AY**	16
Chartreux (Av. des)	**CY**	17
Chutes-Lavie (Av.)	**CX**	
Corniche-Président J.-F.-Kennedy	**AZ**	
Dunkerque (Bd de)	**AX**	
Endoume (R. d')	**AY**	
Estrangin (Bd G.)	**BZ**	
Foch (Av. Mar.)	**CY**	
Guesde (Pl. Jules)	**BY**	35
Guibal (R.)	**BX**	
Jaurès (Pl. Jean)	**BY**	
Jeanne-d'Arc (Bd)	**CY**	
Lazaret (Quai du)	**AX**	
Leclerc (Av. Gén.)	**BY**	
Lesseps (Bd F. de)	**AX**	40
Lieutaud (Cours)	**BY**	
Livon (Bd Charles)	**AY**	
Mazargues (Av. de)	**BZ**	
Michelet (Bd)	**BZ**	
Moulin (Bd Jean)	**CY**	47
Notre-Dame (Bd)	**BY**	
Paris (Bd de)	**BX**	
Pelletan (Av. C.)	**BXY**	
Périer (Bd)	**BZ**	
Plage (Prom. de la)	**BZ**	
Plombières (Bd de)	**BX**	
Pologne (Pl. de)	**CY**	52
Pyat (R. Félix)	**BX**	
Rabatau (Bd)	**CZ**	
République (R.)	**ABY**	
Roches (Av. des)	**AZ**	
Rolland (R. du Cdt)	**BZ**	
Rome (R. de)	**BY**	
St-Just (Av. de)	**CX**	
Ste-Marguerite (Bd)	**CZ**	
Ste-Marthe (Ch. de)	**BX**	
Sakakini (Bd)	**CY**	
Salengro (Av. R.)	**BX**	
Sartre (Av. J.-P.)	**CX**	59
Sébastopol (Pl.)	**CY**	
Schlœsing (Bd)	**CZ**	
Strasbourg (Bd)	**BX**	61
Teisseire (Bd R.)	**CZ**	
Tellène (Bd)	**AY**	
Timone (Av. de la)	**CY**	
Toulon (Av. de)	**BY**	
Vallon-l'Oriol (Ch.)	**AZ**	
Vauban (Bd)	**BY**	

Dans la liste des rues des plans de villes, les noms en rouge indiquent les principales voies commerçantes.

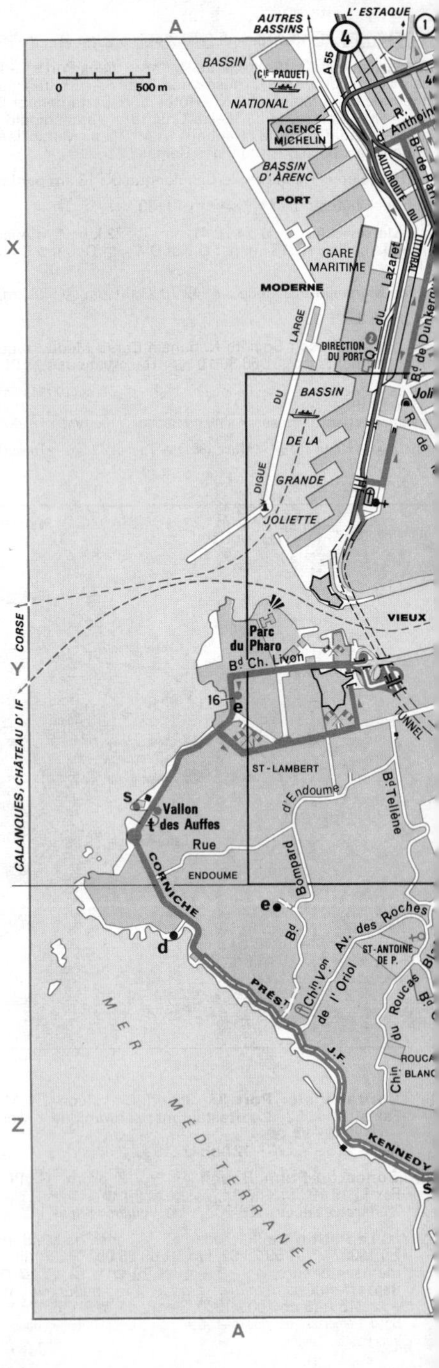

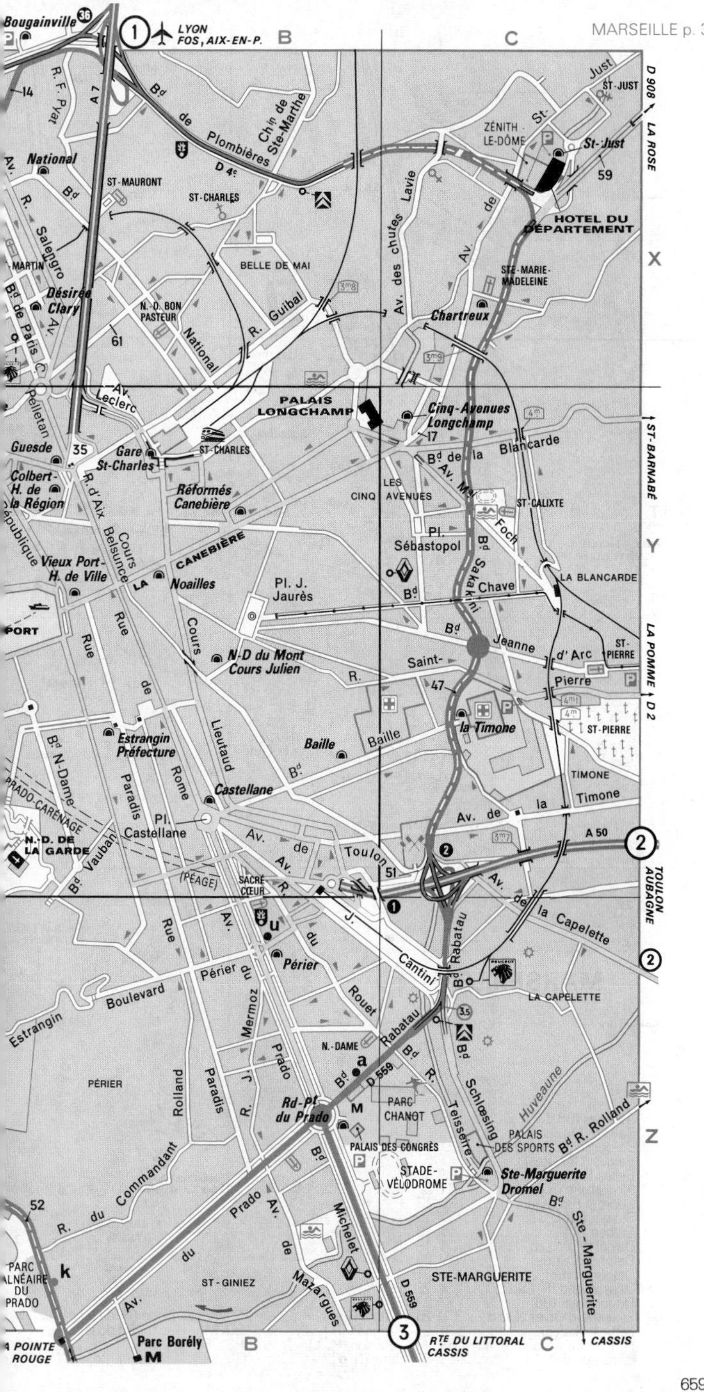
LYON
FOS, AIX-EN-P.
B
C
X
Y
Z
D 908
LA ROSE
ST-BARNABÉ
LA POMME
D 2
TOULON
AUBAGNE
A 50
Bd de Plombières
Chin de Ste-Marthe
ST-MAURONT
ST-CHARLES
BELLE DE MAI
N.-D. BON PASTEUR
ZÉNITH-LE-DÔME
St-Just
ST-JUST
HOTEL DU DÉPARTEMENT
STE-MARIE-MADELEINE
Chartreux
Av. des chutes Lavie
PALAIS LONGCHAMP
Cinq-Avenues Longchamp
Bd de la Blancarde
ST-CALIXTE
LES CINQ AVENUES
Pl. Sébastopol
Bd Sakakini
Av. Mal Foch
LA BLANCARDE
Chave
Bd Jeanne d'Arc
ST-PIERRE
R. Saint-Pierre
la Timone
TIMONE
Av. de la Timone
Av. de Toulon
Av. de la Capelette
LA CAPELETTE
Bougainville
National
Désirée Clary
Bd de Paris
Guesde
Colbert-H. de la Région
Gare St-Charles
Réformés Canebière
LA CANEBIÈRE
Noailles
Vieux Port-H. de Ville
PORT
Pl. J. Jaurès
N-D du Mont Cours Julien
Baille
Bd Baille
Estrangin Préfecture
Castellane
Pl. Castellane
N.-D. DE LA GARDE
PRADO-CARÉNAGE
(PÉAGE)
SACRÉ CŒUR
Périer
R. J. Cantini
Bd Rabatau
N.-DAME
Rd-Pt du Prado
PARC CHANOT
PALAIS DES CONGRÈS
STADE-VÉLODROME
PALAIS DES SPORTS
Bd R. Rolland
Ste-Marguerite Dromel
Bd Ste-Marguerite
STE-MARGUERITE
Bd Schlœsing
R. Teisseire
Huveaune
Bd Michelet
Av. de Mazargues
Av. du Prado
ST-GINIEZ
PÉRIER
Boulevard Périer
R. du Commandant Rolland
PARC BALNÉAIRE DU PRADO
Parc Borély
POINTE ROUGE
RTE DU LITTORAL CASSIS
CASSIS
D 559
Rue Paradis
Rue de Rome
Cours Lieutaud
Av. du Prado
Bd Vauban
Bd N-Dame
R. d'Aix
Cours Belsunce
R. Salengro
R. F. Pyat
Av. Leclerc
Pelletan
République
R. Guibal
Bd National

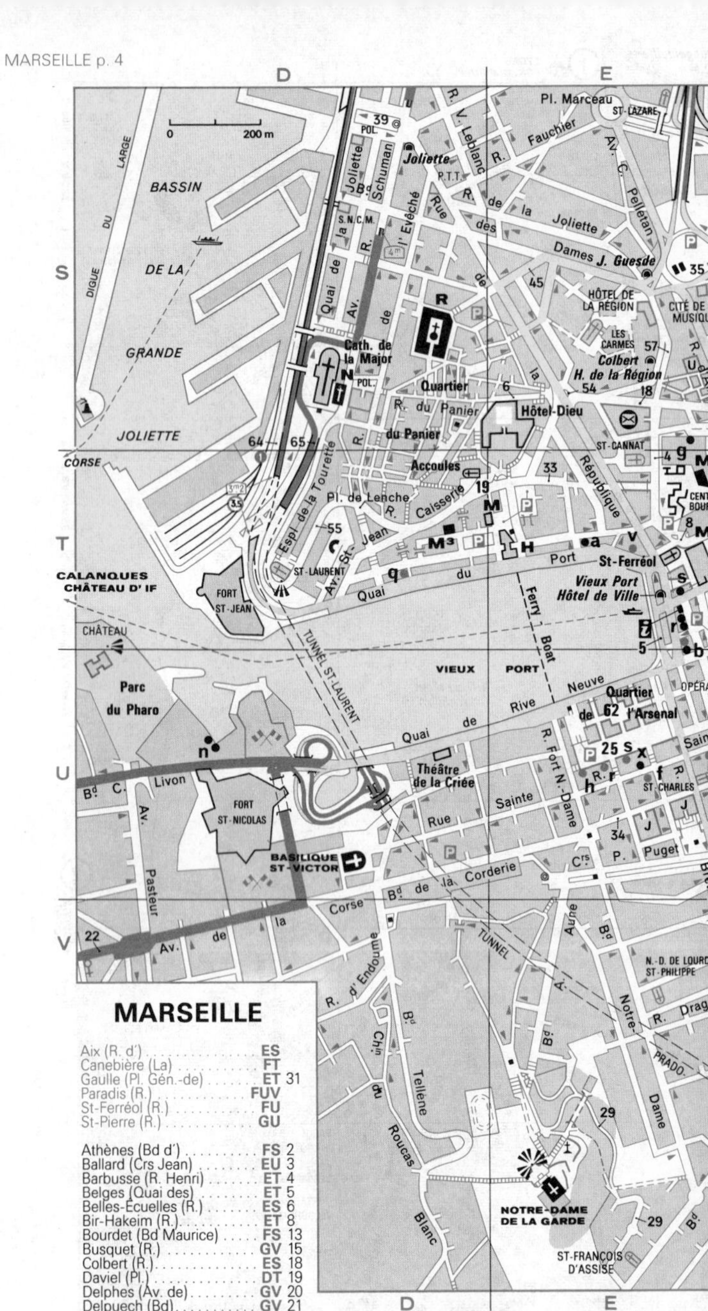

MARSEILLE

Aix (R. d') . . . . ES
Canebière (La) . . . . FT
Gaulle (Pl. Gén.-de) . . . . . . ET 31
Paradis (R.) . . . . FUV
St-Ferréol (R.) . . . . FU
St-Pierre (R.) . . . . GU

Athènes (Bd d') . . . . FS 2
Ballard (Crs Jean) . . . . . . EU 3
Barbusse (R. Henri) . . . . . . ET 4
Belges (Quai des) . . . . ET 5
Belles-Écuelles (R.) . . . . . . ES 6
Bir-Hakeim (R.) . . . . ET 8
Bourdet (Bd Maurice) . . . . . FS 13
Busquet (R.) . . . . GV 15
Colbert (R.) . . . . ES 18
Daviel (Pl.) . . . . DT 19
Delphes (Av. de) . . . . GV 20
Delpuech (Bd) . . . . GV 21
Dessemond (R. Cap.) . . . . . DV 22
Dugommier (Bd) . . . . FT 23
Estienne-d'Orves (Crs d') . . . EU 25
Fabres (R. des) . . . . FT 27
Fort-du-Sanctuaire (R. du) . . EV 29
Garibaldi (Bd) . . . . FT 30

Grand'Rue . . . . ET 33
Grignan (R.) . . . . EU 34
Guesde (Pl. J.) . . . . ES 35
Iéna (R. d') . . . . GV 36

Joliette (Pl. de la) . . . . . DS
Liberté (Bd de la) . . . . . . FS
Moisson (R. F.) . . . . ES
Montricher (Bd) . . . . GS

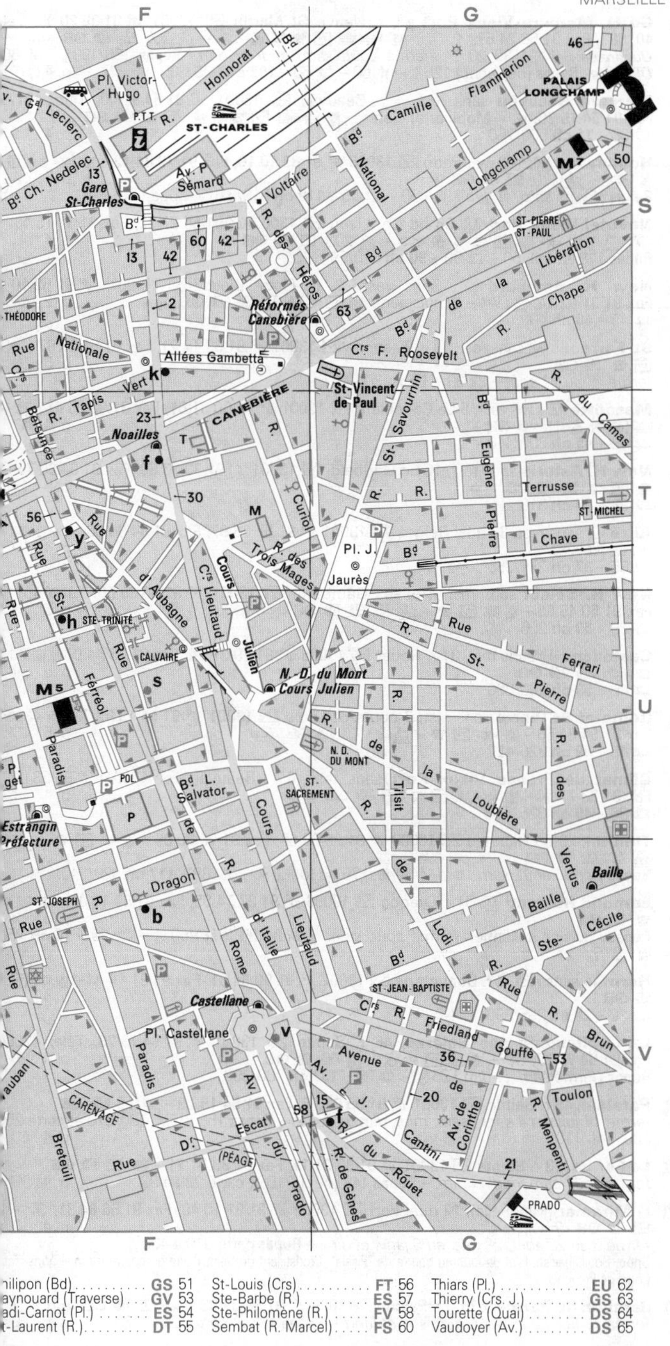

hilipon (Bd)	GS	51
aynouard (Traverse)	GV	53
adi-Carnot (Pl.)	ES	54
t-Laurent (R.)	DT	55
St-Louis (Crs)	FT	56
Ste-Barbe (R.)	ES	57
Ste-Philomène (R.)	FV	58
Sembat (R. Marcel)	FS	60
Thiars (Pl.)	EU	62
Thierry (Crs. J.)	GS	63
Tourette (Quai)	DS	64
Vaudoyer (Av.)	DS	65

Gd H. Mercure-Vieux Port [M], r. Neuve St Martin ✉ 13001 ☎ 91 39 20 00, Tél 401886, Fax 91 56 24 57, ←, 🍽 – |♦| ⇆ ▤ TV ☎ 📞 ♿ 🚗 – 🏛 200. AE ① GB JCB
Oursinade : ☎ 91 39 20 14 *(fermé août, sam. midi et dim.)* **Repas** 168/198 🍷, enf. 60
Oliveraie : **Repas** (déj. seul.) 125 🍷, enf. 60 – ☕ 60 – **199 ch** 399/600. p. 4 EST

Mercure Beauvau sans rest, 4 r. Beauvau ✉ 13001 ☎ 91 54 91 00, Télex 4017 Fax 91 54 15 76, ←, « Mobilier ancien » – |♦| ⇆ ▤ TV ☎ – 🏛 25. AE ① GB
☕ 65 – **71 ch** 500/750. p. 4 ET

Holiday Inn [M], 103 av. Prado ✉ 13008 ☎ 91 83 10 10, Fax 91 79 84 12 – |♦| ⇆ ▤ TV ♿ 🚗 – 🏛 170. AE ① GB JCB p. 5 BZ
Repas *(fermé sam. et dim.)* 95/450 – ☕ 55 – **119 ch** 510/610, 4 appart.

Novotel Vieux Port [M], 36 bd Ch. Livon ✉ 13007 ☎ 91 59 22 22, Fax 91 31 15 48, 🍽, 🏊 – |♦| ⇆ ▤ TV ☎ 📞 ♿ 🚗 – 🏛 200. AE ① GB p. 4 DU
Repas 118 🍷, enf. 50 – ☕ 50 – **90 ch** 510/590.

New H. Bompard 🌿 sans rest, 2 r. Flots Bleus ✉ 13007 ☎ 91 52 10 Fax 91 31 02 14, 🏊, 🌳 – |♦| cuisinette ▤ TV ☎ ♿ P. AE ① GB JCB p. 2 AZ
☕ 45 – **46 ch** 400.

St-Ferréol's [M] sans rest, 19 r. Pisançon ✉ 13001 ☎ 91 33 12 21, Fax 91 54 29 97 – |♦| TV ☎. AE GB p. 5 FU
fermé 1er au 21 août – ☕ 39 – **19 ch** 306/462.

Mascotte [M] sans rest, 5 La Canebière ✉ 13001 ☎ 91 90 61 61, Fax 91 90 95 61 – |♦| ▤ TV ☎ ♿. AE ① GB p. 4 ET
☕ 42 – **45 ch** 300/440.

New H. Astoria sans rest, 10 bd Garibaldi ✉ 13001 ☎ 91 33 33 50, Fax 91 54 80 75 – ▤ TV ☎. AE ① GB JCB p. 5 FT
☕ 38 – **58 ch** 310.

Alizé [M] sans rest, 35 quai Belges ✉ 13001 ☎ 91 33 66 97, Fax 91 54 80 06, ← – |♦| ▤ ☎. AE ① GB p. 4 ETU
☕ 35 – **37 ch** 275/355.

New H. Sélect sans rest, 4 allées Gambetta ✉ 13001 ☎ 91 50 65 50, Télex 4021 Fax 91 50 45 56 – |♦| ▤ TV ☎ – 🏛 25. AE ① GB JCB p. 5 FS
☕ 38 – **60 ch** 295.

Castellane [M] sans rest, 31 r. Rouet ✉ 13006 ☎ 91 79 27 54, Fax 91 25 44 07 – |♦| ▤ ☎ 🚗. AE ① GB p. 5 GV
☕ 45 – **53 ch** 290/330.

Rome et St Pierre sans rest, 7 cours St Louis ✉ 13001 ☎ 91 54 19 52, Télex 4306 Fax 91 54 34 56 – |♦| ⇆ TV ☎ – 🏛 30. AE ① GB JCB p. 5 FT
☕ 45 – **49 ch** 326/422.

Climat de France Vieux Port sans rest, 6 r. Beauvau ✉ 13001 ☎ 91 33 02 Fax 91 33 21 34 – |♦| ⇆ ▤ TV ☎. AE ① GB JCB p. 4 ET
☕ 36 – **49 ch** 325/340.

Timotel, 23 bd Rabatau ✉ 13008 ☎ 91 25 66 66, Fax 91 78 09 66 – |♦| ▤ TV ☎ ♿ 🚗 🏛 40. AE ① GB p. 3 BZ
Repas *(fermé août, sam., dim. et fériés)* 75 bc (déj.)/95 – ☕ 38 – **117 ch** 320/340.

Edmond Rostand [M], 31 r. Dragon ✉ 13006 ☎ 91 37 74 95, Fax 91 57 19 04 – |♦| ▤ ☎. AE GB p. 5 FV
Repas - cuisine italienne - *(fermé août, sam. et dim.)* 55 (déj.)/60 🍷 – ☕ 30 – **16 ch** 25 ½P 215.

Hermès sans rest, 2 r. Bonneterie ✉ 13002 ☎ 91 90 34 51, Fax 91 91 14 44 – |♦| ▤ TV AE GB p. 4 ET
☕ 30 – **28 ch** 255/390.

La Capitainerie des Galères, 46 r. Sainte ✉ 13001 ☎ 91 54 73 73, Télex 4208 Fax 91 54 77 77, 🍽 – |♦| ▤ TV ☎ ♿ – 🏛 60. AE GB p. 4 EU
Repas *(fermé sam. et dim.)* 85 🍷 – ☕ 35 – **137 ch** 260/300.

XXX **Patalain,** 49 r. Sainte ✉ 13001 ☎ 91 55 02 78, Fax 91 54 15 29 – ▤. AE ① GB
fermé 14 juil. au 4 sept., sam. midi, dim. et fériés – **Repas** 150 (déj.), 180/370 et carte 25 380, enf. 110. p. 4 EU

XXX **La Ferme,** 23 r. Sainte ✉ 13001 ☎ 91 33 21 12, Fax 91 33 81 21 – ▤. AE ① GB
fermé août, sam. midi et dim. – **Repas** 148 (déj.)/215 et carte 280 à 330. p. 4 EU

XXX ✿ **Miramar** (Minguella), 12 quai Port ✉ 13002 ☎ 91 91 10 40, Fax 91 56 64 31, 🍽 – AE ① GB JCB p. 4 ET
fermé 3 au 25 août, 23 déc. au 6 janv. et dim. – **Repas** carte 310 à 400 🍷
Spéc. Bouillabaisse. Filet de loup au beurre de "Pisala". Croustillant de Saint-Pierre au beurre de miel. **Vins** Cas Côtes de Provence.

XXX **Jambon de Parme,** 67 r. La Palud ✉ 13006 ☎ 91 54 37 98 – ▤. AE ① GB JCB
fermé 13 juil. au 28 août, dim. soir et lundi – **Repas** 185 et carte 230 à 320. p. 5 FU

XXX **Au Pescadou,** 19 pl. Castellane ✉ 13006 ✆ 91 78 36 01, Fax 91 83 02 94 – ▤. AE ⓓ GB
fermé 21 juil. au 31 août et dim. soir – **Repas** - produits de la mer - 158/198 et carte 240 à 320. p. 5 FV **v**

XX **L'Ambassade des Vignobles,** 42 pl. aux Huiles ✉ 13001 ✆ 91 33 00 25, Fax 91 54 25 60 – ▤. AE GB p. 4 EU **h**
fermé 5 août au 2 sept., sam. midi et dim. – **Repas** 150/300 bc.

XX **Chez Fonfon,** 140 vallon des Auffes ✉ 13007 ✆ 91 52 14 38, Fax 91 59 27 32, ← – AE ⓓ GB
fermé 24 déc. au 8 janv., 19 fév. au 6 mars, lundi midi et dim. – **Repas** - produits de la mer - 195/250. p. 2 AY **t**

XX **René Alloin,** 9 pl. Amiral Muselier (par prom. G. Pompidou) ✉ 13008 ✆ 91 77 88 25, Fax 91 77 76 84, 🍴 – GB p. 3 BZ **k**
fermé sam. midi, dim. soir et lundi midi – **Repas** 135 (déj.), 185/250.

XX **L'Épuisette,** Vallon des Auffes ✉ 13007 ✆ 91 52 17 82, Fax 91 59 18 80, ← – AE ⓓ GB
fermé janv. et dim. – **Repas** - produits de la mer - 195/320. p. 2 AY **s**

XX **Michel-Brasserie des Catalans,** 6 r. Catalans ✉ 13007 ✆ 91 52 30 63, Fax 91 59 23 05 – ▤. AE GB JCB p. 2 AY **e**
Repas - produits de la mer - carte 360 à 500.

XX **Les Arcenaulx,** 25 cours d'Estienne d'Orves ✉ 13001 ✆ 91 54 77 06, Fax 91 54 76 33, 🍴, « Restaurant-librairie dans un décor ancien » – ▤. AE ⓓ GB JCB p. 4 EU **s**
fermé dim. – **Repas** 135/280, enf. 50.

XX **Brasserie New-York,** 33 quai Belges ✉ 13001 ✆ 91 33 60 98, Fax 91 33 29 46, 🍴 – ▤. AE ⓓ GB p. 4 ETU **b**
Repas 145 et carte 190 à 280 ♧.

XX **Chez Caruso,** 158 quai Port ✉ 13002 ✆ 91 90 94 04, Fax 91 56 56 55, 🍴 – AE GB
fermé 15 oct. au 6 nov., dim. soir et lundi – **Repas** - cuisine italienne - 150. p. 4 DT **q**

X **Chez Soi,** 5 r. Papère ✉ 13001 ✆ 91 54 25 41 – AE GB p. 5 FT **f**
fermé 1er au 21 août, dim. soir en juil.-août et lundi – **Repas** 64 ♧.

X **La Côte de Boeuf,** 35 cours d'Estienne d'Orves ✉ 13001 ✆ 91 54 89 08, Fax 91 54 25 60 – ▤. AE GB p. 4 EU **r**
fermé 1er juil. au 7 août, 23 déc. au 4 janv., dim. et fériés – **Repas** 180 bc.

à Plan-de-Cuques NE : 10 km par La Rose et D 908 – 9 847 h. alt. 70 – ✉ **13380** :

Le Caesar Ⓜ, av. G. Pompidou ✆ 91 07 25 25, Fax 91 05 37 16, 🍴, Fō, ⛱, – ▤ ▣ ☎ ♿ P – 🏛 30. AE ⓓ GB
Repas *(fermé dim. soir)* 130/220, enf. 60 – ☕ 45 – **30 ch** 360/430 – ½ P 360.

à l'Est par ② et sortie La Penne-St-Menet : 11,5 km :

Novotel La Valentine Ⓜ, à St Menet ✉ 13011 ✆ 91 43 90 60, Télex 400667, Fax 91 27 06 74, 🍴, ⛱, – ▤ ▣ ☎ ♿ P – 🏛 150. AE ⓓ GB
Repas carte environ 160 ♧, enf. 50 – ☕ 50 – **131 ch** 410/450.

au centre commercial Bonneveine par corniche Kennedy : 8 km AZ – ✉ **13008** Marseille :

Mercure Bonneveine Ⓜ, av. E. Triolet ✆ 91 22 96 00, Fax 91 25 20 02, 🍴, ⛱, – ▤ ▣ ☎ ♿ P – 🏛 50. AE ⓓ GB
Repas 107, enf. 50 – ☕ 46 – **60 ch** 410/510, 9 appart.

Ibis Bonneveine Ⓜ, av. E. Triolet ✆ 91 72 34 34, Fax 91 25 32 78, 🍴, ⛱, – ▤ ▣ ☎ ♿ P – 🏛 45. AE ⓓ GB
Repas 99 bc, enf. 39 – ☕ 35 – **88 ch** 320/340.

MICHELIN, Agence régionale, 22-24 r. F.Sauvage (14e) par N 8 AX ✆ 91 02 08 02

1er et 2e Arrondissements

BMW Gar. Station 7, 42 bd de Dunkerque (2e) ✆ 91 91 92 42 N ✆ 91 47 90 90
PEUGEOT Filiale-SIAP NORD, 27 bd de Paris (2e) BX ✆ 91 91 90 65 N ✆ 05 44 24 24
Mendez Pneu, 17 bd des Dames (2e) ✆ 91 90 25 77

3e et 4e Arrondissements

CITROEN Succursale, 53 bd Guigou (3e) BX ✆ 91 28 26 26
Ayme Pneus, 6 r. Esperandieu (4e) ✆ 91 50 71 07
Escoffier Pneus Vulcopneu, 19 à 23 bd de Briançon (3e) ✆ 91 50 77 91 N ✆ 91 50 77 91
Pneus 13, 26 bd d'Arras (4e) ✆ 91 49 02 51

5e Arrondissement

RENAULT Gar. de Verdun, 11 r. de Verdun (5e) CY ✆ 91 94 91 25

6e et 7e Arrondissements

MERCEDES Paris Méditerranée Auto, 166 Crs Lieutaud (6e) ✆ 91 94 91 40
VAG Gar. Bernabeu, 50 av. Prado (6e) ✆ 91 37 74 34
VOLVO Actena, 27 av. J.-Cantini (6e) ✆ 91 17 42 10

8e Arrondissement

ALFA ROMEO Var France, 241 av. Prado (8e) ✆ 91 80 91 44
CITROEN Succursale, 96 bd Rabatau (8e) CZ ✆ 91 17 56 00 N ✆ 91 17 56 00
FIAT Sud Autom., 110-116 av. Cantini (8e) ✆ 91 78 12 11
OPEL Auto Sce Réparation, 3-5 bd Rabatau (8e) ✆ 91 83 57 57
PEUGEOT Filiale SIAP Prado Michelet, 204 bd Michelet (8e) BCZ ✆ 91 22 92 92 N ✆ 91 77 24 24
RENAULT Succursale Michelet, 134 bd Michelet (8e) BZ ✆ 91 30 33 00 N ✆ 05 05 15 15
SEAT S.O.D.I.A., 150 av. Prado (8e) ✆ 91 53 55 22

Central Pneus II, 265 av. de Mazargues (8e) ✆ 91 22 04 77
Central-Pneus, 104 av. Cantini (8e) ✆ 91 79 79 86
Euromaster, 4 r. R.-Teissère/pl. Rabatau (8e) ✆ 91 79 18 12
V.S.D. Pneus, 25 bd du Sablier (8e) ✆ 91 73 32 22

9e, 10e et 11e Arrondissements

FERRARI, HONDA Gar. Pagani, 47 bd Cabot (9e) ✆ 91 82 06 66
FORD Agence Centrale, 33 av. de la Capelette (10e) ✆ 91 17 43 17
MERCEDES M.A.S.A., 108 bd Pont-de-Vivaux (10e) ✆ 91 79 56 56
PEUGEOT SIAP Lombard, 37 av. J.-Lombard (11e) par D 2 CY ✆ 91 94 91 21 N ✆ 91 97 34 39
TOYOTA V.A.B., 22 bd Icard (10e) ✆ 91 80 88 20

Alberola Pneus, 167 bd R.-Rolland (10e) ✆ 91 79 75 81
Ayme Pneus, 322 bd R.-Rolland (9e) ✆ 91 26 16 17
Ayme Pneus, 7 av. de la Capelette (10e) ✆ 91 80 15 15
Euromaster, 37 r. Capitaine Galinat (10e) ✆ 91 78 10 13

12e, 13e et 14e Arrondissements

RENAULT Cap Provence Automobile, 79 av. de la Rose (13e) par l'av. J.P. Sartre CX ✆ 91 10 05 05 N ✆ 05 05 15 15
VAG S.O.D.R.A., 1 chemin de Ste Marthe (14e) ✆ 91 50 19 30

Ayme Pneus, 80 bd Barry St-Just (13e) ✆ 91 66 25 12
Euromaster, 15 bd Gay-Lussac (14e) ✆ 91 98 90 11
Gay Pneus, 47 bd Burel (14e) ✆ 91 95 91 13
Sirvent Pneus, 194 bd D.-Casanova (14e) ✆ 91 67 22 20

15e et 16e Arrondissements

FORD Marseille Nord Autom., 64 r. de Lyon (15e) ✆ 91 95 90 42
PEUGEOT Gar. Gastaldi, 48 av de St-Antoine (15e) par N 8 AX ✆ 91 51 32 37
RENAULT Gar. Lodi, 124 N la Viste (15e) par N 8 AX ✆ 91 69 90 71
RENAULT Cap Pinède Autom., av. du Cap Pinède (15e) par av. R. Salengro BX ✆ 91 58 71 14 N ✆ 05 05 15 15

Comptoir du Pneu, 428 N St-Antoine (15e) ✆ 91 51 24 13

Banlieue

Relais de Pennes, N 113 Les Pennes Mirabeau ✆ 42 02 71 26

Morillas Pneus, Septemes les Vallons ✆ 91 51 01 20

Au moment de chercher un hôtel ou un restaurant, soyez efficace.
Sachez utiliser les noms soulignés en rouge sur les cartes Michelin à 1/200 000.
Mais ayez une carte à jour!

MARTEL **46600** Lot 75 ⑱ **G. Périgord Quercy** – 1 462 h alt. 225.

Voir Place des Consuls★ – Belvédère de Copeyre ≤★ sur cirque de Montvalent★ SE :4 km.

Office de Tourisme Palais de la Raymondie ✆ 65 37 43 44, Fax 65 37 37 27.

Paris 518 – Brive-la-Gaillarde 33 – Cahors 79 – Figeac 58 – Gourdon 43 – St-Céré 32 – Sarlat-la-Canéda 45.

à Gluges : S : 5 km par N 140 – ✉ **46600** Martel.

Voir Site★.

Falaises ⑤, ✆ 65 37 33 59, Fax 65 37 34 19, ≤, – ☎ P. GB. ✻ ch
1er mars-30 nov. – **Repas** 100/300 ♀ – ☐ 38 – **17 ch** 220/320 – ½ P 220/270.

MARTIGUES **13500** B.-du-R. 84 ⑫ **G. Provence** – 42 678 h alt. 1.

Voir Pont St-Sébastien ≤★ Z **B** – Étang de Berre★ Z – Viaduc autoroutier de Caronte★ – Chapelle N.-D.-des-Marins ✻★ 3,5 km par ④.

Office de Tourisme quai P.-Doumer ✆ 42 80 30 72, Fax 42 80 00 97.

Paris 761 ② – ♦Marseille 39 ② – Aix-en-Provence 44 ② – Arles 53 ④ – Salon-de-Provence 38 ①.

Plan page ci-contre

St-Roch ⑤, av. G. Braque ✆ 42 80 19 73, Télex 402925, Fax 42 80 01 80, ≤, , parc – ▤ TV ☎ ♿ P – 🏠 30. AE ⓓ GB Y
Repas 115/155 – ☐ 45 – **37 ch** 420/545 – ½ P 315/405.

Campanile, par ① : 1,5 km rte Istres ✆ 42 80 14 00, Fax 42 80 01 72 – ▤ rest TV ☎ ♿ P – 🏠 25. AE ⓓ GB
Repas 84 bc/107 bc, enf. 39 – ☐ 32 – **43 ch** 270.

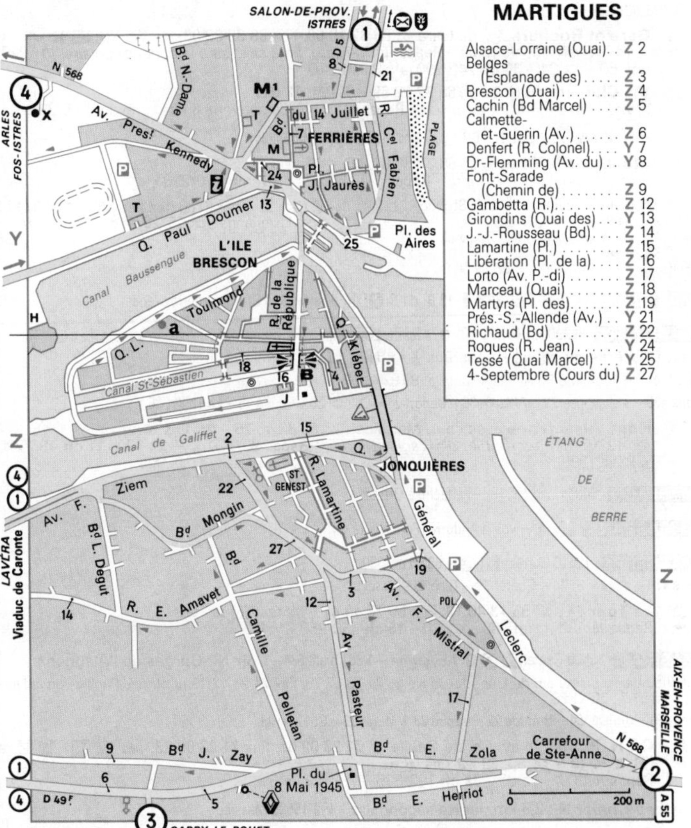

XX **Le Berjac "Un bouchon à la Mer",** 19 quai Toulmond ✆ 42 80 36 80, Fax 42 49 38 60, ⇐ – ▤. Ⓓ GB Z **a**
fermé sam. midi – **Repas** 119/204 ♁, enf. 75.

ENAULT Gar. Aragon, av. J.-Macé ✆ 42 07 03 54

Euromaster, N 568, Puits de Pouane
✆ 42 06 63 27

Maison du Pneu, ZI Sud 17 av. J.-Nodre
✆ 42 07 07 71
Morcel Pneus, av. Fleming ✆ 42 80 44 49
PGE Autos, 11 r. de Verdun ✆ 42 80 58 33

MARTIN-ÉGLISE **76** S.-Mar. 52 ④ – rattaché à Dieppe.

MARTRES-TOLOSANE **31220** H.-Gar. 82 ⑯ **G. Pyrénées Roussillon** – 1 929 h alt. 268.

aris 756 – Bagnères-de-Luchon 76 – ♦Toulouse 60 – Auch 79 – Auterive 45 – Pamiers 69 – St-Gaudens 29 – St-Girons 40.

Castet, face gare ✆ 61 98 80 20, Fax 61 98 80 20, ☂, ⛱ – TV ☎. AE GB
fermé 21 au 27 oct., 15 fév. au 15 mars, dim. soir et lundi sauf du 15 juil. au 15 août – **Repas** 65/150 ♁ – ☕ 25 – **11 ch** 200/250 – ½ P 200.

Pons Pneus, à Cazères ✆ 61 97 27 33

MARVEJOLS **48100** Lozère 80 ⑤ **G. Gorges du Tarn** (plan) – 5 476 h alt. 650.

Voir Porte de Soubeyran★.

Office de Tourisme place du Soubeyran ✆ 66 32 02 14.

aris 582 – Mende 29 – Espalion 64 – Florac 53 – Millau 75 – Rodez 91 – St-Chély-d'Apcher 31.

Gare et Rochers, pl. Gare 66 32 10 58, Fax 66 32 30 63, ←, – |‡| TV ☎ ⇐. G
fermé 15 janv. au 10 mars – **Repas** *(fermé sam. hors sais. sauf vacances scolaires)* 71/220 enf. 60 – ☐ 34 – **30 ch** 240/290 – ½ P 240/270.

XX **Viz Club,** rte du Nord 66 32 17 69 – P. AE ◑ GB
fermé 2 au 31 janv. et dim. soir – **Repas** (nombre de couverts limité, prévenir) 98/235.

rte de Mende par N 108 : 3,5 km – ✉ **48100** Marvejols :

XX **Moulin de la Chaze,** 66 32 36 07, – P. GB
fermé 1er au 15 oct. et lundi – **Repas** (week-ends prévenir) 110/220.

CITROEN Rel du Gévaudan, rte de St-Flour 66 32 15 62 N 66 32 15 62
FIAT Auto Performance, bd T.-Roussel 66 32 28 98
PEUGEOT Gar. Rouvière, 66 32 00 88

Gar. Covinhes, 9 bd de Chambrun 66 32 17 0
Vulc Lozérienne-Point S, 26 bd de Chambrun 66 32 07 11

MAS-BLANC-DES-ALPILLES 13 B.-du-R. 81 ⑪ – rattaché à St-Rémy-de-Provence.

MASEVAUX 68290 H.-Rhin 66 ⑧ G. Alsace Lorraine – 3 267 h alt. 425.

Env. Descente du col du Hundsrück ←★★ NE : 13 km.

Office de Tourisme Fossé Flagellants 89 82 41 99.

Paris 433 – ♦Mulhouse 29 – Altkirch 30 – Belfort 24 – Colmar 56 – Thann 15 – Le Thillot 36.

XX **Host. Alsacienne** avec ch, r. Mar. Foch 89 82 45 25 – ☎. GB
fermé 15 juin au 15 juil., dim. soir et lundi – **Repas** 90/200 – ☐ 33 – **11 ch** 185/280 ½ P 250/280.

MASLACQ 64 Pyr.-Atl. 78 ⑧ – rattaché à Orthez.

La MASSANA 86 ⑭ – voir à Andorre (Principauté d').

MASSERET 19510 Corrèze 72 ⑱ – 669 h alt. 380.

Paris 438 – ♦Limoges 44 – Guéret 99 – Tulle 46 – Ussel 97.

La Tour, 55 73 40 12, Fax 55 73 49 41 – rest TV ☎. GB
Repas 78/190, enf. 60 – ☐ 30 – **15 ch** 230/250 – ½ P 250.

MASSIAC 15500 Cantal 76 ④ G. Auvergne – 1 881 h alt. 534 – **Voir** N : Gorges de l'Alagnon★.

Office de Tourisme av. du Gén.-de-Gaulle 71 23 07 76, Fax 71 23 12 13 et pl. des Pupilles de la Natic (saison) 71 23 11 38.

Paris 491 – Aurillac 84 – Brioude 22 – Issoire 38 – Murat 35 – St-Flour 26.

Gd H. Poste, 26 av. Ch. de Gaulle 71 23 02 01, Fax 71 23 09 23, – |‡| re
TV ☎ P – 30. AE ◑ GB JCB
Repas 70/200 – ☐ 36 – **32 ch** 190/335 – ½ P 265/315.

au Chalet N : 2,5 km par rte secondaire – ✉ **15500** Massiac :

X **Aub. de Chalet,** Chapelle Ste-Madeleine 71 23 00 67 – P. GB
Pâques-1er nov. et fermé jeudi – **Repas** 80 et carte le week-end 130 à 200, enf. 50.

CITROEN Brunet Autom., pl. Pupilles de la Nation 71 23 02 23
PEUGEOT Gar. Richard, 20 av. Gén.-de-Gaulle 71 23 02 25

RENAULT Gar. Delmas, N 9 Le Gravairas, 103 av. Gén.-de-Gaulle 71 23 02 11 N 71 23 02 11

MASSY 91 Essonne 60 ⑩, 101 ㉕ – voir à Paris, Environs.

MAUBEUGE 59600 Nord 53 ⑥ G. Flandres Artois Picardie – 34 989 h Agglo. 102 772 h alt. 134.

Office de Tourisme Porte de Mons 27 62 11 93, Fax 27 64 10 23 – A.C. Porte de France, av. Gare 27 6 62 34.

Paris 243 ⑤ – Charleville-Mézières 94 ④ – Mons 20 ① – St-Quentin 77 ④ – Valenciennes 36 ⑤.

Plan page ci-contre

Campanile, av. J. Jaurès 27 64 00 91, Fax 27 65 34 47, – TV ☎ P
25. AE ◑ GB B
Repas 84 bc/107 bc, enf. 39 – ☐ 32 – **38 ch** 270.

Primevère, av. J. Jaurès par ⑤ 27 62 15 00, Fax 27 65 64 70 – TV ☎ P – 3(
AE GB
Repas 81/104, enf. 41 – ☐ 32 – **41 ch** 270.

sur rte d'Avesnes par ④ et N 2 : 6 km – ✉ **59330** Beaufort :

XX **Aub. de l'Hermitage,** 27 67 89 59 – P. AE GB
fermé 22 juil. au 14 août, dim. soir et lundi – **Repas** 150/350, enf. 80.

CITROEN Gar. Deshayes, 18 bd de Jeumont 27 53 70 40
RENAULT S.A.F.D.A., 124 rte de Valenciennes à Feignies par ⑤ 27 53 18 88 N 27 69 33 33

Pneus et Sces D.K., 13 porte de Paris 27 62 17 65

MAUBEUGE

Albert-1er (R.) . . . . B 2
France (Av. de) . . . . B
Gare (Av. de la) . . . . A
Mabuse (Av.) . . . . B 12
Mail de la Sambre . . . . AB 14
Paillot (R. G.) . . . . B 21
Roosevelt (Av. Franklin) AB 28
Vauban (Pl.) . . . . B 29
145e-Régt-d'Inf. (R. du) . . B 31
Concorde (Pl. de la) . . . . . B 4
Coutelle (R.) . . . . A 5
Intendance (R. de l') . . . . . B 10
Mabuse (Pl.) . . . . B 13
Musée (R. du) . . . . B 18
Nations (Pl. des) . . . . B 19
Pasteur (Bd) . . . . A 24
Porte-de-Bavay (Av.) . . . . . A 25
Provinces-Françaises (Av.) B 26

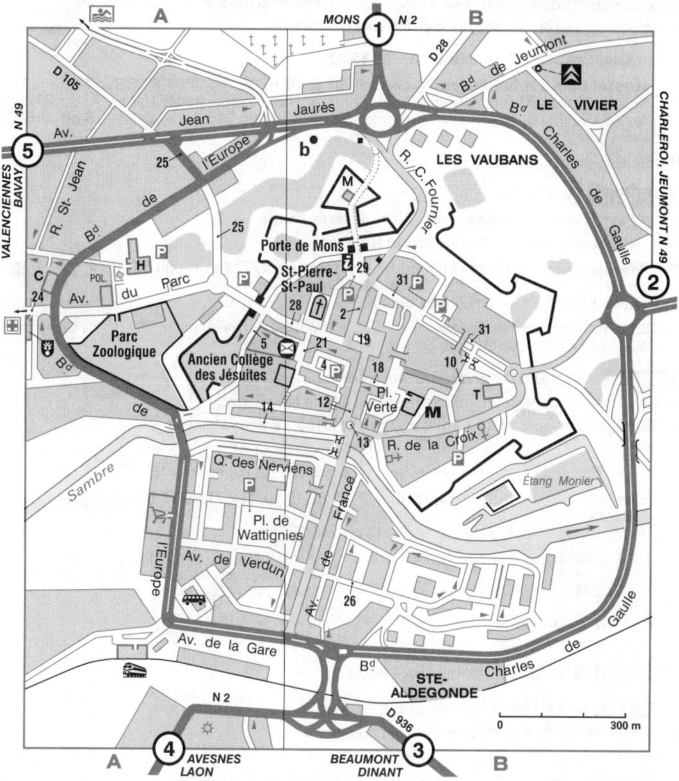

MAULÉON **79700** Deux-Sèvres 67 ⑥ ⑯ **G. Poitou Vendée Charentes** – 8 779 h alt. 180.

Syndicat d'Initiative pl. de l'Hôtel de Ville (fermé matin) ☏ 49 81 95 22.

Paris 363 – Cholet 24 – ♦Nantes 80 – Niort 81 – Parthenay 53 – La Roche-sur-Yon 65 – Thouars 45.

- **Terrasse**, 7 pl. Terrasse ☏ 49 81 47 24, Fax 49 81 65 04, – ☎. GB
  fermé 11 au 19 mai, 29 juil. au 7 août, week-ends d'oct. à mai et dim. (sauf hôtel de juin à sept.) – **Repas** 80/180 – 35 – **13 ch** 230/330 – ½ P 225/245.
- **Europe,** 15 r. Hôpital ☏ 49 81 40 33, Fax 49 81 62 47 – AE GB
  fermé 1er au 22 oct., 2 au 8 janv. et lundi – **Repas** 65/145.

CITROEN Gar. Olivier, ☏ 49 81 47 75 N ☏ 49 81 47 75
PEUGEOT Gar. Gouffier, 13, rte de Poitiers ☏ 49 81 44 46

MAULÉON-LICHARRE **64130** Pyr.-Atl. 85 ④ ⑤ **G. Pyrénées Aquitaine** – 3 533 h alt. 140.

Office de Tourisme de Soule, 10 r. J-Baptiste Heugas ☏ 59 28 02 37, Fax 59 28 02 21.

Paris 808 – Pau 58 – Oloron-Ste-Marie 29 – Orthez 39 – St-Jean-Pied-de-Port 40 – Sauveterre-de-Béarn 26.

- **Bidegain,** r. Navarre ☏ 59 28 16 05, Fax 59 28 09 96, – ☎. AE GB
  fermé 15 déc. au 15 janv., vend. soir (sauf hôtel), sam. midi et dim. soir – **Repas** 70/130, enf. 50 – 30 – **30ch** 160/300 – ½ P 185/245.

PEUGEOT Gar. Sarlang, ☏ 59 28 07 61 N ☏ 59 28 07 61
RENAULT Gar. Jaury, ☏ 59 28 15 13
RENAULT Gar. le Rallye, ☏ 59 28 13 70 N ☏ 59 28 13 70
Euromaster, 3 av. Mar.-Harispe ☏ 59 28 07 90

MAURE-DE-BRETAGNE 35330 I.-et-V. 63 ⑤ ⑥ – 2 552 h alt. 51.

Paris 382 – ♦ Rennes 36 – Châteaubriant 56 – Ploërmel 37 – Redon 35.

Centre sans rest, 2 pl. Poste ✆ 99 34 91 52 – ☎ ⇔. GB
☐ 25 – **16 ch** 130/235.

MAUREILLAS-LAS-ILLAS 66400 Pyr.-Or. 86 ⑲ **G. Pyrénées Roussillon** – 2 037 h alt. 130.

Paris 889 – ♦ Perpignan 26 – Gerona 70 – Port-Vendres 31 – Prades 56.

à Las Illas SO : 11 km par D 13 – ✉ 66480 :

Hostal dels Trabucayres ⊗ avec ch, ✆ 68 83 07 56, ←, 🏡 – 🅿. GB. ✻ ch
hôtel : 1er mai-30 sept. et fermé mardi et merc. hors sais. – **Repas** *(fermé 23 au 29 oct., fév. au 12 mars, mardi soir et merc. hors sais.)* 60 bc/225 bc – ☐ 24 – **5 ch** 145/175 ½ P 175.

CITROEN Gar. Coste, ✆ 68 83 06 10

MAUREPAS 78310 Yvelines 60 ⑨ 101 ㉑ – 19 718 h alt. 165.

Voir Le Pays France Miniature★ NE : 3 km, **G. Ile de France.**

Paris 35 – Houdan 30 – Palaiseau 26 – Rambouillet 15 – Versailles 16.

Mercure M, N 10 ✆ (1) 30 51 57 27, Télex 695427, Fax (1) 30 66 70 14, 🏡 – 🛗 ⇔
▤ rest TV ☎ ♿ 🅿 – 🏛 100. AE ⓪ GB JCB
Repas 120, enf. 45 – ☐ 55 – **91 ch** 430.

RENAULT Succursale, bd des Arpents ✆ (1) 34 82 31 64 🅽 ✆ (1) 05 05 15 15

VOLVO Pariwest Autom., ZA 8 r. du Commerce ✆ (1) 30 50 67 00

MAURIAC ⟨SP⟩ 15200 Cantal 76 ① **G. Auvergne** (plan) – 4 224 h alt. 722.

Voir Basilique★ – Le Vigean : châsse★ dans l'église NE : 2 km.

Env. Barrage de l'Aigle★★ : 11 km par D 678 et D105, **G. Berry Limousin.**

ℹ Office de Tourisme pl. G.-Pompidou ✆ 71 67 30 26, Fax 71 68 12 39.

Paris 499 – Aurillac 52 – Le Mont-Dore 77 – ♦Clermont-Ferrand 110 – Le Puy-en-Velay 181 – Tulle 65.

Serre sans rest, r. du 11 Novembre ✆ 71 68 19 10, Fax 71 68 17 77 – 🛗 TV ☎ ✆ ⇔ 🅿
GB. ✻
fermé 25 déc. au 31 janv. – ☐ 27 – **13 ch** 240/350.

PEUGEOT Mauriac Automobiles, rte de Clermont ✆ 71 68 06 24
RENAULT Gar. Balmisse, au Vigean ✆ 71 68 06 77 🅽 ✆ 71 68 06 77
Gar. Dutuel, av. A.-Chauvet ✆ 71 68 15 24 🅽 ✆ 71 68 15 24

Ⓜ Haag Pneus, r. du 19 Mars ✆ 71 68 09 81
Vizet pneus service, 10 r. Longchamp, av. A.-Chauvet ✆ 71 68 03 00

MAUROUX 46 Lot 79 ⑥ – rattaché à Puy-l'Évêque.

MAURS 15600 Cantal 76 ⑪ **G. Auvergne** – 2 350 h alt. 290.

Voir Buste-reliquaire★ et statues★ dans l'église.

ℹ Office de Tourisme pl. Champ-de-Foire ✆ 71 46 73 72.

Paris 574 – Aurillac 43 – Rodez 60 – Entraygues-sur-Truyère 47 – Figeac 22 – Tulle 98.

La Châtelleraie M ⊗, à St-Étienne, NE : 1,5 km par rte Aurillac ✆ 71 49 09 09
Fax 71 49 07 07, 🏡, parc, ⛱ – TV ☎ ♿ 🅿. GB. ✻ rest
30mars-11 nov. – **Repas** (résidents seul.) – ☐ 40 – **25 ch** 420 – ½ P 360.

CITROEN Gar. Central, ✆ 71 49 01 95
FORD Gar. Balitrand, ✆ 71 49 02 04

RENAULT Gar. Lavigne, ✆ 71 49 00 20

MAUSSAC 19 Corrèze 73 ⑪ – rattaché à Meymac.

MAUSSANE-LES-ALPILLES 13520 B.-du-R. 84 ① – 1 886 h alt. 32.

Paris 714 – Avignon 29 – Arles 18 – ♦Marseille 82 – Martigues 44 – St-Rémy-de-Provence 9,5 – Salon-de-Provence 28

Pré des Baux M ⊗ sans rest, r. Vieux Moulin ✆ 90 54 40 40, Fax 90 54 53 07, ⛱, 🌳 –
TV ☎ 🅿. AE GB JCB
15 mars-25 nov. et 20 déc.-5 janv. – ☐ 50 – **10 ch** 550/650.

Val Baussenc M ⊗, rte Mouriès ✆ 90 54 38 90, Fax 90 54 33 36, ←, 🏡, ⛱, 🌳 – TV ☎
♿ 🅿. AE ⓪ GB. ✻ rest
hôtel : fermé 1er janv. au 1er mars ; rest. : fermé 1er nov. au 1er mars et mardi – **Repas** (dîner seul.) 180/290, enf. 60 – ☐ 60 – **21 ch** 490/650 – ½ P 500/540.

Castillon des Baux ⊗ sans rest, rte Paradou ✆ 90 54 31 93, Fax 90 54 51 31, ⛱ – ▤ ☎
🅿. AE ⓪ GB. ✻
☐ 32 – **16 ch** 320/350.

Magnanarelles, av. Vallée des Baux ✆ 90 54 30 25, Fax 90 54 50 04, 🏡, ⛱ – ☎. GB
fermé 2 janv. au 28 fév. – **Repas** *(fermé mardi midi hors sais.)* 80/200 – ☐ 35 – **18 ch** 230/320 – ½ P 270/280.

XX ✿ **La Petite France** (Maffre-Bogé), av. Vallée des Baux ☏ 90 54 41 91, Fax 90 54 52 50 – ▤ P. GB
fermé 13 au 20 nov., 3 au 31 janv., jeudi midi et merc. – **Repas** 160/320 et carte 210 à 320, enf. 65
Spéc. Raviole d'olives à la ricotte et à la sauge. Roulade de lapereau farci de son foie. Fondant chaud au chocolat, crème vanille. Vins Côteaux d'Aix-en-Provence.

XX **Ou Ravi Provençau,** av. Vallée des Baux ☏ 90 54 31 11, Fax 90 54 41 03,
fermé 12 nov. au 12 déc. et mardi – **Repas** 185/250.

au Paradou O : 2 km par D 17, rte d'Arles – 926 h. alt. 21 – ✉ **13520** :

X **Le Bistrot du Paradou,** ☏ 90 54 32 70 – P. GB
fermé vacances de Toussaint, de fév. et dim. – **Repas** (prévenir)(menu unique)(dîner seul. de juil. à mi-sept.) 150 bc (déj.)/190 bc.

MAUVEZIN 32120 Gers 82 ⑥ – 1 671 h alt. 153.
Paris 704 – Auch 27 – Agen 71 – Montauban 55 – ♦Toulouse 59.

XX **La Rapière,** ☏ 62 06 80 08, Fax 62 06 80 08, – ▤. AE ① GB JCB. ✗
fermé 15 au 30 juin, 1er au 15 oct., mardi soir et merc. – **Repas** 68 (déj.), 105/260 ♀, enf. 50.

RENAULT Gar. Douard, ☏ 62 06 80 11

MAUVEZIN-SUR-GUPIE 47 L.-et-G. 79 ③ – rattaché à Marmande.

MAUZAC 31410 H.-Gar. 82 ⑰ – 562 h alt. 190.
Paris 724 – ♦Toulouse 31 – Auterive 20 – Foix 61 – St-Gaudens 61.

XX **La Chaumine,** NO : 2 km par D 53 et rte secondaire ☏ 61 56 30 41, – P. GB
fermé jeudi soir, mardi soir et merc. – **Repas** 78 bc/205 ♀.

MAUZAC 24 Dordogne 75 ⑮ ⑯ – 958 h alt. 49 – ✉ **24150** Mauzac-et-Grand-Castang.
Paris 544 – Périgueux 51 – Bergerac 28 – Brive-la-Gaillarde 95 – Sarlat-la-Canéda 53.

La Métairie ⛰, rte de Trémolat, 3 km ☏ 53 22 50 47, Fax 53 22 52 93, ≤, , « Dans un parc surplombant la Dordogne », – TV ☎ P. GB
1er avril-15 oct. – **Repas** *(fermé mardi sauf le soir du 1er juil. au 15 sept.)* 120/300, enf. 60 – ☕ 60 – **10 ch** 580/750 – ½ P 500/650.

Poste, ☏ 53 22 50 52, ≤, – ☎ P. AE GB
15 mars-1er nov. – **Repas** 65/190 ♀, enf. 40 – ☕ 30 – **18ch** 150/280 – ½ P 230.

MAUZÉ-SUR-LE-MIGNON 79210 Deux-Sèvres 71 ② – 2 378 h alt. 30.
Paris 429 – La Rochelle 40 – Niort 22 – Rochefort 38.

Relais de la Fourche en Pré, rte Niort ☏ 49 26 32 36, Fax 49 26 72 47, – TV ☎ P. GB
fermé 21 déc. au 13 janv., 17 fév. au 3 mars, dim. soir et lundi – **Repas** 62 (déj.), 69/216 – ☕ 32 – **12 ch** 245/350 – ½ P 275.

X **France** avec ch, rte Niort ☏ 49 26 30 15, Fax 49 26 72 80 – TV ☎ P. GB
fermé dim. d'oct. à Pâques – **Repas** 80/180 – ☕ 30 – **7 ch** 130/180 – ½ P 170/190.

MAYENNE SP 53100 Mayenne 59 ⑳ **G. Normandie Cotentin** – 13 549 h alt. 124.
Voir Ancien château ≤★.
Office de Tourisme quai de Waiblingen (fermé après-midi hors saison) ☏ 43 04 19 37.
Paris 282 – Alençon 61 – Flers 57 – Fougères 45 – Laval 31 – ♦Le Mans 88.

Gd Hôtel, 2 r. A. de Loré ☏ 43 00 96 00, Fax 43 32 08 49 – TV ☎ P. AE GB
fermé 23 au 29 déc. – **Repas** 97/200 – ☕ 42 – **30 ch** 256/385 – ½ P 267/335.

XXX **Croix Couverte** avec ch, rte Alençon : 2 km sur N 12 ☏ 43 04 32 48, Fax 43 04 43 69, – TV ☎ P. AE ① GB
Repas *(fermé dim. du 1er oct. au 30 avril)* 70/275 et carte 160 à 250 ♀, enf. 48 – ☕ 32 – **13 ch** 220/280 – ½ P 230/265.

par rte de Laval N 162 et rte secondaire – ✉ **53100** Mayenne :

Campanile M, à 4 km ☏ 43 00 71 71, Fax 43 04 58 58, – ☎ & P – 30. AE ① GB
Repas 84 bc/107 bc, enf. 39 – ☕ 32 – **47 ch** 270.

XXX **La Marjolaine** M ⛰ avec ch, à 6,5 km, au domaine du Bas-Mont ☏ 43 00 48 42, Fax 43 08 10 58, parc – TV ☎ P – 30. GB
fermé Noël au Jour de l'An, vacances de fév., merc. (sauf hôtel) et dim. soir – **Repas** 110/280 et carte 220 à 270, enf. 90 – ☕ 35 – **12 ch** 250/320 – ½ P 315/380.

XX **Beau Rivage** ⛰ avec ch, à 4 km ☏ 43 00 49 13, Fax 43 04 43 69, – TV ☎ P. GB
fermé dim. soir du 1er oct. au 30 avril (sauf hôtel) et lundi – **Repas** 84/172 ♀ – ☕ 30 – **3 ch** 200/250 – ½ P 220.

BMW TOYOTA Bassaler Autom., 92 r. P.-Lintier ☏ 43 04 15 84 N ☏ 43 69 32 32
CITROEN SODIAM, 250 rte de Rennes ☏ 43 04 36 71 N ☏ 05 05 24 24

RENAULT Mayenne Autom., rte du Mans ☏ 43 04 58 86 N ☏ 43 90 82 01

Euromaster, 412 bd P.-Lintier ☏ 43 04 19 47

MAYET 72360 Sarthe 64 ③ – 2 877 h alt. 74.

Env. Forêt de Bercé★ E : 6 km, **G. Châteaux de la Loire.**

Paris 225 – ◆Le Mans 29 – Château-la-Vallière 27 – La Flèche 31 – ◆Tours 57 – Vendôme 75.

✕ **Aub. des Tilleuls,** pl. H. de Ville ✆ 43 46 60 12 – GB
◆ *fermé fév., dim. soir, lundi soir, mardi soir et merc.* – **Repas** 50/147 ♁.

Le MAYET-DE-MONTAGNE 03250 Allier 73 ⑥ **G. Auvergne** – 1 609 h alt. 535.

ℹ Office de Tourisme Chalet Cantonal pl. Foires ✆ 70 59 38 40.

Paris 365 – ◆Clermont-Ferrand 73 – Lapalisse 23 – Moulins 71 – Roanne 47 – Thiers 41 – Vichy 25.

✕ **Relais du Lac** avec ch, S : 0,5 km sur D 7 ✆ 70 59 70 23 – TV ☎ P. ✱ ch
◆ **Repas** 60/180 ♁, enf. 40 – ☕ 28 – **7 ch** 240/270 – ½ P 230/240.

RENAULT Gar. Tartarin, ✆ 70 59 70 61

MAZAGRAN 57 Moselle 57 ⑭ – rattaché à Metz.

MAZAMET 81200 Tarn 83 ⑪ ⑫ **G. Gorges du Tarn** – 11 481 h alt. 241.

⛳18 de la Barouge (privé) ✆ 63 61 06 72, par ① : 3,5 km.

✈ de Castres-Mazamet : T.A.T. ✆ 63 70 32 62, par ③ : 14 km.

ℹ Office de Tourisme r. des Casernes ✆ 63 61 27 07 et le Plô de la Bise (juil.-août) ✆ 63 61 25 54.

Paris 772 ④ – ◆Toulouse 82 ③ – Albi 60 ④ – Béziers 87 ① – Carcassonne 45 ② – Castres 18 ④.

MAZAMET

Barbey (R. Édouard)
Brenac (R. Paul) 2
Gambetta (Pl.) 9
Olombel (Pl. Ph.) 16

Caville (R. du Pont de) 4
Champ-de-la-Ville (R. du) 5
Chamson (Pl. A.) 6
Chevalière (Av. de la) 7
Galibert-Ferret (R.) 8
Guynemer (Av. G.) 10
Lattre-de-Tassigny (Bd de) 13
Nouvela (R. du) 14
Reille (Cours R.) 17
St-Jacques (R.) 19
Tournier (Pl. G.) 20
Tournier (R. Alphonse) 22

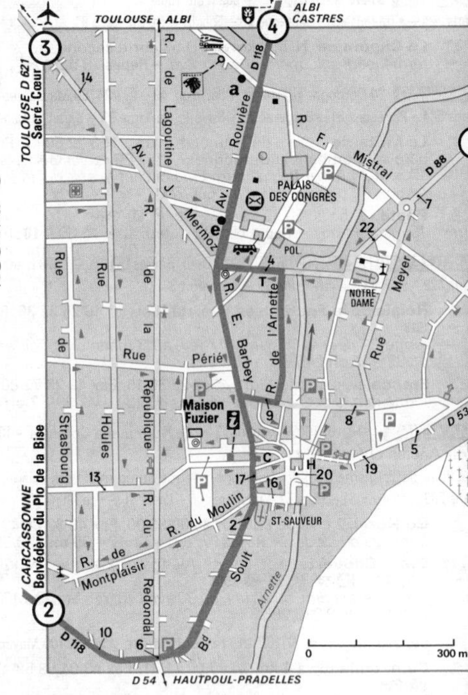

Les plans de villes sont orientés le Nord en haut.

Pour un bon usage des plans de villes, voir les signes conventionnels dans l'introduction.

🏨 **Les Comtes d'Hautpoul,** face gare **(a)** ✆ 63 61 98 14, Fax 63 98 95 76, ☀ – TV ☎
◆ P. AE ① GB JCB
Repas 70/150 ♁, enf. 40 – ☕ 35 – **40 ch** 180/260 – ½ P 200/220.

🏨 **H. Jourdon,** 7 av. A. Rouvière **(e)** ✆ 63 61 56 93, Fax 63 61 83 38 – ▤ TV ☎ ✆. AE GB
◆ ✱
fermé dim. sauf fériés – **Repas** 60/250 ♁, enf. 45 – ☕ 35 – **11 ch** 180/250 – ½ P 190/250.

à Bout-du-Pont-de-Larn par ① et D 54 : 2 km – 1 053 h. alt. 280 – ✉ 81660 :

🏨 **La Métairie Neuve** ☀, ✆ 63 61 23 31, Fax 63 61 94 75, ≤, ☀, ⛲, ☀ – TV ☎ – 🏃 25
① GB
fermé 15 déc. au 20 janv. – **Repas** *(fermé sam. et dim. de nov. à mars)* (dîner seul.) 85/110
♁, enf. 45 – ☕ 50 – **11 ch** 330/460 – ½ P 350/400.

par ① D 109 et D 54 : 5 km – ✉ **81660** Pont-de-Larn :

Host. du Château de Montlédier ⛰, ☎ 63 61 20 54, Fax 63 98 22 51, ≤, 🌳, « Demeure du 12ᵉ siècle dans un parc », ⛱ – 📺 ☎ 🅿 – 🔔 50. GB
fermé janv. – **Repas** *(fermé dim. soir et lundi sauf juil.-août)* 120/180 – ☕ 50 – **9 ch** 360/590 – ½ P 440.

à St-Amans-Soult par ① : 9 km – 1 677 h. alt. 283 – ✉ **81240** :

Host. des Cèdres avec ch, N 112 ☎ 63 98 36 73, 🌳, parc – ☎ 🚗. AE GB
fermé dim. soir et lundi – **Repas** 87/250 – ☕ 45 – **12 ch** 155/350 – ½ P 250/420.

ROEN S.M.A., Bout du Pont de Larn par ③ 63 61 39 41 **N** ☎ 63 61 39 41
NDA, OPEL Auto Garage, 11 r. Cormouls-ulès ☎ 63 61 06 94
JGEOT Gar. de la Gare, av. Ch.-Sabatier 63 61 01 89

RENAULT Montagne Noire Autom., N 112 La Chevalière ☎ 63 97 58 30 **N** ☎ 63 72 75 47

Ⓜ Cousinié Pneus, à Aussillon ☎ 63 61 80 17
Euromaster, N 112, La Richarde ☎ 63 61 08 98

AZAN 84 Vaucluse 81 ⑬ – rattaché à Carpentras.

AZAYE 63230 P.-de-D. 73 ⑬ – 537 h alt. 760.
is 440 – ♦Clermont-Fd 23 – Le Mont-Dore 35 – Pontaumur 26 – Pontgibaud 7.

Aub. de Mazayes Ⓜ ⛰, à Mazayes-basses ☎ 73 88 93 30, Fax 73 88 93 80, 🌳 – 📺 ☎ 🅿. GB
fermé 15 janv. au 5 fév., jeudi de sept. à juin et vend. midi – **Repas** 95/135 🍷 – ☕ 30 – **8 ch** 190/250.

Die im Michelin-Führer
verwendeten Zeichen und Symbole haben –
dünn oder ***fett*** *gedruckt, in einer Kontrastfarbe oder* schwarz *–*
jeweils eine andere Bedeutung.
Lesen Sie daher die Erklärungen aufmerksam durch.

AZET-ST-VOY 43520 H.-Loire 76 ⑧ – 1 077 h alt. 1060.
is 580 – Le Puy-en-Velay 39 – Lamastre 36 – ♦St-Étienne 62 – Yssingeaux 17.

L'Escuelle, ☎ 71 65 00 51
fermé 2 janv. au 15 fév., dim. soir et lundi du 15 sept. au 30 juin – **Repas** 75/120 🍷 – ☕ 30 – **11 ch** 170/240 – ½ P 200/260.

IÉAUDRE 38 Isère 77 ④ – rattaché à Autrans.

IEAUX <SP> 77100 S.-et-M. 56 ⑫ ⑬ 106 ㉒ **G. Ile de France** – 48 305 h alt. 51.
oir Centre épiscopal★ ABY : cathédrale★ B, ≤★ de la terrasse des remparts.
18 de Meaux-Boutigny (privé) ☎ (1) 60 25 63 98, par ③.
du Lac de Germigny ☎ (1) 64 33 57 00, par ① : 10 km.
de Crécy-la-Chapelle ☎ (1) 64 04 70 75, S : 16 km par ③.
Office de Tourisme 2 r. Saint-Rémy ☎ (1) 64 33 02 26, Fax (1) 64 33 24 86.
ris 54 ③ – Compiègne 66 ⑤ – Melun 54 ③ – ♦Reims 97 ②.

Plan page suivante

Richemont sans rest, quai Grande Ile ☎ (1) 60 25 12 10, Télex 691792, Fax (1) 60 25 18 27 – 🛗 📺 ☎ – 🔔 25. AE GB — AZ **s**
☕ 40 – **42 ch** 280/300.

Le Marinone, 30 pl. Marché ☎ (1) 64 33 57 37 – ▤. AE ⓓ GB — ABZ **t**
fermé août, dim. soir et lundi – **Repas** 120/280.

La Grignotière, 36 r. Sablonnière ☎ (1) 64 34 21 48, Fax (1) 64 33 93 93 – ▤. AE GB — CZ **d**
fermé août, mardi soir et merc. – **Repas** 95/169.

à Varreddes par ① : 6 km – 1 520 h. alt. 53 – ✉ **77910** :

Aub. Cheval Blanc avec ch, D 405 ☎ (1) 64 33 18 03, Fax (1) 60 23 29 68, 🌳, 🌳 – 📺 ☎ 🅿. AE ⓓ GB
fermé 1ᵉʳ au 23 août, dim. soir et lundi – **Repas** 198/280 et carte 270 à 360, enf. 98 – ☕ 49 – **8 ch** 298/328.

Au Petit Nain, 7 r. Orsoy ☎ (1) 64 33 18 12, Fax (1) 64 34 39 60, 🌳, 🌳 – AE GB
fermé 23 juil. au 7 août, 22 janv. au 12 fév., mardi soir, jeudi soir et merc. – **Repas** 98 (déj.), 145/295, enf. 65.

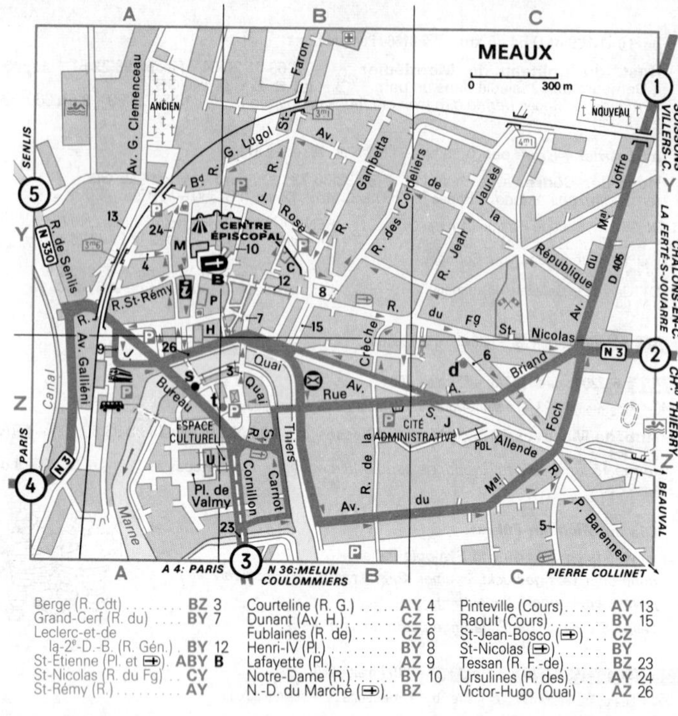

Berge (R. Cdt) . . . . BZ 3
Grand-Cerf (R. du) . . . . BY 7
Leclerc-et-de la-2e-D.-B. (R. Gén.) . BY 12
St-Étienne (Pl. et ⊞) . ABY B
St-Nicolas (R. du Fg) . . CY
St-Rémy (R.) . . . . AY

Courteline (R. G.) . . . . . AY 4
Dunant (Av. H.) . . . . CZ 5
Fublaines (R. de) . . . . . . CZ 6
Henri-IV (Pl.) . . . . BY 8
Lafayette (Pl.) . . . . AZ 9
Notre-Dame (R.) . . . . BY 10
N.-D. du Marché (⊞) . . BZ

Pinteville (Cours) . . . . . AY 13
Raoult (Cours) . . . . BY 15
St-Jean-Bosco (⊞) . . . CZ
St-Nicolas (⊞) . . . . BY
Tessan (R. F.-de) . . . . . . BZ 23
Ursulines (R. des) . . . . . AY 24
Victor-Hugo (Quai) . . . . AZ 26

à Germigny-l'Évèque par ① et D 97 : 8 km – 1 369 h. alt. 49 – ✉ 77910 :

XXX **Le Gonfalon** 🐦 avec ch, 2 r. Église ✆ (1) 64 33 16 05, Fax (1) 64 33 25 59, ≤, 🍽 – 🅿 ☎. AE ⓓ GB
fermé janv., dim. soir et lundi – **Repas** 190/330 et carte 290 à 410 – ☕ 45 – **8 ch** 280/360.

à Poincy par ② et D 17A : 5 km – 591 h. alt. 53 – ✉ 77470 :

XXX **Moulin de Poincy,** ✆ (1) 60 23 06 80, Fax (1) 60 23 12 56, 🍽, 🌳 – 🅿. AE GB JCB
fermé mardi soir et merc. – **Repas** 165/345 et carte 240 à 360.

à Nanteuil-lès-Meaux par ③ et D 228 : 4 km – 4 339 h. alt. 95 – ✉ 77100 :

X **Le Montier,** 30 r. Pasteur ✆ (1) 64 33 01 74, 🍽 – GB
fermé 22 août au 4 sept., 24 déc. au 2 janv., dim. soir et lundi – **Repas** 92 (déj.)/165.

ALFA ROMEO, TOYOTA Gar. Trouble, 17 av. de la Foulée à Nanteuil-les-Meaux ✆ (1) 64 33 30 00
BMW Gar. Verdier, 12 r. Buttes-Blanches ZI ✆ (1) 60 09 35 35 N ✆ (1) 40 25 89 00
CITROEN Victoire Autom., 101 av. Victoire, ZI par ② ✆ (1) 64 34 90 90
FORD Gar. Brie et Picardie, 44 r. Crèche ✆ (1) 64 34 06 51
MERCEDES Compagnie de l'Est, 137 av. Victoire ✆ (1) 64 33 05 52 N ✆ (1) 88 72 00 94
OPEL Meaux Autom., 71-73 av. F.-Roosevelt ✆ (1) 60 25 32 00
PEUGEOT Gar. Métin, 81 av. Roosevelt par ② ✆ (1) 64 33 20 00 N ✆ (1) 05 44 24 24

RENAULT Gar. Vance, 37 av. Roosevelt par ② ✆ (1) 64 34 90 76 N ✆ (1) 05 05 15 15
VAG Gar. Carnot, 26 et 67 av. F.-Roosevelt ✆ (1) 60 25 10 66

Ⓜ Central Pneus, ZI 57 av. Victoire ✆ (1) 64 34 12 67
Hurand Pneu Vulcopneu, 17 av. de Meaux à Poincy ✆ (1) 64 33 41 41
Vernières Pneus, 101 r. Fg-St-Nicolas ✆ (1) 64 34 44 48

MEGÈVE **74120** H.-Savoie **74** ⑦ ⑧ **G. Alpes du Nord** – 4 750 h alt. 1113 – Sports d'hiver : 1 113/2 350 m 🚡 ⛷34 ⛸ – Casino AY (fermé).

Voir Mont d'Arbois au terminus de la télécabine ✳★★★ BZ.

⛳18 du Mont d'Arbois ✆ 50 21 29 79, E : 2 km BZ.

Altiport de Megève-Mont-d'Arbois ✆ 50 21 33 67, SE : 7 km BZ.

ℹ Office de Tourisme, Maison des Frênes ✆ 50 21 27 28, télex 385532, Fax 50 93 03 09.

Paris 596 ① – Chamonix-Mont-Blanc 35 ① – Albertville 31 ② – Annecy 61 ② – Genève 69 ①.

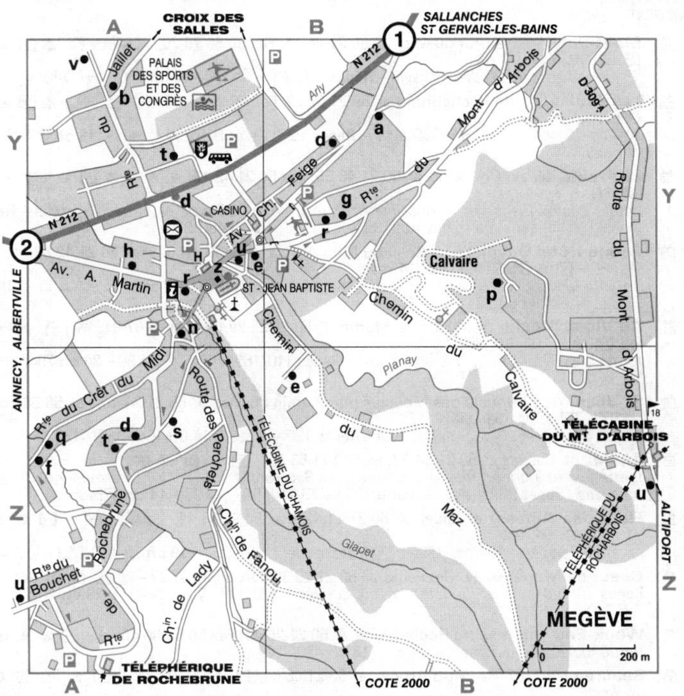

Les Fermes de Marie Ⓜ, chemin de Riante Colline par ② ☎ 50 93 03 10, Fax 50 93 09 84, ←, « Anciennes fermes savoyardes reconstituées en hameau », – 120. AE GB
hôtel : 2 juin-15 sept. et 18 déc.-15 avril ; rest. : 1er juil.-1er sept. et 18 déc.-15 avril – **Repas** carte 270 à 350 – ☐ 80 – **42 ch** (½ pens. seul.), 7 appart, 3 duplex – ½ P 795/1580.

Chalet du Mont d'Arbois Ⓜ, rte Mt-d'Arbois ☎ 50 21 25 03, Fax 50 21 24 79, ←, – AE GB — BY **p**
15 juin-15 oct. et 15 déc.-fin avril – **Repas** 200/420, enf. 100 – ☐ 80 – **20 ch** 1520/1900 – ½ P 1180/1310.

Le Fer à Cheval, rte Crêt ☎ 50 21 30 39, Fax 50 93 07 60, « Élégant décor rustique », – AE GB. rest — BY **a**
hôtel : fin juin-10 sept. et 15 déc.-8 avril ; rest. : 10 juil.-10 sept. et 22 déc.-8 avril – **Repas** 180 bc (déj.), 200 bc/220 – ☐ 50 – **33 ch** (½ pens. seul.), 8 appart – ½ P 665/870.

Mont-Blanc Ⓜ sans rest, pl. Église ☎ 50 21 20 02, Fax 50 21 45 28, – 40. AE GB — AY **r**
fermé 1er mai au 15 juin et 6 nov. au 6 déc. – ☐ 80 – **39 ch** 1250/1750.

La Grange d'Arly Ⓜ, 10 r. Allobroges ☎ 50 58 77 88, Fax 50 93 07 13, « Belle décoration intérieure » – AE GB JCB. — AY **t**
hôtel : fin juin-11 nov. et mi-déc.-1er mai ; rest. : juil.-début sept. et mi-déc.-1er avril – **Repas** (dîner seul.) 90/130 – **22 ch** ☐ 885/1030 – ½ P 629/645.

Au Coin du Feu, rte Rochebrune ☎ 50 21 04 94, Fax 50 21 20 15, ←, « Décor et ambiance savoyards » – AE GB — AZ **t**
25 juil.-5 sept. et 20 déc.-5 avril – ***Saint Nicolas*** *(20 déc.-5 avril)* **Repas** carte 230 à 360 – ☐ 35 – **23 ch** 800/1230 – ½ P 610/770.

Chalet St-Georges Ⓜ sans rest, carrefour Rochebrune ☎ 50 93 07 15, Fax 50 21 51 18 – AE GB JCB — AY **n**
1er juil.-11 sept. et 15 déc.-21 avril – ☐ 60 – **18 ch** 840/1500, 3 appart.

Le Triolet, rte Bouchet ☎ 50 21 08 96, Fax 50 70 77 75, ← – AE GB. rest — AZ **u**
Noël-Pâques – **Repas** (nombre de couverts limité, prévenir) 280/420 – ☐ 100 – **10 ch** 1050, 3 appart – ½ P 1300.

Mont-Joly , rte Crêt du Midi 50 21 26 14, Fax 50 58 75 20, <, , – GB . rest AZ
15 juin-15 sept. et 20 déc.-10 avril – **Repas** 290/340 – 54 – **22 ch** 760 – ½ P 740.

Les Sapins , rte Rochebrune 50 21 02 79, Fax 50 93 07 54, , , – GB. rest AZ
20 juin-10 sept. et 20 déc.-20 avril – **Repas** 186/310, enf. 102 – 45 – **18 ch** 385/60
½ P 555.

La Prairie M, av. Ch. Feige 50 21 48 55, Fax 50 21 42 13, <, – P. GB . rest BY
hôtel : 2 juin-22 sept. et 18 déc.-fin avril ; rest. : 6 juil.-25 août et 21 déc.-fin mars – **Re**
(snack) (dîner seul.) carte environ 135 – 44 – **32 ch** 460/830.

Ferme Hôtel Duvillard, plateau du Mt d'Arbois 50 21 14 62, Fax 50 21 42 82, <,
, – P. GB. rest BZ
25 juin-12 sept. et 15 déc.-15 avril – **Repas** 120 (déj.)/152 , enf. 67 – 60 – **19**
737/1174 – ½ P 588/724.

Au Vieux Moulin , 188 r. A. Martin 50 21 22 29, Fax 50 93 07 91, , , –
. GB. AY
fermé 5 au 31 mai et 27 oct. au 30 nov. – **Repas** 110/160, enf. 50 – 50 – **36 ch** 754/116
½ P 630/730.

St-Jean , 97 Boucle des Mouilles par chemin du Maz 50 21 24 45, Fax 50 58 78
<, – P. GB. BZ
1er juil.-5 sept. et 20 déc.-début avril – **Repas** 120 – 38 – **14 ch** 484 – ½ P 415.

Alpina, pl. Casino 50 21 54 77, Fax 50 21 53 79 – . GB AY
fermé juin et lundi en mai, oct. et nov. – ***Le Savoyard*** 50 58 71 72 *(fermé lundi et ma*
hors sais.) **Repas** 98 bc(déj.) et carte 190 à 270, enf. 55 – 25 – **14 ch** 475/850.

Fleur des Alpes, rte Jaillet 50 21 11 42, Fax 50 91 93 42, <, , – P
30. GB. rest AY
15 mai-15 sept. et 15 déc.-15 avril – **Repas** 95 (déj.), 130/200 – **19 ch** 410/550 – ½ P 44

Coeur de Megève, av. Ch. Feige 50 21 25 30, Fax 50 91 91 27 – . GB
Repas *(fermé avril et début nov. au 20 déc.)* 120/125 – 40 – **28 ch** 470/71
½ P 340/515. AY

Week-End sans rest, rte Rochebrune 50 21 26 49, Fax 50 58 90 40, < – P. G
fermé mai et 15 au 30 nov. – 35 – **16 ch** 420/490. AZ

Beauregard, 187 rte Mt-d'Arbois 50 21 05 56, Fax 50 58 96 78 – P. G
rest BY
24 juin-10 sept. et 18 déc.-10 avril – **Repas** (dîner seul.)(résidents seul.) 120/180 – 5
29 ch 350/600 – ½ P 575/625.

L'Auguille sans rest, chemin de l'Auguille 50 21 40 00, Fax 50 58 78 78, <, –
P. AY
1er juin-30 sept. et 15 déc.-20 avril – 35 – **11 ch** 350/390.

Les Mourets , rte Odier par ① : 1 km 50 21 04 76, Fax 50 58 78 78, < –
P. GB. rest
23 mai-12 sept. et 16 déc.-3 avril – **Repas** 100 – 41 – **24 ch** 390/410 – ½ P 400.

Gai Soleil, r. Crêt du Midi 50 21 00 70, Fax 50 58 74 50, <, , – . G
rest AZ
3 juin-22 sept. et 20 déc.-13 avril – **Repas** *(fermé le midi en juin et sept.)* 80/350 – 4
21 ch 400/420 – ½ P 380.

Le Rond-Point d'Arbois, rte Mt-d'Arbois 50 21 17 50, Fax 50 58 90 24, –
GB BY
fermé mai – **Repas** (dîner seul.) 90 – 30 – **13 ch** 250/500 – ½ P 360.

Michel Gaudin, carrefour d'Arly 50 21 02 18 – GB AY
fermé lundi et mardi hors sais. – **Repas** 105/375 .

Le Prieuré, pl. Eglise 50 21 01 79, – GB AY
fermé juin, 30 oct. au 10 déc., dim. soir et lundi en mai, sept. et oct. – **Repas** 110/189.

à Petit Bois par ① : 3 km – **74120** :

Princesse de Megève M , les Poëx 50 93 08 08, Fax 50 21 45 65, <, , (ét
« Bel aménagement dans une ancienne ferme savoyarde », – P.
GB. rest
22 juin-8 sept. et 20 déc.-10 avril – **Repas** (dîner seul.) 180 – 75 – **14 ch** 610/210
½ P 690/1290.

au sommet du Mont d'Arbois par télécabine du Mt d'Arbois ou télécabine de Princesse – **74170** St-Gervais :

L'Igloo M , 50 93 05 84, Fax 50 21 02 74, , (été), « chaîne du Mo
Blanc » – – 25. GB
15 juin-20 sept. et 18 déc.-20 avril – **Repas** 125/230, enf. 95 – 70 – **11 ch** (½ pens. seul.)
½ P 550/850.

voir aussi à St-Gervais-les Bains : **Chez la Tante**

à l'altiport SE : 7,5 km par rte Mont d'Arbois - BZ – alt. 1450 – ✉ **74120** Megève :

X **Cote 2000,** ✆ 50 21 31 84, Fax 50 93 05 04, ≤, 余, « Authentique chalet savoyard » – AE GB
Noël-Pâques – **Repas** 145 et dîner à la carte environ 200.

AT, LANCIA Gar. Gachet, 444 av. ch. Feige ✆ 50 21 21 23

MERCEDES **VAG** Muffat Méridol, rte d'Albertville ✆ 50 21 00 27

MEHUN-SUR-YÈVRE **18500** Cher **64** ⑳ **G. Berry Limousin** – 7 227 h alt. 130.

Office de Tourisme pl. 14-Juillet ✆ 48 57 35 51.

aris 225 – Bourges 17 – Cosne-sur-Loire 67 – Gien 77 – Issoudun 32 – Vierzon 15.

XXX **Les Abiès,** rte Vierzon ✆ 48 57 39 31, Fax 48 57 00 70, 余, 🌳 – P. AE GB
fermé vacances de fév., dim. soir et lundi – **Repas** 100/215 et carte 210 à 340.

MÉJANNES-LÈS-ALÈS **30** Gard **80** ⑱ – rattaché à Alès.

MÉLICOCQ **60** Oise **56** ② – rattaché à Compiègne.

MÉLISEY **70270** H.-Saône **66** ⑦ **G. JURA** – 1 805 h alt. 330.

Syndicat d'Initiative du Canton de Melisey, pl. de la Gare ✆ 84 63 22 80.

aris 395 – Épinal 65 – Belfort 33 – ◆Besançon 93 – Lure 11 – Luxeuil-les-Bains 19.

X **La Bergeraine,** ✆ 84 20 82 52, Fax 84 20 04 47, 余 – ▤ P. GB
fermé mardi soir et merc. sauf du 14 juil. au 15 août – **Repas** 60 (déj.), 75/210 ♗, enf. 40.

EUGEOT Gar. Boffy, rte des Vosges ✆ 84 20 82 04

*Konsultieren Sie vor Ihrer Reise die **Michelin-Karte Nr. 911**.*

Sie gibt die geschätzte Fahrzeit von Stadt zu Stadt an und trägt zur Zeitersparnis bei.

MELUN P **77000** S.-et-M. **61** ② **106** ㊺ **G. Ile de France** – 35 319 h Agglo. 107 705 h alt. 43.

nv. Vaux-le-Vicomte : château★★ et jardins★★★ 6 km par ②.

la Croix des Anges à Réau ✆ (1) 60 60 18 76, par ⑨ N 105 : 8,5 km.

Office de Tourisme 2 av. Gallieni ✆ (1) 64 37 11 31, Fax (1) 64 10 03 25.

aris 49 ⑧ – Fontainebleau 16 ⑤ – Châlons-en-Champagne 144 ① – Chartres 102 ⑧ – Meaux 54 ② – ◆Orléans 103 ⑤ – ◆Reims 144 ② – Sens 74 ⑤ – Troyes 127 ③.

Plan page suivante

Bleu Marine M 🐎, par ⑤ : 2,5 km rte Fontainebleau ✆ (1) 64 39 04 40, Fax (1) 64 39 94 10, 余, parc, Ⅎ₆, 🏊, 🎾 – 🛗 ⇔ TV ☎ 📞 P – 🏛 150. AE ⑩ GB
Repas 95/145, enf. 49 – ☕ 60 – **44 ch** 390/480, 5 appart.

Ibis M, 81 av. Meaux ✆ (1) 60 68 42 45, Fax (1) 64 09 62 00, 余 – ⇔ TV ☎ 📞 ♿ P. AE ⑩ GB — X a
Repas 99 bc, enf. 39 – ☕ 35 – **74 ch** 270.

XX **La Melunoise,** 5 r. Gâtinais ✆ (1) 64 39 68 27, Fax (1) 64 39 81 81 – ⑩ GB — X b
fermé août, vacances de fév., dim. soir, lundi soir et sam. – **Repas** 135/250, enf. 75.

à Crisenoy par ② : 10 km – 580 h. alt. 89 – ✉ **77390** :

XXX **Aub. de Crisenoy,** Gde Rue ✆ (1) 64 38 83 06, Fax (1) 64 38 83 06, 余, 🌳 – GB
fermé 5 au 20 août, vacances de fév., dim. soir, merc. soir et lundi – **Repas** 100/210 et carte 240 à 320, enf. 60.

au Plessis-Picard par ⑧ : 8 km – ✉ **77550** :

XX **La Mare au Diable,** ✆ (1) 64 10 20 90, Fax (1) 64 10 20 91, 余 – P. AE ⑩ GB JCB
fermé dim. soir et lundi – **Repas** 155/245.

à Pouilly-le-Fort par ⑨ : 6 km – ✉ **77240** :

XXX **Le Pouilly,** r. Fontaine ✆ (1) 64 09 56 64, 余 – P. AE ⑩ GB
fermé 12 au 31 août, 22 au 26 déc., dim. soir et lundi – **Repas** 185/380 et carte 300 à 390.

CITROEN Sogame, 100 rte de Montereau à Vaux-le-Pénil ✆ (1) 64 37 92 10
FORD Gar. de la Gare, 38 N 6 à Vert-St-Denis ✆ (1) 60 68 22 57
MERCEDES Gar. Techstar, 140 N 6 à Vert-St-Denis ✆ (1) 64 14 15 16
OPEL Gar. Brie et Champagne, 27 rte de Montereau ✆ (1) 64 10 23 23
PEUGEOT Duport Autom., 61 N 6 à Vert-St-Denis par ⑧ ✆ (1) 60 68 69 70 N ✆ (1) 04 44 24 24
RENAULT Gar. Redele, 23 rte de Montereau ✆ (1) 64 39 95 77 N ✆ (1) 05 05 15 15

ROVER Nelson Autom., 9 rte de Nangis ✆ (1) 64 39 31 61
SEAT, NISSAN AREVA, 548 av. Montaigne à Dammarie-les-Lys ✆ (1) 64 39 11 10

Ⓜ Euromaster, 11 r. de Ponthierry ✆ (1) 64 37 20 99
Euromaster, 22 r. Mar.-Juin, ZI à Vaux-le-Pénil ✆ (1) 64 39 12 63
Vaysse Pneus, r. des Frères Thibault à Dammarie-les-Lys ✆ (1) 64 37 50 07

MELUN

Carnot (R.) . . . . AY 6
Doumer (R. Paul) . . BY 13
Miroir (R. du) . . . . . AY 25
Pouteau (R. René) . BY 34
St-Ambroise (R.). . . AZ
St-Aspais (R.) . . . . . BY 41
St-Étienne (R.) . . . . AZ 43

Alsace-Lorr. (Q.) . . . BZ 2
Chartrettes (Rte de) . X 3
Chasse (R. de la) . . . . X 7
Corbeil (Av. de) . . . . . X 8
Courtille (R. de la) . . BZ 9
Europe (Rd-Pt de l') . X 14
Godin (Av. E.) . . . . . AZ 19
Jaurès (Av. J.) . . . . . . X 20
Leclerc (Av. Gén.) . . . X 22
Libération (Av. de la). X 23
Montagne-du-Mée (R. de la) . . . . AY 26
N.-Dame (Pl.) . . . . . BZ 32
Pompidou (Av. G.) . . . X 33
Prés.-Despatys (R.) AY 35
Rossignol (Q. H.). . . . X 39
St-Liesne (R.). . . . . . . X 44
Vaux (R. de) . . . . X 45
Voisenon (Rte de) . . . X 46
13e-Dragons (Av.) . . . X 49
31e-d'Inf. (Av. du) . . . X 50

LE MÉE-SUR-SEINE

Courtilleraies (Av.). . . X 10
Dauvergne (Av. M.) . X 12

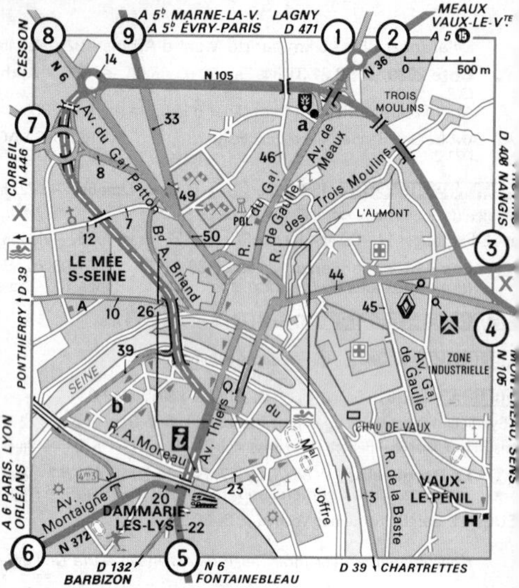

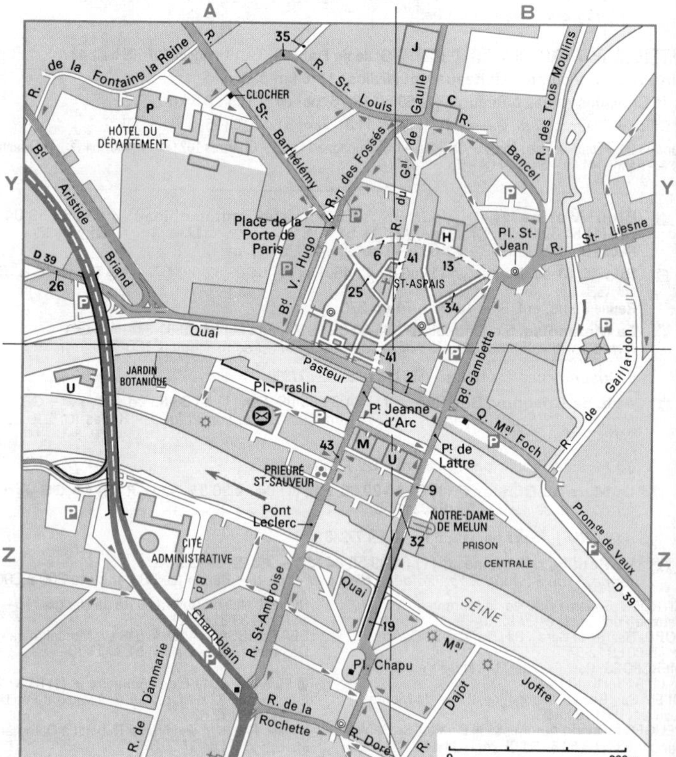

a MEMBROLLE-SUR-CHOISILLE **37** I.-et-L. 64 ⑮ – rattaché à Tours.

IENDE P **48000** Lozère 80 ⑤ ⑥ **G. Gorges du Tarn** – 11 286 h alt. 731.

oir Cathédrale★ – Pont N.-Dame★ – Route du col de Montmirat★★ par ③.

Office de Tourisme, bd Henri Bourrillon ✆ 66 65 60 01, Fax 66 49 27 96 – Automobile Club 3 r. Chapitre ✆ 66 49 20 54.

aris 598 ① – Alès 106 ③ – Aurillac 155 ① – Gap 304 ② – Issoire 145 ① – Millau 92 ③ – Montélimar 149 ② – Puy-en-Velay 89 ② – Rodez 109 ③ – Valence 176 ②.

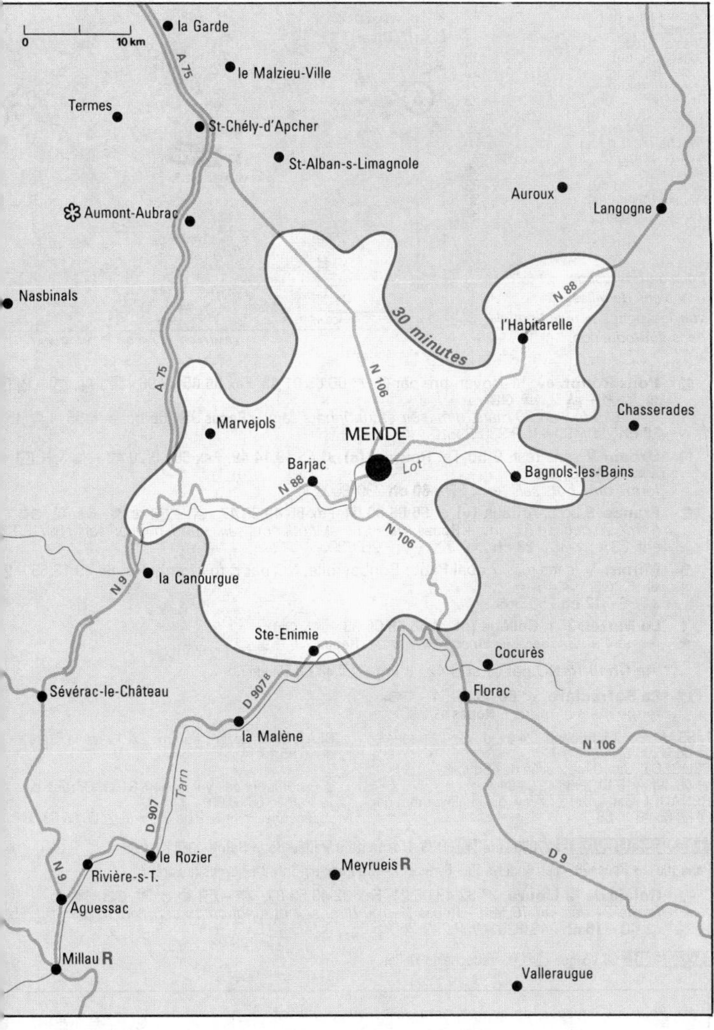

Lion d'Or, 12 bd Britexte par ② ✆ 66 49 16 46, Fax 66 49 23 31, , , – ☎ – 30. AE ⓓ GB JCB
fermé 2 janv. au 1er fév. – **Repas** *(fermé dim. hors sais.)* 120/240, enf. 75 – ☕ 45 – **40 ch** 340/490 – ½ P 330/400.

MENDE

Angiran (R. d') 4
Beurre (Pl. au) 5
Droite (R.) 15
Estoup (Pl. René) 22
République (Pl. et R.) 30
Soubeyran (R. du) 34

Aigues-Passes (R. d') 2
Ange (R. de l') 3
Blé (Pl. au) 6
Britexte (Bd) 7
Capucins (Bd des) 8
Carmes (Cité des) 9
Chanteronne (R.) 12
Chaptal (R.) 13
Chastel (R. du) 14
Collège (R. du) 18
Écoles (R. des) 20
Épine (R. de l') 21
Gaulle (Pl. Ch.-de) 23
Montbel (R. du Fg) 24
Piencourt (Allée) 25
Planche (Pont de la) 26
Pont N.-Dame (R. du) 27
Roussel (Pl. Th.) 32
Soubeyran (Bd du) 33
Soupirs (Allée des) 36
Urbain V (Place) 37

Pour un bon usage des plans de villes voir les signes conventionnels dans l'introduction.

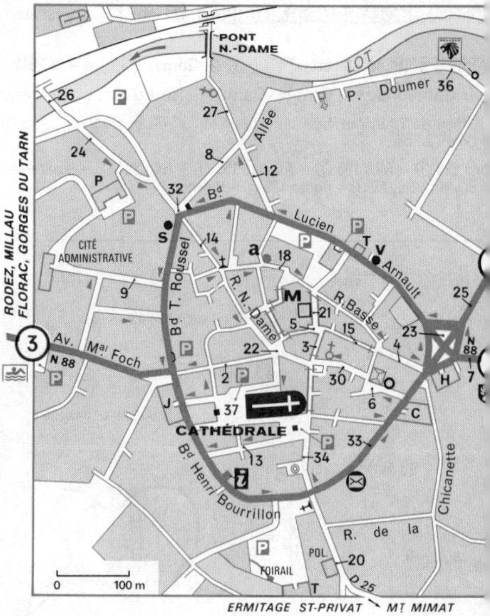

Pont Roupt, av. 11-Novembre par ③ ✆ 66 65 01 43, Fax 66 65 22 96, – 2. GB
fermé 15 fév. au 30 mars, dim. soir et lundi hors sais. – **Repas** 95/265 bc, enf. 55 – 45
28 ch 290/490 – ½ P 330/395.

Urbain V sans rest, 9 bd Th. Roussel **(s)** ✆ 66 49 14 49, Fax 66 49 20 42 –
– 30. GB
fermé dim. hors sais. – 35 – **60 ch** 230/300.

France, 9 bd L. Arnault **(v)** ✆ 66 65 00 04, Fax 66 49 30 47, – . GB
fermé 20 déc. au 31 janv. – **Repas** *(dim. soir et lundi hors sais., lundi midi en sais.)* 89/150
enf. 53 – 36 – **28 ch** 240/320 – ½ P 260/300.

Mimat sans rest, 7 quai Petite Roubeyrolle, NO par r. fg Montbel ✆ 66 49 13 65 –
. GB.
38 – **12 ch** 250/365.

Le Mazel, 25 r. Collège **(a)** ✆ 66 65 05 33 – . GB
fermé 4 au 27 mars, lundi soir et mardi – **Repas** 79/159 .

Aa Chabrits NO par ③ et D 42 : 5 km – ✉ **48000** Mende :

La Safranière, ✆ 66 49 31 54 – GB
fermé mars et merc. – **Repas** 95/230.

NISSAN Gar. Charbonnel, 24 av. du Père Coudrin ✆ 66 65 08 22
PEUGEOT Gar. Giral, 7 allée des Soupirs ✆ 66 49 00 15 N ✆ 66 49 91 34
RENAULT Gar. Lozère, ZA av. du 11 Novembre par ③ ✆ 66 49 15 58

SEAT, VAG Lozère Autom., ZA 1 r. de la Crête ✆ 66 85 19 14

Escoffier Pneus Vulcopneu, 31 av. Gorges-du-Tarn ✆ 66 65 08 69
Lozérienne-Point S, 9 bd Britexte ✆ 66 65 03 98

MÉNESQUEVILLE **27850** Eure 55 ⑦ **G. Normandie Vallée de la Seine** – 358 h alt. 65.

Paris 100 – ♦ Rouen 28 – Les Andelys 15 – Évreux 57 – Gournay-en-Bray 31 – Lyons-la-Forêt 7.

Relais de la Lieure, ✆ 32 49 06 21, Fax 32 49 53 87, – . GB. ch
fermé 24 déc. au 10 fév. – **Repas** *(fermé dim. soir et lundi du 15 sept. au 15 juin)* 80/275
40 – **16 ch** 240/320 – ½ P 290/350.

Le MÉNIL **88** Vosges 66 ⑧ – rattaché au Thillot.

Pour vos voyages, en complément de ce guide utilisez :

– Les **guides Verts Michelin** régionaux
paysages, monuments et routes touristiques.
– Les **cartes Michelin** à 1/1 000 000 grands itinéraires
1/200 000 cartes détaillées.

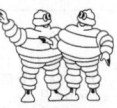

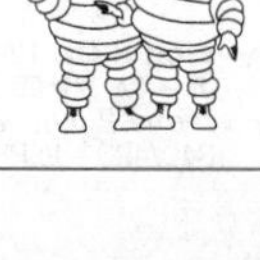

a MÉNITRÉ 49250 M.-et-L. 64 ⑪ – 1 780 h alt. 21.

ris 293 – ♦ Angers 27 – Baugé 21 – Saumur 25.

Au Bec Sale, Port St-Maur ✆ 41 45 63 56, Fax 41 45 67 88, ←, – ☎. AE GB
fermé 2 janv. au 2 fév. et jeudi d'oct. à avril – **Repas** 71/166 ♁, enf. 46 – ☐ 30 – **11 ch** 220/230 – ½ P 245.

Relais Bellevue avec ch, Port St-Maur ✆ 41 45 61 05, – ☎ P. GB
fermé vacances de fév., dim. soir et lundi – **Repas** 80/200, enf. 50 – ☐ 37 – **6 ch** 200/230 – ½ P 190/210.

MENS 38710 Isère 77 ⑮ – 1 129 h alt. 780.

ris 620 – Gap 64 – Clelles 13 – Monestier-de-Clermont 21 – La Mure 19.

La Meisou dou Bourg, ✆ 76 34 81 00, Fax 76 34 80 90 – ☎ ♿. AE GB
fermé 2 au 14 mai et 15 nov. au 15 déc. – **Repas** (dîner seul.)(résidents seul.) carte environ 130 ♁ – ☐ 38 – **10 ch** 290/350 – ½ P 398/458.

TROEN Gar. du Trièves, pl. Paul Brachet
76 34 60 21 N ✆ 76 34 60 21
EUGEOT Gar. Richard, r. Senebier ✆ 76 34 63 92
✆ 76 34 63 87

RENAULT Gar. du Vercors, pl. du Vercors
✆ 76 34 63 93 N ✆ 76 34 63 93

MENTHON-ST-BERNARD 74290 H.-Savoie 74 ⑥ **G. Alpes du Nord** – 1 517 h alt. 482.

oir Château de Menthon★ : ←★ E : 2 km.

Office de Tourisme (fermé après-midi oct.-mai) ✆ 50 60 14 30.

ris 547 – Annecy 9,5 – Albertville 36 – Bonneville 44 – Megève 53 – Talloires 3 – Thônes 13.

Beau Séjour ⛰, ✆ 50 60 12 04, Fax 50 60 05 56, parc – ☎ P. ✻ rest
hôtel : Pâques-fin sept. ; rest. : juin-fin août – **Repas** *(fermé le midi sauf dim.)* (résidents seul.) 140/150 – ☐ 40 – **18 ch** 385/400 – ½ P 380/400.

MENTON 06500 Alpes-Mar. 84 ⑩ ⑳ 115 ㉘ **G. Côte d'Azur** – 29 141 h – Casino du Soleil AZ.

oir Site★★ – Bord de mer et vieille ville★★ : Promenade du Soleil★★ ABYZ, Parvis St-ichel★★, Église St-Michel★ BY **F** – Façade★ de la Chapelle de la Conception BY**B**, ←★ de la tée BV, ←★ du Vieux cimetière BX**D** – Musée du Palais Carnolès★ AX**M1** – Garavan★ BV – ardin botanique exotique★ BV**E** – Salle des mariages★ de l'Hôtel de Ville BY**H** – Statuettes éminines★ du musée municipal BY**M2** – ←★ du jardin des Colombières BV – Vallée du Careï★ ar ①.

nv. Monastère de l'Annonciade ✳★ N : 6 km AV – Gorbio : site★ NO : 9 km.

Office de Tourisme, 8 av. Boyer ✆ 93 57 57 00, Télex 462207, Fax 93 57 51 00, et Pinède du Bastion ✆ 93 28 6 27 – Automobile Club, Palais de l'Europe 8 av. Boyer ✆ 93 35 77 39.

aris 962 ③ – Monaco 15 ③ – Aix-en-Provence 206 ① – Cannes 63 ① – Cuneo 97 ① – Monte-Carlo 14 ③ – ♦Nice ①.

Plan page suivante

Ambassadeurs M, 3 rue Partouneaux ✆ 93 28 75 75, Fax 93 35 62 32, « Élégante installation » – ☎ ♿ – 30 à 80. AE ⊕ GB JCB. ✻ rest AY **k**
avril-nov. – ***La Véranda :*** *(fermé dim. soir sauf fêtes)* **Repas** 190/250, enf. 75 – ☐ 70 – **49 ch** 720/1400 – ½ P 715.

Royal Westminster, 1510 prom. du Soleil ✆ 93 28 69 69, Fax 92 10 12 30, ←, – ch ☎ ♿. AE ⊕ GB. ✻ BY **t**
fermé nov. – **Repas** 120 bc – ☐ 36 – **92 ch** 380/720 – ½ P 400/515.

Riva M sans rest, 600 prom. Soleil ✆ 93 57 67 60, Fax 93 28 87 87, ← – ☎ ♿. AE ⊕ GB. ✻ AZ **n**
☐ 40 – **40 ch** 490/570.

Princess et Richmond sans rest, 617 prom. Soleil ✆ 93 35 80 20, Fax 93 57 40 20, ← – ☎. AE ⊕ GB AZ **s**
fermé 5 nov. au 17 déc. – ☐ 38 – **45 ch** 430/530.

Aiglon, 7 av. Madone ✆ 93 57 55 55, Fax 93 35 92 39, – ch ☎ P. AE ⊕ GB AZ **b**
fermé 5 nov. au 20 déc. – ***Le Riaumont*** *(fermé merc.)* **Repas** 175/230, enf. 80 – ☐ 35 – **29 ch** 390/600, 3 appart – ½ P 390/500.

Napoléon, 29 Porte de France ✆ 93 35 89 50, Fax 93 35 49 22, ←, – ☎ P. AE ⊕ GB. ✻ rest BV **s**
fermé 1er nov. au 18 déc. – **Repas** 120/310, enf. 45 – ☐ 40 – **40 ch** 450/550 – ½ P 395/430.

Chambord sans rest, 6 av. Boyer ✆ 93 35 94 19, Fax 93 41 30 55 – ☎. AE ⊕ GB JCB AYZ **a**
fermé mi-nov. à mi-déc. – ☐ 35 – **40 ch** 450/580.

Méditerranée, 5 r. République ✆ 93 28 25 25, Télex 461361, Fax 93 57 88 38 – rest ☎ ♿ – 30. AE ⊕ GB. ✻ rest BY **m**
fermé 3 au 29 nov. – **Repas** 95/110 ♁, enf. 45 – ☐ 35 – **90 ch** 460/500 – ½ P 325.

Prince de Galles, 4 av. Gén. de Gaulle ✆ 93 28 21 21, Télex 462540, Fax 93 35 92 91, ←, – ☎ – 35. AE ⊕ GB. ✻ ch AX **e**
Le Petit Prince : ✆ 93 28 88 08 **Repas** 120/175, enf. 50 – ☐ 42 – **68 ch** 315/520 – ½ P 337/397.

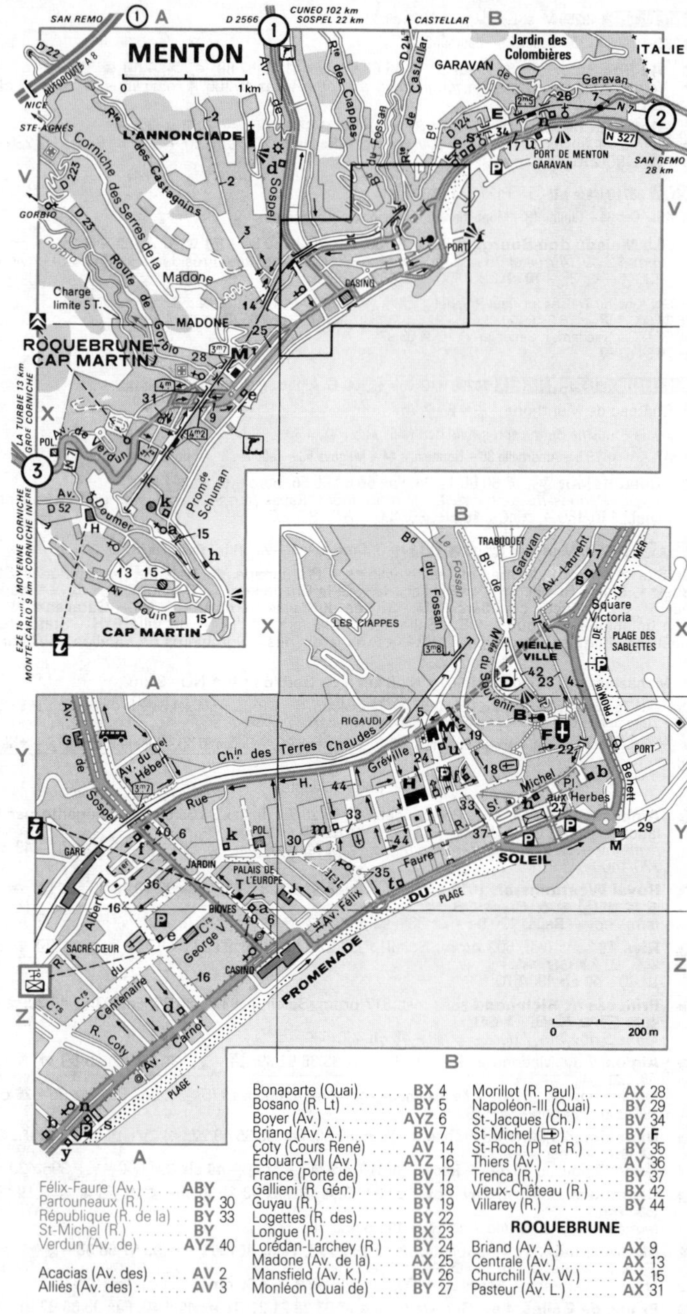

Félix-Faure (Av.) . . . . . ABY
Partouneaux (R.) . . . . . . BY 30
République (R. de la) . . BY 33
St-Michel (R.) . . . . BY
Verdun (Av. de) . . . . . . AYZ 40

Acacias (Av. des) . . . . . AV 2
Alliés (Av. des) . . . . AV 3

Bonaparte (Quai) . . . . BX 4
Bosano (R. Lt) . . . . BY 5
Boyer (Av.) . . . . AYZ 6
Briand (Av. A.) . . . . BV 7
Coty (Cours René) . . . . . AV 14
Édouard-VII (Av.) . . . . . AYZ 16
France (Porte de) . . . . . . BV 17
Gallieni (R. Gén.) . . . . . . BY 18
Guyau (R.) . . . . BY 19
Logettes (R. des) . . . . . . BY 22
Longue (R.) . . . . BX 23
Lorédan-Larchey (R.) . . . BY 24
Madone (Av. de la) . . . . . AX 25
Mansfield (Av. K.) . . . . . BV 26
Monléon (Quai de) . . . . . BY 27

Morillot (R. Paul) . . . . . . AX 28
Napoléon-III (Quai) . . . . BY 29
St-Jacques (Ch.) . . . . BV 34
St-Michel (⊕) . . . . BY F
St-Roch (Pl. et R.) . . . . . BY 35
Thiers (Av.) . . . . AY 36
Trenca (R.) . . . . BY 37
Vieux-Château (R.) . . . . . BX 42
Villarey (R.) . . . . BY 44

ROQUEBRUNE

Briand (Av. A.) . . . . AX 9
Centrale (Av.) . . . . AX 13
Churchill (Av. W.) . . . . . . AX 15
Pasteur (Av. L.) . . . . AX 31

Les plans de villes sont orientés le Nord en haut.

Dauphin, 28 av. Gén. de Gaulle ✆ 93 35 76 37, Fax 93 35 31 74, ←, – |♦| TV ☎. AE GB. ✻ ch AZ **y**
fermé 20 oct. au 20 déc. – **Repas** snack *(fermé dim.)* 80 – **30 ch** ☐ 260/330 – ½ P 230/260.

Orly, 27 Porte de France ✆ 93 35 60 81, Fax 93 35 49 13, ←, – |♦| ▤ TV ☎ P. AE ⊕ GB BV **e**
fermé 15 nov. au 27 déc. – **Repas** *(fermé mardi d'oct. à juin)* 95/150 – ☐ 35 – **30 ch** 320/600 – ½ P 280/420.

Le Moderne sans rest, 1 cours George V ✆ 93 57 20 02, Fax 93 35 71 87 – |♦| TV ☎ – 60. AE ⊕ GB JCB AZ **e**
☐ 25 – **33 ch** 340/410.

Climat de France M, 57 av. Sospel ✆ 93 28 28 38, Fax 92 10 00 92 – |♦| ▤ TV ☎ ♿. AE ⊕ GB. ✻ rest ABV **d**
Repas *(fermé 4 au 20 janv. et dim. midi)* 90 – ☐ 35 – **37 ch** 320 – ½ P 280.

Narev's H. M sans rest, 12bis r. Lorédan Larchey ✆ 93 35 21 31, Fax 93 35 21 20 – |♦| ▤ TV ☎ ♿ ⇔. AE ⊕ GB BY **u**
☐ 35 – **35 ch** 350/500.

Amirauté sans rest, 3 Porte de France ✆ 93 35 59 41, Fax 93 57 74 44 – |♦| TV ☎. GB
☐ 33 – **18 ch** 300/400. BX **s**

Paris Rome, 79 Porte de France ✆ 93 35 73 45, Fax 93 35 29 30 – TV ☎. AE ⊕ GB. ✻ ch BV **n**
fermé 13 nov. au 6 déc. et 11 au 23 déc. – **Repas** *(fermé 15 nov. au 15 déc. et lundi)* 90/125 – ☐ 40 – **22 ch** 265/450 – ½ P 280/335.

Claridge's sans rest, 39 av. Verdun ✆ 93 35 72 53, Fax 93 35 42 90 – |♦| TV ☎. GB
☐ 29 – **39 ch** 190/290. AY **f**

Londres, 15 av. Carnot ✆ 93 35 74 62, Fax 93 41 77 78, – |♦| TV ☎. AE GB AZ **d**
fermé 20 oct. au 20 déc. – **Repas** *(fermé merc.)* 100/135, enf. 50 – ☐ 33 – **27 ch** 210/416 – ½ P 260/360.

Viviers Bretons, 6 pl. Cap ✆ 93 35 24 24, – AE GB BY **b**
fermé nov. et lundi sauf le soir de juin à sept. – **Repas** - produits de la mer - (prévenir) 95/350.

Le Galion, port de Garavan ✆ 93 35 89 73, – GB BV **u**
15 mars-16 oct. et fermé merc. midi en sais., mardi soir et merc. hors sais. – **Repas** - cuisine italienne - carte 170 à 320.

Le Chaudron, 28 r. St Michel ✆ 93 35 90 25 – GB BY **h**
fermé 1er au 12 juil., 15 nov. au 22 déc., lundi soir d'oct. à juin et mardi) – **Repas** (prévenir) 87/150, enf. 65.

Au Pistou, 2 r. Fossan ✆ 93 57 45 89, – GB BY **f**
fermé 1er au 15 juin, 1er au 15 déc., dim. soir et lundi – **Repas** 80/120 .

*à **Monti*** par ① et D 2566 : 5 km – ✉ **06500** Menton :

Pierrot-Pierrette avec ch, ✆ 93 35 79 76, ← – TV. GB
hôtel : 15 mars-31 oct. ; rest. : fermé 1er déc. au 15 janv., le soir du 15 janv. au 15 mars et lundi – **Repas** 100/181 – ☐ 35 – **7 ch** 240/320 – ½ P 335.

Les MENUIRES 73 Savoie 77 ⑦ ⑧ **G. Alpes du Nord** – Sports d'hiver : 1 400/2 850 m 11 36 –
✉ **73440** St-Martin-de-Belleville.
Office de Tourisme ✆ 79 00 73 00, Fax 79 00 75 06.
Paris 635 – Albertville 53 – Chambéry 99 – Moûtiers 25.

Latitudes, Les Bruyères ✆ 79 00 75 10, Fax 79 00 70 70, ← – |♦| TV ☎ ♿ ⇔ – 30 à 60. AE ⊕ GB. ✻ rest
18 déc.-25 avril – **Repas** (dîner seul.) 160 – ☐ 55 – **95 ch** 702 – ½ P 720/792.

L'Ours Blanc M, à Reberty 2000 ✆ 79 00 61 66, Fax 79 00 63 67, ←, , – |♦| TV ☎ ♿ P. AE GB. ✻ rest
14 déc.-25 avril – **Repas** 100 (déj.), 150/220, enf. 65 – ☐ 45 – **47 ch** 600/670 – ½ P 435/470.

Carla, ✆ 79 00 73 73, Fax 79 00 73 76, ← – |♦| TV ☎ ♿. GB. ✻ rest
1er juil.-5 sept. et 15 déc.-1er mai – **Repas** 95/150, enf. 48 – ☐ 35 – **32 ch** 430/670 – ½ P 450/500.

MER 41500 L.-et-Ch. 64 ⑦ ⑧ – 5 950 h alt. 83.
Paris 164 – ♦Orléans 41 – Blois 18 – Châteaudun 49 – Romorantin-Lanthenay 45.

Les Calanques, 21 r. S. Hême ✆ 54 81 00 55, Fax 54 81 10 62 – AE GB
fermé vacances de Toussaint, de fév, dim. soir et lundi – **Repas** - produits de la mer - 98/180, enf. 60.

PEUGEOT Gar. Clément, 15 rte d'Orléans ✆ 54 81 03 75

MERCUÈS 46 Lot 79 ⑧ – rattaché à Cahors.

MERCUREY **71640** S.-et-L. 69 ⑨ – 1 276 h alt. 269.

Paris 345 – Chalon-sur-Saône 13 – Autun 39 – Chagny 11 – Le Creusot 29 – Mâcon 72.

✿ **Hôtellerie du Val d'Or** (Cogny), Grande-Rue ✆ 85 45 13 70, Fax 85 45 18 45, – P. GB.
fermé 15 déc. au 17 janv., mardi midi et lundi sauf fériés le midi – **Repas** 120 bc (déj 163/415 et carte 250 à 410 – 52 – **13 ch** 350/430 – ½ P 420/460
Spéc. Clafoutis aux queues d'écrevisses (juil. à sept.). Pièce de boeuf du Charolais. Soufflé glacé vigneronne. Vi Bourgogne aligoté, Mercurey.

MÉRIBEL **73550** Savoie 74 ⑱ **G. Alpes du Nord.**

Voir Sommet de la Saulire ✻★★ SE par télécabine.

18 ✆ 79 00 52 67, NE : 4,5 km.

Altiport ✆ 79 08 61 33, NE : 4,5 km.

Office de Tourisme de la Vallée des Allues ✆ 79 08 60 01, Fax 79 00 59 61.

Paris 624 ① – Albertville 42 ① – Annecy 88 ① – Chambéry 88 ① – ◆Grenoble 119 ① – Moûtiers 15 ①.

à la station de Méribel – alt. 1170 – Sports d'hiver : 1 400/ 2 910 m 16 34 – ✉ **73550** Méribel-les-Allues

✿ **L'Antarès** M, rte du Belvédère **(z)** ✆ 79 23 28 23, Fax 79 23 28 18, ← montagnes, – P – 30. AE GB
13 juil.-1er sept. et 15 déc.-15 avril – ***Le Cassiopée :*** **Repas** 180 (déj.), 310/460, enf. 90 – ***L'Altaïr*** *(dîner seul.)* **Repas** carte 220 à 330, enf. 90 – 100 – **60 ch** 2400/2460, 13 appart – ½ P 1530/1630
Spéc. Ecrevisses "pattes rouges" en gaspacho (été). Braisé d'agneau en cocotte lutée, aux jeunes légumes. Filet de pigeonneau et sa caillette de sot-l'y-laisse. **Vins** Chignin, Gamay.

Le Chalet, au Belvédère **(b)** ✆ 79 23 28 23, Fax 79 00 56 22, ← montagnes, « Belle décoration intérieure », P. AE GB
15 déc.-8 avril – **Repas** 200/ 320, enf. 90 – 100 – **29 ch** 1890/2080, 3 appart, 5 duplex – ½ P 1390/1440.

Le Grand Coeur, **(a)** ✆ 79 08 60 03, Fax 79 08 58 38, ←, (été), P. AE GB
13 déc.-20 avril – **Repas** 320 (dîner)et carte 200 à 400, enf. 60 – 95 – **41 ch** 1000/2950 – ½ P 900/3100.

Allodis M, au Belvédère **(d)** ✆ 79 00 56 00, Fax 79 00 59 28, ←, P – 100. GB.
1er juil.-10 sept. et 15 déc.-15 avril – **Repas** 170 (déj.), 190/ 280 – 60 – **37 ch** 1130/2000, 3 appart, 3 duplex – ½ P 1250.

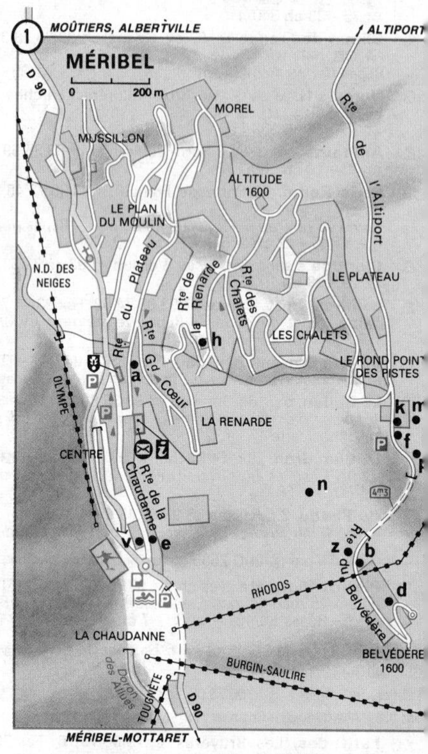

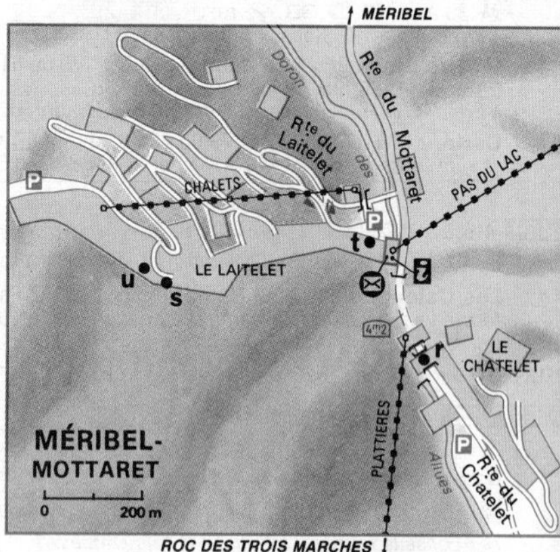

Le Yeti M, rd-pt des Pistes **(p)** 79 00 51 15, Fax 79 00 51 73, ←, (été) – AE GB. rest
1er juil.-1er sept. et 15 déc.-20 avril – **Repas** 98 (déj.), 160/260 – **25 ch** 980/1250, 5 appart, 3 duplex – ½ P 970.

La Chaudanne, (e) 79 08 61 76, Fax 79 08 57 75, ←, – cuisinette P – 100. AE GB. rest
1er juil.-15 sept. et 1er déc.-1er mai – **Repas** 150/280, enf. 60 – 65 – **68 ch** 950/1500, 10 appart, 3 duplex – ½ P 700/950.

Alba M, rd-pt des Pistes **(f)** 79 08 55 55, Fax 79 00 55 63, ←, – . GB. rest
15 déc.-15 avril – **Repas** 140 (déj.), 175/275 – 60 – **20 ch** (½ pens. seul.) – ½ P 780/880.

Marie-Blanche M, rte Renarde **(h)** 79 08 65 55, Fax 79 08 57 07, ←, – P. AE GB. rest
fin juin-début sept. et mi-déc.-30 avril – **Repas** (dîner seul.) 150/180 – 60 – **21 ch** 950/1500 – ½ P 800/900.

Le Mérilys sans rest, rd-pt des Pistes **(m)** 79 08 69 00, Fax 79 08 68 99, ← – cuisinette . GB
1er juil.-31 août et 15 déc.-20 avril – 50 – **28 ch** 500/1200, 15 appart.

Le Tremplin M sans rest, **(v)** 79 00 38 50, Fax 79 08 57 75, ←, – P. AE GB
1er juil.-15 sept. et 1er déc.-1er mai – 65 – **41 ch** 850/1400.

L'Orée du Bois , rd-pt des Pistes **(k)** 79 00 50 30, Fax 79 08 57 52, ←, (été) – . AE GB.
juil.-août et Noël-Pâques – **Repas** 130 (déj.), 190/210, enf. 65 – 65 – **35 ch** 690/890 – ½ P 620/720.

Adray Télé-Bar , sur les pistes (accès piétonnier) **(n)** 79 08 60 26, Fax 79 08 53 85, ← montagnes et pistes, – . GB
20 déc.-20 avril – **Repas** 180/260 – 65 – **24 ch** 450/700 – ½ P 600/720.

à l'altiport NE : 4,5 km – 73550 Méribel-les-Allues :

Altiport H. , 79 00 52 32, Fax 79 08 57 54, ← montagnes, , (été), – . GB. rest
fin juin-mi-sept. et mi-déc.-fin avril – **Repas** 120 (déj.)/280, enf. 70 – 75 – **41 ch** 975/1380 – ½ P 720/990.

à Méribel-Mottaret : 6 km – 73550 Méribel-les-Allues :

Mont Vallon , **(r)** 79 00 44 00, Fax 79 00 46 93, ←, – – 80. AE GB.
mi-déc.-mi-avril – **Repas** 265/326 – **92 ch** 1650 – ½ P 1100/1250.

La Tarentaise M , **(s)** 79 00 42 43, Fax 79 00 46 99, ←, – – 30. AE GB. rest
15 déc.-15 avril – **Repas** 120 (déj.)/160 – 50 – **45 ch** 930/1100 – ½ P 700/730.

Ruitor , **(t)** 79 00 48 48, Fax 79 00 48 31, ←, – – 30. AE GB. rest
mi-déc.-mi-avril – **Repas** 220 (dîner)et carte 250 à 330, enf. 70 – 60 – **43 ch** 1090/1480 – ½ P 1050/1100.

Les Arolles , **(u)** 79 00 40 40, Fax 79 00 45 50, ←, – . GB JCB. rest
21 déc.-1er mai – **Repas** 100 (déj.), 150/200 – 50 – **60 ch** 900/1200 – ½ P 855/890.

aux Allues N : 7 km par D 915A – 1 570 h. alt. 1125 – 73550 :

La Croix Jean-Claude , 79 08 61 05, Fax 79 00 32 72, – . GB
fermé fin mai au 30 juin et 25 sept. au 28 oct. – **Repas** 80/200 – 45 – **18 ch** 280/480 – ½ P 300/480.

MÉRIGNAC 33 Gironde 71 ⑨ – rattaché à Bordeaux.

MERKWILLER-PECHELBRONN 67250 B.-Rhin 57 ⑲ G. Alsace Lorraine – 825 h alt. 160.

aris 477 – ◆Strasbourg 45 – Haguenau 16 – Wissembourg 19.

XX **Aub. Baechel-Brunn,** 88 80 78 61, Fax 88 80 75 20, – P. GB.
fermé 11 août au 3 sept. et 14 au 30 janv. – **Repas** 95/280, enf. 50.

MERLETTE 05 H.-Alpes 77 ⑰ – rattaché à Orcières.

MERY-CORBON 14370 Calvados 54 ⑰ – 873 h alt. 10.

aris 224 – ◆Caen 26 – Falaise 35 – Lisieux 30.

XX **Relais du Lion d'Or,** au Lion d'Or S : 3 km sur N 13 31 23 65 30, Fax 31 23 65 30 – P. GB
fermé dim. soir et lundi – **Repas** 98/208.

MESNIÈRES-EN-BRAY 76 S.-Mar. 52 ⑮ – rattaché à Neufchâtel-en-Bray.

Le MESNIL-AMELOT 77 S.-et-M. 56 ⑪, 101 ⑨ – voir à Paris, Environs.

Le MESNIL-ESNARD 76 S.-Mar. 55 ⑥ – rattaché à Rouen.

MESNIL-ST-PÈRE 10140 Aube 61 ⑰ **G. Champagne** – 287 h alt. 131.

Voir Parc naturel régional de la forêt d'Orient★★.

Paris 204 – Troyes 22 – Bar-sur-Aube 32 – Châtillon-sur-Seine 53 – St-Dizier 76 – Vitry-le-François 70.

XXX **Aub. du Lac et rest. Vieux Pressoir** avec ch, ✆ 25 41 27 16, Fax 25 41 57 59, – ☎ ♿ P. GB
fermé dim. soir et lundi midi du 15 sept. au 31 mars – **Repas** 130 (déj.), 165/320 et carte 230 à 350 – ☕ 45 – **15 ch** 340/450 – ½ P 370/420.

MESNIL-SELLIÈRES 10 Aube 61 ⑰ – rattaché à Troyes.

Le MESNIL-SUR-OGER 51190 Marne 56 ⑯ **G. Champagne** – 1 118 h alt. 119.

Voir Musée de la vigne et du vin (maison Launois).

Paris 144 – ♦Reims 43 – Châlons-en-Champagne 29 – Épernay 14 – Vertus 6,5.

XXX **Le Mesnil,** ✆ 26 57 95 57, Fax 26 57 78 57 – ▤. AE GB
fermé 16 août au 5 sept., 25 janv. au 8 fév., lundi soir et merc. – **Repas** 105 bc/330 et carte 170 à 320, enf. 65.

RENAULT Gar. Ewen, rte d'Oiry ✆ 26 57 52 25

Ne prenez pas la route sans connaître votre temps de parcours.

La carte Michelin n° 911 c'est "la carte du temps gagné".

MESNIL-VAL 76 S.-Mar. 52 ⑤ – ✉ 76910 Criel-sur-Mer.

Paris 176 – ♦Amiens 80 – Dieppe 25 – Le Tréport 5.

Royal Albion sans rest, ✆ 35 86 21 42, Fax 35 86 78 51, Parc, « Bel aménagement intérieur » – TV ☎ ♿ P. AE GB.
☕ 45 – **20 ch** 390/680.

Host. de la Vieille Ferme ✆ 35 86 72 18, Fax 35 86 12 67, – TV ☎ P. AE GB
fermé 2 au 22 janv., dim. soir et lundi hors sais. – **Repas** 99/179, enf. 55 – ☕ 35 – **34 ch** 280/450 – ½ P 305/370.

Les MESNULS 78490 Yvelines 60 ⑨ 106 ㉘ – 793 h alt. 120.

Paris 45 – Dreux 40 – Mantes-la-Jolie 32 – Rambouillet 16 – Versailles 25.

XXX ✿ **Toque Blanche** (Philippe), 12 Gde Rue ✆ (1) 34 86 05 55, Fax (1) 34 86 82 18, – AE GB
fermé août, 23 au 30 déc., dim. soir et lundi sauf fériés – **Repas** 370 et carte 300 à 480
Spéc. Salade de rouget à l'huile vierge et aux truffes. Millefeuille de ris de veau et foie gras chaud. Feuillantine de fruits de saison.

MÉTABIEF 25370 Doubs 70 ⑥ **G. Jura** – 504 h alt. 960 – Sports d'hiver : 980/1 460 m 30.

Voir Le Morond ✻★ S par télésiège.

Env. Mont d'Or ✻★★ S : 8 km puis 30 mn.

Office de Tourisme pl. de la Mairie ✆ 81 49 13 81.

Paris 453 – ♦Besançon 78 – Champagnole 42 – Lausanne 53 – Pontarlier 18.

Étoile des Neiges sans rest, ✆ 81 49 11 21, Fax 81 49 26 91 – ☎ P. GB
fermé 15 mai au 15 juin et 15 nov. au 15 déc. – ☕ 32 – **14 ch** 200/240.

voir aussi ressources hôtelières des ***Hôpitaux-Neufs*** et de ***Jougne.***

METZ P 57000 Moselle 57 ⑬ ⑭ **G. Alsace Lorraine** – 119 594 h Agglo. 193 117 h alt. 173.

Voir Cathédrale St-Etienne★★★ CDV – Porte des Allemands★ DV – Esplanade★ CV : église St-Pierre-aux-Nonnains★ CX E – Place St-Louis★ DVX – Église St-Maximin★ DVX – Narthex★ de l'église St-Martin DX – ≤★ du Moyen Pont CV – La Cour d'Or, musées★★ : section archéologique★★★ DV M[1].

de Metz-Cherisey ✆ 87 52 70 18 par ⑤ : 14 km ; du Technopole ✆ 87 20 33 11, par ③ : 5 km ; de la Grange-aux-Ormes, ✆ 87 63 10 62, S par D 5 : 3 km.

de Metz-Nancy-Lorraine : ✆ 87 56 70 00, par D 913 : 23 km.

✆ 36 35 35 35.

Office de Tourisme pl. d'Armes ✆ 87 55 53 76, Télex 860411, Fax 87 36 59 43 et Bureaux Gare et Autoroute de l'Est de la France – Automobile Club de la Moselle 10 r. Ferme St-Ladre à Marly ✆ 87 66 80 15, Fax 87 62 ... 87.

Paris 332 ① – Bonn 265 ① – Bruxelles 268 ① – ♦Dijon 264 ④ – ♦Lille 368 ① – Luxembourg 64 ① – ♦Nancy 56 ④ – ♦Reims 190 ① – Saarbrücken 67 ③ – ♦Strasbourg 161 ②.

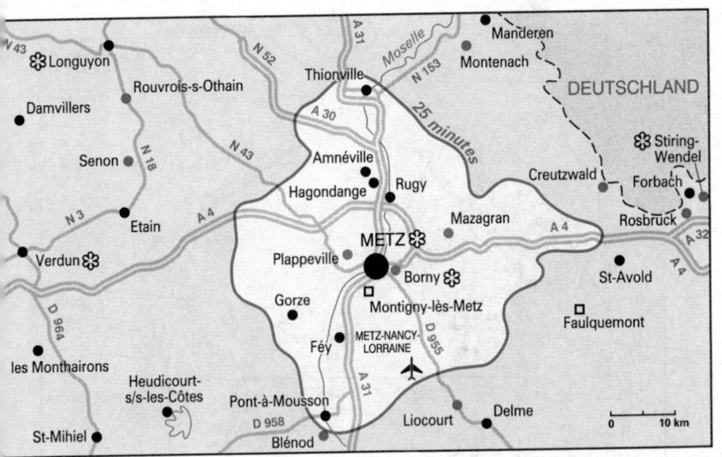

Mercure Centre St-Thiébault [M], 29 pl. St-Thiébault ✆ 87 38 50 50, Télex 930417, Fax 87 75 48 18 – 50 à 200. AE GB JCB — DX **d**
Repas 100/180 bc, enf. 52 – 54 – **112 ch** 480/500.

Novotel Centre [M], pl. Paraiges ✆ 87 37 38 39, Fax 87 36 10 00, – 30 à 150. AE GB — DV **t**
Repas carte environ 160, enf. 50 – 55 – **120 ch** 460/510.

Royal-Bleu Marine, 23 av. Foch ✆ 87 66 81 11, Fax 87 56 13 16, – 25 à 60. AE GB JCB — DX **s**
Repas 145, enf. 49 – 60 – **58 ch** 350/900, 3 appart – ½ P 440/500.

Foch sans rest, 8 pl. R. Mondon ✆ 87 74 40 75, Fax 87 74 49 90 – GB — CX **v**
27 – **38 ch** 186/298.

Bristol sans rest, 7 r. La Fayette ✆ 87 66 74 22, Fax 87 50 67 89 – GB — CX **u**
27 – **66 ch** 110/285.

Cécil sans rest, 14 r. Pasteur ✆ 87 66 66 13, Fax 87 56 96 02 – AE GB. — CX **x**
fermé 26 déc. au 1er janv. – 30 – **39 ch** 185/280.

Métropole sans rest, 5 pl. Gén. de Gaulle ✆ 87 66 26 22, Fax 87 66 29 91 – AE GB — DX **q**
30 – **80 ch** 210/250.

Moderne sans rest, 1 r. La Fayette ✆ 87 66 57 33, Fax 87 55 98 59 – AE GB — CX **m**
30 – **43 ch** 140/290.

Ibis Pontiffroy [M], 47 r. Chambière, quartier Pontiffroy ✆ 87 31 01 73, Fax 87 31 25 46, – 25. AE GB — DV **e**
Repas 99 bc, enf. 39 – 36 – **79 ch** 300.

Ibis Centre Gare sans rest, 3 bis r. Vauban ✆ 87 75 53 43, Fax 87 37 04 11 – AE GB — DX **b**
36 – **72 ch** 290.

XXX **Maire,** 1 r. Pont des Morts ✆ 87 32 43 12, Fax 87 31 16 75, – AE GB JCB — CV **f**
Repas 150/380 et carte 260 à 360.

XXX **Chambertin,** 22 pl. St-Simplice ✆ 87 37 32 81, Fax 87 36 70 89, – AE GB — DV **u**
fermé 20 août au 5 sept., 14 au 25 fév., dim. soir et lundi – **Repas** 175/260 et carte 240 à 380.

XXX **des Roches,** 29 r. Roches ✆ 87 74 06 51, Fax 87 75 40 04, – AE GB — CV **n**
fermé dim. soir – **Repas** 130/280 et carte 240 à 350 - ***Marée d'Isis*** *(fermé dim. soir)* **Repas** 85/100.

XX **A la Ville de Lyon,** 7 r. Piques ✆ 87 36 07 01, Fax 87 74 47 17 – AE GB — DV **a**
fermé 30 juil. au 27 août, dim. soir et lundi sauf fériés – **Repas** 110/320.

XX **Le Chat Noir,** 30 r. Pasteur ✆ 87 56 99 19, Fax 87 66 67 64, – AE GB — AZ **e**
fermé sam. midi et dim. – **Repas** 110/210.

XX **La Goulue,** 24 pl. St-Simplice ✆ 87 75 10 69, Fax 87 36 94 05, – . AE GB — DV **s**
fermé dim. et lundi – **Repas** 180/250.

XX **Flo,** 2 bis r. Gambetta ✆ 87 55 94 95, Fax 87 38 09 26, – AE GB — CX **b**
Repas brasserie 101 bc/145 bc.

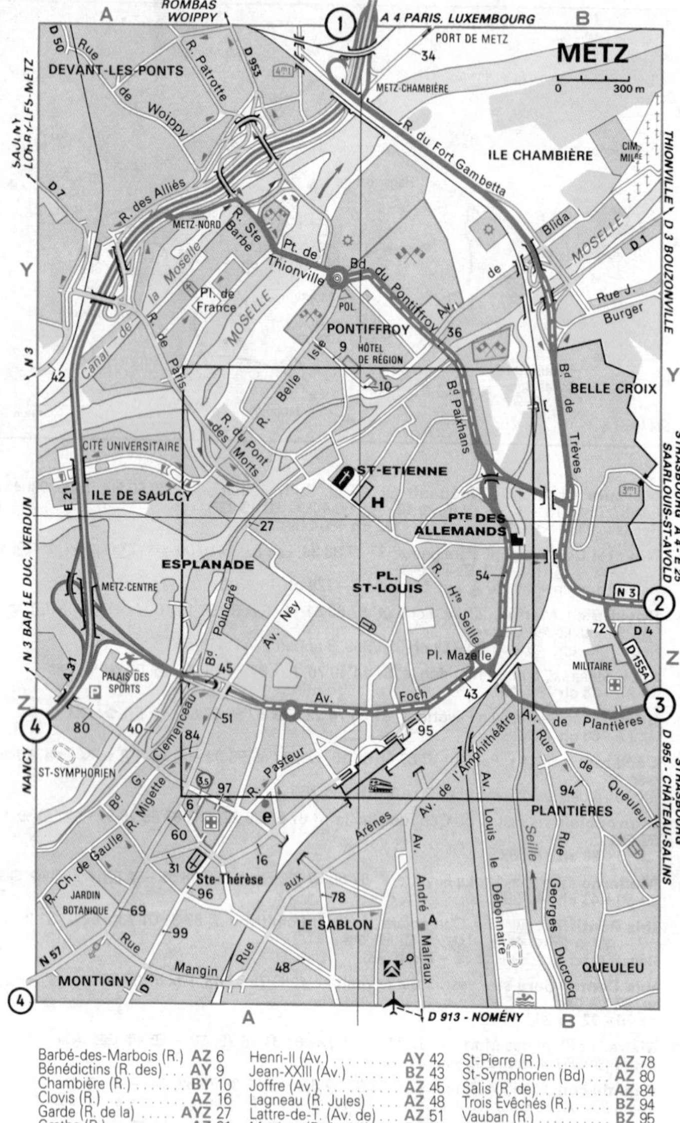

Barbé-des-Marbois (R.) **AZ** 6	Henri-II (Av.) **AY** 42	St-Pierre (R.) **AZ** 78
Bénédictins (R. des) **AY** 9	Jean-XXIII (Av.) **BZ** 43	St-Symphorien (Bd) **AZ** 80
Chambière (R.) **BY** 10	Joffre (Av.) **AZ** 45	Salis (R. de) **AZ** 84
Clovis (R.) **AZ** 16	Lagneau (R. Jules) **AZ** 48	Trois Évêchés (R.) **BZ** 94
Garde (R. de la) **AYZ** 27	Lattre-de-T. (Av. de) **AZ** 51	Vauban (R.) **BZ** 95
Gœthe (R.) **AZ** 31	Maginot (R. André) **BZ** 54	Verdun (R. de) **AZ** 96
Grange-aux-Dames (R.) **BY** 34	Nancy (Av. de) **AZ** 60	Verlaine (R.) **AZ** 97
Grilles (Pont des) **BY** 36	Pont-à-Mousson (R.) **AZ** 69	20e Corps
Hegly (Allée V.) **AZ** 40	Pont-Rouge (R. du) **BZ** 72	Américain (R.) **AZ** 99

Pour vos voyages, en complément de ce guide, utilisez :

- Les guides Verts Michelin régionaux paysages, monuments et routes touristiques.
- Les cartes Michelin à 1/1 000 000 grands itinéraires
  1/200 000 cartes détaillées.

X **Le Chèvrefeuille,** 27 r. Taison ✆ 87 74 29 53 – AE ⓓ GB — DV **r**
fermé 4 au 25 août, sam. soir et dim. – **Repas** 60 (déj.), 150/220.

par ① et A 31 sortie la Maxe : 5 km – ✉ **57140** Woippy :

Mercure Metz-Nord M, ✆ 87 34 20 00, Fax 87 32 73 11, – ⟨lift⟩ ⟨non-smoking⟩ ⟨TV⟩ ☎ & P –
30 à 150. AE ⓓ GB JCB
Repas 100/120 ꝭ, enf. 45 – ☕ 45 – **83 ch** 380/400.

METZ

Rue	Carré	N°
...mbroise-Thomas (R.)	**CV**	2
...ercs (R. des)	**CV**	
...n Fournirue	**DV**	
...ibert (R.)	**CV**	21
...rdins (R. des)	**DV**	
...alais (R. du)	**CV**	63
...etit-Paris (R. du)	**CV**	64
...-Louis (Pl.)	**DVX**	
...chuman (Av. R.)	**CX**	
...erpenoise (R.)	**CV**	
...ête d'Or (R. de la)	**DV**	
...mphithéâtre (Av.)	**DX**	3
...rmes (Pl. d')	**DV**	4
...ugustins (R. des)	**DX**	5
Belle-Isle (R.)	**CV**	7
Chambière (R.)	**DV**	10
Chambre (Pl. de)	**CV**	12
Chanoine-Collin (R.)	**DV**	13
Charlemagne (R.)	**CX**	15
Coëtlosquet (R. du)	**CX**	18
Coislin (Pl.)	**DX**	19
Faisan (R. du)	**CV**	22
Fontaine (R. de la)	**DX**	24
Gaulle (Pl. du Gén.-de)	**DX**	28
George (Pl. du Roi)	**CX**	30
Gde-Armée (R. de la)	**DV**	33
Hache (R. de la)	**DV**	39
Juge Pierre Michel (R. du)	**CV**	46
La-Fayette (R.)	**CX**	47
Lasalle (R.)	**DX**	49
Lattre-de-T. (Av. de)	**CX**	51
Leclerc-de-H. (Av.)	**CX**	52
Mondon (Pl. R.)	**CX**	57
Morts (Pont des)	**CV**	58
Paix (R. de la)	**CV**	61
Pierre-Hardie (R. de la)	**CV**	66
Prés.-Kennedy (Av.)	**CX**	73
République (Pl. de la)	**CX**	75
St-Eucaire (R.)	**DV**	76
St-Simplice (Pl.)	**DV**	79
St-Thiébault (Pl.)	**DX**	81
Ste-Marie (R.)	**CV**	82
Salis (R. de)	**CX**	84
Sérot (Bd Robert)	**CV**	85
Serpenoise (Porte)	**CX**	87
Taison (R.)	**DV**	88
Tanneurs (R. des)	**DV**	90
Trinitaires (R. des)	**DV**	93
Verlaine (R.)	**CX**	97

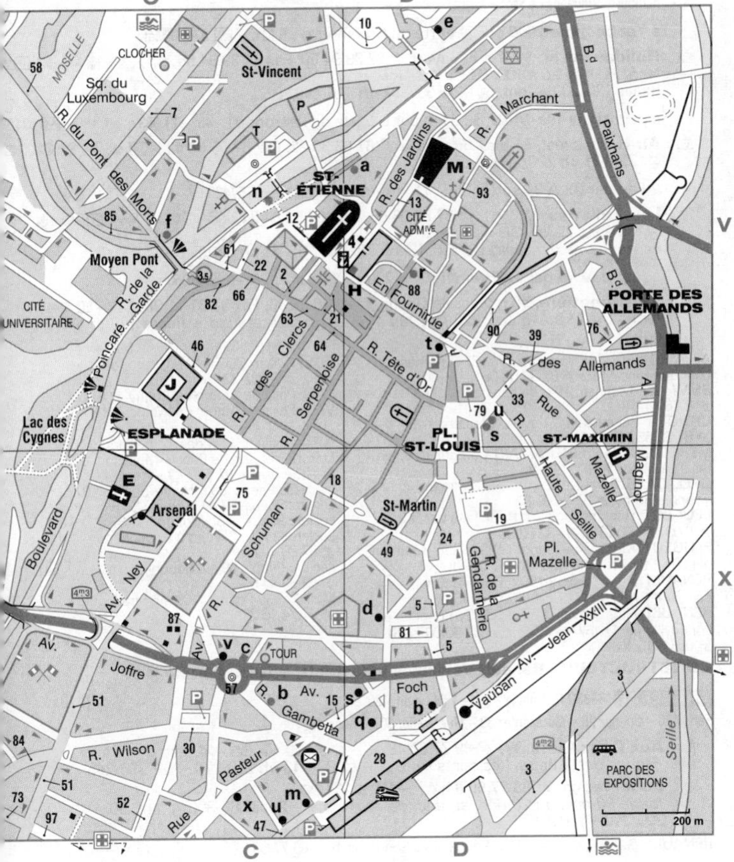

par ① et A 31 sortie Maizières-lès-Metz : 10 km – ✉ **57210** Maizières-lès-Metz :

Novotel-Hauconcourt M, ✆ 87 80 18 18, Fax 87 80 36 00, ☂, ⛱, ☂ – |♦| ⇆ ▤ TV & P – 🏛 40 à 120. AE ⓘ GB
Repas carte environ 160 ♨, enf. 50 – ☕ 50 – **132 ch** 425/455.

à Rugy N : 12 km par D 1 – ✉ **57640** Argancy :

La Bergerie M ☙, ✆ 87 77 82 27, Fax 87 77 87 07, ☂, ☂ – TV ☎ & P – 🏛 25 à 10
GB
Repas 130/200 ♨ – ☕ 45 – **48 ch** 310/390 – ½ P 330.

par ② direction Vallières : 3 km – ✉ **57070** Metz :

XXX ✿ **Crinouc** (Lamaze), 79 r. Gén. Metman ✆ 87 74 12 46, Fax 87 36 96 92 – P. AE ⓘ GB
fermé 15 juil. au 6 août, 2 au 9 janv., sam. midi, dim. soir et lundi – **Repas** 190 (déj.), 250/3
et carte 290 à 410
Spéc. Gratin de queues de langoustines. Baron d'agneau du Limousin en croûte à la fleur de thym. Soufflé chaud chocolat noir. **Vins** Côtes de Toul.

à Mazagran par ② et D 954 : 13 km – ✉ **57530** Courcelles-Chaussy :

XX **Aub. de Mazagran,** ✆ 87 76 62 47 – P. AE GB
fermé mardi soir et merc. – **Repas** 120/320.

à Borny par ③ et rte Strasbourg : 3 km – ✉ **57070** Metz :

XXX ✿ **Jardin de Bellevue** (Krompholtz), 58 r. Claude Bernard (près Technopole Metz 200
✆ 87 37 10 27, Fax 87 37 15 45, ☂ – P. GB
fermé 2 au 22 août, dim. soir, mardi soir et lundi – **Repas** 185/355 et carte 230 à 350
Spéc. Véritable bouchée à la reine (oct. à avril). Croustillant de tête de veau en ravigote. Profiteroles fourrées à mirabelle. **Vins** Vins de Moselle.

à Technopole 2000 par ③ et rte de Strasbourg : 5 km – ✉ **57070** Metz :

Holiday Inn M ☙, 1 r. F. Savart ✆ 87 39 94 50, Fax 87 39 94 55, ☂, ⛱ – |♦| ⇆ ▤ TV
✆ & P – 🏛 25 à 100. AE ⓘ GB JCB
Repas 120/200 ♨, enf. 60 – ☕ 55 – **92 ch** 410/440.

à Montigny-lès-Metz S : 3 km par D 5 (rte de l'aéroport) - AZ – 21 983 h. alt. 180 – ✉ **5715**

Air H. sans rest, 54 bis r. Franiatte ✆ 87 63 30 22, Fax 87 66 68 42 – TV ☎ P. AE ⓘ GB
☕ 25 – **21 ch** 200/270.

à Fey par ④, A 31 sortie Fey : 11 km – 487 h. alt. 227 – ✉ **57420** :

Les Tuileries M ☙, ✆ 87 52 03 03, Fax 87 52 84 24, ☂, ☂ – ⇆ TV ☎ & P
🏛 30 à 90. AE ⓘ GB
Repas *(fermé dim. soir)* 110/350 ♨, enf. 70 – ☕ 45 – **41 ch** 290/315 – ½ P 250.

à Plappeville par av. Henri II - AY : 7 km – 2 130 h. alt. 280 – ✉ **57050** :

XX **La Grignotière,** 50 r. Gén. de Gaulle ✆ 87 30 36 68, Fax 87 31 11 98, ☂ – AE GB
fermé du 1er au 15 août, 25 janv. au 4 fév., dim. soir et lundi – **Repas** 120 (déj.), 195/29
enf. 65.

ALFA ROMEO Gar. Jacquot, 17 r. R.-Schumann à Longeville-les-Metz ✆ 87 32 53 06
BMW Gar. Molinari, 19 r. de Paris à Rozerieulles ✆ 87 60 42 40
CITROEN Succursale, 71 av. A.-Malraux ✆ 87 38 55 55
MERCEDES Gar. de l'Etoile, A31 Campus d'Activités à La Maxe ✆ 87 31 85 85
OPEL, SAAB Eurauto, 191 r. Gén.-Metman Actipole Borny ✆ 87 74 95 82
PEUGEOT Gar. Jacquot, 2 r. P.-Boileau par D 953 ✆ 87 32 52 90 N ✆ 87 32 52 90
PEUGEOT Mosellane-Autom., 199 r. Gén.-Metman par ② ✆ 87 74 17 90 N ✆ 87 74 17 90
RENAULT Auto Losange, 50 r. Gén.-Metman par ② ✆ 87 39 40 40 N ✆ 05 05 15 15
RENAULT Gar. Chevalier, 57 bd St-Symphorien à Longeville par D 157A à l'Ouest ✆ 87 66 80 22 N ✆ 05 05 15 15

ROVER Gar. Corroy, 6 r. Chaponost à Moulins-les Metz ✆ 87 62 32 15
VAG Philippe Autom., à Augny ✆ 87 38 35 36
VAG Philippe Autom., à Woippy ✆ 87 30 46 47

Euromaster, 11 r. des Coutelliers ✆ 87 75 30 78
Euromaster, 2 r. de Pont-à-Mousson, quartier Ste-Thérèse ✆ 87 62 17 71
Laglasse Pneus, 53 r. Haute-Seille ✆ 87 36 00 42
Leclerc Pneus, 57 av. Abbaye St-Eloy ✆ 87 32 53
Leclerc Pneus, 3 pl. Mondon ✆ 87 65 49 33
Leclerc Pneus, ZI Nord à Hauconcourt ✆ 87 80 49 80
Leclerc Pneus, 59 av. République à Jarny (54) ✆ 82 33 44 59
Metz Pneus-Point S, 100 av. Strasbourg ✆ 87 74 16 28

CONSTRUCTEUR : Renault Véhicules Industriels, à Batilly ✆ 87 22 34 99

METZERAL 68380 H.-Rhin 62 ⑱ – 1 041 h alt. 480.

Paris 476 – Colmar 25 – Gérardmer 39 – Guebwiller 30 – Thann 43.

Aux Deux Clefs ☙, ✆ 89 77 61 48, ≤ – ☎ P. AE ⓘ GB. ✂ rest
Pâques-oct. – **Repas** (résidents seul.) ♨ – ☕ 30 – **13 ch** 250/270 – ½ P 235/245.

XX **Pont** avec ch, ✆ 89 77 60 84, ☂ – TV ☎ P. GB
fermé 20 nov. au 20 déc. et lundi de nov. à mai – **Repas** 80/300 ♨, enf. 50 – ☕ 40 – **8 c**
200/300 – ½ P 275.

RENAULT Gar. Friederich, 29A r. Principale à Sondernach ✆ 89 77 60 02

MEUDON 92 Hauts-de-Seine 60 ⑩, 101 ㉔ – voir à Paris, Environs.

MEULAN 78250 Yvelines 55 ⑲ 106 ④ ⑯ – 8 101 h alt. 25.

de Gadancourt ✆ (1) 34 66 12 77, par D 913 et D 43 : 13 km ; 18 de Seraincourt ✆ (1) 34 75 7 28, par D 913 : 3,5 km.

Paris 47 – Beauvais 62 – Mantes-la-Jolie 19 – Pontoise 21 – Rambouillet 50 – Versailles 33.

Mercure M, l'Ile Belle (dir. Mureaux) ✆ (1) 34 74 63 63, Télex 695295, Fax (1) 34 74 00 98, ≤, – ☎ – 40. AE GB JCB
Repas 150/250, enf. 54 – 55 – **56 ch** 520, 13 appart.

La Flottille, 10 r. Bignon à Hardricourt ✆ (1) 34 74 21 67, Fax (1) 34 74 90 51, ≤, – GB
fermé dim. soir et lundi – **Repas** 79 bc (déj.), 135/200, enf. 70.

aux Mureaux : au Sud – 33 089 h. alt. 28 – ✉ **78130** :

La Taverne du Coq Gaulois, 7 r. Seine ✆ (1) 34 74 02 58 – P. GB
fermé 5 au 26 août, dim. soir et lundi – **Repas** 65 (déj.), 90/150, enf. 40.

CITROEN Mureaux Autom., 14 r. Ampère aux Mureaux ✆ (1) 34 74 01 95
FORD Gar. de Chantereine, Les Sablons Rocade Ouest aux Mureaux, ✆ (1) 34 74 88 88
PEUGEOT Basse Seine Autom., 2 av. Seine aux Mureaux ✆ (1) 30 99 77 11
RENAULT P.H.P. Autom., 4 r. A.-Briand aux Mureaux ✆ (1) 34 74 17 92
RENAULT Gar. des Sports, 6 r. du Stade ✆ (1) 34 74 00 22
RENAULT Carnot Autom., 8 bd Carnot à Hardricourt ✆ (1) 34 74 01 80

Marsat Pneus, 41 bis av. Gambetta ✆ (1) 34 74 84 44

Pour aller loin rapidement,
utilisez les cartes Michelin des pays d'Europe à 1/1 000 000.

MEUNG-SUR-LOIRE 45130 Loiret 64 ⑧ **G. Châteaux de la Loire** – 5 993 h alt. 90.

Voir Église St-Liphard★ – Basilique★ de Cléry-St-André E : 5 km par D 18.

Office de Tourisme 42 r. J.-de-Meung ✆ 38 44 32 28.

Paris 144 – ◆Orléans 18 – Beaugency 7 – Blois 39.

Aub. St-Jacques avec ch, 60 r. Gén. de Gaulle ✆ 38 44 30 39, Fax 38 45 17 02 – rest ☎ P. AE GB
Repas 90/250, enf. 50 – 25 – **12 ch** 190/260 – ½ P 210/260.

MEURSAULT 21 Côte-d'Or 69 ⑨ – rattaché à Beaune.

Le MEUX 60 Oise 56 ② – rattaché à Compiègne.

MEXIMIEUX 01800 Ain 74 ③ – 6 230 h alt. 245.

Paris 471 – ◆Lyon 36 – Bourg-en-Bresse 35 – Chambéry 95 – Genève 115 – ◆Grenoble 121.

La Bérangère M, rte Lyon ✆ 74 34 77 77, Fax 74 34 70 27, – ☎ P – 50. AE GB
Le Pérougien ✆ 74 34 70 70 *(fermé 2 au 15 janv. et vend.)* **Repas** 70(déj.), 90/145, enf. 55 – 38 – **33 ch** 270/379 – ½ P 242.

Claude Lutz avec ch, 17 r. Lyon ✆ 74 61 06 78, Fax 74 34 75 23 – rest ☎ P – 80. AE GB
fermé 15 au 22 juil., 28 oct. au 15 nov., dim. soir et lundi – **Repas** (prévenir) 155/330 et carte 200 à 320, enf. 70 – 40 – **14 ch** 185/320
Spéc. Salade de la Dombes. Homard au sauternes à l'infusion d'estragon. Poulet de Bresse et ris de veau aux morilles.
Vins Gamay du Bugey, Chardonnay.

au Pont de Chazey-Villieu E : 3 km sur N 84 – ✉ **01800** Meximieux :

La Mère Jacquet avec ch, ✆ 74 61 94 80, Fax 74 61 92 07, – ☎ P. GB
fermé 20 déc. au 5 janv. – **Repas** *(fermé dim. soir et lundi)* 200/400 et carte 280 à 390 – 60 – **19 ch** 300/500.

PEUGEOT Gar. du Centre, ✆ 74 61 06 00
PEUGEOT Gar. Chabran, ✆ 74 61 18 09
RENAULT Gar. Paviot, ✆ 74 61 07 89

MEYLAN 38 Isère 77 ⑤ – rattaché à Grenoble.

MEYMAC 19250 Corrèze 73 ⑪ **G. Berry Limousin** – 2 796 h alt. 702.

Voir Vierge noire★ dans l'église abbatiale.

Office de Tourisme pl. Hôtel-de-Ville ✆ 55 95 18 43 ou 55 95 10 15, Fax 55 95 29 28.

Paris 449 – Aubusson 57 – ◆Limoges 95 – Neuvic 29 – Tulle 49 – Ussel 17.

à la Chapelle S : 10 km par D 36 et N 89 – ✉ **19250** :

Chatel, sur N 89 ✆ 55 94 22 64, Fax 55 94 24 62, – ☎ P – 30. AE GB
fermé Noël au Jour de l'An – **Repas** 95/250 – 35 – **30 ch** 200/250.

à Maussac S : 9 km par D 36 et N 89 – 397 h. alt. 615 – ✉ 19250 :

Europa M, sur N 89 ☎ 55 94 25 21, Fax 55 94 26 08 – ▤ rest TV ☎ & P – 25. AE GB
Repas 70/130, enf. 50 – ☕ 30 – **24 ch** 200/250 – ½ P 200.

CITROEN Gar. Vergne, ☎ 55 95 11 36
PEUGEOT Gar. Longerinas, ☎ 55 95 10 32 N
☎ 55 95 10 32
RENAULT Gar. Mauriange, ☎ 55 95 10 54 N
☎ 55 95 60 23

MEYRUEIS 48150 Lozère 80 ⑤ ⑮ G. Gorges du Tarn – 907 h alt. 698.

Voir NO : Gorges de la Jonte★★.

Env. Aven Armand★★★ NO : 11 km – Grotte de Dargilan★★ NO : 8,5 km.

Office de Tourisme Tour de l'Horloge ☎ 66 45 60 33, Fax 66 45 67 36.

Paris 650 – Mende 56 – Florac 35 – Millau 41 – Rodez 96 – Sévérac-le-Château 50 – Le Vigan 57.

Château d'Ayres, E : 1,5 km par D 57 ☎ 66 45 60 10, Fax 66 45 62 26, ≤, « Parc », – TV ☎ P. AE GB. rest
29 mars-15 nov. – **Repas** 110 (déj.), 150/260, enf. 80 – ☕ 60 – **26 ch** 540/815 – ½ P 363/575.

Mont Aigoual, r. Barrière ☎ 66 45 65 61, Fax 66 45 64 25, – ☎ P. AE GB. rest
fin mars-début nov. – **Repas** 90/150, enf. 45 – ☕ 40 – **30 ch** 280 – ½ P 280.

Europe, ☎ 66 45 60 05, Fax 66 45 65 31 – ☎ P. GB
Pâques-1er nov. – **Repas** 75/135, enf. 40 – ☕ 33 – **29 ch** 220/250 – ½ P 240.

Family H., ☎ 66 45 60 02, Fax 66 45 66 54, – TV ☎ P. GB
1er avril-4 nov. – **Repas** 78/140, enf. 40 – ☕ 35 – **48 ch** 220/240 – ½ P 240.

Gd H. de France, ☎ 66 45 60 07, Fax 66 45 67 62, – TV ☎ P. GB
hôtel : 1er avril-1er nov. ; rest. : 1er mai-1er oct. – **Repas** 68/148, enf. 38 – ☕ 38 – **44 ch** 280 – ½ P 260.

CITROEN Gar. Giraud, ☎ 66 45 60 04

MEYZIEU 69330 Rhône 74 ⑳ – 28 077 h alt. 201.

Paris 469 – ◆Lyon 18 – Pont-de-Chéruy 14 – St-Priest 14 – Vienne 35.

Mont Joyeux, r. V. Hugo ☎ 78 04 21 32, Fax 72 02 85 72, – TV ☎ & P. AE GB
Repas 160/275 – ☕ 55 – **20 ch** 410/480 – ½ P 400.

La Petite Auberge du Pont d'Herbens, 32 r. V. Hugo ☎ 78 31 41 09, Fax 78 04 34 93, – P. AE GB
fermé mars, dim. soir et lundi – **Repas** 75 (déj.), 100/245.

MÉZANGERS 53 Mayenne 60 ⑪ – rattaché à Evron.

MÈZE 34140 Hérault 83 ⑯ G. Gorges du Tarn – 6 502 h alt. 20.

Office de Tourisme, r. A. Massaloup ☎ 67 43 93 08.

Paris 754 – ◆Montpellier 33 – Agde 20 – Béziers 41 – Lodève 59 – Pézenas 18 – Sète 19.

à Bouzigues NE : 4 km par N 113 et rte secondaire – 907 h. alt. 3 – ✉ 34140 :

Côte Bleue, ☎ 67 78 31 42, Fax 67 78 35 49, ≤, – TV ☎ P – 40. AE GB. ch
Repas ☎ 67 78 30 87 - produits de la mer - *(fermé janv., mardi soir et merc. sauf juil.-août)* 148/380 – ☕ 36 – **32 ch** 280/350.

Thau Pneus, 35 rte de Pézenas ☎ 67 43 93 38

MÉZÉRIAT 01660 Ain 74 ② – 1 995 h alt. 192.

Paris 411 – Mâcon 21 – Bourg-en-Bresse 21 – Villefranche-sur-Saône 46.

Les Bessières avec ch, ☎ 74 30 24 24, – GB
fermé 15 nov. à début fév., lundi et mardi sauf juil.-août – **Repas** 98/170 – ☕ 32 – **5 ch** 180/250 – ½ P 260/295.

MÉZIÈRES-EN-BRENNE 36290 Indre 68 ⑥ G. Berry Limousin – 1 194 h alt. 88.

Office de Tourisme "Le Moulin" r. du Nord ☎ 54 38 12 24.

Paris 277 – Le Blanc 26 – Châteauroux 44 – Châtellerault 58 – Poitiers 80 – ◆Tours 85.

Boeuf Couronné avec ch, ☎ 54 38 04 39, Fax 54 38 02 84 – ☎. AE GB. ch
fermé 23 juin au 1er juil., 30 sept. au 16 oct., 2 au 18 janv., dim. soir et lundi sauf fériés – **Repas** 68/242, enf. 39 – ☕ 31 – **8 ch** 215/230.

RENAULT Gar. Fradet, ☎ 54 38 00 02

ÉZOS 40170 Landes 78 ⑮ – 851 h alt. 23.

aris 703 – Mont-de-Marsan 63 – ✦Bordeaux 114 – Castets 24 – Mimizan 16 – Tartas 51.

Boucau sans rest, ☎ 58 42 61 38, – P. AE GB.
1er juin-30 sept. – ☕ 30 – **8 ch** 250/300.

IALET 30 Gard 80 ⑰ – rattaché à Anduze.

IEUSSY 74440 H.-Savoie 74 ⑦ **G. Alpes du Nord** – 1 346 h alt. 636.

Office de Tourisme ☎ 50 43 02 72, Fax 50 43 01 87, Mairie ☎ 50 43 01 67.

aris 567 – Chamonix-Mont-Blanc 57 – Thonon-les-Bains 44 – Annecy 61 – Bonneville 19 – Genève 38 – Megève 45 – orzine 24.

Accueil Savoyard, ☎ 50 43 01 90, Fax 50 43 09 59, – ☎ P. GB
fermé 25 oct. au 10 nov. – **Repas** 57 (déj.), 70/150, enf. 42 – ☕ 30 – **19 ch** 180/280 – ½ P 200/300.

ENAULT Gar. Jacquard, ☎ 50 43 00 86 N ☎ 50 43 00 86

IGENNES 89400 Yonne 65 ⑤ – 8 235 h alt. 87.

Office de Tourisme pl. E.-Laporte ☎ 86 80 03 70, Fax 86 92 95 32.

aris 157 – Auxerre 21 – Joigny 10 – Nogent-sur-Seine 77 – St-Florentin 16 – Seignelay 11,5.

Paris M avec ch, **57 av. J. Jaurès** ☎ **86 80 23 22, Fax 86 80 31 04** – rest TV ☎. GB
fermé 1er au 28 août, 2 au 7 janv., vend. soir, sam. midi et dim. soir – **Repas** 85/160 , enf. 50 – ☕ 30 – **9 ch** 180/350 – ½ P 280/300.

ENAULT Gar. Picot, 148 av. J.-Jaurès ☎ 86 80 35 15

ILLAU 12100 Aveyron 80 ⑭ **G. Gorges du Tarn** – 21 788 h alt. 372.

oir Site★ sur Millau (belvédère) par ③ du plan (N 9) – Musée de Millau : poteries★, maison de a Peau et du Gant (1er étage) BZ **M.**

nv. Gorges du Tarn★★★ 21 km par ① – Canyon de la Dourbie★★ 8 km par ②.

Office de Tourisme av. A.-Merle ☎ 65 60 02 42, Fax 65 61 36 08.

aris 654 ① – Mende 92 ① – Rodez 66 ⑤ – Albi 109 ④ – Alès 138 ③ – Béziers 123 ③ – ✦Montpellier 113 ③.

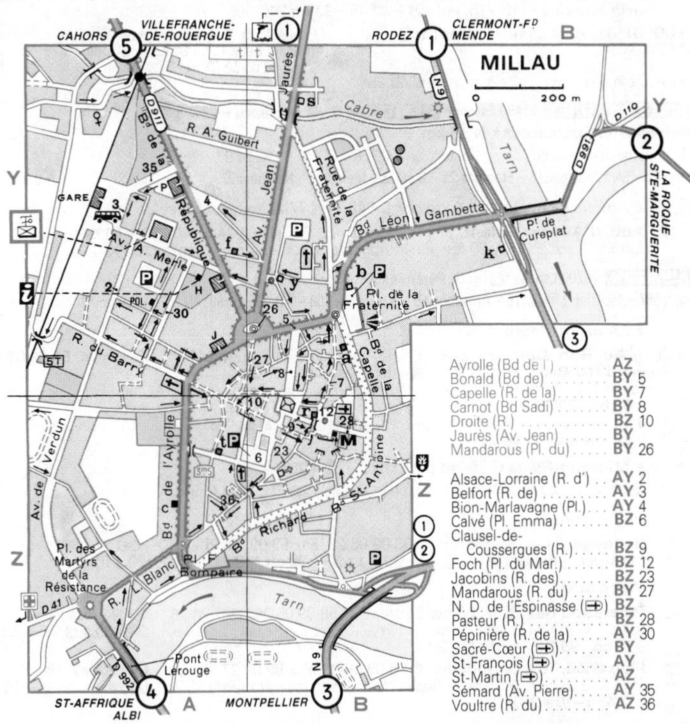

Ayrolle (Bd de l') AZ
Bonald (Bd de) BY 5
Capelle (R. de la) BY 7
Carnot (Bd Sadi) BY 8
Droite (R.) BZ 10
Jaurès (Av. Jean) BY
Mandarous (Pl. du) BY 26

Alsace-Lorraine (R. d') AY 2
Belfort (R. de) AY 3
Bion-Marlavagne (Pl.) AY 4
Calvé (Pl. Emma) BZ 6
Clausel-de-Coussergues (R.) BZ 9
Foch (Pl. du Mar.) BZ 12
Jacobins (R. des) BZ 23
Mandarous (R. du) BY 27
N. D. de l'Espinasse (⊞) BZ
Pasteur (R.) BZ 28
Pépinière (R. de la) AY 30
Sacré-Cœur (⊞) BY
St-François (⊞) AY
St-Martin (⊞) AZ
Sémard (Av. Pierre) AY 35
Voultre (R. du) AZ 36

International, 1 pl. Tine ✆ 65 59 29 00, Fax 65 59 29 01 – ⏐ ▤ rest TV ☎ P – 30 à 120. AE ⓓ GB BY y
Repas *(fermé dim. soir et lundi hors sais.)* 110/325, enf. 65 – ☐ 45 – **110 ch** 258/438 – ½ P 231/362.

Cévenol H. et rest. Pot d'Etain, 115 r. Rajol ✆ 65 60 74 44, Fax 65 60 85 99, ⏐ TV ☎ & P. ⓓ GB BY k
1er mars-30 nov. – **Repas** *(fermé vend. midi du 1er juil. au 15 sept., lundi midi et dim. du 15 sept. au 30 juin)* 97/205 – ☐ 37 – **42 ch** 308/330 – ½ P 290/316.

Millau Hôtel Club M, par ④ et rte Montpellier ✆ 65 59 71 33, Fax 65 59 71 67, – ▤ ch TV ☎ & P. AE GB
Repas grill *(fermé dim. soir et lundi du 1er oct. au 31 mai)* 80/110, enf. 35 – ☐ 30 – **36 ch** 260 – ½ P 202.

Campanile M, par ⑤ : 1,5 km ✆ 65 59 17 60, Fax 65 59 17 66, – TV ☎ & P – 30. AE ⓓ GB
Repas 84 bc/107 bc, enf. 39 – ☐ 32 – **47 ch** 272 – ½ P 252/275.

La Capelle sans rest, 7 pl. Fraternité ✆ 65 60 14 72 – ☎. GB. BY b
vacances de printemps-1er oct. – ☐ 34 – **46 ch** 148/265.

Causses, 56 av. J. Jaurès ✆ 65 60 03 19, Fax 65 60 86 90 – TV ☎. AE ⓓ GB BY s
Repas *(fermé 22 déc. au 2 janv., dim. soir de sept. à juin et sam.)* 92/160 – ☐ 35 – **22 ch** 215/255 – ½ P 230/247.

La Braconne, 7 pl. Mar. Foch ✆ 65 60 30 93, – AE GB BZ r
fermé 18 au 25 mars, dim. soir et lundi – **Repas** 98/185.

Capion, 3 r. J.-F. Alméras ✆ 65 60 00 91, Fax 65 60 42 13 – AE ⓓ GB AY f
fermé merc. sauf juil.-août – **Repas** 65 bc (déj.), 87/162, enf. 42.

Le Square, 10 r. St-Martin ✆ 65 61 26 00, – AE GB AZ t
fermé merc. sauf juil.-août – **Repas** 62/183, enf. 32.

La Marmite du Pêcheur, 14 bd Capelle ✆ 65 61 20 44, – AE GB BY a
fermé merc. de déc. à avril – **Repas** 90/250, enf. 40.

par ④ rte St-Affrique : 2 km :

Château de Creissels ✆ 65 60 16 59, Fax 65 61 24 63, ←, – TV ☎ & P. AE ⓓ GB JCB
fermé 29 déc. au 12 fév. et dim. soir du 15 nov. au 15 mars – **Repas** *(fermé dim. soir et lundi midi hors sais.)* 118/215, enf. 58 – ☐ 45 – **33 ch** 240/395 – ½ P 265/380.

PEUGEOT Gar. Pujol, 85 av. J.-Jaurès par ① ✆ 65 60 40 90

Lassale Pneus, 275 r. E.-Delmas ✆ 65 60 27 85

Pneus 2000, 8 av. Martel ✆ 65 60 09 77
Treillet Pneus-Point S, 325 r. E.-Delmas ✆ 65 60 05 56 N ✆ 65 60 23 04

MILLY-LA-FORÊT 91490 Essonne 61 ⑪ 106 ㊹ **G. Ile de France** – 4 307 h alt. 68.

Voir Parc de Courances★★ N : 5 km.

Office de Tourisme 60 r. Jean Cocteau ✆ 64 98 83 17, Fax 64 98 94 80.

Paris 61 – Fontainebleau 18 – Étampes 25 – Évry 33 – Melun 23 – Nemours 27.

à Auvers (S.-et-M.) S : 4 km par D 948 – ✉ **77123** Noisy-sur-École :

Aub. d'Auvers Galant, ✆ (1) 64 24 51 02, Fax (1) 64 24 56 40, – AE GB
fermé 19 au 28 août, 20 fév. au 1er mars, dim. soir et lundi – **Repas** 125/300.

MIMIZAN 40200 Landes 78 ⑭ **G. Pyrénées Aquitaine** – 6 710 h alt. 13 – Casino.

Paris 687 – Mont-de-Marsan 76 – Arcachon 65 – ♦Bayonne 108 – ♦Bordeaux 98 – Dax 70 – Langon 107.

à Mimizan-Bourg :

✿ **Au Bon Coin du Lac** (Caule) avec ch, au lac N : 1,5 km ✆ 58 09 01 55, Fax 58 09 40 84, ←, – ▤ rest TV ☎. AE GB
fermé fév., dim. soir et lundi du 15 sept. au 30 juin – **Repas** 160/350 et carte 350 à 450 – ☐ 65 – **4 ch** 510/650, 4 appart 580/700 – ½ P 650
Spéc. Sole de ligne soufflée aux langoustines. Lasagne de foie gras de canard. Gratin de pêche aux petits sorbets de fruits. **Vins** Jurançon, Madiran.

à Mimizan-Plage O : 6 km par D 626 – ✉ **40200**.

Office de Tourisme 38 av. M.-Martin ✆ 58 09 11 20, Fax 58 09 40 31.

Plage Nord :

Bellevue, 34 av. M. Martin ✆ 58 09 05 23, Fax 58 09 19 15 – ☎ P. GB
mars-oct. – **Repas** 70/140, enf. 39 – ☐ 33 – **36 ch** 148/300 – ½ P 230/310.

Plage Sud :

Émeraude des Bois, 68 av. Courant ✆ 58 09 05 28, – ☎ P. GB. rest
hôtel : 30 mars-30 sept. ; rest. : 25 mai-15 sept. – **Repas** (dîner seul.) 98/160, enf. 55 – ☐ 33 – **16 ch** 198/310 – ½ P 234/290.

Plaisance, 10 r. Cormorans ✆ 58 09 08 06, Fax 59 08 27 05, – TV ☎. GB.
fermé 15 déc. au 31 janv. – **Repas** *(fermé dim. soir et mardi)* 70/210, enf. 45 – ☐ 32 – **10 ch** 350/450 – ½ P 300.

CITROEN Auto Mimizanaise, 15 av. de Bordeaux à Mimizan-Bourg ✆ 58 09 09 81
RENAULT Gar. Poisson, 48 av. de Bordeaux à Mimizan-Bourg ✆ 58 09 08 73 🅽 ✆ 05 05 15 15

RENAULT Gar. Caignieu, 13 av de la Plage ✆ 58 09 03 98 🅽 ✆ 05 05 15 15

Pneu Land, 5 r. Grand Pierre ✆ 58 82 48 03

MINDIN **44** Loire-Atl. 67 ① – rattaché à St-Brévin-les-Pins.

MINERVE **34210** Hérault 83 ⑬ **G. Gorges du Tarn** – 104 h alt. 227.

Voir Site★★ – Village★.

Syndicat d'Initiative - Mairie ✆ 68 91 81 43.

Paris 823 – Béziers 44 – Carcassonne 44 – Narbonne 32 – St-Pons 29.

X **Relais Chantovent** avec ch, ✆ 68 91 14 18, Fax 68 91 81 99, ←, – . GB
hôtel : 25/3-16/11 et fermé dim. et lundi ; rest. : fermé 1/1 au 15/3, dim. soir sauf juil.-août et lundi – **Repas** 95/230, enf. 50 – ☕ 30 – **10 ch** 200/300 – ½ P 320.

MIONNAY **01390** Ain 74 ② – 1 103 h alt. 276.

Paris 456 – ♦Lyon 23 – Bourg-en-Bresse 42 – Meximieux 25 – Montluel 11,5 – Villefranche-sur-Saône 27.

❀❀ **Alain Chapel,** ✆ 78 91 82 02, Fax 78 91 82 37, , « Jardin fleuri » – 📺 ☎ . AE GB
fermé janv., mardi midi et lundi sauf fêtes – **Repas** 310 (déj.), 570/790 – ☕ 87 – **13 ch** 600/800
Spéc. Lapin de quatre heures (avril à sept.). Moelleux de pommes de terre et langoustines. Poulette en vessie (juil. à sept.). **Vins** Mâcon-Clessé, Morgon.

MIRAMAR **06** Alpes-Mar. 84 ⑧ – rattaché à Théoule-sur-Mer.

MIRAMBEAU **17150** Char.-Mar. 71 ⑥ – 1 409 h alt. 59.

Paris 516 – ♦Bordeaux 71 – Cognac 46 – Montendre 18 – Saintes 52.

Château de Mirambeau , rte Montendre ✆ 46 70 71 77, Fax 46 70 71 10, , parc, « Bel aménagement intérieur », , , , – rest 📺 ☎ – 25. AE GB. rest
1er avril-29 oct. – **Repas** 240/380 – ☕ 100 – **48 ch** 680/1050 – ½ P 660/845.

MIRANDE **32300** Gers 82 ⑭ **G. Pyrénées Aquitaine** – 3 565 h alt. 173.

Voir Musée des Beaux-Arts★.

Office de Tourisme r. Évêché ✆ 62 66 68 10.

Paris 784 – Auch 25 – Mont-de-Marsan 98 – Tarbes 50 – ♦Toulouse 104.

Pyrénées, av. d'Etigny ✆ 62 66 51 16, Fax 62 66 79 96, , – 📺 ☎ – 30. AE GB JCB
fermé 15 au 30 nov. et 20 au 28 fév. – **Repas** *(fermé lundi)* 90/220, enf. 50 – ☕ 40 – **28 ch** 180/350 – ½ P 250/305.

RENAULT Gar. Dufour, ✆ 62 66 50 19

MIRANDOL-BOURGNOUNAC **81** Tarn 80 ⑪ – rattaché à Carmaux.

MIREBEAU-SUR-BÈZE **21310** Côte-d'Or 66 ⑬ – 1 464 h alt. 202.

Paris 337 – ♦Dijon 25 – Châtillon-sur-Seine 94 – Dole 43 – Gray 24 – Langres 65.

XX **Aub. Marronniers** avec ch, ✆ 80 36 71 05, Fax 80 36 75 92, – 📺 ☎. GB.
fermé 23 déc. au 8 janv., vend. soir du 1er oct. au 30 avril et dim. – **Repas** 59/99 , enf. 35 – ☕ 25 – **17 ch** 160/250 – ½ P 185/210.

à Bèze S : 9 km par D 959 **G. Bourgogne** – 569 h. alt. 217 – ✉ **21310** :

Le Bourguignon, ✆ 80 75 34 51, Fax 80 75 37 06, – 📺 ☎ . GB
fermé 20 au 31 déc. – **Repas** 60/190 , enf. 45 – ☕ 28 – **25 ch** 150/280 – ½ P 200/215.

Gar. Hinsinger, ✆ 80 36 71 15 🅽 ✆ 80 36 71 15

MIRECOURT **88500** Vosges 62 ⑮ **G. Alsace Lorraine** – 6 900 h alt. 285.

Paris 373 – Épinal 33 – Lunéville 49 – Luxeuil-les-Bains 74 – ♦Nancy 47 – Neufchâteau 39 – Vittel 23.

Le Luth M , rte Neufchâteau ✆ 29 37 12 12, Fax 29 65 68 88, – 📺 ☎ – 25. GB
fermé 1er au 15 août (sauf hôtel), vend. soir et sam. hors sais. – **Repas** 78/165 , enf. 48 – ☕ 40 – **30 ch** 215/295 – ½ P 240.

MIREPEISSET **11120** Aude 83 ⑬ – 410 h alt. 39.

Paris 809 – Béziers 30 – Carcassonne 49 – Narbonne 16 – St-Pons-de-Thomières 38.

X **Le Bec Fin,** ✆ 68 46 31 13 – GB
fermé 25 nov. au 9 déc., mardi midi et lundi d'oct. à mars, merc. midi et jeudi midi d'avril à sept. – **Repas** 91/195, enf. 42.

MIREPOIX 09500 Ariège 86 ⑤ G. Pyrénées Roussillon – 2 993 h alt. 308.

Voir Place principale★★.

Office de Tourisme pl. Mar.-Leclerc ✆ 61 68 83 76, Fax 61 68 89 48.

Paris 778 – Foix 36 – Carcassonne 52 – Castelnaudary 33 – Limoux 34 – Pamiers 24 – Quillan 45.

Commerce, près église ✆ 61 68 10 29, Fax 61 68 20 99, – ☎. AE GB
fermé 4 au 15 oct., janv. et sam. sauf juil.-août – **Repas** 67/185 ⅃, enf. 40 – ☕ 30 – **30 ch** 180/285 – ½ P 180/230.

RENAULT Gar. Jean, ✆ 61 68 15 64 N ✆ 61 68 26 48

Gar. de l'Hers, ✆ 61 68 15 76

MIRIBEL-LES-ECHELLES 38380 Isère 74 ⑭ – 1 607 h alt. 600.

Paris 544 – ♦Grenoble 38 – Chambéry 28 – Le Pont-de-Beauvoisin 20.

Les Trois Biches, ✆ 76 55 28 02, Fax 76 55 49 37 – GB
fermé 20 au 30 juin, 1er au 10 sept., 20 fév. au 1er mars et merc. sauf juil.-août – **Repas** 65/190 ⅃, enf. 55.

PEUGEOT Gar. Montagnat, ✆ 76 55 27 38

MIRMANDE 26 Drôme 77 ⑫ – rattaché à Saulce-sur-Rhône.

Se cercate un albergo tranquillo,
oltre a consultare le carte dell'introduzione,
rintracciate nell'elenco degli esercizi quelli con il simbolo .

MISON 04200 Alpes-de-H.-P. 81 ⑤ – 764 h alt. 610.

Paris 698 – Digne-les-Bains 51 – Gap 46 – Sault 69 – Serres 25 – Sisteron 13.

l'Iris de Suse, au vieux village O: 2 km ✆ 92 62 21 69, – GB
début nov.-début mars et fermé mardi midi en juil.-août, dim. soir et lundi – **Repas** 105/180, enf. 77.

MISSILLAC 44780 Loire-Atl. 63 ⑮ G. Bretagne – 3 915 h alt. 44.

Voir Retable★ dans l'église – Site★ du château de la Bretesche O : 1 km.

18 de la Bretesche ✆ 40 88 30 03, O : 2 km.

Paris 438 – ♦Nantes 61 – Redon 22 – St-Nazaire 36 – Vannes 53.

Golf de la Bretesche , rte La Baule : 1 km ✆ 40 88 30 05, Fax 40 66 99 47, ←, parc, – TV ☎ P – 60. AE GB. rest
fermé fév. – **Repas** 145/295 – ☕ 42 – **27 ch** 320/640 – ½ P 320/490.

RENAULT Gar. de Bretagne, à Pontchâteau ✆ 40 01 62 27 N ✆ 40 90 75 72

MISY-SUR-YONNE 77130 S.-et-M. 61 ⑬ 106 ㊽ – 515 h alt. 72.

Paris 90 – Fontainebleau 33 – Auxerre 88 – Montereau-Fault-Yonne 12 – Nemours 34 – Sens 28.

La Gaule, chemin de Halage ✆ (1) 64 31 31 11 – GB
fermé 5 au 11 août, vacances de fév., dim. soir et merc. – **Repas** 145/235.

MITTELBERGHEIM 67140 B.-Rhin 62 ⑨ G. Alsace Lorraine – 628 h alt. 220.

Paris 499 – ♦Strasbourg 37 – Barr 1,5 – Erstein 21 – Molsheim 22 – Sélestat 17.

Winstub Gilg avec ch, ✆ 88 08 91 37, Fax 88 08 45 17, « Ambiance typiquement alsacienne » – TV ☎ P. AE GB JCB
fermé 24 juin au 10 juil., 6 au 29 janv., mardi soir et merc. – **Repas** 100/330 ⅃ – ☕ 35 – **15 ch** 215/400.

Am Lindeplatzel, ✆ 88 08 10 69, Fax 88 08 45 08 – AE GB
fermé 21 au 31 août, vacances de fév., merc. soir et jeudi – **Repas** 101/260 ⅃, enf. 55.

MITTELHAUSEN 67170 B.-Rhin 62 ⑨ 87 ④ – 490 h alt. 185.

Paris 469 – ♦Strasbourg 21 – Haguenau 17 – Saverne 22.

A l'Étoile, 12 r. La Hey ✆ 88 51 28 44, Fax 88 51 24 79, – rest ☎ P. AE GB
Repas *(fermé 8 juil. au 1er août, 2 au 10 janv., dim. soir et lundi)* 60/210 ⅃ – ☕ 27 – **23 ch** 110/270 – ½ P 205/235.

MITTERSHEIM 57930 Moselle 57 ⑯ – 627 h alt. 230.

Paris 410 – ♦Nancy 60 – ♦Metz 82 – Sarrebourg 22 – Sarre-Union 16 – Saverne 39.

L'Escale avec ch, rte Dieuze ✆ 87 07 67 01, Fax 87 07 54 57, ←, , – TV ☎ P. AE GB
fermé fév. – **Repas** *(fermé merc. sauf juil.-août)* 75/180 ⅃ – ☕ 35 – **13 ch** 200/260 – ½ P 240/260.

MIZOËN 38 Isère 77 ⑥ – rattaché au Freney-d'Oisans.

MODANE 73500 Savoie 77 ⑧ G. Alpes du Nord – 4 250 h alt. 1057 – Sports d'hiver La Norma : 1 350/2 750 m 1 16.

Tunnel du Fréjus : Péage en 1995 aller simple : autos 89, 136 ou 177 F, P.L. 437, 666 ou 880 F - Tarifs spéciaux AR (Validité limitée).

Office de Tourisme pl. Replaton ✆ 79 05 22 35, Fax 79 05 27 69.

Paris 647 – Albertville 93 – Chambéry 103 – Lanslebourg-Mont-Cenis 23 – Col du Lautaret 59 – St-Jean-de-Maurienne 31.

Perce Neige, cours J. Jaurès ✆ 79 05 00 50, Fax 79 05 12 92 – TV ☎. GB. *fermé 1er au 15 mai et 19 oct. au 4 nov.* – **Repas** 79/109, enf. 49 – 28 – **18 ch** 236/326 – ½ P 225/270.

CITROEN Gar. Ragona, 32 av. Jean Jaurès ✆ 79 05 33 04
FIAT, LANCIA, TOYOTA, Gar. Durieux, 36 av. de la Liberté à Fourneaux ✆ 79 05 07 74
PEUGEOT Gar. Bellussi, 10 r. de la République ✆ 79 05 07 68 N ✆ 79 05 07 68

MOËLAN-SUR-MER 29350 Finistère 58 ⑪ ⑫ G. Bretagne – 6 596 h alt. 58.

Office de Tourisme, r. des Moulins ✆98 39 67 28, Fax 98 96 50 11.

Paris 516 – Quimper 47 – Carhaix-Plouguer 65 – Concarneau 26 – Lorient 26 – Quimperlé 10.

Les Moulins du Duc, NO : 2 km ✆ 98 39 60 73, Fax 98 39 75 56, ←, « Moulins dans un cadre de verdure, parc », – TV ☎ P – 25. AE GB *fermé début janv. à début mars* – **Repas** 90 (déj.), 140/195, enf. 60 – 55 – **22 ch** 500/805, 5 appart – ½ P 575/728.

Manoir de Kertalg sans rest, rte Riec-sur-Belon, O : 3 km par D 24 et chemin privé ✆ 98 39 77 77, Fax 98 39 72 07, ←, « Parc » – TV ☎ P. AE GB *Pâques-1er nov.* – 65 – **9 ch** 550/980.

MOERNACH 68 H.-Rhin 66 ⑨ – rattaché à Ferrette.

MOIRANS 38430 Isère 77 ④ – 7 133 h alt. 190.

Paris 552 – Grenoble 24 – Chambéry 48 – Lyon 87 – Valence 77.

Beauséjour avec ch, rte Grenoble ✆ 76 35 30 38, Fax 76 35 59 80, – ☎ P. AE GB *fermé 22 juil. au 12 août, 13 au 28 janv., dim. soir et lundi* – **Repas** 160 bc/380 et carte 200 à 320, enf. 70 – 35 – **7 ch** 220 – ½ P 300.

CITROEN Gar. Peretti, ZA La Pichatière ✆ 76 35 31 00
PEUGEOT Gar. Laurent, av. de la Gare ✆ 76 35 30 51

MOIRANS-EN-MONTAGNE 39260 Jura 70 ⑭ G. Jura – 2 018 h alt. 627.

Voir Belvédère du Regardoir ←★ NO : 3 km puis 15 mn.

Paris 435 – Bourg-en-Bresse 64 – Lons-le-Saunier 39 – Nantua 39 – St-Claude 21.

Host. Lacuzon M, r. Jura ✆ 84 42 33 22, Fax 84 42 38 34 – TV ☎ ♿. AE GB **Repas** *(fermé sam. midi)* 80/250 – 34 – **12 ch** 280/365 – ½ P 270.

sur D 470 N : 4 km par rte de Lons-le-Saunier – ✉ 39260 Moirans-en-Montagne :

Aub. Jurassienne, ✆ 84 42 01 32, Fax 84 42 33 62, – P. GB *fermé dim. soir et lundi sauf juil.-août* – **Repas** 70 (déj.), 100/200, enf. 50.

CITROEN Gar. Messin, 41 r. Roussin ✆ 84 42 00 47
RENAULT Gar. Dalloz, 36 r. Voltaire ✆ 84 42 01 24

MOIRAX 47 L.-et-G. 79 ⑮ – rattaché à Agen.

MOISSAC 82200 T.-et-G. 79 ⑯ ⑰ G. Pyrénées Roussillon – 11 971 h alt. 76.

Voir Église St-Pierre★ : portail méridional★★★, cloître★★.

Env. Boudou ★ 7 km par ③.

Golf Club d'Espalais ✆ 63 29 04 56, par ③ N 113 : 20 km.

Office de Tourisme pl. Durand-de-Bredon ✆ 63 04 01 85, Fax 63 04 27 10.

Paris 655 ① – Agen 42 ③ – Cahors 61 ① – Auch 85 ② – Montauban 31 ① – Toulouse 72 ②.

Plan page suivante

Le Chapon Fin, pl. Récollets **(a)** ✆ 63 04 04 22, Fax 63 04 58 44 – ☎. GB **Repas** 95/180 – 35 – **28 ch** 200/310 – ½ P 197/272.

Taquipneu Vulcopneu, La Dérocade ✆ 63 04 07 85

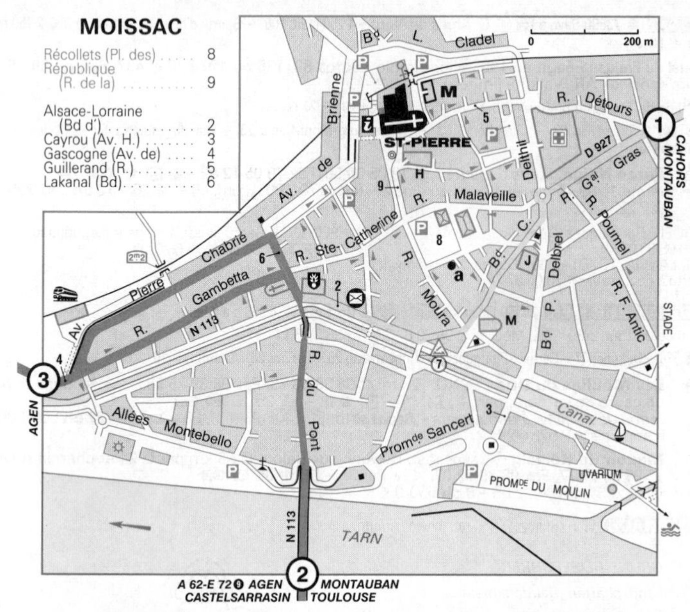

MOISSAC-BELLEVUE 83 Var 84 ⑥, 114 ⑦ – rattaché à Aups.

MOLINES-EN-QUEYRAS **05350** H.-Alpes 77 ⑲ **G. Alpes du Sud** – 336 h alt. 1750 – Sports d'hiver : 1 750/2 580 m 15.

Office de Tourisme 92 45 83 22, Fax 92 45 80 79.

Paris 732 – Briançon 46 – Gap 87 – Guillestre 27 – St-Véran 5,5.

- **Le Cognarel**, au Coin E : 3 km par D 205 et rte secondaire 92 45 81 03, Fax 92 45 81 17, <, – AE GB
  1er juin-15 sept. et 18 déc.-30 avril – **Repas** *(fermé lundi)* 105/180, enf. 55 – 40 – **25 ch** 300/390 – ½ P 357.
- **L'Équipe**, rte St-Véran 92 45 83 20, Fax 92 45 81 85, <, – AE GB
  fermé 9 avril au 23 mai et 3 nov. au 15 déc. – **Repas** *(fermé dim. soir et lundi en oct.)* 70/150, enf. 40 – 40 – **22 ch** 300 – ½ P 278.
- **Le Chamois**, 92 45 83 71, Fax 92 45 80 58, < – AE GB
  6 mai-30 sept. et 18 déc.-31 mars – **Repas** *(fermé sam. midi hors sais.)* 80/194, enf. 55 – 40 – **17 ch** 290 – ½ P 271.

MOLINEUF 41 L.-et-Ch. 64 ⑦ – rattaché à Blois.

MOLITG-LES-BAINS **66500** Pyr.-Or. 86 ⑰ **G. Pyrénées Roussillon** – 185 h alt. 607 – Stat. therm. (avril-2 nov.).

Paris 912 – Perpignan 47 – Prades 7 – Quillan 54.

- **Château de Riell** M, 68 05 04 40, Télex 500705, Fax 68 05 04 37, < Canigou, parc, – cuisinette – 70. AE GB. rest
  1er avril-3 nov. – **Repas** 190/420 et carte 320 à 420, enf. 160 – 90 – **18 ch** 980/1280, 3 appart – P 1145/1355
  Spéc. Saint-Pierre braisé au maury. Veste d'oie à l'étouffée, tourte potagère. Touron glacé aux pommes caramélisées. **Vins** Banyuls.
- **Gd Hôtel Thermal**, 68 05 00 50, Télex 500705, Fax 68 05 02 91, <, « Parc », – rest – 150. AE GB. rest
  1er avril-3 nov. – **Repas** 130/201, enf. 69 – 40 – **54 ch** 275/540 – P 454.

MOLLANS-SUR-OUVÈZE **26170** Drôme 81 ③ **G. Alpes du Sud** – 782 h alt. 280.

Paris 682 – Carpentras 30 – Nyons 20 – Vaison-la-Romaine 12.

- **Saint Marc**, pl. Gare 75 28 70 01, Fax 75 28 78 63, – GB rest
  1er mars-20 nov. et fermé dim. soir et lundi en mars – **Repas** 85/170 – 48 – **30 ch** 240/370 – ½ P 295/325.

PEUGEOT Gar. Pascal, 75 28 71 42

MOLLKIRCH 67190 B.-Rhin 62 ⑨ – 552 h alt. 320.

ris 481 – ♦ Strasbourg 39 – Molsheim 11 – Saverne 32.

Fischhutte, rte Grendelbruch : 3,5 km ℘ 88 97 42 03, Fax 88 97 51 85, ≤, – 30. AE GB.
fermé 24 juin au 5 juil. et 12 fév. au 13 mars – **Repas** *(fermé lundi soir et mardi sauf juil.-août)* 95/270, enf. 54 – ☐ 36 – **17 ch** 230/330 – ½ P 270/320.

ENAULT Gar. Holtz, ℘ 88 50 15 53

MOLSHEIM 67120 B.-Rhin 62 ⑨ **G. Alsace Lorraine** – 973 h alt. 180.

oir La Metzig★ D.

Office de Tourisme pl. Hôtel de Ville ℘ 88 38 11 61, Fax 88 49 80

ris 477 ① – ♦ Strasbourg 29 ③ – Lunéville 90 ④ – St-Dié 64 ④ – verne 28 ① – Sélestat 36 ③.

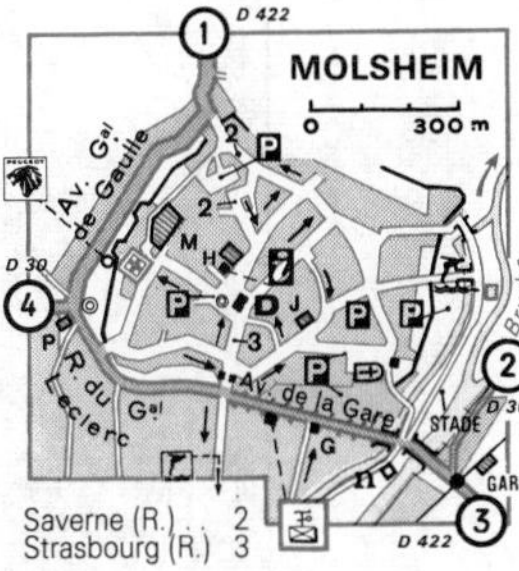

Diana M, pont de la Bruche **(n)** ℘ 88 38 51 59, Fax 88 38 87 11, – 25 à 100. AE GB JCB
Repas 145/275 - ***La Taverne* : Repas** 75/125, enf.45 – ☐ 50 – **60 ch** 360/435 – ½ P 380.

Le Bugatti M sans rest, r. Commanderie par ③ ℘ 88 49 89 00, Fax 88 38 36 00 – 50. AE GB JCB
fermé 24 au 31 déc. – ☐ 35 – **45 ch** 255/285.

ITROEN Gar. Krantz, 6 av. Gare ℘ 88 38 11 57
88 38 11 57

RENAULT Gar. Wietrich, N 422 par ③ ℘ 88 38 21 62 ℘ 88 49 38 88

Les MOLUNES 39310 Jura 70 ⑮ – 93 h alt. 1274.

ris 469 – Genève 52 – Gex 32 – Lons-le-Saunier 75 – St-Claude 15.

Pré Fillet, rte Moussières ℘ 84 41 62 89, Fax 84 41 64 75, ≤ – 30. GB
fermé 15 oct. au 1er déc. – **Repas** *(fermé dim. soir hors sais.)* 63 bc/160, enf. 28 – ☐ 28 – **20 ch** 220/250 – ½ P 190/205.

MONACO (Principauté de) 84 ⑩ 115 ㉗ ㉘ **G. Côte d'Azur** – 29 972 h alt. 65 – Casino .

Plans pages suivantes

Beausoleil 06240 Alpes-Mar. – 12 326 h alt. 89.

Voir Mont des Mules ★ N : 1 km puis 30 mn.

Paris 954 ⑤ – Monaco 2 – Menton 13 ② – ♦Nice 19 ③ – San Remo 39 ①.

Forum M, pl. Moneghetti ℘ 93 78 96 36, Fax 93 78 96 38, – AE GB. rest
Repas *(fermé oct., sam. soir et dim.)* 120 – ☐ 60 – **39 ch** 480/740 – ½ P 400.

Olympia sans rest, 17 bis bd Gén. Leclerc ℘ 93 78 12 70, Fax 93 41 85 04 – GB. DX **f**
☐ 33 – **32 ch** 260/320.

Sera Technic Pneu, 38 r. des Martyrs ℘ 93 78 59 16

Monaco Capitale de la Principauté – ✉ **98000** .

Voir Jardin exotique★★ CZ : ≤★ – Grotte de l'Observatoire★ CZ **B** – Jardins St-Martin★ DZ – Ensemble de primitifs niçois★★ dans la cathédrale DZ – Christ gisant★ dans la chapelle de la Miséricorde D **D** – Place du Palais★ CZ – Palais du Prince★ CZ – Musées : océanographique★★ DZ (aquarium★★, ≤★★ de la terrasse), d'anthropologie préhistorique★ CZ **M**1, – napoléonien et des archives monégasques★ CZ **M**4 – Collection princière de voitures anciennes★ CZ **M**6.

Circuit automobile urbain – A.C.M. 23 bd Albert-1er ℘ 93 15 26 00, Fax 93 25 80 08.

Paris 953 ⑤ – Menton 15 ② – ♦Nice 19 ③ – San Remo 40 ①.

à Monaco Ville, sur le Rocher :

Castelroc, pl. Palais ℘ 93 30 36 68, Fax 93 30 59 88, ≤, – AE GB JCB CZ **p**
fermé 18 nov. au 31 janv. et sam. – **Repas** 130/240.

à Fontvieille :

Abela M, 23 av. Papalins ℘ 92 05 90 00, Télex 489307, Fax 92 05 91 67, ≤, – 50 à 120. AE GB JCB AV **s**
Repas 120/330 bc, enf. 62 – ☐ 105 – **192 ch** 880/1100 – ½ P 625/680.

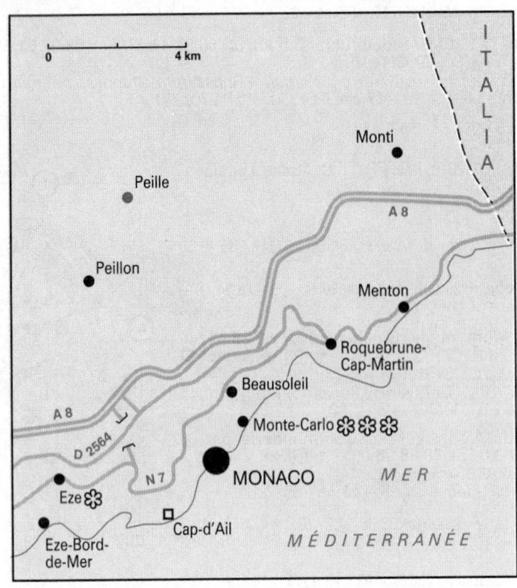

MERCEDES S.A.M.G.F., 25 av. Prince Héréditaire Albert ✆ 92 05 65 65 N ✆ 88 72 00 94
VAG Gar. du Pont, 35 bd Rainier III à Ste-Dévote ✆ 93 30 82 03

Portier Tiberti, 4 av. Princesse Grâce ✆ 93 15 90 21

Monte-Carlo Centre mondain de la Principauté – Casinos : Grand Casino DY, Monte-Carlo Sporting Club BU, Sun Casino DX – ✉ **98000**.

Voir Terrasse★★ du Grand casino DXY – Musée de poupées et automates★ DX **M**^{5}.

18 de Monte-Carlo Golf Club ✆ 93 41 09 11, par ④ : 11 km.

Office de Tourisme 2 A bd des Moulins ✆ 92 16 61 66, Télex 469760, Fax 92 16 60 00.

Paris 953 ⑤ – Monaco 1 – Menton 14 ② – ♦Nice 21 ③ – San Remo 40 ①.

Paris, pl. Casino ✆ 92 16 30 00, Télex 469925, Fax 92 16 38 50, <, , , – – 25 à 70. AE GB JCB. rest DY
voir rest. ***Louis XV*** et ***Le Grill*** ci-après - ***Terrasse-Empire*** ✆ 92 16 29 52 *(1er juil.-22 sept. et fermé le midi du 26 août au 22 sept.)* **Repas** 280 (déj.) et carte 470 à 770 – ***Côté Jardin*** ✆ 92 16 68 44 (déj. seul.) *(fermé 1er juil. au 25 août)* **Repas** 290 et carte 300 à 410 – ☕ 140 – **159 ch** 2200/3000, 41 appart.

Hermitage, square Beaumarchais ✆ 92 16 40 00, Télex 479432, Fax 92 16 38 52, <, , « Salle à manger de style baroque », , – – 25 à 80. AE GB JCB. rest DY
Repas 200 (déj.), 320/440 – ☕ 140 – **220 ch** 1750/2600, 16 appart.

Loews M, 12 av. Spélugues ✆ 93 50 65 00, Télex 479435, Fax 93 30 01 57, <, , casino et cabaret sur place, , – – 30 à 1 200. AE GB JCB. rest DX
L'Argentin (dîner seul.) **Repas** 310 – ***Le Pistou** : (15 juin-30 sept.)* **Repas** 190(déj)/350bc, enf. 90 – ***Café de la Mer** : (juin-sept.)* **Repas** carte 180 à 320 – ☕ 110 – **500 ch** 1350/1750, 33 appart.

Métropole Palace M, 4 av. Madone ✆ 93 15 15 15, Télex 489836, Fax 93 25 24 44, – – 50 à 150. AE GB JCB DX
***Le Jardin* : Repas** 200/250 , enf. 130 – ☕ 140 – **123 ch** 1250/1450, 18 appart.

Beach Plaza M, av. Princesse Grace, à la plage du Larvotto ✆ 93 30 98 80, Télex 479617, Fax 93 50 23 14, <, , « Bel ensemble balnéaire, piscines, plage aménagée » – – 50 à 300. AE GB JCB. rest BU
La Pergola *(fermé dim. et lundi)* **Repas** (dîner seul.) carte 300 à 420 – ***La Terrasse* : Repas** 195/220, enf. 65 – ☕ 125 – **304 ch** 1600/2500, 9 appart.

Mirabeau M, 1 av. Princesse Grace ✆ 92 16 65 65, Télex 479413, Fax 93 50 84 85, <, – – 25 à 100. AE GB JCB. rest DX
voir rest. ***La Coupole*** ci-après – ☕ 140 – **99 ch** 1300/2000, 4 appart – ½ P 1300/1450.

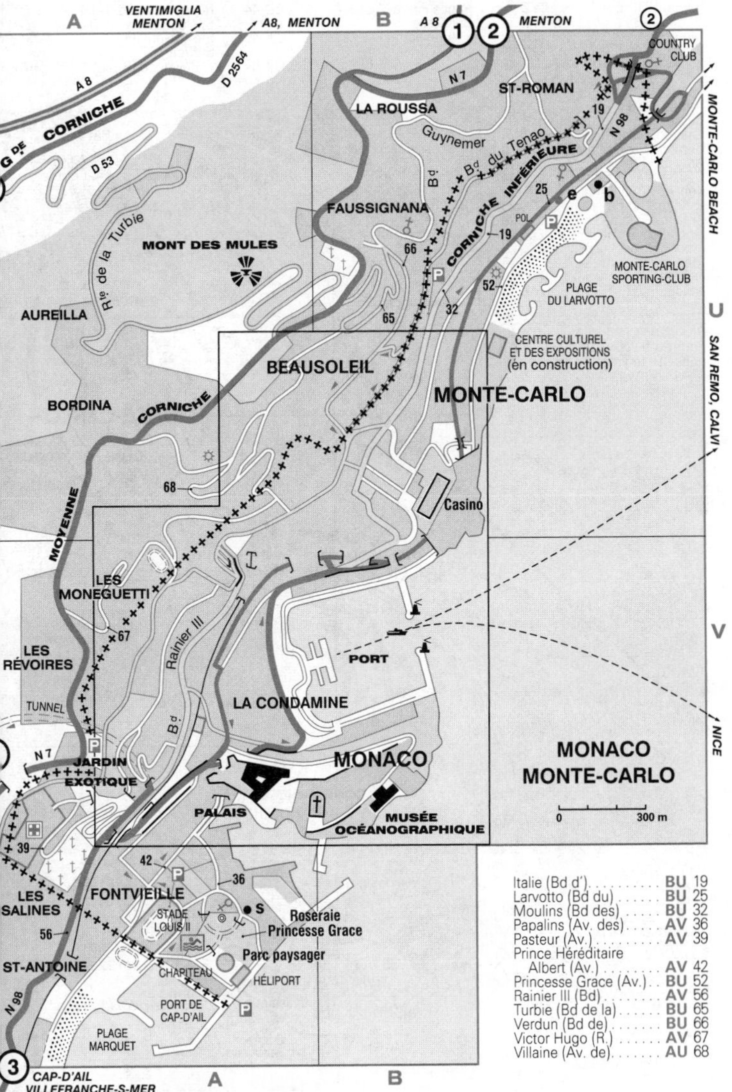

🏨 **Alexandra** sans rest, 35 bd Princesse Charlotte ✆ 93 50 63 13, Fax 92 16 06 48 – |♦| ▤ TV ☎. AE ⓓ GB JCB. ✗ DX **r**
▭ 59 – **56 ch** 700/850.

🏨 **Balmoral,** 12 av. Costa ✆ 93 50 62 37, Télex 479436, Fax 93 15 08 69, ≤ – |♦| TV ☎. AE ⓓ GB JCB. ✗ DY **b**
Repas snack *(fermé nov., dim. soir et lundi)* 150 – ▭ 75 – **80 ch** 600/850.

XXXXX ✿✿✿ **Le Louis XV** - Hôtel de Paris, pl. Casino ✆ 92 16 30 01, Télex 469925, Fax 92 16 69 21, ☂ – ▤ P. AE ⓓ GB JCB. ✗ DY **y**
fermé 1er au 30 déc., 11 au 26 fév., merc. sauf le soir du 19 juin au 21 août et mardi – **Repas** 780/890 et carte 670 à 940
Spéc. Légumes mijotés à la truffe noire écrasée. Pigeonneau et foie gras de canard sur la braise. "Louis XV" au croustillant de pralin. **Vins** Bellet, Côtes de Provence.

Albert-1er (Bd) . . . . CYZ
Grimaldi (R.) . . . . CYZ
Moulins (Bd des) . . . . . . DX 32
Ostende (Av. d') . . . . . . DY 34
Pcesse Caroline (R.) . . . . CZ 48
Pcesse Charlotte (Bd) . DXY

Prince Pierre (Av.) . . . . CZ 44
Princesse Antoinette (Av.) . . . . CY 46
Pcesse Marie-de Lorraine (R.) . . . . DZ 54

République (Bd de la) . . . . . . DX 5
Spélugues (Av. des) . . . . DX 6
Ste-Dévote (Pl.) . . . . CY 6
Suffren-Reymond (R.) . . . . CZ 6

Armes (Pl. d') . . . . CZ 2
Basse (R.) . . . . CDZ 3
Castro (R. Col.-de) . . . . . CZ 7
Comte-Félix-Gastaldi (R.) DZ 10
Crovetto-Frères (Av.) . . . . CZ 12
Gaulle (Av. du Gén.-de) . DX 14
Kennedy (Av. J.-F.) . . . . . DY 23
Larvotto (Bd du) . . . . DX 25
Leclerc (Bd du Gén.) . . . DX 26
Libération (Pl. de la) . . . DX 27
Madone (Av. de la) . . . . . DX 28
Major (Rampe) . . . . CZ 29
Monte-Carlo (Av. de) . . . DY 30
Notari (R. L.) . . . . CYZ 33
Palais (Pl. du) . . . . CZ 35
Papalins (Av. des) . . . . . . CZ 36
Pêcheurs (Ch. des) . . . . . DZ 40
Porte-Neuve (Av. de la) . DZ 41
Prince Héréditaire Albert (Av.) . . . . CZ 42

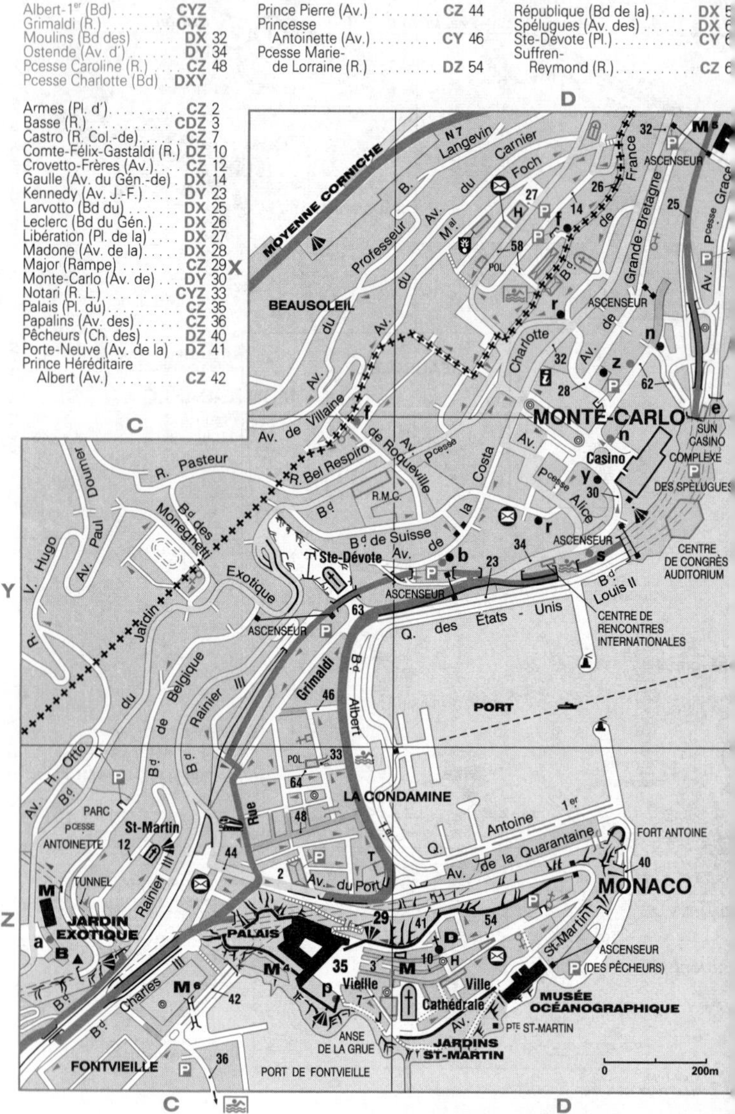

XXXX ✿ **Grill de l'Hôtel de Paris,** pl. Casino ✆ 92 16 29 66, Télex 469925, Fax 92 16 38 50
« Au 8e étage, toit ouvrant et ≤ la Principauté » – ▤ 🅿. AE ⓓ GB JCB. ✱ DY
fermé 7 janv. au 5 fév. – **Repas** carte 520 à 870
Spéc. Grosses langoustines rôties et légumes en barigoule (automne-hiver). Poissons de Méditerranée. Soufflés. Vin Côtes de Provence.

XXXX ✿ **La Coupole** - Hôtel Mirabeau, 1 av. Princesse Grace ✆ 92 16 66 99, Télex 479413
Fax 93 50 84 85, 🍽 – ▤ 🅿. AE ⓓ GB JCB. ✱ DX
fermé août – **Repas** 300/430 et carte 390 à 540
Spéc. Queues de langoustines rôties, coulis de haricots cocos à l'infusion de verveine (été). Carré d'agneau à l'huil aromatisée aux herbes de la garrigue. Tarte chaude au chocolat et son sorbet.

XXX **L'Hirondelle (Thermes Marins)**, 2 av. Monte-Carlo ☎ 92 16 49 47, Fax 92 16 49 49, ≤ port et le Rocher, 🏛 – |¶| ▤. AE ⓓ GB JCB. ✻ DY **s**
fermé dim. soir – **Repas** 260 et carte 290 à 420.

XXX **Le Saint Benoit,** 10 ter av. Costa ☎ 93 25 02 34, Fax 93 30 52 64, ≤ port et le Rocher, 🏛 – ▤. AE ⓓ GB JCB DY **b**
fermé 23 déc. au 7 janv. et lundi – **Repas** 165/230 et carte 250 à 330.

XX **Café de Paris,** pl. Casino ☎ 92 16 20 20, Fax 92 16 38 58, 🏛, « Evocation de brasserie 1900 » – ▤. AE ⓓ GB JCB DY **n**
Repas carte 200 à 300.

XX **Chez Gianni,** 39 av. Princesse Grace ☎ 93 30 46 33, Fax 93 30 46 33, 🏛 – AE ⓓ GB
fermé sam. midi – **Repas** - cuisine italienne - 200/300. BU **e**

X **Polpetta,** 6 av. Roqueville ☎ 93 50 67 84 – GB CY **f**
fermé 15 au 31 oct., 3 au 24 fév., sam. midi et mardi – **Repas** - cuisine italienne - 150.

*à **Monte-Carlo-Beach*** (06 Alpes-Mar.) NE BU : 2,5 km – ✉ **06190** Roquebrune-Cap-Martin :

Monte-Carlo Beach H. M 🐚, ☎ 93 28 66 66, Télex 462010, Fax 93 78 14 18, ≤ mer et Monaco, 🏛, « Beau complexe de loisirs balnéaires », ⛱, 🏊 – |¶| ▤ ch TV ☎ 📞 P. AE ⓓ GB JCB. ✻ rest
5 avril-7 oct. – **Repas** (dîner seul.) carte 300 à 420 - ***La Potinière*** *(fin mai-16 sept.)(déj. seul)* **Repas** carte 310 à 450 – ***Le Rivage*** : **Repas** carte 210 à 300 – ☕ 140 – **41 ch** 2350/2550, 3 appart.

)VER, JAGUAR British Motors, 15 bd Princesse Charlotte ☎ 93 25 64 84

IONCÉ-EN-BELIN **72230** Sarthe 64 ③ – 2 257 h alt. 60.

ris 214 – ♦Le Mans 13 – La Flèche 34 – Le Grand-Lucé 22.

XX **Le Belinois,** bd Avocats ☎ 43 42 01 18, Fax 43 42 22 16 – P. GB
fermé 15 juil. au 14 août, mardi soir, dim. soir et lundi sauf fériés – **Repas** 85/220.

IONCEL-LÈS-LUNÉVILLE **54** M.-et-M. 62 ⑥ – rattaché à Lunéville.

IONCRABEAU **47600** L.-et-G. 79 ⑭ – 789 h alt. 150.

ris 720 – Agen 38 – Condom 10,5 – Mont-de-Marsan 83 – Nérac 12.

XX **Le Phare** avec ch, ☎ 53 65 42 08, Fax 53 97 04 87, 🏛, 🌳 – TV ☎. AE ⓓ GB
fermé oct., 1er au 27 fév., lundi soir et mardi sauf juil.-août – **Repas** 78/185 🍷 – ☕ 32 – **8 ch** 245/385 – ½ P 260/340.

IONDEVILLE **14** Calvados 55 ⑫ – rattaché à Caen.

IONDOUBLEAU **41170** L.-et-Ch. 60 ⑮ ⑯ **G. Châteaux de la Loire** – 1 557 h alt. 170.

ıris 167 – ♦Le Mans 63 – Blois 59 – Chartres 80 – Châteaudun 38 – ♦Orléans 89.

Grand Monarque, pl. Marché ☎ 54 80 92 10, Fax 54 80 77 40, 🏛, 🌳 – TV ☎ 🚗 P. GB
fermé 15 déc. au 3 janv., dim. soir et lundi d'oct. à avril – **Repas** 85/165, enf. 50 – ☕ 30 – **13 ch** 230/260 – ½ P 205/235.

IONDRAGON **84430** Vaucluse 81 ① – 3 118 h alt. 40.

ıris 645 – Avignon 44 – Montélimar 40 – Nyons 41 – Orange 16.

XX **La Beaugravière** avec ch, N 7 ☎ 90 40 82 54, 🏛 – ▤ rest ☎ P. AE GB
fermé 15 au 30 sept. et dim. soir – **Repas** 135/395 bc – ☕ 30 – **3 ch** 245/345.

IONESTIER **24240** Dordogne 75 ⑭ – 325 h alt. 100.

aris 573 – Périgueux 67 – Bergerac 20 – Duras 18 – Ste-Foy-la-Grande 17.

*au **NO*** par D 4 et D 18 : 7 km – ✉ **24240** Monestier :

Château des Vigiers 🐚, au golf des Vigiers ☎ 53 61 50 00, Fax 53 61 50 20, ≤, 🏛, parc, « Château du 16e siècle, golf », ⛱, 🎾 – |¶| TV ☎ P – 🏛 25. AE GB. ✻
fermé janv. et fév. – **Repas** (dîner seul.) 215/345 – ☕ 75 – **36 ch** 860/1300, 11 appart – ½ P 650/750.

IONESTIER-DE-CLERMONT **38650** Isère 77 ⑭ **G. Alpes du Nord** – 905 h alt. 825.

Syndicat d'Initiative Parc Municipal (en saison, matin seul.) ☎ 76 34 15 99.

aris 603 – ♦Grenoble 33 – La Mure 30 – Serres 74 – Sisteron 108.

Au Sans Souci 🐚, à St-Paul-lès-Monestier NO : 2 km sur D 8 - alt. 800 ☎ 76 34 03 60, Fax 76 34 17 38, ≤, 🏛, ⛱, 🌳, 🎾 – TV ☎ 🚗 P. GB
fermé 15 déc. à fin janv., dim. soir et lundi sauf juil.-août – **Repas** 95/220 🍷, enf. 52 – ☕ 37 – **11 ch** 180/280 – ½ P 280.

Piot 🐚, ☎ 76 34 07 35, Fax 76 34 12 74, 🏛, parc – TV ☎ P. GB
1er fév.-1er nov. et fermé mardi soir et merc. sauf du 15 juin au 15 sept. – **Repas** 78/145 🍷, enf. 50 – ☕ 35 – **19 ch** 150/290 – ½ P 190/255.

EUGEOT Gar. des Alpes, ☎ 76 34 08 20 N
☎ 76 34 14 08

RENAULT Gar. Charvet, ☎ 76 34 05 13 N
☎ 76 34 05 13

Le MONETIER-LES-BAINS 05 H.-Alpes 77 ⑦ – rattaché à Serre-Chevalier.

MONFLANQUIN 47150 L.-et-G. 79 ⑤ **G. Pyrénées Aquitaine** – 2 431 h alt. 180 – **Voir** ≤★.

Office de Tourisme pl. Arcades ✆ 53 36 40 19.

Paris 588 – Agen 48 – Bergerac 48 – Cahors 67 – Marmande 54.

Prince Noir, pl. Arcades ✆ 53 36 50 25 – ☎. GB
fermé 15 janv. au 15 fév. – **Repas** *(fermé dim. soir et lundi)* 95/250 – ☐ 45 – **9 ch** 260/38(
½ P 300/350.

PEUGEOT Gar. Lompech, ✆ 53 36 41 03

RENAULT Monflanquin Auto, rte de Villeneuve-s(Lot ✆ 53 36 41 18 N ✆ 53 36 41 18

La MONGIE 65 H.-Pyr. 85 ⑱ ⑲ **G. Pyrénées Aquitaine** – Sports d'hiver : 1 800/2 500 m 3 27
✉ 65200 Bagnères-de-Bigorre.

Voir Le Taoulet ≤★★ N par téléphérique – Col du Tourmalet ✳★★ O : 4 km.

Env. Pic du Midi de Bigorre ✳★★★, accès par le col du Tourmalet puis par route à péa ouverte en été NO : 10 km.

Office de Tourisme ✆ 62 91 94 15, Fax 62 95 33 13.

Paris 841 – Bagnères-de-Luchon 70 – Pau 85 – Arreau 37 – Bagnères-de-Bigorre 25 – Lourdes 48 – Luz-St-Sauveur 2 Tarbes 47.

Pourteilh, ✆ 62 91 93 33, Fax 62 91 90 88 – ☎. AE GB. ✻ rest
15 déc.-fin avril – **Repas** 95/160 – ☐ 45 – **42 ch** 350/480 – ½ P 350/380.

Annexe Le Taoulet , ✆ 62 91 92 16, Fax 62 91 90 88 – AE GB
15 juin-15 sept.(sans rest.) et 15 déc.-fin avril – **Repas** 80 – ☐ 35 – **28 ch** 200/270
½ P 220/250.

Pic d'Espade, ✆ 62 91 92 27, Fax 62 91 90 64, ≤, – ☎. AE GB
1er juin-30 sept. et 1er déc.-1er mai – **Repas** 70/80 – ☐ 45 – **34 ch** 300/400 – ½ P 300/400.

MONNAIE 37380 I.-et-L. 64 ⑮ – 2 829 h alt. 113.

Paris 226 – ♦Tours 17 – Château-Renault 15 – Vouvray 11.

Soleil Levant, ✆ 47 56 10 34, Fax 47 56 45 22 – AE GB
fermé 15 juil. au 20 août, 20 au 28 fév., dim. soir et lundi – **Repas** 105/210, enf. 50.

MONPAZIER 24540 Dordogne 75 ⑯ **G. Périgord Quercy** – 531 h alt. 180 – **Voir** Place centrale★.

Syndicat d'Initiative ✆ 53 22 68 59, Fax 53 22 46 51.

Paris 563 – Périgueux 73 – Sarlat-la-Canéda 49 – Bergerac 45 – Fumel 29 – Villeneuve-sur-Lot 44.

Edward 1er sans rest, ✆ 53 22 44 00, Fax 53 22 57 99, ≤, « Demeure du 19e siècle », – ☎ P. AE GB
27 avril-4 nov. – ☐ 70 – **13 ch** 430/1050.

MONSÉGUR 33580 Gironde 79 ③ – 1 537 h alt. 62.

Paris 628 – Bergerac 54 – Castillonnès 47 – Langon 34 – Libourne 49 – Marmande 21 – La Réole 15.

Gd Hôtel, ✆ 56 61 60 28, Fax 56 61 63 89 – ☎. GB. ✻ ch
Repas *(fermé lundi midi en oct.)* 50/170 – ☐ 22 – **11 ch** 100/250 – ½ P 160/195.

PEUGEOT Gar. Vigneau, ✆ 56 61 61 37

MONT voir au nom propre du mont.

MONTAGNY 42840 Loire 73 ⑧ – 1 124 h alt. 530.

Paris 420 – Roanne 15 – ♦Lyon 75 – Montbrison 75 – ♦St-Étienne 94 – Thizy 7.

Poste, ✆ 77 66 11 31, Fax 77 66 15 63 – GB
fermé 1er au 28 août, dim. soir et lundi – **Repas** 72 (déj.), 102/260.

MONTAGNY-LÈS-BEAUNE 21 Côte-d'Or 69 ⑨ – rattaché à Beaune.

MONTAIGU 85600 Vendée 67 ④ – 4 323 h alt. 40.

Env. Mémorial de vendée ★★ : le logis de la Chabotterie★ (salles historiques★★) SO : 14 km, chemin de la Mémoire des Lucs★ SO : 24 km **G. Poitou Vendée Charentes.**

Paris 387 – ♦Nantes 36 – La Roche-sur-Yon 39 – Cholet 36 – Fontenay-le-Comte 86 – Noirmoutier 91.

au Pont de Sénard N : 7 km par N 137 et D 77 – ✉ 85600 St-Hilaire-de-Loulay :

Pont de Sénard M , ✆ 51 46 49 50, Fax 51 94 11 11, – ☎ P – 30. GB. ✻ rest
fermé 3 au 15 août – **Repas** *(fermé dim. soir)* 90/340 – ☐ 35 – **23 ch** 250/420
½ P 280/315.

CITROEN Gar. Douaud, ZA de Mirville à Boufféré ✆ 51 94 15 97
FIAT, LANCIA Maine Autom., ZA Mirville à Boufféré ✆ 51 46 35 52 N ✆ 51 46 35 52

PEUGEOT Beauvois Autom., ZI rte de Nantes ✆ 51 94 04 97
VAG Gar. Rineau, 14 r. Amiral Duchaffault ✆ 51 94 00 92

MONTAIGUT-SUR-SAVE **31530** H.-Gar. 82 ⑦ – 972 h alt. 124.

Paris 688 – ♦Toulouse 23 – Auch 58 – Montauban 42.

Host. Le Ratelier ⛰, SE : 3 km par D 17 et rte secondaire ☏ 61 85 43 36, Fax 61 85 76 98, ←, 🏞, 🏊, 🌳 – ▤ rest 📺 ☎ 🅿 – 🏛 30. AE ⓓ GB
Repas *(fermé mardi)* 78/160 🍷, enf. 52 – ☕ 32 – **25 ch** 250/380 – ½ P 260/270.

MONTARGIS ⟨SP⟩ **45200** Loiret 61 ⑫ **G. Bourgogne** – 15 020 h alt. 95.

Voir Collection Girodet★ du musée Z **M**[1].

ℹ Office de Tourisme pl. du Pâtis ☏ 38 98 00 87, Fax 38 89 32 34.

Paris 114 ① – Auxerre 81 ② – Autun 206 ② – Bourges 117 ④ – Chartres 115 ⑤ – Chaumont 211 ② – Fontainebleau 52 ① – Nevers 126 ④ – ♦Orléans 71 ⑤ – Sens 53 ②.

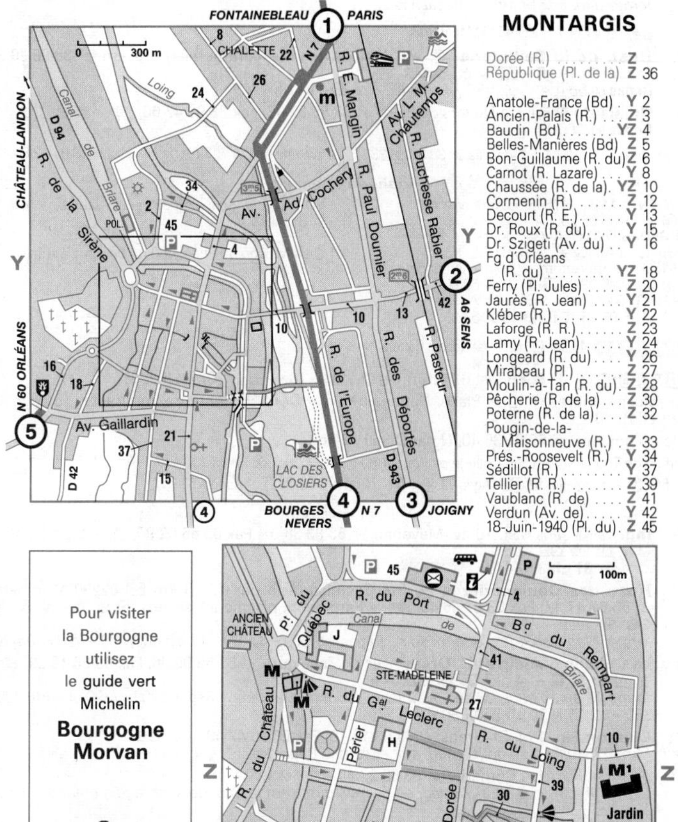

🏨 **Ibis** Ⓜ, 2 pl. V. Hugo ☏ 38 98 00 68, Fax 38 89 14 37 – 🛗 ⚡ 📺 ☎ 📞 ♿ 🚗 🅿 – 🏛 25. AE ⓓ GB Z **b**
Brasserie de la Poste : **Repas** carte 130 à 240, 🍷, enf. 39 – ☕ 35 – **49 ch** 290.

XXX ✿ **Gloire** (Jolly) avec ch, 74 av. Gén. de Gaulle ✆ 38 85 04 69, Fax 38 98 52 32 – ▤ rest ▣ ☎ ⇔. GB. ✻ rest Y **m**
fermé 15 au 27 août, vacances de fév., mardi soir et merc. – **Repas** 160/320 et carte 280 à 400, enf. 80 – ☕ 35 – **12 ch** 250/350
Spéc. Assiette de petits crustacés. Goujonnettes de soles aux artichauts et pommes rattes. Gibier (saison). **Vins** Sancerre, Quincy.

à Amilly par ③ : 5 km – 11 029 h. alt. 110 – ✉ **45200** :

⌂ **Le Belvédère** sans rest, 192 r. J. Ferry ✆ 38 85 41 09, Fax 38 98 75 63, ⌂ – ▣ ☎ ✆ P. GB
☕ 40 – **24 ch** 179/255.

XX **Aub. Écluse,** r. Ponts (au bord du Canal) ✆ 38 85 44 24, Fax 38 85 44 24, ⌂ – P. GB. ✻
fermé dim. soir et lundi – **Repas** 140/225.

par ④ et N 7 – ✉ **45200** Montargis :

⌂ **Host. de la Pailleterie** M, av. Antibes (centre commercial) : 3 km ✆ 38 98 20 21, Fax 38 89 19 16 – ▣ ☎ ♿ P. GB
Repas 60 bc (déj.), 92/132 ♁, enf. 40 – ☕ 35 – **41 ch** 270.

X **Relais du Miel,** rte Nevers : 6,5 km ✆ 38 85 32 02, Fax 38 98 47 60, ⌂ – ▤ P. GB
Repas 90/160 ♁, enf. 40.

◍ Dominicé-Point S, 64 r. J.-Jaurès ✆ 38 93 38 33
Euromaster, N 7, 3 rte de Nevers ✆ 38 85 12 80

Périphérie et environs

CITROEN S.M.A., 1176 av. d'Antibes à Amilly par ④ ✆ 38 95 05 20
MERCEDES, TOYOTA Gar. Jousselin, r. des Aubépines à Amilly ✆ 38 98 82 82
PEUGEOT Corre Autom., N 60 à Villemandeur par ⑤ ✆ 38 85 03 29 **N** ✆ 38 71 60 86
RENAULT Gar. Basty, 1400 av. d'Antibes à Amilly par ③ ✆ 38 95 15 15 **N** ✆ 38 90 62 88
VOLVO Gar. Schnaidt, 330 av. J.-Jaurès à Amilly ✆ 38 93 28 10

◍ La Maison du Pneu, 180 rte de Viroy à Amilly ✆ 38 85 09 52

Le MONTAT **46** Lot 79 ⑱ – rattaché à Cahors.

MONTAUBAN

P **82000** T.-et-G. 79 ⑰ ⑱ **G. Pyrénées Roussillon** – 51 224 h alt. 98.

Voir Musée Ingres★★ Z – Place Nationale★ Z – Dernier Centaure mourant★ (bronze de Bourdelle) Z **B**.

⛳ des Aiguillons ✆ 63 31 35 40, N par D 959 : 8 km.

ℹ Office de Tourisme, Ancien Collège pl. Prax ✆ 63 63 60 60, Fax 63 63 65 12.

Paris 648 ① – ✦Toulouse 52 ③ – Agen 73 ④ – Albi 74 ② – Auch 85 ③ – Cahors 60 ①.

Plan page ci-contre

⌂⌂⌂ **Ingres** M sans rest, 10 av. Mayenne ✆ 63 63 36 01, Fax 63 66 02 90, ⛱ – ⇅ ▤ ▣ ☎ ✆ ⇔. AE ⦿ GB Y **u**
☕ 45 – **31 ch** 310/470.

⌂⌂ **Host. des Coulandrières** ⛭, rte Castelsarrasin par ④ : 4 km ✉ 82290 Montbeton ✆ 63 67 47 47, Fax 63 67 46 45, ⌂, « Parc fleuri, piscine » – ▤ rest ▣ ☎ P – 🏛 50. ⦿ GB. ✻ rest
fermé 4 janv. au 4 fév. et dim. soir – **Repas** 110/200 – ☕ 50 – **22 ch** 400/480 – ½ P 380/420.

XXX **La Cuisine d'Alain et H. Orsay** avec ch, face gare ✆ 63 66 06 66, Fax 63 66 19 39, ⌂ – ⇅ ▣ ☎ ✆ ▣ – 🏛 25. AE ⦿ GB JCB Y **f**
fermé 12 au 25 août, 23 déc. au 2 janv., lundi midi et dim. – **Repas** 120 bc/320 et carte 280 à 350 – ☕ 32 – **20 ch** 250/330 – ½ P 270.

XX **Chapon Fin,** 1 pl. St-Orens ✆ 63 63 12 10, Fax 63 20 47 43 – ▤. GB Y **d**
➔ *fermé 28 juil. au 25 août, vend. soir et sam.* – **Repas** 80/250 ♁, enf. 60.

XX **Ambroisie,** 41 r. Comédie ✆ 63 66 27 40 – ▤. GB. ✻ Z **s**
fermé 14 juil. au 5 août, 23 déc. au 5 janv., dim. sauf le midi de sept. à juin et lundi – **Repas** 100/155 ♁.

XX **Au Fil de l'Eau,** 14 quai Dr Lafforgue ✆ 63 66 11 85 – ▤. AE GB X **e**
fermé 30 avril au 6 mai, 2 au 8 janv., dim. soir et lundi – **Repas** 110/280.

X **Le Grand Bleu,** 6 r. St-Jean ✆ 63 66 37 51 – GB Z **a**
fermé 13 au 26 août, dim. soir et lundi – **Repas** 100/140.

par ① et N 20 : 4 km – ✉ **82000** Montauban :

⌂ **Climat de France** M, ✆ 63 66 51 61, Fax 63 66 70 80 – ▣ ☎ ✆ ♿ P – 🏛 30. GB
Repas *(fermé sam. midi et dim. midi)* 85/125 ♁, enf. 39 – ☕ 32 – **36 ch** 259/270 – ½ P 212.

à Brial par ③ et E 9 (sortie Bressols) – ✉ **82710** Bressols :

XXX ✿ **Depeyre,** ✆ 63 23 05 06, Fax 63 02 18 18, ⌂, parc – ▤ P. AE ⦿ GB
fermé 1er au 9 juil., 2 au 10 sept., 13 au 21 janv., dim. soir et lundi – **Repas** 140 (déj.), 200/340 et carte 330 à 450 – ***Le Pastenc*** : **Repas** (déj. seul.) 88 bc
Spéc. Pâté de trois poissons. Bar clouté aux truffes. "Résumé" d'agneau (printemps-été). **Vins** Côtes du Frontonnais Gaillac.

MONTAUBAN

ationale (Pl.) . . . . Z
épublique (R. de la) . . . . Z 63
ésistance (R. de la) . . . . . Z 64

bbaye (R. de l') . . . . Z
sace-Lorraine (Bd) . . . . . X 3
arbazan (R.) . . . . Z
ourdelle (Pl. A.) . . . . Z 8
riand (Av. A.) . . . . Y 9
hamier (Av.) . . . . Y 12
adel (R. L.) X
omédie (R. de la) . . . . . . Z 13
onsul-Dupuy
(Allées du) . . . . Z 14
oq (Pl. du) . . . . Z 16
r-Alibert (R.) X
r-Lacaze (R. du) . . . . Z 19
oumerc (Bd B.) X
och (Pl. Mar.) . . . . Z
ort (R. du) . . . . Z
ambetta (Av.) . . . . YZ
arrisson (Bd G.) . . . . . . YZ
aulle (Av. Ch. de) . . . . . . Y 25
rand'Rue
de Sapiac . . . . Z
rand'Rue
Villenouvelle . . . . X 28
uibert (Pl.) . . . . Z 29
erriot (Av. E.) . . . . Y 30
ôtel-de-Ville
(R. de l') . . . . Z 31
gres (R.) . . . . YZ
ourdain (R. A.) . . . . Z
acapelle (Fg) . . . . YZ
afon
(R. du Pasteur L.) . . . . . Y 34
agrange (R. L.) . . . . Y 35
bération
(Pl. de la) X
ycée (R. du) . . . . Z
andoune
(R. de la) . . . . Z
arceau-Hamecher
(Av.) . . . . Y 37
arty (Pl. A.) . . . . XY
artyrs (Pl. des) . . . . Z 46
ary-Lafon (R.) . . . . Z 48
ayenne (Av.) . . . . Y 50
ichelet (R.) . . . . Z 51
idi-Pyrénées (Bd) . . . . . . Z 52
ontauriol (Bd) . . . . Y
ontmurat (Q. de) . . . . . . Z 54
ortarieu (Allées de) . . . . Z 56
oustier (Fg du) . . . . Z
otre-Dame (R.) . . . . Z 60
icard
(Sq. Gén.) . . . . Z 62
ax-Paris (Pl.) . . . . Z
oosevelt (Pl. F.) . . . . Z 66
-Jean (R.) . . . . X 67
e-Claire (R.) . . . . Z
apiac (Pont) . . . . YZ 68
arrail (R. Gén.) . . . . Y 70
erdun (Q. de) . . . . Z
0ᵉ Dragons (Av. du) X
-Rég.-d'Infanterie
(Av. du) . . . . X 73
9-Août-1944 (Av. du) . . . X 75
2-Septembre (Pl.du) . . . . Z 76

LFA ROMEO, TOYOTA Gar. Suères, 44-46 r.
-Cladel ✆ 63 03 42 06
MW, ROVER Gar. Escat, 382 av. de Toulouse
✆ 63 63 34 97
ITROEN Midi Auto 82, N 20, ZI Nord par ①
✆ 63 03 15 30
ERCEDES Gar. Hamecher, ZI Albasud 40 imp.
aillefer ✆ 63 23 07 70
ISSAN Gar. Sabatié, 963 r. de l'Abbaye
✆ 63 63 08 00
EUGEOT Gar. Macard, r. Bac ✆ 63 66 31 31 N
✆ 62 23 22 91
ENAULT Tarn-et-Garonne Autom., 200 rte du
ord par ① ✆ 63 03 23 23 N ✆ 63 68 95 89

Gar. Almayrac et Despoux, 200 r. E.-Delpouy
✆ 63 63 44 52

Doumerc Pneus, 281 av. de Toulouse
✆ 63 63 09 76
Le Palais du Pneu, 17 pl. Lalaque ✆ 63 63 15 80
Pereira Pneus, 52 av. du 10ᵉ-Dragon ✆ 63 03 53 98
Taquipneu Vulcopneu, 590 rte de Paris N 20
✆ 63 20 37 00
Taquipneu Vulcopneu, 69 av. Gambetta
✆ 63 03 30 14

Non viaggiate oggi con una carta di ieri.

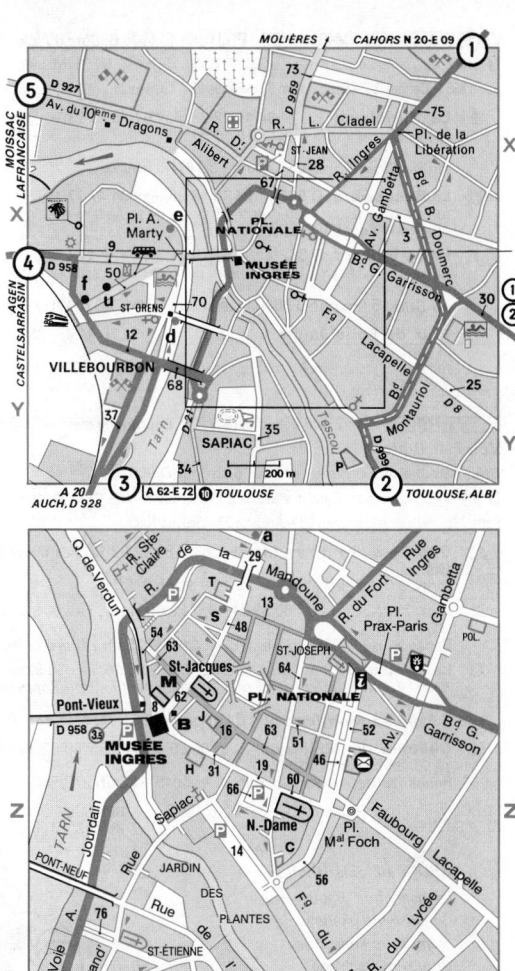

MONTAUROUX 83440 Var 84 ⑧ 114 ⑫ ㉖ 115 ㉓ **G. Côte d'Azur** – 2 773 h alt. 364.

Office de Tourisme pl. du Clos ☎ 94 47 75 90, Fax 94 47 60 03 (Mairie).

Paris 895 – Cannes 35 – Draguignan 39 – Fréjus 28 – Grasse 20.

La Marjolaine, ☎ 94 47 72 78, Fax 94 76 43 13, ←, – TV ☎. GB
Repas *(fermé lundi d'oct. à avril)* 95/158, enf. 70 – ☐ 35 – **19 ch** 140/280 – ½ P 195/240.

rte de Draguignan S : 4 km – ✉ 83440 Fayence :

XX **La Bécassière**, D 562 ☎ 94 76 43 96, Fax 94 47 77 19, – P. AE ⓓ GB JCB
fermé oct., le soir (sauf vend. et sam.) de janv. à avril et nov., dim. soir en mai, juin et sep et lundi – **Repas** 100/205.

X **Le St-Vincent**, D 562 ☎ 94 47 75 41, – P. GB
fermé 9 au 24 oct., 13 au 21 juin, dim. soir hors sais. et lundi – **Repas** 98/180.

au Sud : 5 km par D 562 et rte secondaire – ✉ 83440 Fayence :

XX **Aub. du Puits Jaubert** avec ch, ☎ 94 76 44 48, , parc, « Ancienne bergerie » P. GB
fermé 15 nov. au 15 déc. et mardi – **Repas** 150/260, enf. 60 – ☐ 35 – **8 ch** 225/250 ½ P 300/320.

MONTBARD 21500 Côte-d'Or 65 ⑦ **G. Bourgogne** (plan) – 7 108 h alt. 221.

Voir Parc Buffon★.

Env. Abbaye de Fontenay★★★ E : 6 km par D 905.

Office de Tourisme r. Carnot ☎ 80 92 03 75 – Automobile Club ☎ 80 92 03 75.

Paris 235 – ♦Dijon 82 – Autun 89 – Auxerre 72 – Troyes 100.

Gare sans rest, 10 av. Mar. Foch ☎ 80 92 02 12, Fax 80 92 41 72, parc – TV ☎ GB
fermé 20 déc. au 1er fév. – ☐ 40 – **34 ch** 235/350.

Écu, 7 r. A. Carré ☎ 80 92 11 66, Télex 351102, Fax 80 92 14 13, – TV ☎ P. AE GB
Repas 95 (déj.), 110/250, enf. 60 – ☐ 45 – **25 ch** 270/400 – ½ P 320/350.

XX **Le Cyclamen**, 6 av. Mar. Foch ☎ 80 92 06 46, Fax 80 92 08 62, – GB
fermé 13 au 31 janv., sam. midi et vend. sauf fériés – **Repas** 98/171.

à Fain-lès-Montbard SE : 6 km par N 905 – 341 h. alt. 220 – ✉ 21500 :

Château de Malaisy, ☎ 80 89 46 54, Fax 80 92 30 16, parc, – TV ☎ P 25 à 150. GB.
Repas 125 (déj.), 150/245, enf. 70 – ☐ 48 – **22 ch** 270/580 – ½ P 322/463.

CITROEN Gar. Monnet, rte de Dijon ☎ 80 92 06 09 N ☎ 80 92 06 09

RENAULT SOCA, 39 r. Abrantès ☎ 80 92 06 23 N ☎ 80 92 70 35

MONTBAZENS 12220 Aveyron 80 ① – 1 389 h alt. 457.

Paris 605 – Rodez 37 – Aurillac 78 – Figeac 28 – Marcillac-Vallon 25 – Villefranche-de-Rouergue 26.

Levant, rte Rignac ☎ 65 80 60 24, – cuisinette TV ☎ P. GB. ch
fermé 15 sept. au 10 oct. et 26 déc. au 5 janv. – **Repas** *(fermé dim. soir et lundi sa juil.-août)* 75/170 – ☐ 30 – **9 ch** 250/280 – ½ P 230/280.

Gar. du Fargal, ☎ 65 80 62 23

MONTBAZON 37250 I.-et-L. 64 ⑮ **G. Châteaux de la Loire** – 3 354 h alt. 59.

Office de Tourisme, "La Grange Rouge" - N10 - ☎ 47 26 97 87, Fax 47 34 01 78.

Paris 248 – ♦Tours 15 – Châtellerault 59 – Chinon 41 – Loches 32 – Montrichard 40 – Saumur 68.

Château d'Artigny, SO : 2 km par D 17 ☎ 47 26 24 24, Fax 47 65 92 79, « Parc, l'Indre », – TV ☎ P – 60. AE ⓓ GB JCB
fermé 1er déc. au 11 janv. – **Repas** 280/440, enf. 100 – ☐ 90 – **41 ch** 850/1640 – ½ P 86 1260.

Port Moulin au Fil de l'Eau, « Pavillon au bord de la rivière » – TV. AE ⓓ GB JCB
fermé 1er déc. au 11 janv. – **Repas** voir *Château d'Artigny* – ☐ 90 – **10 ch** 350/500.

Domaine de la Tortinière 🐕, N : 2 km par N 10 et D 287 ✆ 47 34 35 00, Fax 47 65 95 70, ⛱, « Dans un parc ≤ vallée de l'Indre », 🏊, 🎾 – TV ☎ ♿ P – 🎤 30. GB. ✗
fermé 21 déc. au 28 fév. – **Repas** (prévenir) 210 bc (déj.), 290/360 – ☕ 70 – **15 ch** 550/890, 6 appart – ½ P 550/760.

Relais de Touraine, N : 2 km rte Tours ✆ 47 26 06 57, Fax 47 26 18 40, ⛱, parc – TV ☎ P – 🎤 50. GB
fermé 2 au 26 janv. – **Repas** *(fermé dim. et lundi)* 145/190, enf. 70 – ☕ 40 – **21 ch** 260/340 – ½ P 340.

XXX ✿ **La Chancelière,** 1 pl. Marronniers ✆ 47 26 00 67, Fax 47 73 14 82, « Élégant décor » – ▤. GB
fermé 1er au 10 sept., 11 fév. au 4 mars, dim. soir et lundi sauf fériés – **Repas** 330/450 - ***Le Jeu de Cartes :*** **Repas** 150/200
Spéc. Ravioles d'huîtres au champagne (15 sept. à juin). Foie gras de canard poêlé aux figues (15 sept. au 15 déc.). Homard au lard et aux champignons des bois. **Vins** Chinon, Vouvray.

X **Courtille,** av. Gare ✆ 47 26 28 26 – GB
fermé 22 juil. au 12 août, dim. soir et merc. – **Repas** 100 (déj.), 148/210, enf. 60.

à l'ouest : 5 km par N 10, D 287 et D 87 – ✉ **37250** Montbazon :

XX **Moulin Fleuri** 🐕 avec ch, ✆ 47 26 01 12, Fax 47 34 04 71, ≤, « Ancien moulin au bord de l'Indre », ⛱ – TV ☎ P. AE GB
fermé 1er fév. au 8 mars et lundi sauf fériés – **Repas** 170/300, enf. 55 – ☕ 45 – **12 ch** 185/280 – ½ P 255/345.

EUGEOT Gar. Rousseau, ✆ 47 26 06 50

Dans ce guide
un même symbole, un même caractère,
imprimé en couleur ou en ***noir****, en maigre ou en* ***gras****,*
n'ont pas tout à fait la même signification.
Lisez attentivement les pages explicatives.

MONTBÉLIARD **25200 Doubs** 66 ⑧ **G. Jura** – **29 005 h Agglo. 117 510 h alt. 325.**

oir Le Vieux Montbéliard★ AZ.

de Prunevelle ✆ 81 98 11 77, par ③ : 10 km.

Office de Tourisme 1 rue H.-Mouhot ✆ 81 94 45 60, Fax 81 32 12 07.

aris 431 ④ – ♦Besançon 85 ④ – ♦Mulhouse 57 ② – Basel 95 ③ – Belfort 21 ② – Pontarlier 100 ④ – Vesoul 59 ①.

Plan page suivante

Bristol sans rest, 2 r. Velotte ✆ 81 94 43 17, Fax 81 94 15 29 – ⇌ TV ☎ P – 🎤 40. AE GB. ✗ AZ **b**
fermé août et 3 janv. au 26 fév. – ☕ 32 – **43 ch** 185/410.

La Balance, 40 r. Belfort ✆ 81 96 77 41, Fax 81 91 47 16 – |♦| TV ☎ ♿ – 🎤 25. AE ⓓ GB
Repas 75/185 🍷, enf. 40 – ☕ 35 – **42 ch** 200/320 – ½ P 245/290. AZ **s**

Joffre sans rest, 34 bis av. Mar. Joffre ✆ 81 94 44 64, Fax 81 94 37 40 – |♦| ⇌ TV ☎ ♿ P – 🎤 30. AE ⓓ GB AX **a**
☕ 30 – **62 ch** 270/320.

Les Relais Verts, le Pied des Gouttes ✆ 81 90 10 69, Fax 81 90 15 18, ⛱ – |♦| TV ☎ ♿ P – 🎤 30. AE ⓓ GB AX **v**
Repas *(fermé sam. midi)* 80/250, enf. 45 – ☕ 35 – **42 ch** 250/270 – ½ P 175/223.

Ibis, le Pied des Gouttes ✆ 81 90 21 58, Fax 81 90 44 37, ⛱ – ⇌ TV ☎ ♿ P – 🎤 30. AE ⓓ GB AX **v**
Repas 99 bc, enf. 39 – ☕ 35 – **62 ch** 285.

Mulhouse, pl. Gare ✆ 81 94 46 35, Fax 81 32 20 32 – |♦| TV ☎. GB AZ **a**
Repas 77/170 🍷 – ☕ 36 – **54 ch** 190/320 – ½ P 250/280.

XXX **La Tour Henriette,** 59 fg Besançon ✆ 81 91 03 24, Fax 81 96 71 43 – AE ⓓ GB AZ **r**
fermé août, dim. soir et sam. – **Repas** 100/250 bc et carte 310 à 380.

XX **St-Martin,** 1 r. Gén. Leclerc ✆ 81 91 18 37, Fax 81 91 18 37 – AE GB AZ **u**
fermé 4 au 25 août, dim. et fériés – **Repas** 180/240.

XX **Bernard Legendre,** 1 r. Laurillard (1er étage) ✆ 81 96 77 73 – GB AZ **n**
Repas (nombre de couverts limité, prévenir) 95 (déj.), 170/260.

LFA ROMEO, FIAT Gar. Mercier, 1 r. Keller à rbouans ✆ 81 35 57 62
ENAULT Filiale, r. Champs Cerf, Rond point Pied outte ✆ 81 32 66 00 N ✆ 81 32 93 40

Ⓜ Pneus et Services D.K., 7a r. Port ✆ 81 98 25 29
Pneus et services D.K., ZI du Charmontet ✆ 81 95 38 33

ONSTRUCTEUR : S.A. des Automobiles Peugeot, ✆ 81 91 83 42

MONTBÉLIARD

Cuvier (R.) .... AZ
Denfert-Rochereau (Pl.) AZ 10
Febvres (R. des) ...... AZ 14

Albert-Thomas (Pl.) .... AZ 2
Audincourt (R. d') .... AXY 4
Belchamp (R. de) ..... AY 5
Besançon (Fg de) ...... AX 7
Chabaud-Latour (Av.) .. AX 9
Dorian (Pl.) .... AZ 12
Epinal (R. d') .... AX 13
Gambetta (Av.) .... AX 15
Helvétie (Av. d') ..... AXZ 18
Jean-Jaurès (Av.) ..... AY 20
Joffre (Av. du Mar.) .. AXZ 22
Lattre-de-Tassigny (Av. du Mar.) .... AZ 23
Leclerc (R. Gén.) ...... AZ 24
Ludwigsburg (Av. de) . AX 26
Petite-Hollande (R.) .. AXY 28
St-Georges (Pl.) .... AZ 29
Schliffre (R. de) .... AZ 32
Toussain (R. P.) .... AX 36
Valentigney (R. de) .... AY 40

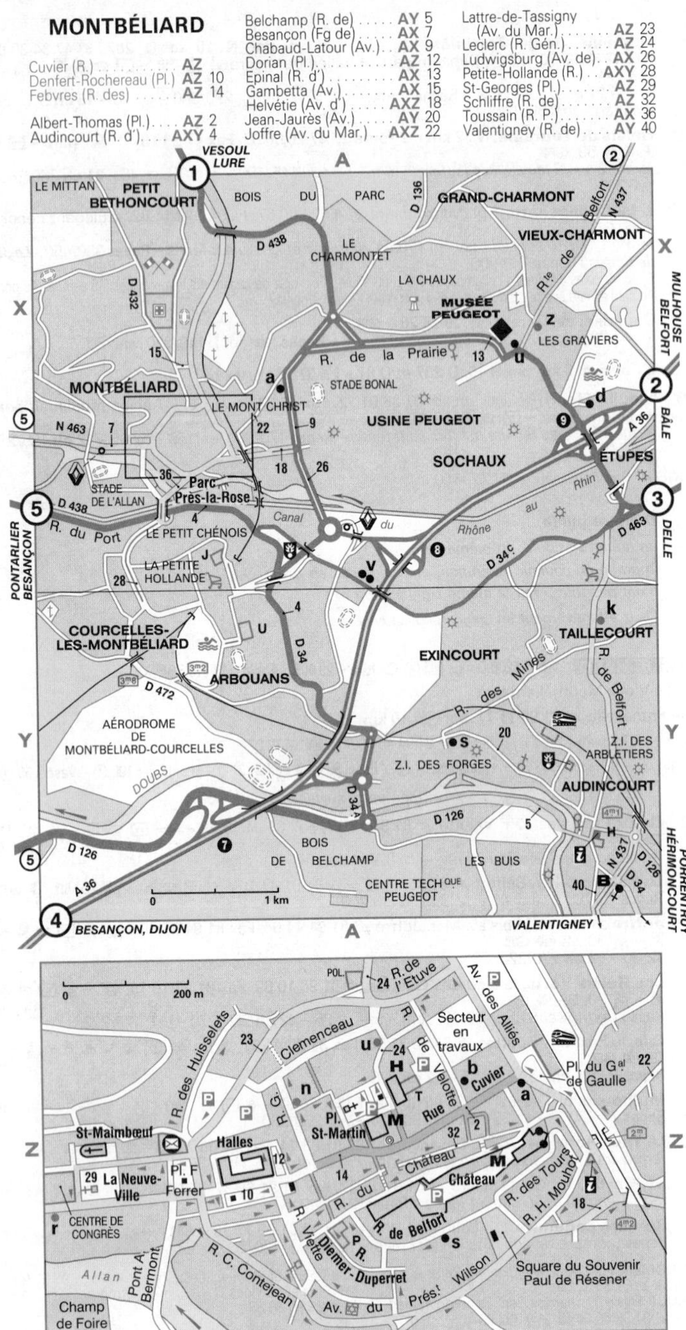

MONTBENOIT 25650 Doubs 70 ⑦ **G. Jura** – 238 h alt. 804.

Voir Ancienne abbaye★ : stalles★★, niche abbatiale★.

Office de Tourisme ℘ 81 38 10 32.

Paris 469 – ◆Besançon 60 – Morteau 17 – Pontarlier 14.

à Maisons-du-Bois SO : 4 km sur D 437 – ✉ **25650** Maisons-du-Bois-Lièvremont :

- **Saugeais** avec ch, ℘ 81 38 14 65, Fax 81 38 11 27 – TV ☎ P. GB. ch
fermé 1er au 15 nov. et dim. soir sauf juil.-août – **Repas** 65/160 ♁, enf. 40 – ☕ 35 – **7 ch** 190/250 – ½ P 230/250.

PEUGEOT Gar Querry, ℘ 81 38 11 89 **N** ℘ 81 38 10 99

MONT-BLANC (Tunnel du) 74 H.-Savoie 74 ⑧ ⑨ – voir à Chamonix-Mont-Blanc.

MONTBONNOT-ST-MARTIN 38 Isère 77 ⑤ – rattaché à Grenoble.

MONTBOUCHER-SUR-JABRON 26 Drôme 81 ① – rattaché à Montélimar.

MONTBRISON SP 42600 Loire 73 ⑰ **G. Vallée du Rhône** (plan) – 14 064 h alt. 391.

Voir Intérieur★ de l'église N.-D.-d'Espérance.

Superflu Golf Club ℘ 77 76 00 14, à St-Romain, SE : 8 km par D 8 ; de Savigneux, E : 4 km par D 496 et VO.

Office de Tourisme Cloître des Cordeliers ℘ 77 96 08 69, Fax 77 58 00 16.

Paris 511 – ◆St-Étienne 35 – ◆Lyon 75 – Le Puy-en-Velay 102 – Roanne 65 – Thiers 69.

- **Host. Lion d'Or,** 14 quai Eaux Minérales ℘ 77 58 34 66, Fax 77 58 73 13, – TV ☎ – 40. AE GB
Repas *(fermé 26 déc. au 12 janv., sam. midi et dim. soir hors sais.)* 80/290 ♁ – ☕ 45 – **19 ch** 230/415 – ½ P 225/330.
- **Gil de France** M, 18 bis bd Lachèze ℘ 77 58 06 16, Fax 77 58 73 78, – TV ☎ ♿ P. AE GB
Repas 90/165 ♁, enf. 45 – ☕ 35 – **30 ch** 230/250 – ½ P 225.

à Savigneux E : 1,5 km par D 496 – 2 391 h. alt. 382 – ✉ **42600** :

- **Marytel** M sans rest, 95 rte Lyon ℘ 77 58 72 00, Fax 77 58 42 81 – TV ☎ P – 50. AE GB
☕ 30 – **33 ch** 230/260.
- **Yves Thollot,** 93 rte Lyon ℘ 77 96 10 40, – P. AE GB
fermé 22 juil. au 12 août, vacances de fév., dim. soir et lundi – **Repas** 100/290.

à Champdieu N : 4,5 km par D 8 – 1 355 h. alt. 340 – ✉ **42600**.

Voir Église★.

- **Le Prieuré,** ℘ 77 58 31 21, Fax 77 58 50 54 – P. GB
fermé 1er au 15 août et jeudi – **Repas** 68/250.

FORD Gar. Montagny, av. Ch.-de-Gaulle ℘ 77 96 85 00
OPEL Forez-Autos, av. P.-Cézanne, Beauregard par ③ 69 ℘ 77 58 02 59
RENAULT Gar. Mathieu, 8 av. de St-Etienne ℘ 77 58 30 48 **N** ℘ 77 44 14 03

Géométrie-Pneus, ZI des Granges ℘ 77 96 10 60
Chasseing Pneus, 12 bd de la Madeleine ℘ 77 96 06 06

MONTBRON 16220 Charente 72 ⑮ **G. Poitou Vendée Charentes** – 2 422 h alt. 141.

Paris 459 – Angoulême 29 – Nontron 23 – Rochechouart 36 – La Rochefoucauld 14.

- **Host. Château Ste-Catherine** , au Sud : 4,5 km par rte Marthon ℘ 45 23 60 03, Fax 45 70 72 00, ≤, , « Parc », – TV ☎ P. AE GB
fermé fév. – **Repas** *(fermé dim. soir du 1er nov. au 31 mars)* 120/250 – ☕ 49 – **14 ch** 350/550 – ½ P 400/550.

CITROEN Gar. Marchat, ℘ 45 23 61 63

MONTCEAU-LES-MINES 71300 S.-et-L. 69 ⑰ ⑱ **G. Bourgogne** – 22 999 h alt. 285.

Env. Mont-St-Vincent : tour ★★ 12 km par ③.

Office de Tourisme 1 pl. Hôtel de Ville ℘ 85 57 38 51 – Automobile Club ℘ 85 57 52 45.

Paris 333 ② – Chalon-sur-Saône 44 ② – Autun 42 ① – Mâcon 69 ③ – Moulins 89 ④ – Roanne 92 ④.

Plans pages suivantes

- **Primevère** M, rte Blanzy ℘ 85 57 49 49, Fax 85 57 72 23, – TV ☎ ♿ P. AE GB
Repas 85/130 ♁, enf. 45 – ☕ 30 – **30 ch** 275. B **a**
- **Beauregard** sans rest, sur D 980 : 2 km ℘ 85 57 15 37 – ☎ P. GB B **s**
fermé 20 déc. au 3 janv. et vend. soir hors sais. – ☕ 32 – **12 ch** 165/270.
- **France** avec ch, 7 pl. Beaubernard ℘ 85 57 26 64, Fax 85 58 36 21 – TV ☎. GB A **k**
fermé fin juil. à fin août et lundi – **Repas** 105 bc (déj.)/280 – ☕ 35 – **10 ch** 190/270.

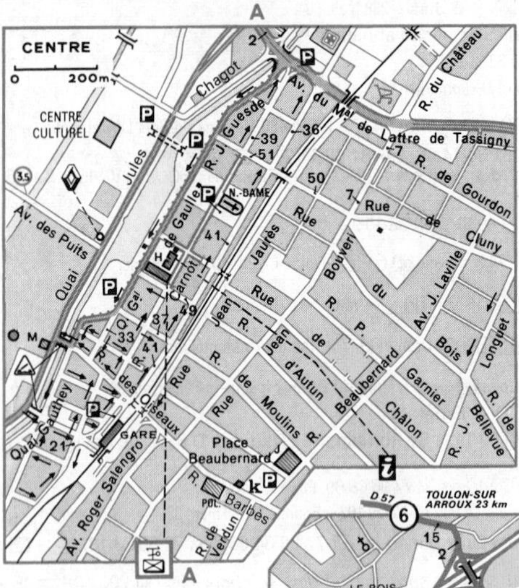

MONTCEAU-LES-MINES

Barbès (R.) . . . . B 4
Carnot (R.) . . . . A
Jaurès (R. J.) . . . . A

Alouettes (Av. des) . . . . A 2
Bains (R. des) . . . . B 3
Beauregard (R. de) . . . . B 6
Bel-Air (R. de) . . . . A 7
Bourbon-Lancy (R.) . . . . B 8
Champ-du-Moulin (R.) . B 10
Charolles (R. de) . . . . . . B 12
Château (R. du) . . . . B 13
Coudraie (R. de la) . . . . B 15
Desmoulins (R. C.) . . . . B 16

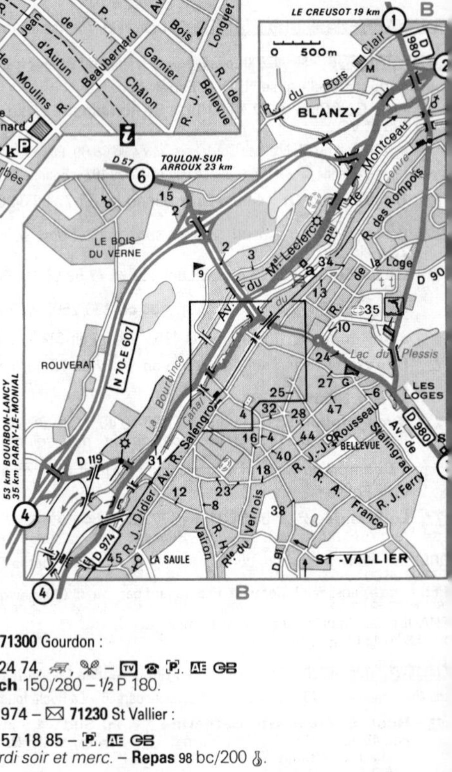

Foch (R. Mar.) . . . . B 18
Lamartine (R.) . . . . A 21
Lande (R. de la) . . . . . . B 23
Lattre-de-Tassigny (R. Maréchal-de) . . . . B 24
Longuet (R. Jean) . . . . . B 25
Mâcon (R. de) . . . . B 27
Metz (R. de) . . . . B 28
Moulins (Quai de) . . . . . B 31
Palinges (R. de) . . . . B 32
Paul-Bert (R.) . . . . A 33
Petit-Bois (R. du) . . . . . . B 34
Plessis (Bd du) . . . . B 35
Plessis (R. du) . . . . A 36
Pottier (R. Eugène) . . . . A 37
République (Av.) . . . . . . B 38
République (R. de la) . . . . A 39
Robespierre (R.) . . . . . . B 40
Rouget-de-Lisle (R.) . . . A 41
St-Vallier (R. de) . . . . . . B 44
Semard (R. de) . . . . B 47
Vaux (R. Pierre) . . . . . . A 49
8-Mai-1945 (R. du) . . . . A 50
11-Nov.-1918 (R. du) . . A 51

par ③ 4 km sur D 980 – ✉ **71300** Gourdon :

Aub. Plain-Joly, ☎ 85 57 24 74, ≤, ✂ – TV ☎ P. AE GB
Repas 68/130 ♁ – ☕ 32 – **8 ch** 150/280 – ½ P 180.

à Galuzot SO : 5 km par D 974 – ✉ **71230** St Vallier :

Moulin de Galuzot, ☎ 85 57 18 85 – P. AE GB
fermé mi-juil. à mi-août, mardi soir et merc. – **Repas** 98 bc/200 ♁.

RENAULT Gar. Central, quai J.-Chagot ☎ 85 67 76 16 N ☎ 85 77 32 70

Goésin Pneus, av. Mar.-Leclerc ZI ☎ 85 57 36 0
Okrzesik Pneus, bd Maugrand ☎ 85 57 47 00

MONTCHAUVROT **39** Jura 70 ④ – rattaché à Poligny.

MONTCHENOT **51** Marne 56 ⑯ – rattaché à Reims.

MONT-DAUPHIN GARE **05** H.-Alpes 77 ⑱ – rattaché à Guillestre.

Die im Michelin-Führer

verwendeten Zeichen und Symbole haben
– dünn oder **fett** gedruckt, in einer Kontrastfarbe oder schwarz – jeweils eine andere Bedeutung.

Lesen Sie daher die Erklärungen aufmerksam durch.

MONT-DE-MARSAN P 40000 Landes 82 ① G. Pyrénées Aquitaine – 28 328 h alt. 43.
oir Musée Despiau-Wlérick★.
℘ 58 75 63 05, par ① : 10 km.
Office de Tourisme 6 pl. Gén.-Leclerc ℘ 58 75 22 23, Fax 58 06 85 96 – Automobile Club av. Corps Franc ommiès à St-Pierre-du-Mont ℘ 58 75 03 24.
aris 708 ① – Agen 109 ① – ◆Bayonne 102 ⑥ – ◆Bordeaux 128 ① – Pau 81 ③ – Tarbes 101 ③.

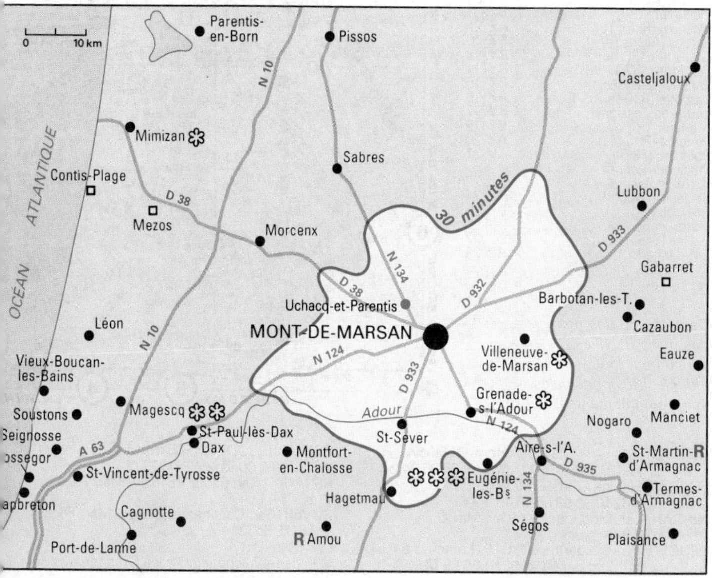

Le Renaissance M, rte Villeneuve par ② : 2 km ℘ 58 51 51 51, Fax 58 75 29 07, – TV ☎ & P – 25 à 40. AE GB
Repas *(fermé sam. midi et dim. soir)* 96/150 – 30 – **29 ch** 250/420 – ½ P 285/400.

Abor M, rte Grenade par ④ : 3 km ✉ 40280 St-Pierre-du-Mont ℘ 58 51 58 00, Fax 58 75 78 78, – TV ☎ & P – 80. AE GB
Repas *(fermé sam. midi hors sais.)* 88/125, enf. 48 – 38 – **70 ch** 278/341 – ½ P 260/295.

Richelieu, 3 r. Wlerick ℘ 58 06 10 20, Fax 58 06 00 68 – rest TV ☎ – 50. AE GB JCB BY r
Repas *(fermé sam. soir sauf fêtes)* 82/180 – 32 – **44 ch** 140/280 – ½ P 235/260.

La Siesta, 8 pl. J. Jaurès ℘ 58 06 44 44, Fax 58 06 09 30 – TV ☎. AE GB BZ e
Repas *(fermé dim. soir du 15 déc. au 1er mars)* 75/150, enf. 45 – 32 – **16 ch** 220/270 – ½ P 230/245.

Hexagone, rte Langon par ① : 2 km ℘ 58 06 20 21, Fax 58 05 92 48 – TV ☎ & P. GB
Repas 55 (déj.), 78/180, enf. 38 – 26 – **22 ch** 187/200 – ½ P 170/178.

Le Corsaire, 2083 av. Mar. Juin par ① : 3 km ℘ 58 46 46 24, Fax 58 06 46 21, – P. GB
fermé dim. soir et lundi – **Repas** - produits de la mer - 100 (déj.), 150/210, enf. 50.

Zanchettin avec ch, rte Villeneuve par ② : 3 km ℘ 58 75 19 52, – ☎ P. GB. ch
fermé 18 août au 9 sept. – **Repas** *(fermé dim. soir et lundi)* 65/150 – 25 – **9 ch** 120/230 – ½ P 150/165.

Le Midou, 12 pl. Porte Campet ℘ 58 75 24 26 – GB AY a
fermé 22 au 28 déc. – **Repas** 68/180, enf. 40.

Bistrot du Renaissance, 22 r. Montluc ℘ 58 06 85 08 – . AE GB BZ u
fermé dim. midi – **Repas** 55/140 et carte 120 à 170.

à Uchacq-et-Parentis NO : 7 km par D 134 – 403 h. alt. 50 – ✉ **40090** :

Didier Garbage, ℘ 58 75 33 66, Fax 58 75 22 77, – P. AE GB
fermé 2 au 12 janv., dim. soir et lundi sauf juil.-août – **Repas** 80/350 - ***Le Bistrot :*** **Repas** 55, enf. 50.

MONT-DE-MARSAN

Bastiat (R. F.) .... ABZ
Gambetta (R. L.) .... BZ 12
Lesbazeilles (R. A.) .... BZ 18

Alsace-Lorraine (R. d') .... AZ 2
Bosquet (R. Mar.) .... AZ 3
Briand (Av. A.) .... BY 4
Brouchet (Allées) .... BZ 5
Carnot (Av. Sadi) .... BZ 6
Delamarre (Bd) .... BZ 8
Despiau (R. Ch.) .... AZ 9
Farbos (Allées R.) .... BZ 10
Gaulle (Pl. Ch.-de) .... BY 13
Gourgues (R. D.-de) .... BY 14
Landes (R. L. des) .... BZ 15
Lasserre (R. Gén.) .... AZ 16
Lattre-de-Tassigny (Bd de) .... BY 17
Martinon (R.) .... BZ 19
Pancaut (Pl. J.) .... AZ 20
Poincaré (Pl. R.) .... AY 21
Président-Kennedy (Av. du) .... BZ 22
St-Jean-d'Août (R.) .... AY 24
St-Roch (Pl.) .... BZ 25
Victor-Hugo .... BY 26
8-Mai-1945 (R. du) .... BY 27
34e-d'Inf. (Av. du) .... BZ 28

Dans la liste des rues des plans de villes, les noms en rouge indiquent les principales voies commerçantes.

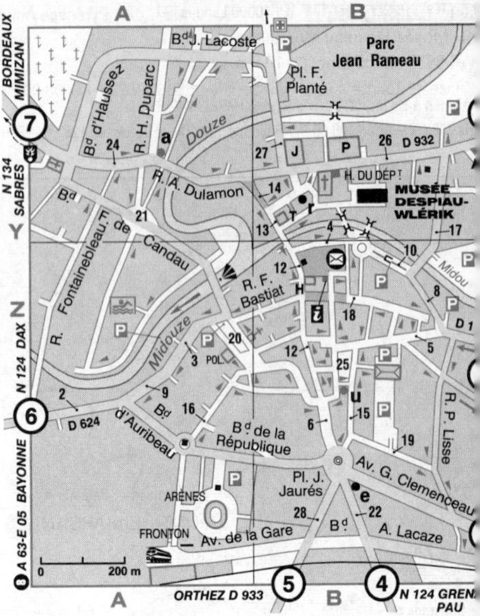

CITROEN Mont-de-Marsan Autom., 1596 av. Mar.-Juin par ① ✆ 58 75 12 10 N ✆ 05 05 24 24
FORD La Hiroire-Auto, 995 bd Alingsas ✆ 58 75 36 62 N ✆ 58 06 16 16
NISSAN Gar. Moquette, 1068 av. Mar.-Juin ✆ 58 06 83 33
PEUGEOT Gar. Labarthe, av. C.-F.-Pommiès à St-Pierre-du-Mont par ⑥ ✆ 58 51 55 55 N ✆ 07 84 37 73

RENAULT SODIAM, 935 av. Mar.-Juin par ① ✆ 58 46 60 00 N ✆ 58 06 73 08
RENAULT Gar. Baudry, 546 av. Mar.-Foch par ① ✆ 58 75 11 64
ROVER Gar. Continental, 839 av. Mar.-Foch ✆ 58 06 32 32

Pédarre Vulcopneu, 7 allée Oranger, av. Mar.-Juin ✆ 58 05 50 50
Pédarre Vulcopneu, 14 bd Candau ✆ 58 75 01 18

MONTDIDIER SP **80500 Somme 52 ⑲ G. Flandres Artois Picardie – 6 262 h alt. 82.**

Office de Tourisme, 4 r. Jean Dupuy ✆ 22 78 92 00, Fax 22 78 00 88.

Paris 107 – ◆Amiens 36 – Compiègne 33 – Beauvais 49 – Péronne 47 – St-Quentin 62.

Dijon, 1 pl. 10-Août-1918 (rte de Rouen) ✆ 22 78 01 35, Fax 22 78 27 24 – ☎ P. GB
fermé 1er au 15 août, vacances de fév., sam. (sauf hôtel) et dim. soir – **Repas** 72 – 35 – **14 ch** 205/280 – ½ P 245.

Montdy Pneus, 30 av. M.-Leconte ✆ 22 37 08 67

Le MONT-DORE **63240** P.-de-D. 73 ⑬ **G. Auvergne** – 1 975 h alt. 1050 – Stat. therm. (15 mai-9 oct.) – Spo d'hiver : 1 070/1 840 m 2 17 – Casino Z.

Voir Puy de Sancy ✱★★★ 5 km par ② puis 1 h. AR de téléphérique et de marche – Cascade d Queureuilh★ 2 km par ① puis 30 mn – **Env.** Col de Guéry ≤★★ sur roches Tuilière Sanadoire★★ et lac★ 9 km par ① – Col de la Croix-St-Robert ✱★★ 6,5 km par ②.

✆ 73 65 00 79, par ③ : 2,5 km.

Office de Tourisme av. Libération ✆ 73 65 20 21, Fax 73 65 05 71.

Paris 473 ① – ◆Clermont-Ferrand 44 ① – Aubusson 84 ⑤ – Issoire 49 ① – Mauriac 77 ④ – Ussel 56 ④.

Plan page ci-contre

Panorama, av. Libération ✆ 73 65 11 12, Fax 73 65 20 80, ≤, – ☎ GB. rest Z
12 mai-8 oct. et 25 déc.-20 mars – **Repas** 130/250, enf. 70 – 62 – **39 ch** 350/430 ½ P 360/380.

Castelet, av. M. Bertrand ✆ 73 65 05 29, Fax 73 65 27 95, – ☎ P. G rest Y
15 mai-30 sept. et 20 déc.-30 avril – **Repas** 117/228, enf. 46 – 35 – **36 ch** 261/323 ½ P 299.

Annexe Le Wilson M sans rest, ✆ 73 65 00 06, Fax 73 65 27 95 – cuisinette P. GB – *15 mai-30 sept. et 20 déc.-30 mars* – 35 – **4 ch** 371, 12 appart. Y

MONT-DORE

Favart (R.) . . . . Y 12
Panthéon (Pl. du) . . . . Z 22
République (Pl. de la) . . . . Z 26
Rigny (R.) . . . . Z 28

Apollinaire (R. S.) . . . . Y 2
Artistes (Promenade des) . . . Z
Belges (Av. des) . . . . . Y
Bertrand (Av. M.) . . . . Y
Chazotte (R. Capitaine) . . . . . Y 4
Clemenceau (Av.) . . . . Z 5
Clermont (Av. de) . . . . Y 8
Crouzets (Av. des) . . . Y
Dr-Claude (R.) . . . . Y
Duchâtel (R.) . . . . Z 9
Ferry (Av. J.) . . . . YZ
Gaulle (Pl. Ch.-de) . . . Y 14
Guyot-Dessaigne (Av.) . . . . Y 15
Leclerc (Av. du Gén.) . . . . . . Y
Libération (Av. de la) . . . . YZ
Melchi-Roze (Promenade) . . . . . . Y
Meynadier (R.) . . . . . YZ
Mirabeau (Bd) . . . . Y 18
Montlosier (R.) . . . . Y 19
Ramond (R.) . . . . Z 24
Sand (Allée G.) . . . . . YZ 29
Verrier (R. P.) . . . . Y
Wilson (Av.) . . . . Y 30
19 Mars 1962 (R. du) . . . . Y 32

Michelin n'accroche pas de panonceau aux hôtels et restaurants qu'il signale.

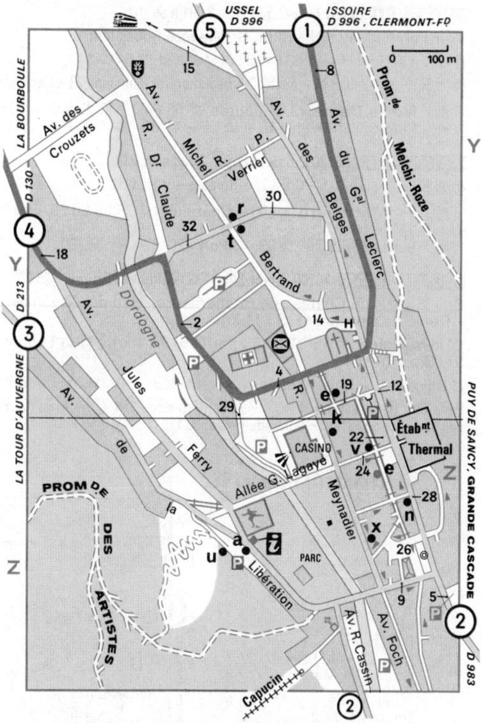

Parc, r. Meynadier ✆ 73 65 02 92, Fax 73 65 28 36 – |‡| TV ☎. GB. rest — Z **k**
15 avril-30 sept. et 26 déc.-15 mars – **Repas** 85/105 🍷, enf. 40 – ☕ 35 – **33 ch** 300 – ½ P 245.

Paris, 11 pl. Panthéon ✆ 73 65 01 79, Fax 73 65 20 98, , – |‡| TV ☎. GB. rest
15 mai-20 oct. et 20 déc.-18 avril – **Repas** 77/159 bc, enf. 35 – ☕ 29 – **23 ch** 250/300 – ½ P 298. — Z **v**

Paix, r. Rigny ✆ 73 65 00 17, Fax 73 65 00 31 – |‡| ☎ ✆. AE GB — Z **n**
fermé 5 oct. au 22 déc. – **Repas** 80/140, enf. 32 – ☕ 28 – **36 ch** 200/250 – ½ P 240.

Les Charmettes sans rest, 30 av. G. Clemenceau par ② ✆ 73 65 05 49, Fax 73 65 20 28 – ☎ ♿ P. GB.
15 mai-30 sept., vacances de Noël, de fév., et week-ends en hiver – ☕ 28 – **21 ch** 235.

Londres sans rest, r. Meynadier ✆ 73 65 01 12 – |‡| ☎. GB — Z **x**
15 mars-fin nov. – ☕ 25 – **20 ch** 160/230.

Madalet sans rest, av. Libération ✆ 73 65 03 13, Fax 73 65 00 93 – ☎. AE GB — Z **a**
15 mai-30 sept. et Noël-Pâques – ☕ 26 – **18 ch** 165/240.

Les Mouflons sans rest, par ② rte du Sancy : 0,5 km ✆ 73 65 02 90, ← – P. GB
fermé 1er au 10 mai et 20 oct. au 20 déc. – ☕ 25 – **28 ch** 120/200.

Mon Clocher, r. M. Sauvagnat ✆ 73 65 05 41, Fax 73 65 20 80 – TV ☎. GB — Y **e**
13 mai-30 sept. et 10 fév.-16 mars – **Repas** 70/100 🍷, enf. 49 – ☕ 30 – **30 ch** 160/230 – ½ P 200/235.

Louisiane, r. J. Moulin ✆ 73 65 03 14 – GB — Z **e**
fermé 1er nov. au 15 déc., 10 au 25 janv. et merc. sauf vacances scolaires – **Repas** 85/170 🍷, enf. 25.

au Genestoux par ⑤ : 3,5 km sur D 996 – ✉ **63240** Le Mont-Dore :

Le Pitsounet, ✆ 73 65 00 67, Fax 73 65 06 22, – P. GB
fermé mi-nov. à mi-déc. et lundi sauf juil.-août et fév. – **Repas** 70/160 🍷, enf. 42.

ONTE-CARLO 84 ⑩, 115 ㉗ ㉘ – voir à Monaco.

To go a long way quickly, use the Michelin Maps *which cover* Europe *at a scale of 1:1 000 000.*

MONTECH 82700 T.-et-G. 79 ⑰ – 3 091 h alt. 100.

Voir Pente d'eau★ N : 1 km, G. Pyrénées Roussillon.

Office de Tourisme ✆ 63 64 83 90, Mairie ✆ 63 64 82 44.

Paris 661 – ◆Toulouse 49 – Auch 72 – Beaumont-de-Lomagne 23 – Castelsarrasin 14 – Montauban 13.

Notre Dame, pl. J. Jaurès ✆ 63 64 77 45, Fax 63 64 75 36 – ☎ – 50. GB
Repas 79/180, enf. 45 – ☕ 26 – **11 ch** 160/230 – ½ P 210/240.

MONTÉLIER 26120 Drôme 77 ⑫ – 2 738 h alt. 219.

Paris 567 – Valence 10,5 – Crest 23 – Romans-sur-Isère 12.

La Martinière Ⓜ, rte Chabeuil ✆ 75 59 60 65, Fax 75 59 69 20, , – TV ☎ P
40. GB
Repas 85/250 – ☕ 33 – **30 ch** 220/280 – ½ P 230.

MONTÉLIMAR 26200 Drôme 81 ① **G. Vallée du Rhône** – 29 982 h alt. 90.

Env. Site★★ du Château de Rochemaure, 7 km par ④ – Viviers : vieille ville★, S : 11 km par D 7 – Défilé de Donzère★★ S : 11 km.

18 la Valdaine ✆ 75 01 86 66 par D 540 : 4 km ; 9 la Drôme Provençale à Clansayes ✆ 75 9 57 03 par ② : 21 km.

Office de Tourisme allées Champ-de-Mars ✆ 75 01 00 20, Fax 75 52 33 69.

Paris 607 ① – Valence 46 ① – Aix-en-Provence 154 ② – Alès 104 ② – Avignon 83 ② – Nîmes 106 ② Le Puy-en-Velay 131 ③ – Salon-de-Provence 118 ②.

MONTÉLIMAR

Julien (R. Pierre) . . . . . . YZ

Alexis (Chemin des) . . . . . Z
Armes (Pl. d') . . . . Y
Aygu (Av.) . . . . Z 4
Blanc (Pl. L.) . . . . Z 6
Briand (Bd Aristide) . . . . Y
Clercs (Pl. des) . . . . Y
Daujat (R. R.) . . . . Y
Desmarais (Bd Marre) . . . Y 7
Dormoy (Pl. M.) . . . . Z 8
Espoulette (Av. d') . . . . Z 9
Europe (Pl. de l') . . . . Z
Fust (Bd du) . . . . Z
Fust (Pl. du) . . . . Y 10
Gaulle (Bd Gén. de) . . . . Z
Loubet (Pl. Émile) . . . . Z 12
Marché (Pl. du) . . . . Y
Meyer (R. M.) . . . . Y 14
Meynot (Bd) . . . . Z
Monnaie-Vieille (R.) . . . . . Y 15
Montant-au-Château (R.) . . . . Y 16
Planel (Pl. A.) . . . . Z 17
Poyol (R. R.) . . . . Z
Provençales (Allées) . . . . . Y
Rochemaure (Av. de) . . . . Y 18
Roubion (Pl. du) . . . . Z
St-Gaucher (R.) . . . . Y
St-Martin (Av.) . . . . Y
St-Martin (Montée) . . . . Y 20
St-Martin-Pl.) . . . . Y
St-Martin (R.) . . . . Y
Théâtre (Pl. du) . . . . Z
Villeneuve (Av. de) . . . . . . Y 24
Quatre-Alliances (R.) . . . . Y

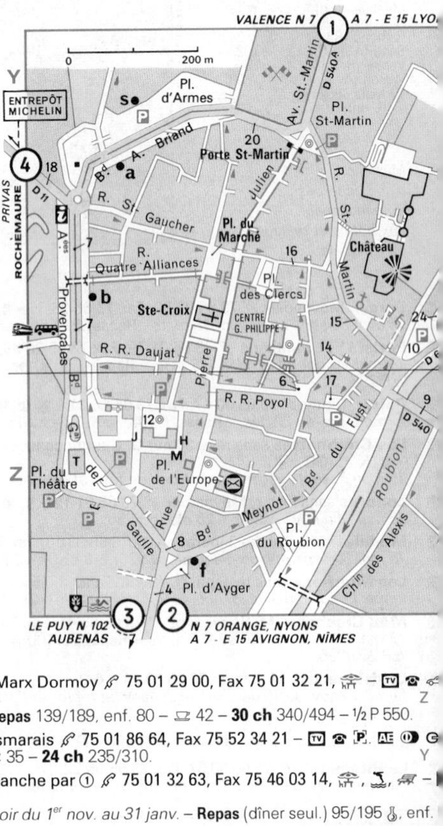

Relais de l'Empereur, pl. Marx Dormoy ✆ 75 01 29 00, Fax 75 01 32 21, – TV ☎ P. AE GB JCB Z
fermé 12 nov. au 19 déc. – **Repas** 139/189, enf. 80 – ☕ 42 – **30 ch** 340/494 – ½ P 550.

Sphinx sans rest, 19 bd Desmarais ✆ 75 01 86 64, Fax 75 52 34 21 – TV ☎ P. AE GB Y
fermé 24 déc. au 2 janv. – ☕ 35 – **24 ch** 235/310.

Printemps , 8 chemin Manche par ① ✆ 75 01 32 63, Fax 75 46 03 14, , , –
☎ P. AE GB. rest
fermé 1er au 15 déc. et dim. soir du 1er nov. au 31 janv. – **Repas** (dîner seul.) 95/195 , enf.
– ☕ 45 – **16 ch** 190/370.

Crémaillère sans rest, 138 av. J. Jaurès par ② ✆ 75 01 87 46, Fax 75 52 36 87, – TV
P. AE GB
fermé 21 déc. au 5 janv. – ☕ 33 – **20 ch** 240/310.

Beausoleil sans rest, 14 bd Pêcher ✆ 75 01 19 80, Fax 75 01 08 17 – TV ☎ P. GB Y s
☕ 32 – **16 ch** 180/280.

Provence sans rest, rte Marseille par ② ✆ 75 01 11 67 – ☎ P
fermé 15 janv. au 15 fév. et sam. de nov. à mars – ☕ 30 – **16 ch** 150/240.

XX **Francis,** rte Marseille par ② : 2,5 km ✆ 75 01 43 82, Fax 75 01 21 81 – ▤ P. GB
fermé 24 juil. au 21 août, mardi soir et merc. – **Repas** 88/158, enf. 63.

X **Le Moderne,** 25 bd A. Briand ✆ 75 01 31 90 – GB Y a
fermé 23 oct. au 2 nov., 22 déc. au 2 janv., vend. soir hors sais. et lundi – **Repas** 68/136 ♪, enf. 50.

à Montboucher-sur-Jabron SE : 4 km par D 940 – 1 278 h. alt. 124 – ✉ **26740** :

Château de Monard M, au golf de la Valdaine ✆ 75 01 86 66, Fax 75 01 24 49, ≤, parc, – ▤ rest ☎ P – 40. AE GB
Repas 138/245 – ☕ 60 – **32 ch** 520/850 – ½ P 500/615.

Château de Montboucher, ✆ 75 46 08 16, Fax 75 01 44 09, ≤, – TV ☎ P. AE GB
Repas 149/245, enf. 70 – ☕ 48 – **12 ch** 450/900 – ½ P 400/550.

par ② rte Les Champs et D 206 : 5 km – ✉ **26200** Montélimar :

Château du Perchoir M, ✆ 75 01 93 36, Fax 75 53 79 10, ≤, « Parc », – ▤ rest TV ☎ P – 40. AE GB
fermé 20 déc. au 31 janv., dim. soir et lundi – **Repas** 120 (déj.), 168/198 – ☕ 70 – **12 ch** 660/1350 – ½ P 540.

sur N 7 par ② : 7,5 km – ✉ **26780** Chateauneuf-du-Rhône :

XX **Pavillon de l'Étang,** ✆ 75 90 76 82, Fax 75 90 72 39, – P. AE GB
fermé 27 août au 4 sept., vacances de fév., dim. soir et lundi – **Repas** 145/280, enf. 60.

par ② : 9 km par N 7 et D 844, rte Donzère – ✉ **26780** Malataverne :

Domaine du Colombier, ✆ 75 90 86 86, Fax 75 90 79 40, ≤, « Jardin fleuri, » – TV ☎ P – 30. AE GB
fermé 27 nov. au 9 déc. et 27 janv. au 10 fév. – **Repas** 190/360, enf. 120 – ☕ 70 – **22 ch** 450/860, 3 appart – ½ P 485/860.

MICHELIN, Entrepôt, ZA du Meyrol par av. Rochemaure par ⑤ ✆ 75 01 80 91

BMW Gar. Fourel, ZA du Meyrol ✆ 75 00 87 87
CITROEN Gar. Magne, bd des Présidents ✆ 75 01 20 55 N ✆ 05 05 24 24
FIAT, LANCIA Gar. Bernard, ZI déviation PL Sud ✆ 75 51 86 75
FORD Croullet Autom., ZI Sud ✆ 75 51 02 31
PEUGEOT Gar. Moulin, rte de Marseille, le Grand Pélican par ② ✆ 75 00 83 83 N ✆ 75 00 83 83

RENAULT Gar. Jean, rte de Valence par ① ✆ 75 00 87 00 N ✆ 75 53 11 48
RENAULT H.-Jean Autom., ZI Sud av. de Gournier ✆ 75 01 30 40
VAG Génin Autom., ZA du Meyrol ✆ 75 00 82 92

Ayme Pneus, ZI Sud av. Gournier ✆ 75 01 32 77
Euromaster, 112 av. J.-Jaurès ✆ 75 01 88 11

MONTENACH 57 Moselle 57 ④ – rattaché à Sierck-les-Bains.

MONTEREAU-FAULT-YONNE 77130 S.-et-M. 61 ⑬ 106 ㊼ **G. Ile de France** – 18 657 h alt. 53.

Voir au N Montereau-Surville : ≤★ sur le confluent de la Seine et de l'Yonne, 15 mn.
de la Forteresse ✆ 60 96 95 10 à Thoury, S :10 km par N 105 et D 219.
Office de Tourisme 2 pl. René Cassin ✆ (1) 64 32 07 76.
Paris 82 – Fontainebleau 25 – Meaux 81 – Melun 30 – Sens 43 – Troyes 98.

XXX **Le Régent,** 6 pl. Bosson ✆ (1) 60 96 35 74, Fax (1) 64 32 33 46, – AE GB
fermé 15 août au 1er sept., 1er au 8 janv., sam. midi et dim. soir – **Repas** 105/260 et carte 220 à 310.

X **Aub. des Noues,** 22 r. Arches ✆ (1) 64 32 05 34, Fax (1) 60 96 29 87, – GB
fermé août et lundi – **Repas** (déj. seul.) 95/135.

à Flagy SO : 10 km par rte Nemours et D 120 – 415 h. alt. 77 – ✉ **77940** :

XXX **Host. du Moulin** avec ch, ✆ (1) 60 96 67 89, Fax (1) 60 96 69 51, « Moulin du 13e siècle », – ☎ P. AE GB
fermé 15 au 27 sept., 22 déc. au 24 janv., dim. soir et lundi sauf fériés – **Repas** 180/230 et carte 170 à 300 ♪, enf. 75 – ☕ 48 – **10 ch** 250/500 – ½ P 380/461.

PEUGEOT Coffre Sud, 11 r. Chatelet par av. Gén.-de-Gaulle ✆ (1) 64 32 02 16
RENAULT Gar. Coulet, av. 8 Mai 1945 à Varennes-sur-Seine ✆ (1) 64 32 09 25 N ✆ (1) 07 84 20 57

Agrinel Espace Auto, 30 rte du Petit Fossard à Varennes-sur-Seine ✆ (1) 64 70 51 00

Sovic - Point S, ZI carr. Central ✆ (1) 64 32 11 98

MONTEUX 84 Vaucluse 81 ⑫ – rattaché à Carpentras.

MONTFAUCON 25 Doubs 66 ⑮ – rattaché à Besançon.

MONTFAVET 84 Vaucluse 81 ⑫ – rattaché à Avignon.

MONTFERRAT 83131 Var 84 ⑦ – 629 h alt. 466.

Voir S : Gorges de Châteaudouble★, G. Côte d'Azur.

Paris 880 – Castellane 44 – Draguignan 15 – ◆Toulon 98.

X **Ferme du Baudron,** S : 1 km par D 955 ☎ 94 70 91 03, « Cadre rustique », P
fermé 15 janv. au 28 fév., le soir sauf juil.-août et merc. – **Repas** (nombre de couverts limités prévenir) 90.

MONTFORT-EN-CHALOSSE 40380 Landes 78 ⑦ **G. Pyrénées Aquitaine** – 1 116 h alt. 110.

Paris 742 – Mont-de-Marsan 35 – Aire-sur-l'Adour 56 – Dax 18 – Hagetmau 27 – Orthez 28 – Tartas 15.

Aux Tauzins, E : 1,5 km par D 32 et D 2 ☎ 58 98 60 22, Fax 58 98 45 79, TV ☎ P – 30. GB. ch
fermé 1er au 15 oct., 7 au 30 janv. et lundi sauf juil.-août – **Repas** 100/185, enf. 45 – 30
16 ch 220/260 – ½ P 235/245.

MONTFORT-L'AMAURY 78490 Yvelines 60 ⑨ 106 ㉗ **G. Ile de France** (plan) – 2 651 h alt. 185.

Voir Église★ – Ancien charnier★ (au cimetière) – Ruines du château ≤★.

Office de Tourisme à la Mairie ☎ (1) 34 86 00 40.

Paris 46 – Dreux 37 – Houdan 16 – Mantes-la-Jolie 29 – Rambouillet 19 – Versailles 26.

XXX ✿ **Aub. de l'Arrivée** (Habans), D 76 (à Méré) ☎ (1) 34 86 00 28, Fax (1) 34 86 84 94, – AE GB JCB
fermé 19 août au 20 sept., 20 fév. au 10 mars, lundi soir et mardi – **Repas** 230/360 et cart 310 à 420
Spéc. Foie gras de canard et sa gelée au sauternes. Cassolette de homard breton. Fondant au chocolat, crèm pistache.

XXX **Chez Nous,** 22 r. Paris ☎ (1) 34 86 01 62 – GB
fermé dim. soir et lundi sauf fériés – **Repas** 180/250 bc et carte 240 à 340.

MONTGENÈVRE 05100 H.-Alpes 77 ⑱ **G. Alpes du Sud** – 519 h alt. 1850 – Sports d'hiver : 1 860/2 700 m 2 22.

9 ☎ 92 21 94 23.

Office de Tourisme ☎ 92 21 90 22, Fax 92 21 92 45.

Paris 698 – Briançon 12 – Gap 100 – Lanslebourg-Mont-Cenis 76 – Torino 96.

Valérie, ☎ 92 21 90 02, Fax 92 21 81 43 – TV ☎. GB. rest
début juil.-10 sept. et mi-déc.-début avril – **Repas** (dîner seul. en été) 100 (déj.)/130 – 30
18 ch 250/365 – ½ P 295/315.

MONTGRÉSIN 60 Oise 56 ⑪, 106 ⑧ – rattaché à Chantilly.

Les MONTHAIRONS 55 Meuse 57 ⑪ – rattaché à Verdun.

MONTHERMÉ 08800 Ardennes 53 ⑱ **G. Champagne** (plan) – 2 866 h alt. 180.

Voir Roche aux Sept Villages ≤★★ S : 3 km – Roc de la Tour ≤★★ E : 3,5 km puis 20 mn Longue Roche ≤★★ NO : 2,5 km puis 30 mn – Roche à Sept Heures ≤★ N : 2 km – Roche d Roma ≤★ S : 4 km – Les Dames de Meuse★ NO : 5 km – Rocher des Quatre Fils Aymon★ SE : km – E : Vallée de la Semoy★.

Env. Roches de Laifour★★ NO : 6 km.

Office de Tourisme r. Etienne Dolet (juil.-sept.) ☎ 24 53 07 46 et (hors saison) ☎ 24 53 06 50.

Paris 252 – Charleville-Mézières 18 – Fumay 28.

Franco-Belge, 2 r. Pasteur ☎ 24 53 01 20, Fax 24 53 54 49 – TV ☎ P. GB.
fermé 1er au 10 janv., vend. soir et dim. soir sauf juil.-août et fériés – **Repas** 90/280 – 34
18 ch 230/280 – ½ P 230/290.

PEUGEOT Modern Gar., 3 r. Dr-Lemaire ☎ 24 53 00 46

MONTHIEUX 01390 Ain 74 ② – 344 h alt. 295.

Paris 443 – ◆Lyon 31 – Bourg-en-Bresse 37 – Meximieux 25 – Villefranche-sur-Saône 20.

Le Gouverneur M, Le Château du Breuil, rte Ambérieux-en-Dombes : 1,5 km par 82 et D 6 ☎ 72 26 42 00, Fax 72 26 42 20, ≤, parc, « Au milieu d'un golf », – TV ☎ P – 90. AE GB
fermé 15 au 30 déc. – **Repas** *(fermé dim. soir et lundi)* 130 (déj.), 190/240 – 48 – **53 c** 540/590 – ½ P 415.

MONTI 06 Alpes-Mar. 84 ⑳ – rattaché à Menton.

MONTICELLO 2B H.-Corse 90 ⑬ – voir à Corse.

MONTIGNAC 24290 Dordogne 75 ⑦ **G. Périgord Quercy** – 2 938 h alt. 77.

Voir Lascaux II★★ SE : 2,5 km.

Env. Le Thot, espace cro-magnon★ S : 7 km – Église★★ de St-Amand de Coly E : 7 km.

Syndicat d'Initiative, pl. Léo Magne ☎ 53 51 82 60, Fax 53 50 49 72.

Paris 497 – Brive-la-Gaillarde 37 – Périgueux 48 – Sarlat-la-Canéda 25 – Bergerac 88 – ◆Limoges 100.

✿ **Château de Puy Robert** ⛰, SO : 1,5 km par D 65 ✆ 53 51 92 13, Fax 53 51 80 11, ≤, parc, « Élégante décoration intérieure », ⛱ – |‡| TV ☎ ✆ P – 🚩 30. AE ⓪ GB
1er mai-15 oct. – **Repas** *(fermé merc. midi)* 170/390 et carte 340 à 500, enf. 90 – ☕ 75 – **38 ch** 640/1250, 4 duplex – ½ P 735/1015
Spéc. Esturgeon de Gironde et escalope de ris de veau poêlée. Filet de pigeon rôti et foie de canard au pain d'épices poêlé. Croustillant de framboises aux noix et glace au romarin. Vins Bergerac blanc, Cahors.

Relais du Soleil d'Or, r. 4-Septembre ✆ 53 51 80 22, Fax 53 50 27 54, 🏠, ⛱, 🌳 – TV ☎ ♿ P – 🚩 40. AE GB
Repas *(fermé dim. soir et lundi hors sais.)* 125/250 – ☕ 50 – **28 ch** 295/405, 4 appart – ½ P 345/395.

Roseraie ⛰, pl. d'Armes ✆ 53 50 53 92, Fax 53 51 02 23, 🏠, ⛱, 🌳 – TV ☎. GB
Pâques-Toussaint – **Repas** *(fermé lundi midi)* 80 (déj.), 100/250 – ☕ 45 – **14 ch** 395/490 – ½ P 360/440.

CITROEN Gar. Vinette, ✆ 53 51 87 16

MONTIGNY 76 S.-Mar. 55 ⑥ – rattaché à Rouen.

MONTIGNY-AUX-AMOGNES 58130 Nièvre 69 ④ – 498 h alt. 218.

Paris 248 – Château-Chinon 57 – Decize 36 – Nevers 15 – Prémery 18.

✕ **Aub. des Amognes,** ✆ 86 58 61 97, 🏠, 🌳 – P. GB
fermé 3 au 10 fév., dim. soir du 15 oct. au 15 mars et lundi – **Repas** (prévenir) 80 (déj.), 118/184, enf. 60.

MONTIGNY-LA-RESLE 89230 Yonne 65 ⑤ – 548 h alt. 155.

Paris 175 – Auxerre 15 – St-Florentin 18 – Tonnerre 33.

Soleil d'Or M, ✆ 86 41 81 21, Fax 86 41 86 88 – TV ☎ ♿ P – 🚩 25. AE ⓪ GB JCB. ✻ ch
Repas 79 bc/325 ♨, enf. 58 – ☕ 35 – **16 ch** 195/295 – ½ P 260.

MONTIGNY-LE-BRETONNEUX 78 Yvelines 60 ⑨, 101 ㉒ – voir à St-Quentin-en-Yvelines.

MONTIGNY-LE-ROI 52140 H.-Marne 62 ⑬ – 2 167 h alt. 404.

Paris 307 – Chaumont 34 – Bourbonne-les-Bains 21 – Langres 23 – Neufchâteau 57 – Vittel 49.

Moderne, ✆ 25 90 30 18, Fax 25 90 71 80 – TV ☎ ✆ ♿ 🚗 P – 🚩 25. AE ⓪ GB
Repas 84/225 ♨, enf. 42 – ☕ 39 – **26 ch** 245/320 – ½ P 240/260.

PEUGEOT Gar. Flagez, ✆ 25 90 30 34 N ✆ 25 90 71 71

RENAULT Gar. Rabert, ✆ 25 90 31 15 N ✆ 25 90 37 19

MONTIGNY-LÈS-METZ 57 Moselle 57 ⑬ ⑭ – rattaché à Metz.

MONT-L'ÉVÊQUE 60 Oise 56 ⑫ – rattaché à Senlis.

MONT-LOUIS 66210 Pyr.-Or. 86 ⑯ G. Pyrénées Roussillon – 200 h alt. 1565.

Voir Remparts★.

Office de Tourisme r. Marché ✆ 68 04 21 97.

Paris 937 – Font-Romeu-Odeillo-Via 9 – Andorra-la-Vella 84 – Carcassonne 120 – Foix 106 – ◆Perpignan 80 – Prades 36.

✕ **Lou Rouballou** avec ch, ✆ 68 04 23 26, Fax 68 04 14 09 – AE GB. ✻
juin-sept., mi-déc.-fin avril et fermé merc. sauf vacances scolaires – **Repas** 125/195 – ☕ 35 – **14 ch** 150/250 – ½ P 230/260.

à la Llagonne N : 3 km par D 118 – 243 h. alt. 1600 – ✉ **66210** Mont-Louis :

Corrieu ⛰, ✆ 68 04 22 04, Fax 68 04 16 63, ≤, ✻ – ☎ P. AE GB. ✻ rest
4 juin-27 sept. et 21 déc.-28 mars – **Repas** 89/152 ♨, enf. 52 – ☕ 40 – **28 ch** 158/380 – ½ P 215/315.

PEUGEOT Gar. Giraud, carr. Monument Brousse à la Cabanasse ✆ 68 04 20 22 N ✆ 68 04 20 22

MONTLOUIS-SUR-LOIRE 37270 I.-et-L. 64 ⑮ G. Châteaux de la Loire – 8 309 h alt. 60.

Office de Tourisme ✆ 47 45 00 16, Mairie ✆ 47 45 85 85.

Paris 235 – ◆Tours 12 – Amboise 13 – Blois 47 – Château-Renault 31 – Loches 38 – Montrichard 31.

de la Ville, pl. Mairie ✆ 47 50 84 84, Fax 47 45 08 43, 🏠 – TV ☎ P. GB
fermé 20 déc. au 10 janv. – **Repas** 90/240, enf. 50 – ☕ 35 – **29 ch** 240/350 – ½ P 205/255.

MONTLUÇON ⟨SP⟩ 03100 Allier 69 ⑪ ⑫ G. Auvergne – 44 248 h alt. 220.

Voir Le Vieux Montluçon★ BCZ : intérieur★ de l'église St-Pierre (sainte Madeleine★★) CYZ, Esplanade du château ≤★ – Collection de vielles★ au musée municipal CZ **M.**

du Val de Cher ✆ 70 06 71 15, N : 20 km par N 144.

Office de Tourisme 1 av. Marx Dormoy ✆ 70 05 05 92 – A.C. 10 r. Michelet ✆ 70 64 70 38.

Paris 333 ① – Moulins 78 ② – Bourges 94 ① – ◆Clermont-Ferrand 109 ① – ◆Limoges 153 ⑤ – Poitiers 207 ⑥.

MONTLUÇON

Barathon (R.) . . . . CZ 2
Courtais (Bd de) . BCZ
République (Av.) . BY
St-Pierre (R. Fg) . . BY 35

Beaulieu (R. de) . . AX 4
Blanzat (R. de) . . . AX 5
Château (R. du) . . CZ 6
Châtelet (Pont du) . . . . . AX 8
Desmoulins (R. C.) AX 9
Dienat (R. du) . . . . AX 10
Egalité (R. de l') . . AX 12
Einstein (R. A.) . . . AX 13
Faucheroux (R.) . . AX 14
Favières (Q.) . . . . BY 15
Fontaine (R. de la) CZ 16
Forges (R. Porte) . . CZ 17
Jaurès (Pl. Jean) . . CZ 18
Menut (R. L.) . . . . CY 22
Nègre (Av. J.) . . . . AX 24
Notre-Dame (Pl.) . . CZ 25
Notre-Dame (R.) . . CZ 26
Pamparoux (R.) . . . AX 27
Petit (R. P.) . . . . . CY 30
Picasso (R. P.) . . . CY 31
Piquand (R. E.) . . . BZ 32
St-Pierre (Pl.) . . . BCZ 36
St-Roch (R.) . . . . BCZ 38
Semard (R. P.) . . . AX 40
Serruriers (R.) . . . BCZ 42
Thomas (Av. A.) . . AX 45
Verrerie (R. et Pl. de la) . AX 46
Victor-Hugo (R.) . . AX 47
Villon (R. P.) . . . . . AX 49
Voltaire (R.) . . . . . AX 50
5 Piliers (R. des) . . CZ 52

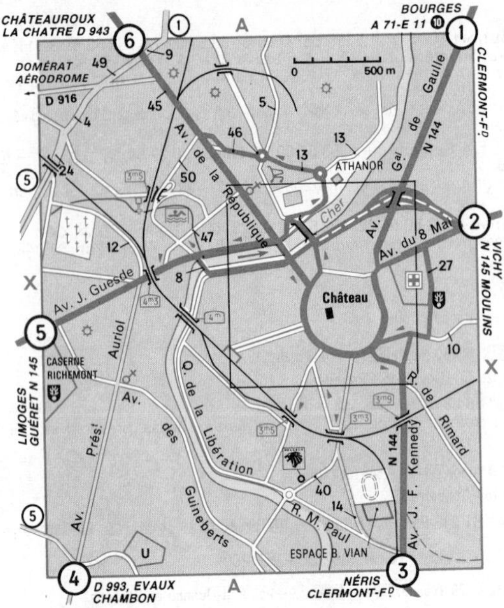

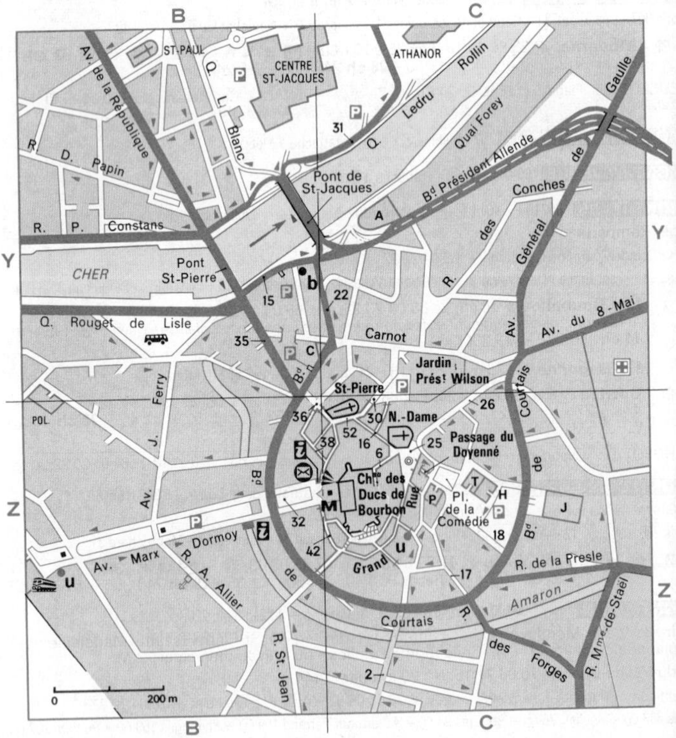

Domaine Château St-Jean ⛫, près hippodrome par ③ ✆ 70 05 04 65, Fax 70 05 97 75, « Belle demeure en bordure d'un parc », – TV ☎ & P – 25 à 100. AE GB
Repas 150 bc (déj.), 195/310 – ☐ 60 – **15 ch** 590/750, 5 appart – ½ P 550/650.

Ibis M, quai Favières ✆ 70 28 48 42, Fax 70 28 58 62 – rest TV ☎ & P – 40. AE GB BY **b**
Repas 99 bc/150 &, enf. 39 – ☐ 35 – **63 ch** 262/290.

XXX **Grenier à Sel** avec ch, pl. des Toiles ✆ 70 05 53 79, Fax 70 05 87 91, « Hôtel particulier du vieux Montluçon », – TV ☎. AE GB. rest CZ **n**
fermé dim. soir et lundi sauf juil.-août – **Repas** 120/380 et carte 240 à 380 – ☐ 55 – **4 ch** 350/500.

X **Safran d'Or**, 12 pl. des Toiles ✆ 70 05 09 18 – AE GB CZ **u**
fermé dim. soir et lundi – **Repas** 79/148 &, enf. 46.

par ① : 5 km sur N 144 – ✉ **03410** St-Victor :

Primevère, rte Bourges ✆ 70 28 88 88, Fax 70 28 87 73, – TV ☎ & P – 40. AE GB
Repas 81/104 &, enf. 41 – ☐ 30 – **42 ch** 290 – ½ P 212/282.

Campanile, rte Bourges ✆ 70 28 48 48, Fax 70 28 51 04, – TV ☎ & P – 30. AE GB
Repas 84 bc/107 bc, enf. 39 – ☐ 32 – **47 ch** 270.

à Estivareilles par ① : 10 km – 1 104 h. alt. 90 – ✉ **03190** :

XX **Host. Lion d'Or** avec ch, N 144 ✆ 70 06 00 35, Fax 70 06 09 78, parc – TV ☎ P. AE GB
fermé 4 août au 3 sept., dim. soir et lundi – **Repas** 75/250, enf. 45 – ☐ 28 – **10 ch** 140/250 – ½ P 295/310.

LFA ROMEO Gar. Andrieu, 21 r. H.-Berlioz ✆ 70 28 41 34
TROEN Gar. Montluçonnais, r. de Pasquis ZA par C.-Desmoulins AX ✆ 70 08 23 30
ERCEDES Gar. Auvity, 23 à 27 q. Stalingrad 70 29 07 93
PEL S.I.V.R.A.C., 162 av. Gén.-de-Gaulle 70 28 39 01
EUGEOT Gar. Bourbonnais, 10 r. P.-Sémard AX ✆ 70 05 34 37 N ✆ 70 05 34 37
RENAULT D.I.A.M., rte de Châteauroux-la-Côte-Rouge à Domérat par ⑥ ✆ 70 08 13 00 N ✆ 70 02 40 38
TOYOTA S.A.G.A., q. de Stalingrad ✆ 70 28 88 80
VAG Europe Gar., 18 q. Forey ✆ 70 05 31 33 N ✆ 70 05 39 10

Euromaster, 1 r. de Blanzat ✆ 70 03 74 30
Pneu Poughon Godignon Vulcopneu, r. E.-Sue ZI ✆ 70 29 64 85

Utilizzate, per lunghi percorsi,
le carte stradali Michelin in scala 1/1 000 000.

MONTLUEL 01120 Ain 74 ② – 5 954 h alt. 190.
ris 474 – ♦Lyon 24 – Bourg-en-Bresse 44 – Chalamont 20 – Meximieux 14 – Villefranche-sur-Saône 45.

Le Petit Casset M sans rest, à La Boisse SO : 2 km ✆ 78 06 21 33, Fax 78 06 55 20 – TV ☎ P. GB.
☐ 38 – **15 ch** 295/325.

à Ste-Croix N : 5 km par D 61 – 365 h. alt. 263 – ✉ **01120** :

Chez Nous ⛫, ✆ 78 06 60 60, Fax 78 06 63 26, – TV ☎ & P – 40. GB
Repas *(fermé 15 au 30 nov., 2 au 15 janv., dim. soir et lundi)* 78 (déj.), 105/265 – ☐ 35 – **29 ch** 180/280 – ½ P 235/275.

Relais Pneus, ZA du Petit Rosait à la Boisse ✆ 78 06 41 01

MONTMARAULT 03390 Allier 69 ⑬ – 1 597 h alt. 480.
ris 353 – Moulins 45 – Gannat 39 – Montluçon 32 – St-Pourçain-sur-Sioule 28.

XX **France** avec ch, 1 r. Marx Dormoy ✆ 70 07 60 26, Fax 70 07 68 45 – TV ☎ P. GB
fermé 22 au 28 avril et 15 au 31 janv. – **Repas** 80/230 & – ☐ 36 – **8 ch** 220/360 – ½ P 226/296.

UGEOT Gar. Mercadal, ✆ 70 07 61 06
RENAULT Gar. Maillard, ✆ 70 07 67 97

MONTMÉDY 55600 Meuse 57 ① G. Alsace Lorraine (plan) – 1 943 h alt. 193.
oir Remparts★.
nv. Basilique★★ et Recevresse★ d'Avioth N : 8 km.
Office de Tourisme Ville Haute (fév.-nov.) ✆ 29 80 15 90, Fax 29 80 05 79.
ris 260 – Charleville-Mézières 66 – Longwy 40 – ♦Metz 103 – Verdun 47 – Vouziers 60.

Le Mâdy, ✆ 29 80 10 87, Fax 29 80 02 40 – TV ☎. AE GB
fermé fév., lundi (sauf hôtel) et dim. soir du 15 sept. au 15 juin – **Repas** 72/315 &, enf. 55 – ☐ 35 – **11 ch** 250/290 – ½ P 225/290.

UGEOT Gar. Bigorgne, ✆ 29 80 10 34

MONTMÉLIAN 73800 Savoie 74 ⑯ G. Alpes du Nord – 3 930 h alt. 307.

Voir ✻★ du rocher.

Office de Tourisme, Mairie ✆ 79 84 07 31.

Paris 557 – ♦Grenoble 50 – Albertville 40 – Allevard 25 – Chambéry 13 – St-Jean-de-Maurienne 57.

- **Primevère,** N 6 ✆ 79 84 12 01, Fax 79 84 23 01, – TV ☎ ♿ P – 30. GB
  Repas 59/102 ♁, enf. 41 – 32 – **42 ch** 265/290 – ½ P 227/247.
- **George** sans rest, N 6 ✆ 79 84 05 87, Fax 79 84 40 14 – ☎ P. GB.
  fermé mai et nov. – 28 – **12 ch** 150/200.
- XXX **Host. des Cinq Voûtes,** N 6 ✆ 79 84 05 78, Fax 79 84 28 85, « Voûtes moyenâgeuses » – P. AE ⓓ GB
  fermé 19 août au 9 sept., 8 au 15 janv., dim. soir et lundi soir – **Repas** 100 (déj.), 160/250 carte 240 à 340.
- XX **L'Arlequin** (Centre technique hôtelier), N 6 ✆ 79 84 21 54, Fax 79 84 25 77 – P. GB
  fermé 7 juil. au 18 août, merc. et le soir sauf vend. et sam. – **Repas** 75/145.
- X **Viboud** avec ch, Vieux Montmélian ✆ 79 84 07 24, Fax 79 84 44 07 – rest TV ☎ P. AE ⓓ GB
  fermé oct., 1er au 15 janv., dim. soir et lundi – **Repas** 98/160 ♁ – 35 – **8 ch** 160/195 ½ P 200.

NISSAN Gar. Joguet, à Francin ✆ 79 84 23 78 — RENAULT Gar. Novel, ✆ 79 84 04 52

MONTMERLE-SUR-SAÔNE 01090 Ain 74 ① – 2 596 h alt. 170.

Paris 422 – Mâcon 29 – Bourg-en-Bresse 42 – Chauffailles 48 – ♦Lyon 45 – Villefranche-sur-Saône 12.

- **Rivage,** au pont ✆ 74 69 33 92, Fax 74 69 49 21, – TV ☎ P – 30. AE GB
  fermé nov., 1er au 7 mars, dim. soir du 1er oct. au 31 mai et lundi sauf le soir du 1er juin au sept. – **Repas** 98/290 ♁, enf. 70 – 38 – **21 ch** 250/380 – ½ P 300/340.

MONTMEYRAN 26120 Drôme 77 ⑫ – 2 360 h alt. 189.

Paris 579 – Valence 14 – Crest 14 – Romans-sur-Isère 25.

- XX **La Vieille Ferme,** Les Dorelons E : 1,5 km par D 125 ✆ 75 59 31 64, Fax 75 59 49 17, « Intérieur rustique, jardin » – P. GB
  fermé 1er au 21 août, dim. soir, lundi soir et mardi – **Repas** (prévenir) 120 (déj.), 170/220.

MONTMIRAIL 84 Vaucluse 81 ⑫ – rattaché à Gigondas.

MONTMORENCY 95 Val-d'Oise 56 ⑪, 101 ⑤ – voir Paris, Environs.

MONTMORT 51270 Marne 56 ⑮ ⑯ G. Champagne – 583 h alt. 210.

Env. Fromentières : retable★★ de l'église SO : 11 km.

Paris 123 – ♦Reims 43 – Châlons-en-Champagne 46 – Épernay 18 – Montmirail 24 – Sézanne 26.

- **Cheval Blanc,** ✆ 26 59 10 03, Fax 26 59 15 88 – TV ☎ P. ⓓ GB
  fermé vend. de nov. à mars – **Repas** 75/280 ♁, enf. 50 – 35 – **19 ch** 150/320 ½ P 200/280.

MONTOIRE-SUR-LE-LOIR 41800 L.-et-Ch. 64 ⑤ G. Châteaux de la Loire (plan) – 4 065 h alt. 65.

Voir Chapelle St-Gilles★ : peintures murales★★ – Pont ≤★.

Syndicat d'Initiative à la Mairie ✆ 54 85 00 29.

Paris 189 – ♦Le Mans 68 – Blois 43 – Château-Renault 21 – La Flèche 80 – St-Calais 23 – Vendôme 18.

- XX **Cheval Rouge** avec ch, pl. Foch ✆ 54 85 07 05, Fax 54 85 17 42 – TV ☎. AE GB
  fermé 15 au 30 nov., 4 au 22 fév., mardi soir et merc. sauf juil.-août – **Repas** (dim. prévenir) 87 (déj.), 123/235, enf. 48 – 29 – **15 ch** 143/256 – ½ P 215/258.

à Lavardin SE : 2,5 km par D 108 – 245 h. alt. 78 – ✉ 41800 :

- XX **Relais d'Antan,** ✆ 54 86 61 33, Fax 54 86 62 08, – GB
  fermé 14 janv. au 13 fév., mardi soir et merc. – **Repas** 95 (déj.), 145/235, enf. 60.

PEUGEOT Gar. Hervio, ✆ 54 85 02 40 N ✆ 54 85 02 40

MONTORY 64470 Pyr.-Atl. 85 ⑤ – 379 h alt. 350.

Paris 825 – Pau 57 – Mauléon-Licharre 17 – Oloron-Ste-Marie 22 – St-Jean-Pied-de-Port 56.

- **Aub. de L'Etable,** ✆ 59 28 56 34, Fax 59 28 70 07, – TV ☎ P. AE ⓓ GB
  fermé 18 au 27 déc. – **Repas** 78/195 – 29 – **29 ch** 230/250 – ½ P 270.

MONTPELLIER P 34000 Hérault 83 ⑦ G. Gorges du Tarn – 207 996 h Agglo. 248 303 h alt. 27.

'oir Vieux Montpellier★★ : hôtel de Varennes★ FY **M1**, hôtel des Trésoriers de la Bourse★ FY **X**, ue de l'Ancien Courrier★ EFY **4** – Promenade du Peyrou★★ : ≤★ de la terrasse supérieure AU – uartier Antigone★ – Musée Fabre★★ FY – Musée Atger★ (dans la faculté de médecine) EX – lusée languedocien★ (dans l'hôtel des trésoriers de France) FY **M²** – Château de Flaugergues★ : 3 km.

nv. Parc zoologique de Lunaret★ 6 km par av. Bouisson-Bertrand ABT – Château de la logère★ E : 5 km par D 24 DU.

de Coulondres ✆ 67 84 13 75, 12 km par ⑦ ; 18 9 de Fontcaude à Juvignac ✆ 67 03 34 30, km par ⑥ ; 18 de Massane à Baillargues ✆ 67 87 87 87, 13 km par ①.

de Montpellier-Méditerranée ✆ 67 20 85 00 SE par ③ : 7 km.

Office de Tourisme 78 av. Pirée ✆ 67 22 06 16, Fax 67 22 38 10 au Triangle allée Tourisme ✆ 67 58 67 58, ax 67 58 67 59 Annexes : gare SNCF r. J.-Ferry (saison) ✆ 67 92 90 03, Rond-point des Prés d'Arènes ' 67 22 08 80 – A.C. Hérault-Aveyron 3 r. Maguelone ✆ 67 58 44 12.

aris 759 ② – ♦Marseille 171 ② – ♦Nice 325 ② – Nîmes 51 ② – ♦Toulouse 241 ⑤.

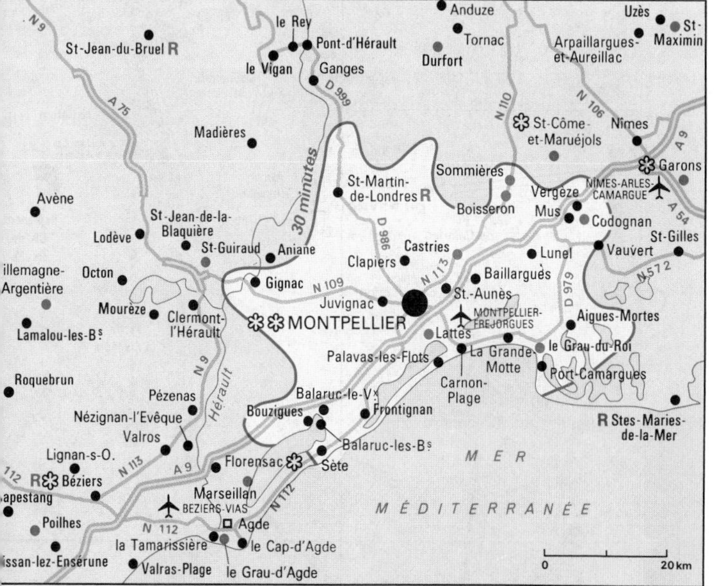

Alliance-Métropole M, 3 r. Clos René ✆ 67 58 11 22, Télex 480410, Fax 67 92 13 02, – ⎅ ⇆ ▤ TV ☎ ⇔ – 🔺 40 à 70. AE ⓞ GB JCB FZ **a**
Repas *(fermé sam. midi et dim.)* 98/145 – ☐ 70 – **81 ch** 430/580 – ½ P 540.

Sofitel Antigone M sans rest, 1 r. Pertuisanes ✆ 67 65 62 63, Télex 485875, Fax 67 65 17 50, « Piscine sur le toit » – ⎅ ⇆ ▤ TV ☎ ♿ – 🔺 150. AE ⓞ GB
☐ 85 – **89 ch** 675/875. CU **v**

Mercure M, 285 bd de l'Aéroport International ✆ 67 20 63 63, Télex 485892, Fax 67 20 63 64, – ⎅ ⇆ ▤ TV ☎ ✆ ♿ ⇔ – 🔺 80. AE ⓞ GB DU **k**
Repas *(fermé sam. et dim.)* 140/250 ♀, enf. 45 – ☐ 57 – **114 ch** 390/450.

Astron Méditerranée M sans rest, av. Pirée ✆ 67 20 57 57, Fax 67 20 58 58, Fo – ⎅ ⇆ ▤ TV ☎ ✆ ♿ ⇔ P. AE ⓞ GB DU **t**
☐ 75 – **23 ch** 390/570, 115 appart 570.

Sofitel Le Triangle sans rest, au Triangle ✆ 67 58 45 45, Télex 480140, Fax 67 58 77 50 – ⎅ ⇆ ▤ TV ☎. AE ⓞ GB JCB CU **h**
☐ 70 – **97 ch** 350/550.

La Maison Blanche M, 1796 av. Pompignane ✆ 67 79 60 25, Fax 67 79 53 39, , – ▤ ch TV ☎ ✆ ♿ P – 🔺 30. AE ⓞ GB. ✻ rest DT **r**
Repas *(fermé lundi midi et dim.)* 90 (déj.), 150/250 – ☐ 50 – **38 ch** 330/430 – ½ P 370.

New H. du Midi sans rest, 22 bd V. Hugo ✆ 67 92 69 61, Télex 490752, Fax 67 92 73 63 – ⎅ ▤ TV ☎. AE ⓞ GB FZ **v**
☐ 40 – **47 ch** 380.

MONTPELLIER

Polygone (Le) .... CU
Anatole-France (R.) ...... BU 3
Arceaux (Bd des) ...... AU 6
Bazille (R. F.) .... BCV 12
Blum (R. Léon) .... CU 13
Broussonnet (R. A.) .... AT 18
Chancel (Av.) .... AT 25
Citadelle (Allée) .... CU 26
Clapiès (R.) .... AU 2
Comte (R. A.) .... AU 2
Délicieux (R. B.) .... CT 3
Etats-du-Languedoc (Av.) CU 3
Fabre-de-Morlhon (Bd) . BV 3
Fg-Boutonnet (R.) ...... BT 3

g-Figuerolles (R.) ..... AU 38
g-de-Nîmes (R.) ...... CT 40
ahault (Av. Ch.) ...... AT 43
ontaine-de-Lattes (R.) . CU 44
enri-II-de-
Montmorency (Allée) . CU 51
Leclerc (Av. du Mar.) ... CV 58
Millénaire (Pl. du) ...... CU 62
Nombre-d'Or (Pl. du) ... CU 64
Olivier (R. A.) .... CU 66
Pont-de-Lattes (R. du) .. CU 69
Pont-Juvénal (Av.) .... CDU 70
Près-d'Arènes (Av. des) . BV 71
Proudhon (R.) .... BT 72
René (R. H.) .... CV 73
Villeneuve-
d'Angoulême (Av.) .. ABV 88
8-Mai-1945 (Pl. du) ..... AV 90

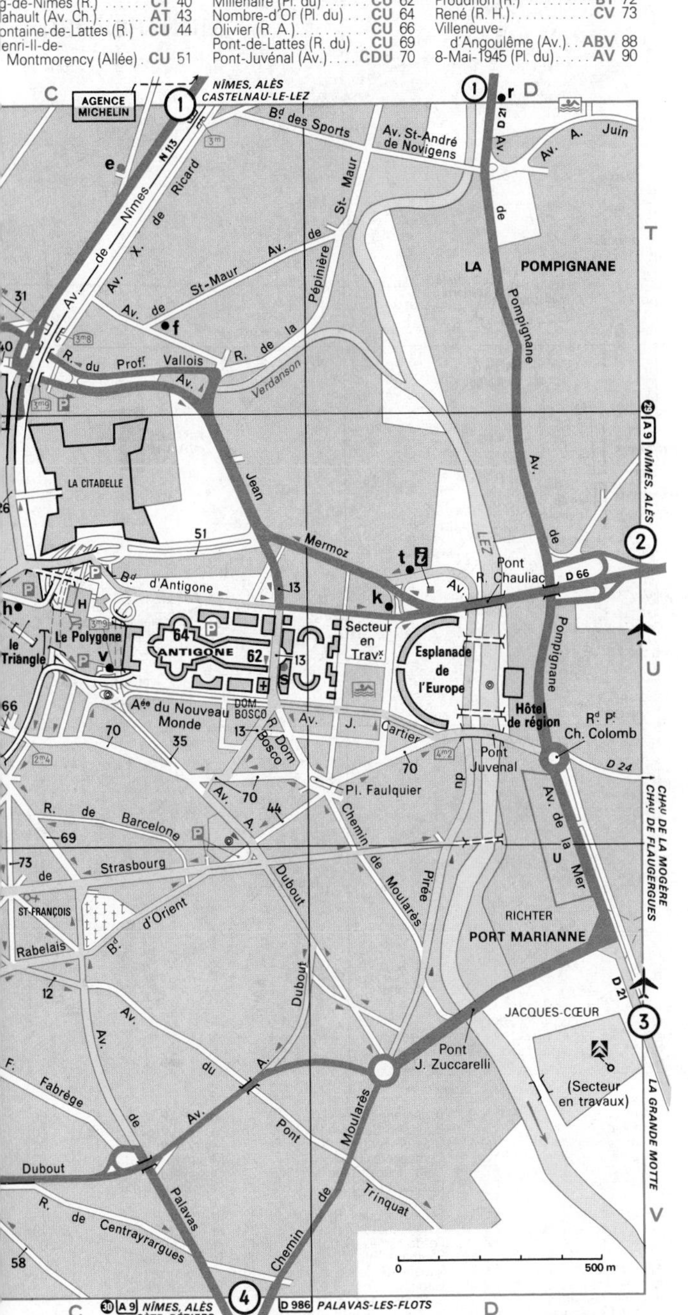

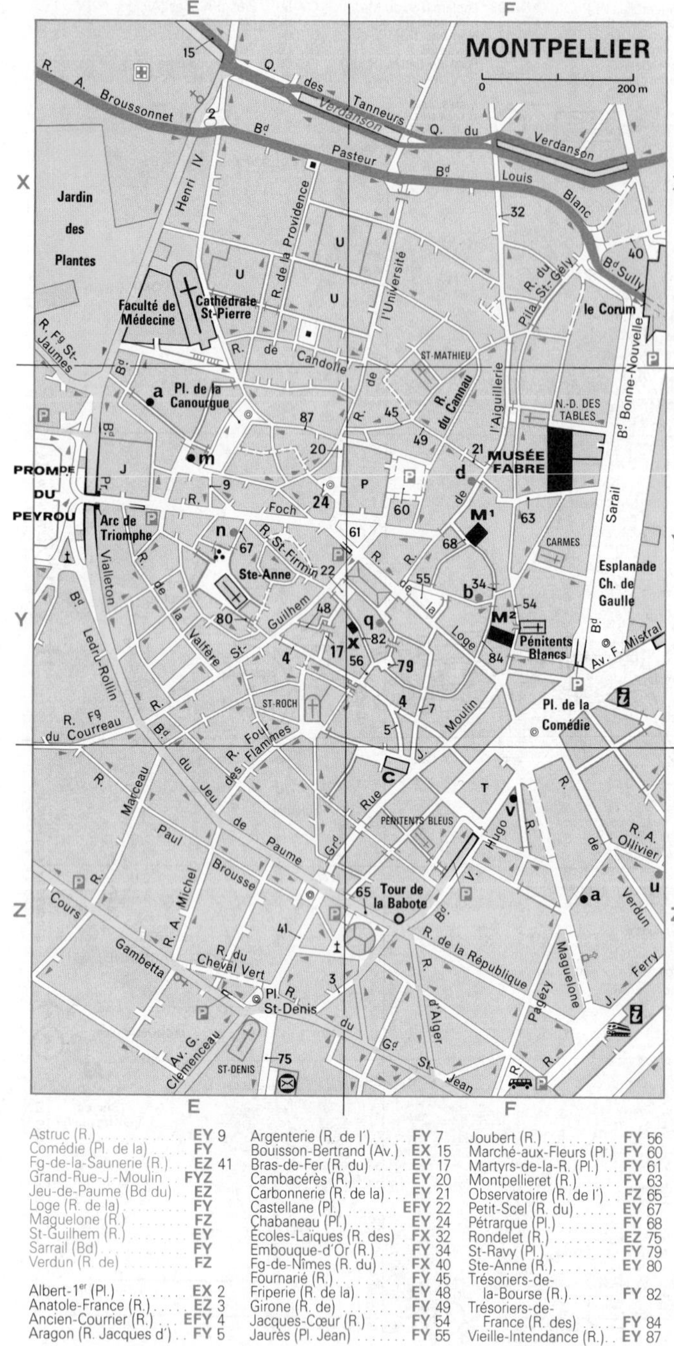

Astruc (R.)	EY 9	Argenterie (R. de l')	FY 7	Joubert (R.)	FY 56
Comédie (Pl. de la)	FY	Bouisson-Bertrand (Av.)	EX 15	Marché-aux-Fleurs (Pl.)	FY 60
Fg-de-la-Saunerie (R.)	EZ 41	Bras-de-Fer (R. du)	EY 17	Martyrs-de-la-R. (Pl.)	FY 61
Grand-Rue-J.-Moulin	FYZ	Cambacérès (R.)	EY 20	Montpellieret (R.)	FY 63
Jeu-de-Paume (Bd du)	EZ	Carbonnerie (R. de la)	FY 21	Observatoire (R. de l')	FZ 65
Loge (R. de la)	FY	Castellane (Pl.)	EFY 22	Petit-Scel (R. du)	EY 67
Maguelone (R.)	FZ	Chabaneau (Pl.)	EY 24	Pétrarque (Pl.)	FY 68
St-Guilhem (R.)	EY	Écoles-Laïques (R. des)	FX 32	Rondelet (R.)	EZ 75
Sarrail (Bd)	FY	Embouque-d'Or (R.)	FY 34	St-Ravy (Pl.)	FY 79
Verdun (R. de)	FZ	Fg-de-Nîmes (R. du)	FX 40	Ste-Anne (R.)	EY 80
		Fournarié (R.)	FY 45	Trésoriers-de-la-Bourse (R.)	FY 82
Albert-1er (Pl.)	EX 2	Friperie (R. de la)	EY 48	Trésoriers-de-France (R. des)	FY 84
Anatole-France (R.)	EZ 3	Girone (R. de)	FY 49	Vieille-Intendance (R.)	EY 87
Ancien-Courrier (R.)	EFY 4	Jacques-Cœur (R.)	FY 54		
Aragon (R. Jacques d')	FY 5	Jaurès (Pl. Jean)	FY 55		

Parc sans rest, 8 r. A. Bège ✆ 67 41 16 49, Fax 67 54 10 05 – ▤ TV ☎ P. AE ⓓ GB
☕ 40 – **19 ch** 200/340. BT **k**

Guilhem ⚘ sans rest, 18 r. J.-J. Rousseau ✆ 67 52 90 90, Fax 67 60 67 67 – |‡| TV ☎ ✆. AE ⓓ GB JCB EY **a**
☕ 49 – **33 ch** 380/650.

Palais sans rest, 3 r. Palais ✆ 67 60 47 38, Fax 67 60 40 23 – |‡| TV ☎. GB EY **m**
☕ 45 – **26 ch** 250/370.

Ulysse sans rest, 338 av. St Maur ✆ 67 02 02 30, Fax 67 02 16 50 – TV ☎ 🚗. AE ⓓ GB JCB CT **f**
☕ 35 – **27 ch** 270/350.

XXXX ✿✿ **Jardin des Sens** (Pourcel) (chambres prévues), 11 av. St-Lazare ✆ 67 79 63 38, Fax 67 72 13 05, 🏞, « Élégant décor contemporain » – ▤ P. AE GB JCB CT **e**
fermé 2 au 15 janv. et dim. – **Repas** (nombre de couverts limité, prévenir) 195 (déj.), 310/510 et carte 360 à 640
Spéc. Petits encornets farcis de ratatouille. Baudroie rôtie, tarte à la tomate. Filet de turbot rôti, palourdes "a la plancha". **Vins** Corbières blanc, Saint-Chinian.

XXX **Chandelier,** 267 r. L. Blum (6ᵉ étage) ✆ 67 15 34 38, Fax 67 15 34 33, ≤, « Décor original » – |‡| ▤ 🚗. AE ⓓ GB CU **s**
fermé lundi midi et dim. – **Repas** 160 (déj.), 260/380.

XXX **Le Cercle des Anges,** 3 r. Collot ✆ 67 66 35 13, Fax 67 66 35 27, 🏞 – AE ⓓ GB
fermé lundi midi et dim. – **Repas** 110 (déj.), 150/280 et carte 220 à 370. FY **b**

XX **Isadora,** 6 r. Petit Scel ✆ 67 66 25 23, 🏞, « Voûte du 13ᵉ siècle » – ▤. AE ⓓ GB EY **n**
fermé sam. midi de sept. à juin, lundi midi en juil.-août et dim. – **Repas** 80 (déj.), 120/250.

XX ✿ **L'Olivier** (Breton), 12 r. A. Ollivier ✆ 67 92 86 28 – ▤. AE ⓓ GB. ✂ FZ **u**
fermé août, dim., lundi et fériés – **Repas** (prévenir) 160/205 et carte 240 à 350
Spéc. Fricassée d'escargots petits gris aux mousserons (printemps-été). Blanc de turbot au céleri et crème de truffes (hiver). Agneau de l'Aveyron en deux services. **Vins** Fitou.

XX **Maison de la Lozère,** 27 r. Aiguillerie ✆ 67 66 36 10, Fax 67 60 33 22, « Salle voûtée du 13ᵉ siècle » – ▤. GB FY **d**
fermé 1ᵉʳ au 21 août, dim. et lundi – **Repas** 125 (déj.), 190/275.

XX **Castel Ronceray,** 130 r. Castel Ronceray par ⑤ ✉ 34070 ✆ 67 42 46 30, Fax 67 27 41 96, 🏞 – P. GB
fermé 4 au 26 août, vacances de fév., lundi soir et dim. – **Repas** 130/230.

X **Le Louvre,** 2 r. Vieille ✆ 67 60 59 37 – ▤. AE ⓓ GB FY **q**
fermé sam. midi du 1ᵉʳ juin au 15 sept., lundi sauf le soir du 1ᵉʳ juin au 15 sept. et dim. – **Repas** 140 🍷.

Le Millénaire par ② : 1 km – ✉ **34000** Montpellier :

Campanile, ✆ 67 64 85 85, Fax 67 22 19 25, 🏞 – |‡| ⚡ ▤ rest TV ☎ ✆ ♿ P – 🏛 30. AE ⓓ GB
Repas 84 bc/107 bc, enf. 39 – ☕ 32 – **82 ch** 270.

à l'Est : 4 km par D 24 et D 172ᴱ - DU – ✉ **34000** Montpellier :

Demeure des Brousses ⚘ sans rest, rte Vauguières ✆ 67 65 77 66, Fax 67 22 22 17, parc, « Demeure du 18ᵉ siècle dans un parc » – TV ☎ P. AE GB
☕ 50 – **17 ch** 380/580.

rte de Carnon-Pérols par ③ : 6 km – ✉ **34470** Pérols :

Eurotel, ZAC Le Fenouillet ✆ 67 50 27 27, Fax 67 50 23 27, 🏞, 🏊 – |‡| ▤ TV ☎ ♿ P – 🏛 40 à 100. AE ⓓ GB
Repas 74/162 🍷, enf. 33 – ☕ 30 – **42 ch** 300/350 – ½ P 250.

à l'échangeur A9-Montpellier-sud par ④ : 2 km – ✉ **34000** Montpellier :

Novotel, 125 bis av. Palavas ✆ 67 64 04 04, Fax 67 65 40 88, 🏞, 🏊 – |‡| ⚡ ▤ TV ☎ ✆ ♿ P – 🏛 25 à 80. AE ⓓ GB JCB
Repas carte environ 160 🍷, enf. 50 – ☕ 50 – **162 ch** 440/480.

à Lattes par ④ : 5 km – 10 203 h. alt. 3 – ✉ **34970** :

XXX **Domaine de Soriech,** chemin de Soriech ✆ 67 65 52 27, Fax 67 65 21 93, 🏞, parc – ▤ P. AE GB
fermé vacances de fév., dim. soir et lundi – **Repas** 210/395 et carte 310 à 400.

XXX **Le Mazerand,** rte Fréjorgues CD 172 ✆ 67 64 82 10, Fax 67 20 10 73, 🏞, « Terrasses ombragées ouvrant sur le parc » – ▤ P. AE ⓓ GB
fermé sam. midi et lundi – **Repas** 165/310 et carte 220 à 360.

par ⑤ et N 112 : 6 km – ✉ **34430** St-Jean-de-Vedas :

Yan's, Parc St Jean ✆ 67 47 07 45, Fax 67 47 16 90, 🏞, 🏊 – ▤ TV ☎ ♿ P – 🏛 35. AE GB
Repas *(fermé 24 déc. au 2 janv., sam. midi et dim.)* 80/140 🍷 – ☕ 40 – **40 ch** 315/360 – ½ P 260.

par ⑥ rte de Lodève : 5 km – ✉ **34080** Celleneuve :

Abélia sans rest, 70 rte Lodève ✆ 67 03 17 77, Fax 67 03 28 19 – TV ☎ P. AE GB
fermé dim. du 1er oct. au 1er juin – ☐ 33 – **12 ch** 210/285.

à Juvignac par ⑥, rte de Millau : 6 km – 4 221 h. alt. 32 – ✉ **34990** :

Golf H. de Fontcaude M, au golf international, NO : 3 km ✆ 67 03 34 1(
Fax 67 03 34 51, ←, – | TV ☎ & P – 40. AE GB
Repas *(fermé dim. soir)* 95 bc/150, enf. 50 – ☐ 48 – **46 ch** 350/534 – ½ P 385/440.

à Clapiers par ⑦ et D 65 : 8 km – 3 478 h. alt. 25 – ✉ **34830** :

Les Pins M, chemin Romarins ✆ 67 59 33 00, Fax 67 59 33 99, ←, , « Dans un pinède », , – | cuisinette rest TV ☎ & P – 40 à 80. AE GB
23 mars-31 oct. – **Repas** (en juil.-août dîner seul. pour résidents seul.) 150 – ☐ 50 – **69 c**
350 – ½ P 335.

au Nord : 5 km par r. Proudhon BT et D 17 – ✉ **34980** Montferrier-sur-Lez :

Heliotel, rte de Mende, rd-pt Agropolis ✆ 67 59 90 91, Fax 67 59 91 04, – cuisinett
TV ☎ & P – 40. AE GB
Repas 70/115, enf. 42 – ☐ 34 – **49 ch** 265/285, 7 studios – ½ P 235.

MICHELIN, Agence régionale, 120 av. M.-Dassault à Castelnau-le-Lez par ① ✆ **67 79 50 79**

ALFA ROMEO SODAM, ZI av. du Mas d'Argelliers ✆ 67 92 53 47
BMW Auto Méditerranée, ZI 361 r. Industrie ✆ 67 92 97 29
CITROEN Succursale, 852, av. Mer, rte de Carnon DV ✆ 67 65 73 10 N ✆ 67 22 06 17
FIAT SODAM, 1532 av. des Platanes à Lattes ✆ 67 65 78 80
FORD Fenouillet Autom., ZC Fenouillet rte de Carnon à Pérols ✆ 67 50 34 20
FORD Gar. Imbert, rte de Sète à St-Jean-de-Védas ✆ 67 42 46 22 N ✆ 67 92 22 18
LADA Gar. Guitard, ZI près d'Arènes, r. Mas-St-Pierre ✆ 67 58 13 13
MERCEDES SODIRA, ZA de l'Aube Rouge à Castelnau-le-Lez ✆ 67 79 40 50 N ✆ 23 72 11 08
MITSUBISHI, PORSCHE Gar. Mourier, ZI av. Mas-d'Argelliers ✆ 67 92 33 47
NISSAN A.B.C. Auto, 55 rte de Béziers à St-Jean-de-Védas ✆ 67 27 55 46
NISSAN Gar. Clémenceau, r. Montels L'Eglise à Lattes ✆ 67 92 95 47
OPEL France Auto, 56 av. du Marché-Gare ✆ 67 92 63 74
OPEL France Auto, Parc de l'Aube Rouge à Castelnau-le-Lez ✆ 67 72 20 40
PEUGEOT Gar. de l'Hérault, 905 r. Industrie par ④ ✆ 67 06 25 25 N ✆ 05 44 24 24
RENAULT Paillade Autos, av. de l'Europe par ⑥ ✆ 67 84 74 74 N ✆ 67 84 74 74
RENAULT Succursale, 700 r. de l'Industrie, ZI par av. des Prés d'Arènes BV ✆ 67 07 87 87 N ✆ 67 04 95 12
SEAT P.H.F., 500 av. de l'Europe à Castelnau-le-Le ✆ 67 79 44 76
SEAT P.H.F. Auto, 1678 av. de Toulouse ✆ 67 27 23 62
TOYOTA C.D.B., 1134 av. de l'Europe à Castelnau-le-Lez ✆ 67 79 41 71
VAG Montpellier Autos Sud, Rd-Pt Rieucoulon à St-Jean-de-Védas ✆ 67 07 83 83 N ✆ 67 92 22 18
VAG Cerf Autom., 145 rte de Nîmes au Crès ✆ 67 70 50 00 N ✆ 05 00 24 24

Ayme Pneus, 49 av. de Toulouse ✆ 67 42 82 25
Ayme Pneus, 210 rte de Nîmes au Crés ✆ 67 70 80 01
Ayme Pneus, av. Mas-d'Argelliers ZI ✆ 67 92 72 62
Escoffier Pneus Vulcopneu, 685 r. Industrie ✆ 67 92 00 30
Euromaster, ZI av. Mas-d'Argelliers ✆ 67 92 05 93
Mendez Pneus, 18 r. St-Louis ✆ 67 58 54 50

MONTPON-MÉNESTEROL 24700 Dordogne 75 ③ ⑬ – 5 481 h alt. 93.

Paris 533 – Bergerac 38 – Libourne 38 – Périgueux 56 – Ste-Foy-la-Grande 24.

Puits d'Or, 7 r. Carnot ✆ 53 80 33 07, Fax 53 81 52 47, – TV ☎. AE GB
fermé dim. soir et lundi midi sauf rest. en sais. – **Repas** 65 (déj.), 100/170 – ☐ 30 – **21 ch**
190/210 – ½ P 250.

à Ménesterol N : 1 km par D 708, D 730 et D 3E1 – ✉ **24700** Montpon-Ménesterol :

XX **Aub. de l'Éclade,** ✆ 53 80 28 64, – . GB
fermé 1er au 20 mars, 25 sept. au 20 oct., mardi soir et merc. – **Repas** 70 (déj.), 110/200, enf. 50.

CITROEN Montpon Autom., 1 av. G.-Pompidou ✆ 53 80 31 00
PEUGEOT Gar. Bonnet, 51 av. J. Moulin ✆ 53 80 33 57

Sce du Pneu-Point S, 74 rte de Bordeaux ✆ 53 80 37 21

MONTRÉAL 32250 Gers 79 ⑬ G. Pyrénées Aquitaine – 1 221 h alt. 131.

Paris 732 – Agen 54 – Auch 57 – Condom 15 – Mont-de-Marsan 66 – Nérac 26.

X **Gare** avec ch, S : 3 km par rte Eauze ✆ 62 29 43 37, Fax 62 29 49 82, , ancienne gare au décor 1900, – ☎ P. AE GB. ch
fermé 15 au 31 oct., 10 au 31 janv., jeudi soir sauf juil.-août et vend. – **Repas** 68/210, enf. 40 – ☐ 35 – **5 ch** 210 – ½ P 180.

X **Chez Simone,** face église ✆ 62 29 44 40, Fax 62 29 49 94 – AE GB
fermé sam. – **Repas** 70/230.

MONTREDON 11 Aude 83 ⑪ – rattaché à Carcassonne.

IONTRÉJEAU 31210 H.-Gar. 85 ⑳ G. Pyrénées Aquitaine – 2 857 h alt. 468.

oir ≤★.

Office de Tourisme pl. V.-Abeille ☎ 61 95 80 22.

aris 797 – Bagnères-de-Luchon 38 – Auch 77 – Lannemezan 16 – St-Gaudens 14 – ♦Toulouse 104.

Lecler, av. St-Gaudens ☎ 61 95 80 43, Fax 61 95 45 78, ≤ Pyrénées – TV ☎ 🚗. AE GB
fermé nov. – **Repas** *(fermé dim. soir et lundi d'oct. à Pâques sauf vacances scolaires)* 100/155 – ☐ 30 – **19 ch** 110/280 – ½ P 185/245.

IONTREUIL <SP> 62170 P.-de-C. 51 ⑫ G. Flandres Artois Picardie (plan) – 2 450 h alt. 54.

oir Site★ – Citadelle★ : ≤★★ – Remparts★ – Mobilier★ de la chapelle de l'Hôtel-Dieu – Église t-Saulve★.

Office de Tourisme, pl. Darnétal ☎ 21 06 04 27.

aris 219 – ♦Calais 70 – Abbeville 42 – Arras 79 – Boulogne-sur-Mer 37 – ♦Lille 116 – St-Omer 56.

❀ **Château de Montreuil** (Germain) 🐎, chaussée Capucins ☎ 21 81 53 04, Fax 21 81 36 43, 🌳, « Belle demeure dans un parc » – TV ☎ 🚗 P. AE ① GB
fermé 15 déc. au 8 fév., lundi de sept. à mai et jeudi midi sauf fériés – **Repas** 220 (déj.), 320/400 – ☐ 70 – **13 ch** 750/880 – ½ P 830.
Spéc. Morue fraiche poêlée au jus de tapenade. Blanc de poulet de Licques au piment d'Espelette. Marjolaine au pralin et grand cru manjari.

Le Darnetal avec ch, pl. Darnetal ☎ 21 06 04 87, Fax 21 86 64 67 – AE ① GB. ✻ ch
fermé 24 juin au 4 juil., 7 au 17 oct., lundi soir et mardi sauf juil.-août – **Repas** 100/190 🍷 – ☐ 30 – **4 ch** 200/300.

à La Madelaine-sous-Montreuil O : 2,5 km par D 917 et D 139 – 147 h. alt. 7 – ✉ **62170** Madelaine-sous-Montreuil :

❀ **Aub. La Grenouillère** (Gauthier) 🐎 avec ch, ☎ 21 06 07 22, Fax 21 86 36 36, 🌳 – ☎ P. AE ① GB
fermé 2 janv. au 15 fév., mardi et merc. sauf juil.-août – **Repas** 150/380 et carte 290 à 390 – ☐ 45 – **4 ch** 350/400
Spéc. Feuilleté d'escargots et cuisses de grenouilles. Agneau de pré-salé de la baie de Somme. Crêpes Suzette.

à Attin NO : 5 km par N 39 – 560 h. alt. 11 – ✉ **62170** :

Bon Accueil, ☎ 21 06 04 21 – ▤. GB
fermé fin août à début sept., vacances de fév., merc. soir hors sais., dim. soir et lundi – **Repas** 87 bc/164 bc, enf. 46.

au Moulinel Ouest : 9 km par D 139 – ✉ **62390** St-Josse :

Aub. du Moulinel, 116 chausée Avant-Pays ☎ 21 94 79 03 – P. GB
fermé 3 au 12 juin, 30 sept. au 9 oct., 27 fév. au 8 mars, lundi et mardi – **Repas** 95/145, enf. 48.

) Pneus Lagrange, à St-Justin ☎ 21 06 09 97

MONTREUIL 93 Seine-St-Denis 56 ⑪, 101 ⑰ – voir à Paris, Environs.

MONTREUIL-BELLAY 49260 M.-et-L. 67 ⑧ G. Châteaux de la Loire (plan) – 4 041 h alt. 50.

oir Château★★ – Site★.

Office de Tourisme, pl. de la Concorde (avril-sept.) ☎ 41 52 32 39, Fax 41 52 32 35.

aris 312 – ♦Angers 50 – Châtellerault 69 – Chinon 39 – Cholet 59 – Poitiers 82 – Saumur 15.

Splendid, r. Dr Gaudrez ☎ 41 53 10 00, Fax 41 52 45 17 – TV ☎ P. GB
Repas *(fermé dim. soir d'oct. à fév.)* 70/210 🍷, enf. 40 – ☐ 35 – **22 ch** 150/280 – ½ P 200/280.

Annexe Relais du Bellay 🏨 sans rest, ☎ 41 53 10 10, Fax 41 38 70 61, 🏊, 🌳 – |♦| TV ☎ ♿ P. ① GB
☐ 40 – **41 ch** 250/400.

MONTREUIL-L'ARGILLÉ 27390 Eure 55 ⑭ – 706 h alt. 170.

aris 159 – L'Aigle 25 – Argentan 50 – Bernay 21 – Évreux 56 – Lisieux 32 – Vimoutiers 27.

Aub. de la Truite, ☎ 32 44 50 47, Fax 32 44 00 66, « Collection d'orgues de Barbarie » – GB
fermé 20 janv. au 15 fév., mardi soir et merc. – **Repas** 88/200, enf. 50.

MONTREVEL-EN-BRESSE 01340 Ain 70 ⑫ – 1 973 h alt. 215.

aris 397 – Mâcon 24 – Bourg-en-Bresse 17 – Pont-de-Vaux 22 – St-Amour 24 – Tournus 34.

❀ **Léa** (Monnier), ☎ 74 30 80 84, Fax 74 30 85 66 – GB
fermé 26 juin au 11 juil., 23 déc. au 10 janv., dim. soir et merc. – **Repas** (nombre de couverts limité, prévenir) 150/340 et carte 240 à 330
Spéc. Nage de Saint-Jacques (oct. à avril). Homard rôti aux choux. Suprême de volaille aux morilles. **Vins** Seyssel, Montagnieu.

Le Comptoir, ☎ 74 25 45 53 – ▤. GB
fermé 26 juin au 11 juil., 23 déc. au 10 janv., mardi soir et merc. – **Repas** 70/130 🍷.

rte de Bourg-en-Bresse S : 2 km sur D 975 – ✉ **01340** Montrevel-en-Bresse :

Le Pillebois M, D 975 ✆ 74 25 48 44, Fax 74 25 48 79, – – 30. GB
hôtel : fermé 1er au 15 janv. et dim. soir d'oct. à avril ; rest : fermé 1er au 15 janv. dim. soir lundi – **Repas** 89/230 – 35 – **31 ch** 240/290.

CITROEN Gar. Berret, ✆ 74 30 80 06
FIAT, LANCIA Gar. Roux, ✆ 74 25 45 46
PEUGEOT Gar. Petit, ✆ 74 30 82 22

MONTRICHARD **41400** L.-et-Ch. 64 ⑯ ⑰ **G. Châteaux de la Loire** – 3 786 h alt. 62.

Voir Donjon★ : ★★.

Office de Tourisme r. Pont (Rameaux-sept.) ✆ 54 32 05 10.

Paris 219 – ♦Tours 42 – Blois 35 – Châteauroux 84 – Châtellerault 94 – Loches 32 – Vierzon 74.

Château de la Menaudière, NO : 2,5 km par rte Amboise D 115 ✆ 54 32 02 4 Fax 54 71 34 58, ←, parc, – – 25. AE GB
début mars-mi-nov. et fermé dim. soir et lundi du 15 oct. au 11 nov. sauf fêtes – **Repas** (déj.), 190/290, enf. 90 – 55 – **25 ch** 500/650 – ½ P 475/665.

Tête Noire, 24 r. Tours ✆ 54 32 05 55, Fax 54 32 78 37 – GB
fermé 6 janv. au 4 fév. – **Repas** 95/250, enf. 55 – 35 – **38 ch** 195/320 – ½ P 273/335.

Croix blanche M sans rest, 64 r. Nationale ✆ 54 32 30 87, Fax 54 32 48 06 – AE GB JCB
20 mars-12 nov. – 28 – **19 ch** 225/275.

à Chissay en Touraine O : 4 km par D 176 – 871 h. alt. 63 – ✉ **41400** :

Château de Chissay, ✆ 54 32 32 01, Fax 54 32 43 80, ←, « Château du 1 siècle, parc, » – AE GB. rest
mi-mars-mi-nov. – **Repas** 160 bc (déj.), 185/295 – 65 – **24 ch** 490/1000, 7 appart ½ P 650/710.

PEUGEOT Gar. Ferrand, ✆ 54 32 00 61

MONTRICOUX **82800** T.-et-G. 79 ⑱ ⑲ **G. Périgord Quercy** – 909 h alt. 113.

Voir Bruniquel : site★, vieux bourg★, château ←★ SE : 5 km.

Syndicat d'Initiative pl. Porte Basse ✆ 63 67 21 80.

Paris 635 – Cahors 47 – Gaillac 35 – Montauban 24 – Villefranche-de-Rouergue 57.

Les Gorges de l'Aveyron, Le Bugarel ✆ 63 24 50 50, Fax 63 24 50 52, « Pa surplombant l'Aveyron » – GB
fermé fév., dim. soir et lundi du 1er nov. au 15 mars sauf fériés – **Repas** 148/250.

MONTROC-LE-PLANET **74** H.-Savoie 74 ⑨ – rattaché à Argentière.

MONTROND-LES-BAINS **42210** Loire 73 ⑱ **G. Vallée du Rhône** – 3 627 h alt. 356 – Stat. therm. (mar nov.) – Casino .

18 du Forez ✆ 77 30 86 85 à Craintilleux, S : 12 km par N 82 et D 16.

Syndicat d'Initiative 1 r. des Ecoles ✆ 77 94 64 74, Fax 77 54 51 96.

Paris 499 – ♦St-Étienne 28 – ♦Lyon 62 – Montbrison 12 – Roanne 49 – Thiers 81.

Host. La Poularde (Etéocle), ✆ 77 54 40 06, Fax 77 54 53 14 – – 3 AE GB JCB
fermé 2 au 15 janv., mardi midi et lundi sauf fériés – **Repas** (dim. prévenir) 210/550 et car 450 à 750 – 78 – **11 ch** 320/520, 3 duplex
Spéc. "Crescendo" de saumon. Choisi d'agneau de lait (fév. à juin). Pigeonneau du Forez cuit à l'os. **Vins** Condrie Saint-Joseph.

Motel du Forez sans rest, 37 rte Roanne ✆ 77 54 42 28, Fax 77 94 66 58 – GB JCB
30 – **18 ch** 220/260.

Cirius, bd Château, rte St-Étienne ✆ 77 54 89 22, Fax 77 54 84 32 – AE GB
Repas snack 82/102, enf. 45 – 35 – **46 ch** 270/320 – ½ P 270.

Vieux Logis, 4 rte Lyon ✆ 77 54 42 71, – GB
fermé 1er au 15 mars, 1er au 15 sept., dim. soir et lundi – **Repas** 100/240.

CITROEN Gar. Protière, ✆ 77 54 44 28 N ✆ 77 88 34 54
RENAULT Gar. Decultieux, ✆ 77 54 41 32

MONTROUGE **92** Hauts-de-Seine 60 ⑩, 101 ㉕ – voir à Paris, Environs.

MONTS **37260** I.-et-L. 64 ⑮ – 6 221 h alt. 50.

Paris 252 – ♦Tours 19 – Azay-le-Rideau 12 – Chenonceaux 39 – Chinon 34 – Ste-Maure-de-Touraine 23.

Aub. du Moulin, au Vieux Bourg ✆ 47 26 76 86 – GB
fermé 2 au 15 janv., lundi soir d'oct. à mars et mardi – **Repas** 90/210.

Le MONT-ST-MICHEL 50116 Manche 59 ⑦ G. Normandie Cotentin, G. Bretagne – 72 h alt. 10.

Voir Abbaye*** – Remparts** – Grande-Rue* – Jardins de l'abbaye* – Musée historique : Logs de montres* – Le Mont n'est entouré d'eau qu'aux grandes marées.

Office de Tourisme Corps de Garde des Bourgeois ✆ 33 60 14 30.

Paris 363 – St-Malo 53 – Alençon 135 – Avranches 22 – Dinan 58 – Fougères 42 – ♦Rennes 66.

Saint Pierre et Logis du Chapeau Blanc, ✆ 33 60 14 03, Fax 33 48 59 82, ≤, – TV ☎. AE GB JCB
fermé 15 déc. au 15 fév. – **Repas** 88/258, enf. 48 – ☐ 50 – **21 ch** 490/580 – ½ P 380/440.

Croix Blanche avec ch, ✆ 33 60 14 04, Fax 33 48 59 82, ≤, – TV ☎. AE GB JCB
1er mars-15 nov. – **Repas** 85/240, enf. 48 – ☐ 50 – **9 ch** 480/640 – ½ P 380/520.

à la Digue S : 2 km sur D 976 :

Relais du Roy, ✆ 33 60 14 25, Télex 170561, Fax 33 60 37 69 – TV ☎ ♿ P. AE GB. ✻ ch
23 mars-30 nov. – **Repas** 90/200, enf. 45 – ☐ 50 – **27 ch** 350/440 – ½ P 380/410.

Digue, ✆ 33 60 14 02, Télex 170157, Fax 33 60 37 59, ≤ – ▤ rest TV ☎ P. AE ⓓ GB. ✻ ch
fin mars-15 nov. – **Repas** 85/220, enf. 48 – ☐ 50 – **36 ch** 350/430 – ½ P 355/400.

à Beauvoir S : 4 km par D 976 – 426 h. – ✉ 50170 Pontorson :

Beauvoir, ✆ 33 60 09 39, Fax 33 48 59 65 – TV ☎ P. GB
15 fév.-15 nov. – **Repas** 90/250, enf. 50 – ☐ 42 – **18 ch** 260/340.

au Sud : 5,5 km sur D 976 – ✉ 50170 Moidrey :

Au Vent des Grèves, ✆ 33 60 01 63, – P. GB
fermé 8 janv. au 15 fév., mardi soir et merc. – **Repas** 95/195.

MONTSALVY 15120 Cantal 76 ⑫ G. Auvergne – 970 h alt. 800.

Voir Puy-de-l'Arbre ✻* NE : 1,5 km.

Office de Tourisme ✆ 71 49 21 43.

Paris 604 – Aurillac 32 – Rodez 61 – Entraygues-sur-Truyère 14 – Figeac 55.

Nord, ✆ 71 49 20 03, Fax 71 49 29 00, – TV ☎ ✆ P. AE ⓓ GB JCB
fermé 1er janv. au 31 mars – **Repas** 85/250, enf. 40 – ☐ 40 – **23 ch** 180/320 – ½ P 230/290.

Aub. Fleurie avec ch, ✆ 71 49 20 02 – GB
Repas *(fermé 15 janv. au 15 fév.)* 55/185 🍷, enf. 30 – ☐ 25 – **11 ch** 120/160 – ½ P 133/153.

PEUGEOT Gar. Cazal, ✆ 71 49 26 65 N ✆ 71 47 80 56

MONTSAUCHE-LES-SETTONS 58230 Nièvre 65 ⑯ G. Bourgogne – 714 h alt. 574.

Voir Lac des Settons* SE : 5 km.

Office de Tourisme, Barrage du Lac des Settons (saison) ✆ 86 84 55 90 et Mairie ✆ 86 84 51 05.

Paris 257 – Autun 41 – Avallon 40 – Château-Chinon 24 – Clamecy 56 – Nevers 88 – Saulieu 25.

Idéal, ✆ 86 84 51 26, , – ☎ P. GB
fermé janv., fév. et lundi du 1er oct. au 31 mars – **Repas** 65/160 🍷, enf. 40 – ☐ 30 – **15 ch** 160/260 – ½ P 195/220.

CITROEN Gar. Bouché-Pillon, ✆ 86 84 52 26

MONT-SAXONNEX 74130 H.-Savoie 74 ⑦ G. Alpes du Nord – 880 h alt. 1000 – Sports d'hiver : 1 100/1 570 m ⚡7.

Voir Église ✻** 15 mn.

Syndicat d'Initiative Le Bourgeal (saison) ✆ 50 96 97 27, Fax 50 96 92 08.

Paris 569 – Chamonix-Mont-Blanc 51 – Thonon-les-Bains 57 – Annecy 52 – Bonneville 11 – Cluses 10,5 – Megève 38 – Morzine 38.

Jalouvre ⛰, ✆ 50 96 90 67, – ☎ P. GB. ✻ rest
fermé 1er mai au 1er juin, 15 sept. au 1er nov. et merc. hors sais. – **Repas** 95/150 🍷, enf. 42 – ☐ 37 – **14 ch** 150/235 – ½ P 250/265.

Les MONTS-DE-VAUX 39 Jura 70 ④ – rattaché à Poligny.

MONTSOREAU 49730 M.-et-L. 64 ⑫ ⑬ G. Châteaux de la Loire – 561 h alt. 77.

Voir ✻** – Église* de Candes-St-Martin SE : 1,5 km.

Paris 294 – ♦Angers 60 – Châtellerault 66 – Chinon 18 – Poitiers 80 – Saumur 11 – ♦Tours 56.

Diane de Méridor, ✆ 41 51 70 18, Fax 41 38 15 93, ≤ – P. GB
fermé 15 déc. au 31 janv., lundi soir d'oct. à mai et mardi sauf le soir en juil.-août – **Repas** 85/240, enf. 55.

Annexe Le Bussy ⛰ sans rest, ✆ 41 38 11 11, ≤, « Jardin en bordure de Loire et du château » – ☎ P. GB
fermé 15 déc. au 31 janv. et mardi du 1er oct. au 31 mai – ☐ 38 – **12 ch** 280/350.

Loire avec ch, ✆ 41 51 70 06, Fax 41 38 15 08 – ☎ P. GB. ✻ ch
fermé 15 janv. au 1er mars, mardi soir et merc. hors sais. – **Repas** 79/160 🍷 – ☐ 30 – **14 ch** 160/255 – ½ P 240.

MOOSCH 68690 H.-Rhin 66 ⑧ ⑨ **G. Alsace Lorraine** – 1 906 h alt. 390.

Paris 473 – ♦Mulhouse 27 – Colmar 48 – Gérardmer 41 – Thann 7 – Le Thillot 30.

XX **Gully "Aux Trois Rois"** avec ch, ✆ 89 82 34 66, Fax 89 82 39 27 – TV ☎. GB
fermé mardi soir et merc. (sauf hôtel de mars à sept.) – **Repas** 60/160 ♨, enf. 40 – ☕ 40
6 ch 270/325 – ½ P 280.

VAG Gar. Sovra, à Fellering ✆ 89 82 63 90 N ✆ 89 82 63 90

MORANGIS 91 Essonne 61 ①, 101 ㉟ – voir à Paris, Environs.

MORCENX 40110 Landes 78 ⑤ – 4 332 h alt. 70.

Paris 699 – Mont-de-Marsan 40 – ♦Bayonne 88 – ♦Bordeaux 110 – Mimizan 36.

Bellevue, rte Sabres ✆ 58 07 85 07, ⛱, ℱ – TV ☎ P. GB. ✂
fermé 23 déc. au 8 janv. et week-ends d'oct. à mai – **Repas** 65/135 ♨, enf. 45 – ☕ 35
20 ch 240/398 – ½ P 250/289.

RENAULT Gar. Samson, à Garrosse ✆ 58 08 15 15 N ✆ 58 08 15 15

MORESTEL 38510 Isère 74 ⑭ **G. Vallée du Rhône** – 2 972 h alt. 220.

Paris 499 – Bourg-en-Bresse 68 – Chambéry 49 – ♦Grenoble 68 – ♦Lyon 63 – La Tour-du-Pin 15.

France M, Gde rue ✆ 74 80 04 77, Fax 74 33 07 47 – TV ☎ 🚗 P – 🏛 25. GB
Repas *(fermé dim. soir et lundi)* 95 bc (déj.), 122/335, enf. 80 – ☕ 39 – **12 ch** 260/425
½ P 280/335.

X **La Grille,** N 75 ✆ 74 80 02 88, Fax 74 80 05 10 – P. AE ⓓ GB
Repas 80 bc/205 ♨, enf. 60.

PEUGEOT Gar. Grégot, les Avenières ✆ 74 33 60 10 N ✆ 74 33 60 10
RENAULT Gar. du Parc, les Avenières ✆ 74 33 61 30 N ✆ 74 33 61 30

Pneus Rhône Alpes Vulcopneu, ✆ 74 80 24 82

MORET-SUR-LOING 77250 S.-et-M. 61 ⑫ 106 ㊻ **G. Ile de France** (plan) – 4 174 h alt. 50.

Voir Site★.

Office de Tourisme pl. Samois ✆ (1) 60 70 41 66, Fax (1) 60 70 82 52.

Paris 75 – Fontainebleau 10 – Melun 26 – Montereau-Fault-Yonne 14 – Nemours 16 – Sens 43.

Aub. de la Terrasse, 40 r. Pêcherie ✆ (1) 60 70 51 03, Fax (1) 60 70 51 69, ≤, ⛱ – TV
☎ ✆. AE GB
fermé vacances de Toussaint – **Repas** *(fermé dim. soir et lundi sauf fériés)* 100/174 ♨, enf. 6[illegible]
– ☕ 37 – **17 ch** 295/390 – ½ P 272/331.

XX **Aub. de la Palette,** av. J. Jaurès ✆ (1) 60 70 50 72 – GB
fermé 8 au 18 avril, 16 au 26 août, 2 au 12 janv., mardi soir et merc. – **Repas** 98/265.

à Veneux-les-Sablons O : 3,5 km – 4 298 h. alt. 76 – ✉ 77250 :

XX **Pavillon Bon Abri,** av. Fontainebleau ✆ (1) 60 70 55 40, Fax (1) 64 31 12 27 – AE ⓓ GB
fermé 28 juil. au 4 août, dim. soir et lundi – **Repas** 112/261 ♨.

MORGAT 29 Finistère 58 ⑭ **G. Bretagne** – ✉ 29160 Crozon.

Voir Phare ≤★ – Grandes Grottes★.

Office de Tourisme bd de la Plage (saison) ✆ 98 27 29 49, Fax 98 27 24 89.

Paris 616 – Quimper 55 – ♦Brest 60 – Châteaulin 36 – Douarnenez 46 – Morlaix 80.

Gd H. de la Mer M ♨, ✆ 98 27 02 09, Fax 98 27 02 39, ≤, parc, ✂ – ⇅ TV ☎ ♿ P –
🏛 35. GB. ✂
6 avril-12 oct. – **Repas** *(fermé lundi)* 110/190, enf. 85 – ☕ 55 – **78 ch** 485/585 – ½ P 445.

Ville d'Ys ♨, ✆ 98 27 06 49, Fax 98 26 21 88, ≤ – ⇅ ☎ P. GB. ✂ rest
vacances de printemps-30 sept. – **Repas** (dîner seul. sauf dim. et fériés) 92/240, enf. 45 –
☕ 36 – **41 ch** 295/410 – ½ P 245/330.

MORIÈRES-LÈS-AVIGNON 84 Vaucluse 81 ⑫ – rattaché à Avignon.

MORILLON 74 H.-Savoie 74 ⑧ – rattaché à Samoëns.

Besonders angenehme Hotels oder Restaurants
sind im Führer rot gekennzeichnet.
Sie können uns helfen,
wenn Sie uns die Häuser angeben,
in denen Sie sich besonders wohl gefühlt haben.
Jährlich erscheint eine komplett überarbeitete Ausgabe
aller Roten Michelin-Führer.

XXXXX ... X

ORLAAS 64160 Pyr.-Atl. 85 ⑦ G. Pyrénées Aquitaine – 3 094 h alt. 287.

ris 768 – Pau 11,5 – Tarbes 38.

Glisia, ☎ 59 33 41 12, – 📺 ☎ 🅿. GB
fermé 15 au 30 juil. – **Repas** *(fermé sam. midi et dim.)* 60 (déj.), 70/85 – ☕ 25 – **20 ch** 100/200 – ½ P 135/175.

Le Bourgneuf, ☎ 59 33 44 02 – 🅿. AE GB
fermé 4 au 10 nov., dim. soir et lundi – **Repas** 58 bc/250 🍷, enf. 50.

TROEN Gar. Saubade, ☎ 59 33 40 09 N ☎ 59 33) 09

RENAULT Gar. du Bourg-Neuf, à St-Jammes ☎ 59 33 41 44

ORLAIX ⟨SP⟩ 29600 Finistère 58 ⑥ G. Bretagne – 16 701 h alt. 7.

oir Viaduc★ ABY – Grand'Rue★ BZ – Maison "de la Reine Anne" : intérieur★ BZ **B** – Vierge★ ans l'église St-Mathieu BZ – Musée★ BZ **M.**

nv. Calvaire★★ de Plougonven SE : 12 km par D 9 BZ.

Office de Tourisme pl. Otages ☎ 98 62 14 94, Télex 940696, Fax 98 63 84 87.

aris 536 ② – ◆Brest 58 ② – Quimper 76 ② – St-Brieuc 87 ②.

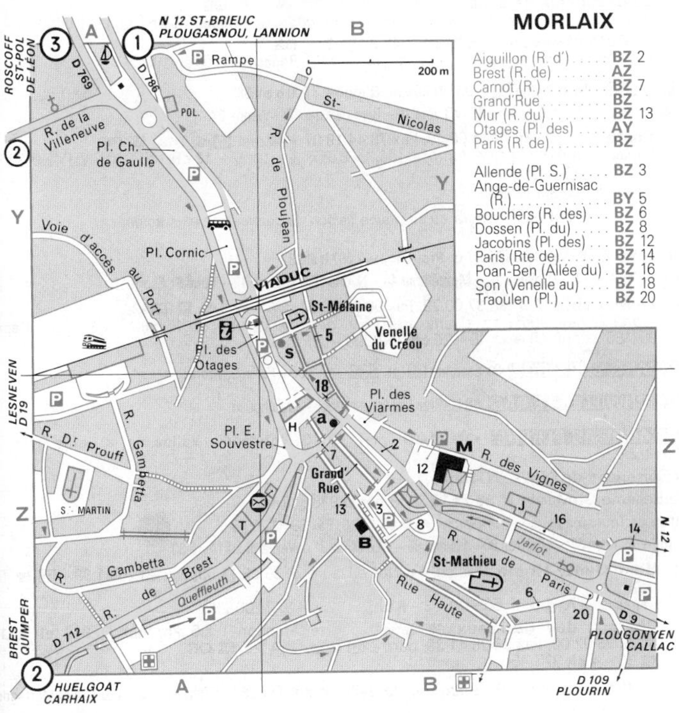

Europe, 1 r. Aiguillon ☎ 98 62 11 99, Fax 98 88 83 38 – 📺 ☎. AE ⓓ GB BZ **a**
Repas 125/250, enf. 48 - ***Le Lof*** ☎ 98 88 81 15 (brasserie) **Repas** 79, 🍷, enf. 46 – ☕ 42 – **60 ch** 250/360 – ½ P 260/310.

Les Bruyères sans rest, par rte de Plouigneau E sur D 712 : 3 km ✉ 29610 Plouigneau ☎ 98 88 08 68, Fax 98 88 66 54, – 📺 ☎ 🅿. GB
fermé 15 déc. au 30 janv. – ☕ 30 – **32 ch** 185/260.

Fontaine sans rest, ZA la Boissière par ① et rte Lannion : 3 km ☎ 98 62 09 55, Fax 98 63 82 51 – 📺 ☎ 🅿. GB
☕ 35 – **39 ch** 195/300.

Campanile, Z.A. du Launay par r. de la Villeneuve AY O : 2 km ☎ 98 63 34 63, Fax 98 63 35 66 – 📺 ☎ & 🅿 – 25. AE ⓓ GB
Repas 84 bc/107 bc, enf. 39 – ☕ 32 – **48 ch** 270.

Minimote St-Martin sans rest, derrière Ctre Com. Rallye par r. de la Villeneuve AY O : 3 km ✉ 29600 St-Martin-des-Champs ☎ 98 88 35 30, Fax 98 63 33 99 – 📺 ☎. AE ⓓ GB – ☕ 33 – **22 ch** 260/280.

X **Marée Bleue,** 3 rampe St Mélaine ☎ 98 63 24 21 – GB BY
✦ *fermé 14 au 31 oct., vacances de fév., dim. soir et lundi sauf juil.-août* – **Repas** 75/220 ₰, er 48.

BMW Ouest Autom., ZA la Boissière ☎ 98 63 30 30
CITROEN SOMODA, bd St-Martin à St-Martin-des-Champs par r. de la Villeneuve AY ☎ 98 62 09 68 N ☎ 98 62 09 68
FORD Gar. Bourven, rte de Paris, La Roseraie ☎ 98 88 18 02 N ☎ 98 88 18 02
NISSAN Gar. Allain, ZI de Keriven à St-Martin-des-Champs ☎ 98 88 06 16
PEUGEOT Gar. de Bretagne, La Croix Rouge par r de Paris BZ 14 ☎ 98 62 03 11 N ☎ 05 44 24 24
RENAULT Gar. Huitric, La Croix Rouge par rte de Paris BZ 14 ☎ 98 62 04 22 N ☎ 05 05 15 15
VAG Gar. Beyou, rte de Plouvorn à St Martin des Champs ☎ 98 88 23 80

Ⓜ Simon Pneus, rte de St-Sève à St-Martin-des-Champs ☎ 98 88 01 43

MORNAC-SUR-SEUDRE 17113 Char.-Mar. 71 ⑭ ⑮ **G. Poitou Vendée Charentes** – 640 h alt. 5.

Paris 505 – Royan 12 – Marennes 24 – Rochefort 36 – La Rochelle 70 – Saintes 39.

🏨 **Mornac** sans rest, r. des Halles ☎ 46 22 63 20, Fax 46 22 66 22 – TV ☎. GB
30 mars-30 sept. – ☕ 40 – **10 ch** 340.

XX **La Gratienne,** rte Breuillet ☎ 46 22 73 90, 🌳, 🍽 – P. GB
30 mars-1er oct. et fermé mardi et merc. sauf juil.-août – **Repas** 110 bc (déj.), 140/190.

X **La Colombière,** face au port ☎ 46 22 62 22 – GB
Pâques-fin sept. et fermé mardi sauf juil.-août – **Repas** 99/240, enf. 48.

MORNANT 69440 Rhône 74 ⑪ **G. Vallée du Rhône** – 3 900 h alt. 380.

Paris 481 – ♦Lyon 27 – ♦St-Étienne 36 – Givors 10 – Rive-de-Gier 13 – Vienne 22.

X **Poste** avec ch, ☎ 78 44 00 40, Fax 78 44 19 07 – ▤ rest TV ☎ 🚗. AE GB
Repas *(fermé dim. soir et lundi)* 65 (déj.), 88/250 ₰ – ☕ 32 – **12 ch** 160/280 – ½ P 250/320.

En juin et en septembre,
les hôtels sont moins chers qu'en pleine saison, le service est plus soigné.

MORNAS 84550 Vaucluse 81 ① **G. Provence** – 2 087 h alt. 37.

Paris 649 – Avignon 40 – Bollène 10 – Montélimar 44 – Nyons 45 – Orange 12 – Pont-St-Esprit 13.

🏨 **Le Manoir,** N 7 ☎ 90 37 00 79, Fax 90 37 10 34, 🌳 – ☎ 🚗 P. AE GB
fermé 11 nov. au 8 déc., 8 janv. au 10 fév., dim. soir et lundi du 15 sept. au 30 mai – **Repa** 95/180 ₰, enf. 45 – ☕ 45 – **25 ch** 250/390 – ½ P 298.

MORSANG-SUR-ORGE 91 Essonne 61 ①, 101 ㊱ – voir à Paris, Environs.

MORSCHWILLER-LE-BAS 68 H.-Rhin 87 ⑲ – rattaché à Mulhouse.

MORTAGNE-AU-PERCHE ⟨SP⟩ 61400 Orne 60 ④ **G. Normandie Vallée de la Seine** (plan) – 4 584 h alt. 260.

Voir Boiseries★ de l'église N.-Dame.

⛳18 de Bellême-St-Martin ☎ 33 73 15 35, S par D 938 : 17 km.

ℹ Office de Tourisme pl. Gén.-de-Gaulle ☎ 33 85 11 18, Fax 33 83 76 76.

Paris 156 – Alençon 38 – Chartres 80 – Lisieux 85 – ♦Le Mans 71 – Verneuil-sur-Avre 39.

XX **Host. Genty-Home** avec ch, 4 r. Notre Dame ☎ 33 25 11 53, Fax 33 25 41 38 – TV ☎. A
✦ GB
Repas 80/170 ₰, enf. 56 – ☕ 33 – **8 ch** 190/285 – ½ P 200/280.

Château des Carreaux 🏨 sans rest, rte Alençon : 5,5 km par D 912 et N 1: ☎ 33 25 02 00, Fax 33 25 41 38, parc – TV ☎ P – 🎪 25. AE GB
☕ 38 – **4 ch** 325/450.

au Pin-la-Garenne S : 9 km par rte Bellême sur D 938 – 620 h. alt. 158 – ✉ **61400** Mortagne-au-Perche :

XX **La Croix d'Or,** ☎ 33 83 80 33, Fax 33 83 06 03 – P. ⓞ GB
✦ *fermé vacances de fév., mardi soir et merc. hors sais.* – **Repas** 55/210 ₰, enf. 45.

CITROEN S.R.A.N., ☎ 33 25 06 66 N ☎ 33 25 33 09
FORD Gar. du Panorama, ☎ 33 25 37 45
PEUGEOT Gar. du Valdieu, à St-Langis-les-Mortagne ☎ 33 25 27 00 N ☎ 33 29 22 22
RENAULT Thibault autom., ☎ 33 25 21 45 N ☎ 33 25 21 45
VAG Gar. Poirier, N 12, Gaillons à St-Hilaire-le-Châtel ☎ 33 25 30 88

MORTAGNE-SUR-GIRONDE 17120 Char.-Mar. 71 ⑥ **G. Poitou Vendée Charentes** – 972 h alt. 51.

Voir Chapelle★ de l'Ermitage St-Martial S : 1,5 km.

ℹ Syndicat d'Initiative Les Halles ☎ 46 90 52 90.

Paris 509 – Royan 30 – Blaye 52 – Jonzac 30 – Pons 25 – La Rochelle 98 – Saintes 34 – Saujon 30.

🏨 **Aub. de la Garenne** 🐦, ☎ 46 90 63 69, Fax 46 90 50 93, ←, 🌳, 🏊, 🍽 – TV ☎ P. GB
fermé 20 oct. au 15 nov., dim. soir et lundi hors sais. – **Repas** 85/200 ₰, enf. 42 – ☕ 30 – **11 ch** 178/300 – ½ P 195/235.

MORTAGNE-SUR-SÈVRE 85290 Vendée 67 ⑤ G. Poitou Vendée Charentes – 5 724 h alt. 115.

Office de Tourisme à la Mairie ✆ 51 65 11 32, Fax 41 71 17 24.

ris 360 – ◆Angers 68 – La Roche-sur-Yon 54 – Bressuire 40 – Cholet 9,5 – ◆Nantes 63.

France, pl. Dr Pichat ✆ 51 65 03 37, Fax 51 65 27 83, – rest. AE GB
fermé 20 déc. au 16 janv. et sam. de sept. à mai – **Repas** 78/99, enf. 48 - ***La Taverne* : Repas** ✆51 65 03 79 165/340, enf. 48 – 45 – **24 ch** 250/380 – ½ P 264/400.

EUGEOT Gar. Fièvre, ✆ 51 65 00 96 N 51 65 00 96

RENAULT Gar. Soulard, ✆ 51 65 02 33

MORTAIN 50140 Manche 59 ⑨ G. Normandie Cotentin (plan) – 2 416 h alt. 232.

oir Site★ – Grande Cascade★ – Petite chapelle ≤★.

Office de Tourisme Grande-Rue (juil.-août) ✆ 33 59 19 74 et à la Mairie (hors saison) ✆ 33 59 00 51.

aris 277 – Avranches 34 – Domfront 24 – Flers 34 – Mayenne 52 – Le Mont-St-Michel 50 – St-Lô 63 – Villedieu-les-oêles 35.

Poste, pl. Arcades ✆ 33 59 00 05, Fax 33 69 53 89, – P. AE GB
fermé 15 au 31 oct., 1er au 15 fév., vend. soir et sam. du 1er nov. au 15 mars – **Repas** 92/240, enf. 60 – 40 – **28 ch** 170/420 – ½ P 240/360.

ITROEN Dubois-Helleux, ✆ 33 59 01 63 N ✆ 33 59 01 63

EUGEOT Gar. Prieur, Le Neufbourg ✆ 33 59 00 14 N ✆ 33 59 00 14

RENAULT Gar. Langlois, 27 r. Rocher ✆ 33 59 00 53

MORTEAU 25500 Doubs 70 ⑦ G. Jura (plan) – 6 458 h alt. 780.

Office de Tourisme pl. Gare ✆ 81 67 18 53.

aris 472 – ◆Besançon 63 – Basel 128 – Belfort 87 – Montbéliard 70 – Neuchâtel 44 – Pontarlier 31.

XX ✿ **Aub. de la Roche** (Feuvrier), au Pont de la Roche SO : 3 km par D 437 ✉ 25570 Gd Combe Chateleu ✆ 81 68 80 05, Fax 81 68 87 64, – P. GB
fermé 1er au 9 juil., 9 au 16 sept., 13 au 29 janv., dim. soir et lundi sauf les midis fériés – **Repas** 135/410 et carte 230 à 370
Spéc. Escalope de foie de canard tiède, caramel de vin de Paille. Fricassée de cuisses de grenouilles à l'émulsion de cresson. Médaillon de pintadeau fermier farci aux pruneaux. **Vins** Arbois blanc, Arbois-Pupillin rouge.

à Grand'Combe-Châteleu SO : 5 km par D 437 et D 47 – 1 301 h. alt. 760 – ✉ **25570**.

Voir Fermes anciennes★.

X **Faivre,** ✆ 81 68 84 63, Fax 81 68 87 80 – GB
fermé 5 au 25 août, 6 au 12 janv., dim. soir et lundi – **Repas** 100 (déj.), 130/300.

ORD Gar. Franc-Comtois, La Tanche-les-Fins ✆ 81 67 07 99

EUGEOT Gar. Central, 40 r. Louhière ✆ 81 68 55 20 N ✆ 81 67 08 12

Pneus Roland-Point S, 7 av. Ch.-de-Gaulle ✆ 81 67 31 50

MORTEMART 87330 H.-Vienne 72 ⑥ G. Berry Limousin – 152 h alt. 300.

aris 395 – ◆Limoges 39 – Bellac 14 – Confolens 32 – St-Junien 20.

XX **Le Relais** avec ch, ✆ 55 68 12 09 – GB
fermé vacances de fév., mardi soir sauf du 15 juil. au 31 août et merc. – **Repas** 92/248, enf. 54 – 40 – **5 ch** 240/290.

MORZINE 74110 H.-Savoie 74 ⑧ G. Alpes du Nord – 2 967 h alt. 960 – Sports d'hiver : 1 000/2 350 m 6 61.

Voir Le Pléney ✳★ S : par téléphérique.

Env. Col de Joux Plane ✳★★ S : 10 km B.

Morzine-Avoriaz ✆ 50 74 17 08, E : 12 km par D 338.

Office de Tourisme pl. Crusaz ✆ 50 74 72 72, Fax 50 79 03 48.

aris 591 ② – Thonon-les-Bains 32 ① – Annecy 78 ② – Chamonix-Mont-Blanc 68 ② – Cluses 28 ② – Genève 62 ②.

Plan page suivante

Le Dahu, ✆ 50 75 92 92, Fax 50 75 92 50, ≤, – P. GB. rest — B z
15 juin-15 sept. et 14 déc.-10 avril – **Repas** *(fermé mardi en hiver)* 155/200 – 60 – **40 ch** 510/1030, 4 duplex – ½ P 625/825.

Champs Fleuris, ✆ 50 79 14 44, Fax 50 79 27 75, ≤, – P. GB. rest — A f
25 juin-5 sept. et 18 déc.-8 avril – **Repas** 160 (dîner), 170/215 – 60 – **45 ch** 600/1000 – ½ P 530/790.

Les Airelles, ✆ 50 74 71 21, Télex 385178, Fax 50 79 17 49, ≤, – cuisinette P – 30 à 50. AE GB JCB. rest — A b
15 mai-20 sept. et 1er déc.-20 avril – **Repas** 120/295 – 55 – **47 ch** 550/850, 9 studios – ½ P 650/790.

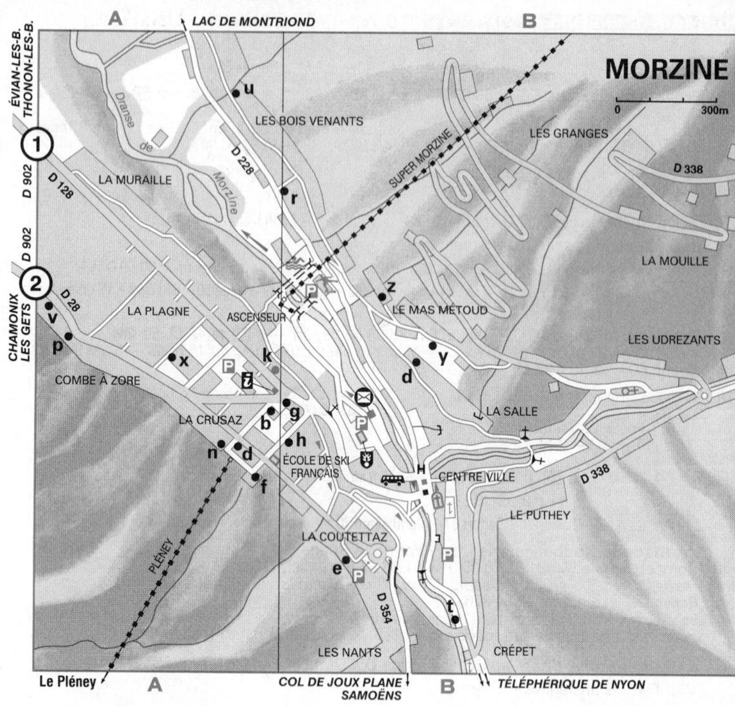

🏨 **La Bergerie** Ⓜ sans rest, ✆ 50 79 13 69, Fax 50 75 95 71, <, « Intérieur savoyard », ⛹, 🏊, 🌳 – 🛗 cuisinette 📺 ☎ 🚗. GB — B
29 juin-15 sept. et 18 déc.-15 avril – ☕ 60 – **5 ch** 350/500, 22 studios 800/1000.

🏨 **Le Tremplin,** ✆ 50 79 12 31, Télex 385246, Fax 50 75 95 70, <, ⛱, 🌳 – 🛗 📺 ☎ 🚗 🅿. GB. ✻ rest — A
22 juin-7 sept. et 15 déc.-16 avril – **Repas** 180/260 – ☕ 60 – **34 ch** 400/1000 – ½ P 550/700

🏨 **Le Samoyède,** ✆ 50 79 00 79, Fax 50 79 07 91, <, ⛱, 🌳 – 🛗 📺 ☎ 🅿. AE ⓓ GB. ✻ rest — B
15 juin-4 sept. et 15 déc.-20 avril – **Repas** 102/225, enf. 55 – ☕ 40 – **27 ch** 230/560 ½ P 430/500.

🏨 **Clef des Champs** 🐎, ✆ 50 79 10 13, Fax 50 79 08 18, <, ⛹, 🏊, 🌳 – 📺 ☎ 🅿. GB. ✻ rest — B
5 juin-14 sept. et 20 déc.-15 avril – **Repas** 130/150 – ☕ 38 – **27 ch** 370/400 – ½ P 340/360.

🏨 **Carlina,** ✆ 50 79 01 03, Fax 50 75 94 11, ⛱ – ✗ 📺 ☎. AE ⓓ GB. ✻ rest — A
hôtel : fermé 4 mai au 4 juin ; rest. : ouvert 5 juil.-2 sept. et 16 déc.-3 mai – **Repas** 110 (déj.) 130/200 🍷, enf. 55 – ☕ 40 – **18 ch** 350/480 – ½ P 400/450.

🏨 **Bel'Alpe,** ✆ 50 79 05 50, Fax 50 79 22 76, <, 🏊, 🌳 – ☎ 🅿. AE GB. ✻ rest — A
30 juin-7 sept. et 20 déc.-10 avril – **Repas** 115 (dîner), 120/150 – ☕ 35 – **22 ch** 320/370 ½ P 310/330.

🏠 **Ours Blanc** 🐎, ✆ 50 79 04 02, Fax 50 75 97 82, <, 🏊, 🌳 – 📺 ☎ 🅿. GB. ✻ rest — A
22 juin-3 sept. et Noël-Pâques – **Repas** 110/130 – ☕ 36 – **23 ch** 200/340 – ½ P 295/315.

🏠 **Combe Humbert** sans rest, ✆ 50 79 06 70, Fax 50 79 25 03, <, 🌳 – 🛗 📺 ☎ 🚗 🅿. AE ⓓ GB — A
☕ 35 – **10 ch** 270/300.

🏠 **La Renardière,** ✆ 50 79 03 50, <, 🏊 – 📺 ☎ 🚗 🅿. GB — A
15 juin-10 sept. et 15 déc.-15 avril – **Repas** (en hiver dîner seul.) 100/350 – ☕ 35 – **17 ch** 300/400 – ½ P 290/310.

🏠 **Les Côtes** 🐎, ✆ 50 79 09 96, Fax 50 75 97 38, <, ⛹, 🏊, 🌳 – cuisinette 📺 ☎ 🅿. GB. ✻ rest — B
1er juil.-5 sept. et 20 déc.-16 avril – **Repas** (dîner seul.) 100/125, enf. 60 – ☕ 48 – **6 ch** 280/320, 19 studios 420/580 – ½ P 310/340.

Soly et rest. Le Varnay, ✆ 50 79 09 45, Fax 50 74 71 82, ≤, (été), – ☎ P. AE ① GB B t
22 juin-15 sept. et 21 déc.-12 avril – **Repas** 98/140 – ☕ 39 – **19 ch** 240/310 – ½ P 320/370.

Beau Regard, ✆ 50 79 11 05, Fax 50 79 07 41, ≤, – TV ☎ P. GB. rest B r
fin juin-début sept. et Noël-début avril – **Repas** 120 – ☕ 50 – **33 ch** 320/460 – ½ P 360/400.

Hermine Blanche, ✆ 50 75 76 55, Fax 50 74 72 47, ≤, – ☎ P. AE GB. rest B y
15 juin-31 août et 20 déc.-20 avril – **Repas** (diner seul. en hiver) 95 – ☕ 39 – **20 ch** 180/270 – ½ P 305/336.

La Chamade, ✆ 50 79 13 91, Fax 50 79 27 48, – AE ① GB JCB A k
Rez-de-Chaussée** (fermé mardi soir et merc. hors sais.)* **Repas** 150/180 – ***1er Étage (prévenir) *(ouvert 1/7-15/9 et 15/12-15/4 et fermé mardi soir et merc. hors sais.)* **Repas** 250/300.

MOSNAC 17 Char.-Mar. 71 ⑥ – rattaché à Pons.

La MOTTE 83920 Var 84 ⑦ – 1 993 h alt. 79.

18 St-Endréol ✆ 94 81 80 81, fax 94 81 84 48.

Paris 861 – Fréjus 22 – Brignoles 51 – Cannes 57 – Draguignan 10 – St-Raphaël 25 – Ste-Maxime 27.

Les Pignatelles, E : 1 km par D 47 ✆ 94 70 25 70, Fax 94 70 26 55, – P. AE GB
fermé 18 fév. au 22 mars, dim. soir hors sais. et merc. – **Repas** 100/180, enf. 60.

La MOTTE-AU-BOIS 59 Nord 51 ⑭ – rattaché à Hazebrouck.

MOTTEVILLE 76 S.-Mar. 52 ⑬ – rattaché à Yvetot.

Le MOTTIER 38260 Isère 74 ⑬ – 468 h alt. 475.

Paris 532 – Bourgoin-Jallieu 23 – ♦Grenoble 46 – St-Étienne-de-St-Geoirs 11 – Vienne 45.

Les Donnières, près Mairie ✆ 74 54 42 06 – AE
fermé 14 juil. au 15 août, janv., dim. soir, merc. et jeudi – **Repas** (nombre de couverts limité, prévenir) carte environ 120.

MOUANS-SARTOUX 06370 Alpes-Mar. 84 ⑧ 114 ⑬ 115 ㉔ – 7 989 h alt. 120.

Paris 909 – Cannes 9,5 – Antibes 15 – Grasse 7 – Mougins 3 – ♦Nice 34.

au SO par D 409 :

Palais des Coqs, parc de l'Argile, 3 km ✆ 93 75 61 57, Fax 92 92 91 71, – P. AE GB
fermé dim. soir et lundi hors sais. – **Repas** (prévenir) 95 (déj.), 145/295.

Relais de la Pinède, à 1,5 km ✆ 93 75 28 29, – P. GB
fermé 1er au 15 fév., le soir sauf sam. d'oct. à mai et merc. – **Repas** (prévenir) 99/169.

MOUCHARD 39330 Jura 70 ④ ⑤ – 997 h alt. 285.

Paris 400 – ♦Besançon 38 – Arbois 10 – Dole 36 – Lons-le-Saunier 48 – Salins-les-Bains 8.

Chalet Bel'Air avec ch, ✆ 84 37 80 34, Fax 84 73 81 18, – rest TV ☎ P. AE ① GB
fermé 19 au 26 juin, 20 nov. au 11 déc. et merc. sauf vacances scolaires – **Repas** 175/390 -
Rôtisserie : **Repas** 81/171, enf. 57 – ☕ 40 – **9 ch** 245/400 – ½ P 265/340.

RENAULT Gar. Conry, ✆ 84 37 82 43 N ✆ 84 37 82 43

MOUDEYRES 43150 H.-Loire 76 ⑱ – 111 h alt. 1177.

Paris 573 – Le Puy-en-Velay 25 – Aubenas 62 – Langogne 57 – St-Agrève 40 – Yssingeaux 35.

✿ **Aub. Pré Bossu** (Grootaert), ✆ 71 05 10 70, Fax 71 05 10 21 – ☎ P. AE GB. rest
31 mars-nov. et fermé le midi hors sais. sauf dim. – **Repas** (prévenir) 165/365 et carte 260 à 350 – ☕ 55 – **10 ch** 370/460 – ½ P 450/600
Spéc. Dodine de lapin aux pruneaux et foie gras de canard. Pot-au-feu de pigeonneau, crête de coq et queue de boeuf aux lentilles vertes du Puy. Gibier (sept. à nov.). **Vins** Côtes d'Auvergne, Saint-Joseph.

MOUGINS 06250 Alpes-Mar. 84 ⑨ 115 ㉔ ㊳ **G. Côte d'Azur** – 13 014 h alt. 260.

Voir Site★ – Ermitage N.-D. de Vie : site★, ≤★ SE : 3,5 km.

18 Country-Club de Cannes-Mougins ✆ 93 75 79 13, E : 2 km ; 18 Royal Mougins Golf Club ✆ 92 92 14 92, O : 2,5 km.

Office de Tourisme av. J.-Ch.-Mallet (fermé dim. et lundi) ✆ 93 75 87 67, Fax 92 92 04 03.

Paris 906 – Cannes 7 – Antibes 14 – Grasse 10 – ♦Nice 31 – Vallauris 10.

H. de Mougins M, 205 av. Golf (rte Antibes) ✆ 92 92 17 07, Fax 92 92 17 08, « Piscine dans un jardin fleuri », – TV ☎ P – 25. AE ① GB
Repas *(fermé 15 nov. au 15 déc. et dim. soir du 2 janv. au 31 mars)* 145 (déj.), 180/250 – ☕ 80 – **50 ch** 980 – ½ P 635.

Mas Candille, bd Rebuffel ✆ 93 90 00 85, Fax 92 92 85 56, ≤, – ch TV ☎ P. AE ① GB. rest
30 mars-4 nov. – **Repas** *(fermé merc. midi et mardi)* 185/270 – ☕ 85 – **23 ch** 680/1050 – ½ P 595/720.

Manoir de l'Étang, aux Bois de Font-Merle E : 2 km par D 35 et rte secondaire ☎ 93 90 01 07, Fax 92 92 20 70, ←, parc, « Isolé dans la campagne », – TV ☎ P. AE GB.
fermé nov. à janv. sauf Noël au Jour de l'An – **Repas** *(fermé mardi hors sais.)* 145/190 – 55 – **14 ch** 600/900.

Arc H., 1082 rte Valbonne ☎ 93 75 77 33, Fax 92 92 20 57, – TV ☎ P – 50. AE GB
Repas 115/180, enf. 70 – 43 – **44 ch** 510/560.

XXXX ✿✿ **Moulin de Mougins** (Vergé) avec ch, à Notre-Dame-de-Vie SE : 2,5 km par D 3 ☎ 93 75 78 24, Fax 93 90 18 55, « Ancien moulin à huile du 16ᵉ siècle », – TV ☎ P. AE GB
fermé 8 au 18 janv. et 12 fév. au 14 mars – **Repas** *(fermé lundi sauf le soir du 15 juil. au 31 août et jeudi midi)* 305 bc (déj.), 615/740 et carte 560 à 790 – 75 – **5 ch** 800/900
Spéc. Poupeton de fleur de courgette à la truffe noire. Loup aux poivrons doux et artichauts confits. Cotelettes d'agneau des Alpilles en croûte de champignons. **Vins** Bandol blanc, Côtes de Provence.

XXX **Les Muscadins** M avec ch, au village ☎ 93 90 00 43, Fax 92 92 88 23, ←, – ch TV ☎ P. AE GB
fermé 11 au 20 déc. et 11 fév. au 12 mars et mardi d'oct. à avril – **Repas** 165/290 et carte 300 à 360 – 60 – **8 ch** 750/1200 – ½ P 900/1350.

XXX **Ferme de Mougins,** à St-Basile ☎ 93 90 03 74, Fax 92 92 21 48, – P. AE GB JCB
fermé dim. soir et lundi d'oct. à avril – **Repas** 195 (déj.), 250/380 et carte 390 à 530.

XX **Relais à Mougins,** au village ☎ 93 90 03 47, Fax 93 75 72 83, – GB
fermé dim. soir et lundi sauf juil.-août – **Repas** 125 (déj.), 150/375.

XX **Feu Follet,** Pl. de la mairie ☎ 93 90 15 78, Fax 92 92 92 62, – AE GB
fermé mars, mardi midi hors sais. et lundi – **Repas** 128/158.

XX **Clos St Basile,** à St-Basile ☎ 92 92 93 03, Fax 92 92 19 34, – AE GB
fermé mars, merc. midi en juil.-août, mardi soir et merc. hors sais. – **Repas** 125 (déj.)/170.

XX **Bistrot de Mougins,** au village ☎ 93 75 78 34, Fax 93 75 25 52 – . GB
fermé mi-nov. à mi-déc., le midi en juil.-août et merc. midi – **Repas** (prévenir) 125 (déj.)/175.

X **L'Amandier de Mougins,** au village ☎ 93 90 00 91, Fax 93 90 18 55, – AE GB
Repas 140/180, enf. 65.

PEUGEOT Gar. Ortelli, 235 rte du Cannet (bretelle autoroute) ☎ 93 69 60 60 N ☎ 05 44 24 24

MOULINS

P 03000 Allier 69 ⑭ **G. Auvergne** – 22 799 h alt. 240.

Voir Cathédrale★ : triptyque★★★, vitraux★★ DY – Jacquemart★ DY – Mausolée du duc de Montmorency★ (chapelle du lycée) CDY **B** – Musée d'Art et d'Archéologie★ : oeuvres médiévales★★, collection de faïences★ DY **M²**.

⛳ des Avenelles ☎ 70 20 00 95, par ④ N 7 : 7 km.

Office de Tourisme pl. Hôtel de Ville ☎ 70 44 14 14, Fax 70 34 00 21 – A.C. Parc de Villars ☎ 70 20 19 15.

Paris 293 ① – Bourges 101 ① – Chalon-sur-Saône 134 ③ – Châteauroux 153 ① – ♦Clermont-Ferrand 105 ⑤ – Mâcon 138 ③ – Montluçon 78 ⑥ – Nevers 54 ① – Roanne 97 ④ – Vichy 58 ④.

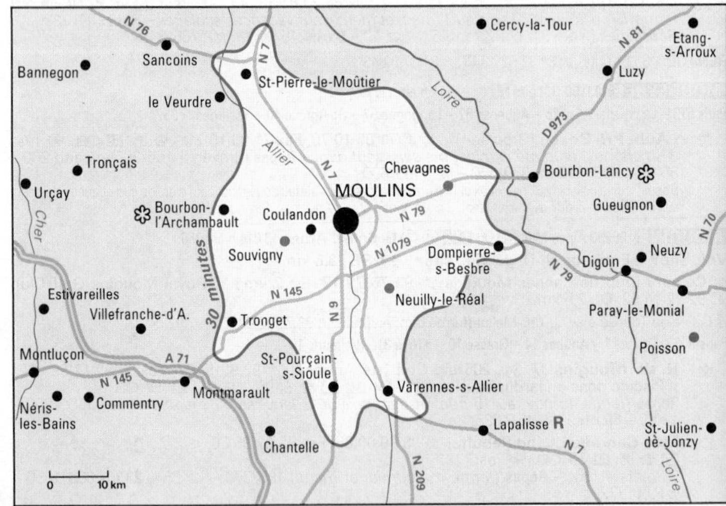

MOULINS

lier (Pl. d') . . . . CDZ
lier (R. d') . . . . DYZ
èche (R. de la) . . . . DZ 20
orloge (R. de l') . . . . DZ 26

lsace-Lorraine
(Av. d') . . . . BX 3
ncien-Palais (R.) . . . . DY 4
ourgogne
(R. de) . . . . DY 6
échimbault (R.) . . . . DZ 7
erf-Volant (R.) . . . . BV 8
ermont-Ferrand
(Rte de) . . . . AX 10
esboutins (R.) . . . . BX 16
ausses-Braies
(R. des) . . . . DY 19
renier (R.) . . . . DY 25
ôtel-de-Ville
(Pl. de l') . . . . DY 27
eu-de-Paume (R. du) . . . . BV 28
aussédat
(Pl. du Col.) . . . . DY 29
eclerc
(Av. Gén.) . . . . BX 30
bération (Av. de la) . . . . AX 31
ontilly (Rte de) . . . . AX 32
rfèvres (R. des) . . . . DY 33
ascal (R. Blaise-) . . . . CZ 34
éron (R. F.) . . . . DY 35
épublique (Av.) . . . . BX 36
anneries (R. des) . . . . DY 38
nland (R.M.) . . . . CY 39
ert-Galant
(R. du) . . . . CDY 40
Septembre (R.) . . . . DZ 42

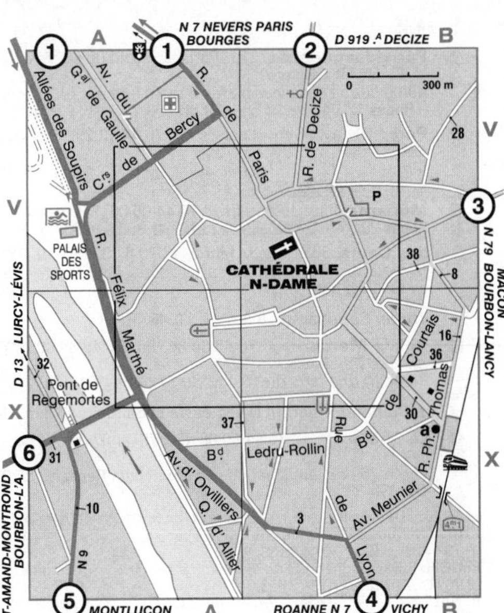

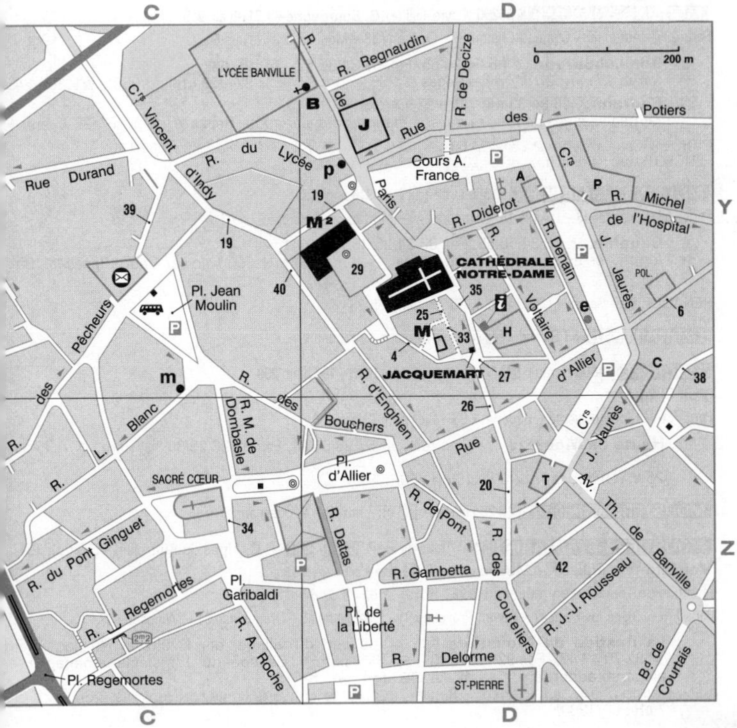

C D

0 200 m

LYCÉE BANVILLE
R. de Paris
R. Regnaudin
R. de Decize
Rue des Potiers
Crs Vincent d'Indy
R. du Lycée
Cours A. France
Crs Michel de l'Hospital
Rue Durand
R. Diderot
R. Denain
R. Voltaire
J. Jaurès
POL.
CATHÉDRALE NOTRE-DAME
Pl. Jean Moulin
R. des Pêcheurs
R. L. Blanc
R. des Bouchers
R. M. de Dombasle
R. d'Enghien
JACQUEMART
d'Allier
Crs J. Jaurès
Av. Th. de Banville
Pl. d'Allier
SACRÉ CŒUR
R. Datas
R. de Pont
R. des Couteliers
R. du Pont Ginguet
R. Regemortes
Pl. Garibaldi
R. A. Roche
R. Gambetta
Pl. de la Liberté
R. Delorme
R. J.-J. Rousseau
Bd de Courtais
Pl. Regemortes
ST-PIERRE
Y
Z
C D

Paris-Jacquemart, 21 r. Paris ✆ 70 44 00 58, Fax 70 34 05 39, 🏔, 🏊 – |♦| ▤ rest 📺 ✆ 🅿. AE ⓓ GB JCB DY
hôtel : fermé vacances de fév. ; rest : fermé 5 au 25 août, vacances de fév., dim. soir et lur – **Repas** 170/440 – ☐ 55 – **28 ch** 350/750 – ½ P 550/800.

Parc, 31 av. Gén. Leclerc ✆ 70 44 12 25, Fax 70 46 79 35 – ▤ rest 📺 ☎ ✆ GB BX
fermé 4 au 17 juil., 27 sept. au 5 oct. et 23 déc. au 5 janv. – **Repas** *(fermé sam.)* 90/220 ♪ ☐ 36 – **28 ch** 200/330 – ½ P 250.

Moderne, 9 pl. J. Moulin ✆ 70 44 05 06, Fax 70 44 89 79 – |♦| ☎ 🅿. GB JCB CY
Repas 95/240 ♪ – ☐ 30 – **42 ch** 230/300 – ½ P 200/350.

XXX **des Cours,** 36 cours J. Jaurès ✆ 70 44 32 56 – ▤. AE GB DY
fermé 2 au 10 mars, 12 juil. au 3 août, 21 au 29 nov., mardi soir et merc. – **Repas** 130/305 carte 220 à 330.

rte de Paris par ① : 8 km – ✉ **03460** Trevol :

Relais Mercure, ✆ 70 46 84 84, Fax 70 46 84 80, 🏔, parc, 🏊 – |♦| ⇎ 📺 ☎ ✆ 🅿 ♣ 150. AE ⓓ GB
Repas *(fermé dim. du 1er nov. au 31 mars)* 114/145 ♪, enf. 52 – ☐ 52 – **42 ch** 350/410.

à Coulandon par ⑥, D 945 et rte secondaire : 7 km – 554 h. alt. 250 – ✉ **03000** :

Le Chalet 🐎, ✆ 70 44 50 08, Fax 70 44 07 09, ≤, 🏔, « Parc », 🏊 – 📺 ☎ ✆ ♿ 🅿. AE GB
fermé 16 déc. au 31 janv. – ***Le Montegut :*** **Repas** 110/220, enf. 60 – ☐ 45 – **28 ch** 290/460 ½ P 330/380.

BMW Gar. Thévenin, 29 r. Ch.-Rispal ✆ 70 44 60 81
CITROEN Dubois-Dallois, Le Pré Vert N 7 par ① ✆ 70 44 34 98 🅽 ✆ 70 44 38 38
PEUGEOT Gar. Cognet, 175 rte de Lyon N 7 par ④ ✆ 70 46 07 07 🅽 ✆ 70 34 34 28
RENAULT Gar. Paris-Lyon, N 7 à Avermes par ① ✆ 70 44 30 12 🅽 ✆ 70 44 30 12
RENAULT Gar. Vernet, 63 rte de Bourgogne à Yzeure par ③ ✆ 70 46 07 55
SEAT Gar. St-Christophe, 119 r. de Paris ✆ 70 44 13 60

Ⓜ Euromaster, 36 rte de Moulins à Avermes ✆ 70 44 11 55
Euromaster, 103 rte de Lyon ✆ 70 46 31 42

MOULINS-ENGILBERT 58290 Nièvre 69 ⑥ G. Bourgogne – 1 711 h alt. 215.

Paris 295 – Autun 56 – Château-Chinon 16 – Corbigny 38 – Moulins 72 – Nevers 58.

Bon Laboureur, ✆ 86 84 20 55, Fax 86 84 35 52 – 📺 ☎. GB
fermé 15 janv. au 1er fév. – **Repas** 65/235 ♪, enf. 50 – ☐ 32 – **23 ch** 180/350 – ½ P 160/245

XX **Cadran,** ✆ 86 84 33 44, 🏔 – AE ⓓ GB
fermé vacances de fév., merc. soir et lundi sauf juil.-août – **Repas** 55 (déj.), 85/195 ♪, enf. 4

CITROEN Gar. Lavalette, ✆ 86 84 21 68
PEUGEOT Gar. Perraudin, ✆ 86 84 23 55
RENAULT Gar. Pessin, ✆ 86 84 25 13

MOULINS-LA-MARCHE 61380 Orne 60 ④ – 816 h alt. 257.

Paris 158 – Alençon 43 – L'Aigle 18 – Argentan 48 – Mortagne-au-Perche 17.

X **Dauphin,** ✆ 33 34 50 55, Fax 33 34 25 35 – 🅿. GB
fermé 2 au 25 sept., 4 au 20 fév., merc. soir d'oct. à mars, dim. soir et lundi – **Repas** 70/180 enf. 32.

RENAULT Gar. Bazin, ✆ 33 34 55 33 🅽 ✆ 33 34 55 33

Le MOULLEAU 33 Gironde 78 ② ⑫ – rattaché à Arcachon.

MOURÈZE 34800 Hérault 83 ⑤ G. Gorges du Tarn – 100 h alt. 200.

Voir Cirque★★.

Paris 736 – ♦ Montpellier 48 – Bédarieux 23 – Clermont-l'Hérault 8.

Hauts de Mourèze 🐎 sans rest, ✆ 67 96 04 84, Fax 67 96 25 85, ≤, parc, 🏊 – 🅿. GB ⚘
26 mars-15 oct. – ☐ 30 – **16 ch** 250/350.

MOUSTERLIN (Pointe de) 29 Finistère 58 ⑮ – rattaché à Fouesnant.

MOUSTIERS-STE-MARIE 04360 Alpes-de-H.-P. 81 ⑰ 114 ⑧ G. Alpes du Sud (plan) – 580 h alt. 631.

Voir Site★★ – Eglise★ – Musée de la Faïence★.

🅸 Office de Tourisme (fermé matin hors saison) ✆ 92 74 67 84.

Paris 775 – Digne-les-Bains 47 – Aix-en-Provence 91 – Castellane 45 – Draguignan 61 – Manosque 48.

La Bastide de Moustiers Ⓜ 🐎, au sud du village, par D 952 et rte secondai ✆ 92 70 47 47, Fax 92 70 47 48, ≤, 🏔, parc, « Bastide du 17e siècle aménagée e élégante auberge », 🏊 – ✆. AE GB JCB. ⚘ ch
fermé 6 janv. au 16 mars – **Repas** (nombre de couverts limité, prévenir) 195/260 – ☐ 75 7 ch 800/1300.

Le Colombier sans rest, rte Castellane : 0,5 km 92 74 66 02, Fax 92 74 66 70, ≤, – TV ☎ ♿ P. GB.
fermé 1er déc. au 31 janv. – 32 – **22 ch** 240/330.

Bonne Auberge, 92 74 66 18, Fax 92 74 65 11, – TV ☎ . AE GB
15 fév.-11 nov. – **Repas** (dîner seul.)(résidents seul.) 150, enf. 48 – 40 – **16 ch** 280/340 – ½ P 320/360.

XX ✿ **Les Santons** (Abert), pl. Église 92 74 66 48, Fax 92 74 63 67, – AE GB
fermé déc., janv., lundi soir sauf juil.-août et mardi – **Repas** (nombre de couverts limité, prévenir) 198 (déj.), 290/350 et carte 280 à 420
Spéc. Nouilles fraîches aux truffes et foie gras. Pigeonneau rôti à l'ail. Poulet fermier au miel de lavande et épices douces. **Vins** Coteaux d'Aix-en-Provence.

RENAULT Gar. Honorat, 92 74 66 30 N 92 74 66 30
Gar. Achard, 92 74 66 24

MOUTHIER-HAUTE-PIERRE 25920 Doubs 70 ⑥ G. Jura – 356 h alt. 450.

Voir Belvédère de Mouthier ≤★★ SE : 2,5 km – Gorges de Nouailles★ SE : 3,5 km – Roche de Haute-Pierre ≤★ N : 5 km puis 30 mn.

Paris 447 – ♦ Besançon 38 – Baume-les-Dames 53 – Levier 27 – Pontarlier 21 – Salins-les-Bains 42.

La Cascade , 81 60 95 30, Fax 81 60 94 55, ≤ vallée – TV ☎ ♿ P. GB.
15 fév.-15 nov. – **Repas** 108/275 – 40 – **23 ch** 275/345 – ½ P 285/320.

MOÛTIERS 73600 Savoie 74 ⑰ G. Alpes du Nord – 4 295 h alt. 480.

Office de Tourisme pl. St-Pierre 79 24 04 23, Fax 79 24 56 05.

Paris 608 – Albertville 26 – Chambéry 73 – St-Jean-de-Maurienne 87.

Ibis, colline Champoulet 79 24 27 11, Fax 79 24 30 03, ≤ – TV ☎ P. AE GB
Repas *(fermé le midi du 1er sept. au 15 déc.)* 99 bc, enf. 39 – 36 – **61 ch** 280/310.

Welcome's et rest. Souvenir, r. Greyffié de Bellecombe 79 24 00 48, Fax 79 22 99 96 – TV ☎ ♿ – 30. AE GB
Repas *(fermé dim. soir en mai, juin, oct. et nov.)* 80/250 , enf. 50 – 40 – **23 ch** 270/300 – ½ P 285.

des Alpes, 103 r. Basse de la Gare 79 24 01 15, Fax 79 24 23 37 – TV ☎. GB
1er juil.-1er sept. et 1er déc.-30 avril – **Repas** 95/125, enf. 70 – 35 – **24 ch** 230/390 – ½ P 170/310.

PEUGEOT Arly Autom., 79 24 10 66 N 79 22 93 73
RENAULT Moutiers Autom., 79 24 61 61 N 79 09 54 37
La Maison du Pneu, 79 24 21 95

Les MOÛTIERS-EN-RETZ 44580 Loire-Atl. 67 ② G. Poitou Vendée Charentes – 739 h alt. 5.

Paris 434 – ♦ Nantes 45 – Challans 35 – St.-Nazaire 40.

XX **Bonne Auberge,** av. Mer 40 82 72 03, Fax 40 64 68 37 – GB.
fermé vacances de Toussaint, de fév., dim. soir et lundi sauf juil.-août – **Repas** 105/295, enf. 70.

MOUX-EN-MORVAN 58230 Nièvre 65 ⑰ – 744 h alt. 502.

Paris 265 – Autun 30 – Château-Chinon 28 – Clamecy 71 – Nevers 92 – Saulieu 15.

Beau Site, 86 76 11 75, Fax 86 76 15 84, , parc – P. GB. rest
hôtel : fermé 30 nov. au 1er mars ; rest. : fermé 30 déc. au 15 fév., dim. soir et lundi du 15 nov. au 15 mars – **Repas** 65/185 , enf. 52 – 32 – **19 ch** 140/300 – ½ P 195/250.

CITROEN Gar. Bureau, 86 76 14 05 N 86 76 14 05

MOUZON 08210 Ardennes 56 ⑩ G. Champagne – 2 637 h alt. 160.

Voir Église Notre-Dame★.

Paris 259 – Charleville-Mézières 40 – Carignan 7 – Longwy 62 – Sedan 17 – Verdun 62.

XX **Les Échevins,** 33 r. Ch. de Gaulle 24 26 10 90 – GB
fermé 29 juil. au 23 août, 25 fév. au 7 mars, dim. soir et lundi sauf fériés – **Repas** 99/255, enf. 65.

PEUGEOT Gar. Fédricq, N 64 24 26 13 87 N 24 26 13 87
RENAULT Gar. Rogier, 4 r. Porte de France 24 26 11 84 N 24 26 11 84

MOYE 74 H.-Savoie 74 ⑤ – rattaché à Rumilly.

MUESPACH **68640** H.-Rhin 87 ⑳ – 789 h alt. 410.

Paris 482 – ♦Mulhouse 33 – Altkirch 18 – ♦Bâle 23 – Belfort 54.

XX **La Marmite,** ✆ 89 68 62 62, Fax 89 68 62 34, 🏠 – 🅿. GB
fermé 2 au 17 janv. et mardi – **Repas** 90 (déj.), 140/390 bc, enf. 70.

MUHLBACH-SUR-MUNSTER **68380** H.-Rhin 62 ⑱ **G. Alsace Lorraine** – 631 h alt. 460.

Paris 475 – Colmar 24 – Gérardmer 37 – Guebwiller 31.

Perle des Vosges (annexe Ⓜ 5 ch), ✆ 89 77 61 34, Fax 89 77 74 40, ←, 🏋 – |♦| ☎
🅿. ⓓ GB JCB. ✻ rest
fermé 15 nov. au 1er déc. et 1er janv. au 2 fév. – **Repas** 70/200 – ☕ 30 – **44 ch** 210/400
5 appart – ½ P 200/265.

MULHOUSE 68100 H.-Rhin 66 ⑨ ⑩ **G. Alsace Lorraine** – 108 357 h Agglo. 223 856 h alt. 240.

Voir Parc zoologique et botanique★★ CV – Place de la Réunion★ EFY 113 : Hôtel de Ville★★ FY (musée historique★★ M¹) – Vitraux★ du temple St-Étienne FY **D** – Musée de l'automobile collection Schlumpf★★★ BU – Musée français du chemin de fer★★★ AV – Musée de l'Impression sur étoffes★ FZ **M²** – Electropolis : musée de l'énergie électrique★ AV **M⁸**.

Env. Musée du Papier peint★ : collection★★ à Rixheim E : 6 km DV **M⁷**.

18 du Rhin à Chalampé ✆ 89 26 07 86, par ② : 19 km.

✈ de Bâle-Mulhouse (Euro-Airport) par ③ : 27 km, ✆ 89 90 31 11 à St-Louis (France) e
061 ✆ 325 31 11 à Bâle (Suisse).

🚗 ✆ 36 35 35 35.

ℹ Office de Tourisme 9 av. Mar.-Foch ✆ 89 45 68 31, Fax 89 45 66 16 – Automobile Club Résidence du Parc 15 bd Europe ✆ 89 45 38 72.

Paris 472 ⑤ – Basel 35 ③ – Belfort 40 ⑤ – ♦Besançon 134 ⑤ – Colmar 43 ① – ♦Dijon 223 ⑤ – Freiburg-im Breisgau 58 ② – ♦Nancy 175 ① – ♦Reims 371 ⑥ – ♦Strasbourg 112 ①.

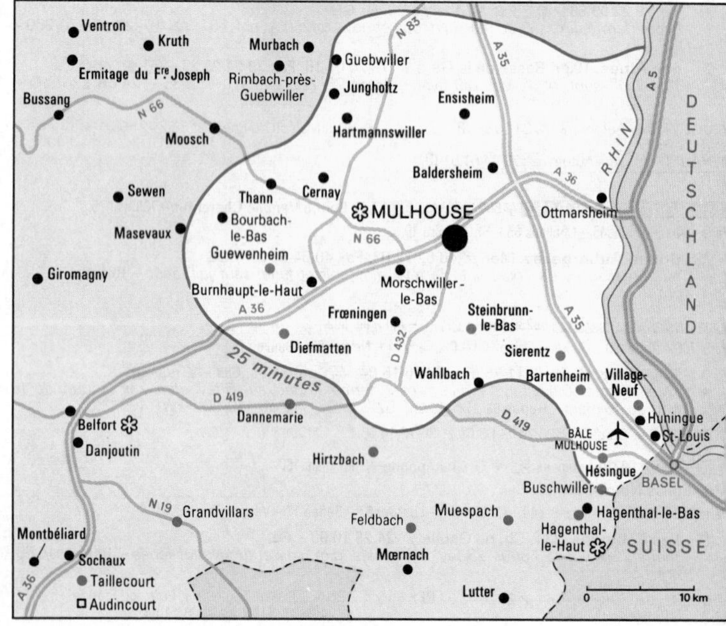

Parc Ⓜ, 26 r. Sinne ✆ 89 66 12 22, Télex 881790, Fax 89 66 42 44 – |♦| ⇔ ▤ TV ☎ ✆ ♿ – 🏛 80. AE ⓓ GB JCB FZ a
Repas *(fermé août, sam. soir et dim.)* (déj. seul.) carte environ 270 – ☕ 90 – **76 ch** 650/1300.

Mercure Centre, 4 pl. Gén. de Gaulle ✆ 89 36 29 39, Télex 881807, Fax 89 36 29 49 – |♦| ⇔ ▤ TV ☎ ✆ – 🏛 100. AE ⓓ GB FZ b
Repas 99/180, enf. 50 – ☕ 55 – **96 ch** 420/490.

MULHOUSE

Colmar (Av. de) . . . . . . **EXY**
Prés.-Kennedy (Av. du) **EFY**
Sauvage (R. du) . . . . **FY** 145

Altkirch (Av. et Pt d') . . . **FZ** 3
Arsenal (R. de l') . . . . . . **EY** 4
Bonbonnière (R.) . . . . . . **EY** 13
Bonnes-Gens (R. des) . . **FZ** 14
Bons-Enfants (R. des) . . **EY** 18
Briand (Av. Aristide) . . . **EY** 19
Cloche (Quai de la) . . . . **EY** 24
Dreyfus (R. du Capit.) . . **FX** 29
Ehrmann (R. Jules) . . . . **FZ** 32
Ensisheim (R. d') . . . . . . **FY** 33
Europe (Pl. de l') . . . . . . **FY** 34
Fleurs (R. des) . . . . **EZ** 37
Foch (Av. du Mar.) . . . . . **FZ** 38
Franciscains (R. des) . . . **EY** 40
Gaulle (Pl. Gén. de) . . . . **FZ** 43
Guillaume-Tell (Pl.) . . . . **FZ** 48
Heilmann (R. Josué) . . **EXY** 52
Henner (R. J.-J.) . . . . . . **FZ** 53
Henriette (R.) . . . . **EY** 56
Joffre (Av. du Mar.) . . . . **FZ** 65
Lattre-de-T. (Av. Mar.) . **FY** 71
Leclerc (Av. du Gén.) . . . **FZ** 72
Loi (R. de la) . . . . **EY** 76
Loisy (R. du Lt de) . . . . . **FX** 77
Lorraine (R. de) . . . . **EY** 78
Maréchaux (R. des) . . . . **EY** 82
Mertzau (R. de la) . . . . . **EX** 87
Metz (R. de) . . . . **FY** 88
Moselle (R. de la) . . . . . **FY** 91
Nordfeld (R. du) . . . . **FY** 98
Oran (Quai d') . . . . **FZ** 99
Pasteur (R. Louis) . . . . . **FY** 103
Poincaré (R.) . . . . **FZ** 107
Prés.-Roosevelt (Bd) . **EXY** 108
Raisin (R. du) . . . . **EY** 109
République (Pl. de la) . **FY** 112
Réunion (Pl. de la) . . . . **FY** 113
St-Étienne (⊕) . . . . **EZ** 124
St-Fridolin (⊕) . . . . **EX** 128
Ste-Claire (R.) . . . . **EZ** 137
Ste-Geneviève (⊕) . . . **FY** 138
Ste-J.-d'Arc (⊕) . . . . . . **FX** 139
Ste-Marie (⊕) . . . . **EY** 140
Somme (R. de la) . . . . . **FY** 146
Stalingrad (R. de) . . . . . **FY** 149
Stoessel (Bd Charles) . **EZ** 152
Tanneurs (R. des) . . . . . **EY** 153
Tour-du-Diable (R.) . . . . **EZ** 155
Trois-Rois (R. des) . . . . **EZ** 156
Vauban (Pl.) . . . . **FX** 159
Wicky (Av. Auguste) . . . **FZ** 165
Wilson (R.) . . . . **FZ** 166
Wolf (R. du) . . . . **FX** 167
Wyler (Allée William) . **FX** 168
Zillisheim (R. de) . . . . . . **EZ** 170
17-Novembre (R. du) . **FZ** 173

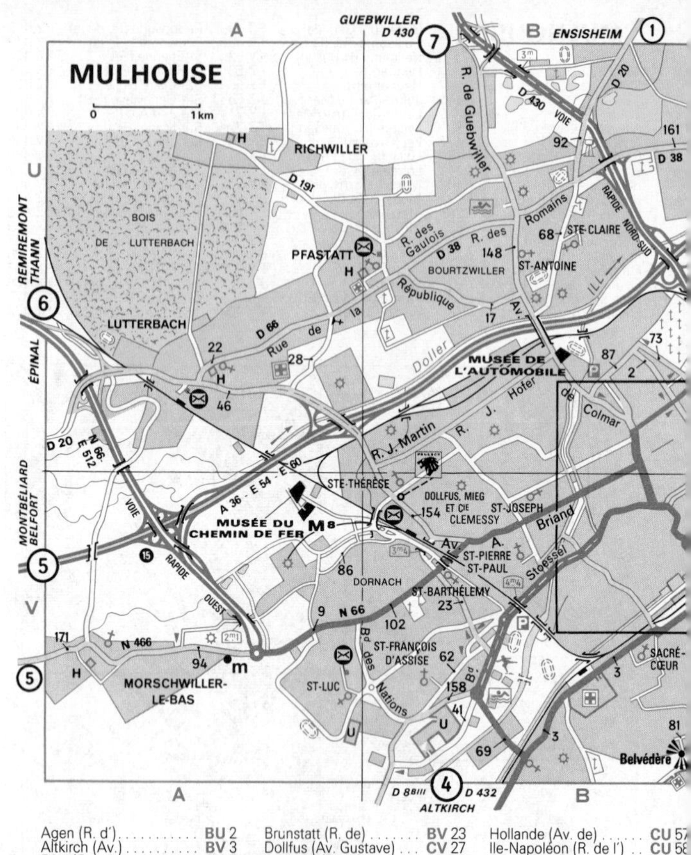

Agen (R. d') . . . . BU 2
Altkirch (Av.) . . . . BV 3
Bâle (Rte de) . . . . CU 7
Bartholdi (R.) . . . . CV 8
Belfort (R. de) . . . . AV 9
Belgique (Av. de) . . . . . . CU 12
Bourtz (R. Sébastien) . . . BU 17
Briand (R. Aristide) . . . . . AU 22
Brunstatt (R. de) . . . . BV 23
Dollfus (Av. Gustave) . . . CV 27
Dornach (R. de) . . . . AU 28
Fabrique (R. de la) . . . . . . CU 36
Frères Lumière (R. des) . BV 41
Gambetta (Bd Léon) . . . . CV 42
Gaulle (R. du Gén.-de) . . AU 46
Hardt (R. de la) . . . . CV 51
Hollande (Av. de) . . . . . . CU 57
Ile-Napoléon (R. de l') . . CU 58
Illberg (R. de l') . . . . BV 62
Ilôt (R. de l') . . . . DU 63
Jardin-Zoologique (R.) . . CV 64
Juin (R. A.) . . . . CU 66
Katz (Allée Nathan) . . . . . CU 67
Kingersheim (R. de) . . . . BU 68

Bourse sans rest, 14 r. Bourse ✆ 89 56 18 44, Fax 89 56 60 51, – |‡| ⇆ TV ☎. AE ⓞ GB FZ d
fermé 23 déc. au 3 janv. – ☐ 52 – **50 ch** 350/460.

des Maréchaux M sans rest, 15 r. Lambert ✆ 89 66 44 77, Fax 89 46 30 66, – |‡| ⇆ TV ☎ ♿ – 🏛 30. AE ⓞ GB FY t
☐ 48 – **60 ch** 300/420.

Bristol sans rest, 18 av. Colmar ✆ 89 42 12 31, Fax 89 42 50 57 – |‡| ⇆ TV ☎ P – 🏛 30. AE ⓞ GB JCB FY e
☐ 35 – **68 ch** 250/450.

Ibis Centre Filature, 34 allée Nathan Katz ✆ 89 56 09 56, Fax 89 45 53 57, – |‡| ⇆ TV ☎ ♿ P – 🏛 35. AE ⓞ GB CU e
Repas 99 bc, enf. 35 – ☐ 35 – **70 ch** 295.

Bâle sans rest, 19 passage Central ✆ 89 46 19 87, Fax 89 66 07 06 – TV ☎. GB FY p
☐ 35 – **32 ch** 175/295.

XXX **Le Parc,** 8 r. V. Hugo à Illzach-Modenheim ✉ 68110 Illzach ✆ 89 56 61 67, Fax 89 56 13 85, – P. GB CU k
fermé sam. midi, dim. soir et lundi – **Repas** 205/430 et carte 280 à 420.

XXX **Poste,** 7 r. Gén. de Gaulle à Riedisheim ✉ 68400 Riedisheim ✆ 89 44 07 71, Fax 89 64 32 79 – P. GB CV d
fermé 29 juil. au 19 août, vacances de fév., dim. soir et lundi – **Repas** 185/400 et carte 290 à 400 🍷.

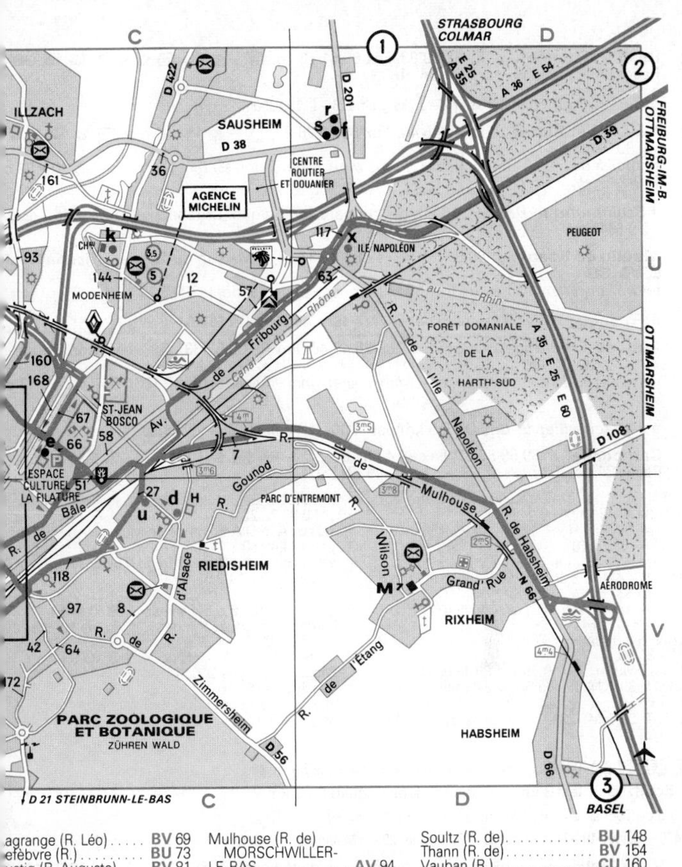

agrange (R. Léo) ..... BV 69
efèbvre (R.) ..... BU 73
ustig (R. Auguste) ..... BV 81
ler-Rouge (R. de la) ..... AV 86
lertzau (R. de la) ..... BU 87
lulhouse (Fg de) ..... BU 92
lulhouse (R. de) ILLZACH ..... CU 93
Mulhouse (R. de) MORSCHWILLER-LE-BAS ..... AV 94
Noelting (R. Émilio) ..... CV 97
Paris (Bd de) ..... BV 102
Rhin (R. du) ILLZACH ..... DU 117
Riedisheim (Av. de) ..... CV 118
Sausheim (R. de) ..... CU 144
Soultz (R. de) ..... BU 148
Thann (R. de) ..... BV 154
Vauban (R.) ..... CU 160
Vosges (R. des) ..... BCU 161
Wyler (Allée William) ..... CU 168
1re-Armée-Française (R.) ..... AV 171
9e-Div.-d'Infanterie Coloniale (R.) ..... CV 172

XX ✿ **Aub. de la Tonnelle** (Hirtzlin), 61 r. Mar.-Joffre à Riedisheim ✉ 68400 Riedisheim
✆ 89 54 25 77, Fax 89 64 29 85 – GB CV **u**
fermé 19 août au 12 sept., dim. soir et merc. – **Repas** 168 et carte 170 à 260
Spéc. Poêlée de grenouilles fraîches aux fines herbes. Fricassée de volaille fermière aux langoustines et pâtes. Poire rôtie "stamm de la tonnelle". **Vins** Riesling, Pinot noir.

X **Aux Caves du Vieux Couvent,** 23 r. Couvent ✆ 89 46 28 79, Fax 89 66 47 87, Taverne – AE GB EY **n**
fermé dim. soir et lundi – **Repas** 55/170.

NE : île Napoléon – ✉ **68110** Illzach :

XXX **La Closerie,** ✆ 89 61 88 00, Fax 89 61 95 49 – P. GB DU **x**
fermé 15 au 31 juil., 23 déc. au 4 janv., lundi soir, sam. midi et dim. – **Repas** 220/300 et carte 260 à 370, enf. 70.

au NE par D 201 – ✉ **68390** Sausheim :

Mercure, ✆ 89 61 87 87, Télex 881757, Fax 89 61 88 40, – P – 60. AE GB DU **r**
Repas 98/190 bc, enf. 56 – 52 – **100 ch** 600.

Novotel M, r. Ile Napoléon ✆ 89 61 84 84, Fax 89 61 77 99, – ch – 80. AE GB DU **s**
Repas 94/180, enf. 52 – 49 – **77 ch** 425/455.

Ibis Ile Napoléon, ☏ 89 61 83 83, Fax 89 61 78 10, – ☐. AE GB
Repas 99 bc, enf. 39 – ☐ 36 – **76 ch** 290. DU

à Baldersheim par ① : 8 km – 2 238 h. alt. 226 – ✉ **68390** :

Au Cheval Blanc, ☏ 89 45 45 44, Fax 89 56 28 93, – rest P 30. GB
fermé 23 déc. au 5 janv. – **Repas** *(fermé dim. soir et jeudi)* 85/235, enf. 55 – ☐ 40 – **83 c**
210/345 – ½ P 233/260.

à Steinbrunn-le-Bas SE : 10 km par rte parc zoologique, Bruebach et D 21 – 618 h. alt. 2
– ✉ **68440** :

Moulin du Kaegy, ☏ 89 81 30 34, Fax 89 81 31 10, « Maison du 16ᵉ siècle, jardin » –
AE GB
fermé janv., dim. soir et lundi – **Repas** (dim. prévenir) 215 (déj.), 330/530.

à Froeningen SO : 9 km par D 8ᴮᴵᴵᴵ - BV – 467 h. alt. 256 – ✉ **68720** :

Aub. de Froeningen avec ch, ☏ 89 25 48 48, Fax 89 25 57 33, « Maison fleurie
– P. GB
fermé 13 au 26 août, 9 au 29 janv., dim. soir et lundi – **Repas** 80 (déj.), 190/350 – ☐ 42 – **7 c**
325/375.

à Morschwiller-le-Bas O : 5,5 km par N 66 – 2 445 h. alt. 265 – ✉ **68790** :

Campanile, ☏ 89 59 87 87, Fax 89 43 81 82, – P – 25. AE GB
Repas 84 bc/107 bc, enf. 39 – ☐ 32 – **49 ch** 270. AV

CITROEN Succursale, av. de Suisse à Illzach ☏ 89 31 33 40 N ☏ 05 05 24 24
FIAT, LANCIA Gar. Hess, 1 bis r. de Sausheim à Illzach ☏ 89 66 57 66
FORD Gar. Sax, 12 r. du Couvent ☏ 89 56 52 22
FORD Safor Autom., ZI - av. de Belgique à Illzach ☏ 89 61 76 33
HONDA, MAZDA, VOLVO Gar. Christen, 21 r. Thann ☏ 89 42 09 44
NISSAN Gar. Manu Est, 26 r. Manulaine ☏ 89 52 35 80
OPEL Gar. Muller, 23 r. Thann ☏ 89 43 98 88
PEUGEOT S.I.A.M, 7 r. de Berne à Illzach ☏ 89 61 83 23
PEUGEOT S.I.A.M., 22 r. Thann ☏ 89 59 65 65 N ☏ 05 44 24 24
RENAULT Gar. Mulhousien, r. Sausheim à Illzach ☏ 89 36 22 22
TOYOTA S.D.A.R., 64 rte de Mulhouse à Rixheim ☏ 89 44 40 50
VAG Gar. Schelcher, 27 fg de Mulhouse à Kingersheim ☏ 89 52 45 22

Euromaster, 3 r. L.-Pasteur ☏ 89 56 64 24
Euromaster, ZA les Pylones, 11-15 r. de Londres à Illzach ☏ 89 61 78 78
Kautzmann, 2 r. A.-Hertzog ☏ 89 33 17 33
Pneus et Services D.K., 14 av. de Hollande ZI à Illzach ☏ 89 61 76 76
Pneus et Services D.K., 6 r. Amidonniers ☏ 89 42 30 06

MUNSTER 68140 H.-Rhin 62 ⑱ G. Alsace Lorraine – 4 657 h alt. 400.

Env. Soultzbach-les-Bains : autels★★ dans l'église E : 7 km.

Office de Tourisme pl. du Marché ☏ 89 77 31 80, Fax 89 77 07 17.

Paris 470 – Colmar 19 – Gérardmer 32 – Guebwiller 28 – ♦Mulhouse 59 – St-Dié 54 – ♦Strasbourg 88.

Verte Vallée M, 10 r. A. Hartmann, parc de la Fecht ☏ 89 77 15 15, Fax 89 77 17 40
– rest – 25 à 100. AE GB
fermé 5 au 27 janv. – **Repas** 85/255, enf. 62 – ☐ 52 – **107 ch** 380 – ½ P 325.

Cigogne, pl. Marché ☏ 89 77 32 27, Fax 89 77 28 64 – GB
fermé dim. soir et lundi du 15 oct. au 1ᵉʳ avril – **Repas** 60/180, enf. 35 – ☐ 38 – **20 c**
350/400 – ½ P 300/320.

Deux Sapins, 49 r. 9ᵉ Zouaves par rte Gérardmer ☏ 89 77 33 96, Fax 89 77 03 90 –
P. AE GB
fermé 20 nov. au 20 déc., dim. soir et lundi sauf vacances scolaires – **Repas** 72/200
enf. 42 – ☐ 30 – **25 ch** 230/320 – ½ P 220/270.

FORD Gar. Sary, ☏ 89 77 33 44
PEUGEOT Gar. Schmidt, ☏ 89 77 40 78 N ☏ 89 77 40 78
RENAULT Gar. Gissler, ☏ 89 77 37 44

MURAT 15300 Cantal 76 ③ G. Auvergne (plan) – 2 409 h alt. 930.

Voir Site★ – Église★ de Bredons S : 2,5 km.

Office de Tourisme pl. Hôtel-de-Ville ✆ 71 20 09 47.

Paris 526 – Aurillac 49 – Brioude 57 – Issoire 73 – Le Puy-en-Velay 118 – St-Flour 24.

Les Breuils sans rest, ✆ 71 20 01 25, Fax 71 20 02 43, – ☎ P. GB. *vacances de printemps, 1er mai-2 nov., vacances de Noël et de fév.* – ☐ 40 – **10 ch** 450/480.

Les Messageries, ✆ 71 20 04 04, Fax 71 20 02 81, – TV ☎. AE GB *fermé 4 nov. au 25 déc.* – **Repas** 75/150 – ☐ 35 – **37 ch** 210/250 – ½ P 230.

E par N 122, rte de Clermont-Ferrand : 4 km – ✉ 15300 Murat :

XXX ✿ **Jarrousset** (Andrieu), ✆ 71 20 10 69, – P. GB *fermé 2 au 12 janv., merc. sauf juil.-août et lundi soir* – **Repas** 120/360 et carte 260 à 370 Spéc. Ravioli de langoustines au beurre d'herbes. Filets de poissons en bouillabaisse. Chou farci aux truffes (avril à sept.).

CITROEN Gar. Meissonnier, Le Martinet ✆ 71 20 13 87 N ✆ 71 20 05 55
PEUGEOT Gar. Delrieu, ✆ 71 20 06 22 N ✆ 71 20 06 22
RENAULT Gar. Dolly, ✆ 71 20 03 93

MURBACH 68 H.-Rhin 62 ⑱ – rattaché à Guebwiller.

MUR-DE-BARREZ 12600 Aveyron 76 ⑫ G. Gorges du Tarn – 1 109 h alt. 790.

Paris 576 – Aurillac 38 – Rodez 76 – St-Flour 59.

Aub. du Barrez M, ✆ 65 66 00 76, Fax 65 66 07 98, – TV ☎ P. AE GB *fermé janv.* – **Repas** *(fermé dim. soir de nov. à Pâques et lundi sauf fériés)* 65/195 – ☐ 35 – **18 ch** 200/480 – ½ P 242/332.

PEUGEOT Gar. Manhes, ✆ 65 66 02 25 N ✆ 65 66 16 70
Gar. Yerles, ✆ 65 66 02 24 N ✆ 65 66 16 94

MUR-DE-BRETAGNE 22530 C.-d'Armor 58 ⑲ G. Bretagne – 2 049 h alt. 225.

Voir Rond-Point du lac ≤★ – Lac de Guerlédan★★ O : 2 km.

Syndicat d'Initiative pl. Église (juin-sept.) ✆ 96 28 51 41.

Paris 459 – St-Brieuc 45 – Carhaix-Plouguer 49 – Guingamp 47 – Loudéac 21 – Pontivy 16 – Quimper 97.

XXX ✿ **Aub. Grand'Maison** (Guillo) avec ch, ✆ 96 28 51 10, Fax 96 28 52 30 – TV ☎. AE GB JCB *fermé oct., vacances de fév., dim. soir et lundi* – **Repas** (nombre de couverts limité, prévenir) 170/380 et carte 300 à 480, enf. 100 – ☐ 50 – **12 ch** 280/600 – ½ P 400/560 Spéc. Galette de pommes de terre, crème froide océane. Profiteroles de foie gras au coulis de truffes. Ormeaux en civet aux bigorneaux (sept. à juin).

La MURE 38350 Isère 77 ⑮ G. Alpes du Nord – 5 480 h alt. 890.

Paris 608 – ◆Grenoble 39 – Gap 65.

Murtel M, ✆ 76 30 96 10, Fax 76 30 91 38, – TV ☎ P. GB **Repas** 75 bc/125, enf. 38 – ☐ 28 – **40 ch** 240/260 – ½ P 195/220.

CITROEN Gar. Gay, ✆ 76 81 02 57
PEUGEOT Gar. Reynier, ✆ 76 81 03 78 N ✆ 76 81 03 78
RENAULT Gar. du Nord, ✆ 76 81 01 69 N ✆ 76 81 01 19

Les MUREAUX 78 Yvelines 55 ⑲, 106 ⑯ – rattaché à Meulan.

MURET SP 31600 H.-Gar. 82 ⑰ G. Pyrénées Roussillon – 18 134 h alt. 169.

Paris 715 – ◆Toulouse 19 – Auch 74 – St-Gaudens 69 – Pamiers 52.

Aragon sans rest, 15 r. Aragon ✆ 61 56 18 19 – ☎. GB *fermé dim.* – ☐ 22 – **20 ch** 118/168.

à Labarthe-sur-Lèze E : 6 km par D 19 – 3 772 h. alt. 162 – ✉ 31860 :

XX **Rose des Vents,** carrefour D 19-D 4 ✆ 61 08 67 01, – P. AE GB *fermé 15 août au 1er sept., 1er au 8 janv., dim. soir et lundi* – **Repas** 90/195.

XX **Poêlon,** ✆ 61 08 68 49, Fax 61 08 78 48, – GB *fermé vacances de Toussaint, de fév., dim. soir et merc.* – **Repas** 89/200.

CITROEN Gar. Dedieu, à Rieumes ✆ 61 91 81 28
CITROEN G.A.M., N 117 ✆ 62 11 60 40
FIAT Sud Garonne Autom., 7 r. A.-Berges, ZI Marclan ✆ 61 56 82 82
MERCEDES Antras Autom., 44 av. de l'Europe ✆ 61 51 80 20 N ✆ 23 72 11 01
PEUGEOT SO.NO.MA., 50 av. de Toulouse ✆ 61 51 81 81 N ✆ 62 22 29 32
RENAULT S.A.D.A.M., 254 av. des Pyrénées ✆ 61 51 05 44 N ✆ 61 17 76 50
Muret Pneus, ZI Joffrery ✆ 61 51 09 39
Vialatte Pneus-Point S, 179 av. de Toulouse ✆ 61 51 48 34

MUROL 63790 P.-de-D. 73 ⑬ ⑭ **G. Auvergne** (plan) – 606 h alt. 830.

Voir Château★★.

Office de Tourisme r. de Jassaguet ✆ 73 88 62 62.

Paris 465 – ◆ Clermont-Ferrand 37 – Besse-en-Chandesse 11,5 – Condat 39 – Issoire 30 – Le Mont-Dore 19.

Les Volcans sans rest, ✆ 73 88 60 77, – ☎ P. AE GB
vacances de printemps, 15 juin-30 sept., vacances de Noël et de fév. – ☐ 30 – **10 ch** 220/260.

RENAULT Gar. Dabert, ✆ 73 88 63 43

MUS 30121 Gard 83 ⑧ – 768 h alt. 53.

Paris 730 – ◆ Montpellier 35 – Aigues-Mortes 24 – Nîmes 20.

XX **Aub. de la Paillère** avec ch, ✆ 66 73 78 79, Fax 66 73 79 28, – TV ☎. AE GB
fermé janv. – **Repas** *(fermé mardi midi et lundi)* 110/230 – ☐ 25 – **7 ch** 325/425.

MUSSIDAN 24400 Dordogne 75 ④ **G. Périgord Quercy** – 2 985 h alt. 50.

Syndicat d'Initiative pl. de la République ✆ 53 81 76 87.

Paris 533 – Périgueux 39 – Angoulême 86 – Bergerac 25 – Libourne 55 – Ste-Foy-la-Grande 28.

Midi , à la gare ✆ 53 81 01 77, Fax 53 82 90 14, , , – TV ☎ P. GB. ch
fermé 4 au 12 mai, 9 au 24 nov., vend. soir et sam. hors sais. – **Repas** (dîner seul.) 70/170 , enf. 48 – ☐ 35 – **10 ch** 300/400 – ½ P 250/350.

Gd Café sans rest, 1 av. Gambetta ✆ 53 81 00 07
☐ 23 – **11 ch** 120/160.

XX **Relais de Gabillou,** rte de Périgueux ✆ 53 81 01 42, – P. GB
fermé janv., dim. soir et lundi – **Repas** 80/300 , enf. 50.

PEUGEOT Gar. Rousseau, ✆ 53 81 04 47

MUTRECY 14220 Calvados 54 ⑮ – 219 h alt. 113.

Paris 252 – ◆ Caen 17 – Falaise 27 – Lisieux 56 – St-Pierre-sur-Dives 36.

Aub. des Pommiers , ✆ 31 79 32 03 – ☎ P. GB
fermé fév., mardi du 15 sept. au 15 mai et dim. soir – **Repas** 77 (déj.), 80/185, enf. 52 – ☐ 32 – **12 ch** 170/250 – ½ P 200/250.

MUTZIG 67190 B.-Rhin 62 ⑨ **G. Alsace Lorraine** – 4 552 h alt. 190.

Paris 480 – ◆ Strasbourg 29 – Obernai 12 – Saverne 31 – Sélestat 37.

Host. de la Poste, pl. Fontaine ✆ 88 38 38 38, Fax 88 49 82 05, – TV ☎ . GB
Repas 95/300 – ☐ 38 – **19 ch** 210/315 – ½ P 263/305.

A L'Ours Noir, pl. Fontaine ✆ 88 38 13 20, Télex 890664, Fax 88 38 76 41, – TV ☎ P. AE GB
fermé 23 déc. au 2 janv. et lundi du 1er oct. au 1er avril – **Repas** 50 (déj.), 80/250 , enf. 50 – ☐ 40 – **32 ch** 260/330 – ½ P 260.

X **Aub. Alsacienne "au Nid de Cigogne",** r. 18-Novembre ✆ 88 38 11 97 – GB
fermé 20 au 30 nov., 15 au 30 janv., mardi soir et merc. – **Repas** 130/220 .

Kautzmann, ✆ 88 38 61 78

NAINTRÉ 86 Vienne 68 ④ – rattaché à Châtellerault.

NAJAC 12270 Aveyron 79 ⑳ **G. Gorges du Tarn** – 766 h alt. 315.

Voir Site★★ – Ruines du château★ : ★.

Office de Tourisme pl. Faubourg ✆ 65 29 72 05.

Paris 631 – Rodez 71 – Albi 50 – Cahors 70 – Gaillac 49 – Montauban 68 – Villefranche-de-Rouergue 19.

Belle Rive , NO : 2 km par D 39 ✆ 65 29 73 90, , , « Dans les gorges de l'Aveyron », , , – ☎ P. GB
Pâques-1er nov. et fermé dim. soir en oct. – **Repas** 85/235 , enf. 50 – ☐ 44 – **37 ch** 280 – ½ P 290.

XXX **Oustal del Barry** avec ch, ✆ 65 29 74 32, Fax 65 29 75 32, , , « Jardin » – TV ☎ . AE GB
1er avril-1er nov. et fermé lundi sauf du 1er juil. au 30 sept. – **Repas** 100 (déj.), 130/320 , enf. 65 – ☐ 48 – **21 ch** 270/470 – ½ P 320/360.

au NE : 8 km par D 39, D 339 et D 638 – ✉ 12270 Najac :

Longcol , ✆ 65 29 63 36, Fax 65 29 64 28, , , parc, « Ancienne ferme du 17e siècle aménagée avec élégance », , – TV ☎ P – 40. AE GB. rest
Pâques - 15 nov. – **Repas** *(fermé mardi midi sauf du 15 juin au 15 sept.)* 135 (déj.), 195/390 – ☐ 70 – **17 ch** 600/800 – ½ P 565/665.

NANCY P 54000 M.-et-M. 62 ⑤ G. Alsace Lorraine – 99 351 h Agglo. 329 447 h alt. 206.

Voir Ensemble 18e s. : Place Stanislas★★★ BY, Arc de Triomphe★ BY B – Place de la Carrière★ BY et Palais du Gouvernement★ BX W – Palais ducal★★ BX : musée Historique lorrain★★★ – Église et Couvent des Cordeliers★ BX : gisant de Philippe de Gueldre★★ – Porte de la Craffe★ BX F – Église N.-D.-de-Bon-Secours★ EX – Façade★ de l'église St-Sébastien BY – Musées : Beaux-Arts★★ BY M2, Ecole de Nancy★★ DX M3, Zoologie (aquarium tropical★) CY M4.

Env. Basilique★★ de St-Nicolas-de-Port par ② : 12 km.

de Nancy-Aingeray ✆ 83 24 53 87, par ⑥ : 17 km ; 18 18 de Pulnoy, E : 7 km par ① puis D 83.

de Metz-Nancy-Lorraine : ✆ 87 56 70 00, par ⑥ : 43 km.

✆ 36 35 35 35.

Office de Tourisme et Accueil de France 14 pl. Stanislas ✆ 83 35 22 41, Fax 83 37 63 07 – Automobile Club Lorrain 49 pl. de la Carrière ✆ 83 35 04 65, Fax 83 36 79 79.

Paris 307 ⑤ – Chaumont 117 ④ – ♦Dijon 216 ⑤ – ♦Metz 56 ⑥ – ♦Reims 194 ⑤ – ♦Strasbourg 146 ①.

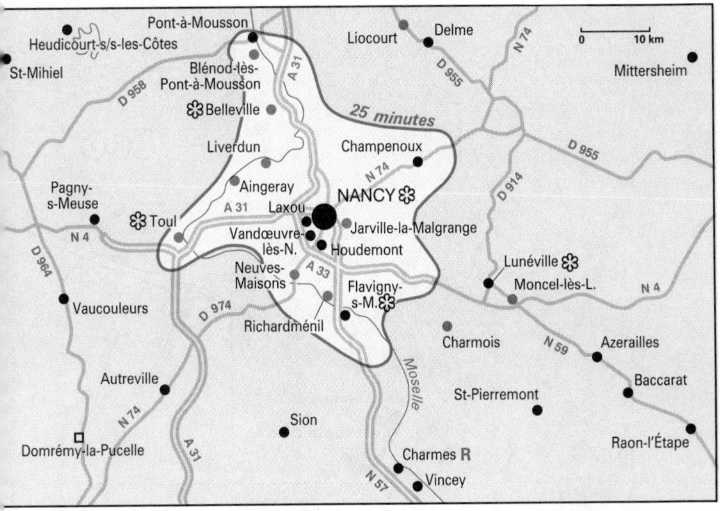

Gd H. de la Reine et rest. Stanislas, 2 pl. Stanislas ✆ 83 35 03 01, Télex 960367, Fax 83 32 86 04, « Palais du 18e siècle sur la place Stanislas » – rest – 25 à 40. AE GB BY **d**
Repas 180 (déj.), 240/290 et carte 200 à 350, enf. 80 – 80 – **42 ch** 600/1350, 3 appart
Spéc. Foie gras au torchon (sauf juil.-août). Dos de sandre grillé, chou vert compoté. Gibier (oct. à janv.). **Vins** Côtes de Toul blanc et rouge.

Altea Thiers M, 11 r. R. Poincaré ✆ 83 39 75 75, Télex 960034, Fax 83 32 78 17 – – 30 à 150. AE GB JCB AY **r**
La Toison d'Or (fermé 15 juil. au 25 août et dim. soir) **Repas** 155/220, enf. 60 – ***Le Rendez-Vous** (fermé vend. soir et sam.)* **Repas** 130, enf. 60 – 55 – **192 ch** 475/625.

Mercure Centre Stanislas M sans rest, 5 r. Carmes ✆ 83 35 32 10, Fax 83 32 92 49 – – 25. AE GB JCB BY **m**
52 – **80 ch** 440/460.

Albert 1er-Astoria sans rest, 3 r. Armée Patton ✆ 83 40 31 24, Télex 850895, Fax 83 28 47 78 – P – 30. AE GB JCB AY **d**
39 – **125 ch** 290/380.

Crystal sans rest, 5 r. Chanzy ✆ 83 35 41 55, Fax 83 37 84 85 – AE GB AY **a**
43 – **38 ch** 295/385.

Ibis Centre Ste-Catherine M, 42 av. 20e Corps ✆ 83 37 10 10, Fax 83 37 66 33 – – 30 à 80. AE GB CY **v**
L'Aquarelle : **Repas** 77/140, enf. 60 – 35 – **60 ch** 280/355.

Résidence sans rest, 30 bd J. Jaurès ✆ 83 40 33 56, Fax 83 90 16 28 – AE GB DEX **a**
37 – **22 ch** 260/340.

Portes d'Or sans rest, 21 r. Stanislas ✆ 83 35 42 34, Fax 83 32 51 41 – AE GB JCB BY **b**
35 – **20 ch** 240/320.

NANCY

Dominicains (R. des)	BY	31
Gambetta (R.)	BY	35
Grande-Rue	BXY	37
Héré (R.)	BY	40
Mazagran (R.)	AY	53
Mengin (Pl. Henri)	BY	55
Mouja (R. du Pont)	BY	64
Poincaré (R. R.)	AY	70
Point-Central	BY	72
Ponts (R. des)	BYZ	73
Raugraff (R.)	BY	74
St-Dizier (R.)	BY	
St-Georges (R.)	CY	
St-Jean (R.)	BY	
Stanislas (R.)	BY	100
Trois-Maisons (R. du Fg des)	AX	104
Adam (R. Sigisbert)	BX	2
Albert-Ier (Bd)	DV	3
Alliance (Pl. d')	CY	4
Anatole-France (Av.)	DV	6
Armée-Patton (R.)	DV	7
Auxonne (R. d')	DV	8
Barrès (R. Maurice)	CY	10
Bazin (R. H.)	CY	13
Benit (R.)	BY	14
Blandan (R. du Sergent)	DX	15
Braconnot (R.)	BX	19
Carmes (R. des)	BY	20
Chanoine-Jacob (R.)	AX	23
Chanzy (R.)	AY	24
Clemenceau (Bd G.)	EX	25
Craffe (R. de la)	AX	28
Croix de Bourgogne (Espl.)	AZ	30
Foch (Av.)	DV	33
Gaulle (Pl. Gén.-de)	BX	36
Haussonville (Bd d')	DX	38
Haut-Bourgeois (R.)	AX	39
Ile de Corse (R. de l')	CY	41
Jaurès (Bd Jean)	EX	43
Jeanne-d'Arc (R.)	DEX	44
Keller (R. Ch.)	AX	46
Linnois (R.)	EX	50
Loups (R. des)	AX	51
Majorelle (R. Louis)	DX	52
Molitor (R.)	CZ	60
Mon Désert (R. de)	ABZ	61
Monnaie (R. de la)	BY	62
Monseigneur Trouillet (R.)	AXY	63
Nabécor (R. de)	EX	65
Oudinot (R. Maréchal)	EX	68
Poincaré (R. H.)	AY	69
St-Lambert (R.)	DV	84

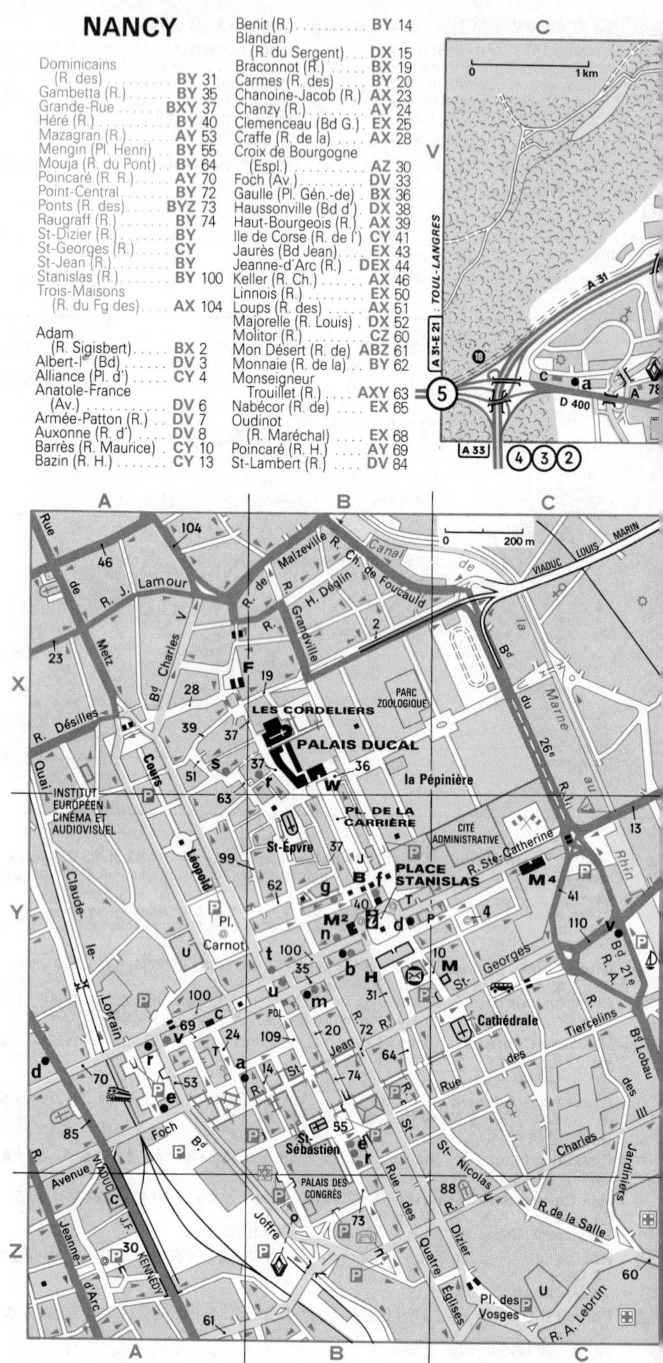

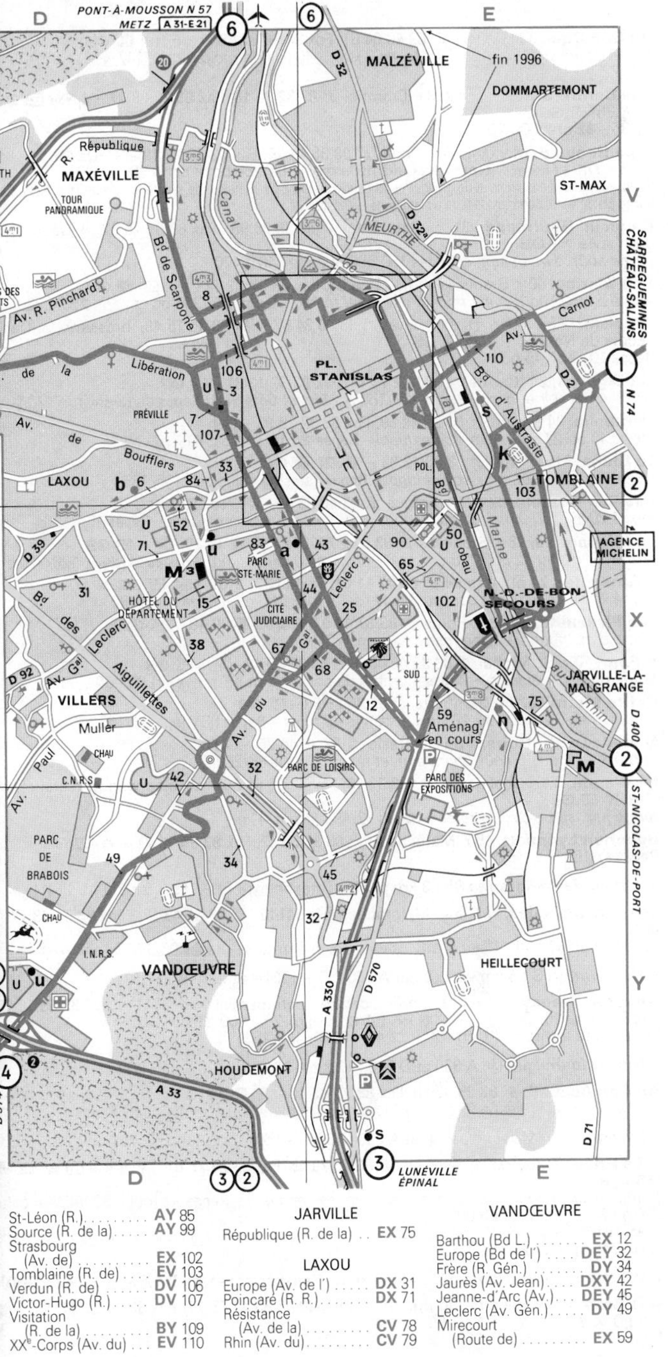

St-Léon (R.) .... AY 85
Source (R. de la) ..... AY 99
Strasbourg
(Av. de) .... EX 102
Tomblaine (R. de) .... EV 103
Verdun (R. de) .... DV 106
Victor-Hugo (R.) ..... DV 107
Visitation
(R. de la) .... BY 109
XXe-Corps (Av. du) ... EV 110

JARVILLE

République (R. de la) .. EX 75

LAXOU

Europe (Av. de l') ..... DX 31
Poincaré (R. R.) .... DX 71
Résistance
(Av. de la) .... CV 78
Rhin (Av. du) .... CV 79

VANDŒUVRE

Barthou (Bd L.) .... EX 12
Europe (Bd de l') ..... DEY 32
Frère (R. Gén.) .... DY 34
Jaurès (Av. Jean) .... DXY 42
Jeanne-d'Arc (Av.) ... DEY 45
Leclerc (Av. Gén.) ..... DY 49
Mirecourt
(Route de) .... EX 59

Au Bon Coin, 33 r. Villers ✆ 83 40 04 01, Fax 83 90 32 08 – ||| TV ☎ P. GB DX
fermé 27 juil. au 18 août et 24 déc. au 2 janv. – **Repas** *(fermé dim.)* 71/147 ♈ – ☕ 35 – **20 c**
195/225.

Ibis Centre Gare sans rest, 3 r. Crampel ✆ 83 32 90 16, Fax 83 32 08 77 – ||| ⅍ TV ☎
– 🏠 25. AE GB AY
☕ 35 – **82 ch** 300/320.

XXXX ✿ **Le Goéland** (Mengin), 27 r. Ponts ✆ 83 35 17 25, Fax 83 35 72 49 – ▤. AE GB BY
fermé dim. et lundi – **Repas** - produits de la mer - 165/350 bc et carte 280 à 500
Spéc. Lasagnes d'encornets et de grenouilles au beurre de foie gras. Matelote de sandre au gris de Toul. Saint-Pie
rôti au jus de veau, pommes de terre au lard. **Vins** Côtes de Toul.

XXX **Capucin Gourmand,** 31 r. Gambetta ✆ 83 35 26 98, Fax 83 35 75 32, « Décor Mo
dern'style » – GB BY
fermé août, dim. et lundi – **Repas** 150/550 et carte 340 à 470.

XXX **Cap Marine,** 60 r. Stanislas ✆ 83 37 05 03, Fax 83 37 01 32 – ▤. AE ⓓ GB BY
fermé 5 au 22 août, sam. midi et dim. sauf fériés – **Repas** 135/205 bc et carte 250 à 320.

XX **Excelsior Flo,** 50 r. H. Poincaré ✆ 83 35 24 57, Fax 83 35 18 48, brasserie, « Déco
"École de Nancy" » – AE ⓓ GB AY
Repas 101 bc/145 bc.

XX **Les Agaves,** 2 r. Carmes ✆ 83 32 14 14, Fax 83 37 13 31 – AE GB BY
fermé lundi soir et dim. – **Repas** 130/180 ♈ - ***Bistrot Côté Sud* : Repas** carte environ 170♈.

XX **Mirabelle,** 24 r. Héré ✆ 83 30 49 69, Fax 83 32 78 93 – GB BY
fermé 1er au 21 août, dim. soir et lundi – **Repas** 95 (déj.), 125/310.

XX **La Chine,** 31 r. Ponts ✆ 83 30 13 89 – ▤. AE ⓓ GB BY
fermé 6 au 26 août, dim. soir et lundi – **Repas** - cuisine chinoise - 145/185.

XX **Pavillon Anatole,** 62 av. A. France ✆ 83 40 63 30, 🏖 – ▤. AE GB DVX
fermé 29 avril au 9 mai, 1er au 22 août, sam. midi, dim. soir et lundi – **Repas** 150/320.

XX **La Mignardise,** 28 r. Stanislas ✆ 83 32 20 22, Fax 83 32 19 20, 🏖 – AE GB BY
fermé 29 juil. au 12 août, 28 oct. au 11 nov., dim. soir et lundi – **Repas** 75 (déj.), 120/370 bc

XX **L'Amandier,** 24 pl. Arsenal ✆ 83 32 11 01, Fax 83 32 11 01 – ▤. AE GB AX
fermé 1er au 18 août, 24 déc. au 2 janv., sam. midi et dim. – **Repas** 142/180.

X **Les Pissenlits,** 25 bis r. Ponts ✆ 83 37 43 97, Fax 83 35 72 49 – ▤. GB BY
fermé dim. et lundi – **Repas** carte environ 170 ♈.

X **V'Four,** 10 r. St-Michel ✆ 83 32 49 48, Fax 83 32 49 48, 🏖 – AE GB BX
fermé dim. soir et lundi – **Repas** (nombre de couverts limité, prévenir) 95/160.

X **Petite Marmite,** 8 r. Gambetta ✆ 83 35 25 63 – AE GB BY
fermé 15 au 31 juil., 6 au 12 janv. et dim. sauf fêtes – **Repas** 68 (déj.), 94/162.

X **Nouveaux Abattoirs,** 4 bd Austrasie ✆ 83 35 46 25 – GB EV
fermé 20 juil. au 15 août, sam., dim. et fériés – **Repas** 88/260 ♈.

X **Le Wagon,** 57 r. Chaligny ✆ 83 32 32 16, Fax 83 35 68 36, « Ancien wagon-restaurant
– ▤ P. AE GB EV
fermé juil., sam., dim. et fêtes – **Repas** 82/196 ♈, enf. 41.

X **Bouchon Lyonnais,** 15 r. Maréchaux ✆ 83 37 55 77, Fax 83 35 28 71 – ▤. AE GB
Repas 82/160. BY

à Jarville-la-Malgrange SE : 3 km par av. Strasbourg - EX – 9 992 h. alt. 210 – ✉ **54140** :

X **Les Chanterelles,** 27 av. Malgrange ✉ 54140 ✆ 83 51 43 17, Fax 83 51 43 17
GB EX
fermé 24 au 31 août, 1er au 8 janv., sam. midi et dim. soir – **Repas** 95/145 ♈, enf. 47.

à Houdemont S : 6 km vers ③ par A 330 - EY – 1 836 h. alt. 270 – ✉ **54180** :

Novotel Nancy Sud M, près centre commercial ✉ 54180 ✆ 83 56 10 25
Fax 83 57 62 20, 🏖, 🏊, 🌳 – ||| ⅍ TV ☎ P – 🏠 25 à 100. AE ⓓ GB JCB EY
Repas carte environ 170, enf. 50 – ☕ 49 – **86 ch** 420/460.

à Richardménil par ③, A 330 et D 570 : 12 km – 3 040 h. alt. 230 – ✉ **54630** :

XX **Au Bon Accueil,** ✆ 83 25 62 10, Fax 83 25 62 10 – P. AE ⓓ GB
fermé 30 juil. au 19 août, 27 fév. au 11 mars, dim. soir et lundi sauf fériés – **Repas** 118/215 ♈

à Flavigny-sur-Moselle par ③ et A 330 : 16 km – 1 609 h. alt. 240 – ✉ **54630** :

XXX ✿ **Le Prieuré** (Roy) M 🐌 avec ch, ✆ 83 26 70 45, Fax 83 26 75 51, 🏖, 🌳 – TV ☎. AE ⓓ
GB JCB
fermé 15 au 31 août, vacances de fév., dim. soir et merc. – **Repas** 200 (déj.), 300/420 et cart
390 à 470 – ☕ 55 – **4 ch** 600
Spéc. Aumônières de Saint-Jacques aux truffes (saison). Râble de lapereau à la rhubarbe (saison). Pigeon poché
ravioli de foie gras. **Vins** Gris de Toul.

à Vandoeuvre-lès-Nancy SO : 4 km par av. Gén. Leclerc - DY – 34 105 h. alt. 300 – ✉ **54500**

Ibis Brabois M, allée de Bourgogne ✉ 54500 ✆ 83 44 55 77, Fax 83 44 21 44, 🏖 – |||
⅍ TV ☎ ♿ P – 🏠 25 à 40. AE ⓓ GB DY
Repas 99 bc/105 ♈, enf. 39 – ☕ 35 – **68 ch** 295/315.

à Neuves-Maisons par ④ : 14 km – 6 432 h. alt. 230 – ✉ 54230 :

XX **L'Union,** 1 r. A. Briand ✆ 83 47 30 46, Fax 83 47 33 42, 🏠 – GB
fermé 20 juil. au 5 août, dim. soir et lundi – **Repas** 128/265.

à Laxou O : 4 km par av. Libération - DV – 15 490 h. alt. 258 – ✉ 54520 :

Novotel Nancy Ouest M, ✉ 54520 Laxou ✆ 83 93 45 45, Fax 83 98 57 07, 🏠, 🏊, 🌳 – 🛗 ⇔ ▤ TV ☎ 📞 ♿ P – 🏛 25 à 200. AE ⓓ GB JCB CV **a**
Repas 89/130 ♁, enf. 50 – ☕ 50 – **119 ch** 420/460.

MICHELIN, Agence régionale, 117 bd Tolstoï à Tomblaine EX ✆ 83 21 83 21

NISSAN Gar. Lorraine-Auto, 39 av. Garenne ✆ 83 40 22 57
OPEL S.A.N.E., 11 r. Tapis-Vert ✆ 83 32 10 24
Roth, 29 bd Joffre building Joffre ✆ 83 32 96 03 N ✆ 83 32 96 03

⓪ Le Circulaire, 37 r. Sigisbert-Adam ✆ 83 37 06 23
Leclerc-Pneu, 4 r. M.-Barrès ✆ 83 37 06 57
Leclerc-Pneu, 11 r. A.-Krug ✆ 83 35 28 31

Périphérie et environs

CITROEN Central Autom. de Lorraine, N 57 à Houdemont EY ✆ 83 51 29 30
FORD Nancy-Laxou Autom., 21 av. Résistance à Laxou ✆ 83 98 43 43 N ✆ 83 35 90 90
PEUGEOT S.I.A.L., av. P.-Doumer à Vandoeuvre EX ✆ 83 50 38 00 N ✆ 05 44 24 24
PEUGEOT S.I.A.L., 1 à 3 av. Résistance à Laxou CV a ✆ 83 95 80 80 N ✆ 05 44 24 24
RENAULT Succursale, av. Résistance direction Paris à Laxou CV ✆ 83 95 33 33 N ✆ 05 05 15 15

RENAULT Succursale, N 57 rte d'Epinal à Houdemont EY ✆ 83 95 32 32 N ✆ 05 05 15 15

⓪ Euromaster, 53 r. E.-Levassor, Zi Franclos à Ludres ✆ 83 25 77 33
Euromaster, 27 bis rte de Frouard à Champigneulles ✆ 83 38 14 64

NANGIS 77370 S.-et-M. 61 ③ 106 ㊱ ㊽ – 7 013 h alt. 127.

Voir Église★ de Rampillon E : 4,5 km par D 62, **G. Ile de France.**

9 18 de Fontenailles ✆ (1) 64 60 51 00, O : 5 km par D 408.

ℹ Syndicat d'Initiative 7 r. des Fontaines ✆ (1) 64 08 12 95.

Paris 73 – Fontainebleau 33 – Coulommiers 34 – Melun 26 – Provins 21 – Sens 53.

XX **Dauphin** avec ch, 9 bis r. A. Briand ✆ (1) 64 08 00 27, Fax (1) 64 08 12 97 – TV ☎ P. AE ⓓ GB
fermé dim. soir – **Repas** 135/235 – ☕ 35 – **17 ch** 150/300 – ½ P 215/325.

CITROEN S.N.M.A., 3 av. Gén. de Gaulle ✆ (1) 64 08 00 48 N ✆ (1) 64 08 00 48
Nangis Accessoires Pièces, 31 r. des Fontaines ✆ (1) 64 08 73 21

⓪ A.P.P. Pneus, 28 r du Gén.-de-Gaulle ✆ (1) 64 08 35 14

NANS-LES-PINS 83860 Var 84 ⑭ 114 ㉛ – 2 485 h alt. 380.

Paris 800 – Aix-en-Provence 43 – Brignoles 25 – ♦Marseille 42 – Rians 35 – ♦Toulon 69.

Domaine de Châteauneuf, au Châteauneuf N : 3,5 km par D 80 et N 560 ✆ 94 78 90 06, Fax 94 78 63 30, 🏠, « 🐌 dans un parc, golf », 🏊, 🎾 – TV ☎ P – 🏛 30. AE ⓓ GB
1er mars-30 nov. – **Repas** *(fermé lundi hors sais.)* 170 (déj.), 230/380 – ☕ 75 – **25 ch** 580/1200, 5 appart – ½ P 600/890.

RENAULT Gar. Cardillo, ✆ 94 78 92 53

NANS-SOUS-STE-ANNE 25330 Doubs 70 ⑤ G. Jura – 142 h alt. 367.

Voir Source du Lison★★ 15 mn, Grotte Sarrazine★★ 30 mn, Creux Billard ★ 30 mn, SE : 3 km.

Paris 421 – ♦ Besançon 44 – Pontarlier 36 – Salins-les-Bains 13.

Poste 🐌, ✆ 81 86 62 57, Fax 81 86 55 32, ≤ – ⇔ ☎. GB
fermé 20 déc. au 20 janv., mardi soir et merc. du 30 sept. au 31 mars – **Repas** 85/148, enf. 45 – ☕ 30 – **8 ch** 220 – ½ P 180/210.

NANTERRE 92 Hauts-de-Seine 55 ⑳, 101 ⑭ – voir Paris, Environs.

Write us...

If you have any comments on the contents of this Guide.

Your praise as well as your criticisms will receive careful consideration and, with your assistance, we will be able to add to our stock of information and, where necessary, amend our judgments.

Thank you in advance!

NANTES P 44000 Loire-Atl. 67 ③ **G. Bretagne** – 244 995 h Agglo. 496 078 h alt. 8.

Voir Château des ducs de Bretagne★★ : musée d'art populaire régional★, musée des Salorges ou de la Marine★ – Intérieur★★ de la cathédrale St-Pierre-et-St-Paul – Musée des Beaux-Arts★★ HY **M**[1] – La ville du 19e s. ★ : passage Pommeraye★ GZ **150**, cours Cambronne★ FZ – Jardin des Plantes★ HY – Autres curiosités du centre-ville : Muséum d'histoire naturelle★★ FZ **M**[2], palais Dobrée★ FZ, musée archéologique★ FZ **M**[3], ancienne île Feydeau★ GZ, musée Jules-Verne★ BX **M**[5], quai de la Fosse EFZ (escorteur d'escadre Maillé-Brézé).

18 ℘ 40 63 25 82, D 81 : 16 km AV; 18 de Nantes-Erdre ℘ 40 59 21 21, N : 6 km par D 69 BV.

International Nantes-Atlantique : ℘ 40 84 80 00, par D 85 : 8,5 km BX.

℘ 36 35 35 35.

Office de Tourisme, pl. du Commerce ℘ 40 47 04 51, Fax 40 89 11 99 et pl. Marc Elder (saison) – Automobile Club 6 bd G.-Guisth'au ℘ 40 48 56 19, Fax 51 82 26 12.

Paris 384 ② – ♦Angers 89 ② – ♦Bordeaux 324 ④ – ♦Lyon 611 ② – Quimper 230 ⑦ – ♦Rennes 108 ⑧.

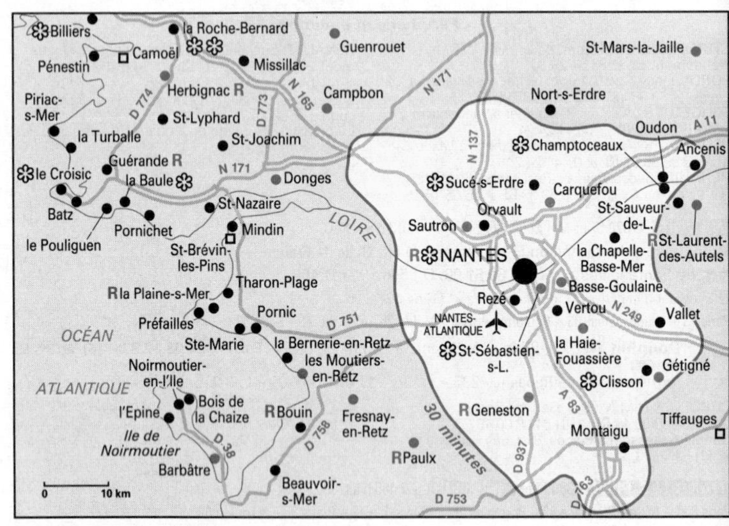

Adagio Central H. M, 4 r. Couëdic ℘ 51 82 10 00, Télex 710673, Fax 51 82 10 10, – cuisinette – 200. AE GB GZ **m**
Repas 95 – 60 – **134 ch** 560/620, 24 studios – ½ P 455.

Mercure Beaulieu M, Ile Beaulieu ✉ 44200 ℘ 40 47 61 03, Télex 710990, Fax 40 48 23 83, ≤, – – 80. AE GB CX **a**
Repas 140 bc, enf. 42 – 55 – **98 ch** 470/495.

Holiday Inn Garden Court M, 1 bd Martyrs Nantais ✉ 44200 ℘ 40 47 77 77, Télex 710297, Fax 40 47 36 52, – – 30. AE GB JCB
Repas *(fermé sam. midi et dim. midi)* 95 , enf. 50 – 55 – **104 ch** 420, 4 appart. HZ **v**

Novotel Cité des Congrès M, 3 r. Valmy ℘ 51 82 00 00, Fax 51 82 07 40, – – 25. AE GB HZ **t**
Repas carte environ 160, enf. 50 – 51 – **105 ch** 470/495.

La Pérouse M sans rest, 3 allée Duquesne ℘ 40 89 75 00, Fax 40 89 76 00, « Décor contemporain » – . AE GB GY **k**
45 – **46 ch** 389/489.

Jules Verne M sans rest, 3 r. Couëdic ℘ 40 35 74 50, Fax 40 20 09 35 – . AE GB GZ **h**
41 – **65 ch** 310/489.

Amiral M sans rest, 26 bis r. Scribe ℘ 40 69 20 21, Fax 40 73 98 13 – . AE GB FZ **a**
35 – **49 ch** 299/319.

L'Hôtel sans rest, 6 r. Henry IV ℘ 40 29 30 31, Fax 40 29 00 95 – . AE GB JCB HY **e**
37 – **31 ch** 360/390.

Gd Hôtel sans rest, 2 r. Santeuil ℘ 40 73 46 68, Fax 40 69 65 98 – . AE GB GZ **p**
28 – **41 ch** 245/259.

Graslin sans rest, 1 r. Piron ✆ 40 69 72 91, Fax 40 69 04 44 – AE GB
38 – **47 ch** 250/360. FZ **v**

Astoria sans rest, 11 r. Richebourg ✆ 40 74 39 90, Fax 40 14 05 49 – GB
fermé 27 juil. au 26 août – 38 – **45 ch** 290/360. HY **k**

Colonies sans rest, 5 r. Chapeau Rouge ✆ 40 48 79 76, Fax 40 12 49 25 – AE GB GZ **q**
30 – **39 ch** 259.

Vendée sans rest, 8 allée Cdt Charcot ✆ 40 74 14 54, Fax 40 74 77 68 – 30. AE GB JCB HY **n**
– **93 ch** 240/320.

Cholet sans rest, 10 r. Gresset ✆ 40 73 31 04, Fax 40 73 78 82 – AE GB FZ **n**
28 – **38 ch** 195/245.

Relais Bleus M, 50 quai Malakoff (gare sud) ✆ 40 35 30 30, Fax 40 89 35 43 – 100. AE GB HY **m**
Repas 78 bc/140 bc, enf. 45 – 35 – **91 ch** 290.

Ibis Centre M, 3 allée Baco ✆ 40 20 21 20, Fax 40 89 45 08, – 60. AE GB HZ **q**
Repas 99 bc/102 bc, enf. 39 – 36 – **104 ch** 310.

Le Martray M, 10 pl. Viarme ✆ 40 89 62 62, Fax 40 89 43 78 – AE GB JCB FY **k**
Repas (brasserie) 75/115 , enf. 35 – 45 – **60 ch** 230/250.

Gare sans rest, 5 allée Cdt Charcot ✆ 40 74 37 25, Fax 40 93 33 71 – AE GB
26 – **31 ch** 190/260. HY **z**

Fourcroy sans rest, 11 r. Fourcroy ✆ 40 44 68 00 – FZ **k**
fermé 21 déc. au 2 janv. – 24 – **19 ch** 138/170.

XXX ✿ **L'Atlantide** (Lecoutre), 15 quai E. Renaud, centre les Salorges, 4ᵉ étage ✉ 44100 ✆ 40 73 23 23, Fax 40 73 76 46, ← – AE GB EZ **a**
fermé 11 au 25 août, sam. midi et dim. – **Repas** 144 (déj.), 170/290 et carte 260 à 330
Spéc. Coquilles Saint-Jacques dorées au muscadet (mi-sept. à mi-mars). Bar de ligne rôti entier. Nage de fraises au poivre de Chine. **Vins** Muscadet sur lie, Bourgueil.

XXX **Torigaï,** île de Versailles ✆ 40 37 06 37, Fax 40 93 34 29, ←, , « Originale architecture dans un jardin japonais au milieu de l'Erdre » – AE GB GY **a**
fermé dim. – **Repas** 165 (déj.), 220/385 et carte 280 à 430.

XXX **San Francisco,** 3 chemin Bateliers ✉ 44300 ✆ 40 49 59 42, Fax 40 68 99 16, – P. AE GB CX **s**
fermé août, dim. soir et lundi – **Repas** 148/260 et carte 250 à 330.

XXX **Le Gavroche,** 139 r. Hauts Pavés ✆ 40 76 22 49, – P. AE GB EY **u**
fermé août, dim. soir et lundi – **Repas** 135/280 et carte 200 à 320.

XX **Aub. du Château,** 5 pl. Duchesse Anne ✆ 40 74 31 85, Fax 40 37 97 57 – GB HY **f**
fermé 4 au 19 août, dim. et lundi – **Repas** (nombre de couverts limité, prévenir) 102 bc (déj.), 130/230.

XX **La Cigale,** 4 pl. Graslin ✆ 40 69 76 41, Fax 40 73 75 37, « Brasserie 1900 » – GB FZ **d**
Repas 100 bc/150, enf. 39.

XX **L'Océanide,** 2 r. P. Bellamy ✆ 40 20 32 28, Fax 40 48 08 55 – AE GB GY **n**
fermé 15 au 31 août et dim. – **Repas** - produits de la mer - 98/184.

XX **L'Esquinade,** 7 r. St-Denis ✆ 40 48 17 22 – AE GB GY **t**
fermé 20 juil. au 10 août, lundi soir et dim. – **Repas** 79 (déj.), 98/210, enf. 65.

XX **La Palombière,** 13 bd Stalingrad ✆ 40 74 05 15 – AE GB CX **x**
fermé 1ᵉʳ au 21 août, dim. sauf le midi d'oct. à mai et sam. midi – **Repas** 92/230.

XX **L'Embellie,** 14 r. A. Brossard ✆ 40 48 20 02, Fax 40 47 15 31 – AE GB GY **r**
fermé 15 au 19 août, 22 au 27 déc., sam. midi et dim. – **Repas** 95/350 bc.

X **Le Bouchon,** 7 r. Bossuet ✆ 40 20 08 44, Fax 40 35 41 21, – AE GB GY **v**
fermé sam. midi et dim. – **Repas** 95 (déj.), 130/145.

X **Le Change,** 11 r. Juiverie ✆ 40 48 02 28, Fax 40 35 21 98 – AE GB. GY **u**
fermé fév., dim. soir et lundi – **Repas** 110/220.

X **Le Pressoir,** 11 allée Turenne ✆ 40 35 31 10 – AE GB GZ **s**
fermé août, lundi soir, sam. midi et dim. – **Repas** carte 140 à 220.

X **La Découverte,** 2 r. Santeuil ✆ 40 73 27 40 – AE GB GZ **u**
fermé dim. – **Repas** 79 bc (déj.), 92/165.

Environs

à la Beaujoire NE : 5 km – ✉ **44300** Nantes :

Otelinn M, 45 bd Batignolles ✆ 40 50 07 07, Fax 40 49 41 40 – rest P – 30 à 100. AE GB CV **n**
Repas 70/250, enf. 45 – 44 – **60 ch** 290/340 – ½ P 270/295.

rte de Paris vers ② : 5 km – ✉ **44300** Nantes :

Ibis Beaujoire M, allée Champ de Tir ✆ 40 93 22 22, Fax 40 52 17 73 – P – 40. AE GB CV **k**
Repas 99 bc, enf. 39 – 36 – **64 ch** 275/285.

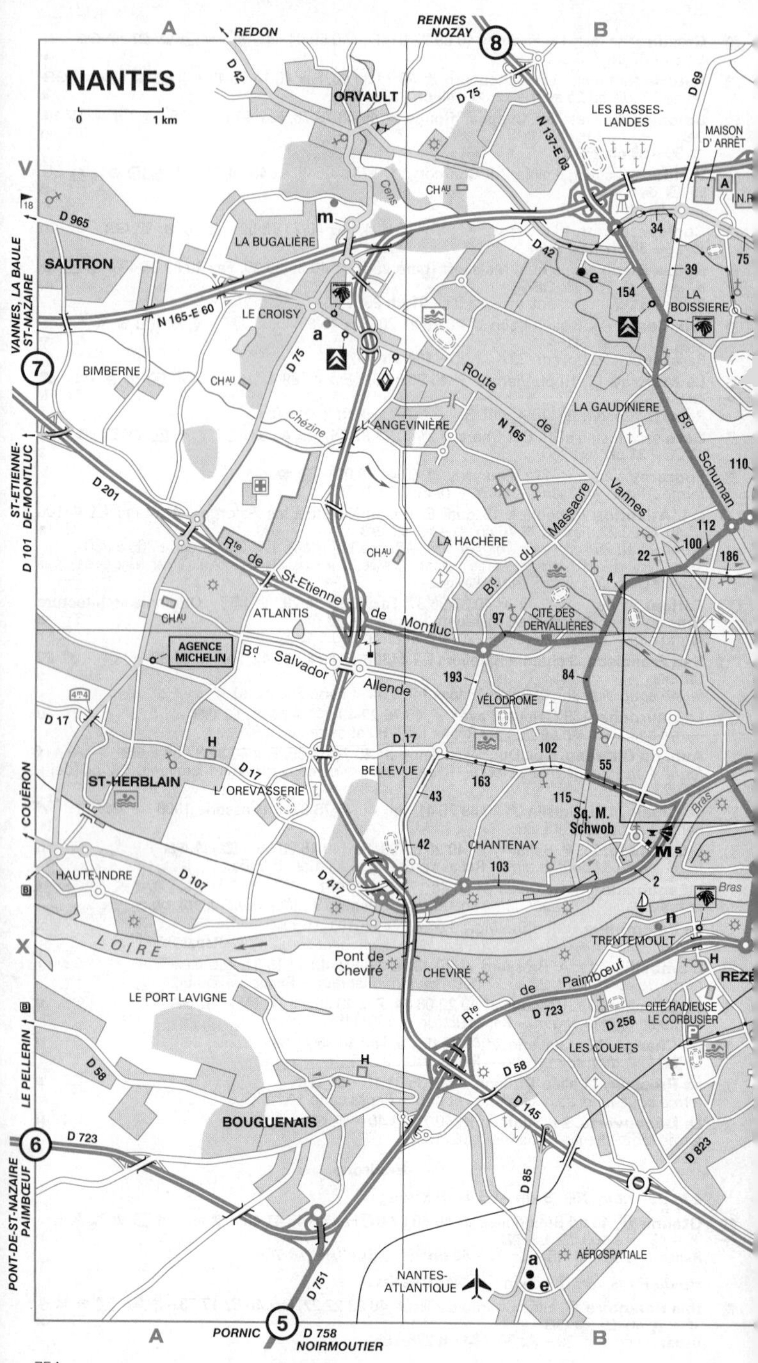
NANTES
0
1 km
REDON
RENNES
NOZAY
8
ORVAULT
SAUTRON
LA BUGALIÈRE
LE CROISY
BIMBERNE
L'ANGEVINIÈRE
LA HACHÈRE
ATLANTIS
AGENCE MICHELIN
VÉLODROME
BELLEVUE
ST-HERBLAIN
L' OREVASSERIE
CHANTENAY
HAUTE-INDRE
LOIRE
Pont de Cheviré
CHEVIRÉ
LE PORT LAVIGNE
BOUGUENAIS
TRENTEMOULT
CITÉ RADIEUSE LE CORBUSIER
LES COUETS
AÉROSPATIALE
NANTES-ATLANTIQUE
LES BASSES-LANDES
MAISON D' ARRÊT
LA BOISSIERE
LA GAUDINIERE
CITÉ DES DERVALLIÈRES
Sq. M. Schwob
Route de Vannes
Bd du Massacre
Bd Schuman
Rte de St-Etienne de Montluc
Bd Salvador Allende
Rte de Paimbœuf
VANNES, LA BAULE ST-NAZAIRE
7
ST-ETIENNE-DE-MONTLUC
D 101
COUËRON
LE PELLERIN
PONT-DE-ST-NAZAIRE PAIMBŒUF
6
PORNIC
5
D 758
NOIRMOUTIER
N 165-E 60
N 137-E 03
D 965
D 201
D 17
D 417
D 107
D 58
D 723
D 751
D 145
D 85
D 823
D 258
D 42
D 75
D 69
N 165

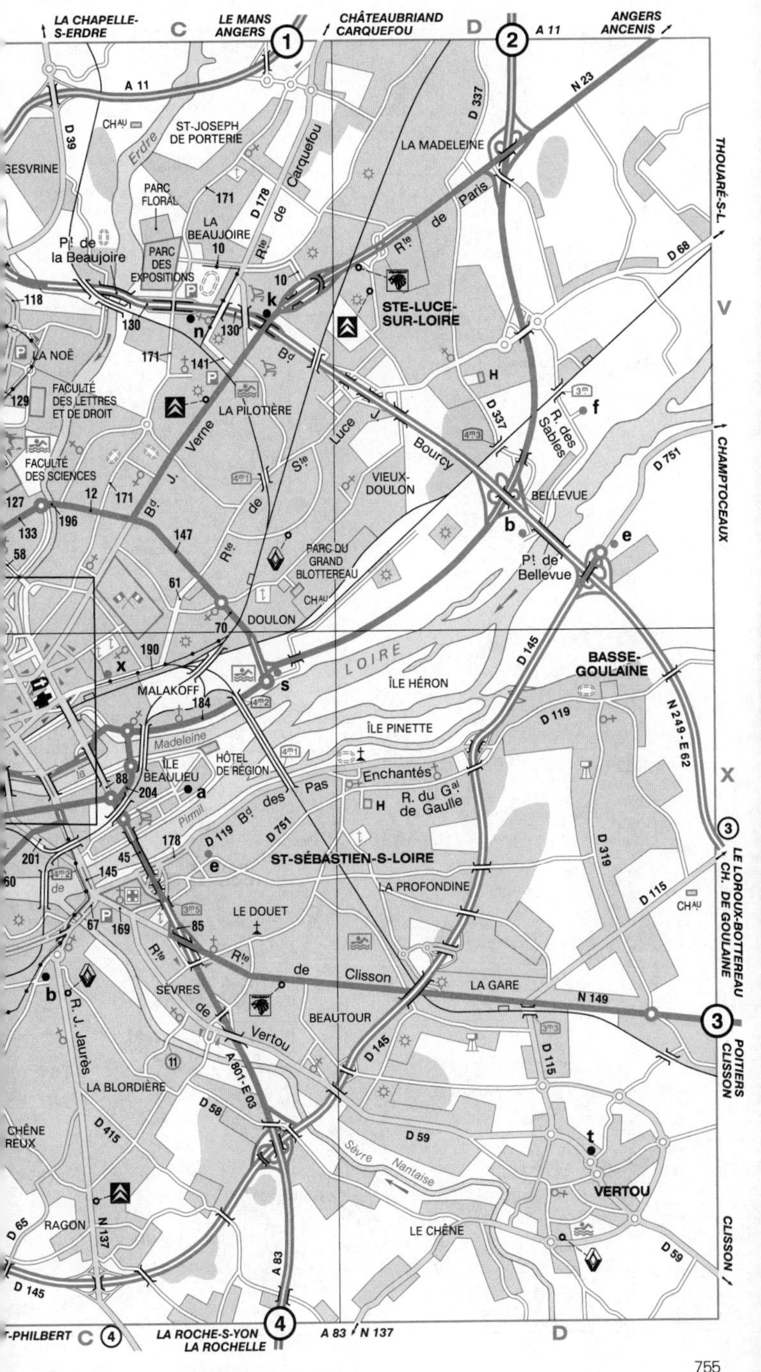
LA CHAPELLE-S-ERDRE
LE MANS ANGERS
CHÂTEAUBRIAND CARQUEFOU
A 11
ANGERS ANCENIS
THOUARÉ-S-L.
CHAMPTOCEAUX
LE LOROUX-BOTTEREAU CH. DE GOULAINE
POITIERS CLISSON
CLISSON
LA ROCHE-S-YON LA ROCHELLE
A 83 N 137
ST-JOSEPH DE PORTERIE
LA MADELEINE
PARC FLORAL
LA BEAUJOIRE
Pt de la Beaujoire
PARC DES EXPOSITIONS
STE-LUCE-SUR-LOIRE
LA NOË
FACULTÉ DES LETTRES ET DE DROIT
LA PILOTIÈRE
FACULTÉ DES SCIENCES
VIEUX-DOULON
BELLEVUE
PARC DU GRAND BLOTTEREAU
Pt de Bellevue
DOULON
MALAKOFF
LOIRE
ÎLE HÉRON
BASSE-GOULAINE
ÎLE PINETTE
ÎLE BEAULIEU
HÔTEL DE RÉGION
ST-SÉBASTIEN-S-LOIRE
LA PROFONDINE
LE DOUET
LA GARE
SÈVRES
BEAUTOUR
LA BLORDIÈRE
VERTOU
LE CHÊNE
RAGON
Sèvre Nantaise
GESVRINE

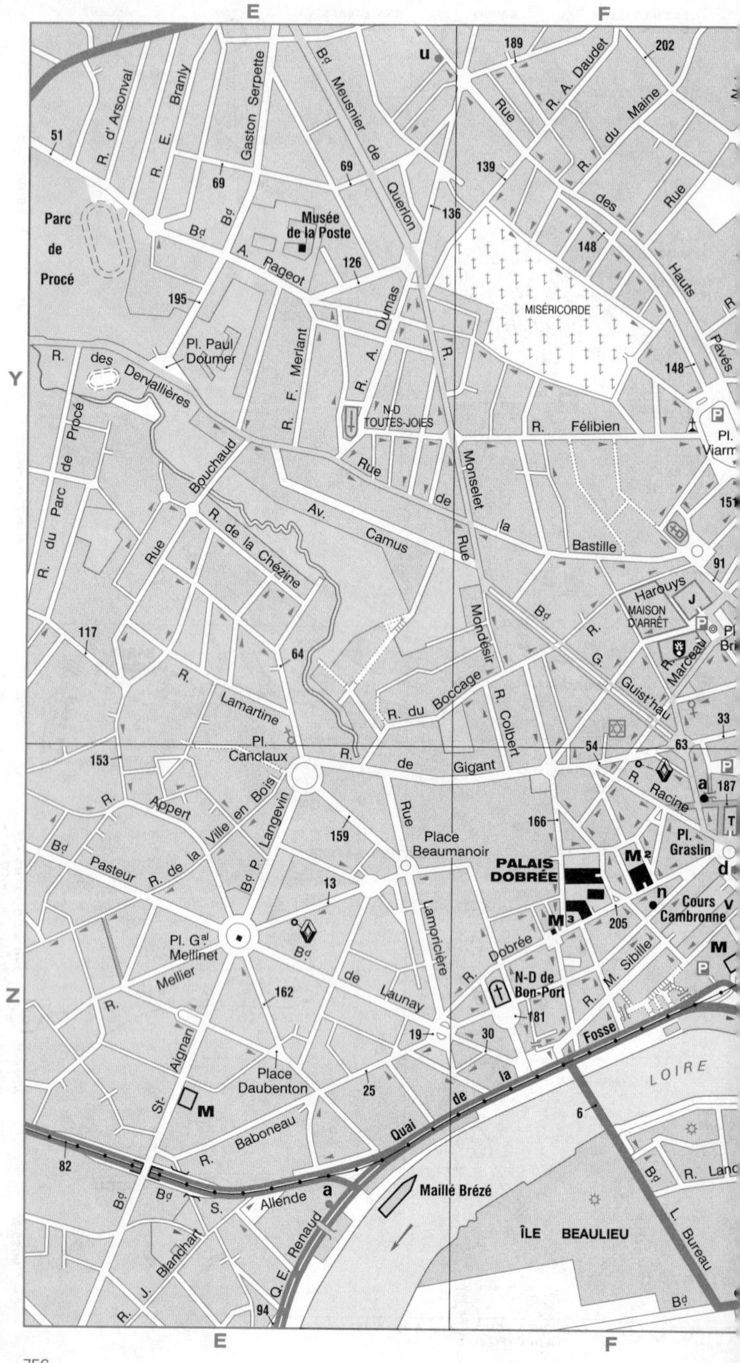
E
F
Y
Z
Parc de Procé
Musée de la Poste
MISÉRICORDE
Pl. Paul Doumer
R. des Dervallières
N-D TOUTES-JOIES
R. Félibien
Rue de Monselet
Rue de la Bastille
Av. Camus
R. de la Chézine
Rue Bouchaud
R. Lamartine
R. du Boccage
R. Colbert
Mondésir
Bd G. Guist'hau
R. Marceau
MAISON D'ARRÊT
Harouys
Pl. Canclaux
R. de Gigant
R. Racine
Pl. Graslin
Cours Cambronne
PALAIS DOBRÉE
Place Beaumanoir
Rue Lamoricière
R. Dobrée
N-D de Bon-Port
R. M. Sibille
R. Appert
R. de la Ville en Bois
Bd P. Langevin
Bd Pasteur
Pl. Gal Mellinet
Bd de Launay
R. Mellier
R. St-Aignan
Place Daubenton
R. Baboneau
Quai de la Fosse
LOIRE
Maillé Brézé
ÎLE BEAULIEU
Bd L. Bureau
Bd S. Allende
Q. E. Renaud
R. J. Blanchart
Bd Meusnier de Querlon
R. A. Dumas
R. F. Merlant
Bd A. Pageot
R. E. Branly
R. d' Arsonval
Gaston Serpette
R. du Parc de Procé
Rue des Hauts Pavés
R. du Maine
R. A. Daudet
Pl. Viarme
R. Landreau

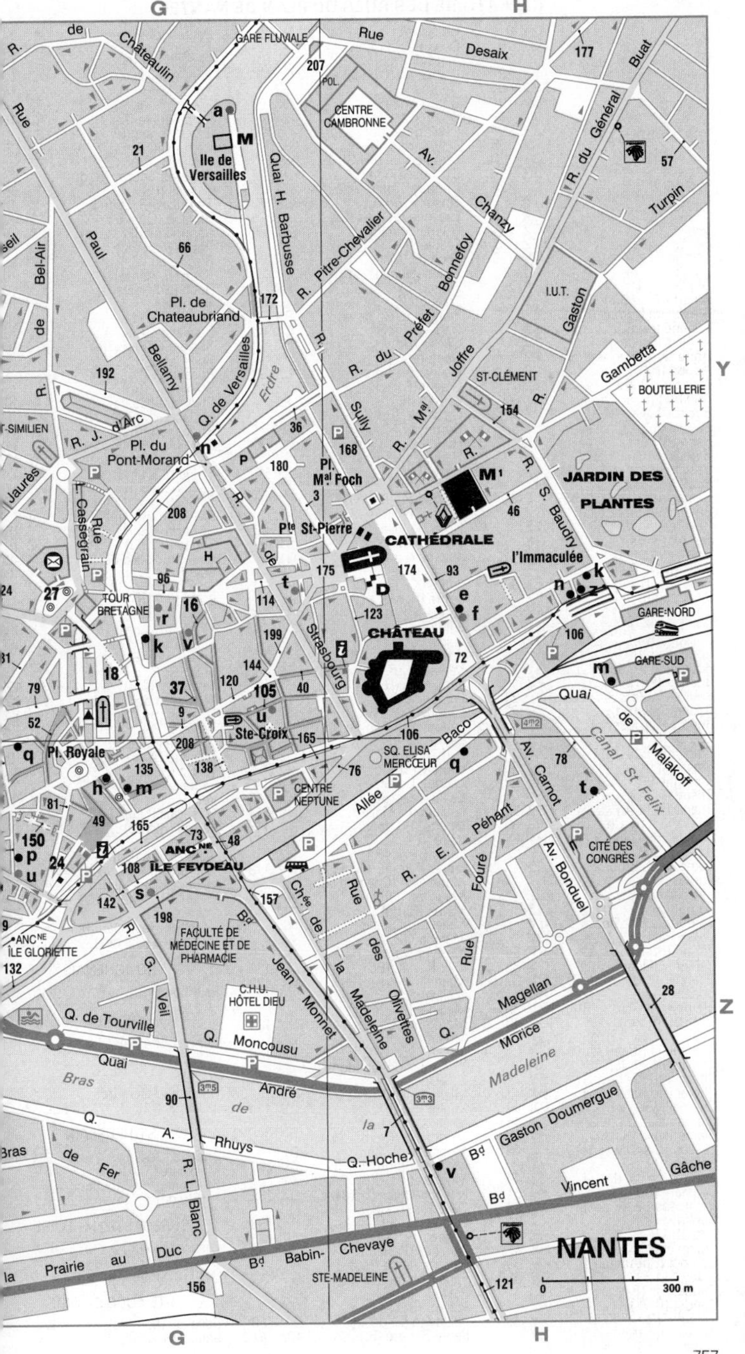
G
H
GARE FLUVIALE
Rue Desaix
POL.
CENTRE CAMBRONNE
Ile de Versailles
Quai H. Barbusse
R. Pitre-Chevalier
Av. Chanzy
R. du Général Buat
Turpin
Bonnefoy
I.U.T.
Gaston
Pl. de Chateaubriand
R. du Préfet
Joffre
Gambetta
ST-CLÉMENT
BOUTEILLERIE
Y
Q. de Versailles
Erdre
Sully
R. Mal
Pl. du Pont-Morand
Pl. Mal Foch
JARDIN DES PLANTES
S. Baudry
Pte St-Pierre
CATHÉDRALE
l'Immaculée
TOUR BRETAGNE
Strasbourg
CHÂTEAU
GARE-NORD
GARE-SUD
Quai de Malakoff
Canal St Felix
Ste-Croix
Pl. Royale
SQ. ELISA MERCŒUR
Allée Baco
CENTRE NEPTUNE
Av. Carnot
Péhant
ANCNE ÎLE FEYDEAU
CITÉ DES CONGRÈS
Av. Bonduel
R. E. Fouré
Rue des Olivettes
Chée de la Madeleine
Bd Jean Monnet
FACULTÉ DE MÉDECINE ET DE PHARMACIE
C.H.U. HÔTEL DIEU
ANCNE ÎLE GLORIETTE
Q. de Tourville
Q. Moncousu
Quai André Rhuys
Q. Magellan
Morice
Madeleine
Bras de la
Z
Gaston Doumergue
Q. Hoche
Bd Vincent Gâche
R. L. Blanc
Bras de Fer
Bd Babin-Chevaye
Prairie au Duc
STE-MADELEINE
NANTES
0
300 m

RÉPERTOIRE DES RUES DU PLAN DE NANTES

Barillerie (R. de la) GY 9
Boileau (R.) GZ 15
Budapest (R. de) GY 31
Calvaire (R. du) FY 33
Crébillon (R.) FGZ 60
Feltre (R. de) GY 79
Fosse (R. de la) GZ 81
J.-J.-Rousseau (R.) FGZ 99
Juiverie (R. de la) GY 105
Marne (R. de la) GY 120
Orléans (R. d') GZ 135
Paix (R. de la) GZ 138
Racine (R.) FZ
Royale (Pl.) GZ
Santeuil (R.) GZ 183
Scribe (R.) FZ 187
Verdun (R. de) GY 199

Aiguillon (Q. d') BX 2
Albert (R. du Roi) GY 3
Alexandre Dumas (R.) EY
Allende (Bd S.) EZ
Anglais (Bd des) BV 4
Anne-de-Bretagne (Pont) FZ 6
Appert (R.) EZ
Arsonval (R. d') EY
Audibert (Pont Gén.) HZ 7
Babin-Chevaye (Bd) GHZ
Baboneau (R.) EZ
Baco (Allée) HYZ
Barbusse (Quai H.) GY
Bastille (R. de la) EFY
Baudry (R. S.) HY
Beaujoire (Bd de la) CV 10
Beaujoire (Pont de la) CV
Beaumanoir (Pl.) EZ
Bel-Air (R. de) GY
Belges (Bd des) CV 12
Bellamy (R. P.) GY
Belleville (R. de) EZ 13
Blanchart (R. J.) EZ
Boccage (R. du) EFY
Bonduel (R. J.) HZ
Bossuet (R.) GY 16
Bouchaud (R.) EY
Boucherie (R. de la) GY 18
Bouhier (Pl. R.) EZ 19
Bouille (R. de) GY 21
Boulay Paty (Bd) BV 22
Bourcy (Bd Joseph) CDV
Bourse (Pl. de la) GZ 24
Branly (R. É.) EY
Brasserie (R. de la) EZ 25
Bretagne (Pl. de) GY 27
Briand (Pl. A.) FY
Briand (Pont A.) HZ 28
Brunellière (R. Ch.) FZ 30
Buat (R. du Gén.) HY
Bureau (Bd L.) FZ
Cambronne (Cours) FZ
Camus (Av.) EY
Canclaux (Pl.) EZ
Carnot (Av.) HYZ
Carquefou (Rte de) CV
Cassegrain (R. L.) GY
Cassin (Bd R.) BV 34
Ceineray (Quai) GY 36
Change (Pl. du) GY 37
Chanzy (Av.) HY
Chapelle-sur-Erdre (Rte) BV 39
Château (R. du) GY 40
Chateaubriand (Pl. de) GY
Châteaulin (R. de) GY
Cheviré (Pont de) ABX
Chézine (R. de la) EY
Cholet (Bd Bâtonnier) BX 42
Churchill (Bd W.) BX 43
Clemenceau (Pont G.) CX 45
Clemenceau (R. G.) HY 46
Clisson (Crs Olivier de) GZ 48
Colbert (R.) FYZ
Commerce (Pl. du) GZ 49
Constant (Bd Clovis) EY 51
Contrescarpe (R. de la) GY 52
Copernic (R.) FZ 54
Coty (Bd R.) BX 55
Coulmiers (R. de) HY 57
Courbet (Bd Amiral) CV 58
Dalby (Bd E.) CV 61
Daubenton (Pl.) EZ
Daudet (R. A.) FY
Delorme (Pl.) FY 63
Dervallières (R. des) EY

Desaix (R.) HY
Desgrées-du-Lou (R. du Col.) EY 64
Distillerie (R. de la) GY 66
Dobrée (R.) FZ
Dos-d'Ane (R.) CX 67
Douet Garnier (R. du) EY 69
Doulon (Bd de) CV 70
Doumer (Pl. P.) EY
Doumergue (Bd G.) HZ
Duchesse Anne (Pl.) HY 72
Duguay-Trouin (Allée) GZ 73
Einstein (Bd A.) BV 75
Estienne-d'Orves (Crs d') HZ 76
Favre (Quai F.) HYZ 78
Félibien (R.) FY
Foch (Pl. Mar.) HY
Fosse (Quai de la) EFZ
Fouré (R.) HZ
Frachon (Bd B.) EZ 82
Fraternité (Bd de la) BX 84
Gabory (Bd E.) CX 85
Gâche (Bd V.) HZ
Gambetta (R.) HY
Gaulle (Bd Gén.-de) CX 88
Gigant (R. de) EFZ
Graslin (Pl.) FZ
Guist'hau (Bd G.) FY
Harouys (R.) FY
Haudaudine (Pont) GZ 90
Hauts-Pavés (R. des) FY
Hélie (R. F.) FY 91
Henri IV (R.) HY 93
Hermitage (R. de l') EZ 94
Hoche (Q.) HZ
Hôtel de Ville (R. de l') GY 98
Ingres (Bd J.) BX 97
Jeanne d'Arc (R.) GY
Jean Jaurès (R.) FGY
Jean XXIII (Bd) BV 100
Joffre (R. Mar.) HY
Jouhaux (Bd L.) BX 102
Juin (Bd Mar.) BX 103
Jules-Verne (Bd) CV
Kennedy (Cours J.-F.) HY 106
Kervégan (R.) GZ 108
Lamartine (R.) EY
Lamoricière (R.) EZ
Langevin (Bd P.) EZ
Lanoue Bras-de-Fer (R.) FGZ
Lattre-de-Tassigny (R. Mar. de) FGZ 109
Launay (Bd de) EZ
Lauriol (Bd G.) BV 110
Le Lasseur (Bd) BV 112
Leclerc (R. Mar.) GY 114
Liberté (Bd de la) BX 115
Littré (R.) EY 117
Louis-Blanc (R.) GZ
Luther-King (Bd M.) CV 118
Madeleine (Chée de la) GHZ
Magellan (Quai) HZ
Maine (R. du) FY
Malakoff (Quai de) HZ
Marceau (R.) FY
Martyrs-Nantais-de-la-Résist. (Bd) HZ 121
Mathelin-Rodier (R.) HY 123
Mellier (R.) EZ
Mellinet (Pl. Gén.) EZ
Mercœur (R.) FGY 124
Merlant (R. F.) EY
Merson (Bd L.-O.) EY 126
Meusnier-de-Querlon (Bd) EY
Michelet (Bd) CV 127
Mollet (Bd G.) CV 129
Moncousu (Quai) GZ
Mondésir (R.) FY
Monnet (Bd Jean) GZ
Monod (Bd du Prof. J.) CV 130
Monselet (R. Ch.) EFY
Nations-Unies (Bd des) GZ 132
Olivettes (R. des) HZ
Orieux (Bd E.) CV 133
Pageot (Bd A.) EY
Painlevé (R. Paul) EY 136
Parc de Procé (R. du) EY
Paris (Rte de) DV
Pasteur (Bd) EZ
Péhant (R. E.) HZ
Pelleterie (R. de la) EFY 139
Petite Baratte (R.) CV 141

Petite-Hollande (Pl.) GZ 14
Pilori (Pl. du) GY 14
Pirmil (Pont de) CX 14
Pitre-Chevalier (R.) GHY
Poilus (Bd des) CV 14
Poitou (R. du) FY 14
Pommeraye (Pas.) GZ 15
Pont-Morand (Pl. du) GY
Porte-Neuve (R.) FGY 15
Prairie-au-Duc (Bd) FGZ
Préfet Bonnefoy (R. du) HY
Raspail (R.) EYZ 15
Refoulais (R. L. de la) HY 15
Renaud (Quai E.) EZ
République (Pl. de la) GZ 15
Rhuys (Quai A.) GZ
Ricordeau (Pl. A.) GZ 15
Riom (R. Alfred) EZ 15
Roch (Bd Gustave) CX 16
Rollin (R.) EZ 16
Romanet (Bd E.) BX 16
Roosevelt (Crs F.) GZ 16
Rosière d'Artois (R.) FZ 16
Rue Noire (R.) FY
Russeil (R.) FGY
St-Aignan (Bd) EZ
St-André (Cours) HY 16
St-Jacques (R.) CX 16
St-Joseph (Rte de) CV 17
St-Mihiel (Pont) GY 17
St-Pierre (Cours) HY 17
St-Pierre (Pl.) GY 17
St-Rogatien (R.) HY 17
St-Sébastien (Côte) CX 17
Ste-Luce (Rte de) CV
Salengro (Pl. R.) GY 18
Sanitat (Pl. du) FZ 18
Sarrebrück (Bd de) CX 18
Say (R. L.) BV 18
Schuman (Bd R.) BV
Serpette (Bd G.) EY
Sibille (R. M.) FZ
Simon (R. Jules) EY 18
Stalingrad (Bd de) CX 19
Strasbourg (R. de) GY
Sully (R.) HY
Talensac (R.) GY 19
Tertre (Bd du) BX 19
Thomas (Bd A.) EY 19
Tortière (Pont de la) CV 19
Tourville (Quai de) GZ
Turenne (Allée de) GZ 19
Turpin (R. Gaston) HY
Vannes (Rte de) BV
Veil (R. G.) GZ
Versailles (Quai de) GY
Vertou (Rte de) CX
Viarme (Pl.) FY
Victor-Hugo (Bd) CX 201
Ville-en-Bois (R. de la) EZ
Villebois-Mareuil (R.) FY 202
Viviani (R. René) CX 204
Voltaire (R.) FZ 205
Waldeck-Rousseau (Pl.) GHY 207
50-Otages (Crs des) GYZ 208

BOUGUENAIS

Paimbœuf (Rte de) BX

ORVAULT

Rennes (Rte de) BV 154

REZE

Gaulle (Bd Gén.-de) CX 87
J. Jaurès (R.) CX

ST-HERBLAIN

Allende (Bd S.) ABX
Massacre (Bd du) BV
St-Etienne-de-Montluc (Rte de) AV

St-SEBASTIEN-S-LOIRE

Clisson (Rte de) CDX
Gaulle (R. du Gén.-de) DX
Pas-Enchantés (Bd des) CDX

STE-LUCE-S-LOIRE

Bellevue (Pont de) DV
Sables (R. des) DV

rte d'Angers par N 23 - DV – ✉ **44470** Carquefou :

Novotel Carquefou ⛰, à la Belle Étoile : 12 km ☎ 40 52 64 64, Télex 711175, Fax 40 93 70 78, – rest. – 100. AE GB
Repas 105, enf. 50 – 50 – **96 ch** 415/455.

Belle Étoile [M], à la Belle Étoile : 11,5 km ☎ 40 68 01 69, Fax 40 68 07 27, – GB
Repas *(fermé août, 24 déc. au 1er janv., sam. et dim.)* 75/160 – 30 – **37 ch** 250/270 – ½ P 235/310.

au NE : 11 km par A 11, sortie Bellevue, puis r. des Sables – ✉ **44980** Ste-Luce-sur-Loire :

XXX **Bénureau**, Le Grand Plessis ☎ 40 25 95 25, Fax 40 25 84 17, « Belle demeure du 19e siècle dans un parc » – GB — DV **f**
fermé dim. soir et lundi – **Repas** 120/265 et carte 210 à 330.

au pont de Bellevue E : 9 km par A 11 – ✉ **44980** Ste-Luce-sur-Loire :

XXX **Beauséjour**, ☎ 40 25 60 39, Fax 40 25 60 30, – AE GB — DV **b**
fermé 15 juil. au 1er août, vacances de fév., dim. soir et lundi – **Repas** 105/285 et carte 200 à 280.

à Basse-Goulaine vers ③ sur D 751 : 8 km – 5 910 h. alt. 22 – ✉ **44115** :

XXX **Villa Mon Rêve**, rte des bords de Loire ☎ 40 03 55 50, Fax 40 06 05 41, « Jardin et roseraie » – AE GB — DV **e**
fermé 5 au 18 nov. – **Repas** 138/310, enf. 70.

par ③ : 15 km sur D 751 – ✉ **44450** St-Julien-de-Concelles :

XX **Aub. Nantaise**, Le Bout des Ponts ☎ 40 54 10 73, – AE GB
fermé sam. midi, dim. soir et lundi soir – **Repas** 110/255, enf. 60.

à St-Sébastien-sur-Loire par D 119 : 4 km – 22 202 h. alt. 24 – ✉ **44230** :

XXX ✿ **Manoir de la Comète** (Thomas-Trophime), 21 av. Libération ☎ 40 34 15 93, Fax 40 34 46 23, « Élégant cadre contemporain » – AE GB — CX **e**
fermé 8 au 18 août, dim. sauf le midi du 1er avril au 14 juil. et sam. midi – **Repas** 165/300 et carte 250 à 390
Spéc. Salade de mâche nantaise et Saint-Jacques poêlées (oct. à fév.). Aumônière de homard breton et girolles, beurre rouge (juin à oct.). Turbot rôti et langoustines au coulis d'étrilles. **Vins** Chinon, Savennières.

à La Haie Fouassière par ②, N 149 et D 74 : 15 km – 2 911 h. alt. 25 – ✉ **44690** :

XX **Cep de Vigne**, à la Gare N : 1 km par D 74 ☎ 40 36 93 90, – GB
fermé 15 au 31 juil., fév., mardi soir, dim. soir et merc. – **Repas** 93 bc/300.

à Vertou SE : 10 km par D 59 – 18 235 h. alt. 32 – ✉ **44120** :

Haute-Forêt, bd Europe ☎ 40 34 01 74, Fax 51 71 24 23, – GB — DX **t**
Repas 55/160 – 25 – **35 ch** 200/240 – ½ P 180/220.

rte de La Roche-sur-Yon par ④ et D 178 : 12 km – ✉ **44840** Les Sorinières :

Abbaye de Villeneuve ⛰, ☎ 40 04 40 25, Fax 40 31 28 45, « Demeure du 18e siècle dans un parc », – 50. AE GB
Repas 140 (déj.), 163/344 – 70 – **21 ch** 390/940, 3 appart – ½ P 460/730.

à Rezé SO : 6 km par D 723 – 33 262 h. alt. 8 – ✉ **44400** :

Cheval Blanc sans rest, 50 r. Commune de 1871 ☎ 40 75 65 07, Fax 40 75 92 48 – AE GB — CX **b**
fermé 2 au 25 août – 30 – **20 ch** 235/300.

XX **L'Aquarelle**, 33 rue Gén.-Leclerc ☎ 40 75 18 33, Fax 40 32 31 80 – GB — BX **n**
fermé août, dim. et lundi – **Repas** 95/225.

à l'Aéroport SO : 10 km par rte de Pornic – ✉ **44340** Bouguenais :

Océania [M], ☎ 40 05 05 66, Télex 700091, Fax 40 05 12 03, – 80. AE GB
Repas *(fermé dim. midi)* 100/175 – 50 – **87 ch** 450/570.

Mascotte [M] sans rest, ☎ 40 32 14 14, Fax 40 32 14 13, – AE GB
40 – **73 ch** 300/375.

rte de Pornic par ⑤ : 15 km sur D 751 – ✉ **44830** Bouaye :

Les Champs d'Avaux [M], ☎ 40 65 43 50, Fax 40 32 64 83, – 80. AE GB
fermé 21 au 30 déc. – **Repas** *(fermé dim. soir)* 85/250 – 42 – **42 ch** 265/300 – ½ P 255.

rte de Vannes vers ⑦ : 7 km – ✉ **44800** St-Herblain :

XXX **Le Pavillon**, ☎ 40 94 99 99, Fax 40 94 96 07, – AE GB — AV **a**
fermé 3 au 25 août, sam. midi et dim. – **Repas** 130/280 et carte 220 à 330, enf. 80.

rte de Vannes par ⑦ : 17 km – ✉ 44360 Vigneux-de-Bretagne :

Relais Mercure, ✆ 40 57 10 80, Fax 40 57 13 30, ⛱, ⛲, ⛱, 🎾 – ▤ rest 📺 ☎ ♿ 🅿 – 🎪 30 à 150. AE ⓓ GB
Repas carte environ 150 ⅓, enf. 40 – ☕ 55 – **86 ch** 345/370.

à Sautron NO : 11 km - AV – 6 026 h. alt. 64 – ✉ 44880 :

XX **Le Romarin,** 79 r. Bretagne (D 965) ✆ 40 63 15 87, Fax 40 63 39 24 – GB
fermé 1er au 15 août, dim. soir et lundi – **Repas** 95/195.

à Orvault NO : 8 km - ABV – 23 115 h. alt. 45 – ✉ 44700 :

Domaine d'Orvault ⛰, par N 137 et voie pavillonnaire ✆ 40 76 84 02, Fax 40 76 04 2
⛱, « Hostellerie dans un parc », 🏋, 🎾 – |♦| ▤ rest 📺 ☎ 🅿 – 🎪 25. AE ⓓ GB
hôtel : fermé week-ends des vacances de fév. ; rest. : fermé 10 fév. au 5 mars et lundi mi
– **Repas** 170/440 – ☕ 70 – **25 ch** 430/850 – ½ P 625/820. BV

XXX **Orée du Bois,** rte Garenne ✆ 40 63 63 54, Fax 40 63 91 79, ⛱, « Terrasse avec pièc d'eau », ⛱ – 🅿. GB AV
fermé dim. soir et lundi – **Repas** 110 (déj.), 120/385 et carte 230 à 300.

par ⑧, rte de Treillières Z.I. Ragon Tourneuve : 5 km – ✉ 44119 Treillières :

Mint H. Ⓜ, 1 r. Lavoisier ✆ 40 72 87 88, Fax 40 72 85 07, ⛲ – 📺 ☎ 📞 ♿ 🅿 – 🎪 30. AE ⓓ GB
Repas *(fermé vend. soir, sam. et dim.)* 75/105 ⅓ – ☕ 30 – **48 ch** 280/300.

à Sucé-sur-Erdre : 16 km par D 69 - BV – 4 806 h. alt. 14 – ✉ 44240 :

XXX ✿ **La Chataigneraie** (Delphin), 156 rte Carquefou ✆ 40 77 90 95, Fax 40 77 90 08, ⋞ ⛱, « Manoir du 19e siècle dans un parc au bord de l'Erdre » – 🅿. AE ⓓ GB
fermé 2 au 20 janv., dim. soir et lundi sauf fériés le midi – **Repas** 175 (déj.), 250/420 et cart 300 à 380, enf. 100
Spéc. Feuilleté de grenouilles, fondue de poireaux. Sandre au beurre blanc nantais, pommes vapeur. Filet de pigeon e croûte, compote de choux et foie gras. **Vins** Muscadet sur lie, Anjou.

X **Au Cordon Bleu** avec ch, ✆ 40 77 71 34, Fax 40 77 73 44, ⛱ – 📺 ☎. AE GB
fermé 23 au 30 oct., 1er au 8 fév., dim. soir et lundi – **Repas** 82/197, enf. 55 – ☕ 35 – **8 c** 200/260 – ½ P 220/250.

au Nord-Est par D 178 et rte de la Chantrerie : 9 km – ✉ 44300 Nantes :

XXX **Manoir de la Régate,** 155 rte Gachet ✆ 40 18 02 97, Fax 40 25 23 36, ⛱, parc – 🅿. ⓓ GB
fermé dim. soir – **Repas** 97/315 et carte 200 à 300.

XX **Aub. du Vieux Gachet,** rte Gachet ✆ 40 25 10 92, ⋞, ⛱, « Terrasse en bordure d l'Erdre » – 🅿. GB
fermé dim. soir et lundi – **Repas** 90 (déj.), 130/220.

à Carquefou N : 11 km par D 178 – 12 877 h. alt. 34 – ✉ 44470 :

XXX **Aub. du Cheval Blanc,** r. 9 août-1944 ✆ 40 50 88 05, Fax 40 50 88 05 – GB
fermé 20 juil. au 12 août, 24 fév. au 4 mars, dim. soir et lundi sauf fériés – **Repas** 110/240 e carte 250 à 380.

MICHELIN, Agence régionale, 13 r. du Rémouleur ZI à St-Herblain AX ✆ 40 92 15 44

CITROEN Centre de gros automobiles, 14 r. Marché Commun ✆ 40 49 65 97
CITROEN Citroën Nantes Capal, 215 bd J.-Verne CV ✆ 40 50 71 72 🅽 ✆ 40 74 66 66
FORD San Automobiles, 16 bd Stalingrad ✆ 51 86 01 01 🅽 ✆ 51 86 01 01
OPEL Longchamp Autom., 37 rte de Vannes ✆ 40 67 68 00
PEUGEOT Gar. Raguideau, 170 rte de Clisson CX ✆ 40 34 27 43 🅽 ✆ 40 40 22 40
PEUGEOT Gar. Dugast, 105 r. Gén.-Buat HY ✆ 40 74 18 04
PEUGEOT S.I.A.O., 7 bd Martyrs-Nantais HZ ✆ 40 35 16 16
PEUGEOT Gar. Charpentier, 78 r. de Rennes BV ✆ 40 76 69 66
PEUGEOT S.I.A.O., 40 r. de Monaco, centre de gros, rte de Paris DV ✆ 40 93 96 96 🅽 ✆ 05 44 24 24

RENAULT Gar. de l'Abbaye Chesneau, 19 r. de Belleville EZ ✆ 40 69 62 20
RENAULT Gar. Lizé, 82 r. du Landreau CV ✆ 40 49 49 17
RENAULT Gar. Copernic, 5 r. Copernic FZ ✆ 40 73 34 04
ROVER Gar. Le Moigne, 18 allée Baco ✆ 40 47 77 16
VAG Auto-Gar. de l'Ouest, 8 r. Sully ✆ 40 29 40 00

Ⓜ Euromaster, 104 rte de Vannes ✆ 40 76 11 98
Euromaster, 13 bd Martyrs-Nantais-de-la-Résistance ✆ 40 47 87 14
Interpneus Vulcopneu, 58 r. Fouré ✆ 40 89 52 00
Nantes-Pneumatiques, 83 rte de Paris ✆ 40 52 57 57
SOFRAP-Point S, 10 quai H.-Barbusse ✆ 40 74 05 69

Périphérie et environs

LFA ROMEO, FERRARI Gar. Barteau, r. Ordron-eau, ZI à Rezé ☏ 40 04 11 00
TROEN Gar. Robin, 133 rte de Rennes à Orvault V ☏ 40 76 81 50
TROEN Citröen Capal, 9 r. Ch.-Rivière à Rezé CX ☏ 40 84 70 00 N ☏ 40 74 66 66
TROEN Citröen Capal, 351 rte de Vannes à -Herblain AV ☏ 40 16 74 00 N ☏ 40 74 66 66
AT, LANCIA Loire-Océans-Autos, 272 bd M.-Paul St-Herblain ☏ 40 94 84 14
ORD Mustière Automobiles, 365 rte de Vannes à -Herblain ☏ 40 16 11 12 N ☏ 40 40 22 40
ONDA Gar. Victor Hugo, 223 et 225 rte de Vannes St-Herblain ☏ 40 76 20 21
ERCEDES Gar. Paris-Maine, Le Croisy à Orvault ☏ 40 16 81 81
EUGEOT S.I.A.O., rte de Vannes le Croisy à rvault AV ☏ 40 67 76 76
EUGEOT Rez'Auto, rte de Pornic à Rezé BX ☏ 40 32 21 21 N ☏ 05 44 24 24

RENAULT Gar. Cora, 100 rte Sorinières à Rezé par r. J.-Jaurès CX ☏ 40 84 49 49 N ☏ 51 70 21 21
RENAULT Gar. Moinet, 25 r. J.-Jaurès à Rezé CX ☏ 40 04 04 00
RENAULT Gar. Dabireau, 25 r. A.-Arnaud à Vertou par D 59 DX ☏ 40 34 21 04 N ☏ 40 33 16 26
RENAULT Plaisance Auto, rte de Machecoul à St-Philbert-de-Grand-Lieu par D 65 ☏ 40 78 77 71 N ☏ 40 78 77 71
RENAULT Succursale, rte de Vannes les Lions à St-Herblain AX ☏ 40 67 27 27 N ☏ 05 05 15 15
ROVER Auto Paris Ste-Luce, r. de la Jalousie à Ste-Luce-sur-Loire ☏ 40 25 74 42

Euromaster, Zone Atlantis 155 bd S. Allendé à St-Herblain ☏ 40 92 00 05
Euromaster, 36 r. Grande Bretagne à Carquefou ☏ 40 25 25 05
Lemaux-Pneu, 67 r. A.-Briand à Rezé ☏ 40 75 84 16

NANTEUIL-LÈS-MEAUX 77 S.-et-M. 56 ⑬ – rattaché à Meaux.

NANTILLY 70 H.-Saône 66 ⑬ – rattaché à Gray.

NANTUA ⟨SP⟩ 01130 Ain 74 ④ **G. Jura** (plan) – 3 602 h alt. 479.

Voir Cluse★★ – Lac★ – Bords du lac ≤★.

Office de Tourisme, av. de la Gare ☏ 74 75 00 05, Fax 74 75 06 83.

Paris 477 – Aix-les-Bains 77 – Annecy 64 – Bourg-en-Bresse 48 – Genève 64 – ♦Lyon 90.

France, 44 r. Dr Mercier ☏ 74 75 00 55, Fax 74 75 26 22 – TV ☎ 🚗 P. AE GB
fermé 1er nov. au 20 déc. et mardi sauf le soir en juil.-août – **Repas** 130 (dîner), 135/205 – ☕ 35 – **17 ch** 250/430.

L'Embarcadère, av. Lac ☏ 74 75 22 88, Fax 74 75 22 25, ≤ – TV ☎ P – 🏛 30. GB. ✗ rest
fermé 20 déc. au 20 janv. – **Repas** *(fermé lundi)* 105/300, enf. 50 – ☕ 33 – **50 ch** 250/330 – ½ P 280/320.

PEUGEOT Gar. Tarrare, la Cluse ☏ 74 76 01 61

RENAULT Gar. du Lac, 16 rte de Lyon à Port N 84 ☏ 74 76 07 33 N ☏ 74 76 07 33

La NAPOULE 06 Alpes-Mar. 84 ⑧, 114 ㉖ – voir à Mandelieu-La-Napoule.

NARBONNE ⟨SP⟩ 11100 Aude 83 ⑭ **G. Pyrénées Roussillon** – 45 849 h alt. 13.

Voir Cathédrale St-Just★★ (Trésor : tapisserie représentant la Création★★) BY **B** – Donjon Gilles Aycelin★ (✳★) BY **M** – Choeur★ de la basilique St-Paul-Serge AZ **E** – Palais des Archevêques★ BY **M** : musée d'Art★ et musée archéologique★ – Musée lapidaire★ BZ **M**[1].

Env. Abbaye de Fontfroide★★ 14 km par ④.

🚗 ☏ 68 65 41 31 et 32.

Office de Tourisme pl. R.-Salengro ☏ 68 65 15 60, Fax 68 65 59 12.

Paris 803 ② – ♦Perpignan 64 ③ – Béziers 27 ① – Carcassonne 60 ③ – ♦Montpellier 94 ②.

Plan page suivante

Novotel M, par ③ : 3 km ☏ 68 42 72 00, Télex 500480, Fax 68 42 72 10, 🌳, 🏊, 🌿 – |♦| ⇔ ▤ TV ☎ ♿ P – 🏛 25 à 150. AE ⓓ GB JCB
Repas carte environ 160, enf. 50 – ☕ 50 – **96 ch** 420/460.

Motel d'Occitanie M, av. Mer par ② : 2 km ☏ 68 65 23 71, Fax 68 65 09 17, 🌳, 🏊, 🌿, ✗ – |♦| cuisinette ▤ TV ☎ ♿ P – 🏛 100. AE ⓓ GB
Le Silène (fermé dim. soir et lundi d'oct. à mai) **Repas** 92/210, 🍷, enf.45 – ☕ 40 – **55 ch** 200/380 – ½ P 325.

La Résidence 🐚 sans rest, 6 r. 1er-Mai ☏ 68 32 19 41, Fax 68 65 51 82, « Bel aménagement intérieur » – |♦| TV ☎ 📞 🚗. AE GB JCB AY **r**
☕ 45 – **26 ch** 318/415.

Languedoc, 22 bd Gambetta ☏ 68 65 14 74, Fax 68 65 81 48 – |♦| ▤ rest TV ☎ 📞 🚗 – 🏛 40. AE ⓓ GB JCB BY **b**
La Coupole ☏ 68 32 43 95 *(fermé dim.)* **Repas** 60/125, 🍷, enf. 40 – ☕ 38 – **36 ch** 200/450, 3 appart – ½ P 230/330.

Lion d'Or, 39 av. P. Sémard ☏ 68 32 06 92, Fax 68 65 51 13 – ☎. AE ⓓ GB BX **k**
Pâques-mi-oct. et fermé dim. hors sais. – **Repas** 90/160, enf. 40 – ☕ 35 – **27 ch** 170/220 – ½ P 235.

France sans rest, 6 r. Rossini ☏ 68 32 09 75, Fax 68 32 09 75 – TV 🚗. GB BZ **s**
☕ 30 – **15 ch** 110/240.

Le Régent 🐚 sans rest, 15 r. Suffren ☏ 68 32 02 41, Fax 68 65 50 43 – TV ☎. GB BY **d**
☕ 28 – **15 ch** 140/240.

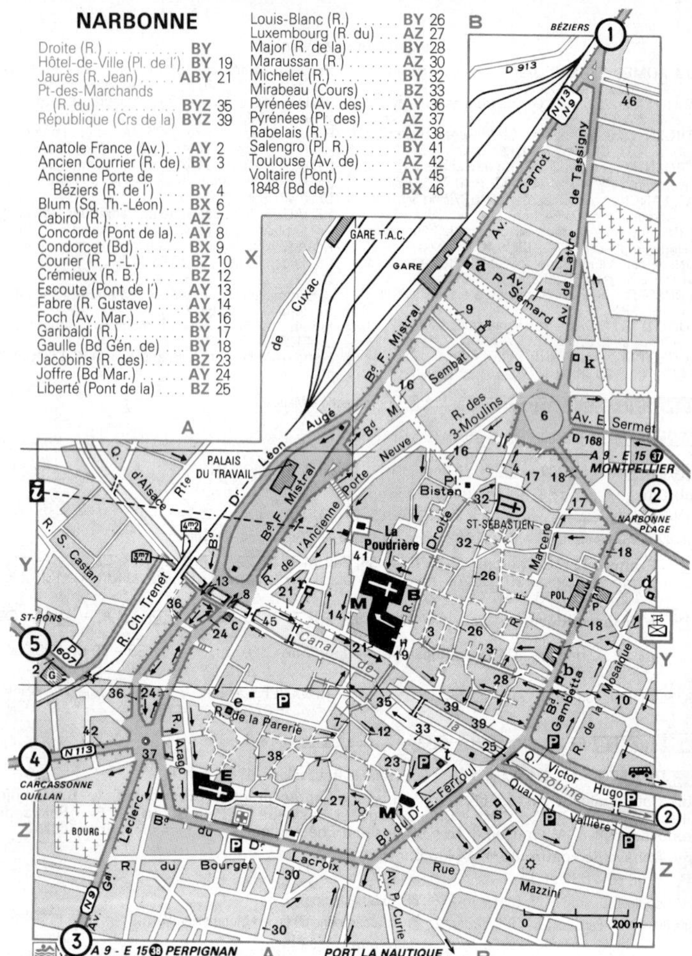

XXX **Rest. Alsace,** 2 av. P. Sémard ✆ 68 65 10 24, Fax 68 90 79 45 – ▤. AE ⓓ GB — BX a
fermé lundi soir et mardi – **Repas** 98/270 et carte 250 à 420, enf. 70.

XX **L'Olibo,** 53 r. Parerie ✆ 68 41 74 47, Fax 68 42 84 90 – AE ⓓ GB — AZ e
fermé merc. soir et dim. – **Repas** 148/225.

X **L'Estagnol,** 5 bis cours Mirabeau ✆ 68 65 09 27, Fax 68 32 23 38, 舎, brasserie – ▤ GB — BZ t
fermé dim. d'avril à oct. – **Repas** 85/198 ♁.

à Coursan par ① : 9 km – 5 137 h. alt. 6 – ✉ **11110** :

ℹ Office de Tourisme, Hôtel de Ville, ✆ 68 33 51 59, en saison : av.de Toulouse ✆ 68 33 77 16.

XX **L'Os à Moelle,** rte Salles d'Aude ✆ 68 33 55 72, Fax 68 33 35 39, 舎, ⛱ – P. GB
fermé vacances de fév., dim. soir sauf juil.-août et lundi – **Repas** 82 bc (déj.), 102/182 ♁.

sur aire A 9 de Narbonne-Vinassan Nord E : 6 km par D 68 :

🏨 **Aude H.** M, ✉ 11110 Vinassan ✆ 68 45 25 00, Fax 68 45 25 20 – |‡| ▤ ch TV ☎ ♿ P – 🚶 25. AE ⓓ GB
Repas (dîner seul.) 70/120 ♁, enf. 42 – ☕ 35 – **59 ch** 290/350 – ½ P 265/285.

à Ornaisons par ④ et D 24 : 14 km – 943 h. alt. 34 – ✉ **11200** :

Relais Val d'Orbieu ⑤, ✆ 68 27 10 27, Fax 68 27 52 44, ←, 🏖, ⛱, 🌳, 🎾 – 📺 ☎ 🅿. AE ⓓ GB
fermé 25 nov. au 8 déc., 21 janv. au 4 fév. et dim. soir de nov. à fév. – **Repas** *(fermé dim. soir et le midi (sauf dim.) de nov. à mars)* 175/375, enf. 95 – ☐ 70 – **13 ch** 490/750, 7 appart – ½ P 690/740.

ALFA ROMEO Gar. Occitan, 38 av. de Bordeaux ✆ 68 42 11 44
BMW Passion Auto, ZI Croix Sud rte de Perpignan ✆ 68 41 11 77
CITROEN Gar. Tressol, N 9 rte de Perpignan ✆ 68 42 84 00 🅽 ✆ 05 05 24 24
FORD Gar. Villefranque, 20 bd M.-Sembat ✆ 68 32 30 11 🅽 ✆ 68 65 53 38
LADA Croix Sud Autom., ZI Croix Sud ✆ 68 41 43 87
NISSAN Modern Autom., av. de Bordeaux ✆ 68 41 21 05
OPEL Narbonauto, av. Champ-de-Mars, ZI Plaisance ✆ 68 41 14 81
PEUGEOT Audoise Autom., rte de Perpignan le Peyrou par③ ✆ 68 42 54 25
RENAULT Languedoc Auto, Croix Sud rte de Perpignan ✆ 68 42 50 00 🅽 ✆ 05 05 15 15
TOYOTA MERCEDES Cathare Autom., ZI Plaisance ✆ 68 41 22 38
Brunel, 31-33 bd Mar.-Joffre ✆ 68 42 27 53

Distri-Pneu, ZI Croix Sud ✆ 68 41 36 14
Escande, 1 av. de Toulouse ✆ 68 41 01 03
Euromaster, ZI rte de Perpignan ✆ 68 41 23 24
Gastou-Pneus, ZI Croix Sud ✆ 68 41 69 03

La NARTELLE 83 Var 84 ⑰, 114 ㊲ – rattaché à Ste-Maxime.

NASBINALS 48260 Lozère 76 ⑭ **G. Gorges du Tarn** – 503 h alt. 1180 – Sports d'hiver : 1 240/1 320 m 1 ⛷.

Paris 573 – Aurillac 107 – Mende 63 – Rodez 66 – Aumont-Aubrac 23 – Chaudes-Aigues 27 – Espalion 34 – St-Flour 67.

au Nord par D 12 : 4 km – alt. 1 08 – ✉ **48260** Nasbinals :

Relais de l'Aubrac ⑤, au Pont de Gournier (carrefour D 12 - D 112) ✆ 66 32 52 06, Fax 66 32 56 58, 🏖 – ☎ 🅿. GB. ✻ rest
fermé 14 nov. au 8 fév. – **Repas** (carte le soir) 100/170 ♌, enf. 38 – ☐ 32 – **22 ch** 220/260 – ½ P 220/260.

Le Guide change, changez de guide tous les ans.

NATZWILLER 67130 B.-Rhin 62 ⑧ – 634 h alt. 500.

Paris 415 – ♦Strasbourg 58 – Barr 32 – Molsheim 30 – St-Dié 42.

Aub. Metzger, ✆ 88 97 02 42, Fax 88 97 93 59, 🏖, 🌳 – 📺 ☎ 🅿. GB
fermé 26 juin au 3 juil., 7 au 20 janv., dim. soir et lundi sauf juil.-août – **Repas** 60/250 ♌, enf. 45 – ☐ 38 – **10 ch** 250/270 – ½ P 260/280.

NAUCELLE 12800 Aveyron 80 ① – 1 929 h alt. 490.

Paris 665 – Rodez 32 – Albi 47 – Millau 87 – St-Affrique 75 – Villefranche-de-Rouergue 49.

à Castelpers SE : 12,5 km par D 997 et D 10 – ✉ **12170** Ledergues :

XX **Château de Castelpers** ⑤ avec ch, ✆ 65 69 22 61, Fax 65 69 25 31, ←, « Parc au bord de l'eau » – 📺 ☎ 🅿. AE ⓓ GB. ✻ rest
1er avril-1er oct. – **Repas** (résidents seul.) 135 ♌ – ☐ 48 – **8 ch** 285/485 – ½ P 235/345.

NAUZAN 17 Char.-Mar. 71 ⑮ – voir St-Palais-sur-Mer et Royan.

NAVAROSSE 40 Landes 78 ⑬ – rattaché à Biscarrosse.

NAVARRENX 64190 Pyr.-Atl. 85 ⑤ **G. Pyrénées Aquitaine** – 1 036 h alt. 125.

Office de Tourisme, Porte St-Antoine ✆ 59 66 10 22.

Paris 803 – Pau 41 – Oloron-Ste-Marie 22 – Orthez 22 – St-Jean-Pied-de-Port 62 – Sauveterre-de-Béarn 21.

Commerce, ✆ 59 66 50 16, Fax 59 66 52 67 – ☎ – 🏛 30. GB
hôtel : 10 mars-20 oct. et fermé dim. soir et sam. – **Repas** *(fermé 15 au 30 oct., 20 déc. au 15 janv., dim. soir et sam.)* 62/180 ♌, enf. 48 – ☐ 30 – **28 ch** 190/280 – ½ P 250/285.

CITROEN Gar. Labrit, ✆ 59 66 16 32 🅽 ✆ 59 34 36 75

NAY 64800 Pyr.-Atl. 85 ⑦ – 3 591 h alt. 300.

Paris 788 – Pau 18 – Laruns 34 – Lourdes 25 – Oloron-Ste-Marie 36 – Tarbes 32.

Voyageurs, pl. Marcadieu ✆ 59 61 04 69, Fax 59 61 15 68 – 🛗 📺 ☎ 📞. GB
fermé 25 au 30 déc. – **Repas** 70/200 ♌, enf. 45 – ☐ 30 – **22 ch** 190/250 – ½ P 240.

Aub. Chez Lazare ⑤, Les Labassères SO : 3 km par D 36 et D 287 ✆ 59 61 05 26, Fax 59 61 25 11, 🏖, 🌳 – 📺 ☎ 📞 🅿. GB
Repas *(fermé dim. soir)* (dîner seul.)(prévenir) 85/140 ♌ – ☐ 32 – **8 ch** 250 – ½ P 240.

PEUGEOT Gar. Manuel, ✆ 59 61 27 67
RENAULT Gar. Fouraa, ✆ 59 61 06 18 🅽 ✆ 59 61 06 18
RENAULT Gar. Bonnasse-Gahot, à Bénéjacq ✆ 59 61 07 25 🅽 ✆ 59 61 26 99

NÉANT-SUR-YVEL 56430 Morbihan 63 ④ – 882 h alt. 54.

Paris 408 – ♦Rennes 64 – Dinan 61 – Loudéac 40 – Ploërmel 11,5 – Vannes 61.

Aub. de la Table Ronde avec ch, ☎ 97 93 03 96, Fax 97 93 05 26 – ☎. ⓓ GB
fermé 16 au 25 sept., 7 janv. au 5 fév., dim. soir et lundi sauf juil.-août – **Repas** 46 (déj.) 56/170 ♁, enf. 30 – ☕ 26 – **9 ch** 120/210 – ½ P 120/165.

NEAUPHLE-LE-CHÂTEAU 78640 Yvelines 60 ⑨ 106 ⑯ G. Ile de France – 2 499 h alt. 185.

Paris 38 – Dreux 43 – Mantes-la-Jolie 29 – Rambouillet 25 – St-Nom-la-Bretèche 11,5 – Versailles 18.

Le Verbois ⛰, 38 av. République ☎ (1) 34 89 11 78, Fax (1) 34 89 57 33, ≤, 🏕, parc – TV ☎ P – 🏠 40. GB
fermé 4 au 17 août et 20 au 27 déc. – **Repas** *(fermé dim. soir)* 155 – ☕ 68 – **20 ch** 490/830 – ½ P 468/513.

La Griotte, 58 av. République ☎ (1) 34 89 19 98, 🏕, « Jardin fleuri » – AE GB
fermé dim. soir et lundi soir – **Repas** 150.

PEUGEOT Gar. Cabailh, 7 r. des Frères-Lumière à Plaisir ☎ (1) 30 55 53 45 N ☎ (1) 30 55 53 45

RENAULT Gar. des Petits Prés, 16 r. de la Gare à Plaisir ☎ (1) 30 55 80 84 N ☎ (1) 44 03 95 60

NÉGRON 37 I.-et-L. 64 ⑯ – rattaché à Amboise.

NEMOURS 77140 S.-et-M. 61 ⑫ G. Ile de France – 12 072 h alt. 60.

Voir Musée de Préhistoire de l'Ile de France★ par ②.

Office de Tourisme 41 quai V.-Hugo ☎ (1) 64 28 03 95, Fax (1) 64 45 09 67.

Paris 79 ① – Fontainebleau 16 ⑤ – Chartres 126 ① – Melun 32 ⑤ – Montargis 34 ① – ♦Orléans 89 ④ – Sens 48 ②

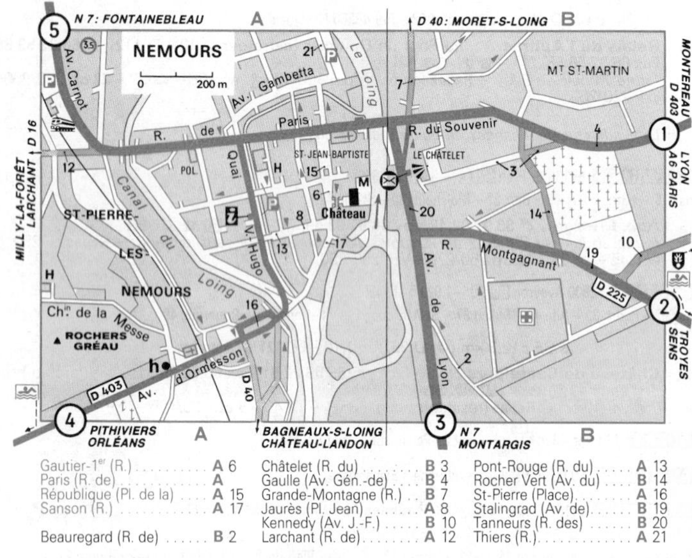

Gautier-1er (R.)	A 6	Châtelet (R. du)	B 3	Pont-Rouge (R. du)	A 13
Paris (R. de)	A	Gaulle (Av. Gén.-de)	B 4	Rocher Vert (Av. du)	B 14
République (Pl. de la)	A 15	Grande-Montagne (R.)	B 7	St-Pierre (Place)	A 16
Sanson (R.)	A 17	Jaurès (Pl. Jean)	A 8	Stalingrad (Av. de)	B 19
		Kennedy (Av. J.-F.)	B 10	Tanneurs (R. des)	B 20
Beauregard (R. de)	B 2	Larchant (R. de)	A 12	Thiers (R.)	A 21

Les Roches avec ch, av. L. Pelletier à St-Pierre-lès-Nemours ☎ (1) 64 28 01 43, Fax (1) 64 28 04 27, 🏕 – cuisinette TV ☎. AE ⓓ GB A
fermé dim. soir – **Repas** 85/260 – ☕ 30 – **15 ch** 180/270 – ½ P 210/225.

Autoroute A 6 sur l'aire de service, SE 2 km accès par A 6 ou par ② D 225 – ✉ 7714 Nemours :

Mercure M sans rest, ☎ (1) 64 28 10 32, Fax (1) 64 28 60 59, 🏕 – cuisinette TV ☎ P. AE ⓓ GB JCB
☕ 52 – **102 ch** 390.

à Glandelles par ③ : 7 km – ✉ 77167 Bagneaux-sur-Loing :

Les Marronniers, N 7 ☎ (1) 64 28 07 04, Fax (1) 64 29 29 91, 🏕 – AE GB
fermé mardi soir et merc. – **Repas** 95/175, enf. 50.

La Glandelière, S : 1 km N 7 ☎ (1) 64 28 10 20, 🏕 – P. GB
fermé 15 fév. au 5 mars, 15 sept. au 5 oct., lundi soir, jeudi soir et mardi – **Repas** 115/225, enf. 45.

CITROEN Nemours Autom., ZI r. d'Egreville ✆ (1) 64 28 11 17
PEUGEOT Gar. Coffre, 18 av. Kennedy B ✆ (1) 64 45 59 29
RENAULT SNCA, 107 av. Carnot à St-Pierre par ⑤ ✆ (1) 64 28 01 50
Gar. Bohec, 16 av. Gén-de-Gaulle ✆ (1) 64 28 29 10

Dominicé-Point S, 16 r. d'Egreville ✆ (1) 64 28 11 21
Pneu Sce, 45 av. Carnot à St-Pierre-lès-Nemours ✆ (1) 64 28 04 67

NÉRAC 47600 L.-et-G. 79 ⑭ **G. Pyrénées Aquitaine** (plan) – 7 015 h alt. 65.

d'Albret à Barbaste ✆ 53 65 53 69, NO par D 930 : 8 km.

Office de Tourisme av. Mondenard ✆ 53 65 27 75.

Paris 707 – Agen 27 – ♦Bordeaux 127 – Condom 21 – Marmande 53.

d'Albret, 42 allées d'Albret ✆ 53 65 01 47, Fax 53 65 20 26, – TV ☎ – 25. GB
fermé 4 au 11 mars, 18 nov. au 9 déc. et lundi de sept. à mai – **Repas** 65/270 – 35 – **23 ch** 200/480 – ½ P 215/350.

NÉRIS-LES-BAINS 03310 Allier 73 ② **G. Auvergne** – 2 831 h alt. 364 – Stat. therm. (avril-oct.) – Casino.

Ste-Agathe ✆ 70 03 21 77 par ③ : 4 km.

Office de Tourisme carrefour des Arènes ✆ 70 03 11 03, Fax 70 03 25 89.

Paris 343 ③ – Moulins 74 ① – ♦Clermont-Ferrand 80 ② – Montluçon 8 ③ – St-Pourçain-sur-Sioule 54 ①.

NÉRIS-LES-BAINS

Arènes (Bd des)	2
Boisrot-Desserviers (R.)	3
Constans (R.)	5
Cuvier (R.)	7
Dormoy (Av. Marx)	8
Gaulle (R. du Gén.-de)	9
Kars (R. des)	10
Marceau (R.)	12
Migat (R. du Capitaine)	14
Molière (R.)	15
Parmentier (R.)	18
Reignier (Av.)	19
République (Pl. de la)	21
Rieckötter (R.)	23
St-Joseph (R.)	25
Thermes (Pl. des)	27
Voltaire (R.)	29

Découvrez la France avec les guides Verts Michelin : 24 titres illustrés en couleurs.

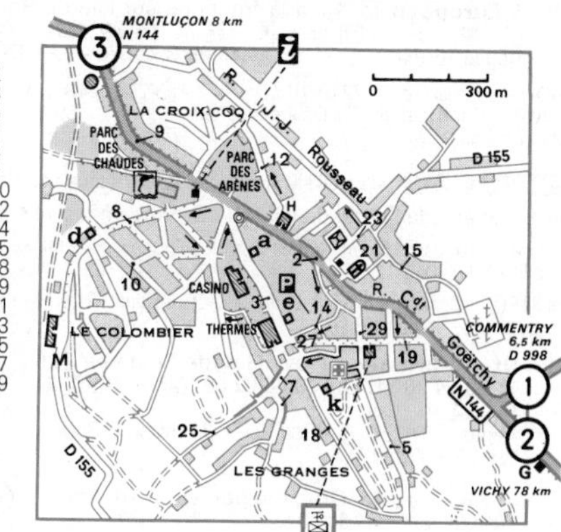

Parc des Rivalles , r. Parmentier **(k)** ✆ 70 03 10 50, Fax 70 03 11 05, parc – ☎ P. GB. rest
16 avril-6 oct. – **Repas** 82/250 – 33 – **26 ch** 170/260 – P 242/292.

Le Garden, 12 av. Marx Dormoy **(d)** ✆ 70 03 21 16, Fax 70 03 10 67, , – TV ☎ P – 25. AE GB
fermé 2 au 19 janv. – **Repas** 78/210 , enf. 45 – 32 – **19 ch** 230/310 – P 290/325.

La Promenade, 38 r. Boisrot Desserviers **(e)** ✆ 70 03 26 26, Fax 70 03 25 62 – TV ☎ P – 50. AE GB.
8 avril-19 oct. – **Repas** 95/200, enf. 45 – 35 – **40 ch** 220/320 – P 310/330.

La Terrasse, 52 r. Boisrot-Desserviers **(a)** ✆ 70 03 10 42, Fax 70 03 15 41 – TV ☎. GB. rest
15 avril-15 oct. – **Repas** 85/100 – 31 – **22 ch** 220/260 – P 280/300.

NÉRONDES 18350 Cher 69 ② – 1 521 h alt. 200.

Vallée de Germigny ✆ 48 80 23 43 à St-Hilaire de Gondilly, NE : 9 km.

Paris 242 – Bourges 36 – Montluçon 83 – Nevers 33 – St-Amand-Montrond 43.

XX **Le Lion d'Or** avec ch, pl. Mairie ✆ 48 74 87 81 – rest ☎. GB
fermé 10 fév. au 9 mars, vacances de Toussaint, dim. soir de nov. à janv. et merc. – **Repas** 82/202, enf. 48 – 34 – **11 ch** 135/255 – ½ P 180/299.

NESTIER 65150 H.-Pyr. 85 ⑳ – 196 h alt. 500.

Paris 839 – Bagnères-de-Luchon 48 – Auch 75 – Lannemezan 13 – St-Gaudens 23 – ♦Toulouse 113.

XX **Relais du Castéra** avec ch, ✆ 62 39 77 37, Fax 62 39 77 29, – ☎ P. AE GB. rest
fermé 15 au 20 juin, 4 au 20 janv., dim. soir et lundi – **Repas** 110 bc (déj.), 138/250, enf. 55 – 40 – **8 ch** 200/250 – ½ P 230/240.

Le NEUBOURG 27110 Eure 55 ⑯ G. Normandie Vallée de la Seine – 3 639 h alt. 130.

Paris 130 – ♦Rouen 37 – Bernay 31 – Conches-en-Ouche 21 – Évreux 24.

X **Côté Jardin,** 10 r. Dr Couderc ✆ 32 35 81 89 – GB
fermé dim. soir et lundi – **Repas** 100/240.

RENAULT Gar. Levasseur, 5 bis av. de la Libération ✆ 32 35 01 56

Marsat Pneus, rte d'Elbeuf à Vitot ✆ 32 35 10 47

NEUF-BRISACH 68600 H.-Rhin 62 ⑲ G. Alsace Lorraine – 2 092 h alt. 197.

18 du Rhin à Chalampé ✆ 89 26 07 86, S par D 468 : 25 km.

Office de Tourisme pl. d'Armes ✆ 89 72 56 66, Fax 89 72 91 73.

Paris 510 – Colmar 16 – Basel 61 – Belfort 77 – Freiburg-im-Breisgau 32 – ♦Mulhouse 39 – Sélestat 36 – Thann 48.

X **La Petite Palette,** ✆ 89 72 73 50, Fax 89 72 61 93 – ▤. GB
fermé lundi soir et mardi soir – **Repas** 68 (déj.), 155/340.

*à **Biesheim*** N : 3 km par D 468 – 2 125 h. alt. 189 – ✉ **68600** :

Aux Deux Clefs, ✆ 89 72 51 20, Fax 89 72 92 94, « Jardin » – TV ☎ P – 25. AE GB
fermé 1er au 15 janv. – **Repas** 60 (déj.), 85/275 – 37 – **30 ch** 280/450 – ½ P 320/420.

*à **Vogelgrün*** E : 5 km par N 415 – 415 h. alt. 192 – ✉ **68600** .
Voir Bief hydro-électrique★ – ≤★ du pont-frontière.

L'Européen M, à la frontière, sur l'île du Rhin ✆ 89 72 51 57, Fax 89 72 74 54, – TV ☎ P – 40. AE GB
Repas 160/480 bc – 60 – **45 ch** 350/570 – ½ P 370/500.

FORD Gar. Ebelin, ✆ 89 72 51 76
RENAULT Gar. Haeffeli, ZI CD 52 à Biesheim ✆ 89 72 54 83

RENAULT Gar. Venturini, ✆ 89 72 69 11 N ✆ 89 72 69 11

NEUFCHÂTEAU SP 88300 Vosges 62 ⑬ G. Alsace Lorraine – 7 803 h alt. 300.

Voir Escalier★ de l'hôtel de ville H – Groupe en pierre★ dans l'église St-Nicolas K.

Office de Tourisme 3 parking des Grandes Ecuries ✆ 29 94 10 95, Fax 29 94 04 88.

Paris 331 ① – Chaumont 57 ⑥ – Belfort 152 ④ – Épinal 72 ③ – Langres 80 ⑤ – Verdun 103 ①.

St-Christophe, 1 av. Grande-Fontaine **(a)** ✆ 29 94 38 71, Fax 29 06 02 09, – TV ☎ P – 40. GB
Repas 110/220 – 35 – **34 ch** 270/350 – ½ P 280/320.

*à **Rouvres-la-Chétive*** par ③ : 10 km – 378 h. alt. 390 – ✉ **88170** :

La Frezelle, ✆ 29 94 51 51, Fax 29 94 69 10 – TV ☎. AE GB. ch
fermé 24 déc. au 6 janv. – **Repas** *(fermé sam.)* 77/260, enf. 55 – 30 – **7 ch** 230/330 – ½ P 200/247.

NEUFCHÂTEAU
0 200 m
D 164, N 74, D 74, D 164, N 74
R. Kennedy, Quai Pasteur, R. de France, Neuve, Meuse, Mouzon, Ferry, GENDARM., ST-CHRISTOPHE, R. J.

Gaulle (Av. Gén. de) 3
Herringen (Av. d') 6
St-Jean (R.) 7
1re Armée-Fse (R.) 9

CITROEN CB Autom., rte de Langres par ⑤ ✆ 29 94 10 33
RENAULT Gar. Reuchet, 95 av. Gén.-de-Gaulle par ⑤ ✆ 29 94 19 20 N ✆ 29 06 20 43
RENAULT Gar. Reuchet, rte de Nancy par ② ✆ 29 94 05 57 N ✆ 29 06 20 43

Néo-Pneu, ZI rte de Frebécourt ✆ 29 94 10 47 N ✆ 29 06 01 06

NEUFCHÂTEL-EN-BRAY 76270 S.-Mar. 52 ⑮ G. Normandie Vallée de la Seine – 5 322 h alt. 99.

Env. Forêt d'Eawy★★ 10 km au SO.

18 de Saint-Saëns ✆ 35 34 25 24, SO : 17 km par N 28 et D 929.

Office de Tourisme 6 pl. Notre-Dame ✆ 35 93 22 96.

Paris 134 – ♦Amiens 69 – ♦Rouen 48 – Abbeville 56 – Dieppe 35 – Gournay-en-Bray 37.

XX **Les Airelles** avec ch, 2 passage Michu ✆ 35 93 14 60, Fax 35 93 89 03, – TV ☎. AE GB
fermé 15 déc. au 5 janv. – **Repas** 90/210, enf. 58 – 30 – **14 ch** 210/260.

*à **Mesnières-en-Bray*** NO : 5,5 km par D 1 – 609 h. alt. 65 – ✉ **76270** :
Voir Château★.

XX **Aub. du Bec Fin,** ✆ 35 94 15 15, Fax 35 94 42 14, – P. AE GB
fermé 1er au 15 mars, 1er au 21 nov. et lundi sauf fériés – **Repas** 88 (déj.), 135/235, enf. 70.

ENAULT Gar. Sibra, 31 Gde r. St-Pierre
32 97 55 55 N 35 17 30 45
AG Gar. Duparc, 9 rte de Foucarmont
35 93 02 66 N 35 93 02 66

Marsat Pneus, 16 bd Mar.-Joffre 35 94 15 01

NEUFCHATEL-SUR-AISNE 02190 Aisne 56 ⑥ – 483 h alt. 59.

Env. Asfeld : église St-Didier★ NE : 10 km, **G. Champagne.**

aris 165 – ♦Reims 22 – Laon 44 – Rethel 30 – Soissons 60.

XX **Le Jardin,** 22 r. Principale 23 23 82 00, Fax 23 23 84 05, – AE GB
fermé 15 au 30 janv., dim. soir, mardi soir et lundi – **Repas** 95/320.

NEUF-MARCHÉ 76220 S.-Mar. 55 ⑧ – 568 h alt. 86.

aris 93 – ♦Rouen 51 – Les Andelys 34 – Beauvais 33 – Gisors 18 – Gournay-en-Bray 7.

XX **Aub. du Puits de Corval,** 35 09 12 25 – GB
fermé 19 août au 5 sept., vacances de fév., mardi soir et lundi – **Repas** 105/220.

X **André de Lyon,** D 915 35 90 10 01 – GB
fermé 19 août au 5 sept., 13 fév. au 1er mars et merc. – **Repas** (déj. seul.) carte 180 à 250.

NEUILLÉ-LE-LIERRE 37380 I.-et-L. 64 ⑮ ⑯ – 514 h alt. 92.

aris 217 – ♦Tours 26 – Amboise 12 – Château-Renault 10 – Montrichard 30 – Reugny 4,5.

XX **Aub. de la Brenne,** 47 52 95 05, Fax 47 52 29 43 – P. AE GB
fermé 15 janv. au 5 mars, mardi soir et merc. – **Repas** (dim. prévenir) 83/199, enf. 58.

NEUILLY-EN-THELLE 60530 Oise 55 ⑳ – 2 683 h alt. 130.

aris 48 – Compiègne 55 – Beaumont-sur-Oise 9,5 – Beauvais 32 – Pontoise 32 – Senlis 25.

X **Aub. du Centre,** 44 26 70 01 – GB
fermé 29 juil. au 26 août et lundi – **Repas** 62/97.

NEUILLY-LE-REAL 03340 Allier 69 ⑭ – 1 287 h alt. 260.

aris 308 – Moulins 14 – Mâcon 129 – Roanne 82 – Vichy 49.

XX **Logis Henri IV,** 70 43 87 64, « Ancien relais de chasse du 16e siècle » – GB
fermé 2 au 8 sept., vacances de fév., dim. soir et lundi – **Repas** 92 (déj.), 133/234.

NEUILLY-SUR-SEINE 92 Hauts-de-Seine 55 ⑳, 101 ⑮ – voir à Paris, Environs.

NEUNG-SUR-BEUVRON 41210 L.-et-Ch. 64 ⑲ – 1 152 h alt. 102.

aris 173 – ♦Orléans 45 – Blois 39 – Bracieux 21 – Romorantin-Lanthenay 22 – Salbris 25.

Les Tilleuls, 5 pl. A. Prudhomme 54 83 63 30, Fax 54 83 74 91, – AE GB. ch
fermé 15 fév. au 15 mars, mardi soir et merc. sauf juil.-août – **Repas** 75/160, enf. 50 – 35 – **7 ch** 200/210 – ½ P 215/225.

NEUVÉGLISE 15260 Cantal 76 ⑭ – 1 078 h alt. 938.

Env. Château d'Alleuze★★ : site★★ NE : 14 km, **G. Auvergne.**

Office de Tourisme le Bourg 71 23 85 43.

aris 537 – Aurillac 78 – Entraygues-sur-Truyère 75 – Espalion 67 – St-Chély-d'Apcher 41 – St-Flour 19.

à Cordesse E : 1,5 km sur D 921 – 15260 Neuvéglise :

XX **Relais de la Poste** M avec ch, 71 23 82 32, Fax 71 23 86 23, – P. AE GB
15 mars-15 nov. – **Repas** 70/210, enf. 42 – 35 – **8 ch** 230/330 – ½ P 240/300.

ENAULT Gar. Mabit, 71 23 81 53
Gar. Sauret, 71 23 80 90 N 71 23 84 47

NEUVES-MAISONS 54 M.-et-M. 62 ⑤ – rattaché à Nancy.

NEUVILLE-AUX-BOIS 45170 Loiret 60 ⑲ – 3 870 h alt. 127.

Env. Château de Chamerolles★ E : 9 km, **G. Châteaux de la Loire.**

aris 94 – ♦Orléans 26 – Chartres 64 – Étampes 44 – Pithiviers 21.

L'Hostellerie M, 48 pl. Gén. Leclerc 38 75 50 00, Fax 38 91 86 81, – P – 25 à 80. AE GB
Repas (*fermé dim. soir*) 85/240, enf. 50 – 40 – **32 ch** 340/390.

La NEUVILLE-AUX-TOURNEURS 08390 Ardennes 53 ⑰ – 298 h alt. 250.

aris 212 – Charleville-Mézières 32 – Hirson 23 – Rethel 49 – Rocroi 15.

Motel Dubois, N 43 24 54 32 55, Fax 24 54 34 90 – P. AE GB
fermé janv. et lundi midi sauf fériés – **Repas** 68/120 – 20 – **10 ch** 130/180 – ½ P 220.

NEUVILLE-DE-POITOU 86170 Vienne 68 ⑬ – 3 840 h alt. 116.

aris 332 – Poitiers 17 – Châtellerault 31 – Parthenay 40 – Saumur 78 – Thouars 50.

XX **Saint-Fortunat,** 4 r. Bangoura-Moridé 49 54 56 74 – AE GB
fermé 19 août au 2 sept., dim. soir, soirs fériés et lundi – **Repas** 95/220.

NEUVILLE-ST-AMAND 02 Aisne 53 ⑭ – rattaché à St-Quentin.

NEUVILLE-SUR-SAONE 69250 Rhône 74 ① **G. Vallée du Rhône** – 6 762 h alt. 177.

Paris 448 – ♦Lyon 14 – Bourg-en-Bresse 49 – Villefranche-sur-Saône 19.

à Albigny-sur-Saône par rive droite : 2,5 km – 2 836 h. alt. 170 – ✉ **69250** :

XXX **Le Cellier,** quai Saône ☎ 78 98 26 16, Fax 72 08 90 10, – P. AE GB
fermé 11 au 31 août, dim. soir et lundi – **Repas** 125/320.

NEUVILLE-SUR-SARTHE 72 Sarthe 60 ⑬ – rattaché au Mans.

NEUVY-SAUTOUR 89 Yonne 61 ⑮ – rattaché à St-Florentin.

NEUZY 71 S.-et-L. 69 ⑯ – rattaché à Digoin.

NEVERS P 58000 Nièvre 69 ③ ④ **G. Bourgogne** – 41 968 h alt. 194 Pèlerinage de Ste Bernadette d'avril octobre : couvent St-Gildard.

Voir Cathédrale** Z – Palais ducal* Z – Église St-Étienne* Y – Porte du Croux* Z – Faïence de Nevers* du musée municipal Frédéric Blandin Z **M**[1].

18 du Nivernais ☎ 86 58 18 30, à Magny-Cours par ④.

Circuit Automobile permanent à Magny-Cours SE : 3,5 km.

Office de Tourisme 31 av. Pierre Bérégovoy ☎ 86 59 07 03, Fax 86 36 69 64 – Automobile Club du Centr ZAC à Marzy ☎ 86 36 49 98.

Paris 239 ① – Bourges 69 ④ – Chalon-sur-Saône 155 ③ – ♦Clermont-Ferrand 158 ④ – ♦Dijon 187 ③ – Montarg 125 ① – Montluçon 103 ④ – Moulins 54 ④ – ♦Orléans 162 ① – Roanne 151 ④.

Plan page ci-contre

Loire, quai Médine ☎ 86 61 50 92, Télex 801112, Fax 86 59 43 29 – rest TV ☎ – 80. AE GB — Z
Repas *(fermé 15 déc. au 15 janv. et sam.)* 110/190 – 39 – **58 ch** 335/440 – ½ P 394/409.

Diane, 38 r. Midi ☎ 86 57 28 10, Fax 86 59 45 08 – TV ☎ – 30. AE GB JCB — Z
fermé 20 déc. au 10 janv. – **Repas** *(fermé dim.)* 81/152 , enf. 36 – 40 – **30 ch** 390/590.

Ibis M, rte de Moulins par ④ ☎ 86 37 56 00, Fax 86 37 64 48, – TV ☎ P 30. AE GB
Repas 95/115 , enf. 39 – 36 – **56 ch** 295/325.

Climat de France M, 35 bd V. Hugo ☎ 86 21 42 88, Fax 86 36 08 16 – TV ☎ P 100. AE GB — V
Repas 87/120 , enf. 39 – 35 – **54 ch** 280.

Molière sans rest, 25 r. Molière ☎ 86 57 29 96, Fax 86 36 00 13 – TV ☎ P. GB — V
30 – **18 ch** 215/265.

Campanile, rte Paris par ① : 3 km ✉ 58640 Varennes-Vauzelles ☎ 86 21 40 44 Fax 86 57 73 33, – TV ☎ P – 30. AE GB
Repas 84 bc/107 bc, enf. 39 – 32 – **48 ch** 270.

Villa du Parc sans rest, 16 ter r. Lourdes ☎ 86 61 09 48, Fax 86 57 85 17 – TV ☎. AE GB — Y
28 – **27 ch** 140/280.

Clèves sans rest, 8 r. St-Didier ☎ 86 61 15 87 – TV ☎. AE GB — Z
28 – **15 ch** 169/249.

XXX **Les Jardins de la Porte du Croux,** 17 r. Porte du Croux ☎ 86 57 12 71, Fax 86 36 08 86 , « Terrasse avec ≤ les remparts » – AE GB — Z
fermé 15 au 28 fév., dim. soir et lundi d'oct. à mai – **Repas** 130/200 et carte 160 à 270.

XX **Jean-Michel Couron,** 21 r. St-Etienne ☎ 86 61 19 28, Fax 86 36 02 96 – GB — Y
fermé 1er au 14 août, dim. soir et lundi – **Repas** 102/224.

XX **La Botte de Nevers,** r. Petit Château ☎ 86 61 16 93, Fax 86 36 42 22, « Cadre d'inspiration médiévale » – AE GB — Y
fermé 29 juil. au 18 août, dim. soir et lundi – **Repas** 100/250.

XX **Morvan** avec ch, 28 r. Mouësse ☎ 86 61 14 16, Fax 86 21 47 75 – rest TV ☎ P. GB
fermé 15 au 28 juil., vacances de fév., dim. soir et lundi de nov. à avril – **Repas** 98/230 enf. 40 – 40 – **8 ch** 230/325. — X

XX **Le Puits de St-Pierre,** 21 r. Mirangron ☎ 86 59 28 88, Fax 86 61 29 81 – AE GB — Y
fermé 8 au 29 juil., 12 au 19 fév., dim. soir et lundi – **Repas** 90/225, enf. 50.

XX **Cour St-Étienne,** 33 r. St-Étienne ☎ 86 36 74 57 – GB — Y
fermé 4 au 27 août, 6 au 23 janv., dim. soir et lundi – **Repas** 82/140.

X **Le Bouchon Nivernais,** 69 fg Grand Mouësse par ③ ☎ 86 59 23 14 – GB
fermé 29 avril au 5 mai, 29 juil. au 9 août, 2 au 10 janv., sam. midi et mardi – **Repas** 82 (déj.) 107/240.

par ① rte de Paris : 4 km – ✉ **58640** Varennes-Vauzelles :

XX **Relais du Bengy,** N 7 ☎ 86 38 02 84, Fax 86 38 29 00, – GB
fermé 22 juil. au 10 août, vacances de fév. et dim. – **Repas** (déj. seul. sauf vend.) 93/195

NEVERS

Commerce (R. du) . YZ
Gaulle (Av. Gén.-de) . . YZ
Nièvre (R. de) . . . . . Y 21
Pelleterie (R. de la) . Y 24
Préfecture (R. de la) . . . . Y 27
St-Martin (R.) . . . . . Y 40

Ardilliers (R. des). . . Y 2
Banlay (R. du) . . . . . V 3
Barre (R. de la) . . . . Y 4
Bourgeois (R. Mlle). V 5
Champ-de-Foire (R. du) . . . . Z 6
Charnier (R. du). . . . Y 7
Chauvelles (R. des). V 8
Cloître-St-Cyr (R. du) . . . . Z 9
Colbert (Av.) . . . . . . Y 10
Coquille (Pl. G.) . . . . Y 12
Docks (R. des). . . . . V 13
Francs-Bourgeois (R.) . . . . Y 14
Gautron-du-Coudray (Bd) . Y 15
Jacobins (R. des). . . Z 16
Lattre-de-Tassigny (Bd Mar. de) . . . . V 17
Mantoue (Quai de) . Z 18
Marceau (Av.) . . . . . Y 19
Midi (R. du) . . . . Z 20
Ouches (R. des) . . YZ 22
Remigny (R. de) . . . Y 23
Petit-Mouësse (R. du) . . . . X 26
Renardats (R. des) . V 30
République (Bd de la). . . . . . . X 32
République (Pl. de la) . . . . Z 34
Roy (R.C.) . . . . Y 36
Tillier (R.C.) . . . . Z 38
Vaillant-Couturier (R. Paul). . . . . . . V 42
14-Juillet (R. du) . . . Z 45

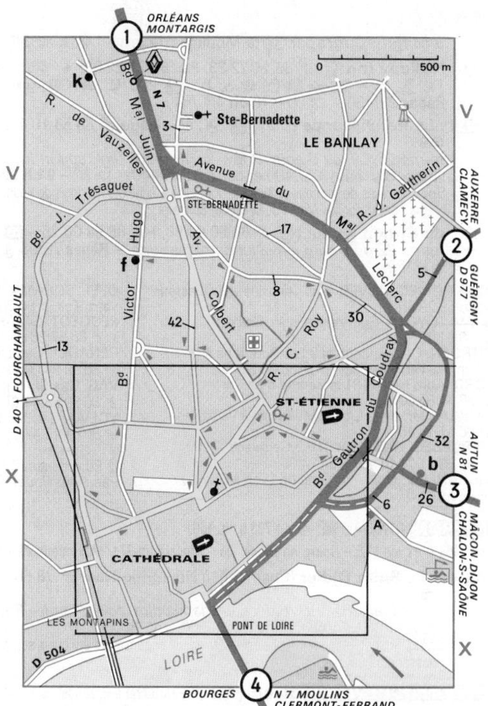

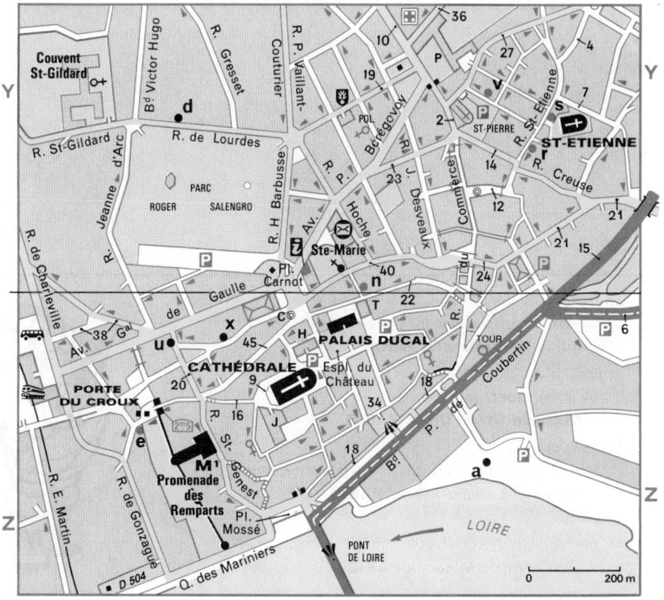

Couvent St-Gildard
Bd Victor Hugo
R. Gresset
R. P. Vaillant-Couturier
R. St-Gildard
R. de Lourdes
R. Jeanne d'Arc
PARC ROGER SALENGRO
R. H Barbusse
R. de Charleville
Av. Gal de Gaulle
Pl. Carnot
Ste-Marie
R. Hoche
R. P. Bérégovoy
R. J. Desveaux
Commerce
ST-PIERRE
R. St-Etienne
ST-ETIENNE
R. Creuse
PALAIS DUCAL
TOUR
CATHÉDRALE
Espl. du Château
PORTE DU CROUX
R. St-Genest
M1 Promenade des Remparts
Pl. Mossé
R. de Gonzague
R. E. Martin
Bd P. de Coubertin
Q. des Mariniers
D 504
LOIRE
PONT DE LOIRE
0 200 m

à Magny-Cours par ④ rte Moulins : 12 km – 1 483 h. alt. 205 – ✉ **58470** :

Holiday Inn [M], ✆ 86 21 22 33, Fax 86 21 22 03, ≤, 🏠, « A côté du circuit et du golf », 🏋, 🏊, 🎾 – 🛗 ⇔ ▤ 📺 ☎ ♿ 🅿 – 🏠 200. AE ⓓ GB JCB
Repas 98/130 – ☕ 60 – **70 ch** 460/540.

⊛ **La Renaissance** (Dray) [M] 🐴, au village ✆ 86 58 10 40, Fax 86 21 22 60 – 📺 ☎ 🅿. AE GB
fermé 26 juil. au 9 août, 9 fév. au 18 mars, dim. soir et lundi – **Repas** (nombre de couverts limité, prévenir) 170/400 et carte 310 à 440 – ☕ 80 – **9 ch** 350/700
Spéc. Cuisses de grenouilles sautées au beurre d'échalote. Rognon de veau cuit entier à la moutarde. Charolais à crème et aux morilles. **Vins** Pouilly Fumé, Sancerre.

du Circuit [M], sur N 7 ✆ 86 58 04 88, Fax 86 58 00 25 – 📺 ☎ ♿ 🅿 – 🏠 30. AE GB
fermé 22 déc. au 6 janv., lundi midi et dim. – **Repas** 78/98 🍷, enf. 38 – ☕ 30 – **32 ch** 240
½ P 199.

ALFA ROMEO, ROVER Gar. Tenailles, 18 r. Pasteur ✆ 86 59 28 55
BMW, TOYOTA Gar. Verma, 4 av. Colbert ✆ 86 61 03 32
CITROEN Gar. Vincent, N 7 Les Bourdons à Varennes-Vauzelles par ① ✆ 86 68 22 00
FORD Auto Hall, N 81 la Baratte à St Eloi ✆ 86 71 85 00
LANCIA Gar. de la Cité, r. M.-Turpin à Vauzelles ✆ 86 57 15 45
MERCEDES Gar. Bezin, N 7 à Sermoise ✆ 86 68 21 70 🅽 ✆ 05 24 24 30
NISSAN Gar. Doulet, 203 rte de Lyon à Challuy ✆ 86 37 61 07
OPEL SORAMA, N 7, Le Bengy à Varennes-Vauzelles ✆ 86 38 02 94
PEUGEOT CATAR, rte de Fourchambault par D 40 X ✆ 86 57 36 80
RENAULT Gar. Decelle, 39-49 bd Mar.-Juin V ✆ 86 59 84 00 🅽 ✆ 05 05 15 15
VAG Gds Champs Autom., ZAC des Gds Champs ✆ 86 59 58 44 🅽 ✆ 05 00 24 24
VOLVO Gar. Jacquey, 139 fg du Gd Mouesse ✆ 86 61 12 47

Euromaster, 3 r. Mouësse ✆ 86 57 76 33
Pneu Plus Poughon Vulcopneu, 1 r. Petit-Mouësse ✆ 86 61 02 51

NEYRON 01700 Ain 74 ⑫ – 1 723 h alt. 160.

Paris 463 – ♦ Lyon 11,5 – Bourg-en-Bresse 55 – Chalamont 37 – Meximieux 26 – Villefranche-sur-Saône 36.

XXX ⊛ **Le Saint Didier** (Champin), à Neyron-le-Haut ✆ 78 55 28 72, Fax 78 55 01 55, 🏠 – 🅿 GB
fermé 5 au 28 août, 26 déc. au 9 janv., dim. soir et lundi – **Repas** (nombre de couverts limité, prévenir) 175/400 et carte 290 à 500, enf. 80
Spéc. Rouget et homard poêlés en salade. Langoustines en chemise, sauce homardine. Gibier (saison). **Vins** Roussette de Seyssel, Pouilly-Loché.

NÉZIGNAN-L'ÉVÊQUE 34 Hérault 83 ⑮ – rattaché à Pézenas.

NICE 🅿 **06000** Alpes-Mar. 84 ⑨ ⑩ 115 ㉖ ㉗ **G. Côte d'Azur** – 342 439 h Agglo. 516 740 h alt. 6 – Casino Ruhl FZ.

Voir Site★★ – Promenade des Anglais★★ EFZ – Vieux Nice★ : Château ≤★★ JZ, Intérieur★ de l'église St-Martin-St-Augustin HY, Escalier monumental★ du Palais Lascaris HZ **K**, Intérieur★ de la cathédrale Ste-Réparate HZ, Église St-Jacques★ HZ, Décors★ de la chapelle Saint-Giaume HZ **R** – Mosaïque★ de Chagall dans la Faculté de droit DZ **U** – Palais des Arts★ HJY – Chapelle de la Miséricorde★ HZ **S** – A Cimiez : Monastère★ (Primitifs niçois★★ dans l'église) HV **Q**, site gallo-romain★ HV – Musées : Marc Chagall★★ GX, des Beaux-Arts★★ DZ, d'Art moderne et d'Art contemporain★★ HY **M**[9] – Matisse★ HV **M**[2], Masséna★ FZ **M**[1], International d'Art naïf★ AU **M**[10], Parc Phoenix★ AU – Carnaval★★★ (avant Mardi-Gras) – Mont Alban ≤★★ km CT – Mont Boron ≤★ 3 km CT – Église St-Pons★ : 3 km BS.

Env. Plateau St-Michel ≤★★ 9,5 km par ②.

✈ de Nice-Côte-d'Azur : ✆ 93 21 30 12, 7 km AU – 🚗 ✆ 36 35 35 35.

⛴ pour la Corse : S.N.C.M. - Ferryterranée, quai du Commerce ✆ 93 13 66 66 JZ.

Office de Tourisme et Accueil de France av. Thiers ✆ 93 87 07 07, Fax 93 16 85 16, 2 r. Massenet ✆ 93 87 60, Nice-Ferber près aéroport ✆ 93 83 32 64 et à l'aéroport de Nice - Terminal 1 ✆ 93 21 41 11 – Automobile Club 9 r. Massenet ✆ 93 87 18 17, Fax 93 88 90 00.

Paris 932 ⑥ – Cannes 32 ⑥ – Genova 194 ① – ♦Lyon 472 ⑥ – ♦Marseille 188 ⑥ – Torino 207 ①.

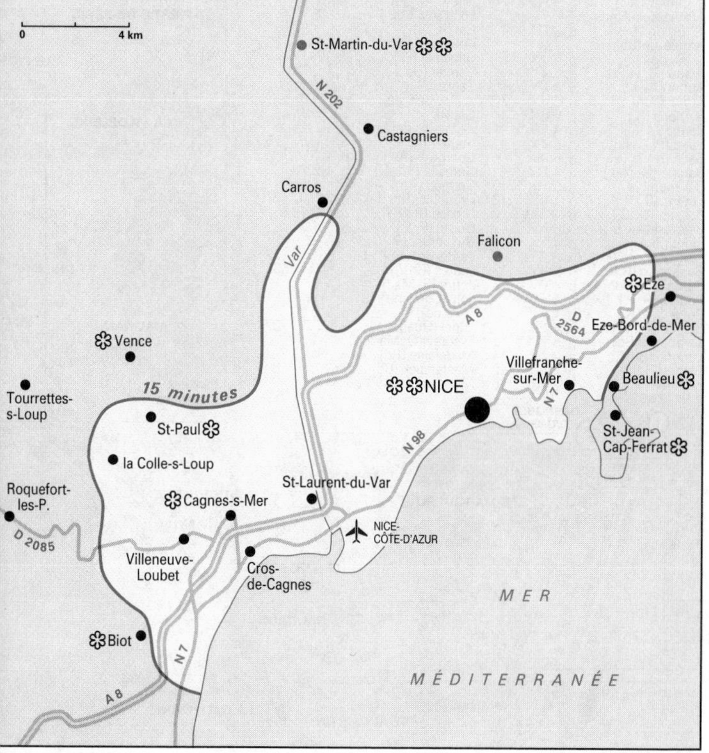

Négresco, 37 promenade des Anglais ✆ 93 16 64 00, Télex 460040, Fax 93 88 35 68, ≤, « Mobilier d'époque : 17e et 18e siècle, Empire, Napoléon III » – |♦| ▤ TV ☎ ♿ 🚗 – 🏛 50 à 200. AE ⓓ GB JCB p. 4 FZ **k**
voir rest ***Chantecler*** ci-après - ***La Rotonde :*** **Repas** 115/155, carte le dim. – ☕ 120 – **132 ch** 1630/2350, 18 appart.

Palais Maeterlinck M 🐎, 6 km par corniche inférieure ✉ 06300 ✆ 92 00 72 00, Fax 92 04 18 10, ≤, 🏖, « Piscine, jardin et terrasses dominant la mer », 🏋, 🎾 – |♦| cuisinette ⇆ ▤ TV ☎ ♿ 🚗 🅿 – 🏛 25. AE ⓓ GB p. 3 CU **t**
fermé début janv. à mi-mars – ***Le Mélisande*** *(fermé dim. soir et lundi en nov. et déc.)* **Repas** 140(déj.), 180/240 – ☕ 110 – **9 ch** 1750/2700, 10 appart 2200/8000, 9 duplex.

RÉPERTOIRE DES RUES

Félix-Faure .... p. 5 GZ 21
France (R. de) .... p. 4 DFZ
Gambetta (Bd) .... p. 4 EXZ
Gioffredo (R.) ..... p. 5 HY
Hôtel-des-Postes (R. de l') . p. 5 HY 30
Liberté (R. de la) .. p. 5 GZ 35
Masséna (Esp., Pl.) ...... p. 5 GZ
Masséna (R.) .... p. 5 FGZ 43
Médecin (Av. J.) .. p. 5 FGY 44
Paradis (R.) ...... p. 5 GZ 55
Pastorelli (R.) ..... p. 5 GY 58
République (R.) ... p. 5 JXY 64

Alberti (R.) .... p. 5 GHY 2
Alphonse-Karr (R.). p. 4 FYZ
Alsace-Lorraine (Jardin d') ...... p. 4 EZ 3
Anglais (Prom. des) .... p. 4 EFZ
Arène (Av. P.) .... p. 4 DXY
Arènes-de-Cimiez (Av.) .... p. 5 HVX
Armée-des-Alpes (Bd de l') .... p. 3 CT 4
Armée-du-Rhin (Pl. de l') .... p. 5 JX 5
Arson (Pl. et R.) ... p. 5 JY
Auber (Av.) .... p. 4 FY
Auriol (Pont V.) ... p. 5 JV 7
Barberis (R.) ...... p. 5 JXY
Barel (Bd V.) ..... p. 3 CT
Barel (Pl. Max) .... p. 5 JY
Barla (R.) .... p. 5 JY
Baumettes (Av.) .. p. 4 DZ
Bellanda (Av.) .... p. 5 HV 10
Berlioz (R.) .... p. 4 FY 12
Besset (Av. C.) .... p. 4 EFV
Bieckert (Av. E.) ... p. 5 HX
Binet (R. A.) ...... p. 4 FX
Bischoffsheim (Bd) . p. 3 CT
Bonaparte (R.) .... p. 5 JY 13
Borriglione (Av.) .. p. 4 FV
Bounin (R. P.) ..... p. 4 FV
Boyer (Sq. R.) .... p. 4 EV
Brancolar (Av.) .... p. 4 FV
Carabacel (Bd) ... p. 5 HXY
Carlone (Bd) ...... p. 2 AT 14
Carnot (Bd) .... p. 3 CT 15
Cassin (Bd R.) .... p. 2 AU 16
Cassini (R.) .... p. 5 JY
Cavell (Av. E.) .... p. 5 GV
Cessole (Bd de) ... p. 4 EV
Châteauneuf (R.) .. p. 4 DEY
Cimiez (Bd de) .... p. 5 GVX
Clemenceau (Av.) . p. 4 FY
Comboul (Av. R.) . p. 4 FX
Congrès (R. du) ... p. 4 FZ
Cyrnos (Av.) ...... p. 4 EV
Dante (R.) .... p. 4 EZ
Delfino (Bd Gén.) . p. 5 JX
Desambrois (Av.) .. p. 5 GHY 18
Diables-Bleus (Av. des) ...... p. 5 JX 19
Dubouchage (Bd) . p. 5 GHY
Durante (Av.) ..... p. 4 FY
Estienne (Av. Gén.) p. 5 HV
Estienne-d'Orves (Av. d') . p. 4 DEY
États-Unis (Q.) .... p. 5 GHZ
Fleurie (Corniche) . p. 2 AU 22
Fleurs (Av. des) ... p. 4 DEZ
Flora (Av.) .... p. 5 GVX
Flirey (Av. de) .... p. 5 HV
Foch (Av. Mar.) ... p. 5 GY
Gal (R. A.) .... p. 5 JXY
Gallieni (Av.) ...... p. 5 HJX 23
Garibaldi (Pl.) ..... p. 5 HJY
Garnier (Bd J.) .... p. 4 EFX
Gaulle (Av. Gén. de) .... p. 2 AU
Gaulle (Pl. Ch.-de) .... p. 4 FX
Gautier (Pl. P.) .... p. 5 HZ 25
George-V (Av.) .... p. 5 GVX
Gorbella (Bd de) .. p. 4 EV
Gounod (R.) ...... p. 4 FY
Grenoble (Rte de) . p. 2 AU 27
Grosso (Bd F.) .... p. 4 DYZ
Guisol (R. F.) ..... p. 5 JY
Guynemer (Pl.) .... p. 5 JZ
Ile-de-Beauté (Pl.) . p. 5 JZ 32
Jaurès (Bd J.) ..... p. 5 HYZ 33
Joffre (R. Mar.) ... p. 4 EFZ
Joly (Corniche A.-de-) .... p. 3 CT
Lunel (Quai) .... p. 5 JZ 37
Lyautey (Q. Mar.) . p. 5 JVX
Madeleine (Bd) .... p. 2 AT
Maeterlinck (Bd) .. p. 3 CU 39
Malausséna (Av.) . p. 4 FX

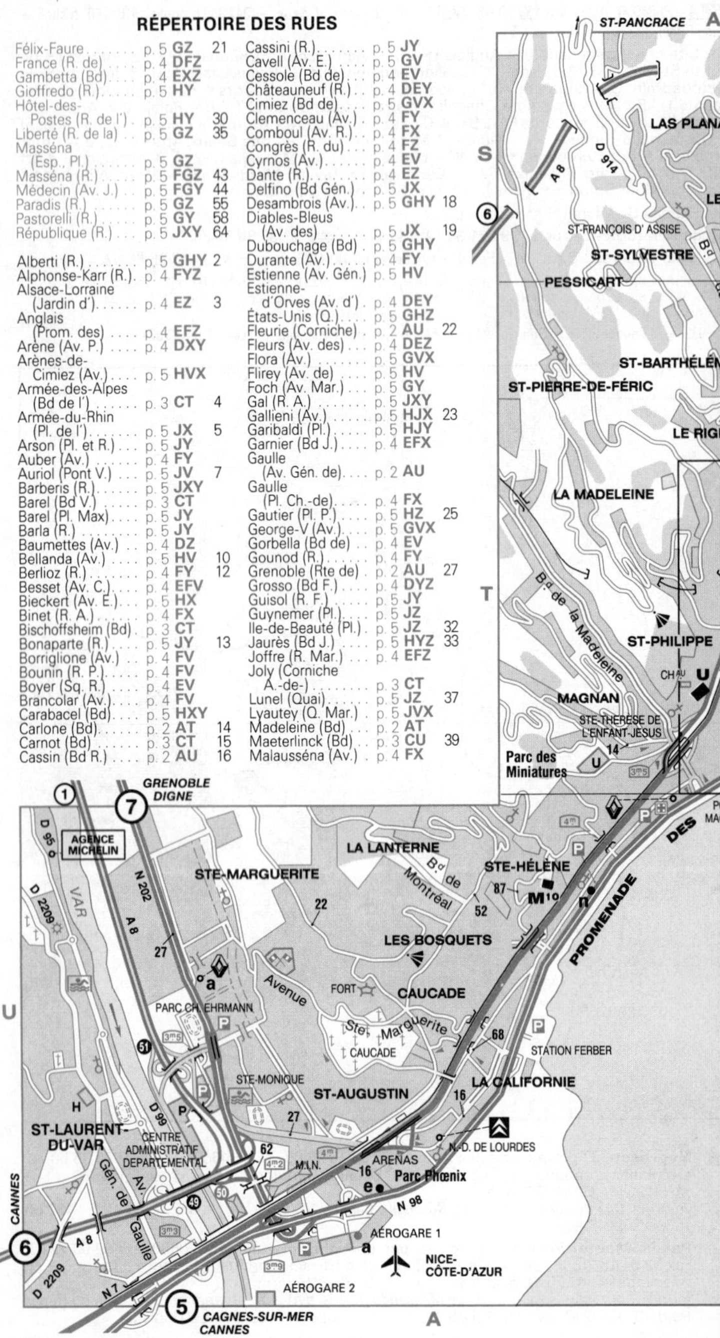

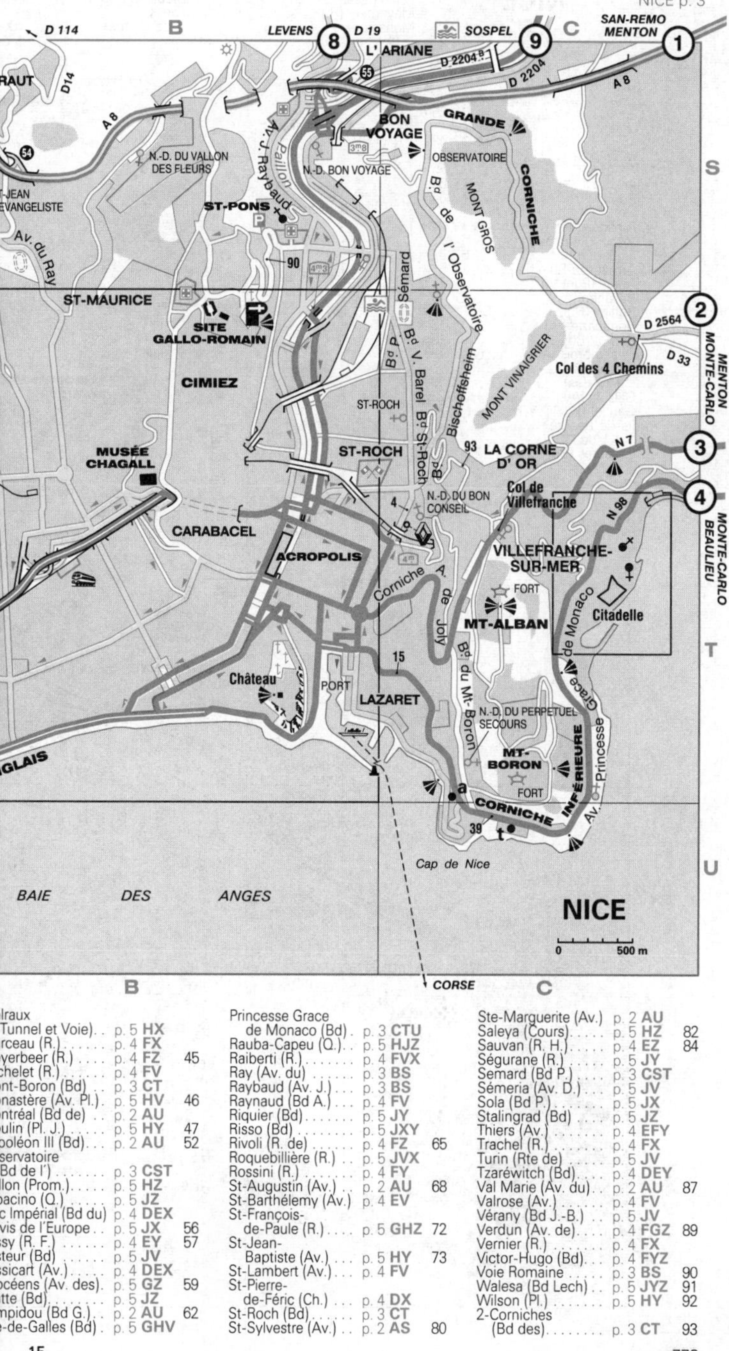

alraux
Tunnel et Voie) . . p. 5 HX
rceau (R.) . . . . . . p. 4 FX
yerbeer (R.) . . . . p. 4 FZ 45
chelet (R.) . . . . . . p. 4 FV
nt-Boron (Bd) . . p. 3 CT
nastère (Av. Pl.). p. 5 HV 46
ntréal (Bd de) . . p. 2 AU
ulin (Pl. J.) . . . . p. 5 HY 47
poléon III (Bd) . . . p. 2 AU 52
servatoire
Bd de l') . . . . . . p. 3 CST
llon (Prom.) . . . . . p. 5 HZ
pacino (Q.) . . . . . p. 5 JZ
c Impérial (Bd du) p. 4 DEX
vis de l'Europe . . p. 5 JX 56
ssy (R. F.) . . . . . . p. 4 EY 57
steur (Bd) . . . . . . p. 5 JV
ssicart (Av.) . . . . p. 4 DEX
océens (Av. des). p. 5 GZ 59
atte (Bd). . . . . . . p. 5 JZ
mpidou (Bd G.) . . p. 2 AU 62
-de-Galles (Bd) . p. 5 GHV

Princesse Grace
de Monaco (Bd) . p. 3 CTU
Rauba-Capeu (Q.) . . p. 5 HJZ
Raiberti (R.) . . . . p. 4 FVX
Ray (Av. du) . . . . . . p. 3 BS
Raybaud (Av. J.) . . . p. 3 BS
Raynaud (Bd A.) . . . p. 4 FV
Riquier (Bd) . . . . p. 5 JY
Risso (Bd) . . . . p. 5 JXY
Rivoli (R. de) . . . . . p. 4 FZ 65
Roquebillière (R.) . . p. 5 JVX
Rossini (R.) . . . . p. 4 FY
St-Augustin (Av.) . . p. 2 AU 68
St-Barthélemy (Av.) p. 4 EV
St-François-
de-Paule (R.) . . . . p. 5 GHZ 72
St-Jean-
Baptiste (Av.) . . . p. 5 HY 73
St-Lambert (Av.) . . . p. 4 FV
St-Pierre-
de-Féric (Ch.) . . . p. 4 DX
St-Roch (Bd) . . . . . . p. 3 CT
St-Sylvestre (Av.) . . p. 2 AS 80

Ste-Marguerite (Av.) p. 2 AU
Saleya (Cours) . . . . p. 5 HZ 82
Sauvan (R. H.) . . . . p. 4 EZ 84
Ségurane (R.) . . . . . p. 5 JY
Semard (Bd P.) . . . . p. 3 CST
Séméria (Av. D.) . . . p. 5 JV
Sola (Bd P.) . . . . . . p. 5 JX
Stalingrad (Bd) . . . . p. 5 JZ
Thiers (Av.) . . . . p. 4 EFY
Trachel (R.) . . . . p. 4 FX
Turin (Rte de) . . . . . p. 5 JV
Tzaréwitch (Bd) . . . . p. 4 DEY
Val Marie (Av. du) . . p. 2 AU 87
Valrose (Av.) . . . . . . p. 4 FV
Vérany (Bd J.-B.) . . p. 5 JV
Verdun (Av. de) . . . . p. 4 FGZ 89
Vernier (R.) . . . . p. 4 FX
Victor-Hugo (Bd) . . . p. 4 FYZ
Voie Romaine . . . . . p. 3 BS 90
Walesa (Bd Lech) . . p. 5 JYZ 91
Wilson (Pl.) . . . . p. 5 HY 92
2-Corniches
(Bd des) . . . . p. 3 CT 93

NICE

Félix-Faure (Av.) . . . . **GZ** 21
France (R. de) . . . . **DFZ**
Gambetta (Bd) . . . . **EXZ**
Gioffredo (R.) . . . . **HY**
Hôtel-des-Postes (R.) . . . **HY** 30
Liberté (R. de la) . . . . . . **GZ** 35
Masséna (Esp., Pl.) . . . . . **GZ**
Masséna (R.) . . . . **FGZ** 43
Médecin (Av. J.) . . . . . . **FGY** 44
Paradis (R.) . . . . **GZ** 55
Pastorelli (R.) . . . . **GY** 58
République (Av. de la) . . **JXY** 64

Alberti (R.) . . . . **GHY** 2
Alsace-Lorraine
(Jardin) . . . . **EZ** 3
Armée-du-Rhin (Pl.) . . . . **JX** 5
Auriol (Pont V.) . . . . **JV** 7
Bellanda (Av.) . . . . **HV** 10
Berlioz (R.) . . . . **FY** 12
Bonaparte (R.) . . . . **JY** 13
Carnot (Bd) . . . . **JZ** 15
Desambrois (Av.) . . . . . **GHX** 18
Diables-Bleus
(Av. des) . . . . **JX** 19
Gallieni (Av.) . . . . **HJX** 23
Gautier (Pl. P.) . . . . **HZ** 25
Ile-de-Beauté
(Pl. de l') . . . . **JZ** 32
J.-Jaurès (Bd) . . . . **HYZ** 33

Lunel (Quai) . . . . **JZ** 37
Meyerbeer (R.) . . . . **FZ** 45
Monastère
(Av. et Pl. du) . . . . **HV** 46
Moulin (Pl. J.) . . . . **HY**
Parvis
de l'Europe . . . . **JX**
Passy (R. F.) . . . . **EY**

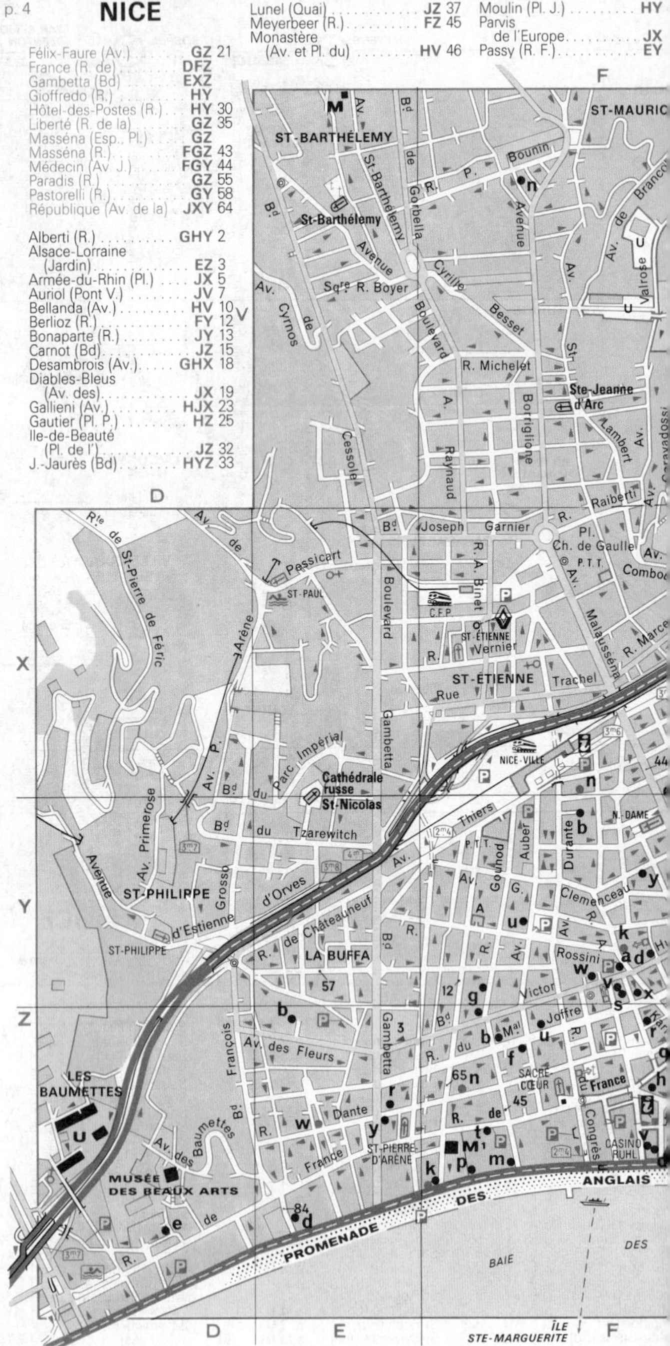

Phocéens (Av. des) . . . . . GZ 59
Rivoli (R. de) . . . . FZ 65
St-François-de-Paule (R.) . . . . . . GHZ 72
St-Jean-Baptiste (Av.) . . HY 73
Saleya (Cours) . . . . HZ 82
Sauvan (R. H.) . . . . EZ 84
Verdun (Av. de) . . . . FGZ 89
Walesa (Bd Lech) . . . . . JYZ 91
Wilson (Pl.) . . . . HY 92

Méridien M, 1 promenade des Anglais 93 82 25 25, Télex 470361, Fax 93 16 08 9(, « Piscine sur le toit ≤ baie » – 25 à 200. AE GB JCB
L'Habit Blanc : (oct.-avril) **Repas** 160/240, enf. 70 – ***La Terrasse*** *: (mai-sept.)* **Repas** 13(200, enf. 70 – 95 – **306 ch** 1250/1650, 8 appart. p. 4 FZ

Abela H. M, 223 promenade des Anglais 06200 93 37 17 17, Télex 46163(Fax 93 71 21 71, « Piscine sur le toit ≤ baie », – 30 à 18(AE GB JCB p. 2 AU
Les Mosaïques *(fermé juil.-août)* **Repas** 155(déj.), 195/225, enf. 75 – ***La Piscine*** grill *(ouve juil.-août)* **Repas** 145/255, enf. 75 – 90 – **321 ch** 900/1500, 12 appart.

Élysée Palace M, r. Sauvan 93 86 06 06, Télex 970336, Fax 93 44 50 40, , « Piscin sur le toit ≤ la ville » – 45. AE GB JCB p. 4 EZ
Repas carte 220 à 290 – 95 – **143 ch** 1000/1300 – ½ P 710.

Plaza Concorde, 12 av. Verdun 93 87 80 41, Télex 461443, Fax 93 82 50 70, ≤, « Terrasse sur le toit » – 260. AE GB JCB p. 5 GZ
Repas 145/210 – 80 – **178 ch** 750/1500, 5 appart.

Sofitel M, 2-4 parvis de l'Europe 06300 92 00 80 00, Télex 461800, Fax 93 26 27 0(, « Piscine panoramique sur le toit », – 50. AE GB
Repas 115/175 – 80 – **152ch** 1000. p. 5 JX

Beau Rivage M, 24 r. St-François-de-Paule 06300 93 80 80 70, Fax 93 80 55 7(– 35. AE GB p. 5 GZ
Repas grill 250 – 95 – **118 ch** 700/1800 – ½ P 630/945.

Splendid, 50 bd V. Hugo 93 16 41 00, Télex 460938, Fax 93 87 02 46, , « Piscine su le toit ≤ la ville » – 30 à 100. AE GB JCB. rest
Repas 145 – 75 – **113 ch** 820/1090, 14 appart – ½ P 620/750. p. 4 FYZ

West End, 31 promenade des Anglais 93 88 79 91, Télex 460879, Fax 93 88 85 07, ≤ – 120. AE GB JCB p. 4 FZ
Repas 115/175 – 60 – **123ch** 700/1300, 3 appart.

Westminster Concorde, 27 promenade des Anglais 93 88 29 44, Télex 4608(Fax 93 82 45 35, – ch – 150. AE GB JCB. rest p. 4 FZ
Le Farniente *(fermé nov. et dim. du 15 oct. au 15 avril)* **Repas** (dîner seul en juil.-août) 17(200 bc – 85 – **102 ch** 700/1200.

La Pérouse , 11 quai Rauba-Capéu 06300 93 62 34 63, Télex 4614(Fax 93 62 59 41, , « ≤ Nice et la Baie des Anges », – ch . AE GB JCB rest p. 5 HZ
Repas grill *(ouvert : 15 mai-15 sept.)* carte environ 200 – 80 – **64 ch** 870/1300.

Atlantic, 12bd V. Hugo 93 88 40 15, Télex 460840, Fax 93 88 68 60, – 50. AE GB JCB p. 4 FY
Repas 130/200 – 80 – **123ch** 600/850 – ½ P 820/960.

Holiday Inn M, 20 bd V. Hugo 93 16 55 00, Fax 93 16 55 55, – – 90. AE GB JCB. p. 4 FY
Repas 120/155 – 85 – **131 ch** 700/1060 – ½ P 615/735.

Pullman Nice sans rest, 28 av. Notre-Dame 93 13 36 36, Télex 4706(Fax 93 62 61 69, « Jardin suspendu au 2e étage, au 8e, ≤ » – 25 à 120. AE GB JCB p. 4 FXY
70 – **201 ch** 595/685.

Novotel M, 8-10 Parvis de l'Europe 06300 93 13 30 93, Fax 93 13 09 04, « Piscine panoramique sur le toit » – – 80. AE GB
Repas carte environ 160 , enf. 53 – 52 – **173 ch** 540/590. p. 5 JX

Napoléon sans rest, 6 r. Grimaldi 93 87 70 07, Fax 93 16 17 80 – . AE GB p. 4 FZ
60 – **83 ch** 510/720.

Mercure Promenade des Anglais M sans rest, 2 r. Halévy 93 82 30 88, Télex 970656, Fax 93 82 18 20 – – 25. AE GB p. 4 FZ
75 – **122 ch** 840/890.

Ambassador sans rest, 8 av. de Suède 93 87 90 19, Fax 93 82 14 90 – . GB JCB p. 4 FZ
15 fév.-15 nov. – 50 – **45 ch** 520/850.

Petit Palais sans rest, 10 av. E. Bieckert 93 62 19 11, Fax 93 62 53 60, ≤ Nice mer – . AE GB JCB p. 5 HX
50 – **25 ch** 530/780.

Mercure Masséna M sans rest, 58 r. Gioffredo 93 85 49 25, Télex 47019(Fax 93 62 43 27 – . AE GB JCB p. 5 GZ
65 – **116 ch** 520/795.

Apogia M sans rest, 26 r. Smolett 06300 93 89 18 88, Fax 93 89 16 06 – . AE GB JCB p. 5 JY
51 – **101 ch** 480/560.

Grimaldi sans rest, 15 r. Grimaldi ✆ 93 87 73 61, Fax 93 88 30 05 – |‡| ▤ TV ☎. AE ⦿ GB JCB p. 4 FY s
☐ 50 – **24 ch** 600/800.

Windsor, 11 r. Dalpozzo ✆ 93 88 59 35, Fax 93 88 94 57, ☂, Ⱡ₆, ⛱, ⛲ – |‡| ▤ ch TV ☎. AE ⦿ GB. ✻ rest p. 4 FZ f
Repas (snack) *(fermé dim.)* carte environ 150 – ☐ 40 – **60 ch** 415/670 – ½ P 395/455.

Gourmet Lorrain, 7 av. Santa Fior ✉ 06100 ✆ 93 84 90 78, Fax 92 09 11 25, ☂ – ▤ TV ☎. AE ⦿ GB JCB p. 4 FV n
fermé 15 juil. au 15 août, 1er au 7 janv., sam. midi, dim. soir et lundi midi – **Repas** 100 (déj.), 160/200 – ☐ 30 – **10 ch** 250/300 – ½ P 260.

Gounod sans rest, 3 r. Gounod ✆ 93 88 26 20, Fax 93 88 23 84 – |‡| ▤ TV ☎ P. AE ⦿ GB JCB p. 4 FYZ g
☐ 60 – **41 ch** 515/590, 6 appart.

Vendôme sans rest, 26 r. Pastorelli ✆ 93 62 00 77, Télex 461762, Fax 93 13 40 78 – |‡| ▤ TV ☎ P. AE ⦿ GB JCB p. 5 GY f
☐ 40 – **51 ch** 410/550, 5 duplex.

Durante ⛰ sans rest, 16 av. Durante ✆ 93 88 84 40, Fax 93 87 77 76, ⛲ – |‡| cuisinette TV ☎ P. GB. ✻ p. 4 FY b
fermé 15 nov. au 22 déc. – ☐ 40 – **26 ch** 200/450.

Chatham M sansrest, 9 r. A. Kaar ✆ 93 87 80 61, Fax 93 82 30 97 – |‡| ▤ TV ☎ ✆. AE ⦿ GB JCB p. 4 FY x
☐ 35 – **49 ch** 330/440.

Agata sans rest, 46 bd Carnot ✉ 06300 ✆ 93 55 97 13, Fax 93 55 67 38 – |‡| ▤ TV ☎ ⛟. AE ⦿ GB JCB p. 5 JZ s
☐ 40 – **45 ch** 400/550.

Busby, 38 r. Mar. Joffre ✆ 93 88 19 41, Fax 93 87 73 53 – |‡| TV ☎. AE ⦿ GB JCB p. 4 FZ u
hôtel : fermé 15 nov. au 20 déc. ; rest. : ouvert 20 déc.-31 mai – **Repas** 120 🌡 – ☐ 35 – **80 ch** 500/700.

Brice, 44 r. Mar. Joffre ✆ 93 88 14 44, Télex 470658, Fax 93 87 38 54, ☂, Ⱡ₆, ⛲ – |‡| TV ☎. AE ⦿ GB JCB. ✻ rest p. 4 FZ b
Repas 125 – ☐ 40 – **61 ch** 442/706 – ½ P 385/491.

Carlton sans rest, 26 bd V. Hugo ✆ 93 88 87 83, Fax 93 88 18 87 – |‡| ▤ TV ☎ ✆. AE ⦿ GB JCB p. 4 FY w
☐ 35 – **29 ch** 370/600.

Nouvel H. sans rest, 19 bis bd V. Hugo ✆ 93 87 15 00, Fax 93 16 00 67 – |‡| ▤ TV ☎. AE ⦿ GB p. 4 FY v
fermé 25 nov. au 22 déc. – ☐ 15 – **58 ch** 345/470.

Georges ⛰ sansrest, 3 r. H. Cordier ✆ 93 86 23 41, Fax 93 44 02 30 – |‡| ▤ TV ☎. AE GB p. 4 DZ e
☐ 33 – **18 ch** 310/450.

La Fontaine M sans rest, 49 r. France ✆ 93 88 30 38, Fax 93 88 98 11 – |‡| ▤ TV ☎. AE GB p. 4 FZ t
☐ 40 – **29 ch** 430/530.

Régence sans rest, 21 r. Masséna ✆ 93 87 75 08, Fax 93 82 41 31 – |‡| ▤ TV ☎. AE ⦿ GB JCB p. 4 FZ q
☐ 35 – **37 ch** 335/380.

St-Georges sans rest, 7 av. G. Clemenceau ✆ 93 88 79 21, Fax 93 16 22 85 – |‡| TV ☎. GB p. 4 FY y
☐ 32 – **30 ch** 260/310.

Trianon sans rest, 15 av. Auber ✆ 93 88 30 69, Fax 93 88 11 35 – |‡| TV ☎. AE ⦿ GB p. 4 FY u
☐ 35 – **32 ch** 230/320.

Harvey sans rest, 18 av. de Suède ✆ 93 88 73 73, Fax 93 82 53 55 – |‡| ▤ TV ☎. AE ⦿ GB JCB. ✻ p. 4 FZ h
20 fév.-31 oct. – ☐ 25 – **62 ch** 250/360.

Buffa sans rest, 56 r. Buffa ✆ 93 88 77 35, Fax 93 88 83 39 – ▤ TV ☎. AE ⦿ GB
☐ 30 – **13 ch** 280/380. p. 4 EZ r

Star H. sans rest, 14 r. Biscarra ✆ 93 85 19 03, Fax 93 13 04 23 – TV ☎. AE ⦿ GB JCB p. 5 GY k
☐ 25 – **19 ch** 200/300.

Armenonville ⛰ sans rest, 20 av. Fleurs ✆ 93 96 86 00, ⛲ – TV ☎ ✆ P. GB. ✻ p. 4 EZ b
☐ 30 – **13 ch** 240/525.

Marbella sans rest, 120 bd Carnot ✉ 06300 ✆ 93 89 39 35, Fax 92 04 22 56, ≤ littoral – TV ☎. AE GB. ✻ p. 3 CT a
☐ 30 – **17 ch** 230/430.

Alizé sans rest, 65 r. Buffa ✆ 93 88 99 46, Fax 93 88 99 46 – ▤ ☎. ⦿ GB JCB
☐ 30 – **11 ch** 240/350. p. 4 EZ y

XXXXX ✿✿ **Chantecler** - Hôtel Négresco, 37 promenade des Anglais ☎ 93 16 64 00, Télex 460040 Fax 93 88 35 68 – ▤. AE ⓓ GB JCB p. 4 FZ
fermé mi-nov. à mi-déc. – **Repas** 255 bc (déj.), 395/560 et carte 450 à 650
Spéc. Ravioli ouvert aux artichauts, pointes d'asperges et langoustines à l'huile d'olive (mi-janv. à mi-mai). Filets de daurade royale, jus de légumes à la grecque. Composition de rougets aux courgettes, tomates et basilic en aïoli. Vin Côtes de Provence.

XXX **L'Ane Rouge,** 7 quai Deux-Emmanuel ✉ 06300 ☎ 93 89 49 63, Fax 93 89 49 63 – ▤. AE ⓓ GB p. 5 JZ
fermé merc. – **Repas** 148/198 et carte 240 à 330.

XX **Le Florian,** 22 r. A. Karr ☎ 93 88 86 60, Fax 93 87 31 98 – ▤. GB p. 4 FY
fermé sam. midi et dim. – **Repas** carte 180 à 310 ♨.

XX **Boccaccio,** 7 r. Masséna ☎ 93 87 71 76, Fax 93 82 09 06, 🏠, « Décor de Caravelle » – ▤. AE ⓓ GB JCB p. 5 GZ
Repas - produits de la mer - 120 et dîner à la carte 200 à 360.

XX **Les Dents de la Mer,** 2 r. St-François-de-Paule ✉ 06300 ☎ 93 80 99 16, Fax 93 85 05 78, 🏠, « Décor original de galion englouti » – ▤. AE ⓓ GB JCB
Repas - produits de la mer - 148/199. p. 5 HZ

XX **Flo,** 4 r. S. Guitry ☎ 93 13 38 38, Fax 93 13 38 39, brasserie, « Ancien théatre » – ▤. AE ⓓ GB p. 5 GYZ
Repas 101 bc/145 bc.

XX **Don Camillo,** 5 r. Ponchettes ✉ 06300 ☎ 93 85 67 95, Fax 93 13 97 43 – ▤. AE GB p. 5 HZ
fermé 1er au 15 déc., lundi midi et dim. – **Repas** - cuisine niçoise et italienne - 200/320.

XX **L'Univers,** 54 bd J. Jaurès ✉ 06300 ☎ 93 62 32 22, Fax 93 62 55 69 – ▤. AE ⓓ GB p. 5 HZ
fermé dim. en juil.-août – **Repas** 125/190.

XX **Chez Rolando,** 3 r. Desboutins ✉ 06300 ☎ 93 85 76 79 – ▤. AE GB p. 5 GZ
fermé juil., le midi en août, dim. et fériés – **Repas** - cuisine italienne - carte 190 à 260 ♨.

XX **La Toque Blanche,** 40 r. Buffa ☎ 93 88 38 18, Fax 93 88 38 18 – ▤. GB p. 4 FZ
fermé dim. (sauf le midi de sept. à juin) et lundi – **Repas** (nombre de couverts limités, prévenir) 145/290.

XX **Aux Gourmets,** 12 r. Dante ☎ 93 96 83 53 – ▤. AE ⓓ GB p. 4 EZ
fermé juil., dim. soir et lundi – **Repas** 158/235.

XX **Bông-Laï,** 14 r. Alsace-Lorraine ☎ 93 88 75 36 – ▤. AE ⓓ JCB p. 4 FX
fermé 7 au 27 déc., lundi et mardi – **Repas** - cuisine vietnamienne - carte 240 à 280.

XX **L'Allegro,** 6 pl. Guynemer ✉ 06300 ☎ 93 56 62 06, Fax 93 56 38 28, « Fresque représentant les personnages de la "Comedia Dell'Arte" » – ▤. AE GB JCB p. 5 JZ
fermé 15 juil. au 15 août et dim. – **Repas** - cuisine italienne - 125/350 dîner à la carte.

X **La Nissarda,** 17 r. Gubernatis ☎ 93 85 26 29 – GB p. 5 HY
fermé août, dim. et fériés – **Repas** 60 bc (déj.), 78/138 ♨.

X **Aub. des Arts,** 9 r. Pairolière ✉ 06300 ☎ 93 85 63 53, Fax 93 80 10 41 – ⓓ GB JCB p. 5 HY
fermé dim. sauf le midi d'oct à juin et lundi sauf le soir de juil. à sept. – **Repas** 128/152.

X **La Casbah,** 3 r. Dr Balestre ☎ 93 85 58 81 – ▤. GB p. 5 GY
fermé juil.-août, dim. soir et lundi – **Repas** - couscous - 130/155.

X **L'Olivier,** 2 pl. Garibaldi ✉ 06300 ☎ 93 26 89 09, 🏠 – ▤. AE GB p. 5 HY
fermé août, merc. soir et dim. – **Repas** carte environ 170 ♨.

X **Mireille,** 19 bd Raimbaldi ☎ 93 85 27 23 – ▤. GB p. 5 GX
fermé 10 juin au 3 juil., 2 au 10 oct., lundi et mardi – **Repas** - plat unique : paella - 110/145.

X **La Merenda,** 4 r. Terrasse ✉ 06300 p. 5 HZ
fermé août, fév., sam., dim., lundi et fériés – **Repas** - cuisine niçoise - carte environ 180.

à l'Aéroport : 7 km – ✉ **06200** Nice :

🏨 **Campanile,** 459 promenade des Anglais ☎ 93 21 20 20, Fax 93 83 83 96 – |¢| ⇋ ▤ ☎ ✆ ♿ 🚗 – 🏛 25 à 80. AE ⓓ GB p. 2 AU
Repas 92 bc/119 bc, enf. 39 – ☐ 34 – **170 ch** 370.

XXX **Ciel d'Azur,** aérogare 1, 2e étage ☎ 93 21 36 36, Fax 93 21 35 31 – ▤. AE ⓓ GB JCB p. 2 AU
Repas (déj. seul.) 235/290.

MICHELIN, Agence régionale, ZI, quartier Pugets à St-Laurent-du-Var par ⑥ A ☎ 93 31 66 09

BMW Gar. Azur-Autos, Nice la Plaine 1 Contre Allée N 202 ☎ 93 18 22 00
CITROEN Succursale, 74, bd R.-Cassin AU ☎ 93 72 66 66 🅽 ☎ 93 89 80 89
CITROEN Succursale, Complexe J. Bouin - Palais des Sports HJX ☎ 93 13 67 67 🅽 ☎ 93 89 80 89
FORD Nice Est Autom., 9 bd de l'Armée des Alpes ☎ 93 89 03 73
FORD Alpes Auto, 58 av. de St-Augustin ☎ 93 18 22 93
MERCEDES Succursale, 83 bd Gambetta ☎ 93 96 15 49 🅽 ☎ 05 24 24 30
MITSUBISHI, PORSCHE Somédia, 1 et 3 av. Notre-Dame ☎ 93 92 44 12
OPEL Détroit-Motors, 87 r. de France ☎ 93 87 62 45

EUGEOT Gds Gar. Nice et Littoral, 132 bd Pasteur
V ✆ 93 72 67 26 🅽 ✆ 92 06 36 25
ENAULT Gar. Macagno, 17 av. de la Californie AU
93 86 59 81
ENAULT Gar. des Résidences, 9 r. Combattants
AFN ✆ 93 88 18 59
ENAULT Succursale, 254 rte de Grenoble AU a
93 14 22 22 🅽 ✆ 05 05 15 15
ENAULT Succursale de Nice Riquier, 2 bd
rmée-des-Alpes CT ✆ 93 14 20 20 🅽
05 05 15 15
AG S.M.A., 146 rte de Turin ✆ 92 00 35 35 🅽
93 29 87 87

Cagnol, 3 r. Gare-du-Sud 7 bd J.-Garnier
✆ 93 84 52 29
Euromaster, angle R.-Nicot de Villemain et 17 bd
P.-Montel ✆ 93 83 10 92
Euromaster, 10-12 rte de Laghet à la Trinité
✆ 93 54 76 00
Nice-Pneu, 14 r. L.-Ackermann ✆ 93 87 49 07
Office du Pneu, 116 bd Gambetta ✆ 93 88 45 84
Omnium-Niçois du C/c, 298 rte de Turin
✆ 93 27 91 00
Vulca-202, 762 rte de Grenoble ✆ 93 08 14 84

IEDERBRONN-LES-BAINS **67110** B.-Rhin 57 ⑱ ⑲ **G. Alsace Lorraine** – 4 372 h alt. 190 – Stat. therm.
Casino.

Office de Tourisme pl. Hôtel de Ville ✆ 88 80 89 70.

ris 460 – ♦Strasbourg 50 – Haguenau 21 – Sarreguemines 56 – Saverne 44 – Wissembourg 33.

Muller M, av. Libération ✆ 88 63 38 38, Télex 871327, Fax 88 63 38 39, parc, – 25à 50. AE GB. rest
Repas *(fermé 7 au 31 janv. et lundi)* 55/208, enf. 46 – 39 – **43 ch** 232/394 – ½ P 252/308.

Gd Hôtel sans rest, av. Foch ✆ 88 80 84 48, Fax 88 80 84 40, – AE GB
42 – **58 ch** 300/480.

Bristol, pl. H. de Ville ✆ 88 09 61 44, Fax 88 09 01 20 – rest AE GB JCB
fermé 27 déc. au 27 janv. – **Repas** *(fermé merc.)* 65/330 – 30 – **27 ch** 200/310 – ½ P 258/316.

Cully, r. République ✆ 88 09 01 42, Fax 88 09 05 80, – AE GB
Repas *(fermévacances de fév., mardi soir et merc. d'oct. à avril)* 60/250, enf. 40 – 30 – **40 ch** 170/300 – ½ P 230/290.

Parc, pl. Thermes ✆ 88 80 84 84, Fax 88 80 38 75, – AE GB
fermé 27 janv. au 21 fév. et jeudi – **Repas** 125/325 et carte 210 à 300, enf. 60.

Les Acacias, 35 r. Acacias ✆ 88 09 00 47, Fax 88 80 83 33, – AE GB
fermé 1er au 15 sept., 20 janv. au 1er fév., sam. midi de sept. à mai et vend. – **Repas** 65 (déj.), 90/280, enf. 55.

TROEN Gar. Krebs, 6 r. des Romains ✆ 88 09 03 66

IEDERHASLACH **67280** B.-Rhin 62 ⑨ **G. Alsace Lorraine** – 1 088 h alt. 255.
oir Église★.

ris 481 – ♦Strasbourg 39 – Molsheim 13 – St-Dié 55 – Saverne 32.

La Pomme d'Or, face église ✆ 88 50 90 21, Fax 88 50 95 17 – GB. ch
fermé 1er au 7 juil., fév., dim. soir et lundi sauf juil.-août – **Repas** 58 (déj.), 90/180 – 33 – **20 ch** 165/260 – ½ P 250.

ENAULT Gar. Ludwig, ✆ 88 50 90 08 🅽 ✆ 88 50 90 08

IEDERSCHAEFFOLSHEIM **67500** B.-Rhin 57 ⑲ – 1 267 h alt. 185.

ris 473 – ♦Strasbourg 23 – Haguenau 6 – Saverne 31.

Au Boeuf Rouge avec ch, ✆ 88 73 81 00, Fax 88 73 89 71, – – 30. AE GB
fermé 15 juil. au 5 août et vacances de fév. – **Repas** *(fermé dim. soir et lundi sauf fêtes)* 115/300, enf. 50 – 35 – **15 ch** 250/280 – ½ P 250.

NIEDERSTEINBACH **67510** B.-Rhin **57** ⑲ **G. Alsace Lorraine** – 161 h alt. 225.

Paris 462 – ◆Strasbourg 67 – Bitche 24 – Haguenau 35 – Lembach 9 – Wissembourg 24.

Cheval Blanc ⑤, ✆ 88 09 55 31, Fax 88 09 50 24, ⛱, ⛱, 🐎, 🎾 – TV ☎ P. GB. ✻ re
fermé 13 au 27 juin, 1er au 10 déc. et 1er fév. au 10 mars – **Repas** (*fermé vend. midi hors sa*
et jeudi) 90/280 ⑤, enf. 60 – ☐ 46 – **26 ch** 260/340 – ½ P 297/340.

NIEUIL **16270** Charente **72** ⑤ – 954 h alt. 150.

Paris 436 – Angoulême 41 – Confolens 25 – ◆Limoges 64 – Nontron 51 – Ruffec 34.

✿ **Château de Nieuil** (Mme Bodinaud) ⑤, à l'Est par D 739 et rte secondai
✆ 45 71 36 38, Fax 45 71 46 45, ⩽, ⛱, « Belle demeure Renaissance dans un parc »,
🎾 – ▤ TV ☎ 🚗 P – 🏛 30. AE ⓓ GB JCB
27 avril-3 nov. – **Repas** (nombre de couverts limité, prévenir) 185 (déj.), 240/320 et carte 27
à 380 - ***La Grange aux Oies*** (*15 déc.-15 avril et fermé dim. soir et lundi*) **Repas** 170 bc, enf. 8
– ☐ 75 – **11 ch** 630/1350, 3 appart – ½ P 735/980
Spéc. Petits filets de sardines aux pommes de terre. Filet de rascasse sauce mouclade. Tournedos au cogna "patatou" à l'ancienne.

NÎMES **P** **30000** Gard **80** ⑲ **G. Provence** – 128 471 h Aggio. 138 527 h alt. 39.

Voir Arènes★★★ CV – Maison Carrée★★★ CU : musée des Antiques★ – Jardin de la Fontaine★ AX : Tour Magne★, ⩽★ – Intérieur★ de la chapelle des Jésuites DU **B** – Carré d'Art★ CU Musées : Archéologie★ DU **M**¹, Beaux-Arts★ ABY **M**², Vieux Nîmes★ CU **M**³.

18 de Nîmes-Arles-Camargue ✆ 66 70 17 37, par ⑤ : 11 km ; 18 des Hauts-de-Nîmes Vacquerolles ✆ 66 23 33 33, E : 6 km par ⑦.

✈ de Nîmes-Camargue : ✆ 66 70 06 88, par ⑤ : 8 km.

ℹ Accueil de France 6 r. Auguste ✆ 66 67 29 11, Télex 490926, Fax 66 21 81 04 et à la gare SNCF ✆ 66 18 13 – A.C. 5 bd Talabot ✆ 66 29 12 54.

Paris 711 ② – ◆Montpellier 54 ⑤ – Aix-en-Provence 107 ④ – Avignon 44 ② – ◆Clermont-Ferrand 332 ② ◆Grenoble 245 ② – ◆Lyon 251 ② – ◆Marseille 125 ④ – ◆Nice 279 ④ – ◆St-Étienne 268 ②.

NÎMES

Gambetta (Bd) . . . . ABX
République (R. de la) . . . . AYZ

Briçonnet (R.) . . . . BY 8
Cirque-Romain (R. du) . . . . AY 13
Fontaine (Q. de la) . . . . AX 20
Gamel (Av. P.) . . . . BZ 22
Générac (R. de) . . . . AYZ 23

Mallarmé (R. Steph.) . . . . . . AX
Martyrs-de-la-R. (Pl.) . . . . . . AZ
Mendès-France (Av. P.) . . . BZ
Ste-Anne (R.) . . . . AY
Verdun (R. de) . . . . AY

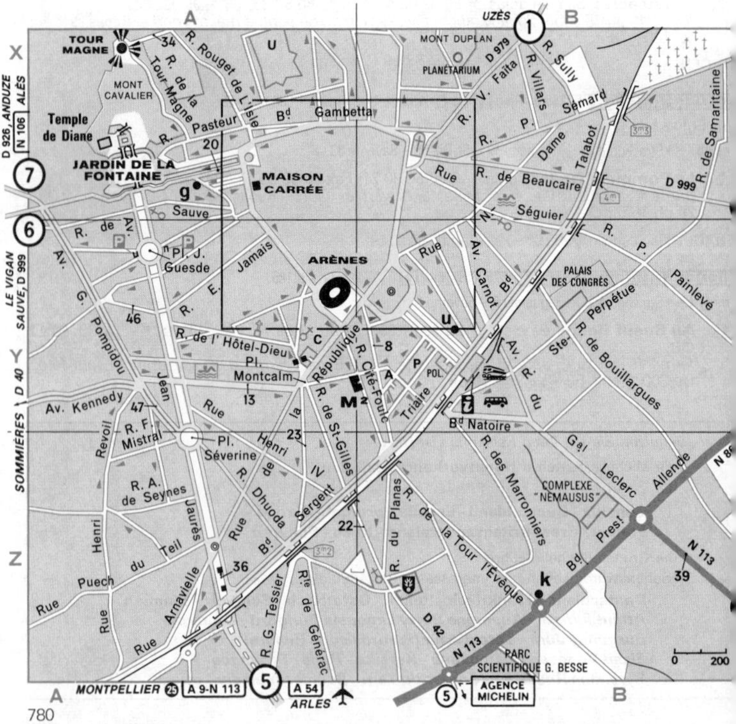

NÎMES

Aspic (R. de l') .... CUV
Courbet (Bd Amiral) ...... DUV 14
Crémieux (Rue) .... DU 16
Curaterie (R.) .... DU 17
Daudet (Bd A.) .... CU 18
Gambetta (Bd) .... CDU
Grand'Rue .... DU 24

Guizot (R.) .... CU 26
Madeleine (R. de la) .... CU 32
Nationale (R.) .... CDU
Perrier (R. Gén.) .... CU
République (R. de la) .... CV 43
Victor-Hugo (Bd) .... CUV

Arènes (Bd des) .... CV 2
Auguste (R.) .... CU 4
Bernis (R. de) .... CV 6

Chapitre (R. du) .... CU 12
Esclafidous (Pl. des) .... DU 19
Fontaine (Q. de la) .... CU 20
Halles (R. des) .... CU 27
Horloge (R. de l') .... CU 28
Libération (Bd de la) .... DV 30
Maison carrée (Pl. de la) .... CU 33
Marchands (R. des) .... CU 35
Prague (Bd de) .... DV 42
Saintenac (Bd E.) .... DU 45

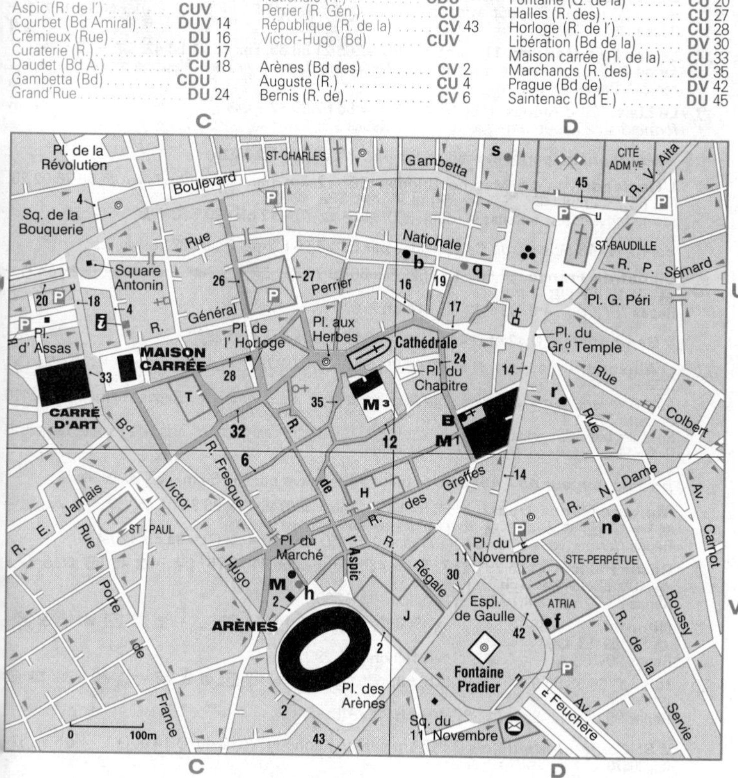

Imperator Concorde, quai de la Fontaine 30900 66 21 90 30, Télex 490635, Fax 66 67 70 25, « Jardin fleuri » – ch – 50. AE GB JCB
Repas 180 bc/320, enf. 90 – 65 – **61 ch** 530/1000 – ½ P 590/750. AX **g**

Vatel (École hôtelière), 140 r. Vatel par av. Kennedy AY 66 62 57 57, Fax 66 62 57 50, – – 100. GB
Les Palmiers (6e étage) *(fermé août, dim. soir et lundi)* **Repas** 110(déj.)130/190, enf. 85 – ***Grill :*** **Repas** 85/105, enf. 38 – 45 – **42 ch** 550/600, 4 appart.

Novotel Atria Nîmes Centre, 5 bd Prague 66 76 56 56, Télex 485618, Fax 66 76 26 36 – – 25 à 480. AE GB JCB DV **f**
Repas 120 – 50 – **119 ch** 470/520.

New Hôtel La Baume, 21 r. Nationale 66 76 28 42, Fax 66 76 28 45, « Hôtel particulier du Vieux Nîmes » – AE GB JCB DU **b**
Repas *(fermé dim.)* 80/105, enf. 36 – 40 – **34 ch** 350 – ½ P 270/295.

L'Orangerie, 755 r. Tour de l'Évêque 66 84 50 57, Fax 66 29 44 55, – – 30. AE GB JCB BZ **k**
Repas 110 (déj.), 150/260, enf. 75 – 50 – **31 ch** 390/530 – ½ P 315/345.

Tuileries sans rest, 22 r. Roussy 66 21 31 15, Fax 66 67 48 72 – AE GB JCB DV **n**
40 – **11 ch** 270/340.

Plazza sans rest, 10 r. Roussy 66 76 16 20, Fax 66 67 65 99 – AE GB JCB DU **r**
46 – **28 ch** 260/420.

Milan sans rest, 17 av. Feuchères 66 29 29 90, Fax 66 29 05 31 – GB JCB BY **u**
30 – **33 ch** 190/290.

Amphithéâtre sansrest, 4 r. Arènes 66 67 28 51, Fax 66 67 07 79 – AE GB CV **h**
fermé 20 déc. au 1er fév. – 33 – **17 ch** 180/250.

XX **Le Magister,** 5 r. Nationale ✆ 66 76 11 00, Fax 66 67 21 05 – ▤. AE ⓓ GB JCB
fermé 20 juil. au 20 août, vacances de fév., dim. sauf le midi d'oct. à mai et sam. midi – **Repas** 150 bc/265, enf. 75. DU

XX **Le Jardin d'Hadrien,** 11 r. Enclos Rey ✆ 66 21 86 65, Fax 66 21 54 42, ☂ – AE GB
fermé 25 août au 5 sept., vacances de Toussaint, de fév., dim. sauf le midi de sept. à juin et merc. – **Repas** 90/140. DU

XX **Le Lisita,** 2 bd Arènes ✆ 66 67 29 15, Fax 66 67 25 32 – GB CV
fermé 3 au 25 août, dim. soir et sam. – **Repas** 125/170.

à Marguerittes par ② et N 86 : 8 km – 7 548 h. alt. 60 – ✉ **30320** :

L'Hacienda ☆, Le Mas de Brignon SE : 2 km par rte secondaire ✆ 66 75 02 25, Fax 66 75 45 58, ☂, ⛱, ☘ – TV ☎ P. GB JCB. ✂ rest
fermé janv. et fév. – **Repas** 95 (déj.), 200/340 – ☕ 70 – **12 ch** 430/550 – ½ P 485/550.

par ④, N 113 puis rte de Caissargues par D 135 : 6,5 km – ✉ **30132** Caissargues :

Climat de France, ✆ 66 84 21 52, Fax 66 29 76 81, ☂, ⛱, ☘ – ▤ rest TV ☎ ♿ P – 30. AE ⓓ GB
Repas 75/105 ♀, enf. 39 – ☕ 35 – **44 ch** 270.

à Garons par ⑤, D 42 et D 442 : 9 km – 3 648 h. alt. 90 – ✉ **30128** :

XXX ✿ **Alexandre** (Kayser), ✆ 66 70 08 99, Fax 66 70 01 75, ☂, « Jardin » – ▤ P. AE GB JCB
fermé vacances de fév., dim. sauf le midi de sept. à juin et lundi – **Repas** 170 (déj.), 265/410 et carte 370 à 470
Spéc. Iles flottantes aux truffes de Provence (oct. à mai). Blanc de morue fraîche sur brandade. Assiette d'agneau de Nîmes. **Vins** Costières de Nîmes, Châteauneuf-du-Pape.

près échangeur A9 - A54 parc hôtelier Ville Active par ⑤ : 3 km – ✉ **30900** Nîmes :

Mercure Nîmes-Ouest, ✆ 66 84 14 55, Télex 490746, Fax 66 38 01 44, ☂, ⛱, ☘, ✂ – |♦| ⇔ ▤ TV ☎ ♿ P – 25 à 80. AE ⓓ GB JCB
Repas *(fermé week-ends d'oct. à mars)* 115/165, enf. 50 – ☕ 52 – **98 ch** 420/470.

César Palace, ✆ 66 29 86 87, Télex 485768, Fax 66 84 72 76, ☂ – |♦| ▤ TV ☎ ♿ P – 400. AE ⓓ GB JCB
Repas 83/225 – ☕ 40 – **54 ch** 330/400 – ½ P 330.

Nimotel, ✆ 66 38 13 84, Télex 490592, Fax 66 38 14 06, ☂, ⛱ – |♦| ▤ TV ☎ ✆ ♿ P – 80. AE ⓓ GB JCB
Repas 90/160 ♀, enf. 55 – ☕ 35 – **180 ch** 255/290.

Ibis, ✆ 66 38 83 93, Fax 66 29 19 56, ☂, ⛱ – |♦| ⇔ ▤ TV ☎ ♿ P – 40 à 80. AE ⓓ GB
Repas 99 bc, enf. 39 – ☕ 36 – **108 ch** 285/315.

à St-Côme-et-Maruéjols O : 15 km par av. Kennedy AY, D 40, D 14 et D 1 – 410 h. alt. 62 – ✉ **30870** :

XX ✿ **La Vaunage** (Villenueva), ✆ 66 81 33 29, ☂ – GB. ✂
fermé 1er au 18 mars, 1er au 18 sept., lundi et mardi – **Repas** carte 240 à 370
Spéc. Parmentière de homard. Marinière de turbot aux parfums des garrigues. Coffret de compote de pommes, caramel de cidre. **Vins** Costières de Nîmes.

CITROEN K 2 Auto, 2290 rte de Montpellier par ⑤ ✆ 66 38 78 78 N ✆ 66 29 26 26
FORD Méditerranée-Autom., 655 av. Mar.-Juin ✆ 66 84 08 01
MERCEDES SODIRA, 328 rte d'Avignon ✆ 66 26 04 99 N ✆ 05 24 24 30
PEUGEOT Gds Gar. du Gard, 1667 av. Mar.-Juin par ⑥ ✆ 66 84 69 11 N ✆ 66 20 90 67
RENAULT Succursale, 1412 av. Mar.-Juin par ⑥ ✆ 66 62 72 72 N ✆ 66 87 94 61
TOYOTA Gar. Veyrunes, bd Périphérique Sud, r. F.-Cantier ✆ 66 26 40 40

Ⓜ Ayme Pneus, 2500 rte de Montpellier ✆ 66 84 94 21
Escoffier Pneus Vulcopneu, 2 et 4 r. République ✆ 66 67 32 72
Escoffier Pneus Vulcopneu, bd Périphérique Sud ✆ 66 84 02 01
Pneus Service Folcher, 2722 rte de Montpellier ✆ 66 84 85 40
Pneus Service Folcher, 55 bd Talabot ✆ 66 67 94 1
Rigon-Pneus, Arche, 18 bd Talabot ✆ 66 84 15 26
Sud Pneus, 128 bd Sergent-Triaire ✆ 66 84 70 94

IORT P **79000** Deux-Sèvres 71 ② **G. Poitou Vendée Charentes** – 57 012 h alt. 24.

oir Donjon★ : salle de la chamoiserie et de la ganterie★ AY – **Le Pilori★** BY.

nv. Château du Coudray-Salbart★ 10 km par ①.

Club Niortais ℘ 49 09 01 41, S : 3 km près de l'hippodrome.

Office de Tourisme pl. de la Poste ℘ 49 24 18 79, Fax 49 24 98 90 – Automobile Club 1 av. République 49 24 90 80.

ris 406 ② – La Rochelle **63 ⑤** – **Angoulême 106 ③** – ♦**Bordeaux 182 ④** – ♦**Limoges 160 ③** – ♦**Nantes 145 ⑥** – **itiers 74 ②** – **Rochefort 60 ⑤**.

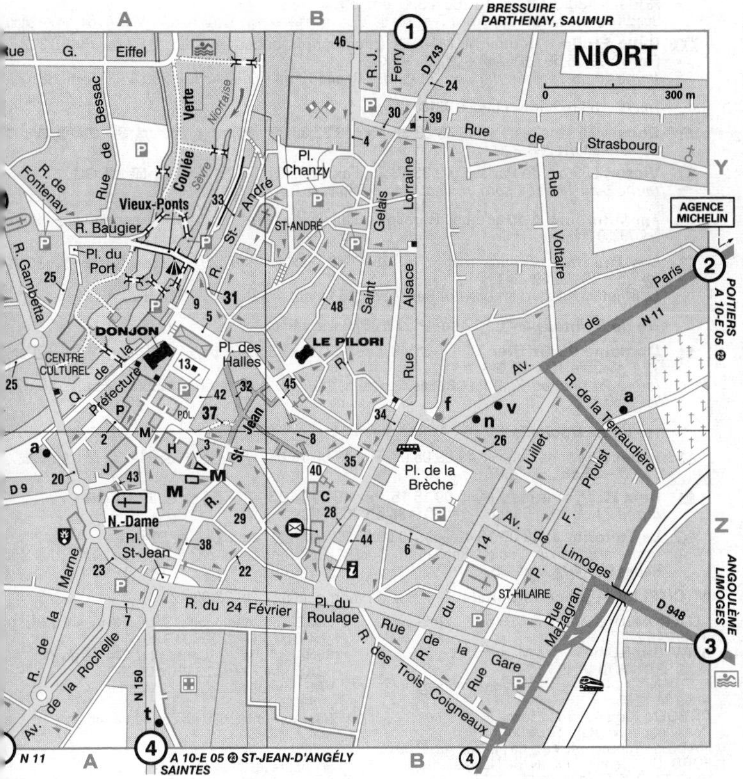

mmerce (Passage du) ..... **BZ** 8
card (R.) ..... **BZ** 35
-Jean (R.) ..... **AYZ**
ctor-Hugo (R.) ..... **BY** 45

breuvoir (R. de l') ..... **AYZ** 2
ncien-Oratoire (R. de l') ..... **AZ** 3
utteville (R. Th.-de) ..... **BY** 4
risson (R.) ..... **AY** 5
ujault (Av. J.) ..... **BZ** 6
habaudy (R.) ..... **AZ** 7
ronstadt (Quai) ..... **AY** 9

Donjon (Pl. du) ..... **AY** 13
Espingole (R. de l') ..... **AZ** 20
Huilerie (R. de l') ..... **AZ** 22
Largeau (R. Gén.) ..... **AZ** 23
Leclerc (R. Mar.) ..... **BY** 24
Main (Bd) ..... **AY** 25
Martyrs-Résistance (Av.) ..... **BZ** 26
Pérochon (R. Ernest) ..... **BZ** 28
Petit-Banc (R. du) ..... **AZ** 29
Pluviault (R. de) ..... **BY** 30
Pont (R. du) ..... **AY** 31

Rabot (R. du) ..... **AY** 32
Regratterie (R. de la) ..... **AY** 33
République (Av. de la) ..... **BY** 34
St-Jean (R. du Petit) ..... **AY** 37
St-Jean (R. de la Porte) ..... **AZ** 38
Strasbourg (Pl. de) ..... **BY** 39
Temple (Pl. du) ..... **BZ** 40
Thiers (R.) ..... **AY** 42
Tourniquet (R. du) ..... **AZ** 43
Verdun (Av. de) ..... **BZ** 44
Vieux-Fourneau (R. du) ..... **BY** 46
Yvers (R.) ..... **BY** 48

Mercure Porte Océane M, 17 r. Bellune ℘ 49 24 29 29, Télex 793120, Fax 49 28 00 90, – ch TV ☎ & P – 80. AE GB BY **a**
Repas *(fermé dim. midi et sam. du 15 oct. à Pâques)* 100/230, enf. 50 – 52 – **60 ch** 460/620 – ½ P 390/425.

Gd Hôtel sans rest, 32 av. Paris ℘ 49 24 22 21, Fax 49 24 42 41, – TV ☎ AE GB JCB BY **v**
40 – **38 ch** 275/435.

Moulin M sans rest, 27 r. Espingole ℘ 49 09 07 07, Fax 49 09 19 40 – TV ☎ & P. AE GB AZ **a**
fermé Noël au Jour de l'An – 30 – **34 ch** 250/280.

Paris sans rest, 12 av. Paris ✆ 49 24 93 78, Fax 49 28 27 57 – TV ☎ 🚗. GB BY
fermé 22 déc. au 4 janv. – ☕ 35 – **44 ch** 180/300.

Avenue sans rest, 43 av. St-Jean-d'Angély ✆ 49 79 28 42, Fax 49 73 10 85 – TV
GB AZ
☕ 30 – **20 ch** 110/250.

XXX ✿ **Relais St-Antoine** (Cardin), pl. Brèche ✆ 49 24 02 76, Fax 49 24 79 11 – ▤. AE
GB BY
fermé vacances de Toussaint, de fév., sam. sauf le soir du 15 sept. au 15 juin et dim. – **Rep**
95 (déj.), 130/360 et carte 260 à 390, enf. 50
Spéc. Foie gras de canard du Poitou. Fricassée de langoustines à l'orange. Gibier (saison). Vins Anjou, Haut-Poitou

XXX **Belle Étoile,** 115 quai M. Métayer (près périph. ouest) -AY- O : 2,5 km ✆ 49 73 31 2
Fax 49 09 05 59, 余, 🌳 – P. AE ⓓ GB
fermé 1er au 15 août, dim. soir et lundi – **Repas** 135/410 bc et carte 250 à 320, enf. 89.

par ② : 5 km sur N 11 – ✉ **79180** Chauray :

Solana M sans rest, ✆ 49 33 33 33, Fax 49 33 33 33 – TV ☎ ♿ P – 🏛 30. AE ⓓ GB.
☕ 39 – **50 ch** 288/320.

XX **Victor,** 685 av. de Paris ✆ 49 33 13 70, Fax 49 33 31 00, 余 – ▤ P. AE ⓓ GB
fermé 5 au 11 août, sam. midi et dim. – **Repas** 75/200 ♫, enf. 50.

sur autoroute A 10 aire Les Ruralies ou accès de Niort par ③ et rte secondaire : 9 km
✉ **79230** Prahecq :

Les Ruralies M sans rest, ✆ 49 75 67 66, Fax 49 75 80 29 – |♦| ▤ TV ☎ ♿ P
🏛 25 à 50. AE ⓓ GB
La Mijotière (rest. d'autoroute) **Repas** 85/115 ♫, enf. 45 – ☕ 35 – **51 ch** 290/340.

rte de Saintes par ④ : 12 km – ✉ **79360** Granzay-Gript :

Domaine du Griffier M 🐦, ✆ 49 32 62 62, Fax 49 32 62 63, ←, 余, parc, 🏊 – TV ☎
P – 🏛 25 à 100. AE GB
fermé 24 déc. au 2 janv. – **Repas** 100 (déj.), 140/190 ♫, enf. 60 – ☕ 50 – **29 ch** 340/620
½ P 355/495.

rte de La Rochelle par ⑤ : 4,5 km sur N 11 – ✉ **79000** Niort :

Espace M sans rest, ✆ 49 09 08 07, Fax 49 09 16 07 – 🚭 TV ☎ ♿ P – 🏛 25. AE GB
☕ 30 – **33 ch** 260/280.

Reix H. M sans rest, ✆ 49 09 15 15, Fax 49 09 14 13, 🏊 – TV ☎ ♿ P. AE GB
fermé 21 déc. au 5 janv. – ☕ 30 – **36 ch** 260/300.

XXX **La Tuilerie,** ✆ 49 09 12 45, Fax 49 09 16 22, 余, 🏊, 🌳, 🎾 – P. AE GB
fermé août et dim. soir – **Repas** (déj. seul) 129/199 et carte 240 à 330 - ***Le Grill :*** (déj. se
Repas 98/149♫, enf. 35.

MICHELIN, Agence régionale, 11 r. J.B.-Colbert par ② ✆ 49 33 00 42

ALFA ROMEO Gar. de Paris, 55 bis r. Terraudière ✆ 49 24 72 40
BMW Gar. Tapy, 45 r. des Maisons Rouges, ZA ✆ 49 33 01 46 N ✆ 49 73 37 70
CITROEN Gar. Dupont, 362 av. de Limoges par ③ ✆ 49 24 12 85
CITROEN Niort Autom., Espace M.-France r. Cousinet par ② ✆ 49 17 85 00
FIAT Gar. Touzalin, 459 av. de Paris ✆ 49 33 00 55
FORD Gar. Genève, 119 av. de Nantes ✆ 49 77 23 90 N ✆ 49 73 55 10
LANCIA Gar. Beauchamp, ZC Mendès France r. Cail ✆ 49 24 25 05
MERCEDES S.A.V.I.A., r. Pied de Fond ZI St-Liguaire ✆ 49 73 41 90 N ✆ 05 24 24 30
OPEL Gar. Hurtaud, ZI Mendès-France ✆ 49 17 85 40
PEUGEOT Automobilis, ZI Mendès-France par ② ✆ 49 33 02 05 N ✆ 49 05 49 04
RENAULT Gar. St-Christophe, 214 av. de Paris par ② ✆ 49 33 34 22 N ✆ 05 05 15 15
VAG International Gar., ZI Mendès-France ✆ 49 73 01 23
Gar. **Aumonier,** 630 rte de Niort à Aiffres ✆ 49 32 02 57

Ⓜ Chouteau, 36 av. de Paris ✆ 49 24 68 81
Chouteau, 640 rte de Paris à Chauray ✆ 49 33 08 6
Pneu Plus Ouest Vulcopneu, r. Pied de Fond ZI St-Liguaire ✆ 49 09 03 38
Pneumatec, ZC des Trente-Ormeaux, r. Vaumorin ✆ 49 33 12 08
Woodman Pneus Services, 197 av. de St-Jean-d'Angély ✆ 49 79 38 51

NISSAN-LEZ-ENSÉRUNE 34440 Hérault 83 ⑭ G. Gorges du Tarn – 2 835 h alt. 21.

Voir Oppidum d'Ensérune★ : musée★, ←★ NO : 5 km.

🅸 Office de Tourisme 17 av. de Lespignan ✆ 67 37 14 12.

Paris 789 – ♦Montpellier 77 – Béziers 11 – Capestang 9 – Narbonne 16 – St-Pons-de-Thomières 49.

La Résidence, ✆ 67 37 00 63, Fax 67 37 68 63, 余 – ☎ 🚗. GB. 🚫
fermé nov. – **Repas** (dîner seul.) (résidents seul.) 90 bc/110 bc, enf. 50 – ☕ 35 – **18 c**
240/270 – ½ P 250.

When looking for a hotel or restaurant use the most efficient method.
Look for the names of towns underlined in red
on the Michelin maps scale: 1:200 000.

But make sure you have an up-to-date map!

NITRY 89310 Yonne 65 ⑥ – 336 h alt. 240.
aris 195 – Auxerre 32 – Avallon 22 – Vézelay 31.

Axis sans rest, échangeur A 6 ✆ 86 33 60 92, Fax 86 33 64 14 – TV ☎ ♿ P. AE GB
▭ 29 – **41 ch** 180/230.

Aub. la Beursaudière, ✆ 86 33 62 51, Fax 86 33 65 21, , « Cadre rustique » – P. AE ⓓ GB
Repas 115/230 ♁, enf. 48.

NOCÉ 61 Orne 60 ⑮ – rattaché à Bellême.

NOÉ 31410 H.-Gar. 82 ⑰ – 1 975 h alt. 198.
aris 730 – ◆Toulouse 37 – Auch 73 – Auterive 20 – Foix 60 – St-Gaudens 57 – St-Girons 67.

L'Arche, ✆ 61 87 40 12, Fax 61 87 06 67, – TV ☎ P. GB
Repas *(fermé vend.)* 75/150 ♁ – ▭ 32 – **19 ch** 160/280 – ½ P 195/230.

NOEUX-LES-MINES 62290 P.-de-C. 51 ⑭ – 12 351 h alt. 29.
aris 208 – ◆Lille 41 – Arras 25 – Béthune 6 – Bully-les-Mines 6,5 – Doullens 48 – Lens 16.

Les Tourterelles, 374 r. Nationale ✆ 21 66 90 75, Fax 21 26 98 98, – TV ☎ P. GB.
Repas *(fermé sam. midi, dim. soir et soirs fériés)* 115 (dîner), 135/240 – ▭ 35 – **18 ch** 220/350 – ½ P 225/290.

Paix, 115 r. Nationale ✆ 21 26 37 66 – AE GB
fermé 20 juil. au 20 août et sam. – **Repas** 90/180 ♁.

NOGARO 32110 Gers 82 ② – 2 008 h alt. 98.
aris 728 – Mont-de-Marsan 44 – Agen 86 – Auch 62 – Pau 71 – Tarbes 65.

Commerce, pl. Cordeliers ✆ 62 09 00 95, Fax 62 09 14 40, – TV ☎. GB.
fermé 20 déc. au 15 janv. et dim. soir hors sais. – **Repas** 60 bc/160 ♁, enf. 40 – ▭ 25 – **19 ch** 180/220 – ½ P 210.

CITROEN Gar. Bounet, ✆ 62 09 00 39 | RENAULT Gar. Ducourneau, ✆ 62 09 00 80

NOGENT 52800 H.-Marne 62 ⑫ **G. Champagne** – 4 754 h alt. 410.
aris 297 – Chaumont 24 – Bourbonne-les-Bains 36 – Langres 22 – Neufchâteau 54 – Vittel 64.

Commerce, pl. Gén. de Gaulle ✆ 25 31 81 14, Fax 25 31 74 00 – TV ☎ . GB
Repas *(fermé dim. soir du 1er nov. à Pâques)* 100/250 ♁, enf. 55 – ▭ 45 – **19 ch** 250/320 – ½ P 220/290.

PEUGEOT Gar. Ponce, ✆ 25 31 80 44

NOGENT-LE-ROI 28210 E.-et-L. 60 ⑧ 106 ㉖ **G. Ile de France** – 3 832 h alt. 93.
9 18 de Maintenon ✆ 37 27 18 09, SE : 8 km par D 983.
aris 74 – Chartres 26 – Ablis 32 – Dreux 18 – Maintenon 8 – Mantes-la-Jolie 47 – Rambouillet 27.

Relais des Remparts, 2 pl. Marché aux Légumes ✆ 37 51 40 47, – ⓓ GB
fermé 1er au 21 août, vacances de fév., dim. soir sauf juil.-août, mardi sauf le midi de sept. à juin et merc. – **Repas** 82/225 ♁, enf. 52.

OPEL Gar. Bento, 41 Gde rue à Coulombs ✆ 37 51 42 05 N ✆ 37 51 42 05
PEUGEOT Gar. Jeunesse, à Chaudon ✆ 37 51 41 47
RENAULT Gar. Bourinet, 19 r. de Verdun à Lormaye ✆ 37 51 42 95

NOGENT-LE-ROTROU SP 28400 E.-et-L. 60 ⑮ **G. Normandie Vallée de la Seine** – 11 591 h alt. 116.
18 du Perche ✆ 37 29 17 33, par ③ : 9 km.
Office de Tourisme 44 r. Villette-Gaté ✆ 37 52 22 16, Fax 37 52 39 45.
aris 153 ① – Alençon 65 ⑤ – ◆Le Mans 75 ④ – Chartres 54 ① – Châteaudun 53 ③ – Mortagne-au-Perche 36 ⑤.

Plan page suivante

Lion d'Or, 28 pl. St-Pol ✆ 37 52 01 60, Fax 37 52 23 82 – TV ☎ P. GB. ch Y r
fermé 3 au 23 août et 23 déc. au 3 janv. – **Repas** *(fermé dim. soir et lundi)* 110/270, enf. 68 – ▭ 39 – **14 ch** 270/380 – ½ P 300/350.

Sully M sans rest, 25 r. Clos Couronnet ✆ 37 52 15 14, Fax 37 52 15 20 – TV ☎ ♿. GB JCB Y s
fermé du 3 au 25 août et 21 déc. au 7 janv. – ▭ 35 – **42 ch** 250/270.

Host. de la Papotière, 3 r. Bourg le Comte ✆ 37 52 18 41, Fax 37 52 94 71, « Maison du 16e siècle » – P. AE GB Z a
fermé dim. soir et lundi – **Repas** 70/145.

à Villeray (61 Orne) par ① D 918 et D 10 : 11 km – ✉ **61110** Condeau :

Moulin de Villeray avec ch, ✆ 33 73 30 22, Fax 33 73 38 28, ≤, , « Parc au bord de l'Huisne », – TV ☎ P. AE ⓓ GB
Repas 145/330 et carte 240 à 340 – ▭ 65 – **18 ch** 650/1050 – ½ P 588/970.

NOGENT-LE-ROTROU

Villette-Gaté (R.) . . . . Y 25

Bouchers (R. des) . . . . Z 2
Bourg-le-Comte (R.) . . . . Z 3
Bretonnerie (R.) . . . . Z
Château-St-Jean (R.) . . . . Z
Croix-la-Comtesse (R.) . . . . Y 6
Deschanel (R.) . . . . YZ
Dr-Desplantes (R.) . . . . Z 8
Foch (Av. Mar.) . . . . Y 9
Fuye (R. de la) . . . . YZ 10
Giroust (R.) . . . . Y 12
Gouverneur (R.) . . . . YZ 13
Paty (R. du) . . . . Z 15
Poupardières (R. des) . . . . Z 16
Prés (Av. des) . . . . Y
République (Av. de la) . . . . Z 17
Rhône (R. de) . . . . Z 18
St-Hilaire (R.) . . . . Y
St-Laurent (R.) . . . . Z 20
St-Martin (R.) . . . . Y
Sully (R. de) . . . . YZ 23

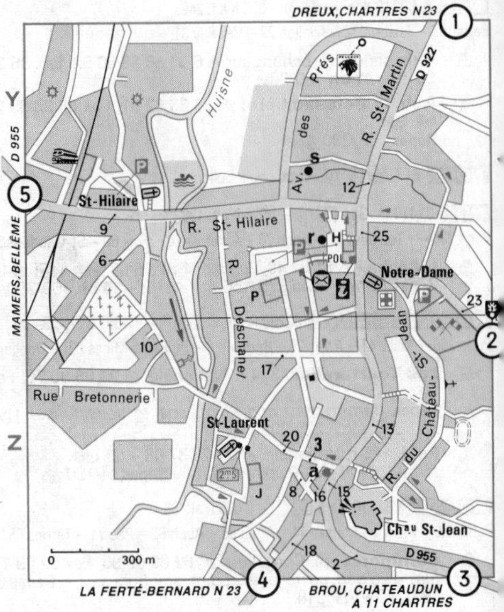

Si vous êtes retardé sur la route, dès 18 h, confirmez votre réservation par téléphone, c'est plus sûr... et c'est l'usage.

CITROEN Répar. Autos Nogentaise, rte d'Alençon par ⑤ ✆ 37 52 47 48 🅽 ✆ 37 52 42 84
FORD Gar. de l'Huisne, av. des Prés à Margon ✆ 37 52 05 97
PEUGEOT Gar. Thibault, av. des Prés à Margon Z ✆ 37 52 13 26
RENAULT Auto du Perche, 1 bis r. G.-Hayes par Centre Cial des Gauchetières Z ✆ 37 52 18 91
RENAULT N.A.S.A., av. de Paris à Margon par ① ✆ 37 52 58 70 🅽 ✆ 37 29 81 93
Perche Pneus, 1 r. du Croc Quartier Paty ✆ 37 52 33 70

NOGENT-SUR-AUBE **10240** Aube 61 ⑦ – 311 h alt. 99.
Paris 172 – Troyes 33 – Châlons-en-Champagne 65 – Romilly-sur-Seine 47.

XX **Assiette Champenoise,** D 441 ✆ 25 37 66 74, « Jardin fleuri ouvert sur la campagne » – P. GB
fermé le soir sauf vend., sam. et dim. – **Repas** 95/225, enf. 95.

PEUGEOT MCA Autom., 69 Gde rue ✆ 25 37 62 08 🅽 ✆ 25 37 62 03

NOGENT-SUR-MARNE **94** Val-de-Marne 56 ⑪, 101 ㉗ – voir Paris, Environs.

NOGENT-SUR-OISE **60** Oise 56 ① – rattaché à Creil.

NOGENT-SUR-SEINE SP **10400** Aube 61 ④ ⑤ **G. Champagne** – 5 505 h alt. 67.
Paris 104 – Troyes 49 – Châlons-en-Champagne 92 – Épernay 82 – Fontainebleau 66 – Provins 18 – Sens 40.

XX **Beau Rivage** avec ch, r. Villiers-aux-Choux, près piscine ✆ 25 39 84 22, Fax 25 39 18 32, – GB.
Repas *(fermé dim. soir et lundi sauf fériés)* 78/190 – 30 – **7 ch** 250/270 – ½ P 220.

XX **Aub. du Cygne de la Croix,** 22 r. Ponts ✆ 25 39 91 26, Fax 25 39 81 79, – GB
fermé 22 déc. au 5 janv. et dim. soir – **Repas** 75 bc/180.

à la Chapelle-Godefroy E : 3 km par N 19 – ✉ **10400** Nogent-sur-Seine :

XX **Host. du Moulin,** ✆ 25 39 88 32, parc – P. AE GB
fermé mardi soir et merc. soir – **Repas** 140/283, enf. 60.

CITROEN Gar. Legrand, 48 bis av. Pasteur ✆ 25 39 87 09 🅽 ✆ 25 39 05 98
PEUGEOT Gar. St-Laurent, 11 bis av. J.-C.-Perrier ✆ 25 39 83 17
RENAULT Gar. Corbin, 16-20 av. Gén.-de-Gaulle ✆ 25 39 84 39

NOGENT-SUR-VERNISSON **45290** Loiret 65 ② – 2 357 h alt. 125.
Paris 131 – Auxerre 78 – Bonny-sur-Loire 34 – Gien 21 – Montargis 17 – ♦Orléans 75.

X **Commerce,** ✆ 38 97 60 37 – GB
fermé 1er au 15 sept., vacances de fév., mardi soir, merc. soir et jeudi – **Repas** 68/175, enf. 50.

NOIRÉTABLE 42440 Loire 73 ⑯ **G. Auvergne** – 1 719 h alt. 720.

Syndicat d'Initiative pl. de la Condamine ✆ 77 24 93 04.

Paris 485 – Roanne 45 – Ambert 49 – ♦Lyon 112 – Montbrison 45 – ♦St-Étienne 88 – Thiers 24.

Au Rendez-vous des Chasseurs, O : 2 km par D 53 ✆ 77 24 72 51, Fax 77 24 93 40 – TV ☎ P. GB
fermé 14 sept. au 8 oct., vacances de fév., dim. soir et lundi d'oct. à juin – **Repas** 63/200 – ☕ 30 – **14 ch** 125/215 – ½ P 165/215.

RENAULT Gar. Dejob, ✆ 77 24 70 31 N ✆ 77 24 70 31

NOIRMOUTIER (Ile de) 85 Vendée 67 ① **G. Poitou Vendée Charentes** – alt. 8.

Accès : par le pont routier au départ de Fromentine : Passage gratuit.

par le passage du Gois : 4,5 km.

pendant le premier ou le dernier quartier de la lune par beau temps (vents hauts) d'une heure et demie environ avant la basse mer, à une heure et demie environ après la basse mer.

pendant la pleine lune ou la nouvelle lune par temps normal : deux heures avant la basse mer deux heures après la basse mer.

en toutes périodes par mauvais temps (vents bas) ne pas s'écarter de l'heure de la basse mer.

La Barbatre 85630 – 1 269 h alt. 5.

Paris 463 – ♦Nantes 77 – La Roche-sur-Yon 77 – Cholet 116.

Bistrot des Iles, Pointe de la Fosse ✆ 51 39 68 95, Fax 51 35 80 64, ≤, – P. GB
15 fév.-15 nov. et fermé merc. soir et mardi sauf juil.-août – **Repas** 75/148 .

L'Épine – 1 653 h alt. 2 – ✉ 85740.

Paris 471 – ♦Nantes 87 – La Roche-sur-Yon 84 – Cholet 126 – Noirmoutier-en-l'Ile 3.

Punta Lara , S : 2 km par D 95 et rte secondaire ✉ 85680 La Guérinière ✆ 51 39 11 58, Fax 51 39 69 12, ≤, , parc, « Dans une pinède en bordure de mer », , , – ☎ P – 100. AE ① GB
15 mars-31 oct. – **Repas** 145 (déj.)/195 – ☕ 65 – **63 ch** 690/805 – ½ P 565/590.

Noirmoutier-en-l'Ile – 4 846 h alt. 8 – ✉ 85330.

Voir Collection de faïences anglaises★ au château.

Office de Tourisme, annexe : quai J.-Bart (juin-sept. et vacances scolaires) ✆ 51 39 12 42.

Paris 471 – ♦Nantes 88 – La Roche-sur-Yon 85 – Cholet 127.

Fleur de Sel M , ✆ 51 39 21 59, Fax 51 39 75 66, , « Jardin fleuri », , – TV ☎ P – 25. AE GB
17 fév.-2 nov. – **Repas** *(fermé lundi midi)* 128/168, enf. 70 – ☕ 50 – **35 ch** 450/620 – ½ P 475/525.

Les Douves, 11 r. Douves ✆ 51 39 02 72, Fax 51 39 73 09, – TV ☎ P – 25. AE ① GB
fermé 3 janv. au 3 fév. – **Repas** 99/184, enf. 52 – ☕ 35 – **22 ch** 420 – ½ P 368.

L'Etier, rte Épine SO : 1 km ✆ 51 39 10 28 – P. AE GB
fév.-1er nov. et fermé lundi sauf fériés – **Repas** 70/160, enf. 45.

Le Grand Four, 1 r. Cure (derrière le Château) ✆ 51 39 61 97, Fax 51 39 61 97 – AE GB
fermé 20 nov. au 15 déc., 3 janv. au 15 fév., dim. soir et lundi du 1er oct. au 30 mars – **Repas** 99 bc/286.

Côté Jardin, 1 bis r. Grand Four (derrière le château) ✆ 51 39 03 02, Fax 51 39 24 46 – AE GB
fermé 15 janv. au 15 fév., jeudi soir, dim. soir et lundi hors sais. – **Repas** 88/189, enf. 40.

au Bois de la Chaize E : 2 km – ✉ 85330 Noirmoutier.

Voir Bois★.

Les Prateaux , ✆ 51 39 12 52, Fax 51 39 46 28, – TV ☎ P. AE ① GB. ch
15 nov.-15 fév. – **Repas** 150/300 – ☕ 60 – **22 ch** 430/766 – ½ P 410/615.

St-Paul , ✆ 51 39 05 63, Fax 51 39 73 98, , « Beau jardin », , – TV ☎. AE GB. rest
hôtel : 15 fév.-3 nov. ; rest. : 15 mars-3 nov. – **Repas** 175/315 – ☕ 48 – **37 ch** 490/650 – ½ P 625/680.

Les Capucines (annexe -11 ch), ✆ 51 39 06 82, Fax 51 39 33 10, – TV ☎ P. AE ① GB. ch
16 fév.-13 nov. et fermé merc. sauf du 1er avril au 30 sept. – **Repas** 59 bc (déj.), 75/175, enf. 48 – ☕ 36 – **21 ch** 330/410 – ½ P 265/360.

NOISY-LE-GRAND 93 Seine-St-Denis 56 ⑪, 101 ⑱ – voir à Paris, Environs.

NOIZAY 37 I.-et-L. 64 ⑮ – rattaché à Vouvray.

Une réservation confirmée par écrit est toujours plus sûre.

NOLAY 21340 Côte-d'Or 69 ⑨ **G. Bourgogne** – 1 551 h alt. 299.

Voir site★ du Château de la Rochepot E : 5 km – Site★ du Cirque du Bout-du-Monde NE : 5 km

Office de Tourisme Maison des Halles (juil.-août) ✆ 80 21 80 73 et 80 21 70 86.

Paris 314 – Chalon-sur-Saône 34 – Autun 28 – Beaune 20 – ◆Dijon 64.

Parc, pl. H. de Ville ✆ 80 21 84 01, Fax 80 21 86 39, – . GB. rest
15 mars-30 nov. – **Repas** 95/380 bc, enf. 70 – 35 – **14 ch** 232/394 – ½ P 251/332.

Le Burgonde, 35 r. République ✆ 80 21 71 25, Fax 80 21 88 06 – AE GB
fermé 4 au 11 mars, 1er au 15 janv. et lundi sauf du 1er juil. au 15 août – **Repas** 79/22
enf. 50.

Les NONIÈRES 26 Drôme 77 ⑭ – ✉ 26410 Châtillon-en-Diois.

Env. Cirque d'Archiane★★ O : 9;5 km, **G. Alpes du Sud.**

Paris 642 – Die 25 – Gap 85 – ◆Grenoble 72 – Valence 91.

Le Mont-Barral, ✆ 75 21 12 21, Fax 75 21 12 70, ←, , , , – – 2
GB
fermé 15 nov. au 25 déc., lundi soir et mardi sauf du 15 juin au 10 sept. – **Repas** 85/180
36 – **22 ch** 235/275 – ½ P 238/278.

NONTRON 24300 Dordogne 72 ⑮ **G. Berry Limousin** – 3 558 h alt. 260.

Syndicat d'Initiative r. Verdun ✆ 53 56 25 50.

Paris 465 – Angoulême 45 – Libourne 119 – ◆Limoges 66 – Périgueux 51 – Rochechouart 42.

Gd Hôtel, 3 pl. A. Agard ✆ 53 56 11 22, Fax 53 56 59 94, , , – – 10
GB JCB
fermé dim. soir de nov. à mars – **Repas** 80/260, enf. 55 – 34 – **26ch** 180/320
½ P 220/350.

CITROEN Gar. Limousin, ✆ 53 56 01 42 PEUGEOT Gar. Bayer, ✆ 53 56 00 21

NORT-SUR-ERDRE 44390 Loire-Atl. 63 ⑰ – 5 362 h alt. 13.

Paris 374 – ◆Nantes 32 – Ancenis 27 – Châteaubriant 35 – ◆Rennes 82 – St-Nazaire 61.

Bretagne M avec ch, 41 r. A. Briand ✆ 40 72 21 95, Fax 40 72 25 07, , –
GB. ch
fermé vacances de fév., dim. soir et lundi – **Repas** 78/240, enf. 45 – 32 – **7 ch** 205/280
½ P 235.

NORVILLE 76330 S.-Mar. 55 ⑤ – 827 h alt. 50.

Voir Château d'Etelan★ S : 1 km, **G. Normandie Vallée de la Seine.**

Paris 177 – ◆Le Havre 45 – ◆Rouen 45 – Bolbec 19 – Honfleur 44 – Lisieux 73.

Aub. de Norville avec ch, ✆ 35 39 91 14, Fax 35 38 47 08 – . GB
Repas *(fermé dim. soir et lundi)* 70 bc/195 – 25 – **10 ch** 190/240.

NOTRE-DAME-DE-BELLECOMBE 73590 Savoie 74 ⑦ **G. Alpes du Nord** – 459 h alt. 1150 – Sports d'hiver : 1 150/2 030 m 18.

Office de Tourisme ✆ 79 31 61 40, Fax 79 31 67 09.

Paris 592 – Chamonix-Mont-Blanc 45 – Albertville 24 – Annecy 53 – Bonneville 52 – Chambéry 74 – Megève 11.

Le Tétras, rte Saisies E : 4 km ✆ 79 31 61 70, Fax 79 31 77 31, ←, – . AE
GB JCB
25 mai-28 sept. et 14 déc.-26 avril – **Repas** 78/148, enf. 48 – 43 – **22 ch** 360/450
½ P 455.

NOTRE-DAME-DE-BONDEVILLE 76 S.-Mar. 55 ⑥ – rattaché à Rouen.

NOTRE-DAME-DE-GRAVENCHON 76330 S.-Mar. 55 ⑤ **G. Normandie Vallée de la Seine** – 8 901 h alt. 35.

Paris 182 – ◆Le Havre 40 – ◆Rouen 50 – Bolbec 14 – Yvetot 24.

Pascal Saunier, 1 r. Amiral Grasset ✆ 35 38 60 67, Fax 35 38 30 64, –
AE GB JCB
Repas *(fermé dim. soir)* 100/290 – **28 ch** 330/400 – ½ P 450.

PEUGEOT Gar. Patin, r. H.-Dunant ✆ 35 38 64 17 RENAULT Gar. Poret, r. D.-Papin ZI ✆ 35 38 62 38

NOTRE-DAME-DE-MONTS 85690 Vendée 67 ⑪ – 1 333 h alt. 6.

Voir La Barre-de-Monts : Centre de découverte du Marais breton-vendéen N : 6 km **G. Poitou Vendée Charentes.**

Paris 458 – La Roche-sur-Yon 62 – Challans 21 – ◆Nantes 72 – Noirmoutier-en-l'Ile 25 – Pornic 45.

Plage, ✆ 51 58 83 09, Fax 51 58 97 12, ←, – . AE GB JCB
1er avril-1er nov. – **Repas** 98/218, enf. 49 – 42 – **49ch** 220/462 – ½ P 308/420.

Centre, pl. Église ✆ 51 58 83 05, Fax 51 59 16 62 – . AE GB
fermé 20 déc. au 20 janv. – **Repas** 68/235, enf. 47 – 35 – **19 ch** 220/280 – ½ P 280.

NOTRE-DAME-DU-HAMEL 27390 Eure 55 ⑭ – 186 h alt. 200.

Paris 155 – L'Aigle 20 – Argentan 52 – Bernay 28 – Évreux 53 – Lisieux 40 – Vimoutiers 29.

XX **La Marigotière,** ✆ 32 44 58 11, Fax 32 44 78 62, « Parc en bordure de rivière » – P. GB
fermé vacances de Noël, de fév., dim. soir, mardi soir et merc. – **Repas** 145/330.

NOUAN-LE-FUZELIER 41600 L.-et-Ch. 64 ⑲ – 2 274 h alt. 113.

Office de Tourisme 29 r. du Bourg Neuf ✆ 54 88 76 75.

Paris 177 – ♦Orléans 44 – Blois 58 – Cosne-sur-Loire 71 – Gien 55 – Lamotte-Beuvron 8 – Salbris 12.

Charmilles sans rest, D 122 - rte Pierrefitte-sur-Sauldre ✆ 54 88 73 55, « Parc » – TV ☎ P. GB.
15 mars-15 déc. – 40 – **13 ch** 220/380.

Moulin de Villiers, rte Chaon NE : 3 km par D 44 ✆ 54 88 72 27, Fax 54 88 78 87, ←, « En forêt, étang privé », – TV ☎ P. GB.
fermé 1er au 15 sept. ,8 janv. au 15 mars, mardi soir et merc. en nov. et déc. – **Repas** 78/190 – 40 – **19 ch** 200/360 – ½ P 240/420.

XX **Le Dahu,** 14 r. H. Chapron ✆ 54 88 72 88, « Jardin » – P. AE GB
fermé 10 fév. au 20 mars, mardi soir et merc. sauf juil.-août – **Repas** 125/240, enf. 68.

XX **Le Raboliot,** av. Mairie ✆ 54 88 70 67, Fax 54 88 77 86 – AE GB
fermé 14 janv. au 21 fév., mardi soir de déc. à mars et merc. – **Repas** 82/220, enf. 50.

à St Viâtre : O : 8 km par D 93 – 1 063 h. alt. 107 – ✉ **41210** :

XX **Aub.de la Chichone** avec ch, pl. Eglise ✆ 54 88 91 33, Fax 54 96 18 06, – TV ☎. AE GB
fermé mars, mardi soir et merc. – **Repas** 85/195, enf. 60 – 38 – **7 ch** 290/320 – ½ P 390.

Le Guide change, changez de guide tous les ans.

Le NOUVION-EN-THIÉRACHE 02170 Aisne 53 ⑮ – 2 905 h alt. 185.

Paris 194 – St-Quentin 48 – Avesnes-sur-Helpe 21 – Le Cateau 19 – Guise 21 – Hirson 26 – Laon 62 – Vervins 27.

Paix, r. J. Vimont-Vicary ✆ 23 97 04 55, Fax 23 98 98 39, – TV ☎ P. GB
fermé 20 juil. au 7 août, vacances de fév., lundi (sauf hôtel) et dim. soir – **Repas** 88/230 – 35 – **16 ch** 150/275 – ½ P 190/255.

NOUZERINES 23 Creuse 68 ⑳ – rattaché à Boussac.

NOUZONVILLE 08700 Ardennes 53 ⑱ **G. Champagne** – 6 970 h alt. 120.

Paris 242 – Charleville-Mézières 7 – Givet 53 – Rocroi 26.

XX **La Potinière,** N : 1 km rte Joigny-sur-Meuse ✆ 24 53 13 88, Fax 24 53 36 19, « Jardin fleuri » – P. GB
fermé 19 août au 2 sept., vacances de fév., dim. soir et lundi – **Repas** 90/230.

CITROEN Gar. Brunet, 14 bd J.-B.-Clément ✆ 24 53 82 08 N ✆ 24 52 91 13

NOVALAISE 73 Savoie 74 ⑮ – rattaché à Aiguebelette-le-Lac.

NOVES 13550 B.-du-R. 81 ⑫ **G. Provence** – 4 021 h alt. 97.

Paris 691 – Avignon 12 – Arles 37 – Carpentras 25 – Cavaillon 18 – ♦Marseille 86 – Orange 35.

✿ **Aub. de Noves** (Lalleman), rte Châteaurenard, 2 km par D 28 ✆ 90 94 19 21, Télex 431312, Fax 90 94 47 76, ←, « Belle demeure dans un parc », – TV ☎ P – 40. AE GB JCB
Repas (fermé dim. soir et lundi hors sais.) 220/445 et carte 370 à 470, enf. 140 – 100 – **19 ch** 1150/1500, 4 appart – ½ P 1120/1295
Spéc. Soufflé d'ail doux sur "petits gris". Carré d'agneau des Alpilles à la crème de romarin. Crèpes fourrées à la pomme d'amour. **Vins** Châteauneuf-du-Pape blanc.

NOYAL-SUR-VILAINE 35 I.-et-V. 59 ⑰ – rattaché à Rennes.

NOYON 60400 Oise 56 ③ **G. Flandres Artois Picardie** (plan) – 14 426 h alt. 52.

Voir Cathédrale★★ – Abbaye d'Ourscamps★ 5 km par N 32.

Env. Blérancourt : musée national de la coopération franco-américaine SE : 14 km.

Office de Tourisme pl. Hôtel de Ville ✆ 44 44 21 88, Fax 44 44 00 70.

Paris 104 – Compiègne 22 – St-Quentin 38 – ♦Amiens 65 – Laon 52 – Péronne 43 – Soissons 37.

LeCèdre M, 8 r. Évêché ✆ 44 44 23 24, Fax 44 09 53 79, – TV ☎ & P – 60. AE GB
Repas 75/120, enf. 55 – 38 – **34 ch** 290/350 – ½ P 250.

XXX **Saint-Eloi** avec ch, 81 bd Carnot ✆ 44 44 01 49, Fax 44 09 20 90 – TV ☎ P – 80. AE GB
fermé 29 juil. au 11 août et dim. soir – **Repas** 130/200 et carte 210 à 300 – 45 – **22 ch** 220/290 – ½ P 290/330.

XX **Dame Journe,** 2 bd Mony ✆ 44 44 01 33, Fax 44 09 59 68 – AE GB
fermé 16 au 30 août, 2 au 9 janv., dim. soir, lundi soir et mardi soir – **Repas** 78/220.

à Pont l'Évêque S : 3 km par N 32 et D 165 – 659 h. alt. 35 – ✉ **60400** :

XX **L'Auberge,** ☎ 44 44 05 17, ☂, ⚐ – ℗. GB
fermé 4 au 10 mars, 25 au 31 août, dim. soir, mardi soir et lundi – **Repas** 75 (déj.), 105/310

CITROEN Gar. Wargnier, 15 av. J.-Jaurès ☎ 44 44 05 40 N ☎ 44 44 05 40
PEUGEOT Gd Gar. de l'Avenue, 69 av. J.-Jaurès ☎ 44 93 37 00 N ☎ 44 93 37 10
VAG Gar. Thiry, 82 bd Carnot ☎ 44 44 02 78
Euromaster, 5 bd E.-Noël ☎ 44 44 01 59

NUAILLÉ 49 M.-et-L. 67 ⑥ – rattaché à Cholet.

NUCES 12 Aveyron 80 ② – rattaché à Valady.

NUITS-ST-GEORGES 21700 Côte-d'Or 66 ⑫ **G. Bourgogne** – 5 569 h alt. 243.

Office de Tourisme r. Sonoys ☎ 80 61 22 47, Fax 80 61 30 98.

Paris 321 – ◆Dijon 22 – Beaune 21 – Chalon-sur-Saône 44 – Dole 66.

Host. St-Vincent M, r. Gén. de Gaulle ☎ 80 61 14 91, Fax 80 61 24 65, ☂ – ▮ TV ☎ ♿ ℗ – 🏛 25 à 40. AE ⓓ GB JCB
fermé 24 au 31 déc. – **Repas** *(fermé mardi midi et lundi)* 120/250 – ☕ 55 – **23 ch** 360/390.

La Gentilhommière 🔇, rte Meuilley O : 1,5 km ☎ 80 61 12 06, Fax 80 61 30 33, ☂ « Parc avec rivière », 🏊, 🎾 – TV ☎ ℗ – 🏛 30. AE ⓓ GB JCB
fermé mi-déc. à mi-janv. – **Repas** *(fermé merc. midi et mardi)* 140 (déj.), 195/270 – ☕ 50 – **20 ch** 390.

XXX **Côte d'Or** avec ch, r. Thurot ☎ 80 61 06 10, Fax 80 61 36 24 – TV ☎. AE ⓓ GB
fermé 1er au 15 août, 1er au 23 fév., jeudi midi et merc. – **Repas** 150 (déj.), 190/260 et carte 240 à 360 – ☕ 50 – **7 ch** 350/490.

X **Au Bois de Charmois,** rte Meuilley O : 3 km ☎ 80 61 04 79, ☂ – GB
fermé vacances de fév., dim. soir du 30 nov. au 1er mars et lundi – **Repas** 56 bc (déj.), 70/220 🍷.

à l'échangeur Autoroute A 31 - carrefour de l'Europe – ✉ **21700** Nuits-St-Georges :

St Georges (annexe M 17 ch.), ☎ 80 61 15 00, Fax 80 61 23 80, ☂, 🏊 – ▤ rest TV ☎ ♿ ℗ – 🏛 30. AE ⓓ GB
Repas 95/180 🍷, enf. 50 – ☕ 42 – **47 ch** 280/360 – ½ P 280/305.

à Curtil-Vergy NO : 7 km par D 25, D 35 et rte secondaire – 78 h. alt. 350 – ✉ **21220** :

Le Manassès M 🔇 sans rest, ☎ 80 61 43 81, Fax 80 61 42 79, ←, « Musée de la vigne et du vin », ⚐ – ▤ TV ☎ ℗. GB
1er mars-30 nov. – ☕ 50 – **7 ch** 400.

X **Aub. La Ruellée,** ☎ 80 61 44 11, ☂ – ℗. GB
fermé déc. et lundi midi – **Repas** 68/140.

CITROEN Gar.Blondeau, ☎ 80 61 02 40 N ☎ 80 61 02 40
MERCEDES Gar. Aubin, ☎ 80 61 03 85
PEUGEOT Gar. des Gds Crus, ☎ 80 61 02 23 N ☎ 80 61 02 23
RENAULT Gar. Montelle, ☎ 80 61 06 31
RENAULT Gar. Meunier, ☎ 80 61 10 43

NYONS SP 26110 Drôme 81 ③ **G. Provence** – 6 353 h alt. 271.

Voir Rue des Grands Forts★ – Pont Roman★.

Office de Tourisme pl. Libération ☎ 75 26 10 35, Fax 75 26 01 57.

Paris 656 ④ – Alès 106 ③ – Gap 105 ① – Orange 42 ③ – Sisteron 98 ① – Valence 96 ④.

Plan page ci-contre

Colombet, pl. Libération **(a)** ☎ 75 26 03 66, Fax 75 26 42 37 – ▮ ▤ TV ☎ ✆ 🚗. GB
fermé 12 nov. au 7 janv. – **Repas** 97/240, enf. 66 – ☕ 39 – **27 ch** 180/480 – ½ P 240/330.

Caravelle 🔇 sans rest, r. Antignans par prom. Digue ☎ 75 26 07 44, Fax 75 26 23 79, ⚐ – TV ☎ P. GB
fermé 3 au 30 nov. et 7 au 28 fév. – ☕ 48 – **11 ch** 278/415.

La Picholine 🔇, prom. Perrière par prom. des Anglais N : 1 km ☎ 75 26 06 21, Fax 75 26 40 72, ←, ☂, 🏊, ⚐ – TV ☎ P. GB
fermé 25 oct. au 5 nov. et fév. – **Repas** *(fermé lundi soir d'oct. à mai et mardi)* 125/195 – ☕ 42 – **16 ch** 280/375 – ½ P 315/365.

XX **Le Petit Caveau,** 9 r. V. Hugo **(u)** ☎ 75 26 20 21 – ▤. AE GB
fermé déc., dim. soir et lundi – **Repas** 140/170, enf. 70.

rte de Gap par ① : 7 km sur D 94 – ✉ **26110** Nyons :

XX **La Charrette Bleue,** ☎ 75 27 72 33, Fax 75 26 05 72, ☂ – ℗. GB
fermé 12 au 18 déc., 6 janv. au 6 fév., mardi soir sauf juil-août et merc. – **Repas** 89/166, enf. 46.

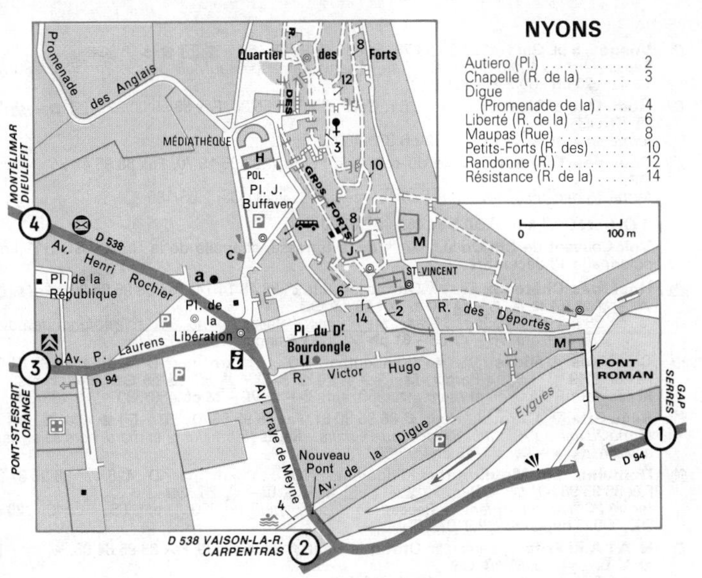

rte d'Orange par ③ : 6 km sur D 94 – ✉ **26110** Nyons :

XX **Croisée des Chemins,** ☎ 75 27 61 19, Fax 75 27 68 55, ☂ – P. GB
fermé 24 au 29 juin, 2 au 7 sept., 20 nov. au 7 déc., jeudi soir et vend. – **Repas** 85 (déj.), 110/210, enf. 45.

CITROEN Central Gar., ☎ 75 26 12 11 N ☎ 75 26 12 11

OBERHASLACH 67280 B.-Rhin 62 ⑨ **G. Alsace Lorraine** – 1 333 h alt. 270.

Paris 480 – ◆Strasbourg 35 – Molsheim 14 – Saverne 31 – St-Dié 56.

Host. St-Florent M, ☎ 88 50 94 10, Fax 88 50 99 61 – |$| ≡ rest TV ☎ ✆ ♿ P – 🏃 40. AE ⦿ GB JCB. ✗ ch
fermé 1er janv. au 28 fév., dim. soir et lundi sauf hôtel en sais. – **Repas** 85/250 🍷 – ☕ 38 – **20 ch** 225/300 – ½ P 265.

Ruines du Nideck, ☎ 88 50 90 14, Fax 88 50 93 58, ☂ – TV ☎ ✆ P. GB. ✗ rest
fermé 2 au 25 janv., mardi soir et merc. (sauf hôtel du 1er avril au 11 nov.) – **Repas** 120/220 🍷, enf. 50 – ☕ 37 – **14 ch** 240/320 – ½ P 250/280.

OBERNAI 67210 B.-Rhin 62 ⑨ **G. Alsace Lorraine** (plan) – 9 610 h alt. 185.

Voir Place du Marché★★ – Hôtel de ville★ – Tour de la Chapelle★ – Ancienne halle aux blés★ – Maisons anciennes★ – Place★ de Boersch NO : 4 km.

🅘 Office de Tourisme Chapelle du Beffroi ☎ 88 95 64 13, Fax 88 49 90 84.

Paris 488 – ◆Strasbourg 31 – Colmar 47 – Erstein 14 – Molsheim 11,5 – Sélestat 25.

Parc M 🐁, 169r. Gén. Gouraud ☎ 88 95 50 08, Fax 88 95 37 29, ☂, Fб, 🏊, 🏊, ☂ – |$| ≡ rest TV ☎ ♿ P – 🏃 60 à 120. AE GB
fermé 1er au 7 juil. et déc. – **Repas** *(fermé dim. soir et lundi)* 200/365, enf. 95 – ☕ 70 – **50 ch** 570/1090, 3 appart, 3 duplex – ½ P 520/750.

A la Cour d'Alsace M 🐁, 3 r. Gail ☎ 88 95 07 00, Fax 88 95 19 21, ☂, ☂ – |$| TV ☎ ♿ P – 🏃 50. AE ⦿ GB
hôtel : fermé 23 déc. au 9 janv. – ***Le Jardin des Remparts*** *(fermé 23/7 au 15/8, 23/12 au 9/1, sam. midi, dim. soir et lundi)* **Repas** 160(déj.)198/365, enf. 80 – ***Le Caveau de Gail*** *(fermé 23 déc. au 9 janv.)* **Repas** 115/190 🍷, enf. 80 – ☕ 55 – **43 ch** 650/800 – ½ P 600.

Gd Hôtel, r. Dietrich ☎ 88 95 51 28, Fax 88 95 50 93 – |$| TV ☎ – 🏃 80. AE ⦿ GB. ✗
fermé 20 déc. au 5 janv. et 8 au 24 fév. – **Repas** *(fermé dim. soir et lundi)* 105 bc/215 🍷, enf. 67 – ☕ 40 – **22 ch** 295/410 – ½ P 370.

Les Jardins d'Adalric M 🐁 sans rest, r. Mar. Koenig ☎ 88 49 90 90, Fax 88 49 91 80, 🏊, ☂ – |$| ⇔ TV ☎ ♿ P – 🏃 25. AE ⦿ GB
☕ 42 – **46 ch** 300/370.

La Diligence sans rest, 23 pl. Mairie ☎ 88 95 55 69, Fax 88 95 42 46 – |$| TV ☎ ✆ P. AE GB – ☕ 48 – **41 ch** 237/400.

Annexe Résidence Bel Air 🏠 🐁 sans rest, à 1 km – TV ☎ ✆ 🚗 P
☕ 48 – **15 ch** 277/317.

Vosges, 5 pl. Gare ☏ 88 95 53 78, Fax 88 49 92 65, – |‡| TV ☎ ♿ P. GB
Repas *(fermé 24 juin au 8 juil., 7 au 31 janv., dim. soir sauf juil.-août et lundi)* 82/290 – 42 – **20 ch** 260/300 – ½ P 310.

Host. Duc d'Alsace sans rest, 6 r. Gare ☏ 88 95 55 34, Fax 88 95 00 92 – TV ☎ – 25 AE ⓓ GB
fermé janv. et fév. – 45 – **19 ch** 320/460.

XX **Cour des Tanneurs,** ruelle du canal de l'Ehn ☏ 88 95 15 70, Fax 88 95 43 84 – GB
fermé 18 déc. au 8 janv., mardi soir et merc. – **Repas** 60 (déj.), 85/185.

à Ottrott O : 4 km – 1 501 h. alt. 268 – ✉ 67530 .

Voir Couvent de Ste-Odile : ※★★ de la terrasse, chapelle de la Croix★ SO : 11 km pèlerinage 13 décembre.

Host. des Châteaux M, Ottrott-le-Haut ☏ 88 48 14 14, Fax 88 95 95 20, ←, – |‡| TV ☎ ♿ P – 30 à 100. AE ⓓ GB
fermé 28 juil. au 7 août et 31 janv. au 1er mars – **Repas** *(fermé dim. soir et lundi de nov. janv.)* 170/450, enf. 76 – 65 – **61 ch** 440/690, 6 appart – ½ P 505/775.

Clos des Délices M, rte Klingenthal NO : 1 km par D 426 ☏ 88 95 81 00 Fax 88 95 97 71, « Parc », – |‡| TV ☎ ♿ P – 80. AE ⓓ GB JCB. ※ rest
Repas *(fermé dim. soir et merc.)* 120/380, enf. 85 – 70 – **23 ch** 480/680 – ½ P 480/520.

Beau Site M, Ottrott-le-Haut ☏ 88 95 80 61, Fax 88 95 86 41, – TV ☎ P. GB
fermé 28 juil. au 7 août et 31 janv. au 1er mars – **Repas** *(fermé lundi et mardi hors sais.)* cart environ 260 – 50 – **15 ch** 290/600.

Domaine Le Moulin, rte Klingenthal NO : 1 km par D 426 ☏ 88 95 87 33 Fax 88 95 98 03, « Parc », – |‡| TV ☎ ♿ P – 25. GB
fermé 20 déc. au 15 janv. – **Repas** *(fermé sam. midi)* 110/250, enf. 65 – 40 – **20 ch** 290/390, 3 duplex – ½ P 310/350.

H. A l'Ami Fritz sans rest, Ottrott-le-Haut ☏ 88 95 87 39, Fax 88 95 84 85, ←, – TV ☎ P – 25. AE ⓓ GB
fermé 4 au 24 janv. – 45 – **17 ch** 265/355.

XX **Rest. A l'Ami Fritz,** Ottrott-le-Haut ☏ 88 95 80 81, Fax 88 95 84 85, – P. AE ⓓ GB
fermé 4 au 24 janv. et merc. – **Repas** 125/295, enf. 45.

à Boersch O : 4 km par D 322 – 1 892 h. alt. 225 – ✉ 67530 :

XX **Le Chatelain,** ☏ 88 95 83 33, Fax 88 95 80 63, – P. AE ⓓ GB JCB
Repas 85/290, enf. 50.

CITROEN Gar. Dagorn, 24 A r. Gén.-Gouraud ☏ 88 95 52 78
FIAT, LANCIA Gar. Haus, r. Gén.-Leclerc ☏ 88 95 53 72 N ☏ 88 95 53 72
NISSAN, OPEL Gar. Keller, r. de l'Artisanat ZA Sud ☏ 88 95 47 47 N ☏ 88 95 01 91
NISSAN, VOLVO Gar. Gruss, 202 A r. Gén.-Gouraud ☏ 88 95 58 48
PEUGEOT Gillmann-Auto, 10 r. Gén.-Gouraud ☏ 88 49 98 98
RENAULT Wietrich Auto, ZA Sud - r. de l'Artisanat ☏ 88 95 36 36 N ☏ 88 49 38 88

OBERSTEIGEN 67 B.-Rhin 62 ⑧ G. Alsace Lorraine – ✉ 67710 Wangenbourg.

Voir Vallée de la Mossig★ E : 2 km.

Paris 460 – ◆Strasbourg 38 – Molsheim 27 – Sarrebourg 31 – Saverne 16 – Wasselonne 12.

Host. Belle Vue , ☏ 88 87 32 39, Fax 88 87 37 77, ←, – |‡| TV ☎ P – 25 à 40. GB. ※ rest
fermé 5 janv. au 31 mars, dim. soir et lundi hors sais. – **Repas** 100/300, enf. 60 – 50 – **32 ch** 300/380, 6 appart – ½ P 380/480.

OBERSTEINBACH 67510 B.-Rhin 57 ⑱ ⑲ G. Alsace Lorraine – 199 h alt. 239.

Paris 460 – ◆Strasbourg 64 – Bitche 22 – Haguenau 37 – Wissembourg 26.

XXX **Anthon** avec ch, ☏ 88 09 55 01, Fax 88 09 50 52, – ☎ P. GB
fermé janv., mardi et merc. – **Repas** 115/340 et carte 270 à 370, enf. 70 – 50 – **9 ch** 260/290.

OBJAT 19130 Corrèze 75 ⑧ – 3 163 h alt. 131.

Paris 473 – Brive-la-Gaillarde 19 – Arnac-Pompadour 21 – ◆Limoges 80 – Tulle 44 – Uzerche 29.

France, av. G.-Clemenceau ☏ 55 25 80 38, Fax 55 25 91 87 – rest ☎ P. GB
fermé 20 sept. au 3 oct. et dim. hors sais. – **Repas** 75/220, enf. 45 – 35 – **30 ch** 130/220 – ½ P 180/230.

XX **Pré Fleuri,** rte Pompadour ☏ 55 84 13 46, – GB
fermé 20 août au 4 sept., 27 janv. au 10 fév., dim. soir hors sais. et lundi – **Repas** 75/150.

X **Chez Tony,** pl. Gare ☏ 55 25 02 23 – GB. ※
fermé juin, dim. soir et lundi – **Repas** 80/190, enf. 45.

à St-Aulaire par rte des 4 Chemins : 3 km – 707 h. alt. 251 – ✉ 19130 :

Bellevue , ☏ 55 25 81 39, Fax 55 84 12 01, ←, – ☎ P. AE ⓓ GB. ※ ch
fermé janv. – **Repas** *(fermé vend. soir et sam. midi hors sais.)* 65/130, enf. 35 – 30 – **9 ch** 150/270 – ½ P 240/260.

OCHIAZ 01 Ain 74 ⑤ – rattaché à Bellegarde-sur-Valserine.

OCTON 34800 Hérault 83 ⑤ – 350 h alt. 185.

Paris 727 – ♦Montpellier 54 – Béziers 54 – Lodève 19.

Mas de Clergues ⑤, ✆ 67 96 08 84, ≤, ⛱ – P
Pâques-15 oct. – **Repas** 160 bc – ☕ 30 – **7 ch** 280/310 – ½ P 300.

ODEILLO 66 Pyr.-Or. 86 ⑯ – rattaché à Font-Romeu.

ODENAS 69460 Rhône 74 ① – 750 h alt. 300.

Paris 424 – Mâcon 35 – Bourg-en-Bresse 51 – ♦Lyon 49 – Villefranche-sur-Saône 16.

X **Christian Mabeau,** ✆ 74 03 41 79, Fax 74 03 49 40, 🍽, « Terrasse en bordure des vignes » – GB
fermé dim. soir et lundi – **Repas** 100/310, enf. 77.

RENAULT Gar. Bénétullière, Le Perréon ✆ 74 03 22 67

OIE 85140 Vendée 67 ⑮ – 852 h alt. 102.

Paris 386 – La Roche-sur-Yon 29 – Cholet 38 – ♦Nantes 62 – Niort 94.

Grand Turc M, ✆ 51 66 08 74, Fax 51 66 14 13 – |≑| TV ☎ P. AE ⓓ GB
fermé dim. soir – **Repas** 50/160 &, enf. 42 – ☕ 32 – **19ch** 230/290 – ½ P 250.

CITROEN Gar. SEBA, ✆ 51 66 13 98

OIRON 79100 Deux-Sèvres 68 ② **G. Poitou Vendée Charentes** – 1 009 h alt. 95.

Voir Château★ : galerie★★ – Collégiale★.

Paris 324 – Poitiers 57 – Loudun 14 – Parthenay 40 – Thouars 12.

XX **Relais du Château** M avec ch, ✆ 49 96 54 96, Fax 49 96 54 45, 🍽 – TV ☎ ♿. GB
fermé vacances de fév., lundi (sauf hôtel) et dim. soir – **Repas** 71/223 &, enf. 40 – ☕ 30 – **14ch** 150/230 – ½ P 310/390.

OISLY 41 L.-et-Ch. 64 ⑰ – rattaché à Contres.

OLEMPS 12 Aveyron 80 ② – rattaché à Rodez.

OLÉRON (Ile d') ★ 17 Char.-Mar. 71 ⑬ ⑭ **G. Poitou Vendée Charentes.**

⛳9 d'Oléron ✆ 46 47 11 59, S par D 126 : 2 km.

Accès par le pont viaduc. **Passage gratuit.**

Boyardville – ✉ 17190 St-Georges-d'Oléron.

⛳9 d'Oléron ✆ 46 47 11 59, S par D 126 : 2 km.

Paris 520 – La Rochelle 78 – Marennes 25 – Rochefort 46 – Saintes 66.

XX **Bains** avec ch, au port ✆ 46 47 01 02, Fax 46 47 16 90, 🍽 – ☎. AE ⓓ GB
22 mai-22 sept. – **Repas** *(fermé merc. en mai et juin.)* 142, enf. 55 – ☕ 35 – **11 ch** 197/252 – ½ P 283/333.

Le Château-d'Oléron – 3 544 h alt. 9 – ✉ **17480**.

ℹ Office de Tourisme pl. République ✆ 46 47 60 51.

Paris 504 – La Rochelle 68 – Royan 41 – Marennes 14 – Rochefort 34 – Saintes 54.

France, ✆ 46 47 60 07, Fax 46 75 21 55, 🍽 – TV ☎. AE ⓓ GB
fermé 23 déc. au 20 janv., dim. soir et lundi d'oct. à mars – **Repas** 88/148 & – ☕ 32 – **11 ch** 260/275 – ½ P 280/300.

RENAULT Gar. S.O.A., ✆ 46 47 67 22

La Cotinière – ✉ **17310** St-Pierre-d'Oléron.

Paris 520 – La Rochelle 82 – Royan 51 – Marennes 25 – Rochefort 45 – Saintes 65.

Motel Ile de Lumière ⑤ sans rest, ✆ 46 47 10 80, Fax 46 47 30 87, ≤, Lб, ⛱, 🌳, 🎾 – TV ☎ P. GB
Pâques-fin sept. – ☕ 35 – **45 ch** 600.

Face aux Flots, ✆ 46 47 10 05, Fax 46 47 45 95, ≤, 🍽, ⛱ – TV ☎. GB
fermé 8 nov. au 21 déc. et 6 janv. au 8 fév. – **Repas** 99/195 – ☕ 44 – **20 ch** 350/430 – ½ P 360/400.

Écailler, ✆ 46 47 10 31, Fax 46 47 10 23, ≤, 🍽 – ▤ TV ☎ P. AE ⓓ GB JCB
fermé 3 nov. au 8 fév., dim. soir et lundi sauf vacances scolaires – **Repas** 100/370, enf. 57 – ☕ 41 – **8ch** 420 – ½ P 430.

Grand-Village-Plage 17370 – 718 h alt. 6.

Voir Maison de la coiffe et du costume oléronais★.

Paris 508 – La Rochelle 70 – Royan 42 – Marennes 14 – Rochefort 34 – Saintes 52.

X **Relais des Salines,** au port des Salines, petit village ✆ 46 75 82 42, 🍽, « Reconstitution d'une cabane ostréicole » – AE GB
1er avril-30 sept. et fermé lundi sauf vacances scolaires – **Repas** (déj. seul.) 58 &, enf. 38.

La Remigeasse – ✉ **17550** Dolus-d'Oléron.

Paris 516 – La Rochelle 74 – Royan 51 – Marennes 21 – Rochefort 41 – Saintes 61.

Gd Large et rest. Amiral, à la plage ☎ 46 75 37 89, Fax 46 75 49 15, ←, parc, « Dans les dunes, face à la mer », ⌶, ✂ – ☐ ☎. AE GB
avril-fin sept. – **Repas** 160 (déj.), 260/370 – ☕ 90 – **21 ch** 780/1680, 5 appart – ½ P 780/1230.

St-Pierre-d'Oléron – 5 365 h alt. 8 – ✉ **17310**.

Voir Église ✱★.

ℹ Office de Tourisme pl. Gambetta ☎ 46 47 11 39, Fax 46 47 10 41 et à la Cotinière (Pâques-15 sept.) ☎ 46 47 09 08.

Paris 518 – La Rochelle 78 – Royan 51 – Marennes 23 – Rochefort 44 – Saintes 64.

XXX **La Campagne,** D 734 ☎ 46 47 25 42, Fax 46 75 16 04, ☂, ⛱ – AE GB. ✗
fermé 1er nov. au 7 avril, dim. soir et lundi – **Repas** 148/268 et carte 300 à 500.

XX **Moulin du Coivre,** D 734 ☎ 46 47 44 23 – P. GB
fermé dim. soir et lundi sauf vacances scolaires et fériés – **Repas** 135/245.

OPEL Gar.Pacreau, ZI rte St Georges ☎ 46 47 13 21

St-Trojan-les-Bains – 1 490 h alt. 5 – ✉ **17370**.

ℹ Office de Tourisme carrefour du Port ☎ 46 76 00 86.

Paris 513 – La Rochelle 72 – Royan 45 – Marennes 18 – Rochefort 38 – Saintes 58.

Novotel M, plage de Gatseau S : 2,5 km ☎ 46 76 02 46, Fax 46 76 09 33, ←, ☂, centre de thalassothérapie, « En forêt près de la mer », ⌶, ⌶, ⛱, ✂ – |‡| ✗ ☐ ☎ ♿ P – 🎓 25. AE ⊙ GB
fermé 1er au 8 déc. – **Repas** carte environ 170, enf. 55 – ☕ 55 – **80 ch** 750/800 – ½ P 560/585.

La Forêt M, bd P. Wiehn ☎ 46 76 00 15, Fax 46 76 14 67, ☂, ⛱ – |‡| ≡ rest ☐ ☎ ⊙ GB
hôtel : 30 mars-15 nov. ; rest : 30 mars-30 sept. – **Repas** 85/250, enf. 55 – ☕ 35 – **43 ch** 360/550 – ½ P 300/420.

Les Cleunes sans rest, ☎ 46 76 03 08, Fax 46 76 08 95, ←, ⌶, ✂ – ☐ ☎ P. AE ⊙ GB
22 mars-3 nov. – ☕ 39 – **49 ch** 250/560.

L'Albatros, S : 1,5 km ☎ 46 76 00 08, Fax 46 76 03 58, ←, ☂ – ☐ ☎ P. GB
17 fév.-11 nov. – **Repas** 89/165, enf. 60 – ☕ 42 – **13 ch** 290/325 – ½ P 308/326.

XX **Belle Cordière,** 76 r. République ☎ 46 76 12 87, ☂ – AE GB
fermé 15 au 30 mars, 15 nov. au 15 déc., mardi soir et merc. sauf vacances scolaires – **Repas** 90/210.

X **La Marée,** au port ☎ 46 76 04 96, ☂ – AE ⊙ GB JCB
30 mars-29 sept. et fermé lundi sauf du 17 juin au 16 sept. – **Repas** 110/180, enf. 50.

OLIVET 45 Loiret 64 ⑨ – rattaché à Orléans.

Les OLLIÈRES-SUR-EYRIEUX 07360 Ardèche 76 ⑲ ⑳ – 769 h alt. 200.

Paris 595 – Valence 34 – Le Cheylard 29 – Lamastre 34 – Montélimar 52 – Privas 19.

XX **Aub. de la Vallée** avec ch, ☎ 75 66 20 32, Fax 75 66 20 63 – ≡ rest ☐ ☎ P. GB. ✗ ch
fermé 30 janv. au 12 mars, 23 au 30 sept., dim. soir et lundi du 15 sept. au 15 juin sauf fériés – **Repas** 95/320 – ☕ 43 – **7 ch** 225/340 – ½ P 255/290.

PEUGEOT Gar. de Veyes, ☎ 75 66 20 86

OLLIOULES 83190 Var 84 ⑭ 114 ㊹ **G. Côte d'Azur** – 10 398 h alt. 52.

Voir Gorges d'Ollioules★.

ℹ Office de Tourisme 16 r. Nationale (juil.-août) ☎ 94 63 11 74.

Paris 832 – ♦Toulon 10 – Aix-en-Provence 75 – ♦Marseille 58.

X **L'Assiette Gourmande,** pl. H. Duprat (parvis de l'église) ☎ 94 63 04 61, ☂ – GB
fermé mardi soir et merc. hors sais., merc. midi et sam. midi en sais. – **Repas** (nombre de couverts limité, prévenir) 130/195, enf. 55.

VAG Gar. Star, quart. Lagoubran, chemin des Canniers ☎ 94 09 23 12

OLONNE-SUR-MER 85340 Vendée 67 ⑫ – 8 546 h alt. 40.

Paris 447 – La Roche-sur-Yon 34 – Les Sables-d'Olonne 5 – St-Gilles-Croix-de-Vie 26.

au NO sur D 80 : 7 km – ✉ **85340** Olonne-sur-Mer :

X **Aub. de la Forêt,** ☎ 51 90 52 29, Fax 51 20 11 89, ☂ – P. AE ⊙ GB
fermé mi-janv. à mi-fév., lundi et mardi de sept. à juin – **Repas** 105/285, enf. 50.

RENAULT Central Gar., 6 rte de Nantes ☎ 51 21 01 07 N ☎ 51 32 40 70

OLORON-STE-MARIE ◇SP◇ **64400** Pyr.-Atl. 85 ⑤ ⑥ **G. Pyrénées Aquitaine** – 11 067 h alt. 224.

oir Portail★★ de l'église Ste-Marie A.

Office de Tourisme pl. Résistance ✆ 59 39 98 00.

aris 823 ⑤ – Pau 35 ② – ♦Bayonne 93 ⑤ – Dax 79 ⑤ – Lourdes 60 ② – Mont-de-Marsan 96 ①.

OLORON-STE-MARIE

arthou (R. Louis) . . . . . . B
amou (R.) . . . . B
ambetta (Pl.) . . . . B 12
ésistance (Pl. de la) . . . . B 20

ellevue (Promenade) . . . . B 2
iscondau . . . . B 3
ordelongue (R. A.) . . . . . B 4
asamayor-Dufaur (R.) . . A 5
athédrale (R.) . . . . A 6
almais (R.) . . . . B 7
erème (Av. Tristan) . . . . A 8
espourins (R.) . . . . A 9
abe (Pl. Amédée) . . . . . B 10
aca (Pl. de) . . . . A 13
eliotte (R.) . . . . B 14
lendiondou (Pl.) . . . . B 15
loureu (Av. Charles et Henri) . A 16
ustalots (Pl. des) . . . . A 18
yrénées (Bd. des) . . . . . A 19
t-Grat (Rue) . . . . A 22
assigny (Av. de Lattre de) . . . . . A 23
oulet (R. Paul-Jean) . . . . . A 24
igny (Av. Alfred de) . . . . A 26
-Septembre (Av. du) . . . A 28
4-Juillet (Av. du) . . . . . . A 30

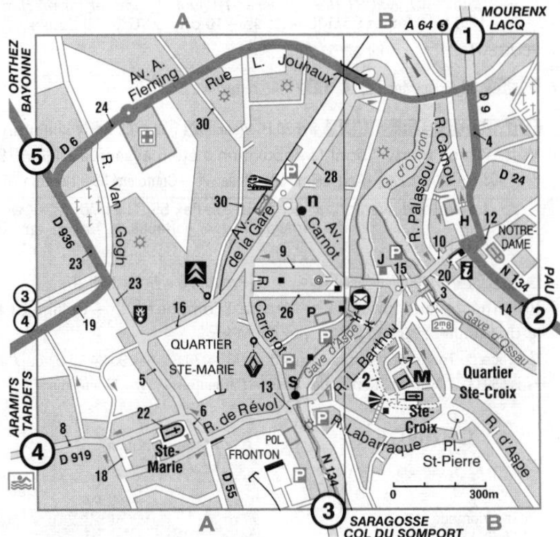

Alysson M, bd Pyrénées ✆ 59 39 70 70, Fax 59 39 24 47, ≤, ♨, ⛱ – |♦| ✕ ▤ rest TV ☎ ✆ ♿ P – 🔧 60. AE GB. ✂
Repas *(fermé 25 nov. au 15 déc., dim. soir et sam. hors sais.)* 85 (déj.), 102/220, enf. 62 – ☕ 50 – **34 ch** 300/440 – ½ P 320/370.

Brun, pl. Jaca ✆ 59 39 64 90, Fax 59 39 12 28 – |♦| TV ☎. AE GB A s
Repas snack *(fermé vend. soir et sam.)* 60 (déj.)/80 ♨ – ☕ 25 – **20 ch** 240/260 – ½ P 210.

Paix sans rest, 24 av. Sadi-Carnot ✆ 59 39 02 63, Fax 59 39 98 20 – TV ☎ P. AE. ✂
fermé 20 au 31 oct. – ☕ 28 – **24 ch** 150/260. A n

ALFA ROMEO, FIAT Gar. Guiraud, av. Ch.-Moureu ✆ 59 39 02 43
CITROEN Atomic Gar., 5 av. 14-Juillet A ✆ 59 39 53 00
PEUGEOT Gar. Tristan, av. de Lattre-de-Tassigny par ⑤ ✆ 59 39 10 73 N ✆ 59 38 82 44
RENAULT Gar. Haurat, 41 r. Carrérot ✆ 59 39 01 93 N ✆ 59 38 81 25

RENAULT Gar. Biscay, à Ledeuix par ① ✆ 59 39 12 08
VAG Gar. Loustaunau, 71 av. d'Espagne à Bidos ✆ 59 39 26 55

Barbosa Pneus, 9 av. du 14 Juillet ✆ 59 39 65 00
Dours Pneus, av. Flemming ✆ 59 36 11 21

North is at the top on all town plans.

OMAHA BEACH 14 Calvados 54 ④ ⑭ – voir à Vierville-sur-Mer.

OMONVILLE-LA-PETITE **50440** Manche 54 ① – 137 h alt. 33.

aris 385 – ♦Cherbourg 24 – Barneville-Carteret 45 – Nez de Jobourg 6,5 – St-Lô 101.

La Fossardière ⛰ sans rest, au hameau de la Fosse ✆ 33 52 19 83 – ☎ P. GB
15 mars-15 nov. – ☕ 38 – **10 ch** 250/360.

ONZAIN **41150** L.-et-Ch. 64 ⑯ – 3 080 h alt. 69.

aris 198 – ♦Tours 47 – Amboise 20 – Blois 16 – Château-Renault 23 – Montrichard 21.

✿✿ **Domaine des Hauts de Loire** M ⛰, NO : 3 km par D 1 et voie privée ✆ 54 20 72 57, Fax 54 20 77 32, ♨, « Élégant relais de chasse dans un grand parc », ⛱, ✂ – TV ☎ ♿ P – 🔧 70. AE ⓓ GB. ✂
fermé 1er déc. au 5 fév. – **Repas** *(fermé mardi midi et lundi en fév. et mars)* 290/350 et carte 360 à 520 – ☕ 85 – **25 ch** 900/1400, 10 appart – ½ P 900/1200
Spéc. Huîtres en gelée au caviar et choux brocoli (oct. à juin). Salade d'anguilles à la vinaigrette d'échalotes. Pigeonneau du Vendômois au jus de presse. **Vins** Sauvignon, Touraine-Mesland.

🏨 **Château des Tertres** 🐎 sans rest, O : 1,5 km par D 58 ✆ 54 20 83 88, Fax 54 20 89 2
« Gentilhommière dans un parc » – ☎ P. AE GB. ✻
1er avril-11 nov. – ☕ 42 – **14 ch** 390/500.

🏨 **Host. Les Couronnes** M 🐎, au golf de la Carte, SE : 4,5 km sur N 152 ✆ 54 20 49 0
Fax 54 20 43 78, ☂, ♨, 🎾 – TV ☎ ♿ P – 👥 30. AE GB
hôtel : 10 avril-31 déc. ; rest. : 10 avril-1er nov. et fermé dim. soir et lundi du 15 sept. à 1er nov. – **Repas** 95/140 – ☕ 45 – **10 ch** 450/650, 10 duplex – ½ P 400/500.

PEUGEOT Gar. Guyader, ✆ 54 20 70 37

OPIO 06 Alpes-Mar. 84 ⑧, 115 ㉔ – rattaché à Grasse.

ORADOUR-SUR-GLANE 87520 H.-Vienne 72 ⑥ ⑦ **G. Berry Limousin** – 1 998 h alt. 275.

Voir "Village martyr" dont la population a été massacrée en juin 1944.

Paris 403 – ♦Limoges 22 – Angoulême 89 – Bellac 25 – Confolens 35 – Nontron 70.

✗ **Le Milord** avec ch, ✆ 55 03 10 35, Fax 55 03 21 76, ☂ – ☎. AE GB
fermé merc. soir de sept. à fin avril – **Repas** 58/190 🍷, enf. 35 – ☕ 28 – **8 ch** 140/180 ½ P 150/170.

ORANGE 84100 Vaucluse 81 ⑪ ⑫ **G. Provence** – 26 964 h alt. 97.

Voir Théâtre antique★★★ BZ – Arc de Triomphe★★ AY – Colline St-Eutrope ≤★ BZ.

⛳ du Moulin ✆ 90 34 34 04, par ② : 4 km.

ℹ Office de Tourisme, Cours A.-Briand ✆ 90 34 70 88, Fax 90 34 99 62 et pl. Frères Mounet (avril-sept.).

Paris 659 ⑤ – Avignon 31 ⑤ – Alès 83 ⑤ – Carpentras 23 ③ – Montélimar 54 ⑤ – Nîmes 57 ⑤.

ORANGE

République (R. de la) . . . . . . BY 9
St-Martin (R.) . . . . AY 13

Arc de Triomphe (Av. de l') . . . . AY
Artaud (Av. A.) . . . . ABY
Blanc (R. A.) . . . . BZ
Briand (Crs A.) . . . . AYZ
Caristie (R.) . . . . BY 2
Châteauneuf (R. de) . . . . . . BZ 3
Clemenceau (Pl. G.) . . . . . . BY 4
Concorde (R. de la) . . . . BY
Contrescarpe (R. de la) . . . . BY
Daladier (Av. E.) . . . . ABY
Fabre (Av. H.) . . . . BY
Frères-Mounet (Pl. des) . . . . BY 5
Guillaume-le Taciturne (Av.) . . . . BY
Lacour (R.) . . . . AY
Leclerc (Av. Gén.) . . . . BZ
Levade (R. de la) . . . . BY
Mistral (Av. F.) . . . . BY 6
Noble (R. du) . . . . ABY
Pourtoules (Cours) . . . . BZ
Pourtoules (R.) . . . . BZ 7
Princes d'Orange-Nassau (Mtée des) . . . . . AZ
République (Pl. de la) . . . . . BY 8
Roch (R. Madeleine) . . . . . . BZ 10
St-Clement (Rue) . . . . AZ
St-Florent (R.) . . . . BY 12
St-Jean (Rue) . . . . AY
Tanneurs (R. des) . . . . AY 16
Thermes (Av. des) . . . . AZ
Tourre (R. de) . . . . AZ 20
Victor-Hugo (Rue) . . . . AY

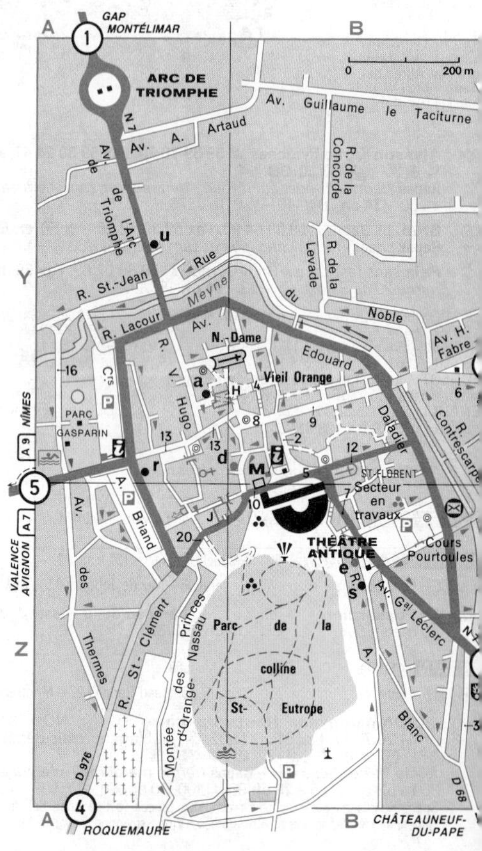

Promeneurs, campeurs, fumeurs,

Soyez prudents!

Le feu est le plus terrible ennemi de la forêt.

Mercure, rte Caderousse par ⑤ ✆ 90 34 24 10, Fax 90 34 85 48, ⛱, ≘, ☘ – ▤ 📺 ☎ 🅿 – 🏛 30 à 150. AE ⓓ GB JCB
Repas 115/160, enf. 55 – ☕ 52 – **99 ch** 390/595.

Arène ⛰ sans rest, pl. Langes ✆ 90 34 10 95, Fax 90 34 91 62 – ▤ 📺 ☎ 🚗. AE ⓓ GB
fermé 1ᵉʳ nov. au 15 déc. – ☕ 44 – **30 ch** 340/440. AY **a**

Glacier sans rest, 46 cours A. Briand ✆ 90 34 02 01, Fax 90 51 13 80 – |‡| 📺 ☎. AE GB JCB AY **r**
fermé 23 déc. au 1ᵉʳ fév. et dim. de nov. à Pâques – ☕ 34 – **28 ch** 260/300.

Ibis Ⓜ, rte Caderousse par ⑤ ✆ 90 34 35 35, Fax 90 34 96 47, ⛱, ≘ – ⇆ 📺 ☎ ♿ 🅿 – 🏛 30. AE ⓓ GB
Repas 99 bc, enf. 39 – ☕ 36 – **72 ch** 295/320.

Climat de France, 86 av. de l'Arc de Triomphe ✆ 90 51 87 87, Fax 90 34 35 89 – |‡| ▤ 📺 ☎ 🚗 🅿 – 🏛 30. AE ⓓ GB AY **u**
Repas 75/110 🍷, enf. 39 – ☕ 32 – **60 ch** 290/310.

St-Jean sans rest, 7 cours Pourtalès ✆ 90 51 15 16, Fax 90 11 05 45 – ▤ 📺 ☎ 🅿. GB BZ **s**
☕ 30 – **23 ch** 260/300.

Campanile, rte Caderousse par ⑤ ✆ 90 51 68 68, Fax 90 34 04 67, ⛱ – ⇆ ▤ rest 📺 ☎ 📞 ♿ 🅿 – 🏛 40. AE ⓓ GB
Repas 84 bc/107 bc, enf. 39 – ☕ 32 – **39 ch** 270.

✗✗ **Le Parvis,** 3 cours Pourtoules ✆ 90 34 82 00, ⛱ – ▤. AE ⓓ GB BZ **e**
fermé 18 nov. au 2 déc., dim. soir et lundi sauf juil.-août – **Repas** 98/220.

✗ **Au Goût de Jour,** 9 pl. aux Herbes ✆ 90 34 10 80, ⛱ – ⓓ GB BY **d**
fermé dim. soir et lundi midi – **Repas** (nombre de couverts limité, prévenir) 85 bc (déj.), 95/250 🍷.

par ① N 7 et rte secondaire : 4 km – ✉ **84100** Orange :

Mas des Aigras ⛰ sans rest, chemin des Aigras par ①, N 7 et rte secondaire : 4 km ✆ 90 34 81 01, Fax 90 34 05 66, « Joli mas provençal », ≘, ☘, 🎾 – 📺 ☎ 🅿. GB
☕ 50 – **11 ch** 390/450.

à Sérignan-du-Comtat par ① et D 976 : 8 km – 2 069 h. alt. 80 – ✉ **84830** :

✗✗ **Host. du Vieux Château** ⛰ avec ch, rte Ste-Cécile ✆ 90 70 05 58, Fax 90 70 05 62, ⛱, ≘, ☘ – 📺 ☎ 🅿. AE GB
fermé 12 au 22 nov., 23 au 30 déc., 6 au 20 janv., dim. soir et lundi hors sais. – **Repas** 100 (déj.), 145/350, enf. 60 – ☕ 40 – **7 ch** 400/800 – ½ P 330/535.

ALFA ROMEO Gar. Masoero, rte d'Avignon, N 7 ✆ 90 34 62 91
FIAT, LANCIA Gar. Gemelli, rte de Jonquières ✆ 90 11 17 00
FORD Gar. GR, rte d'Avignon N 7 ✆ 90 51 82 41
MERCEDES SAVIA, rte d'Avignon ✆ 90 34 72 70 N ✆ 88 72 00 94
OPEL Gar. Balbi, 191 r. de Lattre-de-Tassigny ✆ 90 34 04 16
PEUGEOT Orangeoise-Autom., rte de Jonquières par ③ ✆ 90 34 61 83
RENAULT Orange Services Autom., 956 bd de Lattre-de-Tassigny par ① ✆ 90 11 15 15 N ✆ 05 05 15 15

VAG Sodior Autom., ZAC du Coudoulet ✆ 90 34 04 50

Ⓜ Ayme-Pneus, rte de Caderousse ✆ 90 34 24 65
Pneus Service, 280 av. de Lattre-de-Tassigny ✆ 90 34 14 66
Provence Pneus, ZI Coudoulet, r. des Pays-Bas ✆ 90 51 02 20 N ✆ 90 51 84 01
Valerian Pneus-Point S, 54 rte de Jonquières ✆ 90 34 86 86 N ✆ 90 51 55 65

ORBEC 14290 Calvados 55 ⑭ G. Normandie Vallée de la Seine – 2 642 h alt. 110.

Voir Vieux manoir★.

ℹ Syndicat d'Initiative r. Guillonnière, ✆ 31 32 87 15.

Paris 170 – L'Aigle 37 – Alençon 79 – Argentan 52 – Bernay 16 – ◆Caen 75 – Lisieux 21.

✗✗ **Au Caneton,** r. Grande ✆ 31 32 73 32, Fax 31 62 48 91 – AE GB JCB
fermé 2 au 16 janv., dim. soir et lundi sauf fêtes – **Repas** (nombre de couverts limité, prévenir) 95/320.

CITROEN Gar. Decaux, à la Vespière ✆ 31 32 80 49

Ⓜ Normandie Pneu Maintenance, à la Vespière ✆ 31 32 28 20

ORBEY 68370 H.-Rhin 62 ⑱ G. Alsace Lorraine – 3 282 h alt. 550.

ℹ Office de Tourisme ✆ 89 71 30 11 et wagon d'accueil (juin-sept.) ✆ 89 47 53 11.

Paris 471 – Colmar 22 – Gérardmer 40 – Munster 20 – Ribeauvillé 22 – St-Dié 40 – Sélestat 35.

Au Bois Le Sire et son Motel, ✆ 89 71 25 25, Fax 89 71 30 75, ≘ – 📺 ☎ ♿ 🅿 – 🏛 30. AE GB
fermé 2 janv. au 9 fév. et lundi sauf juil.-août – **Repas** 53 (déj.), 80/285 🍷, enf. 50 – ☕ 48 – **36 ch** 270/370 – ½ P 295/340.

Croix d'Or, r. Église ✆ 89 71 20 51, Fax 89 71 35 60, ≤ – ▤ rest TV ☎. AE ⓓ GB. ✻ rest
fermé 16 nov. au 19 déc., lundi midi en sais. et merc. sauf le soir en sais. – **Repas** 90/260 ♀, enf. 59 – ☐ 45 – **19 ch** 265/290 – ½ P 280/310.

Les Bruyères, ✆ 89 71 20 36, Fax 89 71 35 30 – |‡| ☎ P. AE ⓓ GB
fermé 2 nov. au 22 déc. et 2 janv. au 15 fév. – **Repas** 75/155, enf. 48 – ☐ 34 – **28 ch** 220/300 – ½ P 235/270.

Saut de la Truite ⛰, à Remomont NO : 1 km par rte secondaire ✉ 68370 Orbey ✆ 89 71 20 04, Fax 89 71 31 52, ≤, ≤, ⌂ – ☎ P – 🏔 30. GB
fermé 1er au 23 déc., 6 janv. au 10 mars et merc. – **Repas** 72/200 ♀, enf. 45 – ☐ 40 – **22 ch** 205/305 – ½ P 250/300.

à Basses-Huttes S : 4 km par D 48 – ✉ **68370** Orbey :

Wetterer ⛰, ✆ 89 71 20 28, Fax 89 71 36 50 – ☎ P. GB. ✻
fermé 6 nov. au 21 déc. – **Repas** *(fermé merc. sauf le soir en juil.-août)* 75 (déj.), 85/190 ♀, enf. 45 – ☐ 37 – **16 ch** 200/270 – ½ P 240/245.

à Pairis SO : 3 km sur D 48 II – ✉ **68370** Orbey.

Voir Lac Noir★ : ≤★ 30 mn O : 5 km.

Au Bon Repos ⛰, ✆ 89 71 21 92, Fax 89 71 24 51, ⌂ – ☎ P. AE GB
fermé 12 nov. au 20 déc. et merc. sauf le soir en juil.-août – **Repas** 80/160 ♀, enf. 48 – ☐ 32 – **18 ch** 155/230 – ½ P 235/245.

CITROEN Gar. Eberlé, ✆ 89 71 20 35 N ✆ 89 71 23 45

ORCHAMPS-VENNES 25390 Doubs 66 ⑰ **G. Jura** – 1 497 h alt. 795.

Voir Grandfontaine-Fournets : tuyé★ de la ferme du Montagnon E : 4 km.

Env. La Roche du Prêtre ≤★★★ sur le Cirque de Consolation★★ NE : 13 km.

Paris 457 – ♦Besançon 48 – Baume-les-Dames 40 – Montbéliard 70 – Morteau 17 – Pontarlier 36.

CITROEN Gar. Cartier, ✆ 81 43 60 52 N ✆ 81 43 57 72
RENAULT Gar. Gaiffe, ✆ 81 43 52 36

ORCHIES 59310 Nord 51 ⑯ 111 ㉝ – 6 945 h alt. 40.

Paris 216 – ♦Lille 26 – Denain 26 – Douai 19 – St-Amand-les-Eaux 17 – Tournai 19 – Valenciennes 28.

Le Manoir M, O : par rte Seclin ✆ 20 64 68 68, Fax 20 64 68 69 – |‡| ⇔ TV ☎ ♿ P – 🏔 30. AE ⓓ GB
Repas *(fermé dim. soir et soirs fériés)* 70/270 ♀, enf. 55 – ☐ 35 – **34 ch** 300/380 – ½ P 270.

XX **La Chaumière,** S : 3 km D 957, rte Marchiennes ✆ 20 71 86 38, Fax 20 61 65 91, ≤, ⌂ – P. AE ⓓ GB
fermé fév., jeudi soir et vend. – **Repas** 80/260.

ORCIÈRES 05170 H.-Alpes 77 ⑰ **G. Alpes du Sud** – 841 h alt. 1446 – Sports d'hiver à Orcières-Merlette 1 850/2 650 m ⛷2 ⛷26 ⛷.

Env. Vallée du Drac Blanc★★ NO : 14 km.

ℹ Office de Tourisme ✆ 92 55 70 39, Fax 92 55 62 47.

Paris 686 – Briançon 110 – Gap 33 – ♦Grenoble 116 – La Mure 77 – St-Bonnet-en-Champsaur 27.

Poste, ✆ 92 55 70 04, Fax 92 55 73 38, ≤, ⌂ – ⇔ TV ☎. AE ⓓ GB. ✻ rest
Repas 65/125 ♀, enf. 45 – ☐ 30 – **21 ch** 200/285 – ½ P 240/250.

à Merlette N : 5 km par D 76 – ✉ **05170** Orcières :

Le Montagnou M ⛰ sans rest, ✆ 92 55 74 37, Fax 92 55 63 45, ≤ – TV ☎ ⇔. GB ✻
20 juin-10 sept. et 15 déc.-15 mai – ☐ 30 – **20 ch** 350.

Les Gardettes ⛰, ✆ 92 55 71 11, Fax 92 55 77 26, ≤ – ☎ ⇔ P. GB
juil.-août et déc.-avril – **Repas** (dîner seul. en été) 95 ♀ – ☐ 35 – **15 ch** 250/340 – ½ P 320/340.

ORCIVAL 63210 P.-de-D. 73 ⑬ **G. Auvergne** – 283 h alt. 840.

Voir Basilique Notre-Dame★★.

ℹ Syndicat d'Initiative ✆ 73 65 92 25.

Paris 451 – ♦Clermont-Ferrand 26 – Aubusson 85 – Le Mont-Dore 17 – Rochefort-Montagne 5 – Ussel 56.

Roche sans rest, ✆ 73 65 82 31 – ☎. GB. ✻
fermé 15 nov. au 15 déc. et vend. hors sais. – ☐ 30 – **9 ch** 160/220.

Les Bourelles ⛰ sans rest, ✆ 73 65 82 28, ≤, ⌂ – P. ✻
vacances de printemps-1er oct. et vacances de fév. – ☐ 24 – **7 ch** 120/160.

RENAULT Gar. Bony, N 89 Massagettes à St-Pierre-Roche ✆ 73 65 99 00 N ✆ 73 65 88 64

ORDINO 86 ⑭ – voir à Andorre (Principauté d').

ORGNAC-L'AVEN **07150** Ardèche 80 ⑨ – 327 h alt. 190.

oir Aven d'Orgnac★★★ NO : 2 km, **G. Vallée du Rhône.**

aris 661 – Alès 43 – Aubenas 51 – Pont-St-Esprit 24.

Stalagmites, ✆ 75 38 60 67, Fax 75 38 66 02, – ☎ P
mars-nov. – **Repas** 70/130, enf. 45 – ☕ 26 – **24 ch** 140/250 – ½ P 178/218.

ORINCLES **65** H.-Pyr. 85 ⑧ – rattaché à Lourdes.

ORLÉANS P **45000** Loiret 64 ⑨ **G. Châteaux de la Loire** – 105 111 h Agglo. 243 153 h alt. 100.

oir Cathédrale Ste-Croix★ EY : boiseries★★ – Maison de Jeanne d'Arc★ DZ **E** – Quai Fort-des-ourelles ≤★ EZ60 – Musée des Beaux-Arts★★ EY **M**[1] – Musée Historique★ EZ **M**[2] – Muséum 'histoire naturelle★ EY **M**[3].

nv. Olivet : parc floral de la Source★★ SE : 8 km CZ.

d'Orléans Val de Loire ✆ 38 59 25 15, E : 17km par N 460 CY ; 18 Parc de Limere, S : 9 km par 326 BZ ; 18 de Marcilly ✆ 38 76 11 73, SE par D 14 et D 108 : 18 km.

Office de Tourisme et Accueil de France pl Albert-1er ✆ 38 53 05 95, Fax 38 54 49 84 – A.C. du Loiret, A.-Brillat-Savarin, Expo-Sud ✆ 38 66 50 50, Fax 38 66 30 31.

aris 130 ⑪ – ♦Caen 260 ⑪ – ♦Clermont-Ferrand 301 ⑥ – ♦Dijon 300 ③ – ♦Limoges 274 ⑥ – ♦Le Mans 141 ⑩ – Reims 267 ③ – ♦Rouen 219 ⑪ – ♦Tours 115 ⑨.

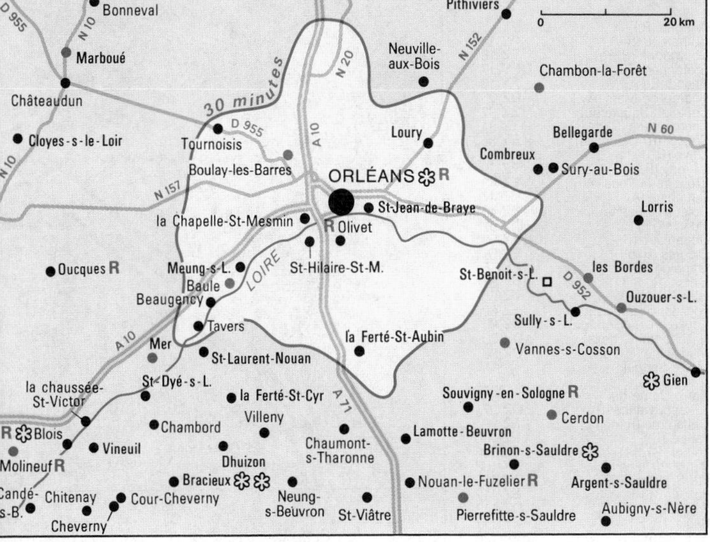

Mercure M, 44 quai Barentin ✆ 38 62 17 39, Fax 38 53 95 34, ≤, , – ☎ P – 100. AE GB JCB DZ **t**
Le Gourmandin : **Repas** 135, enf. 45 – ☕ 55 – **105 ch** 495.

d'Arc sans rest, 37 r. République ✆ 38 53 10 94, Fax 38 81 77 47 – TV ☎. AE GB EY **g**
☕ 50 – **35 ch** 360/450.

Sanotel sans rest, 16 quai St-Laurent ✆ 38 54 47 65, Fax 38 62 05 91 – TV ☎ P – 100. AE GB DZ **q**
☕ 40 – **50 ch** 296/370.

Terminus sans rest, 40 r. République ✆ 38 53 24 64, Fax 38 53 24 18 – TV ☎. AE GB EY **z**
fermé 22 déc. au 2 janv. – ☕ 40 – **47 ch** 325/370.

des Cèdres sans rest, 17 r. Mar. Foch ✆ 38 62 22 92, Fax 38 81 76 46, – TV ☎. AE GB JCB DY **b**
fermé 22 déc. au 2 janv. – ☕ 37 – **35 ch** 290/380.

d'Orléans sans rest, 6 r. A. Crespin ✆ 38 53 35 34, Fax 38 53 68 20 – TV ☎ . AE GB EY **t**
☕ 36 – **18 ch** 260/380.

St-Martin sans rest, 52 bd A. Martin ✆ 38 62 47 47, Fax 38 81 13 28 – ☎. GB. EY **r**
fermé 20 déc. au 2 janv. – ☕ 25 – **22 ch** 190/290.

XXX ✿ **Les Antiquaires** (Pipet), 2 r. au Lin ✆ 38 53 52 35, Fax 38 62 06 95 – AE ©
GB EZ
fermé 12 au 18 mars, 3 au 27 août, Noël au Jour de l'An, dim. et lundi – **Repas** 115 (déj
200/300 et carte 220 à 340
Spéc. Noisettes de biche aux griottines, sauce poivrade (oct. à janv.). Poissons de Loire (saison). Nougat glacé
coulis de framboise. **Vins** Coteaux du Giennois, Bourgueil.

XXX ✿ **La Poutrière** (Le Bras), 8 r. Brèche ✉ 45100 ✆ 38 66 02 30, Fax 38 51 19 38, ☖, ☂
AE GB EZ
fermé 8 au 15 avril, 24 déc. au 7 janv., dim. soir et lundi – **Repas** (nombre de couverts limit
prévenir) 165 (déj.), 230/380 et carte 260 à 370
Spéc. Homard breton rôti à la coque, flambé au whisky. Gibier (oct. à janv.) Croquant de pommes tièdes caramélisée
Vins Sancerre, Bourgueil.

ORLÉANS

Bannier (R.) . . . . **DY**
Jeanne-d'Arc (R.) . . . . **EY**
République (R. de la) . . . . **EY**
Royale (R.) . . . . **EZ** 125
Tabour (R. du) . . . . **EZ** 145

Antigna (R.) . . . . **DY** 4
Bothereau (R. R.) . . . . **FY** 14
Bourgogne (R. Fg-de) . . . . . . **FZ** 15
Bretonnerie (R. de la) . . . . . **DEY** 17
Briand (Bd A.) . . . . **FY** 19
Champ-de-Mars (Av.) . . . . . . **DZ** 25
Châtelet (Square du) . . . . **EZ** 32
Charpenterie (R. de la) . . . . . . **EZ** 34
Chollet (R. Théophile) . . . . . . **EY** 36
Claye (R. de la) . . . . **FY** 38
Coligny (R.) . . . . **FZ** 39
Croix-de-la-Pucelle (R.) . . . . . **EZ** 43
Dauphine (Av.) . . . . **EZ** 47
Dolet (R. Étienne) . . . . **EZ** 49
Dunois (Pl.) . . . . **DY** 52
Dupanloup (R.) . . . . **EY** 53
Escures (R. d') . . . . **EY** 55
Étape (Pl. de l') . . . . **EY** 56
Ételon (R. de l') . . . . **FY** 57
Folie (R. de la) . . . . **FZ** 58
Fort-des-Tourelles (Q.) . . . . . . **EZ** 60
Gaulle (Pl. du Gén.-de) . . . . . **DZ** 65
Hallebarde (R. de la) . . . . **DY** 70
Madeleine (R. Fg) . . . . **DZ** 88
Motte-Sanguin
(Bd de la) . . . . **FZ** 95
Notre-Dame-de-
Recouvrance (R.) . . . . **DZ** 97
Oriflamme (R. de l') . . . . **FZ** 98
Parisie (R.) . . . . **EZ** 100
Poirier (R. du) . . . . **EZ** 106
Pte-Madeleine (R.) . . . . **DY** 108
Pte-St-Jean (R.) . . . . **DY** 109
Pothier (R.) . . . . **EZ** 112
Prague (Quai) . . . . **DZ** 113
Rabier (R. F.) . . . . **EY** 117
St-Euverte (Bd) . . . . **FYZ** 126
St-Euverte (R.) . . . . **FY** 127
Ste-Catherine (R.) . . . . **EZ** 138
Ste-Croix (Pl.) . . . . **EYZ** 139
Secrétain (Av. R.) . . . . **DZ** 140
Segellé (Bd P.) . . . . **FY** 141
Tour Neuve (R. de la) . . . . **FZ** 147
Verdun (Bd de) . . . . **DY** 152
Vieux-Marché (Pl.) . . . . **DZ** 159
Weiss (R. L.) . . . . **FY** 160
6-Juin-1944 (Pl. du) . . . . **FY** 162

Les numéros de sorties des villes ①, ②.. sont identiques sur les plans et les cartes Michelin.

XX **Le Florian,** 70 bd A. Martin ✆ 38 53 08 15, Fax 38 53 08 49, ⛱, ✈ – AE ⓓ GB EY **p**
fermé 4 au 26 août et dim. – **Repas** 115/200.

XX **Eugène,** 24 r. Ste-Anne ✆ 38 53 82 64, Fax 38 54 31 89 – ▤. AE ⓓ GB EY **u**
fermé 31 juil. au 21 août, 24 nov. au 2 janv., lundi midi, sam. midi et dim. – **Repas** (nombre de couverts limité, prévenir) 125/175.

XX **La Crémaillère,** 34 r. N.-D. de Recouvrance ✆ 38 53 49 17, Fax 38 53 98 48 – AE ⓓ GB DZ **r**
fermé dim. soir – **Repas** 128 bc/198.

XX **L'Archange,** 66 r. fg Madeleine ✆ 38 88 64 20 – ⓓ GB BY **z**
fermé 28 juil. au 27 août, vacances de fév., mardi soir et dim. sauf le midi de sept. à juin et lundi – **Repas** 90/235, enf. 40.

XX **L'Ambroisie,** 222 r. Bourgogne ✆ 38 68 13 33 – ▤. AE GB EZ **t**
fermé dim. – **Repas** 95 bc/160 bc.

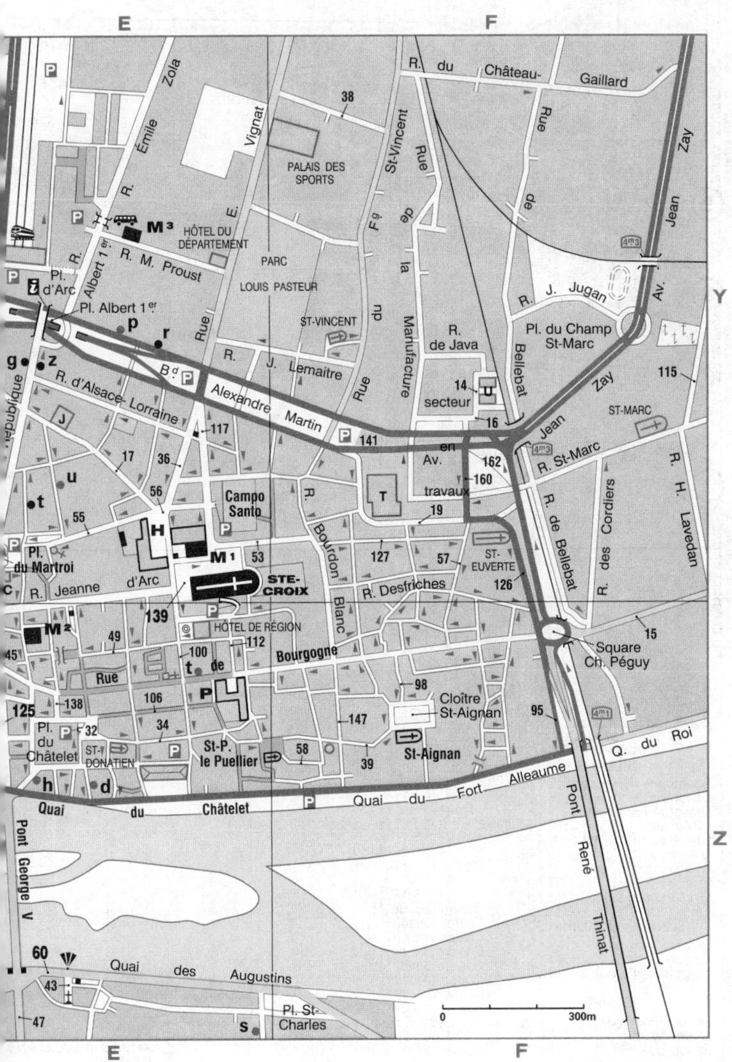

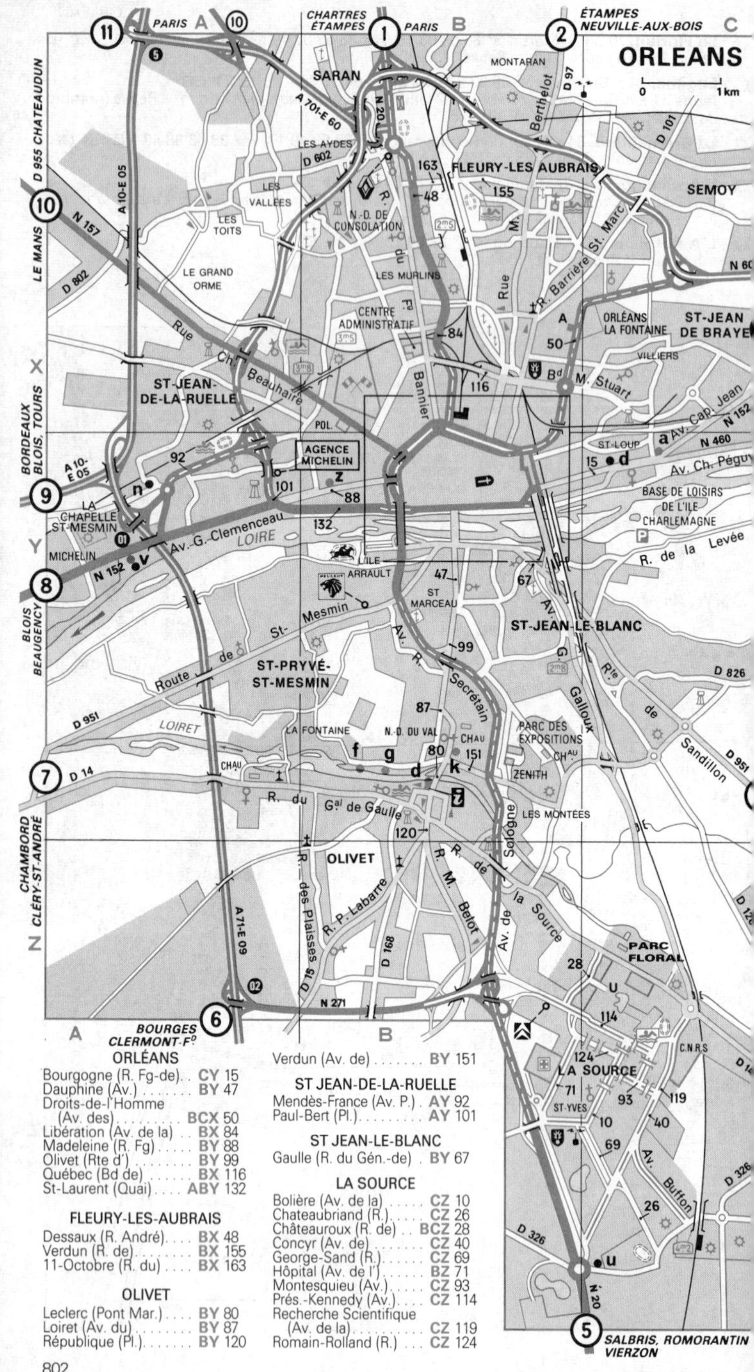

ORLÉANS

Bourgogne (R. Fg-de) . . **CY** 15
Dauphine (Av.) . . . . **BY** 47
Droits-de-l'Homme (Av. des) . . . . **BCX** 50
Libération (Av. de la) . . **BX** 84
Madeleine (R. Fg) . . . . . **BY** 88
Olivet (Rte d') . . . . **BY** 99
Québec (Bd de) . . . . **BX** 116
St-Laurent (Quai) . . . . **ABY** 132
Verdun (Av. de) . . . . **BY** 151

FLEURY-LES-AUBRAIS

Dessaux (R. André) . . . . **BX** 48
Verdun (R. de) . . . . **BX** 155
11-Octobre (R. du) . . . . **BX** 163

OLIVET

Leclerc (Pont Mar.) . . . . **BY** 80
Loiret (Av. du) . . . . **BY** 87
République (Pl.) . . . . **BY** 120

ST JEAN-DE-LA-RUELLE

Mendès-France (Av. P.) . **AY** 92
Paul-Bert (Pl.) . . . . **AY** 101

ST JEAN-LE-BLANC

Gaulle (R. du Gén.-de) . **BY** 67

LA SOURCE

Bolière (Av. de la) . . . . . **CZ** 10
Chateaubriand (R.) . . . . . **CZ** 26
Châteauroux (R. de) . . **BCZ** 28
Concyr (Av. de) . . . . **CZ** 40
George-Sand (R.) . . . . **CZ** 69
Hôpital (Av. de l') . . . . . . **BZ** 71
Montesquieu (Av.) . . . . . **CZ** 93
Prés.-Kennedy (Av.) . . . . **CZ** 114
Recherche Scientifique (Av. de la) . . . . **CZ** 119
Romain-Rolland (R.) . . . **CZ** 124

XX **La Chancellerie,** pl. Martroi ✆ 38 53 57 54, Fax 38 77 09 92, 🏠 – AE GB EY **a**
fermé vacances de fév. et dim. – carte 170 à 340 ⅄, enf. 45 - ***Brasserie* : Repas** carte environ 140 ⅄, enf. 45.

XX **La Loire,** 6 r. J. Hupeau ✆ 38 62 76 48 – AE GB EZ **h**
fermé 1er au 15 août, sam. midi et dim. – **Repas** 140/280, enf. 60.

X **des Plantes,** 44 r. Tudelle ✆ 38 56 65 55, Fax 38 51 33 27 – AE GB DZ **n**
fermé 23 juil. au 20 août, Noël au Jour de l'An, lundi soir, sam. midi et dim. – **Repas** (prévenir) 98/220.

X **Brasserie Lyonnaise,** 82 r. Turcies ✆ 38 53 15 24, Fax 38 54 67 54 – ▤. AE GB DZ **m**
fermé 4 au 22 août, sam. midi, dim. et fêtes – **Repas** 100.

à St-Jean-de-Braye E : 4 km - CXY – 16 387 h. alt. 108 – ✉ **45800** :

Novotel Orléans Charbonnière M, N 152 ✆ 38 84 65 65, Télex 760717, Fax 38 84 66 61, 🏠, ♨, 🌳 – |♦| ⇔ ▤ TV ☎ ✆ ♿ P – 🏛 150. AE ① GB JCB
Repas 95/110, enf. 50 – ☕ 49 – **107 ch** 410/470.

Promotel M sans rest, 117 fg Bourgogne ✆ 38 53 64 09, Fax 38 62 70 62, « Jardin ombragé, ♨ » – |♦| TV ☎ ♿ P. GB. ✄ CY **d**
☕ 40 – **83 ch** 260/350.

XX **La Grange,** 205 fg Bourgogne ✆ 38 86 43 36 – GB CY **a**
fermé août, dim. et lundi – **Repas** 100/140.

à La Source SE : 11 km carrefour N 20-CD 326 – ✉ **45100** Orléans :

Novotel Orléans La Source M, r. H. de Balzac ✆ 38 63 04 28, Télex 760619, Fax 38 69 24 04, 🏠, ♨, 🌳, ✂ – ⇔ ▤ TV ☎ ✆ ♿ P – 🏛 150. AE ① GB JCB CZ **u**
Repas 95/110, enf. 50 – ☕ 49 – **107 ch** 410/470.

à Olivet : S : 5 km par av. Loiret et bords du Loiret **G. Châteaux de la Loire** – 17 572 h. alt. 100 – ✉ **45160** :

ℹ Office de Tourisme 226 r. Paul-Génain ✆ 38 63 49 68, Fax 38 69 17 48.

Le Rivage M ⛰, 635 r. Reine Blanche ✆ 38 66 02 93, Fax 38 56 31 11, ≤, 🏠, « Terrasse au bord de l'eau », 🌳, ✂ – TV ☎ P. AE ① GB BY **f**
fermé 25 déc. au 20 janv. – **Repas** *(fermé dim. soir du 1er nov. au 31 mars)* 160/280 – ☕ 50 – **17 ch** 370/490 – ½ P 450/500.

XXX **Quatre Saisons** ⛰ avec ch, 351 r. Reine Blanche ✆ 38 66 14 30, Fax 38 66 78 59, ≤, 🏠, « Terrasse au bord de l'eau » – TV ☎ P. AE GB JCB BY **g**
fermé dim. soir et lundi du 1er oct. au 15 avril – **Repas** 155/280 – ☕ 40 – **10 ch** 280/400 – ½ P 400.

XX **La Laurendière,** 68 av. Loiret ✆ 38 51 06 78, Fax 38 56 36 20 – ① GB BY **k**
fermé 8 au 24 juil. et merc. – **Repas** 100/235.

XX **L'Eldorado,** 10 r. M. Belot ✆ 38 64 29 74, Fax 38 69 14 33, 🏠, 🌳 – P. AE GB BY **d**
fermé 19 au 25 fév., 5 au 25 août et lundi – **Repas** (déj. seul.) 100/220.

à St-Hilaire-St-Mesmin par ⑦ : 7 km – 2 025 h. alt. 101 – ✉ **45160** :

Escale du Port Arthur ⛰, r. Église ✆ 38 76 30 36, Fax 38 76 37 67, ≤, 🏠 – ⇔ TV ☎ ✆ P – 🏛 25. AE ① GB JCB
fermé 2 au 6 janv. et 8 au 25 fév. – **Repas** *(fermé dim. soir et lundi de nov. à mars)* 105/220 bc – ☕ 45 – **20 ch** 252/325 – ½ P 315/348.

à la Chapelle-St-Mesmin O : 4km - AY – 8 207 h. alt. 101 – ✉ **45380** :

Orléans Parc H. M ⛰ sans rest, 55 rte Orléans ✆ 38 43 26 26, Fax 38 72 00 99, ≤, parc – TV ☎ ♿ P – 🏛 30. AE ① GB AY **v**
☕ 45 – **34 ch** 300/580.

Campanile, Z.A. Les Portes de Micy ✆ 38 72 23 23, Fax 38 88 21 81, 🏠 – ⇔ TV ☎ ✆ ♿ P – 🏛 30. AE ① GB AY **n**
Repas 84 bc/107 bc, enf. 39 – ☕ 32 – **48 ch** 270.

XXX **Ciel de Loire,** 55 rte Orléans ✆ 38 72 29 51, Fax 38 72 29 67, 🏠, parc – P. GB AY **v**
fermé 4 au 10 mars, 5 au 25 août, sam. midi et lundi – **Repas** 105/230 et carte 230 à 330.

à Boulay-les-Barres par ⑩ : 12 km – 466 h. alt. 126 – ✉ **45140** St-Jean-de-la-Ruelle :

XX **Aub. Relais de la Beauce,** Les Barres (D 955) ✆ 38 75 36 04, Fax 38 75 33 39 – AE ① GB
fermé août, dim. soir, lundi soir et mardi soir – **Repas** 95/280, enf. 65.

MICHELIN, Agence régionale, 1 allée des Mistigris à St-Jean-de-la-Ruelle AY ✆ **38 88 02 20**

BMW Gar. Dupont, 34 fg Madeleine ✆ 38 71 71 71
FIAT DAO, 54 r. fg Bannier ✆ 38 54 51 51
MERCEDES Gar. Jousselin, 12 r. Jousselin ✆ 38 53 61 04
PEUGEOT Agence Générale Autom., 22 av. St-Mesmin BY ✆ 38 66 10 97 N ✆ 38 78 21 60

Euromaster, 5 r. Rape ✆ 38 53 57 18
Orléans-Pneu, 42 quai St-Laurent ✆ 38 62 24 54

Périphérie et environs

ALFA ROMEO, LANCIA Prestige Automobiles, ZAC des Aulnaies à Olivet ✆ 38 69 65 65
CITROEN France et Delaroche, N 20 à Saran par ①
✆ 38 73 50 60
CITROEN France et Delaroche, r. de Bourges à Olivet BZ ✆ 38 63 02 62
FORD ASFIR Sud, 764 r. du Rosier à Olivet
✆ 38 69 32 88
MITSUBISHI, PORSCHE Loire Auto, r. Bergeresse ZAC Aulnaies à Olivet ✆ 38 69 33 69
NISSAN Auto Val de Loire, 26 r. A.-Dessaux à Fleury-les-Aubrais ✆ 38 43 71 11
RENAULT Succursale, 539 fg Bannier à Saran BX ✆ 38 79 30 30 N ✆ 38 79 30 30
VAG Gar. Pillon, 20 r. A.-Dessaux à Fleury-les-Aubrais ✆ 38 22 87 22 N ✆ 38 86 49 62

Euromaster, ZA r. d'Alsace à Olivet ✆ 38 63 41 64
Super Pneus, r. du Clos St-Gabriel à St-Jean-de-la-Ruelle ✆ 38 72 54 00
Tours pneus vulcopneu, ZI de Montaran à Saran ✆ 38 73 13 13

ORLY (Aéroports de Paris) 94 Val-de-Marne 61 ①, 101 ㉖ – voir à Paris, Proche banlieue.

ORMOY-LA-RIVIÈRE 91 Essonne 60 ⑳, 106 ㊷ – rattaché à Étampes.

ORNAISONS 11 Aude 83 ⑬ – rattaché à Narbonne.

ORNANS 25290 Doubs 66 ⑯ **G. Jura** (plan) – 4 016 h alt. 355.

Voir Grand Pont ≤★ – Miroir de la Loue★ – Musée Courbet – O : Vallée de la Loue★★ – L Château ≤★ N : 2,5 km.

Office de Tourisme r. P.-Vernier (avril-sept.) ✆ 81 62 21 50.

Paris 428 – ♦Besançon 25 – Baume-les-Dames 42 – Morteau 53 – Pontarlier 34 – Salins-les-Bains 37.

France, r. P. Vernier ✆ 81 62 24 44, Fax 81 62 12 03, – TV ☎ P. GB. ch
fermé 15 déc. au 15 fév., lundi (sauf hôtel) et dim. soir sauf vacances scolaires – **Repa** 110/280 – ☕ 40 – **31 ch** 160/400 – ½ P 350/375.

rte de Bonnevaux-le-Prieuré NO : 8 km par D 67 et D 280 – ✉ **25620** Bonnevaux :

XXX **Moulin du Prieuré** avec ch, ✆ 81 59 21 47, Fax 81 59 28 79, , – TV ☎ ♿ P. GB
5 mars-15 nov. et fermé merc. midi et mardi sauf juil.-août – **Repas** 145 (déj.), 220/350 carte 260 à 400 – ☕ 30 – **8 ch** 330/350 – ½ P 420/550.

PEUGEOT Pernot Automobiles Services, ✆ 81 62 15 24 N ✆ 81 57 40 40
RENAULT Gar. de la Vallée, ✆ 81 62 18 68 N ✆ 81 62 21 35

OROUET 85 Vendée 67 ⑫ – rattaché à St-Jean-de-Monts.

ORPIERRE 05700 H.-Alpes 81 ⑤ **G. Alpes du Sud** – 335 h alt. 682.

Paris 696 – Digne-les-Bains 70 – Gap 55 – Château-Arnoux 45 – Serres 19 – Sisteron 31.

aux Bégües SO : 4,5 km – ✉ **05700** Orpierre :

Le Céans , ✆ 92 66 24 22, Fax 92 66 28 29, ≤, , , – ☎ P. AE GB.
15 mars-30 nov. – **Repas** 85/200 – ☕ 35 – **24 ch** 230/280 – ½ P 250.

ORSAY 91 Essonne 60 ⑩, 101 ㉞ – voir à Paris, Environs.

ORTHEZ 64300 Pyr.-Atl. 78 ⑧ **G. Pyrénées Aquitaine** – 10 159 h alt. 55.

Voir Pont Vieux★ AZ.

d'Hélios à Salies-de-Béarn ✆ 59 38 37 59, par ⑤ : 17 km.

Office de Tourisme Maison Jeanne-d'Albret ✆ 59 69 02 75, Fax 59 69 12 00.

Paris 775 ⑥ – Pau 48 ② – ♦Bayonne 66 ⑤ – Dax 37 ⑥ – Mont-de-Marsan 53 ①.

Plan page ci-contre

Au Temps de la Reine Jeanne, 44 r. Bourg-Vieux ✆ 59 67 00 76, Fax 59 69 09 63 – TV ☎ ♿. AE GB AZ
Repas 85 (déj.)/180 , enf. 40 – ☕ 30 – **20 ch** 233/310 – ½ P 257/272.

XX **Aub. St-Loup,** 20 r. Pont Vieux ✆ 59 69 15 40, Fax 59 67 13 19, – AE GB
fermé dim. soir et lundi sauf juil.-août – **Repas** 98 (déj.)/160 , enf. 45. AZ

à Maslacq par ③ : 9 km – 738 h. alt. 74 – ✉ **64300** Orthez :

Maugouber , ✆ 59 38 78 00, Fax 59 38 78 29, , – rest TV ☎. GB. rest
fermé 23 déc. au 2 janv., vend. soir et sam. – **Repas** 62/180 – ☕ 32 – **22 ch** 230/300 – ½ P 200/225.

CITROEN Béarn Auto, rte de Bayonne par ⑤ ✆ 59 38 79 00
PEUGEOT Orthézienne Autom., 19 av. du 8 mai ✆ 59 69 08 22
RENAULT Gar. Mousques, 10 av. F.-Jammes ✆ 59 69 09 78
RENAULT Autom. Orthéziennes, N 117, ZI des Soarns par ② ✆ 59 67 00 00 N ✆ 05 05 15 15

Pédarre Pneus Vulcopneu, N 117 à Castétis ✆ 59 69 06 15

ORTHEZ

and (R. Aristide) .... BY 8
cobins (R. des) .... BZ 22
Gilles (R.) .... BZ

oret (R. Jeanne-d') .... BZ 2
uitaine (Av. d') .... AY 3
gote (R. Daniel) .... AZ 4
mes (Pl. d') .... BZ 5
illères (R. Paul) .... BZ 6
urg-Vieux (R.) .... AZ 7
ossers (Pl.) .... BZ 9
rps-Franc-Pommiès
(Av. du) .... AY 12
rget (Av. Xavier) .... BZ 13
y (R. du Gén.) .... BY 14
ères-Reclus
(R. des) .... AZ 16
rloge (R. de l') .... BY 21
mmes (Av. Francis) .... BZ 23
sserre (R. Pierre) .... ABZ 26
oncade (R.) .... BY 28
oulin (R. du) .... BZ 29
outète (Pl. de la) .... AZ 30
nt-Neuf (Av. du) .... ABZ 32
ustelle (Pl. de la) .... BY 33
-Pierre (Pl. et ⊞) .... AY 35
-Pierre (R.) .... AY 36
euls (Av. des) .... BY 38
aduc (R. du) .... AY 40

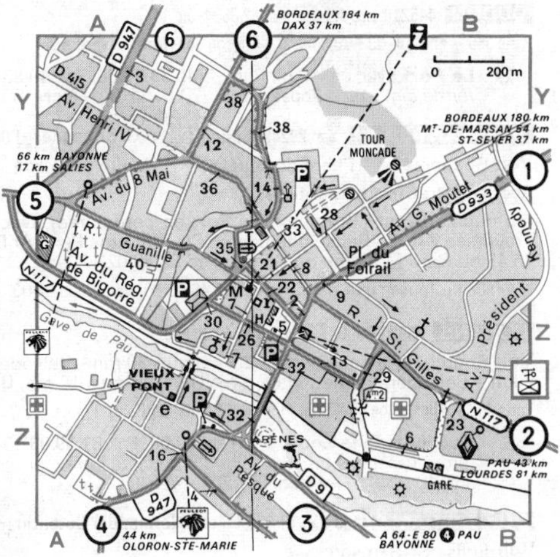

RVAULT 44 Loire-Atl. 67 ③ – rattaché à Nantes.

SNY 95 Val-d'Oise 55 ⑲, 106 ⑤, 101 ② – voir à Cergy-Pontoise.

SQUICH (Col d') 64 Pyr.-Atl. 85 ④ **G. Pyrénées Aquitaine – Voir** ✳★.
ris 810 – Biarritz 71 – Mauléon-Licharre 14 – Oloron-Ste-Marie 44 – Pau 72 – St-Jean-Pied-de-Port 26.

Col d'Osquich ⛰, ✉ 64130 Mauléon ✆ 59 37 81 23, Fax 59 37 86 81, ≤, 🌳, 🌳 – 📺 ☎ ♿ 🅿. GB – *1er juil.-20 nov.* – **Repas** 70/180, enf. 50 – ☕ 26 – **18 ch** 160/220 – ½ P 210.

SSÈS 64780 Pyr.-Atl. 85 ③ – 692 h alt. 102.
ris 813 – Biarritz 44 – Cambo-les-Bains 24 – Pau 120 – St-Étienne-de-Baïgorry 10,5 – St-Jean-Pied-de-Port 14.

Mendi Alde, pl. église ✆ 59 37 71 78, Fax 59 37 77 22, 🌳 – 📺 ☎ 🅿. GB
fermé 11 nov. au 20 déc., dim. soir et lundi – **Repas** 75/180 ♁, enf. 40 – ☕ 30 – **23 ch** 210/260 – ½ P 230/260.

STHOUSE 67150 B.-Rhin 87 ⑤ – 884 h alt. 155.
ris 514 – ♦Strasbourg 26 – Obernai 17 – Offenburg 40 – Sélestat 22.

XX **A L'Aigle d'Or,** ✆ 88 98 06 82, Fax 88 98 81 75 – ▤ 🅿. GB
fermé 1er au 21 août, Noël au Jour de l'An, vacances de fév., lundi soir et mardi – **Repas** 160/365 ♁.

STWALD 67 B.-Rhin 62 ⑩ – rattaché à Strasbourg.

TTMARSHEIM 68490 H.-Rhin 87 ⑨ **G. Alsace Lorraine** – 1 897 h alt. 220.
oir Centrale hydro-électrique★ – Église★.
ris 479 – ♦Mulhouse 17 – Basel 33 – Colmar 44 – Freiburg im Breisgau 42.

Als'Hôtel Ⓜ, carrefour de la Vierge ✆ 89 26 06 07, Fax 89 26 23 12, 🌳 – 🛗 ⚡ 📺 ☎ ♿ 🅿 – 🏛 50
La Route Romane ✆ 89 26 05 05 **Repas** 59/210 ♁, enf. 39 – ☕ 30 – **40 ch** 300 – ½ P 200/230.

TTROTT 67 B.-Rhin 62 ⑨ – rattaché à Obernai.

UCHAMPS 41120 L.-et-Ch. 64 ⑰ – 648 h alt. 92.
oir Château de Fougères-sur-Bièvre★ NO : 5 km, **G. Châteaux de la Loire.**
ris 198 – ♦Tours 55 – Blois 16 – Montrichard 18 – Romorantin-Lanthenay 38.

Relais des Landes ⛰, N : 1,5 km ✆ 54 44 03 33, Fax 54 44 03 89, parc – 📺 ☎ 🅿 – 🏛 30. AE ⓓ GB JCB
30 mars-15 nov. – **Repas** 175/305, enf. 95 – ☕ 55 – **28 ch** 495/745 – ½ P 530/658.

UCQUES 41290 L.-et-Ch. 64 ⑦ – 1 473 h alt. 127.
ris 160 – ♦Orléans 55 – Beaugency 28 – Blois 27 – Châteaudun 30 – Vendôme 20.

XX **Commerce** avec ch, ✆ 54 23 20 41, Fax 54 23 02 88 – ▤ rest 📺 ☎ 🚗. AE GB
fermé 20 déc. au 20 janv., dim. soir et lundi sauf juil.-août et fêtes – **Repas** (dim. prévenir) 93/260, enf. 60 – ☕ 39 – **12 ch** 210/290 – ½ P 300.

ENAULT Gar. Péan, ✆ 54 23 20 25 🅽 ✆ 54 23 20 25

OUDON **44521** Loire-Atl. 63 ⑱ – 2 353 h alt. 11.

Paris 355 – ◆Nantes 29 – Ancenis 9 – Clisson 36 – Nort-sur-Erdre 26.

XX **Le Port** avec ch, 10 pl. Port ✆ 40 83 68 58, Fax 40 83 69 79, – ☎. AE GB
fermé dim. soir – **Repas** 115 bc/200 – ☕ 30 – **6 ch** 150/260 – ½ P 240/260.

OUESSANT (Ile d') ★★ **29242** Finistère 58 ② **G. Bretagne** – 1 062 h alt. 23.

Voir Rochers★★★ – Phare du Stiff ✵★★ – Pointe de Pern★.

Accès par transports maritimes.

depuis **Brest** (1er éperon du Port de commerce) avec escales au Conquet et à Molène. Traversée 2 h 15 - Renseignements : Cie Maritime Penn Ar Bed ✆ 98 80 24 68 (Brest), Fax 98 44 75 43 ou Gare Maritime du Conquet ✆ 98 89 02 12.

Office de Tourisme pl. de l'Eglise ✆ 98 48 85 83, Fax 98 48 87 09.

OUHANS **25520** Doubs 70 ⑥ – 287 h alt. 600.

Voir Source de la Loue★★★ N : 2,5 km puis 30 mn – Belvédère du Moine de la Vallée ✵★★ NO : 5 km – Belvédère de Renédale ≤★ NO : 4 km puis 15 mn, **G. Jura.**

Paris 457 – ◆Besançon 48 – Pontarlier 16 – Salins-les-Bains 39.

Sources de la Loue, ✆ 81 69 90 06, Fax 81 69 93 17 – ☎ P. GB
fermé vacances de Toussaint, 20 déc. au 1er fév. et merc. soir hors sais. – **Repas** 70/175, enf. 40 – ☕ 30 – **14 ch** 160/200 – ½ P 240.

OUISTREHAM **14150** Calvados 55 ② **G. Normandie Cotentin** (plan) – 6 709 h – Casino (Riva Bella).

Voir Église St-Samson★.

de Caen ✆ 31 94 72 09, S par D 514 : 13 km.

Office de Tourisme Jardins du Casino ✆ 31 97 18 63, Fax 31 96 87 33.

Paris 239 – ◆Caen 14 – Arromanches-les-Bains 31 – Bayeux 43 – Cabourg 19.

au Port d'Ouistreham :

XXX **Normandie** avec ch, 71 av. M. Cabieu ✆ 31 97 19 57, Fax 31 97 20 07 – ☎ P – 50. AE GB
fermé 15 déc. au 10 janv., dim. soir et lundi du 1er nov. à fin mars – **Repas** 88/340 et carte 230 à 320 – ☕ 40 – **22 ch** 320 – ½ P 320.

à Riva-Bella :

Thermes Riva-Bella Normandie M, av. Cdt Kieffer ✆ 31 96 40 40, Fax 31 96 45 45, ≤ centre de thalassothérapie, – ☎ P – 35. AE GB. rest
fermé 2 au 16 janv. – **Repas** 130/225, enf. 70 – ☕ 55 – **46 ch** 650/800, 4 appart – ½ P 565

X **Métropolitain,** 1 rte Lion ✆ 31 97 18 61, « Évocation d'un wagon de métropolitain de 1900 » – AE GB
fermé 20 nov. au 5 déc., lundi soir et mardi de nov. à mai – **Repas** 90/190.

à Colleville-Montgomery bourg O : 3,5 km par D 35^A^ – 1 926 h. alt. 10 – ✉ **14880** :

XX **Ferme St-Hubert,** ✆ 31 96 35 41, Fax 31 97 45 79, – P. AE GB
fermé 24 déc. au 15 janv., dim. soir et lundi sauf juil.-août et fériés – **Repas** 90/255, enf. 50.

OUSSE **64** Pyr.-Atl. 85 ⑦ – ✉ **64320** Idron-Lee-Ousse-Sendets.

Paris 775 – Pau 11 – Aire-sur-l'Adour 52 – Lourdes 32 – Tarbes 32.

Pyrénées, ✆ 59 81 71 51, Fax 59 81 78 47, – ☎ P – 35. AE GB JCB ch
fermé 18 déc. au 14 janv. et dim. soir de nov. à mai – **Repas** 68/185, enf. 40 – ☕ 30 – **20 ch** 260/295 – ½ P 225/250.

OUZOUER-SUR-LOIRE **45570** Loiret 65 ① – 2 310 h alt. 140.

Paris 142 – ◆Orléans 52 – Gien 16 – Montargis 44 – Pithiviers 53 – Sully-sur-Loire 10.

XX **Abricotier,** 106 r. Gien ✆ 38 35 07 11 – GB
fermé 24 au 31 déc., 17 août au 4 sept., lundi sauf fériés, dim. soir et merc. soir – **Repas** 135/220, enf. 51.

OYE-ET-PALLET **25160** Doubs 70 ⑥ – 467 h alt. 853.

Paris 454 – ◆Besançon 66 – Champagnole 40 – Morez 56 – Pontarlier 6,5.

Parnet, ✆ 81 89 42 03, Fax 81 89 41 47, ≤, parc, – ☎ P. GB.
fermé 20 déc. au 6 fév., dim. soir et lundi sauf vacances scolaires – **Repas** 100/260 – ☕ 40 – **16 ch** 290/350 – ½ P 365/400.

OYONNAX **01100** Ain 70 ⑭ **G. Jura** – 23 869 h alt. 540.

Office de Tourisme 1 r. Bichat ✆ 74 77 94 46, Fax 74 77 68 27.

Paris 486 ③ – Bellegarde-sur-Valserine 29 ② – Bourg-en-Bresse 59 ④ – Lons-le-Saunier 60 ① – Nantua 15 ③.

OYONNAX

Anatole-France (R.) .... YZ
Jean-Jaurès (Av.) .... Z 10
Michelet (R.) .... Y
Sonthonnax (R. J.) .... Y 18

Vandel (R.) .... Y 22
Voltaire (R.) .... Z
Zola (Pl. Émile) .... Z 25
8-Mai-1945 (R. du) .... Z 26

Bichat (R.) .... YZ 2
Brunet (R.) .... Y 3

Château (R. du) .... Z 4
Muret (R. du) .... Z 12
Paix (R. de la) .... Z 14
Renan (R.) .... Z 15
Roosevelt (Av. Prés.) .... Y 16
Vaillant-Couturier (Pl.) .... Y 20
Victoire (R. de la) .... Z 23

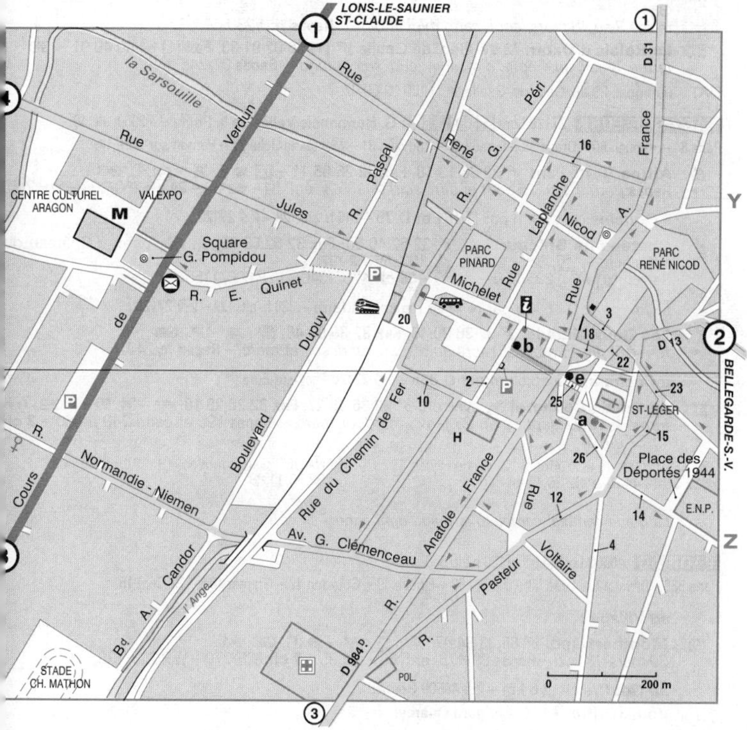

Gdes Roches et rest. Les Feuillantines ⑤, rte Bourg par ④ : 1,5 km ℘ 74 77 27 60, Fax 74 73 89 87, ←, – | TV ☎ – 50. AE ⓓ GB
Repas *(fermé sam. midi et dim. soir)* 85/195 ♁, enf. 50 – ☐ 35 – **38 ch** 285/420 – ½ P 300/340.

Ibis M, r. Bichat ℘ 74 73 90 15, Fax 74 77 23 19 – | TV ☎ & – 60. AE ⓓ GB
Repas *(fermé dim.)* 99 bc/120 bc, enf. 39 – ☐ 35 – **53 ch** 285/300. Y **b**

Buffard, pl. Eglise ℘ 74 77 86 01, Fax 74 73 77 68 – | TV ☎. AE GB YZ **e**
Repas *(fermé 29 juil. au 14 août, vend. soir, dim. soir et sam.)* 72/195 ♁ – ☐ 35 – **27 ch** 180/320 – ½ P 220/260.

Toque Blanche, 11 pl. É. Zola ℘ 74 73 42 63 – ▤. GB Z **a**
fermé 1er au 21 août, 2 au 9 janv., sam. midi et dim. sauf fêtes – **Repas** 95/240, enf. 60.

au Lac Génin par ② et D 13 : 10 km – ✉ **01130** Charix.

Voir Site★ du lac.

Aub. du Lac Genin ⑤ avec ch, ℘ 74 75 52 50, Fax 74 75 51 15, ← – TV ☎ P. GB.
fermé 15 oct. au 1er déc., dim. soir et lundi – **Repas** 65/110 ♁, enf. 35 – ☐ 28 – **5 ch** 130/250.

CITROEN D.A.R.A., 86 r. Castellion ℘ 74 77 31 22
HONDA, MITSUBISHI Gar. Capelli, 178 r. A.-France ℘ 74 77 18 86
PEUGEOT S.I.C.M.A., rte de la Forge à Bellignat ℘ 74 77 45 09 N ℘ 72 12 55 73
RENAULT Gar. du Lac, rte de St-Claude, ZI Nord par ① ℘ 74 77 46 42 N ℘ 74 76 07 33

Gar. Oyonnaxien, 9 r. Vaugelas ℘ 74 73 59 77
Gar. Vailloud, à Bellignat par D 85 ℘ 74 77 24 30

Alain Pneu-Point S, 53 cours de Verdun ℘ 74 73 51 88
Ayme Pneus, 53 r. B.-Savarin ℘ 74 77 88 88

OZOIR-LA-FERRIÈRE 77330 S.-et-M. 61 ② 106 ㉝ 101 ㉚ – 19 031 h alt. 110.

9 9 9 (1) 60 02 60 79, O : 2 km.

Syndicat d'Initiative pl. de la Mairie (1) 64 40 10 20.

Paris 35 – Coulommiers 41 – Lagny-sur-Marne 16 – Melun 30 – Sézanne 82.

XX **La Gueulardière,** 66 av. Gén. de Gaulle (1) 60 02 94 56, Fax (1) 60 02 98 51, – GB
fermé 3 au 18 mars, août, sam. midi et dim. – **Repas** 150/230.

XX **Le Relais d'Ozoir,** 73 av. Gén. de Gaulle (1) 60 02 91 33, Fax (1) 64 40 40 91 – GB
fermé 14 juil. au 4 août, dim. soir, jeudi soir et lundi – **Repas** 97/245.

FIAT Couffignal, 38 av. Gén.-de-Gaulle (1) 60 02 60 77

PACY-SUR-EURE 27120 Eure 55 ⑰ 106 ① **G. Normandie Vallée de la Seine** – 4 295 h alt. 40.

Paris 84 – ♦Rouen 60 – Dreux 38 – Évreux 17 – Louviers 31 – Mantes-la-Jolie 27 – Vernon-sur-Eure 14.

Altina M, rte Paris 32 36 13 18, Fax 32 26 05 11 – – 30. GB
Repas *(fermé 4 au 25 août et dim. soir)* 65/135, enf. 54 – 32 – **29 ch** 260/294 – ½ P 24

à Douains NE : 6 km par D 181 et D 75 – 346 h. alt. 128 – 27120 :

Château de Brécourt , 32 52 40 50, Fax 32 52 69 65, , parc, « Château 17e siècle », – 100. GB
Repas 190 (déj.), 235/360 – 69 – **30 ch** 475/1040 – ½ P 600/1155.

à Caillouet O : 6 km par N 13 et rte secondaire – 336 h. alt. 122 – 27120 :

XX **Les Deux Tilleuls,** 32 36 90 48, Fax 32 36 90 48, , – . GB
fermé 1er au 15 mars, 20 août au 5 sept., lundi soir et merc. – **Repas** 78/240.

à Cocherel NO : 6,5 km par D 836 – 27120 Pacy-sur-Eure :

XXX **Ferme de Cocherel** avec ch, 32 36 68 27, Fax 32 26 28 18, – . GB
fermé 2 au 12 sept., 2 au 23 janv., mardi et merc. – **Repas** 195 et carte 240 à 360 – **3**
325/400.

PEUGEOT Gar. de la Prudence, ZI rte de Paris 32 36 10 44 N 32 36 10 44

RENAULT Gar. Bonneau, 19 r. Albert Camus 32 36 11 88

La guida cambia, cambiate la guida ogni anno.

PADIRAC 46500 Lot 75 ⑲ – 160 h alt. 360.

Paris 538 – Brive-la-Gaillarde 53 – Cahors 63 – Figeac 39 – Gourdon 47 – Gramat 10,5 – St-Céré 15.

au Village :

Montbertrand, 65 33 64 47, , , – . GB.
30 mars-13 oct. – **Repas** 89/175, enf. 68 – 35 – **7 ch** 225/270 – ½ P 218/238.

au Gouffre N : 2,5 km – 46500 Gramat.

Voir Gouffre★★★, **G. Périgord Quercy.**

Padirac H. , 65 33 64 23, Fax 65 33 72 03, – . GB
1er avril-13 oct. – **Repas** 60/185, enf. 37 – 35 – **23 ch** 110/230 – ½ P 165/215.

PAGNY-SUR-MEUSE 55190 Meuse 62 ③ – 841 h alt. 245.

Paris 269 – ♦Nancy 38 – Bar-le-Duc 44 – Commercy 15 – Vaucouleurs 13.

Orchidées, Z.A.C. des Herbues, E : 1 km 29 90 66 65, Fax 29 90 66 63 – rest – 40. GB
Repas *(fermé dim. soir et sam.)* 79/175, enf. 55 – 30 – **38 ch** 185 – ½ P 180.

PAILHEROLS 15800 Cantal 76 ⑬ – 171 h alt. 1000.

Paris 569 – Aurillac 34 – Entraygues-sur-Truyère 48 – Murat 43 – Raulhac 11 – Vic-sur-Cère 14.

Aub. des Montagnes , 71 47 57 01, Fax 71 49 63 83, , , , – . GB
fermé 10 au 24 oct. et 5 nov. au 20 déc. – **Repas** 68/120 – 26 – **23 ch** 260 – ½ P 245/265

PAIMPOL 22500 C.-d'Armor 59 ② **G. Bretagne** – 7 856 h alt. 15.

Voir Abbaye de Beauport★ SE : 2 km par ② – Tour de Kerroc'h ★ 3 km par ① puis 15 mn.

Env. Pointe de Minard★★ SE : 11 km par ②.

18 du Bois-Gelin 96 22 31 24 à Tréméven, par ③ : 12 km.

Syndicat d'Initiative r. P. Feutren 96 20 83 16, Fax 96 55 31 89.

Paris 495 ② – St-Brieuc 43 ② – Guingamp 31 ④ – Lannion 33 ⑤.

Plan page ci-contre

Paimpol-Eurotel, par ③ : 1 km 96 20 81 85, Fax 96 20 48 24 – – 25.
GB
fermé 12 nov. au 20 déc., dim. midi et sam. d'oct. à mars – **Repas** 70/135, enf. 45 – 4
– **30 ch** 245/330 – ½ P 260/280.

PAIMPOL

Circulation réglementée l'été

Martray (Pl. du) 13
République (Pl. de la) .. 16

Bertho (R. Sylvain) 2
Botrel (Sq. T.)......... 3
Église (R. de l') 4
Fromal (R. H.) 5
Gaulle (Av. Gén.-de) ... 7
Islandais (R. des)...... 8
Labenne (R. de)....... 9
Leclerc (R. Gén.) 10
Marne (R. de la)....... 12
Morand (Quai)......... 14
Pasteur (R.) 15
St-Vincent (R.)........ 17
Verdun (Pl. de)........ 19
18-Juin (R. du)........ 22

Les plans de villes sont orientés le Nord en haut.

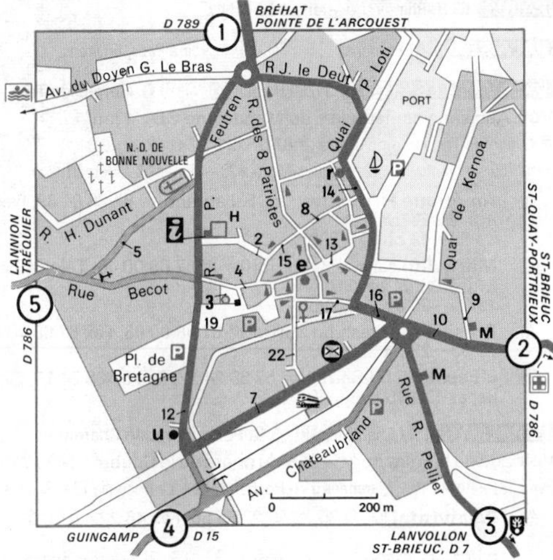

XX **Le Repaire de Kerroc'h** avec ch, 29 quai Morand **(r)** ✆ 96 20 50 13, Fax 96 22 07 46, « Malouinière du 18e siècle » – ▮ TV ☎. GB. ✂ rest
Repas *(fermé 5 janv. au 15 fév., merc. midi et mardi sauf 1er juil. au 15 sept.)* 98 (déj.), 135/350, enf. 60 – ☐ 45 – **12 ch** 390/480 – ½ P 395.

XX **Marne** avec ch, 30 r. Marne **(u)** ✆ 96 20 82 16, Fax 96 20 92 07 – TV ☎ P. AE GB
fermé Noël, vacances de fév., jeudi soir et vend. sauf juil.-août et fériés – **Repas** 95/390 bc, enf. 65 – ☐ 35 – **12 ch** 300/320 – ½ P 265/285.

XX **Vieille Tour**, 13 r. Église **(e)** ✆ 96 20 83 18 – GB
fermé lundi midi en juil.-août, dim. soir et merc. de sept. à juin – **Repas** 99/240, enf. 70.

à Ploubazlanec par ① : 2 km – 3 725 h. alt. 60 – ✉ **22620** :

🏠 **Motel Nuit et Jour** sans rest, rte Ile-de-Bréhat ✆ 96 20 97 97, ⛱ – cuisinette TV ☎ ♿ P. GB
☐ 35 – **20 ch** 260/345.

à Pors-Even par ① : 5 km – ✉ **22620** Ploubazlanec :

🏠 **Bocher**, ✆ 96 55 84 16 – P. GB. ✂
31 mars-5 nov. – **Repas** 110/250, enf. 70 – ☐ 35 – **15 ch** 160/400 – ½ P 240/320.

à Loguivy-de-la-Mer par ① et D 15 : 5 km – ✉ **22620** Ploubazlanec :

XX **Au Grand Large** avec ch, ✆ 96 20 90 18, Fax 96 20 87 10, ⛱ – TV ☎. AE GB
fermé 15 janv. au 15 fév., dim. soir et lundi d'oct. à Pâques – **Repas** 85/240, enf. 45 – ☐ 36 – **6 ch** 280/400 – ½ P 330/350.

à la Pointe de l'Arcouest par ① : 6 km – ✉ **22620** Ploubazlanec.
Voir ≤★★.

🏠 **Le Barbu** 🐦, ✆ 96 55 86 98, Fax 96 55 73 87, ≤ Ile de Bréhat, « Jardin avec piscine » – TV ☎ ♿ P. AE GB
fermé 5 janv. au 14 fév. – **Repas** 90 (déj.), 150/200 – ☐ 60 – **20 ch** 500/800 – ½ P 600/700.

près du pont de Lézardrieux par ⑤ : 4,5 km – ✉ **22500** Paimpol :

🏠 **Relais Brenner** 🐦, ✆ 96 20 11 05, Fax 96 22 16 27, ≤, « Parc fleuri sur le Trieux » – TV ☎ P. AE GB
15 mars-2 nov. – **Repas** *(fermé merc. midi du 5 sept. au 20 juin et mardi)* 150 (déj.), 250/550 – ☐ 70 – **16 ch** 600/1300 – ½ P 600/950.

ITROEN Gar. Landais, rte de Lanvollon par ③
' 96 55 33 80 N ✆ 96 55 33 80
ORD Gar. Chapalain, Quai Duguay Trouin
' 96 20 80 55 N ✆ 96 20 80 55

RENAULT Gar. Poidevin, rte de Lanvollon par ③
✆ 96 20 73 15 N ✆ 96 05 91 73

AIMPONT **35380** I.-et-V. 63 ⑤ **G. Bretagne** – 1 385 h alt. 159.
'oir Forêt de Paimpont★.
aris 389 – ♦Rennes 40 – Dinan 59 – Ploërmel 23 – Redon 48.

🏠 **Relais de Brocéliande**, ✆ 99 07 81 07, Fax 99 07 80 60, ⛱, ⛱ – TV ☎ P – 🏛 35. AE ◆ O GB. ✂ rest
fermé 15 au 30 déc. – **Repas** 70/260 – ☐ 35 – **24 ch** 180/280 – ½ P 235/285.

PAIRIS 68 H.-Rhin 62 ⑱ – rattaché à Orbey.

PALAISEAU 91 Essonne 60 ⑩, 101 ㉞ – voir à Paris, Environs.

PALAVAS-LES-FLOTS 34250 Hérault 83 ⑦ ⑰ **G. Gorges du Tarn** – 4 748 h alt. 1 – Casino.

Voir Ancienne cathédrale★ de Maguelone SO : 4 km.

Office de Tourisme bd Joffre ✆ 67 07 73 34, Fax 67 07 73 01.

Paris 766 – ♦Montpellier 12 – Aigues-Mortes 23 – Nîmes 58 – Sète 31.

Amérique H. sans rest, av. F. Fabrège ✆ 67 68 04 39, Fax 67 68 07 83, – ▤ TV ☎ P. AE ⓓ GB
35 – **49 ch** 270/330.

Mar y Sol sans rest, bd Joffre ✆ 67 68 00 46, Télex 485082, Fax 67 68 93 10, – ▤ TV ☎. AE ⓓ GB
36 – **39 ch** 260/395.

Brasilia sans rest, bd Joffre ✆ 67 68 00 68, Fax 67 68 40 41 – TV ☎. AE ⓓ GB JCB
33 – **22 ch** 250/380.

L'Escale, 5 bd Sarrail ✆ 67 68 24 17, Fax 67 68 24 17, – AE GB
Repas 120/160, enf. 60.

La PALMYRE 17 Char.-Mar. 71 ⑮ **G. Poitou Vendée Charentes** – ✉ **17570** Les Mathes.

Voir Zoo de la Palmyre★★ – ★ du phare de la Coubre★ NO : 5 km – Forêt de la Coubre★ N : 5 km

Paris 521 – Royan 15 – Marennes 21 – Rochefort 42 – La Rochelle 76 – Saintes 54.

Palmyrotel M, D 25 ✆ 46 23 65 65, Fax 46 22 44 13, , – TV ☎ P – 40. GB
rest
hôtel : 1er mars-1er nov. ; rest. : 30 mars-13 oct. – **Repas** 89 (déj.), 99/189, enf. 45 – 35
46 ch 340/380 – ½ P 310.

La PALUD-SUR-VERDON 04120 Alpes-de-H.-P. 81 ⑰ **G. Alpes du Sud** – 243 h alt. 930.

Paris 793 – Digne-les-Bains 65 – Castellane 25 – Draguignan 60 – Manosque 66.

Gorges du Verdon , S : 1 km ✆ 92 77 38 26, Fax 92 77 35 00, ≤, , , , –
☎ P – 30. AE GB
5 avril-13 oct. – **Repas** 110/250, enf. 55 – 60 – **27 ch** 400/540 – ½ P 370/435.

Provence , ✆ 92 77 38 88, Fax 92 77 31 05, ≤, – TV ☎ P. GB. rest
31 mars-1er nov. – **Repas** 80/150 , enf. 46 – 40 – **20 ch** 240/310 – ½ P 265.

Aub. des Crêtes, E : 1 km sur D 952 ✆ 92 77 38 47, Fax 92 77 30 40, – ☎ P. GB
1er avril-30 sept. – **Repas** *(fermé jeudi sauf juil.-août et vacances scolaires)* 82/262, enf. 52
34 – **12 ch** 253/275 – ½ P 255/267.

PAMIERS 09100 Ariège 86 ④ ⑤ **G. Pyrénées Roussillon** – 12 965 h alt. 280.

Office de Tourisme bd Delcassé ✆ 61 67 20 30, Fax 61 67 22 40.

Paris 759 – Foix 19 – Auch 134 – Carcassonne 76 – Castres 100 – ♦Toulouse 63.

France, 13 r. Hospice ✆ 61 60 20 88, Fax 61 67 29 48 – ▤ rest TV ☎ P
30. AE ⓓ GB
Repas *(fermé vacances de Noël et dim. du 1er oct. au 25 mai)* 66 (déj.), 88/230, enf. 50
35 – **28 ch** 220/380 – ½ P 245/275.

ALFA ROMEO, LADA Gar. Brillas, rte de Mirepoix, la Tour-du-Crieu ✆ 61 60 13 31
CITROEN Gar. Lopez, Côtes de la Cavalerie ✆ 61 67 11 45
FIAT, LANCIA S.C.A.A., 33 av. des Pyrénées à St-Jean-du-Falga ✆ 61 67 12 08
PEUGEOT Gar. Labail, N 20 à St-Jean-du-Falga ✆ 61 68 01 00
RENAULT Pamiers-Autom., N 20 à St-Jean-du-Falga ✆ 61 68 01 41 N ✆ 61 02 51 20

Euromaster, 3 av. Terrassa ✆ 61 60 54 34

PANTIN 93 Seine-St-Denis 56 ⑪, 101 ⑯ – voir à Paris, Environs.

Le PARADOU 13 B.-du-R. 83 ⑩ – rattaché à Maussane-les-Alpilles.

PARAMÉ 35 I.-et-V. 59 ⑥ – voir à St-Malo.

PARAY-LE-MONIAL 71600 S.-et-L. 69 ⑰ **G. Bourgogne** – 9 859 h alt. 245.

Voir Basilique du Sacré-Coeur★★ – Hôtel de ville★ **H** – Tympan★ du musée du Hiéron **M.**

Office de Tourisme av. Jean-Paul-II ✆ 85 81 10 92, Fax 85 88 35 61.

Paris 368 ⑤ – Moulins 71 ⑤ – Autun 77 ⑤ – Mâcon 66 ② – Montceau-les-Mines 35 ① – Roanne 55 ④.

Plan page ci-contre

Trois Pigeons, 2 r. Dargaud **(v)** ✆ 85 81 03 77, Fax 85 81 58 59 – ☎ . AE GB
1er mars-1er déc. – **Repas** 80/265 – 35 – **45 ch** 225/325 – ½ P 225/260.

Terminus, 27 av. Gare **(s)** ✆ 85 81 59 31, Fax 85 81 38 31, – TV ☎ P. GB
ch
Repas *(fermé sam. midi et dim. soir sauf du 15 juil. au 31 août)* 70/300 , enf. 50 – 35
16 ch 210/450.

PARAY-LE-MONIAL

République (R.) 27
Victor-Hugo (R.) 29

Alsace-Lorraine (Pl.) 2
Billet (R.) 3
Chapelains (Allée des) 5
Charolles (av. de) 6
Commerce (Quai du) 7
Dauphin-Louis (Bd) 8
Derischard (R. Louis) 9
Deux-Ponts (R.) 12
Dr. Griveaud (R.) 13
Four (R. du) 14
Gaulle (Av. Ch.-de) 15
Guignaud (Pl.) 17
Industrie (Quai de l') 18
Jaurès (Cours Jean) 20
Lamartine (Pl.) 21
Marché (R. du) 22
Paix (R. de la) 23
Regnier (Bd H. de) 26
St-Vincent (R.) 28
Visitation (R.) 30

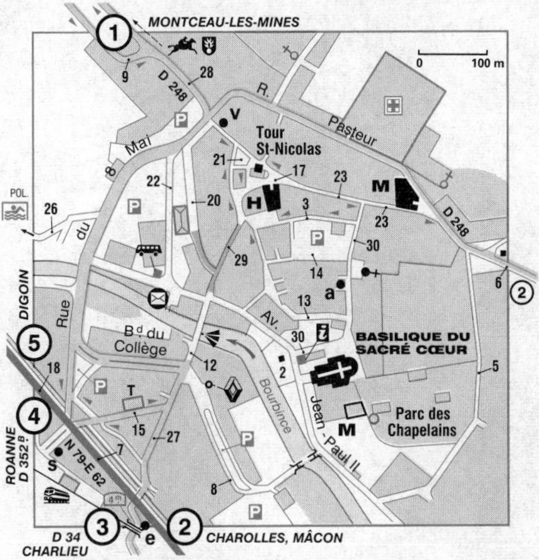

Basilique, 18 r. Visitation **(a)** ✆ 85 81 11 13, Fax 85 88 83 70 – |$| ☎. AE ⓞ GB JCB
15 mars-1er nov. – **Repas** 70/230 ♨, enf. 45 – ☕ 30 – **60 ch** 175/280 – ½ P 180/200.

Vendanges de Bourgogne, 5 r. D. Papin **(e)** ✆ 85 81 13 43, Fax 85 88 87 59 – TV ☎ 🚗 P. AE ⓞ GB
fermé 8 au 28 janv. et dim. soir du 1er oct. au 1er mai – **Repas** 72/190 ♨, enf. 55 – ☕ 33 – **17 ch** 170/250 – ½ P 230/280.

à l'Est : par ② : 3 km sur D 248 – ✉ **71600** Paray-le-Monial :

Val d'Or, ✆ 85 81 05 07, Fax 85 88 84 46, ☂ – TV ☎ 🚗 P. AE ⓞ GB
fermé dim. soir et lundi d'oct. à mars – **Repas** 80/230 ♨ – ☕ 30 – **15 ch** 230/260 – ½ P 205/230.

à Poisson par ③ : 8 km sur D 34 – 578 h. alt. 300 – ✉ **71600** :

Poste, ✆ 85 81 10 72, Fax 85 81 64 34, ☂, 🌳 – ▤. AE GB
fermé 1er fév. au 1er mars, lundi soir et mardi – **Repas** 80/450 bc, enf. 55.

par ⑤ : 4 km sur N 79 – ✉ **71600** Paray-le-Monial :

Motel Grill Le Charollais M, ✆ 85 81 03 35, Fax 85 81 50 31, ☂, 🏊, 🌳 – TV ☎ ♿ P. AE GB
Repas grill 55/100 ♨, enf. 38 – ☕ 38 – **20 ch** 269/360 – ½ P 205.

AT Gar. Lauferon, 16 r. Deux-Ponts ✆ 85 81 13 41
EUGEOT Gar. de la Beluze, La Beluze par av. de harolles à Volesvres ✆ 85 81 43 45
RENAULT Gar. Taillardat, 13 bd Dauphin Louis ✆ 85 81 44 12 N ✆ 85 26 70 54

ARCEY 39 Jura 70 ③ – rattaché à Dole.

ARENT 63 P.-de-D. 73 ⑭ ⑮ – rattaché à Vic-le-Comte.

ARENTIGNAT 63 P.-de-D. 73 ⑮ – rattaché à Issoire.

ARENTIS-EN-BORN 40160 Landes 78 ③ **G. Pyrénées Aquitaine** – 4 056 h alt. 32.

Office de Tourisme pl. Gén.-de-Gaulle ✆ 58 78 43 60.

aris 663 – ♦Bordeaux 74 – Mont-de-Marsan 77 – Arcachon 41 – Mimizan 24.

Poste, av. 8-Mai-1945 ✆ 58 78 40 23 – GB
fermé dim. soir et lundi sauf juil.-août – **Repas** 55 bc/130.

Cousseau avec ch, r. St-Barthélemy ✆ 58 78 42 46 – P. GB
fermé 13 au 19 mai, 14 oct. au 3 nov., vend. soir et dim. soir – **Repas** 68/290 – ☕ 30 – **10 ch** 160/260.

ITROEN Gar. Dumartin, ✆ 58 78 43 00 N
› 58 78 40 40
ENAULT Gar. Larrieu, ✆ 58 78 43 50 N
› 58 78 43 50
Lucet, 19 av. du 8 mai 1945 ✆ 58 78 40 79

Paris et environs

PARIS 🅿 75 Plans : 10 11 12 et 14 G. Paris – 2 152 333 h. – Région d'Ile-de-France 10 651 000 h. – alt. Observatoire 60 m – Place de la Concorde 34 m – ✪ 1

Aérogares urbaines (Terminal) : esplanade des Invalides (7e) (liaisons Orly) ✆ 43 17 21 65 et Palais des Congrès Porte Maillot (liaisons Roissy) ✆ 44 09 51 52.

Aéroports de Paris : voir à Orly et à Roissy-en-France, rubrique environs.

Trains Autos : renseignements ✆ 45 82 50 50.

Distances : A chacune des localités du Guide est donnée la distance du centre de l'agglomération à Paris (Notre-Dame) calculée par la route la plus pratique.

Curiosités .... p. 2

Offices de tourisme – Renseignements pratiques .... p. 3

Plan de répartition des quartiers et arrondissements .... p. 4 et 5

Practical information .... p. 6

Hôtels et Restaurants

- Liste alphabétique .... p. 7 à 13
- Les étoiles, les spécialités, les genres, menus de 100 F à 160 F, restaurants avec salons particuliers et restaurants ouverts samedi et dimanche .... p. 14 à 26
- Classement des hôtels et restaurants par arrondissements .... p. 27 à 64
- Localités de proche banlieue .... p. 65 à 95

Principales marques d'automobiles :

- Constructeurs français, importateurs d'automobiles étrangères *(Distributeurs en région parisienne)* .... p. 96

CURIOSITÉS

quelques idées pour profiter au mieux d'un séjour à Paris :

PARIS VU D'EN HAUT

Tour Eiffel★★★ – Tour Montparnasse★★★ – Tour Notre-Dame★★★ – Dôme du Sacré Cœur★★★ – Plate-forme de l'Arc de Triomphe★★★.

PERSPECTIVES CÉLÈBRES DE PARIS

⩽★★★ depuis l'Obélisque au centre de la Place de la Concorde : Champs-Élysées, Arc de Triomphe, Grande Arche de la Défense.
⩽★★ depuis l'Obélisque au centre de la Place de la Concorde : La Madeleine, Assemblée nationale.
⩽★★★ depuis la terrasse du Palais de Chaillot : Tour Eiffel, Ecole Militaire, Trocadéro.
⩽★★ depuis le pont Alexandre III : Invalides, Grand et Petit Palais.

QUELQUES MONUMENTS HISTORIQUES

Le Louvre★★★ (cour carrée, colonnade de Perrault, la pyramide) – Tour Eiffel★★★ – Notre-Dame★★★ – Sainte-Chapelle★★★ – Arc de Triomphe★★★ – Invalides★★★ (Tombeau de Napoléon) – Palais-Royal★★ – Opéra★★ – Conciergerie★★ – Panthéon★★ – Luxembourg★★ (Palais et Jardins).

Églises : La Madeleine★★ – Sacré-Cœur★★ – St Germain-des-Prés★★ – St Étienne du Mont★★ – St Germain l'Auxerrois★★.

Dans le Marais : Place des Vosges★★ – Hôtel Lamoignon★★ – Hôtel Guénégaud★★ (musée de la Chasse) – Palais Soubise★★ (musée de l'Histoire de France).

QUELQUES MUSÉES

Le Louvre★★★ – Orsay★★★ (milieu du 19e s. jusqu'au début du 20e s.) – Art moderne★★★ (au Centre Pompidou) – Armée★★★ (aux Invalides) – Arts décoratifs★★ (107, rue de Rivoli) – Musée National du Moyen Âge et Thermes de Cluny★★ – Rodin★★ (Hôtel de Biron) – Carnavalet★★ (Histoire de Paris) – Picasso★★ – Cité des Sciences et de l'Industrie★★★ (La Villette) – Marmottan★★ (collection de peintres impressionnistes) – Orangerie★★ (des Impressionnistes à 1930).

MONUMENTS CONTEMPORAINS

La Défense★★ (C.N.I.T., la Grande Arche) – Centre Georges-Pompidou★★ – Forum des Halles – Institut du Monde Arabe★ – Opéra-Bastille – Bercy (Palais Omnisports, Ministère des Finances).

QUARTIERS PITTORESQUES

Montmartre★★★ – Ile St-Louis★★ – les Quais★★ (entre le Pont des Arts et le Pont de Sully) – Quartier St-Séverin★★.

LE SHOPPING

Grands magasins :
Boulevard Haussmann, Rue de Rivoli, Rue de Sèvres.

Commerce de luxe :
Faubourg St-Honoré, Rue de la Paix, Rue Royale, av. Montaigne.

Occasions et antiquités :
Marché aux Puces (Porte de Clignancourt), Village Suisse (av. de la Motte-Picquet) – Louvre des Antiquaires.

***Pour rechercher une adresse, consulter le* PARIS PLAN Michelin n° 11.**

***Pour approfondir une visite touristique, consulter le* guide vert Michelin PARIS.**

OFFICES DE TOURISME

Office du Tourisme et des Congrès de Paris et Accueil de France :
(tous les jours de 9 à 20 h), 127 av. des Champs-Élysées (8e) ✆ 49 52 53 54, Télex 645439, Fax 49 52 53 00 – Informations et réservations d'hôtels (pas plus de 5 jours à l'avance pour la province).

Bureaux Annexes :
Ouverts tous les jours de 8 h à 21 h (20 h du 1er novembre au 31 mars), fermés le dimanche : Gare de l'Est ✆ 46 07 17 73 ; Gare de Lyon ✆ 43 43 33 24 ; Gare du Nord ✆ 45 26 94 82 ; Gare Montparnasse ✆ 43 22 19 19 ; Gare d'Austerlitz ✆ 45 84 91 70 (8 h à 15 h) ; Tour Eiffel ✆ 45 51 22 15 (de mai à septembre de 11 h à 18 h).

Province et étranger :
Voir adresses dans Index et Plan de Paris Michelin n° 11

RENSEIGNEMENTS PRATIQUES

BUREAUX DE CHANGE

– Banques ouvertes, pour la plupart, de 9 h à 16 h 30 sauf samedis, dimanches et fêtes.

– Bureau ouvert 7 jours/7 (sem. de 8 h 45 à 17 h, le week-end de 10 h 30 à 18 h) : 154, av. des Champs-Élysées (U.B.P.).

– A l'aéroport d'Orly-Sud : de 6 h 30 à 23 h

– A l'aéroport Roissy-Charles de Gaulle : de 6 h 30 à 23 h 30

TRANSPORTS

Taxi : faire signe aux véhicules libres (lumière jaune allumée) – Aires de stationnement – De jour et de nuit : appels téléphonés.

Bus-Métro : se reporter au plan de Paris Michelin n° 11 Le bus permet une bonne vision de la ville, surtout pour courtes distances.

POSTES-TÉLÉPHONE

Chaque quartier a un bureau de Postes ouvert jusqu'à 19 h, fermé samedi après-midi et dim.

Bureau ouvert 24 h sur 24 : 52, rue du Louvre.

COMPAGNIES AÉRIENNES FRANÇAISES

Air France 119, Champs-Élysées ✆ 42 99 23 64
Air Inter 49, Champs-Élysées ✆ 47 23 59 58

DÉPANNAGE AUTOMOBILE

Il existe, à Paris et dans la Région Parisienne, des ateliers et des services permanents de dépannage.

Les postes de Police vous indiqueront le dépanneur le plus proche de l'endroit où vous vous trouvez.

MICHELIN à Paris et en banlieue

Services généraux :
46 av. Breteuil ✆ 45 66 12 34 – 75324 PARIS CEDEX 07 – Télex MICHLIN 270789 F. Ouverts du lundi au vendredi de 8 h 45 à 16 h 30 (16 h le vendredi).

Boutique Michelin : 32, av. de l'Opéra, 75002 PARIS (métro Opéra) ✆ 42 68 05 20, Fax 45 42 10 50.
Ouverte le lundi de 12 h à 19 h et du mardi au samedi de 10 h à 19 h.

Agences régionales :
Ouvertes du lundi au vendredi de 8 h à 12 h et de 14 h à 18 h (17 h le vendredi).

Aubervilliers : 34 r. des Gardinoux ✆ 48 33 07 58, Fax 48 39 00 14 – BP 79 – 93302 AUBERVILLIERS CEDEX.

Buc : 417 av. R. Garros – Z.I. Centre – ✆ 39 56 10 66, Fax 39 56 03 75 – 78530 BUC.

Maisons-Alfort : r. Charles-Martigny – Z.I. des Petites Haies - ✆ 48 99 55 60, Fax 49 81 00 55 – BP 50 – 94702 MAISONS ALFORT CEDEX.

Nanterre : 13, 15, 17 r. des Fondrières ✆ 47 21 67 21, Fax 47 24 63 46 – BP 505 – 92005 NANTERRE CEDEX.

ARRONDISSEMENTS

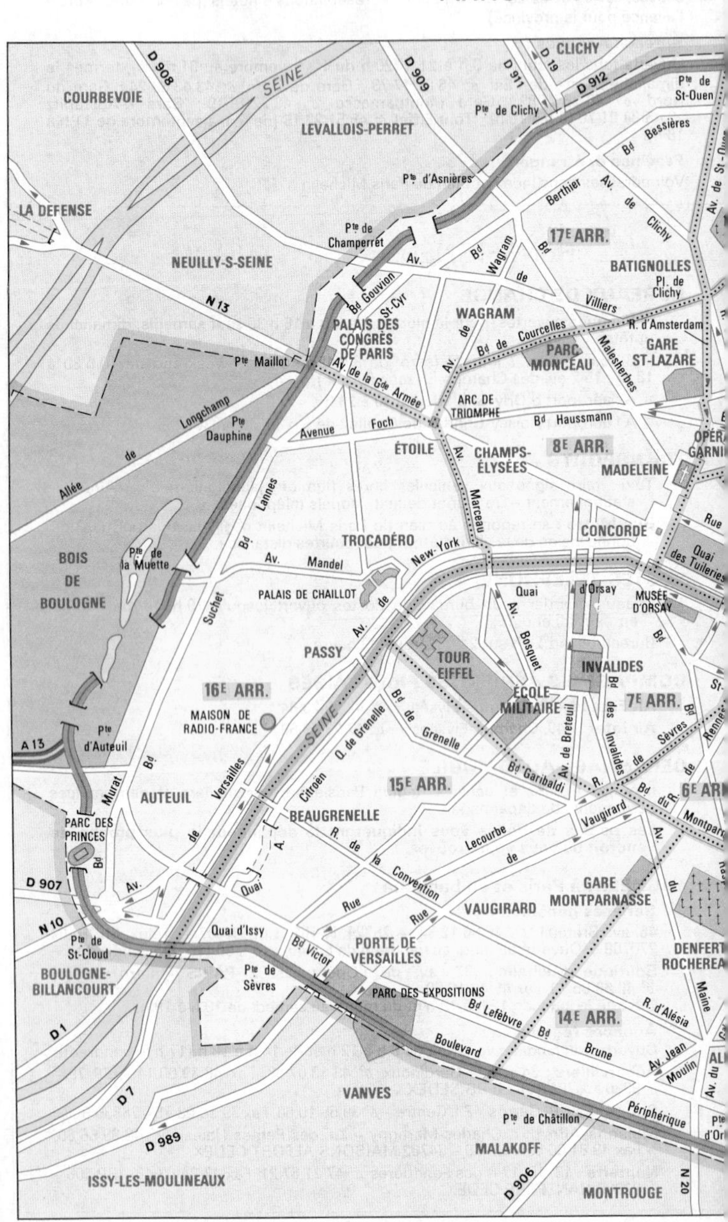

ET QUARTIERS

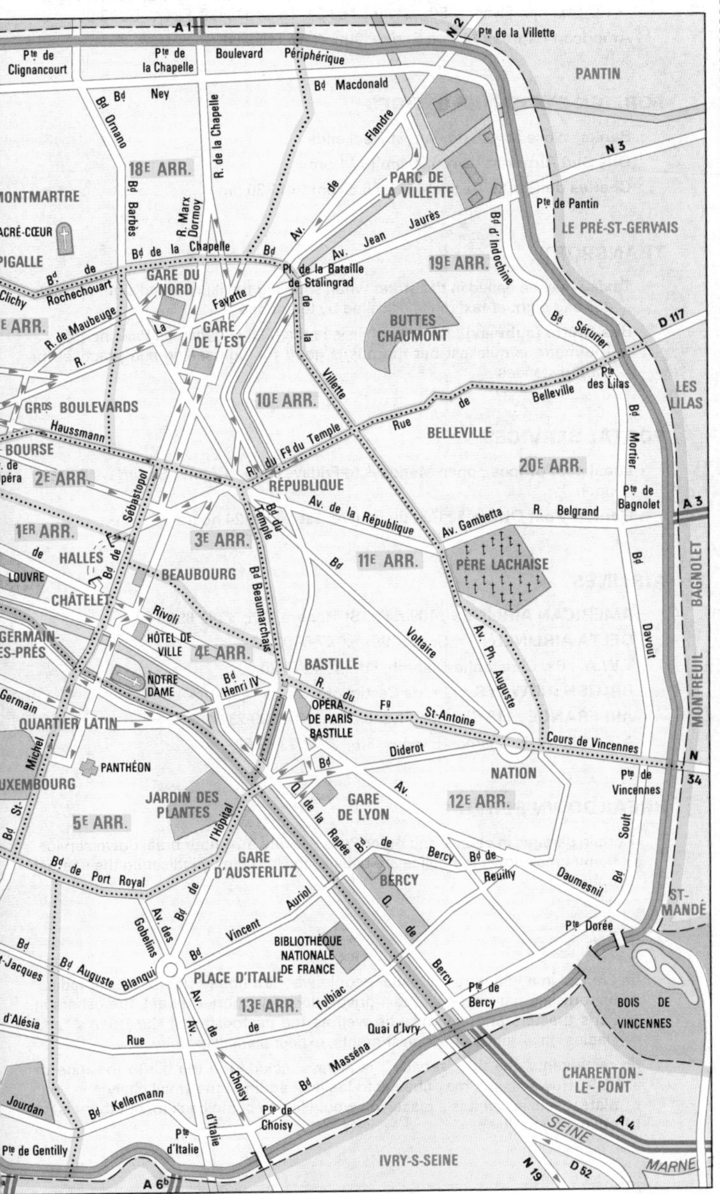

PRACTICAL INFORMATION

TOURIST INFORMATION

Paris "Welcome" Office (Office de Tourisme de Paris - Accueil de France) : 127 Champs-Élysées, 8th, ✆ 49 52 53 54, Telex 645439, Fax 49 52 53 00

American Express 11 Rue Scribe, 9th, ✆ 47 14 50 00

FOREIGN EXCHANGE OFFICES

Banks : close at 4.30 pm and at weekends

Orly Sud Airport : daily 6.30 am to 11 pm

Charles de Gaulle Airport : daily 6.30 am to 11.30 pm

TRANSPORT

Taxis : may be hailed in the street when showing the illuminated sign-available day and night at taxi ranks or called by telephone

Bus-Métro (subway) : for full details see the Michelin Plan de Paris no 11. The métro is quickest but the bus is good for sightseeing and practical for short distances

POSTAL SERVICES

Local post offices : open Mondays to Fridays 8 am to 7 pm ; Saturdays 8 am to noon

General Post Office, 52 Rue du Louvre, 1st : open 24 hours

AIRLINES

AMERICAN AIRLINES : 109 r. Fg.-St-Honoré, 8th, ✆ 42 89 05 22

DELTA AIRLINES : 4 r. Scribe, 9th, ✆ 47 68 92 92

T.W.A. : 6 r. Christophe-Colomb, 8th, ✆ 49 19 20 00

BRITISH AIRWAYS : 12 r. de Castiglione, 1st, ✆ 47 78 14 14

AIR FRANCE : 119 Champs-Élysées, 8th, ✆ 42 99 23 64

AIR INTER : 49 Champs-Élysées, 8th, ✆ 47 23 59 58

BREAKDOWN SERVICE

Certain garages in central and outer Paris operate a 24-hour breakdown service. If you break down the police are usually able to help by indicating the nearest one.

TIPPING

In France, in addition to the usual people who are tipped (the barber or ladies' hairdresser, hat-check girl, taxi-driver, doorman, porter, et al.), the ushers in Paris theaters and cinemas, as well as the custodians of the "men's" and "ladies" in all kinds of establishments, expect a small gratuity.

In restaurants, the tip ("service") is always included in the bill to the tune of 15 %. However you may choose to leave in addition the small change in your plate, especially if it is a place you would like to come back to, but there is no obligation to do so.

LISTE ALPHABÉTIQUE
des hôtels et restaurants

	page
baca Messidor	53
bbaye St-Germain	34
BC Champerret (Levallois-Perret)	76
berotel	53
brial	61
canthe (Boulogne-Billancourt)	70
cropole	53
dagio (Boulogne-Billancourt)	70
dagio (Noisy-le-Grand)	82
dagio (Sèvres)	89
dagio La Défense (Nanterre)	81
dagio Vaugirard	52
gape (L')	56
gora St-Germain	36
igle d'Or (L') (Marne-la-Vallée)	79
iglon (L')	52
guière (L')	33
r Plus (Orly)	83
'Hôtel	64
Mounia	59
lba	48
lbe	36
lbert 1er	47
lésia Montparnasse	52
lexander	57
lisier (L')	33
lison	43
lixia (Bourg-la-Reine)	71
lizé Grenelle	53
llard	37
llegro Nation	50
llegro République	32
lligator (L')	53
llobroges (Les)	64
lsace (L')	46
lsaco Winstub (L')	49
mandier (L') (Antony)	68
mbassade	57
mbassade d'Auvergne	32
mbassadeurs (Les)	44
mbassador	46
mbroisie (L')	32
mognes (Les)	33
mphyclès	62
muse Bouche (L')	56
nacréon	51
ndrouët	46
ngleterre	34
njou-Lafayette	47
njou-Normandie	33
picius	62
pollon	40
pollon Montparnasse	53
ppart' (L')	46

	page
Aramis St-Germain	35
Arc Élysée	43
Arcade (L')	43
Arès	53
Ariane Montparnasse	53
Armand Au Palais Royal	30
Armes de Bretagne	54
Armoise (L')	56
Arpège	39
Arrosée (L')	37
Arts (13e)	51
Arts (Rueil-Malmaison)	85
Arts (des)	63
Astier	33
Astor (Suresnes)	89
Astoria	43
Astrid	61
Atelier Maître Albert	37
Athènes	48
Atlantic H.	43
Atrium (Suresnes)	89
Aub. Bressane	40
Aub. de la Passerelle (St-Maur-des-Fossés)	88
Aub. des Deux Signes	36
Aub. des Dolomites	62
Aub. des Trois Marches (Le Vésinet)	93
Aub. du 14 Juillet (La Garenne-Colombes)	75
Aub. du Moulin Bateau (Bonneuil-sur-Marne)	70
Aub. du Petit Caporal (La Queue-en-Brie)	84
Aub. du Relais Breton (Le Port-Marly)	83
Aub. Garden (Sèvres)	89
Aub. la Chaumière (Viroflay)	95
Aub. Landaise (Enghien-les-Bains)	74
Aub. Saints Pères (Aulnay-sous-Bois)	69
Aubergade (L') (Morsang-sur-Orge)	81
Auberge (L') (Boulogne-Billancourt)	70
Aucune Idée	64
Augusta	62
Axel	48
Axial Beaubourg	32

B

	page
Bailli de Suffren	52
Bains (des)	54
Ballon des Ternes	63
Balmoral	60
Baltimore	56
Balzac	41
Balzar	37
Bamboche (Le)	40
Banville	60
Barrière de Clichy (La) (Clichy)	73
Bascou (Au)	33
Bastide Odéon (La)	37
Baudelaire Opéra	29
Baumann Ternes	62
Béatilles (Les)	62
Beato	40
Beau Manoir	42
Beaubourg	32
Beaugency	39
Beaugrenelle St-Charles	53
Beaujolais d'Auteuil	59
Beauséjour	32
Beauséjour Ranelagh	58
Beauvilliers	64
Bedford	41
Bel Air	32
Belle Epoque (La) (Châteaufort)	72
Bellechasse	38
Bellecour (Le)	39
Bellejame (Le) (Marcoussis)	78
Bellini	59
Belloy St-Germain	35
Benoît	33
Bergère	47
Bersoly's	39
Beudant (Le)	62
Bibi (Chez) (Stains)	89
Biche au Bois (A la)	51
Bijou H. (Boulogne-Billancourt)	70
Billy Gourmand	62
Bistro 121	55
Bistro de Gala	49
Bistro de la Grille	37
Bistro des Deux Théâtres	49
Bistro du 17e	63
Bistrot d'à Côté Flaubert	63
Bistrot d'à Côté Neuilly (Neuilly-sur-Seine)	82
Bistrot d'Alex	37
Bistrot de Bofinger (Le)	33
Bistrot de l'Étoile	59
Bistrot de l'Étoile	63
Bistrot de Marius	46
Bistrot du Dôme (4e)	33
Bistrot du Dôme (14e)	55
Bistrot du Port	37
Bistrot du Sommelier	46

Bistrot Papillon 49
Blanche Fontaine..... 47
Bleu Marine (Joinville-le-Pont) 76
Bleu Marine (Le Blanc-Mesnil) 69
Bleu Marine (Le Bourget) 71
Blois (Courbevoie)....... 73
Boeuf Couronné (Au) . 64
Boeuf et le Bouchon (Le) (Boulogne-Billancourt).. 70
Boeuf et le Bouchon (Le) (Levallois-Perret).. 76
Boeuf sur le Toit 45
Bofinger 33
Bon Accueil (Au)..... 40
Bonne Fourchette 31
Bonne Table (A la) ... 55
Bonne Table (La) (Clichy) 73
Bookinistes (Les)..... 37
Bouchons de François Clerc (Les) (5e) 37
Bouchons de François Clerc (Les) (17e) 62
Boucoléon (Le) 46
Boudin Sauvage (Le) (Orsay) 83
Boule d'Or (La) 39
Bouquet Garni (Le) (Bois-Colombes)...... 70
Bourdonnais (La)..... 38
Bourgogne (La) (Maisons-Alfort) 77
Bourgogne et Montana.......... 38
Bradford Élysées..... 44
Braisière (La)........ 62
Brasserie Café de la Paix.............. 49
Brasserie Flo 49
Bréa 36
Brébant............ 47
Bretèche (La) (St-Maur-des-Fossés) .. 88
Bretonnerie 31
Bretonnière (La) (Boulogne-Billancourt).. 70
Bristol............. 41
Bristol............. 44
Britannique 29
Buissonnière (La) (Croissy-sur-Seine) 74
Butte Chaillot (La).... 59

C

Cadran (du) 38
Cagouille (La) 55
Calèche (La)......... 40
California 42
California H......... 36
Cambon 28
Camélia (Le) (Bougival) . 70
Campagne et Provence 36
Campanile (11e)...... 32
Campanile (17e)...... 61
Campanile (Arcueil).... 68
Campanile (Argenteuil) . 68
Campanile (Bagnolet)... 69
Campanile (Bobigny) ... 69
Campanile (Bonneuil-sur-Marne) .. 70
Campanile (Buc) 71
Campanile (Goussainville) 75
Campanile (Issy-les-Moulineaux) .. 75
Campanile (Joinville-le-Pont) 76
Campanile (Le Kremlin-Bicêtre) 76
Campanile (Les Ulis) ... 90
Campanile (Marne-la-Vallée) 80
Campanile (Nogent-sur-Marne) ... 82
Campanile (Roissy-en-France) 84
Campanile (Sevran).... 88
Campanile (St-Denis)... 86
Campanile (Taverny) ... 89
Campanile (Villejuif).... 94
Campanile (Villepinte) .. 94
Canotiers (Les) (Chatou) 72
Cantine des Gourmets (La) 39
Capucines 48
Cardinal (Rueil-Malmaison)....... 85
Carladez Cambronne . 53
Carlton's H.......... 47
Caron de Beaumarchais 32
Caroubier (Le) 55
Carpe Diem (Neuilly-sur-Seine) 82
Carré des Feuillants .. 30
Carré Kléber......... 59
Cartes Postales (Les) . 31
Cascade (La) (Baillet-en-France)..... 69
Castiglione.......... 42
Castille 28
Catounière (La) (Neuilly-sur-Seine) 82
Caveau du Palais..... 31
Caves Petrissans 63
Cayré 38
Cazaudehore (St-Germain-en-Laye) .. 86
Cécil'H............ 54
Céladon (Le) 30
Célébrités (Les)...... 54
Cénacle (Le) (Tremblay-en-France) .. 89
Central (Courbevoie).... 73
Cercle Ledoyen (Le) .. 45
Cerisaie (La) (Levallois-Perret)...... 76
Cévennes (Les) 55
Chalet des Pins (Le Raincy) 84
Chalet du Golf (Rosny-sous-Bois)..... 8
Champ-de-Mars 3
Champ de Mars (Le).. 4
Champagne H. (Levallois-Perret)...... 7
Champagne-Mulhouse......... 4
Champerret-Héliopolis......... 6
Champerret-Villiers... 6
Chanteraines (Les) (Villeneuve-la-Garenne) . 9
Chardenoux 3
Charlot "Roi des Coquillages" 4
Charolais (Le) (Rungis) . 8
Chasses (des) (Clichy) . 7
Chat Grippé (Le) 3
Château Frontenac ... 4
Chateaubriand....... 4
Chateaubriant (Au) ... 4
Châtillon H. 5
Chaumière (La) (15e) . 5
Chaumière (La) (19e) . 6
Chaumière (La) (Puteaux)........... 8
Chaumière des Gourmets (La)..... 5
Chen.............. 5
Chesnoy (Le) (Versailles).......... 9
Cheverny 6
Cheyenne (Marne-la-Vallée) 7
Chez Eux (D')....... 4
Chiberta 4
Chinagora H. (Alfortville).......... 6
Chomel............ 3
Chotard (St-Germain-en-Laye) .. 8
Cinépole (Joinville-le-Pont) 7
Clair de la Lune (Au).. 6
Claridge-Bellman 4
Clémentine.......... 4
Climat de France (Buc). 7
Climat de France (Chelles) 7
Climat de France (Fontenay-aux-Roses) .. 7
Climat de France (Maisons-Laffitte) 7
Climat de France (Malakoff) 78
Clos Longchamp (Le) . 61
Clos Médicis 35
Clos Morillons (Le) ... 55
Clos St-Germain (Le) (Orly) 82
Closerie Périgourdine (Argenteuil) 68
Cochon d'Or (Au) 64
Coeur de la Forêt (Au) (Montmorency)........ 80
Colisée............ 44
Collinot (Chez)....... 40
Comfort Inn (Rosny-sous-Bois)..... 85

omme Chez Soi 49
ommodore......... 46
ommunautés (Les) (La Défense).......... 74
omte de Gascogne (Au) (Boulogne-Billancourt).. 70
oncorde La Fayette.. 60
oncorde St-Lazare .. 42
oncortel 42
onnemara (Le) (Versailles)........ 93
onti 59
openhague 45
opreaux (Le) 55
opthorne (Roissy-en-France) 84
oq de la Maison Blanche (St-Ouen) 88
oquibus (Issy-les-Moulineaux) .. 75
orbeille (La)........ 30
ordélia 43
orona 47
ôté 7ème (Du) 40
ottage Marcadet.... 64
oupole (La) 55
ouronne (La) 45
rème du Homard (La) 64
rillon............ 41
rimée 64
roix de Malte....... 32
uisine Bourgeoise (La) (Versailles)..... 93
uisinier François (Le) 59

D

Daguerre 53
Damrémont 64
Dariole de Viry (La) (Viry-Châtillon)....... 95
Datcha Lydie (La) 55
Daumesnil Vincennes (Vincennes) 94
Dauphin (Le) (Puteaux) 84
Delavigne.......... 36
Derby Eiffel H........ 39
Deux Canards (Aux) .. 49
Deux Iles 32
Dînée (La) 55
Disneyland Hôtel (Marne-la-Vallée) 79
Dodin-Bouffant 36
Dôme (Le) 54
Dominique 37
Donjon (Vincennes) 94
Driver's (Le)........ 59
Drouant 30
Duc (Le)........... 54
Duc de Saint-Simon .. 38
Ducs de Bourgogne .. 29
Duquesnoy......... 39

E

Écu de France (Chennevières-sur-Marne) 72
Eden H............. 63
Édouard VII et rest. le Delmonico 28
Egleny (Marne-la-Vallée) . 79
Eiffel Kennedy 58
Eiffel Park.......... 40
Eiffel Park H. 38
El Chiquito (Rueil-Malmaison)..... 85
Élysée (de l') 42
Élysées (Les) 45
Elysées Bassano 57
Élysées Maubourg ... 38
Élysées Mermoz 43
Élysées-Ponthieu et Résidence 42
Élysées Régencia 56
Élysées Sablons 57
Élysées Star 41
Empereur (L') 39
Épi Dupin (L')........ 37
Epicure 108 63
Épopée (L') 55
Escapade en Touraine (L') 51
Escargot (A l') (Aulnay-sous-Bois) 69
Escargot de Linas (L') (Linas)............. 76
Espace Champerret (Levallois-Perret)...... 76
Espadon 29
Etape (L') 55
Etchégorry 51
Étoile d'Or 61
Étoile Friedland 43
Étoile Maillot 57
Étoile Park H......... 61
Étoile Pereire 61
Étoile St-Ferdinand ... 60
Étrier (L') 64
Europe (L') (Clichy) 73
Excuse (L') 33
Excuse Mogador (L') . 49

F

Fabrice (Chez)....... 30
Faucher............ 62
Faugeron 58
Favart 29
Ferme d'Argenteuil (La) (Argenteuil) 68
Ferme de Boulogne (La) (Boulogne-Billancourt).. 70
Ferme des Mathurins . 46
Ferme St-Simon 40
Fermette Marbeuf 1900 (La) 46
Fernand (Chez) (Chevilly-Larue) 72
Fernandises (Les) 33
Ferrandi 34
Feuillantine (La) (St-Germain-en-Laye) .. 86
Feuilles Libres (Les) (Neuilly-sur-Seine) 82
Filoche 55
Flambée (La) 51
Flèche d'Or 43
Fleurie (de)......... 35
Florian (Le) (St-Cloud) .. 86
Floride Etoile 57
Florimond (Le)....... 40
Foc Ly (7e) 40
Foc Ly (Neuilly-sur-Seine) 82
Fondary 54
Fontaine d'Auteuil.... 59
Fontaine de Mars (La) 40
Forest Hill (Bougival) ... 70
Forest Hill (Meudon) ... 80
Forestière (La) (St-Germain-en-Laye) .. 86
Fortuny............ 43
Français 47
France............. 39
Françoise (Chez)..... 51
Franklin............ 47
Franklin Roosevelt.... 43
Frantour (Marne-la-Vallée) 79
Frantour Paris-Est 47
Frégate (La) 51
Frémiet............ 57
Friant............. 54

G

Gabriel (Chez) 31
Gaillard (Le) (Montreuil). 81
Gaillon-Opéra 29
Galiléo 43
Garden Elysée 57
Gare du Nord........ 48
Gastroquet (Le)...... 55
Gauloise (La) 55
Gaya Rive Droite..... 30
Gaya Rive Gauche.... 40
Gd H. de Besançon ... 29
Gd H. de Champagne . 29
Gd H. Haussmann.... 47
Gd H. Prieuré 32
Gem H. (St-Gratien) 87
George Sand (Courbevoie) 73
George V 41
Georges (Chez) (2e) .. 31
Georges (Chez) (17e) . 63
Géorgiques (Les) 45
Gérard Besson....... 30
Géraud (Chez)....... 59
Giberne (La)......... 55
Gildo 40
Giulio Rebellato...... 59
Glénan (Les) 40
Golden Tulip St-Honoré 41
Golf H. (Marne-la-Vallée) . 79

Gotty . . . 47
Goumard-Prunier . . . 30
Gourmandise (La) . . . 51
Gourmets Landais (Aux) (La Garenne-Colombes) . . . 75
Graindorge . . . 62
Grand Bleu (Le) (Charenton-le-Pont) . . . 72
Grand Café Capucines 49
Grand Colbert (Le) . . . 31
Grand Hôtel (Le) (Enghien-les-Bains) . . . 74
Grand Hôtel Inter-Continental . . . 46
Grand Vefour . . . 29
Grande Cascade . . . 60
Grande Sirène (La) (Versailles) . . . 93
Grands Hommes . . . 35
Grange Batelière . . . 49
Grenadin (Le) . . . 45
Grilladin (Au) . . . 37
Grille St-Honoré (A la) 31
Grizzli (Le) . . . 33
Guy Savoy . . . 61
Guyvonne (Chez) . . . 63

H - I

Hameau de Passy . . . 58
Harvey . . . 61
Hédiard . . . 45
Henri (Chez) (Romainville) . . . 85
Hermès (Levallois-Perret) 76
Hilton (15e) . . . 52
Hilton (Roissy-en-France) . 84
Hilton Orly (Orly) . . . 82
Holiday Inn (Marne-la-Vallée) . . . 79
Holiday Inn (Roissy-en-France) . . . 84
Holiday Inn (Rungis) . . . 85
Holiday Inn (Vélizy-Villacoublay) . . . 90
Holiday Inn Garden Court (Rosny-sous-Bois) . . . 85
Home St-Louis (Versailles) . . . 93
Horset Opéra (L') . . . 28
Horset Pavillon (L') . . . 47
Hyatt Regency (Roissy-en-France) . . . 85
I Golosi . . . 49
Ibis (13e) . . . 50
Ibis (Créteil) . . . 73
Ibis (Marne-la-Vallée) . . . 79
Ibis (Marne-la-Vallée) . . . 79
Ibis (Roissy-en-France) . . . 85
Ibis (Roissy-en-France) . . . 84
Ibis (Rungis) . . . 86
Ibis (Versailles) . . . 93
Ibis (Versailles) . . . 93
Ibis (Villepinte) . . . 94
Ibis (Épinay-sur-Seine) . . . 74
Ibis Bercy . . . 50
Ibis La Défense (La Défense) . . . 74
Ibis Lafayette . . . 48
Idéal . . . 53
Il Ristorante . . . 62
Impatient (L') . . . 63
Inagiku . . . 37
Indra . . . 45
Instant Gourmand (L') (Levallois-Perret) . . . 76
Inter - Continental . . . 28
Istria . . . 53

J - K

Jacques Cagna . . . 36
Jardin (Le) (8e) . . . 45
Jardin (Le) (Levallois-Perret) . . . 76
Jardin de Cluny . . . 35
Jardin de l'Odéon . . . 35
Jardin de Neuilly (Neuilly-sur-Seine) . . . 81
Jardin Gourmand (Le) (Sartrouville) . . . 88
Jardins d'Eiffel (Les) . . . 38
Jardins de Camille (Les) (Suresnes) . . . 89
Jardins du Luxembourg . . . 35
Jardins du Trocadéro (Les) . . . 57
Jarrasse (Neuilly-sur-Seine) . . . 82
Jean (Chez) . . . 49
Jeu de Paume . . . 31
Joël Robuchon . . . 58
Joséphine "Chez Dumonet" . . . 37
Jules Verne . . . 39
Julien . . . 49
K. Palace . . . 56
Keppler . . . 58
Kinugawa (1er) . . . 30
Kinugawa (8e) . . . 46
Kléber . . . 57

L

Lac Hong . . . 59
Lafayette . . . 47
Laffitte (Le) (Maisons-Laffitte) . . . 77
Lal Qila . . . 54
Lancaster . . . 41
Lasserre . . . 44
Latitudes (Boulogne-Billancourt) . . 70
Latitudes St-Germain . 34
Laudrin (Chez) . . . 63
Laurent . . . 44
Lautrec Opéra . . . 29
Lavoisier-Malesherbes . . . 44
Le Divellec . . . 39
Le Laumière (H.) . . . 63
Ledoyen . . . 44
Left Bank St-Germain . 34
Lenox Montparnasse . 5[illegible]
Lenox Saint-Germain . 38
Léon (Chez) . . . 6[illegible]
Lescure . . . 31
Lido . . . 43
Lilas Blanc . . . 53
Lion (du) . . . 54
Little Palace . . . 31
Littré . . . 34
Lloyd's (Le) . . . 46
Londres . . . 39
Longchamp . . . 58
Lord Byron . . . 43
Lotti . . . 28
Lotus de Brou (Le) (Brou-sur-Chantereine) . 71
Louis XIV (Le) . . . 49
Lous Landès . . . 54
Louvre (du) . . . 28
Louvre Montana . . . 29
Louvre St-Honoré . . . 29
Lucas Carton . . . 44
Luna (La) . . . 45
Luneau (Le) . . . 51
Lutèce . . . 32
Lutétia . . . 34

M

Madeleine Haussmann . . . 44
Madison . . . 34
Magellan . . . 60
Magnolias (Les) (Le Perreux-sur-Marne) . . . 83
Maison de l'Amérique Latine (La) . . . 40
Maître Paul (Chez) . . . 37
Majestic . . . 56
Mancelière (La) (Gometz-le-Chatel) . . . 75
Manoir de Paris . . . 61
Manoir St-Germain des Prés (Au) . . . 35
Mansart . . . 29
Manufacture (Issy-les-Moulineaux) . . 75
Maraîcher (Le) . . . 33
Marcande (Le) . . . 45
Marée (La) . . . 45
Marée de Versailles (La) (Versailles) . . . 93
Marie-Louise . . . 64
Marines de Pétrus (Les) . . . 62
Marius . . . 59
Marius et Janette . . . 46
Marlotte (La) . . . 37
Marronniers . . . 36
Marsollier Opéra . . . 29
Marty . . . 36
Massenet . . . 57
Mathurins . . . 42
Maupertu (Le) . . . 40
Mavrommatis . . . 37
Maxim . . . 36
Maxim's (Orly) . . . 82

axim's (Roissy-en-France) 85
ayfair 28
ayflower 43
édia 50
édian (Goussainville) .. 75
enil (Au) (Savigny-sur-Orge) 88
ercédès 61
ercure (Fontenay-sous-Bois)... 74
ercure (Gentilly) 75
ercure (Massy) 80
ercure (Montrouge) ... 81
ercure (Orly) 82
ercure (Roissy-en-France) 84
ercure (Versailles) 93
ercure Blanqui 50
ercure Ermitage de Villebon (Meudon) ... 80
ercure Etoile 60
ercure Galant 30
ercure La Défense 5 (Courbevoie) 73
ercure Montmartre . 63
ercure Montparnasse 52
ercure Monty 47
ercure Nogentel (Nogent-sur-Marne) ... 82
ercure Paris XV 52
ercure Place d'Italie. 50
ercure Pont de Bercy 50
ercure Porte de la Plaine (Vanves) 90
ercure Porte de Pantin (Pantin) 83
ercure Porte de Versailles 52
ercure Tolbiac 50
ercure Tour Eiffel... 52
ère Michel.......... 63
éridien (Le)........ 60
éridien Montparnasse 52
éridional 32
eslay République ... 32
eurice 28
eurice (Le) 29
chel Rostang 61
lle Colonnes........ 54
na Mahal 55
nistère 44
ravile............ 32
odern' Est 48
odern H. Lyon...... 50
odern H. Val Girard . 53
oissonnier......... 37
olière 29
onceau 61
onceau Étoile 61
onde des Chimères (Le) 33
oniage Guillaume... 54
onsieur Lapin 55
Montaigne 42
Montalembert 38
Monterosa 48
Montparnasse 25..... 54
Montréal........... 48
Morot Gaudry 54
Moulin 48
Moulin à Vent "Chez Henri" 37
Muguet............ 38
Murat 57
Musardière (La) (Fontenay-sous-Bois)... 74
Muses (Les)......... 48
Myriades (Épinay-sur-Seine) 74

N

Napoléon 42
Napoléon et Chaix.... 55
Navarin (Le)......... 33
Neuville (de) 60
Neva 61
New Orient.......... 44
New Roblin et rest. le Mazagran 42
New-York (Marne-la-Vallée) 79
Newport Bay Club (Marne-la-Vallée) 79
Newton Opéra....... 43
Ngo (Chez).......... 58
Niçoise (La) 62
Nicolo 58
Nikko.............. 52
Noailles (de) 29
Nord et Est......... 32
Normandy 28
Notre Dame 35
Noura 59
Nouvel H........... 51
Novotel (Aulnay-sous-Bois) 69
Novotel (Créteil)....... 73
Novotel (Le Bourget).... 71
Novotel (Marne-la-Vallée) 79
Novotel (Palaiseau)..... 83
Novotel (Roissy-en-France) 84
Novotel (Rungis) 85
Novotel (Suresnes)..... 89
Novotel (Versailles).... 93
Novotel Atria (Charenton-le-Pont)..... 72
Novotel Atria (Noisy-le-Grand) 82
Novotel Atria (Rueil-Malmaison)...... 85
Novotel Bercy 50
Novotel Gare de Lyon. 50
Novotel La Défense (La Défense).......... 74
Novotel Les Halles ... 28
Novotel Porte de Bagnolet (Bagnolet) .. 69

O

Obélisque (L') 45
Odéon (de l') 35
Odéon H. 35
Oeillade (L')......... 40
Oenothèque (L') 49
Olympic H. (Boulogne-Billancourt).. 70
Opéra Cadet 47
Opéra Richepanse.... 28
Orangerie (L') 43
Orchidée (L') 52
Orée du Bois (Vélizy-Villacoublay) ... 90
Oriental (L') 64
Orléans Palace H. 53
Os à Moelle (L')...... 56
Oulette (L')......... 51
Oustalou (L') (Ivry-sur-Seine)....... 75

P

P'tit Troquet (Le)..... 40
P'tite Tonkinoise (La) . 49
Paix République...... 47
Palais du Trocadéro .. 59
Palanquin (Le) 37
Palma (17e)......... 61
Palma (20e)......... 63
Panoramic de Chine (Le) (Carrières-sur-Seine).... 71
Panthéon 35
Parc (14e) 54
Parc (Levallois-Perret) ... 76
Parc (Neuilly-sur-Seine) .. 81
Parc des Expositions (Vanves) 90
Parc St-Séverin...... 35
Parc Victor Hugo (Le). 56
Paris (6e)........... 36
Paris (Boulogne-Billancourt).. 70
Paris (Versailles)...... 93
Paris Neuilly (Neuilly-sur-Seine) 81
Paris St-Honoré...... 42
Pas-de-Calais........ 36
Pascal Le Fahler (Versailles)......... 93
Passion (La)......... 30
Passy Eiffel.......... 57
Pasteur 54
Paul............... 31
Paul Chêne.......... 59
Paul Minchelli 39
Pauline (Chez) 30
Pavillon Bastille 50
Pavillon de la Reine... 31
Pavillon de la Tourelle (Vanves) 90
Pavillon Montsouris .. 54
Pavillon Noura 58
Pavillon Puebla 64
Pavillon Trianon (Le) (Versailles).......... 90

Père Claude (Le) 56
Pergolèse 56
Pergolèse (Le) 58
Petit Bourbon (Le) 31
Petit Chez Soi (Au) (La Celle-St-Cloud) 71
Petit Colombier (Le) 62
Petit Laurent (Le) 39
Petit Mâchon (Le) 56
Petit Marguery (Au) 51
Petit Restaurant (Le) 31
Petit Riche (Au) 49
Petite Auberge (La) (17ᵉ) 62
Petite Auberge (La) (Asnières-sur-Seine) 68
Petite Bretonnière 55
Petite Forge (La) (Villiers-le-Bâcle) 94
Petite Marmite (Livry-Gargan) 77
Petite Tour (La) 59
Pétrus 62
Peyris 48
Philippe Detourbe 54
Pichet (Le) 46
Pied de Cochon (Au) 30
Pierre " A la Fontaine Gaillon " 30
Pierre (Chez) 55
Pierre Au Palais Royal 30
Pierre Vedel 55
Pile ou Face 30
Place des Vosges 32
Plat d'Étain (Rueil-Malmaison) 85
Plaza Athénée 41
Plaza Haussmann 43
Pont de Suresnes (Suresnes) 89
Poquelin (Le) 30
Port Alma 58
Potager du Roy (Le) (Versailles) 93
Pouilly Reuilly (Au) (Le Pré St-Gervais) 84
Poularde (La) (Vaucresson) 90
Poule au Pot (La) 31
Powers 42
Pré (du) 47
Pré Catelan 60
Pressoir (Au) 51
Prince de Conti 35
Prince de Galles 41
Prince Eugène 32
Princesse Isabelle (Puteaux) 84
Printania (10ᵉ) 48
Printania (Versailles) 90
Procope (Le) 36
Prunier-Traktir 58
Pullman Orly (Rungis) 85
Pyramide (La) (Vanves) 90
Pyrénées Cévennes "Chez Philippe" 33

Q

Quai d'Orsay (Au) 40
Quality H. (Le Mesnil-Amelot) 80
Quality Inn (Nanterre) 81
Quality Inn Pierre 60
Quality Inn Rive Gauche 34
Quatre Saisons Bastille 50
Queen Elizabeth 42
Queen Mary 43
Quercy (Le) 49
Quincy (Le) 51
Quorum et rest. La Désirade (St-Cloud) 86

R

Raphaël 56
Raspail Montparnasse 52
Récamier 40
Référence H. (Pantin) 83
Régalade (La) 56
Régence 44
Régency 1925 (St-Maur-des-Fossés) 88
Régent (Le) 35
Regent's Garden 60
Régina 28
Regyn's Montmartre 63
Relais (Le) (Aubervilliers) 69
Relais Beaujolais 49
Relais Bosquet 38
Relais Christine 34
Relais d'Auteuil 58
Relais de Courlande (Le) (Les Loges-en-Josas) 77
Relais de l'Ecuyer (Marne-la-Vallée) 80
Relais de Lyon 50
Relais de Pincevent (La Queue-en-Brie) 84
Relais de Sèvres 54
Relais de St-Cucufa (Rueil-Malmaison) 85
Relais des Chartreux (Longjumeau) 77
Relais des Gardes (Meudon) 80
Relais du Louvre 29
Relais du Parisis (Villeparisis) 94
Relais Fleuri (Le) (Marne-la-Vallée) 79
Relais Louis XIII 36
Relais Médicis 34
Relais-Plaza 45
Relais St-Germain 34
Rendez-vous de Chasse (Au) (Petit-Clamart) 83
Rescatore (Versailles) 93
Résidence Bassano 57
Résidence Chambellan Morgane 57
Résidence du Berry (Versailles) 9
Résidence du Pré 4
Résidence du Roy 4
Résidence Foch 5
Résidence Henri IV 3
Résidence Impériale 5
Résidence Magenta 4
Résidence Marceau 5
Résidence Monceau 4
Résidence Orsay 3
Résidence St-Lambert 5
Résidence Vert Galant 5
Rest. Opéra 4
Rhône (Le) 5
Riad (Le) (Neuilly-sur-Seine) 8
Ribouté-Lafayette 4
Rigadelle (La) (Vincennes) 9
Ritz 2
Rives de Notre-Dame (Les) 3
Rivoli Notre Dame 3
Rochambeau 4
Roma Sacré Coeur 6
Romantica (La) (Clichy) 7
Rond de Serviette (Le) 3
Rond-Point de Longchamp 5
Rond-Point des Champs-Elysées 4
Rôtisserie (La) (Levallois-Perret) 7
Rôtisserie (La) (Nanterre) 8
Rôtisserie (La) (Versailles) 9
Rôtisserie Briarde (Chelles) 7
Rôtisserie d'Armaillé (La) 6
Rôtisserie d'en Face 3
Rôtisserie du Beaujolais 3
Rôtisserie Monsigny 3
Rôtisserie Vieille Fontaine (Maisons-Laffitte) 7
Rotonde (La) (Athis-Mons) 6
Roule (Neuilly-sur-Seine) 8
Royal Alma 4
Royal Élysées 5
Royal H. 4
Royal Magda 6
Royal Monceau 4
Royal St-Honoré 2
Royal St-Michel 3
Ruban Bleu (Le) 3
Ruthène (Le) (Clichy) 7

S

Sabayon (Le) (Morangis) 8
Saint Amour (Le) 3
Sainte Beuve 3
Saintongeais (Le) 4

aints-Pères (des) 35
an Francisco 59
an Régis 41
an Valero (Neuilly-sur-Seine) 82
anta Fé (Marne-la-Vallée) 79
aphir H. (Pontault-Combault) 83
arladais (Le) 45
audade 30
axe Résidence 38
cribe 46
édillot (Le) 40
elect 35
élect H. (Boulogne-Billancourt) 70
enteurs de Provence (Aux) 55
équoia Lodge (Marne-la-Vallée) 79
évigné 57
èvres-Montparnasse 53
èvres Vaneau 38
avia 50
ofitel (Roissy-en-France) 84
ofitel Arc de Triomphe 41
ofitel Champs-Élysées 42
ofitel Château de Versailles (Versailles) 90
ofitel CNIT (La Défense) 74
ofitel La Défense (La Défense) 74
ofitel Porte de Sèvres 52
ofitel St-Jacques 52
ol Inn Paris Bussy (Marne-la-Vallée) 79
ophie Germain 53
orbonne (La) 36
ormani (Le) 62
oufflé (Le) 31
ouletin (Le) 31
oupière (La) 62
ous l'Olivier 59
ousceyrac (A) 33
overeign (Clichy) 73
overeign (St-Ouen) 88
plendid 38
plendid Etoile 60
plendid'H. (Levallois-Perret) 76
t-Amarante 51
t-Christophe 35
t-Georges (Le) (Longjumeau) 77
t-Germain-des-Prés 34
t-Grégoire 34
t-James Paris 56
t-Laurent 48
t-Louis (Vincennes) 94
t-Pétersbourg 47
t-Pierre (Longjumeau) 77
t-Vincent (Le) 56
tella 32

Stendhal 28
Stresa 46
Suède 48
Sully St-Germain 35
Suntory 46
Super H. 63
Syjac (Puteaux) 84

T

Table d'Anvers (La) 49
Table de Pierre (La) 62
Table Richelieu (La) 33
Taillevent 44
Taïra 62
Tan Dinh 40
Tang 59
Tante Louise (Chez) 45
Tardoire (La) (Garches) 75
Tartarin (Le) (Sucy-en-Brie) 89
Tastevin (Le) (Maisons-Laffitte) 77
Temps des Cerises (Le) 51
Terminus-Lyon 50
Terminus Nord 47
Terminus Nord 49
Terminus Vaugirard 53
Terrass'H. 63
Terrasse du Lac (La) 60
Terroir (Le) 51
Thaï Elephant 33
Thoumieux 40
Tilsitt Étoile 61
Timbale St-Bernard (La) 37
Timgad 62
Timonerie (La) 37
Toit de Passy 58
Tong Yen 46
Tour d'Argent 36
Tour (de la) 55
Tour de Marrakech (La) (Antony) 68
Tour Eiffel Dupleix 53
Touraine Opéra 47
Touring Hôtel Magendie 50
Tourville (Le) 38
Toutoune (Chez) 37
Train Bleu 51
Traversière (Le) 51
Trémoille (La) 41
30 - Fauchon (Le) 45
Trianon (Villemoisson-sur-Orge) 94
Trianon Palace (Versailles) 90
Trinité Plaza 47
Trinquet (Le) (St-Mandé) 87
Trois Marches (Les) (Versailles) 93
Trois Marmites (Courbevoie) 73
Trosy (du) (Clamart) 72
Trou Gascon (Au) 51
Truffe Noire (Neuilly-sur-Seine) 81
Truffière (La) 36
Truite Vagabonde (La) 62
Tsé-Yang 58
Turenne 39

U - V

Union H. Étoile 57
Valérie Tortu 37
Van Gogh (Le) (Asnières-sur-Seine) 68
Vancouver 45
Varenne (de) 38
Vaudeville 31
Vendanges (Les) 55
Verlain 32
Vernet 41
Verneuil St-Germain 38
Verrière (La) 64
Versailles 52
Viator 51
Victor Hugo 57
Victoria Palace 34
Vieux Saule 32
Vigny (de) 41
Vilgacy (Le) (Gagny) 75
Villa (La) 34
Villa des Artistes 35
Villa Henri IV et rest. Le Bourbon (St-Cloud) 86
Villa Maillot 56
Villa Vinci 59
Village (Le) (Marly-le-Roi) 78
Village d'Ung et Li Lam 46
Vin et Marée 59
Vin sur Vin 40
Violet 29
Vishnou 55
Vivarois 58
Vivienne 29
Vong (Chez) 30

W

Waldorf Madeleine 43
Wallace 53
Wally Le Saharien 49
Warwick 42
West-End 43
Westminster 28
Wilson H. (Asnières-sur-Seine) 68

Y - Z

Yugaraj 36
Yvan 45
Yvan sur Seine 31
Yves Quintard 55
Yvette (Chez) 55
Zygomates (Les) 51

RESTAURANTS
de Paris et de la Banlieue

Les bonnes tables... à étoiles

✿✿✿

		Arr.	Page
XXXXX	**Lucas Carton** (Senderens)	8e	44
XXXXX	**Taillevent** (Vrinat)	8e	44
XXXX	**Ambroisie (L')** (Pacaud)	4e	32
XXXX	**Arpège** (Passard)	7e	39
XXXX	**Joël Robuchon**	16e	58

✿✿

		Arr.	Page
XXXXX	Ambassadeurs (Les)	8e	44
XXXXX	Espadon	1er	29
XXXXX	Lasserre	8e	44
XXXXX	Laurent	8e	44
XXXXX	Ledoyen	8e	44
XXXXX	Tour d'Argent	5e	36
XXXX	Carré des Feuillants	1er	30
XXXX	Drouant	2e	30
XXXX	Duquesnoy	7e	39
XXXX	Élysées (Les)	8e	45
XXXX	Faugeron	16e	58
XXXX	Gérard Besson	1er	30
XXXX	Goumard-Prunier	1er	3
XXXX	Grand Vefour	1er	2
XXXX	Guy Savoy	17e	6
XXXX	Le Divellec	7e	3
XXXX	Michel Rostang	17e	6
XXXX	Pré Catelan	16e	6
XXXX	Trois Marches (Les)	Versailles	9
XXXX	Vivarois	16e	5
XXX	Amphyclès	17e	6
XXX	Apicius	17e	6
XXX	Jacques Cagna	6e	3

✿

		Arr.	Page
XXXXX	Bristol	8e	44
XXXXX	Régence	8e	44
XXXX	Célébrités (Les)	15e	54
XXXX	Chiberta	8e	45
XXXX	Clos Longchamp (Le)	17e	61
XXXX	Comte de Gascogne (Au)	Boulogne-Billancourt	70
XXXX	Étoile d'Or	17e	61
XXXX	Jules Verne	7e	39
XXXX	Marée (La)	8e	45
XXXX	Maxim's	Orly (Aéroports de Paris)	82
XXXX	Meurice (Le)	1er	29
XXXX	Montparnasse 25	14e	54
XXXX	Muses (Les)	9e	48
XXXX	Relais de Sèvres	15e	54
XXXX	Rest. Opéra	9e	48
XXX	Beauvilliers	18e	64
XXX	Boule d'Or (La)	7e	39
XXX	Cantine des Gourmets (La)	7e	39
XXX	Céladon (Le)	2e	3
XXX	Copenhague	8e	4
XXX	Couronne (La)	8e	4
XXX	Dariole de Viry (La)	Viry-Châtillon	9
XXX	Duc (Le)	14e	5
XXX	Faucher	17e	6
XXX	Grande Sirène (La)	Versailles	9
XXX	Jardin (Le)	8e	4
XXX	Magnolias (Les)	Le Perreux-sur-Marne	8
XXX	Manoir de Paris	17e	6
XXX	Mercure Galant	1er	3
XXX	Morot Gaudry	15e	5
XXX	Paris	6e	3
XXX	Paul Minchelli	7e	3
XXX	Pergolèse (Le)	16e	5
XXX	Port Alma	16e	5
XXX	Pressoir (Au)	12e	5
XXX	Prunier-Traktir	16e	5

✿

	Restaurant	Arr.	Page
XXX	Relais d'Auteuil	16e	58
XXX	Sormani (Le)	17e	62
XXX	Table d'Anvers (La)	9e	49
XXX	Tastevin (Le)	Maisons-Laffitte	77
XXX	Timgad	17e	62
XXX	Toit de Passy	16e	58
XXX	Truffe Noire	Neuilly-sur-Seine	81
XXX	Vancouver	8e	45
XX	Belle Epoque (La)	Châteaufort	72
XX	Bellecour (Le)	7e	39
XX	Benoît	4e	33
XX	Conti	16e	59
XX	Fontaine d'Auteuil	16e	59
XX	Marius et Janette	8e	46
XX	Petit Colombier (Le)	17e	62
XX	Petite Tour (La)	16e	59
XX	Pierre Au Palais Royal	1er	30
XX	Pile ou Face	2e	30
XX	Récamier	7e	40
XX	Sousceyrac (A)	11e	33
XX	Timonerie (La)	5e	37
XX	Trou Gascon (Au)	12e	51

Pour souper après le spectacle

(Nous indiquons entre parenthèses l'heure limite d'arrivée)

	Restaurant	Arr.	Page
XXXX	Drouant (0 h)	2e	30
XXX	Charlot "Roi des Coquillages" (1 h)	9e	49
XXX	Crème du Homard (La) (1 h)	18e	64
XXX	Dôme (Le) (0 h 45)	14e	54
XXX	Louis XIV (Le) (1 h)	10e	49
XXX	Pavillon Noura (0 h)	16e	58
XXX	Pied de Cochon (Au) (jour et nuit)	1er	30
XXX	Pierre " A la Fontaine Gaillon " (0 h 30)	2e	30
XXX	Procope (Le) (1 h)	6e	36
XXX	Relais-Plaza (1 h)	8e	45
XXX	Vong (Chez) (0 h 30)	1er	30
XXX	Yvan (0 h)	8e	45
XX	Alsace (L') (jour et nuit)	8e	46
XX	Ballon des Ternes (0 h 30)	17e	63
XX	Baumann Ternes (0 h)	17e	62
XX	Bistro 121 (0 h)	15e	55
XX	Boeuf Couronné (Au) (0 h)	19e	64
XX	Boeuf sur le Toit (2 h)	8e	45
XX	Bofinger (1 h)	4e	33
XX	Brasserie Café de la Paix (0 h 30)	9e	49
XX	Brasserie Flo (1 h 30)	10e	49
XX	Coupole (La) (2 h)	14e	55
XX	Dodin-Bouffant (0 h)	5e	36
XX	Grand Café Capucines (jour et nuit)	9e	49
XX	Grand Colbert (Le) (1 h)	2e	31
XX	Julien (1 h 30)	10e	49
XX	Petit Riche (Au) (0 h 15)	9e	49
XX	Pichet (Le) (0 h)	8e	46
XX	Régency 1925 (1 h)	St-Maur-des-Fossés	88
XX	Terminus Nord (0 h 30)	10e	49
XX	Thaï Elephant (0 h)	11e	33
XX	Tong Yen (0 h)	8e	46
XX	Vaudeville (2 h)	2e	31
XX	Village d'Ung et Li Lam (0 h)	8e	46
X	Appart' (L') (0 h)	8e	46
X	Atelier Maître Albert (0 h)	5e	37
X	Balzar (0 h 30)	5e	37
X	Bistro de Gala (0 h 30)	9e	49
X	Bistro de la Grille (0 h 30)	6e	37
X	Bistro des Deux Théâtres (0 h 30)	9e	49
X	Bistrot de Bofinger (Le) (0 h)	4e	33
X	Bistrot de l'Étoile (0 h)	16e	59
X	Bistrot de Marius (0 h)	8e	46
X	Bookinistes (Les) (0 h)	6e	37
X	Butte Chaillot (La) (0 h)	16e	59
X	I Golosi (0 h)	9e	49
X	Noura (0 h)	16e	59
X	Poule au Pot (La) (5 h)	1er	31
X	Régalade (La) (0 h)	14e	56
X	Thoumieux (0 h)	7e	40

Le plat que vous recherchez

Une andouillette

Ambassade d'Auvergne	3e	32
Anjou-Normandie	11e	33
Bistrot Papillon	9e	49
Caves Petrissans	17e	63
Coupole (La)	14e	55
Escapade en Touraine (L')	12e	51
Ferme des Mathurins	8e	46
Fontaine de Mars (La)	7e	40
Georges (Chez)	2e	31
Grizzli (Le)	4e	33
Moissonnier	5e	37
Petit Marguery (Au)	13e	51
Pied de Cochon (Au)	1er	30
Pierre (Chez)	15e	55
Pouilly Reuilly (Au)	au Pré St-Gervais	84
Relais Beaujolais	9e	49
Rhône (Le)	13e	51
St-Vincent (Le)	15e	56
Terroir (Le)	13e	51

Du boudin

Ambassade d'Auvergne	3e	32
Bascou (Au)	3e	33
Chez Eux (D')	7e	40
Cochon d'Or (Au)	19e	64
Fontaine de Mars (La)	7e	40
Marlotte (La)	6e	37
Moissonnier	5e	37
Petit Chez Soi (Au)	à La Celle-St-Cloud	71
Pouilly Reuilly (Au)	au Pré St-Gervais	84
Rhône (Le)	13e	51
Yvette (Chez)	15e	55

Une bouillabaisse

Augusta	17e	62
Charlot "Roi des Coquillages"	9e	49
Dôme (Le)	14e	54
Frégate (La)	12e	51
Jarrasse	à Neuilly-sur-Seine	82
Marius	16e	59
Marius et Janette	8e	46
Moniage Guillaume	14e	54
Orée du Bois	à Vélizy-Villacoublay	90
Senteurs de Provence (Aux)	15e	55

Un cassoulet

Chez Eux (D')	7e	40
Etchégorry	13e	51
Flambée (La)	12e	51
Giberne (La)	15e	55
Gourmets Landais (Aux)	à La Garenne-Colombes	75
Julien	10e	49
Léon (Chez)	17e	63
Lous Landès	14e	54
Pyrénées Cévennes "Chez Philippe"	11e	33
Quercy (Le)	9e	49
Quincy (Le)	12e	51
Sarladais (Le)	8e	45
Sousceyrac (A)	11e	33
St-Pierre	à Longjumeau	77
Thoumieux	7e	40
Trou Gascon (Au)	12e	51
Vendanges (Les)	14e	55

Une choucroute

Alsace (L')	8e	46
Alsaco Winstub (L')	9e	49
Baumann Ternes	17e	62
Bofinger	4e	33
Brasserie Flo	10e	49
Coupole (La)	14e	55
Terminus Nord	10e	49

Un confit

Aub. Landaise	à Enghien-les-Bains	74
Cazaudehore	à St-Germain-en-Laye	86
Chez Eux (D')	7e	40
Closerie Périgourdine	à Argenteuil	68
Comme Chez Soi	9e	49
Deux Canards (Aux)	10e	49
Escargot (A l')	à Aulnay-sous-Bois	69
Etchégorry	13e	51
Flambée (La)	12e	51
Françoise (Chez)	13e	51
Gastroquet (Le)	15e	55
Giberne (La)	15e	55
Gourmets Landais (Aux)	à La Garenne-Colombes	75
Lescure	1er	31
Lous Landès	14e	54
Monde des Chimères (Le)	4e	33
Paul Chêne	16e	59
Pyrénées Cévennes "Chez Philippe"	11e	33
Quercy (Le)	9e	49
Relais Beaujolais	9e	49
Saintongeais (Le)	9e	49
Sarladais (Le)	8e	45
Thoumieux	7e	40
Trinquet (Le)	à St-Mandé	87
Trou Gascon (Au)	12e	51

Un coq au vin

Bourgogne (La)	à Maisons-Alfort	77
Biche au Bois (A la)	12e	51
Moulin à Vent "Chez Henri"	5e	37
Pierre (Chez)	15e	55
Rôtisserie du Beaujolais	5e	37
Vivarois	16e	58

Des coquillages, crustacés, poissons

Alsace (L')	8e	46
Armes de Bretagne	14e	54
Augusta	17e	62
Ballon des Ternes	17e	6
Baumann Ternes	17e	6
Bistrot de Marius	8e	4
Boeuf sur le Toit	8e	4
Bofinger	4e	3
Brasserie Flo	10e	4
Cagouille (La)	14e	5
Charlot "Roi des Coquillages"	9e	4
Coupole (La)	14e	5
Crème du Homard (La)	18e	
Dodin-Bouffant	5e	3
Dôme (Le)	14e	5
Duc (Le)	14e	5
Frégate (La)	12e	5
Gaya Rive Droite	1er	3
Gaya Rive Gauche	7e	4
Goumard-Prunier	1er	3
Grand Bleu (Le)	à Charenton-le-Pont	7
Grand Café Capucines	9e	4
Jarrasse	à Neuilly-sur-Seine	8

ulien ... 10e | 49
e Divellec ... 7e | 39
ouis XIV (Le) ... 10e | 49
una (La) ... 8e | 45
arée (La) ... 8e | 45
arée de Versailles (La) ... à Versailles | 93
arines de Pétrus (Les) ... 17e | 62
arius et Janette ... 8e | 46
arty ... 5e | 36
ère Michel ... 17e | 63
aul Minchelli ... 7e | 39
étrus ... 17e | 62
ed de Cochon (Au) ... 1er | 30
ort Alma ... 16e | 58
runier-Traktir ... 16e | 58
able Richelieu (La) ... 11e | 33
aïra ... 17e | 62
erminus Nord ... 10e | 49
ancouver ... 8e | 45
n et Marée ... 16e | 59

es escargots

llard ... 6e | 37
lsaco Winstub (L') ... 9e | 49
scargot (A l') ... à Aulnay-sous-Bois | 69
scargot de Linas (L') ... à Linas | 76
éon (Chez) ... 17e | 63
aître Paul (Chez) ... 6e | 37
oissonnier ... 5e | 37
oulin à Vent "Chez Henri" ... 5e | 37
uincy (Le) ... 12e | 51
elais Beaujolais ... 9e | 49

ne paëlla

ub. Landaise ... à Enghien-les-Bains | 74
tchégorry ... 13e | 51
yrénées Cévennes "Chez Philippe" ... 11e | 33
an Valero ... à Neuilly-sur-Seine | 82

ne grillade

sace (L') ... 8e | 46
oeuf Couronné (Au) ... 19e | 64
oeuf sur le Toit ... 8e | 45

Brasserie Flo ... 10e | 49
Cochon d'Or (Au) ... 19e | 64
Joséphine "Chez Dumonet" ... 6e | 37
Julien ... 10e | 49
Louis XIV (Le) ... 10e | 49
Pied de Cochon (Au) ... 1er | 30
Rôtisserie d'Armaillé (La) ... 17e | 63
Rôtisserie du Beaujolais ... 5e | 37
Terminus Nord ... 10e | 49
Train Bleu ... 12e | 51
Vaudeville ... 2e | 31

De la tête de veau

Apicius ... 17e | 62
Bistro 121 ... 15e | 55
Boeuf Couronné (Au) ... 19e | 64
Caves Petrissans ... 17e | 63
Cochon d'Or (Au) ... 19e | 64
Ferme d'Argenteuil (La) ... à Argenteuil | 68
Georges (Chez) ... 17e | 63
Instant Gourmand (L') ... à Levallois-Perret | 76
Léon (Chez) ... 17e | 63
Marty ... 5e | 36
Paul ... 1er | 31
Petite Tour (La) ... 16e | 59
Pied de Cochon (Au) ... 1er | 30
Pierre (Chez) ... 15e | 55
Pierre Vedel ... 15e | 55
Thoumieux ... 7e | 40

Des tripes

Anjou-Normandie ... 11e | 33
Laudrin (Chez) ... 17e | 63
Pied de Cochon (Au) ... 1er | 30
Thoumieux ... 7e | 40

Des fromages

Androuët ... 8e | 46

Des soufflés

Soufflé (Le) ... 1er | 31

Spécialités étrangères

Anglaises

Établissement	Localisation	Page
Bertie's (H. Baltimore)	16e	56

Chinoises, Thailandaises et Vietnamienne

Établissement	Localisation	Page
Chen	15e	54
Foc Ly	7e	40
Foc Ly	à Neuilly-sur-Seine	82
Lac Hong	16e	59
Lotus de Brou (Le)	à Brou-sur-Chantereine	71
Ngo (Chez)	16e	58
P'tite Tonkinoise (La)	10e	49
Palais du Trocadéro	16e	59
Palanquin (Le)	6e	37
Panoramic de Chine (Le)	à Carrières-sur-Seine	71
Tan Dinh	7e	40
Tang	16e	59
Thaï Elephant	11e	33
Tong Yen	8e	46
Tsé-Yang	16e	58
Village d'Ung et Li Lam	8e	46
Vong (Chez)	1er	30

Espagnoles

Établissement	Localisation	Page
San Valero	à Neuilly-sur-Seine	82

Grecques

Établissement	Localisation	Page
Apollon	7e	40
Mavrommatis	5e	37

Indiennes

Établissement	Localisation	Page
Indra	8e	45
Lal Qila	15e	54
Mina Mahal	15e	55
Vishnou	14e	55
Yugaraj	6e	36

Italiennes

Établissement	Localisation	Page
Beato	7e	40
Bellini	16e	59
Bice (H. Balzac)	8e	41
Carpaccio (H. Royal Monceau)	8e	41
Chateaubriant (Au)	10e	49
Conti	16e	5
Gildo	7e	4
Giulio Rebellato	16e	5
I Golosi	9e	4
Il Ristorante	17e	6
Romantica (La)	à Clichy	7
San Francisco	16e	5
Sormani (Le)	17e	6
Stresa	8e	4
Villa Vinci	16e	5

Japonaises

Établissement	Localisation	Page
Benkay (H. Nikko)	15e	5
Inagiku	5e	3
Kinugawa	1er	3
Kinugawa	8e	4
Suntory	8e	4
Yamato (Le) (H. Meridien)	17e	6

Libanaises

Établissement	Localisation	Page
Noura	16e	5
Pavillon Noura	16e	5

Nord-Africaines

Établissement	Localisation	Page
Al Mounia	16e	5
Caroubier (Le)	14e	5
Oriental (L')	18e	6
Riad (Le)	à Neuilly-sur-Seine	8
Timgad	17e	6
Tour de Marrakech (La)	à Antony	6
Wally Le Saharien	9e	4

Portugaises

Établissement	Localisation	Page
Saudade	1er	3

Russes

Établissement	Localisation	Page
Datcha Lydie (La)	15e	5
Dominique	6e	3

Scandinaves

Établissement	Localisation	Page
Copenhague	8e	4

Dans la tradition : bistrots et brasseries

Les Bistrots

er arrondissement

escure ... 31
auline (Chez) ... 30
'oule au Pot (La) ... 31
ouletin (Le) ... 31

e arrondissement

ieorges (Chez) ... 31

e arrondissement

ascou (Au) ... 33

e arrondissement

enoît ... 33
irizzli (Le) ... 33

e arrondissement

loissonnier ... 37
loulin à Vent "Chez Henri" ... 37

e arrondissement

llard ... 37
oséphine "Chez Dumonet" ... 37

e arrondissement

ôté 7ème (Du) ... 40
ontaine de Mars (La) ... 40
'tit Troquet (Le) ... 40

e arrondissement

ean (Chez) ... 49
etit Riche (Au) ... 49
elais Beaujolais ... 49

1e arrondissement

stier ... 33
hardenoux ... 33
ernandises (Les) ... 33

12e arrondissement

Quincy (Le) ... 51
St-Amarante ... 51
Zygomates (Les) ... 51

13e arrondissement

Françoise (Chez) ... 51
Petit Marguery (Au) ... 51
Terroir (Le) ... 51

14e arrondissement

Régalade (La) ... 56

15e arrondissement

Petit Mâchon (Le) ... 56
Pierre (Chez) ... 55
Pierre Vedel ... 55
St-Vincent (Le) ... 56
Yvette (Chez) ... 55

16e arrondissement

Beaujolais d'Auteuil ... 59

17e arrondissement

Caves Petrissans ... 63
Georges (Chez) ... 63
Léon (Chez) ... 63
Mère Michel ... 63

18e arrondissement

Étrier (L') ... 64
Marie-Louise ... 64

BANLIEUE

Pré St-Gervais (Le)

Pouilly Reuilly (Au) ... 84

Les Brasseries

1er arrondissement
Brasserie Le Louvre (H. du Louvre) . . . 28
Pied de Cochon (Au) 30

2e arrondissement
Grand Colbert (Le) 31
Vaudeville 31

4e arrondissement
Bofinger 33

5e arrondissement
Balzar 37
Marty 36

6e arrondissement
Brasserie Lutétia (H. Lutétia) 34

7e arrondissement
Thoumieux 40

8e arrondissement
Alsace (L') 46
Boeuf sur le Toit 45

9e arrondissement
Brasserie Café de la Paix 49
Cancans (H. Commodore) 46
Grand Café Capucines 49

10e arrondissement
Brasserie Flo 49
Julien 49
Terminus Nord 49

12e arrondissement
Luneau (Le) 51
Train Bleu 51

14e arrondissement
Coupole (La) 55
Dôme (Le) 54

15e arrondissement
Brasserie Pont Mirabeau (H. Nikko) . . 52
Tonnelle (La)
(H.Sofitel Porte de Sèvres) 5

17e arrondissement
Ballon des Ternes 63
Baumann Ternes 62

BANLIEUE

Issy-les-Moulineaux
Coquibus 7

Roissy-en-France
Brasserie l'Europe (H. Copthorne) 8

Restaurants proposant des menus de 100 F à 160 F

er arrondissement

- XXX Vong (Chez) ... 30
- XX Bonne Fourchette ... 31
- XX Fabrice (Chez) ... 30
- XX Gabriel (Chez) ... 31
- XX Passion (La) ... 30
- XX Petit Bourbon (Le) ... 31
- XX Saudade ... 30
- X Lescure ... 31
- X Petit Restaurant (Le) ... 31
- X Poule au Pot (La) ... 31
- X Yvan sur Seine ... 31

arrondissement

- XX Grand Colbert (Le) ... 31
- XX Rôtisserie Monsigny ... 30

arrondissement

- XXX Ambassade d'Auvergne ... 32

arrondissement

- X Grizzli (Le) ... 33
- X Monde des Chimères (Le) ... 33

arrondissement

- XX Campagne et Provence ... 36
- XX Inagiku ... 37
- XX Toutoune (Chez) ... 37
- XX Truffière (La) ... 36
- X Atelier Maître Albert ... 37
- X Bistrot du Port ... 37
- X Timbale St-Bernard (La) ... 37

arrondissement

- XX Arrosée (L') ... 37
- XX Bistrot d'Alex ... 37
- XX Rond de Serviette (Le) ... 37
- X Bistro de la Grille ... 37
- X Bookinistes (Les) ... 37
- X Épi Dupin (L') ... 37
- X Grilladin (Au) ... 37
- X Palanquin (Le) ... 37
- X Valérie Tortu ... 37

arrondissement

- XX Champ de Mars (Le) ... 40
- XX Foc Ly ... 40
- X Apollon ... 40
- X Bon Accueil (Au) ... 40
- X Calèche (La) ... 40
- X Clémentine ... 40
- X Collinot (Chez) ... 40
- X Florimond (Le) ... 40
- X Maupertu (Le) ... 40
- X Oeillade (L') ... 40
- X P'tit Troquet (Le) ... 40
- X Sédillot (Le) ... 40
- X Thoumieux ... 40

8e arrondissement

- XX Village d'Ung et Li Lam ... 46
- X Boucoléon (Le) ... 46
- X Ferme des Mathurins ... 46

9e arrondissement

- XX Bistrot Papillon ... 49
- XX Comme Chez Soi ... 49
- XX Petit Riche (Au) ... 49
- XX Quercy (Le) ... 49
- XX Saintongeais (Le) ... 49
- X Alsaco Winstub (L') ... 49
- X Bistro de Gala ... 49
- X Excuse Mogador (L') ... 49

10e arrondissement

- XX Chateaubriant (Au) ... 49
- X Deux Canards (Aux) ... 49

11e arrondissement

- XX Aiguière (L') ... 33
- XX Table Richelieu (La) ... 33
- X Anjou-Normandie ... 33
- X Astier ... 33
- X Fernandises (Les) ... 33
- X Navarin (Le) ... 33

12e arrondissement

- XXX Oulette (L') ... 51
- XX Flambée (La) ... 51
- XX Frégate (La) ... 51
- XX Gourmandise (La) ... 51
- XX Luneau (Le) ... 51
- XX Traversière (Le) ... 51
- X Escapade en Touraine (L') ... 51
- X la Biche au Bois (A) ... 51
- X Temps des Cerises (Le) ... 51
- X Zygomates (Les) ... 51

13e arrondissement

- X Etchégorry ... 51
- X Françoise (Chez) ... 51
- X Rhône (Le) ... 51

14e arrondissement

- XX Caroubier (Le) 55
- XX Monsieur Lapin 55
- X Amuse Bouche (L') 56

15e arrondissement

- XX Copreaux (Le) 55
- XX Filoche 55
- XX Lal Qila 54
- XX Mina Mahal 55
- XX Senteurs de Provence (Aux) 55
- X Agape (L') 56
- X Armoise (L') 56
- X Cévennes (Les) 55
- X Datcha Lydie (La) 55
- X Gastroquet (Le) 55
- X Père Claude (Le) 56
- X Petit Mâchon (Le) 56
- X Pierre (Chez) 55

16e arrondissement

- XX Palais du Trocadéro 59
- XX Sous l'Olivier 59
- X Beaujolais d'Auteuil 59
- X Cuisinier François (Le) 59

17e arrondissement

- XX Aub. des Dolomites 62
- XX Béatilles (Les) 62
- XX Beudant (Le) 62
- XX Billy Gourmand 62
- XX Guyvonne (Chez) 63
- XX Léon (Chez) 63
- XX Niçoise (La) 62
- XX Petite Auberge (La) 62
- XX Soupière (La) 62
- XX Taïra 62
- X Impatient (L') 63
- X Mère Michel 63

18e arrondissement

- X Étrier (L') 64
- X Marie-Louise 64

19e arrondissement

- XX Boeuf Couronné (Au) 64
- XX Chaumière (La) 64

20e arrondissement

- XX Allobroges (Les) 64
- X Aucune Idée 6

Banlieue

Antony

- XX Amandier (L') 68

Argenteuil

- XX Closerie Périgourdine 68

Asnières-sur-Seine

- XX Petite Auberge (La) 68

Bonneuil-sur-Marne

- XX Aub. du Moulin Bateau 70

Boulogne-Billancourt

- XX Auberge (L') 70
- X Boeuf et le Bouchon (Le) 70

Carrières-sur-Seine

- XX Panoramic de Chine (Le) 71

Chatou

- XX Canotiers (Les) 72

Chelles

- XX Rôtisserie Briarde 72

Chevilly-Larue

- X Fernand (Chez) 72

Clichy

- XX Barrière de Clichy (La) 73

Croissy-sur-Seine

- X Buissonnière (La) 7

Fontenay-sous-Bois

- X Musardière (La) 7

Gagny

- XX Vilgacy (Le) 7

Garches

- XX Tardoire (La) 7

Gometz-le-Chatel

- XX Mancelière (La) 7

Issy-les-Moulineaux

- XX Manufacture 7
- X Coquibus 7

Ivry-sur-Seine

- X Oustalou (L') 7

Levallois-Perret

- XX Instant Gourmand (L') 7
- XX Rôtisserie (La) 7
- X Boeuf et le Bouchon (Le) 7

Linas

- XX Escargot de Linas (L') 7

Longjumeau		
X	St-Pierre	77
Marcoussis		
X	Bellejame (Le)	78
Marne-la-Vallée		
XXX	Egleny	79
X	Relais Fleuri (Le)	79
Montmorency		
XX	Coeur de la Forêt (Au)	80
Montreuil		
XXX	Gaillard (Le)	81
Morsang-sur-Orge		
XX	Aubergade (L')	81
Nanterre		
XX	Rôtisserie (La)	81
Neuilly-sur-Seine		
XXX	Foc Ly	82
XXX	San Valero	82
Port-Marly (Le)		
XX	Aub. du Relais Breton	83
Puteaux		
XX	Chaumière (La)	84
Queue-en-Brie (La)		
XXX	Aub. du Petit Caporal	84
Raincy (Le)		
XX	Chalet des Pins	84
Romainville		
XXX	Henri (Chez)	85
Rosny-sous-Bois		
XX	Chalet du Golf	85
Rueil-Malmaison		
XX	Plat d'Étain	85
Rungis		
XX	Charolais (Le)	86
Sartrouville		
XX	Jardin Gourmand (Le)	88
Savigny-sur-Orge		
XX	Menil (Au)	88
St-Cloud		
XX	Florian (Le)	86
St-Germain-en-Laye		
X	Feuillantine (La)	86
St-Mandé		
X	Trinquet (Le)	87
St-Maur-des-Fossés		
XXX	Bretèche (La)	88
XX	Régency 1925	88
Suresnes		
XX	Jardins de Camille (Les)	89
Sèvres		
XX	Aub. Garden	89
Versailles		
XX	Pascal Le Fahler	93
XX	Rôtisserie (La)	93
X	Cuisine Bourgeoise (La)	93
Villemoisson-sur-Orge		
XXX	Trianon	94
Vincennes		
X	Rigadelle (La)	94
Viroflay		
XX	Aub. la Chaumière	95

Plein air

XXXX	✿✿	Espadon	1er	29
XXXX	✿✿	Laurent	8e	44
XXXX		Grande Cascade	16e	60
XXXX	✿✿	Pré Catelan	16e	60
XXX		Pavillon Montsouris	14e	54
XXX		Pavillon Puebla	19e	64
XX		Maison de l'Amérique Latine (La)	7e	40

Chennevières-sur-Marne	XXX	Écu de France	72
Maisons-Laffitte	XXX	✿ Tastevin (Le)	77
Rueil-Malmaison	XXX	El Chiquito	85
St-Germain-en-Laye	XXX	Cazaudehore	86
Vaucresson	XX	Poularde (La)	90

Restaurants avec salons particuliers

1er arrondissement

- XXXX Carré des Feuillants 30
- XXXX Goumard-Prunier 30
- XXXX Grand Vefour 29
- XXX Mercure Galant 30
- XXX Pied de Cochon (Au) 30
- XX Gabriel (Chez) 31
- XX Gaya Rive Droite 30
- XX Kinugawa 30
- XX Pauline (Chez) 30
- XX Petit Bourbon (Le) 31
- X Caveau du Palais 31
- X la Grille St-Honoré (A) 31

2e arrondissement

- XXXX Drouant 30
- XXX Céladon (Le) 30
- XXX Corbeille (La) 30
- XXX Pierre " A la Fontaine Gaillon ". 30
- XX Rôtisserie Monsigny 30

3e arrondissement

- XXX Ambassade d'Auvergne 32

4e arrondissement

- XX Benoît 33
- XX Bofinger 33

5e arrondissement

- XXXXX Tour d'Argent 36
- XX Aub. des Deux Signes 36
- XX Marty 36
- X Moissonnier 37
- X Timbale St-Bernard (La) 37

6e arrondissement

- XXX Procope (Le) 36
- XXX Relais Louis XIII 36
- XX Bastide Odéon (La) 37
- XX Maître Paul (Chez) 37
- XX Rond de Serviette (Le) 37

7e arrondissement

- XXXX Arpège 39
- XXX Cantine des Gourmets (La) 39
- XX Champ de Mars (Le) 40
- XX Ferme St-Simon 40
- XX Maison de l'Amérique Latine (La) 40
- XX Récamier 40
- X Thoumieux 40

8e arrondissement

- XXXXX Lasserre 44
- XXXXX Laurent 44
- XXXXX Ledoyen 44
- XXXXX Lucas Carton 44
- XXXXX Taillevent 44
- XX Androuët 46
- XX Bistrot du Sommelier 46
- XX Marius et Janette 46

9e arrondissement

- XXX Table d'Anvers (La) 49
- XX Petit Riche (Au) 49

10e arrondissement

- XXX Louis XIV (Le) 49

12e arrondissement

- XXX Pressoir (Au) 51

14e arrondissement

- XXX Armes de Bretagne 54
- XXX Moniage Guillaume 54
- XXX Pavillon Montsouris 54
- XX Chaumière des Gourmets (La) 55
- XX Coupole (La) 55

15e arrondissement

- XXXX Célébrités (Les) 54
- XXX Chen 54
- XX Gauloise (La) 55

16e arrondissement

- XXXX Faugeron 58
- XXXX Grande Cascade 60
- XXXX Pré Catelan 60
- XXX Port Alma 58

17e arrondissement

- XXXX Clos Longchamp (Le) 61
- XXXX Guy Savoy 61
- XXXX Michel Rostang 61
- XXX Amphyclès 62
- XXX Manoir de Paris 61
- XX Ballon des Ternes 63
- XX Baumann Ternes 62
- XX Beudant (Le) 62
- XX Léon (Chez) 63
- XX Petit Colombier (Le) 6

18e arrondissement

- XXX Beauvilliers 6

19e arrondissement

- XXX Cochon d'Or (Au) 6
- XXX Pavillon Puebla 6

Restaurants ouverts samedi et dimanche

er arrondissement

XXXX	Espadon	29
XXXX	Meurice (Le)	29
XXX	Pied de Cochon (Au)	30
X	Paul	31
X	Poule au Pot (La)	31

arrondissement

XXXX	Drouant	30
XX	Grand Colbert (Le)	31
XX	Vaudeville	31

arrondissement

XXX	Ambassade d'Auvergne	32

arrondissement

XX	Benoît	33
XX	Bofinger	33
X	Bistrot de Bofinger (Le)	33
X	Bistrot du Dôme	33

arrondissement

XXXX	Tour d'Argent	36
XX	Marty	36
XX	Mavrommatis	37
XX	Truffière (La)	36
X	Balzar	37
X	Bistrot du Port	37
X	Rôtisserie du Beaujolais	37

arrondissement

XXX	Procope (Le)	36
XX	Yugaraj	36
X	Bistro de la Grille	37

arrondissement

XXXX	Jules Verne	39
XXX	Boule d'Or (La)	39
XXX	Cantine des Gourmets (La)	39
XX	Champ de Mars (Le)	40
XX	Foc Ly	40
X	Côté 7eme (Du)	40
X	Eiffel Park	40
X	Thoumieux	40

arrondissement

XXXX	Ambassadeurs (Les)	44
XXXX	Bristol	44
XXXX	Régence	44
XXX	Obélisque (L')	45
XXX	Relais-Plaza	45
XX	Alsace (L')	46
XX	Boeuf sur le Toit	45
XX	Fermette Marbeuf 1900 (La)	46
XX	Marius et Janette	46
XX	Tong Yen	46
XX	Village d'Ung et Li Lam	46
X	Appart' (L')	46
X	Bistrot de Marius	46

9e arrondissement

XXX	Charlot "Roi des Coquillages"	49
XX	Brasserie Café de la Paix	49
XX	Grand Café Capucines	49
X	Bistro des Deux Théâtres	49

10e arrondissement

XXX	Louis XIV (Le)	49
XX	Brasserie Flo	49
XX	Julien	49
XX	Terminus Nord	49

12e arrondissement

XXX	Train Bleu	51
XX	Luneau (Le)	51
X	Temps des Cerises (Le)	51

14e arrondissement

XXX	Dôme (Le)	54
XXX	Pavillon Montsouris	54
XX	Caroubier (Le)	55
XX	Coupole (La)	55
X	Bistrot du Dôme	55
X	Cagouille (La)	55

15e arrondissement

XXXX	Célébrités (Les)	54
XX	Bistro 121	55
XX	Chaumière (La)	55
XX	Lal Qila	54
XX	Mina Mahal	55
X	Datcha Lydie (La)	55
X	Père Claude (Le)	56

16e arrondissement

XXXX	Grande Cascade	60
XXX	Ngo (Chez)	58
XXX	Pavillon Noura	58
XXX	Tsé-Yang	58
XX	Carré Kléber	59
XX	Palais du Trocadéro	59
XX	Tang	59
X	Butte Chaillot (La)	59
X	Noura	59
X	Vin et Marée	59

17e arrondissement

XXX Pétrus 62
XXX Timgad 62
XX Ballon des Ternes 63
XX Baumann Ternes 62
XX Georges (Chez) 63
XX Marines de Pétrus (Les) 62
X Bistro du 17e 63
X Bistrot d'à Côté Flaubert 63

18e arrondissement

XXX Crème du Homard (La) 64

19e arrondissement

XXX Cochon d'Or (Au) 64

Banlieue

Antony

XX Tour de Marrakech (La) 68

Asnières

XX Petite Auberge (La) 68

Bougival

XXX Camélia (Le) 70

Boulogne-Billancourt

X Boeuf et le Bouchon (Le) 70

Brou-sur-Chantereine

XX Lotus de Brou (Le) 71

Carrières-sur-Seine

XX Panoramic de Chine (Le) 71

La Celle-St-Cloud

X Petit Chez Soi (Au) 71

Chelles

XX Rôtisserie Briarde 72

Levallois-Perret

X Boeuf et le Bouchon (Le) 76

Livry-Gargan

XX Petite Marmite 77

Maisons-Laffite

XXX Tastevin (Le) 77
XX Rôtisserie Vieille Fontaine 77

Neuilly-sur-Seine

XXX Foc Ly 82

Orly

XX Clos St-Germain (Le) 82

Savigny-sur-Orge

XX Menil (Au) 88

St-Germain-en-Laye

XXX Cazaudehore 86
X Feuillantine (La) 86

St-Mandé

X Trinquet (Le) 87

St-Maur-des-Fossés

XX Régency 1925 88

Versailles

XX Rôtisserie (La) 9
X Cuisine Bourgeoise (La) 9

Villemoisson-sur-Orge

XXX Trianon 9

Viroflay

XX Aub. la Chaumière 9

Hôtels - Restaurants

par arrondissement

(Liste alphabétique des hôtels et Restaurants, voir p. 7 à 13)

12 : Ces lettres et chiffres correspondent au carroyage du **plan de Paris** Michelin n° 10 **Paris**
tlas n° 11 **Plan avec répertoire** n° 12 et **Plan de Paris** n° 14.

ı consultant ces quatre publications vous trouverez également les parkings les plus proches
es établissements cités.

Opéra, Palais-Royal, Halles, Bourse.

1er et 2e arrondissements - 1er : ✉ 75001 - 2e : ✉ 75002

Ritz ⛱, 15 pl. Vendôme (1er) ✆ 43 16 30 30, Télex 220262, Fax 43 16 31 78, « Bel piscine et luxueux centre de remise en forme » – |‡| ▤ TV ☎ ✆ ♿ – 🏛 30 à 80. AE GB JCB. ✗ rest G
voir rest. ***Espadon*** ci-après – ☕ 180 – **142 ch** 3200/4250, 45 appart.

Meurice, 228 r. Rivoli (1er) ✆ 44 58 10 10, Télex 220256, Fax 44 58 10 15 – |‡| ▤ ch TV ♿ – 🏛 40 à 100. AE ⓓ GB JCB. ✗ rest G
voir rest. ***Le Meurice*** ci-après – ☕ 150 – **134 ch** 2650/3700, 46 appart.

Inter - Continental, 3 r. Castiglione (1er) ✆ 44 77 11 11, Télex 220114, Fax 44 77 14 6 – |‡| ⇆ ▤ TV ☎ ♿ – 🏛 500. AE ⓓ GB JCB. ✗ rest G
Café Tuileries ✆ 44 77 10 40 **Repas** carte 210 à 330 – ***La Terrasse Fleurie*** ✆ 44 77 10 44 *(ferm 23 au 31 déc., sam. et dim.)* **Repas** 310 – ☕ 140 – **450 ch** 2500/2700, 40 appart.

Lotti, 7 r. Castiglione (1er) ✆ 42 60 37 34, Télex 240066, Fax 40 15 93 56 – |‡| ⇆ ▤ TV – 🏛 25. AE ⓓ GB JCB G
Repas 160/220 et carte 330 à 460 ♁ – ☕ 120 – **129 ch** 1710/3330.

Westminster, 13 r. Paix (2e) ✆ 42 61 57 46, Télex 680035, Fax 42 60 30 66 – |‡| ⇆ ▤ c TV ☎ – 🏛 40. AE ⓓ GB JCB G
voir rest. ***Le Céladon*** ci-après – ☕ 110 – **84 ch** 1650/2450, 18 appart.

du Louvre, pl. A. Malraux (1er) ✆ 44 58 38 38, Télex 220412, Fax 44 58 38 01 – |‡| ▤ TV ✆ ♿ – 🏛 100. AE ⓓ GB JCB H
Brasserie Le Louvre : **Repas** 98/175 et carte 180 à 240, enf. 75 – ☕ 110 – **195 ch** 1350/195 4 appart.

Castille Ⓜ, 37 r. Cambon (1er) ✆ 44 58 44 58, Fax 44 58 44 00, ⛱ – |‡| ⇆ ▤ TV ☎ ✆ AE ⓓ GB JCB G
Il Cortile ✆ 44 58 45 67, cuisine italienne *(fermé sam. sauf de sept. à juin et dim.)* **Repa** 195 et carte 220 à 300 – ☕ 120 – **107 ch** 1990/2650, 8 appart, 14 duplex.

Normandy, 7 r. Échelle (1er) ✆ 42 60 30 21, Télex 213035, Fax 42 60 45 81 – |‡| ⇆ TV – 🏛 45. AE ⓓ GB JCB H
L'Échelle *(fermé sam. et dim.)* **Repas** 170 et carte 230 à 280 – ☕ 75 – **110 ch** 1265/199 4 appart.

Édouard VII et rest. le Delmonico, 39 av. Opéra (2e) ✆ 42 61 56 90, Télex 68021 Fax 42 61 47 73 – |‡| ▤ TV ☎ – 🏛 30. AE ⓓ GB G
Repas *(fermé août, sam. et dim.)* 168 – ☕ 90 – **65 ch** 1200/1400, 4 appart.

Mayfair sans rest, 3 r. Rouget-de-Lisle (1er) ✆ 42 60 38 14, Télex 240037, Fax 40 15 04 7 – |‡| ⇆ ▤ TV ☎. AE ⓓ GB JCB. ✗ G
☕ 85 – **53 ch** 1050/1400.

Royal St-Honoré Ⓜ sans rest, 221 r. St-Honoré (1er) ✆ 42 60 32 79, Télex 21561 Fax 42 60 47 44 – |‡| ▤ TV ☎. AE ⓓ GB JCB G
☕ 90 – **67 ch** 1250/1950, 5 appart.

Régina, 2 pl. Pyramides (1er) ✆ 42 60 31 10, Télex 670834, Fax 40 15 95 16, ⛱ – |‡| ⇆ ▤ TV ☎ – 🏛 30. AE ⓓ GB JCB. ✗ rest H
Repas *(fermé août, sam., dim. et fériés)* 160 (déj.), 250/290 et carte 240 à 370 – ☕ 90 **116 ch** 1520/2120, 14 appart.

Cambon sans rest, 3 r. Cambon (1er) ✆ 42 60 38 09, Fax 42 60 30 59 – |‡| ▤ TV ☎. AE GB JCB – ☕ 75 – **42 ch** 1280/1580. G

L'Horset Opéra Ⓜ sans rest, 18 r. d'Antin (2e) ✆ 44 71 87 00, Télex 28267 Fax 42 66 55 54 – |‡| ⇆ ▤ TV ☎ ♿. AE ⓓ GB JCB G
☕ 80 – **54 ch** 990/1350.

Stendhal Ⓜ sans rest, 22 r. D. Casanova (2e) ✆ 44 58 52 52, Fax 44 58 52 00 – |‡| ▤ TV ✆. AE ⓓ GB JCB G
☕ 95 – **20 ch** 1580/1900.

Opéra Richepanse Ⓜ sans rest, 14 r. Richepanse (1er) ✆ 42 60 36 00, Télex 21081 Fax 42 60 13 03 – |‡| ▤ TV ☎ ✆. AE ⓓ GB G
☕ 65 – **35 ch** 990/1300, 3 appart.

Novotel Les Halles Ⓜ, 8 pl. M.-de-Navarre (1er) ✆ 42 21 31 31, Fax 40 26 05 79, ⛱ – ⇆ ▤ TV ☎ ♿ – 🏛 40 à 100. AE ⓓ GB JCB H
Repas carte environ 190 ♁, enf. 60 – ☕ 62 – **280 ch** 860/915, 5 appart.

Mansart sans rest, 5 r. Capucines (1er) ☎ 42 61 50 28, Télex 214324, Fax 49 27 97 44 – TV ☎. AE GB. G 12
50 – **57 ch** 610/820.

Favart sans rest, 5 r. Marivaux (2e) ☎ 42 97 59 83, Télex 213126, Fax 40 15 95 58 – TV ☎. AE GB JCB F 13
20 – **37 ch** 490/590.

de Noailles M sans rest, 9 r. Michodière (2e) ☎ 47 42 92 90, Télex 290644, Fax 49 24 92 71 – TV ☎. AE GB JCB G 13
50 – **58 ch** 700/850.

Relais du Louvre sans rest, 19 r. Prêtres-St-Germain-L'Auxerrois (1er) ☎ 40 41 96 42, Fax 40 41 96 44 – TV ☎. AE GB JCB H 14
50 – **18 ch** 600/900.

Louvre Montana sans rest, 12 r. St-Roch (1er) ☎ 42 60 35 10, Fax 42 61 12 28 – TV ☎. AE GB JCB G 12
55 – **25 ch** 580/1090.

Louvre St-Honoré M sans rest, 141 r. St-Honoré (1er) ☎ 42 96 23 23, Télex 215044, Fax 42 96 21 61 – TV ☎. AE GB JCB H 14
45 – **40 ch** 656/862.

Molière sans rest, 21 r. Molière (1er) ☎ 42 96 22 01, Télex 213292, Fax 42 60 48 68 – TV ☎. AE GB. G 13
50 – **29 ch** 470/720, 3 appart.

Violet M sans rest, 7 r. J. Lantier (1er) ☎ 42 33 45 38, Fax 40 28 03 56 – TV ☎. AE GB JCB. J 14
50 – **30 ch** 550/730.

Lautrec Opéra sans rest, 8 r. d'Amboise (2e) ☎ 42 96 67 90, Fax 42 96 06 83 – TV ☎. AE GB JCB. F 13
30 – **30 ch** 500/850.

Gaillon-Opéra sans rest, 9 r. Gaillon (2e) ☎ 47 42 47 74, Fax 47 42 01 23 – TV ☎. AE GB JCB G 13
35 – **26 ch** 600/900.

Britannique sans rest, 20 av. Victoria (1er) ☎ 42 33 74 59, Télex 220240, Fax 42 33 82 65 – TV ☎. AE GB JCB. J 14
50 – **40 ch** 626/862.

Gd H. de Champagne sans rest, 17 r. J.-Lantier (1er) ☎ 42 36 60 00, Fax 45 08 43 33 – TV ☎. AE GB JCB J 14
55 – **40 ch** 721/812, 3 appart.

Baudelaire Opéra sans rest, 61 r. Ste Anne (2e) ☎ 42 97 50 62, Fax 42 86 85 85 – TV ☎. AE GB JCB G 13
38 – **24 ch** 480/630, 5 duplex.

Gd H. de Besançon M sans rest, 56 r. Montorgueil (2e) ☎ 42 36 41 08, Fax 45 08 08 79 – TV ☎. AE GB JCB. G 14
40 – **20 ch** 530/620.

Ducs de Bourgogne sans rest, 19 r. Pont-Neuf (1er) ☎ 42 33 95 64, Fax 40 39 01 25 – TV ☎. AE GB JCB H 14
44 – **50 ch** 460/590.

Marsollier Opéra sans rest, 13 r. Marsollier (2e) ☎ 42 96 68 14, Fax 42 60 53 84 – TV ☎. AE GB JCB G 13
35 – **29 ch** 550/760.

Vivienne sans rest, 40 r. Vivienne (2e) ☎ 42 33 13 26, Fax 40 41 98 19 – TV ☎. GB F 14
40 – **44 ch** 360/460.

XXXXX ✿✿ **Espadon** - Hôtel Ritz, 15 pl. Vendôme (1er) ☎ 43 16 30 30, Fax 43 16 31 78, – ▤. AE GB JCB. G 12
Repas 380 (déj.)/600 et carte 420 à 760
Spéc. Foie gras au vin de Médoc. Blanc de turbot, pommes fondantes au romarin et jus de volaille. Attereaux de pigeon à la ficelle.

XXXX ✿✿ **Grand Vefour,** 17 r. Beaujolais (1er) ☎ 42 96 56 27, Fax 42 86 80 71, « Ancien café du Palais Royal fin 18e siècle » – ▤. AE GB JCB. G 13
fermé août, sam. et dim. – **Repas** 325 (déj.)/750 et carte 570 à 820
Spéc. Ravioles de foie gras, crème truffée. Poissons du lac Léman. Gourmandise au chocolat.

XXXX ✿ **Le Meurice** - Hôtel Meurice, 228 r. Rivoli (1er) ☎ 44 58 10 50, Télex 220256, Fax 44 58 10 15 – ▤. AE GB JCB. G 12
Repas 330 (déj.), 410 bc/550 et carte 340 à 490
Spéc. Terrine de jeunes anguilles au vert. Petit chou de langoustines aux légumes et aux herbes. Filet d'agneau au citron confit en pastilla.

XXXX ✿✿ **Drouant,** pl. Gaillon (2e) ✆ 42 65 15 16, Fax 49 24 02 15, « Siège de l'Académi Goncourt depuis 1914 » – ▤. AE ◑ GB G 1
Repas 300/650 et carte 540 à 730 - ***Café Drouant :*** **Repas** 200 et carte 260 à 360
Spéc. Ravioles de homard, jus parfumé au basilic. Rouget rôti à la moelle, jus au corail d'oursin. Noix de ris de vea rôtie au vin jaune.

XXXX ✿✿ **Carré des Feuillants** (Dutournier), 14 r. Castiglione (1er) ✆ 42 86 82 82 Fax 42 86 07 71 – ▤. AE ◑ GB JCB G 1
fermé 3 au 25 août, sam. midi et dim. – **Repas** 285 et carte 460 à 590
Spéc. Poêlée "minute" de chipirons aux artichauts violets. Emincé de Saint-Jacques en chaud-froid de céleri truff (automne, hiver). Caneton aux pêches blanches et amandes fraîches (été).

XXXX ✿✿ **Goumard-Prunier,** 9 r. Duphot (1er) ✆ 42 60 36 07, Fax 42 60 04 54 – ▤. AE ◑ GB JCB G 1
fermé dim. (sauf d'oct. à mars) et lundi – **Repas** - produits de la mer - 295 (déj.), 390/750 e carte 410 à 670
Spéc. Ravioli de crustacés. Turbot de ligne rôti à l'arête. Poêlée de petits rougets de roche entiers.

XXXX ✿✿ **Gérard Besson,** 5 r. Coq Héron (1er) ✆ 42 33 14 74, Fax 42 33 85 71 – ▤. AE ◑ GB JCB H 1
fermé sam. (sauf le soir du 15 sept. au 15 juin) et dim. – **Repas** 280 (déj.)/520 et carte 440 640
Spéc. Tartelette Lucullus au coulis de truffes. Poularde de Bresse à la serviette. Fenouil confit aux épices (dessert).

XXX ✿ **Le Céladon** - Hôtel Westminster, 15 r. Daunou (2e) ✆ 47 03 40 42, Fax 42 60 30 66 – ▤. AE ◑ GB JCB G 1
fermé août, sam. et dim. – **Repas** 220/350 et carte 320 à 490
Spéc. "Cépière" de homard. Turbot et céleri rave au parfum de truffes. Crumble de pommes vertes à la crème d nougat.

XXX **Pierre " A la Fontaine Gaillon ",** pl. Gaillon (2e) ✆ 47 42 63 22, Fax 47 42 82 84, ⛱ ▤. AE ◑ GB G 1
fermé sam. midi et dim. – **Repas** 165 et carte 220 à 380.

XXX ✿ **Mercure Galant,** 15 r. Petits-Champs (1er) ✆ 42 97 53 85, Fax 42 96 08 89 – AE GB
fermé sam. midi, dim. et fériés – **Repas** 230/290 et carte 300 à 440 G 1
Spéc. Salade de homard breton aux agrumes. Poissons. Mille et une feuilles "Mercure".

XXX **Chez Vong,** 10 r. Grande-Truanderie (1er) ✆ 40 39 99 89, Fax 42 33 38 15 – ▤. AE ◑ GB
fermé dim. – **Repas** - cuisine chinoise et vietnamienne - 150 et carte 180 à 300. H 1

XXX **Au Pied de Cochon** (ouvert jour et nuit), 6 r. Coquillière (1er) ✆ 42 36 11 75 Fax 45 08 48 90, brasserie – ▤. AE ◑ GB H 1
Repas 185 et carte 170 à 330.

XXX **La Corbeille,** 154 r. Montmartre (2e) ✆ 40 26 30 87, Fax 40 26 08 20 – ▤. AE GB. ✻
fermé août, sam. midi et dim. – **Repas** 195/275. G 1

XX **Chez Pauline,** 5 r. Villédo (1er) ✆ 42 96 20 70, Fax 49 27 99 89, bistrot – AE ◑ GB JCB
fermé sam. sauf le soir du 16 sept. au 31 mars et dim. – **Repas** 220 et carte 280 à 550. G 1

XX **Rôtisserie Monsigny,** 1 r. Monsigny (2e) ✆ 42 96 16 61, Fax 42 97 40 97 – ▤. AE GB JCB G 1
fermé 10 au 25 août et sam. midi – **Repas** 159 et carte environ 250.

XX **Saudade,** 34 r. Bourdonnais (1er) ✆ 42 36 30 71 – ▤. AE GB. ✻ H 1
fermé dim. – **Repas** - cuisine portugaise - 129 et carte 180 à 320.

XX **Kinugawa,** 9 r. Mont Thabor (1er) ✆ 42 60 65 07, Fax 42 60 45 21 – ▤. AE ◑ GB JCB ✻ G 1
fermé 23 déc. au 7 janv. et dim. – **Repas** - cuisine japonaise - 155 (déj.), 245/700 et carte 28 à 390.

XX **Gaya Rive Droite,** 17 r. Duphot (1er) ✆ 42 60 43 03, Fax 42 60 04 54, « Belles fresque d'azulejos » – ▤. AE GB G 1
fermé dim. – **Repas** - produits de la mer - carte 230 à 360.

XX ✿ **Pierre Au Palais Royal,** 10 r. Richelieu (1er) ✆ 42 96 09 17, Fax 42 96 09 62 – AE ◑ GB
fermé 27 juil. au 31 août, sam., dim. et fériés – **Repas** 225 et carte 250 à 410 H 1
Spéc. Foie gras chaud au vinaigre de Xérès. Quenelles de brochet. Boeuf ficelle "à la ménagère".

XX **Le Poquelin,** 17 r. Molière (1er) ✆ 42 96 22 19, Fax 42 96 05 72 – ▤. AE ◑ GB JCB
fermé 1er au 20 août, sam. midi et dim. – **Repas** 189 et carte 270 à 410. G 1

XX **La Passion,** 41 r. Petits Champs (1er) ✆ 42 97 53 41 – ▤. AE GB. ✻ G 1
fermé sam. midi et dim. – **Repas** 150/200 et carte 300 à 450.

XX **Armand Au Palais Royal,** 4 r. Beaujolais (1er) ✆ 42 60 05 11, Fax 42 96 16 24 – AE GB
fermé sam. midi et dim. – **Repas** 180 (déj.)/250. G 1

XX **Chez Fabrice,** 38 r. Croix des Petits-Champs (1er) ✆ 40 20 06 46 – AE GB H 1
fermé sam. midi et dim. – **Repas** 125/225.

XX ✿ **Pile ou Face,** 52 bis r. N.-D. des Victoires (2e) ✆ 42 33 64 33, Fax 42 36 61 09 – ▤. AE GB G 1
fermé août, 23 déc. au 1er janv., sam., dim. et fériés – **Repas** 245 (déj.), 280/320 et carte 28 à 400
Spéc. Crêpe de semoule de blé aux escargots de Bourgogne. Pigeonneau rôti à l'huile de truffe. Glace au yaou biscuit concassé et confiture de cassis.

XX **Vaudeville,** 29 r. Vivienne (2e) ✆ 40 20 04 62, Fax 49 27 08 78, brasserie – AE ◑ GB G 14
Repas carte 180 à 270 ⅋.

XX **Le Grand Colbert,** 2 r. Vivienne (2e) ✆ 42 86 87 88, Fax 42 86 82 65, brasserie – AE ◑ GB G 13
fermé 10 au 20 août – **Repas** 160 et carte 180 à 260 ⅋.

XX **Bonne Fourchette,** 320 r. St Honoré, au fond de la cour (1er) ✆ 42 60 45 27 – ▤. ◑ GB. ✻ G 12
fermé août, vacances de fév., dim. midi et sam. – **Repas** 118/158 et carte 200 à 310.

XX **Le Soufflé,** 36 r. Mont Thabor (1er) ✆ 42 60 27 19, Fax 42 60 54 98 – ▤. AE ◑ GB JCB G 12
fermé dim. – **Repas** 175/250 et carte 200 à 310.

XX **Le Petit Bourbon,** 15 r. Roule (1er) ✆ 40 26 08 93 – AE GB H 14
fermé août, sam. midi, dim. et lundi – **Repas** 110/245.

XX **Le Saint Amour,** 8 r. Port Mahon (2e) ✆ 47 42 63 82 – ▤. AE ◑ GB JCB G 13
fermé 28 juil. au 23 août, sam. sauf le soir de sept. à juin, dim. et fériés – **Repas** 165 et carte 220 à 350.

XX **Chez Gabriel,** 123 r. St-Honoré (1er) ✆ 42 33 02 99 – ▤. AE ◑ GB JCB. ✻ H 14
fermé 7 au 28 août, 21 déc. au 2 janv. et dim. – **Repas** 150/220.

XX **Les Cartes Postales,** 7 r. Gomboust (1er) ✆ 42 61 02 93, Fax 42 61 02 93 – GB JCB G 13
fermé sam. midi et dim. – **Repas** (nombre de couverts limité, prévenir) 135 (déj.), 200/350 et carte 230 à 330.

X **A la Grille St-Honoré,** 15 pl. Marché St-Honoré (1er) ✆ 42 61 00 93, Fax 47 03 31 64 – ▤. AE ◑ GB. ✻ G 12
fermé 1er au 20 août, 23 déc. au 2 janv., lundi sauf le soir en oct. et nov. et dim. – **Repas** 180 et carte 260 à 370.

X **Yvan sur Seine,** 26 quai Louvre (1er) ✆ 42 36 49 52 – ▤. AE GB H 14
fermé sam. midi et dim. midi – **Repas** 98 (déj.)/138 bc bc et carte 170 à 260 ⅋.

X **Caveau du Palais,** 19 pl. Dauphine (1er) ✆ 43 26 04 28, Fax 43 26 81 84 – AE GB J 14
fermé dim. – **Repas** 184 et carte 200 à 380.

X **Paul,** 15 pl. Dauphine (1er) ✆ 43 54 21 48 – AE GB J 14
fermé lundi – **Repas** carte 200 à 360.

X **Le Petit Restaurant,** 50 r. Richelieu (1er) ✆ 40 15 97 39 – AE GB G 13
fermé août, sam. et dim. – **Repas** 160.

X **Le Ruban Bleu,** 29 r. Argenteuil (1er) ✆ 42 61 47 53 – ◑ GB G 13
fermé 3 août au 1er sept., 24 déc. au 1er janv., sam. et dim. – **Repas** carte 180 à 260.

X **Chez Georges,** 1 r. Mail (2e) ✆ 42 60 07 11, bistrot – ▤. AE GB JCB G 14
fermé 1er au 20 août, dim. et fériés – **Repas** carte 190 à 350.

X **La Poule au Pot,** 9 r. Vauvilliers (1er) ✆ 42 36 32 96, bistrot – GB H 14
fermé lundi – **Repas** (dîner seul.) 160 et carte 200 à 270.

X **Lescure,** 7 r. Mondovi (1er) ✆ 42 60 18 91, bistrot – GB G 11
fermé août, sam. soir et dim. – **Repas** 100 et carte 80 à 170.

X **Le Souletin,** 6 r. Vrillière (1er) ✆ 42 61 43 78, bistrot – GB G 14
fermé dim. et fériés – **Repas** carte environ 180.

Bastille, République, Hôtel de Ville.

3e, 4e et 11e arrondissements.
3e : ✉ 75003
4e : ✉ 75004
11e : ✉ 75011

Pavillon de la Reine ⛯ sans rest, 28 pl. Vosges (3e) ✆ 42 77 96 40, Télex 216160, Fax 42 77 63 06 – |‡| ▤ TV ☎ ⛍. AE ◑ GB JCB J17
☕ 95 – **31 ch** 1500/2100, 14 appart, 10 duplex.

Jeu de Paume ⛯ sans rest, 54 r. St-Louis-en-l'Ile (4e) ✆ 43 26 14 18, Fax 40 46 02 76, « Ancien jeu de paume du 17e siècle » – |‡| TV ☎ ✆ – 🏛 30. AE ◑ GB JCB K 16
☕ 80 – **32 ch** 895/1295.

Little Palace M, 4 r. Salomon de Caus (3e) ✆ 42 72 08 15, Fax 42 72 45 81 – |‡| TV ☎ ♿. AE GB G 15
fermé 14 juil. au 15 août, sam. et dim. – **Repas** 85/105 et carte 140 à 210 – ☕ 45 – **57 ch** 515/720.

Bretonnerie sans rest, 22 r. Ste-Croix-de-la-Bretonnerie (4e) ✆ 48 87 77 63, Fax 42 77 26 78 – |‡| TV ☎. GB. ✻ J 16
fermé 28 juil. au 25 août – ☕ 45 – **27 ch** 630/750, 3 appart.

Bel Air [M] sans rest, 5 r. Rampon (11e) ✆ 47 00 41 57, Fax 47 00 21 56 – AE GB. G
☐ 45 – **48 ch** 500/610.

Meslay République sans rest, 3 r. Meslay (3e) ✆ 42 72 79 79, Télex 21302 Fax 42 72 76 94 – AE GB. G
☐ 40 – **39 ch** 550/660.

Caron de Beaumarchais [M] sans rest, 12 r. Vieille-du-Temple (4e) ✆ 42 72 34 1 Fax 42 72 34 63 – AE GB JCB J
☐ 48 – **19 ch** 620/690.

Axial Beaubourg sans rest, 11 r. Temple (4e) ✆ 42 72 72 22, Fax 42 72 03 53 – AE GB. J
☐ 35 – **39 ch** 450/590.

Méridional sans rest, 36 bd Richard-Lenoir (11e) ✆ 48 05 75 00, Fax 43 57 42 85 – AE GB JCB J
☐ 45 – **36 ch** 600.

Beaubourg sans rest, 11 r. S. Le Franc (4e) ✆ 42 74 34 24, Fax 42 78 68 11 – GB. H
☐ 38 – **28 ch** 490/580.

Rivoli Notre Dame sans rest, 19 r. Bourg Tibourg (4e) ✆ 42 78 47 39, Fax 40 29 07 00 AE GB JCB. J
☐ 40 – **31 ch** 500/630.

Verlain sans rest, 97 r. St-Maur (11e) ✆ 43 57 44 88, Fax 43 57 32 06 – GB JCB G
☐ 40 – **38 ch** 490/520.

Lutèce sans rest, 65 r. St-Louis-en-l'Ile (4e) ✆ 43 26 23 52, Fax 43 29 60 25 – GB. K
☐ 45 – **23 ch** 830/850.

Deux Iles sans rest, 59 r. St-Louis-en-l'Ile (4e) ✆ 43 26 13 35, Fax 43 29 60 25 – GB K
☐ 45 – **17 ch** 730/840.

Vieux Saule sans rest, 6 r. Picardie (3e) ✆ 42 72 01 14, Fax 40 27 88 21 – AE GB JCB. H
☐ 45 – **31 ch** 370/510.

Stella [M] sans rest, 14 r. Neuve St-Pierre (4e) ✆ 44 59 28 50, Fax 44 59 28 79 – AE GB JCB J
☐ 50 – **20 ch** 556/662.

Nord et Est sans rest, 49 r. Malte (11e) ✆ 47 00 71 70, Fax 43 57 51 16 – AE GB.
fermé août et 24 déc. au 2 janv. – ☐ 35 – **45 ch** 320/360. G

Gd H. Prieuré sans rest, 20 r. Grand Prieuré (11e) ✆ 47 00 74 14, Fax 49 23 06 64 – AE GB. G
☐ 30 – **32 ch** 300/370.

Allegro République [M] sans rest, 39 r. J.-P. Timbaud (11e) ✆ 48 06 64 9 Fax 48 05 03 38 – AE GB G
☐ 35 – **42 ch** 365/420.

Croix de Malte [M] sans rest, 5 r. Malte (11e) ✆ 48 05 09 36, Fax 43 57 02 54 – AE GB JCB. H
☐ 45 – **29 ch** 470/535.

Beauséjour [M] sans rest, 71 av. Parmentier (11e) ✆ 47 00 38 16, Fax 43 55 47 89 – AE GB H
☐ 30 – **31 ch** 290/350.

Campanile sans rest, 9 r. Chemin Vert (11e) ✆ 43 38 58 08, Fax 43 38 52 28 – AE GB J
☐ 34 – **157 ch** 420.

Prince Eugène sans rest, 247 bd Voltaire (11e) ✆ 43 71 22 81, Fax 43 71 24 71 – AE GB K
☐ 32 – **35 ch** 345/405.

Place des Vosges sans rest, 12 r. Birague (4e) ✆ 42 72 60 46, Fax 42 72 02 64 – GB JCB J
☐ 30 – **16 ch** 315/460.

XXXX ✿✿✿ **L'Ambroisie** (Pacaud), 9 pl. des Vosges (4e) ✆ 42 78 51 45 – AE GB. J
fermé 4 au 25 août, vacances de fév., dim. et lundi – **Repas** carte 680 à 990
Spéc. Feuillantine de queues de langoustines aux graines de sésame, sauce curry. Croustillant d'agneau de Sisteron a confit de légumes, semoule composée. Tarte fine sablée au cacao amer.

XXX **Miravile,** 72 quai Hôtel de Ville (4e) ✆ 42 74 72 22, Fax 42 74 67 55 – AE GB J
fermé 1er au 21 août, sam. midi et dim. – **Repas** 290/400 bc.

XXX **Ambassade d'Auvergne,** 22 r. Grenier St-Lazare (3e) ✆ 42 72 31 22, Fax 42 78 85 47 AE GB H
fermé 1er au 15 août – **Repas** 160/300 bc et carte 190 à 290.

XX ✿ **Benoît,** 20 r. St-Martin (4e) ✆ 42 72 25 76, Fax 42 72 45 68, bistrot J 15
fermé août – **Repas** 200 et carte 330 à 460
Spéc. Ballotine de canard au foie gras. Saint-Jacques au naturel (sept. à avril). Selle d'agneau en rognonnade.

XX **Bofinger,** 5 r. Bastille (4e) ✆ 42 72 87 82, Fax 42 72 97 68, brasserie, « Décor Belle Époque » – AE ⓓ GB JCB J 17
Repas 169 bc et carte 180 à 310.

XX **Pyrénées Cévennes "Chez Philippe",** 106 r. Folie-Méricourt (11e) ✆ 43 57 33 78 – ▤. AE ⓓ GB G 17
fermé août, sam. et dim – **Repas** carte 230 à 380.

XX ✿ **A Sousceyrac** (Asfaux), 35 r. Faidherbe (11e) ✆ 43 71 65 30, Fax 40 09 79 75 – ▤. AE GB J 19
fermé sam. midi et dim. – **Repas** 175
Spéc. Foie gras d'oie ou de canard. Cassoulet. Lièvre à la royale "Gaston Richard" (saison).

XX **L'Excuse,** 14 r. Charles V (4e) ✆ 42 77 98 97, Fax 42 77 88 55 – AE GB J 16
fermé 5 au 20 août et dim. – **Repas** 165 et carte 230 à 360.

XX **Thaï Elephant,** 43 r. Roquette (11e) ✆ 47 00 42 00, Fax 47 00 45 44, « Décor typique » – ▤. AE ⓓ GB J 18
fermé sam. midi – **Repas** - cuisine thaïlandaise - 150 (déj.), 275/300 et carte 190 à 250.

XX **L'Alisier,** 26 r. Montmorency (3e) ✆ 42 72 31 04, Fax 42 72 74 83 – AE GB. ✂ H 16
fermé août, sam. et dim. – **Repas** 150 bc (déj.)/175.

XX **L'Aiguière,** 37 bis r. Montreuil (11e) ✆ 43 72 42 32, Fax 43 72 96 36 – ▤. AE ⓓ GB
fermé sam. midi et dim. – **Repas** 135 bc/248 bc et carte 270 à 330. K 20

XX **Les Amognes,** 243 r. Fg St-Antoine (11e) ✆ 43 72 73 05 – GB K 20
fermé 11 au 26 août, 24 déc. au 1er janv., lundi midi et dim. – **Repas** 180.

XX **La Table Richelieu,** 276 bd Voltaire (11e) ✆ 43 72 31 23 – ▤. AE GB K 21
fermé sam. midi – **Repas** 149 bc/260.

XX **Chardenoux,** 1 r. J. Vallès (11e) ✆ 43 71 49 52, bistrot, « Décor début de siècle » – AE GB. ✂ K 20
fermé août, sam. midi et dim. – **Repas** carte 170 à 290.

X **Bistrot du Dôme,** 2 r. Bastille (4e) ✆ 48 04 88 44, Fax 48 04 00 59 – ▤. AE GB J 17
Repas - produits de la mer - carte environ 230.

X **Au Bascou,** 38 r. Réaumur (3e) ✆ 42 72 69 25, bistrot – AE GB G 16
fermé 1er au 21 août, sam. midi et dim. – **Repas** carte 170 à 250.

X **Le Bistrot de Bofinger,** 6 r. Bastille (4e) ✆ 42 72 05 23, Fax 42 72 97 68 – ▤. AE ⓓ GB JCB J 17
Repas 165 bc et carte 140 à 210.

X **Le Grizzli,** 7 r. St-Martin (4e) ✆ 48 87 77 56, 🏖, bistrot – AE GB J 15
fermé 24 déc. au 2 janv. et dim. – **Repas** 120 (déj.)/155 et carte 160 à 250 ₰.

X **Le Navarin,** 3 av. Philippe Auguste (11e) ✆ 43 67 17 49 – GB JCB K 21
fermé sam. midi et dim. soir – **Repas** 119/158 ₰.

X **Astier,** 44 r. J.-P. Timbaud (11e) ✆ 43 57 16 35, bistrot – GB G 18
fermé 19 avril au 2 mai, août, 20 déc. au 2 janv., sam. et dim. – **Repas** 130.

X **Le Maraîcher,** 5 r. Beautreillis (4e) ✆ 42 71 42 49 – GB K 17
fermé 15 août au 1er sept., lundi midi et dim. – **Repas** 175/295 et carte 210 à 290.

X **Le Monde des Chimères,** 69 r. St-Louis-en-L'Ile (4e) ✆ 43 54 45 27, Fax 43 29 84 88 – GB K 16
fermé vacances de fév., dim. et lundi – **Repas** 160 et carte 250 à 390.

X **Anjou-Normandie,** 13 r. Folie-Méricourt (11e) ✆ 47 00 30 59 – GB H 18
fermé 15 juil. au 21 août, lundi soir, vend. soir, sam. et dim. – **Repas** 137/165 et carte 170 à 280 ₰, enf. 60.

X **Les Fernandises,** 19 r. Fontaine au Roi (11e) ✆ 48 06 16 96, bistrot – GB G 18
fermé 1er au 21 août, dim. et lundi – **Repas** 130 et carte 170 à 260.

Write us...

If you have any comments on the contents of this Guide.

Your praise as well as your criticisms will receive careful consideration and, with your assistance, we will be able to add to our stock of information and, where necessary, amend our judgments.

Thank you in advance!

Quartier Latin, Luxembourg, Jardin des Plantes,

5e et 6e arrondissements.

5e : ✉ 75005

6e : ✉ 75006

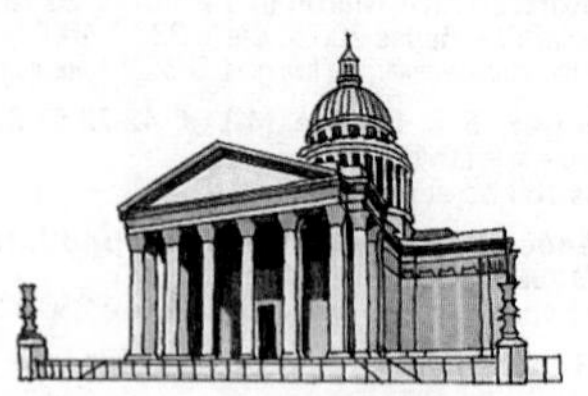

Lutétia, 45 bd Raspail (6e) ✆ 49 54 46 46, Télex 270424, Fax 49 54 46 00 – 300. AE GB JCB K
voir rest. ***Le Paris*** ci-après - ***Brasserie Lutétia*** ✆ 49 54 46 76 **Repas** 128/245, enf. 60
125 – **234 ch** 1500/2100, 30 appart.

Relais Christine M sans rest, 3 r. Christine (6e) ✆ 43 26 71 80, Télex 20260
Fax 43 26 89 38 – AE GB JCB J
95 – **36 ch** 1670/1770, 15 duplex.

Relais St-Germain M sans rest, 9 carrefour de l'Odéon (6e) ✆ 43 29 12 0
Fax 46 33 45 30, « Bel aménagement intérieur » – cuisinette AE G
JCB K
22 ch 1280/1930.

Relais Médicis M sans rest, 23 r. Racine (6e) ✆ 43 26 00 60, Fax 40 46 83 39, « B
aménagement intérieur » – AE GB JCB K
16 ch 930/1480.

Quality Inn Rive Gauche M sans rest, 34 r. Abbé Grégoire (6e) ✆ 42 22 00 5
Fax 42 22 05 39 – AE GB JCB L
72 – **134 ch** 920/990.

Abbaye St-Germain sans rest, 10 r. Cassette (6e) ✆ 45 44 38 11, Fax 45 48 07 86
AE GB. K
42 ch 900/1500, 4 duplex.

Left Bank St-Germain sans rest, 9 r. Ancienne Comédie (6e) ✆ 43 54 01 7
Fax 43 26 17 14 – AE GB JCB K
30 – **31 ch** 895/990.

Madison M sans rest, 143 bd St-Germain (6e) ✆ 40 51 60 00, Fax 40 51 60 01 –
AE GB JCB J
55 ch 760/1500.

Victoria Palace sans rest, 6 r. Blaise-Desgoffe (6e) ✆ 45 44 38 16, Fax 45 49 23 75 –
AE GB L
50 – **85 ch** 840/1300.

Sainte Beuve M sans rest, 9 r. Ste-Beuve (6e) ✆ 45 48 20 07, Fax 45 48 67 52 –
AE GB JCB L
80 – **22 ch** 700/1300.

Angleterre sans rest, 44 r. Jacob (6e) ✆ 42 60 34 72, Fax 42 60 16 93 – AE
GB. J
52 – **24 ch** 630/1100, 3 appart.

Littré sans rest, 9 r. Littré (6e) ✆ 45 44 38 68, Fax 45 44 88 13 – 25. AE
GB JCB. L
50 – **93 ch** 950/990, 4 appart.

St-Grégoire M sans rest, 43 r. Abbé Grégoire (6e) ✆ 45 48 23 23, Fax 45 48 33 95 –
AE GB JCB L
60 – **20 ch** 790/1390.

Latitudes St-Germain M sans rest, 7-11 r. St-Benoit (6e) ✆ 42 61 53 53, Télex 21353
Fax 49 27 09 33 – AE GB J
70 – **117 ch** 1040.

La Villa M sans rest, 29 r. Jacob (6e) ✆ 43 26 60 00, Fax 46 34 63 63, « Original déco
contemporain » – AE GB JCB J
80 – **29 ch** 900/1800, 3 appart.

St-Germain-des-Prés sans rest, 36 r. Bonaparte (6e) ✆ 43 26 00 19, Fax 40 46 83 63
GB J
50 – **30 ch** 750/1300.

Les Rives de Notre-Dame M sans rest, 15 quai St-Michel (5e) ✆ 43 54 81 1
Fax 43 26 27 09, ← – AE GB JCB. J
85 – **11 ch** 995/1650.

Ferrandi sans rest, 92 r. Cherche-Midi (6e) ✆ 42 22 97 40, Fax 45 44 89 97 –
AE GB JCB L
60 – **41 ch** 600/980.

Villa des Artistes M sans rest, 9 r. Grande Chaumière (6e) ✆ 43 26 60 86, Télex 204080, Fax 43 54 73 70 – ⚐ ▤ TV ☎. AE ⓓ GB JCB L 12
59 ch ☕ 600/860.

Panthéon sans rest, 19 pl. Panthéon (5e) ✆ 43 54 32 95, Fax 43 26 64 65, ← – ⚐ ▤ TV ☎ ✆. AE ⓓ GB JCB. ✻ L 14
fermé 1er au 21 août – ☕ 45 – **34 ch** 670/790.

Grands Hommes sans rest, 17 pl. Panthéon (5e) ✆ 46 34 19 60, Fax 43 26 67 32, ← – ⚐ ▤ TV ☎ ✆. AE ⓓ GB JCB. ✻ L 14
☕ 45 – **32 ch** 670/790.

Le Régent M sans rest, 61 r. Dauphine (6e) ✆ 46 34 59 80, Fax 40 51 05 07 – ⚐ ▤ TV ☎. AE ⓓ GB JCB J 13
☕ 55 – **25 ch** 750/950.

Résidence Henri IV M sans rest, 50 r. Bernardins (5e) ✆ 44 41 31 81, Fax 46 33 93 22 – ⚐ cuisinette TV ☎ ✆. AE ⓓ GB JCB. ✻ K 15
☕ 40 – **8 ch** 700/900, 5 appart.

Odéon H. M sans rest, 3 r. Odéon (6e) ✆ 43 25 90 67, Fax 43 25 55 98 – ⚐ ▤ TV ☎. AE ⓓ GB JCB. ✻ K 13
☕ 55 – **33 ch** 700/1300.

de Fleurie sans rest, 32 r. Grégoire de Tours (6e) ✆ 43 29 59 81, Fax 43 29 68 44 – ⚐ ▤ TV ☎ ✆. AE ⓓ GB. ✻ K 13
☕ 50 – **29 ch** 650/1200.

Prince de Conti M sans rest, 8 r. Guénégaud (6e) ✆ 44 07 30 40, Fax 44 07 36 34 – ⚐ ▤ TV ☎ ♿. AE ⓓ GB. ✻ J 13
☕ 60 – **26 ch** 750/990.

Jardins du Luxembourg M sans rest, 5 imp. Royer-Collard (5e) ✆ 40 46 08 88, Fax 40 46 02 28 – ⚐ ▤ TV ☎ ♿. AE ⓓ GB JCB. ✻ L 14
☕ 50 – **25 ch** 800.

Belloy St-Germain M sans rest, 2 r. Racine (6e) ✆ 46 34 26 50, Fax 46 34 66 18 – ⚐ TV ☎. AE GB JCB K 14
☕ 40 – **50 ch** 690/1200.

des Saints-Pères sans rest, 65 r. des Sts-Pères (6e) ✆ 45 44 50 00, Fax 45 44 90 83 – ⚐ TV ☎. AE GB J 12
☕ 55 – **36 ch** 720/1620, 3 appart.

Sully St-Germain M sans rest, 31 r. Écoles (5e) ✆ 43 26 56 02, Fax 43 29 74 42, ⛹ – ⚐ ▤ TV ☎. AE ⓓ GB JCB. ✻ K 15
☕ 50 – **56 ch** 600/800.

Royal St-Michel M sans rest, 3 bd St-Michel (5e) ✆ 44 07 06 06, Fax 44 07 36 25 – ⚐ ▤ TV ☎. AE ⓓ GB JCB K 14
☕ 40 – **39 ch** 740/1160.

de l'Odéon sans rest, 13 r. St-Sulpice (6e) ✆ 43 25 70 11, Fax 43 29 97 34, « Maison du 16e siècle » – ⚐ ▤ TV ☎. AE ⓓ GB JCB K 13
☕ 50 – **29 ch** 630/920.

Select M sans rest, 1 pl. Sorbonne (5e) ✆ 46 34 14 80, Télex 201207, Fax 46 34 51 79 – ⚐ ▤ TV ☎ ✆. AE ⓓ GB JCB K 14
☕ 30 – **67 ch** 650/890.

Jardin de l'Odéon M sans rest, 7 r. C. Delavigne (6e) ✆ 46 34 23 90, Fax 43 25 28 12 – ⚐ TV ☎ ✆ ♿. AE GB JCB K 13
☕ 50 – **41 ch** 606/1012.

Clos Médicis M sans rest, 56 r. Monsieur Le Prince (6e) ✆ 43 29 10 80, Fax 43 54 26 90 – ⚐ ⇋ ▤ TV ☎ ✆ ♿. AE ⓓ GB JCB K 14
☕ 60 – **38 ch** 706/1212.

St-Christophe sans rest, 17 r. Lacépède (5e) ✆ 43 31 81 54, Fax 43 31 12 54 – ⚐ TV ☎. AE ⓓ GB L 15
☕ 50 – **31 ch** 750.

Au Manoir St-Germain des Prés sans rest, 153 bd St-Germain (6e) ✆ 42 22 21 65, Fax 45 48 22 25 – ⚐ ⇋ ▤ TV ☎ ✆. AE ⓓ GB JCB J 12
☕ 40 – **32 ch** 750/990.

Aramis St-Germain sans rest, 124 r. Rennes (6e) ✆ 45 48 03 75, Fax 45 44 99 29 – ⚐ TV ☎ – 🏛 30. AE ⓓ GB JCB. ✻ L 12
☕ 45 – **42 ch** 550/850.

Parc St-Séverin sans rest, 22 r. Parcheminerie (5e) ✆ 43 54 32 17, Fax 43 54 70 71 – ⚐ TV ☎. AE ⓓ GB. ✻ K 14
☕ 50 – **27 ch** 500/1500.

Notre Dame sans rest, 1 quai St-Michel (5e) ✆ 43 54 20 43, Fax 43 26 61 75, ← – ⚐ TV ☎. AE ⓓ GB JCB K 14
☕ 40 – **23 ch** 590/790, 3 duplex.

Jardin de Cluny sans rest, 9 r. Sommerard (5e) ✆ 43 54 22 66, Fax 40 51 03 36 – ⚐ ▤ TV ☎ ✆. AE ⓓ GB JCB. ✻ K 14
☕ 45 – **40 ch** 620/800.

Bréa sans rest, 14 r. Bréa (6e) ✆ 43 25 44 41, Fax 44 07 19 25 – |‡| TV ☎. AE ⓓ GB JCB
☐ 45 – **23 ch** 590/750. L 12

Agora St-Germain sans rest, 42 r. Bernardins (5e) ✆ 46 34 13 00, Fax 46 34 75 05 – |‡| TV ☎. AE ⓓ GB JCB. ✻ K 15
☐ 45 – **39 ch** 580/680.

Pas-de-Calais sans rest, 59 r. Sts-Pères (6e) ✆ 45 48 78 74, Fax 45 44 94 57 – |‡| TV ☎. AE ⓓ GB JCB J 12
☐ 45 – **41 ch** 585/800.

Marronniers sans rest, 21 r. Jacob (6e) ✆ 43 25 30 60, Fax 40 46 83 56 – |‡| ▤ TV ☎ ✆. ✻ J 13
☐ 46 – **37 ch** 715/870.

Delavigne sans rest, 1 r. Casimir Delavigne (6e) ✆ 43 29 31 50, Fax 43 29 78 56 – |‡| TV ☎. GB. ✻ K 13
☐ 45 – **34 ch** 500/650.

Albe sans rest, 1 r. Harpe (5e) ✆ 46 34 09 70, Fax 40 46 85 70 – |‡| ⇹ TV ☎ ✆. AE ⓓ GB JCB. ✻ K 14
☐ 40 – **45 ch** 530/625.

Maxim M sans rest, 28 r. Censier (5e) ✆ 43 31 16 15, Fax 43 31 93 87 – |‡| ⇹ TV ☎. AE ⓓ GB JCB M 15
☐ 45 – **36 ch** 470/535.

California H. sans rest, 32 r. Écoles (5e) ✆ 46 34 12 90, Fax 46 34 75 52 – |‡| TV ☎. AE ⓓ GB K 14-15
☐ 40 – **44 ch** 500/700.

La Sorbonne sans rest, 6 r. Victor Cousin (5e) ✆ 43 54 58 08, Télex 206373, Fax 40 51 05 18 – |‡| TV ☎. AE GB K 14
☐ 35 – **37 ch** 415/490.

XXXXX ✻✻ **Tour d'Argent** (Terrail), 15 quai Tournelle (5e) ✆ 43 54 23 31, Fax 44 07 12 04, < Notre-Dame, « Petit musée de la table. Dans les caves, spectacle historique sur le vin » – ▤. AE ⓓ GB JCB K 16
fermé lundi – **Repas** 395 et carte 800 à 1 150
Spéc. Quenelles de brochet "André Terrail". Canard "Tour d'Argent". Flambée de pêche à l'eau-de-vie de framboise.

XXX ✻✻ **Jacques Cagna,** 14 r. Gds Augustins (6e) ✆ 43 26 49 39, Fax 43 54 54 48, « Maison du Vieux Paris » – ▤. AE ⓓ GB JCB J 14
fermé 1er au 21 août, Noël au Jour de l'An, sam. midi et dim. – **Repas** 260/490 et carte 500 à 680
Spéc. Lotte de Cancale en cocotte à l'estragon. Poularde de Houdan en deux services. Gibier (saison).

XXX ✻ **Paris** - Hôtel Lutétia, 45 bd Raspail (6e) ✆ 49 54 46 90, Télex 270424, Fax 49 54 46 00, « Décor inspiration "Art-Déco" » – ▤. AE ⓓ GB JCB K 12
fermé 27 juil. au 25 août, sam. et dim. – **Repas** 260 (déj.), 360/565 et carte 380 à 510
Spéc. Turbot au sel de Guérande. Jarret de veau cuit en cocotte. Le "tout chocolat".

XXX **Relais Louis XIII,** 1 r. Pont de Lodi (6e) ✆ 43 26 75 96, Fax 44 07 07 80, « Caveau du 16e siècle, beau mobilier » – ▤. AE ⓓ GB JCB J 14
fermé 21 juil. au 19 août, lundi midi et dim. – **Repas** 195 (déj.), 250/350 et carte 450 à 570.

XXX **Le Procope,** 13 r. Ancienne Comédie (6e) ✆ 43 26 99 20, Fax 43 54 16 86, « Ancien café littéraire du 18e siècle » – ▤. AE ⓓ GB K 13
Repas 106 (déj.)/185 et carte 180 à 320 ♂.

XX **Aub. des Deux Signes,** 46 r. Galande (5e) ✆ 43 25 46 56, Fax 46 33 20 49, « Cadre médiéval » – AE ⓓ GB JCB K 14
fermé août, sam. midi et dim. – **Repas** 150 (déj.)/230 et carte 360 à 520, enf. 100.

XX **Campagne et Provence,** 25 quai Tournelle (5e) ✆ 43 54 05 17, Fax 43 29 74 93 – ▤ GB K 15
fermé lundi midi, sam. midi et dim. – **Repas** 110 et carte 180 à 240.

XX **Le Chat Grippé,** 87 r. Assas (6e) ✆ 43 54 70 00 – ▤. AE GB LM 13
fermé août, sam. midi et lundi – **Repas** 160 (déj.), 240/325 et carte 260 à 370.

XX **Yugaraj,** 14 r. Dauphine (6e) ✆ 43 26 44 91, Fax 46 33 50 77 – ▤. AE ⓓ GB JCB. ✻
Repas - cuisine indienne - 130 (déj.), 180/220 et carte 200 à 290. J 14

XX **La Truffière,** 4 r. Blainville (5e) ✆ 46 33 29 82, Fax 46 33 64 74 – ▤. AE ⓓ GB L 15
fermé 1er au 20 août et lundi – **Repas** 98 (déj.), 125/298 et carte 200 à 280 ♂.

XX **Dodin-Bouffant,** 25 r. F.-Sauton (5e) ✆ 43 25 25 14, Fax 43 29 52 61 – ▤. AE ⓓ GB JCB K 15
fermé sam. midi et dim. – **Repas** 180 bc (déj.), 235/600 et carte 240 à 370.

XX **Marty,** 20 av. Gobelins (5e) ✆ 43 31 39 51, Fax 43 37 63 70, brasserie – AE ⓓ GB JCB
Repas 189/269 bc et carte 190 à 330 ♂. M 15

XX ⚘ **La Timonerie** (de Givenchy), 35 quai Tournelle (5e) ✆ 43 25 44 42 – GB K 15
fermé 1er au 15 mars, lundi midi et dim. – **Repas** 230 et carte 270 à 370
Spéc. Foie gras rôti sur pomme de terre séchée au four. Sandre rôti, choux et pommes de terre en vinaigrette. Tarte fine au chocolat.

XX **Mavrommatis,** 42 r. Daubenton (5e) ✆ 43 31 17 17, Fax 43 36 13 08 – ▤. GB. ✻ M 15
fermé lundi et le midi sauf sam. et dim. – **Repas** - cuisine grecque - carte 160 à 250.

XX **Bistrot d'Alex,** 2 r. Clément (6e) ✆ 43 54 09 53 – ▤. AE GB JCB K 13
fermé 24 déc. au 2 janv., sam. midi et dim. – **Repas** 140/170 et carte 170 à 300.

XX **Joséphine "Chez Dumonet",** 117 r. Cherche-Midi (6e) ✆ 45 48 52 40, Fax 42 84 06 83, bistrot – GB L 11
fermé août, sam. et dim. – carte 180 à 310 - ***La Rôtisserie :*** ✆ 42 22 81 19 *(fermé juil., lundi et mardi)* **Repas** 150 bc.

XX **Le Rond de Serviette,** 97 r. Cherche-Midi (6e) ✆ 45 44 01 02, Fax 42 22 50 10 – ▤. AE ⓓ GB JCB L 11
fermé 28 juil. au 18 août, sam. midi et dim. – **Repas** 138 bc/168 et carte 180 à 250 ♁.

XX **Chez Toutoune,** 5 r. Pontoise (5e) ✆ 43 26 56 81, Fax 43 25 35 93 – AE GB K 15
fermé lundi midi et dim. – **Repas** 108 (déj.)/158.

XX **L'Arrosée,** 12 r. Guisarde (6e) ✆ 43 54 66 59, Fax 43 54 66 59 – ▤. AE ⓓ GB JCB. ✻
fermé 7 au 22 août, sam. midi et dim. midi – **Repas** 149/210 et carte 265 à 465. K 13

XX **La Marlotte,** 55 r. Cherche-Midi (6e) ✆ 45 48 86 79, Fax 45 44 34 80 – AE ⓓ GB JCB. ✻
fermé août, sam. et dim. – **Repas** carte 180 à 260. K 12

XX **Chez Maître Paul,** 12 r. Monsieur-le-Prince (6e) ✆ 43 54 74 59, Fax 46 34 58 33 – AE ⓓ GB
fermé sam. midi et dim. – **Repas** 190 bc et carte 190 à 330. K 13

XX **Les Bouchons de François Clerc,** 12 r. Hôtel Colbert (5e) ✆ 43 54 15 34, Fax 46 34 68 07 – AE GB K 15
fermé sam. midi et dim. – **Repas** 219.

XX **La Bastide Odéon,** 7 r. Corneille (6e) ✆ 43 26 03 65, Fax 44 07 28 93 – GB K 13
fermé 5 au 26 août, dim. et lundi – **Repas** 180.

XX **Inagiku,** 14 r. Pontoise (5e) ✆ 43 54 70 07, Fax 40 51 74 44 – ▤. GB JCB K 15
fermé 15 au 31 août, le midi du 1er au 14 août et dim. – **Repas** - cuisine japonaise - 88 (déj.), 148/248 et carte 230 à 290.

X **L'Épi Dupin,** 11 r. Dupin (6e) ✆ 42 22 64 56 – GB K 12
fermé sam. midi et dim. – **Repas** 153.

X **Au Grilladin,** 13 r. Mézières (6e) ✆ 45 48 30 38 – AE GB K 12
fermé 27 juil. au 26 août, 21 déc. au 3 janv., lundi midi et dim. – **Repas** 159 et carte 190 à 270.

X **Les Bookinistes,** 53 quai Grands Augustins (6e) ✆ 43 25 45 94, Fax 43 25 23 07 – ▤. AE GB JCB J 14
fermé sam. midi et dim. – **Repas** 160 et carte 200 à 250.

X **La Timbale St-Bernard,** 16 r. Fossés St-Bernard (5e) ✆ 46 34 28 28, Fax 46 34 66 26 – AE ⓓ GB. ✻ K 15
fermé 1er au 21 août, sam. midi et dim. – **Repas** 135/165 et carte environ 220.

X **Le Palanquin,** 12 r. Princesse (6e) ✆ 43 29 77 66 – GB K 13
fermé 7 au 21 août et dim. – **Repas** - cuisine vietnamienne - 68 (déj.), 99/145 et carte 150 à 230.

X **Moulin à Vent "Chez Henri",** 20 r. Fossés-St-Bernard (5e) ✆ 43 54 99 37, bistrot – GB. ✻ K 15
fermé août, dim. et lundi – **Repas** 170 et carte 240 à 320.

X **Dominique,** 19 r. Bréa (6e) ✆ 43 27 08 80, Fax 43 26 88 35 – AE ⓓ GB L 12
fermé 21 juil. au 19 août, lundi midi et dim. – **Repas** - cuisine russe - 170 et carte 230 à 310.

X **Rôtisserie d'en Face,** 2 r. Christine (6e) ✆ 43 26 40 98, Fax 43 54 54 48 – ▤. AE GB JCB
fermé sam. midi et dim. – **Repas** 159 (déj.)/198. J 14

X **Rôtisserie du Beaujolais,** 19 quai Tournelle (5e) ✆ 43 54 17 47, Fax 44 07 12 04 – GB
fermé lundi – **Repas** carte 170 à 280. K 15

X **Allard,** 41 r. St-André-des-Arts (6e) ✆ 43 26 48 23, Fax 46 33 04 02, bistrot – ▤. AE ⓓ GB JCB K 14
fermé dim. – **Repas** 150 (déj.)/200 et carte 260 à 380.

X **Moissonnier,** 28 r. Fossés-St-Bernard (5e) ✆ 43 29 87 65, bistrot – GB K 15
fermé 26 juil. au 3 sept., dim. soir et lundi – **Repas** carte 180 à 250.

X **Atelier Maître Albert,** 1 r. Maître Albert (5e) ✆ 46 33 13 78, Fax 44 07 01 86 – ▤. AE GB
fermé dim. – **Repas** (dîner seul.) 160/230 bc. K 15

X **Bistrot du Port,** 13 quai Montebello (5e) ✆ 40 51 73 19 – ▤. GB K 15
fermé 22 au 30 déc., 2 au 15 janv. et lundi – **Repas** (dîner seul.) 138.

X **Balzar,** 49 r. Écoles (5e) ✆ 43 54 13 67, Fax 44 07 14 91, brasserie – ▤. AE GB K 14
fermé août, Noël au Jour de l'An – **Repas** carte 150 à 280.

X **Valérie Tortu,** 11 r. Grande Chaumière (6e) ✆ 46 34 07 58, Fax 46 34 06 84 – AE GB
fermé août, sam. midi et dim. – **Repas** 80/158 et carte 170 à 220. L 12

X **Bistro de la Grille,** 14 r. Mabillon (6e) ✆ 43 54 16 87, bistrot – GB K 13
Repas 90 (déj.)/150 ♁.

Faubourg-St-Germain, Invalides, École Militaire.

7e arrondissement. 7e : ✉ 75007

Montalembert Ⓜ, 3 r. Montalembert ✆ 45 49 68 68, Fax 45 49 69 49, « Décoratio originale » – |‡| ▤ TV ☎ – 25. AE ⓓ GB. ✂ ch J 1
Repas 170 (déj.)(brunch le dim. 185)et carte 250 à 350 – ☕ 100 – **51 ch** 1625/2080, 5 appar

Cayré Ⓜ sans rest, 4 bd Raspail ✆ 45 44 38 88, Télex 270577, Fax 45 44 98 13 – |‡| ☎. AE ⓓ GB JCB J 1
☕ 50 – **119 ch** 900.

Duc de Saint-Simon sans rest, 14 r. St-Simon ✆ 44 39 20 20, Télex 20327 Fax 45 48 68 25, « Belle décoration intérieure » – |‡| TV ☎. ✂ J 1
☕ 70 – **29 ch** 1050/1500, 5 appart.

La Bourdonnais, 111 av. La Bourdonnais ✆ 47 05 45 42, Télex 201416, Fax 45 55 75 54 |‡| TV ☎. ⓓ GB JCB J
voir rest. *La Cantine des Gourmets* ci-après – ☕ 37 – **57 ch** 490/670, 3 appart.

Bellechasse Ⓜ sans rest, 8 r. Bellechasse ✆ 45 50 22 31, Fax 45 51 52 36 – |‡| TV ♿. AE ⓓ GB JCB H 1
☕ 75 – **41 ch** 910.

Le Tourville Ⓜ sans rest, 16 av. Tourville ✆ 47 05 62 62, Fax 47 05 43 90 – |‡| ▤ TV ☎. ⓓ GB J
☕ 60 – **30 ch** 790/990.

Lenox Saint-Germain sans rest, 9 r. Université ✆ 42 96 10 95, Fax 42 61 52 83 – |‡| ☎. AE ⓓ GB JCB J 1
☕ 45 – **32 ch** 590/780.

Splendid Ⓜ sans rest, 29 av. Tourville ✆ 45 51 24 77, Télex 206879, Fax 44 18 94 60 – TV ☎ ♿. AE ⓓ GB. ✂ J
☕ 46 – **48 ch** 630/990.

Bourgogne et Montana sans rest, 3 r. Bourgogne ✆ 45 51 20 22, Fax 45 56 11 98 – TV ☎. AE ⓓ GB JCB H 1
☕ 65 – **30 ch** 685/920, 4 appart.

Sèvres Vaneau Ⓜ sans rest, 86 r. Vaneau ✆ 45 48 73 11, Fax 45 49 27 74 – |‡| TV AE ⓓ GB JCB K 1
☕ 75 – **39 ch** 840.

Eiffel Park H. Ⓜ sans rest, 17 bis r. Amélie ✆ 45 55 10 01, Télex 202950, Fax 47 05 28 6 – |‡| TV ☎ ♿ – 40. AE ⓓ GB JCB. ✂ J
☕ 53 – **36 ch** 795/835.

Les Jardins d'Eiffel Ⓜ sans rest, 8 r. Amélie ✆ 47 05 46 21, Télex 206582 Fax 45 55 28 08 – |‡| ▤ TV ☎ ♿. AE ⓓ GB JCB H
☕ 60 – **80 ch** 700/960.

Verneuil St-Germain sans rest, 8 r. Verneuil ✆ 42 60 82 14, Fax 42 61 40 38 – |‡| TV AE ⓓ GB. ✂ J 1
☕ 50 – **26 ch** 650/950.

Muguet Ⓜ sans rest, 11 r. Chevert ✆ 47 05 05 93, Fax 45 50 25 37 – |‡| TV ☎. AE GB J
☕ 42 – **45 ch** 420/490.

Relais Bosquet sans rest, 19 r. Champ-de-Mars ✆ 47 05 25 45, Fax 45 55 08 24 – |‡| ☎ ♿. AE ⓓ GB J
☕ 53 – **40 ch** 660/810.

du Cadran Ⓜ sans rest, 10 r. Champ-de-Mars ✆ 40 62 67 00, Fax 40 62 67 13 – |‡| TV ☎. AE ⓓ GB. ✂ J
☕ 50 – **42 ch** 850/980.

Élysées Maubourg sans rest, 35 bd La Tour Maubourg ✆ 45 56 10 78, Fax 47 05 65 08 – |‡| TV ☎. AE ⓓ GB JCB H 1
☕ 45 – **30 ch** 570/710.

Saxe Résidence sans rest, 9 villa Saxe ✆ 47 83 98 28, Fax 47 83 85 47 – |‡| TV ☎. AE ⓓ GB K
☕ 70 – **49 ch** 620/650.

de Varenne sans rest, 44 r. Bourgogne ✆ 45 51 45 55, Fax 45 51 86 63 – |‡| TV ☎. AE GB J 1
☕ 45 – **24 ch** 510/690.

Derby Eiffel H. sans rest, 5 av. Duquesne ☎ 47 05 12 05, Fax 47 05 43 43 – |$| ⇔ TV ☎. AE ⓓ GB JCB J 9
☐ 50 – **43 ch** 650/710.

Beaugency sans rest, 21 r. Duvivier ☎ 47 05 01 63, Fax 45 51 04 96 – |$| TV ☎. AE ⓓ GB JCB J 9
30 ch ☐ 530/660.

Londres sans rest, 1 r. Augereau ☎ 45 51 63 02, Fax 47 05 28 96 – |$| TV ☎. AE ⓓ GB JCB J 8
☐ 50 – **30 ch** 595.

Bersoly's sans rest, 28 r. Lille ☎ 42 60 73 79, Fax 49 27 05 55 – |$| TV ☎. GB J 13
fermé août – ☐ 50 – **16 ch** 580/680.

Chomel sans rest, 15 r. Chomel ☎ 45 48 55 52, Fax 45 48 89 76 – |$| TV ☎. AE ⓓ GB JCB. ✂ K 12
☐ 50 – **23 ch** 585/850.

France sans rest, 102 bd La Tour Maubourg ☎ 47 05 40 49, Fax 45 56 96 78 – |$| TV ☎ ♿. AE GB J 9
☐ 35 – **60 ch** 380/490.

Champ-de-Mars sans rest, 7 r. Champ-de-Mars ☎ 45 51 52 30, Fax 45 51 64 36 – |$| TV ☎. AE GB J 9
☐ 35 – **25 ch** 360/420.

L'Empereur sans rest, 2 r. Chevert ☎ 45 55 88 02, Fax 45 51 88 54 – |$| TV ☎. AE GB J 9
☐ 37 – **38 ch** 421/466.

Turenne sans rest, 20 av. Tourville ☎ 47 05 99 92, Fax 45 56 06 04 – |$| TV ☎. AE ⓓ GB J 9
☐ 38 – **34 ch** 320/515.

Résidence Orsay sans rest, 93 r. Lille ☎ 47 05 05 27, Fax 47 05 29 48 – |$| TV ☎. GB. ✂ H 11
fermé août – ☐ 35 – **32 ch** 250/490.

XXXX ✿ **Jules Verne,** 2e étage Tour Eiffel, ascenseur privé pilier sud ☎ 45 55 61 44, Fax 47 05 29 41, ≤ Paris – ▤. AE ⓓ GB. ✂ J 7
Repas 300 (déj.), 680/770 (sauf dim. midi)et carte 490 à 660
Spéc. Fricassée de petites seiches au foie gras de canard poêlé. Langoustines et crabes aux pommes croustillantes et asperges. Entrecôte de veau de Corrèze, jus à l'oseille.

XXXX ✿✿✿ **Arpège** (Passard), 84 r. Varenne ☎ 45 51 47 33, Fax 44 18 98 39 – ▤. AE ⓓ GB JCB J 10
fermé dim. midi et sam. – **Repas** 390 (déj.)/790 et carte 520 à 800
Spéc. Aiguillettes de homard et navet à l'aigre-doux au romarin. Poulet de Janzé fumé et ravioles de foie gras à la fondue d'oignons. Tomate farcie confite aux douze saveurs (dessert).

XXXX ✿✿ **Le Divellec,** 107 r. Université ☎ 45 51 91 96, Fax 45 51 31 75 – ▤. AE ⓓ GB JCB. ✂
fermé 23 déc. au 3 janv., dim. et lundi – **Repas** - produits de la mer - 290 (déj.)et carte 440 à 750 H 10
Spéc. Homard à la presse avec son corail. Saint-Pierre braisé au citron confit. Raviole de saumon avec crevettes grises et bigorneaux.

XXXX ✿✿ **Duquesnoy,** 6 av. Bosquet ☎ 47 05 96 78, Fax 44 18 90 57 – ▤. AE GB H 9
fermé 1er au 15 août, sam. midi et dim. – **Repas** 250 (déj.), 450/550 et carte 440 à 600
Spéc. Saint-Jacques fumées "minute", pommes de terre au caviar (oct. à mars). Chartreuse de pigeonneau au foie gras, sauce aux truffes. Millefeuille léger, poire caramélisée, sauce et crème glacée aux noix.

XXX ✿ **Paul Minchelli,** 54 bd La Tour Maubourg ☎ 47 05 89 86, Fax 45 56 03 84 – ▤. GB
fermé août, dim., lundi et fériés – **Repas** - produits de la mer - carte 310 à 520 J 9
Spéc. Galette d'anchois et beignets d'arêtes. Pibales à l'ail. Saumon au bouillon de poivre.

XXX ✿ **La Cantine des Gourmets,** 113 av. La Bourdonnais ☎ 47 05 47 96, Fax 45 51 09 29 – ▤. AE GB J 9
Repas 240 bc (déj.), 320/420 et carte 350 à 470
Spéc. Croustilles de langoustines à la fondue de poireau. Noisettes d'agneau de Lozère en fine croûte d'olives. Dôme moelleux choco-caramel, soufflé aux marrons (hiver).

XXX **Le Petit Laurent,** 38 r. Varenne ☎ 45 48 79 64, Fax 45 44 15 95 – AE ⓓ GB J 11
fermé août, sam. midi et dim. – **Repas** 185/250 et carte 250 à 370.

XXX ✿ **La Boule d'Or,** 13 bd La Tour Maubourg ☎ 47 05 50 18, Fax 47 05 91 21 – ▤. AE ⓓ GB JCB H 10
Repas 170/210
Spéc. Foie gras frais de canard. Chausson de langoustines. Soufflé chaud au citron.

XX ✿ **Le Bellecour** (Goutagny), 22 r. Surcouf ☎ 45 51 46 93, Fax 45 50 30 11 – ▤. AE ⓓ GB
fermé août, sam. sauf le soir du 15 sept. au 15 juin et dim. – **Repas** 160 (déj.), 250/420 et carte 320 à 450 H 9
Spéc. Truffière de Saint-Jacques (15 déc. au 30 mars). Quenelles de brochet "maison". Lièvre à la cuillère (10 oct. au 31 janv.).

XX **La Maison de l'Amérique Latine,** 217 bd St-Germain ✆ 45 49 33 23, Fax 40 49 03 94, ☂, « Dans un hôtel particulier du 18e siècle, terrasse ouverte sur le jardin » – AE GB. ✻ J 11
fermé 5 au 26 août, sam., dim. et fériés – **Repas** (déj. seul. sauf de mai à oct.) 195 (déj.)et carte 300 à 340.

XX **Beato,** 8 r. Malar ✆ 47 05 94 27 – ▤. AE GB. ✻ H 9
fermé août, Noël au Jour de l'An, dim. et lundi – **Repas** - cuisine italienne - 145 (déj.)et carte 230 à 330 ♉.

XX **Ferme St-Simon,** 6 r. St-Simon ✆ 45 48 35 74, Fax 40 49 07 31 – ▤. AE ◑ GB J 11
fermé 3 au 19 août, sam. midi et dim. – **Repas** 170 (déj.)/190 et carte 260 à 340.

XX **Au Quai d'Orsay,** 49 quai d'Orsay ✆ 45 51 58 58, Fax 45 56 98 42 – AE ◑ GB H 9
fermé sam. midi et dim. – **Repas** 190 et carte 240 à 290.

XX ✿ **Récamier,** 4 r. Récamier ✆ 45 48 86 58, Fax 42 22 84 76, ☂ – ▤. AE ◑ GB JCB K 12
fermé dim. – **Repas** 300 bc (déj.)et carte 270 à 420
Spéc. Oeufs en meurette. Mousse de brochet sauce Nantua. Sauté de boeuf bourguignon.

XX **Les Glénan,** 54 r. Bourgogne ✆ 47 05 96 65 – ▤. AE GB J 10
fermé 3 août au 2 sept., vacances de fév., sam. et dim. – **Repas** 195 bc et carte 270 à 340.

XX **Le Bamboche,** 15 r. Babylone ✆ 45 49 14 40, Fax 45 49 14 44 – AE GB K 11
fermé 3 au 25 août, sam. et dim. – **Repas** 180 et carte 240 à 370.

XX **D'Chez Eux,** 2 av. Lowendal ✆ 47 05 52 55, Fax 45 55 60 74 – AE ◑ GB J 9
fermé 5 au 20 août et dim. – **Repas** 250 (déj.)et carte 220 à 420.

XX **Foc Ly,** 71 av. Suffren ✆ 47 83 27 12 – ▤. AE GB K 8
fermé lundi en juil.-août – **Repas** - cuisine chinoise et thaïlandaise - 110/160 bc et carte 180 à 200.

XX **Gildo,** 153 r. Grenelle ✆ 45 51 54 12, Fax 45 51 57 42 – ▤. AE GB J 9
fermé 25 juil. au 24 août, lundi midi et dim. – **Repas** - cuisine italienne - 150 bc (déj.)et carte 240 à 420.

XX **Le Champ de Mars,** 17 av. La Motte-Picquet ✆ 47 05 57 99, Fax 44 18 94 69 – AE ◑ GB
fermé 15 juil. au 15 août et lundi – **Repas** 118/159 et carte 200 à 300. J 9

XX **Tan Dinh,** 60 r. Verneuil ✆ 45 44 04 84, Fax 45 44 36 93 J 12
fermé 1er août au 1er sept. et dim. – **Repas** - cuisine vietnamienne - carte 270 à 310.

X **Gaya Rive Gauche,** 44 r. Bac ✆ 45 44 73 73, Fax 42 60 04 54 – AE GB J 12
fermé août et dim. – **Repas** - produits de la mer - carte 250 à 330.

X **Vin sur Vin,** 20 r. Monttessuy ✆ 47 05 14 20 – GB H 8
fermé 1er au 20 août, 23 déc. au 3 janv., sam. sauf le soir d'oct. à avril, lundi midi et dim. – **Repas** carte 240 à 330.

X **Eiffel Park,** 39 av. La Motte-Picquet ✆ 45 55 90 20, Fax 44 18 36 73 – AE ◑ GB JCB
Repas 175 bc. J 9

X **Le P'tit Troquet,** 28 r. Exposition ✆ 47 05 80 39, bistrot – GB J 9
fermé 1er au 21 août, sam. midi et dim. – **Repas** 135 (déj.), 145/163.

X **Thoumieux** avec ch, 79 r. St-Dominique ✆ 47 05 49 75, Fax 47 05 36 96, brasserie –
▤ rest TV ☎. GB H 9
fermé août sauf rest. – **Repas** 72/150 ♉ – ☕ 35 – **10 ch** 600/650.

X **Clémentine,** 62 av. Bosquet ✆ 45 51 41 16 – AE GB J 9
fermé 15 au 31 août, sam. midi, dim. et fériés – **Repas** 149 et carte 180 à 250 ♉.

X **Chez Collinot,** 1 r. P. Leroux ✆ 45 67 66 42 – GB K 11
fermé août, sam. (sauf le soir de sept. à mai) et dim. – **Repas** 135.

X **Le Sédillot,** 2 r. Sédillot ✆ 45 51 95 82, « Décor Art Nouveau » – AE GB H 8
fermé 7 au 21 août, sam. midi et dim. – **Repas** 120 (dîner), 135/200.

X **La Fontaine de Mars,** 129 r. St-Dominique ✆ 47 05 46 44, Fax 47 05 11 13, ☂, bistrot –
AE GB J 9
fermé dim. – **Repas** carte 180 à 300.

X **L'Oeillade,** 10 r. St-Simon ✆ 42 22 01 60 – ▤. GB J 11
fermé 4 au 25 août, sam. midi et dim. – **Repas** 138 et carte environ 210.

X **Le Maupertu,** 94 bd La Tour Maubourg ✆ 45 51 37 96 – GB J 10
fermé 12 au 20 août, sam. midi et dim. – **Repas** 135 et carte 200 à 290.

X **Du Côté 7eme,** 29 r. Surcouf ✆ 47 05 81 65, bistrot – AE GB H 9-10
fermé 14 au 28 août, 24 déc. au 1er janv. et lundi – **Repas** 175 bc.

X **Au Bon Accueil,** 14 r. Monttessuy ✆ 47 05 46 11 – GB H 8
fermé août, 25 déc. au 1er janv., sam. midi et dim. – **Repas** 120 et carte environ 220.

X **La Calèche,** 8 r. Lille ✆ 42 60 24 76, Fax 47 03 31 10 – ▤. AE ◑ GB JCB J 12
fermé 3 au 26 août, 23 déc. au 1er janv., sam. et dim. – **Repas** 100/175 et carte 180 à 270.

X **Aub. Bressane,** 16 av. La Motte-Picquet ✆ 47 05 98 37, Fax 47 05 92 21 – AE GB J 9
fermé sam. midi – **Repas** 140 bc (déj.)et carte 160 à 260.

X **Le Florimond,** 19 av. La Motte-Picquet ✆ 45 55 40 38 – GB J 9
fermé 4 au 20 août, sam. midi et dim. – **Repas** 100/155 et carte 170 à 270 ♉.

X **Apollon,** 24 r. J. Nicot ✆ 45 55 68 47, Fax 47 05 13 60 – GB H 9
fermé dim. – **Repas** - cuisine grecque - 128 et carte 150 à 210.

Champs-Élysées, St-Lazare, Madeleine.

8e arrondissement.
8e : ✉ 75008

Plaza Athénée, 25 av. Montaigne ✆ 47 23 78 33, Fax 47 20 20 70 – 30 à 100. AE GB JCB. rest G 9
voir rest. ***Régence*** et ***Relais Plaza*** ci-après – 160 – **210 ch** 2950/4650, 42 appart.

Crillon, 10 pl. Concorde ✆ 44 71 15 00, Télex 290204, Fax 44 71 15 02 – 30 à 60. AE GB JCB G 11
voir rest. ***Les Ambassadeurs*** et ***L'Obélisque*** ci-après – 155 – **163 ch** 3200/4100, 45 appart.

Bristol, 112 r. Fg St-Honoré ✆ 42 66 91 45, Télex 280961, Fax 42 66 68 68, – ch – 30 à 60. AE GB JCB. F 10
voir rest. ***Bristol*** ci-après – 165 – **153 ch** 2500/4500, 40 appart.

George V, 31 av. George-V ✆ 47 23 54 00, Fax 47 20 40 00, – – 30 à 600. AE GB JCB G 8
Les Princes : **Repas** 240/450 et carte 300 à 530 – ***Le Grill*** ✆ 47 23 60 80 *(fermé août, sam. et dim.)* **Repas** 198/280 et carte 240 à 420, – 140 – **221 ch** 1800/2800, 39 appart.

Royal Monceau, 37 av. Hoche ✆ 42 99 88 00, Télex 650361, Fax 42 99 89 90, , « Piscine et centre de remise en forme » – – 25 à 100. AE GB JCB. E 8
voir rest. ***Le Jardin*** ci-après ***Carpaccio*** ✆ 42 99 98 90, cuisine italienne *(fermé août)* **Repas** carte 310 à 460 – 190 – **180 ch** 2450/3350, 39 appart.

Prince de Galles, 33 av. George-V ✆ 47 23 55 11, Télex 651627, Fax 47 20 96 92, – – 40 à 110. AE GB JCB. G 8
Jardin des Cygnes : **Repas** 260/350 (dim. brunch seul. 280) et carte 360 à 510 – 145 – **138 ch** 2250/3100, 30 appart.

Vernet, 25 r. Vernet ✆ 44 31 98 00, Télex 651347, Fax 44 31 85 69 – . AE GB. rest F 8
voir rest. ***Les Élysées*** ci-après – 120 – **54 ch** 1550/2250, 3 appart.

de Vigny M sans rest, 9 r. Balzac ✆ 40 75 04 39, Télex 651822, Fax 40 75 05 81, « Élégante installation » – . AE GB JCB F 8
90 – **25 ch** 1900/2200, 12 appart.

San Régis, 12 r. J. Goujon ✆ 44 95 16 16, Fax 45 61 05 48, « Bel aménagement intérieur » – ch . AE GB. G 9
Repas 200/250 et carte 300 à 460 – 110 – **34 ch** 1650/2850, 10 appart.

La Trémoille, 14 r. La Trémoille ✆ 47 23 34 20, Télex 640344, Fax 40 70 01 08 – – 25. AE GB JCB G 9
Repas 190 et carte 230 à 360, enf. 90 – 100 – **93 ch** 1950/2930, 14 appart.

Lancaster, 7 r. Berri ✆ 40 76 40 76, Télex 640991, Fax 40 76 40 00, – . AE GB JCB F 9
Repas *(fermé sam. et dim.)* 230 – 120 – **52 ch** 1950/2650, 7 appart.

Élysées Star M sans rest, 19 r. Vernet ✆ 47 20 41 73, Fax 47 23 32 15 – – 30. AE GB JCB F 8
90 – **38 ch** 1700/1900.

Balzac M, 6 r. Balzac ✆ 44 35 18 00, Télex 651298, Fax 42 25 24 82 – . AE GB JCB F 8
Bice ✆ 44 35 18 18 - cuisine italienne *(fermé 3 au 28 août, 21 déc. au 3 janv., sam. midi et dim.)* **Repas** carte 250 à 360 – 90 – **56 ch** 1830/2200, 14 appart.

Golden Tulip St-Honoré M, 220 r. Fg St-Honoré ✆ 49 53 03 03, Télex 650657, Fax 40 75 02 00 – cuisinette – 190. AE GB JCB. ch E 8
Relais Vermeer *(fermé 4 au 25 août, sam. midi et dim.)* **Repas** 180 et carte 290 à 420 – 110 – **54 ch** 1500/1800, 18 appart.

Château Frontenac sans rest, 54 r. P. Charron ✆ 47 23 55 85, Fax 47 23 03 32 – – 25. AE GB. G 9
85 – **102 ch** 930/1450, 4 appart.

Sofitel Arc de Triomphe, 14 r. Beaujon ✆ 45 63 04 04, Télex 650902, Fax 42 25 36 81 – rest – 40. AE GB JCB F 8
Le Clovis *(fermé août, Noël au Jour de l'An, sam., dim. et fériés)* **Repas** 220 et carte 310 à 440 – 100 – **129 ch** 1650/1900, 6 appart.

Bedford, 17 r. de l'Arcade ✆ 44 94 77 77, Télex 290506, Fax 44 94 77 97 – – 80. AE GB. rest F 11
Repas *(fermé 29 juil. au 25 août, sam. et dim.)* (déj. seul.) 200 et carte 230 à 340 – 70 – **137 ch** 790/960, 11 appart.

Warwick M, 5 r. Berri ✆ 45 63 14 11, Télex 642295, Fax 45 63 75 81 – 30 à 110. AE GB. rest F 9
voir rest. ***La Couronne*** ci-après – 110 – **142 ch** 1800/2700, 5 appart.

California, 16 r. Berri ✆ 43 59 93 00, Télex 644634, Fax 45 61 03 62, – – 25 à 90. AE GB JCB. rest F 9
Repas *(fermé dim.)* (déj. seul.) 170 – 120 – **160 ch** 1800/2200, 13 duplex.

Résidence du Roy M sans rest, 8 r. François 1er ✆ 42 89 59 59, Télex 648452, Fax 40 74 07 92 – cuisinette – 25. AE GB JCB G 9
80, 28 appart 1220/1720, 4 studios, 3 duplex.

Queen Elizabeth, 41 av. Pierre-1er-de-Serbie ✆ 47 20 80 56, Télex 641179, Fax 47 20 89 19 – – 25 à 30. AE GB JCB G 8
Repas *(fermé août et dim.)* (déj. seul.) 170/230 bc – 90 – **53 ch** 1200/1800, 12 appart.

Concorde St-Lazare, 108 r. St-Lazare ✆ 40 08 44 44, Fax 42 93 01 20, « Hall fin 19e siècle, superbe salon de billards » – – 150. AE GB JCB. E 12
Café Terminus : **Repas** 140(dîner), 155/250 et carte environ 350, enf. 80 – 97 – **295 ch** 1300/1900, 5 appart.

Napoléon sans rest, 40 av. Friedland ✆ 47 66 02 02, Fax 47 66 82 33 – – 100. AE GB JCB F 8
85 – **70 ch** 1250/1750, 32 appart.

Claridge-Bellman sans rest, 37 r. François 1er ✆ 47 23 54 42, Télex 641150, Fax 47 23 08 84 – . AE GB. G 9
70 – **42 ch** 1150/1350.

Beau Manoir sans rest, 6 r. de l'Arcade ✆ 42 66 03 07, Fax 42 68 03 00, « Bel aménagement intérieur » – . AE GB JCB F 11
29 ch 995/1155, 3 appart.

Sofitel Champs-Élysées M, 8 r. J. Goujon ✆ 43 59 52 41, Fax 42 25 06 59, – – 150. AE GB JCB G 9
Les Saveurs ✆ 45 63 17 44 *(fermé sam. soir et dim. soir)* **Repas** carte 190 à 300 – 85 – **40 ch** 1500/1800.

Chateaubriand M sans rest, 6 r. Chateaubriand ✆ 40 76 00 50, Télex 641012, Fax 40 76 09 22 – . AE GB JCB. F 9
65 – **28 ch** 1100/1400.

Montaigne M sans rest, 6 av. Montaigne ✆ 47 20 30 50, Télex 648051, Fax 47 20 94 12 – . AE GB JCB G 9
95 – **29 ch** 1300/1850.

Royal Alma M sans rest, 35 r. J. Goujon ✆ 42 25 83 30, Télex 641428, Fax 45 63 68 64 – . AE GB JCB. G 9
95 – **61 ch** 1380/1620, 3 appart.

Paris St-Honoré sans rest, 15 r. Boissy d'Anglas ✆ 44 94 14 14, Télex 281908, Fax 44 94 14 28 – . AE GB G 11
90 – **112 ch** 860/1330.

de l'Élysée sans rest, 12 r. Saussaies ✆ 42 65 29 25, Fax 42 65 64 28 – . AE GB JCB. F 11
60 – **32 ch** 700/980.

Élysées-Ponthieu et Résidence sans rest, 24 r. Ponthieu ✆ 42 25 68 70, Télex 640053, Fax 42 25 80 82 – cuisinette . AE GB JCB F 9
75 – **92 ch** 920/1600, 6 appart.

Royal H. M sans rest, 33 av. Friedland ✆ 43 59 08 14, Télex 651465, Fax 45 63 69 92 – . AE GB JCB F 8
90 – **58 ch** 1250/1950.

Concortel sans rest, 19 r. Pasquier ✆ 42 65 45 44, Télex 660228, Fax 42 65 18 33 – . AE GB F 11
50 – **46 ch** 570/750.

Powers sans rest, 52 r. François 1er ✆ 47 23 91 05, Télex 642051, Fax 49 52 04 63 – . AE GB JCB G 9
65 – **53 ch** 806/1262.

Résidence Monceau sans rest, 85 r. Rocher ✆ 45 22 75 11, Fax 45 22 30 88 – . AE GB JCB. E 11
50 – **51 ch** 685.

Mathurins M sans rest, 43 r. Mathurins ✆ 44 94 20 94, Fax 44 94 00 44 – . AE GB JCB. F 11
65 – **33 ch** 800/1200, 3 appart.

Castiglione, 40 r. Fg St-Honoré ✆ 44 94 25 25, Télex 281906, Fax 42 65 12 27 – – 80. AE GB G 11
Repas 125/160 – 60 – **114 ch** 1250/1500.

New Roblin et rest. le Mazagran, 6 r. Chauveau-Lagarde ✆ 44 71 20 80, Télex 285154, Fax 42 65 19 49 – . AE GB JCB. rest F 11
Repas *(fermé sam., dim. et fériés)* 115 et carte 170 à 270 – 60 – **75 ch** 700/900, 3 appart.

L'Arcade M sans rest, 9 r. de l'Arcade ✆ 53 30 60 00, Fax 40 07 03 07 – |♦| ▤ TV ☎ ✆ ♿ – 🏛 25. AE GB JCB F 11
☕ 55 – **41 ch** 770/940, 4 duplex.

West-End sans rest, 7 r. Clément-Marot ✆ 47 20 30 78, Fax 47 20 34 42 – |♦| TV ☎. AE ⓓ GB JCB G 9
☕ 55 – **54 ch** 700/1300.

Lido M sans rest, 4 passage Madeleine ✆ 42 66 27 37, Fax 42 66 61 23 – |♦| ▤ TV ☎. AE ⓓ GB JCB F 11
32 ch ☕ 830/980.

Galiléo M sans rest, 54 r. Galilée ✆ 47 20 66 06, Fax 47 20 67 17 – |♦| ▤ TV ☎ ✆ ♿. AE GB JCB. ✻ F 8
☕ 50 – **27 ch** 800/950.

Étoile Friedland M sans rest, 177 r. Fg St-Honoré ✆ 45 63 64 65, Fax 45 63 88 96 – |♦| ⚟ ▤ TV ☎ ♿. AE ⓓ GB JCB F 9
☕ 75 – **40 ch** 1300.

Queen Mary M sans rest, 9 r. Greffulhe ✆ 42 66 40 50, Télex 285419, Fax 42 66 94 92 – |♦| ▤ TV ☎. AE GB JCB. ✻ F 12
☕ 69 – **36 ch** 710/890.

Franklin Roosevelt sans rest, 18 r. Clément-Marot ✆ 47 23 61 66, Fax 47 20 44 30 – |♦| TV ☎. AE GB. ✻ G 9
☕ 55 – **45 ch** 795/895.

Atlantic H. sans rest, 44 r. Londres ✆ 43 87 45 40, Télex 285477, Fax 42 93 06 26 – |♦| TV ☎. AE GB JCB. ✻ E 12
☕ 52 – **88 ch** 510/890.

Waldorf Madeleine M sans rest, 12 bd Malesherbes ✆ 42 65 72 06, Fax 40 07 10 45 – |♦| ⚟ ▤ TV ☎. AE ⓓ GB JCB F 11
☕ 50 – **45 ch** 1100/1400.

Flèche d'Or M sans rest, 29 r. Amsterdam ✆ 48 74 06 86, Télex 660641, Fax 48 74 06 04 – |♦| ⚟ ▤ TV ☎ ♿. AE ⓓ GB E 12
☕ 35 – **61 ch** 550/820.

Rochambeau sans rest, 4 r. La Boétie ✆ 42 65 27 54, Fax 42 66 03 81 – |♦| ⚟ TV ☎. AE ⓓ GB JCB F 11
☕ 50 – **50 ch** 800.

Cordélia sans rest, 11 r. Greffulhe ✆ 42 65 42 40, Fax 42 65 11 81 – |♦| TV ☎ ✆. AE ⓓ GB F 12
☕ 50 – **30 ch** 740/850.

Newton Opéra sans rest, 11 bis r. de l'Arcade ✆ 42 65 32 13, Fax 42 65 30 90 – |♦| ▤ TV ☎. AE ⓓ GB F 11
☕ 50 – **31 ch** 690.

Mayflower sans rest, 3 r. Chateaubriand ✆ 45 62 57 46, Télex 640727, Fax 42 56 32 38 – |♦| TV ☎. AE GB F 9
☕ 50 – **24 ch** 690/970.

Alison sans rest, 21 r. Surène ✆ 42 65 54 00, Fax 42 65 08 17 – |♦| TV ☎. AE ⓓ GB JCB. ✻ F 11
☕ 45 – **35 ch** 450/750.

Élysées Mermoz M sans rest, 30 r. J. Mermoz ✆ 42 25 75 30, Fax 45 62 87 10 – |♦| ▤ TV ☎ ♿. AE ⓓ GB F 10
☕ 45 – **21 ch** 690/850, 5 appart.

Fortuny sans rest, 35 r. de l'Arcade ✆ 42 66 42 08, Fax 42 66 00 32 – |♦| ▤ TV ☎. AE ⓓ GB JCB F 11
☕ 50 – **30 ch** 680/730.

Astoria sans rest, 42 r. Moscou ✆ 42 93 63 53, Télex 290061, Fax 42 93 30 30 – |♦| ⚟ TV ☎. AE ⓓ GB JCB. ✻ D 11
☕ 50 – **83 ch** 790/990.

Plaza Haussmann sans rest, 177 bd Haussmann ✆ 45 63 93 83, Fax 45 61 14 30 – |♦| TV ☎. AE ⓓ GB JCB F 9
☕ 30 – **41 ch** 645/830.

L'Orangerie sans rest, 9 r. Constantinople ✆ 45 22 07 51, Fax 45 22 16 49 – |♦| TV ☎. AE ⓓ GB JCB E 11
☕ 35 – **29 ch** 570/670.

Lord Byron sans rest, 5 r. Chateaubriand ✆ 43 59 89 98, Télex 649662, Fax 42 89 46 04, 🌳 – |♦| TV ☎. AE GB JCB. ✻ F 9
☕ 50 – **31 ch** 690/970.

Arc Élysée M sans rest, 45 r. Washington ✆ 45 63 69 33, Fax 45 63 76 25 – |♦| ▤ TV ☎ ✆ ♿. AE ⓓ GB JCB F 9
☕ 55 – **23 ch** 756/922.

Bradford Élysées sans rest, 10 r. St-Philippe-du-Roule ☎ 45 63 20 20, Télex 64853 Fax 45 63 20 07 – ⎮ TV ☎. AE ① GB JCB. ⚹ F
50 – **48 ch** 690/990.

Colisée sans rest, 6 r. Colisée ☎ 43 59 95 25, Fax 45 63 26 54 – ⎮ ▤ TV ☎. AE ① GB JCB F
45 – **45 ch** 640/850.

Rond-Point des Champs-Elysées sans rest, 10 r. Ponthieu ☎ 43 59 55 58 Fax 45 63 99 75 – ⎮ TV ☎. AE ① GB JCB. ⚹ F 1
38 – **44 ch** 550/700.

Madeleine Haussmann M sans rest, 10 r. Pasquier ☎ 42 65 90 11, Fax 42 68 07 93 – ⎮ TV ☎ ✆. AE ① GB F 1
30 – **36 ch** 490.

Ministère sans rest, 31 r. Surène ☎ 42 66 21 43, Fax 42 66 96 04 – ⎮ TV ☎. AE GB JCB F 1
30 – **28 ch** 410/660.

New Orient sans rest, 16 r. Constantinople ☎ 45 22 21 64, Fax 42 93 83 23 – ⎮ TV ☎. AE ① GB JCB E 1
37 – **30 ch** 390/490.

Lavoisier-Malesherbes sans rest, 21 r. Lavoisier ☎ 42 65 10 97, Fax 42 65 02 43 – ⎮ TV ☎. GB. ⚹ F 1
32 – **32 ch** 420/470.

XXXXX ✿✿ **Les Ambassadeurs** - Hôtel Crillon, 10 pl. Concorde ☎ 44 71 16 16, Télex 290204 Fax 44 71 15 02, « Cadre 18e siècle » – ▤. AE ① GB JCB. ⚹ G 1
Repas 340 (déj.)/610 et carte 500 à 630
Spéc. Moelleux de pommes ratte, médaillons de homard à la civette. Suprême de pintade fermière poêlée à l'étouffée Truffe glacée à la fleur de thym frais.

XXXXX ✿✿✿ **Taillevent** (Vrinat), 15 r. Lamennais ☎ 44 95 15 01, Fax 42 25 95 18 – ▤. AE ① GB JCB. ⚹ F
fermé 20 juil. au 20 août, sam., dim. et fériés – **Repas** (nombre de couverts limité - prévenir carte 560 à 780
Spéc. Boudin de homard à la nage. Pigeon rôti en bécasse. Soufflé chaud aux fruits.

XXXXX ✿✿ **Lasserre,** 17 av. F.-D.-Roosevelt ☎ 43 59 53 43, Fax 45 63 72 23, « Toit ouvrant » – ▤. AE GB. ⚹ G 1
fermé 4 août au 2 sept., lundi midi et dim. – **Repas** carte 550 à 760
Spéc. Saint-Jacques poêlées au beurre de truffes (sept. à avril). Lapereau rôti à la crème de ciboulette. Macaron passion-orange.

XXXXX ✿✿✿ **Lucas Carton** (Senderens), 9 pl. Madeleine ☎ 42 65 22 90, Fax 42 65 06 23, « Authentique décor 1900 » – ▤. AE ① GB JCB. ⚹ G 1
fermé 3 au 27 août, 22 déc. au 7 janv., sam. midi et dim. – **Repas** 395 (déj.), 600/1850 e carte 640 à 1 230
Spéc. Foie gras de canard au chou. Homard à la vanille. Canard Apicius rôti au miel et aux épices.

XXXXX ✿✿ **Ledoyen,** carré Champs-Élysées (1er étage) ☎ 47 42 35 98, Fax 47 42 55 01, - voi aussi rest. *Le Cercle* – ▤ P. AE ① GB JCB G 1
fermé août, sam. et dim. – **Repas** 290 (déj.), 520/590 et carte 500 à 800
Spéc. Truffes en feuilleté de pommes de terre (fin déc. à fin fév.). Homard en waterzooï. Tronçon de turbot rôti à l bière de garde et oignons frits..

XXXXX ✿✿ **Laurent,** 41 av. Gabriel ☎ 42 25 00 39, Fax 45 62 45 21, ☂, « Agréable terrasse d'été » – AE ① GB. ⚹ G 1
fermé sam. midi, dim. et fériés – **Repas** 380 et carte 540 à 980
Spéc. Foie gras de canard aux haricots noirs pimentés. Tête de veau gribiche ou ravigote. Les deux soufflé "Laurent".

XXXXX ✿ **Bristol** - Hôtel Bristol, 112 r. Fg St-Honoré ☎ 42 66 91 45, Télex 280961, Fax 42 66 68 68 – ▤. AE ① GB JCB. ⚹ F 1
Repas 345/630 et carte 530 à 770
Spéc. Salade de langoustines et croustillant de pommes de terre. Médaillon de lotte au beurre de thym et "chiffons" d'aubergines. Tête de veau au chou caramélisé et tanin de brouilly.

XXXXX ✿ **Régence** - Hôtel Plaza Athénée, 25 av. Montaigne ☎ 47 23 78 33, Télex 650092 Fax 47 20 20 70, ☂ – ▤. AE ① GB JCB G 9
Repas 320 (déj.)et carte 500 à 620
Spéc. Ravigote de homard, vinaigrette corallée. Filet d'agneau rôti, concassé de champignons au thym. Dôme au caramel mousseux parfumé de café fort.

XXXX ✿✿ **Les Élysées** - Hôtel Vernet, 25 r. Vernet ✆ 44 31 98 98, Fax 44 31 85 69, « Belle verrière » – ▤. AE ⓓ GB JCB. ✻ F 8
fermé 29 juil. au 23 août, 23 au 27 déc., sam. et dim. – **Repas** 320 (déj.), 370/490 et carte 380 à 580
Spéc. Morue rôtie aux tomates confites. Rougets de roche en filets poêlés à la tapenade. Chausson feuilleté au chocolat amer, crème glacée aux fèves de cacao.

XXXX ✿ **Chiberta,** 3 r. Arsène-Houssaye ✆ 45 63 77 90, Fax 45 62 85 08 – ▤. AE ⓓ GB JCB F 8
fermé 1er au 27 août, sam. et dim. – **Repas** 290 et carte 420 à 610
Spéc. Turbot rôti au raifort sur mousseline de champignons. Ris de veau braisé à la vanille et badiane. Macaron à la crème et sorbet fromage blanc.

XXXX ✿ **La Marée,** 1 r. Daru ✆ 43 80 20 00, Fax 48 88 04 04 – ▤. AE ⓓ GB E 8
fermé 26 juil. au 27 août, sam. et dim. – **Repas** - produits de la mer - carte 360 à 610
Spéc. Langoustines rôties au beurre de carottes. Turbotin rôti aux cèpes et foie gras (sept. et oct.). Râble de lièvre à la "Caladoise" (oct. à déc.).

XXX ✿ **Le Jardin** - Hôtel Royal Monceau, 37 av. Hoche ✆ 42 99 98 70, Fax 42 99 89 94, ⛱ – ▤. AE ⓓ GB JCB E 8
fermé sam., dim. et fériés sauf août – **Repas** 280 (déj.), 340/430 et carte 430 à 610
Spéc. Langoustines rôties au poivre. Carré d'agneau au fenouil sauvage et ses légumes farcis à la niçoise. Damier de chocolat guanaja.

XXX ✿ **La Couronne** - Hôtel Warwick, 5 r. Berri ✆ 45 63 78 49, Télex 642295, Fax 45 63 38 50 – ▤. AE ⓓ GB. ✻ F 9
fermé août, sam. midi et dim. – **Repas** 230/320 et carte 280 à 470
Spéc. Pot-au-feu d'agneau à l'anis étoilé. Sandre rôti au four. "Arpège" d'arômes chocolat vanillé.

XXX ✿ **Copenhague,** 142 av. Champs-Élysées (1er étage) ✆ 44 13 86 26, Fax 42 25 83 10, ⛱ – ▤. AE ⓓ GB JCB. ✻ F 8
fermé 4 au 31 août, 1er au 7 janv., sam. midi, dim. et fériés – **Repas** - cuisine danoise - 240/270 et carte 280 à 440 - ***Flora Danica*** ✆ 44 13 86 29 **Repas** 148bc/255 et carte 230 à 360, enf. 80
Spéc. Saumon mariné à l'aneth. Suprême de poule des neiges aux airelles (oct. à mars). Gratin de rhubarbe aux fraises (mars à oct.).

XXX **Le 30 - Fauchon,** 30 pl. Madeleine ✆ 47 42 56 58, Fax 47 42 96 02, ⛱ – ▤. AE ⓓ GB JCB F 12
fermé dim. – **Repas** 245 (dîner)et carte 280 à 420.

XXX **Yvan,** 1bis r. J. Mermoz ✆ 43 59 18 40, Fax 45 63 78 69 – ▤. AE ⓓ GB JCB F-G 10
fermé sam. midi et dim. – **Repas** 178/298 et carte environ 320.

XXX **Le Marcande,** 52 av. Miromesnil ✆ 42 65 19 14, Fax 40 76 03 27, ⛱ – AE GB F 10
fermé 9 au 26 août, sam. et dim. – **Repas** 240 et carte 250 à 390.

XXX ✿ **Vancouver** (Decout), 4 r. Arsène-Houssaye ✆ 42 56 77 77, Fax 42 56 50 52 – ▤. AE GB F 8
fermé 27 juil. au 18 août, 25 déc. au 2 janv., sam., dim. et fériés – **Repas** - produits de la mer - carte 280 à 370
Spéc. Carpaccio de Saint-Jacques au colombo (oct. à mai). "Dim Sum" de langoustines aux épices. Bouillabaisse parisienne.

XXX **L'Obélisque** - Hôtel Crillon, 6 r. Boissy-d'Anglas ✆ 44 71 15 15, Fax 44 71 15 02 – ▤. AE ⓓ GB JCB G 11
fermé août et fériés – **Repas** (prévenir) 270.

XXX **Relais-Plaza** - Hôtel Plaza Athénée, 21 av. Montaigne ✆ 47 23 46 36, Télex 650092, Fax 47 20 20 70 – ▤. AE ⓓ GB JCB G 9
fermé août – **Repas** 290 bc (déj.)et carte 360 à 480.

XXX **Indra,** 10 r. Cdt-Rivière ✆ 43 59 46 40, Fax 44 07 31 19 – ▤. AE ⓓ GB F 9
fermé dim. – **Repas** - cuisine indienne - 195 (déj.), 220/300 et carte 200 à 275.

XX **La Luna,** 69 r. Rocher ✆ 42 93 77 61, Fax 40 08 02 44 – ▤. AE GB JCB E 11
fermé dim. – **Repas** - produits de la mer - carte 290 à 390.

XX **Les Géorgiques,** 36 av. George-V ✆ 40 70 10 49 – ▤. AE ⓓ GB JCB. ✻ G 8
fermé sam. midi et dim. – **Repas** 180 (déj.)/360 et carte 340 à 490.

XX **Chez Tante Louise,** 41 r. Boissy-d'Anglas ✆ 42 65 06 85, Fax 42 65 28 19 – ▤. AE ⓓ GB JCB F 11
fermé août, sam. midi et dim. – **Repas** 190 et carte 230 à 350.

XX **Le Sarladais,** 2 r. Vienne ✆ 45 22 23 62, Fax 45 22 23 62 – ▤. AE GB E 11
fermé août, sam. midi et dim. – **Repas** 145 (dîner)/200 et carte 220 à 380.

XX **Le Grenadin,** 46 r. Naples ✆ 45 63 28 92, Fax 45 61 24 76 – ▤. AE GB E 11
fermé sam. sauf le soir de sept. à mai et dim. – **Repas** 265/330.

XX **Le Cercle Ledoyen,** carré Champs-Élysées (rez-de-chaussée) ✆ 47 42 76 02, Fax 47 42 55 01, ⛱ – ▤. AE ⓓ GB JCB. ✻ G 10
fermé dim. – **Repas** carte 220 à 270.

XX **Hédiard,** 21 pl. Madeleine ✆ 43 12 88 99, Fax 43 12 88 98 – ▤. AE ⓓ GB JCB F 11
fermé dim. – **Repas** carte 230 à 300.

XX **Boeuf sur le Toit,** 34 r. Colisée ✆ 43 59 83 80, Fax 45 63 45 40, brasserie – ▤. AE ⓓ GB F 10
Repas carte 180 à 270 ♀.

XX **La Fermette Marbeuf 1900,** 5 r. Marbeuf ✆ 53 23 08 00, Fax 53 23 08 09, « Décor 1900 céramiques et vitraux d'époque » – ▤. AE ⓓ GB G
Repas 169 et carte 210 à 370 ♖.

XX ✿ **Marius et Janette,** 4 av. George-V ✆ 47 23 41 88, Fax 47 23 07 19, 🍽 – ▤. AE ⓓ GB JCB G
Repas - produits de la mer - 300 bc et carte 330 à 480
Spéc. Moules de pleine mer grillées au thym frais (fin août à début nov.). Bar en croûte de sel de Guérande. Merlan fr sauce tartare (fin avril à début oct.).

XX **Androuët,** 41 r. Amsterdam ✆ 48 74 26 93, Fax 49 95 02 54 – ▤. AE ⓓ GB E 1
fermé 4 au 27 août, sam. midi, lundi midi et dim. – **Repas** - fromages et cuisine fromagère 175 (déj.), 195/250 et carte 220 à 340.

XX **Suntory,** 13 r. Lincoln ✆ 42 25 40 27, Fax 45 63 25 86 – ▤. AE ⓓ GB JCB. ✻ F
fermé sam. midi et dim. – **Repas** - cuisine japonaise - 135 (déj.), 420/590 et carte 360 à 460.

XX **Le Lloyd's,** 23 r. Treilhard ✆ 45 63 21 23, Fax 45 63 21 23 – AE GB E 1
fermé 25 déc. au 1er janv., sam. et dim. – **Repas** carte 210 à 310.

XX **Stresa,** 7 r. Chambiges ✆ 47 23 51 62 – ▤. AE ⓓ GB G
fermé août, 20 déc. au 3 janv., sam. soir et dim. – **Repas** - cuisine italienne - (prévenir) carte 240 à 350.

XX **Village d'Ung et Li Lam,** 10 r. J. Mermoz ✆ 42 25 99 79 – ▤. AE ⓓ GB F 1
Repas - cuisine chinoise et thaïlandaise - 105/149 et carte 160 à 220.

XX **Kinugawa,** 4 r. St-Philippe du Roule ✆ 45 63 08 07, Fax 42 60 45 21 – ▤. AE ⓓ GB JCB ✻
fermé 23 déc. au 7 janv. et dim. – **Repas** - cuisine japonaise - 155 (déj.), 247/700 et carte 280 à 390. F 9

XX **Bistrot du Sommelier,** 97 bd Haussmann ✆ 42 65 24 85, Fax 53 75 23 23 – ▤. AE GB F 1
fermé août, Noël au Jour de l'An, sam. et dim. – **Repas** 390 bc (dîner)et carte 270 à 390.

XX **Le Pichet,** 68 r. P. Charron ✆ 43 59 50 34, Fax 45 63 07 82 – ▤. AE ⓓ GB G 9-F 9
fermé dim. – **Repas** carte 270 à 450.

XX **L'Alsace** (ouvert jour et nuit), 39 av. Champs-Élysées ✆ 43 59 44 24, Fax 42 89 06 62 🍽, brasserie – ▤. AE ⓓ GB F 9
Repas 185 et carte 180 à 350 ♖.

XX **Tong Yen,** 1 bis r. J. Mermoz ✆ 42 25 04 23, Fax 45 63 51 57 – ▤. AE ⓓ GB F 10
fermé 1er au 25 août – **Repas** - cuisine chinoise - carte 200 à 290.

X **Ferme des Mathurins,** 17 r. Vignon ✆ 42 66 46 39 – ⓓ GB F 12
fermé août, dim. et fériés – **Repas** 160/210 et carte 190 à 330.

X **Bistrot de Marius,** 6 av. George-V ✆ 40 70 11 76, 🍽 – AE ⓓ GB JCB G 8
Repas - produits de la mer - carte 200 à 260.

X **L'Appart',** 9 r. Colisée ✆ 53 75 16 34, Fax 53 76 15 39 – ▤. AE GB JCB F 9
Repas 160 bc (déj.)et carte 200 à 260.

X **Le Boucoléon,** 10 r. Constantinople ✆ 42 93 73 33 – GB JCB. ✻ E 11
fermé 1er au 21 août, sam. midi, dim. et fériés – **Repas** 90/150 et carte 140 à 210.

Opéra, Gare du Nord, Gare de l'Est, Grands Boulevards.

9e et 10e arrondissements.
9e : ✉ 75009
10e : ✉ 75010

🏨 **Grand Hôtel Inter-Continental,** 2 r. Scribe (9e) ✆ 40 07 32 32, Télex 220875, Fax 42 66 12 51, Fб – |‡| ✈ ▤ TV ☎ ♿ 🚗 – 🏛 300. AE ⓓ GB JCB. ✻ rest F 12
voir ***Rest. Opéra*** et ***Brasserie Café de la Paix*** ci-après - ***La Verrière*** ✆ 40 07 31 00 *(fermé sam. soir et dim. soir)* **Repas** 175(dîner)/305 – ☕ 160 – **492 ch** 1700/2800, 22 appart.

🏨 **Scribe,** 1 r. Scribe (9e) ✆ 44 71 24 24, Télex 214653, Fax 42 65 39 97 – |‡| ✈ ▤ TV ☎ ♿ – 🏛 50. AE ⓓ GB JCB. ✻ rest F 12
voir rest. ***Les Muses*** ci-après - ***Le Jardin des Muses :*** **Repas** 140 et carte 160 à 230, ♖ – ☕ 105 – **206 ch** 1950/2450, 11 appart.

🏨 **Ambassador,** 16 bd Haussmann (9e) ✆ 44 83 40 40, Télex 285912, Fax 40 22 08 74 – |‡| ✈ ▤ TV ☎ ✆ – 🏛 110. AE ⓓ GB JCB F 13
Venantius ✆ 48 00 06 38 *(fermé août, sam. et dim.)* **Repas** 220/340 et carte 280 à 470 – ☕ 122 – **298 ch** 1450/1750.

🏨 **Commodore,** 12 bd Haussmann (9e) ✆ 42 46 72 82, Télex 280601, Fax 47 70 23 81 – |‡| ✈ TV ☎ – 🏛 25. AE ⓓ GB JCB F 13
Cancans (brasserie) **Repas** 89♖ – ***Le Carvery*** (déj. seul.) *(fermé juil.-août, sam. et dim.)* **Repas** 220♖ – ☕ 95 – **151 ch** 1250/1650, 11 appart.

Terminus Nord M sans rest, 12 bd Denain (10e) ☎ 42 80 20 00, Fax 42 80 63 89 – 80. AE GB JCB E 16
75 – **247 ch** 940/990.

Lafayette M sans rest, 49 r. Lafayette (9e) ☎ 42 85 05 44, Télex 283025, Fax 49 95 06 60 – AE GB JCB F 14
75 – **97 ch** 910, 6 appart.

St-Pétersbourg, 33 r. Caumartin (9e) ☎ 42 66 60 38, Télex 680001, Fax 42 66 53 54 – rest – 25. AE GB JCB. rest F 12
Le Relais (fermé août, sam. et dim.) **Repas** 140 et carte 180 à 270 – 70 – **100 ch** 840/925.

Brébant, 32 bd Poissonnière (9e) ☎ 47 70 25 55, Télex 280127, Fax 42 46 65 70 – rest – 25 à 100. AE GB JCB F 14
- ***Vieux Pressoir :*** **Repas** 98/159 et carte 160 à 320 – 48 – **122 ch** 760/890.

L'Horset Pavillon, 38 r. Échiquier (10e) ☎ 42 46 92 75, Télex 283905, Fax 42 47 03 97 – AE GB JCB F 15
Repas *(fermé sam., dim. et fériés)* 165 bc et carte 170 à 260, enf. 50 – 80 – **92 ch** 850/950.

Franklin M sans rest, 19 r. Buffault (9e) ☎ 42 80 27 27, Fax 48 78 13 04 – AE GB E 14
75 – **68 ch** 780/990.

Blanche Fontaine sans rest, 34 r. Fontaine (9e) ☎ 45 26 72 32, Fax 42 81 05 52 – AE GB. D 13
40 – **45 ch** 507/540, 4 appart.

Carlton's H. sans rest, 55 bd Rochechouart (9e) ☎ 42 81 91 00, Fax 42 81 97 04, « Sur le toit, terrasse panoramique avec ≤ Paris » – AE GB JCB D 14
45 – **103 ch** 615/665.

Bergère sans rest, 34 r. Bergère (9e) ☎ 47 70 34 34, Télex 290668, Fax 47 70 36 36 – AE GB JCB. F 14
50 – **134 ch** 690/990.

Anjou-Lafayette sans rest, 4 r. Riboutté (9e) ☎ 42 46 83 44, Fax 48 00 08 97 – AE GB JCB E 14
40 – **39 ch** 460/590.

Paix République sans rest, 2 bis bd St-Martin (10e) ☎ 42 08 96 95, Télex 680632, Fax 42 06 36 30 – AE GB. G 16
40 – **45 ch** 550/980.

Frantour Paris-Est M sans rest, 4 r. 8 Mai 1945 (cour d'Honneur gare de l'Est)(10e) ☎ 44 89 27 00, Fax 44 89 27 49 – 250. AE GB E 16
55 – **45 ch** 550/1050.

Touraine Opéra M sans rest, 73 r. Taitbout (9e) ☎ 48 74 50 49, Fax 42 81 26 09 – AE GB E 13
75 – **39 ch** 780/990.

Albert 1er M sans rest, 162 r. Lafayette (10e) ☎ 40 36 82 40, Fax 40 35 72 52 – AE GB JCB E 16
40 – **57 ch** 440/555.

Opéra Cadet M sans rest, 24 r. Cadet (9e) ☎ 48 24 05 26, Télex 282287, Fax 42 46 68 09 – AE GB JCB F 14
65 – **82 ch** 735/820, 3 appart.

Mercure Monty M sans rest, 5 r. Montyon (9e) ☎ 47 70 26 10, Fax 42 46 55 10 – 50. AE GB JCB F 14
60 – **71 ch** 660/690.

Gd H. Haussmann sans rest, 6 r. Helder (9e) ☎ 48 24 76 10, Télex 285390, Fax 48 00 97 18 – AE GB JCB. F 13
49 – **59 ch** 500/790.

Corona sans rest, 8 cité Bergère (9e) ☎ 47 70 52 96, Télex 281081, Fax 42 46 83 49 – AE GB JCB F 14
45 – **56 ch** 570/690, 4 appart.

Trinité Plaza sans rest, 41 r. Pigalle (9e) ☎ 42 85 57 00, Télex 280110, Fax 45 26 41 20 – AE GB JCB E 13
30 – **42 ch** 570/660.

Résidence du Pré sans rest, 15 r. P. Sémard (9e) ☎ 48 78 26 72, Fax 42 80 64 83 – AE GB E 15
50 – **40 ch** 425/485.

Gotty sans rest, 11 r. Trévise (9e) ☎ 47 70 12 90, Fax 47 70 21 26 – AE GB JCB F 14
25 – **44 ch** 666/782.

Français sans rest, 13 r. 8-Mai 1945 (10e) ☎ 40 35 94 14, Télex 220401, Fax 40 35 55 40 – AE GB JCB E 16
30 – **71 ch** 410/450.

du Pré sans rest, 10 r. P. Sémard (9e) ☎ 42 81 37 11, Télex 660549, Fax 40 23 98 28 – AE GB. E 15
50 – **41 ch** 445/575.

Axel sans rest, 15 r. Montyon (9e) ✆ 47 70 92 70, Télex 282200, Fax 47 70 43 37 – |♦| ⇹ ▤ TV ☎. AE ⓓ GB JCB F 14
☕ 45 – **38 ch** 640/750.

Monterosa M sans rest, 30 r. La Bruyère (9e) ✆ 48 74 87 90, Fax 42 81 01 12 – |♦| ⇹ TV ☎. AE ⓓ GB. ✻ E 13
☕ 32 – **36 ch** 400/600.

Printania sans rest, 19 r. Château d'Eau (10e) ✆ 42 01 84 20, Fax 42 39 55 12 – |♦| TV ☎. AE ⓓ GB. ✻ F 16
☕ 42 – **51 ch** 536/742.

Moulin M sans rest, 39 r. Fontaine (9e) ✆ 42 81 93 25, Fax 40 16 09 90 – |♦| ⇹ TV ☎. AE ⓓ GB JCB D 13
☕ 75 – **50 ch** 785.

Athènes sans rest, 21 r. d'Athènes (9e) ✆ 48 74 00 55, Télex 285119, Fax 42 81 04 75 – |♦| TV ☎. AE GB JCB. ✻ E 12
☕ 45 – **36 ch** 550/650.

Gare du Nord sans rest, 33 r. St-Quentin (10e) ✆ 48 78 02 92, Fax 45 26 88 31 – |♦| TV ☎. AE GB. ✻ E 16
☕ 45 – **48 ch** 400/580.

Peyris sans rest, 10 r. Conservatoire (9e) ✆ 47 70 50 83, Fax 40 22 95 91 – |♦| TV ☎. AE GB F 14
☕ 30 – **50 ch** 482/572.

Capucines sans rest, 6 r. Godot de Mauroy (9e) ✆ 47 42 25 05, Fax 42 68 05 05 – |♦| TV ☎. AE ⓓ GB JCB F 12
☕ 38 – **45 ch** 520/600.

Riboutté-Lafayette sans rest, 5 r. Riboutté (9e) ✆ 47 70 62 36, Fax 48 00 91 50 – |♦| TV ☎. AE GB JCB E 14
☕ 30 – **24 ch** 370/460.

Modern' Est sans rest, 91 bd Strasbourg (10e) ✆ 40 37 77 20, Fax 40 37 17 55 – |♦| TV ☎. GB. ✻ E 16
☕ 30 – **30 ch** 385/470.

Alba ⚘ sans rest, 34 ter r. La Tour d'Auvergne (9e) ✆ 48 78 80 22, Fax 42 85 23 13 – |♦| cuisinette TV ☎ ✆. AE GB JCB. ✻ E 14
☕ 40 – **25 ch** 500/700.

Ibis Lafayette sans rest, 122 r. Lafayette (10e) ✆ 45 23 27 27, Fax 42 46 73 79 – |♦| ⇹ TV ☎ ♿. AE ⓓ GB E 16
☕ 40 – **70 ch** 410/455.

St-Laurent M sans rest, 5 r. St-Laurent (10e) ✆ 42 09 59 79, Fax 42 09 83 50 – |♦| TV ☎ ♿. AE ⓓ GB JCB E-F 16
☕ 45 – **44 ch** 550/650.

Suède sans rest, 106 bd Magenta (10e) ✆ 40 36 10 12, Fax 40 36 11 98 – |♦| ⇹ TV ☎. AE ⓓ GB JCB E 15-16
☕ 45 – **52 ch** 535.

Champagne-Mulhouse sans rest, 87 bd Strasbourg (10e) ✆ 42 09 12 28, Fax 42 09 48 12 – |♦| ⇹ TV ☎. AE ⓓ GB JCB E 15
☕ 45 – **31 ch** 535.

Montréal sans rest, 23 r. Godot-de-Mauroy (9e) ✆ 42 65 99 54, Fax 49 24 07 33 – |♦| ⇹ TV ☎. AE ⓓ GB F 12
fermé août – ☕ 35 – **14 ch** 285/600, 5 appart.

Résidence Magenta sans rest, 35 r. Y.-Toudic (10e) ✆ 42 40 17 72, Télex 216543, Fax 42 02 59 66 – |♦| TV ☎. AE ⓓ GB F 17
☕ 38 – **32 ch** 330/390.

XXXX ✿ **Rest. Opéra** - Grand Hôtel Inter-Continental, pl. Opéra (9e) ✆ 40 07 30 10, Télex 220875, Fax 40 07 33 86, « Cadre Second Empire » – ▤. AE ⓓ GB JCB. ✻ F 12
fermé août, sam. et dim. – **Repas** 230 (déj.)/335 bc et carte 320 à 550
Spéc. Tête de veau sautée, ravioles de pieds mitonnés. Fricassée de poularde de Bresse étuvée au vin jaune. Conversation aux amandes.

XXXX ✿ **Les Muses** - Hôtel Scribe, 1 r. Scribe (9e) ✆ 44 71 24 26, Fax 42 65 39 97 – ▤. AE ⓓ GB JCB. ✻ F 12
fermé août, sam., dim. et fériés – **Repas** 210/270 et carte environ 350
Spéc. Saumon d'Ecosse rôti aux épices à la rose. Salmis de palombe aux pignons de pin, gratin de girolles (oct. à fév.). Tarte soufflée à la mascarpone et aux fruits rouges poivrés.

XXX ✿ **La Table d'Anvers** (Conticini), 2 pl. d'Anvers (9e) ✆ 48 78 35 21, Fax 45 26 66 67 – ▤. AE GB D 14
fermé sam. midi et dim. – **Repas** 180 (déj.)/250 et carte 410 à 575
Spéc. Croustillant de langoustines en fondue épicée. Selle d'agneau rôtie, curry sec aux aromates. Croquettes au chocolat coulant.

XXX **Charlot "Roi des Coquillages"**, 12 pl. Clichy (9e) ✆ 48 74 49 64, Fax 40 16 11 00 – ▤. AE ⓓ GB D 12
Repas - produits de la mer - 185 et carte 240 à 340.

XXX **Le Louis XIV**, 8 bd St-Denis (10e) ✆ 42 08 56 56, Fax 42 08 23 50 – AE ⓓ GB G 15
Repas 195 bc et carte 210 à 430.

XX **Au Chateaubriant**, 23 r. Chabrol (10e) ✆ 48 24 58 94, collection de tableaux – ▤. AE GB. ✻ E 15
fermé août, dim. et lundi – **Repas** - cuisine italienne - 159 et carte 230 à 320.

XX **Brasserie Café de la Paix** - Grand Hôtel Inter-Continental, 12 bd Capucines (9e) ✆ 40 07 30 20, Télex 220875, Fax 40 07 33 86, ⛱ – ▤. AE ⓓ GB JCB F 12
Repas carte 240 à 360 ♁.

XX **Julien**, 16 r. Fg St-Denis (10e) ✆ 47 70 12 06, Fax 42 47 00 65, « Brasserie "Belle Époque" » – ▤. AE ⓓ GB F 15
Repas carte 180 à 270 ♁.

XX **Grand Café Capucines** (ouvert jour et nuit), 4 bd Capucines (9e) ✆ 47 42 19 00, Fax 47 42 74 22, brasserie, « Décor "Belle Époque" » – ▤. AE ⓓ GB F 13
Repas 185 et carte 190 à 340 ♁.

XX **Grange Batelière**, 16 r. Grange Batelière (9e) ✆ 47 70 85 15 – AE GB F 14
fermé août, sam. midi, dim. et fériés – **Repas** 198/295 et carte 260 à 360.

XX **Le Quercy**, 36 r. Condorcet (9e) ✆ 48 78 30 61 – AE ⓓ GB E 14
fermé 2 août au 3 sept., dim. et fériés – **Repas** 152 et carte 190 à 340.

XX **Bistrot Papillon**, 6 r. Papillon (9e) ✆ 47 70 90 03 – ▤. AE ⓓ GB E 15
fermé 6 au 14 avril, 3 au 26 août, sam. et dim. – **Repas** 140 et carte 210 à 280 ♁.

XX **Comme Chez Soi**, 20 r. Lamartine (9e) ✆ 48 78 00 02, Fax 42 85 09 78 – ▤. AE GB JCB E 14
fermé août, sam., dim. et fériés – **Repas** 140/230 et carte 220 à 340.

XX **Au Petit Riche**, 25 r. Le Peletier (9e) ✆ 47 70 68 68, Fax 48 24 10 79, bistrot, « Cadre fin 19e siècle » – ▤. AE ⓓ GB JCB F 13
fermé dim. – **Repas** 160 et carte 190 à 320 ♁.

XX **Brasserie Flo**, 7 cour Petites-Écuries (10e) ✆ 47 70 13 59, Fax 42 47 00 80, « Cadre 1900 » – ▤. AE ⓓ GB F 15
Repas carte 180 à 270 ♁.

XX **Terminus Nord**, 23 r. Dunkerque (10e) ✆ 42 85 05 15, Fax 40 16 13 98, brasserie – ▤. AE ⓓ GB E 16
Repas carte 180 à 270 ♁.

XX **Le Saintongeais**, 62 r. Fg Montmartre (9e) ✆ 42 80 39 92 – AE ⓓ GB E 14
fermé 12 au 18 août, sam. et dim. – **Repas** 135 et carte 180 à 260.

XX **La P'tite Tonkinoise**, 56 r. Fg Poissonnière (10e) ✆ 42 46 85 98 – ⓓ GB F 15
fermé 1er août au 5 sept., 22 déc. au 5 janv., dim. et lundi – **Repas** - cuisine vietnamienne - 133 (déj.)et carte 160 à 230 ♁.

X **Wally Le Saharien**, 36 r. Rodier (9e) ✆ 42 85 51 90, Fax 42 81 22 77 – ✻ E 14
fermé dim. – **Repas** - cuisine nord-africaine - 150 (déj.)/240.

X **I Golosi**, 6 r. Grange Batelière (9e) ✆ 48 24 18 63, « Décor de style vénitien » – ▤. GB F 14
fermé août, sam. soir et dim. – **Repas** - cuisine italienne - carte 170 à 230.

X **L'Oenothèque**, 20 r. St-Lazare (9e) ✆ 48 78 08 76, Fax 40 16 10 27 – ▤. GB E 13
fermé 12 au 31 août, sam. et dim. – **Repas** carte 220 à 360.

X **Aux Deux Canards**, 8 r. Fg Poissonnière (10e) ✆ 47 70 03 23 – AE ⓓ GB JCB F 15
fermé 1er au 20 août, sam. midi et dim. – **Repas** 110 et carte 140 à 210.

X **L'Alsaco Winstub**, 10 r. Condorcet (9e) ✆ 45 26 44 31 – AE GB E 15
fermé août, sam. midi et dim. – **Repas** 78 (déj.), 85/168 bc et carte 130 à 240.

X **Chez Jean**, 52 r. Lamartine (9e) ✆ 48 78 62 73, Fax 48 78 62 73, bistrot – GB E 14
fermé 24 déc. au 1er janv., sam. midi et dim. – **Repas** 165.

X **Bistro de Gala**, 45 r. Fg Montmartre (9e) ✆ 40 22 90 50 – ▤. AE ⓓ GB F 14
fermé 20 juil. au 20 août, sam. midi et dim. – **Repas** 150 et carte 150 à 210.

X **Relais Beaujolais**, 3 r. Milton (9e) ✆ 48 78 77 91, bistrot – GB E 14
fermé août, sam. et dim. – **Repas** 130 (déj.)et carte 130 à 210.

X **Bistro des Deux Théâtres**, 18 r. Blanche (9e) ✆ 45 26 41 43, Fax 48 74 08 92 – ▤. AE GB E 12
Repas 169 bc.

X **L'Excuse Mogador**, 21 r. Joubert (9e) ✆ 42 81 98 19 – GB F 12
fermé août, 25 au 31 déc., lundi soir, sam. et dim. – **Repas** 75 (déj.)/93 et carte environ 130.

Bastille, Gare de Lyon, Place d'Italie, Bois de Vincennes.

12e et 13e arrondissements.
12e : ✉ 75012
13e : ✉ 75013

Novotel Gare de Lyon Ⓜ, 2 r. Hector Malo (12e) ☎ 44 67 60 00, Télex 21401. Fax 44 67 60 60, ⛆ – |¢| ⇹ ▤ 📺 ☎ ✆ ♿ 🚗 – 🎤 150. AE ⓓ GB JCB L 1
Repas carte environ 160 🍷, enf. 50 – ☕ 62 – **253 ch** 810/930.

Pavillon Bastille Ⓜ sans rest, 65 r. Lyon (12e) ☎ 43 43 65 65, Fax 43 43 96 52 – |¢| ⇹ ▤ 📺 ☎ ♿. AE ⓓ GB JCB K 1
☕ 80 – **25 ch** 955/1375.

Novotel Bercy, 85 r. Bercy (12e) ☎ 43 42 30 00, Fax 43 45 30 60, 🌳 – |¢| ⇹ ▤ 📺 ☎ ✆ ♿ – 🎤 30 à 60. AE ⓓ GB M 1
Repas 138 et carte environ 180, enf. 50 – ☕ 62 – **128 ch** 730/760.

Mercure Tolbiac Ⓜ sans rest, 21 r. Tolbiac (13e) ☎ 45 84 61 61, Fax 45 84 43 38 – |¢| ⇹ ▤ 📺 ☎ ♿ – 🎤 25. AE ⓓ GB JCB P 1
☕ 60 – **71 ch** 690/770.

Mercure Pont de Bercy sans rest, 6 bd Vincent Auriol (13e) ☎ 45 82 48 00 Fax 45 82 19 16 – |¢| ▤ 📺 ☎ ♿ – 🎤 40. AE ⓓ GB M 1
☕ 60 – **89 ch** 810.

Mercure Place d'Italie Ⓜ sans rest, 178 bd Vincent Auriol (13e) ☎ 44 24 01 01, Télex 203424, Fax 44 24 07 07 – |¢| ⇹ 📺 ☎ ♿ – 🎤 50. AE ⓓ GB N 1
☕ 62 – **70 ch** 680/785.

Mercure Blanqui sans rest, 25 bd Blanqui (13e) ☎ 45 80 82 23, Fax 45 81 45 84 – |¢| ⇹ ▤ 📺 ☎ ♿. AE ⓓ GB JCB P 1
☕ 60 – **50 ch** 690/750.

Quatre Saisons Bastille Ⓜ sans rest, 67 r. Lyon (12e) ☎ 40 01 07 17, Télex 21422. Fax 40 01 07 27 – |¢| ▤ 📺 ☎ – 🎤 25. AE ⓓ GB JCB K 1
☕ 70 – **36 ch** 760/950.

Allegro Nation Ⓜ sans rest, 33 av. Dr A. Netter (12e) ☎ 40 04 90 90, Fax 40 04 99 20 – ▤ 📺 ☎ ✆ ♿ 🚗. AE GB JCB M 1
☕ 40 – **49 ch** 470/570.

Slavia sans rest, 51 bd St-Marcel (13e) ☎ 43 37 81 25, Fax 45 87 05 03 – |¢| 📺 ☎ ✆. AE ⓓ GB. ✗ M 1
☕ 35 – **37 ch** 345/385, 6 appart.

Résidence Vert Galant 🐌, 43 r. Croulebarbe (13e) ☎ 44 08 83 50, Fax 44 08 83 69 – 📺 ☎. AE ⓓ GB JCB. ✗ ch N 1
voir rest. ***Etchegorry*** ci-après – ☕ 40 – **15 ch** 400/500.

Terminus-Lyon sans rest, 19 bd Diderot (12e) ☎ 43 43 24 03, Fax 43 44 09 00 – |¢| 📺 ☎ AE ⓓ GB JCB. ✗ L 1
☕ 40 – **60 ch** 520/540.

Modern H. Lyon sans rest, 3 r. Parrot (12e) ☎ 43 43 41 52, Télex 220083, Fax 43 43 81 1 – |¢| 📺 ☎. AE ⓓ GB JCB. ✗ L 1
☕ 39 – **48 ch** 495/570.

Média sans rest, 22 r. Reine Blanche (13e) ☎ 45 35 72 72, Fax 43 31 43 31 – |¢| 📺 ☎. AE ⓓ GB M 1
fermé août – ☕ 35 – **18 ch** 340/525, 3 duplex.

Ibis Bercy, 77 r. Bercy (12e) ☎ 43 42 91 91, Télex 216391, Fax 43 42 34 79, 🌳 – |¢| ⇹ ▤ rest 📺 ☎ ♿ – 🎤 25 à 160. AE ⓓ GB M 1
Repas 99 bc, enf. 39 – ☕ 40 – **368 ch** 455/465.

Relais de Lyon sans rest, 64 r. Crozatier (12e) ☎ 43 44 22 50, Télex 21669 Fax 43 41 55 12 – |¢| 📺 ☎ 🚗. AE ⓓ GB. ✗ K 1
☕ 40 – **34 ch** 426/542.

Touring Hôtel Magendie Ⓜ sans rest, 2 r. Magendie (13e) ☎ 43 36 13 61 Fax 43 36 47 48 – |¢| 📺 ♿ 🚗. GB N 1
113 ch ☕ 320/390.

Ibis sans rest, 177 r. Tolbiac (13e) ☎ 45 80 16 60, Fax 45 80 95 80 – |¢| ⇹ 📺 ☎ ♿. AE GB P 1
☕ 39 – **60 ch** 395/420.

Viator sans rest, 1 r. Parrot (12e) ☏ 43 43 11 00, Fax 43 43 10 89 – 🛗 📺 ☎. AE GB. ✻ ☕ 35 – **45 ch** 320/370. L 18

Nouvel H. sans rest, 24 av. Bel Air (12e) ☏ 43 43 01 81, Fax 43 44 64 13 – 📺 ☎ 📞. AE ⓓ GB ☕ 40 – **28 ch** 360/535. L 21

Arts sans rest, 8 r. Coypel (13e) ☏ 47 07 76 32, Fax 43 31 18 09 – 🛗 📺 ☎. AE GB ☕ 30 – **37 ch** 280/360. N 16

XXX ✿ **Au Pressoir** (Seguin), 257 av. Daumesnil (12e) ☏ 43 44 38 21, Fax 43 43 81 77 – ▤. AE GB M 22
fermé août, sam. et dim. – **Repas** 400 et carte 380 à 500
Spéc. Salade de pommes de terre roseval au foie gras. Huîtres en gelée, vinaigrette aux échalotes (oct. à mai). Ris et rognon de veau au coulis de truffes.

XXX **Train Bleu,** Gare de Lyon (12e) ☏ 43 43 09 06, Fax 43 43 97 96, brasserie, « Cadre 1900 - fresques évoquant le voyage de Paris à la Méditerranée » – AE ⓓ GB L 18
Repas (1er étage) 250 bc et carte 230 à 440.

XXX **L'Oulette,** 15 pl. Lachambeaudie (12e) ☏ 40 02 02 12, 🏖 – AE ⓓ GB N 20
fermé sam. midi et dim. – **Repas** 160/240 bc et carte 170 à 360.

XX ✿ **Au Trou Gascon,** 40 r. Taine (12e) ☏ 43 44 34 26, Fax 43 07 80 55 – ▤. AE ⓓ GB JCB
fermé 3 août au 1er sept., 28 déc. au 5 janv., sam. midi et dim. – **Repas** (nombre de couverts limité, prévenir) 190 (déj.)/280 bc et carte 290 à 410 M 21
Spéc. Petits chipirons en piperade froide (juin à oct.). Petit pâté chaud de cèpes. Volaille de Chalosse truffée.

XX **La Gourmandise,** 271 av. Daumesnil (12e) ☏ 43 43 94 41 – AE GB M 22
fermé 4 au 18 août, lundi soir et dim. – **Repas** 145/175 et carte 260 à 370, enf. 95.

XX **Au Petit Marguery,** 9 bd. Port-Royal (13e) ☏ 43 31 58 59, bistrot – AE ⓓ GB M 15
fermé août, 24 déc. au 3 janv., dim. et lundi – **Repas** 165 (déj.), 205/325 et carte 210 à 330.

XX **La Frégate,** 30 av. Ledru-Rollin (12e) ☏ 43 43 90 32 – ▤. AE GB L 18
fermé août, sam. et dim. – **Repas** - produits de la mer - 160/300 et carte 280 à 400.

XX **Le Luneau,** 5 r. Lyon (12e) ☏ 43 43 90 85, brasserie – AE ⓓ GB JCB L 18
Repas 137 et carte 200 à 310 ♁.

XX **La Flambée,** 4 r. Taine (12e) ☏ 43 43 21 80 – ▤. AE GB M 20
fermé 1er au 21 août et dim. – **Repas** 125/199 bc et carte 190 à 300.

XX **Le Traversière,** 40 r. Traversière (12e) ☏ 43 44 02 10 – AE ⓓ GB K 18
fermé août et dim. soir – **Repas** 120 (déj.)/150 et carte 210 à 340, enf. 70.

X **L'Escapade en Touraine,** 24 r. Traversière (12e) ☏ 43 43 14 96 – GB JCB L 18
fermé 2 au 31 août, sam., dim. et fériés – **Repas** 110/140 et carte 150 à 270.

X **Le Quincy,** 28 av. Ledru-Rollin (12e) ☏ 46 28 46 76, bistrot – ▤ L 17
fermé 15 août au 15 sept., sam., dim. et lundi – **Repas** carte 220 à 370.

X **Etchégorry,** 41 r. Croulebarbe (13e) ☏ 44 08 83 51, Fax 44 08 83 69 – ▤. AE ⓓ GB JCB
fermé dim. – **Repas** 135/170 et carte 210 à 290. N 15

X **Anacréon,** 53 bd St-Marcel (13e) ☏ 43 31 71 18 – ▤. AE ⓓ GB. ✻ M 16
fermé août, dim. et lundi – **Repas** 110 (déj.)/180.

X **Le Temps des Cerises,** 216 r. Fg St-Antoine (12e) ☏ 43 67 52 08, Fax 43 67 60 91 – ▤. AE GB K 20
fermé lundi – **Repas** 97/224 et carte 220 à 300 ♁.

X **St-Amarante,** 4 r. Biscornet (12e) ☏ 43 43 00 08, bistrot – GB K 18
fermé 14 juil. au 15 août, sam. et dim. – **Repas** (nombre de couverts limité, prévenir) carte environ 170.

X **Chez Françoise,** 12 r. Butte aux Cailles (13e) ☏ 45 80 12 02, Fax 45 65 13 67, bistrot – AE ⓓ GB. ✻ P 15
fermé 11 au 17 mars, 1er au 28 août, sam. midi et dim. – **Repas** 72 bc (déj.), 99/146 et carte 150 à 230 ♁.

X **A la Biche au Bois,** 45 av. Ledru-Rollin (12e) ☏ 43 43 34 38 – AE ⓓ GB K 18
fermé 14 juil. au 15 août, 25 déc. au 1er janv., sam. et dim. – **Repas** 100/118 et carte 130 à 210 ♁.

X **Le Rhône,** 40 bd Arago (13e) ☏ 47 07 33 57, 🏖 – GB N 14
fermé août, sam., dim. et fêtes – **Repas** 75/160 et carte 130 à 200 ♁.

X **Le Terroir,** 11 bd Arago (13e) ☏ 47 07 36 99, bistrot – GB N 15
fermé 1er au 7 avril, 1er au 21 août, Noël au Jour de l'An, sam. midi et dim. – **Repas** 98 (déj.), 200/300 et carte 160 à 300.

X **Les Zygomates,** 7 r. Capri (12e) ☏ 40 19 93 04, Fax 40 19 93 04, bistrot – GB. ✻ N 21
fermé août, sam. sauf le soir en hiver et dim. – **Repas** 75 (déj.)/130 et carte 160 à 210 ♁.

Vaugirard, Gare Montparnasse, Grenelle, Denfert-Rochereau.

14e et 15e arrondissements.
14e : ✉ 75014
15e : ✉ 75015

Hilton M, 18 av. Suffren (15e) ✆ 44 38 56 00, Télex 200955, Fax 44 38 56 10, – 25 à 400. AE ⓓ GB JCB J
Western ✆ 44 38 56 37 **Repas** 139 et carte 170 à 250 ♁, enf. 75 – *La Terrasse* ✆ 44 38 56 3 **Repas** 140(déj.)/158(dîner) et carte 170 à 230 ♁, enf. 75 – ☕ 150 – **444 ch** 1765/2365, 1 appart.

Nikko M, 61 quai Grenelle (15e) ✆ 40 58 20 00, Télex 205811, Fax 45 75 42 35, ←, – – 25 à 600. AE ⓓ GB JCB K
voir rest. *Les Célébrités* ci-après - *Brasserie Pont Mirabeau* : **Repas** 160 et carte 22 à 300, enf.85 – *Benkay* cuisine japonaise **Repas** 135 (déj.), 300/690 et carte 240 à 440 ☕ 85 – **758 ch** 1480/2180, 6 appart.

Méridien Montparnasse, 19 r. Cdt Mouchotte (14e) ✆ 44 36 44 36, Télex 20013 Fax 44 36 49 00, ← – ch – 25 à 1 000. AE ⓓ GB JCB M 1
voir rest. *Montparnasse 25* ci-après - *Justine* ✆ 44 36 44 00 **Repas** 195/230, carte 19 à 300, ♁, enf. 60 – ☕ 95 – **917 ch** 1400/1550, 36 appart.

Sofitel Porte de Sèvres M, 8 r. L. Armand (15e) ✆ 40 60 30 30, Télex 20043 Fax 45 57 04 22, ←, piscine intérieure panoramique, – 25 à 800. AE ⓓ GB JCB. ✻ rest N
voir rest. *Le Relais de Sèvres* ci-après - *La Tonnelle* (brasserie) **Repas** 128bc, enf. 55 – ☕ 95 **524 ch** 1350, 14 appart.

Sofitel St-Jacques M, 17 bd St-Jacques (15e) ✆ 40 78 79 80, Télex 27074 Fax 45 88 43 93 – – 25 à 1 200. AE ⓓ GB JCB N 13-1
Le Français (fermé août) **Repas** 195, enf. 59 – ☕ 95 – **783 ch** 1000/1500, 14 appart.

Mercure Porte de Versailles M, 69 bd Victor (15e) ✆ 44 19 03 03, Télex 205628 Fax 48 28 22 11 – – 25 à 250. AE ⓓ GB N
Repas 99/150, enf. 45 – ☕ 70 – **91 ch** 1097/1164.

Mercure Montparnasse M, 20 r. Gaîté (14e) ✆ 43 35 28 28, Télex 201532 Fax 43 27 98 64 – – 80. AE ⓓ GB JCB. ✻ rest M 1
Bistrot de la Gaîté ✆ 43 22 86 46 **Repas** 125bc/175bc, enf. 50 – ☕ 70 – **178 ch** 980, 7 appart

L'Aiglon sans rest, 232 bd Raspail (14e) ✆ 43 20 82 42, Fax 43 20 98 72 – . AE ⓓ GB JCB M 1
☕ 35 – **38 ch** 480/710, 9 appart.

Adagio Vaugirard M, 257 r. Vaugirard (15e) ✆ 40 45 10 00, Télex 250709 Fax 40 45 10 10, – rest – 25 à 200. AE ⓓ GB JCB M
Repas 165 et carte environ 220, enf. 65 – ☕ 70 – **184 ch** 690/895, 3 appart.

Mercure Tour Eiffel M sans rest, 64 bd Grenelle (15e) ✆ 45 78 90 90, Fax 45 78 95 55 – – 30. AE ⓓ GB K
☕ 68 – **64 ch** 940.

Lenox Montparnasse sans rest, 15 r. Delambre (14e) ✆ 43 35 34 50, Fax 43 20 46 64 – . AE ⓓ GB JCB. ✻ M 1
☕ 45 – **52 ch** 520/640.

Raspail Montparnasse sans rest, 203 bd Raspail (14e) ✆ 43 20 62 86, Fax 43 20 50 79 – . AE ⓓ GB JCB. ✻ M 1
☕ 50 – **38 ch** 560/1210.

Bailli de Suffren sans rest, 149 av. Suffren (15e) ✆ 47 34 58 61, Fax 45 67 75 82 – . AE ⓓ GB L
☕ 45 – **25 ch** 620/750.

Alésia Montparnasse sans rest, 84 r. R. Losserand (14e) ✆ 45 42 16 03, Fax 45 42 11 6 – . AE ⓓ GB JCB N 1
☕ 42 – **45 ch** 490/550.

Mercure Paris XV M sans rest, 6 r. St-Lambert (15e) ✆ 45 58 61 00, Télex 206936 Fax 45 54 10 43 – – 25. AE ⓓ GB M
☕ 55 – **56 ch** 720.

Versailles sans rest, 213 r. Croix-Nivert (15e) ✆ 48 28 48 66, Fax 45 30 16 22 – . AE ⓓ GB N
☕ 45 – **41 ch** 495/575.

L'Orchidée sans rest, 65 r. de l'Ouest (14e) ✆ 43 22 70 50, Fax 42 79 97 46 – . AE ⓓ GB. ✻ N 1
☕ 35 – **40 ch** 456/862.

Alizé Grenelle sans rest, 87 av. É. Zola (15e) 45 78 08 22, Fax 40 59 03 06 – AE GB JCB L 7
37 – **50 ch** 420/500.

Beaugrenelle St-Charles sans rest, 82 r. St-Charles (15e) 45 78 61 63, Fax 45 79 04 38 – AE GB JCB K 7
37 – **51 ch** 380/490.

L'Alligator sans rest, 39 r. Delambre (14e) 43 35 18 40, Fax 43 35 30 71 – AE GB M 12
45 – **35 ch** 540/590.

Tour Eiffel Dupleix M sans rest, 11 r. Juge (15e) 45 78 29 29, Fax 45 78 60 00 – AE GB K 7
45 – **40 ch** 450/660.

Arès sans rest, 7 r. Gén. de Larminat (15e) 47 34 74 04, Télex 206083, Fax 47 34 48 56 – AE GB K 8
45 – **43 ch** 530/650.

Orléans Palace H. sans rest, 185 bd Brune (14e) 45 39 68 50, Télex 205490, Fax 45 43 65 64 – 35. AE GB JCB R 11
52 – **92 ch** 510/580.

Abaca Messidor sans rest, 330 r. Vaugirard (15e) 48 28 03 74, Fax 48 28 75 17, – AE GB JCB M 8
53 – **72 ch** 500/950.

Sophie Germain sans rest, 12 r. Sophie Germain (14e) 43 21 43 75, Fax 43 20 82 89 – AE GB. NP 12
38 – **33 ch** 520/580.

Acropole sans rest, 199 bd Brune (14e) 45 39 64 17, Fax 45 42 18 21 – AE GB. R 12
30 – **43 ch** 356/402.

Wallace sans rest, 89 r. Fondary (15e) 45 78 83 30, Télex 283155, Fax 40 58 19 43 – AE GB JCB L 8
60 – **35 ch** 600/700.

Terminus Vaugirard sans rest, 403 r. Vaugirard (15e) 48 28 18 72, Fax 48 28 56 34 – GB. N 7
fermé 16 au 26 déc. – 45 – **90 ch** 470/580.

Sèvres-Montparnasse sans rest, 153 r. Vaugirard (15e) 47 34 56 75, Fax 40 65 01 86 – AE GB. L 10
35 – **35 ch** 420/530.

Apollon Montparnasse sans rest, 91 r. Ouest (14e) 43 95 62 00, Fax 43 95 62 10 – AE GB JCB. N 10-11
35 – **33 ch** 395/470.

Lilas Blanc M sans rest, 5 r. Avre (15e) 45 75 30 07, Fax 45 78 66 65 – AE GB JCB K 8
fermé 1er au 21 août – 32 – **32 ch** 380/455.

Ariane Montparnasse sans rest, 35 r. Sablière (14e) 45 45 67 13, Fax 45 45 39 49 – AE GB N 11
35 – **30 ch** 395/460.

Carladez Cambronne sans rest, 3 pl. Gén. Beuret (15e) 47 34 07 12, Fax 40 65 95 68 – AE GB M 9
34 – **27 ch** 380/430.

Modern H. Val Girard sans rest, 14 r. Pételt (15e) 48 28 53 96, Fax 48 28 69 94 – AE GB JCB M 8
36 – **39 ch** 375/450.

Châtillon H. sans rest, 11 square Châtillon (14e) 45 42 31 17, Fax 45 42 72 09 – GB. P 11
32 – **31 ch** 330/360.

Daguerre sans rest, 94 r. Daguerre (14e) 43 22 43 54, Fax 43 20 66 84 – AE GB JCB. N 11
38 – **30 ch** 380/440.

Résidence St-Lambert sans rest, 5 r. E. Gibez (15e) 48 28 63 14, Fax 45 33 45 50 – AE GB JCB N 8
42 – **48 ch** 490/550.

Istria sans rest, 29 r. Campagne Première (14e) 43 20 91 82, Fax 43 22 48 45 – AE GB JCB M 12
40 – **26 ch** 470/580.

Aberotel sans rest, 24 r. Blomet (15e) 40 61 70 50, Fax 40 61 08 31 – AE GB L 9
40 – **28 ch** 430/520.

Idéal M sans rest, 96 av. É. Zola (15e) 45 79 09 79, Fax 45 79 73 59 – AE GB L 7
40 – **35 ch** 400/440.

des Bains sans rest, 33 r. Delambre (14e) 43 20 85 27, Fax 42 79 82 78 – ☎ 45 – **41 ch** 378/430. M

du Lion sans rest, 1 av. Gén. Leclerc (14e) 40 47 04 00, Fax 43 20 38 18 – AE GB 50 – **33 ch** 370/570. N

Fondary sans rest, 30 r. Fondary (15e) 45 75 14 75, Fax 45 75 84 42 – ☎. AE GB 38 – **20 ch** 395. L

Parc sans rest, 60 r. Beaunier (14e) 45 40 77 02, Fax 45 40 81 99 – ☎. AE GB 30 – **24 ch** 350/390. R

Cécil'H. sans rest, 47 r. Beaunier (14e) 45 40 93 53, Fax 45 40 43 26 – ☎. AE GB 32 – **25 ch** 360/400. R

Pasteur sans rest, 33 r. Dr Roux (15e) 47 83 53 17, Fax 45 66 62 39 – ☎. GB *fermé fin juil. à fin août* – 40 – **19 ch** 315/440. M

Friant sans rest, 8 r. Friant (14e) 45 42 71 91, Fax 45 42 04 67 – ☎. GB. 42 – **27 ch** 340/370. P

XXXX ❀ **Les Célébrités** - Hôtel Nikko, 61 quai Grenelle (15e) 40 58 20 00, Télex 20581 Fax 45 75 42 35, ≤ – . AE GB JCB K
fermé août – **Repas** 290/390 et carte 350 à 580
Spéc. Langoustines poêlées aux échalotes grises. Blanc de turbot à la tomate fraîche et au basilic. Lièvre à la royale (f sept. à mi-déc.).

XXXX ❀ **Montparnasse 25** - Hôtel Méridien Montparnasse, 19 r. Cdt Mouchotte (14e) 44 36 44 25 Télex 200135, Fax 44 36 49 03 – . AE GB JCB. M 2
fermé 3 août au 2 sept., sam. et dim. – **Repas** 240 (déj.), 300/390 et carte 330 à 450
Spéc. Tian de homard breton, rattes et tomates confites à l'huile d'olive (juin à sept.). Sole aux épices, nouilles frite aux jeunes pousses. Royal de lièvre de Sologne, gros macaroni au foie gras (oct. à déc.).

XXXX ❀ **Relais de Sèvres** - Hôtel Sofitel Porte de Sèvres, 8 r. L. Armand (15e) 40 60 30 3 Télex 200432, Fax 45 57 04 22 – . AE GB JCB. N
fermé août, 24 au 31 déc., sam., dim. et fériés – **Repas** 320 et carte 300 à 400
Spéc. Marbré de joue de porc aux ris de veau et foie gras. Grosses langoustines rôties au bouillon d'herbes. Lasagne de ris de veau croustillants aux tomates confites et langue écarlate.

XXX ❀ **Morot Gaudry,** 6 r. Cavalerie (15e) (8e étage) 45 67 06 85, Fax 45 67 55 72, – . AE GB K
fermé sam. et dim. – **Repas** 230 bc (déj.), 390/550 bc et carte 300 à 450
Spéc. Blanc de turbot à l'huile vierge au basilic. Croustillant de pigeon au miel, noix et raisins (avril à sept.). Lièvre à royale (fin sept. à fin déc.).

XXX **Mille Colonnes,** 20 bis r. Gaîté (14e) 40 47 08 34, Fax 40 64 37 49, – . AE GB M 1
fermé 3 au 20 août, sam. et dim. – **Repas** 180/245 et carte 250 à 350.

XXX **Armes de Bretagne,** 108 av. Maine (14e) 43 20 29 50, Fax 43 27 84 11 – . AE GB N 1
fermé août, sam. midi et dim. – **Repas** - produits de la mer - 200 et carte 260 à 420.

XXX ❀ **Le Duc,** 243 bd Raspail (14e) 43 20 96 30, Fax 43 20 46 73 – . AE GB M 1
fermé dim., lundi et fériés – **Repas** - produits de la mer - carte 320 à 490
Spéc. Poissons crus et grillés. Crustacés.

XXX **Moniage Guillaume,** 88 r. Tombe-Issoire (14e) 43 22 96 15, Fax 43 27 11 79 – AE GB JCB P 1
fermé dim. – **Repas** 195 bc (déj.)/245 et carte 340 à 490.

XXX **Pavillon Montsouris,** 20 r. Gazan (14e) 45 88 38 52, Fax 45 88 63 40, ≤, , « Pavillon 1900 en bordure du parc » – . AE GB. R 1
Repas 199/265, enf. 110.

XXX **Le Dôme,** 108 bd Montparnasse (14e) 43 35 25 81, Fax 42 79 01 19, brasserie – . AE GB LM 1
fermé lundi – **Repas** - produits de la mer - carte 280 à 420.

XXX **Lous Landès,** 157 av. Maine (14e) 45 43 08 04, Fax 45 45 91 35 – . AE GB N 1
fermé août, sam. midi et dim. – **Repas** 190/300 et carte 300 à 440.

XXX **Chen,** 15 r. Théâtre (15e) 45 79 34 34, Fax 45 79 07 53 – . AE GB JCB K
fermé dim. – **Repas** - cuisine chinoise - 170 (dîner), 200/450 et carte 210 à 350.

XX **Lal Qila,** 88 av. É. Zola (15e) 45 75 68 40, Fax 45 79 68 61, « Décor original » – . AE GB L
Repas - cuisine indienne - 55 (déj.), 125/250 et carte 120 à 230.

XX **Philippe Detourbe,** 8 r. Nicolas Charlet (15e) 42 19 08 59, Fax 45 67 09 13 – . AE GB L 1
fermé août, sam. midi et dim. – **Repas** 160 (déj.)/180.

XX **Yves Quintard,** 99 r. Blomet (15e) ✆ 42 50 22 27, Fax 42 50 22 27 – GB M 8
fermé 7 au 20 août, sam. midi et dim. – **Repas** 125 (déj.), 175/280 et carte 180 à 260.

XX **La Dînée,** 85 r. Leblanc (15e) ✆ 45 54 20 49, Fax 40 60 74 88 – AE GB JCB M 5
fermé 1er au 21 août, dim. midi et sam. – **Repas** 160 (déj.)/280 et carte 230 à 370.

XX **La Chaumière des Gourmets,** 22 pl. Denfert-Rochereau (14e) ✆ 43 21 22 59 – AE GB N 12
fermé 29 juil. au 20 août, sam. midi et dim. – **Repas** 165/245 et carte 270 à 380.

XX **Vishnou,** 13 r. Cdt Mouchotte (14e) ✆ 45 38 92 93, Fax 44 07 31 19, – AE GB M 11
fermé dim. – **Repas** - cuisine indienne - 150 bc (déj.), 220/230 bc et carte 210 à 270.

XX **Bistro 121,** 121 r. Convention (15e) ✆ 45 57 52 90, Fax 45 57 14 69 – ▤. AE GB JCB M 7
Repas 168/285 et carte 210 à 360.

XX **La Coupole,** 102 bd Montparnasse (14e) ✆ 43 20 14 20, Fax 43 35 46 14, « Brasserie parisienne des années 20 » – AE GB L 12
Repas carte 180 à 270 ♖.

XX **Aux Senteurs de Provence,** 295 r. Lecourbe (15e) ✆ 45 57 11 98, Fax 45 58 66 84 – AE GB JCB M 6
fermé 12 au 18 août, sam. midi et dim. – **Repas** - produits de la mer - 136 et carte 190 à 290.

XX **Petite Bretonnière,** 2 r. Cadix (15e) ✆ 48 28 34 39, Fax 48 28 20 90 – AE GB JCB N 7
fermé août, sam. midi et dim. – **Repas** 185 bc/290 bc et carte 230 à 330.

XX **Napoléon et Chaix,** 46 r. Balard (15e) ✆ 45 54 09 00 – ▤. AE GB M 5
fermé août, 1er au 7 janv., sam. midi et dim. – **Repas** carte 200 à 320.

XX **Monsieur Lapin,** 11 r. R. Losserand (14e) ✆ 43 20 21 39, Fax 43 21 84 86 – GB N 11
fermé août, sam. midi et lundi – **Repas** 160/300 et carte 260 à 400.

XX **Le Caroubier,** 122 av. Maine (14e) ✆ 43 20 41 49 – ▤. GB N 11
fermé 15 juil. au 15 août et lundi – **Repas** - cuisine nord-africaine - 130 et carte 160 à 180 ♖.

XX **L'Etape,** 89 r. Convention (15e) ✆ 45 54 73 49 – ▤. AE GB M 6
fermé vacances de Noël, sam. (sauf le midi de sept. à juin) et dim. – **Repas** 170/200 bc et carte 160 à 270.

XX **Le Copreaux,** 15 r. Copreaux (15e) ✆ 43 06 83 35 – GB M 9
fermé août, sam. midi et dim. – **Repas** 130/200 bc et carte 190 à 260.

XX **Le Clos Morillons,** 50 r. Morillons (15e) ✆ 48 28 04 37, Fax 48 28 70 77 – AE GB N 8
fermé 8 au 20 août, sam. midi et dim. – **Repas** 165/285 et carte 250 à 380.

XX **Les Vendanges,** 40 r. Friant (14e) ✆ 45 39 59 98, Fax 45 39 74 13 – AE GB R 11
fermé 5 au 31 août et dim. – **Repas** 200.

XX **Filoche,** 34 r. Laos (15e) ✆ 45 66 44 60 – GB. K 8
fermé 20 juil. au 26 août, 21 déc. au 3 janv., sam. et dim. – **Repas** 160 et carte 190 à 260.

XX **La Giberne,** 42 bis av. de Suffren (15e) ✆ 47 34 82 18 – AE GB JCB J 8
fermé août, sam. midi et dim. – **Repas** 120 bc (déj.), 168/185 et carte 180 à 340 ♖.

XX **Pierre Vedel,** 19 r. Duranton (15e) ✆ 45 58 43 17, Fax 45 58 42 65, bistrot – GB M 6
fermé Noël au Jour de l'An, sam. sauf le soir d'oct. à avril et dim. – **Repas** carte 220 à 330.

XX **La Gauloise,** 59 av. La Motte-Picquet (15e) ✆ 47 34 11 64, Fax 42 24 18 73, – AE GB K 8
fermé sam. midi – **Repas** carte 200 à 380 ♖.

XX **La Chaumière,** 54 av. F. Faure (15e) ✆ 45 54 13 91 – AE GB M 7
fermé 26 juil. au 26 août, vacances de fév., lundi soir et mardi – **Repas** 175 bc et carte 200 à 300.

XX **Mina Mahal,** 25 r. Cambronne (15e) ✆ 47 34 19 88 – ▤. AE GB L 8
Repas - cuisine indienne - 52 (déj.), 99/138 et carte 120 à 210.

X **de la Tour,** 6 r. Desaix (15e) ✆ 43 06 04 24 – GB J 8
fermé août, sam. midi et dim. – **Repas** 110 (déj.)/175 et carte 190 à 280.

X **L'Épopée,** 89 av. É. Zola (15e) ✆ 45 77 71 37 – AE GB L 7
fermé sam. midi et dim. – **Repas** 175 et carte 200 à 300.

X **A La Bonne Table,** 42 r. Friant (14e) ✆ 45 39 74 91 – GB R 11
fermé juil., 24 déc. au 4 janv., sam. et dim. – **Repas** 153 (dîner)et carte 190 à 330.

X **Chez Yvette,** 46 bis bd Montparnasse (15e) ✆ 42 22 45 54, bistrot – GB L 11
fermé sam. et dim. – **Repas** carte 160 à 250.

X **Bistrot du Dôme,** 1 r. Delambre (14e) ✆ 43 35 32 00 – ▤. AE GB M 12
Repas - produits de la mer - carte 180 à 250.

X **La Cagouille,** 10 pl. Constantin Brancusi (14e) ✆ 43 22 09 01, Fax 45 38 57 29, – AE GB JCB M 11
fermé 24 déc. au 3 janv. – **Repas** - produits de la mer - 250 bc et carte 200 à 330.

X **Le Gastroquet,** 10 r. Desnouettes (15e) ✆ 48 28 60 91 – AE GB N 7
fermé août, sam. et dim. – **Repas** 149 et carte 190 à 280.

X **Les Cévennes,** 55 r. Cévennes (15e) ✆ 45 54 33 76, Fax 44 26 46 95 – AE GB. L 6
fermé 10 au 28 août, sam. midi et dim. – **Repas** 155 et carte 180 à 250, enf. 80.

X **La Datcha Lydie,** 7 r. Dupleix (15e) ✆ 45 66 67 77 – AE GB K 8
fermé 12 juil. au 31 août et merc. – **Repas** - cuisine russe - 80/128 bc et carte 150 à 260.

X **Chez Pierre,** 117 r. Vaugirard (15e) ✆ 47 34 96 12, bistrot – ▤. AE GB JCB L 11
fermé 2 au 28 août, sam. soir de Pâques à sept., sam. midi, dim. et fériés – **Repas** 98 (déj.)/130 et carte 180 à 240.

✗ **L'Armoise,** 67 r. Entrepreneurs (15e) ☎ 45 79 03 31 – ▤. GB L7
fermé 1er au 20 août, sam. midi et dim. – **Repas** 128 ♁.

✗ **Le Père Claude,** 51 av. La Motte-Picquet (15e) ☎ 47 34 03 05, Fax 40 56 97 84 – AE GB
Repas 99/155 et carte 220 à 380. K8

✗ **L'Amuse Bouche,** 186 r. Château (14e) ☎ 43 35 31 61 – AE GB N11
fermé 5 au 19 août, sam. midi et dim. – **Repas** (nombre de couverts limité, prévenir) 160.

✗ **La Régalade,** 49 av. J. Moulin (14e) ☎ 45 45 68 58, Fax 45 40 96 74, bistrot – ▤. GB
fermé mi-juil. à mi-août, sam. midi, dim. et lundi – **Repas** (prévenir) 165. R11

✗ **L'Os à Moelle,** 3 r. Vasco de Gama (15e) ☎ 45 57 27 27, bistrot – GB M6
fermé 22 juil. au 22 août, dim. et lundi – **Repas** 145 (déj.)/190 ♁.

✗ **L'Agape,** 281 r. Lecourbe (15e) ☎ 45 58 19 29 – GB M7
fermé août, sam. midi et dim. – **Repas** 120.

✗ **Le St-Vincent,** 26 r. Croix-Nivert (15e) ☎ 47 34 14 94, bistrot – ▤. AE GB L8
fermé 11 au 18 août, sam. midi et dim. – **Repas** carte 170 à 240 ♁.

✗ **Le Petit Mâchon,** 123 r. Convention (15e) ☎ 45 54 08 62, bistrot – AE ⓓ GB N7
fermé 1er au 21 août et dim. – **Repas** 88 bc/148 bc.

Passy, Auteuil, Bois de Boulogne, Chaillot, Porte Maillot.

16e arrondissement.
16e : ✉ 75016

Le Parc Victor Hugo M, 55 av. R. Poincaré ✉ 75116 ☎ 44 05 66 66, Télex 643862 Fax 44 05 66 00, « Atmosphère de belle demeure anglaise » – ▤ ▤ TV ☎ ♿ – 30 à 250. AE ⓓ GB JCB. rest G6
voir rest. ***Joël Robuchon*** ci-après - ***Le Relais du Parc*** ☎ 44 05 66 10 **Repas** carte 210 à 390 – ☐ 120 – **107 ch** 1990/2650, 10 appart, 3 duplex.

Raphaël, 17 av. Kléber ✉ 75116 ☎ 44 28 00 28, Télex 645356, Fax 45 01 21 50, « Élégant cachet ancien, beau mobilier » – ▤ TV ☎ – 50. AE ⓓ GB JCB F7
Repas *(fermé sam. et dim.)* 280 et carte 300 à 450 – ☐ 120 – **64 ch** 1670/2520, 23 appart.

St-James Paris, 43 av. Bugeaud ✉ 75116 ☎ 44 05 81 81, Fax 44 05 81 82, « Bel hôtel particulier néo-classique », – ▤ TV ☎ P – 25. AE ⓓ GB JCB F5
rest
Repas *(fermé sam., dim. et fériés)* (résidents seul.) 290/300 bc et carte 290 à 440 – ☐ 95 – **20 ch** 1550/1980, 20 appart 3600, 8 duplex 2400.

Baltimore M, 88 bis av. Kléber ✉ 75116 ☎ 44 34 54 54, Télex 645284, Fax 44 34 54 44 – ▤ TV ☎ – 30 à 100. AE ⓓ GB JCB G
Bertie's ☎ 44 34 54 34 - cuisine anglaise *(fermé 1er au 15 août)* **Repas** 160(déj.), 195, 250 et carte 210 à 330, enf. 125 – ☐ 120 – **104 ch** 1690/2950.

K. Palace M sans rest, 81 av. Kléber ✉ 75116 ☎ 44 05 75 75, Fax 44 05 74 74, « Décoration contemporaine », – cuisinette TV ☎. AE ⓓ GB JCB G
☐ 105 – **82 ch** 1510/2610.

Villa Maillot M sans rest, 143 av. Malakoff ✉ 75116 ☎ 45 01 25 22, Télex 649808 Fax 45 00 60 61 – ▤ TV ☎ ♿ – 25. AE ⓓ GB JCB F
☐ 100 – **39 ch** 1500/1700, 3 appart.

Pergolèse M sans rest, 3 r. Pergolèse ✉ 75116 ☎ 40 67 96 77, Télex 651618 Fax 45 00 12 11, « Décor contemporain » – ▤ TV ☎. AE ⓓ GB JCB E
☐ 75 – **40 ch** 860/1520.

Élysées Régencia M sans rest, 41 av. Marceau ✉ 75016 ☎ 47 20 42 65, Télex 644965 Fax 49 52 03 42, « Belle décoration » – ▤ TV ☎. AE ⓓ GB JCB. G
☐ 80 – **41 ch** 1260/1700.

Majestic sans rest, 29 r. Dumont d'Urville ✉ 75116 ☎ 45 00 83 70, Télex 640034 Fax 45 00 29 48 – ▤ TV ☎. AE ⓓ GB JCB F
☐ 60 – **27 ch** 1170/1470, 3 appart.

Garden Elysée M sans rest, 12 r. St-Didier ✉ 75116 ☎ 47 55 01 11, Télex 648157, Fax 47 27 79 24 – AE GB JCB. G 7
80 – **48 ch** 1475/1625.

Alexander sans rest, 102 av. V. Hugo ✉ 75116 ☎ 45 53 64 65, Télex 645373, Fax 45 53 12 51 – AE GB JCB. G 6
75 – **62 ch** 840/1320.

Floride Etoile, 14 r. St-Didier ✉ 75116 ☎ 47 27 23 36, Télex 643715, Fax 47 27 82 87 – rest – 40. AE GB JCB. G 7
Repas snack *(fermé août, sam. soir et dim.)* carte environ 150 – 45 – **60 ch** 820/850.

Rond-Point de Longchamp sans rest, 86 r. Longchamp ✉ 75116 ☎ 45 05 13 63, Télex 640883, Fax 47 55 12 80 – – 40. AE GB G 6
65 – **57 ch** 1000/1500.

Frémiet sans rest, 6 av. Frémiet ✉ 75016 ☎ 45 24 52 06, Fax 42 88 77 46 – AE GB JCB J 6
40 – **34 ch** 650/850.

Union H. Étoile sans rest, 44 r. Hamelin, ✉ 75116 ☎ 45 53 14 95, Télex 645217, Fax 47 55 94 79 – cuisinette AE GB JCB G 7
42 – **29 ch** 720/830, 13 appart.

Élysées Sablons M sans rest, 32 r. Greuze ✉ 75116 ☎ 47 27 10 00, Fax 47 27 47 10 – AE GB JCB G 6
75 – **41 ch** 825/1040.

Elysées Bassano sans rest, 24 r. Bassano ✉ 75116 ☎ 47 20 49 03, Télex 645280, Fax 47 23 06 72 – AE GB JCB G 8
75 – **40 ch** 850/910.

Massenet sans rest, 5 bis r. Massenet ✉ 75116 ☎ 45 24 43 03, Télex 640196, Fax 45 24 41 39 – AE GB JCB. J 6
40 – **41 ch** 500/760.

Victor Hugo sans rest, 19 r. Copernic ✉ 75116 ☎ 45 53 76 01, Télex 645939, Fax 45 53 69 93 – AE GB JCB G 7
45 – **75 ch** 654/798.

Résidence Bassano M sans rest, 15 r. Bassano ✉ 75116 ☎ 47 23 78 23, Télex 649872, Fax 47 20 41 22 – cuisinette AE GB JCB G 8
65 – **28 ch** 750/1200, 3 appart.

Sévigné sans rest, 6 r. Belloy ✉ 75116 ☎ 47 20 88 90, Fax 40 70 98 73 – AE GB JCB G 7
48 – **30 ch** 640/760.

Résidence Impériale M sans rest, 155 av. Malakoff ✉ 75116 ☎ 45 00 23 45, Télex 651158, Fax 45 01 88 82 – AE GB JCB E 6
55 – **37 ch** 740/800.

Les Jardins du Trocadéro M, 35 r. Franklin ✉ 75116 ☎ 53 70 17 70, Fax 53 70 17 80 – AE GB JCB H 6
Repas (snack) carte environ 100 – 65 – **16 ch** 950/2250, 5 appart.

Royal Élysées sans rest, 6 av. V. Hugo ✉ 75116 ☎ 45 00 05 57, Télex 648323, Fax 45 00 13 88 – AE GB JCB. F 7
50 – **35 ch** 1100/1200.

Kléber sans rest, 7 r. Belloy ✉ 75116 ☎ 47 23 80 22, Fax 49 52 07 20 – P. AE GB JCB G 7
50 – **23 ch** 690/840.

Murat sans rest, 119 bis bd Murat ✉ 75016 ☎ 46 51 12 32, Fax 46 51 70 01 – AE GB. M 3
45 – **28 ch** 650/700.

Résidence Chambellan Morgane M sans rest, 6 r. Keppler ✉ 75116 ☎ 47 20 35 72, Fax 47 20 95 69 – AE GB. GF 8
50 – **20 ch** 650/800.

Étoile Maillot sans rest, 10 r. Bois de Boulogne (angle r. Duret) ✉ 75116 ☎ 45 00 42 60, Fax 45 00 55 89 – AE GB F 6
40 – **27 ch** 530/690.

Ambassade sans rest, 79 r. Lauriston ✉ 75116 ☎ 45 53 41 15, Fax 45 53 30 80 – AE GB JCB G 7
40 – **38 ch** 430/535.

Résidence Foch sans rest, 10 r. Marbeau ✉ 75116 ☎ 45 00 46 50, Fax 45 01 98 68 – AE GB F 6
45 – **21 ch** 700/775, 4 appart.

Passy Eiffel sans rest, 10 r. Passy ✉ 75016 ☎ 45 25 55 66, Fax 42 88 89 88 – AE GB JCB J 6
40 – **50 ch** 586/662.

Résidence Marceau sans rest, 37 av. Marceau ✉ 75116 ☎ 47 20 43 37, Fax 47 20 14 76 – AE GB JCB. G 8
fermé 5 au 25 août – 35 – **30 ch** 530/650.

🏨 **Longchamp** sans rest, 68 r. Longchamp ✉ 75116 ✆ 47 27 13 48, Fax 47 55 68 26 – |≑|
☎. AE ⓓ GB JCB
☕ 50 – **23 ch** 600/750.

🏨 **Beauséjour Ranelagh** sans rest, 99 r. Ranelagh ✉ 75016 ✆ 42 88 14 3
Fax 40 50 81 21 – |≑| TV ☎. AE GB
☕ 35 – **30 ch** 450/750.

🏨 **Eiffel Kennedy** M sans rest, 12 r. Boulainvilliers ✉ 75016 ✆ 45 24 45 7
Fax 42 30 83 32 – |≑| TV ☎. AE ⓓ GB JCB
☕ 45 – **30 ch** 480/630.

🏨 **Hameau de Passy** M 🌿 sans rest, 48 r. Passy ✉ 75016 ✆ 42 88 47 55, Fax 42 30 83
– TV ☎ ♿. AE ⓓ GB JCB J
☕ 30 – **32 ch** 490/530.

🏨 **Keppler** sans rest, 12 r. Keppler ✉ 75116 ✆ 47 20 65 05, Fax 47 23 02 29 – |≑| TV ☎.
GB. ✖
☕ 30 – **49 ch** 450/460.

🏨 **Nicolo** sans rest, 3 r. Nicolo ✉ 75116 ✆ 42 88 83 40, Fax 42 24 45 41 – |≑| TV ☎. GB JC
☕ 35 – **28 ch** 360/450.

XXXX ✿✿✿ **Joël Robuchon** (changement de raison sociale prévu au cours du deuxièm semestre), 59 av. R. Poincaré ✉ 75116 ✆ 47 27 12 27, Fax 47 27 31 22, « Bel hôt particulier de style "Art Nouveau" » – ▤. GB G
fermé 8 juil. au 5 août, sam. et dim. – **Repas** 890/1200 et carte 700 à 1 100
Spéc. Gelée de caviar à la crème de chou-fleur. Tarte friande de truffes aux oignons et lard fumé (déc. à mars). Lièvre la royale (oct. à déc.).

XXXX ✿✿ **Vivarois** (Peyrot), 192 av. V. Hugo ✉ 75116 ✆ 45 04 04 31, Fax 45 03 09 84 – ▤.
ⓓ GB JCB G
fermé août, sam. et dim. – **Repas** 345 (déj.)et carte 420 à 720
Spéc. Grecque de légumes. Viennoise de turbot. Rognon de veau "noble cru".

XXXX ✿✿ **Faugeron,** 52 r. Longchamp ✉ 75116 ✆ 47 04 24 53, Fax 47 55 62 90 – AE GB JCB. ✖
fermé août, 23 déc. au 3 janv., sam. sauf le soir d'oct. à avril et dim. – **Repas** 290 (déj.), 55 bc/650 et carte 440 à 610 G
Spéc. Oeufs coque à la purée de truffes. Truffes (janv. à mars). Gibier (15 oct. au 10 janv.).

XXX ✿ **Prunier-Traktir,** 16 av. V. Hugo ✉ 75116 ✆ 44 17 35 85, Fax 44 17 90 10, « Cadr "Art Déco" » – ▤. AE ⓓ GB JCB F
fermé 16 juil. au 16 août, lundi midi et dim. – **Repas** - produits de la mer - carte 330 à 580
Spéc. Tartare de poissons aux huîtres. Gratin de crustacés "Thermidor" en coque d'araignée. Parfait glacé à l'eau c vie de mirabelle.

XXX ✿ **Toit de Passy** (Jacquot), 94 av. P. Doumer (6ᵉ étage) ✉ 75016 ✆ 45 24 55 3
Fax 45 20 94 57, ☂ – ▤ P. AE GB H J
fermé sam. midi et dim. – **Repas** 200 (déj.), 300/510 et carte 390 à 510
Spéc. Foie gras poêlé à la polenta et aux raisins. Pigeonneau en croûte de sel de Guérande, embeurrée de choux a lard fumé. Tarte aux pommes caramélisée à l'envers.

XXX **Tsé-Yang,** 25 av. Pierre 1ᵉʳ de Serbie ✉ 75016 ✆ 47 20 70 22, Fax 49 52 03 68, « Cadr élégant » – ▤. AE ⓓ GB JCB. ✖ G
Repas - cuisine chinoise - 245/285 et carte 220 à 340.

XXX **Pavillon Noura,** 21 av. Marceau ✉ 75116 ✆ 47 20 33 33, Fax 47 20 60 31, ☂ – ▤. A
ⓓ GB. ✖ G
Repas - cuisine libanaise - 156 (déj.), 200/320 et carte 170 à 200.

XXX ✿ **Port Alma** (Canal), 10 av. New York ✉ 75116 ✆ 47 23 75 11 – ▤. AE ⓓ GB H
fermé août et dim. – **Repas** - produits de la mer - 200 (déj.)et carte 300 à 440
Spéc. Langoustines rôties aux courgettes, aubergines et tomates épicées. Sole à l'huile d'olive. Soufflé au chocolat.

XXX ✿ **Relais d'Auteuil** (Pignol), 31 bd. Murat ✉ 75016 ✆ 46 51 09 54, Fax 40 71 05 03 – ▤
AE GB L
fermé 4 au 25 août, sam. midi et dim. – **Repas** 250 (déj.), 410/520 et carte 400 à 520
Spéc. Amandine de foie gras de canard. Dos de bar au poivre concassé. Madeleines au miel de bruyère, glace miel e noix.

XXX ✿ **Le Pergolèse** (Corre), 40 r. Pergolèse ✉ 75116 ✆ 45 00 21 40, Fax 45 00 81 31 – AE G
fermé août, sam. et dim. – **Repas** 230/320 et carte 290 à 390 F
Spéc. Ravioli de langoustines à la duxelles de champignons. Carré d'agneau rôti, pommes purée. Moelleux a chocolat, glace vanille.

XXX **Chez Ngo,** 70 r. Longchamp ✉ 75116 ✆ 47 04 53 20, Fax 47 04 53 20 – ▤. AE ⓓ G
JCB. ✖ G
Repas - cuisine chinoise et thaïlandaise - 98 bc (déj.)/168 et carte 130 à 190.

XX **Al Mounia,** 16 r. Magdebourg ✉ 75116 ✆ 47 27 57 28 – ▤. AE GB. ✻ G 7
fermé 10 juil. au 31 août et dim. – **Repas** - cuisine marocaine - (le soir, prévenir) carte 230 à 280.

XX ✿ **Conti,** 72 r. Lauriston ✉ 75116 ✆ 47 27 74 67, Fax 47 27 37 66 – ▤. AE ◑ GB G 7
fermé 2 au 25 août, 30 déc. au 6 janv., sam. et dim. – **Repas** - cuisine italienne - 198 (déj.)et carte 310 à 410
Spéc. Calamars "à la Genovese" (1er juil. au 15 oct.). Cariucco "à la Livournaise" (nov. à fév.). Figues rôties aux amaretti au "vino santo" (sept. et oct.).

XX **Carré Kléber,** 11bis r. Magdebourg ✉ 75016 ✆ 47 55 82 08, Fax 47 55 80 09 – ▤. AE ◑ GB G 7
fermé 1er au 22 août et 24 au 30 déc. – **Repas** 180/285.

XX **Giulio Rebellato,** 136 r. Pompe ✉ 75116 ✆ 47 27 50 26 – ▤. AE GB JCB. ✻ G 6
fermé août et dim. – **Repas** - cuisine italienne - 200/300 et carte 270 à 350.

XX ✿ **Fontaine d'Auteuil** (Grégoire), 35bis r. La Fontaine ✉ 75016 ✆ 42 88 04 47 – ▤. AE ◑ GB K 5
fermé 4 au 25 août, 9 au 16 fév., sam. midi et dim. – **Repas** 175 (déj.), 230/350 et carte 270 à 390
Spéc. Poulet du Gatinais au vinaigre d'Orléans. Rable de lièvre à la beauceronne (15 oct. au 31 déc.). Millefeuille.

XX **Tang,** 125 r. de la Tour ✉ 75116 ✆ 45 04 35 35, Fax 45 04 58 19 – AE GB. ✻ H 5
fermé août et lundi – **Repas** - cuisine chinoise et thaïlandaise - 200 et carte 200 à 300.

XX **Villa Vinci,** 23 r. P. Valéry ✉ 75116 ✆ 45 01 68 18 – ▤. AE GB F 7
fermé août, sam. et dim. – **Repas** - cuisine italienne - 175 (déj.)et carte 210 à 360.

XX **Paul Chêne,** 123 r. Lauriston ✉ 75116 ✆ 47 27 63 17, Fax 47 27 53 18 – ▤. AE ◑ GB G 6
fermé 20 au 27 août, 21 déc. au 1er janv., sam. midi et dim. – **Repas** 200/250 et carte 230 à 360.

XX **Sous l'Olivier,** 15 r. Goethe ✉ 75116 ✆ 47 20 84 81, Fax 47 20 73 75 – GB G 8
fermé 2 au 26 août, sam., dim. et fériés – **Repas** 155 et carte 230 à 320.

XX **Palais du Trocadéro,** 7 av. Eylau ✉ 75116 ✆ 47 27 05 02, Fax 47 27 25 51 – ▤. AE GB H 6
Repas - cuisine chinoise - 100 (déj.), 150/200 et carte 140 à 250 ♁.

XX ✿ **La Petite Tour** (Israël), 11 r. de la Tour ✉ 75116 ✆ 45 20 09 31 – AE ◑ GB JCB H 6
fermé août et dim. – **Repas** carte 270 à 430
Spéc. Pétales de Saint-Jacques grillées sur salade d'endives et de mâche (oct. à mars). Fleurs de courgettes soufflées à la m ousse de Saint-Jacques (mai à sept.) Râble de lièvre sauce smitane (oct. à déc.).

XX **Marius,** 82 bd Murat ✉ 75016 ✆ 46 51 67 80, ☂ – AE GB M 2
fermé août, sam. midi et dim. – **Repas** carte 200 à 300.

XX **Chez Géraud,** 31 r. Vital ✉ 75016 ✆ 45 20 33 00, Fax 45 20 46 60, « Belle fresque en faïence de Longwy » – AE GB H 5
fermé août, sam. sauf le soir d'oct. à fév. et dim. – **Repas** 200 et carte 230 à 360.

XX **San Francisco,** 1 r. Mirabeau ✉ 75016 ✆ 46 47 84 89, Fax 46 47 75 44 – ▤. AE ◑ GB L 5
fermé 12 au 18 août et dim. – **Repas** - cuisine italienne - carte 210 à 320.

XX **Bellini,** 28 r. Lesueur ✉ 75116 ✆ 45 00 54 20, Fax 45 00 11 74 – ▤. AE GB F 7
fermé août, 23 déc. au 3 janv., sam. midi et dim. – **Repas** - cuisine italienne - 180 et carte 240 à 320.

X **Beaujolais d'Auteuil,** 99 bd Montmorency ✉ 75016 ✆ 47 43 03 56, Fax 46 51 27 81, bistrot – GB K 3
fermé sam. midi et dim. – **Repas** 119 bc/139 bc et carte 170 à 260.

X **La Butte Chaillot,** 110 bis av. Kléber ✉ 75116 ✆ 47 27 88 88, Fax 47 04 85 70 – ▤. AE GB JCB G 7
Repas 210 et carte 220 à 320.

X **Le Cuisinier François,** 19 r. Le Marois ✉ 75016 ✆ 45 27 83 74, Fax 45 27 83 74 – AE GB M 3
fermé août, merc. soir, dim. soir et lundi – **Repas** 160 et carte 200 à 300 ♁.

X **Bistrot de l'Étoile,** 19 r. Lauriston ✉ 75016 ✆ 40 67 11 16, Fax 45 00 99 87 – ▤. AE GB JCB F 7
fermé sam. midi et dim. – **Repas** carte 190 à 240.

X **Le Driver's,** 6 r. G. Bizet ✉ 75016 ✆ 47 23 61 15, Fax 47 23 80 17 – ▤. AE ◑ GB G 8
fermé 10 au 20 août, sam. midi et dim. – **Repas** carte 130 à 210.

X **Vin et Marée,** 2 r. Daumier ✉ 75016 ✆ 46 47 91 39, Fax 46 47 69 07 – AE ◑ GB M 3
Repas - produits de la mer - carte 140 à 200.

X **Noura,** 27 av. Marceau ✉ 75116 ✆ 47 23 02 20, Fax 49 52 01 26 – AE ◑ GB G 8
Repas - cuisine libanaise - carte 140 à 200.

X **Lac Hong,** 67 r. Lauriston ✉ 75116 ✆ 47 55 87 17 – GB. ✻ G 7
fermé 11 au 31 août et dim. – **Repas** - cuisine vietnamienne - 98 (déj.)et carte 160 à 280.

Au Bois de Boulogne :

XXXX ✿✿ **Pré Catelan**, rte Suresnes ✉ 75016 ✆ 44 14 41 14, Fax 45 24 43 25, ☂, ☂ – 🅿. AE GB JCB
fermé vacances de fév., dim. soir et lundi – **Repas** 290 (déj.), 550/750 et carte 490 à 750
Spéc. Petit pot de crème prise à l'araignée de mer. Risotto noir de langoustines au basilic. Fondant de couenne au de truffe persillé.

XXXX **Grande Cascade**, allée de Longchamp (face hippodrome) ✉ 75016 ✆ 45 27 33 5 Fax 42 88 99 06, ☂ – 🅿. AE GB
fermé 23 déc. au 14 janv. – **Repas** 285 (déj.)et carte 460 à 650.

XXX **La Terrasse du Lac**, rte Suresnes ✉ 75016 ✆ 40 67 11 56, Fax 45 00 31 24, ≤, ☂ – AE GB JCB
fermé 24 déc. au 2 janv., dim. sauf le midi en été, sam. et le soir en hiver – **Repas** 185/330 carte 220 à 300.

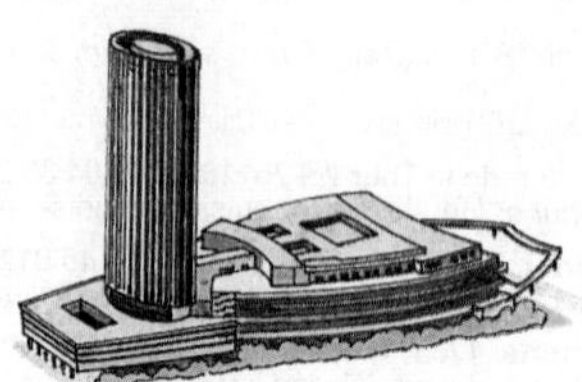

Clichy, Ternes, Wagram.

17e arrondissement.
17e : ✉ 75017

Concorde La Fayette Ⓜ, 3 pl. Gén. Koenig ✆ 40 68 50 68, Fax 40 68 50 43, « B panoramique au 34e étage ≤ Paris » – |‡| ✱ ▤ TV ☎ – 🏛 40 à 2 000. AE GB JCB
voir rest. ***Étoile d'Or*** ci-après - ***L'Arc-en-Ciel*** ✆ 40 68 51 25 **Repas** 225 ⅓, enf. 102 – ***Les Saiso*** (coffee shop) ✆ 40 68 51 19 **Repas** 149 ⅓, enf. 69 – ☕ 98 – **950 ch** 1450/1850, 20 appart.

Le Meridien Ⓜ, 81 bd Gouvion St-Cyr ✆ 40 68 34 34, Télex 651179, Fax 40 68 31 31 – ✱ ▤ TV ☎ ✆ ♿ – 🏛 50 à 800. AE GB JCB
voir rest. ***Clos de Longchamp*** ci-après - ***Café l'Arlequin*** ✆ 40 68 30 85 **Repas** 158/250 et car 200 à 320 – ***Le Yamato*** ✆ 40 68 30 41, cuisine japonaise *(fermé août, 1er au 7 janv., sa midi, dim., lundi et fériés)* **Repas** 170 (déj.) 200/250 et carte 190 à 280 – ☕ 95 – **1 007 c** 1450/2300, 17 appart.

Splendid Etoile sans rest, 1 bis av. Carnot ✆ 45 72 72 00, Fax 45 72 72 01 – |‡| ▤ TV ☎ AE GB. ✱
☕ 85 – **57 ch** 930/1700.

Quality Inn Pierre Ⓜ sans rest, 25 r. Th.-de-Banville ✆ 47 63 76 69, Télex 64300 Fax 43 80 63 96 – |‡| ✱ TV ☎ ♿ – 🏛 30. AE GB JCB
☕ 68 – **50 ch** 810/970.

Balmoral sans rest, 6 r. Gén. Lanrezac ✆ 43 80 30 50, Fax 43 80 51 56 – |‡| ✱ TV ☎ AE GB
☕ 40 – **57 ch** 500/800.

Regent's Garden sans rest, 6 r. P. Demours ✆ 45 74 07 30, Télex 64012 Fax 40 55 01 42, « Jardin » – |‡| TV ☎. AE GB JCB
☕ 40 – **39 ch** 650/940.

Magellan ⛱ sans rest, 17 r. J.B.-Dumas ✆ 45 72 44 51, Fax 40 68 90 36, ☂ – |‡| TV ☎ AE GB. ✱
☕ 40 – **75 ch** 580/615.

Étoile St-Ferdinand sans rest, 36 r. St-Ferdinand ✆ 45 72 66 66, Fax 45 74 12 92 – |‡| ▤ TV ☎. AE GB JCB
☕ 50 – **42 ch** 820/880.

Banville sans rest, 166 bd Berthier ✆ 42 67 70 16, Télex 643025, Fax 44 40 42 77 – |‡| TV ☎. AE GB
☕ 45 – **39 ch** 635/760.

Mercure Etoile Ⓜ sans rest, 27 av. Ternes ✆ 47 66 49 18, Fax 47 63 77 91 – |‡| ✱ ▤ TV ☎. AE GB
☕ 65 – **56 ch** 880.

Champerret-Villiers Ⓜ sans rest, 129 av. Villiers ✆ 47 64 44 00, Fax 47 63 10 58 – |‡| TV ☎ ✆. AE GB JCB. ✱
☕ 60 – **45 ch** 585/675.

de Neuville sans rest, 3 r. Verniquet ✆ 43 80 26 30, Fax 43 80 38 55 – |‡| TV ☎. AE GB
☕ 55 – **28 ch** 706/712.

Cheverny Ⓜ sans rest, 7 Villa Berthier ✆ 43 80 46 42, Fax 47 63 26 62 – |‡| TV ☎. AE GB
☕ 40 – **48 ch** 520/660.

Neva M sans rest, 14 r. Brey 43 80 28 26, Fax 47 63 00 22 – TV. AE GB. E 8
41 – **31 ch** 495/745.

Étoile Pereire sans rest, 146 bd Péreire 42 67 60 00, Fax 42 67 02 90 – TV. AE GB. D 7
54 – **21 ch** 560/1000, 5 duplex.

Mercédès sans rest, 128 av. Wagram 42 27 77 82, Fax 40 53 09 89 – TV. AE GB D 9
50 – **37 ch** 590/680.

Étoile Park H. sans rest, 10 av. Mac Mahon 42 67 69 63, Fax 43 80 18 99 – TV. AE GB JCB E 8
fermé 24 déc. au 1er janv. – 52 – **28 ch** 490/722.

Monceau sans rest, 7 r. Rennequin 47 63 07 52, Fax 47 66 84 44 – TV. AE GB JCB E 8
75 – **25 ch** 760/815.

Tilsitt Étoile sans rest, 23 r. Brey 43 80 39 71, Télex 640629, Fax 47 66 37 63 – TV. AE GB JCB E 8
50 – **39 ch** 570/780.

Monceau Étoile sans rest, 64 r. de Levis 42 27 33 10, Fax 42 27 59 58 – TV. AE GB. D 10
30 – **26 ch** 600/650.

Harvey sans rest, 7 bis r. Débarcadère 45 74 27 19, Fax 40 68 03 56 – TV. AE GB JCB E 6
40 – **32 ch** 500/720.

Royal Magda sans rest, 7 r. Troyon 47 64 10 19, Fax 47 64 02 12 – TV. AE GB. E 8
45 – **26 ch** 650/730, 11 appart.

Abrial M sans rest, 176 r. Cardinet 42 63 50 00, Fax 42 63 50 03 – TV. AE GB JCB C 11
45 – **80 ch** 590/640.

Astrid sans rest, 27 av. Carnot 44 09 26 00, Télex 642065, Fax 44 09 26 01 – TV. AE GB JCB E 7
50 – **40 ch** 450/715.

Palma sans rest, 46 r. Brunel 45 74 74 51, Fax 45 74 40 90 – TV. GB. E 7
35 – **37 ch** 380/480.

Champerret-Héliopolis M sans rest, 13 r. Héliopolis 47 64 92 56, Fax 47 64 50 44 – TV. AE GB JCB D 7
38 – **22 ch** 350/640.

Campanile, 4 bd Berthier 46 27 10 00, Fax 46 27 00 57, – TV – 40. AE GB B 10
Repas 92 bc/119 bc, enf. 39 – 34 – **247 ch** 416.

XXXX **Guy Savoy,** 18 r. Troyon 43 80 40 61, Fax 46 22 43 09 – AE GB JCB E 8
fermé sam. midi et dim. – **Repas** 820 et carte 590 à 760
Spéc. Foie gras de canard au sel gris et gelée de canard. Bar en écailles grillées aux épices douces. "Craquant moelleux" vanille et pomme, jus minute.

XXXX **Michel Rostang,** 10 r. Rennequin 47 63 40 77, Fax 47 63 82 75, « Cadre élégant » – AE GB JCB D 8
fermé 1er au 15 août, sam. midi et dim. – **Repas** 298 (déj.), 540/720 et carte 540 à 760
Spéc. Millefeuille de langoustines de Bretagne "poireaux-pommes de terre". Truffes (15 déc.-15 mars). Canette de Bresse au sang.

XXXX **Étoile d'Or** - Hôtel Concorde La Fayette, 3 pl. Gén. Koenig 40 68 51 28, Fax 40 68 50 43 – AE GB JCB E 6
fermé 2 au 10 mars, août, sam. et dim. – **Repas** 270 et carte 310 à 510
Spéc. Cocktail d'araignée de mer à la vinaigrette d'étrilles. Joue de boeuf en ravigote. Soufflé chaud au chocolat.

XXXX **Le Clos Longchamp** - Hôtel Méridien, 81 bd Gouvion St-Cyr (Pte Maillot) 40 68 00 70, Télex 651179, Fax 40 68 30 81 – AE GB JCB E 6
fermé 5 au 25 août, 23 au 29 déc., sam, dim. et fériés – **Repas** 250 (déj.)et carte 380 à 570
Spéc. Crevettes vapeur au vinaigre de champagne. Noix de Saint-Jacques au parfum de Siam (oct. à avril). Grenadin de porc fermier.

XXX **Manoir de Paris,** 6 r. P. Demours 45 72 25 25, Fax 45 74 80 98 – AE GB E 7
fermé sam. (sauf le soir de sept. à juin) et dim. – **Repas** 280/400 et carte 290 à 400
Spéc. Pastilla de lapereau au romarin, carottes et navets glacés au miel. Pigeonneau des Hautes-Alpes au macis et polenta. Tarte fine au chocolat "Manjari" et poires tièdies.

XXX ✿✿ **Apicius** (Vigato), 122 av. Villiers ✆ 43 80 19 66, Fax 44 40 09 57 – ▤. AE ⓓ GB JCB
fermé août, sam. et dim. – **Repas** 300 (déj.), 480/550 et carte 400 à 620 D
Spéc. Langoustines façon "tempura". Chaud-froid de homard. Pigeon désossé et farci.

XXX ✿✿ **Amphyclès** (Groult), 78 av. Ternes ✆ 40 68 01 01, Fax 40 68 91 88 – ▤. AE ⓓ G JCB E
fermé sam. midi et dim. – **Repas** 680/820 et carte 530 à 760
Spéc. Araignée de mer en carapace. Bar de ligne de l'île de Sein au court-bouillon truffé. Noix de ris de veau d mendiants, fondue de pois gourmands.

XXX ✿ **Le Sormani** (Fayet), 4 r. Gén. Lanrezac ✆ 43 80 13 91, Fax 40 55 07 37 – ▤. AE GB
fermé 1er au 21 août, sam., dim. et jours fériés – **Repas** - cuisine italienne - 350 bc (déj.), 40 bc/450 bc et carte 310 à 420 E
Spéc. Soupe de coquillettes au lard et aux cèpes (oct. à fév.). Ravioli de chèvre à la truffe noire. Lasagne de pomm de terre à la morue.

XXX ✿ **Faucher**, 123 av. Wagram ✆ 42 27 61 50, Fax 46 22 25 72 – AE GB D
fermé sam. midi et dim. – **Repas** 380 et carte 220 à 340
Spéc. Millefeuille de boeuf cru et pousses d'épinards, sauce digoinaise. Filets de rouget à l'huile d'olive, macaro farcis. Moelleux tiède au chocolat.

XXX **Pétrus**, 12 pl. Mar. Juin ✆ 43 80 15 95, Fax 43 80 06 96 – ▤. AE ⓓ GB D
fermé 1er août au 1er sept. – **Repas** - produits de la mer - 250/480 bc et carte 350 à 510.

XXX ✿ **Timgad** (Laasri), 21 r. Brunel ✆ 45 74 23 70, Fax 40 68 76 46, « Décor mauresque » ▤. AE ⓓ GB. ✻ E
Repas - cuisine nord-africaine - carte 200 à 290
Spéc. Couscous princier. Pastilla. Tagine.

XXX **Augusta**, 98 r. Tocqueville ✆ 47 63 39 97, Fax 42 27 21 71 – ▤. GB C
fermé 5 au 26 août, sam. sauf le soir d'oct. à avril et dim. – **Repas** - produits de la mer - car 320 à 540.

XXX **Il Ristorante**, 22 r. Fourcroy ✆ 47 63 34 00 – ▤. AE GB D
fermé 5 au 20 août et dim. – **Repas** - cuisine italienne - 165 (déj.)et carte 240 à 380.

XX ✿ **Le Petit Colombier** (Fournier), 42 r. Acacias ✆ 43 80 28 54, Fax 44 40 04 29 – AE GB
fermé 1er au 18 août, dim. midi et sam. – **Repas** 200 (déj.), 350/450 bc et carte 330 à 450
Spéc. Oeufs rôtis à la broche aux truffes fraîches (15 déc. à fin fév.). Civet de lièvre à la française et pâtes fraîches (sep à déc.). Tournedos rossini. E

XX **La Table de Pierre**, 116 bd Péreire ✆ 43 80 88 68, Fax 47 66 53 02, 〒 – ▤. AE GB D
fermé sam. midi et dim. – **Repas** 210/350 et carte 220 à 380.

XX **Graindorge**, 15 r. Arc de Triomphe ✆ 47 54 00 28, Fax 44 09 84 51 – AE GB E
fermé sam. midi et dim. – **Repas** 165 (déj.), 188/230 et carte 200 à 290.

XX **Les Bouchons de François Clerc**, 22 r. Terrasse ✆ 42 27 31 51, Fax 42 27 45 76, 〒 ▤. AE GB. ✻ D 1
fermé sam. midi et dim. – **Repas** 117 (déj.)/219.

XX **Billy Gourmand**, 20 r. Tocqueville ✆ 42 27 03 71 – AE GB D 1
fermé 5 au 25 août, sam. sauf le soir de sept. à juin, dim. et fériés – **Repas** 160 et carte 240 390.

XX **Le Beudant**, 97 r. des Dames ✆ 43 87 11 20 – ▤. AE ⓓ GB JCB D 1
fermé 11 au 30 août, sam. midi et dim. – **Repas** 155/300 et carte 230 à 330.

XX **Les Béatilles**, 11 bis r. Villebois-Mareuil ✆ 45 74 43 80, Fax 45 74 43 81 – ▤. GB E
fermé 2 au 26 août, 22 déc. au 4 janv., sam. et dim. – **Repas** 150/290 et carte 170 à 240.

XX **La Truite Vagabonde**, 17 r. Batignolles ✆ 43 87 77 80, Fax 43 87 31 50, 〒 – AE GB
fermé dim. soir – **Repas** 180 et carte 260 à 370. D 1

XX **Taïra**, 10 r. Acacias ✆ 47 66 74 14, Fax 47 66 74 14 – ▤. AE ⓓ GB E
fermé 12 au 18 août, sam. midi et dim. – **Repas** - produits de la mer - 160/330 et carte 280 360.

XX **Aub. des Dolomites**, 38 r. Poncelet ✆ 42 27 94 56 – AE GB JCB E
fermé août, sam. midi et dim. – **Repas** 135/188 et carte 230 à 370.

XX **Les Marines de Pétrus**, 27 av. Niel ✆ 47 63 04 24, Fax 44 15 92 20 – ▤. AE ⓓ GB D
fermé août – **Repas** - produits de la mer - carte 200 à 330.

XX **La Niçoise**, 4 r. P. Demours ✆ 45 74 42 41, Fax 45 74 80 98 – ▤. AE ⓓ GB E
fermé sam. (sauf le soir de sept. à juin) et dim. – **Repas** 125 bc/165.

XX **La Petite Auberge**, 38 r. Laugier ✆ 47 63 85 51 – GB D 7
fermé 4 au 27 août, dim. soir et lundi midi – **Repas** (nombre de couverts limité, prévenir) 16 et carte 200 à 320.

XX **La Braisière**, 54 r. Cardinet ✆ 47 63 40 37, Fax 47 63 04 76 – AE GB D
fermé août, sam. et dim. – **Repas** 175 et carte 220 à 330.

XX **Baumann Ternes**, 64 av. Ternes ✆ 45 74 16 66, Fax 45 72 44 32, brasserie – ▤. AE ⓓ GB E
Repas 163 et carte 180 à 320 ♁.

XX **La Soupière**, 154 av. Wagram ✆ 42 27 00 73, Fax 46 22 27 09 – ▤. AE GB D
fermé 10 au 20 août, sam. midi et dim. – **Repas** 138/240 et carte 200 à 320.

XX **Epicure 108,** 108 r. Cardinet ℘ 47 63 50 91 – GB D 10
fermé 12 au 24 août, sam. midi et dim. – **Repas** 175/250.

XX **Chez Laudrin,** 154 bd Péreire ℘ 43 80 87 40 – ▤. AE GB D 7
fermé sam. soir d'oct. à avril et dim. – **Repas** 165/230 et carte 250 à 370.

XX **Chez Guyvonne,** 14 r. Thann ℘ 42 27 25 43, Fax 42 27 25 43 – AE GB. ✱ D 10
fermé 22 juil. au 19 août, 24 déc. au 2 janv., sam. et dim. – **Repas** 150/260 et carte 270 à 410 ♨.

XX **Chez Georges,** 273 bd Péreire ℘ 45 74 31 00, Fax 45 74 02 56, bistrot – GB E 6
fermé août – **Repas** carte 210 à 350.

XX **Ballon des Ternes,** 103 av. Ternes ℘ 45 74 17 98, Fax 45 72 18 84, brasserie – AE GB E 6
fermé 1er au 20 août – **Repas** carte 180 à 300.

XX **Chez Léon,** 32 r. Legendre ℘ 42 27 06 82, bistrot – ⓓ GB D 10
fermé août, sam. et dim. – **Repas** 135/185.

X **La Rôtisserie d'Armaillé,** 6 r. Armaillé ℘ 42 27 19 20, Fax 40 55 00 93 – ▤. AE GB JCB E 7
fermé sam. midi et dim. – **Repas** 198 et carte environ 270.

X **L'Impatient,** 14 passage Geffroy Didelot ℘ 43 87 28 10 – GB D 10-11
fermé 5 au 25 août, lundi soir, sam. et dim. – **Repas** 100/285 et carte 200 à 300.

X **Mère Michel,** 5 r. Rennequin ℘ 47 63 59 80, bistrot – AE GB E 8
fermé 5 au 25 août, sam. midi et dim. – **Repas** (nombre de couverts limité, prévenir) 85 (déj.)/145 et carte 160 à 260.

X **Caves Petrissans,** 30 bis av. Niel ℘ 42 27 83 84, Fax 40 54 87 56, ☂, bistrot – AE GB D 8
fermé 3 au 25 août, sam., dim. et fériés – **Repas** 165 et carte 190 à 290.

X **Bistro du 17e,** 108 av. Villiers ℘ 47 63 32 77, Fax 42 27 67 66 – ▤. AE GB D 8
Repas 169 bc.

X **Bistrot d'à Côté Flaubert,** 10 r. G. Flaubert ℘ 42 67 05 81, Fax 47 63 82 75 – AE GB D 8
Repas carte 210 à 300.

X **Bistrot de l'Étoile,** 13 r. Troyon ℘ 42 67 25 95 – ▤. AE GB E 8
fermé sam. midi et dim. – **Repas** carte 210 à 270.

Montmartre, La Villette, Belleville.

18e, 19e et 20e arrondissements.
18e : ✉ 75018
19e : ✉ 75019
20e : ✉ 75020

Terrass'H. M, 12 r. J. de Maistre (18e) ℘ 46 06 72 85, Fax 42 52 29 11, ☂, « Terrasse sur le toit, ≤ Paris » – |‡| ⇐ ▤ rest TV ☎ – 90. AE ⓓ GB JCB C 13
La Terrasse ℘ 44 92 34 00 **Repas** 125bc/165♨, enf. 60 – ☐ 75 – **88 ch** 950/1260, 13 appart.

Mercure Montmartre sans rest, 1 r. Caulaincourt (18e) ℘ 44 69 70 70, Télex 285605, Fax 44 69 70 71 – |‡| ⇐ ▤ TV ☎ ♿ – 120. AE ⓓ GB D 12
☐ 68 – **308 ch** 831/897.

Roma Sacré Coeur sans rest, 101 r. Caulaincourt (18e) ℘ 42 62 02 02, Fax 42 54 34 92 – |‡| TV ☎. AE ⓓ GB JCB C 14
☐ 37 – **57 ch** 410/480.

des Arts sans rest, 5 r. Tholozé (18e) ℘ 46 06 30 52, Fax 46 06 10 83 – |‡| TV ☎. AE GB D 13
☐ 30 – **50 ch** 420/470.

Eden H. sans rest, 90 r. Ordener (18e) ℘ 42 64 61 63, Fax 42 64 11 43 – |‡| TV ☎ ✆. AE ⓓ GB JCB B 14
☐ 35 – **35 ch** 365/400.

Regyn's Montmartre sans rest, 18 pl. Abbesses (18e) ℘ 42 54 45 21, Fax 42 23 76 69 – |‡| TV ☎. AE GB D 13
☐ 40 – **22 ch** 375/455.

Palma sans rest, 77 av. Gambetta (20e) ℘ 46 36 13 65, Fax 46 36 03 27 – |‡| TV ☎. AE ⓓ GB G 21
☐ 33 – **32 ch** 340/395.

Super H. sans rest, 208 r. Pyrénées (20e) ℘ 46 36 97 48, Fax 46 36 26 10 – |‡| TV ☎. AE ⓓ GB G 21
fermé août – ☐ 32 – **32 ch** 280/500.

H. Le Laumière sans rest, 4 r. Petit (19e) ℘ 42 06 10 77, Fax 42 06 72 50 – |‡| TV ☎. GB D 19
☐ 32 – **54 ch** 255/380.

Al'Hôtel M, 2 av. Prof. A. Lemierre (20e) ☎ 43 63 16 16, Fax 43 63 31 32 – 100. AE GB — J 23
Repas 90/130 , enf. 39 – 35 – **325 ch** 400/440 – ½ P 440.

Crimée sans rest, 188 r. Crimée (19e) ☎ 40 36 75 29, Fax 40 36 29 57 – . AE GB — C 18
30 – **31 ch** 280/340.

Damrémont sans rest, 110 r. Damrémont (18e) ☎ 42 64 25 75, Fax 46 06 74 64 – . AE GB JCB. — B 13
40 – **35 ch** 350/490.

XXX ✿ **Beauvilliers** (Carlier), 52 r. Lamarck (18e) ☎ 42 54 54 42, Fax 42 62 70 30, , « Décor original, terrasse » – . AE GB JCB. — C 14
fermé lundi midi et dim. – **Repas** 185 (déj.)/400 bc et carte 420 à 550
Spéc. Fond d'artichaut farci de tourteau, sauce pistache. Rognonnade de veau et grenadin aux essences de truffes. Timbale de macaroni aux ris de veau et morilles (avril à août).

XXX **Pavillon Puebla**, Parc Buttes-Chaumont, entrée : av Bolivar, r. Botzaris (19e) ☎ 42 08 92 62, Fax 42 39 83 16, , « Agréable situation dans le parc » – P. AE GB
fermé dim. et lundi – **Repas** 186/240 et carte 360 à 490. — E 19

XXX **La Crème du Homard**, 128 bis bd Clichy (18e) ☎ 45 22 47 08, Fax 45 22 44 72 – . AE GB — D 12
Repas - produits de la mer - 190/350 et carte 240 à 430.

XXX **Au Cochon d'Or**, 192 av. J. Jaurès (19e) ☎ 42 45 46 46, Fax 42 40 43 90 – . AE GB JCB — C 20
Repas 240 et carte 280 à 460 - ***Bistrot du Cochon d'Or :*** **Repas** 100/150 bc.

XX **La Chaumière**, 46 av. Secrétan (19e) ☎ 42 06 54 69 – AE GB JCB — E 18
fermé 1er au 15 août et dim. sauf fêtes – **Repas** 143/198 bc et carte 190 à 350 .

XX **Cottage Marcadet**, 151 bis r. Marcadet (18e) ☎ 42 57 71 22 – . GB. — C 13
fermé 3 août au 1er sept. et dim. – **Repas** 210 bc et carte 260 à 350.

XX **Au Boeuf Couronné**, 188 av. J. Jaurès (19e) ☎ 42 39 44 44, Fax 42 39 17 30 – AE GB JCB — C 20
fermé dim. – **Repas** 150 et carte 190 à 340 .

XX **Les Allobroges**, 71 r. Grands-Champs (20e) ☎ 43 73 40 00 – GB — K 22
fermé août, dim., lundi et fériés – **Repas** 89/159 et carte 200 à 300.

XX **Au Clair de la Lune**, 9 r. Poulbot (18e) ☎ 42 58 97 03 – AE GB JCB — D 14
fermé 1er au 15 mars, dim. soir et lundi – **Repas** 165 et carte 230 à 310.

X **La Verrière**, 10 r. Gén. Brunet (19e) ☎ 40 40 03 30, Fax 40 40 03 30 – GB — E 20
fermé 1er au 21 août, dim. et lundi – **Repas** 190.

X **Aucune Idée ?**, 2 pl. St-Blaise (20e) ☎ 40 09 70 67 – AE GB — H 22
fermé 5 au 18 août, dim. soir et lundi – **Repas** 155/165 et carte 180 à 320.

X **Marie-Louise**, 52 r. Championnet (18e) ☎ 46 06 86 55, bistrot – GB — B 15
fermé fin juil. à début sept., dim., lundi et fériés – **Repas** 130/220 et carte 150 à 220.

X **L'Étrier**, 154 r. Lamarck (18e) ☎ 42 29 14 01, bistrot – GB — C 12
fermé août, lundi soir et dim. – **Repas** (nombre de couverts limité, prévenir) 80 (déj.) 160/300 bc et carte environ 280.

X **L'Oriental**, 76 r. Martyrs (18e) ☎ 42 64 39 80, Fax 42 64 39 80 – AE GB. — D 14
fermé 1er au 25 août et dim. – **Repas** - cuisine nord-africaine - 78 (déj.)/190 bc et carte 140 à 180.

Environs

25 km environ autour de Paris

Pour appeler de province les localités suivantes, composez le 1 avant le numéro à 8 chiffres.

15 : Ces lettres et ces chiffres correspondent au carroyage des **plans Michelin Banlieue de Paris** n° 18, n° 20, n° 22, n° 24.

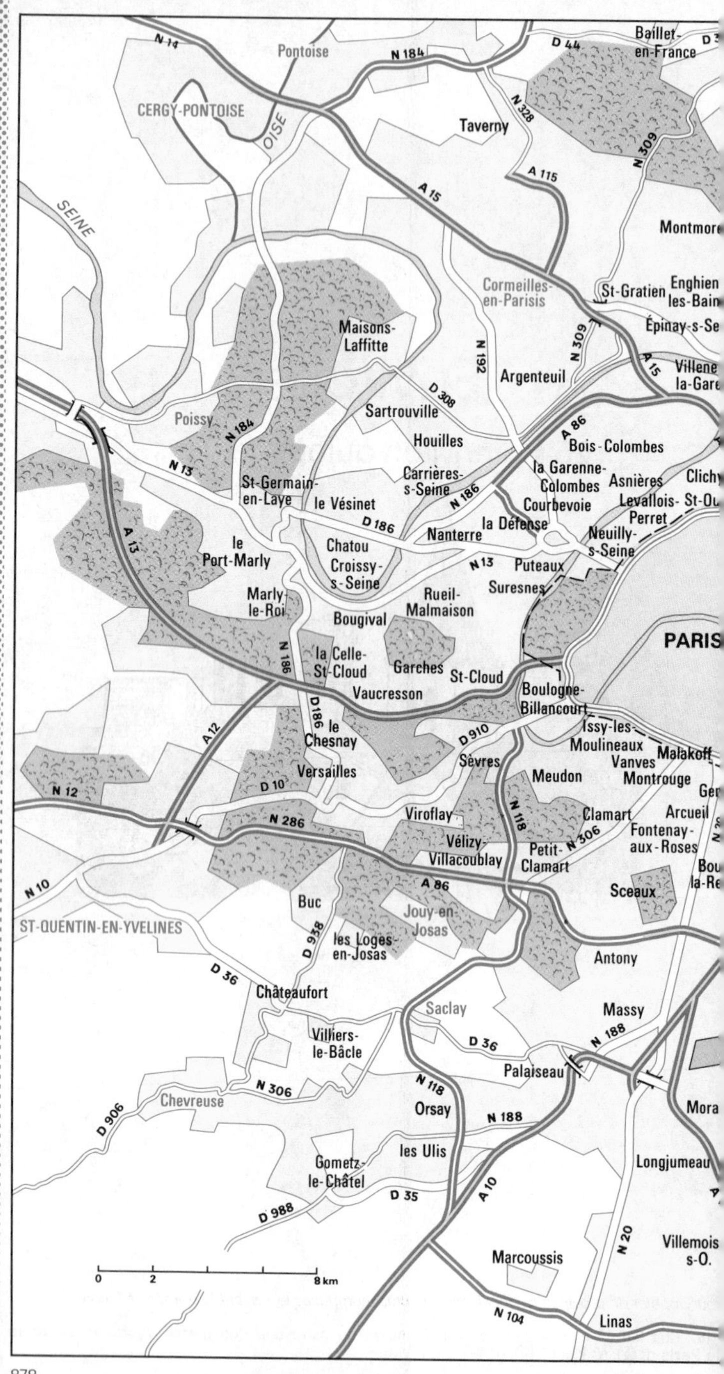

Pontoise
CERGY-PONTOISE
OISE
SEINE
Taverny
Baillet-en-France
Montmore
Cormeilles-en-Parisis
St-Gratien
Enghien-les-Bain
Épinay-s-Se
Maisons-Laffitte
Argenteuil
Villene-la-Gare
Poissy
Sartrouville
Houilles
Bois-Colombes
Carrières-s-Seine
la Garenne-Colombes
Asnières
Clichy
St-Germain-en-Laye
le Vésinet
Courbevoie
Levallois-Perret
St-Ou
la Défense
Nanterre
Neuilly-s-Seine
le Port-Marly
Chatou
Croissy-s-Seine
Puteaux
Suresnes
Marly-le-Roi
Rueil-Malmaison
Bougival
PARIS
la Celle-St-Cloud
Garches
St-Cloud
Boulogne-Billancourt
Vaucresson
le Chesnay
Issy-les-Moulineaux
Vanves
Malakoff
Sèvres
Meudon
Montrouge
Versailles
Viroflay
Clamart
Arcueil
Vélizy-Villacoublay
Petit-Clamart
Fontenay-aux-Roses
Buc
Jouy-en-Josas
Sceaux
ST-QUENTIN-EN-YVELINES
les Loges-en-Josas
Antony
Châteaufort
Saclay
Massy
Villiers-le-Bâcle
Palaiseau
Chevreuse
Orsay
Mora
les Ulis
Gometz-le-Châtel
Longjumeau
Marcoussis
Villemois-s-O.
Linas
N 14
N 184
D 44
N 328
N 309
A 115
A 15
N 192
D 308
A 86
N 186
N 13
D 186
A 13
N 186
D 186
A 12
D 910
N 12
D 10
N 286
N 118
N 306
N 10
D 938
D 36
N 188
N 306
D 906
N 118
N 188
D 35
A 10
D 988
N 20
N 104
0
2
8 km

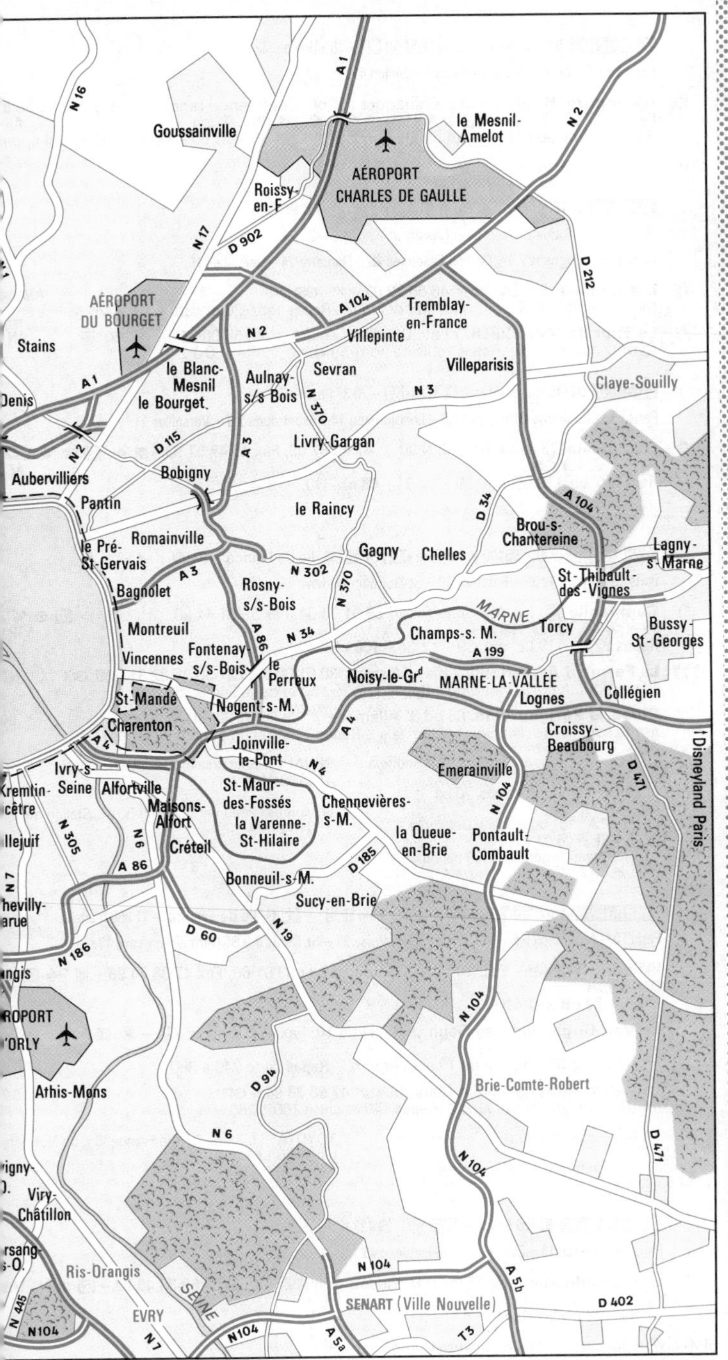
Goussainville
le Mesnil-Amelot
AÉROPORT CHARLES DE GAULLE
Roissy-en-F
AÉROPORT DU BOURGET
Stains
Tremblay-en-France
Villepinte
Villeparisis
Claye-Souilly
le Blanc-Mesnil
le Bourget
Aulnay-s/s Bois
Sevran
Livry-Gargan
Aubervilliers
Pantin
Bobigny
le Raincy
Romainville
le Pré-St-Gervais
Bagnolet
Montreuil
Vincennes
Rosny-s/s-Bois
Gagny
Chelles
Brou-s-Chantereine
Lagny-s-Marne
St-Thibault-des-Vignes
MARNE
Torcy
Bussy-St-Georges
Champs-s. M.
Fontenay-s/s-Bois
le Perreux
Noisy-le-Grd
MARNE-LA-VALLÉE
Lognes
Collégien
St-Mandé
Nogent-s-M.
Charenton
Joinville-le-Pont
Croissy-Beaubourg
Emerainville
Disneyland Paris
Ivry-s-Seine
Alfortville
Maisons-Alfort
St-Maur-des-Fossés
la Varenne-St-Hilaire
Chennevières-s-M.
la Queue-en-Brie
Pontault-Combault
Créteil
Bonneuil-s-M.
Sucy-en-Brie
Athis-Mons
Brie-Comte-Robert
Viry-Châtillon
Ris-Orangis
EVRY
SEINE
SENART (Ville Nouvelle)
A 1
N 2
N 16
N 17
D 902
D 212
A 104
N 3
N 370
A 3
D 115
D 34
N 302
A 86
N 34
A 199
A 4
N 4
N 104
D 471
N 305
N 6
N 7
A 86
D 185
D 60
N 19
N 186
D 94
A 5b
A 5a
D 402
T 3
N 445

Alfortville 94140 Val-de-Marne 101 ㉗ 24 – 36 119 h alt. 32.

Paris 10 – Créteil 5 – Maisons-Alfort 1 – Melun 41.

Chinagora H. M, centre Chinagora, 1 pl. Confluent France-Chine ☎ 43 53 58 8 Fax 49 77 57 17 – ☎ – 200. AE GB. ch AE
Repas *(fermé août)* (déj. seul.) 80/120 et carte 160 à 250 – ☐ 50 – **181 ch** 490/550, 4 appa

CITROEN Gar. des Quais, 2 r. C.-de-Gaulle ☎ 43 78 50 34

Antony 92160 Hauts-de-Seine 101 ㉕ 22 – 57 771 h alt. 80.

Office de Tourisme, pl. René Cassin ☎ 42 37 57 77.

Paris 11,5 – Bagneux 7,5 – Corbeil-Essonnes 29 – Nanterre 24 – Versailles 16.

XX **L'Amandier,** 8 r. Église ☎ 46 66 22 02 – GB. AM24
fermé 23 déc. au 3 janv., dim. soir et lundi – **Repas** 155/220 et carte 200 à 320.

XX **La Tour de Marrakech,** 72 av. Division Leclerc ☎ 46 66 00 54 – GB. AN
fermé août et lundi – **Repas** - cuisine nord-africaine - carte 150 à 220.

Arcueil 94110 Val-de-Marne 101 ㉖ 22 – 20 334 h alt. 65.

Paris 6,5 – Boulogne-Billancourt 8,5 – Longjumeau 14 – Montrouge 2,5 – Versailles 21.

Campanile, 73 av. A. Briand, N 20 ☎ 47 40 87 09, Fax 45 47 51 93 – 30. AE GB AF
Repas 92 bc/119 bc, enf. 39 – ☐ 34 – **83 ch** 340.

Equipneu, 32 r. de la Gare ☎ 46 65 10 44

Argenteuil 95100 Val-d'Oise 101 ⑭ 18 **G. Ile de France** – 93 096 h alt. 33.

Paris 19 – Chantilly 35 – Pontoise 19 – St-Germain-en-Laye 14.

Campanile M, 1 r. Ary Scheffer ☎ 39 61 34 34, Fax 39 61 44 20, – P – 40. AE GB P
Repas 92 bc/119 bc, enf. 39 – ☐ 34 – **100 ch** 340.

XXX **La Ferme d'Argenteuil,** 2 bis r. Verte ☎ 39 61 00 62, Fax 30 76 32 31 – AE GB N
fermé août, lundi soir et dim. – **Repas** 170/250 bc et carte 240 à 350.

XX **Closerie Périgourdine,** 85 bd J.-Allemane ☎ 39 80 01 28 – AE GB L
fermé sam. midi, dim. soir et lundi soir – **Repas** 135/300 bc et carte 220 à 360.

ALFA ROMEO Gar. Busson, 21 r. Chapeau Rouge à Sannois ☎ 39 81 43 27
FORD Gar. des Grandes Fontaines, 70 bd J. Allemane ☎ 39 81 61 61
RENAULT S.R.P.A., 181 bd Général Delambre ☎ 39 81 51 95 N ☎ 05 02 83 07
RENAULT Rousseau Argenteuil, 139 bis bd J.-Allemane ☎ 39 25 95 95
RENAULT Succursale, 219 r. H. Barbusse ☎ 39 96 41 41

Monteils Pneumatiques, 48-50 av. Stalingrad ☎ 34 11 44 44

Asnières-sur-Seine 92600 Hauts-de-Seine 101 ⑮ 18 **G. Ile de France** – 71 850 h alt. 37.

Paris 10 – Argenteuil 5,5 – Nanterre 7,5 – Pontoise 27 – St-Denis 8 – St-Germain-en-Laye 17.

Wilson H. M sans rest, 10 bis r. Château ☎ 47 93 01 66, Fax 47 33 74 98 – AE GB T
☐ 35 – **62 ch** 330/410.

XXX **Le Van Gogh,** Port Van Gogh ☎ 47 91 05 10, Fax 47 93 00 93, – P. AE GB JCB S
fermé 1er au 18 mars, 12 au 19 août et dim. – **Repas** carte 240 à 380.

XX **La Petite Auberge,** 118 r. Colombes ☎ 47 93 33 94 – GB S
fermé 12 au 20 août et lundi – **Repas** 140 et carte 190 à 280.

PEUGEOT Gar. Hôtel de Ville, 18 r. P.-Brossolette ☎ 47 33 02 60
RENAULT Gar. Cretaz, 34 r. de Colombes ☎ 47 93 23 90
TOYOTA S.I.D.A.T. Toyota France, 3 r. de Normandie ☎ 46 13 46 70

Athis-Mons 91200 Essonne 101 ㊱ – 29 123 h alt. 85.

Paris 18 – Créteil 13 – Évry 12 – Fontainebleau 48.

La Rotonde sans rest, 25 bis r. H. Pinson ☎ 69 38 97 78, Fax 69 38 48 02 – P. GB
☐ 30 – **22 ch** 280/320.

BMW VP Automobiles, 111 r. R.-Schumann ☎ 69 38 64 36

Aubervilliers **93300** Seine-St-Denis 101 ⑯ 20 – 67 557 h alt. 39.

Paris 9 – Bobigny 8 – St-Denis 2.

Le Relais, 53 r. Commune de Paris ✆ 48 39 66 66, Fax 48 39 16 72 – 100. AE ⓓ GB S 32
Repas *(fermé août, sam., dim. et fériés)* 89/115 , enf. 36 – ☐ 40 – **259 ch** 350.

Arpaliangeas J Pneus Point S, 109 r. H.-Cochennec ✆ 48 33 88 06

Aulnay-sous-Bois **93600** Seine-St-Denis 101 ⑱ 20 – 82 314 h alt. 46.

Paris 18 – Bobigny 7 – Lagny-sur-Marne 22 – Meaux 34 – St-Denis 11 – Senlis 36.

Novotel M, rte Gonesse N 370 ✆ 48 66 22 97, Télex 230121, Fax 48 66 99 39, – 200. AE ⓓ GB L 42
Repas 128, enf. 50 – ☐ 55 – **138 ch** 475/495.

Aub. Saints Pères, 212 av. Nonneville ✆ 48 66 62 11, Fax 48 66 25 22 – AE ⓓ GB. R 42
fermé août, 6 au 12 janv., sam. midi, dim. soir et lundi – **Repas** 200/360 et carte 330 à 480.

A l'Escargot, 40 rte Bondy ✆ 48 66 88 88, Fax 48 68 26 91 – AE ⓓ GB P 42
fermé août, vacances de fév. dim. et lundi – **Repas** (déj. seul. sauf vend. et sam.) 180/250, enf. 95.

CITROEN Gar. des Petits Ponts, 153 rte de Mitry ✆ 43 83 70 81 N ✆ 48 60 60 30
FORD Gar. Bocquet, 37 av. A. France ✆ 48 66 47 33
NISSAN Gar. des Gdes Cités, 123 rte de Mitry ✆ 48 66 59 57
RENAULT Paris Nord Autos, r. J.-Duclos N 370 ✆ 48 66 30 65 N ✆ 05 05 15 15

Bagnolet **93170** Seine-St-Denis 101 ⑰ 20 – 32 600 h alt. 96.

Paris 6,5 – Bobigny 9,5 – Lagny-sur-Marne 31 – Meaux 40.

Novotel Porte de Bagnolet M, av. République, échangeur porte de Bagnolet ✆ 49 93 63 00, Fax 43 60 83 95, ← – 600. AE ⓓ GB JCB Y 36
Repas carte environ 180, enf. 57 – ☐ 60 – **611 ch** 595/620.

Campanile M, 30 av. Gén. de Gaulle, échangeur Porte de Bagnolet ✆ 48 97 36 00, Fax 48 97 95 60 – 200. AE ⓓ GB Y 36
Repas 92 bc/119 bc, enf. 39 – ☐ 34 – **274 ch** 395.

PEUGEOT Botzaris, 210 r. de Noisy-le-Sec ✆ 40 05 66 30

Baillet-en-France **95560** Val-d'Oise 101 ⑤ – 1 409 h alt. 100.

Paris 30 – Beauvais 55 – Chantilly 23 – L'Isle-Adam 9 – Montmorency 11 – Pontoise 17.

La Cascade M avec ch, au Paris-International-Golf-Club, S : 1 km par rte secondaire ✆ 34 69 90 90, Fax 34 69 97 15, « Au milieu d'un parc et d'un golf », – 30. AE ⓓ GB. ch
fermé du 3 au 18 mars, 11 au 26 août, sam. midi, dim. et lundi – **Repas** 260/360 – ☐ 60 – **6 ch** 650/800.

Le Blanc-Mesnil **93150** Seine-St-Denis 101 ⑰ 20 – 46 956 h alt. 48.

Paris 17 – Bobigny 5 – Lagny-sur-Marne 25 – St-Denis 9 – Senlis 39.

Bleu Marine M, 219 av. Descartes ✆ 48 65 52 18, Fax 45 91 07 75, – 50. AE ⓓ GB M 40
Repas 165, enf. 49 – ☐ 60 – **128 ch** 450/480.

voir aussi ***Le Bourget***

Bobigny **93000** Seine-St-Denis 101 ⑰ 20 – 44 659 h alt. 42.

Paris 15 – St-Denis 7.

Campanile M, 304 av. Paul Vaillant-Couturier ✆ 48 31 37 55, Fax 48 31 53 30 – 25 à 50. AE ⓓ GB T 39
Repas 92 bc/119 bc, enf. 39 – ☐ 34 – **120 ch** 340.

PEUGEOT Nlle Centrale Auto, 97-103 av. Gallieni à Bondy ✆ 48 47 31 19

Pour visiter la région parisienne,
utilisez le guide Vert Michelin **Ile-de-France**,
les cartes 101, 106, 237 et les plans de Banlieue 17, 19, 21 et 23.

Bois-Colombes 92270 Hauts-de-Seine 101 ⑮ 18 – 24 415 h alt. 37.

Paris 11 – Nanterre 8 – Pontoise 26 – St-Denis 9 – St-Germain-en-Laye 20.

XXX **Le Bouquet Garni,** 7 r. Ch. Chefson ✆ 47 80 55 51 – AE GB S
fermé août, lundi soir, sam. midi et dim. – **Repas** 170/230 bc et carte 210 à 320.

CITROEN Gar. Central, 17 bis av. Gambetta ✆ 42 42 11 00

CITROEN Gar. des Hauts de Seine, 249 av. d'Argenteuil ✆ 47 81 42 22

Bonneuil-sur-Marne 94380 Val-de-Marne 101 ㉗ 24 – 13 626 h alt. 50.

Paris 17 – Chennevières-sur-Marne 5,5 – Créteil 3,5 – Lagny-sur-Marne 32 – St-Maur-des-Fossés 5.

Campanile, ZI Petits Carreaux, 2 av. Bleuets ✆ 43 77 70 29, Fax 43 99 42 96, – AL
– 25. AE GB
Repas 84 bc/107 bc, enf. 39 – ☕ 32 – **60 ch** 270.

XX **Aub. du Moulin Bateau,** r. Moulin Bateau ✆ 43 77 00 10, Fax 43 77 70 86, , « Terrasse en bordure de Marne », – . AE GB AJ
fermé sam. midi et dim. soir – **Repas** 140/400 et carte 260 à 330.

CITROEN Soulard et Faure, av. du 19 Mars 1962 ✆ 43 39 63 66

MERCEDES Gar. Segmat, ZI des Petits Carreaux ✆ 43 39 70 11

RENAULT Central Gar., 3 av. de Boissy ✆ 43 39 62 39

Bougival 78380 Yvelines 101 ⑬ 18 **G. Ile de France** – 8 552 h alt. 40.

Syndicat d'Initiative - Hôtel de Ville - r. Joffre ✆ 39 69 01 15.

Paris 19 – Rueil-Malmaison 5 – St-Germain-en-Laye 6 – Versailles 6,5 – Le Vésinet 8.

Forest Hill M, N 13 ✆ 39 18 17 16, Télex 695580, Fax 39 18 15 80, – rest Y
– 15. AE GB
Repas 79/129 bc, enf. 69 – ☕ 55 – **175 ch** 650.

XXX **Le Camélia,** 7 quai G. Clemenceau ✆ 39 18 36 06, Fax 39 18 00 25 – . AE GB Y
fermé 21 juil. au 19 août, dim. soir et lundi – **Repas** carte 190 à 270.

Boulogne-Billancourt SP 92100 Hauts-de-Seine 101 ㉔ 22 **G. Ile de France** – 101 743 h alt. 3

Voir Jardin Albert Kahn★ – Musée Paul Landowski★.

Paris 9 – Nanterre 10,5 – Versailles 15.

Latitudes M, 37 pl. René Clair ✆ 49 10 49 10, Télex 633261, Fax 46 08 27 09 – AC
– 30 à 150. AE GB JCB
L'Entracte ✆ 49 10 49 50 **Repas** 145/190 bc (déj.) et carte 160 à à 220, enf. 110 – ☕ 68 – **180 ch** 860/905.

Acanthe M sans rest, 9 rd-pt Rhin et Danube ✆ 46 99 10 40, Fax 46 99 00 05 – AB
. AE GB JCB
☕ 65 – **34 ch** 695/1100.

Adagio M, 20 r. Abondances ✆ 48 25 80 80, Fax 48 25 33 13, – ch AB
– 60. AE GB JCB
Repas *(fermé vend. soir et sam.)* 90/150 – ☕ 65 – **75 ch** 730/795.

Sélect H. sans rest, 66 av. Gén.-Leclerc ✆ 46 04 70 47, Fax 46 04 07 77 – . AC
GB.
☕ 40 – **63 ch** 480/540.

Bijou H. sans rest, 15 r. V. Griffuelhes, pl. Marché ✆ 46 21 24 98, Fax 46 21 12 98 – AC 2
. AE GB JCB
☕ 27 – **50 ch** 270/350.

Paris sans rest, 104 bis r. Paris ✆ 46 05 13 82, Fax 48 25 10 43 – . AE GB AB19-2
☕ 38 – **31 ch** 345/420.

Olympic H. sans rest, 69 av. V. Hugo ✆ 46 05 20 69, Fax 46 04 04 07 – . AC 2
GB
☕ 30 – **36 ch** 340/430.

XXXX ✿ **Au Comte de Gascogne** (Charvet), 89 av. J.-B. Clément ✆ 46 03 47 27 AB 1
Fax 46 04 55 70, « Jardin d'hiver » – . AE GB
fermé 10 au 19 août, sam. midi et dim. – **Repas** 260 (déj.)/400 et carte 380 à 530
Spéc. Dégustation de foie gras de canard. Pigeon désossé farci (fin sept. à fin avril). Chocolat moelleux et glac pistache.

XX **L'Auberge,** 86 av. J.-B. Clément ✆ 46 05 67 19, Fax 46 05 23 16 – . AE GB JCB AB 1
fermé 4 au 28 août, sam. midi et dim. – **Repas** 153 bc/195 bc et carte 240 à 360.

XX **La Bretonnière,** 120 av. J.-B. Clément ✆ 46 05 73 56, Fax 46 05 73 56 – AE GB AB 1
fermé sam. et dim. – **Repas** 165/265.

XX **La Ferme de Boulogne,** 1 r. Billancourt ✆ 46 03 61 69, Fax 46 04 55 70 – AE GB AB 1
fermé 10 au 25 août, sam. midi et dim. – **Repas** 160 (dîner)et carte 190 à 270.

X **Le Boeuf et le Bouchon,** 189 r. Gallieni ✆ 48 25 11 84, Fax 46 05 55 85 – AE GB AC 1
Repas 143 bc, enf. 39.

_FA-ROMEO Lov'Auto, 23 r. Solférino
' 46 21 50 60
MW Zol'Auto, 24 r. du Chemin Vert
' 46 09 91 43 N ℘ 46 08 23 00
TROEN Gar. Augustin, 53 r. Danjou
' 46 09 93 75 N ℘ 05 05 24 24
AT, LANCIA Succursale, 67 r. du Château
' 46 99 45 45
AGUAR, ROVER Adam Clayton, 77 av. P.-Grenier
' 46 09 15 32
PEL, SAAB Cap Ouest Autom., 6 bis r. de la
erme ℘ 46 94 07 06
EUGEOT Paris Ouest Autom., 21-23 q. A.-Le Gallo
' 46 05 43 43 N ℘ 05 44 24 24

RENAULT Succursale, 577 av. Gén.-Leclerc
℘ 47 61 39 39 N ℘ 05 05 15 15
RENAULT, ALPINE Succursale, 120 r. Thiers
℘ 46 20 12 13 N ℘ 05 05 15 15
TOYOTA Paris Boulogne Auto, 6 r. de la Ferme
℘ 46 94 09 09
VAG Aguesseau Autom., 183 r. Gallieni
℘ 46 05 62 60

Cent Mille Pneus, 117 rte de la Reine
℘ 46 99 98 78
Etter Pneus, 57 r. Thiers ℘ 46 20 18 55

Le Bourget **93350 Seine-St-Denis 101 ⑰ 20 G. Ile de France – 11 699 h alt. 47.**

Voir Musée de l'Air et de l'Espace★★.

Paris 14 – Bobigny 5 – Chantilly 37 – Meaux 41 – St-Denis 6,5 – Senlis 37.

Novotel M, ZA pont Yblon au Blanc Mesnil ✉ 93150 ℘ 48 67 48 88, Télex 230115, Fax 45 91 08 27, – 25 à 200. AE GB. rest L 39
Repas carte environ 180, enf. 50 – 55 – **143 ch** 470/495.

Bleu Marine M, aéroport du Bourget - Zone aviation d'affaires ℘ 49 34 10 38, Télex 236600, Fax 49 34 10 35 – 60. AE GB L 38
Repas 115/165, enf. 49 – 60 – **85 ch** 510.

Euromaster, 190 av. Ch.-Floquet à Blanc-Mesnil ℘ 48 67 17 40 N ℘ 48 60 60 30

Bourg-la-Reine **92340 Hauts-de-Seine 101 ㉕ 22 – 18 499 h alt. 56.**

Office de Tourisme 1 bd Carnot ℘ 46 61 36 41.

Paris 9 – Boulogne-Billancourt 16 – Évry 24 – Versailles 17.

Alixia M sans rest, 82 av. Gén. Leclerc ℘ 46 60 56 56, Fax 46 60 57 34 – AE GB AJ 26
42 – **38 ch** 500/550.

EUGEOT Gar. Sireine Autos, 12 bis, av. Gén.-
eclerc ℘ 46 11 15 15
ENAULT Gar. des Cottages, 19 av. des Cottages
' 43 50 13 75

Vaysse, 30 av. du Gén.-Leclerc ℘ 46 65 67 69

Brou-sur-Chantereine **77177 S.-et-M. 101 ⑲ – 4 469 h alt. 120.**

Paris 35 – Coulommiers 43 – Meaux 28 – Melun 47.

XX **Le Lotus de Brou,** 2 ter r. Carnot ℘ 64 21 01 44 – GB.
fermé août et lundi – **Repas** - cuisines chinoise et thaï - carte 180 à 270.

RAVM, 12 r. de Chantereine ℘ 60 20 99 05

Buc **78530 Yvelines 101 ㉓ 22 – 5 434 h alt. 130.**

Paris 27 – Bièvres 7,5 – Chevreuse 12 – Versailles 4,5.

Campanile, Z.A.C. du Pré Clos ℘ 39 56 26 26, Fax 39 56 26 27, – 25. AE GB AM 9
Repas 84 bc/107 bc, enf. 39 – 32 – **49 ch** 270.

Climat de France, Z.A.C. du Haut Buc ℘ 39 56 48 11, Fax 39 56 81 54, – AE GB JCB AL 9
Repas 89/130 , enf. 39 – 34 – **44 ch** 304.

ENAULT Succursale, ZI, 2-4 r. R.-Garros ℘ 30 84 60 00 N ℘ 05 05 15 15

Carrières-sur-Seine **78420 Yvelines 101 ⑭ 18 – 11 469 h alt. 52.**

Paris 20 – Argenteuil 9 – Asnières-sur-Seine 11 – Courbevoie 9 – Nanterre 8 – Pontoise 28 – St-Germain-en-Laye 6.

XX **Le Panoramic de Chine,** 1 r. Fermettes ℘ 39 57 64 58, Fax 39 15 17 68, – AE GB S 15
Repas - cuisines chinoise et thaï - 88/148 et carte 110 à 150 .

La Celle-St-Cloud **78170 Yvelines 101 ⑬ 18 – 22 834 h alt. 115.**

Paris 20 – Rueil-Malmaison 6,5 – St-Germain-en-Laye 7,5 – Versailles 5 – Le Vésinet 9,5.

X **Au Petit Chez Soi,** pl. Église, au bourg ℘ 39 69 69 51, Fax 39 18 30 42, , bistrot – AE GB AA 11
fermé 24 déc. au 1er janv. – **Repas** 163 et carte 150 à 220.

Charenton-le-Pont 94220 Val-de-Marne 101 ㉗ 24 G. Île de France – 21 872 h alt. 45.

Voir Musée Français du Pain★.

Paris 9 – Alfortville 4 – Ivry-sur-Seine 2,8.

Novotel Atria M, 5 pl. Marseillais (r. Paris) ✆ 46 76 60 60, Télex 261665 Fax 49 77 68 00 – 🛗 ⇆ ▤ TV ☎ ♿ 🚗 – 🏛 25 à 180. AE ⓓ GB — AD
Repas 128 – ☕ 60 – **132 ch** 610/660.

XX **Le Grand Bleu,** 21 av. Mar. de Lattre de Tassigny ✆ 49 77 65 65 – AE GB — AE
fermé 29 juil. au 2 sept., dim. soir et lundi – **Repas** - produits de la mer - 115 (déj.)/170 et car 190 à 290.

Châteaufort 78117 Yvelines 101 ㉒ 22 – 1 427 h alt. 153.

Paris 33 – Arpajon 28 – Rambouillet 25 – Versailles 10.

XX ✿ **La Belle Epoque** (Rayé), ✆ 39 56 21 66, Fax 39 56 87 96, 🏕, « Auberge rustique d minant le vallon » – AE ⓓ GB — AR
fermé 15 au 29 août, dim. soir et lundi – **Repas** 215/360 et carte 360 à 490, enf. 150
Spéc. Foie gras de canard aux deux cuissons. Carré d'agneau de Pauillac au thym en cocotte lutée. Pigeonneau d'Eu et Loire pané aux gousses d'ail.

Chatou 78400 Yvelines 101 ⑬ 18 – 27 977 h alt. 30.

Paris 18 – Maisons-Laffitte 11 – Pontoise 31 – St-Germain-en-Laye 5 – Versailles 12.

XX **Les Canotiers,** 16 av. Mar. Foch ✆ 30 71 58 69 – ▤. AE GB — V
fermé 29 juil. au 19 août, dim. soir et lundi – **Repas** 99/135 et carte 160 à 220.

Chelles 77500 S.-et-M. 101 ⑲ 20 – 45 365 h alt. 45.

ℹ Office de Tourisme 51 bis av. de la Résistance ✆ 60 08 12 24.

Paris 22 – Coulommiers 46 – Meaux 27 – Melun 45.

Climat de France, D 34, rte Claye-Souilly ✆ 60 08 75 58, Fax 60 08 90 94 – TV ☎ 📞 P – 🏛 50. AE GB — W
Repas 87/115 🍷, enf. 39 – ☕ 32 – **43 ch** 270.

XX **Rôtisserie Briarde,** 43 r. A. Meunier ✆ 60 08 02 78, Fax 60 20 99 85, 🏕, 🌳 – P. AE GB — X
fermé août, vacances de fév., lundi soir et mardi – **Repas** 160/220 et carte 240 à 360, enf. 6

CITROEN Gar. Pacha, 59-61 av. Mar.-Foch ✆ 60 08 56 01
FORD Gar. Dubos, 92 av. Mar.-Foch ✆ 60 20 43 42
NISSAN Gar. Pirrot, 34 à 40 r. A.-Meunier ✆ 69 57 07 26
OPEL Chelles Autom., ZI, av. de Sylvie ✆ 60 08 53 02
PEUGEOT Gar. Metin, 53 av. Mar.-Foch ✆ 60 08 57 57 N ✆ 05 44 24 24
RENAULT Gar. de Chelles, 9 av. du Marais ✆ 64 21 19 81 N ✆ 60 26 15 88
VAG Gar. Lourdin, 33 r. G.-Nast ✆ 60 08 38 42

Ⓜ Euromaster, 41 r. A.-Meunier ✆ 60 08 07 68

Chennevières-sur-Marne 94430 Val-de-Marne 101 ㉘ 24 – 17 857 h alt. 108.

⛳18 d'Ormesson ✆ 45 76 20 71, SE : 3 km.

Paris 19 – Coulommiers 48 – Créteil 9 – Lagny-sur-Marne 22.

XXX **Écu de France,** 31 r. Champigny ✆ 45 76 00 03, ≤, 🏕, « Cadre rustique, terrass fleurie en bordure de rivière », 🌳 – P. GB. ✂ — AG
fermé 2 au 9 sept., dim. soir et lundi – **Repas** carte 240 à 360.

BMW Gar. du Bac, 2 et 4 r. Lavoisier ✆ 49 62 03 30 N ✆ 40 25 59 00
FIAT Carrefour des Nations, 2 rte de la Libération ✆ 45 76 56 05
RENAULT SOVEA, 96 rte de la Libération ✆ 49 62 21 21 N ✆ 07 57 06 52
VOLVO Volvo Alma, 102 rte de la Libération ✆ 45 93 04 00

Chevilly-Larue 94550 Val-de-Marne 101 ㉖ 22 – 16 223 h alt. 88.

Paris 12 – Antony 5 – Corbeil-Essonnes 30 – Créteil 11 – Longjumeau 12.

X **Chez Fernand,** 248 av. Stalingrad ✆ 46 86 11 77 – GB — AL
1er au 21 août, sam. et dim. – **Repas** 135 et carte 210 à 310.

Ⓜ Pneu Vulcopneu, 88 av. Stalingrad ✆ 46 87 25 48

Clamart 92140 Hauts-de-Seine 101 ㉕ 22 – 47 227 h alt. 102.

ℹ Office de Tourisme 22 rue Pierre et Marie Curie ✆ 46 42 17 95.

Paris 10 – Boulogne-Billancourt 5 – Issy-les-Moulineaux 3,5 – Nanterre 16 – Versailles 14.

du Trosy sans rest, 41 r. P. Vaillant-Couturier ✆ 47 36 37 37, Fax 47 36 88 38 – 🛗 TV 📞 ♿ 🚗. AE GB — AG
☕ 35 – **40 ch** 310/400.

PEUGEOT Gar. Claudis, 182 av. Gén.-de-Gaulle ✆ 41 07 90 20 N ✆ 05 44 24 24
RENAULT Clamart Autom., 185 av. V.-Hugo ✆ 46 44 38 03 N ✆ 05 05 15 15
VAG S.T.N.A., 154 av. V.-Hugo ✆ 46 42 20 61

Ⓜ Clamart Pneus, 329 av. Gén.-de-Gaulle ✆ 46 31 12 04

Clichy 92110 Hauts-de-Seine 101 ⑮ 18 – 48 030 h alt. 30.

Office de Tourisme 61 r. Martre ✆ 42 70 97 56.

Paris 8 – Argenteuil 8 – Nanterre 8 – Pontoise 28 – St-Germain-en-Laye 20.

Sovereign sans rest, 14 r. Dagobert ✆ 47 37 54 24, Fax 47 30 05 80 – AE GB T 25
42 – **42 ch** 380/420.

Le Ruthène sans rest, 35 r. Klock ✆ 47 37 02 51, Fax 42 70 83 87 – AE GB. U 26
35 – **20 ch** 380.

des Chasses M sans rest, 49 r. des Chasses ✆ 47 37 01 73, Fax 47 31 40 98 – AE GB JCB. T 25
35 – **35 ch** 360/400.

L'Europe sans rest, 52 bd Gén. Leclerc ✆ 47 37 13 10, Fax 40 87 11 06 – 25. AE GB T 26
35 – **43 ch** 360/390.

La Romantica, 73 bd J. Jaurès ✆ 47 37 29 71, Fax 47 37 76 32 – AE GB T 25
fermé sam. midi et dim. – **Repas** - cuisine italienne - 185/350 et carte 250 à 410.

La Bonne Table, 119 bd J.-Jaurès ✆ 47 37 38 79 – GB T 25
fermé 1er août au 1er sept., sam. et dim. – **Repas** - produits de la mer - (déj. seul.) 200/300.

La Barrière de Clichy, 1 r. Paris ✆ 47 37 05 18, Fax 47 37 77 05 – AE GB U 26
fermé sam. midi et dim. – **Repas** 150/210 et carte 200 à 280.

MW G.P.M., 8 rue de Belfort ✆ 47 39 99 40
TROEN Centre Citroën Clichy, 125 bd J.-Jaurès 42 70 17 17
TROEN Succursale, 15-17 r. Fournier ZAC 47 37 30 02
FORD Gar. Sadeva, 129 bd Jean Jaurès ✆ 47 39 71 13
Central Pneumatique, 22 r. Dr.-Calmette ✆ 42 70 99 94

Courbevoie 92400 Hauts-de-Seine 101 ⑮ 18 G. Ile de France – 65 389 h alt. 28.

Paris 10 – Asnières-sur-Seine 3 – Levallois-Perret 5,5 – Nanterre 4 – St-Germain-en-Laye 16.

George Sand sans rest, 18 av. Marceau ✆ 43 33 57 04, Télex 615305, Fax 47 88 59 38, « Décor évoquant l'époque de George Sand » – AE GB JCB U 20
37 – **31 ch** 400/485.

Blois sans rest, 85 bd St-Denis ✆ 43 33 13 35, Fax 47 88 24 80 – AE GB U 21-22
40 – **33 ch** 390/450.

Central sans rest, 99 r. Cap. Guynemer ✆ 47 89 25 25, Télex 612333, Fax 46 67 02 21 – AE GB JCB U 20
30 – **55 ch** 360/400.

Quartier Charras :

Mercure La Défense 5 M, 18 r. Baudin ✆ 49 04 75 00, Télex 610470, Fax 47 68 83 32 – 25 à 250. AE GB JCB U 20
***Charleston Brasserie :* Repas** 138 ⅌, enf. 50 – 70 – **510 ch** 890/930, 5 appart.

au Parc de Bécon :

Trois Marmites, 215 bd St-Denis ✆ 43 33 25 35 – AE GB U 22
fermé août, sam. et dim. – **Repas** 190/250.

ONDA Japauto Autom., 96-102 bd de Verdun 47 37 52 94
ENAULT Succursale, 8 bd G.-Clémenceau 46 67 55 55 N ✆ 05 05 15 15
Cenci Pneu Point S, 8 r. de Bitche ✆ 43 33 25 36

Créteil P 94000 Val-de-Marne 101 ㉗ 24 G. Ile de France – 82 088 h alt. 48.

Voir Hôtel de ville★ : parvis★.

Office de Tourisme 1 r. F.-Mauriac ✆ 48 98 58 18.

Paris 14 – Bobigny 19 – Évry 31 – Lagny-sur-Marne 28 – Melun 35.

Novotel M, au lac ✆ 42 07 91 02, Fax 48 99 03 48 – 80. AE GB JCB AJ 38
Repas carte environ 180, enf. 50 – 57 – **110 ch** 490/530.

Ibis, carrefour Pompadour, 14 r. Basse Quinte ✆ 49 80 12 22, Fax 43 99 04 45 – 40. AE GB AK 38
Repas 100 bc, enf. 40 – 35 – **84 ch** 295.

TROEN Gar. des Quais, 30 r. de Valenton 42 07 21 00 N ✆ 05 05 24 24
EUGEOT SCA-SVICA, 89 av. Gén.-de-Gaulle 45 17 94 94
ENAULT SVAC, ZI Petites Haies, 37 r. de Valenton 45 17 98 00
Euromaster, 54 av. H.-Barbusse à Valenton ✆ 43 89 06 54

Croissy-sur-Seine 78290 Yvelines 101 ⑬ 18 – 9 098 h alt. 24.

Paris 20 – Maisons-Laffitte 10 – Pontoise 27 – St-Germain-en-Laye 4,5 – Versailles 9.

La Buissonnière, 9 av. Mar. Foch ☎ 39 76 73 55 – GB W
fermé 15 août au 15 sept., dim. soir et lundi – **Repas** 150.

La Défense 92 Hauts-de-Seine 101 ⑭ 18 G. Paris – ✉ 92400 Courbevoie.

Voir Quartier★★ : perspective★ du parvis.

Paris 12 – Courbevoie 2 – Nanterre 2,5 – Puteaux 1.

Sofitel CNIT M ⛰, 2 pl. Défense ☎ 46 92 10 10, Télex 613782, Fax 46 92 10 50 – ch – 25. AE GB JCB. rest U19-V
voir rest. *Les Communautés* ci-après – ☕ 95 – **141 ch** 1460/1700, 6 appart.

Sofitel La Défense M ⛰, 34 cours Michelet, par bd circulaire sortie La Défense 4
92060 Puteaux ☎ 47 76 44 43, Télex 612189, Fax 47 73 72 74 – 80. AE GB V
Les 2 Arcs (fermé dim. midi et sam.) **Repas** 295(déj.)/355(déj.) sauf dim. et carte 260 à 340
Le Botanic (déj. seul) **Repas** 265 et carte 210 à 280 – ☕ 80 – **150 ch** 1350.

Novotel La Défense M, 2 bd Neuilly ☎ 47 78 16 68, Télex 630288, Fax 47 78 84 71,
– 25 à 150. AE GB JCB V
Repas carte environ 180 ⅓, enf. 50 – ☕ 62 – **280 ch** 770/790.

Ibis La Défense M, 4 bd Neuilly ☎ 47 78 15 60, Fax 47 78 94 16, –
– 120. AE GB V
Repas 99 bc, enf. 39 – ☕ 39 – **284 ch** 475.

Les Communautés - Hôtel Sofitel CNIT, 2 pl. Défense, 5ᵉ étage ☎ 46 92 10 30 – AE
GB JCB. UV
fermé sam. et dim. – **Repas** 175 (dîner)/300 et carte environ 280.

Enghien-les-Bains 95880 Val-d'Oise 101 ⑤ 18 G. Ile de France – 10 077 h alt. 45 – Sta therm. (fermé janv.-fév.) – Casino .

Voir Lac★ – Deuil-la-Barre : chapiteaux historiés★ de l'église N.-Dame NE : 2 km.

18 de Domont Montmorency ☎ 39 91 07 50, N : 8 km.

Office de Tourisme pl. du Mar. Foch ☎ 34 12 41 15, Fax 39 34 05 76.

Paris 19 – Argenteuil 4,5 – Chantilly 31 – Pontoise 21 – St-Denis 7 – St-Germain-en-Laye 19.

Le Grand Hôtel M ⛰, 85 r. Gén. de Gaulle ☎ 34 12 80 00, Fax 34 12 73 81, , –
P – 35. AE GB K
Repas 135/250 et carte 230 à 435, enf. 80 – ☕ 80 – **45 ch** 480/720.

Aub. Landaise, 32 bd d'Ormesson ☎ 34 12 78 36 – AE GB J
fermé août, dim. soir et merc. – **Repas** carte 160 à 260.

BMW Enghien Autom., 211 av. Division Leclerc ☎ 39 89 14 17
NISSAN Gar. Andréoli, 14 r. J.-Ferry ☎ 39 64 70

Épinay-sur-Seine 93800 Seine-St-Denis 101 ⑮ 18 – 48 762 h alt. 34.

Paris 14 – Argenteuil 4,5 – Bobigny 16 – Pontoise 21 – St-Denis 5,5.

Ibis, 1 av. 18-Juin-1940 ☎ 48 29 83 41, Fax 48 22 93 03, – – 5
AE GB L
Repas 99 bc, enf. 39 – ☕ 35 – **91 ch** 320.

Myriades, 127 rte St-Leu ☎ 42 35 81 63, Fax 42 35 81 62 – rest P
30. GB M
Repas *(fermé dim. soir)* 81/115 ⅓, enf. 44 – ☕ 36 – **46 ch** 290.

Euromaster, 123-125 av. Mar.-de-Lattre-de-Tassigny ☎ 48 41 43 75

Fontenay-aux-Roses 92260 Hauts-de-Seine 101 ㉕ 22 – 23 322 h alt. 120.

Paris 8,5 – Boulogne-Billancourt 7,5 – Nanterre 22 – Versailles 15.

Climat de France M, 32 av. J. M. Dolivet ☎ 43 50 02 04, Fax 46 83 81 20 –
– 40. AE GB AH
Repas 80/138 ⅓, enf. 39 – ☕ 37 – **58 ch** 360.

CITROEN B.F.A., 98 r. Boucicaut ☎ 46 61 21 75
FORD Gar. Mécanoel, 2 r. des Benards angle av. Lombart ☎ 46 61 11 14
RENAULT Gar. Beck, 17 av. Jean-Moulin ☎ 43 50 61 90

Fontenay-sous-Bois 94120 Val-de-Marne 101 ⑰ 20 24 – 51 868 h alt. 70.

Syndicat d'Initiative 4 bis av. Charles Garcia ☎ 43 94 33 48, Fax 43 94 02 93.

Paris 16 – Créteil 12 – Lagny-sur-Marne 23 – Villemomble 7 – Vincennes 4.

Mercure M, av. Olympiades ☎ 49 74 88 88, Fax 43 94 17 73 – – 9
AE GB Z
Repas 138 ⅓, enf. 50 – ☕ 57 – **133 ch** 535/590.

La Musardière, 61 av. Mar. Joffre ☎ 48 73 96 13 – GB AA
fermé 1ᵉʳ au 21 août, lundi soir, mardi soir et dim. – **Repas** 148 et carte 190 à 300.

MERCEDES Etoile des Nations, 189 av. Mar.-De-Lattre-de-Tassigny ☎ 48 77 09 09

Gagny 93220 Seine-St-Denis 101 ⑱ 20 – 36 059 h alt. 70.

Paris 15 – Bobigny 8 – Lagny-sur-Marne 14 – Livry-Gargan 5.

XX **Le Vilgacy,** 45 av. H. Barbusse ☎ 43 81 23 33 – GB V 45
fermé août, dim. soir et lundi – **Repas** 130/170 et carte 210 à 320.

Garches 92380 Hauts-de-Seine 101 ⑭ 22 – 17 957 h alt. 114.

18 18 (privé) ☎ 47 01 01 85, parc de Buzenval, 60 r. 19-Janvier.

Paris 15 – Courbevoie 8,5 – Nanterre 8 – St-Germain-en-Laye 14 – Versailles 8,5.

XX **La Tardoire,** 136 Grande Rue ☎ 47 41 41 59 – GB AB 15
fermé 15 juil. au 12 août, 2 au 10 janv., dim. soir et lundi – **Repas** 100 (déj.), 140/160 et carte 180 à 290.

TROEN Gar. Magenta, 4 bd Gén.-de-Gaulle ☎ 47 10 91 50

La Garenne-Colombes 92250 Hauts-de-Seine 101 ⑭ 18 – 21 754 h alt. 40.

Office de Tourisme 24 r. E.-d'Orves ☎ 47 85 09 90.

Paris 11,5 – Argenteuil 6 – Asnières-sur-Seine 4,5 – Courbevoie 2 – Nanterre 2 – Pontoise 27 – St-Germain-en-Laye 14.

XX **Aub. du 14 Juillet,** 9 bd République ☎ 42 42 21 79 – AE ⓓ GB JCB T 21
fermé 13 au 19 mai, 10 au 25 août, sam., dim. et fériés – **Repas** 170 et carte 250 à 380.

XX **Aux Gourmets Landais,** 5 av. Joffre ☎ 42 42 22 86, Fax 42 42 27 14, – AE ⓓ GB T 20
fermé 15 août au 15 sept., dim. soir et lundi – **Repas** 120 (déj.), 200/260 bc et carte 250 à 360.

EUGEOT Succursale, 9 bd National ☎ 41 19 55 00 N ☎ 05 44 24 24

Gentilly 94250 Val-de-Marne 101 ㉖ 24 – 17 093 h alt. 46.

Paris 6 – Créteil 13.

Mercure M, 51 av. Raspail ☎ 47 40 87 87, Fax 47 40 15 88, – rest TV – 40. AE ⓓ GB AE 29
Repas *(fermé vend. soir et sam.)* carte 140 à 200 – 55 – **87 ch** 525/565.

Gometz-le-Chatel 91940 Essonne 101 ㉝ – 1 763 h alt. 168.

Paris 31 – Arpajon 21 – Évry 30 – Rambouillet 25 – Versailles 21.

XX **La Mancelière,** 83 rte Chartres ☎ 60 12 30 10, Fax 60 12 53 10 – AE GB.
fermé 11 au 26 août, sam. midi et dim. sauf fériés – **Repas** 155 et carte 240 à 300.

Goussainville 95190 Val-d'Oise 101 ⑦ – 24 812 h alt. 95.

Paris 27 – Chantilly 23 – Pontoise 33 – Senlis 28.

Médian M, 2 av. F. de Lesseps ☎ 39 88 93 93, Fax 39 88 75 65, – TV P – 30. AE ⓓ GB JCB
Repas 78/135 , enf. 40 – 30 – **49 ch** 300, 6 appart.

Campanile, Z.A.E. Ch. de Gaulle ☎ 39 92 93 36, Fax 39 92 93 73 – TV P – 25. AE ⓓ GB
Repas 92 bc/119 bc, enf. 39 – 34 – **70 ch** 275.

Issy-les-Moulineaux 92130 Hauts-de-Seine 101 ㉕ 22 – 46 127 h alt. 37.

Office de Tourisme Esplanade de l'Hôtel de Ville ☎ 40 95 65 43.

Paris 6,5 – Boulogne-Billancourt 3 – Clamart 3,5 – Nanterre 12 – Versailles 16.

Campanile, 213 r. J.-J. Rousseau ☎ 47 36 42 00, Fax 47 36 88 93 – TV – 70. AE ⓓ GB AD 21
Repas 92 bc/119 bc, enf. 39 – 34 – **168 ch** 360.

XX **Manufacture,** 20 espl. Manufacture (face au 30 r. E. Renan) ☎ 40 93 08 98, Fax 40 93 57 22, – . AE GB AD 23
fermé 5 au 19 août, sam. midi et dim. – **Repas** 130/220.

X **Coquibus,** 16 av. République ☎ 46 38 75 80, Fax 41 08 95 80, brasserie – AE GB AD 22
fermé 11 au 25 août, sam. midi et dim. – **Repas** 160/260.

LFA ROMEO V.A.R. France, 41-45 q. Prés.-
oosevelt ☎ 46 62 78 78 N ☎ 05 31 14 11

Cent Mille Pneus, 30 r. A. Briand ☎ 46 48 88 88
RAVM, 11 av. Bourgain ☎ 47 36 51 59
RAVM, 54 av. du Bas-Meudon ☎ 46 38 81 77

Ivry-sur-Seine 94200 Val-de-Marne 101 ㉖ 24 – 53 619 h alt. 60.

Paris 7,5 – Créteil 9,5 – Lagny-sur-Marne 28.

X **L'Oustalou,** 9 bd Brandebourg ☎ 46 72 24 71, Fax 46 70 36 86 – AE GB AE 34
fermé 3 au 18 août, sam. et dim. – **Repas** 154 .

Michardière, 30 av. de Verdun ☎ 46 72 65 48

Pneu Service, 14-16 bd Brandenbourg ☎ 46 72 16 47

Joinville-le-Pont 94340 Val-de-Marne 101 ㉗ 24 – 16 657 h alt. 49.

Syndicat d'Initiative 23 r. de Paris ☎ 42 83 41 16, Fax 42 83 41 16.

Paris 11 – Créteil 6 – Lagny-sur-Marne 23 – Maisons-Alfort 4 – Vincennes 4,5.

Bleu Marine M, 16 av. Gén. Galliéni ☎ 48 83 11 99, Fax 48 89 51 58 – 110. AE GB AE
Repas 170 bc, enf. 49 – 60 – **93 ch** 450/480.

Cinépole sans rest, 8 av. Platanes ☎ 48 89 99 77, Fax 48 89 43 92 – AE GB AE
30 – **34 ch** 290.

Campanile, 1 allée E. L'Heureux (N 4) ☎ 48 89 89 99, Fax 48 89 76 49, – 35. AE GB AE
Repas 92 bc/119 bc, enf. 39 – 34 – **122 ch** 340.

PEUGEOT Sabrie, 49-57 av. Gén. Galliéni ☎ 48 86 30 30 N ☎ 09 10 17 37
RENAULT Gar. Girardin, 118 av. R.-Salengro à Champigny-sur-Marne ☎ 48 82 11 05 N ☎ 44 22 52 32
SEAT COVAC, 26bis 30 r. J. Jaurès à Champigny-sur-Marne ☎ 47 06 19 60
VAG Gar. Bonnet, 134 av. R.-Salengro à Champigny-sur-Marne ☎ 48 81 90 10

Euromaster, 146 av. R.-Salengro N4 à Champigny-sur-Marne ☎ 48 81 32 12
Inter Pneu Vulcopneu, 33 av. Gén. de Gaulle à Champigny-sur-Marne ☎ 48 83 66 67

Le Kremlin-Bicêtre 94270 Val-de-Marne 101 ㉖ 24 – 19 348 h alt. 60.

Paris 6 – Boulogne-Billancourt 10 – Évry 29 – Versailles 25.

Campanile, bd Gén. de Gaulle (pte d'Italie) ☎ 46 70 11 86, Fax 46 70 64 47, – 150. AE GB AE
Repas 92 bc/119 bc, enf. 39 – 34 – **150 ch** 360.

Levallois-Perret 92300 Hauts-de-Seine 101 ⑮ 18 – 47 548 h alt. 30.

Paris 8 – Argenteuil 10 – Nanterre 6,5 – Pontoise 30 – St-Germain-en-Laye 18.

Parc M sans rest, 18 r. Baudin ☎ 47 58 61 60, Fax 47 48 07 92 – GB U
42 – **52 ch** 360/445.

Espace Champerret sans rest, 26 r. Louise Michel ☎ 47 57 20 71, Fax 47 57 31 39 – AE GB V
35 – **36 ch** 375/400.

ABC Champerret sans rest, 63 r. Danton ☎ 47 57 01 55, Fax 47 57 54 23 – AE GB V
30 – **39 ch** 320/370.

Splendid'H. sans rest, 73 r. Louise Michel ☎ 47 37 47 03, Fax 47 37 50 01 – AE GB JCB V
37 – **47 ch** 340/429.

Champagne H. M sans rest, 20 r. Baudin ☎ 47 48 96 00, Fax 47 58 13 29 – U
33 – **30 ch** 300/400.

Hermès sans rest, 22 r. Baudin ☎ 47 59 96 00, Fax 47 48 90 84 – AE GB U
40 – **33 ch** 360/450.

XXX **La Cerisaie,** 56 r. Villiers ☎ 47 58 40 61, Fax 47 58 40 61 – AE GB JCB V
fermé 15 au 31 août, sam. midi et dim. soir – **Repas** 195/350 et carte 310 à 430.

XX **L'Instant Gourmand,** 113 r. L. Rouquier ☎ 47 37 13 43, Fax 47 37 79 68 – AE V
fermé 10 au 30 août, sam. et dim. – **Repas** 135.

XX **La Rôtisserie,** 24 r. A. France ☎ 47 48 13 82, Fax 47 48 07 87 – AE GB V
fermé dim. – **Repas** 155.

XX **Le Jardin,** 9 pl. Jean Zay ☎ 47 39 54 02, Fax 47 39 59 99 – AE GB U
fermé 12 au 18 août, sam. midi et dim. – **Repas** 175 et carte 230 à 345.

X **Le Boeuf et le Bouchon,** 39 r. J. Jaurès ☎ 47 31 91 16, Fax 46 05 55 85 – AE GB V
Repas 125 , enf. 39.

ALFA ROMEO, FIAT, LANCIA Fiat Auto France, 80-82 q. Michelet ☎ 47 30 50 00
BMW Gar. Pozzi, 114-116 r. A.-Briand ☎ 47 70 81 33
FERRARI Gar. Pozzi, 109. r. A.-Briand ☎ 47 39 96 50 N ☎ 46 42 41 78
JAGUAR Gar. Wilson, 116 r. Prés.-Wilson ☎ 47 39 92 50
JAGUAR Franco Britannic Autom., 25 r. P.-V.-Couturier ☎ 47 57 50 80 N ☎ 46 42 41 78
MERCEDES, MITSUBISHI, PORSCHE Sonauto Levallois, 53 r. Marjolin ☎ 47 39 97 40
NISSAN France Carrosserie Autom., 49 r. A.-France ☎ 47 57 23 93

Coudert Pneus, 2 r. de Bretagne ☎ 47 37 89 16
Euromaster, 101 r. A.-France ☎ 47 58 56 70

Linas 91310 Essonne 101 ㉟ – 4 767 h alt. 55.

Autodrome permanent de Linas-Montlhéry.

Paris 26 – Arpajon 5,5 – Évry 15 – Montlhéry 1.

XX **L'Escargot de Linas,** 136 av. Div. Leclerc ☎ 69 01 00 30, – AE GB
fermé août, lundi soir et dim. – **Repas** 160 et carte 260 à 380.

Livry-Gargan 93190 Seine-St-Denis 101 ⑱ 20 – 35 387 h alt. 60.

Office de Tourisme pl. Hôtel de Ville ☎ 43 30 61 60, Fax 43 30 48 41.

Paris 18 – Aubervilliers 13 – Aulnay-sous-Bois 4 – Bobigny 6,5 – Meaux 28 – Senlis 39.

XX **Petite Marmite,** 8 bd République ☎ 43 81 29 15, terrasse – ▤. GB — T 45
fermé 8 au 30 août et merc. – **Repas** carte 190 à 330, enf. 100.

PEL Gar. Guiot, 1-3 av. A.-Briand ☎ 43 02 63 31 — Bonnet-Point S, 4 av. C.-Desmoulins ☎ 43 81 53 13

Les Loges-en-Josas 78350 Yvelines 101 ㉓ 22 – 1 506 h alt. 160.

Paris 28 – Bièvres 7 – Chevreuse 13 – Palaiseau 11 – Versailles 6.

Le Relais de Courlande ⑤, 23 av. Div. Leclerc ☎ 39 56 01 77, Fax 39 56 06 72, terrasse, Fitness, jardin – ascenseur, non-fumeurs, TV, ☎, ♿, P – salle 100. AE GB JCB — AL 10
Repas 155/360 et carte 290 à 390, enf. 80 – ☐ 35 – **45 ch** 295/650, 3 appart.

ENAULT Gar. de la Halte, rte du Petit Jouy ☎ 39 56 42 52 N ☎ 05 05 15 15

Longjumeau 91160 Essonne 101 ㉟ – 19 864 h alt. 78.

Office de Tourisme, Espace Aragon - 6 bis r. Léontine Soyier ☎ 69 09 55 56.

Paris 20 – Chartres 69 – Dreux 85 – Évry 16 – Melun 38 – ♦Orléans 111 – Versailles 26.

Relais des Chartreux M, à Saulxier SO : 2 km, sur N 20 ✉ 91160 Longjumeau ☎ 69 09 34 31, Fax 69 34 57 70, terrasse, Fitness, piscine, jardin, tennis – ascenseur ▤ rest TV ☎ P – salle 100. AE GB
Repas 159/260 – ☐ 45 – **100 ch** 230/280.

X **St-Pierre,** 42 Grande Rue ☎ 64 48 81 99, Fax 69 34 25 53 – ▤. AE ⓓ GB
fermé 28 juil. au 18 août, 4 au 10 mars, lundi soir et dim. – **Repas** 119 (déj.), 160/180 et carte 230 à 330.

à Saulx-les-Chartreux SO par D 118 – 4 141 h. alt. 75 – ✉ 91160 :

Le St-Georges ⑤, rte de Montlhéry : 1 km ☎ 64 48 36 40, Fax 64 48 89 48, ←, terrasse, parc, tennis – ascenseur TV ☎ P – salle 150. AE GB
fermé mi-juil. à mi-août – **Repas** 150/450 – ☐ 40 – **40 ch** 380/430.

Euromaster, 5 rte de Versailles, Petit Champlan ☎ 69 34 11 50

Maisons-Alfort 94700 Val-de-Marne 101 ㉗ 24 **G. Ile de France** – 53 375 h alt. 37.

Paris 9,5 – Créteil 4 – Évry 34 – Melun 38.

XX **La Bourgogne,** 164 r. J. Jaurès ☎ 43 75 12 75, Fax 43 68 05 86 – ▤. AE GB — AG 37
fermé août, sam. et dim. – **Repas** 205 bc et carte 230 à 420.

ENAULT M.A.E.S.A., 8 av. Prof. Cadiot ☎ 43 76 63 70 N ☎ 05 05 15 15 — Vaysse Pneus, 249 av. de la République ☎ 42 07 36 85

Le Page Pneus-Point S, 19 av. G.-Clémenceau ☎ 43 68 14 14

Maisons-Laffitte 78600 Yvelines 101 ⑬ 18 **G. Ile de France** – 22 173 h alt. 38.

Voir Château★.

Office de Tourisme, 41 av. de Longueil ☎ 39 62 63 64.

Paris 21 – Argenteuil 10,5 – Mantes-la-Jolie 37 – Poissy 8 – Pontoise 18 – St-Germain-en-Laye 9,5 – Versailles 22.

Climat de France M, 2 r. Paris (accès par av. Verdun) ☎ 39 12 20 20, Fax 39 62 45 54, terrasse, jardin – TV ☎ ♿ P – salle 25. AE ⓓ GB
Repas 90/117 ♨, enf. 39 – ☐ 35 – **65 ch** 340 – ½ P 287.

XXX ✿ **Le Tastevin** (Blanchet), 9 av. Eglé ☎ 39 62 11 67, Fax 39 62 73 09, terrasse, jardin – P. AE ⓓ GB JCB — M 11
fermé 13 août au 6 sept., vacances de fév., lundi soir et mardi – **Repas** 230 (déj.)/500 et carte 320 à 450
Spéc. Escalope de foie gras chaud de canard au vinaigre de cidre. Gibier (saison). Sanciaux aux pommes (sept. à mars).

XX **Le Laffitte,** 5 av. St-Germain ☎ 39 62 01 53 – AE GB — M 11
fermé 29 juil. au 28 août, dim. soir et lundi – **Repas** 200 bc/320 et carte 260 à 340.

XX **Rôtisserie Vieille Fontaine,** 8 r. Grétry ☎ 39 62 01 78, Fax 39 62 13 43, terrasse, parc – AE GB — L 12
fermé 1er au 21 août et lundi – **Repas** 171.

TROEN Gar. du Parc, 75 r. de Paris ☎ 39 62 04 78
TROEN Gar. Selier, 4 av. Longueil ☎ 39 62 04 05
RENAULT Gar. de la Station, 5, r. du Fossé ☎ 39 62 05 45

Malakoff 92240 Hauts-de-Seine 101 ㉕ 22 – 30 959 h alt. 67.

Paris 5 – Boulogne-Billancourt 5,5 – Évry 31 – Versailles 19.

Climat de France sans rest, 122 av. P. Brossolette ☎ 46 56 11 52, Fax 46 56 18 57 – AE 26
☎ ♿ 🚗. AE ⓞ GB
40 – **53 ch** 490.

PEUGEOT Gar. Parisud Malakoff, 105 bd G.-Péri ☎ 40 92 55 00
PEUGEOT Gar. Blond, 28-30 bd de Stalingrad ☎ 46 55 22 36
Gar. **Mittaud,** 81 bd G.-Péri ☎ 42 53 27 56

Marcoussis 91460 Essonne 101 ㉞ G. Île de France – 5 680 h alt. 79.

Voir Vierge★ en marbre dans l'église.

Paris 29 – Arpajon 11 – Étampes 28 – Évry 19 – Montléry 3.

Le Bellejame, 97 r. A. Dubois ☎ 69 80 66 47 – AE ⓞ GB
fermé 8 au 31 juil., 13 au 20 janv., jeudi soir, dim. soir et lundi – **Repas** 79/180 et carte 170 à 330, enf. 50.

PEUGEOT Gar. du Gay, rte d'Orsay ☎ 69 01 16 91

Come districarsi nei sobborghi di Parigi?

Utilizzando la **carta stradale Michelin** *n.* 101
e le **piante** *n.* 17-18, 19-20, 21-22, 23-24 *: chiare, precise ed aggiornate.*

Marly-le-Roi 78160 Yvelines 101 ⑫ ⑬ 18 G. Ile de France – 16 741 h alt. 90.

Voir Parc★.

Paris 22 – Saint-Germain-en-Laye 4 – Versailles 8.

Le Village, 3 Grande Rue ☎ 39 16 28 14, Fax 39 58 62 60 – GB Y
fermé 4 au 25 août, sam. midi et dim. – **Repas** (nombre de couverts limité, prévenir) 130 b (déj.)/240 et carte 150 à 290.

Marne-la-Vallée 77206 S.-et-M. 101 ⑲ ⑳ 24 G. Ile de France.

18 de Bussy-St-Georges (privé) ☎ 64 66 00 00 ; 18 9 de Disneyland Paris ☎ 60 45 69 14

Paris 28 – Meaux 28 – Melun 40.

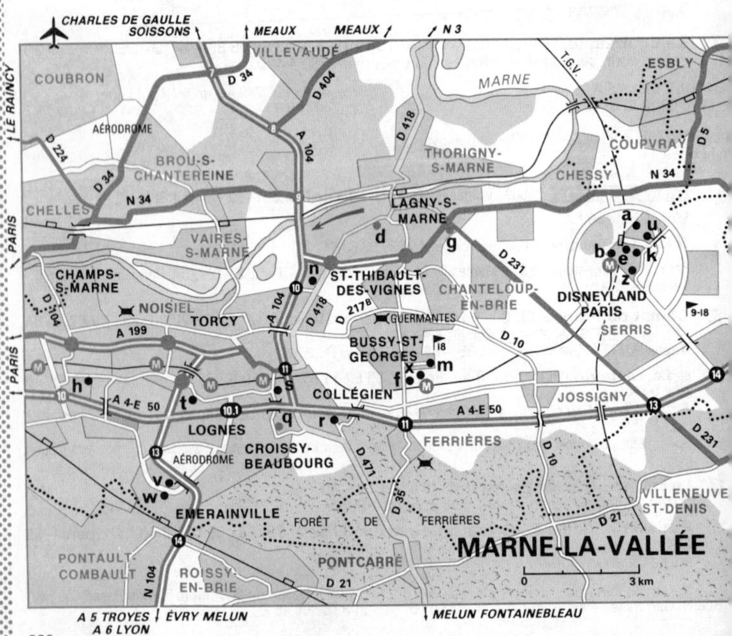

à Bussy-St-Georges – 1 545 h. alt. 105 – ✉ **77600** :

Holiday Inn M, 39 bd Lagny **(f)** ✆ 64 66 35 65, Fax 64 66 03 10, Fб, – 80. AE GB JCB
Repas *(fermé le midi de sept. à mai)* 125 ₰, enf. 55 – 65 – **120 ch** 655.

Golf H. M, 15 av. Golf **(m)** ✆ 64 66 30 30, Fax 64 66 04 36, – 120. AE GB
Repas 95/153 ₰, enf. 46 – 60 – **94 ch** 460/580.

Sol Inn Paris Bussy M, 44 bd A. Giroust **(x)** ✆ 64 66 11 11, Fax 64 66 29 05 – 50. AE GB
Repas 120 et carte 130 à 220 ₰, enf. 47 – 48 – **87 ch** 390/490.

à Champs-sur-Marne – 21 611 h. alt. 80 – ✉ **77420**.

Voir Château★ (salon chinois★★) et parc★★.

Ibis, cité Descartes, bd Newton **(h)** ✆ 64 68 00 83, Télex 693702, Fax 64 68 02 60, – 80. AE GB
Repas 99 bc, enf. 39 – 39 – **110 ch** 315.

à Collégien – 2 331 h. alt. 105 – ✉ **77090** :

Novotel M, à l'échangeur de Lagny A 4 **(r)** ✆ 64 80 53 53, Fax 64 80 48 37, – 300. AE GB
Repas 120 ₰, enf. 50 – 53 – **197 ch** 480/500.

à Croissy-Beaubourg – 2 396 h. alt. 102 – ✉ **77183** :

XXX **L'Aigle d'Or**, 8 r. Paris **(q)** ✆ 60 05 31 33, Fax 64 62 09 39, AE GB JCB
fermé dim. soir et lundi soir – **Repas** 180/450 et carte 380 à 490.

à Disneyland Paris accès par autoroute A 4 et bretelle Disneyland.

Voir Disneyland Paris★★★ (voir Guide Vert Disneyland Paris).

Disneyland Hôtel M, **(b)** ✆ (1) 60 45 65 00, Fax (1) 60 45 65 33, ≤, « Bel ensemble de style victorien à l'entrée du parc d'attractions », Fб, – 50. AE GB JCB.
California Grill (dîner seul.) **Repas** 295, enf. 95 – ***Inventions :*** **Repas** 180 (déj.)/250, enf. 140 – 150 – **478 ch** 1995/3245, 18 appart.

New-York M, **(e)** ✆ (1) 60 45 73 00, Fax (1) 60 45 73 33, ≤, « Ambiance du Manhattan des années 30 », Fб, – 1 500. AE GB JCB.
Manhattan Restaurant : **Repas** 195, enf. 65 – ***Parkside Diner :*** **Repas** carte environ 150, enf. 45 – 80 – **536 ch** 1025/1225, 31 appart.

Newport Bay Club M, **(z)** ✆ (1) 60 45 55 00, Fax (1) 60 45 55 33, ≤, « Évocation du bord de mer de la Nouvelle Angleterre », Fб, – 50. AE GB JCB.
Cape Cod : **Repas** 125 (déj.)/150, enf. 55 – ***Yacht Club*** (dîner seul. hors sais.) **Repas** 150/230, dîner à la carte, enf. 55 – 55 – **1 083 ch** 895/1095, 14 appart.

Séquoia Lodge M, **(k)** ✆ 60 45 51 00, Fax 60 45 51 33, ≤, « Atmosphère d'un hôtel des Montagnes Rocheuses », Fб, – 120. AE GB JCB.
Hunter's Grill : **Repas** 90/145, enf. 55 – ***Beaver Creek Tavern*** (dîner seul. hors sais.) **Repas** carte environ 150, enf. 55 – 55 – **997 ch** 795/995, 14 appart.

Cheyenne, (a) ✆ 60 45 62 00, Fax 60 45 62 33, « Reconstitution d'une petite ville du Far-West » – rest AE GB JCB.
Chuck Wagon Café : **Repas** carte environ 110, enf. 45 – 45 – **1 000 ch** 695.

Santa Fé M, **(u)** ✆ 60 45 78 00, Fax 60 45 78 33, « Construction évoquant les pueblos du Nouveau Mexique » – rest AE GB JCB.
La Cantina (self) **Repas** carte environ 120, enf. 45 – 45 – **1 000 ch** 595.

à Émerainville – 6 766 h. alt. 109 – ✉ **77184** :

Ibis M, ZI Pariest bd Beaubourg **(v)** ✆ 60 17 88 39, Fax 64 62 12 34 – 80. AE GB
Repas 99 bc/119 ₰, enf. 39 – 39 – **80 ch** 320.

à Lagny-sur-Marne – 18 643 h. alt. 51 – ✉ **77400**.

Voir Château de Guermantes★ S : 3 km par D 35.

Office de Tourisme 5 cour Abbaye ✆ 64 30 42 52.

XXX **Egleny**, 13 av. Gén. Leclerc **(d)** ✆ 64 30 52 69, Fax 60 07 56 79, AE GB
fermé 19 août au 9 sept., 2 au 8 janv., dim. soir et lundi – **Repas** 150/390.

X **Le Relais Fleuri**, 1 av. Stade **(g)** ✆ 64 30 06 42, Fax 64 30 49 40, GB
fermé août, le soir sauf sam. et lundi – **Repas** 70 (déj.), 155/260 ₰.

à Lognes – 12 973 h. alt. 97 – ✉ **77185** :

Frantour M, 55 bd Mandinet **(t)** ✆ 64 80 02 50, Télex 693715, Fax 64 80 02 70, Fб – 75. AE GB
Repas *(fermé sam. midi et dim. midi)* 112/188 ₰, enf. 52 – 60 – **57 ch** 448/493, 28 duplex.

à St-Thibault-des-Vignes – 4 207 h. alt. 80 – ✉ **77400** :

Relais de l'Ecuyer, Parc de l'Esplanade **(n)** ✆ 64 02 02 44, Télex 69390 Fax 64 02 40 70, – 25. AE GB
Repas 91/113, enf. 47 – 40 – **66 ch** 335/365.

à Torcy G. Ile de France – 18 681 h. alt. 97 – ✉ **77200** :

Campanile M, 34 r. Gén. de Gaulle **(s)** ✆ 60 17 84 85, Fax 64 62 06 91 – rest – 80. AE GB
Repas 92 bc/119 bc, enf. 39 – 34 – **158 ch** 340.

CITROEN Gar. Yvois, 57 av. Leclerc à St-Thibault-des-Vignes ✆ 64 30 53 67
FORD Gar. Jamin, 34 av. Gén.-Leclerc à Lagny-sur-Marne ✆ 64 30 02 90
MERCEDES Cie de l'Est, 57 allée des Frènes à Champs-sur-Marne ✆ 64 68 70 87
PEUGEOT Métin Marne, 2 av. Gén.-Leclerc à Pomponne ✆ 64 30 30 30 N ✆ 05 44 24 24
PEUGEOT Gar. Queille, 127 av. Gén. Leclerc à Lagny-sur-Marne ✆ 64 30 06 74
RENAULT Gar. du Fort du Bois, 9-11 r. du Plateau Lagny-sur-Marne ✆ 64 02 40 75
RENAULT Gar. Brie des Nations, 4-6 av. P.-M.-France à Noisiel ✆ 60 05 92 92
Euromaster, 6-8 r. C.-Chappé à Lagny-sur-Marne ✆ 64 30 55 00

Massy **91300** Essonne 101 ㉕ 22 – 38 574 h alt. 78.

Paris 19 – Arpajon 21 – Évry 20 – Palaiseau 2,5 – Rambouillet 40.

Mercure M, 21 av. Carnot (gare T.G.V.) ✆ 69 32 80 20, Télex 681670, Fax 69 32 80 25 – 100. AE GB AS 2
Repas *(fermé dim. midi et sam.)* 118 bc, enf. 48 – 55 – **116 ch** 510.

CITROEN Succursale, rte de Chilly CD120 ✆ 69 30 27 27
RENAULT Villaine Autom., 8 r. de Versailles ✆ 69 30 08 26
RENAULT Massy Autom., av. de l'Europe ✆ 69 20 47 47
Euromaster, 12 r. M.-Paul ZI de la Bonde ✆ 69 20 38 20

Le Mesnil-Amelot **77990** S.-et-M. 101 ⑨ – 705 h alt. 80.

Paris 30 – Bobigny 19 – Goussainville 13 – Meaux 28 – Melun 67 – Senlis 24.

Quality H. M, La Pièce du Gué ✆ 60 03 63 00, Fax 60 03 74 40, – P – 300. AE GB JCB
Repas 150 bc et carte environ 210, enf. 55 – 80 – **240 ch** 495/1095.

Meudon **92190** Hauts-de-Seine 101 ㉔ 22 G. Ile de France (plan) – 45 339 h alt. 100.

Voir Terrasse★ : ★ – Forêt de Meudon★.

Paris 11,5 – Boulogne-Billancourt 4,5 – Clamart 2,5 – Nanterre 15 – Versailles 12.

XXX **Relais des Gardes,** à Bellevue, 42 av. Gallieni ✆ 45 34 11 79, – AE GB JCB
fermé sam. midi et dim. soir – **Repas** 190/300 et carte 270 à 400. AE 1

au sud à Meudon-la-Forêt – ✉ **92360** :

Mercure Ermitage de Villebon M, rte Col. Moraine ✆ 46 01 46 86, Fax 46 01 46 9 – ch – 60. AE GB AH 1
Repas *(fermé dim. soir)* 155/185 – 55 – **63 ch** 585/715.

Forest Hill, 40 av. Mar. de Lattre de Tassigny ✆ 46 30 22 55, Télex 63420 Fax 46 32 16 54, – 150. AE GB JCB AJ18-
Repas 79/129 bc et carte 130 à 190, enf. 69 – 55 – **155 ch** 390/590 – ½ P 380.

CITROEN Gar. Rabelais, 31 bd Nations-Unies ✆ 46 26 45 50 N ✆ 05 05 15 15
RENAULT Gar. de l'Orangerie, 16 r. de l'Orangerie ✆ 45 34 27 18 N ✆ 05 05 15 15
RENAULT Gar. Biguet, 5 r. Docteur Arnaudet ✆ 46 26 27 80 N ✆ 05 05 15 15
RENAULT Gar. Biguet, 1 av. Gén.-de-Gaulle ✆ 46 31 65 40 N ✆ 05 05 15 15

Montmorency **95160** Val-d'Oise 101 ⑤ G. Ile de France – 20 920 h alt. 82.

Voir Collégiale St-Martin★.

Env. Château d'Écouen★★ : musée de la Renaissance★★ (tenture de David et de Bethsabée★★★).

Office de Tourisme, Mairie 1 av. Foch ✆ 39 64 44 31.

Paris 19 – Enghien-les-Bains 3,5 – Pontoise 24 – St-Denis 9,5.

XX **Au Coeur de la Forêt,** av. Repos de Diane et accès par chemin forestier ✆ 39 64 99 1 Fax 34 28 17 52, – P. GB
fermé dim. soir, lundi soir et jeudi – **Repas** 130/190.

RENAULT Gar. Rousseau, 150 av. Div. Leclerc ✆ 39 34 95 95
VAG Gar. des Loges, 242 r. J.-Ferry à Montmagny ✆ 34 28 60 00

Montreuil **93100** Seine-St-Denis **101** ⑰ **20** **G. Ile de France** – **94 754 h alt. 70.**

Voir Musée de l'Histoire vivante★.

Office de Tourisme 1 r. Kléber ✆ 42 87 38 09.

Paris 7 – Bobigny 9 – Lagny-sur-Marne 30 – Meaux 40 – Senlis 46.

XXX **Le Gaillard,** 28 r. Colbert ✆ 48 58 17 37, Fax 48 70 09 74, – . AE GB Y 37
fermé 12 au 23 août, dim. soir et lundi soir – **Repas** 160/350 et carte 280 à 370.

TROEN Succursale, 224-226 bd A.-Briand 48 59 64 00
:NAULT Succursale, 57 r. A.-Carrel 49 20 38 38 ✆ 05 05 15 15
Franor Vulcopneu, 97 bd de Chanzy ✆ 42 87 39 60
Pneu-Service, 65 r. de St-Mandé ✆ 48 51 93 79

Montrouge **92120** Hauts-de-Seine **101** ㉕ **22** – **38 106 h alt. 75.**

Paris 5 – Boulogne-Billancourt 6,5 – Longjumeau 16 – Nanterre 15 – Versailles 22.

Mercure M, 13 r. F.-Ory ✆ 46 57 11 26, Télex 632978, Fax 47 35 47 61 – – 150. AE GB JCB AE 27
Repas 105, enf. 50 – 60 – **186 ch** 750/850, 6 appart.

TROEN Verdier-Montrouge Autom., 99 av. rdier ✆ 46 57 12 00
ERCEDES Succursale, 15-17 r. Barbès 46 12 70 00
NISSAN Paris Sud Sce, 83 av. A.-Briand ✆ 46 55 71 24
RENAULT Colin-Montrouge, 59 av. République ✆ 46 55 26 20

Morangis **91420** Essonne **101** ㉟ – **10 043 h alt. 85.**

Paris 21 – Évry 15 – Longjumeau 4 – Versailles 23.

XXX **Le Sabayon,** 15 r. Lavoisier ✆ 69 09 43 80 – . GB
fermé août, sam. midi et dim. – **Repas** 165/330 et carte 220 à 310.

UGEOT Wissous Autom., av. Ch.-de-Gaulle à issous ✆ 69 20 64 42
RENAULT Gar. Richard, rte de Savigny ✆ 69 09 47 50

Morsang-sur-Orge **91390** Essonne **101** ㊱ – **19 401 h alt. 79.**

Paris 25 – Arpajon 16 – Corbeil-Essonnes 19 – Évry 9 – Longjumeau 7.

XX **L'Aubergade,** 24 bis av. Bruyères ✆ 60 16 65 52 – AE GB
fermé 29 juil. au 25 août, dim. sauf fériés et le soir sauf vend. et sam. – **Repas** 102/203 et carte 190 à 280.

TROEN Essauto Diffusion, 91, rte de Corbeil ✆ 69 04 21 68

Nanterre P **92000** Hauts-de-Seine **101** ⑭ **18** – **84 565 h alt. 35.**

Office de Tourisme 4 r. du Marché ✆ 47 21 58 02, Fax 47 25 99 02.

Paris 12 – Beauvais 78 – Rouen 123 – Versailles 14.

Adagio La Défense M, r. des 3 Fontanot ✆ 46 69 68 00, Télex 616552, Fax 47 25 46 24 – – 70 à 130. AE GB. U 18
Les Cinq Continents (fermé dim. midi et sam.) **Repas** 135/180, enf. 100 – 65 – **97 ch** 745/810.

Quality Inn M, 2 av. B. Frachon ✆ 46 95 08 08, Fax 46 95 01 24 – rest – 30. AE GB U 16
Repas *(fermé sam. et dim.)* 95 (dîner), 115/250 – 50 – **85 ch** 630/680.

XX **La Rôtisserie,** 180 av. G. Clemenceau ✆ 46 97 12 11, Fax 46 97 12 09, – AE GB V 17
fermé dim. – **Repas** (prévenir) 155.

TROEN Succursale, 100, av. F.-Arago 41 19 35 00
Euromaster, 74 av. V.-Lénine ✆ 47 24 61 01

Neuilly-sur-Seine **92200** Hauts-de-Seine **101** ⑮ **18** **G. Ile de France** – **61 768 h alt. 34.**

Paris 7,5 – Argenteuil 10 – Nanterre 3,5 – Pontoise 32 – St-Germain-en-Laye 15 – Versailles 17.

Jardin de Neuilly sans rest, 5 r. P. Déroulède ✆ 46 24 51 62, Fax 46 37 14 60 – . AE GB JCB W 23
60 – **30 ch** 600/1200.

Paris Neuilly M sans rest, 1 av. Madrid ✆ 47 47 14 67, Fax 47 47 97 42 – . AE GB W 21
65 – **80 ch** 715/1075.

Parc sans rest, 4 bd Parc ✆ 46 24 32 62, Fax 46 40 77 31 – . GB JCB U 22
42 – **67 ch** 350/520.

Roule sans rest, 37 bis av. Roule ✆ 46 24 60 09, Fax 40 88 37 89 – . AE GB W 23
35 – **35 ch** 390/500.

XXX ✿ **Truffe Noire** (Jacquet), 2 pl. Parmentier ✆ 46 24 94 14, Fax 46 37 27 02 – AE GB. W 23
fermé 3 au 25 août, sam. et dim. – **Repas** 280/360 bc et carte 280 à 360
Spéc. Ravioli de volaille aux truffes fraîches (janv. à mars). Perdreau rôti sur canapé, compotée de choux au lard (oct. à nov.). Mousseline de brochet au beurre blanc.

XXX **Le Riad,** 42 av. Ch. de Gaulle ✆ 46 24 42 61 – ▤. AE ⓓ GB W
fermé août, sam. midi et dim. – **Repas** - cuisine marocaine - carte 230 à 330.

XXX **Foc Ly,** 79 av. Ch. de Gaulle ✆ 46 24 43 36, Fax 46 24 48 46 – ▤. AE GB V
fermé lundi en juil.-août – **Repas** - cuisine chinoise - 140 et carte 170 à 270, enf. 75.

XXX **San Valero,** 209 ter av. Ch. de Gaulle ✆ 46 24 07 87, Fax 47 47 83 17 – AE ⓓ GB.
fermé 24 déc. au 1er janv., sam. midi, dim. et fériés – **Repas** - cuisine espagnole - 150/190 carte 220 à 320. V

XX **Jarrasse,** 4 av. Madrid ✆ 46 24 07 56, Fax 40 88 35 60 – AE ⓓ GB JCB W
fermé août et dim. – **Repas** - produits de la mer - 195 et carte 300 à 500.

XX **Les Feuilles Libres,** 34 r. Perronet ✆ 46 24 41 41, Fax 46 40 77 61 – ▤. AE ⓓ GB V
fermé 5 au 21 août, sam. midi et dim. – **Repas** 195 et carte 300 à 380.

XX **Carpe Diem,** 10 r. Église ✆ 46 24 95 01 – ▤. AE ⓓ GB V
fermé août, sam. midi et dim. – **Repas** (nombre de couverts limité, prévenir) 170 (déj 180/300 et carte 250 à 320.

X **Bistrot d'à Côté Neuilly,** 4 r. Boutard ✆ 47 45 34 55, Fax 47 45 15 08 – AE GB W
fermé 3 au 19 août, sam. midi et dim. – **Repas** 109 (déj.)/189.

X **La Catounière,** 4 r. Poissonniers ✆ 47 47 14 33 – ▤. GB W
fermé 1er août au 1er sept., sam. midi et dim. – **Repas** 178 bc.

CITROEN Succursale, 124 av. A.-Peretti ✆ 40 88 26 00 N ✆ 05 05 24 24

Ⓜ Maillot Pneus, 69 av. Gén.-de-Gaulle ✆ 46 24 33 69

Nogent-sur-Marne 94130 Val-de-Marne 101 ㉗ 24 **G. Ile de France** – 25 248 h alt. 59.

Office de Tourisme 5 av. Joinville (fermé matin) ✆ 48 73 73 97.

Paris 10 – Créteil 8 – Montreuil 4,5 – Vincennes 3,5.

Mercure Nogentel M, 8 r. Port ✆ 48 72 70 00, Télex 264549, Fax 48 72 86 19, – 25 à 200. AE ⓓ GB AC
Le Panoramic *(fermé juil.-août et sam. midi)* **Repas** (déj. seul.) 160/250, enf. 100 – ***Le Canot*** grill **Repas** 138bc/180, enf. 65 – ☕ 55 – **60 ch** 495/550.

Campanile, quai du port (Pt de Nogent) ✆ 48 72 51 98, Fax 48 72 05 09, – ▤ ch – 30. AE ⓓ GB AC42-
Repas 92 bc/119 bc, enf. 39 – ☕ 34 – **91 ch** 340.

PEUGEOT Gar. Royal Nogent, 44 Gde r. Ch. de Gaulle ✆ 48 73 68 90

Ⓜ Technigum Pneus, 2 av. A. Briand à Neuilly-sur-Marne ✆ 43 08 44 11

Noisy-le-Grand 93160 Seine-St-Denis 101 ⑱ 24 **G. Île de France** – 54 032 h alt. 82.

Office de Tourisme, ancienne Mairie, 167 r. P.-Brossolette ✆ 43 04 51 55.

Paris 20 – Bobigny 14 – Lagny-sur-Marne 12 – Meaux 37.

Adagio M sans rest, 2 bd Levant ✆ 45 92 47 47, Fax 45 92 47 10, – ▤ – 150. AE GB JCB AB
Les Météores *(fermé dim. midi et sam.)* **Repas** carte 170 à 250, enf. 60 – ☕ 65 – **192 c** 520/585.

Novotel Atria M, 2 allée Bienvenüe-quartier Horizon ✆ 48 15 60 60, Fax 43 04 78 8 – ▤ – 300. AE ⓓ GB JCB AB-AC
Repas carte environ 200, enf. 50 – ☕ 55 – **144 ch** 490/550.

PEUGEOT Gar. Métin Noisy, 56 av. du Pavé Neuf ✆ 45 92 13 13

VAG Gar. de la Pointe, 65 av. E.-Cossonneau ✆ 43 03 30 92

Orly (Aéroports de Paris) 94310 Val-de-Marne 101 ㉖ 24 – 21 646 h alt. 89.

✈ ✆ 49 75 15 15.

Paris 15 – Corbeil-Essonnes 30 – Créteil 14 – Longjumeau 12 – Villeneuve-St-Georges 10.

Hilton Orly M, près aérogare ✉ 94544 ✆ 45 12 45 12, Télex 265971, Fax 45 12 45 00 ▤ – 300. AE ⓓ GB JCB AR
Repas 195/220 et carte 170 à 290 – ☕ 95 – **357 ch** 990/1150.

Mercure M, N 7, Z.I. Nord, Orly tech ✉ 94547 ✆ 46 87 23 37, Télex 26566 Fax 46 87 71 92 – ▤ – 80. AE ⓓ GB
Repas carte 150 à 240, enf. 50 – ☕ 61 – **194 ch** 600/640.

Aérogare d'Orly Sud :

XX **Le Clos St-Germain,** 3e étage ✉ 94542 ✆ 49 75 78 23, Fax 49 75 36 69, ← – ▤. AE GB
Repas carte 180 à 320.

Aérogare d'Orly Ouest :

XXXX ✿ **Maxim's,** 2e étage ✉ 94546 ✆ 46 86 87 84, Fax 46 87 05 39 – ▤. AE ⓓ GB
fermé août, 24 déc. au 2 janv., sam., dim. et fériés – **Repas** 250 et carte 280 à 450
Spéc. Langoustines et noix de Saint-Jacques rôties au sel d'ail (oct. à avril). Etuvée de homard et Saint-Jacques au de moules et sauternes (oct. à avril). Selle d'agneau des Pyrénées poêlée, endives et carottes au coriandre.

à Orly ville :

Air Plus [M], 58 voie Nouvelle (près Parc G. Méliès) ✆ 41 80 75 75, Fax 41 80 12 12 – AE GB AN 34
Repas *(fermé sam. midi et dim. midi)* 65/85 – ☕ 45 – **72 ch** 390/450.

Voir aussi à ***Rungis***

NAULT S.A.P.A., Bât. 225, Aérogares Orly ✆ 49 75 25 60

Orsay **91400** Essonne 101 ㉞ **G. Ile de France** – 14 863 h alt. 90.

Paris 29 – Arpajon 19 – Évry 28 – Rambouillet 29.

Le Boudin Sauvage, 6 r. Versailles ✆ 69 28 42 93, Fax 69 86 19 48, – AE GB JCB
fermé 10 au 30 août, week-ends et le soir sauf mardi, jeudi et vend. – **Repas** 285 (déj.)/500 et carte 400 à 500.

ROEN Gd Gar. d'Orsay, 8 pl. de la République
69 28 40 26

RENAULT Gar. d'Orsay, 38 r. de Chartres
✆ 69 28 43 28

Palaiseau **91120** Essonne 101 ㉞ 22 – 28 395 h alt. 101.

Paris 21 – Arpajon 20 – Chartres 70 – Évry 21 – Rambouillet 38.

Novotel [M], Z.I. de Massy ✆ 69 20 84 91, Fax 64 47 17 80, – 180. AE GB JCB AS 22
Repas carte environ 180, enf. 50 – ☕ 55 – **147 ch** 470/495.

ROEN J.-Jaurès Autom., 33 av. J.-Jaurès
60 14 03 92

RENAULT Palaiseau Autom., 14 r. E.-Branly
✆ 60 10 61 76

Pantin **93500** Seine-St-Denis 101 ⑯ 20 – 47 303 h alt. 26.

Office de Tourisme, 25 ter r. du Pré-St-Gervais ✆ 48 44 93 72, Fax 48 44 18 51.

Paris 7 – Bobigny 4 – Montreuil 6 – St-Denis 7.

Référence H. [M], 22 av. J. Lolive ✆ 48 91 66 00, Télex 232900, Fax 48 44 12 17, – 80. AE GB JCB
Repas *(fermé sam. et dim.)* 180 – ☕ 75 – **120 ch** 750/810, 3 appart.

Mercure Porte de Pantin [M], r. Scandicci ✆ 48 46 70 66, Télex 230742, Fax 48 46 07 90 – 25 à 100. AE GB U34-V34
Repas 120, enf. 55 – ☕ 59 – **138 ch** 665.

TROEN Succursale, 68-70 av. Gén.-Leclerc
49 15 10 00
NAULT Succursale, 13 av. Gén.-Leclerc
48 10 42 19

Maillot Pneus, 160 av. J.-Jaurès ✆ 48 45 25 85
Steier-Pneus - Point S, 217 av. J.-Lolive
✆ 48 44 36 80

Le Perreux-sur-Marne **94170** Val-de-Marne 101 ⑱ 24 – 28 477 h alt. 50.

Office de Tourisme pl. R.-Belvaux ✆ 43 24 26 58.

Paris 16 – Créteil 11,5 – Lagny-sur-Marne 22 – Villemomble 7,5 – Vincennes 6,5.

✿ **Les Magnolias** (Royant), 48 av. de Bry ✆ 48 72 47 43, Fax 48 72 22 28 – AE GB
fermé 12 au 25 août, sam. midi et dim. – **Repas** 190/290 AC 43
Spéc. Ravioli de langoustines, jus de crustacés. Méli-mélo de ris et rognon de veau au Xérès. Millefeuille tout chocolat.

TROEN S.A.G.A., 131 av. P.-Brossolette, niv. A4
43 24 13 50
UGEOT Gar. Sabrié, 9-15 av. République à
ntenay-sous-Bois ✆ 48 75 06 10 N ✆ 09 10 17
NAULT Gar. Hoel, 46 av. Bry ✆ 43 24 52 00

RENAULT Rel. des Nations, 258 av. République à Fontenay-sous-Bois ✆ 48 76 42 72 N ✆ 05 05 15 15

Maison du Pneu 94, 103 bd Alsace Lorraine
✆ 43 24 41 43

Petit-Clamart **92** Hauts-de-Seine 101 ㉔ 22 – ✉ **92140** Clamart.

Voir Bièvres : Musée français de la photographie★ S : 1 km, **G. Ile de France.**

Paris 18 – Antony 8 – Clamart 5 – Meudon 4 – Nanterre 16 – Sèvres 7,5 – Versailles 8,5.

Au Rendez-vous de Chasse, 1 av. du Gén. Eisenhower ✆ 46 31 11 95, Fax 40 94 11 40 – AE GB JCB AK 19
fermé dim. soir – **Repas** 170/230 et carte 230 à 390, enf. 95.

Pontault-Combault **77340** S.-et-M. 101 ㉙ 24 – 26 804 h alt. 94.

Paris 27 – Créteil 22 – Lagny-sur-Marne 13 – Melun 34.

Saphir H. [M], aire des Berchères sur N 104 ✆ 64 43 45 47, Télex 693585, Fax 64 40 52 43, – 150. AE GB
Le Jardin grill **Repas** 115/150 ⅓, enf. 50 – ☕ 52 – **158 ch** 485/530, 21 appart.

Le Port-Marly **78560** Yvelines 101 ⑬ 18 – 4 181 h alt. 30.

Paris 20 – St-Germain-en-Laye 2,5 – Versailles 9,5.

Aub. du Relais Breton, 27 r. Paris ✆ 39 58 64 33, Fax 39 58 35 75, – AE GB
fermé 28 juil. au 26 août, dim. soir et lundi – **Repas** 159/219 bc et carte 200 à 320. W 8

Le Pré St-Gervais 93310 Seine-St-Denis 101 ⑯ 20 – 15 373 h alt. 82.

Paris 7,5 – Bobigny 5,5 – Lagny-sur-Marne 32 – Meaux 37 – Senlis 48.

Au Pouilly Reuilly, 68 r. A. Joineau ✆ 48 45 14 59, bistrot – AE ⓓ GB V
fermé fin juil. au 5 sept., sam. et dim. – **Repas** carte 140 à 320.

Puteaux 92800 Hauts-de-Seine 101 ⑭ 18 – 42 756 h alt. 36.

Paris 9,5 – Nanterre 4 – Pontoise 32 – St-Germain-en-Laye 13 – Versailles 16.

Syjac M sans rest, 20 quai de Dion-Bouton ✆ 42 04 03 04, Fax 45 06 78 69, « Élégan installation » – cuisinette TV ☎ P – 30. AE ⓓ GB. W
60 – **32 ch** 570/980, 3 duplex.

Princesse Isabelle M sans rest, 72 r. J. Jaurès ✆ 47 78 80 06, Fax 47 75 25 20, – TV ☎. AE ⓓ GB W
45 – **31 ch** 640.

Le Dauphin M sans rest, 45 r. J. Jaurès ✆ 47 73 71 63, Fax 46 98 08 82, – TV. AE ⓓ GB JCB W
40 – **30 ch** 470.

La Chaumière, 127 av. Prés. Wilson - rd-pt des Bergères ✆ 47 75 05 46, Fax 47 75 05 – . AE GB W
fermé 6 au 26 août, sam. midi, dim. soir et lundi soir – **Repas** 150 et carte 200 à 360.

Maison André, 20 r. des Fusillés ✆ 47 75 36 31

La Queue-en-Brie 94510 Val-de-Marne 101 ㉙ 24 – 9 897 h alt. 95.

Paris 22 – Coulommiers 49 – Créteil 13 – Lagny-sur-Marne 20 – Melun 32 – Provins 65.

Relais de Pincevent, av. Hippodrome ✆ 45 94 61 61, Fax 45 93 32 69, – TV ☎ – 80. GB AH
Repas 90/120 – 30 – **56 ch** 280.

Aub. du Petit Caporal, 42 r. Gén. de Gaulle (N 4) ✆ 45 76 30 06 – . AE GB AJ
fermé août, mardi soir, merc. soir et dim. – **Repas** 150/220 bc et carte 290 à 430.

Le Raincy SP 93340 Seine-St-Denis 101 ⑱ 20 **G. Ile de France** – 13 478 h alt. 76.

Voir Eglise N.-Dame ★.

Paris 16 – Bobigny 5,5 – Lagny-sur-Marne 22 – Livry-Gargan 3 – Meaux 31 – Senlis 42.

Chalet des Pins, 13 av. Livry ✆ 43 81 01 19, Fax 43 02 75 42, – AE ⓓ GB U
fermé dim. soir – **Repas** 160 et carte 200 à 360 - ***La Table d'Agatha*** *(fermé sam. et dim.)* **Rep** 100 .

Roissy-en-France (Aéroports de Paris) 95700 Val-d'Oise 101 ⑧ – 2 054 h alt. 85.

Charles-de-Gaulle ✆ 48 62 22 80.

Paris 26 – Chantilly 26 – Meaux 36 – Pontoise 38 – Senlis 26.

à Roissy-ville :

Copthorne M, allée Verger ✆ 34 29 33 33, Fax 34 29 03 05, – TV – 150. AE ⓓ GB JCB. rest
Brasserie l'Europe *(fermé sam. et dim.)* **Repas** 250 , enf. 45 – 75 – **237 ch** 1050/1250.

Holiday Inn, allée Verger ✆ 34 29 30 00, Télex 605143, Fax 34 29 90 52, – ☎ P – 120. AE ⓓ GB JCB
Repas carte environ 160 , enf. 60 – 87 – **243 ch** 805/1150.

Mercure, allée Verger ✆ 34 29 40 00, Télex 605205, Fax 34 29 00 18, , – TV ☎ P – 200. AE ⓓ GB
Repas 141 , enf. 50 – 67 – **198 ch** 760/960, 4 appart.

Campanile M, Z.A. parc de Roissy ✆ 34 29 80 40, Télex 606636, Fax 34 29 80 39, TV ☎ P – 150. AE ⓓ GB
Repas 92 bc/119 bc , enf. 39 – 34 – **269 ch** 395.

Ibis M, av. Raperie ✆ 34 29 34 34, Télex 688413, Fax 34 29 34 19 – TV ☎ – 150. AE ⓓ GB
Repas 99 bc, enf. 39 – 42 – **315 ch** 490.

dans le domaine de l'aéroport :

Hilton M, Roissypole ✆ 49 19 77 77, Fax 49 19 77 78, , – TV ☎ 1 000. AE ⓓ GB. rest
Le Gourmet *(fermé 22 juil. au 21 août, sam. et dim.)* **Repas** 230 – ***La Verrière :*** **Rep** 179 bc, enf. 55 – 85 – **383 ch** 1200/1700, 4 appart.

Sofitel M, ✆ 49 19 29 29, Télex 230166, Fax 49 19 29 00, , , – TV ☎ P – 150. AE ⓓ GB JCB
Repas 109 bc/150 bc et carte 160 à 240 – 80 – **344 ch** 850/1400, 8 appart.

Novotel M, ✆ 48 62 00 53, Télex 232397, Fax 48 62 00 11 – TV ☎ P 25 à 100. AE ⓓ GB JCB
Repas carte environ 180, enf. 50 – 60 – **201 ch** 660.

Ibis [M], Roissypole ℘ 49 19 19 19, Télex 236254, Fax 49 19 19 21, – AE ⓓ GB
Repas 99 bc, enf. 39 – ☕ 39 – **556 ch** 395.

dans l'aérogare n° 1 :

Maxim's, ℘ 48 62 24 34, Fax 48 62 45 96 – AE ⓓ GB.
fermé août, sam. et dim. – **Repas** 220/290 et carte 300 à 510.

Z.I. Paris Nord II – ✉ **95912** :

Hyatt Regency [M], 351 av. Bois de la Pie ℘ 48 17 12 34, Télex 230930, Fax 48 17 17 17, « Original décor contemporain », – 250. AE ⓓ GB JCB
Brasserie Espace : **Repas** 190 – ☕ 85 – **383 ch** 1200/1500, 5 appart.

Voir aussi ressources hôtelières au **Mesnil-Amelot (77 S.-et-M.)**

Romainville **93230** Seine-St-Denis 101 ⑰ 20 – 23 563 h alt. 110.

Paris 9,5 – Bobigny 3 – St-Denis 11 – Vincennes 4,5.

Chez Henri, 72 rte Noisy ℘ 48 45 26 65, Fax 48 91 16 74 – AE GB U 37
fermé en août, lundi soir, sam. midi, dim. et fériés – **Repas** 150 et carte 270 à 350.

Rosny-sous-Bois **93110** Seine-St-Denis 101 ⑰ 20 – 37 489 h alt. 80.

℘ 48 94 01 81.

Paris 18 – Bobigny 6,5 – Le Perreux-sur-Marne 5 – St-Denis 15.

Holiday Inn Garden Court [M], 4 r. Rome ℘ 48 94 33 08, Fax 48 94 30 05, – 25 à 150. AE ⓓ GB X 41
Vieux Carré : **Repas** carte 150 à 260, enf. 47 – ☕ 52 – **97 ch** 510/600.

Comfort Inn [M], 1 r. Lisbonne ℘ 48 94 78 78, Fax 45 28 83 69 – rest – 80. AE ⓓ GB W 41
Repas *(fermé sam., dim. et fériés)* 125, enf. 45 – ☕ 40 – **100 ch** 390/420.

Chalet du Golf, 12 r. Raspail (au golf municipal) ℘ 49 35 02 72, Fax 49 35 10 44, ≤, – ⓓ GB X 41
fermé 23 déc. au 2 janv., sam. midi et dim. – **Repas** 155/260 et carte 230 à 280, enf. 90.

Euromaster, 183 bd d'Alsace-Lorraine ℘ 45 28 15 96

Rueil-Malmaison **92500** Hauts-de-Seine 101 ⑭ 18 **G. Ile de France** – 66 401 h alt. 40.

Voir Château de Bois-Préau★ – Buffet d'orgues★ de l'église – Malmaison : musée★★ du château.

Office de Tourisme, 160 av. Paul Doumer ℘ 47 32 35 75.

Paris 14 – Argenteuil 10,5 – Nanterre 3 – St-Germain-en-Laye 9 – Versailles 11,5.

Novotel Atria [M], 21 av. Ed. Belin ℘ 47 16 60 60, Fax 47 51 09 29 – 140. AE ⓓ GB JCB V 13
Repas 137/145 et carte 140 à 240, enf. 50 – ☕ 56 – **118 ch** 660/700.

Cardinal sans rest, 1 pl. Richelieu ℘ 47 08 20 20, Fax 47 08 35 84 – AE ⓓ GB X 14
☕ 50 – **63 ch** 570/690.

Arts sans rest, 3 bd Mar. Joffre ℘ 47 52 15 00, Télex 632328, Fax 47 14 90 19 – AE ⓓ GB W 14
☕ 42 – **32 ch** 490/540.

El Chiquito, 126 av. P. Doumer ℘ 47 51 00 53, Fax 47 49 19 61, « Jardin » – AE GB W 15
fermé 12 au 18 août, sam. et dim. – **Repas** - produits de la mer - 245 et carte 360 à 480.

Relais de St-Cucufa, 114 r. Gén. Miribel ℘ 47 49 79 05, – AE GB Y 13
fermé 10 au 20 août, dim. soir et lundi soir – **Repas** 180 et carte 300 à 380.

Plat d'Étain, 2 r. Marronniers ℘ 47 51 86 28, – AE GB Y 13
fermé août, dim. soir et lundi – **Repas** 110 bc/157 bc et carte 210 à 310.

Rungis **94150** Val-de-Marne 101 ㉖ 24 – 2 939 h alt. 80 Marché d'Intérêt National.

Paris 14 – Antony 5 – Corbeil-Essonnes 28 – Créteil 10,5 – Longjumeau 10,5.

à Pondorly : accès : de Paris, A6 et bretelle d'Orly ; de province, A6 et sortie Rungis

Pullman Orly [M], 20 av. Ch. Lindbergh ✉ 94656 ℘ 46 87 36 36, Fax 46 87 08 48, – 180. AE ⓓ GB AM 29
La Rungisserie : **Repas** 170, enf. 65 – ☕ 62 – **190 ch** 650.

Holiday Inn [M], 4 av. Ch. Lindbergh ✉ 94656 ℘ 46 87 26 66, Télex 265803, Fax 45 60 91 25 – 150. AE ⓓ GB AM 29
Repas 140/260 – ☕ 70 – **168 ch** 825/1025.

Novotel [M], Zone du Delta, 1 r. Pont des Halles ℘ 45 12 44 12, Fax 45 12 44 13, – 150. AE ⓓ GB
Repas carte environ 160, enf. 50 – ☕ 58 – **181 ch** 620.

Ibis, 1 r. Mondétour ✉ 94656 ✆ 46 87 22 45, Fax 46 87 84 72, – 100. AE GB — AM 2
Repas 99 bc, enf. 39 – ☕ 39 – **119 ch** 320.

à Rungis-ville :

XX **Le Charolais,** 13 r. N.-Dame ✆ 46 86 16 42 – AE GB — AN 3
fermé 10 août au 2 sept., sam. et dim. – **Repas** 150 et carte 260 à 360.

Euromaster, 2 r. des Transports Centre Routier ✆ 46 86 46 01

St-Cloud 92210 Hauts-de-Seine 101 ⑭ 22 G. Ile de France – 28 597 h alt. 63.

Voir Parc★★ (Grandes Eaux★★) – Église Stella Matutina★.

18 18 (privé) ✆ 47 01 01 85 parc de Buzenval à Garches, O : 4 km.

Paris 11,5 – Nanterre 9,5 – Rueil-Malmaison 6,5 – St-Germain 16 – Versailles 10,5.

Villa Henri IV et rest. Le Bourbon, 43 bd République ✆ 46 02 59 30, Fax 49 11 11 02 – AE GB — AB 1
Repas *(fermé 20 juil. au 19 août et dim. soir)* 115/198 – ☕ 48 – **36 ch** 460/550.

Quorum et rest. La Désirade M, 2 bd République ✆ 47 71 22 33, Fax 46 02 75 64, – AE GB. — AB 1
Repas *(fermé sam. midi et dim.)* carte 190 à 290 – ☕ 40 – **58 ch** 440/480.

XX **Le Florian,** 14 r. Église ✆ 47 71 29 90, Fax 47 71 12 62 – AE GB JCB — AB 1
fermé sam. midi et dim. – **Repas** 145 et carte 210 à 300.

VAG Gar. de St-Cloud, 38 r. Dailly ✆ 46 02 56 20

St-Denis SP 93200 Seine-St-Denis 101 ⑯ 20 G. Ile de France – 89 988 h alt. 33.

Voir Cathédrale★★★.

Office de Tourisme 1 r. de la République ✆ 42 43 33 55, Fax 48 20 24 11.

Paris 9 – Argenteuil 10,5 – Beauvais 72 – Bobigny 7 – Chantilly 41 – Pontoise 27 – Senlis 41.

Campanile M, 14 r. J. Jaurès ✆ 48 20 74 31, Fax 48 20 74 26 – 50. AE GB — N 3
Repas 92 bc/119 bc, enf. 39 – ☕ 34 – **99 ch** 340.

CITROEN Succursale, 43 bd Libération ✆ 49 33 10 00 N ✆ 49 33 10 00
FORD Gar. Bocquet, 13 bis bd Carnot ✆ 48 22 20 95
MERCEDES Moderne Autom., 24-35 bd Carnot ✆ 48 09 24 24 N ✆ 05 24 24 30
PEUGEOT Gar. Neubauer, 227 bd A.-France ✆ 49 33 60 60
RENAULT Succursale, 93 r. de la Convention à la Courneuve ✆ 49 92 65 65 N ✆ 05 05 15 15

SEAT S.M.J., 64 bd M.-Sembat ✆ 42 43 31 20

Bertrand Pneus Vulcopneu, 29 r. R.-Salengro à Villetaneuse ✆ 48 21 20 24
Pégaud Pneus Vulcopneu, 16 av. R.-Semat ✆ 48 22 12 14
St-Denis Pneus, 20 bis r. G.-Péri ✆ 48 20 10 77

St-Germain-en-Laye SP 78100 Yvelines 101 ⑬ 18 G. Ile de France – 39 926 h alt. 78.

Voir Terrasse★★ BY – Jardin anglais★ BY – Château★ BZ : musée des Antiquités nationales★★ – Musée du Prieuré★ AZ.

9 18 (privé) ✆ 34 51 75 90, par ④ : 3 km ; 9 9 9 de Fourqueux (privé) ✆ 34 51 41 47, par r. de Mareil AZ.

Office de Tourisme 38 r. Au-Pain ✆ 34 51 05 12, Fax 34 51 36 01.

Paris 23 ③ – Beauvais 81 ① – Chartres 79 ③ – Dreux 63 ③ – Mantes-la-Jolie 34 ④ – Versailles 12 ③.

Plan page ci-contre

XX **Chotard,** 57 r. Péreire (par ④ puis r. J. Mermoz) ✆ 39 21 12 10, – GB
fermé dim. soir et lundi – **Repas** 168.

X **La Feuillantine,** 10 r. Louviers ✆ 34 51 04 24 – AE GB JCB — AZ
Repas 130.

par ① D 284 et rte des Mares : 2,5 km – ✉ 78100 St-Germain-en-Laye :

La Forestière M, 1 av. Prés. Kennedy ✆ 39 73 36 60, Télex 696055, Fax 39 73 73 88, « Jardin fleuri » – – 30. AE GB JCB
voir rest. *Cazaudehore* ci-après – ☕ 75 – **25 ch** 750/950, 5 appart.

XXX **Cazaudehore,** 1 av. Prés. Kennedy ✆ 34 51 93 80, Télex 696055, Fax 39 73 73 88, « Jardin fleuri » – . AE GB JCB
fermé lundi sauf fériés – **Repas** 290/360 bc et carte 280 à 420.

CITROEN Ouest Autom., 45 r. de Mantes N 13 à Chambourcy par ④ ✆ 30 74 90 00
PEUGEOT Vauban Autom., pl. Vauban par ④ ✆ 30 87 15 15
RENAULT Gar. Adde, 112 r. du Prés.-Roosevelt ✆ 39 73 32 64

VAG St-Germain Autom., 31 rte de Mantes à Chambourcy par ④ ✆ 39 79 16 16

Relais du Pneu - Point S, 22 r. Péreire ✆ 34 51 19 33

ST-GERMAIN EN-LAYE

Bonnenfant (R.A.) . . . . . AZ 3
Marché-Neuf (Pl. du) . . AZ
Pain (R. au) . . . . AZ 20

Paris (R. de) . . . . AZ
Poissy (R. de) . . . . AZ 22
Vieux-Marché (R. du) . . AZ 33

Coches (R. des) . . . . AZ 4
Denis (R. M.) . . . . AZ 5
Detaille (Pl.) . . . . AY 6
Giraud-Teulon (R.) . . . . . BZ 9

Gde-Fontaine (R.) . . . . . . AZ 10
Loges (Av. des) . . . . AY 14
Malraux (Pl. A.) . . . . BZ 16
Mareil (Pl.) . . . . AZ 19
Pologne (R. de) . . . . AY 23
Surintendance (R. de la). AY 28
Victoire (Pl. de la) . . . . . . AY 30
Vieil-Abreuvoir (R. du). . . AZ 32

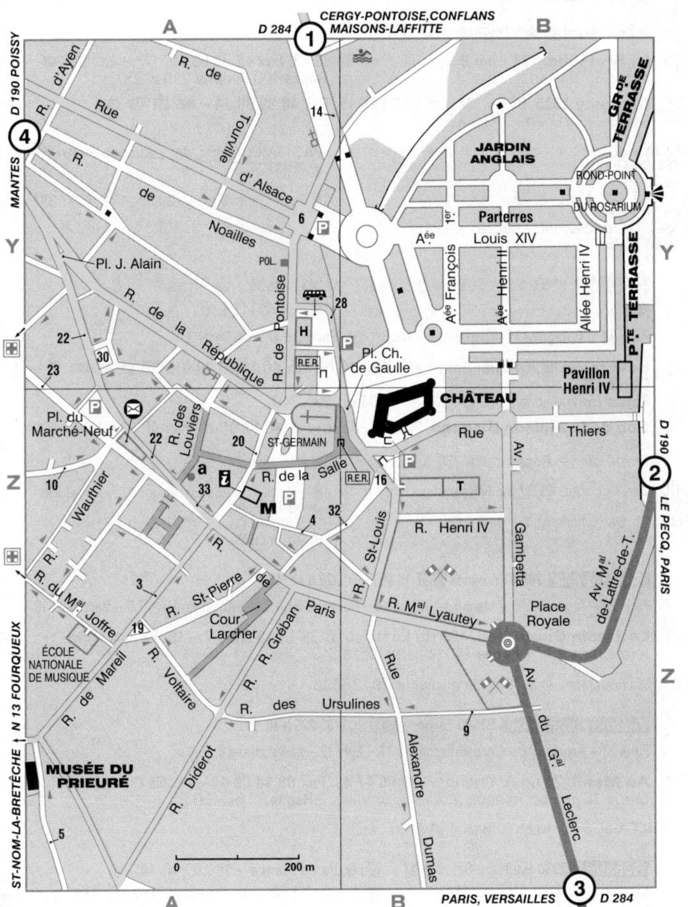

St-Gratien **95210** Val-d'Oise 101 ⑤ 18 – 19 338 h alt. 50.

Paris 18 – Argenteuil 3,5 – Chantilly 33 – Enghien-les-Bains 2 – St-Denis 10 – St-Germain-en-Laye 18.

Gem H. M, 54 bd Gare ☎ 39 34 20 40, Fax 39 64 62 06, – – 300. GB K 23-24
Repas 85/150 – 40 – **50 ch** 350.

St-Mandé **94160** Val-de-Marne 101 ㉗ 24 **G. Ile de France** – 18 684 h alt. 50.

Paris 5,5 – Créteil 9,5 – Lagny-sur-Marne 28 – Maisons-Alfort 5 – Vincennes 2.

Le Trinquet, 44 av. Gén. de Gaulle ☎ 43 28 23 93 – AE GB AB 36
fermé mardi soir et merc. – **Repas** 140/260 bc et carte 180 à 260.

ORSCHE Fast Autom., 8-12 av V.-Hugo
☎ 43 28 18 18

Gar. Drécourt, 186 av. Gallieni ☎ 43 28 30 21

St-Maur-des-Fossés 94100 Val-de-Marne 101 ㉗ 24 – 77 206 h alt. 38.

Office de Tourisme 70 av. République (fermé août) ✆ et Fax 42 83 84 74.

Paris 13 – Créteil 5 – Nogent-sur-Marne 4,5.

XX **Aub. de la Passerelle,** 37 quai de la Pie ✆ 48 83 59 65, Fax 48 89 91 24 – ▤. AE GB
fermé 15 au 31 août, dim. soir et merc. – **Repas** 190/260 et carte 240 à 350. AH 4

à La Varenne-St-Hilaire – ✉ 94210 :

XXX **La Bretèche,** 171 quai Bonneuil ✆ 48 83 38 73, Fax 42 83 63 19, 斎 – ▤. AE GB AJ 4
fermé 17 fév. au 3 mars, dim. soir et lundi – **Repas** 160 et carte 210 à 350.

XX **Régency 1925,** 96 av. Bac ✆ 48 83 15 15, Fax 48 89 99 74 – ▤. AE ⓓ GB AH 4
Repas 140 et carte 190 à 320.

LANCIA Gar. Léglise, 7 bis av. Foch ✆ 48 83 06 83
MITSUBISHI Sélection Auto Sce, 102 av. Foch ✆ 48 85 45 55
RENAULT Gar. National, 28 av. République ✆ 45 11 06 66
RENAULT Gar. Chevant, 2 bd Gén.-Giraud ✆ 48 83 05 43
VAG SMCDA, 48 r. de la Varenne ✆ 48 86 41 42 ✆ 05 00 24 24
Selz Pneus, 5 av. L.-Blanc ✆ 48 85 27 33

St-Ouen 93400 Seine-St-Denis 101 ⑯ 18 – 42 343 h alt. 36.

Office de Tourisme pl. République ✆ 40 11 77 36, Fax 40 11 01 70.

Paris 9,5 – Bobigny 11 – Chantilly 44 – Meaux 48 – Pontoise 27 – St-Denis 3.

Sovereign M, 54 quai Seine ✆ 40 12 91 29, Fax 40 10 89 49 – |⇕| TV ☎ ♿ 🚗 P – 🏛 45 AE ⓓ GB R 2
Repas *(fermé dim.)* 110 ♁ – ☕ 37 – **104 ch** 295/340.

XX **Coq de la Maison Blanche,** 37 bd J. Jaurès ✆ 40 11 01 23, Fax 40 11 67 68, 斎 – ▤. AE GB S 2
fermé dim. – **Repas** carte 230 à 340.

FORD Gar. Bocquet, 45-57 av. Michelet ✆ 40 11 13 10
RENAULT Gar. Michelet, 5 r. A.-Rodin ✆ 40 11 85 61
Sté Nlle du Pneumatique, 87 bd V.-Hugo ✆ 40 11 08 66
Technigum Pneus, 165 r. Docteur Bauer ✆ 40 11 08 56

Sartrouville 78500 Yvelines 101 ⑬ 18 – 50 329 h alt. 46.

Paris 20 – Argenteuil 9 – Maisons-Laffitte 1,5 – Pontoise 20 – St-Germain-en-Laye 7,5 – Versailles 19.

XX **Le Jardin Gourmand,** 109 rte Pontoise ✆ 39 13 18 88, 斎 – AE ⓓ GB JCB M 1
fermé dim. soir – **Repas** 140 et carte 220 à 340.

C.B. Maintenance, 34 av. G.-Clémenceau ✆ 39 13 56 18

Savigny-sur-Orge 91600 Essonne 101 ㊱ – 33 295 h alt. 81.

Paris 23 – Arpajon 18 – Corbeil-Essonnes 17 – Évry 12 – Longjumeau 5.

XX **Au Menil,** 24 bd A. Briand ✆ 69 05 47 48, Fax 69 44 09 44 – ▤. AE GB
fermé 15 juil. au 15 août, lundi soir et merc. – **Repas** 99 bc/150 ♁.

RENAULT Gar. Sard, 10 bd A.-Briand ✆ 69 05 04 50

Sceaux 92330 Hauts-de-Seine 101 ㉕ 22 G. Ile de France – 18 052 h alt. 101.

Voir Parc★★ et Musée de l'Ile-de-France★ – L'Hay-les-Roses : roseraie★★ E : 3 km Châtenay-Malabry : église St-Germain l'Auxerrois★, Maison de Chateaubriand★ SO 3 km.

Office de Tourisme 68 r. Houdan ✆ 46 61 19 03.

Paris 10,5 – Antony 3,5 – Bagneux 4 – Corbeil-Essonnes 32 – Nanterre 28 – Versailles 18.

BMW Gar. Loiseau, 3 r. de la Flèche ✆ 47 02 72 50
Vaysse, 77 r. V.-Fayo à Châtenay-Malabry ✆ 46 61 14 18

Sevran 93270 Seine-St-Denis 101 ⑱ 20 – 48 478 h alt. 50.

Paris 20 – Bobigny 9 – Meaux 28 – Villepinte 3.

Campanile, 5 r. A. Léonov ✆ 43 84 67 77, Fax 43 83 27 40 – |⇕| ⅔ TV ☎ ✆ ♿ P – 🏛 2 AE ⓓ GB M 4
Repas 92 bc/119 bc, enf. 39 – ☕ 34 – **58 ch** 340.

Otico, 7 allée du Mar.-Bugeaud ✆ 43 84 36 30

Sèvres 92310 Hauts-de-Seine 101 ㉔ 22 G. Ile de France – 21 990 h alt. 48.

Voir Musée National de céramique★★ – Étangs★ de Ville d'Avray O : 3 km.

Paris 11,5 – Boulogne-Billancourt 2,5 – Nanterre 11 – St-Germain-en-Laye 17 – Versailles 7,5.

Adagio M, 13 Grande Rue ☎ 46 23 20 00, Fax 46 23 02 32, – 80. AE GB JCB AD 18
Repas *(fermé dim. midi et sam.)* carte environ 220 – 65 – **95 ch** 730/795.

Aub. Garden, 24 rte Pavé des Gardes ☎ 46 26 50 50, Fax 46 26 58 58, – AE GB AF 17
fermé août, dim. soir et lundi – **Repas** 155 bc et carte 190 à 260.

ROEN Gar. Pont de Sèvres, ZAC, 2 av. Cristallerie ☎ 45 34 01 93 N ☎ 05 05 24 24

Stains 93240 Seine-St-Denis 101 ⑯ 20 – 34 879 h alt. 41.

Paris 14 – Chantilly 29 – Meaux 44 – Pontoise 30 – Senlis 40 – St-Denis 5.

Chez Bibi, 41 allée Val du Moulin ☎ 48 26 64 10, Fax 48 27 16 17 – GB L 33
fermé 8 au 22 août, vacances de fév., sam. et dim. – **Repas** (déj. seul.) 200 et carte 250 à 350.

Sucy-en-Brie 94370 Val-de-Marne 101 ㉘ 24 – 25 839 h alt. 96.

Voir Château de Gros Bois★ : mobilier★★ S : 5 km, G. Ile de France.

Paris 17 – Créteil 6,5 – Chennevières-sur-Marne 3,5.

quartier les Bruyères SE : 3 km :

Le Tartarin, carrefour de la Patte d'Oie ☎ 45 90 42 61, Fax 45 90 52 55, – 30. GB AM 48
Repas *(fermé août, mardi soir, merc. soir, jeudi soir, dim. soir et lundi)* 120/260 et carte 210 à 310 – 30 – **11 ch** 295/310.

UGEOT Gar. Paulmier, 89 r. Gén.-Leclerc 49 82 96 96

RENAULT Boissy Autom., 51-53 av. Gén. Leclerc à Boissy-St-Léger ☎ 45 69 96 30 N ☎ 05 05 15 15

Suresnes 92150 Hauts-de-Seine 101 ⑭ 18 G. Ile de France – 35 998 h alt. 42.

Voir Fort du Mont Valérien (Mémorial National de la France combattante).

Office de Tourisme 50 bd Henri Sellier ☎ 45 06 70 14, Fax 42 04 46 07.

Paris 12 – Nanterre 4,5 – Pontoise 35 – St-Germain-en-Laye 13 – Versailles 13.

Novotel M, 7 r. Port aux Vins ☎ 40 99 00 00, Fax 45 06 60 06 – 25 à 100. AE GB X 19
Repas carte environ 210 – 62 – **109 ch** 680/720.

Atrium M sans rest, 68 bd H. Sellier ☎ 42 04 60 76, Fax 46 97 71 61 – 80. AE GB JCB Y 18
50 – **42 ch** 580/630.

Astor sans rest, 19 bis r. Mt Valérien ☎ 45 06 15 52, Fax 42 04 65 29 – AE GB X 18
30 – **51 ch** 330.

Les Jardins de Camille, 70 av. Franklin Roosevelt ☎ 45 06 22 66, Fax 47 72 42 25, – AE GB JCB X 18
fermé dim. soir – **Repas** 160.

Pont de Suresnes, 58 r. Pasteur ☎ 45 06 66 56, Fax 45 06 65 09, – P. AE GB Y 18
fermé sam. midi et dim. – **Repas** 170/250.

Euromaster, 4 r. E.-Nieuport ☎ 47 72 43 21

Taverny 95150 Val-d'Oise 101 ④ G. Ile de France – 25 151 h alt. 92.

Voir église★.

Paris 28 – Beauvais 61 – Chantilly 30 – L'Isle-Adam 11,5 – Pontoise 13.

Campanile, centre commercial les Portes de Taverny ☎ 30 40 10 85, Fax 30 40 10 87, – P – 25. AE GB
Repas 84 bc/107 bc, enf. 39 – 32 – **76 ch** 270.

TROEN Gar. Vincent, 183 r. d'Herblay 39 95 44 00
YUNDAI Gar. Autocat, 201 r. d'Herblay 34 13 10 52

PEUGEOT Gar. des Lignières, 29 r. de Beauchamp ☎ 39 60 13 58
RENAULT Gar. de la Diligence, 75 r. d'Herblay ☎ 39 60 75 68

Tremblay-en-France 93290 Seine-St-Denis 101 ⑱ 20 – 31 385 h alt. 60.

Paris 23 – Aulnay-sous-Bois 7,5 – Bobigny 12 – Villepinte 4.

au Tremblay-Vieux-Pays :

Le Cénacle, 1 r. Mairie ☎ 48 61 32 91, Fax 48 60 43 89 – AE GB JCB H 48
fermé 2 août au 1er sept., sam. midi et dim. – **Repas** 175/300 et carte 290 à 480, enf. 100.

Les Ulis 91940 Essonne 101 ㉝ – 27 164 h alt. 75.

Paris 31 – Arpajon 17 – Évry 27 – Rambouillet 29 – Versailles 19.

Campanile, Z.A. de Courtaboeuf 5 ✆ 69 28 60 60, Fax 69 28 06 35, – TV ☎ P – 25. AE GB
Repas 84 bc/107 bc, enf. 39 – 32 – **49 ch** 270.

RENAULT S.D.A.O., av. des Tropiques, ZA Courtaboeuf-les-Ulis ✆ 69 07 78 35 N ✆ 44 04 16 19

Vanves 92170 Hauts-de-Seine 101 ㉕ 22 – 25 967 h alt. 61.

Paris 7,5 – Boulogne-Billancourt 4 – Nanterre 13.

Mercure Porte de la Plaine, r. Moulin ✆ 46 48 55 55, Télex 631628, Fax 46 48 56 5 rest TV ☎ – 260. AE GB JCB AE
Repas brasserie carte 140 à 230, enf. 50 – 65 – **384 ch** 920/960, 4 appart.

Parc des Expositions M sans rest, 18 r. E. Baudouin ✆ 41 46 06 46, Fax 41 46 06 47 – TV ☎ . AE GB AE
45 – **55 ch** 680/780.

Pavillon de la Tourelle, 10 r. Larmeroux ✆ 46 42 15 59, Fax 46 42 06 27, , – P. GB JCB AE
fermé dim. soir et lundi – **Repas** 195/250 bc et carte 340 à 460.

La Pyramide, 9 r. Gaudray ✆ 46 45 42 76, Fax 46 45 88 70 – AE GB AE
fermé août, dim. soir et lundi soir – **Repas** 120 (déj.), 200/300, enf. 60.

Vaucresson 92420 Hauts-de-Seine 101 ㉓ 22 – 8 118 h alt. 160.

Voir Etang de St-Cucufa★ NE : 2,5 km – Institut Pasteur - Musée des Applications de Recherche★ à Marnes-la-Coquette SO : 4 km, **G. Ile de France.**

Paris 16 – Mantes-la-Jolie 43 – Nanterre 14 – St-Germain-en-Laye 10,5 – Versailles 5.

voir plan de Versailles.

La Poularde, 36 bd Jardy (près autoroute) D 182 ✆ 47 41 13 47, Fax 47 01 41 32, P. AE GB U
fermé août, dim. soir, mardi soir et merc. – **Repas** 175 et carte 240 à 370.

RENAULT Gar. Moriceau, 106 bd République ✆ 47 41 12 40 N ✆ 05 05 15 15

Vélizy-Villacoublay 78140 Yvelines 101 ㉔ 22 – 20 725 h alt. 164.

Paris 23 – Antony 13 – Chartres 76 – Meudon 8,5 – Versailles 6.

Holiday Inn M, av. Europe, près centre commercial Vélizy II ✆ 39 46 96 9 Fax 34 65 95 21, – TV ☎ P – 25 à 250. AE GB JCB AJ
Repas 135/179 et carte 220 à 350 – 75 – **182 ch** 840/1100.

Orée du Bois, 2 r. M. Sembat ✆ 39 46 38 40, Fax 30 70 88 67, – AE GB AH
fermé sam. et dim. – **Repas** 162 et carte 200 à 300.

RENAULT BSE-Vélizy, av. L.-Bréguet ✆ 39 46 96 03 N ✆ 05 05 15 15

Versailles P 78000 Yvelines 101 ㉓ 22 **G. Ile de France** – 87 789 h alt. 130.

Voir Château★★★ Y – Jardins★★★ (Grandes Eaux★★★ et fêtes de nuit★★★ en été) V Ecuries Royales★ Y – Trianon★★ V – Musée Lambinet★ Y **M.**

Env. Jouy-en-Josas : la "Diège"★ (statue) dans l'église, 7 km par ③.

9 18 18 de la Boulie (privé) ✆ 39 50 59 41, par ③ : 2,5 km.

Office de Tourisme 7 r. des Réservoirs ✆ 39 50 36 22, Fax 39 50 68 07 et ilôt des Manèges, 6 av. Gén.-de-Gaulle ✆ 39 53 31 63 (fermé le lundi).

Paris 20 ① – Beauvais 94 ⑦ – Dreux 60 ⑥ – Évreux 88 ⑦ – Melun 61 ③ – ◆Orléans 121 ③.

Plans pages suivantes

Trianon Palace M, 1 bd Reine ✆ 30 84 38 00, Télex 698863, Fax 39 49 00 77, ≤, parc, « Élégant décor début de siècle », , , – ch TV ☎ P – 30. GB JCB X
voir rest. ***Les Trois Marches*** ci-après - ***Grill :*** **Repas** carte 200 à 310, enf. 120 – 110 – **69 c** 1500/1800, 25 appart – ½ P 720/880.

Sofitel Château de Versailles M, 2 av. Paris ✆ 39 53 30 31, Télex 69704 Fax 39 53 87 20, – TV ☎ – 150. AE GB JCB Y
Repas *(fermé sam. midi)* 159, enf. 50 – 75 – **146 ch** 900, 6 appart.

Le Pavillon Trianon M, 1 bd Reine ✆ 30 84 38 00, Télex 699210, Fax 39 51 57 7 parc, , , – TV ☎ P – 300. AE GB JCB X
Brasserie La Fontaine ✆ 30 84 38 47 **Repas** 165 et carte 160 à 300 , enf. 75 – 75 – **98 c** 900.

Printania M sans rest, 19 r. Ph. de Dangeau ✆ 39 50 44 10, Fax 39 50 65 11 – TV ☎ – 35. AE GB JCB Y
38 – **60 ch** 360/380.

Résidence du Berry sans rest, 14 r. Anjou ✆ 39 49 07 07, Télex 689058, Fax 39 50 59 4 – TV ☎. AE GB Z
fermé 20 déc. au 5 janv. – 40 – **38 ch** 410/480.

VERSAILLES

Bellevue (Av. de) . . . . **U** 2
Coste (R.) . . . . **V** 9
Dr-Schweitzer (Av. du) . . **U** 12
Franchet-d'Esperey (Av. du Mar.) . . . . **U** 15
Glatigny (Bd de) . . . . **U** 19
Leclerc (Av. du Gén.) . . . . **V** 22
Marly-le-Roi (R. de) . . . . . **U** 26
Mermoz (R. Jean) . . . . . . **V** 27
Moxouris (R.) . . . . **U** 29
Napoléon III (Rte) . . . . . . **U** 30
Pelin (R. L.) . . . . **U** 32
Porchefontaine (Av. de) . . . . **V** 33
Pottier (R.) . . . . **U** 35
Rocquencourt (Av. de) . . . **U** 39
St-Antoine (Allée) . . . . **V** 40
Sports (R. des) . . . . **U** 43
Vauban (R.) . . . . **V** 45

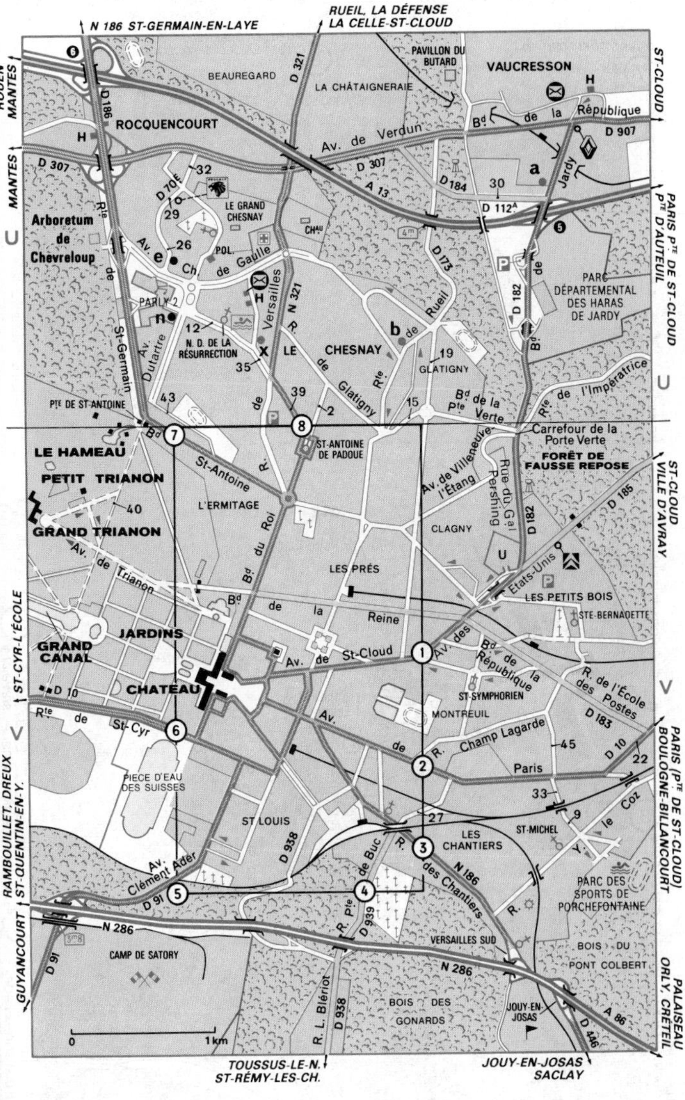

Les **guides Rouges**, les **guides Verts** et les **cartes Michelin**
sont complémentaires.
Utilisez-les ensemble.

VERSAILLES

Carnot (R.) . . . . Y
Clemenceau
(R. Georges). . . . . Y 7
États-Généraux (R. des). . Z
Foch (R. du Mar.) . . . . . XY
Hoche (R.) . . . . Y
Leclerc (R. du Gén.). . . . . . Z 24
Orangerie (R. de l') . . . . . YZ
Paroisse (R. de la) . . . . . . Y
Royale (R.) . . . . Z
Satory (R. de) . . . . YZ 42
Vieux-Versailles (R. du). YZ 47

Chancellerie (R. de la) . . . Y 3
Chantiers (R. des) . . . . . . Z 5
Cotte (R. Robert-de) . . . . . Y 10
Europe (Av. de l'). . . . . Y 14
Gambetta (Pl.) . . . . Y 17
Gaulle (Av. Gén.-de) . . . . YZ 18
Indép. Américaine (R. de l') Y 20
Mermoz (R. Jean) . . . . Z 27
Nolhac (R. Pierre-de) . . . . . Y 31
Porte de Buc (R. de la). . . . Z 34
Rockefeller (Av.). . . . . Y 37

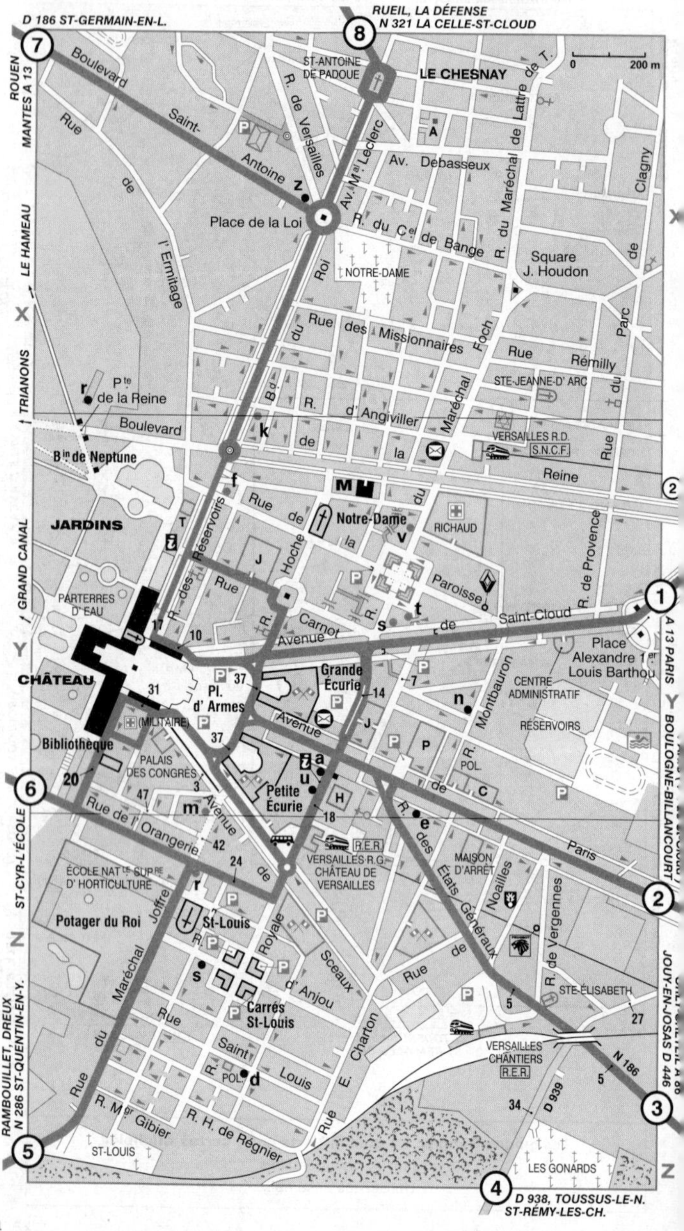

Ibis M sans rest, 4 av. Gén. de Gaulle ✆ 39 53 03 30, Fax 39 50 06 31 – AE GB Y u
35 – **85 ch** 370/470.

Paris sans rest, 14 av. Paris ✆ 39 50 56 00, Fax 39 50 21 83 – AE GB JCB YZ e
39 – **37 ch** 270/380.

Home St-Louis sans rest, 28 r. St-Louis ✆ 39 50 23 55, Fax 30 21 62 45 – AE GB JCB Z d
30 – **25 ch** 220/320.

XXX ✿✿ **Les Trois Marches** (Vié), 1 bd Reine ✆ 39 50 13 21, Fax 30 21 01 25, ≤, – AE GB JCB X r
fermé août, dim. et lundi – **Repas** 510/750 et carte 480 à 720
Spéc. Galette de pommes de terre, lard et caviar. Carré d'agneau de Pauillac rôti, ragoût d'abats. Bavarois au thé fumé, glace à la rose et crème à la fleur d'oranger.

XX ✿ **La Grande Sirène,** 25 r. Mar. Foch ✆ 39 53 08 08, Fax 39 53 37 15 – AE GB Y v
fermé 28 juil. au 28 août, vacances de fév., dim. et lundi – **Repas** 178 (déj.)/225 et carte 290 à 430
Spéc. Huîtres frémies "Viroflay" au beurre d'agrumes (sept. à mars). Saint-Pierre rôti au jus de veau. "Coup de foudre" au chocolat amer.

XX **Rescatore,** 27 av. St-Cloud ✆ 39 25 06 34, Fax 39 02 12 04 – AE GB Y s
fermé août, dim. soir et lundi – **Repas** - produits de la mer - 180 et carte 210 à 320.

XX **Le Potager du Roy,** 1 r. Mar.-Joffre ✆ 39 50 35 34, Fax 30 21 69 30 – AE GB Z r
fermé dim. soir et lundi – **Repas** 165 et carte 210 à 430.

XX **La Marée de Versailles,** 22 r. au Pain ✆ 30 21 73 73, Fax 39 50 55 87 – GB Y t
fermé 29 juil. au 19 août, 23 déc. au 2 janv., lundi soir et dim. – **Repas** - produits de la mer - 260 et carte 200 à 270.

XX **La Rôtisserie,** 30 bis r. Réservoirs ✆ 39 50 70 02, Fax 39 02 24 84 – AE GB Y f
Repas 138 et carte environ 200.

XX **Pascal Le Fahler,** 22 r. Satory ✆ 39 50 57 43, Fax 39 49 04 66 – GB. Y m
fermé sam. midi et dim. – **Repas** 125/180 et carte 230 à 320.

X **La Cuisine Bourgeoise,** 10 bd Roi ✆ 39 53 11 38, Fax 39 53 25 26 – GB XY k
fermé 8 au 29 août, merc. soir et jeudi – **Repas** 105 (déj.)/158 et carte environ 220.

au Chesnay – 29 542 h. alt. 120 – ✉ **78150** :

Novotel M, 4 bd St-Antoine ✆ 39 54 96 96, Fax 39 54 94 40 – 25 à 150. AE GB X z
Repas carte environ 180, enf. 50 – 58 – **105 ch** 540/565.

Mercure M sansrest, r. Marly-le-Roi, face centre commercial Parly II ✆ 39 55 11 41, Télex 695205, Fax 39 55 06 22 – 70. AE GB JCB U e
52 – **80 ch** 570.

Ibis M sans rest, av. Dutartre, centre commercial Parly II ✆ 39 63 37 93, Fax 39 55 18 66 – AE GB U n
39 – **72 ch** 375.

XX **Le Chesnoy,** 24 r. Pottier ✆ 39 54 01 01 – AE GB U x
fermé 5 au 26 août, dim. soir et lundi – **Repas** 178.

XX **Le Connemara,** 41 rte Rueil ✆ 39 55 63 07 – AE GB U b
fermé 1er au 21 août, vacances de fév., dim. et lundi – **Repas** 140 (déj.)/165 et carte 240 à 340.

MW Gar. Lostanlen, 10 r. de la Celle au Chesnay ✆ 39 54 75 20
TROEN Succursale, 124 av. des Etats-Unis ✆ 39 23 12 12 N ✆ 05 05 24 24
AT Sodiam 78, 11 r. B.-Franklin ✆ 39 50 64 10
ONDA International Autom., 36-40 av. de St-Cloud ✆ 39 50 00 51
AGUAR, NISSAN Paris-Versailles Autom., 60bis r. de Versailles au Chesnay ✆ 39 63 35 37
ANCIA Gar. de Versailles, 18-22 r. de Conde ✆ 39 51 06 68
PEL, SAAB Espace Vergennes, 18 r. de Vergennes ✆ 30 21 56 56

PEUGEOT Le Chesnay Autom., 36 r. Moxouris Parly 2 au Chesnay ✆ 39 54 52 76 N ✆ 05 44 24 24
RENAULT Succursale, 81 r. de la Paroisse ✆ 30 84 60 00 N ✆ 05 05 15 15
TOYOTA Espace Franklin, 9 r. B.-Franklin ✆ 30 21 50 51
VAG Gar. des Chantiers, 58 r. des Chantiers ✆ 39 50 04 97

Euromaster, 77 r. des Chantiers ✆ 30 21 24 25

Le Vésinet 78110 Yvelines 101 ⑬ 18 – 15 945 h alt. 44.

Office de Tourisme, Hôtel de Ville, 60 bd Carnot ✆ 30 15 47 00.

Paris 18 – Maisons-Laffitte 8,5 – Pontoise 22 – St-Germain-en-Laye 3 – Versailles 14.

Aub. des Trois Marches, 15 r. J. Laurent (pl. Église) ✆ 39 76 10 30, Fax 39 76 62 58 – AE GB V 10
fermé 12 au 18 août – **Repas** *(fermé dim. soir)* 150 – 40 – **15 ch** 450/510.

ENAULT Gar. de la Résidence, 40 et 119 av. du Mar. Foch à Chatou ✆ 39 52 20 43 N ✆ 05 05 15 15

Villejuif 94800 Val-de-Marne 101 ㉖ 22 – 48 405 h alt. 100.

Paris 8 – Créteil 12 – Orly 8,5 – Vitry-sur-Seine 3.

Campanile, 20 r. Dr Pinel ℘ 46 78 10 11, Fax 46 77 88 94 – AE GB
Repas 92 bc/119 bc, enf. 39 – 34 – **72 ch** 340. AG

La Pneumathèque-Point S, 21 r. de Verdun ℘ 46 77 06 06

Villemoisson-sur-Orge 91360 Essonne 101 ㉟ – 6 404 h alt. 45.

Paris 24 – Arpajon 14 – Corbeil-Essonnes 18 – Évry 13 – Longjumeau 6.

XXX **Trianon,** 72 rte Corbeil ℘ 69 51 50 80, Fax 69 51 50 81, « Parc » – AE GB
fermé 5 au 26 août – **Repas** 160/380 et carte 250 à 370.

Villeneuve-la-Garenne 92390 Hauts-de-Seine 101 ⑮ 20 – 23 824 h alt. 30.

Paris 10,5 – Nanterre 13 – Pontoise 25 – St-Denis 2,5 – St-Germain-en-Laye 25.

XXX **Les Chanteraines,** av. 8 Mai 1945 ℘ 47 99 31 31, Fax 41 21 31 17, ← – AE GB
fermé 3 au 27 août et sam. – **Repas** 180 et carte 270 à 370. N

RENAULT Gar. Raynal, 16 av. Sangnier ℘ 47 94 09 09

Euromaster, 8 av. de la Redoute ZI ℘ 47 94 22

Villeparisis 77270 S.-et-M. 101 ⑲ – 18 790 h alt. 72.

Paris 25 – Bobigny 14 – Chelles 9 – Tremblay-en-France 5.

Relais du Parisis, Z.I. L'Ambrésis ℘ 64 27 83 83, Fax 64 27 94 49, – 40. AE GB
Repas *(fermé dim. soir)* 82/210 et carte 180 à 270 ꟾ, enf. 45 – 42 – **44 ch** 280.

Villepinte 93420 Seine-St-Denis 101 ⑧ 20 – 30 303 h alt. 60.

Paris 22 – Bobigny 10,5 – Meaux 30 – St-Denis 18.

Campanile, 2 r. J. Fourgeaud ℘ 48 60 35 47, Fax 48 61 49 33, – AE GB
Repas 84 bc/107 bc, enf. 39 – 32 – **53 ch** 270. K

Parc des Expositions Paris Nord II – ✉ 93420 Villepinte :

Ibis M, sortie visiteurs ℘ 48 63 89 50, Fax 48 63 23 10, – 30. GB
Repas 99 bc/115 ꟾ, enf. 39 – 39 – **124 ch** 435. K

RENAULT Gar. Verdier, 4 av. G.-Clemenceau ℘ 48 61 96 65 N ℘ 05 05 15 15

Villiers-le-Bâcle 91190 Essonne 101 ㉓ 22 – 953 h alt. 153.

Paris 30 – Arpajon 25 – Rambouillet 33 – Versailles 10,5.

XX **La Petite Forge,** ℘ 60 19 03 88, – AE GB
fermé sam. et dim. – **Repas** carte 310 à 410. AS

Vincennes 94300 Val-de-Marne 101 ⑰ 24 – 42 267 h alt. 51.

Voir Château★★ – Bois de Vincennes★★ : Zoo★★, Parc floral de Paris★★, Musée des Ar d'Afrique et d'Océanie★, G. Paris.

Office de Tourisme 11 av. Nogent ℘ 48 08 13 00, Fax 43 74 81 01.

Paris 6,5 – Créteil 13 – Lagny-sur-Marne 25 – Meaux 46 – Melun 51 – Montreuil 1,5 – Senlis 48.

St-Louis M sans rest, 2 bis r. R. Giraudineau ℘ 43 74 16 78, Fax 43 74 16 49 – – 25. AE GB
44 – **25 ch** 490/650. AB

Daumesnil Vincennes M sans rest, 50 av. Paris ℘ 48 08 44 10, Fax 43 65 10 94 – AE GB JCB
38 – **50 ch** 370/460. AB

Donjon sans rest, 22 r. Donjon ℘ 43 28 19 17, Fax 49 57 02 04 – GB. AB
fermé 26 juil. au 26 août – 35 – **25 ch** 280/360.

X **La Rigadelle,** 26 r. Montreuil ℘ 43 28 04 23 – AE GB AB
fermé août, dim. soir et lundi – **Repas** (nombre de couverts limité, prévenir) 160/270 et car 260 à 320.

CITROEN Succursale, 120 av. de Paris ℘ 43 74 12 25
FORD Gar. Deshayes, 232 r. de Fontenay ℘ 43 74 97 40
NISSAN, OPEL Gar. Démaria, 2-4 av. P.-Déroulède ℘ 43 28 16 33

PEUGEOT Gar. Sabrie, 3 av. de Paris ℘ 43 28 37 5 N ℘ 05 24 44 44

Pneu Service, 12 r. de Fontenay ℘ 43 28 14 79

Viroflay **78220** Yvelines **101** ㉔ **22** – 14 689 h alt. 115.

Paris 14 – Antony 15 – Boulogne-Billancourt 6,5 – Versailles 4.

XX **Aub. la Chaumière,** 3 av. Versailles ☎ 30 24 48 76, Fax 30 24 48 76, 🏠 – GB AG 13
fermé lundi – **Repas** 140/230.

PEUGEOT Gar. de l'Ile de France, 17 av. du Gén.-Leclerc ☎ 30 84 87 00 **N** ☎ 05 44 24 24
ROVER SOGA Versailles, 189 av. du Gén.-Leclerc ☎ 30 24 06 16

Euromaster, 199 av. du Gén.-Leclerc ☎ 30 24 49 96

Viry-Châtillon **91170** Essonne **101** ㊱ – 30 580 h alt. 34.

Paris 26 – Corbeil-Essonnes 13 – Évry 8 – Longjumeau 8,5 – Versailles 31.

XXX ✿ **La Dariole de Viry** (Richard), 21 r. Pasteur ☎ 69 44 22 40, Fax 69 96 88 87 – ▤. AE GB
fermé 29 juil. au 19 août, 22 déc. au 2 janv., sam. midi et dim. – **Repas** 200 et carte 310 à 480
Spéc. Blinis aux escargots de Bourgogne. Navarin de terre et mer au curry. Gibier (saison).

MERCEDES Gar. de L'Essonne, 137 av. Gén.-de-Gaulle ☎ 69 21 35 90
PEUGEOT Besse et Guilbaud, 38 av. cour France à Juvisy-sur-Orge ☎ 69 21 55 33
RENAULT Come et Bardon, 119 av. Gén.-de-Gaulle ☎ 69 96 91 40 **N** ☎ 05 05 15 15

SEAT Gar. Marchand, 113 av. Gén.-de-Gaulle ☎ 69 05 38 49

Euromaster, 134 Nationale 7 ☎ 69 44 30 07

LES PRINCIPALES MARQUES D'AUTOMOBILES

Constructeurs Français

Alpine-Renault (Sté des Autom.) : 120 r. Thiers, 92109 Boulogne-Billancourt ✆ 46 20 12 1

Citroën : 62 bd Victor-Hugo, 92200 Neuilly ✆ 47 48 41 41
Magasin d'Exposition : 42 av. Champs-Elysées, 75008 Paris ✆ 42 89 30 20

Peugeot (Automobiles) : siège et services commerciaux : 75 av. Gde-Armée, 75116 Pa ✆ 40 66 55 11
Magasin d'Exposition : 136 av. Champs-Elysées, 75008 Paris ✆ 45 62 70 20

Renault : 860 quai Stalingrad 92109 Boulogne-Billancourt ✆ 41 04 04 04
Magasin d'Exposition : 49-51-53 av. Champs-Elysées ✆ 53 83 96 96

Renault V.I. : 40 rue Pasteur, BP 302, 92156 Suresnes ✆ 40 99 71 11

Importateurs

(Agents en France : demander la liste aux adresses ci-dessous.)

Aro-France : 2 rte d'Oigny, 02600 Villers-Cotterets ✆ 23 96 29 29

BMW : 3 av. Ampère, Montigny-le-Bretonneux 78886 St Quentin-en-Yvelines Ced ✆ 30 43 93 00

Chevrolet-Pontiac-Buick-Cadillac : NAVI S.A., 41 rue des Peupliers, 92752 NANTERR CEDEX ✆ 47 69 06 04

Ferrari : Ch. Pozzi S.A., 109 r. Aristide-Briand, 92300 Levallois-Perret ✆ 47 39 96 50

Fiat-Auto France (Lancia – Alfa-Roméo) : 80/82 quai Michelet, 92532 Levallois-Perr Cedex ✆ 47 30 50 00

Ford France : 344 av. Napoléon-Bonaparte, 92506 Rueil-Malmaison Cedex ✆ 47 32 60 00

Opel-France : 1-9 av. du Marais, 95101 Argenteuil Cedex ✆ 34 26 30 00

Honda-France : Parc d'Activité Paris-Est-La Madeleine, BP 46, Allée du 1er Mai, 77312 Marn la-Vallée Cedex 2 ✆ 60 37 30 00

Inchcape France : Mazda (Ste France-Motors), Daihatsu-France, Kia-Proton, Z.I. Moimont 95670 Marly-la-Ville ✆ 34 72 13 00

Jaguars Cars France : 4 rue Joseph-Monier, 92859 Rueil-Malmaison Cedex ✆ 41 29 02 40

Korauto (Ssangyong) : 100 Bd de Verdun, 92400 Courbevoie ✆ 41 88 30 40

Lada France : 10 bd des Martyrs-de-Châteaubriant, 95103 Argenteuil Cedex ✆ 34 11 44 44

Matra Automobile : Parc d'activités de Pissaloup, 8 av. Jean-d'Alembert, BP 2, 781 Trappes Cedex ✆ 30 68 30 68

Mercedes-Benz : Parc de Rocquencourt, 78153 Le Chesnay Cedex ✆ 39 23 56 00
Magasin d'Exposition : 118 av. Champs-Elysées, 75008 Paris ✆ 45 62 24 04

Morgan-Ford : J. Savoye, 237 bd Pereire, 75017 Paris ✆ 45 74 82 80

Nissan France S.A. : Parc de Pissaloup, 13, av. Jean-d'Alembert, 78194 Trappes Cede ✆ 30 69 25 00

Porsche-Mitsubishi-Chrysler-Hyundai-Jeep : Sonauto, 1 av. du Fief, Z.A. des Béthunes d St-Ouen l'Aumône, 95310 St Ouen l'Aumône ✆ 34 30 60 60

Rolls-Royce, Bentley : Franco-Britannic, 25, r. P. Vaillant-Couturier, 92300 Levallois-Perre ✆ 47 57 90 24

Rover France : r. Ambroise-Croisat, Z.I., 95102 Argenteuil ✆ 39 98 40 40

Saab France S.A. : 12, r. des Peupliers. Parc d'Activité du Petit Nanterre, 92000 Nanter ✆ 47 86 72 22

Seat France (Groupe VAG France) : 163 r. de la Belle Etoile, B.P. 50053, 95947 Roissy CD Cedex ✆ 49 38 88 00

Skoda France : BP 40, Villers Cotterets Cedex ✆ 23 73 80 80

Subaru France S.A. : 21 rue des Peupliers, 92752 Nanterre Cedex ✆ 46 49 18 20

Toyota France : 20-30 bd de la République, 92423 Vaucresson Cedex ✆ 47 10 81 00

V.A.G. France : 11 av. de Boursonnes, 02600 Villers-Cotterets ✆ 23 73 80 80

Volvo Automobiles France S.A. : 3 r. de la Nouvelle-France, 78130 les Mureau ✆ 30 91 27 99

ARTHENAY <SP> **79200** Deux-Sèvres 67 ⑱ **G. Poitou Vendée Charentes** – 10 809 h alt. 175.

oir Site★ : ≤★ du Pont-Neuf – Pont et porte St-Jacques★ Y **B** – Rue de la Vaux-St-Jacques★ Y Église★ de Parthenay-le-Vieux par ④ : 1,5 km.

du Petit Chêne à Mazières ✆ 49 63 28 33, par ④ : 18 km ; 9 9 9 du Château des Forges ✆ 49 69 91 77, E : 23 km par D 59 Z.

Office de Tourisme Palais des Congrès, square R.-Bigot ✆ 49 64 24 24.

ris 372 ② – Poitiers 51 ② – Bressuire 31 ① – Châtellerault 77 ② – Fontenay-le-Comte 51 ④ – Niort 42 ④ – ouars 40 ①.

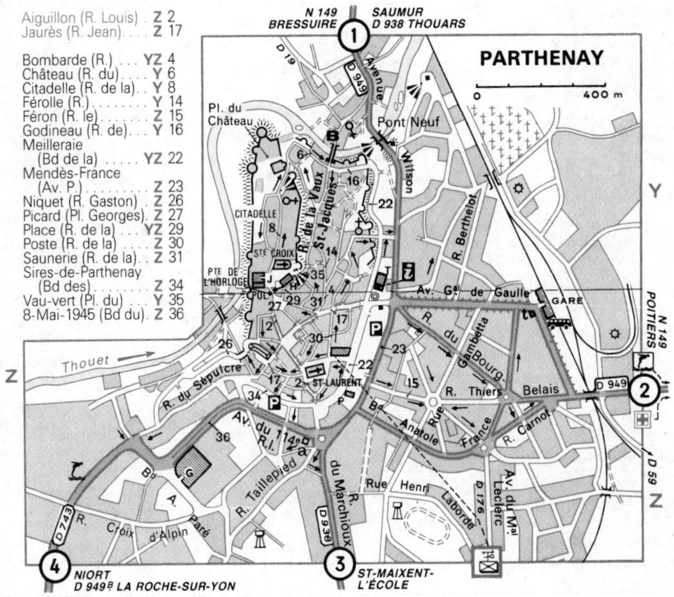

St-Jacques M sans rest, 13 av. 114e R.I. ✆ 49 64 33 33, Fax 49 94 00 69 – ▮ TV ☎ ♿ P. AE ⓓ GB JCB Z **a**
☐ 40 – **46 ch** 220/335.

Nord M avec ch, 86 av. Gén. de Gaulle ✆ 49 94 29 11, Fax 49 64 11 72 – ▤ rest TV ☎. AE ⓓ GB Z **t**
fermé 22 déc. au 9 janv. et sam. – **Repas** 76/230 ♁ – ☐ 29 – **10 ch** 258/288 – ½ P 245.

ORD Gar. Thoron, 52 av. A.-Briand ✆ 49 64 10 91
ENAULT Gâtine Espace Autom., 114 av. A.-Briand ✆ 49 94 04 00 N ✆ 05 05 15 15

Tours Pneu Vulcopneu, Pl. Martyrs-de-la-Résistance ✆ 49 94 34 22

PARVILLE **27** Eure 55 ⑯ – rattaché à Évreux.

PASSENANS **39** Jura 70 ④ – rattaché à Poligny.

PATRIMONIO **2B** H.-Corse 90 ③ – voir à Corse.

PAU P **64000** Pyr.-Atl. 85 ⑥ ⑦ **G. Pyrénées Aquitaine** – 82 157 h Agglo. 144 674 h alt. 207 – Casino .

Voir Boulevard des Pyrénées ≤★★★ ABZ – Château★★ : tapisseries★★★ AZ – Musée des Beaux-Arts★ BY **M.**

✆ 59 32 02 33 AVX.

Circuit automobile urbain.

de Pau-Pyrénées : ✆ 59 33 33 00, par ⑥ : 12 km.

Office de Tourisme pl. Royale ✆ 59 27 27 08, Fax 59 27 03 21 et pl. Monnaie ✆ 59 27 41 24 – .C. Basco-Béarnais 1 bd Aragon ✆ 59 27 01 94.

aris 774 ⑥ – ◆Bayonne 112 ⑤ – ◆Bordeaux 194 ⑥ – ◆Toulouse 192 ② – Zaragoza 241 ④.

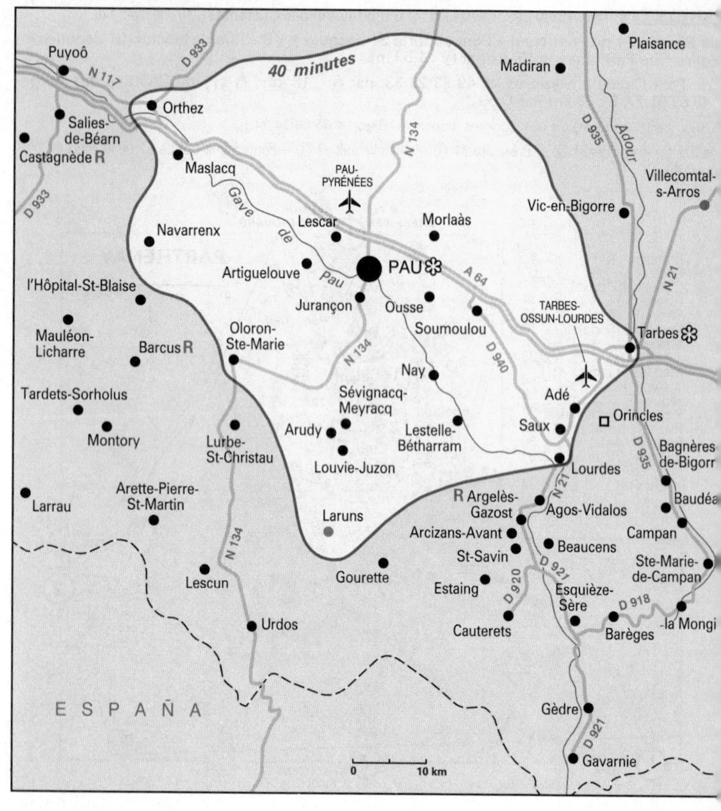

Continental, 2 r. Mar. Foch ☎ 59 27 69 31, Télex 570906, Fax 59 27 99 84 – 🛗 TV ☎ – 🏔 90. AE ⓓ GB JCB BY
Repas 135/165 – ☕ 40 – **80 ch** 300/500 – ½ P 340/390.

Paris sans rest, 80 r. E. Garet ☎ 59 82 58 00, Télex 541595, Fax 59 27 30 20 – 🛗 TV ☎ P – 🏔 35. AE ⓓ GB BY
☕ 35 – **41 ch** 340/380.

de Gramont M sans rest, 3 pl. Gramont ☎ 59 27 84 04, Fax 59 27 62 23 – 🛗 TV ☎ ⓓ GB AY
☕ 35 – **36 ch** 200/495.

Roncevaux sans rest, 25 r. L. Barthou ☎ 59 27 08 44, Fax 59 82 92 79 – 🛗 TV ☎ P. AE GB AZ
☕ 40 – **40 ch** 315/410.

Commerce, 9 r. Mar. Joffre ☎ 59 27 24 40, Fax 59 83 81 74, – 🛗 TV ☎ 🏔 30 à 70. AE ⓓ GB AZ
Repas *(fermé dim.)* 90/150 🍷 – ☕ 35 – **51 ch** 235/320 – ½ P 255/265.

Le Navarre, 9 av. Gén. Leclerc ☎ 59 30 25 39, Fax 59 02 63 95, – 🛗 TV ☎ P. GB BV
Repas snack carte 90 à 120 🍷 – ☕ 30 – **31 ch** 260/280 – ½ P 220.

Le Bourbon sans rest, 12 pl. Clemenceau ☎ 59 27 53 12, Fax 59 82 90 99 – 🛗 TV ☎ BY
☕ 35 – **33 ch** 200/310.

Montpensier sans rest, 36 r. Montpensier ☎ 59 27 42 72, Fax 59 27 70 95 – 🛗 TV ☎ AE ⓓ GB AY
☕ 35 – **22 ch** 210/350.

Ibis sans rest, 26 r. Samonzet ☎ 59 83 71 83, Fax 59 83 82 51 – 🛗 TV ☎ ♿ – 🏔 40. ⓓ GB BY
☕ 35 – **60 ch** 295/315.

PAU

Barthou (R. Louis) . . . . . . BZ 3
Cordeliers (R. des) . . . . . AY 25
Henri-IV (R.) . . . . AZ 44
St-Louis (R.) . . . . AZ 77
Serviez (R.) . . . . AY

Barèges (Av. de) . . . . BX 2
Bérard (Cours Léon) . . . . AV 8
Bernadotte (R.) . . . . AY 9
Bizanos (R. de) . . . . BX 12
Bordenave-d'Abère (R.) AZ 13
Champetier-de-Ribes (Bd) . . . . AV 20
Clemenceau (Pl. G.) . . ABZ 22
Clemenceau (R. G.) . . . BX 24
Corps-Franc-Pommies et du 49e R. I. (Bd) . . . BV 26
Dufau (Av.) . . . . AV 27
Édouard VII (Av.) . . . . BV 29
Espagne (Pont d') . . . . . . AX 30
Espalungue (R. d') . . . . . AZ 31
Etigny (R. d') . . . . AV 32
Gambetta (R.) . . . . BY 38
Gassion (R.) . . . . AZ 40
Gaulle (Av. Gén. de) . . . . . BV 41
Lyautey (Cours) . . . . BV 48
Poeymirau (Av. Gén.) . . . BX 66
Terrier (R. Jacques) . . . . . AX 92
Vallées (Av. des) . . . . AX 93
14-Juillet (R. du) . . . . AX 95

ÉGLISES

NOTRE-DAME	BY	
N.-D.-BOUT-DU-PONT	AX	63
ST-CHARLES	AV	72
ST-JACQUES	AY	
ST-JEAN-BAPTISTE	BV	75
ST-JULIEN	AV	76
ST-MAGNE	BX	
ST-MARTIN	AZ	
ST-MICHEL	AX	81
ST-PAUL	BV	82
ST-PIERRE	AV	84
ST-VINCENT-DE-P.	BV	85
STE-BERNADETTE	BV	87
STE-MARIE	AX	89
STE-THÉRÈSE	BV	90

BORDEAUX N 134, AGEN
A 64-E 80 7: BAYONNE, TOULOUSE
MORLAAS
DAX BAYONNE N 117
AGENCE MICHELIN
N 117 TARBES LOURDES
OLORON-STE-MARIE SARAGOSSE, N 134
D 937 GROTTES DE BETHARRAM

Atlantic H. sans rest, 222 av. J. Mermoz ✆ 59 32 38 24, Fax 59 62 40 24 – |♦| TV ☎ P. GB AV
30 – **30 ch** 185/220.

Corona, 71 av. Mar. Leclerc ✆ 59 30 64 77, Fax 59 02 62 64 – ▤ rest TV ☎ P. AE GB
Le Trespoey *(fermé août, 20 déc. au 10 janv., vend. soir et sam.)* **Repas** 75 (dîner), 13 165, enf. 40 – ***La Rotonde :*** brasserie *(fermé dim.)* **Repas** carte 120 à 180 ♁, enf. 40 – 28 **20 ch** 110/260 – ½ P 230/270. BV

Central sans rest, 15 r. L. Daran ✆ 59 27 72 75, Fax 59 27 33 28 – TV ☎. AE GB BZ
35 – **28 ch** 185/350.

XXX ✿ **Chez Pierre** (Casau), 16 r. L. Barthou ✆ 59 27 76 86, Fax 59 27 08 14 – AE ◑ GB JCB BZ
fermé 12 au 18 août, 2 au 8 janv., sam. midi et dim. – **Repas** carte 250 à 390
Spéc. Homard breton rôti à l'estragon. Palombes rôties, cuisses en salmis (oct. à janv.). Canard sauvage au poivre v (oct. à janv.). **Vins** Jurançon, Madiran.

XX ✿ **Le Viking** (David), 33 bd Tourasse ✆ 59 84 02 91 – P. AE GB. ✂ BV
fermé 14 juil. au 15 août, vacances de fév., sam., dim. et fériés – **Repas** (nombre de couver limité, prévenir) 160 et carte 250 à 330
Spéc. Huîtres chaudes à la nantaise. Suprême de turbot au beurre aillé. Petit ragoût de pigeon aux pleurotes. **Vi** Jurançon, Madiran.

XX **Fin Gourmet,** face gare ✆ 59 27 47 71, Fax 59 82 96 77, ☂ – AE ◑ GB AZ
fermé lundi – **Repas** 90/180.

XX **Pyrénées,** pl. Royale ✆ 59 27 07 75 – ▤. AE ◑ GB AZ
fermé dim. – **Repas** 110/160 ♁.

X **La Table d'Hôte,** 1 r. Hédas ✆ 59 27 56 06, ☂ – GB AY
fermé sam. midi et dim. – **Repas** (nombre de couverts limité, prévenir) 98/140, enf. 45.

X **Brasserie Le Berry,** 4 r. Gachet ✆ 59 27 42 95, ☂ – ▤. GB BZ
fermé 1er au 8 mars – **Repas** carte 110 à 190 ♁.

par ① près échangeur A 64, sortie 7 : 5 km – ✉ **64000** Pau :

Mercure M, ✆ 59 84 29 70, Télex 541852, Fax 59 84 56 11, ☂, ⛱ – |♦| ✕ ▤ TV ☎ P – 30 à 160. AE ◑ GB JCB
Repas 135 bc, enf. 50 – 56 – **88 ch** 550/580, 4 appart.

à Jurançon : 2 km – 7 538 h. alt. 177 – ✉ **64110** :

XXX **Castel du Pont d'Oly** avec ch, 2 av. Rauski par ④ ✆ 59 06 13 40, Fax 59 06 10 53, ☂ ⛱, – TV ☎ P. GB
Repas *(fermé dim. soir)* 165/360 et carte 240 à 370 – 50 – **6 ch** 400/450 – ½ P 350/400.

XXX **Ruffet,** 3 av. Ch. Touzet ✆ 59 06 25 13, cadre rustique – GB AX
fermé août, dim. soir et lundi – **Repas** 100 et carte 170 à 270.

rte de Bayonne par ⑤ :

Novotel M, à 6 km, centre commercial ✉ 64230 Lescar ✆ 59 32 17 32, Télex 57093 Fax 59 32 34 98, ☂, ⛱, – ✕ ▤ TV ☎ ♿ P – 30 à 60. AE ◑ GB JCB
Repas carte environ 160 ♁, enf. 50 – 49 – **89 ch** 405/430.

Le Mohédan M, à 5 km ✉ 64140 Lons ✆ 59 62 82 00, Fax 59 62 81 96, ☂ – ✕ ▤ re TV ☎ ♿ P. AE ◑ GB
Repas 59 (déj.), 78/130 ♁, enf. 39 – 32 – **41 ch** 260.

à Lescar par ⑤ : 7,5 km – 5 793 h. alt. 179 – ✉ **64230** :

Bilaa ⛰ sans rest, chemin de Lons : 1,5 km ✆ 59 81 03 00, Fax 59 81 15 24 – |♦| TV ☎ P AE GB
fermé 24 déc. au 5 janv. – 30 – **80 ch** 190/250.

La Terrasse, 1 r. Maubec ✆ 59 81 02 34, Fax 59 81 08 77, ☂ – TV ☎ ♿ P – 25 GB
fermé 23 déc. au 3 janv. – **Repas** *(fermé sam. midi et dim.)* 80/200 ♁ – 25 – **24 c** 245/275.

rte de Bordeaux par ⑥ : 4 km – ✉ **64000** Pau :

Climat de France M, centre commercial ✆ 59 72 74 00, Fax 59 72 74 01, ☂ – |♦| ▤ res TV ☎ ♿ P – 30 à 50. AE GB
Repas 59/135 ♁, enf. 31 – 34 – **58 ch** 285.

Trinquet sans rest, 66 av. D. Daurat ✆ 59 62 71 23, Fax 59 92 04 51, ⚖, ✂ – |♦| TV ☎ P – 40. AE ◑ GB
31 – **32 ch** 240/280.

MICHELIN, Agence régionale, av. Lavoisier, ZI Induspal à Lons par ⑤ ✆ 59 32 56 33

FA ROMEO, FIAT Navarre Auto, rte de Bayonne
escar ✆ 59 81 06 28 N ✆ 05 05 34 28
IW Gar. Bochet, ZA r. B.-Palissy à Lescar
59 81 18 00
TROEN Gar. Domingue, Rte de Tarbes BV
59 02 75 18
TROEN Gar. Brandam, à Jurançon ✆ 59 06 16 04
TROEN Gar. Domingue, 11 r. des Entrepreneurs à
ère ✆ 59 62 83 73
RD Gar. Petit, rte de Bayonne à Lescar
59 81 30 00
RD Gar. Petit, rte de Morlaas ✆ 59 80 79 00
ERCEDES SOPAVIA, 108 rte de Bayonne à Lons
59 62 64 64 N ✆ 05 24 24 30
SSAN Sud Auto, ZA N 117 à Lescar
59 81 29 08
UGEOT Gar. Dubroca, à Jurançon ✆ 59 06 06 52
NAULT Gar. P.P.D.A., Rte de Tarbes par ②
59 92 77 77 N ✆ 05 05 15 15
NAULT Gar. Bordeau-Lamiou, à Jurançon
59 06 22 83

RENAULT Gar. des Lilas, 19 av. des Lilas
✆ 59 02 88 11
RENAULT Gar. Barat, rte de Gan à Jurançon par ④
✆ 59 06 22 09
RENAULT Gar. Layus, 284 bd Cami Salie par ①
✆ 59 02 65 14
RENAULT Gar. PPDA, Av. Santos Dumont à Lescar
✆ 59 62 36 44
VOLVO Gar. Davan, 12 bd Corps-Franc-Pommiès
✆ 59 02 70 20

Baudorre, 171 av. J.-Mermoz à Lons
✆ 59 32 43 85
Dours Pneus Point S, Rd-Pt Bilaa, N 117 à Lescar
✆ 59 81 22 32
Euromaster, 3 r. Chènes à Billère ✆ 59 32 42 99
Euromaster, 31 r. Carnot ✆ 59 30 30 68
Manaute, r. J.-Zay Parc Activités ✆ 59 30 58 50

AUILLAC 33250 Gironde 71 ⑦ **G. Pyrénées Aquitaine** – 5 670 h alt. 20.

ir château Mouton Rothschild★ : musée★★ NO : 2 km.

Office de Tourisme la Verrerie ✆ 56 59 03 08, Fax 56 59 23 38.

is 628 – ♦Bordeaux 54 – Arcachon 116 – Blaye 97 – Lesparre-Médoc 20.

Château Cordeillan Bages M, ✆ 56 59 24 24, Fax 56 59 01 89, – TV ☎ P. AE GB
fermé 7 déc. au 31 janv. – **Repas** *(fermé sam. midi et lundi)* 180 bc/380 – ☕ 95 – **25 ch** 860/1100 – ½ P 745/1010
Spéc. Galette croustillante de lapereau. Traditionnel agneau de Pauillac rôti, farce d'abats. Entremets aux trois grands arômes chocolat.

France et Angleterre, 3 quai A. Pichon ✆ 56 59 01 20, Fax 56 59 02 31, – TV ☎. AE GB
fermé 20 déc. au 10 janv., dim. soir et lundi d'oct. à avril – **Repas** 90/200, enf. 45 – ☕ 33 – **29 ch** 300/350 – ½ P 250.

a PAULINE 83 Var 84 ⑮ – rattaché à Toulon.

AULX 44270 Loire-Atl. 67 ② – 1 311 h alt. 15.

is 421 – ♦Nantes 39 – La Roche-sur-Yon 47 – Challans 17 – St-Nazaire 61.

Voyageurs, pl. Église ✆ 40 26 02 76, Fax 40 26 02 77 – AE GB
fermé vacances de fév. et dim. soir – **Repas** 98 (déj.), 140/270, enf. 85.

AVILLON (col du) 69 Rhône 73 ⑧ – rattaché à Cours.

AYRAC 46350 Lot 75 ⑱ – 492 h alt. 320.

is 536 – Cahors 48 – Sarlat-la-Canéda 31 – Bergerac 103 – Brive-la-Gaillarde 51 – Figeac 62 – Périgueux 101.

Host. de la Paix, ✆ 65 37 95 15, Fax 65 37 90 37, – TV ☎ P – 25. AE GB
fermé 2 janv. au 17 fév. – **Repas** 75/160 – ☕ 30 – **50 ch** 280/330 – ½ P 286.

EAULE 56130 Morbihan 63 ⑭ – 2 188 h alt. 82.

is 437 – Ploërmel 47 – Redon 26 – La Roche-Bernard 10 – Vannes 36.

Armor Vilaine, pl. Église ✆ 97 42 91 03, Fax 97 42 82 27 – TV ☎. AE GB
fermé 15 au 30 sept., dim. soir et lundi sauf juil.-août et fériés – **Repas** 68/240, enf. 50 – ☕ 40 – **21 ch** 195/250 – ½ P 235/285.

ECY 77970 S.-et-M. 61 ③ – 565 h alt. 132.

is 68 – Coulommiers 21 – Meaux 45 – Melun 37 – Provins 24 – Sézanne 50.

Aub. Paysanne avec ch, à Cornefève, S : 3 km par rte secondaire ✆ 64 60 25 70, Fax 64 01 54 12 – P. GB
Repas 100/175, enf. 50 – ☕ 38 – **10 ch** 145/180 – ½ P 240.

EGOMAS 06580 Alpes-Mar. 84 ⑧ 114 ㉖ 115 ㉞ – 4 618 h alt. 18.

is 902 – Cannes 10 – Draguignan 59 – Grasse 9,5 – ♦Nice 43 – St-Raphaël 38.

L'Écluse, au bord de la Siagne, O : 1,5 km par rte secondaire ✆ 93 42 22 55, Fax 93 40 72 65, ←, – AE GB
fermé 15 oct. au 15 nov. et le soir d'oct. à avril sauf vend. et sam. – **Repas** 110/160, enf. 40.

à St-Jean SE : 2 km par D 9 – ✉ **06550** La Roquette-sur-Siagne :

Chasseurs sans rest, ✆ 93 47 19 96 – cuisinette TV ☎ P. GB.
☕ 35 – **17 ch** 200/240, 3 studios.

PEILLE 06440 Alpes-Mar. 84 ⑲ G. Côte d'Azur – 1 836 h alt. 630.

Voir Le bourg★ – Monument aux morts ≤★.

Syndicat d'Initiative - Mairie ✆ 93 79 90 32.

Paris 958 – Monaco 18 – L'Escarène 14 – Menton 26 – ♦Nice 27 – Sospel 35.

- **Aub. du Seuillet,** S : 2,5 km par D 53 ✆ 93 41 17 39, Fax 93 41 17 39, – P. GB
fermé juil. et merc. – **Repas** 112/170.

PEILLON 06440 Alpes-Mar. 84 ⑩ 115 ㉗ G. Côte d'Azur – 1 139 h alt. 200.

Voir Village★ – Fresques★ dans la chapelle des Pénitents Blancs.

Syndicat d'Initiative à la Mairie ✆ 93 79 91 04.

Paris 953 – Monaco 27 – Contes 12 – L'Escarène 13 – Menton 36 – ♦Nice 19 – Sospel 35.

- **Aub. de la Madone**, ✆ 93 79 91 17, Fax 93 79 99 36, ≤, , « Au pied d'un villa pittoresque, jardin et terrasse fleurie », – ☎ P. GB. ch
fermé 20 oct. au 20 déc., 7 au 24 janv. et merc. – **Repas** 140 (déj.), 220/300 – ▭ 55 – **20** 430/780 – ½ P 450/590.

PEISEY-NANCROIX 73210 Savoie 74 ⑱ G. Alpes du Nord – 521 h alt. 1320.

Office de Tourisme ✆ 79 07 94 28, Fax 79 07 95 34.

Paris 637 – Albertville 55 – Bourg-St-Maurice 15.

- **Vanoise**, à Plan Peisey : 4 km ✆ 79 07 92 19, Fax 79 07 97 48, ≤, , (été) – TV P. AE GB
20 juin-10 sept. et 18 déc.-25 avril – **Repas** 89/100, enf. 50 – ▭ 35 – **34 ch** 220/30(½ P 340.
- **L'Ancolie,** à Nancroix SE : 2 km ✆ 79 07 93 20, Fax 79 07 91 65, – GB
fin juin-fin sept. et 20 déc.-1er mai – **Repas** *(fermé lundi du 20 déc. au 1er mai)* (préve 140/250.

PÉLUSSIN 42410 Loire 76 ⑩ G. Vallée du Rhône – 3 132 h alt. 420.

Paris 513 – ♦St-Étienne 39 – Annonay 30 – Tournon-sur-Rhône 56 – Vienne 23.

- **Guy Chenavier** avec ch, ✆ 74 87 61 51, Fax 74 87 63 96, – rest TV ☎. GB. r
fermé 12 au 18 juil., vacances de fév., dim. soir et sam. hors sais. – **Repas** 107/270, enf. – ▭ 30 – **7 ch** 170/250 – ½ P 200/250.

PELVOUX (Commune de) 05340 H.-Alpes 77 ⑰ G. Alpes du Sud – 335 h alt. 1260 – Sports d'hive 1 250/2 300 m 6.

Voir Route des Choulières : ≤★★ E.

Paris 709 – Briançon 23 – L'Argentière-la-Bessée 12 – Gap 85 – Guillestre 32.

Le Sarret :

- **La Condamine**, ✆ 92 23 35 48, Fax 92 23 49 71, ≤, – ☎ P. AE GB. rest
1er juin-15 sept. et 20 déc.-30 mars – **Repas** 80/170 – ▭ 37 – **19 ch** 180/250 – ½ P 240/27

Ailefroide – alt. 1510 :

Voir Pré de Madame Carle : paysage★★ NO : 6 km.

- **Chalet H. Rolland**, ✆ 92 23 32 01, Fax 92 23 46 23, ≤, , – ☎ P. GB. res
15 juin-10 sept. – **Repas** 75 (déj.), 90/168, enf. 50 – ▭ 34 – **24 ch** 300 – ½ P 250.

PÉNESTIN 56760 Morbihan 63 ⑭ – 1 394 h alt. 20.

Voir Pointe du Bile ≤★ S : 5 km, G. Bretagne.

Office de Tourisme r. de Tremer ✆ 99 90 37 74, Fax 99 90 47 08.

Paris 457 – ♦Nantes 85 – Vannes 46 – La Baule 32 – La Roche-Bernard 18 – St-Nazaire 43.

- **Loscolo**, Pointe de Loscolo SO : 4 km ✆ 99 90 31 90, Fax 99 90 32 14, ≤, , TV ☎ P. GB
Pâques-Toussaint – **Repas** *(fermé mardi midi et merc. midi sauf juil.-août)* 150/380, enf. 9 ▭ 56 – **16 ch** 350/560 – ½ P 373/478.

PENHORS 29 Finistère 58 ⑭ – rattaché à Pouldreuzic.

PENNE-D'AGENAIS 47 L.-et-G. 79 ⑥ – rattaché à Villeneuve-sur-Lot.

PENNEDEPIE 14 Calvados 55 ③ – rattaché à Honfleur.

PENVÉNAN 22710 C.-d'Armor 59 ① – 2 489 h alt. 70.

Paris 510 – St-Brieuc 59 – Guingamp 32 – Lannion 18 – Perros-Guirec 16 – La Roche-Derrien 9 – Tréguier 7,5.

- **Crustacé** avec ch, ✆ 96 92 67 46 – GB
hôtel : 1er avril-7 oct. et fermé mardi et merc. sauf juil.-août – **Repas** *(fermé 7 au 30 oc 7 janv. au 15 fév., mardi soir et merc. sauf juil.-août)* 82/310, enf. 55 – ▭ 32 – **6 ch** 18(½ P 220.

RENAULT Gar. Henry, ✆ 96 92 65 22

PENVINS 56 Morbihan 63 ⑬ – rattaché à Sarzeau.

PÉRIGNAC 17 Char.-Mar. 71 ⑤ – rattaché à Pons.

ÉRIGNAT-LÈS-SARLIÈVE 63 P.-de-D. 73 ⑭ – rattaché à Clermont-Ferrand.

ÉRIGNY 86 Vienne 68 ⑬ – rattaché à Poitiers.

ÉRIGUEUX P 24000 Dordogne 75 ⑤ G. Périgord Quercy – 30 280 h alt. 86.

oir Cathédrale St-Front★ : retable★★ dans l'abside BZ – Église St-Étienne de la Cité★ AZ K – uartier du Puy St-Front★ : rue Limogeanne★ BY, escalier★ de la maison Lajoubertie BY E – alerie Daumesnil★ face au n° 3 de la rue Limogeanne YZ 38 – Musée du Périgord★ BY M[1].

✆ 53 53 02 35, par ⑤ : 5 km.

Office de Tourisme Rond-Point de la Tour Mataguerre ✆ 53 53 10 63, Fax 53 09 02 50 – Automobile Club r. Wilson ✆ 53 53 35 19, Fax 53 53 56 76.

ris 494 ① – Agen 139 ③ – Albi 231 ② – Angoulême 87 ⑤ – ♦Bordeaux 128 ④ – Brive-la-Gaillarde 74 ② – imoges 94 ① – Pau 264 ③ – Poitiers 195 ⑤ – ♦Toulouse 254 ②.

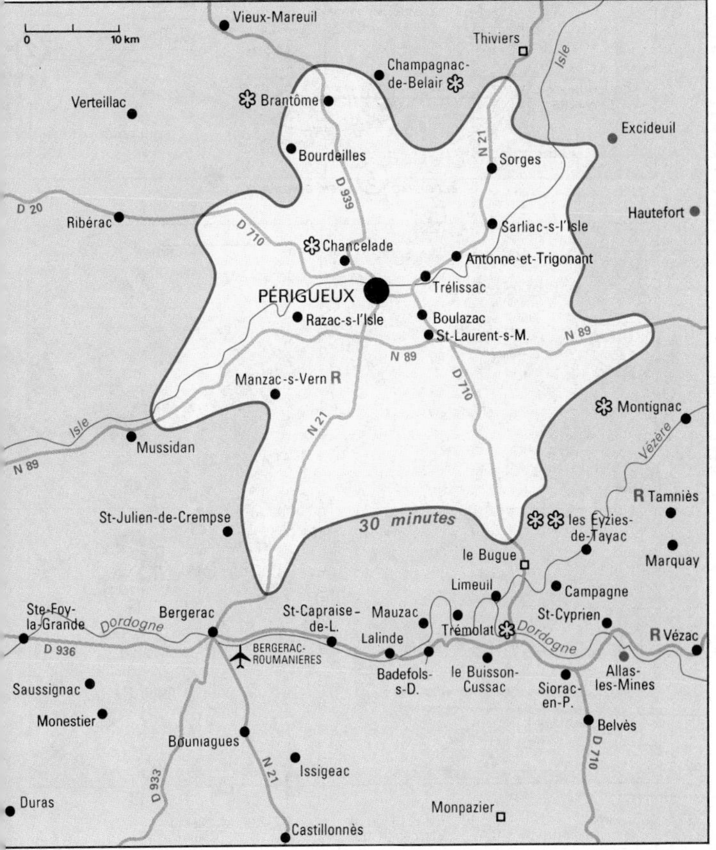

Bristol sans rest, 37 r. A. Gadaud ✆ 53 08 75 90, Fax 53 07 00 49 – AE GB JCB — AY u
36 – **29 ch** 270/370.

Périgord, 74 r. V. Hugo ✆ 53 53 33 63, Fax 53 08 19 74, – – 30. GB. ch — AY r
fermé 19 oct. au 3 nov. et 10 au 18 fév. et vend. – **Repas** *(fermé dim. soir et sam.)* 72 (déj.), 89/163, enf. 50 – 32 – **20 ch** 210/270 – ½ P 230/240.

Ibis M, 8 bd Saumade ✆ 53 53 64 58, Fax 53 07 51 79, – AE GB — BZ a
Repas 99 bc, enf. 39 – 35 – **89 ch** 285/320.

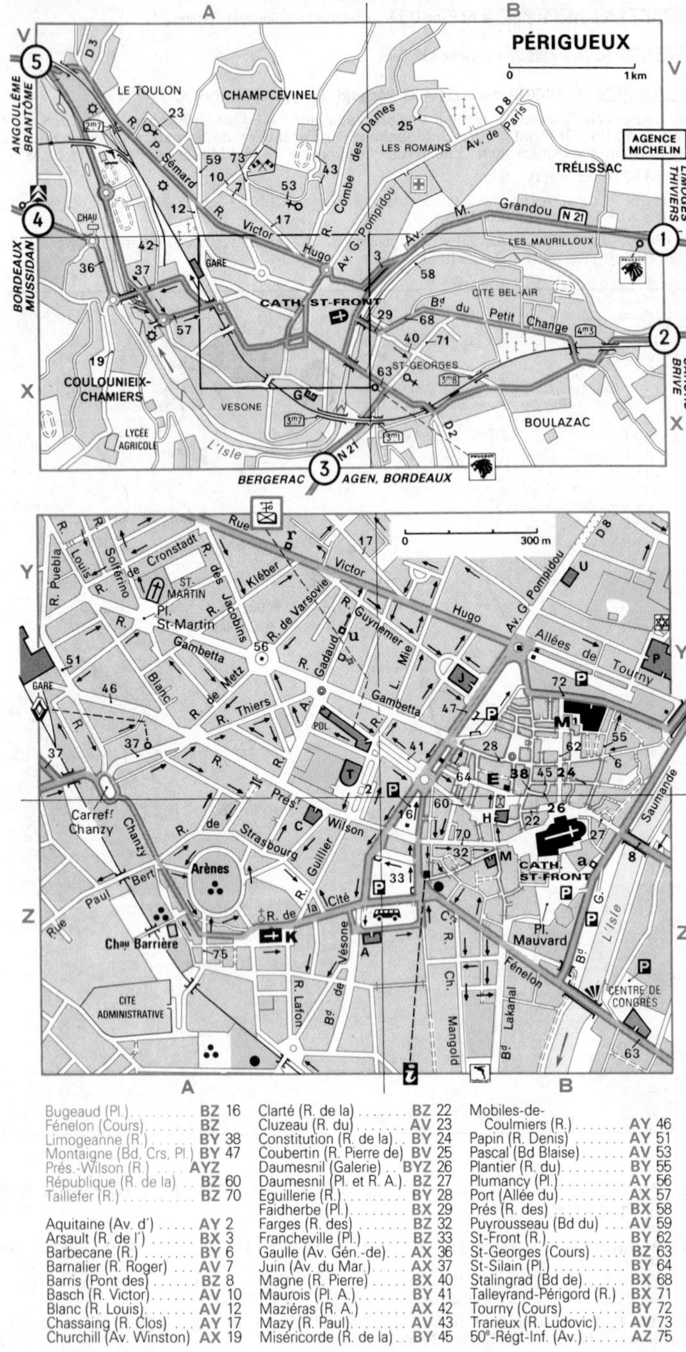

Bugeaud (Pl.) . . . . **BZ** 16
Fénelon (Cours) . . . . **BZ**
Limogeanne (R.) . . . . . . **BY** 38
Montaigne (Bd, Crs, Pl.) **BY** 47
Prés.-Wilson (R.) . . . . **AYZ**
République (R. de la) . . **BZ** 60
Taillefer (R.) . . . . **BZ** 70

Aquitaine (Av. d') . . . . . **AY** 2
Arsault (R. de l') . . . . . **BX** 3
Barbecane (R.) . . . . **BY** 6
Barnalier (R. Roger) . . . **AV** 7
Barris (Pont des) . . . . . **BZ** 8
Basch (R. Victor) . . . . . **AV** 10
Blanc (R. Louis) . . . . . . **AV** 12
Chassaing (R. Clos) . . . **AY** 17
Churchill (Av. Winston) **AX** 19

Clarté (R. de la) . . . . . . **BZ** 22
Cluzeau (R. du) . . . . . . **AV** 23
Constitution (R. de la) . . **BY** 24
Coubertin (R. Pierre de) **BV** 25
Daumesnil (Galerie) . . **BYZ** 26
Daumesnil (Pl. et R. A.) . **BZ** 27
Eguillerie (R.) . . . . **BY** 28
Faidherbe (Pl.) . . . . **BX** 29
Farges (R. des) . . . . **BZ** 32
Francheville (Pl.) . . . . . **BZ** 33
Gaulle (Av. Gén.-de) . . . **AX** 36
Juin (Av. du Mar.) . . . . . **AX** 37
Magne (R. Pierre) . . . . . **BX** 40
Maurois (Pl. A.) . . . . . . **BY** 41
Maziéras (R. A.) . . . . . . **AX** 42
Mazy (R. Paul) . . . . **AV** 43
Miséricorde (R. de la) . . **BY** 45

Mobiles-de-Coulmiers (R.) . . . . **AY** 46
Papin (R. Denis) . . . . . . **AY** 51
Pascal (Bd Blaise) . . . . . **AV** 53
Plantier (R. du) . . . . **BY** 55
Plumancy (Pl.) . . . . **AY** 56
Port (Allée du) . . . . **AX** 57
Prés (R. des) . . . . **BX** 58
Puyrousseau (Bd du) . . . **AV** 59
St-Front (R.) . . . . **BY** 62
St-Georges (Cours) . . . . **BZ** 63
St-Silain (Pl.) . . . . **BY** 64
Stalingrad (Bd de) . . . . . **BX** 68
Talleyrand-Périgord (R.) . **BX** 71
Tourny (Cours) . . . . **BY** 72
Trarieux (R. Ludovic) . . . . **AV** 73
50e-Régt-Inf. (Av.) . . . . . . **AZ** 75

à Trélissac par ① : 5 km – 6 660 h. alt. 92 – ✉ **24750** :

Climat de France, ✆ 53 04 36 36, Fax 53 54 08 97, – ☎ & P – 60. GB
Repas 86/135, enf. 39 – ☐ 35 – **62 ch** 295.

à Antonne-et-Trigonant par ① : 10,5 km – 1 050 h. alt. 106 – ✉ **24420**.
Voir Architecture intérieure★ du château des Bories NE : 2 km.

Host. L'Écluse, ✆ 53 06 00 04, Fax 53 06 06 39, « Dans un parc au bord de l'Isle », – ☎ P – 120. AE GB
Repas 95 bc (déj.), 130/200, enf. 60 – ☐ 35 – **41 ch** 260/300, 4 appart – ½ P 245/285.

à Boulazac par ② : 4 km – 5 996 h. alt. 120 – ✉ **24000** :

Campanile, espace Agora ✆ 53 09 00 37, Fax 53 09 03 95, – ☎ & P – 40. AE GB
Repas 84 bc/107 bc, enf. 39 – ☐ 32 – **37 ch** 270.

à St-Laurent-sur-Manoire par ②, N 89 et rte secondaire : 6 km – 706 h. alt. 110 – ✉ **24330** :

Le St-Laurent, ✆ 53 04 99 99, Fax 53 54 34 40, , parc, , – ☎ & P – 50. AE GB
Repas 113/214 – ☐ 39 – **37 ch** 280, 13 duplex – ½ P 295.

à Chancelade par ⑤, D 710 et D 1 : 5,5 km – 3 718 h. alt. 88 – ✉ **24650** :.
Voir Abbaye★.

Château des Reynats et rest. l'Oison (Chiorozas), ✆ 53 03 53 59, Fax 53 03 44 84, parc, , – ☎ & P – 80. AE GB JCB. ch
fermé 2 janv. au 15 mars – **Repas** *(fermé mardi midi hors sais. et lundi sauf le soir en sais.)* 135 bc (déj.), 180/350 – ☐ 85 – **32 ch** 450/750, 5 appart – ½ P 460/610
Spéc. Terrine de lapin en gelée au romarin. Canard laqué aux pêches rôties. Pain perdu à la cannelle.

à Razac-sur-l'Isle par ⑤, D 939, D 710 et D 3 : 14 km – 2 212 h. alt. 75 – ✉ **24430** :

Château de Lalande, ✆ 53 54 52 30, Fax 53 07 46 67, , parc, – ☎ P – 25. AE GB
15 mars-15 nov. et fermé merc. midi hors sais. – **Repas** 98/300, enf. 46 – ☐ 39 – **22 ch** 265/450 – ½ P 315/400.

MICHELIN, Agence, av. Grandon à Trélissac par ① ✆ 53 03 98 13

BMW Gar. Jessus, 46 r. Chanzy ✆ 53 08 99 30
CITROEN S.O.V.R.A., 74 av. Gén.-de-Gaulle à Chamiers ✆ 53 08 31 02 N ✆ 53 02 70 15
CITROEN Gar. Deluc, rte de Limoges à Trélissac par ① ✆ 53 02 70 10 N ✆ 53 02 70 10
FIAT, LANCIA Gar. Rebière, 228 av. Grandou à Trélissac ✆ 53 35 76 20
HONDA Gar. Borie, 156 av. Mar.-Juin ✆ 53 53 60 16
MERCEDES, TOYOTA Gar. Magot, 192 rte de Lyon ✆ 53 02 34 34
PEUGEOT Gar. Brout, 18 cours St-Georges ✆ 53 08 28 55 N ✆ 53 03 08 83
PEUGEOT Gar. Serreau, 202 av. de Limoges à Trélissac par ① ✆ 53 09 42 42 N ✆ 53 03 09 49
RENAULT Gar. Sarda, rte de Limoges à Trélissac par ① ✆ 53 02 41 41 N ✆ 53 03 05 14
RENAULT S.A.R.D.A., 74 av. Mar.-Juin ✆ 53 53 43 43 N ✆ 53 03 05 14
ROVER Gar. Pradier, 5 r. A.-Gadaud ✆ 53 53 53 94
VOLVO Gar. BG Sport, rte de Bordeaux à Marsac ✆ 53 03 96 52

Barrier, N 21 Les Jalots à Trélissac ✆ 53 53 54 17
Distripneus-Point S, rte de Bordeaux à Marsac-sur-l'Isle ✆ 53 04 13 48
Fontana Pneus, 4 bis av. H.-Barbusse ✆ 53 08 80 47
Périgord Pneus Point S, à Trélissac ✆ 53 54 41 27 N ✆ 53 04 36 54
Réparpneu, ZAE av. L.-Suder à Marsac ✆ 53 04 95 52
Réparpneu, 18 r. Gambetta ✆ 53 53 44 14
Réparpneu, 145 bd Petit Change ✆ 53 53 46 83

PERNES-LES-FONTAINES **84210** Vaucluse 81 ⑫ **G. Provence** (plan) – 8 304 h alt. 75.
Voir Porte Notre-Dame★.
Office de Tourisme Pont de la Nesque ✆ 90 61 31 04.
Paris 684 – Avignon 24 – Apt 43 – Carpentras 6 – Cavaillon 19.

L'Hermitage sans rest, rte Carpentras : 2 km ✆ 90 66 51 41, Fax 90 61 36 41, parc, – ☎ P – 25. AE GB
☐ 45 – **20 ch** 360/460.

PÉRONNE <SP> **80200** Somme **53** ⑬ **G. Flandres Artois Picardie** – 8 497 h alt. 52.

Voir Historial de la Grande Guerre★.

☐ Office de Tourisme pl. du Château ✆ 22 84 42 38, Fax 22 85 51 25.

Paris 140 ② – St-Quentin 30 ① – ◆Amiens 51 ② – Arras 47 ① – Doullens 55 ③.

PÉRONNE

Daudré (Pl. du Cdt) 9
Gare (Av. de la) ....
St-Sauveur (R.) 22

Ancien Collège (R. de l') 2
Anglais (Bd des) ....
Béranger (R.) ....
Bouchers (R. des) 4
Boulanger (Av. Ch.) ....
Caisse-d'Épargne
(R. de la) 5
Chanoines (R. des) 7
Clemenceau (R. G.) ....
Danicourt (Av.) ....
Hugo (R. V.) ....
Mermoz (R. J.) ....
Noir-Lion (R. du) 14
Pasteur (R.) 17
Poilu (Bd du) ....
République (Av. de la) ......
St-Fursy (R.) ....
St-Jean (R.) 18
St-Quentin-
Capelle (R.) 21
Tourelles (R. des) ....
Verne (R. J.) ....

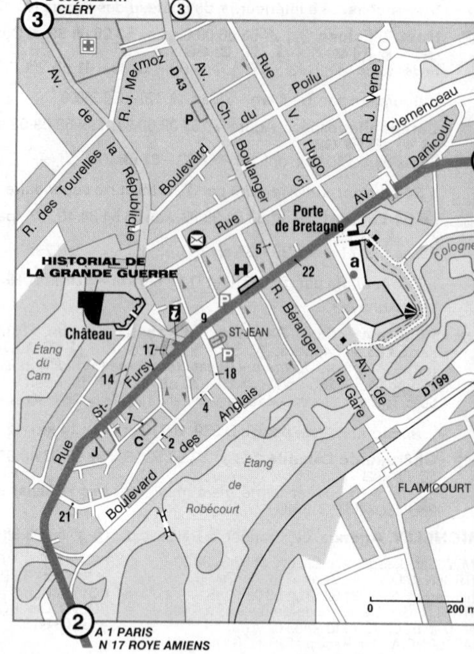

Les rues sont sélectionnées en fonction de leur importance pour la circulation et le repérage des établissements cités. Les rues secondaires ne sont qu'amorcées.

XX **La Quenouille,** 4 av. Australiens N 17 par ① ✆ 22 84 00 62, Fax 22 84 67 50, ☂, ☂
P. AE GB
fermé 30 avril au 22 mai, 26 août au 11 sept., dim. soir et lundi – **Repas** 95/175.

XX **Host. des Remparts** avec ch, 21 r. Beaubois **(a)** ✆ 22 84 01 22, Fax 22 84 31 96, ☂
TV ☎ – 30. AE ⓓ GB JCB
Repas 89 (dîner), 100/249 – ☐ 35 – **16 ch** 190/320 – ½ P 400/500.

à Rancourt par ① et N 17 : 10 km – 143 h. alt. 143 – ✉ **80360** :

Le Prieuré M, ✆ 22 85 04 43, Fax 22 85 06 69 – TV ☎ P – 30. GB
Repas 69/230 – ☐ 28 – **26 ch** 260/290 – ½ P 210.

rte de Paris par ② : 3 km – ✉ **80200** Péronne :

Campanile, ✆ 22 84 22 22, Fax 22 84 16 86 – TV ☎ & P – 25. AE ⓓ GB
Repas 84 bc/107 bc, enf. 39 – ☐ 32 – **40 ch** 270.

Aire d'Assevillers sur A 1 par ② et D 164E : 9 km – ✉ **80200** Péronne :

Mercure M, ✆ 22 84 12 76, Fax 22 85 28 92, ☂ – TV ☎ & P – 40 à 100.
ⓓ GB
Repas 114 ♨, enf. 39 – ☐ 50 – **85 ch** 295/495.

CITROEN Gar. de Picardie, av. des Australiens, Mont-St-Quentin par ① ✆ 22 84 00 34
OPEL Gar. du Château, 6 fg de Paris ✆ 22 84 75 35
RENAULT Péronne Autos., rte de Roisel par ① puis D 6 ✆ 22 83 50 00 N ✆ 22 83 71 41

Euromaster, 29 fg de Bretagne ✆ 22 84 29 41

PÉROUGES **01800** Ain **74** ② ③ **G. Vallée du Rhône** (plan) – 851 h alt. 290.

Voir Cité★★ : place de la Halle★★★.

☐ Syndicat d'Initiative Entrée de la Cité ✆ 74 61 01 14.

Paris 473 – ◆Lyon 36 – Bourg-en-Bresse 37 – St-André-de-Corcy 19 – Villefranche-sur-Saône 41.

Ostellerie du Vieux Pérouges ⛫, ✆ 74 61 00 88, Fax 74 34 77 90, « Intérieur vieux bressan », – ☎ – 🅿 – 25. GB
Repas 180/390, enf. 95 – ☕ 60 – **15 ch** 700/980.

Annexe ⛫,
Repas voir ci-dessus – ☕ 60 – **13 ch** 390/580.

PERPIGNAN 🅿 **66000** Pyr.-Or. 86 ⑲ **G. Pyrénées Roussillon** – 105 983 h Agglo. 157 873 h alt. 60.

Voir Le Castillet★ BY – Loge de mer★ BY **E** – Hôtel de Ville★ BY **H** – Cathédrale★ BCY – Palais des Rois de Majorque★ BCZ – Musée numismatique Joseph-Puig★ AY – Cabestany : tympan★ de l'église SE : 4 km par D 22 CZ.

18 de Saint-Cyprien ✆ 68 21 01 71, par ③ : 15 km.

✈ de Perpignan-Rivesaltes : ✆ 68 52 60 70, par ① : 6 km.

Office de Tourisme et Accueil de France - Palais des Congrès, pl. A. Lanoux ✆ 68 66 30 30, Télex 500500, Fax 68 66 30 26 – Automobile Club du Roussillon 47 bd Clémenceau ✆ 68 34 30 22, Fax 68 34 37 30.

Paris 864 ① – Andorra la Vella 168 ⑥ – Béziers 94 ① – ♦Montpellier 153 ① – ♦Toulouse 206 ①.

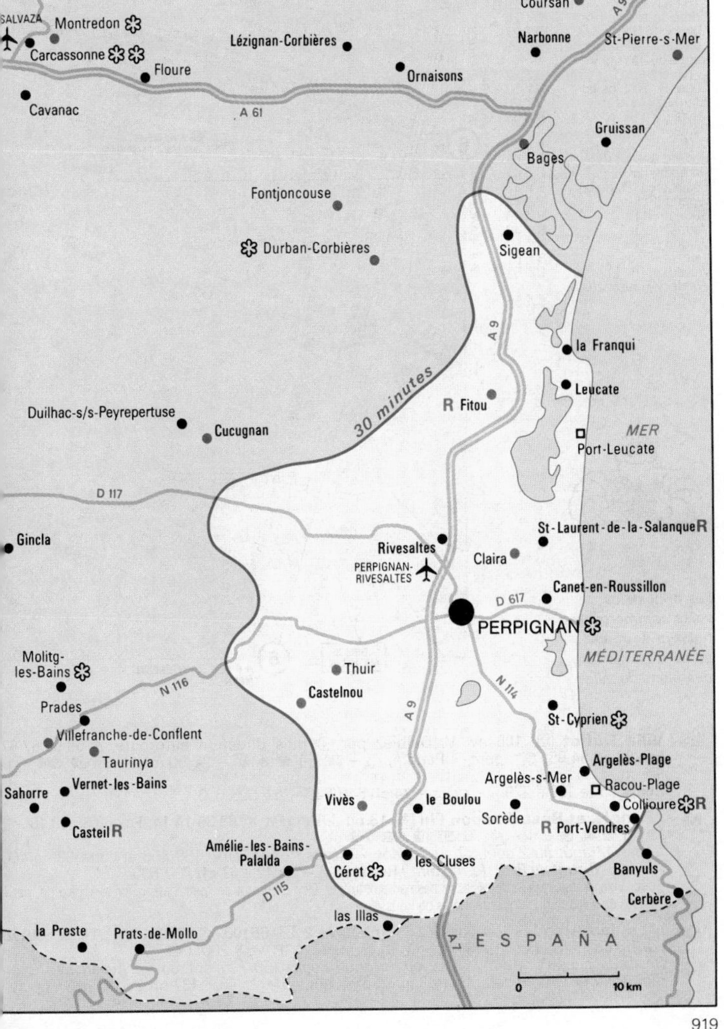

PERPIGNAN

Alsace-Lorraine (R. d') . . BY 2
Arago (Pl.) . . . . BZ 5
Argenterie (R. de l') . . . . . BY 6
Barre (R. de la) . . . . BY 7
Clemenceau (Bd G.) . . . . BY
Louis-Blanc (R.) . . . . BY 34
Marchands (R. des) . . . . BY 35
Mirabeau (R.) . . . . BY 37
Péri (Pl. Gabriel) . . . . BZ 39
Théâtre (R. du) . . . . BZ 46

Anciens Combattants d'Indochine (Pl. des) . . BY 3
Ange (R. de l') . . . . BZ 4
Bartissol (R. E.) . . . . BY 8
Batllo (Quai F.) . . . . BY 9
Carnot (Quai Sadi) . . . . . . BY 20
Castillet (R. du) . . . . BY 21
Cloche d'Or (R. de la) . . BYZ 22
Côte des Carmes (R.) . . . CZ 23
Fabriques d'En Nabot (R. des) . . . . BY 24
Fontaine-Neuve (R.) . . . . CZ 25
Gambetta (Pl.) . . . . BY 27
Grande-la-Monnaie (R.) . BZ 28
Lattre-de-Tassigny (Quai de) . . . . BZ 32
Loge (R. et pl. de la) . . . . BY 33
Mermoz (Av. J.) . . . . CZ 36
Payra (R. J.) . . . . BY 38
Petite-la-Monnaie (R.) . . . . BZ 40
Porte-d'Assaut (R.) . . . . . BZ 41
Remparts-la-Réal (R. des) BZ 42
Résistance (Pl. de la) . . . . BY 43
Rigaud (Pl.) . . . . BZ 44
St-Jean (R.) . . . . BY 45
Vauban (Quai) . . . . BY 49
Verdun (Pl. de) . . . . BY 50
Victoire (Pl. de la) . . . . . . BY 51
Vielledent (R. J.) . . . . CZ 52
Waldeck-Rousseau (R.) . . . . CZ 55

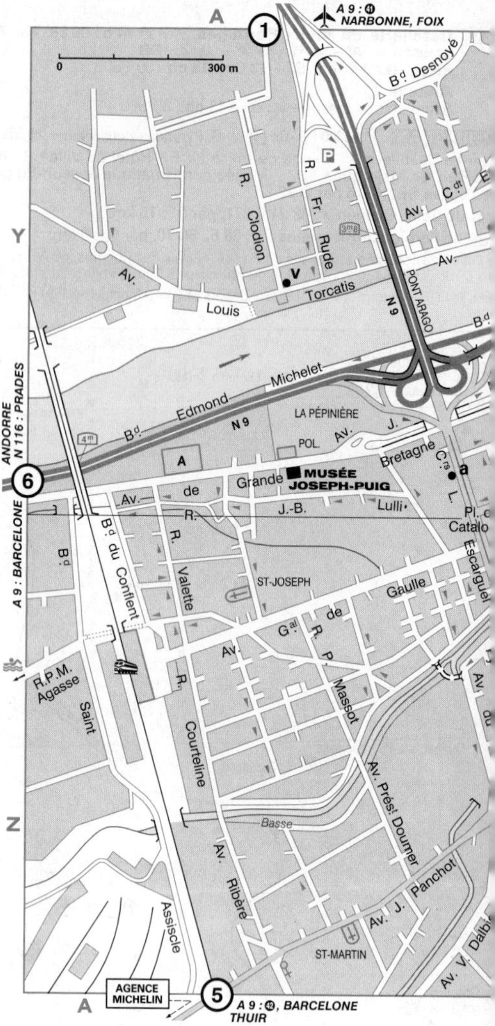

Les principales voies commerçantes figurent en rouge au début de la liste des plans de villes.

Villa Duflot Ⓜ, 109 av. V. Dalbiez par ④ puis direction autoroute ✆ 68 56 67 67, Fax 68 56 54 05, 龠, parc, « Patio », ⛱ – ▤ TV ☎ ♿ P – 🔬 50 à 100. AE ⦿ GB JCB ✻ ch
Repas carte 180 à 270 ♁ – ☕ 55 – **24 ch** 540/740 – ½ P 505/605.

✿ **Park H. et Rest. Chapon Fin** Ⓜ, 18 bd J. Bourrat ✆ 68 35 14 14, Fax 68 35 48 18 – ▤ TV ☎ ♿ 🚗 – 🔬 70. AE ⦿ GB JCB CY
fermé 17 août au 2 sept., 2 au 20 janv. – **Repas** *(fermé dim.)* 180/450 et carte 330 à 460 enf. 90 - ***Bistrot du Park*** *(fermé dim.)* **Repas** 98 ♁ – ☕ 42 – **67 ch** 260/500
Spéc. Volaille de Bresse en vessie, riz basmati aux truffes. Dos de turbot de "petit bateau" grillé. Cigale de mer et gambas en salade. **Vins** Collioure, Côtes du Roussillon.

Mas des Arcades Ⓜ, par ④ : 2 km sur N 9 ✉ 66100 ✆ 68 85 11 11, Télex 500176 Fax 68 85 21 41, 龠, ⛱, 🌳, 🎾 – ▤ ▤ TV ☎ 🚗 P – 🔬 200. GB. ✻
Relais Jacques 1er *: (fermé dim. soir et lundi)* **Repas** 160/280, enf. 85 – ***L'Aquarium :*** *(fermé dim. midi et sam. d'oct. à mai)* **Repas** 95, ♁, enf. 45 – ☕ 45 – **137 ch** 366/486, 3 appart – ½ P 316.

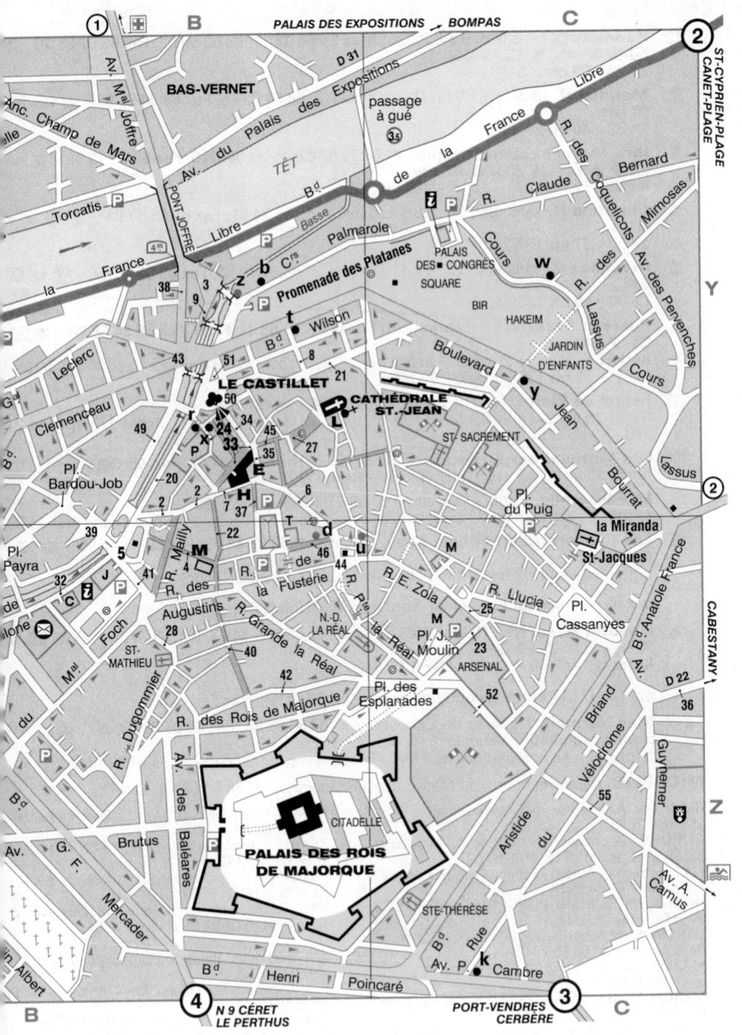

Mercure M, 5 cours Palmarole ✆ 68 35 67 66, Télex 506196, Fax 68 35 58 13, – 50. AE GB — BY **b**
En Haut de l'Escalier : (fermé sam. et dim.) **Repas** 93, enf. 35 – 55 – **55 ch** 410/440, 5 duplex.

Windsor sans rest, 8 bd Wilson ✆ 68 51 18 65, Fax 68 51 01 00 – 50. AE GB — BY **t**
45 – **50 ch** 250/470, 5 appart.

New Christina M, 51 cours Lassus ✆ 68 35 12 21, Fax 68 35 67 01, – GB — CY **w**
Repas 100, enf. 50 – 35 – **25 ch** 350/370 – ½ P 295.

France et rest. l'Echanson, 16 quai Sadi-Carnot ✆ 68 34 92 81, Fax 68 34 26 01 – rest – 50. AE GB — BY **r**
fermé juil. et dim. – **Repas** 98 bc/170 – 38 – **39 ch** 200/400, 5 appart – ½ P 210/325.

Kennedy M sans rest, 9 av. P. Cambres ✉ 66100 ☎ 68 50 60 02, Fax 68 67 55 10 – AE GB CZ
29 – **26 ch** 235/285.

Mondial H. sans rest, 40 bd Clemenceau ☎ 68 34 23 45, Fax 68 34 55 07 – AE GB BY
32 – **40 ch** 200/280.

Ibis, 16 cours Lazare Escarguel ☎ 68 35 62 62, Télex 506270, Fax 68 35 13 38 – – 250. AE GB AY
Repas 99, enf. 39 – 35 – **100 ch** 360.

Christina H. sans rest, 50 cours Lassus ☎ 68 35 24 61, Fax 68 35 67 01 – GB CY
35 – **37 ch** 150/280.

Pyrénées H. sans rest, 122 av. L. Torcatis ☎ 68 61 19 66, Fax 68 52 48 97 – GB AY
30 – **20 ch** 140/310.

Poste et Perdrix, 6 r. Fabriques-d'En-Nabot ☎ 68 34 42 53, Fax 68 34 58 20 – AE GB BY
fermé 26 janv. au 1er mars – **Repas** *(fermé dim. soir sauf en juil.-août et lundi)* 83/135
28 – **38 ch** 130/260 – ½ P 180/230.

XXX **Festin de Pierre,** 7 r. Théâtre ☎ 68 51 28 74 – AE GB BZ
fermé 15 juin au 1er juil., 12 fév. au 1er mars, mardi soir et merc. – **Repas** 120 et carte 21 370.

XX **Les Antiquaires,** pl. Desprès ☎ 68 34 06 58, Fax 68 35 04 47 – AE GB BZ
fermé 1er au 15 juil., dim. soir et lundi – **Repas** 130/210.

XX **La Passerelle,** 1 cours Palmarole ☎ 68 51 30 65 – AE GB BY
fermé 20 déc. au 4 janv., lundi midi et dim. – **Repas** - produits de la mer - carte 180 à 280.

XX **Les Casseroles en Folies,** 72 av. Torcatis ☎ 68 52 48 03, Fax 68 52 47 96 – AE GB AY
fermé juil.-août, 1er au 15 janv., dim. soir et lundi – **Repas** 130 bc, enf. 50.

par ① : échangeur Perpignan-Nord – ✉ **66600** Rivesaltes :

Novotel M, sur N9 : 10 km ☎ 68 64 02 22, Fax 68 64 24 27, – 200. AE GB JCB
Repas 89, enf. 50 – 48 – **86 ch** 450/480.

par ② , D 617 et rte secondaire : 5 km – ✉ **66000** Perpignan :

XXX **Mas Vermeil,** Traverse de Cabestany ☎ 68 66 95 96, Fax 68 66 89 13, , parc, « Ancienne exploitation vinicole, patio » – AE GB
fermé dim. soir et lundi d'oct. à fév. – **Repas** 155 bc/220 et carte 250 à 370, enf. 70.

MICHELIN, Agence, chem. du Mas Juanola Prolonge AZ ☎ 68 54 53 10

BMW Gar. Alart, 20 av. de Grande Bretagne ☎ 68 34 07 83
CITROEN Gar. Tressol-Chabrier, 95 av. Mar.-Juin par ③ ☎ 68 66 26 26 N ☎ 68 67 63 51
FIAT Perpignan Autom., Espace Autom chem de la Fauceille ☎ 68 54 63 54
HONDA, MITSUBISHI, PORSCHE Gar. Coll, 1085 av. d'Espagne ☎ 68 85 17 25
LANCIA Style Auto, Espace Automobile, Chemin de la Fauceille ☎ 68 56 79 02
MAZDA Gar. Valauto, 2 bd des Pyrénées ☎ 68 56 96 96
MERCEDES Gar. Monopole, 301 av. du Languedoc ☎ 68 61 22 93
OPEL Auto 66, Espace Automobiles, Chemin de la Fauceille ☎ 68 56 79 15
PEUGEOT SCA les Gds Gar. Pyrénéens, 1007 av. d'Espagne rte du Perthus par ④ ☎ 68 85 68 85 N ☎ 05 44 24 24
PEUGEOT Gar. Merino, 57 av. J.-Panchot par ⑤ ☎ 68 54 68 79
RENAULT Filiale, N 9, Km 3 rte du Perthus par ④ ☎ 68 56 24 24 N ☎ 05 05 15 15
TOYOTA Gar. Sudria, Espace Autom. ch. de la Faucille ☎ 68 68 15 00
VAG Europe Auto, rte de Thuir, r. P.-Langevin, ZI 1km ☎ 68 85 01 92 N ☎ 68 61 15 64

Ayme Pneus, 156 av. du Languedoc ZIN ☎ 68 61 26 38
Escoffier Pneus Vulcopneu, Km 4, rte de de Prades ☎ 68 56 65 34
Euromaster, 33 av. V.-Dalbiez ☎ 68 54 57 78
Euromaster, ZI St-Charles ☎ 68 54 30 11
Figuères, ZI St-Charles ☎ 68 55 23 10
Figuères, 29 r. H.-Bataille ☎ 68 61 20 02
Pagès, r. Levavasseur ZI St-Charles ☎ 68 54 67 30

Le PERRAY-EN-YVELINES 78610 Yvelines 60 ⑨ 106 ㉘ – 4 645 h alt. 180.

Paris 45 – Chartres 47 – Arpajon 34 – Mantes-la-Jolie 42 – Rambouillet 6 – Versailles 24.

XXX **Aub. des Bréviaires,** aux Bréviaires : 3,5 km par D 61 ☎ (1) 34 84 98 4 Fax (1) 34 84 65 88, – AE GB
fermé 9 au 30 juil., vacances de fév., lundi soir et mardi – **Repas** 200 bc/260 et carte 260 360.

Le PERREUX-SUR-MARNE 94 Val-de-Marne 56 ⑪, 106 ⑰ ⑱, 101 ⑱ – voir à Paris, Environs.

PERRIER 63 P.-de-D. 73 ⑭ – rattaché à Issoire.

PERRIGNY-LÈS-DIJON 21 Côte-d'Or 66 ⑫ – rattaché à Dijon.

ERROS-GUIREC 22700 C.-d'Armor 59 ① G. Bretagne – 7 497 h alt. 60 – Casino A.

ir Nef romane★ de l'église B – Pointe du château ≤★ B – Table d'orientation ≤★ B E – Sentier des douaniers★★ A – Chapelle N.-D. de la Clarté★ 3 km par ② – Sémaphore ≤★ 3,5 km par ②.

de St-Samson ✆ 96 23 87 34, SO : 7 km.

Office de Tourisme et Accueil de France 21 pl. Hôtel de Ville ✆ 96 23 21 15, Fax 96 23 04 72.

s 520 ① – St-Brieuc 70 ① – Lannion 11 ① – Tréguier 20 ①.

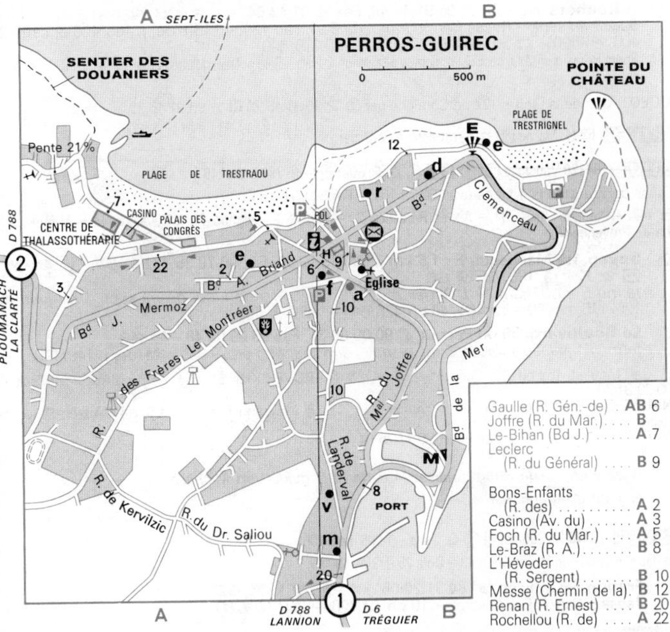

Gaulle (R. Gén.-de)	AB 6
Joffre (R. du Mar.)	B
Le-Bihan (Bd J.)	A 7
Leclerc (R. du Général)	B 9
Bons-Enfants (R. des)	A 2
Casino (Av. du)	A 3
Foch (R. du Mar.)	A 5
Le-Braz (R. A.)	B 8
L'Héveder (R. Sergent)	B 10
Messe (Chemin de la)	B 12
Renan (R. Ernest)	B 20
Rochellou (R. de)	A 22

Printania M, 12 r. Bons Enfants ✆ 96 49 01 10, Fax 96 91 16 36, ≤ mer et les îles, – TV ☎ P. AE ⓓ GB JCB. rest — A e
fermé 15 déc. au 15 janv. – **Repas** *(fermé lundi midi et dim. du 15 sept. au 30 avril)* 120/185 – ☐ 48 – **33 ch** 553/665 – ½ P 471/542.

Le Sphinx, 67 chemin de la Messe ✆ 96 23 25 42, Fax 96 91 26 13, ≤ mer et les îles, – TV ☎ ♿ P. AE GB. — B e
fermé 6 janv. au 20 fév. – **Repas** *(fermé vend. d'oct. à avril et lundi midi sauf fériés)* 125/265, enf. 80 – ☐ 44 – **20 ch** 490/550 – ½ P 530/550.

Les Feux des Iles, 53 bd Clemenceau ✆ 96 23 22 94, Fax 96 91 07 30, ≤, – TV ☎ ♿ P. AE ⓓ GB. — B d
fermé 1er au 10 mars, 1er au 6 oct., lundi sauf hôtel et dim. soir d'oct. à avril – **Repas** 128/325 , enf. 83 – ☐ 45 – **15 ch** 380/700 – ½ P 440/600.

Bon Accueil, 11 r. Landerval ✆ 96 23 25 77, Fax 96 23 12 66, – TV ☎ P. AE GB — B v
fermé 23 déc. au 2 janv. – **Repas** *(fermé dim. soir sauf juil.-août)* 90/280 – ☐ 35 – **21 ch** 260/360 – ½ P 340.

France, 14 r. Rouzig ✆ 96 23 20 27, Fax 96 91 19 57 – TV ☎ P. GB. — B r
29 mars-6 oct. – **Repas** 99/159 – ☐ 36 – **30 ch** 270/370 – ½ P 270/330.

Les Sternes sans rest, rd-pt Perros-Guirec par ① ✆ 96 91 03 38, Fax 96 23 13 01 – TV ☎ ♿ P. GB
☐ 33 – **20 ch** 200/280.

Levant, sur le port ✆ 96 23 20 15, Fax 96 23 36 31, ≤ – TV ☎ P. GB — B m
Repas *(fermé Noël au Jour de l'An et dim. soir sauf juil.-août)* 82/215 , enf. 50 – ☐ 31 – **21 ch** 315/345 – ½ P 283/330.

Hermitage, 20 r. Frères Le Montréer ✆ 96 23 21 22, Fax 96 91 16 56, – TV ☎ P. AE GB. rest — B f
15 mai-20 sept. – **Repas** (dîner seul.)(résidents seul.) 98/120 – ☐ 32 – **24 ch** 238/295 – ½ P 265/285.

XX **Crémaillère,** pl. Église ✆ 96 23 22 08 – AE ⓓ GB — B a
fermé 14 nov. au 1er déc. et lundi hors sais. – **Repas** 92/198.

à Ploumanach par ② : 6 km – ✉ **22700** Perros-Guirec.

Voir Rochers★★ – Parc municipal★★.

Europe sans rest, ☎ 96 91 40 76, Fax 96 91 49 74 – TV ☎ ♿ P. GB. ✂
fermé 15 nov. au 15 déc. – ☕ 32 – **18 ch** 225/325.

Parc, ☎ 96 91 40 80, Fax 96 91 60 48, – TV ☎ P. AE GB
1er avril-25 sept. – **Repas** 75/160, enf. 46 – ☕ 29 – **11 ch** 250/280 – ½ P 275/280.

XXX ✿ **Rochers** avec ch, ☎ 96 91 44 49, Fax 96 91 43 64, ← – ☎. GB. ✂ rest
5 avril-fin sept. – **Repas** *(fermé merc. du 5 avril au 12 juin)* 130 (déj.), 165/420 et carte 26
400, enf. 90 – ☕ 50 – **14 ch** 275/500 – ½ P 375/600
Spéc. Homard grillé façon "Justin" flambé à l'armagnac (sais.). Raie poêlée, galette et miel de sarrazin. "Brochette" chocolat et sa ganache.

PEUGEOT Gar. de la Clarté, 127 bd Corniche par ② ☎ 96 91 46 23 N ☎ 96 91 46 23

PERTHES **52** H.-Marne 61 ⑨ – rattaché à St-Dizier.

PERTUIS **84120** Vaucluse 84 ③ 114 ③ **G. Provence** – 15 791 h alt. 246.

Office de Tourisme pl. Mirabeau ☎ 90 79 15 56, Fax 90 09 59 06.

Paris 748 – Digne-les-Bains 94 – Aix-en-Provence 20 – Apt 35 – Avignon 71 – Cavaillon 44 – Manosque 4
Salon-de-Provence 46.

Sevan, rte Manosque E : 1,5 km ☎ 90 79 19 30, Fax 90 79 35 77, ←, , , , –
TV ☎ P – 100. AE GB
fermé 5 au 31 janv. – ***L'Olivier*** ☎ 90 79 08 19 *(fermé lundi de mi-sept. à mi-juin)* **Re**
125/175, enf.90 – ☕ 46 – **40 ch** 425/644 – ½ P 435/460.

XX **Le Boulevard,** 50 bd Pecout ☎ 90 09 69 31, Fax 90 09 09 48 – AE GB
fermé 31 juil. au 14 août, 5 au 19 janv., dim. soir et merc. – **Repas** 98 (déj.), 140/190.

FIAT Gar. Moullet, 159 bd J.B.-Pecout ☎ 90 79 01 70
RENAULT Gar. SEPAL, rte d'Aix-en-Provence N 556 ☎ 90 79 09 66
ROVER Gar. Staiano, D 9 à Sannes ☎ 99 77 75 61

ROVER Gar. Staiano, ZA rte d'Aix ☎ 90 79 20 02
Meysson-Pneu, Point S, rte d'Aix-en-Provence ☎ 90 79 07 31

*Avec votre guide Rouge utilisez la **carte** et le **guide Vert Michelin** :*
ils sont inséparables.

PESMES **70140** H.-Saône 66 ⑭ **G. Jura** – 1 006 h alt. 205.

Paris 358 – ♦Besançon 38 – ♦Dijon 49 – Dole 25 – Gray 19.

X **France** avec ch, ☎ 84 31 20 05, – TV ☎ P. GB
Repas 80 bc/160 – ☕ 35 – **10 ch** 190/260 – ½ P 240/280.

PESSAC **33** Gironde 71 ⑨ – rattaché à Bordeaux.

PETIT-CLAMART **92** Hauts-de-Seine 60 ⑩, 101 ⑭ – voir à Paris, Environs.

PETITE-FORÊT **59** Nord 53 ④ – rattaché à Valenciennes.

La PETITE-PIERRE **67290** B.-Rhin 57 ⑰ **G. Alsace Lorraine** – 623 h alt. 340.

Paris 434 – ♦Strasbourg 55 – Haguenau 42 – Sarrebourg 32 – Sarreguemines 49 – Sarre-Union 25.

La Clairière M, rte d'Ingwiller (D 7) : 1,5 km ☎ 88 71 75 00, Fax 88 70 41 05, ,
– TV ☎ ♿ P – 30 à 100. AE GB
Repas 198/335, enf. 68 – ☕ 48 – **50 ch** 400/650 – ½ P 403/543.

Aux Trois Roses, ☎ 88 89 89 00, Fax 88 70 41 28, ←, , , , – rest
☎ – 30. GB
Repas 100/150, enf. 55 – ☕ 52 – **43 ch** 310/580 – ½ P 300/450.

Vosges, ☎ 88 70 45 05, Fax 88 70 41 13, ←, , – rest TV ☎ ♿ P – 25. G
JCB
fermé 18 nov. au 15 déc. – **Repas** 100/280, enf. 65 – ☕ 45 – **32 ch** 290/470 – ½ P 300/47

Lion d'Or, ☎ 88 70 45 06, Fax 88 70 45 56, , , , – rest TV ☎ ♿ P. AE G
fermé 5 au 25 janv. – **Repas** 98/280, enf. 65 – ☕ 50 – **40 ch** 270/450 – ½ P 360/390.

à l'Étang d'Imsthal SE : 3,5 km par D 178 – ✉ **67290** La Petite-Pierre :

Aub. d'Imsthal, ☎ 88 01 49 00, Fax 88 70 40 26, ←, , , – TV ☎ P – 2
AE GB JCB. ✂ rest
Repas 80/240 – ☕ 48 – **23 ch** 230/650 – ½ P 320/440.

à Graufthal SO : 11 km par D 178 et D 122 – ✉ **67320** :

Vieux Moulin, ☎ 88 70 17 28, Fax 88 70 11 25, ←, , – TV ☎ ♿ P. GB
fermé 12 au 27 nov., 13 janv. au 1er fév., lundi soir et mardi – **Repas** 46 (déj.), 100/185
enf. 40 – ☕ 28 – **14 ch** 208/356 – ½ P 237/293.

RENAULT Gar. Letscher, 68 r. Division Leclerc à Petersbach ☎ 88 70 45 53 N ☎ 88 70 45 53

Le PETIT-PRESSIGNY 37350 I.-et-L. 68 ⑤ – 394 h alt. 80.

Paris 285 – Poitiers 72 – Le Blanc 39 – Châtellerault 35 – Châteauroux 75 – ♦Tours 61.

XXX ✿ **La Promenade** (Dallais), ✆ 47 94 93 52, Fax 47 91 06 03 – ▤. GB
fermé 23 sept. au 8 oct., 6 au 28 janv., dim. soir et lundi sauf fériés – **Repas** 120/360 et carte 270 à 430
Spéc. Consommé froid de tomate au caviar (été). Sandre et compote d'échalotes, sauce civet de homard. Côte de cochon fermier aux haricots demi-secs. **Vins** Reuilly, Bourgueil.

Le PETIT QUEVILLY 76 S.-Mar. 55 ⑥ – rattaché à Rouen.

PETRETO-BICCHISANO 2A Corse-du-Sud 90 ⑰ – voir à Corse.

PEYRAT-LE-CHÂTEAU 87470 H.-Vienne 72 ⑲ **G. Berry Limousin** – 1 194 h alt. 426.

Paris 409 – ♦Limoges 52 – Aubusson 45 – Guéret 54 – Tulle 81 – Ussel 77 – Uzerche 60.

Aub. Bois de l'Étang, ✆ 55 69 40 19, Fax 55 69 42 93, – ▤ rest ☎ P – 40. AE GB
fermé 15 déc. au 15 janv., dim. soir et lundi du 15 nov. au 31 mars – **Repas** 75/195 ₰, enf. 45 – ☐ 30 – **28 ch** 160/280 – ½ P 170/230.

Bellerive, ✆ 55 69 40 67, Fax 55 69 47 96, ← – P. GB
29 mars-11 nov. et fermé dim. soir et lundi du 1er oct. au 30 avril sauf fériés – **Repas** 69 (déj.), 95/250 ₰ – ☐ 32 – **10 ch** 175/250 – ½ P 180/235.

Voyageurs, ✆ 55 69 40 02, Fax 55 69 49 69 – P. GB.
1er mars-30 sept. – **Repas** 75/150 ₰ – ☐ 35 – **14 ch** 170/280 – ½ P 200/240.

au Lac de Vassivière ★★ – ✉ 87470 Peyrat-le-Château.

Voir Centre d'art contemporain de l'île de Vassivière★★.

Golf du Limousin ⑤, ✆ 55 69 41 34, Fax 55 69 49 16, – TV ☎ P. GB. rest
31 mars-fin oct. – **Repas** 82/153 ₰, enf. 55 – ☐ 34 – **18 ch** 215/269 – ½ P 228/250.

Gar. Ratat-Champétinaud, ✆ 55 69 40 11

PEYREHORADE 40300 Landes 78 ⑦ ⑰ **G. Pyrénées Aquitaine** – 3 056 h alt. 19.

Office de Tourisme promenade Sablot ✆ 58 73 00 52.

Paris 760 – Biarritz 53 – ♦Bayonne 41 – Cambo-les-Bains 47 – Dax 23 – Oloron-Ste-Marie 63 – Pau 78.

✿ **Central** M, pl. A. Briand ✆ 58 73 03 22, Fax 58 73 17 15 – TV ☎ – 25. AE GB JCB
fermé 4 au 12 mars, 16 au 30 déc., dim. soir et lundi sauf juil.- août – **Repas** 110/220 et carte 260 à 370, enf. 65 – ☐ 40 – **16 ch** 280/350 – ½ P 345/370
Spéc. Rognon de veau braisé au foie gras et porto. Filet de louvine rôtie en écailles de pommes de terre et homard. "Pimientos del piquillo" farcis.. **Vins** Madiran.

PEUGEOT Gar. Lannot-Vergé, ✆ 58 73 00 29

PEYRENS 11 Aude 82 ⑳ – rattaché à Castelnaudary.

PÉZENAS 34120 Hérault 83 ⑮ **G. Gorges du Tarn** (plan) – 7 613 h alt. 15.

Voir Vieux Pézenas★★ : Hôtels de Lacoste★, d'Alfonce★, de Malibran★.

Office de Tourisme, pl. Gambetta ✆ 67 98 35 45, Fax 67 98 35 40.

Paris 754 – Montpellier 51 – Agde 22 – Béziers 23 – Lodève 46 – Sète 37.

à Nézignan-l'Évêque S : 5 km par N 9 et D 13 – 753 h. alt. 40 – ✉ 34120 Pézenas :

Host. de St-Alban M ⑤, 31 rte Agde ✆ 67 98 11 38, Fax 67 98 91 63, – TV ☎ P. GB.
Repas 145/195, enf. 55 – ☐ 55 – **14 ch** 350/520 – ½ P 440/510.

au NE 11 km par N 9, N 113 et D 32 – ✉ 34230 Paulhan :

Château de Rieutort ⑤, ✆ 67 25 00 61, Fax 67 25 29 92, parc, « Ancienne demeure de maître », – TV ☎ P. GB.
1er mars-31 oct. – **Repas** (dîner seul.) (résidents seul.) 150 – ☐ 45 – **7 ch** 380/510 – ½ P 400/460.

CITROEN Gar. Tressol, Rd-Pt d'Agde ✆ 67 98 11 27
PEUGEOT Gd Gar. Piscenois, 36 av. de Verdun ✆ 67 98 32 32 N ✆ 67 98 32 32
RENAULT Occitane Autos, N 113, rte de Béziers par ② ✆ 67 98 97 73 N ✆ 05 05 15 15

Gautrand-Pneus Vulcopneu, 26 av. de Verdun ✆ 67 98 12 17

PÉZENS 11 Aude 83 ⑫ – rattaché à Carcassonne.

PFAFFENHOFFEN 67350 B.-Rhin 57 ⑱ **G. Alsace Lorraine** – 2 285 h alt. 170.

Voir Musée de l'Imagerie peinte et populaire alsacienne★.

Paris 460 – ♦Strasbourg 37 – Haguenau 15 – Sarrebourg 51 – Sarre-Union 51 – Saverne 27.

XX **A l'Agneau** avec ch, ✆ 88 07 72 38, Fax 88 72 20 24, – ☎. GB.
fermé 22 juil. au 15 août, et lundi – **Repas** 70/320 ₰ – ☐ 35 – **17 ch** 150/240 – ½ P 295/365.

RENAULT Gar. Keller, ✆ 88 07 71 01

PHALSBOURG 57370 Moselle 57 ⑰ G. Alsace Lorraine – 4 189 h alt. 365.

Office de Tourisme r. Lobau ☎ 87 24 29 97.

Paris 436 – ♦Strasbourg 58 – ♦Metz 107 – Sarrebourg 16 – Sarreguemines 51.

Erckmann-Chatrian, pl. d'Armes ☎ 87 24 31 33, Fax 87 24 27 81, – TV ☎ – 2
GB
Repas *(fermé mardi midi et lundi)* 58/255 – 37 – **18 ch** 260/270.

XXX ✿ **Au Soldat de l'An II** (Schmitt), 1 rte Saverne ☎ 87 24 16 16, Fax 87 24 18 18,
GB
fermé 30 juil. au 10 août, 12 au 23 nov., 4 au 23 janv., dim. soir et lundi – **Repas** 175 bc/440
carte 350 à 450, enf. 75
Spéc. Foie gras à l'ancienne. Sabayon de grenouilles et ris de veau. Strudel de gibier (juin à fév.). **Vins** Gewurztraminer, Pinot blanc.

à Bonne-Fontaine E : 4 km par N 4 et rte secondaire – ✉ 57370 Phalsbourg :

Notre-Dame, ☎ 87 24 34 33, Fax 87 24 24 64, ←, – TV ☎ P – 40. AE
GB
fermé 1er au 5 mars et 6 au 26 janv. – **Repas** 84/250 bc, enf. 56 – 40 – **34 ch** 255/450
½ P 280/340.

PEUGEOT Gar. Klein, 6 r. 23 Novembre ☎ 87 24 35 36 N ☎ 87 24 24 24

PHILIPPSBOURG 57230 Moselle 57 ⑱ – 504 h alt. 215.

Paris 452 – ♦Strasbourg 57 – Haguenau 28 – Wissembourg 41.

XX **Tilleul,** ☎ 87 06 50 10, Fax 87 06 58 89, – P. AE GB
fermé 15 au 31 oct., 27 janv. au 15 fév., mardi soir et merc. – **Repas** 62 (déj.), 98/270
enf. 50.

à l'étang de Hanau NO : 5 km par N 62 et rte secondaire – ✉ 57230 Phillppsbourg.

Voir Étang★, G. Alsace Lorraine.

Beau Rivage M, ☎ 87 06 50 32, Fax 87 06 57 46, ←, – TV ☎ P
25. GB
fermé fév. – **Repas** *(fermé lundi)* 90/200, enf. 50 – 40 – **28 ch** 220/400 – ½ P 300/320.

PIANA 2A Corse-du-Sud 90 ⑮ – voir à Corse.

Le PIAN-MÉDOC 33290 Gironde 71 ⑧ – 5 078 h alt. 36.

Paris 596 – ♦Bordeaux 25 – Lesparre-Médoc 53.

Pont Bernet, à Louens ☎ 56 70 20 19, Fax 56 70 22 90, parc, – TV ☎ P
30. AE GB
Repas *(fermé lundi de déc. à avril)* 95 (déj.), 158/300, enf. 70 – 45 – **18 ch** 310/340
½ P 350.

PICHERANDE 63113 P.-de-D. 73 ⑬ – 491 h alt. 1116.

Paris 486 – ♦Clermont-Ferrand 64 – Issoire 47 – Le Mont-Dore 29.

Central Hôtel, ☎ 73 22 30 79, Fax 73 22 37 02 – GB
fermé oct. et nov. – **Repas** 70/150 – 25 – **16 ch** 80/150 – ½ P 150.

PIERRE-BÉNITE 69 Rhône 74 ⑪ – rattaché à Lyon.

PIERRE-DE-BRESSE 71270 S.-et-L. 70 ③ G. Bourgogne – 1 981 h alt. 202.

Voir Château★.

Paris 357 – Chalon-sur-Saône 39 – Beaune 47 – Dole 33 – Lons-le-Saunier 36.

Poste, face Château ☎ 85 76 24 47 – ☎ P. GB
fermé 2 au 31 janv. – **Repas** 68 (déj.), 90/230 – 28 – **13 ch** 150/265 – ½ P 215/255.

à Charette NO : 6,5 km par D 73 – 316 h. alt. 182 – ✉ 71270 :

Doubs Rivage, ☎ 85 76 23 45, Fax 85 72 89 18, – ☎ P. GB
hôtel : fermé 24 déc. au 1er mars, dim. soir et lundi sauf juil.-août – **Repas** *(fermé 24 déc. a 8 janv., fév., dim. soir et lundi sauf juil.-août)* 87/235, enf. 50 – 35 – **10 ch** 175/230
½ P 230.

PIERREFITTE-SUR-SAULDRE 41300 L.-et-Ch. 64 ⑳ – 835 h alt. 125.

Paris 185 – Bourges 56 – ♦Orléans 51 – Aubigny-sur-Nère 22 – Blois 72 – Salbris 13.

XX **Lion d'Or,** ☎ 54 88 62 14, Fax 54 88 62 14, « Cadre rustique », – GB
fermé 2 au 19 sept., 27 janv. au 6 fév., lundi et mardi – **Repas** 130/268.

PIERREFONTAINE-LES-VARANS 25510 Doubs 66 ⑰ – 1 505 h alt. 695.

Paris 463 – ♦Besançon 52 – Montbéliard 52 – Morteau 32 – Pontarlier 48.

X **Commerce** avec ch, ☎ 81 56 10 50 – TV ☎. GB
fermé 20 déc. au 20 janv., dim. soir et lundi sauf juil.-août – **Repas** 60/180 – 30 – **10 ch**
110/260 – ½ P 220/250.

PIERREFORT 15230 Cantal 76 ⑬ – 1 017 h alt. 950.

Paris 544 – Aurillac 61 – Entraygues-sur-Truyère 54 – Espalion 59 – St-Chély-d'Apcher 59 – St-Flour 32.

Midi M, ✆ 71 23 30 20, Fax 71 23 39 34 – TV ☎ 🚗. GB. ✻ rest
Repas 75/95 🍷 – ☕ 30 – **13 ch** 270/280 – ½ P 260/280.

PIERRELATTE 26700 Drôme 81 ① – 11 770 h alt. 50.

Office de Tourisme pl. Champs-de-Mars ✆ 75 04 07 98, Fax 75 98 40 65.

Paris 627 – Bollène 14 – Montélimar 22 – Nyons 47 – Orange 32 – Pont-St-Esprit 16 – Valence 66.

Centre sans rest, 6 pl. Église ✆ 75 04 28 59, Fax 75 98 83 29 – |‡| TV ☎ P. GB
☕ 30 – **20 ch** 230/340.

Tricastin sans rest, r. Caprais-Favier ✆ 75 04 05 82 – TV ☎ 🚗 P. GB
☕ 30 – **13 ch** 224/249.

XX **Les Recollets**, 6 pl. Église ✆ 75 96 83 10, Fax 75 96 46 18 – ▤ P. AE ⓪ GB
fermé 4 au 28 août, vacances de fév., vend. soir et sam. – **Repas** 82/210 bc 🍷, enf. 40.

PEUGEOT Gar. du Midi, rte de St-Paul ✆ 75 04 00 27

Ⓜ Jérome Pneus, Quartier Beauregard, N 7 ✆ 75 04 29 76

PIETRANERA 2B H.-Corse 90 ② ③ – voir à Corse (Bastia).

Le PIGEON 46 Lot 75 ⑱ – rattaché à Souillac.

PILAT-PLAGE 33 Gironde 78 ⑫ – voir à Pyla-sur-Mer.

Le PIN-LA-GARENNE 61 Orne 60 ④ – rattaché à Mortagne-au-Perche.

Avant de prendre la route, consultez la carte Michelin n° 911 "FRANCE – Grands Itinéraires".

Vous y trouverez :

- *votre kilométrage,*
- *votre temps de parcours,*
- *les zones à "bouchons" et les itinéraires de dégagement,*
- *les stations-service ouvertes 24 h/24...*

Votre route sera plus économique et plus sûre.

PINSOT 38 Isère 77 ⑥ – rattaché à Allevard.

PIOGGIOLA 2B H.-Corse 90 ⑬ – voir à Corse.

PIRIAC-SUR-MER 44420 Loire-Atl. 63 ⑬ **G. Bretagne** – 1 442 h alt. 7.

Voir Pointe du Castelli ≤* SO : 1 km.

Paris 467 – ♦Nantes 90 – La Baule 19 – La Roche-Bernard 32 – St-Nazaire 32.

Poste, 26 r. Plage ✆ 40 23 50 90, Fax 40 23 68 96 – ☎. AE GB
hôtel : 1er avril-mi-nov. ; rest. : 1er mai-mi-oct. et fermé dim. soir et lundi en mai – **Repas** 100/225, enf. 45 – ☕ 40 – **15 ch** 220/310 – ½ P 240/285.

PISSOS 40410 Landes 78 ④ **G. Pyrénées Aquitaine** – 970 h alt. 46.

Paris 664 – Mont-de-Marsan 55 – Biscarrosse 32 – ♦Bordeaux 75 – Castets 62 – Mimizan 51.

X **Café de Pissos** avec ch, ✆ 58 08 90 16, 🌳 – P. GB
fermé 15 au 30 nov., mardi soir et merc. sauf juil.-août – **Repas** 75 (déj.), 100/240 – ☕ 35 – **5 ch** 210/300 – ½ P 200/230.

PITHIVIERS ⟨SP⟩ 45300 Loiret 60 ⑳ **G. Châteaux de la Loire** – 9 327 h alt. 115.

Office de Tourisme Mail-Ouest Gare Routière ✆ 38 30 50 02, Fax 38 30 55 80.

Paris 82 ① – Fontainebleau 45 ② – ♦Orléans 44 ⑤ – Chartres 72 ⑥ – Châteaudun 75 ⑥ – Montargis 44 ④.

Plan page suivante

Relais Saint-Georges, av. du 8 Mai **(d)** ✆ 38 30 40 25, Fax 38 30 09 05, 🌳 – ⇹ TV ☎ ♿ P – 🏛 25. AE ⓪ GB
Repas *(fermé dim. et soirs fériés)* 72 (dîner), 140/250 🍷, enf. 50 – ☕ 36 – **42 ch** 280/360 – ½ P 248/288.

XX **Aux Remparts**, 2 Mail Nord **(a)** ✆ 38 30 34 99, Fax 38 30 64 52 – GB
fermé lundi soir, mardi soir et merc. – **Repas** 100 bc (déj.), 115/250.

CITROEN Gar. Molvaut, 6 av. République ✆ 38 30 19 22
PEUGEOT Gar. Balançon-Malidor, 76 fg d'Orléans par ⑤ ✆ 38 30 21 58
RENAULT Beauce Gâtinais Autom., av. 11 Novembre ✆ 38 34 51 34

VAG Gar. Delafoy-Caillette, rte d'Etampes ✆ 38 30 16 05

Ⓜ Euromaster, r. Gare de Marchandises ✆ 38 30 20 08
Euromaster, à Toury ✆ 37 90 51 61

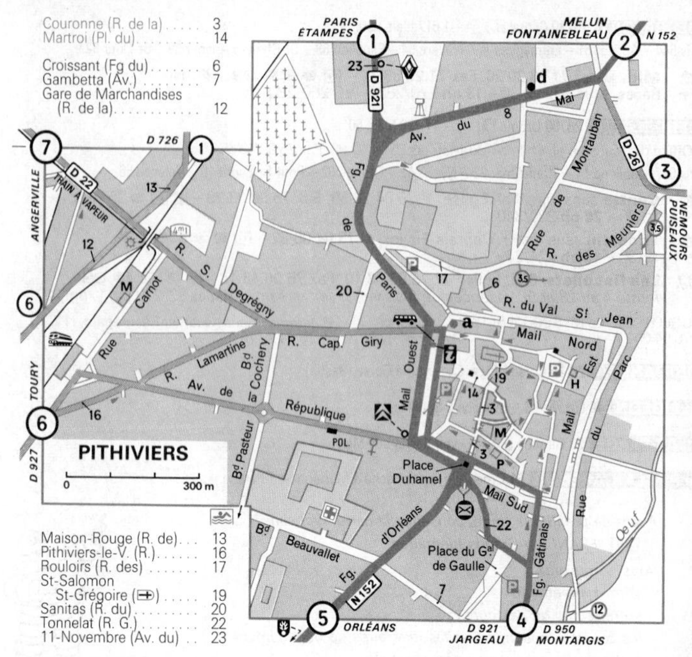

PIZAY 69 Rhône 74 ① – rattaché à Belleville.

La PLAGNE 73 Savoie 74 ⑱ **G. Alpes du Nord** – Sports d'hiver : 1 250/3 250 m ⛰10 ⛷104 ⛷ – ✉ 7321
Macot-La-Plagne – **Voir** La Grande Rochette ✲★★ (accès par télécabine) – Télécabine de Belle
côte ≤★★ à Plagne-Bellecôte E : 3 km.

ℹ Office du Tourisme le Chalet ✆ 79 09 79 79, Fax 79 09 70 10.

Paris 642 – Albertville 60 – Bourg-St-Maurice 27 – Chambéry 107 – Moûtiers 33.

- 🏨 **Graciosa** 🐎, ✆ 79 09 00 18, Fax 79 09 04 08, ≤ – TV ☎ P. ⓓ GB JCB. ✱ rest
  1er déc.-fin avril – **Repas** 175 (déj.), 185/235 – ☕ 52 – **14 ch** 450/480 – ½ P 560/595.

La PLAINE-SUR-MER 44770 Loire-Atl. 67 ① – 2 104 h alt. 26.

Paris 446 – ♦Nantes 57 – Pornic 9 – St-Michel-Chef-Chef 6,5 – St-Nazaire 26.

- 🏨 **Anne de Bretagne** M 🐎, au Port de Gravette NO : 3 km ✆ 40 21 54 72
  Fax 40 21 02 33, ≤, ⛱, ⛲, 🌳, 🎾 – TV ☎ P – 🏛 30. AE GB
  fermé 2 janv. au 23 fév. – **Repas** *(fermé lundi midi du 21 mai au 10 sept., dim. soir et lun hors sais.)* 99/310, enf. 70 – ☕ 48 – **25 ch** 358/518 – ½ P 442/547.

PLAINPALAIS (Col de) 73 Savoie 74 ⑯ – rattaché à La Féclaz.

PLAISANCE 12550 Aveyron 83 ② – 228 h alt. 400.

Paris 703 – Albi 42 – Millau 70 – Rodez 71.

- ✗✗ **Les Magnolias** 🐎 avec ch, ✆ 65 99 77 34, Fax 65 99 70 57, ⛱, 🌳 – TV ☎. AE GB
  1er avril-31 déc. et fermé lundi du 15 oct. au 31 déc. – **Repas** 95/300, enf. 68 – ☕ 48 – **6 c**
  260/350 – ½ P 245/275.

PLAISANCE 32160 Gers 82 ③ – 1 657 h alt. 131.

Paris 754 – Auch 58 – Mont-de-Marsan 61 – Pau 59 – Aire-sur-l'Adour 30 – Condom 58 – Tarbes 44.

- ✗✗ **Ripa Alta** avec ch, ✆ 62 69 30 43, Fax 62 69 36 99 – TV ☎ ✆. AE ⓓ GB
  ✦ **Repas** *(fermé lundi midi du 15 sept. au 15 mars)* 78 bc/225 🍷 – ☕ 33 – **13 ch** 170/330
  ½ P 200/270.

CITROEN Gar. Lenfant, ✆ 62 69 32 13

PLAISIANS 26170 Drôme 81 ③ – 157 h alt. 612.

Paris 695 – Carpentras 44 – Nyons 34 – Vaison-la-Romaine 26.

- ✗ **La Clue,** pl. Église ✆ 75 28 01 17, ⛱ – ▤ P
  1er avril-1er oct., week-ends du 1er nov. au 31 mars et fermé lundi – **Repas** 125/150.

PLANCOËT 22130 C.-d'Armor 59 ⑤ – 2 507 h alt. 41.

Paris 418 – St-Malo 28 – Dinan 17 – Dinard 21 – St-Brieuc 47.

XXX ✿✿ **Jean-Pierre Crouzil** M avec ch, ✆ 96 84 10 24, Fax 96 84 01 93, « Belle décoration intérieure », – ▤ rest TV ☎ P – 25. AE GB. ✻ ch
fermé 6 au 20 janv. et hôtel : fermé dim. soir et lundi d'oct. à avril – **Repas** *(fermé dim. soir sauf juil.-août et lundi)* (week-ends prévenir) 120 (déj.), 195/450 et carte 260 à 460 – ☕ 65 – **7 ch** 550/700 – ½ P 400/580
Spéc. Huîtres chaudes et glacées au sabayon de vouvray. Homard breton brûlé au lambic. Filet de turbot fourré de crabe.

Emeraude Pneumatiques, ✆ 96 84 11 82

PLAN-DE-CUQUES 13 B.-du-R. 84 ⑬, 114 ㉘ – rattaché à Marseille.

PLAN-DE-LA-TOUR 83120 Var 84 ⑰ 114 ㊱ – 1 991 h alt. 69.

Paris 879 – Fréjus 29 – Cannes 77 – Draguignan 36 – St-Tropez 23 – Ste-Maxime 9,5.

Mas des Brugassières sans rest, S : 1,5 km par rte Grimaud ✆ 94 43 72 42, Fax 94 43 00 20, – ☎ P. GB
15 mars-15 oct. – ☕ 40 – **14 ch** 420/550.

à Courruero S : 3,5 km par rte Grimaud – ✉ 83120 Plan de la Tour :

Parasolis sans rest, ✆ 94 43 76 05, Fax 94 43 77 09, ←, – ☎ P. ✻
15 mars-15 oct. – ☕ 40 – **15 ch** 350/550.

PLAN-D'ORGON 13750 B.-du-R. 84 ① – 2 294 h alt. 85.

Paris 701 – Avignon 21 – Aix-en-Provence 60 – Arles 37 – ◆Marseille 78 – Nîmes 55.

Flamant Rose, rte St-Rémy ✆ 90 73 10 17, Fax 90 73 19 61, – ▤ rest ☎ P. GB
fermé janv., fév. et merc. midi d'oct. à mars – **Repas** 69/165, enf. 45 – ☕ 35 – **28 ch** 210/350 – ½ P 268/298.

XX **Les Grès Hauts**, rte Cavaillon, 2 km ✆ 90 73 19 12, – P. GB
fermé fév., sam. midi et merc. – **Repas** 115 (déj.), 155/320.

PLAN-DU-VAR 06 Alpes-Mar. 84 ⑲ 115 ⑯ – ✉ 06670 Levens.

Voir Gorges de la Vésubie*** NE – Défilé du Chaudan** N : 2 km.

Env. Bonson : site*, ←** de la terrasse de l'église, retable de St-Benoît* dans l'église NO : 9 km, **G. Côte d'Azur.**

Paris 870 – Antibes 39 – Cannes 49 – ◆Nice 31 – Puget-Théniers 32 – St-Étienne-de-Tinée 59 – Vence 28.

XX **Cassini** avec ch, rte Nationale ✆ 93 08 91 03, Fax 93 08 45 48, – TV ☎ – 25. AE GB
fermé 5 au 20 juin, 1er au 15 fév., dim. soir et lundi sauf juil.-août – **Repas** 85/225, enf. 60 – ☕ 30 – **20 ch** 120/220 – ½ P 180/220.

PLAPPEVILLE 57 Moselle 57 ⑬ – rattaché à Metz.

PLASCASSIER 06 Alpes-Mar. 84 ⑧ ⑨, 115 ㉔ – rattaché à Grasse.

PLATEAU D'ASSY 74480 H.-Savoie 74 ⑧ **G. Alpes du Nord.**

Voir ✻*** – Église* : décoration** – Pavillon de Charousse ✻** O : 2,5 km puis 30 mn – Lac Vert* NE : 5 km.

Env. Plaine-Joux ←** NE : 5,5 km.

Office de Tourisme av. J.-Arnaud ✆ 50 58 80 52, Fax 50 93 83 74.

Paris 598 – Chamonix-Mont-Blanc 29 – Annecy 80 – Bonneville 40 – Megève 21 – Sallanches 11,5.

Tourisme sans rest, ✆ 50 58 80 54, Fax 50 93 82 11, ←, – ☎ P. GB
fermé 15 au 30 juin, 15 au 30 oct. et lundi hors sais. – ☕ 29 – **15 ch** 140/250.

PEUGEOT Gar. Legon, à Passy ✆ 50 78 33 74

RENAULT Gar. Ducoudray, à Chedde Passy ✆ 50 78 33 77

PLÉNEUF-VAL-ANDRÉ 22370 C.-d'Armor 59 ④ – 3 600 h alt. 52 – Casino au Val-André.

18 Pléneuf Val André ✆ 96 63 01 12.

Paris 449 – St-Brieuc 29 – Dinan 42 – Erquy 9 – Lamballe 17 – St-Cast 29 – St-Malo 53.

au Val-André O : 2 km, **G. Bretagne** – ✉ 22370 Pléneuf-Val-André.

Voir Pointe de Pléneuf* N 15 mn – Le tour de la Pointe de Pléneuf ←** N 30 mn.

Gd H. du Val André, r. Amiral Charner ✆ 96 72 20 56, Fax 96 63 00 24, ← – TV ☎ P – 30. GB. ✻ rest
hôtel : 16 mars-12 nov. ; rest. : 4 avril-29 sept. et fermé mardi midi et lundi sauf juil.-août – **Repas** 95/193, enf. 50 – ☕ 40 – **39 ch** 370/410 – ½ P 420/460.

Clemenceau sans rest, 131 r. Clemenceau ✆ 96 72 23 70 – TV ☎ P. GB
fermé 17 au 31 mars et du 7 au 21 oct. – ☕ 34 – **23 ch** 260/290.

Casino sans rest, 10 r. Ch. Cotard ✆ 96 72 20 22 – ☎ P. ✻
1er avril-15 oct. – ☕ 30 – **15 ch** 155/275.

XX **Au Biniou,** 121 r. Clemenceau ✆ 96 72 24 35, Fax 96 63 03 23 – GB
fermé 2 au 31 janv., mardi soir et merc. – **Repas** 85/250, enf. 45.

XX **Mer** avec ch, r. Amiral Charner ✆ 96 72 20 44, Fax 96 72 85 72 – ☎ 📞 P. AE GB
fermé 15 nov. au 4 déc., 10 au 31 janv. et mardi du 15 oct. au 31 mars – **Repas** 69 (déj.), 89/265, enf. 42 – ☕ 28 – **13 ch** 140/250 – ½ P 285.

Annexe Nuit et Jour sans rest, – cuisinette TV ☎ 📞 P. AE GB
fermé 15 nov. au 4 déc., 10 au 31 janv. et mardi du 15 oct. au 30 mars – ☕ 28 – **8 ch** 260.

PLESSIS-PICARD 77 S.-et-M. 61 ① ②, 106 ㉝ – rattaché à Melun.

PLESTIN-LES-GRÈVES 22310 C.-d'Armor 58 ⑦ **G. Bretagne** – 3 237 h alt. 45.

Voir Lieue de Grève★ – Corniche de l'Armorique★ N : 2 km.

Office de Tourisme à la Mairie ✆ 96 35 61 93.

Paris 530 – ◆Brest 77 – Guingamp 46 – Lannion 18 – Morlaix 19 – St-Brieuc 81.

Côtes d'Armor, rte Corniche N : 4 km par D 42 ✆ 96 35 63 11, Fax 96 35 67 04, ≤, – TV ☎ P. AE GB
15 mars-15 nov. et fermé lundi midi – **Repas** 115/190 – ☕ 40 – **20 ch** 310/360 – ½ P 325.

PLEURS 51230 Marne 61 ⑥ – 713 h alt. 90.

Paris 126 – Troyes 52 – Châlons-en-Champagne 48 – Épernay 50 – Sézanne 13 – Vitry-le-François 55.

XX **Paix** avec ch, ✆ 26 80 10 14, Fax 26 80 12 69 – TV ☎ P. GB
fermé 15 juil. au 6 août, 19 fév. au 5 mars, dim. soir et lundi – **Repas** 68/260 – ☕ 23 – **7 ch** 180 – ½ P 190.

PLÉVEN 22130 C.-d'Armor 59 ⑤ – 578 h alt. 80.

Voir Ruines du château de la Hunaudaie★ SO : 4 km, **G. Bretagne.**

Paris 431 – St-Malo 38 – Dinan 25 – Dinard 31 – St-Brieuc 39.

Manoir de Vaumadeuc , ✆ 96 84 46 17, Fax 96 84 40 16, « Manoir du 15ᵉ siècle dans un parc » – ☎ P. AE GB. rest
hôtel : 7 avril-5 janv. ; rest. : 30 juin-1ᵉʳ oct. – **Repas** (résidents seul. d'oct. à juin) (dîner seul.)(nombre de couverts limité, prévenir) 190/295 – ☕ 50 – **14 ch** 590/950 – ½ P 435/680.

PLEYBER-CHRIST 29410 Finistère 58 ⑥ **G. Bretagne** – 2 828 h alt. 131.

Paris 549 – ◆Brest 54 – Châteaulin 47 – Landivisiau 17 – Morlaix 9,5 – Quimper 66 – St-Pol-de-Léon 27.

Gare, ✆ 98 78 43 76, Fax 98 78 49 78, – TV ☎ P. GB.
fermé 20 déc. au 6 janv., sam. midi et dim. soir du 15 sept. au 15 juin – **Repas** 56 (déj.), 70/170 – ☕ 30 – **8 ch** 190/230 – ½ P 200.

PLOEMEUR 56270 Morbihan 58 ⑫ – 17 637 h alt. 45.

18 de Ploemeur-Océan ✆ 97 32 81 82, O par D 162ᴱ : 8 km.

Paris 501 – Vannes 63 – Concarneau 49 – Lorient 5,5 – Quimper 66.

Les Astéries M, 1 pl. FFL (près église) ✆ 97 86 21 97, Télex 951573, Fax 97 86 34 33 – TV ☎ P – 50. GB. rest
Repas *(fermé 24 déc. au 2 janv., sam. et dim. du 15 sept. au 15 juin)* 68/110 – ☕ 40 – **36 ch** 290/340 – ½ P 250/265.

à Lomener S : 4 km par D 163 – ✉ **56270** Ploemeur :

Le Vivier , ✆ 97 82 99 60, Fax 97 82 88 89, ≤ île de Groix – rest TV ☎ P. AE GB JCB
fermé 1ᵉʳ au 17 janv. – **Repas** *(fermé dim. soir sauf juil.-août)* 98/350, enf. 65 – ☕ 45 – **14 ch** 300/400 – ½ P 400/450.

PLOËRMEL 56800 Morbihan 63 ④ – 6 996 h alt. 93.

9 du Lac au Duc ✆ 97 73 64 65.

Office de Tourisme 5 r. du Val ✆ 97 74 02 70.

Paris 412 – Vannes 47 – Lorient 88 – Loudéac 43 – ◆Rennes 61.

Le Roi Arthur M , au lac au Duc : 1,5 km par D 8 ✆ 97 73 64 64, Fax 97 73 64 50, ≤, , parc, , – cuisinette rest TV ☎ 📞 P – 100. AE GB
Repas *(fermé dim. soir du 15 oct. au 31 mars)* 110/198 – ☕ 45 – **46 ch** 380/440, 12 duplex – ½ P 365/385.

CITROEN Gar. Payoux, ZI du Bois Vert ✆ 97 74 05 07 N ✆ 97 74 05 07
FORD Broceliande Autom., 35 bd Foch ✆ 97 74 00 51
RENAULT Triballier Ploermel Autos, 15 rte de Rennes ✆ 97 74 01 66 N ✆ 97 01 68 85

VAG Gar. Cedam, ZI Route de Rennes ✆ 97 74 07 73

Corbel Point S, ZI de la rte de Rennes ✆ 97 74 03 03

PLOEUC-SUR-LIÉ 22150 C.-d'Armor 58 ⑩ – 2 932 h alt. 207.

Paris 448 – St-Brieuc 22 – Lamballe 26 – Loudéac 24.

Commerce, ✆ 96 42 10 36, Fax 96 42 85 77, – ☎. GB
fermé 7 au 21 oct., dim. soir et lundi de nov. à mars – **Repas** 65 (déj.), 70/148 , enf. 50 – ☕ 28 – **42 ch** 200/220 – ½ P 200/235.

PLOGOFF 29770 Finistère 58 ⑬ – 1 902 h alt. 70.

aris 603 – Quimper 46 – Audierne 10 – Douarnenez 32 – Pont-l'Abbé 42.

Ker-Moor, rte Audierne : 2,5 km ✆ 98 70 62 06, Fax 98 70 32 69, ≤ – TV ☎ P. GB
Repas 72/265 ♁, enf. 50 – ☕ 33 – **16 ch** 170/300 – ½ P 267/336.

PLOMBIÈRES-LES-BAINS 88370 Vosges 62 ⑯ **G. Alsace Lorraine** – 2 084 h alt. 429 – Stat. therm.
 mai-29 sept.) – Casino .

oir La Feuillée Nouvelle ≤★ 5 km par ②.

Office de Tourisme r. Stanislas ✆ 29 66 01 30, Fax 29 66 01 94.

aris 391 ④ – Épinal 35 ④ – Belfort 74 ② – Gérardmer 41 ① – Vesoul 55 ② – Vittel 60 ④.

PLOMBIÈRES-LES-BAINS

glise (Pl. de l') 3
ançais (Av. Louis) 4
ranche-Comté (Av. de) 5
aulle (Av. du Gén.-de) 8
ôtel-de-Ville (Rue de l') 9
éopold (Av. du Duc) 10
étard (R.) 13
tanislas (R.) 16

our un bon usage les plans de villes oir les signes conventionnels ans l'introduction.

Beauséjour, 26 av. L. Français **(a)** ✆ 29 66 01 50, Fax 29 66 09 45, – TV ☎. AE GB. ⚘ rest
fermé 10 au 17 nov. et dim. soir d'oct. à avril – **Repas** 118/185 ♁ – ☕ 40 – **23 ch** 205/350 – ½ P 291/381.

Commerce, r. Hôtel de Ville **(v)** ✆ 29 66 00 47, Fax 29 30 01 18, – TV ☎. GB
1er mai-30 sept. – **Repas** 85/170 ♁, enf. 47 – ☕ 27 – **42 ch** 150/195 – ½ P 170/200.

Host. Les Rosiers , par ② : 1 km ✆ 29 66 02 66, Fax 29 66 09 36, ≤, , – ☎ P. AE ⓓ GB JCB. ⚘ rest
fermé lundi d'oct. à mai et hôtel : fermé janv. ; rest. : fermé 15 déc. au 15 fév. – **Repas** 100/180, enf. 55 – ☕ 35 – **20 ch** 170/270 – ½ P 250/270.

près de la Fontaine Stanislas par ④ et D 20 : 4 km – alt. 600 – ✉ **88370** Plombières-les-B. :

Fontaine Stanislas , ✆ 29 66 01 53, Fax 29 30 04 31, ≤, « En forêt, jardin » – ☎ P. AE GB. ⚘ rest
1er avril-30 sept. – **Repas** 92/270, enf. 56 – ☕ 36 – **19 ch** 150/300 – ½ P 240/285.

PLOMEUR 29120 Finistère 58 ⑭ **G. Bretagne** – 3 272 h alt. 33.

Paris 574 – Quimper 25 – Douarnenez 34 – Pont-l'Abbé 6.

Ferme du Relais Bigouden sans rest, à Pendreff, rte Guilvinec : 2,5 km ✆ 98 58 01 32, Fax 98 82 09 62, – TV ☎ P. GB
☕ 32 – **16 ch** 260/300.

PLOMODIERN 29550 Finistère 58 ⑮ – 1 912 h alt. 60.

Voir Retables★ de la chapelle Ste-Marie-du-Ménez-Hom N : 3,5 km – Charpente★ de chapelle St-Côme NO : 4,5 km.

Env. Ménez-Hom ※★★★ N : 7 km par D 47, **G. Bretagne.**

Office de Tourisme, pl. de l'Eglise (juil.-août) ✆ 98 81 27 37.

Paris 587 – Quimper 28 – ◆Brest 61 – Châteaulin 12 – Crozon 23 – Douarnenez 19.

Relais Porz-Morvan sans rest, E : 3 km ✆ 98 81 53 23, , – ☎ P. GB
1er avril-30 sept. – ☕ 35 – **12 ch** 300/500.

PLONÉOUR-LANVERN 29720 Finistère 58 ⑭ – 4 619 h alt. 71.

Paris 574 – Quimper 18 – Douarnenez 26 – Guilvinec 13 – Plouhinec 20 – Pont-l'Abbé 7.

Voyageurs, derrière l'église ✆ 98 87 61 35, Fax 98 82 62 82 – rest TV ☎ P. AE GB
fermé vend. soir et sam. midi du 30 sept. au 31 mai – **Repas** 69 (déj.), 95/290, enf. 52
☕ 35 – **12 ch** 220/280 – ½ P 310/510.

Ty Didrouz, r. Croas ar Bléon ✆ 98 87 62 30, Fax 98 82 62 43 – TV ☎ ♿ P. AE GB ch
fermé vacances de Noël – **Repas** *(fermé vend. soir hors sais.)* 50 bc (déj.), 65/240 – ☕ 29
15 ch 225/240 – ½ P 245.

PLOUBALAY 22650 C.-d'Armor 59 ⑤ **G. Bretagne** – 2 334 h alt. 32.

Voir Château d'eau ※★★ : 1 km NE.

Paris 423 – St-Malo 16 – Dinan 17 – Dol-de-Bretagne 34 – Lamballe 36 – St-Brieuc 56 – St-Cast-le-Guildo 16.

XX **Gare,** 4 r. Ormelets ✆ 96 27 25 16, – AE GB.
fermé 15 nov. au 15 déc., mardi soir et merc. – **Repas** 75 (déj.), 98/220.

PLOUBAZLANEC 22 C.-d'Armor 59 ② – rattaché à Paimpol.

PLOUDALMÉZEAU 29830 Finistère 58 ③ – 4 874 h alt. 57.

Voir Clocher-porche★ de Lampaul-Ploudalmézeau N : 3 km, **G. Bretagne.**

Office de Tourisme pl. Église (15 juin-15 sept.) ✆ 98 48 11 88.

Paris 611 – ◆Brest 25 – Landerneau 39 – Morlaix 73 – Quimper 95.

X **Voyageurs** avec ch, pl. Église ✆ 98 48 10 13, Fax 98 48 19 92 – TV ☎. GB
fermé 1er au 15 mars, 12 nov. au 7 déc., dim. soir sauf juil.-août et lundi – **Repas** 79/190
☕ 30 – **9 ch** 180/250 – ½ P 240/250.

PLOUER-SUR-RANCE 22490 C.-d'Armor 59 ⑥ **G. Bretagne** – 2 438 h alt. 62.

Paris 407 – St-Malo 21 – Dinan 12 – Dol-de-Bretagne 20 – Lamballe 50 – St-Brieuc 69 – St-Cast-le-Guildo 31.

Manoir de Rigourdaine M sans rest, au N par D 12 et rte secondaire : 3 km ✆ 96 86 89 96, Fax 96 86 92 46, ← estuaire de la Rance, – TV ☎ ♿ P. GB.
31 mars-15 nov. – ☕ 38 – **17 ch** 300/390.

PEUGEOT Gar. Derrien, ✆ 96 86 91 30

PLOUESCAT 29430 Finistère 58 ⑤ **G. Bretagne** – 3 689 h alt. 30.

Office de Tourisme r. St-Julien (juin-août) ✆ 98 69 62 18, Fax 98 61 91 74 et à la Mairie ✆ 98 69 60 13.

Paris 572 – ◆Brest 42 – Brignogan-Plages 15 – Morlaix 34 – Quimper 90 – St-Pol-de-Léon 15.

X **L'Azou,** r. Gén. Leclerc ✆ 98 69 60 16, Fax 98 61 91 26 – AE GB
fermé 29 sept. au 23 oct., merc. midi et mardi sauf juil.-août – **Repas** 78/278, enf. 52.

CITROEN Gar. Rouxel, ✆ 98 69 60 03 N ✆ 98 69 83 43

PEUGEOT Gar. Bossard, ✆ 98 69 65 26

RENAULT Gar. Quillec, ✆ 98 69 61 10 N ✆ 98 69 61 10

PLOUFRAGAN 22 C.-d'Armor 59 ③ – rattaché à St-Brieuc.

PLOUGASTEL-DAOULAS 29470 Finistère 58 ④ **G. Bretagne** – 11 139 h alt. 113.

Voir Calvaire★★ – Site★ de la chapelle St-Jean NE : 5 km – Kernisi ※★ SO : 4,5 km.

Env. Pointe de Kerdéniel ※★★ SO : 8,5 km puis 15 mn.

Paris 578 – ◆Brest 10,5 – Morlaix 55 – Quimper 62.

Kastel Roc'h, à l'échangeur de la D 33 ✆ 98 40 32 00, Fax 98 04 25 40, – TV ☎ P – 80. AE GB
Repas grill *(fermé dim. soir)* 76/145 – ☕ 37 – **44 ch** 235/300 – ½ P 250.

XX **Le Chevalier de l'Auberlac'h,** r. Mathurin Thomas ✆ 98 40 54 56 – AE GB
fermé dim. soir – **Repas** 78 (déj.), 115/295.

CITROEN Gar. du Centre, 2 r. Neuve ✆ 98 40 36 23

LOUGUERNEAU 29880 Finistère 58 ④ – 5 255 h alt. 60.
is 602 – ♦ Brest 26 – Landerneau 35 – Morlaix 67 – Quimper 94.

à la Plage de Lilia NO : 5 km par D 71 :

Castel Ac'h, ✆ 98 04 70 11, Fax 98 04 58 43, ≤ – TV ☎ ♿ P. AE GB
Repas 85/205 🍷, enf. 50 – ☕ 40 – **29 ch** 190/270 – ½ P 260/310.

LOUHARNEL 56 Morbihan 63 ⑪ ⑫ – rattaché à Carnac.

LOUHINEC 29780 Finistère 58 ⑭ – 4 524 h alt. 101.
is 589 – Quimper 31 – Audierne 4,5 – Douarnenez 18 – Pont-l'Abbé 27.

Ty Frapp, r. de Rozavot ✆ 98 70 89 90, Fax 98 70 81 04 – TV ☎ P. GB. ✗ ch
fermé 7 au 20 oct., 23 déc. au 21 janv., dim. soir et lundi sauf juil.-août – **Repas** 88/220 🍷, enf. 50 – ☕ 36 – **16 ch** 280 – ½ P 320.

LOUMANACH 22 C.-d'Armor 59 ① – rattaché à Perros-Guirec.

LOUNÉRIN 22780 C.-d'Armor 58 ⑦ – 649 h alt. 208.
is 515 – St-Brieuc 66 – Carhaix-Plouguer 49 – Lannion 23 – Morlaix 22.

XX ✿ **Patrick Jeffroy** avec ch, ✆ 96 38 61 80, Fax 96 38 66 29 – TV ☎ P. GB. ✗
fermé 25 nov. au 9 déc., 29 janv. au 12 fév., dim. soir et lundi hors sais. – **Repas** 110 bc (déj.), 198/372 et carte 220 à 350, enf. 80 – ☕ 48 – **3 ch** 350/390 – ½ P 420/520
Spéc. Gâteau de sardines en escabèche. Canette au sang et navets au jus. Fondue de fraise et blanc à la neige (mai à mi-sept.).

LUGUFFAN 29 Finistère 58 ⑮ – rattaché à Quimper.

POËT-LAVAL 26 Drôme 81 ② – rattaché à Dieulefit.

OILHES 34 Hérault 83 ⑭ – rattaché à Capestang.

OINCY 77 S.-et-M. 56 ⑬ – rattaché à Meaux.

OINTE voir au nom propre de la pointe.

OINT-SUBLIME 04 Alpes-de-H.-P. 84 ⑥ 114 ⑨ **G. Alpes du Sud** – ✉ **04120** Castellane.
ir ≤★★★ sur Grand Canyon du Verdon 15 mn – Couloir Samson★★ S : 1,5 km – Rougon ≤★ : 2,5 km – Clue de Carejuan★ E : 4 km.
v. Belvédères SO : de l'Escalès★★★ 9 km, de Trescaïre★★ 8 km, du Tilleul★★ 10 km, des acières★★ 11 km, de l'Imbut★★ 13 km.
is 796 – Digne-les-Bains 71 – Castellane 18 – Draguignan 53 – Manosque 73 – Salernes 65 – Trigance 13.

X **Aub. Point Sublime** 🐢 avec ch, ✆ 92 83 60 35, Fax 92 83 74 31, ≤, 🏠 – ☎ P. GB
1er avril-2 nov. – **Repas** 85/180, enf. 52 – ☕ 34 – **14 ch** 220/274 – ½ P 230/250.

Découvrez la France avec les ***guides Verts Michelin*** *:*
24 titres illustrés en couleurs.

POIRÉ-SUR-VIE 85170 Vendée 67 ⑬ – 5 326 h alt. 42.
is 434 – La Roche-sur-Yon 14 – Cholet 64 – ♦Nantes 53 – Les Sables-d'Olonne 41.

Centre, ✆ 51 31 81 20, Fax 51 31 88 21, 🏊, 🌳 – TV ☎. AE GB
Repas *(fermé dim. soir hors sais.)* 52 bc (déj.), 82/170 🍷, enf. 50 – ☕ 35 – **32 ch** 135/320 – ½ P 175/250.

RCEDES SAGA, 8 rte de Nantes ✆ 51 34 13 82
JGEOT Gar. Piveteau, 2 r. Ecoliers ✆ 51 31 80 42
✆ 51 31 85 08
RENAULT Gar. Bretaudeau, ✆ 51 06 45 00

OISSON 71 S.-et-L. 69 ⑰ – rattaché à Paray-le-Monial.

POISSY 78300 Yvelines 55 ⑲ 106 ⑰ 101 ⑫ **G. Ile de France** – 36 745 h alt. 27.

Voir Église N.-Dame★.

ℹ Office de Tourisme 132 r. Gén.-de-Gaulle ☎ (1) 30 74 60 65, Fax (1) 39 65 21 90.

Paris 28 ③ – Mantes-la-Jolie 30 ④ – Pontoise 17 ② – Rambouillet 48 ④ – St-Germain-en-Laye 6 ③.

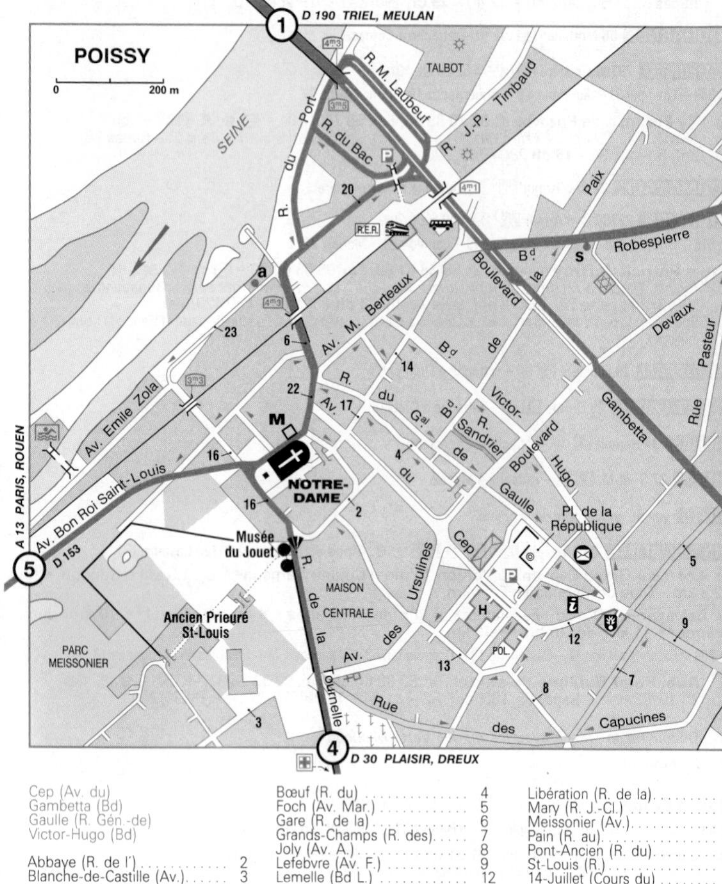

Cep (Av. du)
Gambetta (Bd)
Gaulle (R. Gén.-de)
Victor-Hugo (Bd)

Abbaye (R. de l') 2
Blanche-de-Castille (Av.) 3
Bœuf (R. du) 4
Foch (Av. Mar.) 5
Gare (R. de la) 6
Grands-Champs (R. des) 7
Joly (Av. A.) 8
Lefebvre (Av. F.) 9
Lemelle (Bd L.) 12
Libération (R. de la) ....
Mary (R. J.-Cl.) ....
Meissonier (Av.) ....
Pain (R. au) ....
Pont-Ancien (R. du) ....
St-Louis (R.) ....
14-Juillet (Cours du) ....

XX **L' Esturgeon,** 6 cours 14-Juillet **(a)** ☎ (1) 39 65 00 04, ≤ – AE ⓓ GB
fermé août et jeudi – **Repas** 200.

XX **Le Clos du Roy,** 36 bd Robespierre **(s)** ☎ 39 65 52 52, Fax 39 79 46 36 – GB
fermé 6 au 27 août, dim. soir et lundi – **Repas** (nombre de couverts limité, prévenir) 130.

FORD Gar. Gambetta, 45 bd Gambetta
☎ (1) 39 65 17 67
RENAULT Gar. Pihan, 78 bd Robespierre par ②
☎ (1) 39 65 40 94 N ☎ (1) 39 11 50 00

RENAULT Bagros Heid, 1 r. du Pont
☎ (1) 39 70 60 29

Ⓜ Marsat Pneus, 40 bd Robespierre
☎ (1) 39 65 29 09

CONSTRUCTEUR : P.S.A., 45 r. J.-P.-Timbaud ☎ **(1) 39 71 35 64**

POITIERS P 86000 Vienne 68 ⑬ ⑭ **G. Poitou Vendée Charentes** – 78 894 h Agglo. 107 625 h alt. 116.

Voir Église N.-D.-la-Grande★★ : façade★★★ DY – Église St-Hilaire-le-Grand★★ CZ – Cathédrale★ DZ – Église Ste-Radegonde★ DZ Q – Baptistère St-Jean★ DZ – Grande salle★ du Palais de Justice DY J – Boulevard Coligny ≤★ BVX – Musée Ste-Croix★★ DZ.

Env. Le Futuroscope★★ 12 km par ①.

du Haut-Poitou ☎ 49 62 53 62, par ① N 10 : 22 km ; Golf Club Poitevin ☎ 49 46 70 27 à Mignaloux-Beauvoir, 9 km par ③.

de Poitiers-Biard : ☎ 49 58 27 96 AV.

Office de Tourisme 8 r. Grandes-Écoles ☎ 49 41 21 24, Fax 49 88 65 84 – Automobile Club 2 r. Claveurier ☎ 49 41 65 27, Fax 49 88 70 93.

Paris 336 ① – ♦Angers 132 ⑥ – ♦Limoges 120 ③ – ♦Nantes 180 ⑥ – Niort 74 ⑤ – ♦Tours 102 ①.

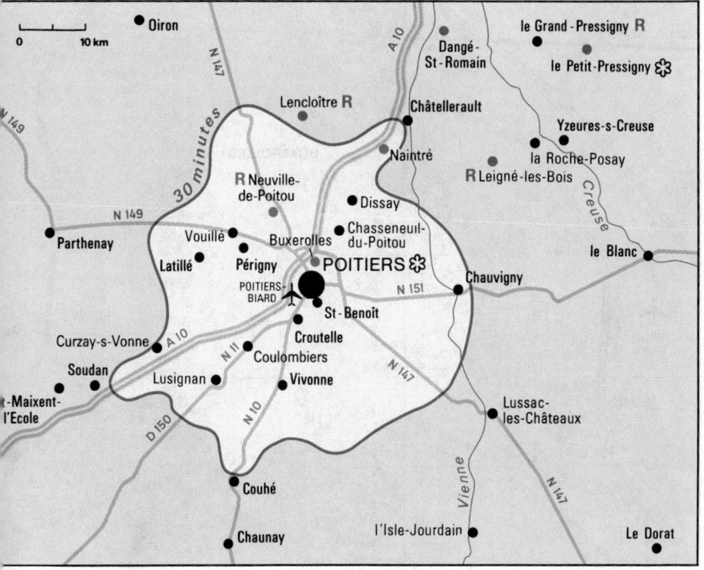

Europe sans rest, 39 r. Carnot ☎ 49 88 12 00, Fax 49 88 97 30, – TV ☎ P. AE GB JCB CZ **n**
38 – **88 ch** 300/520.

France et rest. Royal Poitou, 215 rte de Paris ☎ 49 01 74 74, Fax 49 01 74 73, – TV ☎ P – 25 à 50. AE GB JCB BV **a**
Repas 100/260, enf. 60 – 47 – **58 ch** 405/475 – ½ P 340/400.

Continental sans rest, 2 bd Solférino ☎ 49 37 93 93, Fax 49 53 01 16 – TV ☎. AE GB CY **r**
32 – **39 ch** 229/310.

Come Inn M, Z.I. République 2 ☎ 49 88 42 42, Fax 49 88 42 44, – TV ☎ P – 30. GB AV **d**
Repas *(fermé sam. midi et dim. midi)* 75/155, enf. 40 – 32 – **46 ch** 280/295 – ½ P 275.

Ibis Beaulieu M, quartier Beaulieu ☎ 49 61 11 02, Fax 49 01 72 76 – TV ☎ P – 40. AE GB BX **t**
Repas 77/148, enf. 39 – 35 – **47 ch** 280/330.

Gibautel M sans rest, rte Nouaillé ☎ 49 46 16 16, Fax 49 46 85 97 – TV ☎ P – 30. AE GB BX **b**
45 – **36 ch** 250/310.

Relais Pictave M, 220 av. J. Coeur (près CHRU) ☎ 49 45 07 07, Fax 49 45 07 08 – TV ☎ P – 30. AE GB BX **a**
Repas 78/175, enf. 45 – 35 – **45 ch** 230/300 – ½ P 240/255.

Climat de France, quartier Beaulieu ☎ 49 61 38 75, Fax 49 44 24 42, – TV ☎ P – 30 à 80. AE GB BX **d**
Repas 90/125, enf. 39 – 34 – **70 ch** 270/304.

POITIERS

Aérospatiale (R. de l') . . . . . **AV** 3
Allende (R. Salvador) . . . . . **BX** 5
Blaiserie (R. de la) . . . . **AV** 6
Ceuille-Mirebalaise (R.) . . . . **AV** 15
Coligny (Bd) . . . . **BX** 18
Demi-Lune (Carref. de la) . . **AV** 22
Fg-Ceuille-Mirebalaise (R. du) . . . . . **AV** 24
Fg-du-Pont-Neuf (R. du) . . . **BX** 27
Fg-St-Cyprien (R. du) . . . . . **AX** 28
Fief-de-Grimoire (R.) . . . . . . **AX** 30
Gibauderie (R. de la) . . . . . . **BX** 33
Guynemer (R.) . . . . **AX** 36
Maillochon (R. de) . . . . **AX**
Miletrie (R. de la) . . . . **BX**
Montbernage (R. de) . . . . . . **BV**
Montmidi (R. de) . . . . **AX**
Pierre-Levée (R.) . . . . **BX**
Rataudes (R. des) . . . . **AX**
Schuman (Av. R.) . . . . **BV**
Vasles (Rte de) . . . . **AX**

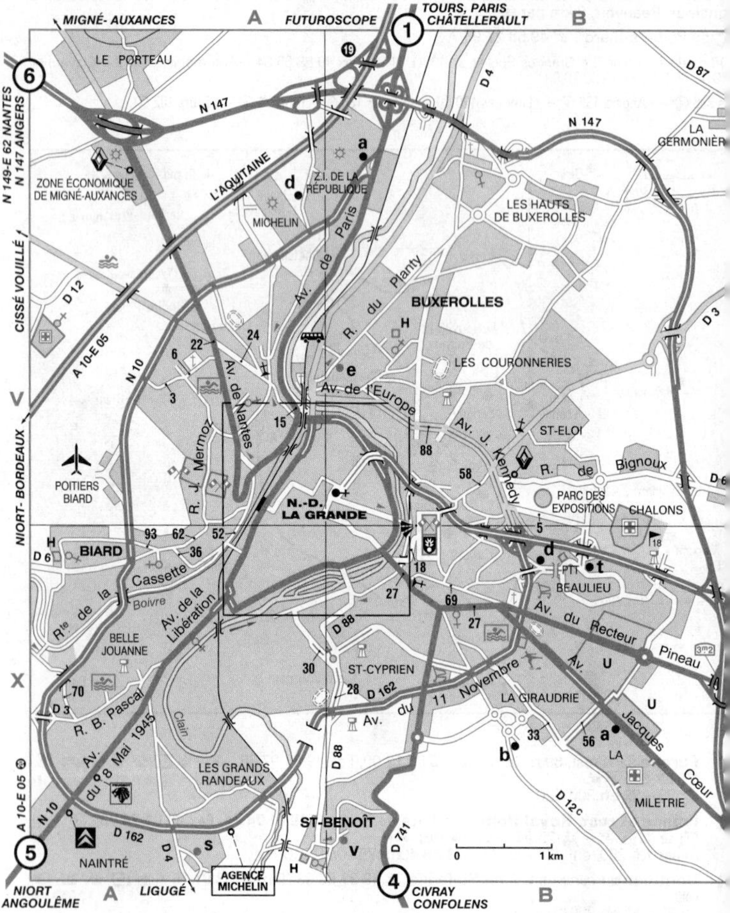

Plat d'Étain sans rest, 7 r. Plat d'Étain ✆ 49 41 04 80, Fax 49 52 25 84 – TV ☎ . GB — DY
fermé 22 déc. au 12 janv. – ☕ 45 – **24 ch** 145/350.

Ibis-Centre sans rest, 15 r. Petit Bonneveau ✆ 49 88 30 42, Fax 49 55 11 87 – |‡| TV ☎ P – 🏠 40. AE ⓓ GB — CZ
☕ 37 – **75 ch** 315.

XXX **Maxime,** 4 r. St-Nicolas ✆ 49 41 09 55, Fax 49 41 09 55 – ▤. AE GB — DZ
fermé 10 au 20 juil., 10 au 20 août, sam. et dim. – **Repas** 101/250 et carte 260 à 340.

XXX ✿ **des 3 Piliers** (Massonnet), 37 r. Carnot ✆ 49 55 07 03, Fax 49 50 16 03, 🏠 – ▤. GB
fermé vacances de fév., dim. soir et lundi sauf fériés – **Repas** 130/240 et carte 240 à 270
Spéc. Foie gras de canard aux épices. Queue de boeuf braisée au vin de Chinon. Fondant au chocolat meringué, crè café. — CZ

XX **St Hilaire,** 65 r. T. Renaudot ✆ 49 41 15 45, Fax 49 60 20 32, « Salle voûtée du siècle, ambiance médiévale » – ⓓ GB — CZ
fermé 22 déc. au 10 janv., sam. en juil.-août et dim. – **Repas** 95/260.

POITIERS

Carnot (R.) . . . . **CZ** 9
Cordeliers (R. des) . . . . **DY** 19
Gambetta (R.) . . . . **DY** 31
Grand-Rue . . . . **DY**
Marché-N.-Dame (R. du) . **DYZ** 54

Abbé-Frémont (Bd) . . . . **DY** 2
Bouchet (R. Jean) . . . . **DY** 7
Coligny (Bd) . . . . **DZ** 18
Descartes (R.) . . . . **DY** 23
Gaulle (Pl. Ch. de) . . . . **DY** 32
Intend.-le-Nain (R.) . . . . **DY** 40
Jean-de-Berry (Pl.) . . . . **DY** 47
Jeanne-d'Arc (Bd) . . . . **DY** 48

Macé (R. Jean) . . . . **DY** 50
Marne (R. de la) . . . . **CY** 55
Mouton (R. du) . . . . **DY** 63
Oudin (R. H.) . . . . **DY** 67
Riffault (R.) . . . . **DY** 74
Solférino (Bd) . . . . **CY** 89
Tison (Bd de) . . . . **CZ** 92
Verdun (Bd de) . . . . **CY** 94

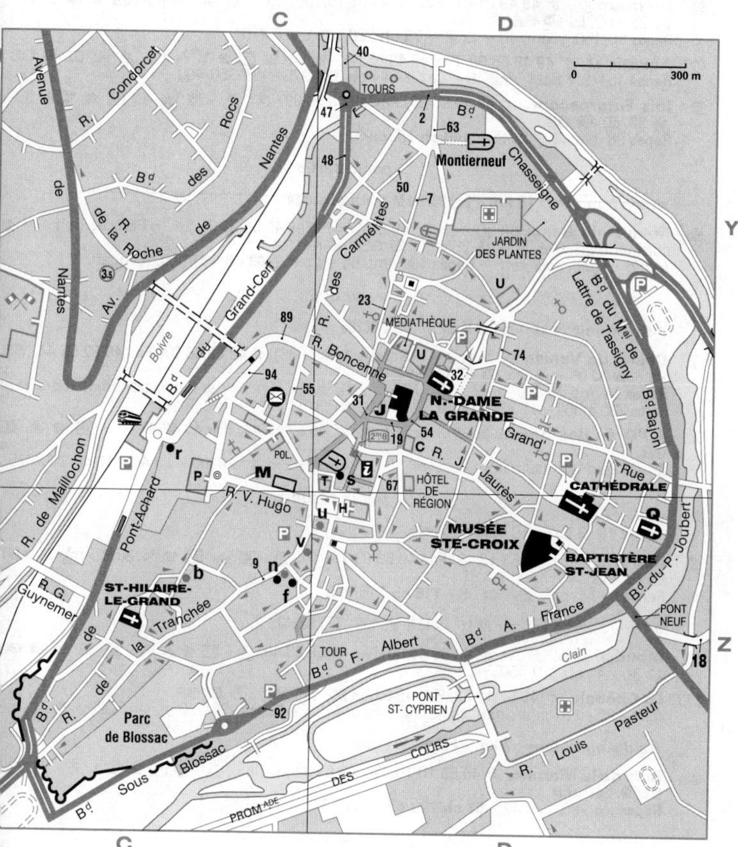

✕ **Pavé de la Villette,** 21 r. Carnot ✆ 49 60 49 49, Fax 49 50 63 41 – AE ① GB — CZ **v**
fermé sam. midi et dim. – **Repas** 100/122 ꕤ, enf. 47.

au Nord :

à Buxerolles – 6 337 h. alt. 100 – ✉ **86180** :

✕✕ **Aub. de la Cigogne,** 20 r. Planty ✆ 49 45 61 47, Fax 49 45 20 06, ☂ – AE ① GB JCB. ✂ — BV **e**
fermé 29 juil. au 13 août, 26 fév. au 4 mars, dim. soir et lundi sauf fériés – **Repas** 105/320, enf. 65.

par la sortie ①

à Chasseneuil-du-Poitou : 9 km – 3 002 h. alt. 75 – ✉ **86360** :

Mercure Ⓜ, espace Croix-Blanche (par N 10) ✆ 49 52 90 41, Fax 49 52 51 72, ☂, ⛱, 🏸 – ⇕ ⊭ ▤ TV ☎ ♿ P – 🏛 25 à 200. AE ① GB
Repas 120, enf. 60 – ☕ 52 – **89 ch** 455/555.

Château Clos de la Ribaudière 🐴, au village ✆ 49 52 86 66, Fax 49 52 86 32, parc – ☎ ♿ P – 🏛 80. AE ① GB
Repas 150/275 – ☕ 50 – **42 ch** 480/520 – ½ P 600/750.

au Futuroscope : 12 km – ✉ **86360** Chasseneuil-du-Poitou :

Novotel Futuroscope M, ✆ 49 49 91 91, Fax 49 49 91 90, ⅼ, ☒ – ⅼ cuisinette ⅼ ⅼ TV ☎ ♿ P – ⅼ 200. AE ⦿ GB
Repas 120, enf. 70 – ☐ 52 – **110 ch** 545/645, 18 studios.

Deltasun M, ✆ 49 49 01 01, Fax 49 49 01 10, ⅼ, ☒ – ⅼ ⅼ ⅼ rest TV ☎ ⅼ ♿ P ⅼ 25 à 60. AE ⦿ GB
Repas 90/150 ⅼ, enf. 40 – ☐ 40 – **75 ch** 330/370 – ½ P 275.

Aquatis M, ✆ 49 49 55 00, Fax 49 49 55 91 – ⅼ ⅼ ⅼ TV ☎ ⅼ ♿ P – ⅼ 50. AE ⦿ GB
Repas 104/117 bc ⅼ, enf. 49 – ☐ 40 – **84 ch** 320/375 – ½ P 350/400.

Ibis Futuroscope, ✆ 49 49 90 00, Fax 49 49 90 09, ⅼ, ☒ – ⅼ ⅼ ⅼ TV ☎ ⅼ ♿ P ⅼ 30. AE ⦿ GB
Repas 98, enf. 40 – ☐ 35 – **140 ch** 285/395.

par la sortie ③

rte de Limoges : 10 km – ✉ **86800** Mignaloux-Beauvoir :

Manoir de Beauvoir M ⅼ, ✆ 49 55 47 47, Fax 49 55 31 95, ⅼ, « Parc et golf » – cuisinette TV ☎ ♿ P – ⅼ 25 à 80. AE GB. ⅼ rest
fermé 15 déc. au 2 janv. – **Repas** 100, enf. 50 – ☐ 45 – **43 ch** 430/600, 3 appart.

au Sud :

à St-Benoît : 4 km – 5 843 h. alt. 77 – ✉ **86280** :

XXX **Chalet de Venise** ⅼ avec ch, r. Square (par D 88) ✆ 49 88 45 07, Fax 49 52 95 44, ⅼ ⅼ – ☎ ⅼ P – ⅼ 25. AE ⦿ GB. ⅼ ch BX
Repas *(fermé 26 août au 3 sept., 16 fév. au 4 mars, dim. soir et lundi)* 140 (déj.), 165/290 carte 280 à 360 – ☐ 45 – **12 ch** 300/400 – ½ P 375.

XX **A l'Orée des Bois** avec ch, rte Ligugé ✆ 49 57 11 44, Fax 49 43 21 40 – TV ☎ P. GB AX
fermé lundi soir (sauf hôtel) et dim. soir – **Repas** 85/235 ⅼ, enf. 60 – ☐ 40 – **16 ch** 200/375

par la sortie ⑤

sur N 10 : 3 km – ✉ **86000** Poitiers :

Ibis Sud M, ✆ 49 53 13 13, Fax 49 53 03 73, ⅼ, ☒ – ⅼ ⅼ TV ☎ ⅼ ♿ P – ⅼ 30 à 8 AE ⦿ GB
Repas 99 bc, enf. 39 – ☐ 36 – **116 ch** 315/350.

à Croutelle : 6 km sur N 10 – 448 h. alt. 105 – ✉ **86240** :

Mondial M sans rest, ✆ 49 55 44 00, Fax 49 55 33 49, ☒ – TV ☎ ♿ P – ⅼ 30. AE ⦿ G ☐ 36 – **40 ch** 270/450.

XXX **La Chênaie**, ✆ 49 57 11 52, Fax 49 52 68 66, ⅼ, ⅼ – P. AE GB
fermé 25 au 31 janv., dim. soir et lundi sauf fériés – **Repas** 125/220 et carte 220 à 390.

rte d'Angoulème : 7 km – ✉ **86240** Ligugé :

Bois de la Marche, ✆ 49 53 10 10, Fax 49 55 32 25, parc, ☒ – ⅼ TV ☎ ⅼ ♿ P – ⅼ 10 AE ⦿ GB JCB
Repas 100/260 – ☐ 42 – **53 ch** 290/420 – ½ P 340/440.

par la sortie ⑥

à Périgny par N 149 et D 43 : 17 km – ✉ **86190** Vouillé :

Château de Périgny ⅼ, ✆ 49 51 80 43, Fax 49 51 90 09, ⅼ, ⅼ, « Grand parc », ☒, – ⅼ TV ☎ P – ⅼ 25 à 100. AE ⦿ GB JCB. ⅼ rest
fermé 20 déc. au 2 janv., dim. soir et lundi en janv. et fév. – **Repas** 140/320, enf. 90 – ☐ 65 **38 ch** 420/880, 6 appart – ½ P 455/660.

BMW Gar. Futurauto, Rte de Saumur à Migné-Auxances ✆ 49 54 04 04
CITROEN Diffusion Autom. du Poitou, 157 av. 8 Mai 1945 AX ✆ 49 55 80 80 **N** ✆ 49 44 63 11
CITROEN S.E.D.P. Auto, à Croutelle par ⑤ ✆ 49 53 06 14
FORD R. M.-Autom., rte de Saumur à Migné-Auxances ✆ 49 51 69 09
MERCEDES Gar. Etoile 86, 230 rte de Paris ✆ 49 37 37 73 **N** ✆ 05 24 24 30
NISSAN Gar. Bourgoin, 12 rte Torchaise à Vouneuil-sous-Biard ✆ 49 57 10 07
PEUGEOT Sté Com. Autom. du Poitou, 137 av. 8 Mai 1945 ✆ 49 53 04 51 **N** ✆ 49 62 40 39
RENAULT Gar. Maillet, 14 r. Chanterie à Nieul l'Espoir ✆ 49 42 64 02
RENAULT Poitevine Autom., 17 r. de Bignoux ✆ 49 56 11 11
RENAULT S.A.C.O.A. des Nations, rte de Saumur Migné-Auxances AV ✆ 49 51 61 61 **N** ✆ 49 44 6 29
ROVER, SAAB Auto Sport, N 147 à Migné-Auxances ✆ 49 51 57 57
SEAT Europe Autos, rte de Saumur ✆ 49 51 54 6
VAG Brillant Autom., ZI Demi-Lune, rte de Nantes ✆ 49 37 60 60

Ⓜ Chouteau, r. Moulin à St-Benoit ✆ 49 57 20 77
Euromaster, 27 bd Pont-Joubert ✆ 49 01 83 11
Euromaster, 174 av. 8 Mai 1945 ✆ 49 57 25 82
Tours Pneus Vulcopneu, r. de Talweg, ZI Républiq ✆ 49 88 11 92

POIX-DE-PICARDIE 80290 Somme 52 ⑰ **G. Flandres Artois Picardie** – 2 191 h alt. 106.

ris 128 – ♦ Amiens 27 – Abbeville 43 – Beauvais 46 – Dieppe 84 – Forges-les-Eaux 43.

Le Cardinal, pl. République ✆ 22 90 08 23, Fax 22 90 18 61 – TV ☎ – 30 à 100. AE GB
Repas 60 (déj.), 70/160, enf. 40 – ☕ 40 – **35 ch** 230/260 – ½ P 215/235.

à Caulières O : 7 km par N 29 – 188 h. alt. 185 – ✉ 80590 :

Aub. de la Forge, ✆ 22 38 00 91 – GB
fermé fév., mardi soir et merc. – **Repas** (dim.-prévenir) 80/260 et carte 200 à 270 🍷, enf. 50.

POLIGNY 39800 Jura 70 ④ **G. Jura** (plan) – 4 714 h alt. 373.

oir Statues★ dans la collégiale – Culée de Vaux★ S : 2 km.

nv. Cirque de Ladoye ≤★★ S : 8 km.

Office de Tourisme cour des Ursulines ✆ 84 37 24 21, Fax 84 37 28 76.

ris 399 – ♦ Besançon 58 – Chalon-sur-Saône 77 – Dole 37 – Lons-le-Saunier 30 – Pontarlier 61.

Paris, 7 r. Travot ✆ 84 37 13 87, Fax 84 37 23 39, – ☎. GB
2 fév.-2 nov. – **Repas** *(fermé mardi midi et lundi)* 90/180 🍷, enf. 55 – ☕ 35 – **23 ch** 200/310 – ½ P 290/310.

Nouvel H., 11 av. Gare (rte Dole) ✆ 84 37 01 80, Fax 84 37 14 38 – TV ☎ P. GB. ch
fermé 20 oct. au 5 nov., lundi (sauf hôtel) et dim. soir – **Repas** 72/185 🍷 – ☕ 30 – **11 ch** 230/300 – ½ P 300/330.

Cellier St-Vernier, 21 pl. Nationale ✆ 84 37 21 65 – AE GB
fermé dim. soir et lundi – **Repas** 75 (déj.), 175/375.

aux Monts de Vaux SE : 4,5 km par rte de Genève – ✉ 39800 Poligny.

Voir ≤★.

Host. Monts de Vaux , ✆ 84 37 12 50, Fax 84 37 09 07, ≤, , parc, – TV ☎ P. AE GB
fermé fin oct. à fin déc., mardi midi en juil.-août, mardi soir et merc. midi de sept. à juin – **Repas** 175 (déj.)/400 – ☕ 72 – **7 ch** 480/950, 3 appart – ½ P 750/830.

à Passenans SO : 11 km par D 83 et D 57 – 281 h. alt. 320 – ✉ 39230 :

Le Revermont , ✆ 84 44 61 02, Fax 84 44 64 83, ≤, , parc, , – TV ☎ P – 25. AE GB
fermé 25 déc. au 1er mars, dim. soir et lundi d'oct. à mars – **Repas** 110/280, enf. 52 – ☕ 40 – **28 ch** 250/395 – ½ P 262/335.

à Montchauvrot SO : 13 km sur N 83 – ✉ 39230 Sellières :

La Fontaine, ✆ 84 85 50 02, Fax 84 85 56 18, , parc – TV ☎ P – 40. GB
fermé 23 déc. au 1er fév., dim. soir et lundi du 25 sept. au 30 juin – **Repas** 85 (déj.), 90/250 – ☕ 35 – **20 ch** 240/350 – ½ P 320.

NAULT Comte Autom., ✆ 84 37 24 80 N 84 82 82 67

Chevassu Pneus, ✆ 84 37 15 67

POLLIAT 01310 Ain 74 ② – 2 025 h alt. 260.

ris 415 – Mâcon 25 – Bourg-en-Bresse 10 – ♦ Lyon 75 – Villefranche-sur-Saône 52.

Place, ✆ 74 30 40 19, Fax 74 30 42 34 – ☎. GB
fermé 8 au 15 juil., 4 au 18 oct., lundi (sauf hôtel) et dim. soir – **Repas** 82/220 🍷, enf. 50 – ☕ 32 – **9 ch** 125/270 – ½ P 260/290.

Coq Bressan, ✆ 74 30 40 16, Fax 74 25 75 91 – GB
fermé 22 juin au 7 juil., 15 au 30 oct., 19 au 24 janv., merc. soir et jeudi – **Repas** 78/180.

NAULT Gar. Guigue, ✆ 74 30 41 63 N ✆ 05 05 15 15

POLMINHAC 15800 Cantal 76 ⑫ – 1 135 h alt. 650.

ris 560 – Aurillac 15 – Murat 34 – Vic-sur-Cère 5.

Bon Accueil, près gare ✆ 71 47 40 21, ≤, , – rest ☎ P. GB.
fermé 15 oct. au 30 nov., dim. soir et lundi midi sauf vacances scolaires – **Repas** 60/130 🍷, enf. 38 – ☕ 35 – **23 ch** 230/275 – ½ P 220/245.

PONS 17800 Char.-Mar. 71 ⑤ **G. Poitou Vendée Charentes** – 4 412 h alt. 39.

oir Donjon★ de l'ancien château – Hospice des Pèlerins★ SO par D 732 – Boiseries★ du âteau d'Usson 1 km par D 249.

Syndicat d'Initiative Donjon de Pons (15 juin-15 sept.) ✆ 46 96 13 31.

ris 491 – Royan 42 – Blaye 59 – ♦ Bordeaux 95 – Cognac 23 – La Rochelle 92 – Saintes 21.

🏨 ✿ **Aub. Pontoise** (Chat), 23 av. Gambetta ✆ 46 94 00 99, Fax 46 91 33 40, ☂ – ▤ rest ☎ 🚗. GB
fermé 20 déc. au 31 janv., lundi sauf le soir du 1er juil. au 15 sept. et dim. soir du 15 sept. au 1er juil. – **Repas** 160/350 et carte 290 à 390 – ☕ 55 – **22 ch** 270/460 – ½ P 350/450
Spéc. Homard sauté à l'ail et au persil plat. Lamproie au vin de Bordeaux et blanc de poireau. Gâteau de pommes de terre à la truffe et au foie gras.

🏨 **Bordeaux,** 1 r. Gambetta ✆ 46 91 31 12, Fax 46 91 22 25, ☂ – TV ☎ 🚗. AE GB
fermé lundi midi et dim. d'oct. à avril – **Repas** 87/235 – ☕ 36 – **16 ch** 200/260 – ½ P 230

à St-Léger NO : 5 km par N 137 et D 249 – 461 h. alt. 56 – ✉ 17800 :

✗ **Le Rustica,** ✆ 46 96 91 75, ☂ – P. GB
fermé 14 au 27 oct., 14 au 28 fév., mardi soir et merc. sauf juil.-août – **Repas** 85/280 enf. 38.

à Pérignac NE : 8 km par rte de Cognac – 964 h. alt. 41 – ✉ 17800 :

✗✗ **La Gourmandière,** ✆ 46 96 36 01, Fax 46 96 36 01, ☂, – GB
fermé 7 au 22 oct. et dim. soir – **Repas** 100/195.

à Mosnac S : 11 km par rte Bordeaux et D 134 – 431 h. alt. 23 – ✉ 17240 :

✗✗✗ ✿✿ **Moulin de Marcouze** (Bouchet) M avec ch, ✆ 46 70 46 16, Fax 46 70 48 1 parc, « **Élégante hostellerie au bord de la Seugne** », – ▤ TV ☎ ♿ P. AE GB JCB
fermé janv., fév., merc. midi et mardi d'oct. à mars – **Repas** 160/420 et carte 300 à 480 ☕ 75 – **10 ch** 525/700 – ½ P 760
Spéc. Tarte de pommes de terre et saumon fumé, chantilly au caviar. Gigot d'agneau de sept heures à la cuillè Pêche glacée sur granité de champagne.

PEUGEOT Relais de Saintonge, 7 cours Alsace-Lorraine ✆ 46 91 32 47

PONT-A-MOUSSON 54700 M.-et-M. 57 ⑬ **G. Alsace Lorraine** (plan) – 14 645 h alt. 180.

Voir Place Duroc★ – Anc. abbaye des Prémontrés★.

Office de Tourisme 52 pl. Duroc ✆ 83 81 06 90.

Paris 327 – ◆Metz 31 – ◆Nancy 27 – Toul 48 – Verdun 65.

🏨 **Bagatelle** sans rest, 47 r. Gambetta ✆ 83 81 03 64, Fax 83 81 12 63 – TV ☎ P. AE ⓓ G JCB
fermé 24 déc. au 2 janv. – ☕ 40 – **18 ch** 250/360.

🏨 **Primevère,** av. Etats-Unis ✆ 83 81 08 57, Fax 83 81 08 43, ☂ – TV ☎ ♿ P 30. AE ⓓ GB
Repas 68 (déj.), 81/104, enf. 41 – ☕ 33 – **41 ch** 275.

à Blénod-lès-Pont-à-Mousson S : 2 km par N 57 – 4 768 h. alt. 189 – ✉ 54700 :

✗ **Aub. des Thomas,** 100 av. V. Claude ✆ 83 81 07 72, Fax 83 82 34 94, ☂ – AE ⓓ GB
fermé 1er au 22 août, 19 au 26 fév., merc. soir, dim. soir et lundi – **Repas** (nombre couverts limité, prévenir) 95/250.

CITROEN Europ Auto RM, Av. des Etats-Unis ✆ 83 81 01 31
PEUGEOT Gar. André, r. Pont-Mouja, Blénod ✆ 83 81 01 08

RENAULT P.A.M. Autom., Rte de Briey ✆ 83 81 38 32

Euromaster, 111 r. R.-Blum ✆ 83 81 15 35

PONTARLIER 25300 Doubs 70 ⑥ **G. Jura** – 18 104 h alt. 838.

Voir Vitraux modernes★ de l'église St-Bénigne B – Les Rosiers ≤★★ 2 km par ② – Cluse★★ Pontarlier 4 km par ② – Château de Joux★ 4 km par ②.

Env. Grand Taureau ✻★★ par ② : 11 km.

Office de Tourisme,14 bis r. de la Gare ✆ 81 46 48 33, Fax 81 46 83 32.

Paris 447 ③ – ◆Besançon 58 ④ – Basel 160 ① – Beaune 148 ③ – Belfort 118 ④ – Dole 88 ③ – Genève 119 ② Lausanne 70 ② – Lons-le-Saunier 77 ③ – Neuchâtel 55 ②.

Plan page ci-contre

🏨 **Gd H. Poste,** 55 r. République ✆ 81 39 18 12, Fax 81 46 60 05 – TV ☎ P. GB
fermé lundi (sauf hôtel) et dim. soir sauf du 14 juil. au 30 août – **Repas** 85/220, enf. 4 ☕ 40 – **20 ch** 230/370 – ½ P 235/285. B

🏨 **Parc** sans rest, 1 r. Moulin Parnet ✆ 81 46 85 92 – TV ☎ 🚗 P. AE ⓓ GB A
☕ 32 – **20 ch** 200/340.

🏨 **Villages H.,** par ③ : 1 km ✆ 81 46 71 78, Fax 81 46 67 37 – TV ☎ ♿ P – 60. AE GB
Repas 75/150, enf. 45 – ☕ 35 – **52 ch** 225/255 – ½ P 230/250.

🏨 **Campanile,** par ③ : 1 km ✆ 81 46 66 66, Fax 81 39 51 56, ☂ – TV ☎ ♿ P 30. AE ⓓ GB
Repas 84 bc/107 bc, enf. 39 – ☕ 32 – **48 ch** 272.

PONTARLIER

République (R. de la) . . AB
St-Étienne (R. du Fg) . . . . B
St-Pierre (Pl.) . . . . A
Ste-Anne (R.) . . . . AB 35

Arçon (Pl. d') . . . . A 2
Augustins (R. des) . . . . . . B 3
Bernardines (Pl. des) . . AB 4
Bernardines (R. des) . . . . B 6
Capucins (R. des) . . . . . . A 7
Crétin (Pl.) . . . . B 8
Ecorces (R. des) . . . . A 12
Gambetta (R.) . . . . B 13
Halle (R. de la) . . . . A 15
Lattre-de-Tassigny (Pl. Mar.) . . . . B 19
Mathez (R. Jules) . . . . B 26
Mirabeau (R.) . . . . B 27
Moulin Parnet (R. du) . . . A 29
Pagnier (Pl. J.) . . . . B 30
Parc (R. du) . . . . A 31
Salengro (Pl. R.) . . . . A 36
Tissot (R.) . . . . AB 37
Vanolles (R. de) . . . . B 38
Vieux-Château (R. du) . . . A 39
Villingen-Schwenningen (Pl. de) A 40

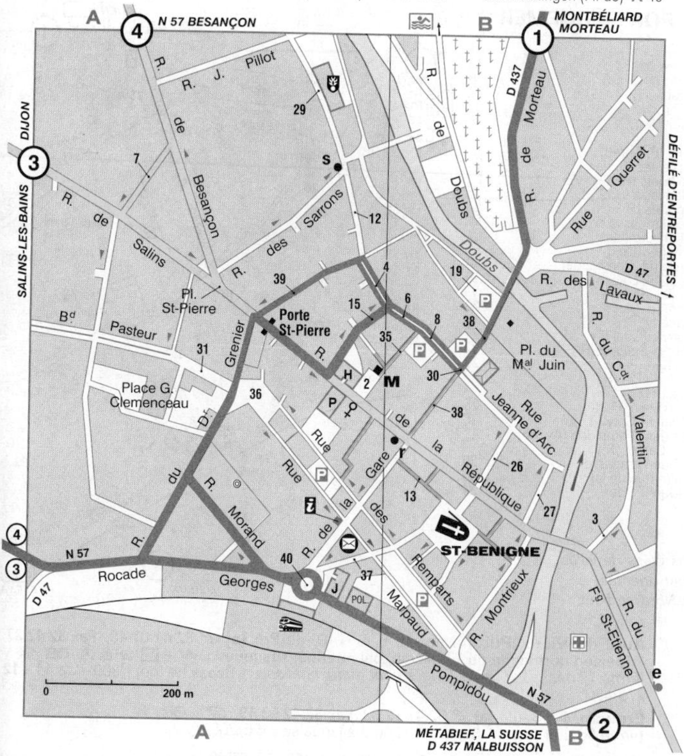

XX **La Gourmandine,** 1 av. Armée de l'Est ✆ 81 46 65 89, Fax 81 39 08 75 – GB B e
fermé 1er au 20 juil., mardi soir et merc. – **Repas** 115/350, enf. 55.

TROEN Gar. Nedey, 8 r. Donnet Zedel par ③
81 38 40 40 N ✆ 81 38 40 44
AT Gar. Dornier, 55 r. Salins ✆ 81 39 09 85
EL Gar. Belle Rive, 78 r. de Besançon
81 39 14 42
UGEOT Gar. Beau-Site, 29 av. Armée de l'Est
② ✆ 81 39 23 95 N ✆ 81 39 23 95
NAULT Gar. Deffeuille, r. Fée Verte ZI par ③
81 46 56 55 N ✆ 81 46 91 75

TOYOTA Gar. Graber, 73 r. de Besançon
✆ 81 39 17 80

La Maison du Pneu, 8 bis r. des Lavaux
✆ 81 39 19 01
Pneu Pontissalien, 35 r. Eiffel ✆ 81 39 33 87

NTAUBAULT 50220 Manche 59 ⑧ – 492 h alt. 25.

s 349 – St-Malo 58 – Avranches 8,5 – Dol-de-Bretagne 35 – Fougères 35 – ◆Rennes 68 – St-Lô 67.

au SO : 2,5 km sur D 43 – ✉ 50220 Céaux :

Relais du Mont, ✆ 33 70 92 55, Fax 33 70 94 57, – TV ☎ ♿ P – 50. AE GB
Repas 80/200, enf. 45 – 35 – **30 ch** 300 – ½ P 300/320.

à Céaux O : 4 km sur D 43 – 397 h. alt. 20 – ✉ **50220** :

Au P'tit Quinquin, ✆ 33 70 97 20 – TV ☎ P. GB
fermé 5 janv. au 15 fév., dim. soir et lundi du 15 fév. au 15 juin – **Repas** 72/169, enf. 42 – 30 – **20 ch** 145/250 – ½ P 195/240.

18

PONTAUBERT 89 Yonne 65 ⑯ – rattaché à Avallon.

PONT-AUDEMER 27500 Eure 55 ④ **G. Normandie Vallée de la Seine** – 8 975 h alt. 15.

Voir Vitraux★ de l'église St-Ouen.

Office de Tourisme pl. Maubert ☎ 32 41 08 21.

Paris 168 ① – ◆ Le Havre 44 ① – ◆ Rouen 50 ① – ◆ Caen 74 ⑤ – Évreux 68 ② – Lisieux 35 ④.

PONT-AUDEMER

Clemencin (R. Paul) 5
Gambetta (R.) 13
Jaurès (R. Jean) 18
République (R. de la) 27
Thiers (R.) 32
Victor-Hugo (Pl.) 35

Canel (R. Alfred) 2
Carmélites (R. des) 3
Cordeliers (R. des) 6
Delaquaize (R. S.) 7
Déportés (R. des) 8
Épée (Impasse de l') 9
Félix-Faure (Quai)
Ferry (R. Jules)
Gaulle (Pl. Général de) 14
Gilain (Pl. Louis) 16
Goulley (Pl. J.)
Joffre (R. Mar.) 20
Kennedy (Pl.)
Leblanc (Quai R.) 21
Maquis-Surcouf (R.) 22
Maubert (Pl.) 23
N.-D. du Pré (R.)
Pasteur (Bd)
Pot-d'Étain (Pl. du) 25
Président-Coty (R. du) 26
Président-Pompidou (Av. du)
Sadi-Carnot (R.)
St-Ouen (Impasse) 29
Seule (Rue de la) 30
Verdun (Pl. de) 34

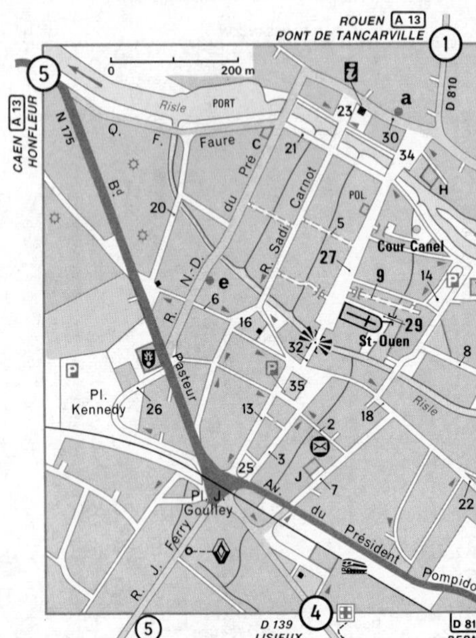

Les plans de villes sont orientés le Nord en haut.

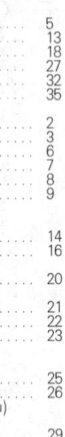

XX **Aub. du Vieux Puits** avec ch, 6 r. N.-D.-du-Pré **(e)** ☎ 32 41 01 48, Fax 32 42 37 « Maison normande du 17ᵉ siècle, bel intérieur rustique », – ☎ ♿ P. GB. *fermé 17 déc. au 26 janv., lundi soir et mardi hors sais.* – **Repas** 198 (déj.)/300 – 44 – 12 270/420.

XX **Erawan,** 4 r. Seüle **(a)** ☎ 32 41 12 03, Fax 32 42 53 19, – GB. *fermé août et merc.* – **Repas** - cuisine thaïlandaise - 125/200.

à Campigny par ③ et D 29 : 6 km – 807 h. alt. 121 – ✉ **27500** :

Le Petit Coq aux Champs , ☎ 32 41 04 19, Fax 32 56 06 25, , parc, « Chaum normande dans la campagne », – ☎ P. AE GB JCB *fermé 2 au 26 janv.* – **Repas** 225 bc, enf. 80 – 60 – **12 ch** 560/830 – ½ P 640/700.

CITROEN Gar. Roulin, Z.I. r. Gén.-Koening par ② ☎ 32 41 01 56
CITROEN Gar. Testu, à Lieurey ☎ 32 57 93 47
FIAT Gar. Hauchecorne, 16 r. Maquis Surcouf ☎ 32 41 03 04
OPEL Gar. des Deux Ponts, 22 r. Notre-Dame-du-Pré ☎ 32 41 00 13
PEUGEOT Gar. Delamare, ZI Rocade Sud par ② ☎ 32 41 00 47
RENAULT Gar. Sovère, rte d'Honfleur à St-Germain-Village par r. J.-Ferry ☎ 32 41 31 64 N ☎ 32 43 81 45

RENAULT Gar. Lidor, rte de Cormeilles à Lieure ☎ 32 57 90 67
RENAULT Gar. Deschamps, rte de Bernay à Lie par ③ ☎ 32 57 91 77 N ☎ 32 57 91 77
VAG Gar. Durfort, 10 rte de Rouen ☎ 32 41 01
Stat. La Risle, 67 rte de Rouen ☎ 32 41 14 11

Marsat Pneus, rte de Bernay à St-Germain-Vi ☎ 32 42 15 46
Sube Pneurama Point S, r. Fossés ☎ 32 41 14 8

PONTAULT-COMBAULT 77 S.-et-M. 61 ② ⑩, 101 ㉙ – voir à Paris, Environs.

PONTAUMUR 63380 P.-de-D. 73 ⑬ – 859 h alt. 535.

Paris 399 – ◆ Clermont-Ferrand 42 – Aubusson 46 – Le Mont-Dore 58 – Montluçon 66 – Ussel 56.

Poste, ☎ 73 79 90 15, Fax 73 79 73 17 – ☎ – 25. GB. ch *fermé 15 déc. au 1ᵉʳ fév., dim. soir et lundi sauf juil.-août* – **Repas** 85/250, enf. 55 – **15 ch** 200/260 – ½ P 200/220.

PEUGEOT Gar. Thiallier-Comes, ☎ 73 79 90 02

PONT-AVEN 29930 Finistère 58 ⑪ ⑯ **G. Bretagne** – 3 031 h alt. 18.

oir Promenade au Bois d'Amour★.

Office de Tourisme pl. Hôtel de Ville ✆ 98 06 04 70, Fax 98 06 17 25.

is 529 – Quimper 34 – Carhaix-Plouguer 61 – Concarneau 15 – Quimperlé 17 – Rosporden 14.

XXX ✿ **Moulin de Rosmadec** (Sébilleau) M avec ch, près pont centre ville ✆ 98 06 00 22, Fax 98 06 18 00, ≤, « Ancien moulin sur l'Aven, décor et mobilier bretons » – TV ☎. GB
fermé 12 au 30 nov. et fév. – **Repas** *(fermé dim. soir de mi-sept. à mi-juin et merc.)* (nombre de couverts limité, prévenir) 160/298 et carte 310 à 420 – ☕ 40 – **4 ch** 400/470
Spéc. Homard grillé "Rosmadec". Queues de langoustines rôties aux spaghetti de thym citronné. Blanc de Saint-Pierre grillé aux artichauts.

rte Concarneau O : 4 km par D 783 – ✉ **29930** Pont-Aven :

XX ✿ **La Taupinière** (Guilloux), ✆ 98 06 03 12, Fax 98 06 16 46, – ▤ P. AE ⓓ GB.
fermé 22 sept. au 17 oct., lundi soir sauf juil.-août et mardi – **Repas** (prévenir) 265/465 et carte 290 à 400
Spéc. Brochettes de langoustines béarnaise. Panaché de dorade et rouget "en cassoulet". Millefeuille chocolat-framboises.

UGEOT Gar. Quénéhervé, à Croissant-Kergoz ✆ 98 06 03 11

PONTCHARTRAIN 78 Yvelines 60 ⑨ 106 ⑯ – ✉ **78760** Jouars-Pontchartrain.

nv. Domaine de Thoiry★★ NO : 12 km, **G. Ile de France.**

Isabella ✆ (1) 30 54 10 62, E : 3 km ; 9 18 des Yvelines ✆ (1) 34 86 48 89, O par N 12 : 13,5 km.

is 37 – Dreux 43 – Mantes-la-Jolie 29 – Montfort-l'Amaury 9 – Rambouillet 23 – Versailles 17.

XX **L'Aubergade,** rte Nationale ✆ (1) 34 89 02 63, Fax (1) 34 89 85 72, « Beau jardin fleuri, volière » – P. GB
fermé 5 au 22 août, dim. soir du 15 oct. au 1er mai et lundi soir – **Repas** 185/260 et carte 320 à 390.

XX **Le Bistro Gourmand,** 7 rte Pontel N 12 ✆ (1) 34 89 25 36 – GB
fermé 24 déc. au 2 janv., vacances de fév., dim. soir et lundi – **Repas** 89 (déj.), 135/195 ꝭ.

à Ste-Apolline E : 3 km sur D912 – ✉ **78370** Plaisir :

XX **La Maison des Bois,** ✆ (1) 30 54 23 17, Fax (1) 30 54 23 17, « Demeure rustique, jardin » – P. AE GB
fermé août, jeudi soir et dim. soir – **Repas** carte 250 à 390.

à Ergal SE : 5 km par D 15 et D 23 – ✉ **78760** Jouars-Pontchartrain :

XX **Aub. d'Ergal,** 2 r. Chambord ✆ (1) 34 89 87 87, Fax (1) 34 89 55 65, – P. AE GB
fermé 15 août au 15 sept., dim. soir et lundi – **Repas** 140/190.

TROEN Gar. Palazzi, 24 rte de Paris ✆ (1) 34 89 02 68

LE PONT-DE-BEAUVOISIN 38480 Isère 74 ⑭ ⑮ **G. Alpes du Nord** – 2 369 h alt. 280.

is 525 – ♦Grenoble 57 – Chambéry 36 – Bourg-en-Bresse 94 – ♦Lyon 74 – La Tour-du-Pin 19.

Morris, SE : 2 km par D 82 ✆ 76 37 02 05, Fax 76 32 92 88, – TV P. GB
Repas 65/190 ꝭ, enf. 45 – ☕ 30 – **14 ch** 150/280 – ½ P 195/235.

TROEN Gar. Chaboud, ✆ 76 37 03 10 N 76 37 03 10
RD Angelin Autom., ✆ 76 37 25 49 N 76 37 25 49
DA ROVER Gar. Termoz, ✆ 76 37 05 60 N 76 37 21 04
JGEOT Gar. Cloppet, ✆ 76 37 25 63

RENAULT Autos Isère, ✆ 76 37 04 18
RENAULT Gar. Borgey, à St-Genix-sur-Guiers ✆ 76 31 70 82

Ⓜ Pneu Rhône Alpes Vulcopneu, ✆ 76 37 26 62
Prieur Pneus-Point S, ✆ 76 37 34 38

PONT-DE-BRAYE 72 Sarthe 64 ⑤ – rattaché à Bessé-sur-Braye.

PONT-DE-BRIQUES 62 P.-de-C. 51 ⑪ – rattaché à Boulogne-sur-Mer.

PONT-DE-CHAZEY-VILLIEU 01 Ain 74 ③ – rattaché à Meximieux.

PONT-DE-CHERUY 38230 Isère 74 ⑬ – 4 700 h alt. 220.

18 à Villette d'Anthon ✆ 78 31 11 33 par D124 et D517 : 11,5 km.

is 488 – ♦Lyon 32 – Belley 55 – Bourgoin-Jallieu 27 – ♦Grenoble 91 – Meximieux 22 – Vienne 42.

Bergeron sans rest, près Église ✆ 78 32 10 08, Fax 78 32 11 70 – ☎ P. GB
fermé 12 au 26 août – ☕ 25 – **16 ch** 120/225.

JGEOT Gar. Maunand, ✆ 78 32 11 07

Gar. Roudinsky, r. de la Lechère à Tignieu 78 32 22 21

Relais Pneus, 9 ch. de l'Hermite à Tignieu ✆ 72 02 93 76

PONT-DE-DORE 63 P.-de-D. 73 ⑮ – rattaché à Thiers.

PONT-DE-L'ARCHE 27340 Eure 55 ⑥ **G. Normandie Vallée de la Seine** – 3 022 h alt. 20.

Paris 118 – ◆Rouen 18 – Les Andelys 27 – Elbeuf 12 – Évreux 34 – Gournay-en-Bray 54 – Louviers 11,5.

La Tour M sans rest, 41 quai Foch ✆ 35 23 00 99, Fax 35 23 46 22, – TV ☎ P. AE ⓓ GB.
35 – **18 ch** 320.

XX **La Pomme,** aux Damps 1,5 km au bord de l'Eure ✆ 35 23 00 46, Fax 35 23 52 09, – P. AE GB
fermé 1er au 21 août, dim. soir, mardi soir et merc. – **Repas** 118/185.

PONT-DE-L'ISÈRE 26 Drôme 77 ② – rattaché à Valence.

Le PONT-DE-PACÉ 35 I.-et-V. 59 ⑯ – rattaché à Rennes.

PONT-DE-PANY 21410 Côte d'Or 66 ⑪.

Paris 293 – ◆Dijon 20 – Avallon 86 – Beaune 36 – Saulieu 55.

Château La Chassagne , au N par D 33 et rte secondaire : 2 km ✆ 80 40 47 5 Fax 80 23 66 28, , « Château du 19e siècle dans un parc », , , – TV ☎ P 25. AE ⓓ GB. rest
fermé 15 déc. au 15 janv. – **Repas** *(fermé lundi)* 145/265 , enf. 70 – 60 – **8 ch** 640/112 4 appart – ½ P 573/770.

XX **Pont de Pany,** ✆ 80 23 60 59, Fax 80 23 68 90, – P. AE ⓓ GB
fermé janv., dim. soir hors sais. et lundi – **Repas** 105/230 , enf. 50.

PONT-DE-POITTE 39130 Jura 70 ⑭ **G. Jura** – 638 h alt. 450.

Paris 410 – Champagnole 34 – Genève 91 – Lons-le-Saunier 17.

XX **Ain** avec ch, ✆ 84 48 30 16, Fax 84 48 36 95 – rest TV ☎ . GB
fermé 23 déc. au 31 janv., mardi midi en juil.-août, dim. soir hors sais. et lundi – **Rep** 110/260 – 35 – **10 ch** 220/265 – ½ P 240/270.

PONT-DE-ROIDE 25150 Doubs 66 ⑱ **G. Jura** – 4 983 h alt. 351.

Paris 475 – ◆Besançon 78 – Belfort 35 – La Chaux-de-Fonds 50 – Porrentruy 29.

Voyageurs sans rest, 15 pl. Centrale ✆ 81 96 92 07, Fax 81 92 27 80 – TV ☎ P. GB
fermé dim. – 26 – **16 ch** 155/220.

PEUGEOT Gar. du Lion, ✆ 81 92 42 27

PONT-DE-SALARS 12290 Aveyron 80 ③ – 1 422 h alt. 700.

Paris 642 – Rodez 23 – Albi 87 – Millau 46 – St-Affrique 56 – Villefranche-de-Rouergue 69.

Voyageurs, ✆ 65 46 82 08, Fax 65 46 89 99 – rest TV ☎ P. AE GB JCB
fermé fév., dim. soir et lundi d'oct. à juin – **Repas** 78 bc/260 – 29 – **30 ch** 210/31 ½ P 215/250.

RENAULT Gar. Capoulade, ✆ 65 46 83 16 N ✆ 65 46 83 16

PONT-DE-VAUX 01190 Ain 70 ⑫ – 1 913 h alt. 177.

Paris 382 – Mâcon 20 – Bourg-en-Bresse 39 – Lons-le-Saunier 59 – St-Amour 33 – Tournus 20.

XXX **Commerce** avec ch, ✆ 85 30 30 56, Fax 85 30 65 04 – TV ☎ . GB
fermé 15 au 30 nov., dim. soir et merc. du 15 sept. au 15 juin – **Repas** 105/210 et carte 19 280 – 35 – **10 ch** 180/250 – ½ P 280/400.

XX ✿ **Le Raisin** (Chazot) avec ch, ✆ 85 30 30 97, Fax 85 30 67 89 – rest ☎ P. AE ⓓ
fermé 8 au 31 janv., dim. soir et lundi hors sais. sauf fériés – **Repas** 110/320 et carte 22 300 , enf. 70 – 38 – **18 ch** 250/310 – ½ P 330/380
Spéc. Grenouilles fraîches à la "Maître d'Hôtel". Crêpes "Parmentier". Poulet de Bresse aux morilles et à la crème. Mâcon, Brouilly.

CITROEN Gar. Grospellier, ✆ 85 30 31 13 N ✆ 85 30 31 13

PONT-D'HÉRAULT 30 Gard 80 ⑯ – rattaché au Vigan.

PONT-D'OUILLY 14690 Calvados 55 ⑪ **G. Normandie Cotentin** – 1 002 h alt. 65.

Voir Roche d'Oëtre★★ S : 6,5 km.

Syndicat d'Initiative ✆ 31 69 81 95.

Paris 272 – ◆Caen 37 – Briouze 24 – Falaise 18 – Flers 20 – Villers-Bocage 36 – Vire 38.

Commerce, ✆ 31 69 80 16, Fax 31 69 78 08, , – TV ☎. AE GB
fermé 1er au 12 oct. et 15 janv. au 15 fév. – **Repas** *(fermé dim. soir et lundi du 1er sept. au juin)* 75/160 , enf. 50 – 30 – **16 ch** 200/250 – ½ P 220/240.

à St-Christophe N : 2 km par D 23 – ✉ 14690 Pont d'Ouilly :

XX **Aub. St-Christophe** avec ch, ✆ 31 69 81 23, Fax 31 69 26 58, , – TV ☎ P. GB
fermé vacances de Toussaint, de fév., dim. soir et lundi – **Repas** 95/250, enf. 55 – 4 **7 ch** 270 – ½ P 285.

ONT-DU-BOUCHET 63 P.-de-D. 73 ③ – ✉ 63380 Pontaumur.

v. Méandre de Queuille★★ NE : 11,5 km puis 15 mn, **G. Auvergne.**

ris 391 – ◆Clermont-Ferrand 40 – Pontaumur 12 – Riom 36 – St-Gervais-d'Auvergne 19.

La Crémaillère 🐎, ☎ 73 86 80 07, Fax 73 86 93 17, ≤, 🏠, « Jardin » – TV ☎ P. GB.
fermé 15 déc. au 15 janv., vend. soir et sam. hors sais. – **Repas** 72/220 – ☕ 32 – **15 ch** 230/300 – ½ P 222/240.

ONT-DU-CHAMBON 19 Corrèze 75 ⑩ – rattaché à Marcillac-la-Croisille.

ONT-DU-CHÂTEAU 63430 P.-de-D. 73 ⑮ **G. Auvergne** – 8 562 h alt. 365.

Syndicat d'Initiative ☎ 73 83 20 02, Fax 73 83 15 00.

ris 421 – ◆Clermont-Ferrand 14 – Billom 11,5 – Riom 18 – Thiers 30.

Pierre Villeneuve, r. Poste ☎ 73 83 50 03, Fax 73 83 59 36 – GB
fermé 1er au 21 août, vacances de fév., dim. soir et lundi sauf fériés – **Repas** 95 (déj.)/220.

NAULT Gar. Denoyelle, 26 r. des Remparts 73 23 29 87

Gar. Cottier, N 89 ☎ 73 83 22 85

Gar. Vigier, 20 bis r. Croix Blanche ☎ 73 83 25 24

ONT-DU-DOGNON 87 H.-Vienne 72 ⑧ **G. Berry Limousin** – ✉ 87400 Le Châtenet-en-Dognon.

ris 395 – ◆Limoges 31 – Bellac 51 – Bourganeuf 27 – La Jonchère-St-Maurice 8,5 – La Souterraine 42.

Chalet du Lac 🐎, ☎ 55 57 10 53, Fax 55 57 11 46, ≤, 🏋, 🌳 – ☎ P – 🏛 50. AE GB
fermé janv. – **Repas** *(fermé dim. soir sauf juil.-août)* 95/230 – ☕ 35 – **16 ch** 250/350 – ½ P 275.

Rallye 🐎, ✉ 87340 St-Laurent-les-Églises ☎ 55 56 56 11, Fax 55 56 50 67, ≤ lac – TV P – 🏛 30. GB. ✂ rest
15 avril-début oct. et fermé mardi midi et lundi hors sais. et lundi midi et mardi en sais. – **Repas** (prévenir) 95/180, enf. 60 – ☕ 38 – **18 ch** 190/280 – ½ P 230/260.

ONT-DU-GARD 30 Gard 80 ⑲ **G. Provence** – ✉ 30210 Remoulins.

ir Pont-aqueduc romain★★★.

Office de Tourisme ☎ 66 37 00 02, hors saison ☎ 66 21 02 51.

is 693 – Avignon 26 – Alès 48 – Arles 39 – Nîmes 23 – Orange 37 – Pont-St-Esprit 42 – Uzès 14.

Vieux Moulin 🐎, rive gauche ☎ 66 37 14 35, Fax 66 37 26 48, ≤ Pont du Gard, 🏠 – ☎ P – 🏛 30. GB
1er avril-13 oct. – **Repas** *(fermé lundi sauf du 1er juin au 31 oct.)* 128/198 – ☕ 62 – **17 ch** 155/499 – ½ P 273/427.

Le Colombier 🐎, E : 0,8 km par D 981 (rive droite) ☎ 66 37 05 28, Fax 66 37 35 75, 🏠, 🌳 – TV ☎ 🚗 P. AE ⓓ GB
Repas 68 bc (déj.), 90/160 🍷, enf. 50 – ☕ 35 – **10 ch** 200/290 – ½ P 245/270.

au NO : 4 km sur D 981 – ✉ 30210 Vers-Pont-du-Gard :

La Bégude St Pierre M, ☎ 66 63 63 63, Fax 66 22 73 73, 🏠, 🏊, 🌳 – ▤ TV ☎ 📞 ♿ P – 🏛 50. AE ⓓ GB JCB
Repas *(fermé dim. soir et lundi de nov. à fév.)* 150/360 – ☕ 60 – **29 ch** 415/800 – ½ P 480/630.

à Castillon-du-Gard NE : 4 km par D 19 et D 228 – 759 h. alt. 90 – ✉ 30210 :

✿ **Le Vieux Castillon** 🐎, ☎ 66 37 00 77, Fax 66 37 28 17, 🏠, patio, « Au coeur d'un village médiéval », 🏊 – 🛗 ▤ TV ☎ P – 🏛 30 à 60. AE ⓓ GB JCB
fermé début janv. au 28 fév. – **Repas** 240/495 et carte 380 à 520 – ☕ 90 – **35 ch** 700/1390 – ½ P 855/1200
Spéc. Fougasse de morue fraîche et brandade de Nîmes. Gigotin d'agneau des Alpilles. **Vins** Côtes du Rhône, Lirac.

à Collias O : 7 km par D 981 et D 112 – 756 h. alt. 45 – ✉ 30210 Remoulins :

Host. Le Castellas 🐎, Grand'rue ☎ 66 22 88 88, Fax 66 22 84 28, 🏠, « Décor original dans une ancienne demeure gardoise », 🏊, 🌳 – ▤ ch TV ☎ P – 🏛 25. AE ⓓ GB JCB
fermé début janv. à début mars – **Repas** 165/360 – ☕ 60 – **17 ch** 450/590 – ½ P 590/760.

ONTEMPEYRAT 43 H.-Loire 76 ⑦ – ✉ 43500 Craponne-sur-Arzon.

is 526 – Le Puy-en-Velay 43 – Ambert 39 – Montbrison 52 – ◆St-Étienne 55 – Yssingeaux 41.

Mistou 🐎, ☎ 77 50 62 46, Fax 77 50 66 70, « Parc au bord de l'Ance » – TV ☎ P – 🏛 25. AE GB. ✂ rest
Pâques-1er nov. – **Repas** *(fermé le midi sauf juil.-août, week-ends et fériés)* 125/310, enf. 75 – ☕ 50 – **28 ch** 300/490 – ½ P 395/520.

PONTET 84 Vaucluse 81 ⑫ – rattaché à Avignon.

ONT-ÉVÊQUE 38 Isère 74 ⑫ – rattaché à Vienne.

ONT-FARCY 14380 Calvados 59 ⑨ – 487 h alt. 72.

is 301 – St-Lô 25 – ◆Caen 60 – Villedieu-les-Poêles 17 – Villers-Bocage 34 – Vire 18.

Coq Hardi, ☎ 31 68 86 03 – GB
fermé vend. soir – **Repas** 62/104 🍷, enf. 35.

PONTGIBAUD 63230 P.-de-D. 73 ⑬ **G. Auvergne** – 801 h alt. 735.

Paris 437 – ◆ Clermont-Ferrand 24 – Aubusson 65 – Le Mont-Dore 40 – Riom 24 – Ussel 69.

Poste, ✆ 73 88 70 02, Fax 73 88 79 74 – rest ☎. AE GB
fermé 30 sept. au 13 oct., janv., dim. soir et lundi sauf juil.-août – **Repas** 78/190 – 35 – **10 ch** 170/220 – ½ P 195/205.

à La Courteix E : 4 km sur D 941[B] – ✉ **63230** St-Ours :

XXX **L'Ours des Roches,** ✆ 73 88 92 80, Fax 73 88 75 07, « Décor original » – P. AE ① GB JCB
fermé 2 au 24 janv., dim. soir et lundi sauf fériés – **Repas** 125/270 et carte environ 290.

PONTHIERRY 77 S.-et-M. 61 ① 106 ㊹ – ✉ **77310** St-Fargeau-Ponthierry.

Paris 45 – Fontainebleau 18 – Corbeil-Essonnes 11,5 – Étampes 35 – Melun 10,5.

XX **Aub. du Bas Pringy,** à Pringy - N 7 ✆ (1) 60 65 57 75, Fax (1) 60 65 48 57, – P. ① GB
fermé août, 18 au 28 fév., lundi soir et mardi sauf fêtes – **Repas** 98/240, enf. 56.

XX **Aub. Cheval Blanc,** N 7 ✆ (1) 60 65 70 21 – AE GB
fermé dim. soir – **Repas** 95/195.

à St-Fargeau-Ponthierry sur N 7 : 1 km – 10 560 h. alt. 51 – ✉ **77310** :

Apollonia M, rte Fontainebleau ✆ 60 65 65 35, Fax 64 38 10 41, – TV ☎ ♿ P. ① GB
Repas 80/150 – 40 – **48 ch** 250/370 – ½ P 275/295.

PEUGEOT Gar. des Bordes, 107 av. de Fontainebleau à St-Fargeau ✆ (1) 60 65 71 13 N ✆ (1) 64 09 99 97

RENAULT Gar. Tractaubat, 48-50 av. de Fontainebleau à St Fargeau ✆ (1) 60 65 70 39

PONTIVY

Nationale (R.) . . . . . YZ
Pont (R. du) . . . . . Y 28

Anne-de-Bretagne (Pl.) . . . . . Y 2
Caïnain (R.) . . . . . Z 3
Couvent (Q. du) . . . . . Y 4
Dr-Guépin (R. du) . . . . . Y 5
Fil (R. du) . . . . . Y 6
Friedland (R.) . . . . . Y 8
Gaulle (R. du Gén. de) . . . . . Y 9
Jaurès (R. Jean) . . . . . Z 10
Lamennais (R. J.-M.-de) . . . . . Z 13
Le Goff (R.) . . . . . Z 16
Lorois (R.) . . . . . Y 17
Marengo (R.) . . . . . Z 19
Martray (Pl. du) . . . . . Y 20
Niémen (Q.) . . . . . Y 27
Presbourg (Q.) . . . . . Y 32
Recollets (Q. des) . . . . . Y 33
Viollard (Bd) . . . . . Z 38

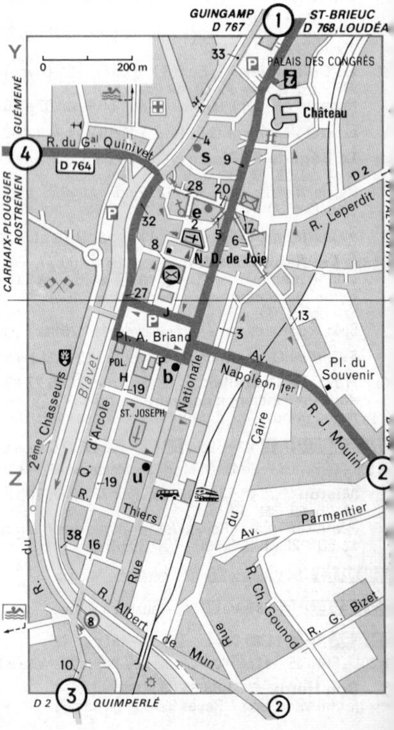

ONTIVY <SP> **56300** Morbihan 58 ⑲ **G. Bretagne** – 13 140 h alt. 99.

ɔir Maisons anciennes★ (rues du Fil, du Pont, du Dr-Guépin Y) – Stival : vitraux★ de la apelle St-Mériadec NO : 3,5 km par ⑥.

de Rimaison ✆ 97 27 74 03, S : 15 km par D 768.

Office de Tourisme 61 r. Gén.-de-Gaulle ✆ 97 25 04 10, Fax 97 27 87 09.

ʼis 458 ① – Vannes 54 ② – Concarneau 103 ③ – Lorient 56 ② – ◆Rennes 113 ① – St-Brieuc 57 ①.

Plan page ci-contre

Rohan Wesseling M sans rest, 90 r. Nationale ✆ 97 25 02 01, Fax 97 25 02 85 – 50. AE GB — Z u
40 – **18 ch** 295/395.

Europe, 14 pl. A. Briand ✆ 97 25 11 14, Fax 97 25 48 04, – P. AE GB. rest — Z b
Repas *(fermé dim.)* 70/120 – 35 – **20 ch** 270/350 – ½ P 265/280.

La Pommeraie, 17 quai Couvent ✆ 97 25 60 09 – GB. — Y s
fermé en août, dim. soir et lundi – **Repas** 130/220.

Le Martray, 32 r. Pont ✆ 97 27 88 82 – AE GB — Y e
fermé août, dim. soir et lundi – **Repas** 85/195.

à Quelven par ③, D 2 et D 2B : 10 km – ✉ **56310** Guern :

Aub. de Quelven M sans rest, à la Chapelle ✆ 97 27 77 50, Fax 97 27 77 51 – P. GB
fermé 15 au 25 sept. et merc. – 30 – **10 ch** 250/350.

TROEN Gar. Laloge, rte de Vannes par ③
97 25 30 56 N ✆ 97 02 60 60
UGEOT Gar. Lainé, 40 r. Colbert ✆ 97 25 12 19
✆ 97 25 12 19
NAULT Centre Bretagne Renault Pontivy, av.
s Otages par ⑥ ✆ 97 28 50 00 N ✆ 97 28 60 22

Piété, 6 r. de Mun et r. Guynemer ✆ 97 25 02 77
Pneu Armorique Vulcopneu, rte de Lorient par ④
✆ 97 25 41 70

En juin et en septembre,
les hôtels sont moins chers qu'en pleine saison, le service est plus soigné.

ONT-L'ABBÉ 29120 Finistère 58 ⑭ ⑮ **G. Bretagne** – 7 374 h alt. 5.

ɔir Manoir de Kerazan-en-Loctudy★ 3,5 km par ②.

ıv. Calvaire★★ de la chapelle N.-D.-de-Tronoën O : 8 km.

Office de Tourisme 3 r. du Château ✆ 98 82 37 99, hors saison à la Mairie ✆ 98 87 24 44.

ʼis 568 ① – Quimper 18 ① – Douarnenez 33 ④.

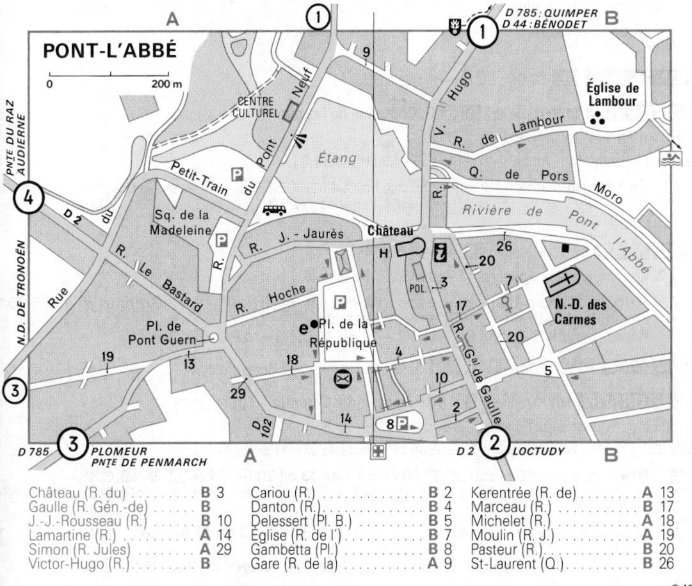

Château (R. du)	B 3	Cariou (R.)	B 2
Gaulle (R. Gén.-de)	B	Danton (R.)	B 4
J.-J.-Rousseau (R.)	B 10	Delessert (Pl. B.)	B 5
Lamartine (R.)	A 14	Église (R. de l')	B 7
Simon (R. Jules)	A 29	Gambetta (Pl.)	B 8
Victor-Hugo (R.)	B	Gare (R. de la)	A 9

Kerentrée (R. de)	A 13
Marceau (R.)	B 17
Michelet (R.)	A 18
Moulin (R. J.)	A 19
Pasteur (R.)	B 20
St-Laurent (Q.)	B 26

Château de Kernuz 🔕, par ③ et rte secondaire : 3 km ✆ 98 87 01 59, Fax 98 66 02 « Château du 15e siècle dans un parc », , ✱ – ☎ P. GB JCB. ✂
hôtel : 1er avril-30 sept. ; rest : 15 juin-15 sept. – **Repas** 150 ₰, enf. 70 – ☕ 40 – **14** 380/450, 9 appart – ½ P 370/410.

Bretagne, 24 pl. République ✆ 98 87 17 22, Fax 98 82 39 31 – TV ☎. AE GB. ✂ ch
fermé 15 janv. au 5 fév. – **Repas** *(fermé dim. soir et lundi hors sais. sauf vacances scolair* 72 (déj.), 120/280 ₰ – ☕ 38 – **18 ch** 250/380 – ½ P 310/360. A

Relais de Ty-Boutic, par ③ : 3 km ✆ 98 87 03 90, Fax 98 87 30 63, ✱ – P. GB
fermé 12 fév. à fin mars, mardi soir et merc. de sept. à juin et lundi en juil.-août – **Rep** 180/300 ₰ - ***Le Buffet :*** **Repas** 70(déj.)85/150, ₰.

CITROEN Gar. Chapalain, rte de Plomeur à Kerouan par ③ ✆ 98 87 16 37
PEUGEOT Gar. Chatalen, rte de Quimper à Kermaria par ① ✆ 98 66 03 70 N ✆ 98 98 90 79
RENAULT Gar. l'Helgoualc'h, à Loctudy ✆ 98 87 53 55

PONT-LES-MOULINS 25 Doubs 66 ⑯ – rattaché à Baume-les-Dames.

PONT-L'ÉVÊQUE 14130 Calvados 55 ③ **G. Normandie Vallée de la Seine** – 3 843 h alt. 12.

9 18 de St-Julien ✆ 31 64 30 30, SE par D 579 : 3 km.
Office de Tourisme, r. St-Michel ✆ 31 64 12 77, Fax 31 64 76 96.
Paris 195 – ◆Caen 47 – ◆Le Havre 40 – ◆Rouen 77 – Trouville-sur-Mer 11.

Climat de France, Base de loisirs, SE : 2 km par D 48 ✆ 31 64 64 00, Fax 31 64 12 28, , ✱ – TV ☎ ♿ P – 🔔 70. AE ⓓ GB
Repas 90/130 ₰, enf. 39 – ☕ 35 – **56 ch** 380.

Aigle d'Or, 68 r. Vaucelles ✆ 31 65 05 25, Fax 31 65 12 03, « Ancien relais de poste 16e siècle » – P. AE GB
fermé 24 au 30 juin, vacances de Toussaint, de fév. et merc. sauf en août – **Rep** 125 bc/290.

Aub. de la Touques, pl. Église ✆ 31 64 01 69 – AE GB
fermé 2 au 18 déc., 2 au 29 janv., mardi sauf août et lundi soir – **Repas** 78/169.

à St-Martin-aux-Chartrains NO : 3,5 km sur N 177 – 369 h. alt. 13 – ✉ **14130** Pont-l'Évêque

Aub. de la Truite, ✆ 31 65 21 64, Fax 31 65 28 78, , ✱ – P. GB
fermé dim. soir et lundi sauf juil.-août et fériés – **Repas** 100/195 - ***Le Bistrot des Chartra*** ✆ 31 65 20 36 **Repas** 50/75₰, enf. 45.

St-André-d'Hébertot E : 8 km par N 175 et rte secondaire – 292 h. alt. 80 – ✉ 14 Pont-l'Évêque :

Aub. du Prieuré 🔕, ✆ 31 64 03 03, Fax 31 64 16 66, « Prieuré du 13e siècle », , TV ☎ ♿ P – 🔔 30 à 100. GB
fermé merc. – **Repas** 145/180 , dîner à la carte – ☕ 60 – **12 ch** 390/940 – ½ P 375/650.

CITROEN Gar. Dupuits, 5 r. St-Mélaine ✆ 31 64 01 86
Pont l'Evêque Pneus, ZI r. P.-Gamare ✆ 31 65 00 67

PONT-L'ÉVÊQUE 60 Oise 56 ③ – rattaché à Noyon.

PONTLEVOY 41400 L.-et-Ch. 64 ⑰ **G. Châteaux de la Loire** – 1 423 h alt. 99.

Voir Ancienne abbaye★.

Paris 211 – ◆Tours 50 – Amboise 27 – Blois 26 – Montrichard 7,5.

de l'École avec ch, ✆ 54 32 50 30, Fax 54 32 33 58, , ✱ – ☎ P. GB. ✂
fermé fév. et mardi sauf juil.-août – **Repas** 95/230, enf. 60 – ☕ 39 – **11 ch** 250/395 ½ P 310.

PONTMAIN 53220 Mayenne 59 ⑲ – 935 h alt. 164.

Paris 324 – Domfront 42 – Fougères 17 – Laval 51 – Mayenne 46.

Aub. de l'Espérance (Centre d'Aide par le Travail), 9 r. Grange ✆ 43 05 08 1 Fax 43 05 03 19, ✱ – |‡| TV ☎ ♿ P. GB. ✂
Repas 60 bc/103 ₰, enf. 36 – ☕ 27 – **11 ch** 147/229 – ½ P 166/221.

PONTOISE 95 Val-d'Oise 55 ⑳, 106 ⑤ ⑥, 101 ③ – voir à Cergy-Pontoise.

PONTORSON 50170 Manche 59 ⑦ **G. Normandie Cotentin** – 4 376 h alt. 15.

Office de Tourisme pl. Église ✆ 33 60 20 65.
Paris 362 – St-Malo 44 – Avranches 22 – Dinan 49 – Fougères 38 – ◆Rennes 57.

Bretagne, r. Couesnon ✆ 33 60 10 55, Fax 33 58 20 54 – TV ☎. AE GB
fermé 5 janv. au 10 fév. et lundi hors sais. – **Repas** 80/260, enf. 40 – ☕ 30 – **12 ch** 200/38 ½ P 235/300.

Montgomery, r. Couesnon ✆ 33 60 00 09, Fax 33 60 37 66, , « Maison du 1 siècle » – TV ☎ . AE ⓓ GB
30 mars-4 nov. – **Repas** 128/168, enf. 59 – ☕ 49 – **32 ch** 340/460 – ½ P 322/447.

Relais Clemenceau, bd Clemenceau ✆ 33 60 10 96, Fax 33 60 25 71 – TV ☎ P. GB
fermé 9 janv. au 12 fév., dim. soir et lundi hors sais. – **Repas** 58/200, enf. 38 – ☕ 30 – **18 ch** 130/280 – ½ P 190/240.

TROEN Gar. Jamin, 14 r. Libération 33 60 00 29

PEUGEOT Gar. Galle-Vettori, ✆ 33 60 00 37 N ✆ 33 60 02 71

ONT-RÉAN 35170 I.-et-V. 63 ⑥.

ris 362 – ◆Rennes 17 – Châteaubriant 52 – Fougères 70 – Nozay 55 – Vitré 53.

Aub. de Réan avec ch, ✆ 99 42 24 80, Fax 99 42 28 66 – TV ☎ P. GB.
fermé vacances de fév. – **Repas** *(fermé dim. soir et lundi)* 85/185 – ☕ 35 – **8 ch** 185/230 – ½ P 225.

ONT-ST-ESPRIT 30130 Gard 80 ⑩ **G. Provence** (plan) – 9 277 h alt. 59.

Office de Tourisme r. Vauban ✆ 66 39 44 45, Fax 66 39 23 12.

ris 642 – Avignon 45 – Alès 61 – Montélimar 43 – ◆Nîmes 64 – Nyons 45.

St-Jean-Baptiste sans rest, rte Nîmes ✆ 66 39 33 24, Fax 66 39 10 46, – TV ☎ P. AE GB
☕ 45 – **28 ch** 340/460.

ONT-ST-PIERRE 27360 Eure 55 ⑦ **G. Normandie Vallée de la Seine** – 882 h alt. 15.

oir Boiseries★ de l'église – Côte des Deux-Amants ≤★★ SO : 4,5 km puis 15 mn – Ruines de abbaye de Fontaine-Guérard★ NE : 3 km.

ris 106 – ◆Rouen 21 – Les Andelys 18 – Évreux 45 – Louviers 22 – Pont-de-l'Arche 11.

Bonne Marmite avec ch, ✆ 32 49 70 24, Fax 32 48 12 41 – TV ☎ P – 25. AE GB JCB. ch
fermé 25 juil. au 13 août, 20 fév. au 10 mars, dim. soir et lundi sauf fériés – **Repas** 140/490 bc et carte 260 à 380, enf. 98 – ☕ 45 – **9 ch** 370/550 – ½ P 340/415.

Aub. de l'Andelle, ✆ 32 49 70 18 – GB
fermé mardi soir – **Repas** 73/185.

TROEN Gar. Grandserre, à Neuville-Chant-d'Oisel 35 79 91 91

Brunel Pneus, Le Petit Nojeon à Fleury-sur-Andelle ✆ 32 49 01 22

ONT-STE-MARIE 10 Aube 61 ⑰ – rattaché à Troyes.

ONT-SUR-YONNE 89140 Yonne 61 ⑭ – 3 212 h alt. 75.

aris 107 – Fontainebleau 43 – Auxerre 72 – Montereau-Faut-Yonne 12 – Nemours 44 – Sens 12.

Host. de l'Écu avec ch, ✆ 86 67 01 00, – AE GB
fermé 29 janv. au 5 mars, lundi soir et mardi – **Repas** 85/155 – ☕ 30 – **7 ch** 150/200 – ½ P 180/256.

ENAULT Gar. Ristick, N 6, av. du Gén.-Leclerc ✆ 86 67 11 87 N ✆ 86 96 36 33

e PORGE 33680 Gironde 78 ① – 1 230 h alt. 8.

aris 623 – ◆Bordeaux 47 – Andernos-les-Bains 18 – Lacanau-Océan 24 – Lesparre-Médoc 52.

Vieille Auberge, ✆ 56 26 50 40, , « Jardin » – P. GB
fermé 20 janv. au 20 fév., mardi soir du 15 nov. à Pâques et merc. – **Repas** 130, carte le dim..

PORNIC 44210 Loire-Atl. 67 ① **G. Poitou Vendée Charentes** (plan) – 9 815 h alt. 20 – Casino le Môle.

✆ 40 82 06 69, O : 1 km.

Office de Tourisme quai du Cdt L'Herminier ✆ 40 82 04 40, Fax 40 82 90 12.

aris 438 – ◆Nantes 49 – La Roche-s-Yon 83 – Les Sables-d'Olonne 94 – St-Nazaire 29.

Alliance M, plage de la source S : 1 km ✆ 40 82 21 21, Fax 40 82 80 89, ≤, centre de thalassothérapie, – rest TV ☎ P – 40. AE GB JCB. rest
Repas 165 – ☕ 65 – **90 ch** 550/850 – ½ P 555/655.

Relais St-Gilles, 7 r. F. de Mun ✆ 40 82 02 25 – TV ☎. GB. rest
hôtel : 1er avril-10 oct. ; rest. : 10 juin-20 sept. – **Repas** (dîner seul.) 115 – ☕ 34 – **28 ch** 275/350 – ½ P 260/300.

Alizés M sans rest, 44 r. Gén. de Gaulle ✆ 40 82 00 51, Fax 40 82 87 32 – TV ☎ P. GB
fermé janv. – ☕ 32 – **29 ch** 290/350.

à Ste-Marie O : 3 km – ✉ **44210** Pornic :

Les Sablons, ✆ 40 82 09 14, Fax 40 82 04 26, – TV ☎ P. GB.
Repas *(fermé dim. soir et lundi hors sais.)* 100/260, enf. 50 – ☕ 40 – **30 ch** 390/420 – ½ P 330/360.

ITROEN Gar. du Môle, 26 quai Leray ✆ 40 82 00 08
EUGEOT Route Bleue Autom., rte Bleue ✆ 40 82 00 26

RENAULT Gar. Guitteny, 7 r. Gén.-de-Gaulle ✆ 40 82 01 17
RENAULT DIFA, ZI des Terres Jarries ✆ 40 64 08 08 N ✆ 40 82 66 66

PORNICHET 44380 Loire-Atl. 63 ⑭ **G. Bretagne** – 8 133 h alt. 12 – Casino.

Office de Tourisme 3 bd République ☎ 40 61 33 33, Fax 40 11 60 88 et pl. de la Gare (juin-septemb ☎ 40 61 08 92.

Paris 449 – ♦ Nantes 72 – La Baule 7 – St-Nazaire 11.

Sud Bretagne M, 42 bd République ☎ 40 11 65 00, Fax 40 61 73 70, « Jolie déco tion intérieure », – TV ☎ P – 40. AE GB JCB
Repas 190/270 – 60 – **24 ch** 450/800, 3 appart – ½ P 550/850.

Villa Flornoy M, 7 av. Flornoy (près Hôtel de Ville) ☎ 40 11 57 00, Fax 40 61 86 – TV ☎ ♿. AE GB. rest
hôtel : vacances de fév.-vacances de Toussaint ; rest : Pâques à fin sept. – **Repas** *(fer lundi hors sais.)* (dîner seul.) 105/135 – 39 – **21 ch** 390/490 – ½ P 360/410.

Ibis M, 66 bd Océanides ☎ 40 61 52 52, Fax 40 61 74 74, centre de thalassothéra – TV ☎ ♿ – 30. AE GB
Repas 119 , enf. 40 – 40 – **86 ch** 455/525 – ½ P 395/405.

PORQUEROLLES (Ile de) ★★★ 83400 Var 84 ⑯ 114 ㊼ **G. Côte d'Azur.**

Accès par transports maritimes.

depuis **La Tour Fondue** (presqu'île de Giens). Traversée 20 mn - Renseignements et tarif Transports Maritimes et Terrestres du Littoral Varois ☎ 94 58 21 81 (La Tour Fondue).

depuis **Cavalaire.** (traversée : 1 h 15 mn) ou **Le Lavandou** (traversée 50 mn). Servic saisonniers Renseignements et tarifs : "Vedettes Iles d'Or" 15 quai Gabriel Péri ☎ 94 71 01 (Le Lavandou), Fax 94 71 78 95.

depuis **Miramar.** Service saisonnier - Traversée 25 mn - Renseignements et tarifs : V ci-dessus.

depuis **Toulon.** Services saisonniers - Traversée 1 h - Renseignements et tarifs : Transm 2000 quai Stalingrad ☎ 94 92 96 82 (Toulon), Fax 94 91 98 57.

Aub. des Glycines, ☎ 94 58 30 36, Fax 94 58 35 22, « Cadre provençal » – ch ☎. GB. ch
fermé 10 janv. au 15 fév. – **Repas** 149 – 50 – **11 ch** (½ pens. seul.) – ½ P 550/850.

à l'Ouest : 3,5 km du port :

Mas du Langoustier, ☎ 94 58 30 09, Fax 94 58 36 02, ←, parc, « dans un s sauvage dominant le littoral », – TV ☎ ♿ – 80. AE GB
27 avril-6 oct. – **Repas** 320 bc/400 et carte 280 à 400 – 80 – **50 ch** 1091/1769, 3 appar ½ P 687/1245
Spéc. Salade tiède de langoustines et jeunes poireaux à la coriandre. Mérou grillé à l'huile de gingembre, cannell d'aubergines. Pigeon fermier rôti au miel, gaufrettes de pommes de terre. **Vins** Côtes de Provence, Porquerolles.

PORS ÉVEN 22 C.-d'Armor 59 ② – rattaché à Paimpol.

PORT-BLANC 22 C.-d'Armor 59 ① **G. Bretagne** – ✉ **22710** Penvénan.

Paris 513 – St-Brieuc 62 – Guingamp 35 – Lannion 20 – Perros-Guirec 17 – Tréguier 10,5.

Le Rocher sans rest, ☎ 96 92 64 97 – P.
15 juin-15 sept. – 26 – **10 ch** 180/280.

PORT-CAMARGUE 30 Gard 83 ⑱ – rattaché au Grau-du-Roi.

PORT-CROS (Ile de) ★★ 83400 Var 84 ⑯ ⑰ 114 ㊽ ㊾ **G. Côte d'Azur.**

Accès par transports maritimes.

depuis **Le Lavandou.** Traversée 35 mn - Renseignements et tarifs : "Vedettes Iles d'O 15 quai Gabriel Péri ☎ 94 71 01 02 (Le Lavandou), Fax 94 71 78 95.

depuis **Cavalaire.** Traversée 1 h - ou **Miramar** Traversée 45 mn - services saisonniers Renseignements et tarifs : Voir ci-dessus.

depuis le **Port de la Plage d'Hyères.** Traversée 1 h – Renseignements et tarifs : Transpo Maritimes et Terrestres du Littoral Varois ☎ 94 58 21 81 (La Tour Fondue).

Le Manoir , ☎ 94 05 90 52, Fax 94 05 90 89, ←, parc – ☎. GB.
16 mai-22 sept. – **Repas** 250 – 60 – **17 ch** (½ pens. seul.), 3 duplex – ½ P 760/950.

PORT-DE-CARHAIX 29 Finistère 58 ⑰ – rattaché à Carhaix.

PORT-DE-GAGNAC 46 Lot 75 ⑲ – rattaché à Bretenoux.

PORT-DE-LA-MEULE 85 Vendée 67 ⑪ – voir à Yeu (île d').

PORT-DE-LANNE 40300 Landes 78 ⑰ – 665 h alt. 28.

Paris 757 – Biarritz 35 – Mont-de-Marsan 71 – ♦Bayonne 28 – Dax 20 – Peyrehorade 6,5 – St-Vincent-de-Tyrosse 21.

XX **Vieille Auberge** avec ch, ☎ 58 89 16 29, Fax 58 89 12 89, « Cadre ancien, jard fleuri, petit musée des traditions locales », – TV ☎ P. rest
début mai-fin oct. et fermé mardi midi et lundi – **Repas** 120/250, enf. 60 – 45 – **10 c** 270/500 – ½ P 320/400.

PORT-DONNANT 56 Morbihan 63 ⑪ – voir à Belle-Ile-en-Mer.

RT-EN-BESSIN 14 Calvados 54 ⑭ **G. Normandie Cotentin** – 2 308 h alt. 10 – ✉ **14520** Port-en-Bessin-pain.
s 277 – ◆Caen 39 – St-Lô 46 – Bayeux 9 – ◆Cherbourg 92.

La Chenevière M, S : 1,5 km par D 6 ☎ 31 21 47 96, Fax 31 21 47 98, parc, « Demeure du 19e siècle » – 40. AE GB
1er mars-30 nov. – **Repas** 130 (déj.), 180/350, enf. 85 – ☕ 80 – **17 ch** 900/1100 – ½ P 850/1050.

Mercure M, sur le Golf O : 2 km par D 514 ☎ 31 22 44 44, Fax 31 22 36 77, – 40. AE GB
fermé 17 nov. au 10 fév. – **Repas** *(fermé mardi du 15 nov. au 15 mars)* 95 (déj.), 105/165 ꝭ, enf. 48 – ☕ 50 – **39 ch** 440/720, 7 duplex.

Marine avec ch, 5 quai Letourneur ☎ 31 21 70 08, Fax 31 21 90 36, ← – . GB
fermé 15 au 30 nov. et 10 au 28 fév. – **Repas** 98/285, enf. 52 – ☕ 38 – **16 ch** 285/385.

Bistrot d'à Côté, 12 r. Lefournier ☎ 31 51 79 12, Fax 31 51 79 33 – AE GB
fermé 24 déc. au 1er fév., mardi soir et merc. d'oct. à mars – **Repas** - produits de la mer - 98/185.

NAULT Gar. David, rte de Bayeux ☎ 31 21 72 34 ☎ 31 21 72 34

s PORTES-EN-RÉ 17 Char.-Mar. 71 ⑫ – voir à Ré (Ile de).

RTET-SUR-GARONNE 31 H.-Gar. 82 ⑱ – rattaché à Toulouse.

ORT-GOULPHAR 56 Morbihan 63 ⑪ – voir à Belle-Ile-en-Mer.

ORT-GRIMAUD 83 Var 84 ⑰ 114 ㊲ **G. Côte d'Azur** – ✉ **83310** Cogolin.
ir ←★ de la tour de l'Église oecuménique.
is 871 – Fréjus 27 – Brignoles 62 – Hyères 48 – St-Tropez 7 – Ste-Maxime 7 – ◆Toulon 68.

Giraglia M, sur la plage ☎ 94 56 31 33, Fax 94 56 33 77, ← golfe, – 40. AE GB
hôtel : Pâques-fin sept. ; rest. : fin avril-fin sept. – **Repas** 180 (déj.), 225/300 – **48 ch** ☕ 1070/2000.

à La Foux S : 2 km sur N 98 – ✉ **83310** Cogolin :

Port Diffa, ☎ 94 56 29 07, – . AE
fermé 6 janv. au 1er mars et lundi d'oct. à juin – **Repas** - cuisine marocaine - 173.

ORT-HALIGUEN 56 Morbihan 63 ⑫ – rattaché à Quiberon.

ORTICCIO 2A Corse-du-Sud 90 ⑰ – voir à Corse.

ORTICCIOLO 2B H.-Corse 90 ② – voir à Corse.

ORT-JOINVILLE 85 Vendée 67 ⑪ – voir à Yeu (Ile d').

ORT-LEUCATE 11 Aude 86 ⑩ – rattaché à Leucate.

ORT-MANECH 29 Finistère 58 ⑪ **G. Bretagne** – ✉ **29920** Névez.
ris 541 – Quimper 39 – Carhaix-Plouguer 70 – Concarneau 18 – Pont-Aven 12 – Quimperlé 29.

du Port, ☎ 98 06 82 17, Fax 98 06 62 70, – . GB. ch
Pâques-fin sept. – **Repas** *(fermé lundi midi)* 80/250, enf. 55 – ☕ 36 – **30 ch** 250/380 – ½ P 215/360.

ORT MARLY 78 Yvelines 55 ⑳, 106 ⑱, 101 ⑬ – voir à Paris, Environs.

ORT-MORT 27940 Eure 55 ⑰ 106 ① – 839 h alt. 19.
ris 90 – ◆Rouen 54 – Les Andelys 10,5 – Évreux 33 – Vernon-sur-Eure 11.

Aub. des Pêcheurs, ☎ 32 52 60 43, Fax 32 52 07 62, – . GB
fermé 1er au 25 août, 1er au 15 fév., lundi soir et mardi – **Repas** 98/192.

ORT NAVALO 56 Morbihan 63 ⑫ – rattaché à Arzon.

ORTO 2A Corse-du-Sud 90 ⑮ – voir à Corse.

ORTO-POLLO 2A Corse-du-Sud 90 ⑱ – voir à Corse.

ORTO-VECCHIO 2A Corse-du-Sud 90 ⑧ – voir à Corse.

ORTS 37800 I.-et-L. 68 ④ – 343 h alt. 42.
ris 283 – ◆Tours 50 – Châtellerault 26 – Chinon 33 – Loches 45.

Le Grillon, Le Bec des Deux Eaux SE : 2 km ☎ 47 65 02 74 – GB
fermé 20 sept. au 1er oct., 16 au 26 fév., jeudi soir et vend. – **Repas** 52 (déj.), 78/250 ꝭ, enf. 36.

PORT-SUR-SAÔNE 70170 H.-Saône 66 ⑤ – 2 521 h alt. 228.

Paris 355 – ◆Besançon 62 – Bourbonne-les-Bains 46 – Épinal 76 – Gray 53 – Jussey 24 – Langres 62 – Vesoul 13.

à Vauchoux S : 3 km par D 6 – 108 h. alt. 210 – ✉ **70170** :

XXX **Château de Vauchoux,** ✆ 84 91 53 55, Fax 84 91 65 38, parc, – P. GB
fermé fév. et lundi – **Repas** 140/420 et carte 370 à 540.

PORT-VENDRES 66660 Pyr.-Or. 86 ⑳ **G. Pyrénées Roussillon** – 5 370 h alt. 3.

Env. Tour Madeloc ✻★★ SO : 8 km puis 15 mn.

Office de Tourisme quai P.-Forgas ✆ 68 82 07 54, Fax 68 82 53 48.

Paris 894 – ◆Perpignan 31.

St-Elme sans rest, 2 quai P. Forgas ✆ 68 82 01 07 – ☎. AE ⓓ GB
☐ 32 – **30 ch** 180/320.

XX **Côte Vermeille,** quai Fanal ✆ 68 82 05 71, ← – ▤. AE GB
fermé mardi sauf juil.-août – **Repas** 98 (déj.), 138/228.

XX **Chalut,** 8 quai F. Joly ✆ 68 82 00 91, Fax 68 82 23 44, – AE ⓓ GB
fermé 1er déc. au 25 janv., dim. soir du 1er oct. au 31 mai et lundi – **Repas** - produits de la r
- 75/220 ♨, enf. 55.

XX **L'Archipel,** 6 quai Douane ✆ 68 82 07 96, Fax 68 82 07 96, – AE GB
fermé mars, 22 oct. au 7 nov., mardi soir et merc. hors sais. – **Repas** 95/290, enf. 55.

La POTERIE 22 C.-d'Armor 59 ④ – rattaché à Lamballe.

POUDENAS 47170 L.-et-G. 79 ⑬ – 274 h alt. 83.

Paris 715 – Agen 44 – Aire-sur-l'Adour 64 – Condom 19 – Mont-de-Marsan 67 – Nérac 17.

XX **Le Moulin de la Belle Gasconne** M avec ch, ✆ 53 65 71 58, Fax 53 65 87 39, ,
– ☎ P. AE ⓓ GB
fermé 1er janv. au 31 mars, dim. soir – **Repas** 180/285 – ☐ 55 – **7 ch** 380/580 – ½ P 600/6

POUILLY-EN-AUXOIS 21320 Côte-d'Or 65 ⑱ **G. Bourgogne** – 1 372 h alt. 390.

18 Château de Chailly ✆ 80 90 30 40.

Paris 273 – ◆Dijon 43 – Avallon 66 – Beaune 46 – Montbard 58.

à Chailly-sur-Armançon O : 6,5 km par D 977bis – 193 h. alt. 387 – ✉ **21320** Pouilly-en-Auxo

Château de Chailly M , ✆ 80 90 30 30, Fax 80 90 30 00, , , – TV ☎
P – 80. AE ⓓ GB JCB
fermé 19 déc. au 12 janv. et 19 fév. au 4 mars – ***L'Armançon*** *(fermé mardi midi et lur*
Repas 180(déj.), 240/430 et carte 300 à 410, enf. 85 – ***Le Rubillon*** *(fermé le soir sauf lur*
Repas 145, enf. 85 – ☐ 80 – **42 ch** 1170/2500, 3 appart – ½ P 1266/1551.

à Ste-Sabine SE : 8 km par N 81, D 977bis et D 970 – 183 h. alt. 365 – ✉ **21320** Pouilly-Auxois :

Host. du Château Ste-Sabine , ✆ 80 49 22 01, Fax 80 49 20 01, ←, « Parc ag menté d'animaux », – TV ☎ P. GB.
fermé fév. – **Repas** 150/330 bc, enf. 75 – ☐ 50 – **16 ch** 350/595 – ½ P 340/477.

FORD Gar. Omont, ✆ 80 90 73 21 N ✆ 80 90 73 21
PEUGEOT Gar. Poisot, r. Gén.-de-Gaulle ✆ 80 90 81 75
RENAULT Gar. Orset, rte d'Autun à Créancey ✆ 80 90 80 45 N ✆ 80 90 80 45
VAG Gar. Jeannin, ✆ 80 90 82 11 N ✆ 80 90 82

POUILLY-LE-FORT 77 S.-et-M. 61 ② – rattaché à Melun.

POUILLY-SOUS-CHARLIEU 42720 Loire 73 ⑧ – 2 834 h alt. 264.

Paris 398 – Roanne 14 – Charlieu 5,5 – Digoin 41 – Vichy 75.

XXX **de la Loire,** ✆ 77 60 81 36, Fax 77 60 76 06, , – P. AE GB
fermé 26 au 31 août, vacances de fév., dim. soir et lundi – **Repas** 98/300 et carte 210 à 30

FIAT Gar. Coudert, ✆ 77 60 70 23 N ✆ 77 60 98 33

POUILLY-SUR-LOIRE 58150 Nièvre 65 ⑬ **G. Bourgogne** – 1 708 h alt. 168.

Office de Tourisme r. W.-Rousseau (fermé après-midi hors saison) ✆ 86 39 03 75.

Paris 202 – Bourges 57 – Château-Chinon 89 – Clamecy 57 – Cosne-sur-Loire 15 – Nevers 38 – Vierzon 77.

H. de Pouilly et rest. Relais Grillade M, par échangeur Sud : 2 km ✆ 86 39 03
Fax 86 39 07 47, , – TV ☎ ♿ P. AE ⓓ GB
Repas 89/155 ♨, enf. 45 – ☐ 29 – **23 ch** 240/360 – ½ P 275/295.

Bouteille d'Or, rte Paris ✆ 86 39 13 84 – ☎. GB
fermé 10 janv. au 20 fév., dim. soir et lundi sauf juil.-août – **Repas** 90/280, enf. 55 – ☐ 3
29 ch 180/240 – ½ P 250/270.

XX **Coq Hardi et H. Relais Fleuri** avec ch, SE : 0,5 km ☎ 86 39 12 99, Fax 86 39 14 15, « Jardin fleuri et ≤ la Loire » – TV ☎ P. AE GB
fermé 15 janv. au 15 fév., dim. soir et lundi d'oct. à Pâques – **Repas** 105/240, enf. 40 – ☐ 36 – **9 ch** 280/290 – ½ P 295/305.

XX **L'Espérance,** r. Couard ☎ 86 39 07 69, Fax 86 39 09 51, – P. GB
fermé 15 au 30 nov., 24 janv. au 15 fév., lundi soir et mardi – **Repas** 95/230, enf. 60.

TROEN Gar. Prulière, ☎ 86 39 14 44 N
86 39 14 44

PEUGEOT Gar. SAPL, ☎ 86 39 14 65 N
☎ 86 39 16 44

OULAINS (Pointe des) 56 Morbihan 63 ⑪ ⑫ – voir à Belle-Ile-en-Mer.

OULDREUZIC 29710 Finistère 58 ⑭ – 1 854 h alt. 51.

aris 583 – Quimper 25 – Audierne 16 – Douarnenez 17 – Pont-l'Abbé 15.

Ker Ansquer , à Lababan NO : 2 km par D 2 ☎ 98 54 41 83, sculptures régionales, – cuisinette TV ☎ P. GB
1er avril-30 sept. et vacances de Toussaint – **Repas** *(fermé le midi sauf week-ends)* (sur réservation seul.) 95/300 – ☐ 38 – **11 ch** 345, 3 studios – ½ P 345.

à Penhors O : 4 km par D 40 – ✉ 29710 Plogastel-St-Germain :

Breiz Armor M , à la plage ☎ 98 51 52 53, Fax 98 51 52 30, ≤, , , – TV ☎ & P – 50. GB
hôtel : ouvert début avril-début oct. et Noël au Jour de l'An – **Repas** *(fermé vacances de Toussaint, 1er janv. au 9 mars et lundi sauf juil.-août)* 70 (déj.), 95/240, enf. 45 – ☐ 35 – **23 ch** 375 – ½ P 355/375.

Le POULDU 29 Finistère 58 ⑫ **G. Bretagne** – ✉ 29360 Clohars-Carnoët.

nv. St-Maurice : site★ et ≤★ du pont NE : 7 km.

Office de Tourisme r. Ch.-Filiger ☎ 98 39 93 42, Fax 98 96 90 99.

aris 515 – Quimper 57 – Concarneau 37 – Lorient 24 – Moëlan-sur-Mer 10,5 – Quimperlé 16.

Armen, ☎ 98 39 90 44, Fax 98 39 98 69, – TV ☎ P. AE GB. rest
fin avril-fin sept. – **Repas** 90/230, enf. 52 – ☐ 50 – **38 ch** 290/460 – ½ P 370/450.

Panoramique M sans rest, au Kérou-plage ☎ 98 39 93 49, Fax 98 96 90 16 – ☎ & P. GB
1er avril-30 sept. – ☐ 38 – **25 ch** 320/350.

POULIGNY-NOTRE-DAME 36 Indre 68 ⑲ – rattaché à La Châtre.

Le POULIGUEN 44510 Loire-Atl. 63 ⑭ **G. Bretagne** – 4 912 h alt. 4.

de La Baule à St-André-des-Eaux ☎ 40 60 46 18, NE : 10 km.

Office de Tourisme Port Sterwitz ☎ 40 42 31 05, Fax 40 62 22 27.

aris 456 – ◆Nantes 83 – La Baule 8 – Guérande 8 – St-Nazaire 25.

Plans : Voir plan de La Baule.

Beau Rivage, 11 r. J. Benoit ☎ 40 42 31 61, Fax 40 42 82 98, ≤, , – ☎ P – 35. GB. rest AZ r
Pâques-15 oct. – **Repas** 140/200 – ☐ 40 – **66 ch** 420 – ½ P 380/450.

A l'Orée du Bois sans rest, r. Mar. Foch ☎ 40 42 32 18, Fax 40 62 23 73 – TV ☎. GB. AZ t
fermé janv. – ☐ 38 – **15 ch** 285/295.

Gar. de la Plage, ☎ 40 42 31 07

POURVILLE-SUR-MER 76 S.-Mar. 52 ④ **G. Normandie Vallée de la Seine** – ✉ 76119 Varengeville-sur-mer.

Paris 172 – Dieppe 7 – Fécamp 61 – Fontaine-le-Dun 21 – ◆Rouen 62 – St-Valery-en-Caux 29.

X **Au Trou Normand,** ☎ 35 84 59 84, Fax 35 40 29 41 – AE GB
fermé 1er au 23 août, 23 déc. au 2 janv., merc. soir et dim. – **Repas** 97/168.

POUZAUGES 85700 Vendée 67 ⑯ **G. Poitou Vendée Charentes** (plan) – 5 473 h alt. 225.

Voir Puy Crapaud ✻★★ SE : 2,5 km – Moulins du Terrier-Marteau★ : ≤★ sur le bocage O : 1 km par D 752 – Bois de la Folie ≤★ NO : 1 km.

Env. St-Michel-Mont-Mercure ✻★★ du clocher de l'église NO : 7 km par D 752.

Office de Tourisme r. Georges Clemenceau ☎ 51 91 82 46.

Paris 386 – La Roche-sur-Yon 55 – Bressuire 28 – Chantonnay 21 – Cholet 36 – ◆Nantes 86.

Aub. de la Bruyère , rte La Pommeraie ☎ 51 91 93 46, Fax 51 57 08 18, ≤, , , – TV ☎ P – 100. AE GB
Repas *(fermé dim. soir et sam. d'oct. à mai)* 80/165, enf. 45 – ☐ 38 – **27 ch** 248/370 – ½ P 285/315.

POUZAY 37 I.-et-L. 68 ④ – rattaché à Ste-Maure-de-Touraine.

Le POUZIN 07250 Ardèche 76 ⑳ **G. Vallée du Rhône** – 2 693 h alt. 90.

Paris 587 – Valence 27 – Avignon 107 – Die 61 – Montélimar 26 – Privas 14.

Avenue, ✆ 75 63 80 43, Fax 75 85 93 27 – TV ☎. AE ① GB
fermé 27 avril au 9 mai, 19 août au 1er sept., 21 déc. au 6 janv. et dim. – **Repas** (dîner seu 70 – 28 – **14 ch** 195/230 – ½ P 210/240.

CITROEN Gar. Pheby, ✆ 75 63 80 16 N ✆ 75 85 95 56

RENAULT Gar. Combe, ✆ 75 85 98 16 N ✆ 05 05 15 15

PRADES SP 66500 Pyr.-Or. 86 ⑰ **G. Pyrénées Roussillon** – 6 009 h alt. 360.

Voir Abbaye St-Michel-de-Cuxa★ S : 3 km – Village d'Eus★ NE : 7 km.

Env. Prieuré de Serrabone★★ E : 28 km.

Office de Tourisme r. V.-Hugo ✆ 68 96 27 58, Fax 68 96 50 95.

Paris 908 – ◆ Perpignan 43 – Mont-Louis 36 – Olette 16 – Vernet-les-Bains 11,5.

Pradotel M sans rest, av. Festival, sur la rocade ✆ 68 05 22 66, Fax 68 05 23 22, ≤, – TV ☎ ♿ P – 25. GB
25 mars-31 oct. – 35 – **39 ch** 295/340.

Hexagone M, rd-pt de Molitg, sur la rocade ✆ 68 05 31 31, Fax 68 05 24 89 – TV ☎ P. GB. ✻ rest
Repas *(fermé juin à fin sept., sam. et dim.)* (dîner seul.)(résidents seul.) 85 – 35 – **30** 250/295.

à Taurinya S : 6 km par D 27 – 248 h. alt. 545 – ✉ **66500** :

Aub. des Deux Abbayes, ✆ 68 96 49 53, – GB
fermé vacances de Toussaint, mardi soir et merc. – **Repas** 98/158 , enf. 45.

RENAULT Gar. Bosom, ✆ 68 96 11 14

Pneu Service, ✆ 68 96 43 23

Le PRADET 83220 Var 84 ⑮ 114 ㊻ – 9 704 h alt. 1.

Office de Tourisme pl. Gén.-de-Gaulle ✆ 94 21 71 69, Fax 94 08 56 96.

Paris 847 – ◆ Toulon 10 – Draguignan 78 – Hyères 10,5.

Azur , 163 av. Raimu ✆ 94 21 68 50, Fax 94 08 27 00, , , – TV ☎ P – 30. GB
Repas *(fermé oct., dim. soir et lundi)* 140/185 – 50 – **19 ch** 450/800.

aux Oursinières S : 3 km par D 86 – ✉ **83220** Le Pradet :

L'Escapade sans rest, ✆ 94 08 39 39, Fax 94 08 31 30, « Jardin fleuri », – TV . AE GB. ✻
60 – **14 ch** 695/980.

La Chanterelle, ✆ 94 08 52 60, Fax 94 08 31 30, – GB
fermé janv., fév. et merc. du 1er oct. à Pâques – **Repas** 160/240.

PRALOGNAN-LA-VANOISE 73710 Savoie 74 ⑱ **G. Alpes du Nord** – 667 h alt. 1425 – Sports d'hive 1 410/2 360 m 1 13 .

Voir Site★ – Parc national de la Vanoise★★ – La Chollière★ SO : 1,5 km puis 30 mn – Mo Bochor ≤★ par téléphérique.

Office de Tourisme ✆ 79 08 79 08, Fax 79 08 76 74.

Paris 636 – Albertville 53 – Chambéry 100 – Moûtiers 26.

Les Airelles , les Darbelays, N : 1 km ✆ 79 08 70 32, Fax 79 08 73 51, ≤, – TV . P. GB. ✻ rest
1er juin-22 sept. et 21 déc.-24 avril – **Repas** 89/130 – 45 – **22 ch** 350/430 – ½ P 370/390

Grand Bec, ✆ 79 08 71 10, Fax 79 08 72 22, ≤, , (été), , , – TV ☎ P. GB. ✻ rest
25 mai-30 sept. et 15 déc.-20 avril – **Repas** 120/200, enf. 55 – 50 – **39 ch** 470 – ½ P 370

Capricorne , ✆ 79 08 71 63, Fax 79 08 76 25, ≤ – TV ☎ P. GB
début juin-mi-sept. et mi-déc.-mi-avril – **Repas** 110/165, enf. 45 – 35 – **15 ch** 360 ½ P 320.

Parisien, ✆ 79 08 72 31, Fax 79 08 76 26, ≤, – ☎ P. GB. ✻ rest
1er juin-26 sept. et 18 déc.-25 avril – **Repas** 60/140 – 29 – **24 ch** 130/340 – ½ P 220/298.

PRA-LOUP 04 Alpes-de-H.-P. 81 ⑧ – rattaché à Barcelonnette.

PRAMOUSQUIER 83 Var 84 ⑰, 114 ㊾ – rattaché à Cavalière.

Le PRARION 74 H.-Savoie 74 ⑧ – rattaché aux Houches.

PRATS-DE-MOLLO-LA-PRESTE 66230 Pyr.-Or. 86 ⑱ **G. Pyrénées Roussillon** (plan) – 1 102 h alt. 740

Voir Ville haute★.

Office de Tourisme pl. Le Foiral ✆ 68 39 70 83, Fax 68 39 74 51.

Paris 922 – ◆ Perpignan 61 – Céret 31.

Touristes, ✆ 68 39 72 12, Fax 68 39 79 22, – P. GB
1er avril-31 oct. – **Repas** 95/160, enf. 48 – 40 – **28 ch** 210/300 – ½ P 235/285.

Bellevue, ✆ 68 39 72 48, Fax 68 39 78 04 – ▤ rest TV ☎ P. GB
20 mars-2 nov. et vacances scolaires – **Repas** 90/180, enf. 53 – ☕ 32 – **18 ch** 160/265 – ½ P 170/230.

Costabonne, ✆ 68 39 70 24, Fax 68 39 77 52 – ☎. GB
Repas 75/150 ♫, enf. 45 – ☕ 35 – **18 ch** 160/250 – ½ P 225.

Ausseil, ✆ 68 39 70 36, 🍽 – ☎. GB
fermé mi nov. à mi janv. – **Repas** 80/115 ♫ – ☕ 30 – **15 ch** 130/200 – ½ P 205/225.

à La Preste – Stat. therm. (5 avril-30 oct.) – ✉ **66230** Prats-de-Mollo-La-Preste :

Val du Tech ⛰, ✆ 68 39 71 12, Fax 68 39 78 07, ← – |♦| TV ☎. GB. ✂ rest
1er avril-31 oct. – **Repas** 90/120 – ☕ 32 – **42 ch** 170/280 – ½ P 230/310.

Ribes ⛰, ✆ 68 39 71 04, Fax 68 39 78 02, ← vallée, 🍽, 🌳 – ☎ P. GB. ✂ rest
1er avril-31 oct. – **Repas** 83/88 ♫, enf. 45 – ☕ 30 – **24 ch** 160/325 – ½ P 180/240.

TROEN Gar. Pagès Xatart, ✆ 68 39 71 34

es PRAZ-DE-CHAMONIX **74** H.-Savoie 74 ⑧ ⑨ – rattaché à Chamonix.

RAZ-SUR-ARLY **74120** H.-Savoie 74 ⑦ – 922 h alt. 1036 – Sports d'hiver : 1 036/2 000 m ⛷13 ⛷.

Office de Tourisme pl. Mairie ✆ 50 21 90 57, Fax 50 21 98 08.

is 601 – Chamonix-Mont-Blanc 40 – Albertville 27 – Chambéry 77 – Megève 4,5.

Edelweiss sans rest, rte Megève ✆ 50 21 93 87, ←, 🌳 – TV ☎ 🚗 P. GB. ✂
☕ 40 – **16 ch** 400/480.

RD Gar. du Crèt du Midi, ✆ 50 21 90 30 N ✆ 50 21 40 84

RÉCY-SOUS-THIL **21390** Côte-d'Or 65 ⑰ **G. Bourgogne** – 603 h alt. 323.

is 246 – ♦Dijon 66 – Auxerre 83 – Avallon 39 – Beaune 79 – Montbard 31 – Saulieu 16.

Loriot, ✆ 80 64 56 33, Fax 80 64 47 50, 🍽, 🌳 – TV ☎ P. GB
fermé dim. soir et lundi midi hors sais. – **Repas** 95/180 ♫, enf. 45 – ☕ 35 – **11 ch** 260/330 – ½ P 230.

NAULT Gar. Orset, rte de Sémur ✆ 80 64 50 56

RÉCY-SUR-OISE **60460** Oise 56 ⑪ 106 ⑦ – 3 137 h alt. 33.

oir Église★ de St-Leu-d'Esserent NE : 3,5 km, **G. Ile de France.**

is 44 – Compiègne 46 – Beauvais 37 – Chantilly 8 – Creil 11 – Pontoise 37 – Senlis 17.

XX **Le Condor,** 14 r. Wateau ✆ 44 27 60 77, Fax 44 27 62 18 – ▤. AE GB
fermé vacances de fév., mardi soir et merc. – **Repas** 98/255.

RÉ-EN-PAIL **53140** Mayenne 60 ② – 2 422 h alt. 230.

ris 215 – Alençon 24 – Argentan 39 – Domfront 37 – Laval 69 – Mayenne 37.

Bretagne, r. A. Briand ✆ 43 03 13 00 – TV ☎ P. GB
fermé 15 déc. au 15 janv. et dim. soir – **Repas** 72/160 ♫ – ☕ 30 – **18 ch** 180/250 – ½ P 195/295.

UGEOT Gar. Huet, ✆ 43 03 00 12 N ✆ 43 03 00 12

RÉFAILLES **44770** Loire-Atl. 67 ① – 857 h alt. 10.

oir Pointe St-Gildas★ O : 2 km, **G. Poitou Vendée Charentes.**

Office de Tourisme Grande-Rue ✆ 40 21 62 22.

ris 449 – ♦Nantes 60 – Pornic 12 – St-Brévin-les-Pins 18.

La Flottille M, pointe St-Gildas, O : 2 km ✆ 40 21 61 18, Fax 40 64 51 72, ← – ▤ rest TV ☎ ♿ – 🏛 50. AE ⓓ GB JCB
Repas 95/270, enf. 60 – ☕ 48 – **26 ch** 300/500 – ½ P 400/500.

TROEN Gar. Hamon, ✆ 40 21 65 80 N
40 21 65 80

RENAULT Gar. Logerie, ✆ 40 21 60 50 N
✆ 40 21 60 50

a PRENESSAYE **22** C.-d'Armor 58 ⑳ – rattaché à Loudéac.

PRENOIS **21** Côte-d'Or 65 ⑲ – rattaché à Val-Suzon.

e PRÉ-ST-GERVAIS **93** Seine-St-Denis 56 ⑪, 101 ⑯ – voir à Paris, Environs.

a PRESTE **66** Pyr.-Or. 86 ⑰ – rattaché à Prats-de-Mollo.

PRIAY **01160** Ain 74 ③ – 948 h alt. 300.

aris 455 – ♦Lyon 52 – Bourg-en-Bresse 26 – Nantua 37.

XX **Mère Bourgeois,** ✆ 74 35 61 81, Fax 74 35 43 49, 🍽 – 🚗. GB
fermé 17 au 28 juin, 12 nov. au 6 déc., 12 au 16 fév., dim. soir d'oct. à avril, mardi soir et merc. – **Repas** 105/290 ♫, enf. 72.

PRIVAS P **07000** Ardèche 76 ⑲ **G. Vallée du Rhône** – 10 080 h alt. 300.

Office de Tourisme 3 r. E.-Reynier ✆ 75 64 33 35.

Paris 601 ② – Valence 41 ② – Alès 104 ④ – Mende 135 ④ – Montélimar 33 ③ – Le Puy-en-Velay 91 ④.

PRIVAS

Champ-de-Mars (Pl. du) . . B 5
Esplanade (Cours de l') . . B 9
République (R. de la) . . . . B 26

Baconnier (R. L.) . . . . B 2
Bœufs (Pl. des) . . . . A 3
Coux (Av. de) . . . . B 7
Durand (R. H.) . . . . B 10
Faugier (Av. C.) . . . . A 12
Filliat (R. P.) . . . . B 14
Foiral (Pl. du) . . . . A 16
Gaulle (Pl. Ch.-de) . . . . B 17
Hôtel-de-Ville (Pl. de l') . . . . B 18
Mobiles (Bd des) . . . . . . B 20
Ouvèze (R. d') . . . . B 22
Petit-Tournon (Av. du) . . . . B 24
St-Louis (Cours) . . . . A 28
Vanel (Av. du) . . . . B 30

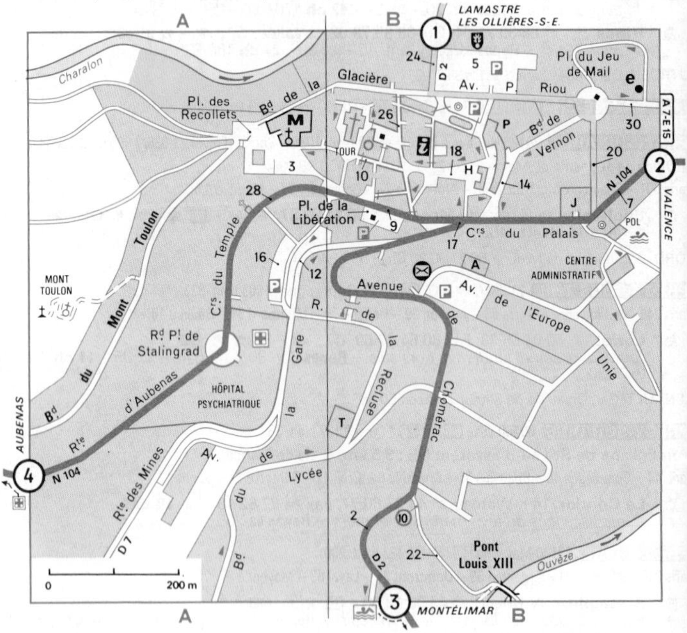

🏨 **La Chaumette,** av. Vanel ✆ 75 64 30 66, Fax 75 64 88 25, 🍽, 🏊 – 🛗 TV ☎ P – 🎭 45 B
AE ⓓ GB
Repas *(fermé sam. midi)* 115/220 🍷 – ☕ 45 – **36 ch** 320/405 – ½ P 360/380.

à Alissas par ③ : 5 km – 720 h. alt. 210 – ✉ **07210** :

XX **Lous Esclos,** sur D 2 ✆ 75 65 12 73, 🍽 – ▤ P. GB
fermé 1er au 26 août, 22 déc. au 10 janv., sam. midi, dim. soir et lundi – **Repas** 97/18
enf. 40.

à Chomérac par ③ : 8 km – 2 306 h. alt. 169 – ✉ **07210** :

XX **du Molière,** sur D 2 ✆ 75 65 07 07, Fax 75 65 09 73, 🍽 – ▤ P. AE ⓓ GB
fermé 2 au 8 janv., dim. soir et merc. sauf juil.-août – **Repas** 98/250, enf. 55.

au col de l'Escrinet par ④ : 13 km – ✉ **07000** Privas :

🏨 **Panoramic Escrinet** 🐎, ✆ 75 87 10 11, Fax 75 87 10 34, ≤ vallée, 🏊, 🌳 – ▤ rest TV
P. AE ⓓ GB. ✻ rest
15 mars-11 nov. et fermé dim. soir et lundi midi sauf du 15 juin au 16 sept. – **Repa**
(prévenir) 130/300, enf. 70 – ☕ 38 – **20 ch** 260/500 – ½ P 320/400.

CITROEN Gar. Viazac, ZI du Lac rte de Montelimar par ③ ✆ 75 64 31 90
PEUGEOT Gds Gar. Midi, N 104 à Coux par ② ✆ 75 64 23 33 N ✆ 75 53 18 30
RENAULT Diffusion Privadoise, rte de Montélimar ✆ 75 64 33 01
VAG Gar. Perrier, ZI rte de Montélimar ✆ 75 64 02 07

R.I.P.A., ZI du Lac ✆ 75 64 05 56 N ✆ 75 64 05 56

ROPRIANO 2A Corse-du-Sud 90 ⑱ – voir à Corse.

ROVENCHÈRES-SUR-FAVE 88490 Vosges 62 ⑱ **G. Alsace Lorraine** – 733 h alt. 404.

s 451 – Colmar 55 – Épinal 66 – St-Dié 15 – Sélestat 35 – ♦Strasbourg 78.

Aub. du Spitzemberg ⛺, à la Petite Fosse, NO : 7 km par D 45 et voie forestière ✆ 29 51 20 46, Fax 29 51 10 12, ≤, « Dans la forêt vosgienne », – TV ☎ P. GB
fermé 20 nov. au 15 déc. – **Repas** *(fermé mardi)* 82/148 ♁, enf. 51 – ☐ 42 – **10 ch** 250/330 – ½ P 185/240.

ROVINS SP 77160 S.-et-M. 61 ④ **G. Champagne** – 11 608 h alt. 91.

ir Ville Haute★★ AY : remparts ★★ AY, tour de César★★ : ≤★ BY, Grange aux Dîmes★ AY **E** – oupe de statues★★ dans l'église St-Ayoul CZ – Choeur★ de l'église St-Quiriace AY – Musée Provinois : collections★ de sculptures et de céramiques AY **M.**

v. St-Loup-de-Naud : portail★★ de l'église★ 7 km par ④.

Office de Tourisme pl. H. de Balzac ✆ (1) 64 60 26 26, Fax (1) 64 60 11 97 et parking Porte Saint-Jean.

is 86 ⑤ – Fontainebleau 55 ④ – Châlons-en-Champagne 97 ② – Meaux 63 ⑤ – Melun 47 ⑤ – Sens 46 ④.

PROVINS

rdonnerie (R. de la) **BY** 24
erie (R. de la) **BY** 37
gues le Grand (R.) **BZ** 43
lerc (Pl. du Mar.) **BY** 47
(R. du) **BY** 79
atole-France (Av.) **AZ** 2
oul (R. Victor) **BZ** 3
zac (Pl. Honoré de) **BYZ** 4
rdes (R. des) **BZ** 7
urquelot (R. Félix) **BY** 8
oucins (R. des) **BZ** 12
Champbenoist (Rte de) **BZ** 13
Changis (R. de) **BZ** 14
Châtel (Pl. du) **AY** 18
Chomton (Bd Gilbert) **AZ** 19
Collège (R. du) **ABY** 23
Courloison (R.) **BY** 27
Couverte (R.) **AY** 28
Desmarets (R. Jean) **AY** 29
Dr.-Masson (R.) **BZ** 30
Ferté (Av. de la) **BY** 33
Garnier (R. Victor) **BZ** 39
Gd-Quartier-Gén. (Bd du) **BZ** 42
Jacobins (R. des) **BY** 44
Nocard (R. Edmond) **BYZ** 54
Opoix (R. Christophe) **BY** 57
Palais (R. du) **AY** 59
Plessier (Bd du Gén.) **BYZ** 64
Pompidou (Av. G.) **BY** 67
Pont-Pigy (R. du) **BY** 68
Prés (R. des) **BY** 69
Remparts (Allée des) **AY** 72
St-Ayoul (Pl.) **BY** 73
St-Jean (R.) **AY** 74
St-Quiriace (Pl.) **AY** 77
Souvenir (Av. du) **BY** 78
Verdun (Av. de) **BY** 82
29e-Dragons (Pl. du) **BY** 84

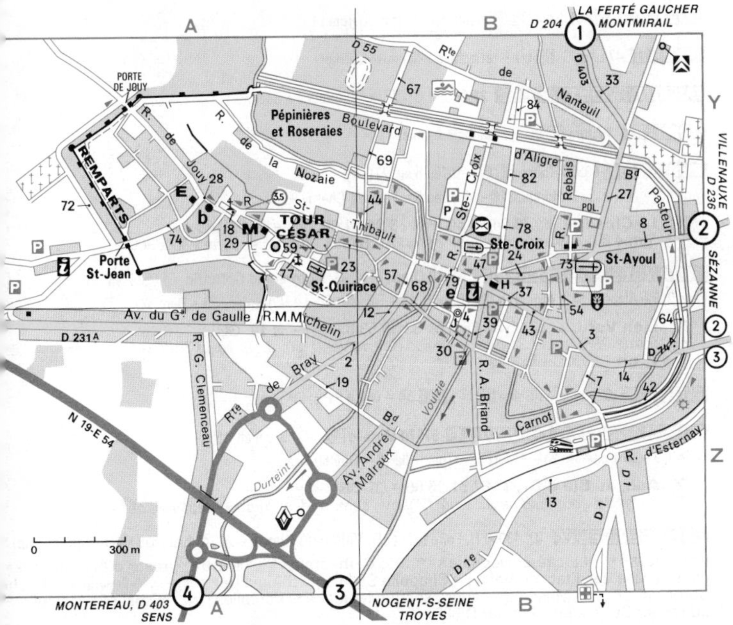

Vieux Remparts Ⓜ ⛺, 3 r. Couverte - Ville Haute ✆ (1) 64 08 94 00, Fax (1) 60 67 77 22, – TV ☎ ♿ P – 🏛 35. AE ⓓ GB AY **b**
Repas 145/350 – ☐ 50 – **25 ch** 370/620 – ½ P 440/500.

Le Médiéval, 6 pl. H. de Balzac ✆ (1) 64 00 01 19, – AE GB JCB BYZ **e**
fermé fév., dim. soir et lundi sauf fériés – **Repas** 98/178 ♁, enf. 55.

CITROEN SPDA, 32 rampe St Syllas ✆ (1) 64 08 92 70
FORD Auto Sces du Dome, 5 av. A. France ✆ (1) 64 00 00 95
OPEL Gar. de Champagne, 2 r. A.-Briand ✆ (1) 64 00 04 85
PEUGEOT Autom. de la Brie, 1 av. Voulzie, ZI par rte de Champbenoist BZ ✆ (1) 60 58 51 50 N ✆ (1)60 58 51 50

RENAULT Gar. Briard, ZA, Parc des Deux Rivières ✆ (1) 64 60 20 20 N ✆ (1) 64 60 20 20

Agricopneu, 11 av. Patton à St-Brice ✆ (1) 64 08 92 55
Erric, à Jutigny ✆ (1) 64 08 62 10
Euromaster, ZAC des Bordes, rte de Champbenoist ✆ (1)64 00 03 23

PRUNETE 2B H.-Corse 90 ④ – voir à Corse.

PUGET-THÉNIERS 06260 Alpes-Mar. 81 ⑲ 115 ⑬ ⑭ **G. Alpes du Sud** (plan) – 1 703 h alt. 405.

Voir Vieille ville★ – Groupe sculpté★ et retable de N.-D-de-Secours★ dans l'église – Statue de Maillol.

Env. Entrevaux : Site★★, Ville forte★, ≤★ de la citadelle O : 7 km.

Office de Tourisme (juil.-août) ✆ 93 05 05 05.

Paris 838 – Barcelonnette 96 – Cannes 82 – Digne-les-Bains 88 – Draguignan 95 – Manosque 126 – ♦Nice 63.

Alizé sans rest, N 202 ✆ 93 05 06 20, – ☎ P. GB.
40 – **16 ch** 235/250.

Les Acacias, E : 1,5 km sur N 202 ✆ 93 05 05 25, – P. AE GB
fermé janv. et lundi – **Repas** 75 (déj.), 120/160, enf. 45.

CITROEN Gar. Casalengo, Quartier St-Roch ✆ 93 05 00 25 N ✆ 93 05 00 25

RENAULT Gar. Richerme, N 202 ✆ 93 05 00 11

PUILLY-ET-CHARBEAUX 08370 Ardennes 56 ⑩ – 258 h alt. 274.

Paris 278 – Charleville-Mézières 51 – Carignan 8,5 – Sedan 29 – Verdun 70.

Aub. de Puilly, à Puilly ✆ 24 22 09 58 –
fermé 10 au 17 mars et merc. – **Repas** 80/210.

PUJAUDRAN 32 Gers 82 ⑦ – rattaché à l'Isle-Jourdain.

PUJOLS 47 L.-et-G. 79 ⑤ – rattaché à Villeneuve-sur-Lot.

PULIGNY-MONTRACHET 21 Côte-d'Or 69 ⑨ – rattaché à Beaune.

PUPILLIN 39 Jura 70 ④ – rattaché à Arbois..

PUSIGNAN 69330 Rhône 74 ⑫ – 2 720 h alt. 221.

Paris 481 – ♦Lyon 23 – Montluel 14 – Meyzieu 5 – Pont-de-Chéruy 9.

La Closerie, ✆ 78 04 40 50, Fax 78 04 44 05, – AE GB
fermé 5 au 19 août, dim. soir et lundi – **Repas** 120/250 et carte 230 à 300.

PUTANGES-PONT-ECREPIN 61210 Orne 60 ② **G. Normandie Cotentin** – 1 032 h alt. 230.

Paris 213 – Alençon 58 – Argentan 19 – Briouze 15 – Falaise 16 – La Ferté-Macé 23 – Flers 32.

Lion Verd, ✆ 33 35 01 86, Fax 33 39 53 32, – ☎ P. GB
fermé 23 déc. au 31 janv. – **Repas** *(fermé vend. soir hors sais.)* 75/250, enf. 45 – 22
19 ch 130/320 – ½ P 150/260.

PUTEAUX 92 Hauts-de-Seine 55 ⑳, 101 ⑭ – voir à Paris, Environs.

PUTTELANGE-LÈS-THIONVILLE 57570 Moselle 57 ④ – 510 h alt. 188.

Paris 349 – Luxembourg 23 – ♦Metz 52 – Thionville 18 – Trier 60.

Aub. du Blé d'Or, ✆ 82 51 26 66 – AE GB.
fermé 16 août au 8 sept., 2 au 12 janv., sam. midi et merc. – **Repas** 95/245.

Le PUY-EN-VELAY P 43000 H.-Loire 76 ⑦ **G. Vallée du Rhône** – 21 743 h alt. 629 Pèlerinage (15 août).

Voir Site★★★ – La cité épiscopale★★★ BY : Cathédrale★★★, cloître★★(trésor d'Art religieux★ dans la salle des États du Velay) – Chapelle St-Michel d'Aiguilhe★★ AY – Vieille ville★ – Roche Corneille ≤★ BY – Musée Crozatier : section lapidaire★, dentelles★ AZ – Espaly St-Marcel : ≤ du rocher St-Joseph 2 km par D 589.

Env. Ruines du château de Polignac★ : ✻★ 6 km par ③ – Christ★ dans l'église de Lavoûte-sur-Loire et souvenirs de famille★ dans le château de Lavoûte-Polignac 13 km par ①.

du Cros-du-Loup ✆ 71 09 17 77 à Ceyssac, par D 590 : 7 km.

Office de Tourisme pl. du Breuil ✆ 71 09 38 41, Fax 71 05 22 62 et 23 r. Tables (juil.-août) ✆ 71 05 99 02.

Paris 548 ③ – Alès 139 ② – Aurillac 167 ③ – Avignon 203 ② – ♦Clermont-Ferrand 130 ③ – ♦Grenoble 184 ① ♦Lyon 134 ① – Mende 89 ② – ♦St-Étienne 76 ① – Valence 114 ①.

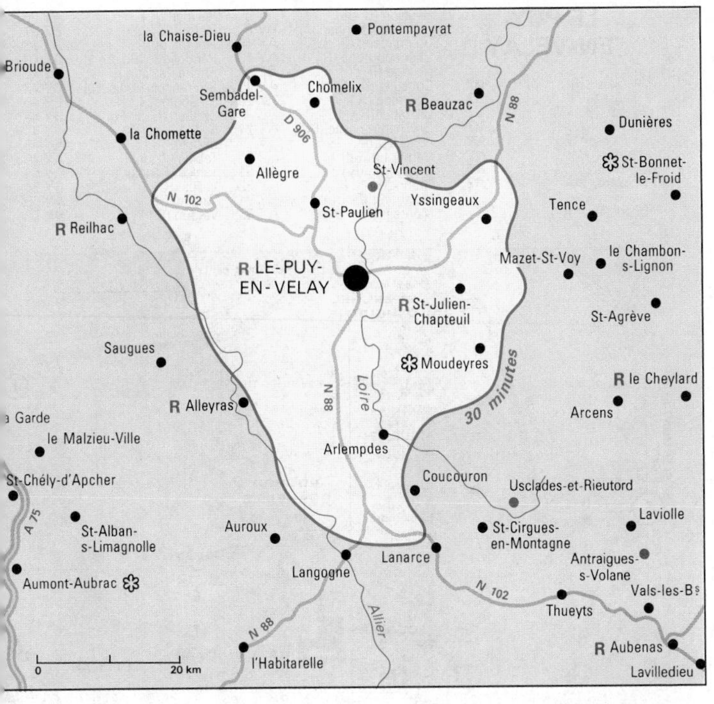

Brivas M, à Vals-près-du-Puy par D 31 AZ ✉ 43750 ✆ 71 05 68 66, Fax 71 05 65 88, – |‡| ✕ TV ☎ ✆ ♿ P – 🏛 30. AE GB JCB
fermé 25 au 31 déc. et sam. midi – **Repas** 95/220 🍷, enf. 61 – ☕ 37 – **60 ch** 285/330 – ½ P 275/320.

Parc sans rest, 4 av. C. Charbonnier ✆ 71 02 40 40, Fax 71 02 18 72 – |‡| TV ☎. AE ◑ GB AZ **s**
☕ 35 – **24 ch** 270/345.

Regina, 34 bd Mar. Fayolle ✆ 71 09 14 71, Fax 71 09 18 57 – |‡| TV ☎. AE GB BZ **d**
Repas *(fermé dim. soir d'oct. à mars)* 94/204 🍷 – ☕ 35 – **36 ch** 190/295 – ½ P 260.

Ibis St-Laurent, 1 av. Aiguilhe ✆ 71 02 22 22, Fax 71 09 22 96 – |‡| ✕ TV ☎ ✆ ♿ – 🏛 25. AE GB AY **b**
Repas 99 bc, enf. 39 – ☕ 35 – **57 ch** 300/320.

Val Vert, rte Mende par ② : 1,5 km sur N 88 ✆ 71 09 09 30, Fax 71 09 36 49 – TV ☎ ✆ P. AE ◑ GB
fermé 21 au 29 déc. – **Repas** 89/220 🍷, enf. 50 – ☕ 40 – **23 ch** 250/290 – ½ P 262/282.

Ibis Centre sans rest, 47 bd Mar. Fayolle ✆ 71 09 32 36, Fax 71 09 20 97 – |‡| ✕ TV ☎ ✆ ♿ 🚗 – 🏛 25. AE GB BZ **a**
☕ 35 – **50 ch** 300/320.

Dyke H. sans rest, 37 bd Mar. Fayolle ✆ 71 09 05 30, Fax 71 02 58 66 – TV ☎ 🚗. ◑ GB JCB BZ **r**
☕ 30 – **15 ch** 190/250.

Tournayre, 12 r. Chênebouterie ✆ 71 09 58 94, Fax 71 02 68 38 – GB AY **f**
fermé janv., dim. soir et lundi – **Repas** 85/300.

Bateau Ivre, 5 r. Portail d'Avignon ✆ 71 09 67 20 – GB BZ **k**
fermé 3 au 7 mars, 18 au 22 juin, 1er au 16 nov., dim. et lundi – **Repas** 80 (déj.), 100/280 🍷.

Lapierre, 6 r. Capucins ✆ 71 09 08 44 – GB. ✂ AZ **u**
fermé 1er au 20 juin, 1er au 20 oct., jeudi soir et mardi – **Repas** 80/220.

par ① , N 88 et rte de Chaspinhac-Rosières – ✉ **43700** Blavozy :

Moulin de Barette 🐦, ✆ 71 03 00 88, Fax 71 03 00 51, 🍽, parc, 🏊, 🎾 – cuisinette TV ☎ P – 🏛 250. GB
fermé 15 janv. au 15 fév. – **Repas** *(fermé dim. soir et lundi du 15 nov. à Pâques)* 89/220 🍷, enf. 52 – ☕ 38 – **30 ch** 260/330, 12 studios – ½ P 260/330.

LE PUY-EN-VELAY

Aiguières (R. Porte) . . . . . AZ 2
Chaussade (R.) . . . . BZ
Fayolle (Bd Mar.) . . . . BZ
Foch (Av. Mar.) . . . . BZ
Pannessac (R.) . . . . AY
Raphaël (R.) . . . . AY 39
St-Gilles (R.) . . . . AZ
St-Louis (Bd) . . . . AZ

Becdelièvre (R.) . . . . AY 3
Bouillon (R. du) . . . . BY 5
Card.-de-Polignac (R.) . BY 8
Chamarlenc (R. du) . . . . AY 10
Chênebouterie (R.) . . . . AY 13
Collège (R. du) . . . . BZ 17
Consulat (R. du) . . . . . . AY 19
Courrerie (R.) . . . . AZ 20
Crozatier (R.) . . . . BZ 23
Dr-Chantemesse (Bd) . . AY 24
For (Pl. du) . . . . BY 27
Gambetta (Bd) . . . . AY 30
Gouteyron (R.) . . . . AY 31
Grangevieille (R.) . . . . . AY 32
Martouret (Pl. du) . . . . . ABZ 34
Monteil (R. A. de) . . . . . AY 35
Philibert (R.) . . . . AY 36
Pierret (R.) . . . . BZ 37
Plot (Pl. du) . . . . AZ 38
République (Bd. de la) . BY 40
Roche-Taillade (R.) . . . . AY 42
St-François Régis (R.) . . BY 43
St-Georges (R.) . . . . BY 45
St-Jean (R. du Fg) . . . . . BY 46
St-Maurice (Pl.) . . . . AY 47
Séguret (R.) . . . . AY 48
Tables (Pl. des) . . . . AY 49
Tables (R. des) . . . . AY 52
Vallès (R. J.) . . . . BY 54
Vaneau (R.) . . . . AY 55
Verdun (R.) . . . . BY 58

Dans la liste des rues des plans de villes,
les noms en rouge indiquent les principales voies commerçantes.

ROEN Gar. Pouderoux, ZI de Corsac à Brives-arensac par ① ☎ 71 05 44 88
T Gar. Roche, 53 r. Gazelle ☎ 71 05 64 64
RD Velay-Autom., ZI à Brives-Charensac 71 09 61 35
NDA Autom. Gachet, 21 r. de la Gazelle 71 02 44 00
RCEDES Gar. Perret, ZI de Corsac à Brives arensac ☎ 71 02 09 98
EL Gar. Trescarte, 26 bd République 71 05 56 44
JGEOT Gd Gar. de Corsac, ZI de Corsac à ves-Charensac par ① ☎ 71 09 39 55
NAULT Gd Gar. Velay, ZI de Corsac à Brives-arensac par ① ☎ 71 02 36 55 N ☎ 71 05 15 15

ROVER Philibois Schiano Autom., 25 bd Mar. Joffre ☎ 71 02 91 91
TOYOTA Gar. Escudero, 18 bd République ☎ 71 09 02 81

Carlet Pneus, 45 av. de la Bernarde à Espaly ☎ 71 02 38 40
Chaussende Pneus Point S, ZI de Corsac à Brives-Charensac ☎ 71 02 05 01
Puy Pneus Services, La Chartreuse à Brives-Charensac ☎ 71 09 35 89
R.I.P.A., 44 av. Ch.-Dupuy à Brives-Charensac ☎ 71 02 13 41 N ☎ 71 02 13 41

UY-L'ÉVÊQUE 46700 Lot 79 ⑦ G. Périgord Quercy – 2 209 h alt. 130.

is 589 – Agen 72 – Cahors 31 – Gourdon 39 – Sarlat-la-Canéda 53 – Villeneuve-sur-Lot 43.

à Touzac O : 8 km par D 8 – 412 h. alt. 75 – ✉ 46700 :

La Source Bleue ⛰, ☎ 65 36 52 01, Fax 65 24 65 69, ⛱, « Anciens moulins dans un joli parc au bord du Lot », ⚲, ⛱ – ☎ ♿ P – 🏛 25. AE ⓓ GB JCB
25 mars-25 déc. – **Repas** *(fermé merc. midi)* 105 (déj.), 145/230, enf. 55 – ☕ 35 – **16 ch** 290/450 – ½ P 315/395.

à Mauroux SO : 12 km par D 8 et D 5 – 371 h. alt. 213 – ✉ 46700 :

Le Vert ⛰, ☎ 65 36 51 36, Fax 65 36 56 84, ≤, ⛱, ⛱, 🌳 – TV ☎ P. AE GB
15 fév.-11 nov. – **Repas** *(fermé vend. midi et jeudi)* 100/155, enf. 50 – ☕ 38 – **7 ch** 270/360 – ½ P 295/340.

NAULT Gar. Cros, ☎ 65 21 30 49

Une réservation confirmée par écrit est toujours plus sûre.

UYMIROL 47270 L.-et-G. 79 ⑮ G. Pyrénées Aquitaine – 777 h alt. 153.

is 636 – Agen 17 – Moissac 32 – Villeneuve-sur-Lot 31.

✿✿ **Les Loges de l'Aubergade** (Trama) M ⛰, 52 r. Royale ☎ 53 95 31 46, Fax 53 95 33 80, ⛱, « Maison du 13ᵉ siècle » – ▤ TV ☎ 🚗 – 🏛 25 à 40. AE ⓓ GB JCB
fermé vacances de fév. et lundi hors sais. sauf fériés – **Repas** 180 (déj.), 280/580 et carte 440 à 700 – ☕ 90 – **10 ch** 1235/1410 – ½ P 1050
Spéc. Lasagne de homard au fumet de truffes. Pigeonneau rôti aux épices. Double corona "Trama", sa feuille de tabac au poivre (dessert). **Vins** Buzet, Côtes de Duras.

UYOO 64270 Pyr.-Atl. 78 ⑦ ⑧ – 1 007 h alt. 40.

is 766 – Pau 59 – Dax 28 – Orthez 11,5 – Peyrehorade 16 – Salies-de-Béarn 8 – Tartas 40.

Voyageurs, N 117 ☎ 59 65 12 83, Fax 59 65 15 42, ⛱, 🌳 – TV ☎ ✆ P. GB
fermé 22 déc. au 10 janv. – **Repas** *(fermé dim. soir)* 75/160 – ☕ 30 – **15 ch** 160/260 – ½ P 200.

UY-ST-VINCENT 05290 H.-Alpes 77 ⑰ G. Alpes du Sud – 235 h alt. 1325 – Sports d'hiver : 1 400/2 750 m 1 ⛷14 ⛷.

oir Les Prés ≤★ SE : 2 km – Église★ de Vallouise N : 4 km.

Office de Tourisme Bâtiment Communal ☎ 92 23 35 80, Fax 92 23 45 23.

ris 706 – Briançon 20 – Gap 82 – L'Argentière-la-Bessée 9,5 – Guillestre 29 – Pelvoux (Commune de) 7,5.

Saint-Roch ⛰, aux Prés E : 1 km par D 4 ☎ 92 23 32 79, Fax 92 23 45 11, ≤ vallée et montagnes, ⛱, ⛱ – 🛗 TV ☎. GB. ✗
10 juin-5 sept. et 15 déc.-5 avril – **Repas** (self le midi en hiver) 130/250, enf. 75 – ☕ 49 – **15 ch** 340/350 – ½ P 330/360.

La Pendine ⛰, aux Prés E : 1 km par D 4 ☎ 92 23 32 62, Fax 92 23 46 63, ≤, ⛱, 🌳 – TV ☎ P. GB. ✗
20 juin-7 sept. et 15 déc.-15 avril – **Repas** 85/180 ♨, enf. 60 – ☕ 44 – **28 ch** 180/340 – ½ P 240/310.

YLA-SUR-MER 33115 Gironde 78 ⑫ G. Pyrénées Aquitaine – alt. 7.

Syndicat d'Initiative Rond-Point du Figuier ☎ 56 54 02 22, Fax 56 22 58 84 et Grande Dune de Pyla 56 22 12 85.

ris 654 – ♦ Bordeaux 64 – Arcachon 7,5 – Biscarrosse 33.

Plans : Voir plan d'Arcachon agglomération..

Maminotte ⛰ sans rest, allée Acacias ☎ 56 54 55 73, Fax 57 52 24 30 – ☎. GB — AY n
☕ 42 – **12 ch** 380/480.

XX **Moussours,** bd Océan ☎ 56 54 07 94, Fax 56 83 20 98, ⛱ – GB — AY e
15 fév.-15 nov. et fermé dim. soir et lundi hors sais. – **Repas** 120 (déj.), 170/195.

à Pilat-Plage S : 3 km par D 218 – ✉ **33115** Pyla-sur-Mer.

Voir Dune** : ☼**.

Oyana ♨, ✆ 56 22 72 59, Fax 56 22 16 47, ≤, ☂ – ☎. GB
hôtel : 1er avril-15 oct. ; rest. : 1er avril-1er oct. et fermé lundi sauf juil.-août – **Repas** 70/1 enf. 45 – ☕ 35 – **17 ch** 250/350 – ½ P 292/316.

Corniche ♨ avec ch, ✆ 56 22 72 11, Fax 56 22 70 21, ≤ plage et océan, ☂ – TV ☎. GB
1er avril-27 oct. – **Repas** *(fermé merc. sauf juil.-août)* 89/145, enf. 55 – ☕ 45 – **15 ch** 270/5 – ½ P 400/490.

QUARRÉ-LES-TOMBES

89630 Yonne 65 ⑯ **G. Bourgogne** – 735 h alt. 457.

Paris 235 – Auxerre 72 – Avallon 18 – Château-Chinon 46 – Clamecy 48 – ◆Dijon 119 – Saulieu 28.

Le Morvan, ✆ 86 32 24 83, Fax 86 32 24 83 – GB
fermé 19 au 25 déc., 2 janv. au 1er mars, mardi soir et merc. du 10 sept. au 30 juin – **Rep** 103/240, enf. 58.

aux Brizards SE : 8 km par D 55 et D 355 – ✉ **89630** Quarré-les-Tombes :

Aub. des Brizards M ♨ (annexe 14 ch), ✆ 86 32 20 12, Fax 86 32 27 40, ☂, « Da la campagne, parc avec étang, jardin fleuri », ✂ – TV ☎ P. AE ⓓ GB
Repas 100/300, enf. 60 – ☕ 75 – **23 ch** 250/500, 4 duplex – ½ P 360/450.

aux Lavaults : SE : 5 km par D 10 – ✉ **89630** Quarré-les-Tombes :

✿ **Aub. de l'Âtre** (Salamolard), ✆ 86 32 20 79, Fax 86 32 28 25, « Jardin fleuri » – P. ⓓ GB JCB
fermé 25 nov. au 10 déc., 20 janv. au 10 mars, mardi soir et merc. du 15 sept. au 20 juir
Repas (prévenir) 145 (déj.), 210/295 et carte 220 à 350, enf. 70
Spéc. Oeufs en meurette. Pigeon rôti au miel. Glacé morvandiau aux noix et crème vanillée.

Gar. Naulot, ✆ 86 32 23 58

Découvrez la France avec les guides Verts Michelin :

24 titres illustrés en couleurs.

QUATRE-ROUTES-D'ALBUSSAC

19 Corrèze 75 ⑨ – alt. 600 – ✉ **19380** Albussac.

Voir Roche de Vic ☼* S : 2 km puis 15 mn, **G. Berry Limousin.**

Paris 505 – Brive-la-Gaillarde 27 – Aurillac 74 – Mauriac 69 – St-Céré 40 – Tulle 21.

Roche de Vic, ✆ 55 28 15 87, Fax 55 28 01 09, ☂, ⛱, ☂ – TV ☎ ✆ P. GB
fermé janv., fév. et lundi hors sais. sauf fériés – **Repas** 75/170, enf. 45 – ☕ 35 – **13** 150/240 – ½ P 240/245.

QUÉDILLAC

35290 I.-et-V. 59 ⑮ – 1 018 h alt. 85.

Paris 392 – ◆Rennes 40 – Dinan 29 – Lamballe 44 – Loudéac 55 – Ploërmel 45.

Relais de la Rance, ✆ 99 06 20 20, Fax 99 06 24 01 – TV ☎ P. AE ⓓ GB
fermé 24 déc. au 10 janv. et dim. soir sauf juil.-août – **Repas** 105/400, enf. 60 – ☕ 35 – **13 c** 230/400.

Les QUELLES

67 B.-Rhin 62 ⑧ – rattaché à Schirmeck.

QUELVEN

56 Morbihan 59 ⑫ – rattaché à Pontivy.

QUEMIGNY-POISOT

21220 Côte-d'Or 65 ⑲ – 167 h alt. 397.

Paris 303 – ◆Dijon 26 – Avallon 96 – Beaune 30 – Saulieu 65.

Orée du Bois, ✆ 80 49 78 77 – GB
fermé 22 déc. au 2 fév., dim. soir d'oct. à avril et lundi – **Repas** 75/170, enf. 55.

QUENZA

2A Corse-du-Sud 90 ⑦ – voir à Corse.

QUESTEMBERT

56230 Morbihan 63 ④ **G. Bretagne** – 5 076 h alt. 100.

Syndicat d'Initiative Hôtel Belmont ✆ 97 26 56 00, Fax 97 26 55 23.

Paris 433 – Vannes 27 – Ploërmel 35 – Redon 33 – ◆Rennes 98 – La Roche-Bernard 24.

✿✿ **Bretagne** (Paineau) M avec ch, r. St-Michel ✆ 97 26 11 12, Fax 97 26 12 37, ☂, – TV ☎ ♿ P. AE GB
fermé 2 au 10 déc., mardi midi et lundi de sept. à juin sauf fériés – **Repas** (prévenir) 180 (déj 290/520 et carte 450 à 560 – ☕ 88 – **13 ch** 780/1200 – ½ P 900/980
Spéc. Huîtres en paquets à la vapeur d'estragon. Homard rôti sauce coraillée parfumée aux herbes et épices. Pièce carré d'agneau cuite à l'os, fenouil confit et mousse de navets. **Vins** Muscadet.

CITROEN Gar. Le Ray, ✆ 97 26 10 43 N ✆ 97 26 10 43
RENAULT Gar. Marquer, ✆ 97 26 10 41 N ✆ 07 37 47 51

VAG CEDAM, ZI de Lenruit ✆ 97 26 50 55
Questembert Pneus, ✆ 97 26 67 72

ETTEHOU 50630 Manche 54 ③ G. Normandie Cotentin – 1 395 h alt. 14.

)ffice de Tourisme pl. de la Mairie ✆ 33 43 63 21.

s 348 – ◆Cherbourg 29 – Barfleur 10 – St-Lô 65 – Valognes 15.

Demeure du Perron, ✆ 33 54 56 09, Fax 33 43 69 28, – TV ☎ ♿ P. GB
hôtel : fermé dim. soir du 15/11 au 31/3 sauf fériés ; rest. : fermé dim. soir du 1/10 au 31/5 sauf fériés – **Repas** 80/125 – ☕ 40 – **15 ch** 230/290 – ½ P 225/335.

La Chaumière avec ch, ✆ 33 54 14 94, Fax 33 44 09 87 – TV ☎. GB
Repas 58/125 – ☕ 25 – **5 ch** 130/300 – ½ P 150/180.

ROEN Gar. Godefroy, ✆ 33 54 13 50 N ✆ 33 54 13 50

QUEUE-EN-BRIE 94 Val-de-Marne 61 ① ②, 101 ㉙ – voir à Paris, Environs.

JEYRAC 33 Gironde 71 ⑯ – rattaché à Lesparre-Médoc.

JIBERON 56170 Morbihan 63 ⑫ G. Bretagne – 4 623 h alt. 10 – Casino.

ir Côte sauvage★★ NO : 2,5 km.

)ffice de Tourisme et Accueil de France 7 r. Verdun ✆ 97 50 07 84, Fax 97 30 58 22.

is 504 ① – Vannes 49 ① – Auray 29 ① – Concarneau 100 ① – Lorient 49 ①.

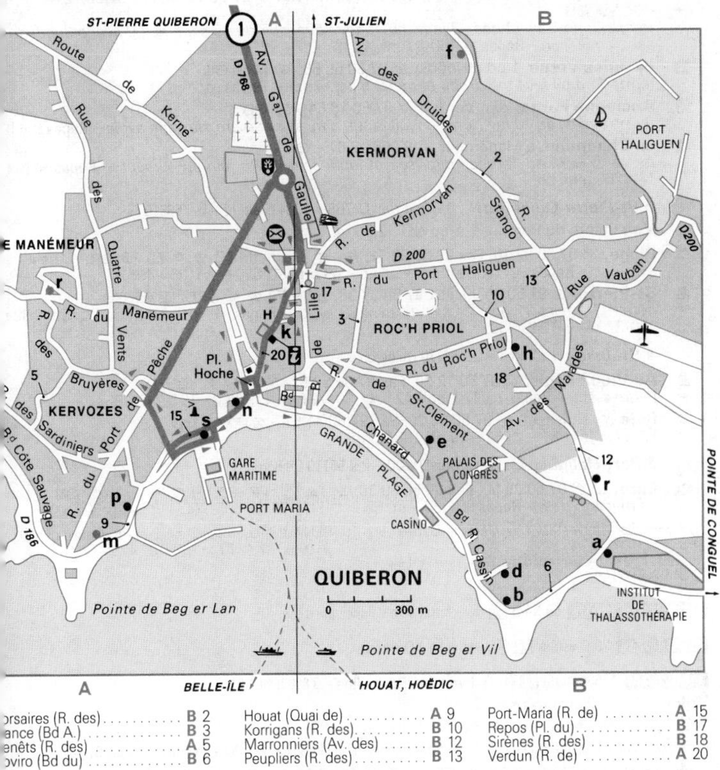

orsaires (R. des) . . . . B 2
ance (Bd A.) . . . . B 3
enêts (R. des) . . . . A 5
oviro (Bd du) . . . . B 6
Houat (Quai de) . . . . A 9
Korrigans (R. des) . . . . B 10
Marronniers (Av. des) . . . . . . B 12
Peupliers (R. des) . . . . B 13
Port-Maria (R. de) . . . . A 15
Repos (Pl. du) . . . . B 17
Sirènes (R. des) . . . . B 18
Verdun (R. de) . . . . A 20

Sofitel Thalassa M, pointe du Goulvars ✆ 97 50 20 00, Fax 97 50 46 32, ←, centre de thalassothérapie, – TV ☎ ♿ P – 30. AE GB. rest B a
fermé janv. – **Repas** 230/350, enf. 120 – ☕ 65 – **133 ch** 800/1585 – ½ P 845/1080.

Ker Noyal, 51 ch. des Dunes ✆ 97 50 08 41, Fax 97 30 58 20, « Jardin » – TV ☎ P – 40. AE GB. B e
1er mars-31 oct. – **Repas** 100/250 – ☕ 54 – **100 ch** 550/650 – ½ P 530.

Bellevue, r. Tiviec ℘ 97 50 16 28, Fax 97 30 44 34, – TV ☎ P. AE GB rest B
début avril-début oct. – **Repas** 98 (déj.), 105/135 – 50 – **40 ch** 415/680 – ½ P 395/515.

Albatros M, 24 quai Belle-Île ℘ 97 50 15 05, Fax 97 50 27 61, ≤, – TV ☎ 25. GB A
Repas 76/125, enf. 41 – 37 – **35 ch** 330/430 – ½ P 330/395.

Roch Priol, r. Sirènes ℘ 97 50 04 86, Fax 97 30 50 09 – TV ☎ P. GB B
15 fév.-15 nov. – **Repas** 60/155, enf. 42 – 37 – **51 ch** 235/385 – ½ P 325/350.

Petite Sirène, 15 bd R. Cassin ℘ 97 50 17 34, Fax 97 50 03 73, ≤ – TV ☎ P. GB.
20 mars-6 nov. – **Repas** *(fermé merc. hors sais.)* 95/260 – 39 – **16 ch** 336/426, 18 dup 696/926. B

Ibis M, av. Marronniers, pointe du Goulvars ℘ 97 30 47 72, Fax 97 30 55 78, TV ☎ P – 60. AE GB B
Repas 109 bc, enf. 40 – 40 – **75 ch** 495/525, 20 duplex – ½ P 395.

Druides, 6 r. Port Maria ℘ 97 50 14 74, Fax 97 50 35 72 – TV ☎. AE GB A
hôtel : 1er mars-31 oct. ; rest. : 1er avril-30 sept. – **Repas** 80/170, enf. 48 – 40 – **31** 340/520 – ½ P 355/410.

Neptune, 4 quai de Houat à Port Maria ℘ 97 50 09 62, Fax 97 50 41 44, ≤ – TV GB A
fermé 1er janv. au 5 fév. et lundi d'oct. à mars – **Repas** 85/200, enf. 50 – 38 – **21** 300/390 – ½ P 350/380.

Le Relax, 27 bd Castero à la plage de Kermorvan ℘ 97 50 12 84, Fax 97 50 12 84, ≤, – P. GB B
fermé 28 nov. au 14 déc., 3 janv. au 10 fév., dim. soir du 15 sept. au 30 avril et lundi du sept. au 30 juin – **Repas** 72/150, enf. 42.

Le Jules Verne, 1 bd d'Hoëdic ℘ 97 30 55 55, ≤, – GB A
fermé 1er au 9 fév., mardi soir et merc. d'oct. à mai – **Repas** 90/265.

Ancienne Forge, 20 r. Verdun ℘ 97 50 18 64 – AE GB A
fermé 6 janv. au 10 fév., lundi en juil.-août, dim. soir et merc. de sept. à juin – **Repas** 95/1

La Chaumine, à Manémeur ℘ 97 50 17 67 – GB A
fermé 17 nov. au 15 déc., dim. soir et lundi sauf du 15 juin au 15 sept. – **Repas** 80 (dé 140/260, enf. 55.

à St-Pierre-Quiberon N : 4,5 km par D 768 – 2 184 h. alt. 12 – ✉ **56510** :
Voir Pointe du Percho ≤ ★ au NO : 2,5 km.

Plage, ℘ 97 30 92 10, Fax 97 30 99 61, ≤ – cuisinette TV ☎ P. AE GB. rest
avril-oct. – **Repas** 90/170, enf. 53 – 46 – **49 ch** 390/620 – ½ P 350/495.

St-Pierre, ℘ 97 50 26 90, Fax 97 50 37 98, – TV ☎ P. AE GB
hôtel : 1er mars-31 oct. ; rest. : 1er avril-30 sept. – **Repas** 79/178, enf. 45 – 36 – **30** 300/370 – ½ P 345/390.

à St-Julien N : 2 km – ✉ **56170** Quiberon :

Au Vieux Logis, ℘ 97 50 12 20, Fax 97 30 38 93, – ☎ P. AE GB
Pâques-oct. – **Repas** 70/170, enf. 42 – 30 – **21 ch** 175/260 – ½ P 240/285.

Baie sans rest, ℘ 97 50 08 20, Fax 97 50 41 51 – ☎ P. AE GB
Pâques-15 nov. – 31 – **19 ch** 198/330.

à Port-Haliguen E : 2 km par D 200 – ✉ **56170** Quiberon :

Europa, ℘ 97 50 25 00, Fax 97 50 39 30, ≤, – TV ☎ P – 25. GB
15 mars-15 nov. – **Repas** 98/250, enf. 65 – 50 – **53 ch** 505/700 – ½ P 415/500.

CITROEN Gar. Corveste, 21 av. Gén.-de-Gaulle par ① ℘ 97 50 07 71
PEUGEOT Gar. Le Garrec, 6 av. Gén.-de-Gaulle par ① ℘ 97 50 08 01
RENAULT autom., 12 av. Gén.-de-Gaulle par ① ℘ 97 50 07 42 N ℘ 97 50 07 42

QUIÉVRECHAIN 59 Nord 53 ⑤ – rattaché à Valenciennes.

QUILINEN 29 Finistère 58 ⑮ – rattaché à Quimper.

QUILLAN 11500 Aude 86 ⑦ **G. Pyrénées Roussillon** – 3 818 h alt. 291.
Voir Défilé de Pierre Lys★ S : 5 km.
Office de Tourisme pl. Gare ℘ 68 20 07 78, Fax 68 20 04 91.
Paris 822 – Foix 61 – Andorra la Vella 116 – Carcassonne 52 – Limoux 27 – Perpignan 75 – Prades 61.

La Chaumière, bd Ch. de Gaulle ℘ 68 20 17 90, Fax 68 20 13 55 – TV ☎. GB
fermé 1er déc. au 15 janv., dim. soir et lundi d'oct. à avril – **Repas** 75/250, enf. 50 – 35 **18 ch** 320/390 – ½ P 300/320.

La Pierre Lys, av. Carcassonne ℘ 68 20 08 65, ≤, – TV ☎ P. GB
Repas *(fermé mi-nov. à mi-déc.)* 68/235, enf. 50 – 35 – **16 ch** 215/285 – ½ P 200/210.

Cartier, bd Ch. de Gaulle ℘ 68 20 05 14, Fax 68 20 22 57 – TV ☎. AE GB
hôtel : fermé 15 déc. au 31 mars – **Repas** *(fermé 15 déc. au 1er mars et sam. d'oct. à avr* 80/125, enf. 42 – 38 – **30 ch** 170/350 – ½ P 270/290.

au Sud : 10 km sur D117 (carrefour D117 - D107) – ✉ **11140** Axat :

XX **Rébenty,** ✆ 68 20 50 78 – AE GB
fermé oct., dim. soir et lundi sauf du 7 juil. au 31 août – **Repas** 95/130.

TROEN Gar. Nivet, rte de Carcassonne, N 118 68 20 04 27
UGEOT Gar. Roosli, 4 bd Ch.-de-Gaulle 68 20 01 01
NAULT Gar. de la Haute Vallée, rte de Carcassonne, ZA ✆ 68 20 06 66 N ✆ 68 20 01 79
VAG Gar. Dubois, ZA, rte de Carcassonne ✆ 68 20 07 92
Gar. Saunier, 65 bd Ch.-de-Gaulle ✆ 68 20 00 49

UIMPER P **29000** Finistère 58 ⑮ **G. Bretagne** – 59 437 h alt. 41.

oir Cathédrale★★ BZ – Le vieux Quimper★ : Rue Kéréon★ ABY – Jardin de l'Évêché ⩽★ BZ **K** – ont-Frugy ⩽★ ABZ – Musée des Beaux-Arts★★ BY **M**³ – Musée départemental breton★ BZ **M**¹ – usée de la faïence Jules Verlingue★ AX **M**² – Descente de l'Odet★★ en bateau 1 h 30 – Festival Cornouaille (fin juillet).

nv. Calvaire de Quilinen★ N : 10 km par D 770.

18 de l'Odet ✆ 98 54 87 88 à Clohars-Fouesnant : 12 km.

de Quimper-Cornouaille ✆ 98 94 30 30, par D 40 : 8 km AX.

✆ 36 35 35 35.

Office de Tourisme pl. Résistance ✆ 98 53 04 05, Fax 98 53 31 33 – Automobile Club ✆ 98 53 04 05.

ris 557 ③ – ♦Brest 72 ① – Lorient 66 ③ – ♦Rennes 208 ③ – St-Brieuc 130 ① – Vannes 119 ③.

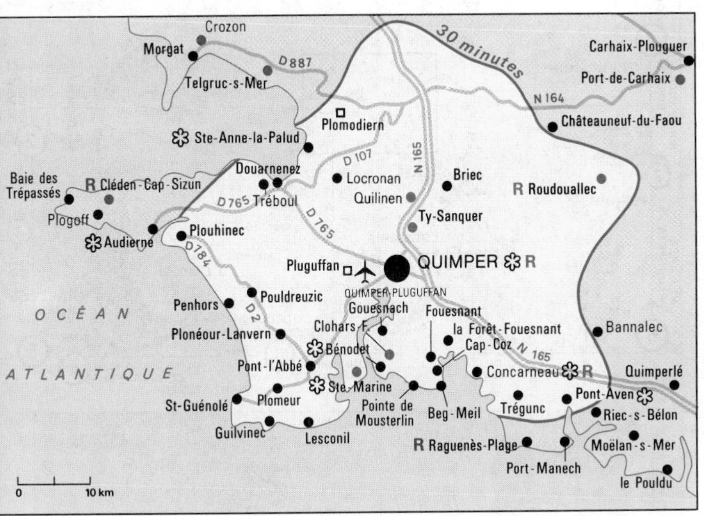

Novotel, par bd Le Guennec, près centre commercial de Kerdrezec ✆ 98 90 46 26, Fax 98 53 01 96, ⌂, ⌂ – |♦| ⌂ ▤ rest TV ☎ ♿ P – ⌂ 100. AE ⓓ GB JCB — AX **n**
Repas 100/150 ⌂, enf. 50 – ⌂ 50 – **92 ch** 420/490.

Mascotte M, 6 r. Th. Le Hars ✆ 98 53 37 37, Fax 98 90 31 51 – |♦| ⌂ TV ☎ ⌂ ♿ – ⌂ 25. AE ⓓ GB — BZ **d**
Repas *(fermé sam. et dim. de sept. à mai)* (dîner seul.) 90/140 ⌂, enf. 42 – ⌂ 40 – **63 ch** 320/480.

La Tour d'Auvergne, 13 r. Réguaires ✆ 98 95 08 70, Fax 98 95 17 31 – |♦| TV ☎ P. AE GB — BZ **e**
Repas *(fermé 28 déc. au 6 janv., sam. midi du 1er oct. au 15 juil. et dim. d'oct. à avril)* 140/210 ⌂, enf. 68 – ⌂ 50 – **42 ch** 400/515 – ½ P 455.

Gradlon sans rest, 30 r. Brest ✆ 98 95 04 39, Fax 98 95 61 25 – TV ☎. AE ⓓ GB. ⌂
fermé 20 déc. au 12 janv. – ⌂ 52 – **23 ch** 350/480. — BY **a**

Relais Mercure sans rest, 21 bis av. gare ✆ 98 90 31 71, Télex 941224, Fax 98 53 09 81 – |♦| TV ☎ ⌂ ♿ ⌂ P – ⌂ 30. AE GB — BX **a**
⌂ 42 – **63 ch** 275/385.

Ibis M, r. G. Eiffel ✆ 98 90 53 80, Fax 98 52 18 41 – TV ☎ ♿ P – ⌂ 60. AE ⓓ GB
Repas 99 bc, enf. 39 – ⌂ 36 – **72 ch** 310/380. — BV **f**

QUIMPER

Astor (R.) .... AYZ 2
Chapeau-Rouge (R.) .. AY 9
Kéréon (R.) .... AY
Kerguélen (Bd de) .... BZ 23
Parc (R. du) .... ABZ 34
St-François (R.) ...... BZ 45
St-Mathieu (R.) ...... AZ 47

Bécharles (Av. de) ... BV 3
Beurre (Pl. au) .... BY 4
Boucheries (R. des) .. BY 6
Concarneau (R. de) ... BX 10
Frugy (R. du) .... ABX 14
Gare (Av. de la) ...... BX 15
Guéodet (R. du) ..... BY 16
Jacob (Pont Max) ..... AZ 18
Le Hars (R. Th.) ...... BZ 24
Libération (Av. de la) . BX 25
Locmaria (Allées) ..... AZ 26
Luzel (R.) .... BY 28
Mairie (R. de la) .... BY 29
Moulin-Vert (R. du) .... AV 30
Pont-l'Abbé (R. de) .... AX 35
Potiers (Ch. des) ...... BX 37
Poulguinan (Bd de) .... AX 38
Résistance et du Gén. de Gaulle (Pl. de la) .. AZ 40
Ronarc'h (R. Amiral) .... AZ 42
St-Corentin (Pl.) .... BZ 43
Ste-Catherine (R.) ...... BZ 48
Sallé (R. du) .... BY 52
Steir (Q. du) .... AZ 53
Terre-au-Duc (Pl.) ...... AY 54
Tourbie (Pl. de la) ...... BY 57
Tour-d'Auvergne (R.) ... BX 58
Ty-Nay (Rte de) .... BV 60

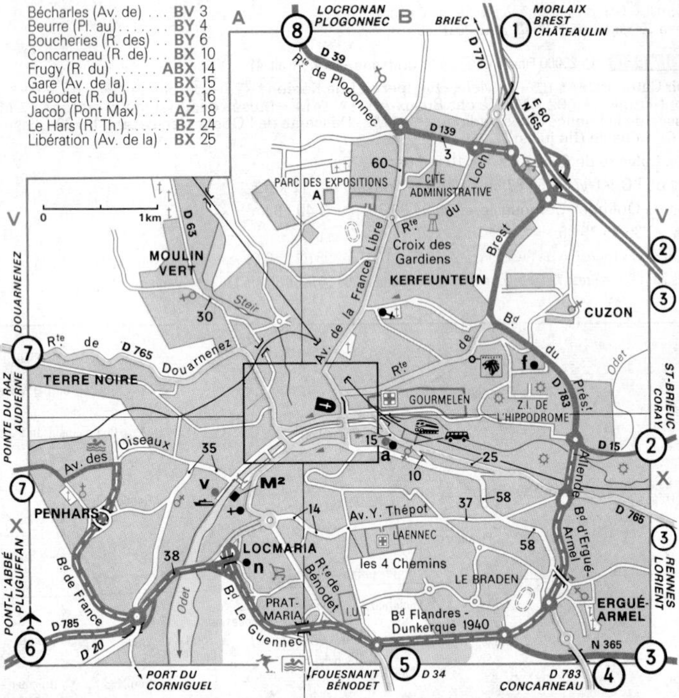

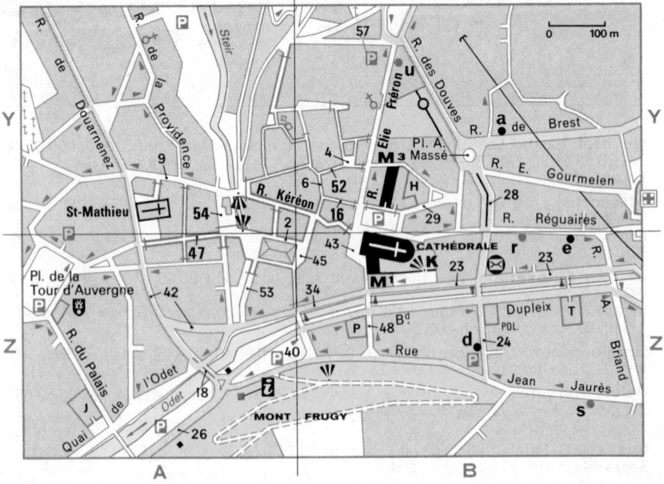

XXX ❀ **Le Capucin Gourmand** (Conchon), 29 r. Réguaires ✆ 98 95 43 12, Fax 98 95 13 34 – AE GB BZ **r**
fermé 30 juin au 7 juil., sam. midi et dim. – **Repas** 115/360 et carte 260 à 360
Spéc. Ravioles de coques au gingembre. Galette de blé noir à l'andouille de pays. Ragoût de homard flambé au pommeau.

XX **L'Ambroisie,** 49 r. Elie Fréron ✆ 98 95 00 02 – AE GB BY **u**
fermé 24 au 30 juin, vacances de Toussaint et lundi sauf juil.-août – **Repas** 99/280.

XX **Fleur de Sel,** 1 quai Neuf ✆ 98 55 04 71, Fax 98 55 04 71 – ◑ GB AX **v**
fermé 1er au 8 mai, 24 déc. au 2 janv., sam. midi et dim. – **Repas** 100/250.

X **L'Assiette,** 5 bis r. J. Jaurès ✆ 98 53 03 65 – GB BZ **s**
fermé 28 juil. au 20 août, 24 déc. au 3 janv., sam. midi, dim. et fériés – **Repas** carte environ 120 ♖.

X **Relais de la Mer,** 27 av. Gare ✆ 98 52 16 18, Fax 98 90 71 55 – GB. ✱ BX **a**
fermé 15 oct. au 1er nov., 5 au 26 fév. et lundi – **Repas** 80/170 ♖.

à Quilinen par ① et D 770: 11 km – ✉ **29510** Landrevarzec :

X **Aub. de Quilinen,** ✆ 98 57 93 63 – GB
fermé 15 août au 5 sept., vacances de fév., dim. soir et lundi – **Repas** 87/180, enf. 50.

à Ty Sanquer : par ① et D 770: 7 km – ✉ **29000** Quimper :

XX **Aub. Ty Coz,** ✆ 98 94 50 02 – P. GB
fermé 19 avril au 9 mai, 6 au 24 sept., dim. soir et lundi – **Repas** 90/230, enf. 55.

au Sud-Ouest par ⑥, rte de Pont-l'Abbé - sortie Z.A. Bel Air : 5 km – ✉ **29700** Pluguffan :

XXX **La Roseraie de Bel Air,** ✆ 98 53 50 80, « Maison bretonne du 19e siècle », ⛱ – P. AE GB
fermé dim. soir et lundi – **Repas** 138/265 et carte 210 à 300.

à Pluguffan par ⑥ puis D 40 : 7 km – 3 238 h. alt. 90 – ✉ **29700** :

🏨 **La Coudraie** ⛰ sans rest, impasse du Stade ✆ 98 94 03 69, Fax 98 94 08 42, ⛱ – TV ☎ P. GB
fermé vacances de Toussaint, de fév., sam. et dim. en hiver – ☕ 30 – **11 ch** 230/280.

LFA ROMEO Gar. Jourdain, 36 rte de Bénodet
› 98 90 60 64
ITROEN S.C.A.F. Diffusion Autom., rte de
énodet à Ménez-Bily par ⑤ ✆ 98 90 33 47 N
› 98 90 28 05
AT LANCIA Ouest Atlantique Autom., 136 av. Ty
os, rte de Concarneau ✆ 98 90 84 00
ORD Bretagne-Autom., 105 av. de Ty-Bos
› 98 90 32 00 N ✆ 98 90 24 24
ERCEDES Gar. Belléguic, ZI rte de Coray,
› 98 90 03 69 N ✆ 98 90 24 24
ISSAN Gar. Munoz, 6 rte de Brest ✆ 98 95 95 94
EUGEOT Gar. Nédélec, 66 rte de Brest
› 98 95 42 74 N ✆ 98 62 20 74
ENAULT Gar. de l'Odet, ZI Kernevez 1 r. Nobel
› 98 55 80 00
ROVER Kemper Autom., 13 av. Libération
✆ 98 90 50 00
VAG Gar. Honoré, KM 4 rte de Rosporden
✆ 98 94 63 00

Ⓜ Bégot Pneus, 79 rte de Brest ✆ 98 95 09 33
Ets CAP, r. Lebon ZI Hippodrome ✆ 98 90 18 87
Euromaster, ZA la Salle Verte à Ergué-Gabéric
✆ 98 59 67 67
Pneu Armorique Vulcopneu, 1 r. O.-de-Serre ZI Hippodrome ✆ 98 53 35 26
Simon Pneus, Le Melenec, rte d'Elliant à Ergué-Gabéric ✆ 98 90 17 73

UIMPERLÉ 29300 Finistère 58 ⑫ ⑰ G. Bretagne (plan) – 10 748 h alt. 30.

oir Église Ste-Croix★★ – Rue Dom-Morice★.

du Val Quéven ✆ 97 05 17 96 à Gestel : SE, 18 km par RN 165.

Office de Tourisme Le Bourgneuf ✆ 98 96 04 32, Fax 98 96 16 12.

aris 511 – Quimper 48 – Carhaix-Plouguer 55 – Concarneau 31 – Pontivy 54 – ♦Rennes 169 – St-Brieuc 111 – annes 73.

🏨 **Novalis** M, rte Concarneau : 2,5 km ✆ 98 39 24 00, Fax 98 39 12 10 – TV ☎ ✆ ♿ P – 🏛 60. AE GB. ✱ rest
Repas grill *(fermé lundi midi et dim.)* 70/140 ♖ – ☕ 35 – **25 ch** 235/255 – ½ P 220/233.

🏨 **Kervidanou** M, zone commerciale de Kervidanou par rte Concarneau : 4 km ✆ 98 39 18 00, Fax 98 96 35 11 – 🛗 TV ☎ ♿ P – 🏛 30. AE GB JCB
fermé 20 déc. au 4 janv., sam. midi et dim. – **Repas** grill 59 (déj.), 65/187 ♖ – ☕ 35 – **41 ch** 180 – ½ P 190/230.

XX **Relais du Roch,** rte du Pouldu par D 49 : 2 km ✆ 98 96 12 97 – P. GB
fermé 1er au 15 janv., dim. soir et lundi – **Repas** 85/300, enf. 40.

XX **Bistro de la Tour,** 2 r. Dom. Morice ✆ 98 39 29 58, Fax 98 39 21 77 – GB
fermé sam. midi sauf du 14 juil. au 31 août et dim. soir – **Repas** 99/360 bc.

ITROEN Gar. Gaudart, rte de Quimper à Roz-Glass
› 98 96 20 30
IAT Central Auto, 22 rte de Lorient ✆ 98 39 08 39
PEL Auto Service 29, ZAC de Kervidannou
› 98 96 14 74
ENAULT Sodiqa, 117 r. de Pont-Aven
› 98 39 34 55 N ✆ 98 06 98 49
VAG Gar. Quimperlois, 41 rte de Lorient
✆ 98 39 32 24

Ⓜ Pneu Armorique Vulcopneu, ZAC Kergoaler, rte de Pont Aven ✆ 98 96 01 39

QUINCIÉ-EN-BEAUJOLAIS 69430 Rhône 73 ⑨ – 1 059 h alt. 325.

Paris 422 – Mâcon 36 – Roanne 68 – Beaujeu 6,5 – Bourg-en-Bresse 54 – ♦Lyon 57.

Mont-Brouilly, E : 2,5 km par D 37 ✆ 74 04 33 73, Fax 74 69 00 72, ☂, ⛱, ⛺ – ▤ rest ▣ ☎ ♿ 🅿 – 🏃 25. AE GB
fermé vacances de Noël, fév., lundi midi d'avril à sept., dim. soir et lundi d'oct. à mars – **Repas** 80/230, enf. 50 – ☕ 34 – **29 ch** 280/320 – ½ P 275.

Aub. du Pont des Samsons, E : 2,5 km par D 37 ✆ 74 04 32 09, ☂ – ▤ 🅿. GB
fermé merc. soir et jeudi – **Repas** 95/200 🍷.

QUINÉVILLE 50310 Manche 54 ③ **G. Normandie Cotentin** – 306 h alt. 29.

Paris 343 – ♦Cherbourg 35 – Barfleur 20 – Carentan 31 – St-Lô 59.

Château de Quinéville 🔇, ✆ 33 21 42 67, Fax 33 21 05 79, parc – ▣ ☎ ♿ 🅿. AE GB
fermé 6 janv. au 31 mars – **Repas** *(fermé merc. du 1er oct. au 20 déc.)* 150/210 – ☕ 45 – **24 ch** 460/560 – ½ P 390/410.

QUINSAC 33360 Gironde 71 ⑪ – 1 866 h alt. 80.

Paris 591 – ♦Bordeaux 13 – Langon 33 – Libourne 39.

Host. Robinson 🔇 avec ch, SE : 2 km sur D 10 ✆ 56 21 31 09, Fax 56 21 37 11, ≤, ☂, ⛺ – ☎ 🅿. AE ⓓ GB
Repas 130/180 – ☕ 35 – **5 ch** 300.

au Port Neuf N : 4 km par D 10 et D 14 – ✉ **33360** Camblanès-et-Meymac :

La Maison du Fleuve, ✆ 56 20 06 40, Fax 56 20 19 89, ≤, ☂, « Au bord de la Garonne » – 🅿. GB
fermé dim. soir et lundi d'oct. à mars – **Repas** (prévenir) 85 (déj.), 135/150.

QUINSON 04480 Alpes-de-H.-P. 84 ⑤ 114 ⑦ – 274 h alt. 370.

Paris 792 – Digne-les-Bains 60 – Aix-en-Provence 75 – Brignoles 44 – Castellane 75.

Relais Notre-Dame, ✆ 92 74 40 01, Fax 92 74 02 10, ☂, ⛱, ⛺ – ☎ 🅿. AE GB. ✗ ch
15 mars-15 déc. et fermé dim. soir et lundi d'oct. à Pâques – **Repas** 85/215, enf. 40 – ☕ 37 – **14 ch** 210/290 – ½ P 214/269.

QUINT-FONSEGRIVES 31 H.-Gar. 82 ⑧ – rattaché à Toulouse.

QUINTIN 22800 C.-d'Armor 59 ⑫ ⑬ **G. Bretagne** – 2 602 h alt. 180.

Paris 465 – St-Brieuc 19 – Guingamp 33 – Lamballe 35 – Loudéac 34.

Commerce, r. Rochonen ✆ 96 74 94 67, Fax 96 74 00 94 – ▣ ☎. GB
fermé 15 déc. au 15 janv. – **Repas** *(fermé dim. soir et lundi midi sauf juil.-août)* 59/289 🍷 enf. 49 – ☕ 29 – **13 ch** 165/285 – ½ P 133/228.

PEUGEOT Auto Quintinaise, Les Quartiers à St-Brandan ✆ 96 74 87 96 🅽 ✆ 96 74 83 31

RACOU-PLAGE 66 Pyr.-Or. 86 ⑳ – rattaché à Argelès-sur-Mer.

RAGUENÈS-PLAGE 29 Finistère 58 ⑪ **G. Bretagne** – ✉ **29920** Névez.

Paris 540 – Quimper 38 – Carhaix-Plouguer 69 – Concarneau 17 – Pont-Aven 11 – Quimperlé 29.

Chez Pierre 🔇, ✆ 98 06 81 06, Fax 98 06 62 09, « Jardin » – ☎ ♿ 🅿. GB. ✗ rest
5 avril-25 sept. – **Repas** *(fermé merc. du 12 juin au 11 sept.)* 100/270, enf. 75 – ☕ 32 – **35 ch** 206/412 – ½ P 240/349.

Men Du 🔇 sans rest, ✆ 98 06 84 22, Fax 98 06 76 69, ≤, ⛺ – ☎ 🅿. GB. ✗
30 mars-30 sept. – ☕ 35 – **14 ch** 280/350.

Le RAINCY 93 Seine-St-Denis 56 ⑪, 101 ⑱ – voir à Paris, Environs.

RAISMES 59 Nord 53 ④ – rattaché à Valenciennes.

RAMATUELLE 83350 Var 84 ⑰ 114 ㊲ **G. Côte d'Azur** – 1 945 h alt. 136.

Voir Col de Collebasse ≤★ S : 4 km.

Paris 878 – Fréjus 36 – Hyères 53 – Le Lavandou 36 – St-Tropez 9,5 – Ste-Maxime 16 – ♦Toulon 73.

Le Baou 🔇, ✆ 94 79 20 48, Télex 462152, Fax 94 79 28 36, ≤ vieux village et mer, ☂, ⛱, ⛺ – 🛗 ▣ ☎ – 🏃 80. AE ⓓ GB
15 mars-31 oct. – **Repas** (été : déj. seul. à la piscine) 180/270 – ☕ 65 – **41 ch** 650/1600 – ½ P 550/1025.

La Vigne de Ramatuelle Ⓜ 🔇 sans rest, SO : 1,5 km par D 93 ✆ 94 79 12 50, Fax 94 79 13 20, ≤ vignes et collines, parc, ⛱ – ▤ ▣ ☎ ♿ 🅿. AE ⓓ GB
mars-oct. – ☕ 75 – **14 ch** 650/1650.

Ferme d'Hermès 🔇 sans rest, rte l'Escalet, SE : 2,5 km ✆ 94 79 27 80, Fax 94 79 26 86, « Demeure provençale dans le vignoble », ⛱, ⛺ – cuisinette ▣ ☎ 🅿. GB
1er avril-1er nov. – ☕ 70 – **8 ch** 700/850.

à la Bonne Terrasse E : 5 km par D 93 et rte Camarat – ✉ **83350** Ramatuelle :

Chez Camille, ✆ 94 79 80 38, ≤, ☂ – 🅿. GB
1er avril-7 oct. et fermé mardi sauf le soir en juil.-août – **Repas** - produits de la mer (week-end et saison, prévenir) 230/460.

AMBOUILLET 78120 Yvelines 60 ⑧ ⑨ 106 ㉗ ㉘ **G. Ile de France** – 24 343 h alt. 160.

ir Boiseries★ du château Z – Parc★ YZ : laiterie de la Reine★ Z **B**, chaumière des coquil-es★ Z **E** – Bergerie nationale★ Z – Forêt de Rambouillet★.

)ffice de Tourisme à l'Hôtel de Ville ✆ (1) 34 83 21 21.

s 51 ① – Chartres 41 ③ – Étampes 39 ③ – Mantes-la-Jolie 48 ① – ◆Orléans 89 ③ – Versailles 31 ①.

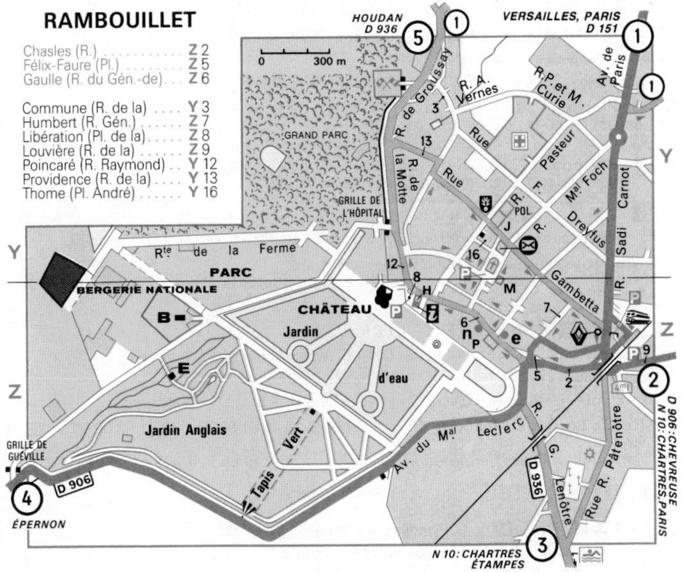

Climat de France, D 906, échangeur N 10 par ② ✆ (1) 34 85 62 62, Fax (1) 30 59 23 57, 50. AE ⓓ GB
Repas 59 bc (déj.), 90/130 ⅓, enf. 39 – ☐ 35 – **66 ch** 250/295 – ½ P 240.

XX **Cheval Rouge**, 78 r. Gén. de Gaulle ✆ (1) 30 88 80 61, Fax (1) 34 83 91 60 – ▤. AE GB — Z **n**
fermé 15 juil. au 18 août et dim. soir – **Repas** 130/175.

X **Poste**, 101 r. Gén. de Gaulle ✆ (1) 34 83 03 01 – AE GB — Z **e**
fermé 23 déc. au 6 janv., dim. soir et lundi sauf fêtes – **Repas** 103/190 ⅓.

MW Soravia, 29 r. Pâtenôtre ✆ (1) 34 85 77 77
TROEN Gar. Van de Maele, r. G.-Lenôtre par ③ (1) 30 41 81 81 ◼ ✆ (1) 05 05 24 24
UGEOT Gar. Préhel, 56 r. Le Nôtre, Le Bel Air par ✆ (1) 30 41 01 70 ◼ ✆ (1) 05 44 24 24
NAULT Gar. de la Gare, 9 r. Sadi-Carnot (1) 30 59 89 42 ◼ ✆ (1) 05 05 15 15
SAAB Morel-Autom., ZA Bel-Air r. Cutesson ✆ (1) 34 94 99 00
SEAT P.J. Autom., 11 r. P-Métairie ZA Bel Air ✆ (1) 34 85 87 00
VAG Gar. Sofriga, 122 r. de Clairefontaine ✆ (1) 30 41 87 68

ANCÉ 01390 Ain 74 ⑩ – 410 h alt. 282.

ris 442 – ◆ Lyon 33 – Bourg-en-Bresse 42 – Villefranche-sur-Saône 12.

XX **Rancé**, ✆ 74 00 81 83, Fax 74 00 87 08 – ▤. GB
fermé dim. soir, lundi soir et mardi soir – **Repas** 80 (déj.), 105/295, enf. 65.

ANÇON 87290 H.-Vienne 72 ⑦ **G. Berry Limousin** – 544 h alt. 217.

ris 374 – ◆ Limoges 38 – Bellac 12 – La Souterraine 33.

X **L'Oie et le Gril**, ✆ 55 68 15 06 – GB
fermé 15 sept. au 15 oct., mardi soir et merc. – **Repas** 62 (déj.)/120.

ANCOURT 80 Somme 53 ⑬ – rattaché à Péronne.

ANDAN 63310 P.-de-D. 73 ⑤ **G. Auvergne** – 1 429 h alt. 407.

oir Villeneuve les Cerfs : pigeonnier★ O : 2 km.

Syndicat d'Initiative à la Mairie ✆ 70 41 50 02.

ris 408 – ◆ Clermont-Ferrand 39 – Aigueperse 13 – Gannat 18 – Riom 24 – Thiers 29 – Vichy 15.

X **Centre** avec ch, ✆ 70 41 50 23, Fax 70 56 14 78 – ☎. GB
fermé 15 oct. au 1er déc., mardi soir et merc. sauf juil.-août – **Repas** 60/230 ⅓ – ☐ 28 – **9 ch** 160/380 – ½ P 190/225.

à St-Priest-Bramefant E : 7,5 km par D 59 – 637 h. alt. 290 – ✉ **63310** :

Château de Maulmont ⛭, ✆ 70 59 03 45, Fax 70 59 11 88, ←, « Château du 19e siec dans un parc », ⛭, ⛭, ⛭ – ⛭ ☎ ⛭ – ⛭ 50. AE GB
fermé janv. – **Repas** 130/240, enf. 65 – ⛭ 45 – **26 ch** 300/900 – ½ P 365/605.

CITROEN Gar. Elambert, ✆ 70 41 51 62

RÂNES 61150 Orne 60 ② **G. Normandie Cotentin** – 1 015 h alt. 237.

Syndicat d'Initiative à la Mairie ✆ 33 39 73 87.

Paris 216 – Alençon 40 – Argentan 19 – Bagnoles-de-l'Orne 19 – Falaise 34.

St Pierre, ✆ 33 39 75 14, Fax 33 35 49 23 – ⛭ ☎ ⛭ – ⛭ 50. AE ⛭ GB
Repas *(fermé vend. soir hors sais.)* 72 (dîner), 75/195 ⛭, enf. 48 – ⛭ 38 – **12 ch** 220/345 ½ P 285.

Jean Anne, ✆ 33 39 75 16 – AE GB
fermé mardi soir et merc. sauf fériés – **Repas** 65/200 ⛭.

RANG 25250 Doubs 66 ⑰ – 474 h alt. 290.

Paris 457 – ◆Besançon 59 – Baume-les-Dames 22 – Belfort 48 – Lure 39 – Montbéliard 27 – Vesoul 52.

Moderne avec ch, ✆ 81 96 32 54 – ⛭ ⛭. GB
fermé 1er au 15 nov., 15 janv. au 10 fév. et lundi – **Repas** 60/240 ⛭ – ⛭ 25 – **10 ch** 100/190 ½ P 155/210.

RAON-L'ÉTAPE 88110 Vosges 62 ⑦ – 6 780 h alt. 284.

Voir Église★ d'Etival-Clairefontaine S : 6 km,**G. Alsace Lorraine.**

Syndicat d'Initiative r. J.-Ferry (15 juin-15 sept.) ✆ 29 41 83 25.

Paris 372 – Épinal 44 – ◆Nancy 68 – Lunéville 34 – Neufchâteau 112 – St-Dié 17 – Sarrebourg 51.

Relais Lorraine Alsace Ⓜ, 31 r. J. Ferry ✆ 29 41 61 93, Fax 29 41 93 09, ⛭ – ⛭ ☎. ⛭ ⛭ GB
fermé nov. – **Repas** *(fermé lundi)* 68/149 ⛭ – ⛭ 28 – **10 ch** 229/298 – ½ P 196/236.

RASTEAU 84 Vaucluse 81 ② – rattaché à Vaison-la-Romaine.

RAUZAN 33420 Gironde 75 ⑫ **G. Pyrénées Aquitaine** – 978 h alt. 69.

Paris 609 – ◆Bordeaux 37 – Bergerac 57 – Libourne 22 – Marmande 45.

La Gentilhommière, ✆ 57 84 13 42 – ⛭. ⛭ GB
fermé 19 au 23 nov. et lundi sauf fériés – **Repas** 65 bc (déj.), 95/250 ⛭.

RENAULT Gar. Nardou, ✆ 57 84 13 17

RAZAC-SUR-L'ISLE 24 Dordogne 75 ⑤ – rattaché à Périgueux.

RAZ (Pointe du) ★★★ 29 Finistère 58 ⑬ **G. Bretagne.**

Voir ⛭★★.

Paris 608 – Quimper 51 – Douarnenez 37 – Pont-l'Abbé 47.

à La Baie des Trépassés par D 784 et rte secondaire : 3,5 km :

Relais de la Pointe du Van ⛭, ✉ 29770 Cléden-Cap-Sizun ✆ 98 70 62 79 Fax 98 70 35 20, ←, ⛭ – ⛭ ☎ ⛭ ⛭. GB
1er avril-30 sept. – **Repas** 99, enf. 42 – ⛭ 36 – **25 ch** 252/372 – ½ P 307/348.

Baie des Trépassés ⛭, ✉ 29770 Plogoff ✆ 98 70 61 34, Fax 98 70 35 20, ← – ⛭ ☎ ⛭ GB
fermé 3 janv. au 10 fév. – **Repas** 99/280, enf. 56 – ⛭ 36 – **27 ch** 270/366 – ½ P 271/366.

RÉ (Ile de) ★ 17 Char.-Mar. 71 ⑫ **G. Poitou Vendée Charentes.**

Accès : par le pont routier (voir à La Rochelle).

Ars-en-Ré – 1 165 h alt. 4 – ✉ **17590** .

Office de Tourisme pl. Carnot (saison) ✆ 46 29 46 09.

Paris 503 – La Rochelle 34 – Fontenay-le-Comte 81 – Luçon 69.

Le Parasol ⛭, rte St-Clément-des-Baleines, NO : 1 km ✆ 46 29 46 17, Fax 46 29 05 0 ⛭ – cuisinette ⛭ ☎ ⛭ ⛭. ⛭ GB
1er mars-3 nov. – **Repas** *(fermé mardi du 1er oct. au 3 nov.)* 120/180 ⛭ – ⛭ 40 – **9 ch** 36 20 studios 450 – ½ P 338/380.

Le Martray, Le Martray E : 3 km par D 735 ✆ 46 29 40 04, Fax 46 29 41 19, ⛭ – ⛭ re ⛭ ☎ ⛭. AE ⛭ GB
30 mars-4 nov. – **Repas** 120/200, enf. 55 – ⛭ 40 – **14 ch** 320/380 – ½ P 360/370.

Bistrot de Bernard, 1 quai Criée ✆ 46 29 40 26, Fax 46 29 28 99, ⛭ – GB
fermé 4 janv. au 15 fév., lundi soir et mardi du 15 sept. au 31 mars – **Repas** 130/165.

CITROEN Gar. de Beauregard, ✆ 46 29 40 43

Bois-Plage-en-Ré – 2 014 h alt. 5 – ✉ **17580**.

Office de Tourisme 18 r. de l'Eglise ☎ 46 09 23 26, Fax 46 09 13 15.

Paris 492 – La Rochelle 24 – Fontenay-le-Comte 71 – Luçon 60.

Les Gollandières ⛯, ☎ 46 09 23 99, Fax 46 09 09 84, 🏖, 🏊, 🌳 – 📺 ☎ 🅿 – 🎪 25. AE ⊙ GB
1er avril-2 nov. – **Repas** 115/195 – ☕ 40 – **32 ch** 335/425 – ½ P 375/415.

La Flotte – 2 452 h alt. 4 – ✉ **17630**.

Office de Tourisme quai Sénac ☎ 46 09 60 38, Fax 46 09 64 88.

Paris 486 – La Rochelle 18 – Fontenay-le-Comte 65 – Luçon 53.

✿ **Richelieu** M ⛯, ☎ 46 09 60 70, Fax 46 09 50 59, ≤, 🏖, centre de thalassothérapie, 🏋, 🏊, 🌳, 🎾 – ▤ rest 📺 ☎ 🅿 – 🎪 60. GB
Repas *(fermé 5 janv. au 10 fév.)* 300/420 et carte 315 à 450 – ☕ 100 – **42 ch** 800/2000, 3 appart – ½ P 800/2500
Spéc. Homard grillé au beurre rouge. Bar braisé au beurre de thym. Cassolette de langoustines au jus de carotte. **Vins** Blanc et rouge de Ré.

Hippocampe sans rest, ☎ 46 09 60 68 – ☎. GB
☕ 24 – **18 ch** 99/244.

XX **Le Lavardin,** r. H. Lainé ☎ 46 09 68 32, Fax 46 09 54 03 – ▤. GB
fermé 12 nov. au 7 déc., 8 janv. au 2 fév., mardi soir d'oct. à mars et merc. hors sais. – **Repas** 95 (déj.), 160/340.

XX **L'Écailler,** 3 quai Senac ☎ 46 09 56 40, 🏖 – GB
avril-1er nov. – **Repas** - produits de la mer seul. - carte 210 à 280 🍷.

Les Portes-en-Ré – 660 h alt. 4 – ✉ **17880**.

⛳9 Trousse Chemise ☎ 46 29 69 37, S par D 101 : 3,5 km.

Office de Tourisme, r. de Trousse-Chemise ☎ 46 29 52 71.

Paris 510 – La Rochelle 42 – Fontenay-le-Comte 89 – Luçon 77.

XX **Aub. de la Rivière,** O : 1 km sur D 101 ☎ 46 29 54 55, Fax 46 29 40 32, 🏖, 🌳 – 🅿. AE GB
fermé 16 nov. au 10 fév., mardi soir et merc. sauf juil.-août – **Repas** 128/350, enf. 65.

Rivedoux-Plage – 1 163 h alt. 2 – ✉ **17940**.

Office de Tourisme pl. République ☎ 46 09 80 62, Fax 46 09 80 62.

Paris 481 – La Rochelle 13 – Fontenay-le-Comte 60 – Luçon 48.

Rivotel M, 154 av. Dunes ☎ 46 09 89 51, Fax 46 09 89 04, ≤, 🏖, 🏊 – 📺 ☎ ♿ 🅿. AE GB
5 avril-4 nov. – ***Le Lamparo*** *(5 avril-1er oct.)* **Repas** 100/260, enf. 65 – ☕ 50 – **35 ch** 440/780 – ½ P 390/640.

Aub. de la Marée, rte St-Martin ☎ 46 09 80 02, Fax 46 09 88 25, ≤, 🏖, « Jardin fleuri et piscine » – ▤ ch 📺 ☎ 🅿. GB
hôtel : 31 mars-11 nov. ; rest. : 16 mai-30 sept. – **Repas** *(fermé lundi midi et mardi midi)* 120 (déj.), 180/330 – ☕ 45 – **30 ch** 350/800 – ½ P 350/650.

St-Clément-des-Baleines – 607 h alt. 2 – ✉ **17590**.

Voir L'Arche de Noé (parc d'attractions) : Naturama★ (collection d'animaux naturalisés) – Phare des Baleines ☀★ N : 2,5 km.

Office de Tourisme r. Mairie ☎ 46 29 24 19.

Paris 506 – La Rochelle 37 – Fontenay-le-Comte 84 – Luçon 72.

Le Chat Botté sans rest, 2 pl. Église ☎ 46 29 21 93, Fax 46 29 29 97, 🌳 – 📺 ☎ 🅿. GB
fermé 1er au 15 déc. et 6 janv. au 15 fév. – ☕ 42 – **19 ch** 350/550.

XX **Le Chat Botté,** ☎ 46 29 42 09, Fax 46 29 29 77, 🏖, 🌳 – AE GB
fermé 15 janv. au 4 mars et lundi du 20 sept. au 1er avril – **Repas** 120/350.

St-Martin-de-Ré – 2 512 h alt. 14 – ✉ **17410**.

Voir Fortifications★.

Office de Tourisme av. V.-Bouthillier ☎ 46 09 20 06, Fax 46 09 06 18.

Paris 490 – La Rochelle 22 – Fontenay-le-Comte 69 – Luçon 57.

La Jetée M sans rest, quai G. Clemenceau ☎ 46 09 36 36, Fax 46 09 36 06 – 🛗 📺 ☎ ♿ 🚗 – 🎪 30. GB
☕ 40 – **31 ch** 470/590.

Le Galion M ⛯, allée Guyane ☎ 46 09 03 19, Fax 46 09 13 26, ≤ – 📺 ☎ ♿ 🚗. AE ⊙ GB
hôtel : fermé 18 nov. au 6 déc. – **Repas** *(fermé dim. soir et lundi soir d'oct. à mars)* 90/150 🍷, enf. 45 – ☕ 45 – **31 ch** 440/590 – ½ P 395/460.

Port sans rest, 29 quai Poithevinière ☎ 46 09 21 21, Fax 46 09 06 94, ← – TV ☎. GB
☕ 36 – **37 ch** 380/500.

Les Colonnes, 19 quai Job-Foran ☎ 46 09 21 58, Fax 46 09 21 49, ← – TV ☎. GB
fermé 15 déc. au 5 fév. – **Repas** *(fermé merc.)* 125/195 ♫, enf. 45 – ☕ 39 – **30 ch** 490/520 – ½ P 390.

XX **La Baleine Bleue,** ☎ 46 09 03 30, Fax 46 09 30 86, ☂ – GB
1er avril-30 sept. et vacances scolaires d'hiver – **Repas** 190/380.

RENAULT Gar. Neveur, ☎ 46 09 44 22

RÉALMONT 81120 Tarn 83 ① – 2 631 h alt. 212.

Paris 731 – ♦Toulouse 79 – Albi 19 – Castres 22 – Graulhet 17 – Lacaune 56 – St-Affrique 85.

XXX **Noël** avec ch, r. H. de Ville ☎ 63 55 52 80, ☂ – TV ☎ – 🏢 50. AE ⓓ GB. ✻
fermé vacances de fév., dim. soir et lundi de sept. à juil. – **Repas** 120/250 et carte 220 à 310 – ☕ 28 – **8 ch** 195/250 – ½ P 210/285.

RENAULT Gar. Conrazier, ☎ 63 55 51 38

REDON ⟨SP⟩ 35600 I.-et-V. 63 ⑤ **G. Bretagne** – 9 260 h alt. 10.

Voir Tour★ de l'église St-Sauveur Y.

ℹ Office de Tourisme pl. de la République ☎ 99 71 06 04, Fax 99 71 01 59.

Paris 411 ① – Châteaubriant 58 ② – ♦Nantes 77 ② – Ploërmel 44 ① – ♦Rennes 65 ① – St-Nazaire 53 ② – Vannes 58 ③.

REDON

Douves (R. des) . . . . . YZ
États (R. des) . . . . . Y 12
Grande-Rue . . . . . Z 23
Notre-Dame (R.) . . . . . Y 32
Victor-Hugo (R.) . . . . . Y 50

Bonne-Nouvelle (Bd) . . . . . Y 2
Bretagne (Pl. de) . . . . . Y 3
Desmars (R. Joseph) . . . . . Y 5
Douves (Pont des) . . . . . Z 6
Duchesse-Anne (Pl.) . . . . . Y 7
Duguay-Trouin (Quai) . . . . . Z 8
Duguesclin (R.) . . . . . YZ 9
Enfer (R. d') . . . . . Z 13
Foch (R. du Mar.) . . . . . Y 16
Gare (Av. de la) . . . . . Y 17
Gascon (Av. E.) . . . . . Y 19
Jeanne-d'Arc (R.) . . . . . Z 25
Jeu-de-Paume (R. du) . . . . . Z 26
Liberté (Bd de la) . . . . . Y 30
Parlement (Pl. du) . . . . . Y 31
Plessis (R. du) . . . . . Z 33
Port (R. du) . . . . . Z 36
Richelieu (R.) . . . . . Y 39
St-Nicolas (Pont) . . . . . Z 43

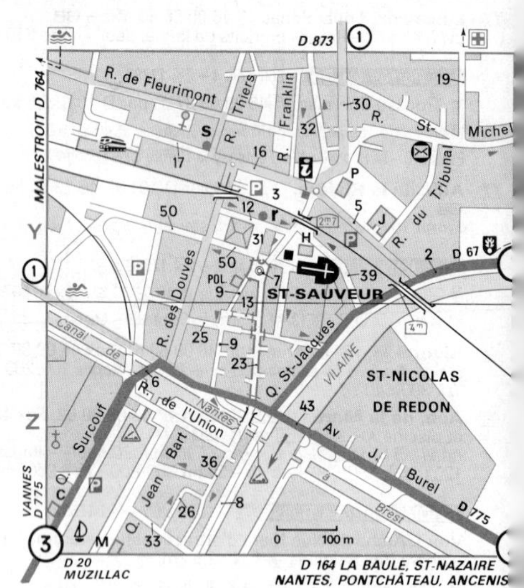

Bel Hôtel sans rest, 42 av. J. Burel à St-Nicolas-de-Redon par ② ✉ 44460 St-Nicolas-de-Redon ☎ 99 71 10 10, Fax 99 72 33 03 – ⇔ TV ☎ ✆ P. AE ⓓ GB JCB
☕ 35 – **33 ch** 185/295.

XXX **Jean-Marc Chandouineau** avec ch, 10 av. Gare ☎ 99 71 02 04, Fax 99 71 08 81 – TV ☎ P. AE ⓓ GB Y
fermé 23 avril au 2 mai, 10 au 28 août, dim. soir et sam. sauf juil.-août – **Repas** 130/320 et carte 230 à 370 – ☕ 45 – **7 ch** 300/450 – ½ P 400.

XX **La Bogue,** 3 r. des Etats ☎ 99 71 12 95 – AE GB Y
fermé 26 au 31 août, vacances de fév. et dim. soir – **Repas** 75/295.

au Nord rte de Gacilly par D 873 : 3 km – ✉ **35600** Redon :

XXX **Moulin de Via,** ☎ 99 71 05 16, Fax 99 71 08 36, ☂, ☂ – P. GB
fermé 1er au 15 sept., dim. soir et lundi – **Repas** 95/260 et carte 210 à 300, enf. 70.

CITROEN Gar. Vinouze, Rte de Rennes zone de la Porte par ① ☎ 99 71 00 36 N ☎ 99 71 61 00
FORD Gar. Rouxel, 8 r. de la Barre ☎ 99 71 17 65
RENAULT Gar. Ménard, zone Briangaud, rte de Rennes ☎ 99 70 52 27 N ☎ 07 31 39 18

VAG Gar. Mazarguil, 120 r. de Vannes ☎ 99 71 17 81 N ☎ 99 71 27 80

Ⓟ Euromaster, ZI Portuaire, rte de Vannes ☎ 99 71 18 50

REICHSFELD 67140 B.-Rhin 62 ⑨ – 295 h alt. 336.

Paris 505 – ♦Strasbourg 43 – Barr 8 – Sélestat 18 – Molsheim 29 – Villé 13.

Bleesz avec ch, 88 85 50 61 – P. GB
fermé janv., fév., merc. soir et jeudi – **Repas** 130/330 – 35 – **8 ch** 265 – ½ P 240.

REICHSTETT 67 B.-Rhin 62 ⑩ – rattaché à Strasbourg.

REILHAC 43 H.-Loire 76 ⑤ – rattaché à Langeac.

REIMS <SP> 51100 Marne 56 ⑥ ⑯ **G. Champagne** – 180 620 h Agglo. 206 437 h alt. 85.

Voir Cathédrale★★★ BY – Basilique St-Remi★★ CZ : intérieur★★★ – Palais du Tau★★ BY **S** – Caves de Champagne★★ BCX, CZ – Place Royale★ BY – Porte Mars★ BX – Hôtel de la Salle★ BY **E** – Chapelle Foujita★ BX – Bibliothèque★ de l'ancien Collège des Jésuites BZ **W** – Musée St-Rémi★★ CZ **M**[3] – Musée-hôtel Le Vergeur★ BX **M**[2] – Musée des Beaux-Arts★ BY **M**[1] – Centre historique de l'automobile française★ CY **M.**

Env. Fort de la Pompelle : casques allemands★ 9 km par ③.

Reims-Champagne 26 03 60 14, à Gueux par ⑦ : 9,5 km.

Reims-Champagne 26 07 15 15, par ⑩ : 6 km.

36 35 35 35.

Office de Tourisme et Accueil de France 2 r. G.-de-Machault 26 77 45 25, Fax 26 77 45 27 – Automobile Club de Champagne 7 bd Lundy 26 47 34 76, Fax 26 88 52 24.

Paris 144 ⑦ – Bruxelles 225 ⑩ – Châlons-en-Champagne 48 ④ – ♦Lille 203 ⑨ – Luxembourg 215 ④.

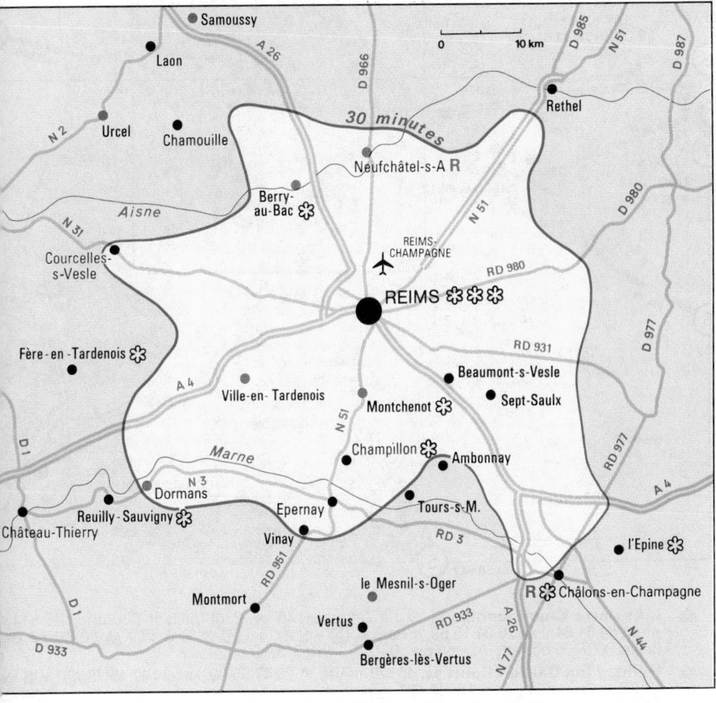

Boyer "Les Crayères" M, 64 bd Vasnier 26 82 80 80, Fax 26 82 65 52, ←, « Élégante demeure dans un parc », – TV P. AE GB CZ **a**
fermé 23 déc. au 13 janv. – **Repas** *(fermé mardi midi et lundi)* (nombre de couverts limité, prévenir) carte 520 à 740 – 102 – **16 ch** 990/1940, 3 appart
Spéc. Ravioli de homard et ris de veau. Filet de bar de ligne grillé, poêlée de légumes à la coriandre. Filet d'agneau pané à la truffe. Vins Champagne.

Les Templiers sans rest, 22 r. Templiers 26 88 55 08, Fax 26 47 80 60, – TV P. AE GB BX **a**
85 – **19 ch** 950/1400.

REIMS

Berthelot (Bd M.) . . . . U 5
Brébant (Av.) . . . . U 8
Brimontel (R. de) . . . . U 10
Carré (R. du Gén.) . . . . UV 20
Champagne (Av. de) . . . . V 22
Cognacq-Jay (R.) . . . . V 25
Danton (R.) . . . . U 30
Dr-Lemoine (R.) . . . . U 35
Europe (Av. de l') . . . . V 42
Farman (Av. Henri) . . . . V 43
Maison-Blanche (R.) . . . . V 64
Paris (Av. de) V
Pompidou (Av. G.) V
Robespierre (Bd) . . . . U
Tinqueux (R. de) V
Vaillant-Couturier (Av.) V
Witry (Route de) . . . . U
Zola (R. Émile) . . . . U

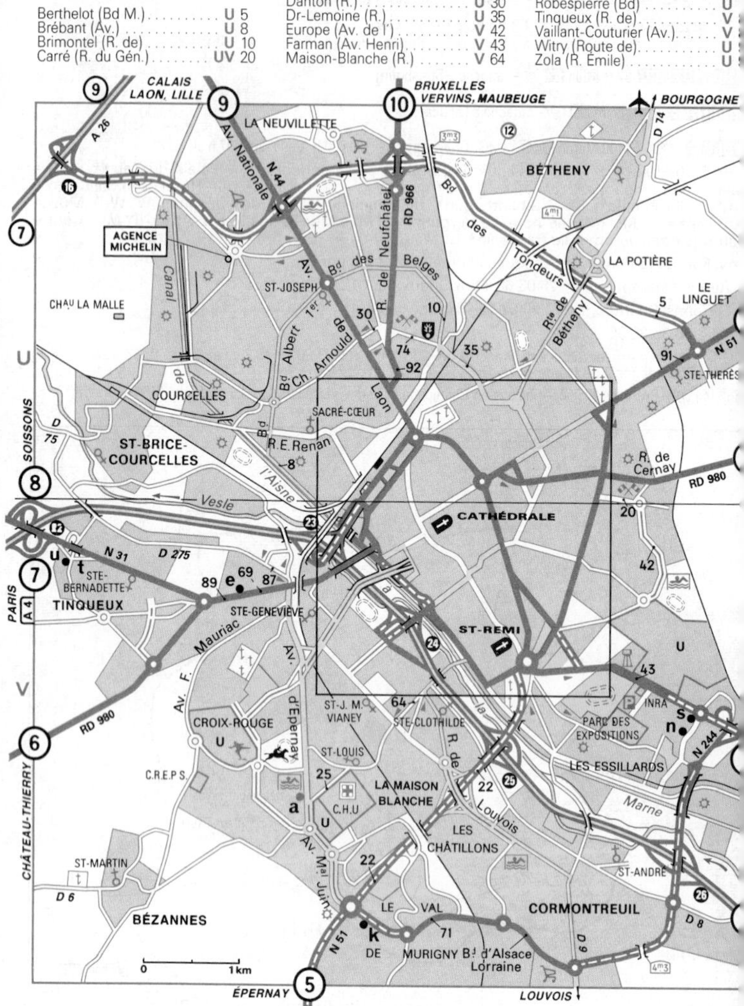

L'Assiette Champenoise [M], à Tinqueux, 40 av. Paul Vaillant-Couturier ✉ 5143 ✆ 26 84 64 64, Fax 26 04 15 69, « Parc », – ▯ ▤ rest – 60. AE GB V
Repas 300/485 bc – ☕ 70 – **60 ch** 505/770 – ½ P 715/930.

Holiday Inn Garden Court [M], 46 r. Buirette ✆ 26 47 56 00, Fax 26 47 45 75, – – 30. AE GB JCB AY
Repas *(fermé sam. midi)* 100/160, enf. 47 – ☕ 58 – **80 ch** 480.

Mercure-Cathédrale, 31 bd P. Doumer ✆ 26 84 49 49, Fax 26 84 49 84 – cuisinett – 150. AE GB AY
Repas *(fermé sam. midi et dim. midi)* 125/170 ♖, enf. 50 – ☕ 52 – **124 ch** 460/490.

Paix, 9 r. Buirette ✆ 26 40 04 08, Fax 26 47 75 04, – 50 à 100. AE GB JCB AY
Repas brasserie carte 150 à 250 ♖ – ☕ 52 – **105 ch** 390/630.

Quality H. [M], 37 bd P. Doumer ✆ 26 40 01 08, Fax 26 40 34 13 – 40. AE GB AY
Orphée (fermé sam. midi et dim.) **Repas** 98/410, enf. 85 – ☕ 55 – **80 ch** 395/430.

New H. Europe M sans rest, 29 r. Buirette ℘ 26 47 39 39, Fax 26 40 14 37 – 30. AE GB JCB AY **u**
52 – **54 ch** 395.

Porte Mars sans rest, 2 pl. République ℘ 26 40 28 35, Fax 26 88 92 12 – AE GB AX **k**
fermé dim. – 40 – **24 ch** 290/370.

Continental sans rest, 93 pl. Drouet-d'Erlon ℘ 26 40 39 35, Fax 26 47 51 12 – AE GB JCB AXY **r**
43 – **50 ch** 290/480.

Gd H. du Nord sans rest, 75 pl. Drouet-d'Erlon ℘ 26 47 39 03, Fax 26 40 92 26 – AE GB AY **m**
fermé 23 déc. au 3 janv. – 30 – **50 ch** 275/320.

Univers, 41 bd Foch ℘ 26 88 68 08, Fax 26 40 95 61 – 25 à 70. AE GB JCB AX **a**
Repas *(fermé dim. soir)* 87/195 – 35 – **42 ch** 240/290 – ½ P 225/245.

Ibis Centre sans rest, 28 bd Joffre ℘ 26 40 03 24, Fax 26 88 33 19 – 25 à 60. AE GB AX **d**
37 – **94 ch** 310/405.

Crystal sans rest, 86 pl. Drouet-d'Erlon ℘ 26 88 44 44, Fax 26 47 49 28, – AE GB AXY **n**
30 – **31 ch** 230/350.

Libergier sans rest, 20 r. Libergier ℘ 26 47 28 46, Fax 26 88 65 81 – AE GB AY **e**
40 – **17 ch** 245/335.

Le Bon Moine, 14 r. Capucins ℘ 26 47 33 64, Fax 26 40 43 87 – GB JCB. rest AY **b**
fermé dim. de sept. à juin sauf rest. – **Repas** brasserie 59/147 – 35 – **10 ch** 240/295 – ½ P 289.

Le Chardonnay, 184 av. Épernay ℘ 26 06 08 60, Fax 26 05 81 56 – AE GB V **a**
fermé sam. midi et dim. soir – **Repas** 150/400 et carte 240 à 370.

Le Foch, 37 bd Foch ℘ 26 47 48 22, Fax 26 88 78 22 – AE GB AX **a**
fermé dim. soir et lundi – **Repas** 155/230 et carte 230 à 350.

Le Continental, 95 pl. Drouet d'Erlon ℘ 26 47 01 47, Fax 26 40 95 60 – AE GB
Repas 95/240, enf. 66. AXY **r**

Le Vigneron, pl. P. Jamot ℘ 26 47 00 71, Fax 26 47 87 66, « Belle collection d'affiches anciennes » – GB BY **a**
fermé 1er au 17 août, 24 déc. au 2 janv., sam. midi et dim. – **Repas** (nombre de couverts limité, prévenir) 155.

Le Drouet, 96 pl. Drouet d'Erlon ℘ 26 88 56 39, Fax 26 88 57 21, – P. GB
Repas 120/190, enf. 52. AX **n**

La Vigneraie, 14 r. Thillois ℘ 26 88 67 27, Fax 26 40 26 67 – AE GB AY **a**
fermé 31 juil. au 21 août, 2 au 16 janv., dim. soir et lundi – **Repas** (nombre de couverts limité, prévenir) 90 (déj.), 130/255.

Vonelly-Gambetta, 13 r. Gambetta ℘ 26 47 41 64, Fax 26 47 22 43 – AE GB.
fermé 25 fév. au 5 mars, 7 au 30 juil., dim. soir et lundi – **Repas** 105/230. BY **d**

Au Petit Comptoir, 17 r. Mars ℘ 26 40 58 58 – AE GB BX **f**
fermé 10 au 26 août, 21 déc. au 13 janv., sam. midi et dim. – **Repas** carte 160 à 230.

Brasserie Le Boulingrin, 48 r. Mars ℘ 26 40 96 22, Fax 26 40 03 92 – AE GB BX **e**
fermé dim. – **Repas** 100/140.

Les Charmes, 11 r. Brûlart ℘ 26 85 37 63 – GB CZ **v**
fermé sam. midi et dim. – **Repas** 95/180 bc.

rte de Châlons-sur-Marne vers ③ : 3 km – ✉ **51100** Reims :

Mercure Est M, ℘ 26 05 00 08, Fax 26 85 64 72, – rest P – 25 à 100. AE GB V **s**
Repas 109/160, enf. 55 – 52 – **103 ch** 450/490.

Les Reflets Bleus, 12 R. G. Voisin ℘ 26 82 59 79, Fax 26 82 53 92, – P – 30. AE GB V **n**
Repas *(fermé dim. soir)* 92/149 – 45 – **41 ch** 319/339 – ½ P 306.

rte d'Épernay vers ⑤ : 5 km – ✉ **51100** Reims :

Campanile-Sud, av. G. Pompidou - Val de Murigny ℘ 26 36 66 94, Fax 26 49 95 40, – P – 25. AE GB V **k**
Repas 84 bc/107 bc, enf. 39 – 32 – **60 ch** 270.

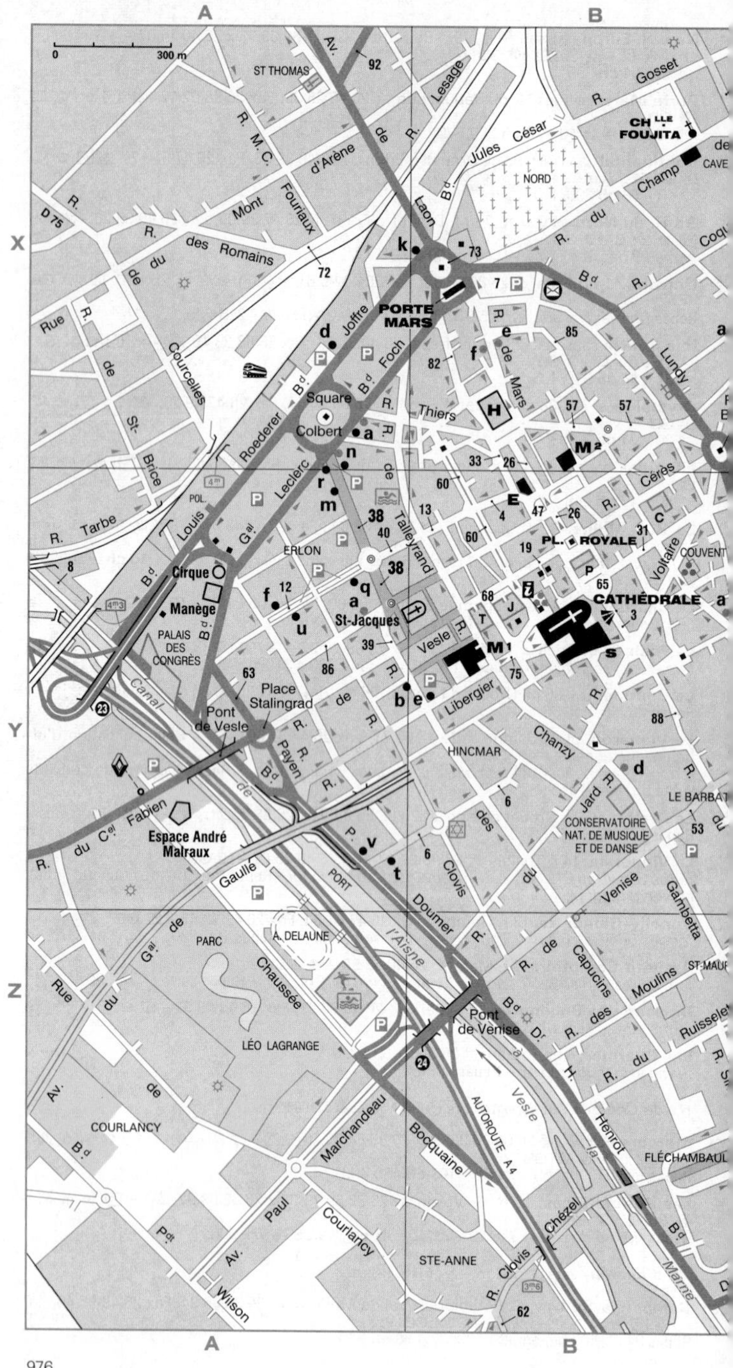

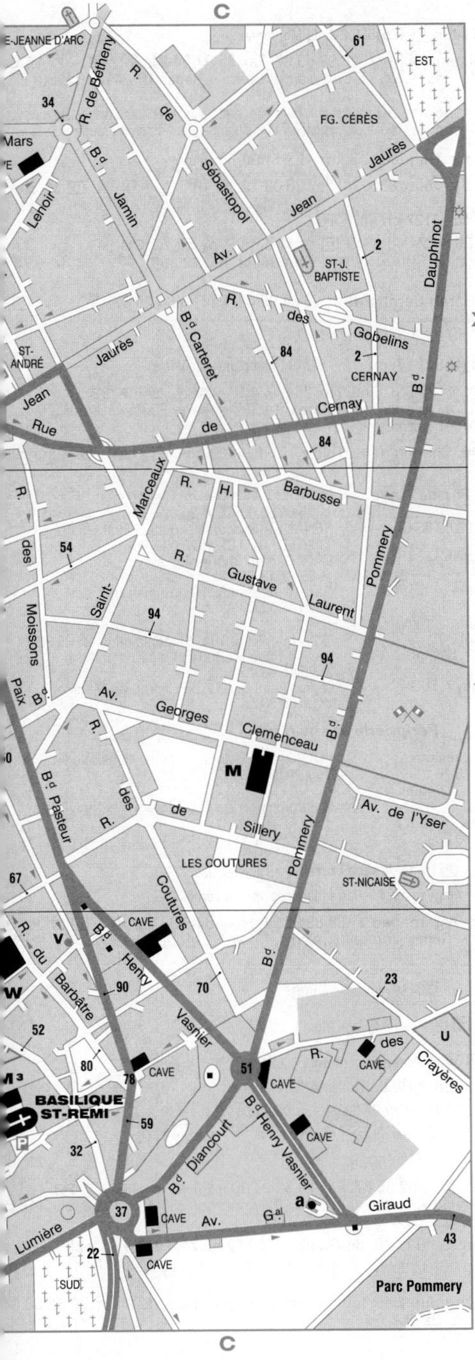

REIMS

Arbalète (R. de l') . . . . . . **BY** 4
Cadran St-Pierre (R.) . . . . **BY** 13
Carnot (R.) . . . . **BY** 19
Drouet d'Erlon (Pl.) . . . . . **AY** 38
Étape (R. de l') . . . . **AY** 40
Jean-Jaurès (Av.) . . . . . **BCX**
Laon (Av. de) . . . . **ABX**
Talleyrand (R. de) . . . . **ABY**
Vesle (R. de) . . . . **ABY**

Alsace-Lorraine (R. d') . . **CX** 2
Anatole-France (Cours) . **BY** 3
Boulard (R.) . . . . **BY** 6
Boulingrin (Pl. du) . . . . . . **BX** 7
Brébant (Av.) . . . . **AY** 8
Buirette (R.) . . . . **AY** 12
Carmes (R. des) . . . . **BZ** 16
Carnégie (Pl.) . . . . **BY** 17
Champagne (Av. de) . . . . **CZ** 22
Chemin Vert (R. du) . . . . **CZ** 23
Colbert (R.) . . . . **BXY** 26
Desteuque (R. E.) . . . . . . **BY** 31
Dieu-Lumière (R.) . . . . . . **CZ** 32
Dr-Jacquin (R.) . . . . **BXY** 33
Dr-Knoéri (Pl. du) . . . . . . **CX** 34
Dr-Lemoine (R.) . . . . **BX** 35
Droits-de-l'Homme
(Pl. des) . . . . **CZ** 37
Dubois (R. Th.) . . . . **AY** 39
Farman (Av. H.) . . . . **CZ** 43
Forum (Pl.) . . . . **BY** 47
Gerbert (R.) . . . . **BCY** 50
Gouraud (Pl. Gén.) . . . . . **CZ** 51
Grand-Cerf (R. du) . . . . . . **CZ** 52
Herduin (R. Lt) . . . . **BY** 53
Houzeau Muiron (R.) . . . . **CY** 54
Jamot (R. Paul) . . . . **BY** 56
J.-J.-Rousseau (R.) . . . . . **BX** 57
Lambert (Bd Victor) . . . . . **CZ** 59
Langlet (Crs J.-B.) . . . . . . **BY** 60
Lefèbvre (R. E.) . . . . **CX** 61
Louvois (R. de) . . . . **BZ** 62
Magdeleine (R.) . . . . **AY** 63
Martyrs-de-la-
Résistance (Pl. des) . . . **BY** 65
Montlaurent (R.) . . . . **CY** 67
Myron-Herrick (Pl.) . . . . . **BY** 68
Philipe (R. Gérard) . . . . . . **CZ** 70
Prés.-F.-Roosevelt (R.) . . **AX** 72
République (Pl. de la) . . . **BX** 73
Rockefeller (R.) . . . . **BY** 75
St-Nicaise (Pl.) . . . . **CZ** 78
Salines (R. des) . . . . **CZ** 80
Sarrail (R. Gén.) . . . . **BX** 82
Strasbourg (R. de) . . . . . **CX** 84
Temple (R. du) . . . . **BX** 85
Thillois (R. de) . . . . **AY** 86
Université (R. de l') . . . . . **BY** 88
Victor-Hugo (Bd) . . . . **CZ** 90
Zola (R. Émile) . . . . **AX** 92
16ᵉ-et-22ᵉ-Dragons (R. des) **CY** 94

à Montchenot par ⑤ : 11 km – ✉ **51500** Rilly-la-Montagne :

XXX ✲ **Le Grand Cerf** (Giraudeau), N 51 ☎ 26 97 60 07, Fax 26 97 64 24, ☂, ☂ – 🅿. AE G
fermé 16 au 31 août, 15 fév. au 1er mars, dim. soir et merc. – **Repas** 165/410 et carte 26(
470
Spéc. Homard melon en vinaigrette aigre-douce (mai à sept.). Tourte de Saint-Jacques et homard aux asperges ve
(oct. à avril). Pied de cochon farci aux ris de veau et champignons. **Vins** Champagne, Ambonnay rouge.

par ⑦ , autoroute A 4 sortie Tinqueux : 6 km – ✉ **51430** Tinqueux :

Novotel M, ☎ 26 08 11 61, Télex 830034, Fax 26 08 72 05, ☂, ⛱ – ⇔ ▤ TV ☎ ♿ P
🧑 180. AE ⓓ GB V
Repas 115 🍷, enf. 55 – ☕ 52 – **127 ch** 440/470.

Ibis, ☎ 26 04 60 70, Fax 26 84 24 40 – ⇔ TV ☎ ✆ ♿ 🅿 – 🧑 50. AE GB V
Repas *(fermé Noël au Jour de l'An et dim.)* (dîner seul.) 110 bc, enf. 41 – ☕ 37 – **75**
290/310.

Campanile-Ouest, ZA Sarah Bernhardt ☎ 26 04 09 46, Fax 26 84 25 87, ☂ – ⇔ TV
✆ ♿ 🅿 – 🧑 25. AE ⓓ GB V
Repas 84 bc/1074 bc, enf. 39 – ☕ 32 – **50 ch** 270.

par ⑧ et rte de Soissons (N 31) : 7 km – ✉ **51370** Champigny-sur-Vesle :

XXX ✲ **La Garenne** (Laplaige), ☎ 26 08 26 62, Fax 26 84 24 13 – ▤ 🅿. AE ⓓ GB
fermé 29 juil. au 19 août, dim. soir et lundi – **Repas** 150/395 et carte 290 à 410, enf. 60
Spéc. Amusette gourmande. Pavé de bar et grenouilles. Dessert "tout chocolat".

MICHELIN, Agence régionale, Chemin de St-Thierry, ZI des 3 Fontaines à St-Brice-Courcell
U ☎ 26 09 19 32

ALFA ROMEO, SAAB Venise Auto, 86 r. de Venise ☎ 26 82 20 02
BMW P.W.A., 16 av. de Paris ☎ 26 08 63 68 N ☎ 26 09 08 08
FORD Gar. St-Christophe, 35 r. Col.-Fabien ☎ 26 08 24 66
LANCIA Gar. Fornage, 397 av. de Laon ☎ 26 50 40 00
MERCEDES Gar. Tenedor, 6 rue J.Vergnier Val Murigny ☎ 26 49 97 77 N ☎ 05 24 24 30
MITSUBISHI, PORSCHE J.P.M., 57 r. Pasteur, ZAC Neuvillette ☎ 26 09 44 46
NISSAN Murigny Auto, ZI de Murigny r. Ed.-Rostand ☎ 26 50 29 00

PEUGEOT Gds Gar. de Champagne, 16 av. Bréba
☎ 26 04 95 00 N ☎ 26 09 08 08
RENAULT Succursale, 8 r. Col.-Fabien AY ☎ 26 50 60 70 N ☎ 26 02 89 71
VAG Gar. du Rhône, 412 av. de Laon ☎ 26 87 13 61
Gar. Tellier Pneus, 56 r. Ruinart Brimont ☎ 26 47 12 66

⓪ Leclerc Pneu, 19 r. Magdeleine ☎ 26 88 20 77
Leclerc-Pneu, ZI Sud-Est bd Val-de-Vesle ☎ 26 05 03 45
Legros Point S, 27 r. du Champ de Mars ☎ 26 88 30 15

Périphérie et environs

CITROEN Succursale, 38 av. P.V.-Couturier à Tinqueux ☎ 26 50 67 65 N ☎ 26 36 45 16
OPEL Reims Autos, 2 av. R.-Salengro à Tinqueux ☎ 26 08 21 08
RENAULT Tardenoises Autom., 6 r. N.-Appert à Tinqueux ☎ 26 08 96 31 N ☎ 26 61 99 99

VOLVO Gar. Delhorbe, 35 av. Nationale à La Neuvillette ☎ 26 09 21 31

⓪ Euromaster, 2 av. A.-Margot à la Neuvillette ☎ 26 47 70 52

REIPERTSWILLER **67340** B.-Rhin 87 ⑬ **G. Alsace Lorraine** – 946 h alt. 230.
Paris 449 – ◆ Strasbourg 56 – Bitche 20 – Haguenau 34 – Sarreguemines 48 – Saverne 34.

La Couronne M ⛰, 13 r. Wimmenau ☎ 88 89 96 21, Fax 88 89 98 22, ☂ – TV ☎ 🅿. G
fermé 15 au 31 oct. et fév. – **Repas** *(fermé lundi soir et mardi)* 87 (déj.), 130/175 🍷 – ☕ 35
17 ch 290/340 – ½ P 260/290.

Le RELECQ-KERHUON **29** Finistère 58 ④ – rattaché à Brest.

La REMIGEASSE **17** Char.-Mar. 71 ⑭ – voir à Oléron (Ile d').

REMIREMONT **88200** Vosges 62 ⑯ **G. Alsace Lorraine** – 9 068 h alt. 400.
Voir Rue Ch.-de-Gaulle★ AB – Crypte★ de l'abbatiale St-Pierre A.
ℹ Office de Tourisme 2 r. Charles-de-Gaulle ☎ 29 62 23 70, Fax 29 23 96 79.
Paris 421 ⑤ – Épinal 25 ⑤ – Belfort 71 ② – Colmar 79 ① – ◆Mulhouse 80 ② – Vesoul 66 ④.

Plan page ci-contre

Poste, 67 r. Ch. de Gaulle ☎ 29 62 55 67, Fax 29 62 34 90 – TV ☎ 🚗. AE ⓓ GB B
fermé 16 au 30 août, 22 déc. au 13 janv., vend. soir et sam. d'oct. à mars – **Repas** 89/205 🍷
☕ 32 – **21 ch** 255/345 – ½ P 250/294.

Cheval de Bronze sans rest, 59 r. Ch. de Gaulle ☎ 29 62 52 24, Fax 29 62 34 90 – TV
✆. AE GB B
☕ 33 – **36 ch** 165/345.

XX **Le Clos Heurtebise,** chemin Heurtebise par r. Capit. Flayelle B ☎ 29 62 08 04
Fax 29 62 38 80, ☂, ☂ – 🅿. AE GB. ✂
fermé dim. soir – **Repas** 85/260 🍷.

REMIREMONT

Courtine (R. de la) . . . . A
Gaulle (R. Ch.-de) . . . . AB
Xavée (R. de la). . . . . A 16
Abbaye (Pl. de l') . . . . A 2
Calvaire (Av. du) . . . . A 3
Écoles (R. des) . . . . A 5
États-Unis (R. des) . . . . . . A 6
Franche-Pierre (R.) . . . . . . A 7
Point-du-Jour (R. du) . . . . A 12
Utard (Pl. H.) . . . . A 15
5ᵉ-et-15ᵉ-B.C.P. (R. du) . . . B 18

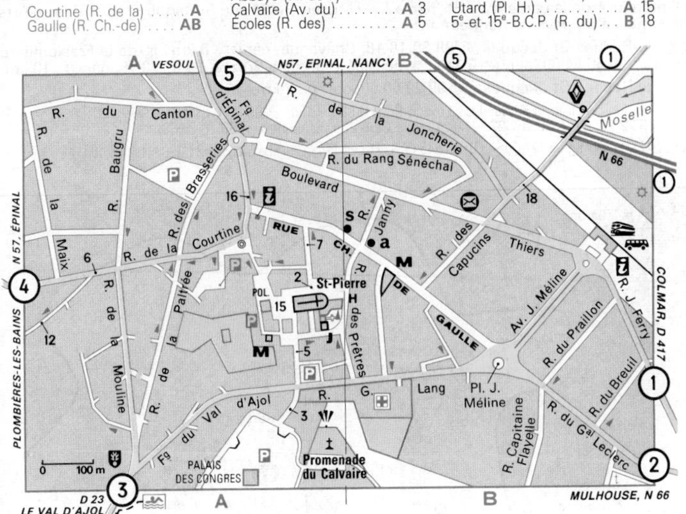

à Fallières par ④ et D 3 : 4 km – ✉ **88200** :

Logis des Prés Braheux, ✆ 29 62 23 67, Fax 29 62 01 40, – TV ☎ P. AE GB. *fermé 22 août au 5 sept., 28 oct. au 4 nov. et 1ᵉʳ au 7 janv.* – **Repas** *(fermé dim. soir et lundi)* 130/245, enf. 45 – 38 – **17 ch** 195/340 – ½ P 275/320.

ITROEN Gar. Remiremont Anotin, Les Bruyères, e de Mulhouse par ② ✆ 29 23 29 45 N ✆ 29 23 00 07

EUGEOT Choux Autom., à St-Etienne-les-emiremont par ② et D 23 ✆ 29 23 18 28 N ✆ 29 23 18 28

RENAULT Gar. Pierre, Parc économique à St Etienne les Remiremont ✆ 29 62 55 95

Comptoir du Pneu, 2 r. J.-Ferry ✆ 29 23 23 32
Pneu Villaume, Ranfaing à St-Nabord ✆ 29 62 23 13

EMOULINS **30210** Gard **80** ⑲ ⑳ **G. Provence** – 1 771 h alt. 27.

aris 690 – Avignon 23 – Alès 50 – Arles 36 – Nîmes 20 – Orange 34 – Pont-St-Esprit 39.

Moderne, pl. des Gds Jours ✆ 66 37 20 13, Fax 66 37 01 85 – TV ☎ AE GB *fermé 19 oct. au 17 nov., vend. soir d'oct. à mars et sam. sauf juil.-août* – **Repas** 74 (déj.), 82/118, enf. 44 – 35 – **22 ch** 230/320 – ½ P 260/280.

à St-Hilaire-d'Ozilhan NE : 4,5 km par D792 – 618 h. alt. 55 – ✉ **30210** :

L'Arceau M, ✆ 66 37 34 45, Fax 66 37 33 90, – TV ☎ P. AE GB *fermé 1ᵉʳ déc. au 5 fév., dim. soir et lundi* – **Repas** 95/180, enf. 60 – 35 – **24 ch** 280/345 – ½ P 260.

ITROEN Gar. Julien, ✆ 66 37 08 31 N ✆ 66 37 41 27

ENAISON **42370** Loire **73** ⑦ – 2 563 h alt. 387.

/oir Bourg★ de St-Haon-le-Châtel N : 2 km – Barrage de la Tache : rocher-belvédère★ O : km, **G. Vallée du Rhône.**

aris 381 – Roanne 11,5 – Chauffailles 43 – Lapalisse 39 – ♦St-Étienne 88 – Thiers 58 – Vichy 57.

Jacques Coeur avec ch, ✆ 77 64 25 34, Fax 77 64 43 88 – TV ☎. GB *fermé mi-fév. à mi-mars, dim. soir et lundi* – **Repas** 90/180 – 35 – **8 ch** 210/280 – ½ P 230/265.

Central avec ch, ✆ 77 64 25 39, – TV ☎. GB *fermé 24 sept. au 24 oct. et 10 au 25 fév.* – **Repas** *(fermé dim. soir et merc.)* 68 (déj.), 77/240, enf. 57 – 33 – **8 ch** 190/240 – ½ P 250.

Des pneus mal gonflés s'usent vite, tiennent moins bien la route, sont moins confortables. Respectez les pressions recommandées.

RENNES P 35000 I.-et-V. 59 ⑰ **G. Bretagne** – 197 536 h Agglo. 245 065 h alt. 40.

Voir Le Vieux Rennes★★ ABY – Palais de Justice★★ BY **J** – Jardin du Thabor★★ BY – Retable à l'intérieur★ de la cathédrale St-Pierre AY – Musées BY **M** : de Bretagne★★, des Beaux-Arts – Ecomusée du pays de Rennes★ VD.

9 18 de Rennes-St-Jacques ✆ 99 30 18 18, Chavagne, par ⑦ : 6 km ; 18 de la Freslonnière Rheu ✆ 99 60 84 09, par ⑧ : 7 km ; 18 de Cicé-Blossac à Bruz ✆ 99 52 79 79, par ⑦ : 10 km.

✈ de Rennes-St-Jacques : ✆ 99 29 60 00, par ⑦ : 7 km.

i Office de Tourisme et Accueil de France Pont de Nemours ✆ 99 79 01 98, Fax 99 79 31 38 et gare SN ✆ 99 53 23 23, Fax 99 53 82 22 – Automobile Club 28 r. Lanjuinais ✆ 99 78 25 80.

Paris 347 ③ – ♦Angers 127 ④ – ♦Brest 245 ⑨ – ♦Caen 174 ② – ♦Le Mans 152 ③ – ♦Nantes 108 ⑥.

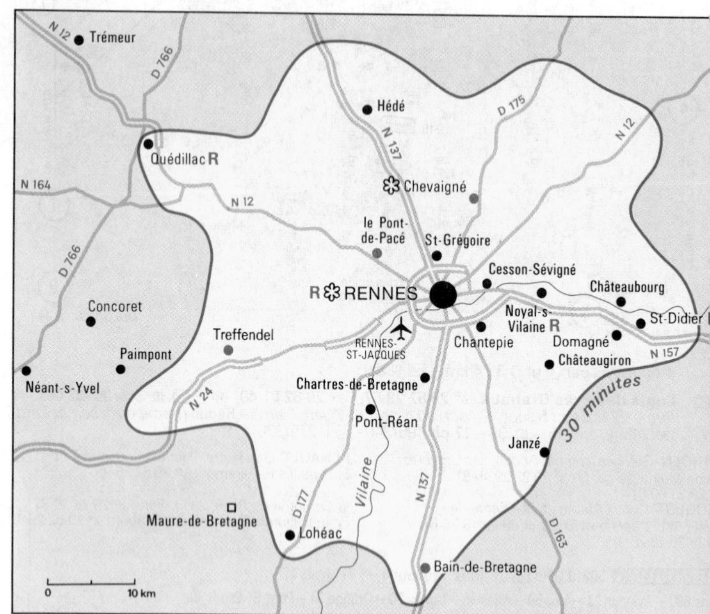

Mercure Colombier, 1 r. Cap. Maignan ✆ 99 29 73 73, Télex 730905, Fax 99 30 06 30 – 30 à 300. AE GB ABZ
La Table Ronde : **Repas** 105/130bc, enf. 35 – 55 – **140 ch** 460/480.

Mercure Centre M sans rest, r. Paul Louis Courier ✆ 99 78 32 32, Télex 74185 Fax 99 78 33 44 – 25. AE GB BZ
55 – **104 ch** 475/495.

Novotel, av. Canada, près centre commercial ✆ 99 86 14 14, Télex 74014 Fax 99 86 14 15, , , – rest – 150. AE GB CV
Repas carte environ 160, enf. 50 – 50 – **96 ch** 430/460.

Anne de Bretagne sans rest, 12 r. Tronjolly ✆ 99 31 49 49, Fax 99 30 53 48 – . AE GB JCB AZ
43 – **42 ch** 385/470.

Président sans rest, 27 av. Janvier ✆ 99 65 42 22, Fax 99 65 49 77 – . AE GB BZ
fermé 20 déc. au 6 janv. – 35 – **34 ch** 280/350.

Astrid M sans rest, 32 av. L. Barthou ✆ 99 30 82 38, Fax 99 31 88 55 – GB JCB BZ
35 – **30 ch** 255/315.

Brest sans rest, 15 pl. Gare ✆ 99 30 35 83, Fax 99 30 08 60 – . GB BZ
40 – **48 ch** 230/300.

Atlantic M sans rest, 31 bd Beaumont ✆ 99 30 36 19, Fax 99 65 10 17 – P. GB BZ
32 – **24 ch** 220/300.

Lanjuinais sans rest, 11 r. Lanjuinais ✆ 99 79 02 03, Fax 99 79 03 97 – . AE GB AZ
35 – **38 ch** 199/320.

RENNES

Bourgeois (Bd L.)	DV 3
Canada (Av. du)	CV 6
Churchill (Av. Sir W.)	CU 13
Combes (Bd E.)	DV 14
Duchesse Anne (Bd de la)	DU 15
Laennec (Bd)	DU 31
Leroux (Bd Oscar)	DV 36
Lorient (R. de)	CU 38
Maginot (Av. du Sergent)	DU 39
Pompidou (Bd G.)	CV 55
St-Jean-Baptiste de la Salle (Bd)	CU 70
Strasbourg (Bd de)	DU 83
Ukraine (Allée d')	CV 84
Vitré (Bd de)	DU 87
Yser (Bd de l')	CV 88
3-Croix (Bd des)	CU 89

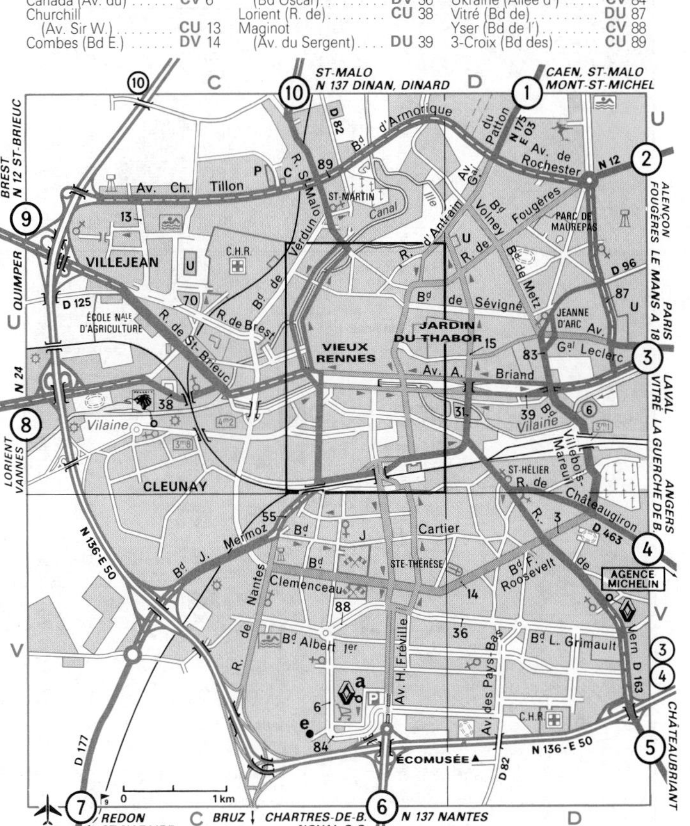

🏨 **Nemours** sans rest, 5 r. Nemours ✆ 99 78 26 26, Fax 99 78 25 40 – |‡| ⇔ TV ☎ 📞. GB. ✂ — AZ **s**
☕ 35 – **26 ch** 240/285.

🏨 **Campanile,** par ③ Zone Universitaire de Beaulieu, r. A. de Becquerel ✉ 35700 ✆ 99 38 37 27, Fax 99 38 27 93, 🍽 – ⇔ TV ☎ 📞 ♿ P – 🏛 30 à 30. AE ⓓ GB
Repas 84 bc/107 bc, enf. 39 – ☕ 32 – **42 ch** 270.

🏨 **Angélina** sans rest, 1 quai Lamennais ✆ 99 79 29 66, Fax 99 79 61 01 – |‡| TV ☎. AE GB JCB — AY **f**
☕ 36 – **29 ch** 250/315.

🏨 **Garden-H.** sans rest, 3 r. Duhamel ✆ 99 65 45 06, Fax 99 65 02 62 – |‡| TV ☎ 📞. AE GB — BZ **r**
☕ 31 – **24 ch** 230/290.

XXX ✿ **La Fontaine aux Perles** (Gesbert), r. Poterie par ④ rte La Guerche-de-Bretagne ✉ 35200 ✆ 99 53 90 90, Fax 99 53 47 77, 🍽, 🍽 – P. AE ⓓ GB
fermé 15 au 31 août, dim. soir et lundi – **Repas** 100 (déj.), 130/300 et carte 200 à 290, enf. 68
Spéc. Galette de blanc de turbot à l'andouille. Mimosa de langoustines, tartare de tourteaux, sole au foie gras. Filet de bar braisé, jus de viande et bigorneaux.

XXX ✿ **Palais** (Tizon), 7 pl. Parlement de Bretagne ✆ 99 79 45 01, Fax 99 79 12 41 – ▤. AE ⓓ GB — BY **e**
fermé dim. soir et lundi – **Repas** 140/250 et carte 260 à 410
Spéc. Pressé de tomate et chair de tourteau (mai à sept.). Poêlée de Saint-Jacques et huîtres aux coings (oct. à mars). Turbot breton rôti à l'origan. **Vins** Muscadet.

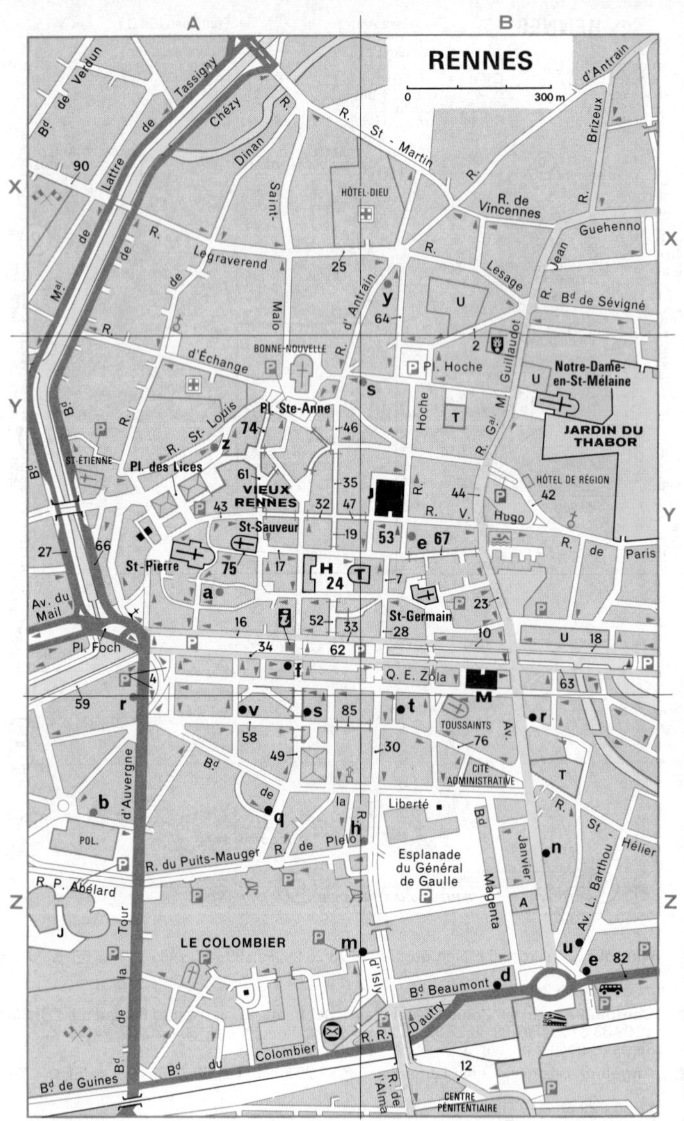

Du-Guesclin (R.) **AY** 17	Borderie (R. de la) **BXY** 2	Motte (Cont. de la) **BY** 44
Estrées (R. d') **AY** 19	Bretagne (Pl. de) **AY** 4	Poullain-Duparc (R.) **AZ** 58
Jaurès (R. Jean) **BY** 28	Cavell (R. Edith) **BY** 7	Prévalaye (Q. de la) **AY** 59
Joffre (R. Mar.) **BZ** 30	Chateaubriand (Quai) **BY** 10	Rallier-du-Baty (R.) **AY** 61
La-Fayette (R.) **AY** 32	Châtillon (R. de) **BZ** 12	République (Pl. de la) **AY** 62
Le-Bastard (R.) **AY** 35	Duguay-Trouin (Quai) **AY** 16	Richemont (Q. de) **BY** 63
Liberté (Bd de la) **ABZ**	Dujardin (Quai) **BY** 18	Robien (R. de) **BX** 64
Monnaie (R. de la) **AY** 43	Gambetta (R.) **BY** 23	St-Cast (Quai) **AY** 66
Motte-Fablet (R.) **AY** 46	Hôtel-de-Ville (Pl. de l') **AY** 24	St-Georges (R.) **BY** 67
Nationale (R.) **ABY** 47	Hôtel-Dieu (R. de l') **AX** 25	St-Michel (R.) **AY** 74
Nemours (R. de) **AZ** 49	Ille-et-Rance (Quai) **AY** 27	St-Sauveur (R.) **AY** 75
Orléans (R. d') **AY** 52	Lamartine (Quai) **ABY** 33	St-Thomas (R.) **BZ** 76
Palais (Pl. du) **BY** 53	Lamennais (Quai) **AY** 34	Solférino (Bd) **BZ** 82
Vasselot (R.) **AZ** 85	Martenot (R.) **BY** 42	41e-d'Infanterie (R.) **AX** 90

XXX ꕥ **Corsaire** (Luce), 52 r. Antrain ✉ 35700 ✆ 99 36 33 69, Fax 99 36 33 69 – AE ⓓ GB BX **y**
fermé dim. soir – **Repas** 108/188 et carte 250 à 340, enf. 65
Spéc. Poêlée de langoustines et foie de canard. Ormeaux au beurre persillé (sauf juil.-août). Coq au vin aux petits oignons et lardons (automne-hiver).

XXX **L'Ouvrée,** 18 pl. Lices ✆ 99 30 16 38 – AE ⓓ GB JCB AY **z**
fermé 1er au 15 août, sam. midi et lundi – **Repas** 80/180 et carte 210 à 280 ⅓.

XXX **Escu de Runfao,** 11 r. Chapître ✆ 99 79 13 10, Fax 99 79 43 80, 斎 – AE GB JCB
fermé 4 au 20 août, 2 au 10 janv., dim. (sauf le midi de sept. à juin) et sam. midi – **Repas** 128/400 et carte 320 à 440. AY **a**

XX **Four à Ban,** 4 r. St-Mélaine ✆ 99 38 72 85, Fax 99 38 72 85 – AE ⓓ GB ABY **s**
fermé 4 au 19 août et 1er au 6 janv. – **Repas** (prévenir) 98/198.

XX **Chouin,** 12 r. Isly ✆ 99 30 87 86 – GB BZ **h**
fermé 28 juil. au 19 août, dim. et lundi – **Repas** - poissons et fruits de mer - 99/129.

XX **Le Florian,** 12 r. Arsenal ✆ 99 67 25 35 – GB. ✻ AZ **b**
fermé 1er au 10 mai, 1er au 22 août, dim. sauf le midi de sept. à mai et sam. midi – **Repas** (nombre de couverts limité, prévenir) 102/280.

X **Le Gourmandin,** 4 pl. Bretagne ✆ 99 30 42 01 – ▤. AE ⓓ GB AYZ **r**
fermé 29 juil. au 21 août, 2 au 10 mars, sam. midi et dim. – **Repas** 80/155.

*à **St-Grégoire*** N : 5,5 km par D 82 CU – 5 809 h. alt. 45 – ✉ **35760** :

Mascotte M, centre Espace Performance ✆ 99 23 78 78, Fax 99 23 78 33, 斎 – 🛗 ⇔ ▤ TV ☎ ✆ ♿ 🚗 P. AE ⓓ GB
Cap Malo : ✆ 99 23 10 92, Fax 99 23 79 22 *(fermé dim.)* **Repas** 86/149, enf. 52 – ☐ 42 – **48 ch** 360/500.

Brit M, 6 av. St-Vincent ✆ 99 68 76 76, Fax 99 68 83 01, 斎 – TV ☎ ♿ P – 🎪 30. AE ⓓ GB
Repas 82/148 ⅓, enf. 46 – ☐ 40 – **56 ch** 279/299 – ½ P 222.

*à **Chevaigné*** par ① : 12 km par N 175 – 1 335 h. alt. 60 – ✉ **35250** :

XX ꕥ **La Marinière** (Lejeune), rte Mont-St-Michel ✆ 99 55 74 64, Fax 99 55 89 65, 斎, 🌳 – P. AE ⓓ GB
fermé dim. soir, lundi soir et soirs fériés – **Repas** 90 (déj.), 130/300 et carte 200 à 310
Spéc. Saint-Jacques (oct. à avril). Cassolette de homard. Agneau de pré-salé (Pâques au 15 août).

*à **Cesson-Sévigné*** par ③ : 6 km – 12 708 h. alt. 28 – ✉ **35510** :

Germinal 🐦, 9 cours de la Vilaine, au bourg ✆ 99 83 11 01, Fax 99 83 45 16, ≤, 斎, « Ancien moulin sur la Vilaine » – 🛗 TV ☎ ✆ P. AE GB JCB. ✻ rest
fermé 23 déc. au 2 janv. – **Repas** *(fermé dim. soir)* 92/240, enf. 60 – ☐ 45 – **19 ch** 325/450.

Floréal 🐦, N 157, Z.A. La Rigourdière ✆ 99 83 82 82, Fax 99 83 89 62 – 🛗 ▤ rest TV ☎ ✆ ♿ P – 🎪 25 à 80. GB
Repas *(fermé dim.)* 70/135 ⅓ – ☐ 40 – **47 ch** 260/290 – ½ P 200/270.

*à **Noyal-sur-Vilaine*** par ③ : 12 km – 4 089 h. alt. 75 – ✉ **35530** :

XX **Host. les Forges** avec ch, ✆ 99 00 51 08, Fax 99 00 62 02 – TV ☎ P – 🎪 25. AE ⓓ GB
fermé 12 au 25 août, dim. soir et soirs fériés – **Repas** 95/250 – ☐ 35 – **11 ch** 225/310.

*à **Chantepie*** par ④ : 5 km – 5 898 h. alt. 40 – ✉ **35135** :

Les Relais Bleus, Z.I. Sud-Est ✆ 99 32 34 34, Fax 99 53 57 26 – TV ☎ ♿ P – 🎪 30. AE GB
Repas *(fermé sam. soir et dim. midi)* 64/98 ⅓, enf. 36 – ☐ 35 – **50 ch** 280.

*à **Chartres-de-Bretagne*** par ⑥ : 10 km – 5 543 h. alt. 37 – ✉ **35131** :

Chaussairie M sans rest, sur ancienne rte de Nantes ✆ 99 41 14 14, Fax 99 41 33 44 – TV ☎ ♿ P – 🎪 30. AE ⓓ GB
☐ 35 – **33 ch** 250/310.

X **La Cotriade,** 48 r. Nationale ✆ 99 41 37 23, Fax 99 41 37 23 – AE GB
fermé 5 au 20 août, 1er au 10 janv., dim. soir et lundi – **Repas** 78/210 ⅓.

*au **Pont-de-Pacé*** par ⑨ : 10 km – ✉ **35740** Pacé :

XXX **La Griotte,** ✆ 99 60 15 15, Fax 99 60 26 84, 🌳 – AE ⓓ GB
fermé 1er au 26 août, 15 au 28 fév., dim. soir, mardi soir et merc. – **Repas** 98/270 et carte 180 à 280, enf. 85.

MICHELIN, Agence régionale, Z.I. de Chantepie, r. Veyettes par ④ ✆ 99 50 72 00

BMW, ROVER Gar. Huchet, 316 rte de St-Malo ✆ 99 25 06 06 **N** ✆ 05 00 16 24
CITROEN Succursale de Rennes, 4 r. Breillou ZI Sud-Est à Chantepie par ④ ✆ 99 86 10 35 **N** ✆ 05 05 24 24
CITROEN Succursale de Rennes Nord, ZAC de l'Auge de Pierre par ⑩ ✆ 99 54 70 80 **N** ✆ 05 05 24 24
FIAT, LANCIA Sobredia, 9 r. de Paris à Cesson-Sévigné ✆ 99 83 40 00
JAGUAR, SAAB Gar. du Mail, 17 r. Doyen Leroy ✆ 99 59 12 24
MERCEDES Delourmel-Autom., 9 r. Cerisaie, ZI à St-Grégoire ✆ 99 38 10 10 **N** ✆ 05 24 24 30
NISSAN Gar. Espace 3, 2 r. du petit Marais à Cesson-Sévigné ✆ 99 83 59 59
PEUGEOT Gar. Sourget, 14 r. J.-Vallès CU ✆ 99 31 01 55
PEUGEOT Filiale, rte de Paris à Cesson-Sévigné par ③ ✆ 99 83 16 06 **N** ✆ 99 24 13 14
RENAULT Succursale, rte de Fougères, lieu-dit les Longs-Champs par ② ✆ 99 87 67 67 **N** ✆ 05 05 15 15
RENAULT Succursale, Centre Alma, r. du Bospho CV ✆ 99 87 67 67 **N** ✆ 05 05 15 15
RENAULT Gar. Louyer, 1 av. des Peupliers à Cesson-Sévigné ✆ 99 83 40 30
RENAULT Celta Ouest Ag. Renault Ouest, 145 rte de Lorient ✆ 99 54 03 63 **N** ✆ 99 36 38 36
RENAULT Gar. Bagot Landry, 57 bd Mar.-de-Lattr de-Tassigny ✆ 99 59 55 48
SEAT Excel Auto, 49 r. de Rennes à Cesson-Sévigné ✆ 99 83 71 46
TOYOTA Gar. Defrance, 98 rte de Lorient ✆ 99 59 11 66
VAG Gar. Floc, 53 bis r. de Rennes à Cesson-Sévigné ✆ 99 83 94 94 **N** ✆ 99 50 70 56
VOLVO Defrance Autom., 40 av. Sergent-Magino ✆ 99 67 21 11

Euromaster, ZI rte de Lorient, 67 r. Manoir-de-Servigné ✆ 99 59 13 47
Euromaster, r. Charmilles à Cesson-Sévigné ✆ 99 53 77 77
Euromaster, 70 av. Mail ✆ 99 59 35 29

La RÉOLE 33190 Gironde 75 ⑬ – 4 273 h alt. 44.

Paris 626 – ◆Bordeaux 73 – Casteljaloux 41 – Duras 24 – Libourne 45 – Marmande 29.

Les Fontaines, 24 r. A. Bénac ✆ 56 61 15 25 – AE GB
fermé 13 au 23 nov., dim. soir et lundi sauf fériés – **Repas** 75/240 ꙋ, enf. 50.

RETHEL ⟨SP⟩ 08300 Ardennes 56 ⑦ **G. Champagne** – 7 923 h alt. 80.

Syndicat d'Initiative, Hôtel de Ville ✆ 24 39 51 45.

Paris 189 – Charleville-Mézières 44 – ◆Reims 38 – Laon 59 – Verdun 106.

Moderne, pl. Gare ✆ 24 38 44 54, Fax 24 38 37 84 – TV ☎ P – 50. AE ◑ GB
Repas 89/150 ꙋ, enf. 45 – ☕ 35 – **24 ch** 180/260 – ½ P 225.

CITROEN Rethel Autom., Rue de la Sucrerie ✆ 24 39 52 00 **N** ✆ 24 72 94 95
CITROEN Gar. Dehan-Giot, 18 r. du Gén.-Leclerc à Coucy ✆ 24 72 00 42
FIAT, LANCIA Sodire Auto, 37 av. Gambetta ✆ 24 38 44 18
FORD S.R.A., r. A.-Berquet ✆ 24 38 19 48
PEUGEOT Dachy Auto Loisirs, r. Comtesse, ZI de Pargny ✆ 24 38 51 88 **N** ✆ 05 44 24 24
RENAULT Centre-Auto-Rethelois, r. Sucrerie ✆ 24 38 19 20
VAG Ardennes Sud Auto, 34 r. des Trois Château à Acy-Romance ✆ 24 38 62 62

Euromaster, ZI de Pargny, r. de Bastogne ✆ 24 38 01 70

RETHONDES 60 Oise 56 ③, 106 ⑪ – rattaché à Compiègne.

REUILLY-SAUVIGNY 02 Aisne 56 ⑮ – rattaché à Château-Thierry.

REVARD (Mont) 73 Savoie 74 ⑮ **G. Alpes du Nord** – alt. 1538 – Sports d'hiver : 1 300/1 550 m 5
✉ 73100 Aix-les-Bains.

Voir ✻★★★.

Accès : d'Aix-les-Bains par ② et D 913 : 21 km.

Syndicat d'Initiative du Mont Revard ✆ 79 54 01 60.

Paris 561 – Annecy 45 – Aix-les-Bains 22 – Chambéry 26 – Trévignin 15.

Quatre Vallées, ✆ 79 54 00 43, Fax 79 54 00 44, ≤ lac et montagnes, , – P. GB
fermé 12 nov. au 24 déc. et mardi sauf juil.-août – **Repas** (déj. seul.) 100/160 ꙋ, enf. 45.

REVEL 31250 H.-Gar. 82 ⑳ **G. Gorges du Tarn** – 7 520 h alt. 210.

Office de Tourisme, pl. Philippe-VI-de-Valois ✆ 61 83 50 06, Fax 62 18 06 21.

Paris 747 – ◆Toulouse 50 – Carcassonne 44 – Castelnaudary 20 – Castres 27 – Gaillac 60.

Midi, 34 bd Gambetta ✆ 61 83 50 50, Fax 61 83 34 74, – TV ☎. GB
Repas *(fermé 12 nov. au 3 déc. et dim. soir hors sais.)* 90/260, enf. 60 – ☕ 35 – **22 c** 170/300 – ½ P 150/220.

Le Lauragais, 25 av. Castelnaudary ✆ 61 83 51 22, Fax 62 18 91 79, , « Intérie rustique », – P. AE GB
Repas 125/400 et carte 270 à 420 ꙋ.

N par D 622 : 4 km – ✉ **31250** Revel :

Mazies avec ch, rte de Castres ✆ 61 27 69 70, Fax 62 18 06 37, – TV ☎ P. G ch
fermé déc. – **Repas** *(fermé dim. soir et lundi)* 85/245, enf. 50 – ☕ 32 – **7 ch** 250/295 ½ P 240/250.

à St-Ferréol SE : 3 km par D 629 – ✉ **31250**.
Voir Bassin de St-Ferréol★.

Hermitage sans rest, ✆ 61 83 52 61, ≤, – ☎ P. AE GB
fermé 15 janv. au 1er mars – 30 – **14 ch** 200/265.

ITROEN Gar. Fabre, 6 av. de la Gare ✆ 61 83 53 37
EUGEOT Gar. Baylet, 29 av. de Castres ✆ 61 83 54 10

Espace Pneu Vulcopneu, Av. de Castelnaudary ✆ 61 83 50 09

REVENTIN-VAUGRIS 38 Isère 74 ⑪ – rattaché à Vienne..

REVIGNY-SUR-ORNAIN 55800 Meuse 56 ⑲ – 3 528 h alt. 144.
aris 237 – Bar-le-Duc 17 – St-Dizier 30 – Vitry-le-François 37.

XX ✿ **Les Agapes** (Joblot), 7 r. A. Maginot ✆ 29 70 56 00, Fax 29 70 59 30 – AE ⦿ GB
fermé 4 au 11 mars, 29 juil. au 20 août, 26 déc. au 2 janv., dim. soir et lundi – **Repas** 90 (déj.), 160/230 et carte 200 à 310 , enf. 60
Spéc. Foie gras de canard au naturel. Lièvre à la royale (1er oct. au 1er nov.). Tarte fine chaude aux mirabelles et amandes. **Vins** Auxerrois, Pinot noir.

RÉVILLE 50760 Manche 54 ③ – 1 205 h alt. 12.
oir La Pernelle ✻★★ du blockhaus O : 3 km – Pointe de Saire : blockhaus ≤★ SE : 2,5 km, . Normandie Cotentin.
aris 355 – ◆Cherbourg 31 – Carentan 43 – St-Lô 71 – Valognes 21.

X **Au Moyne de Saire** avec ch, ✆ 33 54 46 06, Fax 33 54 14 99 – ☎ P. GB. rest
fermé 2 au 17 oct., 2 janv. au 15 fév. et dim. soir d'oct. à mars – **Repas** 83/197, enf. 42 – 30 – **11 ch** 145/275 – ½ P 200/260.

Le Guide change, changez de guide tous les ans.

REY 30 Gard 80 ⑯ – rattaché au Vigan.

REZÉ 44 Loire-Atl. 67 ③ – rattaché à Nantes.

Le RHIEN 70 H.-Saône 66 ⑦ – rattaché à Ronchamp.

RHINAU 67860 B.-Rhin 62 ⑩ – 2 286 h alt. 158.
aris 516 – ◆Strasbourg 39 – Marckolsheim 25 – Molsheim 36 – Obernai 26 – Sélestat 25.

XXX ✿ **Au Vieux Couvent** (Albrecht), ✆ 88 74 61 15, Fax 88 74 89 19, – AE ⦿ GB
fermé 21 au 30 oct., mardi et merc. – **Repas** 150/450 et carte 290 à 420 , enf. 100
Spéc. Assiette poissonnière aux deux moutardes. Pâté chaud de mignon de veau et porc en croûte de pommes de terre. Grand dessert. **Vins** Riesling, Pinot noir.

ITROEN Gar. du Rhin, ✆ 88 74 60 59

RIANS 83560 Var 84 ④ 114 ⑰ ⑱ – 2 720 h alt. 406.
Office de Tourisme ✆ 94 80 33 37.
aris 775 – ◆Marseille 70 – Aix-en-Provence 40 – Avignon 98 – Draguignan 69 – Manosque 32 – ◆Toulon 79.

Esplanade, ✆ 94 80 31 12, ≤ – TV ☎ . AE GB
fermé sam. – **Repas** 75/150 , enf. 35 – 25 – **9 ch** 150/220 – ½ P 180/220.

au Sud : 5 km par rte de St-Maximin – ✉ **83560** Rians :

Le Bois St-Hubert M , ✆ 94 80 31 00, Fax 94 80 55 71, , parc, « Belle décoration intérieure », , – TV ☎ P – 30. AE GB
fermé janv., fév., lundi soir et mardi d'oct. à juin – **Repas** 125 (déj.), 195/235, enf. 90 – 70 – **9 ch** 600/900 – ½ P 550/700.

ENAULT Gar. Sepulveda, N 561, quartier St-Esprit ✆ 94 80 30 78 N ✆ 94 80 39 37

RIBEAUVILLÉ SP 68150 H.-Rhin 62 ⑱ ⑲ **G. Alsace Lorraine** – 4 774 h alt. 240.
oir Tour des Bouchers★ A – Hunawihr : Centre de réintroduction des cigognes S : 3 km par ④.
Office de Tourisme, 1 Grand'Rue ✆ 89 73 62 22, Fax 89 73 36 61.
aris 477 ⑤ – Colmar 15 ③ – Gérardmer 61 ④ – ◆Mulhouse 57 ④ – St-Dié 42 ⑤ – Sélestat 12 ②.

Plan page suivante

Clos St-Vincent , NE : 1,5 km par rte secondaire ✆ 89 73 67 65, Fax 89 73 32 20, , « Dans le vignoble, ≤ la plaine d'Alsace », , – TV ☎ P. GB B **u**
15 mars-15 nov. – **Repas** *(fermé mardi et merc.)* 190 (déj.)/260 – **12 ch** 630/890, 3 appart – ½ P 610/690.

Le Ménestrel M sans rest, 27 av. Gén. de Gaulle par ④ ✆ 89 73 80 52, Fax 89 73 32 39, , – TV ☎ – 30. AE GB
fermé 15 fév. au 15 mars – 50 – **28 ch** 390/420.

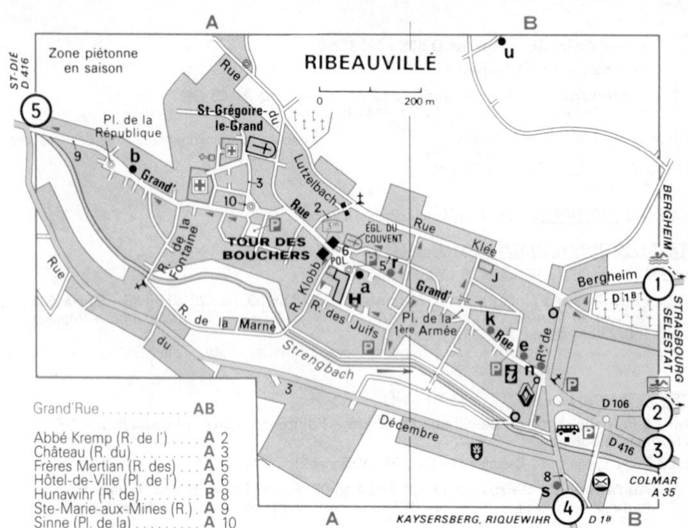

Tour sans rest, 1 r. Mairie ℘ 89 73 72 73, Fax 89 73 38 74, – |‡| TV ☎ P. GB — A
fermé 1er janv. au 15 mars – ☕ 38 – **35 ch** 280/430.

Cheval Blanc, 122 Gd'rue ℘ 89 73 61 38, Fax 89 73 37 03 – ☎. GB JCB — A
fermé 1er déc. au 28 janv. et lundi sauf fériés – **Repas** 50 (déj.), 100/200 ♁, enf. 40 – ☕ 33 – **25 ch** 180/270 – ½ P 240.

Les Vosges sans rest, 2 Gd'rue ℘ 89 73 61 39, Fax 89 73 34 21 – |‡| TV ☎. AE GB — B
fermé 15 janv. au 15 fév. et dim. soir en hiver – ☕ 50 – **18 ch** 285/395.

XXX **Haut-Ribeaupierre,** 1 rte Bergheim ℘ 89 73 62 64, Fax 89 73 36 61 – ▤. GB — B
fermé merc. – **Repas** 130/340 et carte 290 à 390 ♁.

XX **Relais des Ménétriers,** 10 av. Gén. de Gaulle ℘ 89 73 64 52, Fax 89 73 69 94 – GB — B
fermé 1er au 15 juil., 11 au 17 nov., dim. soir et lundi – **Repas** 58 (déj.), 95/185 ♁.

XX **Aub. A l'Étoile,** 46 Gd'Rue ℘ 89 73 36 46 – GB — A
fermé 1er au 15 mars, 15 nov. au 10 déc., lundi soir et mardi – **Repas** 95/280 ♁.

X **Wistub Zum Pfifferhüs,** 14 Gd'rue ℘ 89 73 62 28, Fax 89 73 80 34, rest. non-fumeu exclusivement, « Cadre typiquement alsacien » – GB. — B
fermé 1er au 28 mars, 1er au 7 juil., Noël au Jour de l'An, merc. et jeudi – **Repas** (préven carte 180 à 250 ♁.

rte de Ste Marie-aux-Mines par ⑤ : 4 km :

La Pépinière ⑤, ℘ 89 73 64 14, Fax 89 73 88 78, – |‡| ☎ P. GB
Pâques-15 nov. – **Repas** *(fermé merc. midi et mardi)* 140/365, enf. 60 – ☕ 48 – **21 c** 220/450 – ½ P 390/415.

RENAULT Gar. Jessel, ℘ 89 73 61 33 N ℘ 89 73 61 33
RENAULT Gar. des Trois Cantons, 42 rte de Guemar par ② ℘ 89 73 61 07

RIBÉRAC 24600 Dordogne 75 ④ **G. Périgord Quercy** – 4 118 h alt. 68.

Voir Aubeterre-sur-Dronne : église monolithe★★ O : 17 km.

Office de Tourisme, pl. Gén.-de-Gaulle ℘ 53 90 03 10.

Paris 507 – Périgueux 38 – Angoulême 59 – Barbezieux 58 – Bergerac 51 – Libourne 68 – Nontron 51.

France, r. M. Dufraisse ℘ 53 90 00 61, Fax 53 91 06 05, – TV ☎ – 40. GB JC
Repas 70/165, enf. 45 – ☕ 30 – **20 ch** 135/230 – ½ P 165/205.

CITROEN Gar. Lafargue, ℘ 53 90 05 38
PEUGEOT Gar. Fargeout, ℘ 53 90 01 09 N ℘ 53 90 01 09
Périgord Pneus Point S, ℘ 53 90 05 06 N ℘ 53 04 36 54

Les RICEYS 10340 Aube 61 ⑰ – 1 421 h alt. 180.

Paris 212 – Troyes 46 – Bar-sur-Aube 52 – Châtillon-sur-Seine 32 – St-Florentin 57 – Tonnerre 39.

XX **Le Magny** avec ch, D 452 ℘ 25 29 38 39, Fax 25 29 11 72 – TV ☎ P. GB
fermé 2 au 13 sept., 23 janv. au 20 fév., mardi soir et merc. – **Repas** 70/200 ♁, enf. 45 – ☕ – **7 ch** 220/240 – ½ P 210/220.

RENAULT Gar. Roy, ℘ 25 29 30 33

RICHARDMÉNIL 54 M.-et-M. 62 ⑤ – rattaché à Nancy.

RICHELIEU 37120 I.-et-L. 68 ③ **G. Châteaux de la Loire** (plan) – 2 223 h alt. 40.

Voir Ville★ du 17e s.

Env. Champigny-sur-Veude : vitraux★★ de la Sainte-Chapelle★ N.

Office de Tourisme 6 Grande Rue ✆ 47 58 13 62, à la Mairie (hors saison) ✆ 47 58 10 13, Fax 47 58 16 42.

Paris 296 – ♦Tours 62 – Châtellerault 30 – Chinon 21 – Loudun 19.

Puits Doré, pl. Marché ✆ 47 58 10 59, Fax 47 58 24 39 – TV ☎. GB JCB. rest
fermé déc. et sam. d'oct. à mars – **Repas** 65 (déj.), 99/180 ♁, enf. 45 – ☐ 30 – **17 ch** 250/300.

RIEC-SUR-BELON 29340 Finistère 58 ⑪ ⑯ – 4 014 h alt. 65.

Office de Tourisme pl. Église (fermé après-midi hors saison) ✆ 98 06 97 65.

Paris 523 – Quimper 40 – Carhaix-Plouguer 60 – Concarneau 19 – Quimperlé 13.

Domaine de Kerstinec-Kerland , rte Moëlan-sur-Mer : 3 km ✆ 98 06 42 98, Fax 98 06 45 38, ≤, « Dans un parc dominant le Belon » – TV ☎ ♿ P. AE GB JCB
fermé 2 au 10 janv. et lundi midi – **Repas** 80/298, enf. 70 – ☐ 45 – **18 ch** 400/650 – ½ P 480/535.

au Port de Belon S : 4 km par C 3 et C 5 – ✉ **29340** Riec-sur-Belon :

Chez Jacky, ✆ 98 06 90 32, ≤, « En bordure du Belon » – GB
Pâques-fin sept. et fermé lundi sauf fériés – **Repas** - produits de la mer seul. - (en saison, prévenir) 160/350.

Parcourez les pays d'Europe avec les cartes Michelin
de la série à couverture rouge nos 980 *à* 991.

RIEUPEYROUX 12240 Aveyron 80 ① – 2 348 h alt. 750.

Paris 623 – Rodez 37 – Albi 54 – Carmaux 38 – Millau 92 – Villefranche-de-Rouergue 23.

Commerce, ✆ 65 65 53 06, Fax 65 65 56 58, , – |‡| TV ☎ ♿ P. AE GB
fermé 17 déc. au 17 janv., lundi (sauf le soir de juin à sept.) et dim. soir – **Repas** 75/160 ♁ – ☐ 30 – **21 ch** 210/250 – ½ P 240/260.

RENAULT Gar. Costes, ✆ 65 65 54 15

RIEUX-MINERVOIS 11160 Aude 83 ⑫ **G. Pyrénées Roussillon** – 1 868 h alt. 115.

Voir Église★.

Paris 835 – Carcassonne 25 – Narbonne 38 – ♦Perpignan 101.

Logis de Merinville avec ch, ✆ 68 78 12 49 – GB.
fermé 12 nov. au 15 déc., fév., mardi soir et merc. sauf juil.-août – **Repas** 68 (déj.), 108/170 ♁, enf. 45 – ☐ 25 – **7 ch** 210/240 – ½ P 200/220.

RIEZ 04500 Alpes de H.P. 81 ⑯ 114 ⑦ **G. Alpes du Sud** (plan) – 1 707 h alt. 520.

Voir Baptistère★ – Echassier fossile★ au musée "Nature en Provence" – Mont St-Maxime ☼★ E : 2 km.

Office de Tourisme allée Louis Gardiol ✆ 92 77 82 80.

Paris 769 – Digne-les-Bains 41 – Brignoles 63 – Castellane 58 – Manosque 33 – Salernes 46.

Carina sans rest, ✆ 92 77 85 43, Fax 92 77 74 93 – TV ☎ ♿ P. GB.
Pâques-Toussaint – ☐ 32 – **30 ch** 250/300.

Gar. Arnoux, ✆ 92 77 80 15 N ✆ 92 77 80 15 Gar. Oberti, ✆ 92 77 80 16 N ✆ 92 77 80 16
Gar. Marchandy, ✆ 92 77 80 60

RIGNAC 12390 Aveyron 80 ① – 1 668 h alt. 500.

Paris 609 – Rodez 27 – Aurillac 88 – Figeac 39 – Villefranche-de-Rouergue 28.

Marre, rte Belcastel ✆ 65 64 51 56, – ☎ P. GB
fermé vacances de Noël, de printemps, dim. soir et lundi sauf juil.-août – **Repas** 65 bc (déj.)/140 ♁, enf. 46 – ☐ 26 – **15 ch** 170/210 – ½ P 180/200.

Delhon, rte Belcastel ✆ 65 64 50 27 – ☎. GB
fermé dim. soir et sam. d'oct. à mai – **Repas** 70 bc/95 bc – ☐ 25 – **18 ch** 100/200 – ½ P 140/155.

RIGNY 70 H.-Saône 66 ⑭ – rattaché à Gray.

RILLÉ 37340 I.-et-L. 64 ⑬ – 275 h alt. 82.

Paris 275 – ♦Tours 37 – ♦Angers 63 – Chinon 40 – Saumur 38.

Logis du Lac , O : 2 km par D 49 ✆ 47 24 66 61, , – ☎ P. GB
fermé 30 oct. au 9 nov. et merc. du 15 sept. au 15 juin – **Repas** 70 bc/140, enf. 45 – ☐ 35 – **7 ch** 200/225 – ½ P 195.

RILLIEUX-LA-PAPE 69 Rhône 74 ⑪ ⑫ – rattaché à Lyon.

RILLY-SUR-LOIRE 41150 L.-et-Ch. 64 ⑯ – 321 h alt. 66.

Paris 203 – ♦Tours 38 – Amboise 13 – Blois 21 – Montrichard 18.

Château de la Haute-Borde, rte Blois : 1,5 km ✆ 54 20 98 09, Fax 54 20 97 16, « Parc » – ☎ P – 35. AE GB. ch
hôtel : fermé 15 déc. au 30 janv., dim. soir et lundi sauf juil.-août – **Repas** *(ouvert 15 mars-déc. et fermé dim. soir et lundi sauf juil.-août)* 80/170, enf. 52 – ☐ 32 – **18 ch** 141/285 – ½ P 215/295.

Aub. des Voyageurs, ✆ 54 20 98 85, Fax 54 20 98 48 – ☎ P. GB
20 fév.-31 oct. et fermé merc. sauf de mai à août – **Repas** 75/130 ♂, enf. 50 – ☐ 30 – **16** 200/270 – ½ P 255.

RIMBACH-PRÈS-GUEBWILLER 68 H.-Rhin 62 ⑱ – rattaché à Guebwiller.

RIOM <SP> 63200 P.-de-D. 73 ④ **G. Auvergne** – 18 793 h alt. 363.

Voir Église N.-D.-du-Marthuret★ : Vierge à l'Oiseau★★★ – Maison des Consuls★ **B** – Hôt Guimoneau★ **D** – Ste-Chapelle★ du Palais de Justice **L** – Cour★ de l'Hôtel de Ville **H** – Musée Auvergne★ **M**[1], Mandet★ **M**[2] – Mozac : chapiteaux★★, trésor★★ de l'église★ 2 km par ④ Marsat : Vierge noire★★ dans l'église SO : 3 km par D 83.

Env. Châteaugay : donjon★ du château et ✻★ 7,5 km par ③ – Volvic : coulée de lave★ dans maison de la pierre 7 km par ④ – Ruines du château de Tournoël★★ : ✻★ 8 km par ④.

Office de Tourisme 16 r. Commerce ✆ 73 38 59 45, Fax 73 38 25 15.

Paris 412 ① – ♦Clermont-Ferrand 15 ③ – Montluçon 73 ① – Moulins 82 ① – Thiers 56 ② – Vichy 39 ①.

RIOM

Commerce (R. du) 5
Horloge (R. de l') ....
Hôtel-de-Ville (R. de l') 13
St-Amable (R.) 27

Bade (Fg de la) 2
Chabrol (R.) 3
Châtelguyon (Av. de) 4
Croisier (R.) 6
Daurat (R.) 7
Delille (R.) 8
Fédération (Pl. de la) 9
Hellénie (R.) 10
Hôtel-des-Monnaies (R. de l') 12
Laurent (Pl. J.-B.) 14
Layat (Fg) 15
Libération (Av. de la) 16
Madeline (Av. du Cdt) 17
Marthuret (R. du) 18
Martyrs-de-la-Résistance (Pl. des) 19
Menut (Pl. Marinette) 20
Pré-Madame (Promenade du) 21
République (Bd de la) 22
Reynouard (Av. J.) 23
Romme (R. G.) 26
St-Louis (R.) 29
Soanen (Pl. Jean) 32
Soubrany (R.) 34
Taules (Carrefour des) 36

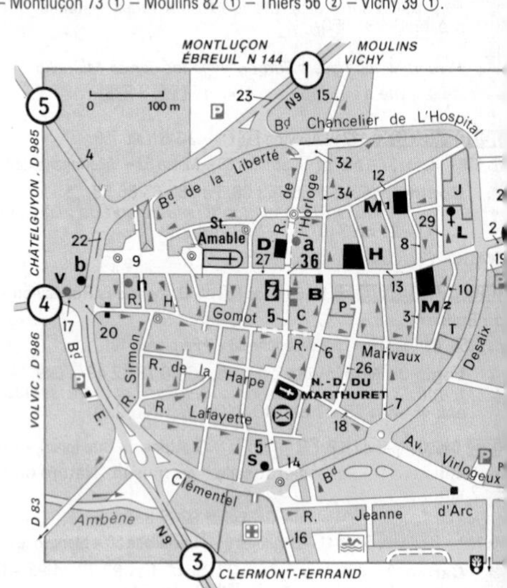

Mikégé sans rest, 40 pl. J.-B. Laurent **(s)** ✆ 73 38 04 12, Fax 73 38 05 08 – TV ☎ GB
☐ 36 – **15 ch** 190/250.

La Caravelle sans rest, 21 bd République **(b)** ✆ 73 38 31 90, Fax 73 33 11 30 – ☎ AE GB
☐ 30 – **27 ch** 145/270.

Lyon sans rest, 107 fg La Bade par ② ✆ 73 38 07 66, – ☎ P
fermé 28 avril au 10 mai et 1er au 18 sept. – ☐ 25 – **15 ch** 120/160.

XXX **Les Petits Ventres,** 6 r. A. Dubourg **(n)** ✆ 73 38 21 65, Fax 73 63 12 21 – ▤. AE
fermé 19 août au 9 sept., vacances de fév., dim. soir, lundi soir et mardi soir – **Repas** 97/2 et carte 190 à 300.

XX **Le Magnolia,** 11 av. Cdt Madeline **(v)** ✆ 73 38 08 25 – ▤. GB
fermé 15 juil. au 15 août, lundi midi et dim. – **Repas** 70/190.

X **Flamboyant,** 21 bis r. Horloge **(a)** ✆ 73 63 07 97 – AE GB
fermé 20 sept au 5 oct., dim. soir et lundi midi en août – **Repas** 60 bc (déj.), 84/138 ♂, enf.

à l'échangeur A 71 par ② : 2 km – ✉ **63200** Riom :

Anémotel M, Z.A.C. Les Portes de Riom ✆ 73 33 71 00, Fax 73 64 00 60, – TV ☎ ♿ P – 40. GB
Repas 73/145 ♂, enf. 36 – ☐ 34 – **43 ch** 280 – ½ P 270/300.

rte de Marsat SO : 2,5 km par D 83 – ✉ **63200** Riom :

XX **Moulin de Villeroze,** ✆ 73 38 58 23, Fax 73 38 92 26, 斋 – P. AE ⓓ GB
fermé 1er au 15 août, dim. soir et lundi – **Repas** 125 (déj.), 145/250.

FIAT AFA Auchatraire, rte de Paris ✆ 73 38 22 75
FORD Gar. Dugat, av. de Paris ✆ 73 38 41 42
MAZDA Auvergne Distribution Sce, ZA Mirabelle N 9 ✆ 73 63 08 84
PEUGEOT Techstar 80 Clermontoise auto, 81 av. de Clermont par av. Libération ✆ 73 38 23 05 N ✆ 73 43 36 88
RENAULT Gar. Gaudoin, 14 r. F.-Forest à Mozac par ④ ✆ 73 38 20 76
RENAULT Gar. Delaire, 18 av. de Clermont ✆ 73 38 26 32 N ✆ 73 43 32 80
Gar. Borie, 35 rte de Paris ✆ 73 63 18 36

RIORGES 42 Loire 73 ⑦ – rattaché à Roanne.

RIOZ 70190 H.-Saône 66 ⑮ – 883 h alt. 267.
Paris 393 – ♦Besançon 23 – Belfort 76 – Gray 46 – Vesoul 23 – Villersexel 37.

Logis Comtois, ✆ 84 91 83 83, 斋 – ☎ P. GB
fermé 15 déc. au 31 janv. – **Repas** *(fermé dim. soir et lundi midi)* 75/145 ⅓ – ☕ 29 – **27 ch** 160/240 – ½ P 180/225.

RENAULT Gar. Pernin, ✆ 84 91 82 10

RIQUEWIHR 68340 H.-Rhin 62 ⑱ ⑲ **G. Alsace Lorraine** (plan) – 1 075 h alt. 300.
Voir Village★★★.
Office de Tourisme r. 1ère-Armée (Pâques-11 nov. et vacances scolaires) ✆ 89 47 80 80, Fax 89 49 04 40.
Paris 475 – Colmar 12 – Gérardmer 59 – Ribeauvillé 4 – St-Dié 46 – Sélestat 16.

H. Le Schoenenbourg M 🐌 sans rest, r. Piscine ✆ 89 49 01 11, Fax 89 47 95 88, Fō, 斋 – |‡| TV ☎ ♿ 🚗 P. AE GB
☕ 48 – **45 ch** 355/530.

Le Riquewihr sans rest, rte Ribeauvillé ✆ 89 47 83 13, Fax 89 47 99 76, ← – |‡| TV ☎ P. AE ⓓ GB JCB
fermé fév. – ☕ 41 – **49 ch** 255/330.

Couronne 🐌 sans rest, 5 r. Couronne ✆ 89 49 03 03, Fax 89 49 01 01 – cuisinette TV ☎ P. AE ⓓ GB JCB
☕ 42 – **37 ch** 260/370, 3 appart.

A L'Oriel 🐌 sans rest, 3 r. Ecuries Seigneuriales ✆ 89 49 03 13, Fax 89 47 92 87, « Maison du 16e siècle » – |‡| TV ☎ 📞. AE GB
☕ 45 – **19 ch** 350/450.

XXX ✿ **Aub. du Schoenenbourg** (Kiener), r. Piscine ✆ 89 47 92 28, Fax 89 47 89 84, 斋 – ▤ P. AE GB
fermé 6 janv. au 9 fév., jeudi midi et merc. – **Repas** 190/395 et carte 340 à 420 ⅓
Spéc. Carpaccio de foie gras de canard à la vinaigrette de truffes. Ravioli aux langoustines et légumes aromatiques. Assiette du chasseur, spätzle (saison). **Vins** Riesling, Tokay-Pinot gris.

XX **Le Sarment d'Or** 🐌 avec ch, 4 r. Cerf ✆ 89 47 92 85, Fax 89 47 99 23, « Maison du 17e siècle » – TV ☎. GB. ✻ ch
fermé 24 juin au 1er juil. (sauf hôtel) et 5 janv. au 12 fév. – **Repas** *(fermé dim. soir et lundi)* 110/290 ⅓, enf. 50 – ☕ 48 – **9 ch** 290/450 – ½ P 350/430.

XX ✿ **La Table du Gourmet** (Brendel), 5 r. 1e Armée ✆ 89 47 98 77, Fax 89 49 04 56, « Cadre typiquement alsacien » – AE GB
fermé 15 janv. à début mars, merc. midi hors sais. et mardi – **Repas** 155 (déj.), 198/345, enf. 70
Spéc. Marbré de foie gras mi-cuit au naturel. Dos de sandre rôti à la sauge. Petit streussel chaud à la rhubarbe.

à Zellenberg E : 1 km par D 1B – 343 h. alt. 300 – ✉ **68340** :

Au Riesling 🐌, ✆ 89 47 85 85, Fax 89 47 92 08, ← – |‡| ☎ ♿ P. AE GB. ✻ ch
fermé 1er janv. au 1er fév. – **Repas** *(fermé dim. soir et lundi)* 98/210 ⅓, enf. 48 – ☕ 42 – **36 ch** 310/450 – ½ P 300/370.

XX ✿ **Maximilien** (Eblin), ✆ 89 47 99 69, Fax 89 47 99 85, ← – P. AE GB
fermé dim. soir et lundi – **Repas** 175 (déj.), 195/405 et carte 300 à 410
Spéc. Tartare de filet de truite légèrement fumée. Blanc de poireau tiède en vinaigrette, foie gras d'oie à la cuillère. Croustillant de sandre aux grenouilles et champignons des bois. **Vins** Tokay-Pinot gris, Pinot blanc.

RISOUL 05600 H.-Alpes 77 ⑱ – 526 h alt. 1117.
Env. Belvédère de l'Homme de Pierre ✻★★ S : 15 km **G. Alpes du sud.**
Paris 718 – Briançon 35 – Gap 61 – Guillestre 02 – St-Véran 34.

La Bonne Auberge 🐌, au village ✆ 92 45 02 40, ←, 🏊, 斋 – ☎ P. GB
1er juin-20 sept. et 1er fév.-30 mars – **Repas** 85/110 – ☕ 28 – **25 ch** 285/295 – ½ P 260/265.

RISTOLAS 05460 H.-Alpes 77 ⑲ – 72 h alt. 1630.
Paris 738 – Briançon 53 – Gap 95 – Guillestre 34.

Chalet de Ségure 🐌, ✆ 92 46 71 30, Fax 92 46 79 54, ← – ☎ 🚗. GB
25 mai-23 sept. et 26 déc.-10 avril – **Repas** *(fermé lundi sauf le midi en juil.-août)* 95/135 ⅓ – ☕ 30 – **10 ch** 250/260 – ½ P 250/255.

RIVA-BELLA 14 Calvados 55 ② – voir à Ouistreham-Riva-Bella.

RIVE-DE-GIER 42800 Loire 73 ⑲ **G. Vallée du Rhône** – 15 623 h alt. 225.

Paris 497 – ◆ Lyon 37 – ◆ St-Étienne 21 – Montbrison 60 – Roanne 106 – Thiers 128 – Vienne 26.

XXX **Host. La Renaissance** avec ch, 41 r. A. Marrel ☎ 77 75 04 31, Fax 77 83 68 58, – ☎ P. AE ① GB
fermé dim. soir et lundi – **Repas** 99/460 et carte 290 à 460 – ☐ 55 – **6 ch** 220/400.

à Ste-Croix-en-Jarez SE : 10 km par D 30 – 329 h. alt. 450 – ✉ 42800 :

X **Le Prieuré** avec ch, ☎ 77 20 20 09, – TV ☎. AE ① GB.
◆ *fermé fév.* – **Repas** *(fermé lundi)* 65/210, enf. 40 – ☐ 32 – **4 ch** 250/270 – ½ P 220/260.

PEUGEOT Gar. Boutin, 44 r. Cl.-Drivon ☎ 77 75 04 22 N ☎ 77 75 04 22

RIVEDOUX-PLAGE 17 Char.-Mar. 71 ⑫ – voir à Ré (Ile de).

RIVESALTES 66600 Pyr.-Or. 86 ⑨ ⑲ **G. Pyrénées Roussillon** – 7 110 h alt. 13.

Env. Fort de Salses ★★ N : 11 km.

✈ de Perpignan-Rivesaltes : ☎ 68 52 60 70 : 4 km.

Office de Tourisme r. L.-Rollin ☎ 68 64 04 04, Fax 68 38 50 88.

Paris 856 – ◆ Perpignan 10 – Narbonne 56 – Quillan 67.

Alta Riba, av. Gare ☎ 68 64 01 17, Fax 68 64 60 91 – ch TV ☎ P. GB
◆ **Repas** 70/170, enf. 45 – ☐ 35 – **54 ch** 180/260 – ½ P 230/270.

Tour de l'Horloge, 11 r. A. Barbès (près église) ☎ 68 64 05 88, Fax 68 64 66 67 – TV
◆ GB
fermé 1er au 15 déc., 1er au 15 fév., dim. soir et lundi midi sauf juil.-août – **Repas** 50/160 enf. 35 – ☐ 32 – **17 ch** 140/230 – ½ P 200/300.

CITROEN Gar. Galabert, av. Gambetta ☎ 68 64 07 67

RENAULT Gar. Sales, 68 bd Arago ☎ 68 64 15 73

La-RIVIÈRE-ST-SAUVEUR 14 Calvados 55 ④ – rattaché à Honfleur.

RIVIÈRE-SUR-TARN 12640 Aveyron 80 ④ – 757 h alt. 380.

Paris 652 – Mende 72 – Millau 12 – Rodez 65 – Sévérac-le-Château 28.

Le Clos d'Is, ☎ 65 59 81 40, Fax 65 59 84 03, – ☎ P. GB JCB
◆ *fermé 6 au 12 janv. et dim. soir d'oct. à mars* – **Repas** 72/180 – ☐ 32 – **22 ch** 150/250 ½ P 240/295.

RENAULT Gar. Vayssière, ☎ 65 59 80 05

La RIVIÈRE-THIBOUVILLE 27 Eure 55 ⑮ – alt. 72 – ✉ 27550 Nassandres.

Paris 139 – ◆ Rouen 48 – Bernay 15 – Évreux 35 – Lisieux 38 – Le Neubourg 15 – Pont-Audemer 33.

XX **Soleil d'Or** avec ch, ☎ 32 45 00 08, Fax 32 46 89 68, – TV ☎ P. AE GB
fermé fév. – **Repas** *(fermé merc. soir)* 92/205 – ☐ 35 – **10 ch** 200/250 – ½ P 260.

PEUGEOT Gar. Chaise, N 13 à Nassandres ☎ 32 45 00 33 N ☎ 32 45 00 33

ROANNE SP 42300 Loire 73 ⑦ **G. Vallée du Rhône** – 41 756 h alt. 265.

Env. Belvédère de Commelle-Vernay ≤★ : 7 km au S par quai Sémard BV.

de Champlong à Villerest ☎ 77 69 70 60, par ③.

✈ Roanne-Renaison : ☎ 77 66 83 55, par D 9 AV : 5 km.

Office de Tourisme, cours République ☎ 77 71 51 77, Fax 77 70 96 62 – Automobile Club 24 r. Rabe ☎ 77 71 31 67.

Paris 391 ④ – Bourges 219 ④ – Chalon-sur-Saône 136 ① – ◆Clermont-Ferrand 118 ③ – ◆Dijon 205 ① – ◆Ly 87 ② – Montluçon 140 ④ – ◆St-Étienne 84 ② – Valence 186 ② – Vichy 75 ④.

Plan page ci-contre

❀❀❀ **Troisgros** M, pl. Gare ☎ 77 71 66 97, Fax 77 70 39 77, « Élégant décor contemp rain », – TV ☎. AE ① GB JCB CX
fermé 1er au 15 août, vacances de fév., mardi soir et merc. – **Repas** (nombre de couve limité, prévenir) 300 (déj.), 560/700 et carte 440 à 650, enf. 120 – ☐ 110 – **15 ch** 700/14 4 appart
Spéc. Beignets de cuisses de grenouilles au raifort. Tronçon de turbot cuit à l'étouffée. Pièce de boeuf du charolais poivre éclaté. Vins Côte Roannaise, Bourgogne blanc.

Grand Hôtel sans rest, 18 cours République (face gare) ☎ 77 71 48 82, Fax 77 70 42 4 TV ☎ P – 60. AE ① GB JCB CX
fermé 1er au 19 août et 24 déc. au 3 janv. – ☐ 42 – **33 ch** 247/395.

Terminus sans rest, 15 cours République (face gare) ☎ 77 71 79 69, Fax 77 72 90 26 – TV ☎. GB CX
☐ 35 – **55 ch** 210/270.

Campanile, 38 r. Mâtel ☎ 77 72 72 73, Fax 77 72 77 61, – TV ☎ P – AE ① GB BV
Repas 84 bc/107 bc, enf. 39 – ☐ 32 – **47 ch** 270.

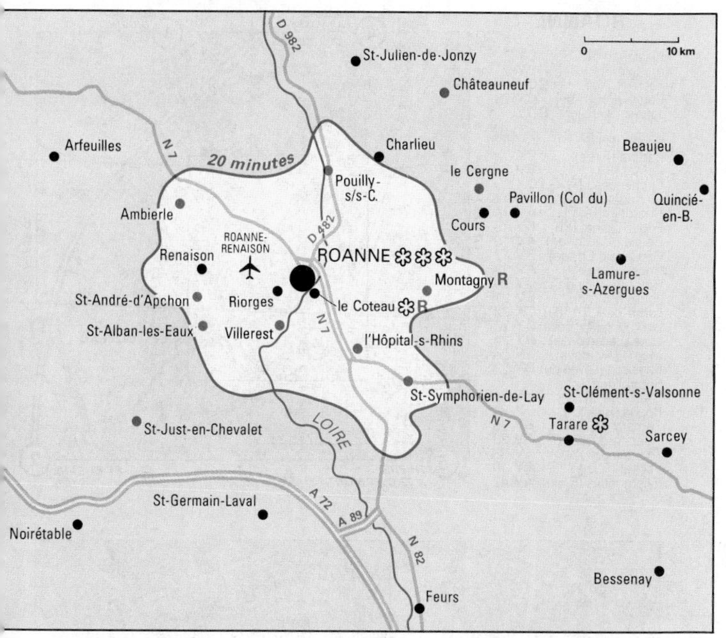

XXX **L'Astrée,** 17 bis cours République (face gare) ✆ 77 72 74 22, Fax 77 72 72 23 – ▤. ⓓ GB CX **f**
fermé 1er au 20 août, 1er au 7 janv., sam. et dim. – **Repas** 115/285 et carte 200 à 350.

X **Central,** 20 cours République (face gare) ✆ 77 67 72 72 – GB CX **r**
fermé 1er au 15 août, lundi midi et dim. – **Repas** bistrot 110/150 , dîner à la carte.

au Coteau (rive droite de la Loire) – 7 469 h. alt. 350 – ✉ **42120** Le Coteau :

Artaud, 133 av. Libération ✆ 77 68 46 44, Fax 77 72 23 50 – ▤ rest TV ☎ – 100. AE GB JCB BV **e**
Repas *(fermé 25 juil. au 15 août et dim. sauf fêtes)* 95/350 – ☕ 36 – **25 ch** 250/400.

Ibis, 53 bd Ch. de Gaulle, ZI Le Coteau - BV ✆ 77 68 36 22, Fax 77 71 24 99, – TV ☎ & P – 70. AE ⓓ GB
Repas 99 bc/120 bc, enf. 40 – ☕ 36 – **67 ch** 285/295.

XXX ✿ **Aub. Costelloise** (Alex), 2 av. Libération ✆ 77 68 12 71, Fax 77 72 26 78 – ▤. AE GB DY **a**
fermé 15 août au 5 sept., 2 au 10 janv., dim. et lundi – **Repas** 125/355 et carte 250 à 350
Spéc. Terrine de beaufort et d'artichaut. Aileron de raie en escabèche. Parmentier à l'effiloché de canard. **Vins** Côte Roannaise.

X **Ma Chaumière,** 3 r. St-Marc ✆ 77 67 25 93 – GB BV **s**
fermé août, dim. soir et lundi – **Repas** 100/260.

X **Relais Fleuri,** quai P. Sémard ✆ 77 67 18 52, Fax 77 67 72 07, – AE GB BV **v**
fermé dim. soir et lundi – **Repas** 105/230.

à Riorges O : 3 km par D 31 - AV – 9 868 h. alt. 295 – ✉ **42153** :

XXX **Le Marcassin** avec ch, rte St-Alban-les-Eaux ✆ 77 71 30 18, Fax 77 23 11 22, – TV ☎. AE GB. ch
fermé 1er au 21 août, vacances de fév., dim. soir et sam. – **Repas** 105/295 et carte 180 à 280 – ☕ 30 – **9 ch** 220/280.

par ② rte de Lyon : 6 km – ✉ **42120** Roanne :

Primevère M, N 7 ✆ 77 62 84 84, Fax 77 62 02 09, – TV ☎ & P – 30. AE ⓓ GB
Repas 81/104 – ☕ 30 – **42 ch** 270.

à Villerest par ③ : 6 km – 4 104 h. alt. 363 – ✉ **42300** :

XX **Château de Champlong,** rte golf ✆ 77 69 69 69, Fax 77 69 71 08, , parc – P. AE GB
fermé 1er au 21 janv., dim. soir et lundi – **Repas** 105/270.

ROANNE

Alsace-Lor. (R.) . . . . CY 2
Anatole-France (R.) CY 3
Foch (R. Mar.) . . . CDY
Gaulle (R. Ch.-de) . . CY 18
Jaurès (R. Jean) . CDY

Benoît (Bd C.) . . . . . AV 5
Cadore (R. de) . . . . CX 7
Carnot (R.) . . . . BV 8
Clemenceau (Pl. G.) DX 10
Clermont (R. de) . . . CY 12
Dourdein (R. A.) . . . AV 14
Edgar-Quinet (Bd) . BV 15
Gaulle (Av. Ch.-de) AV 16
Gaulle (Bd Ch.-de) . BV 17
Hoche (R.) . . . . AV 19
Hôtel-de-Ville (Pl.) . DY 20
Joffre (Bd Mar.) . . . BV 21
Lattre-de-T. (Pl. de) CX 22
Libération (Av. de la) DY 23
Loire (Levée de la) . DY 24
Marne (Av. de la) . . BV 26
Renaison (Levée du) DY 28
République
(Crs de la) . . . . CXY 32
Roche (R. A.) . . . . . DX 34
Semard (Q. P.) . . . . . BV 35
Thiers (Bd de) . . . . AV 36
Thomas (Bd A.) . . . AV 38
Vachet (R. J.) . . . . . AV 40
Villemontais (R. de) AV 42

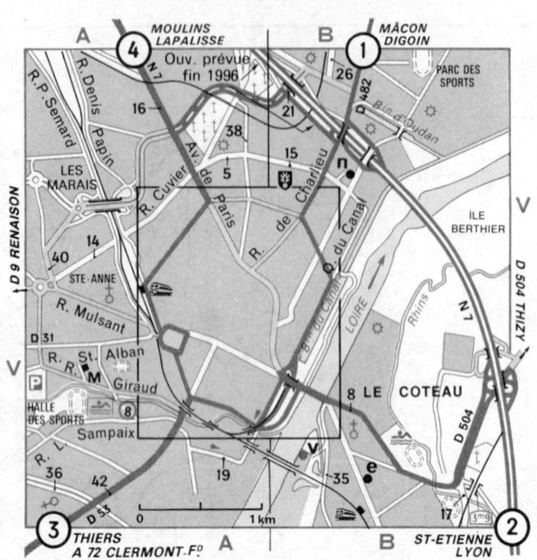

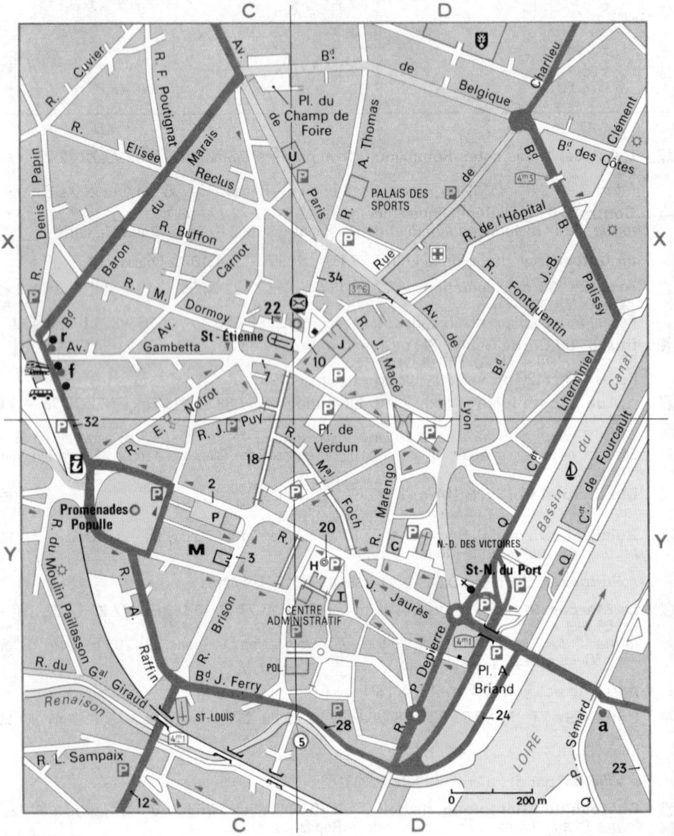

C
D
X
Y
Av. de Paris
Bd de Belgique
Charlieu
Pl. du Champ de Foire
R. Cuvier
R. F. Poutignat
R. Elisée Reclus
R. A. Thomas
Clément
Bd des Côtes
Bd de Marais
PALAIS DES SPORTS
Papin
Denis
R. Buffon
R. Baron du
Carnot
Rue de l'Hôpital
B. Palissy
R. M. Dormoy
Av. Gambetta
St-Étienne
22
34
10
7
R. J. Macé
R. Fontquentin
J.-B.
Lherminier
Bd Canal
Av. de Lyon
32
R. E. Noirot
R. J. Puy
Pl. de Verdun
Mal Foch
18
2
R. Marengo
Cours de Fourcault
Bassin du Canal
Promenades Populle
M
3
20
N.-D. DES VICTOIRES
St-N. du Port
R. du Moulin Paillasson
R. A. Raffin
R. Brison
CENTRE ADMINISTRATIF
J. Jaurès
R. P. Depierre
Q.
Pl. A. Briand
R. du Gal Giraud
Renaison
Bd J. Ferry
POL.
ST-LOUIS
28
24
LOIRE
Q. P. Sémard
a
23
R. L. Sampaix
12
5
0
200 m
C
D

ORD Gar. de la Poste, 14 r. R.-Salengro
77 44 51 51
OLVO Gar. Gobelet, 54 av. Gambetta
77 72 30 22

Comptoir Roannais C/c, 45 q.Cdt Lherminier
77 72 47 33

Périphérie et environs

MW Gar. Barberet, 36 bd Ch.-de-Gaulle, Le
oteau BV 77 70 42 22
TROEN Gar. Lagoutte, 212 av. de la Libération au
oteau BV 77 67 00 22 N 77 72 41 77
ERCEDES SOGEMO, Aiguilly, D 482 à Vougy
77 72 26 22
SSAN Gar. Sinoir, 16 av. Ch.-de-Gaulle à Riorges
77 71 73 42
EUGEOT S.A.G.G., N 7 rte de Paris par ④ à
orges 77 44 88 00 N 77 44 15 42

VAG Gar. Route Bleue, 29 bd Etines ZI, Le Coteau
77 67 34 00

Comptoir du Pneu, 4 pl. Eglise, Le Coteau
77 67 05 15
Euromaster, 47 bd Ch.-de-Gaulle, ZI Le Coteau
77 70 04 44

OCAMADOUR 46500 Lot 75 ⑱ ⑲ **G. Périgord Quercy** (plan) – 627 h alt. 279.

oir Site★★★ – Remparts ✻★★★ – Tapisseries★ dans l'Hôtel de Ville – Vierge noire★ dans la hapelle Notre-Dame – Musée-trésor Francis-Poulenc★ – Féerie du rail : maquette★.

Office de Tourisme à la Mairie 65 33 62 59.

ris 539 – Cahors 56 – Brive-la-Gaillarde 54 – Figeac 45 – Gourdon 35 – St-Céré 29 – Sarlat-la-Canéda 51.

Beau Site, 65 33 63 08, Fax 65 33 65 23, ←, – TV ☎ P. AE GB JCB
5 fév.-12 nov. – **Repas** 95/380 bc, enf. 49 – 47 – **44 ch** 295/470 – ½ P 340/380.

du Château, rte du Château : 1,5 km 65 33 62 22, Fax 65 33 69 00, – TV ☎ P – 60. AE GB
1er avril-5 nov. – **Repas** 72/280, enf. 48 – 45 – **60 ch** 300/420 – ½ P 310/375.

Annexe Relais Amadourien, – TV ☎ P. AE GB
6 avril-15 oct. – **Repas** voir ***du Château*** – 35 – **24 ch** 240/265 – ½ P 270/280.

Terminus des Pélerins, 65 33 62 14, Fax 65 33 72 10, ←, – TV ☎ P. AE GB
31 mars-3 nov. – **Repas** 65/230, enf. 45 – 34 – **12 ch** 195/310 – ½ P 244/279.

Comp'Hostel M sans rest, à l'Hospitalet 65 33 73 50, Fax 65 33 69 60, – TV ☎ P. GB
Pâques-30 sept. – 32 – **15 ch** 250.

Belvédère, à l'Hospitalet 65 33 63 25, Fax 65 33 69 25, ←Rocamadour, – TV ☎ P. AE GB
30 mars-4 nov. – **Repas** 65/250, enf. 40 – 35 – **19 ch** 240/350 – ½ P 260/290.

Panoramic, à l'Hospitalet 65 33 63 06, Fax 65 33 69 26, ←, – TV ☎ P. AE GB
15 fév.-11 nov. – **Repas** 69/240, enf. 48 – 36 – **20 ch** 240/300 – ½ P 249/279.

Lion d'Or, 65 33 62 04, Fax 65 33 72 54 – ☎ P. GB
6 avril-3 nov. – **Repas** 60/220, enf. 42 – 33 – **35 ch** 210/260 – ½ P 240/260.

Sainte-Marie, 65 33 63 07, Fax 65 33 69 08, ←, – ☎ P. GB
1er avril-20 oct. – **Repas** 70/260 – 35 – **22 ch** 180/300 – ½ P 250/280.

rte de Brive 2,5 km par D 673 – ✉ **46500** Rocamadour :

Troubadour, 65 33 70 27, Fax 65 33 71 99, – rest TV ☎ P. GB JCB
15 fév.-11 nov. – **Repas** (dîner seul.)(résidents seul.) 150, enf. 52 – 45 – **10 ch** 250/380 – ½ P 290/380.

à la Rhue rte de Brive : 6 km par D 673, N 140 et rte secondaire – ✉ **46500** Rocamadour :

Domaine de la Rhue M sans rest, 65 33 71 50, Fax 65 33 72 48, ←, **« Anciennes écuries élégamment aménagées »**, – ☎ P. GB
5 avril-13 oct. – 45 – **12 ch** 370/570.

rte de Payrac 4 km par D 673 et rte secondaire – ✉ **46500** Rocamadour :

Les Vieilles Tours, 65 33 68 01, Fax 65 33 68 59, ←, parc, – ☎ P. AE GB. rest
29 mars-12 nov. – **Repas** *(fermé le midi sauf dim. et fériés)* 115/300, enf. 56 – 50 – **18 ch** 210/460 – ½ P 300/425.

ROCHE-BERNARD 56130 Morbihan 63 ⑭ **G. Bretagne** – 766 h alt. 38.

oir Pont★.

de la Bretesche 40 88 30 03, SE : 11 km.

Office de Tourisme pl. du Pilori 99 90 67 98, Fax 99 90 88 28.

ris 439 – ♦Nantes 70 – Ploërmel 55 – Redon 27 – St-Nazaire 35 – Vannes 40.

Manoir du Rodoir [M], rte Nantes ✆ 99 90 82 68, Fax 99 90 76 22, parc – TV ☎ ♿ P – 80. AE GB
fermé 3 au 15 janv., dim. soir et lundi sauf juil.-août – **Repas** 105 (déj.), 155/255 – ☕ 52 – **26 ch** 380/490 – ½ P 485.

Deux Magots, pl. Bouffay ✆ 99 90 60 75, Fax 99 90 87 87 – TV ☎. GB. ✻
fermé 20 déc. au 20 janv., dim. soir du 15 sept. au 30 juin et lundi (sauf hôtel du 1/7 au 15/9) sauf fêtes – **Repas** 80/320, enf. 50 – ☕ 35 – **15 ch** 280/480.

Le Colibri [M] sans rest, r. Four ✆ 99 90 66 01, Fax 99 90 75 94 – TV ☎ ♿ P. GB. ✻
fermé dim. du 15 nov. au 15 fév. – ☕ 32 – **11 ch** 240/400.

Bretagne sans rest, ✆ 99 90 60 65 – ☎ P. GB. ✻
6 avril-31 oct. – ☕ 32 – **13 ch** 260/300.

XXXX ✿✿ **Aub. Bretonne** (Thorel) [M] avec ch, pl. Duguesclin ✆ 99 90 60 28, Fax 99 90 85 00 « Bel aménagement intérieur » – TV ☎ ♿. AE GB
fermé 14 nov. au 3 déc. et 9 au 23 janv. – **Repas** *(fermé vend. midi et jeudi)* 210/480 et carte 380 à 630 – ☕ 75 – **8 ch** 500/1200 – ½ P 830/1230
Spéc. Homard rôti au citron et au poivre, blinis de blé noir. Pintade fermière farcie aux macaroni et aux truffes. Soufflé aux pommes, coulis d'abricot.

XX **Aub. Rochoise** avec ch, r. Nantes ✆ 99 90 77 37, Fax 99 90 92 44, – TV ☎. AE GB
fermé fév. – **Repas** *(fermé lundi soir et mardi)* 78/198 – ☕ 30 – **5 ch** 200/280 – ½ P 225.

rte de Redon : 6 km par D 34 et rte secondaire – ✉ **56130** La Roche-Bernard :

Domaine de Bodeuc [M] ⛰, ✆ 99 90 89 63, Fax 99 90 90 32, ←, parc, – TV ☎ P. AE GB. ✻ rest
fermé mars – **Repas** (dîner seul.)(résidents seul.) 170 – ☕ 45 – **8 ch** 500/550 – ½ P 445.

PEUGEOT Gar. Manche Océan à Marzan ✆ 99 90 76 47

RENAULT Gar. Priour, ZA des Métairies, rte de St-Dolay ✆ 99 90 71 90 N ✆ 99 90 72 92

La ROCHE-CANILLAC 19320 Corrèze 75 ⑩ – 186 h alt. 460.

Paris 511 – Brive-la-Gaillarde 48 – Argentat 16 – Aurillac 71 – Mauriac 52 – St-Céré 56 – Tulle 27 – Ussel 60.

Aub. Limousine, ✆ 55 29 12 06, Fax 55 29 27 03, – ☎ P. GB. ✻ rest
1er mai-30 sept. – **Repas** 90/200, enf. 50 – ☕ 32 – **52 ch** 145/299 – ½ P 220/270.

La ROCHE-CHALAIS 24490 Dordogne 75 ③ – 2 860 h alt. 60.

Paris 511 – Bergerac 61 – Blaye 63 – ◆Bordeaux 67 – Périgueux 68.

Soleil d'Or [M], 14 r. Apre Côte ✆ 53 90 86 71, Fax 53 90 28 21, – TV ☎ ♿ P. GB
Repas *(fermé lundi midi)* 60 (déj.), 120/195, enf. 45 – ☕ 35 – **15 ch** 250/350 – ½ P 300.

ROCHECORBON 37 I.-et-L. 64 ⑮ – rattaché à Tours.

ROCHEFORT ⟨SP⟩ 17300 Char.-Mar. 71 ⑬ G. Poitou Vendée Charentes – 25 561 h alt. 12 – Sta therm. (fév.-déc.).

Voir Corderie royale★★ BY – Maison de Loti★ BZ **B** – Musée d'Art et d'Histoire★ BZ **M¹** – Les Métiers de Mercure★ (musée) BZ **D** – Echillais : façade★ de l'église 4,5 km par ③.

Env. Croix hosannière★ de Moëze SO : 12 km.

Accès Pont de Martrou. Péage : auto 25 F (AR 40 F), voiture et caravane 45 F (AR 70 F) Renseignements : Régie d'Exploitation des Ponts ✆ 46 83 01 01, Fax 46 83 05 54.

B Office de Tourisme av. Sadi-Carnot ✆ 46 99 08 60, Fax 46 99 52 64.

Paris 467 ① – La Rochelle 34 ④ – Royan 40 ③ – ◆Limoges 192 ② – Niort 60 ① – Saintes 40 ②.

Plan page ci-contre

La Corderie Royale [M] ⛰, r. Audebert (près Corderie Royale) ✆ 46 99 35 35, Télex 792283, Fax 46 99 78 72, ←, « Ancienne artillerie royale au bord de la Charente », – ≡ rest TV ☎ ♿ P – 40 à 120. AE GB JCB BY
fermé 2 au 18 fév., lundi (sauf hôtel) et dim. soir du 15 oct. à Pâques – **Repas** 100 (déj.), 140/195, enf. 80 – ☕ 50 – **50 ch** 485/595, 3 appart – ½ P 485.

Les Remparts [M], aux Thermes ✆ 46 87 12 44, Fax 46 83 92 62 – TV ☎ ♿ – 70. GB BY
Repas 65 bc/90 ⅓, enf. 36 – ☕ 35 – **73 ch** 310 – ½ P 295.

Le Paris, 27 av. La Fayette ✆ 46 99 33 11, Fax 46 99 77 34 – ≡ rest TV ☎ – GB BZ
fermé 23 déc. au 15 janv. – **Repas** *(fermé dim.)* 90/195 ⅓, enf. 55 – ☕ 35 – **38 ch** 235/320 – ½ P 280/290.

Roca-Fortis sans rest, 14 r. République ✆ 46 99 26 32, Fax 46 87 49 48, – TV ☎. GB BY
fermé 23 déc. au 15 janv. – ☕ 30 – **16 ch** 220/285.

Ibis [M] sans rest, 1 r. Bégon ✆ 46 99 31 31, Fax 46 87 24 09 – TV ☎ ♿ P. AE GB BY
☕ 35 – **44 ch** 300.

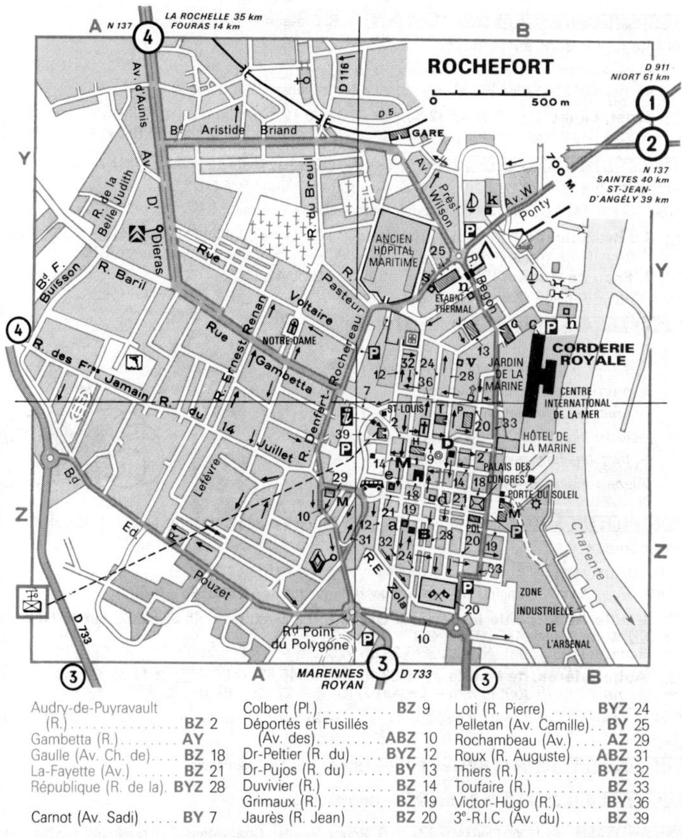

Audry-de-Puyravault (R.) . . . . BZ 2
Gambetta (R.) . . . . AY
Gaulle (Av. Ch. de) . . . . BZ 18
La-Fayette (Av.) . . . . . . BZ 21
République (R. de la). BYZ 28

Carnot (Av. Sadi) . . . . . BY 7
Colbert (Pl.) . . . . BZ 9
Déportés et Fusillés (Av. des) . . . . ABZ 10
Dr-Peltier (R. du) . . . . BYZ 12
Dr-Pujos (R. du) . . . . . . BY 13
Duvivier (R.) . . . . BZ 14
Grimaux (R.) . . . . BZ 19
Jaurès (R. Jean) . . . . BZ 20
Loti (R. Pierre) . . . . . . BYZ 24
Pelletan (Av. Camille) . . BY 25
Rochambeau (Av.) . . . . AZ 29
Roux (R. Auguste) . . . ABZ 31
Thiers (R.) . . . . BYZ 32
Toufaire (R.) . . . . BZ 33
Victor-Hugo (R.) . . . . . . BY 36
3e-R.I.C. (Av. du) . . . . . . BZ 39

XXX **Escale de Bougainville,** port de plaisance ✆ 46 99 54 99, Fax 46 99 54 99, ≤, 🏖 – ▤. GB — BY **k**
fermé vacances de fév., dim. soir et lundi – **Repas** 105/210 bc et carte 230 à 300.

XX **Tourne-Broche,** 56 av. Ch. de Gaulle ✆ 46 99 20 19, Fax 46 99 72 06 – AE GB — BZ **e**
fermé 5 au 19 janv., dim. soir et lundi – **Repas** 100/200 🍷.

XX **Bruno Berton,** 76 r. Grimaux ✆ 46 83 95 12 – GB. ✂ — BZ **a**
fermé 15 au 31 août, dim. et lundi sauf fériés – **Repas** (nombre de couverts limité, prévenir) 110/280.

par ③ : 3 km rte de Royan avant pont de Martrou – ✉ **17300** Rochefort :

🏨 **La Belle Poule,** ✆ 46 99 71 87, Fax 46 83 99 77, 🏖, 🌳 – TV ☎ P. AE ⓓ GB
fermé dim. soir hors sais. – **Repas** 86/170, enf. 45 – ☕ 30 – **20 ch** 250/280 – ½ P 260.

à Soubise par ③ : 7 km après pont de Martrou – 1 220 h. alt. 7 – ✉ **17780** :

XX **Le Soubise** avec ch, ✆ 46 84 92 16, Fax 46 84 91 35 – ☎ P. AE ⓓ GB
fermé 14 au 28 oct., 15 janv. au 3 fév., dim. soir et lundi sauf juil.-août et fériés – **Repas** 80/175, enf. 60 – ☕ 40 – **24 ch** 170/370 – ½ P 320/350.

ITROEN Rochefort Autom., 46-48 av. Dr Dieras 46 87 41 55
ORD Gar. Zanker, 76 r. Gambetta ✆ 46 87 07 55
EUGEOT S.O.C.A.R., 58 av. 11 Novembre par ③ 46 99 02 76 N ✆ 46 99 24 24
ENAULT Gar. Peyronnet, av. Fusillés et Déportés 46 87 36 20 N ✆ 07 53 78 10

ROVER Gar. Central, 31 av. Lafayette ✆ 46 99 00 65

Ⓟ Euromaster, ZC de la Fraternité à Tonnay-Charente ✆ 46 99 01 13

Sorgfältig zubereitete, preiswerte Mahlzeiten : **Repas** 100/130

ROCHEFORT-EN-TERRE 56220 Morbihan 63 ④ G. Bretagne – 645 h alt. 40.

Voir Site★ – Maisons anciennes★.

Office de Tourisme - Mairie ✆ 97 43 33 57.

Paris 424 – Ploërmel 33 – Redon 25 – ◆Rennes 81 – La Roche-Bernard 25 – Vannes 34.

XX **Host. Lion d'Or,** ✆ 97 43 32 80, Fax 97 43 30 12, « Maison du 16e siècle » – GB
fermé 10 au 26 janv., dim. soir et lundi sauf de mai à sept. et fériés – **Repas** 88/270, enf. 60

ROCHEFORT-EN-YVELINES 78730 Yvelines 60 ⑨ 106 ㊶ G. Ile de France – 783 h alt. 140.

Voir Site★ – Vaisseau★ de l'église de St-Arnoult-en-Yvelines SO : 3,5 km.

Paris 50 – Chartres 42 – Dourdan 8 – Étampes 25 – Rambouillet 15 – Versailles 33.

XX **La Brazoucade,** 51 r. Guy le Rouge ✆ (1) 30 41 49 09, Fax (1) 30 88 41 55 – P. AE GB
fermé 18 au 31 août, vacances de fév., mardi soir et merc. – **Repas** 102 bc/210.

XX **L'Escu de Rohan,** 15 r. Guy le Rouge ✆ (1) 30 41 31 33 – GB
fermé lundi sauf fériés et dim. soir – **Repas** 180/250.

ROCHEFORT-SUR-NENON 39 Jura 66 ⑭ – rattaché à Dôle.

The new Michelin Green Tourist Guides offer:
– more detailed descriptive texts,
– practical information,
– town plans, local maps and colour photographs,
– frequent fully revised editions.
Always make sure you have the latest edition.

La ROCHEFOUCAULD 16110 Charente 72 ⑭ G. Poitou Vendée Charentes (plan) – 3 448 h alt. 75.

Voir Château★.

Office de Tourisme Halle aux Grains pl. Gourville ✆ 45 63 07 45.

Paris 441 – Angoulême 22 – Confolens 41 – ◆Limoges 81 – Nontron 37 – Ruffec 39.

Vieille Auberge de la Carpe d'Or, 13 fg La Souche ✆ 45 62 02 72, Fax 45 63 01 88
TV ☎ ♿ P – 🏛 150. AE ⓓ GB
Repas 70/190 ♨, enf. 40 – ☕ 35 – **28 ch** 220/295 – ½ P 205/280.

Auberivières, rte Mansle ✆ 45 63 10 10, Fax 45 63 02 60 – TV ☎ P. AE GB. ✂ ch
fermé 1er au 15 août et dim. – **Repas** 67/164 ♨ – ☕ 32 – **10 ch** 195/250 – ½ P 180/192.

CITROEN Bordron Chabernaud, ✆ 45 62 01 41

RENAULT Gar. Cyclope, ✆ 45 63 03 91 N ✆ 45 6 94 95

La ROCHE-L'ABEILLE 87 H.-Vienne 72 ⑰ – rattaché à St-Yrieix-la-Perche.

ROCHE-LEZ-BEAUPRÉ 25 Doubs 66 ⑮ – rattaché à Besançon.

La ROCHELLE P 17000 Char.-Mar. 71 ⑫ G. Poitou Vendée Charentes – 71 094 h Agglo. 100 264 h alt. 1
Casino X.

Voir Vieux Port★★ : tour St-Nicolas★, ✱★★ de la tour de la Lanterne★, plan-relief★ dans la to de la Chaîne – Le quartier ancien★★ : Hôtel de Ville★ Z **H**, Hôtel de la Bourse★ Z **C**, Porte de Grosse Horloge★ Z **F** – Port des Minimes : aquarium★ X – Parc Charruyer★ Y – Musées Muséum d'Histoire naturelle★★ Y **M**1, Nouveau Monde★ Y **M**2, Beaux-Arts★ Y **M**3, – d'Orbign Bernon★ (histoire rochelaise et céramique) Y **M**4.

18 de la Prée ✆ 46 01 24 42, par D 104 : 11 km V.

Accès par le Pont de l'île de Ré par ④. **Péage** en 1995 : auto (AR) 110 F (saison) 60 F (ho saison), camion 120 à 330 F, moto 20 F, gratuit pour piétons et vélos..

Renseignements par Régie d'Exploitation des Ponts : ✆ 46 00 51 10, Fax 46 43 04 71.

✈ de la Rochelle-Laleu : T.A.T. ✆ 46 42 18 27, NO : 4,5 km V.

Office de Tourisme et Accueil de France quartier du Gabut, pl. de la Petite Sirène ✆ 46 41 14 68, Fax 46 99 85.

Paris 470 ① – Angoulême 130 ② – ◆Bordeaux 182 ③ – ◆Nantes 133 ① – Niort 63 ①.

Plans pages suivantes

Novotel M 🐚, av. Porte Neuve ✆ 46 34 24 24, Fax 46 34 58 32, 🌳, 🏊 – 🛗 ✂ ▤ TV ♿ P – 🏛 130. AE ⓓ GB — Y
Repas carte environ 180, enf. 55 – ☕ 55 – **94 ch** 470/650.

France-Angleterre et Champlain sans rest, 20 r. Rambaud ✆ 46 41 23 9 Fax 46 41 15 19, « Ancien hôtel particulier avec agréable jardin » – 🛗 TV ☎ – 🏛 40. ⓓ GB — Y
☕ 45 – **36 ch** 315/535, 4 appart.

Les Brises 🐚 sans rest, chemin digue Richelieu (av. P. Vincent) ✆ 46 43 89 3 Fax 46 43 27 97, « Terrasse en bordure de mer et ⩽ les îles » – 🛗 TV ☎ 🚗 P. GB — X
☕ 49 – **50 ch** 410/630.

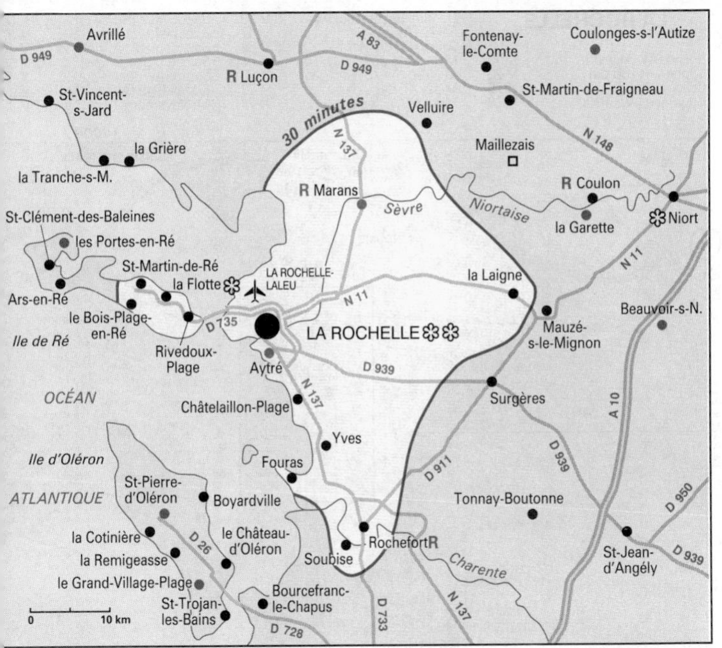

Mónnaie M sans rest, 3 r. Monnaie ✆ 46 50 65 65, Fax 46 50 63 19 – ▮ ▤ TV ☎ 🚗 P – 🚶 25. AE ⓓ GB — Z z
☐ 52 – **32 ch** 450/580, 4 appart.

L'Océanide M, quai L. Prunier ✆ 46 50 61 50, Fax 46 41 24 31, ← – ▮ ⇆ TV ☎ 📞 ♿ P – 🚶 400. AE ⓓ GB — Z e
Repas *(fermé dim. de nov. à fév.)* 97/142 🍼, enf. 46 – ☐ 52 – **123 ch** 450/550 – ½ P 350.

Mercure et rest. Le Yachtman, 23 quai Valin ✆ 46 41 20 68, Fax 46 41 81 24, 🍽, 🏊 – ▮ ⇆ ▤ rest TV ☎ – 🚶 80. AE ⓓ GB — Z r
Repas *(fermé 24 au 30 déc., dim. soir et lundi hors sais.)* 98 (dîner), 150 bc/200 – ☐ 50 – **46 ch** 500/540.

Trianon et Plage, 6 r. Monnaie ✆ 46 41 21 35, Fax 46 41 95 78 – TV ☎ P. AE ⓓ GB. ⚘ rest — Z b
fermé 22 déc. au 1er fév. – **Repas** *(fermé vend. du 15 oct. au 15 mars)* 95/188, enf. 62 – ☐ 42 – **25 ch** 330/440 – ½ P 360/405.

St-Jean d'Acre et rest. Au Vieux Port M, 4 pl. Chaîne ✆ 46 41 73 33, Fax 46 41 10 01, 🍽 – ▮ TV ☎ – 🚶 25. AE ⓓ GB — Z f
Repas 98/298, enf. 54 – ☐ 50 – **70 ch** 350/640 – ½ P 430/480.

St-Nicolas M sans rest, 13 r. Sardinerie ✆ 46 41 71 55, Fax 46 41 70 46 – ▮ TV ☎ 📞 ♿ P – 🚶 25. AE ⓓ GB — Z d
☐ 47 – **79 ch** 335/410.

Aliénor sans rest, 51 r. Perigny ✆ 46 27 31 31, Fax 46 27 09 34, 🏋, 🏊 – ▮ TV ☎ 📞 P. AE GB — V s
fermé 13 déc. au 13 janv. – ☐ 37 – **40 ch** 320/350.

Ibis Grosse Horloge sans rest, 4 r. L. Vieljeux ✆ 46 50 68 68, Fax 46 41 34 94 – ▮ ⇆ TV ☎ 📞 ♿. AE ⓓ GB JCB — Z v
☐ 36 – **77 ch** 360.

Ibis Vieux Port, pl. Cdt de la Motte Rouge ✆ 46 41 60 22, Fax 46 41 93 47 – ▮ ⇆ TV ☎ ♿ – 🚶 25. AE ⓓ GB — Z n
Repas 99 bc, enf. 39 – ☐ 35 – **76 ch** 350.

Le Manoir sans rest, 8 bis av. Gén. Leclerc ✆ 46 67 47 47, Fax 46 67 38 92 – TV ☎ 📞 P. GB — V e
☐ 35 – **18 ch** 350/520.

Majestic sans rest, 8 av. Coligny ✆ 46 34 10 23 – ☎. GB — X n
fermé janv. – ☐ 35 – **14 ch** 250/350.

LA ROCHELLE

Briand (Av. Aristide) . . . . V 13
Cognehors (Bd de) . . . . V 23
Coligny (Av.) . . . . VX 25
Couronne (Av. de la) . . . . V 29
Denfert-Rochereau (Av.) . . . . V 33
Fétilly (Av. de) . . . . V 47
Joffre (Bd du Mar.) . . . . V 62
Mail (Allée du) . . . . X 64
Marillac (Av.) . . . . X 65
Missy (R. de) . . . . V 72
Moulin (Av. Jean) . . . . X 74
République (Bd de la) . . . . . . X 9
Robinet (Av. L.) . . . . V 9
Saintonge (R. A.-de) . . . . V 1
Salengro (Av. Roger) . . . . X 1
Sartre (Av. Jean-Paul) . . . . . . X 1
8-Mai-1945 (Av. du) . . . . V 1
11-Novembre-1918 (Av. du) V 1

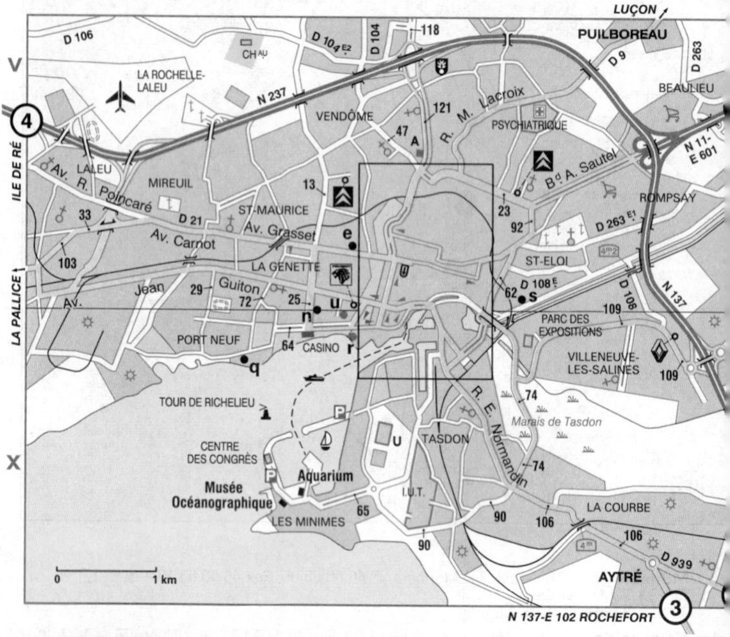

🏨 **Terminus** sans rest, 11 pl. Cdt de la Motte Rouge ✆ 46 50 69 69, Fax 46 41 73 12 – TV
P – 🏃 25. GB Z
☕ 36 – **30 ch** 260/340.

🏨 **Tour de Nesle** sans rest, 2 quai L. Durand ✆ 46 41 05 86, Fax 46 41 95 17, ← – 🛗 TV
AE ⓓ GB Z
☕ 36 – **28 ch** 250/420.

XXXX ✽✽ **Richard Coutanceau,** plage de la Concurrence ✆ 46 41 48 19, Fax 46 41 99 45, ←
▤. AE ⓓ GB X
fermé dim. – **Repas** 210/400 et carte 310 à 460
Spéc. Mouclade rochelaise (juin à nov.). Matelote d'anguille. Homard breton rôti à la coque (avril à nov.). Vi
Haut-Poitou, Mareuil.

XXX ✽ **La Marmite** (Marzin), 14 r. St-Jean du Pérot ✆ 46 41 17 03, Fax 46 41 43 15 – ▤.
ⓓ GB Z
fermé merc. hors sais. – **Repas** 190/390 et carte 280 à 390
Spéc. Mouclade rochelaise (juin à déc.). Cassolette de homard au sauternes (mars à déc.). Turbot aux coquillages et
sauvage. **Vins** Fiefs Vendéens, Haut-Poitou.

XX **Serge,** 46 cours des Dames ✆ 46 41 18 80, Fax 46 41 95 76, 🏖 – AE ⓓ GB JCB Z
Repas - produits de la mer - 138/340.

XX **Bistrot de l'Entracte,** 22 r. St-Jean du Pérot ✆ 46 50 62 60, Fax 46 41 99 45 – ▤
GB Z
fermé dim. – **Repas** 145.

XX **Toque Blanche,** 39 r. St-Jean du Pérot ✆ 46 41 60 55, Fax 46 50 51 08 – ▤. AE GB
fermé dim. soir d'oct. à fin fév. – **Repas** 110/225. Z

XX **Les Quatre Sergents,** 49 r. St-Jean du Pérot ✆ 46 41 35 80, Fax 46 41 95 64, décor c
jardin d'hiver – ▤. AE ⓓ GB JCB Z
fermé dim. soir et lundi – **Repas** 82/175 🍷, enf. 40.

XX **Le Claridge,** 1 r. Admyrauld ✆ 46 50 64 19, Fax 46 41 91 16 – AE GB. ✂ Y
fermé lundi soir et dim. – **Repas** 96/145 🍷.

XX **La Galathée,** 45 r. St-Jean du Pérot ✆ 46 41 17 06, Fax 46 41 17 06 – GB Z
fermé vacances de fév., mardi soir et merc. sauf juil.-août – **Repas** 79/160, enf. 45.

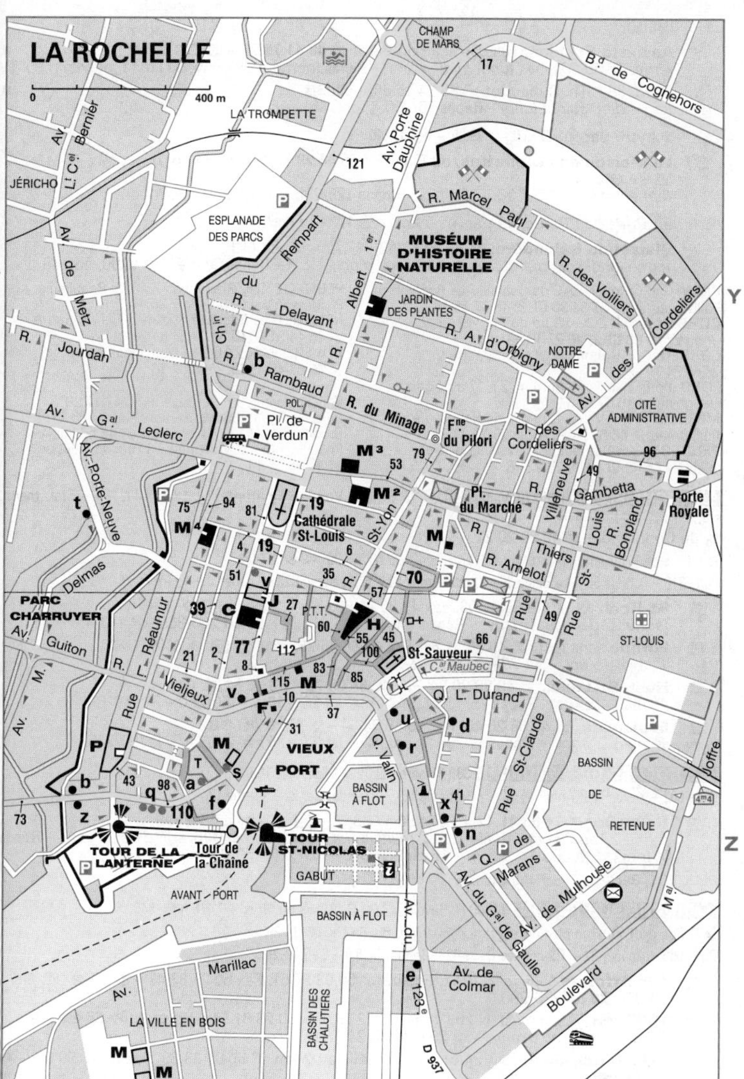

Chaudrier (R.) . . . . Y 19
Merciers (Gde Rue des) . . . . Y 70
Minage (R. du) . . . . Y
Palais (R. du) . . . . Z 77
St-Yon (R.) . . . . Y

Admyrauld (R. G.) . . . . YZ 2
Aufrédy (R.) . . . . Y 4
Augustins (R. des) . . . . Y 6
Bancs (Pl. des Petits) . . . . . . Z 8
Barentin (Pl.) . . . . Z 10
Champ-de-Mars (Av. du) . . . . Y 17
Chef-de-Ville (R.) . . . . Z 21
Commanderie (Cour de la) . . . Z 27

Dames (Cours des) . . . . Z 31
Dupaty (R.) . . . . Y 35
Duperré (Quai) . . . . Z 37
Escale (R. de l') . . . . Z 39
Fabrique (R. de la) . . . . Z 41
Fagots (R. des) . . . . Z 43
Ferté (R. de la) . . . . Z 45
Fonderies (R. des) . . . . YZ 49
Fromentin (R. E.) . . . . Y 51
Gargoulleau (R.) . . . . Y 53
Gentilshommes (R. des) . . . . Z 55
Grille (R. de la) . . . . YZ 57
Hôtel-de-Ville (R. de l') . . . . . Z 60
Maubec (Quai) . . . . Z 66

Monnaie (Av. de la) . . . . Z 73
Noue (R. de la) . . . . Y 75
Pas-du-Minage (R. du) . . . . . Y 79
Pernelle (R.) . . . . Y 81
Port (Petite Rue du) . . . . Z 83
Port (R. du) . . . . Z 85
St-Côme (R.) . . . . Y 94
St-François (R.) . . . . Y 96
St-Jean-du-Pérot (R.) . . . . . . Z 98
St-Sauveur (R.) . . . . Z 100
Sur-les-Murs (R.) . . . . Z 110
Temple (Cour du) . . . . Z 112
Temple (R. du) . . . . Z 115
11-Novembre-1918 (Av. du) . Y 121

✗ **Assiette St-Jean,** 18 r. St-Jean du Pérot ✆ 46 41 75 75 – AE GB Z
fermé 15 au 30 janv., lundi midi et dim. – **Repas** (nombre de couverts limité, prévenir) 95 ♁

✗ **Parc,** 38 r. Th. Renaudot ✆ 46 34 15 58 – ⓓ GB VX
fermé dim. soir et lundi – **Repas** 75/200 ♁, enf. 48.

à Aytré par ③ : 5 km – 7 786 h. – ✉ **17440** :

✗✗✗ **La Maison des Mouettes,** bd Plage ✆ 46 44 29 12, Fax 46 34 66 01, ≤, 🏖, 🌳 – ▤ P
AE ⓓ GB JCB
fermé lundi sauf juil.-août et fériés – **Repas** 129/295 et carte 230 à 380.

au Pont de l'Ile de Ré par ④ : 7 km – ✉ **17000** La Rochelle :

✗ **Bistrot du Belvédère,** ✆ 46 42 62 62, ≤, 🏖 – AE ⓓ GB
fermé lundi soir, mardi soir et merc. soir d'oct. à juin – **Repas** 68 (déj.), 98/250, enf. 48.

BMW Gar. Cormier, ZAC de Beaulieu-La Rochelle à Puilboreau ✆ 46 27 34 36 **N** ✆ 46 67 16 16
CITROEN S.O.R.D.A., 99 bd de Cognehors V ✆ 46 27 19 68 **N** ✆ 46 27 16 06
CITROEN Gar. Bretonnier, 8 r. Trompette V ✆ 46 34 79 79
FORD Porte Dauphine Autom., 2 à 12 av. Porte Dauphine ✆ 46 67 51 11
MERCEDES S.A.V.I.A., Ctre cial de Beaulieu à Puilboreau ✆ 46 67 54 22 **N** ✆ 05 24 24 30
PEUGEOT Gar. Brenuchot, 1 av. Guiton VX ✆ 46 34 65 65 **N** ✆ 09 25 22 48

PEUGEOT Gar. Brenuchot, ZAC de Beaulieu à Puilboreau par ① ✆ 46 67 36 44
RENAULT La Rochelle Autom., av. J.-P.-Sartre X ✆ 46 44 01 00 **N** ✆ 07 54 64 27
ROVER L.G.A, ZAC Beaulieu à Puilboreau ✆ 46 67 45 45 **N** ✆ 46 67 56 26

Ⓜ Euromaster, 9 r. St-Louis ✆ 46 41 13 20
Euromaster, 153 bd A.-Sautel ✆ 46 34 85 71
Euromaster, N 137 à Angoulins ✆ 46 56 80 94
Pneu Plus Ouest Vulcopneu, 1 Rue de Quebec ✆ 46 43 52 40

La ROCHE-POSAY 86270 Vienne 68 ⑤ G. Poitou Vendée Charentes – 1 444 h alt. 112 – Stat. therm (21 janv.-21 déc.) – Casino.

⛳18 du Connétable ✆ 49 86 20 21.

ℹ Office de Tourisme, 14 bd Victor Hugo ✆ 49 86 20 37, Fax 49 86 27 94.

Paris 316 – Poitiers 60 – Le Blanc 29 – Châteauroux 81 – Châtellerault 23 – Loches 48 – ♦Tours 82.

🏨 **St-Roch** M, ✆ 49 86 21 03, Fax 49 86 21 69, 🌳 – |‡| ▤ ch TV ☎ ♿ P. GB
fermé 22 déc. au 21 janv. – **Repas** 100/280 ♁ – ☕ 28 – **36 ch** 260/365 – P 413/431.

🏨 **Europe** sans rest, ✆ 49 86 21 81, Fax 49 86 66 28, 🌳 – |‡| TV ☎ ♿ P. GB
1er avril-15 oct. – ☕ 23 – **31 ch** 165/200.

🏨 **Host. St-Louis,** ✆ 49 86 20 54, Fax 49 86 00 79 – TV ☎ ✆ P. GB
10 mars-15 oct. – **Repas** 75/130 ♁, enf. 42 – ☕ 26 – **19 ch** 150/250 – P 220/280.

🏨 **Esplanade,** ✆ 49 86 20 48, Fax 49 86 64 64 – |‡| TV ☎ P. GB
1er mars-30 nov. – **Repas** 65/200 ♁, enf. 40 – ☕ 27 – **35 ch** 140/210 – P 190/215.

Les ROCHES-DE-CONDRIEU 38370 Isère 74 ⑪ – 1 836 h alt. 158.

Paris 502 – ♦Lyon 42 – Annonay 36 – ♦Grenoble 101 – Rive-de-Gier 22 – Vienne 12.

🏨 **Bellevue,** ✆ 74 56 41 42, Fax 74 56 47 56, ≤ – TV ☎ 🚗. AE ⓓ GB
fermé 22 au 28 oct., 10 fév. au 12 mars, lundi (sauf hôtel) et dim. soir d'oct. à janv. – **Repas** 90 (déj.), 110/300 ♁ – ☕ 35 – **16 ch** 200/310 – ½ P 200/450.

PEUGEOT, RENAULT Gar. Capellaro, ✆ 74 56 41 32

La ROCHE-SUR-FORON 74800 H.-Savoie 74 ⑥ G. Alpes du Nord – 7 116 h alt. 548.

ℹ Office de Tourisme pl. Andrevetan ✆ 50 03 36 68, Fax 50 03 31 38.

Paris 555 – Annecy 32 – Thonon-les-Bains 42 – Bonneville 8,5 – Genève 25.

🏨 **Les Afforets** sans rest, 101 r. Egalité ✆ 50 03 35 01, Fax 50 25 82 47 – |‡| TV ☎. AE GB
☕ 31 – **28 ch** 230/290.

🏨 **Le Foron** M sans rest, N 203 ✆ 50 25 82 76, Fax 50 25 81 54 – TV ☎ ♿ P. AE ⓓ GB
fermé 20 déc. au 6 janv. – ☕ 29 – **26 ch** 240/300.

✗✗✗ ✿ **Le Marie-Jean** (Signoud), rte Bonneville : 2 km ✆ 50 03 33 30, Fax 50 25 99 98 – P
AE ⓓ GB
fermé 29 juil. au 20 août, dim. soir et lundi – **Repas** 160 (déj.), 220/280 et carte 240 à 380
Spéc. Foie gras de canard. Bourride de lotte à l'anchoïade. Pigeon en vessie au jus de truffes. **Vins** Chignin Bergeron Mondeuse.

PEUGEOT Gar. Lemuet, N 203 à Amancy ✆ 50 25 96 08 **N** ✆ 50 87 91 86

Ⓜ Euromaster, av. L.-Rannard ✆ 50 03 10 46

Participez à notre effort permanent de mise à jour

Adressez-nous vos remarques et vos suggestions.

Cartes et guides Michelin

46 avenue de Breteuil - 75324 Paris Cedex 07

La ROCHE-SUR-YON P 85000 Vendée 67 ⑬ ⑭ G. Poitou Vendée Charentes – 45 219 h alt. 75.

18 de la Domangère ✆ 51 07 60 15 par ④, D 746 puis D 85 : 8 km.

Office de Tourisme Galerie Bonaparte, pl. Napoléon ✆ 51 36 00 85, Fax 51 05 37 01 – Automobile Club 17 r. Lafayette ✆ 51 36 24 60.

Paris 415 ② – Cholet 64 ② – ♦Nantes 69 ① – Niort 93 ③ – La Rochelle 72 ③.

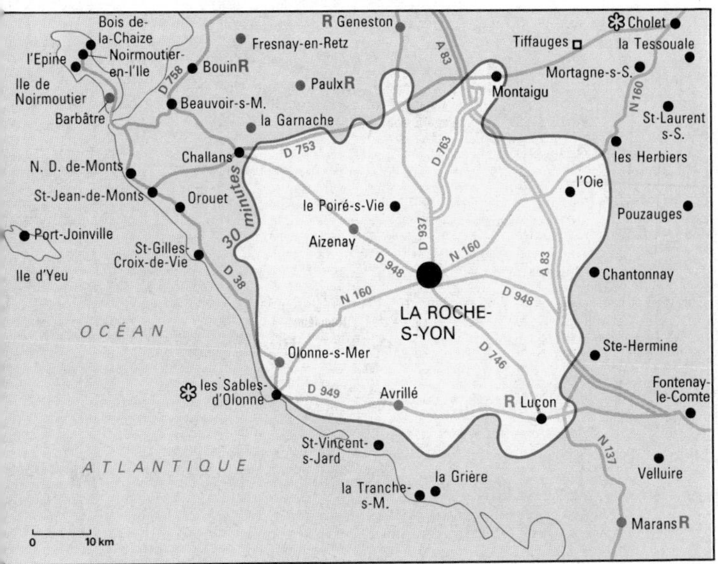

Mercure M, 117 bd A. Briand **(u)** ✆ 51 46 28 00, Fax 51 46 28 98 – 80. AE GB
***Le Jardin Gourmand** : (fermé dim. et fériés)* **Repas** 115/290, enf. 60 – ***Brasserie Lafayette* :** **Repas** 99, enf. 40 – 49 – **67 ch** 380/470.

Napoléon sans rest, 50 bd A. Briand **(r)** ✆ 51 05 33 56, Fax 51 62 01 69 – 40. AE GB JCB
fermé 22 déc. au 7 janv. – 40 – **29 ch** 280/330.

Le Vincennes sans rest, 81 bd Mar. Leclerc **(s)** ✆ 51 62 73 22, Fax 51 37 45 85 – cuisinette P. AE GB
28 – **21 ch** 195/280.

L'Halbran, 86 r. de Gaulle **(t)** ✆ 51 07 08 09, Fax 51 37 66 90 – GB
fermé 27 juil. au 25 août, sam., dim. et fêtes – **Repas** 115/250.

Rivoli, 31 bd A. Briand **(a)** ✆ 51 37 43 41 – AE GB.
fermé 5 au 18 août, 16 au 23 fév., sam. soir et dim. – **Repas** 90/185.

à l'Est par ③, D 948 et D 80 : 5 km :

Logis de la Couperie sans rest, ✆ 51 37 21 19, Fax 51 47 71 08, – P. AE GB.
39 – **7 ch** 265/480.

ALFA ROMEO Gar. Barteau, Rte de Nantes à Mouilleron le Captif ✆ 51 62 01 04 N ✆ 51 62 01 04
BMW Gar. Napoléon, 4 rte de Nantes, ZI Nord ✆ 51 37 36 27 N ✆ 51 36 19 40
CITROEN Guénant Autos, 15 rte de Nantes par ① ✆ 51 36 45 00 N ✆ 51 36 45 11
FIAT, LANCIA Gar. Hermouet, 46 av. Alienor d'Aquitaine ✆ 51 62 22 22
FORD Gar. Baudry, bd Lavoisier ZI Sud ✆ 51 47 77 47
OPEL Gar. des Jaulnières, rte d'Aubigny ZA des Jaulnières ✆ 51 05 36 74

PEUGEOT Gar. Sorin, 17 bd Sully par rte de Nantes par ① ✆ 51 37 08 15 N ✆ 51 36 90 36
RENAULT La Roche Autom., rte de Nantes ✆ 51 45 18 18 N ✆ 51 44 87 66
VAG Alizées automobiles, N 160 rte des Sables Les Clouzeaux ✆ 51 36 29 29

Chouteau Pneus Vendée, r. du Commerce, ZI Sud ✆ 51 36 07 15
Le Pneu Yonnais Point S, rte de Nantes, ZI Nord ✆ 51 37 05 77

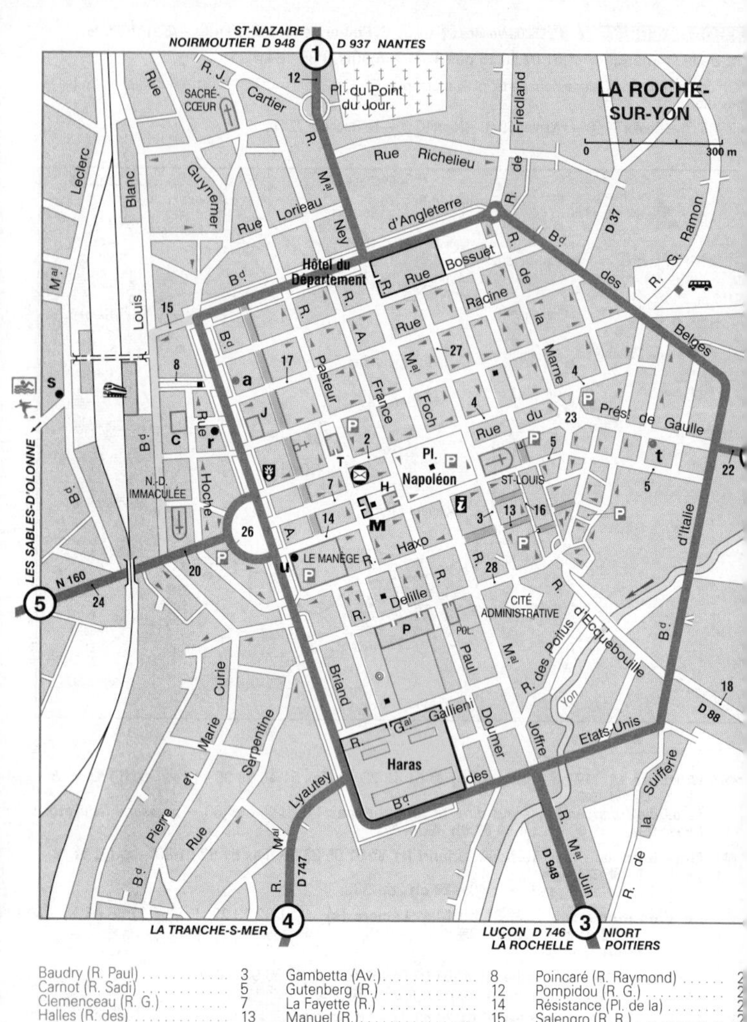

Baudry (R. Paul)	3	Gambetta (Av.)	8	Poincaré (R. Raymond)	2
Carnot (R. Sadi)	5	Gutenberg (R.)	12	Pompidou (R. G.)	2
Clemenceau (R. G.)	7	La Fayette (R.)	14	Résistance (Pl. de la)	2
Halles (R. des)	13	Manuel (R.)	15	Salengro (R. R.)	2
		Marché (R. du)	16	Vendée (Pl. de la)	2
Allende (R. S.)	2	Molière (R.)	17	Victor-Hugo (R.)	2
Berthelot (R. M.)	4	Moulin Rouge (R. du)	18	93e-R.I (R. du)	2

ROCHETAILLÉE 42 Loire 76 ⑨ – rattaché à St-Étienne.

La ROCHETTE 73110 Savoie 74 ⑯ – 3 124 h alt. 360.

Voir Vallée des Huiles★ NE, **G. Alpes du Nord.**

Office de Tourisme ✆ 79 25 53 12.

Paris 573 – ◆ Grenoble 47 – Albertville 41 – Allevard 9 – Chambéry 29.

- **Parc** avec ch, ✆ **79 25 53 37**, – P. AE GB.
  fermé sam. du 1er sept. au 15 déc. et dim. soir du 1er sept. au 30 juin – **Repas** 75/185
  ☕ 34 – **12 ch** 155/195 – ½ P 205/220.

CITROEN Gar. Fachinger, ✆ 79 25 52 73

RODEZ P 12000 Aveyron 80 ② G. Gorges du Tarn – 24 701 h alt. 635.
Voir Clocher★★★ de la cathédrale N.-Dame★★ BY – Musée Fenaille★ BZ **M1**.
18 de Fontanges.
de Rodez-Marcillac : T.A.T. ☏ 65 42 20 30, par ③ : 10 km.
Office de Tourisme pl. Foch ☏ 65 68 02 27, Fax 65 68 78 15.
Paris 633 ① – Albi 78 ② – Alès 198 ① – Aurillac 93 ① – Brive-la-Gaillarde 156 ③ – ♦Clermont-Ferrand 215 ① – Montauban 132 ②.

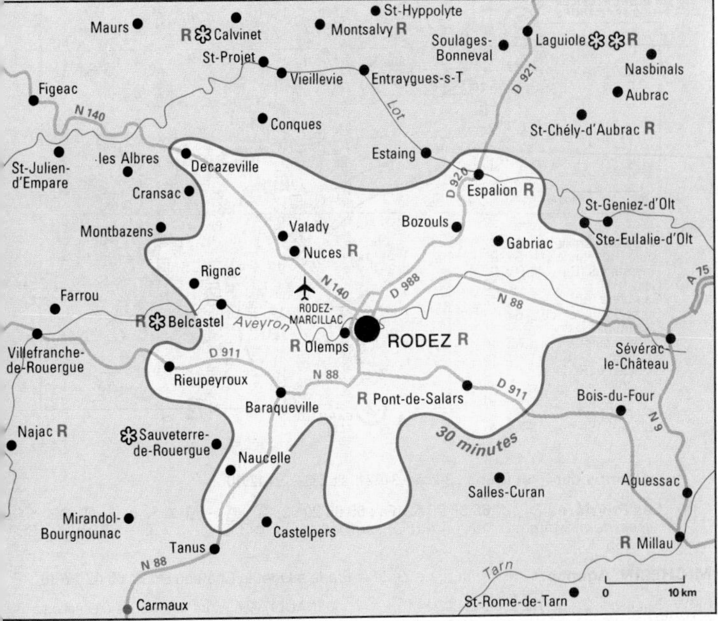

Tour Maje sans rest, bd Gally ☏ 65 68 34 68, Fax 65 68 27 56 – |‡| TV ☎ ✆. AE ⓓ GB — BZ **s**
☕ 40 – **41 ch** 265/370, 3 appart.

Biney sans rest, r. Victoire-Massol ☏ 65 68 01 24, Fax 65 68 50 45 – |‡| TV ☎. GB — BY **k**
☕ 38 – **27 ch** 290/320.

Concorde, 12-14 r. Béteille ☏ 65 68 31 61, Fax 65 68 09 98 – |‡| TV ☎ ✆ P. AE ⓓ GB — BY **a**
fermé 24 déc. au 2 janv. – **Repas** *(fermé sam. d'oct. à mai)* 50 (déj.), 85/140 ♖ – ☕ 30 – **28 ch** 200/270 – ½ P 220/270.

Le Terminus sans rest, face gare (N par D 901 AX) ☏ 65 42 16 90, Fax 65 78 31 80 – |‡| TV ☎ ✆. ⓓ GB
☕ 35 – **25 ch** 200/280.

St-Amans, 12 r. Madeleine ☏ 65 68 03 18 – ▤. GB — BZ **v**
fermé 10 fév. au 10 mars, dim. soir et lundi – **Repas** 125/280.

Goûts et Couleurs, 38 r. Bonald ☏ 65 42 75 10, Fax 65 78 11 20, 🌳 – AE GB — BY **e**
fermé 11 au 22 sept., 15 janv. au 8 fév., dim. et lundi – **Repas** 92 (déj.), 128/260 ♖.

rte d'Espalion par ① et D 988 : 3 km – ✉ **12850** Onet-le-Château :

Bastide, ☏ 65 67 08 15, Fax 65 67 43 32, 🌳 – |‡| ⇔ TV ☎ ✆ ♿ P – 🏛 80. AE ⓓ GB
Repas 65 bc (déj.), 85/160 ♖, enf. 40 – ☕ 35 – **38 ch** 260/300 – ½ P 215.

rte de Marcillac-Vallon N par D 901 AX :

Host. de Fontanges ♨, à 3,5 km ☏ 65 77 76 00, Télex 521142, Fax 65 42 82 29, 🌳, parc, ⛱, 🎾 – TV ☎ P – 🏛 100. AE ⓓ GB JCB
Repas *(fermé dim. soir du 1er nov. à Pâques)* 98/210, enf. 55 – ☕ 40 – **41 ch** 390/700, 4 appart – ½ P 350/430.

Campanile, rd-pt St-Félix, à 2 km ☏ 65 42 97 08, Fax 65 42 66 69, 🌳 – ⇔ TV ☎ ✆ ♿ P – 🏛 25. AE ⓓ GB
Repas 84 bc/107 bc, enf. 39 – ☕ 32 – **47 ch** 270.

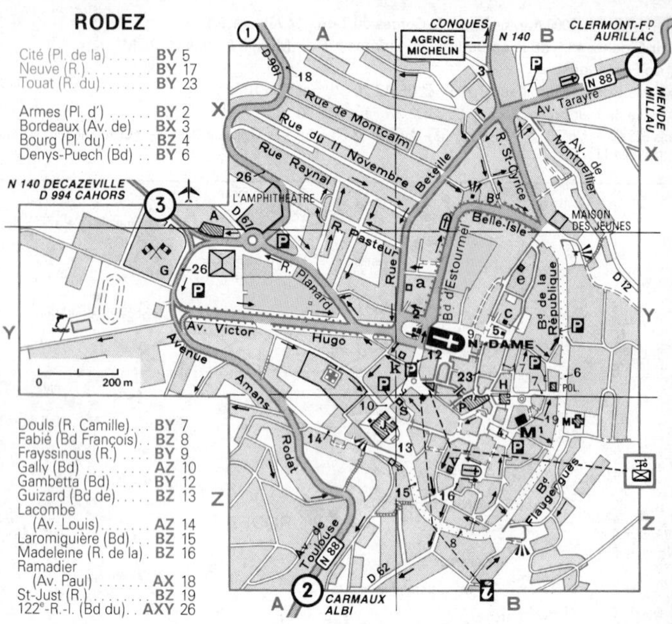

à Olemps par ② et D 653 : 3 km – 3 032 h. alt. 580 – ✉ **12510** :

🏨 **Les Peyrières** ⛰, ☎ 65 68 20 52, Fax 65 68 20 52, 🌳, 🏊 – 📺 ☎ 📞 ♿ 🅿. AE GB. ✂
Repas *(fermé dim. soir et lundi midi sauf juil.-août)* 90/300 🍷 – ☕ 38 – **50 ch** 290/350 – ½ P 235/300.

MICHELIN, Agence, r. de Cantaranne ZI de la Prade à Onet le Château BY ☎ **65 42 17 88**

BMW Gar. Escat, ZA Bel Air ☎ 65 42 84 21
CITROEN Rouergue Autom., rte d'Espalion à Sébazac-Concourès par ① ☎ 65 46 96 50
FIAT, LANCIA Gaubert Autos, 31 bd Paul Ramadier ☎ 65 78 17 17
FORD Gar. Boutonnet, La Gineste, rte de Decazeville ☎ 65 42 20 12
MERCEDES, OPEL Gar. Benoit, La Primaube à Luc ☎ 65 71 48 31
NISSAN Gar. Dufourgniaud, 93-97, av de Toulouse ☎ 65 68 16 91
PEUGEOT Gar. Caussignac et Guiet, rte de Conques par av. de Bordeaux BY ☎ 65 42 38 06
RENAULT Gar. Fabre Rudelle, rte d'Espalion à Onet-le-Château par ① ☎ 65 67 04 10 **N** ☎ 65 67 04 10
TOYOTA Gar. BRF, La Primaub à Luc ☎ 65 69 59 30
VAG Gar. Besset et Jean, ZA Bel-Air ☎ 65 42 20 1

Ⓜ Escoffier Pneus Vulcopneu, ZI de la Prade à Onet-le-Château ☎ 65 67 07 43
Euromaster, Parc St-Marc, rte Espalion à Onet le Chateau ☎ 65 67 16 11
Tout pour le Pneu, 40 r. Béteille ☎ 65 68 01 13

ROGNAC

13340 B.-du-R. 84 ② 114 ⑭ – 11 099 h alt. 25.

Paris 747 – ◆Marseille 32 – Aix-en-Provence 24 – Martigues 26 – Salon-de-Provence 25.

✕✕ **Host. Royal Provence** avec ch, au Sud par N 113 ☎ 42 87 00 27, Fax 42 78 77 13, ←, 🌳 – ▤ rest 📺 🅿. AE ⓓ GB JCB
fermé 28 juil. au 19 août et 2 au 8 janv. – **Repas** *(fermé dim. soir et lundi soir)* 95/250, enf. 7 – ☕ 35 – **10 ch** 195/245 – ½ P 175.

Ⓜ Chapus Pneus, 71 av. Ambroise Croizat à Berre l'Étang ☎ 42 85 40 14

ROGNES

13840 B.-du-R. 84 ③ **G. Provence** – 3 450 h alt. 311.

Voir Retables★ dans l'église.

🅸 Office de Tourisme 5 pl. de la Fontaine ☎ 42 50 13 36.

Paris 737 – ◆Marseille 49 – Aix-en-Provence 19 – Cavaillon 37 – Manosque 52 – Salon-de-Provence 23.

✕✕ **Les Olivarelles,** NO : 6 km par D 66 et rte secondaire ☎ 42 50 24 27, Fax 42 50 17 99 🌳, 🌳 – 🅿. GB
fermé dim. soir et lundi sauf fériés – **Repas** (prévenir) 92/300, enf. 70.

OGNY-LES-SEPT-ÉCLUSES 89220 Yonne 65 ② G. Bourgogne – 725 h alt. 170.

ris 145 – Auxerre 59 – Gien 24 – Montargis 33.

X **Aub. des Sept Ecluses** avec ch, ✆ 86 74 52 90, Fax 86 74 56 77 – ☎. AE ⓓ GB
fermé 15 janv. au 1er mars, lundi soir et mardi sauf de juin à sept. – **Repas** 98/190, enf. 50 – ☐ 35 – **7 ch** 210/320 – ½ P 220/255.

OHAN 56580 Morbihan 58 ⑲ G. Bretagne – 1 604 h alt. 55.

ris 443 – Vannes 52 – Lorient 72 – Pontivy 17 – Quimperlé 87.

XX **L'Eau d'Oust,** rte Loudéac ✆ 97 38 91 86, ☂ – AE GB
fermé vacances de fév., dim. soir et lundi – **Repas** 75/220.

:NAULT Gar. des Vallées, ✆ 97 38 98 98 N ✆ 97 38 80 15

OISSY-EN-FRANCE 95 Val-d'Oise 56 ⑪, 101 ⑧ – voir à Paris, Environs.

OMAINVILLE 93 Seine-St-Denis 56 ⑪, 101 ⑰ – voir à Paris, Environs.

OMANÈCHE-THORINS 71570 S.-et-L. 74 ① G. Vallée du Rhône – 1 710 h alt. 187.

ris 408 – Mâcon 16 – Chauffailles 48 – ♦Lyon 56 – Villefranche-sur-Saône 23.

✿ **Maritonnes** (Fauvin), près gare ✆ 85 35 51 70, Fax 85 35 58 14, « Parc fleuri, ⛱ » – TV ☎ P. AE ⓓ GB
fermé mi-déc. à fin janv., dim. soir hors sais., mardi midi et lundi – **Repas** 160 (déj.), 195/440, enf. 100 – ☐ 58 – **20 ch** 420/550 – ½ P 550/570
Spéc. Escalope de foie gras poêlée sauce aigre-douce. Cuisses de grenouilles sautées aux fines herbes. Poulet fermier façon coq au vin aux pâtes fraîches. **Vins** Chénas, Pouilly-Fuissé.

OMANS-SUR-ISÈRE 26100 Drôme 77 ② G. Vallée du Rhône – 32 734 h alt. 162.

oir Tentures★★ de l'église St-Barnard BY – Musée de la Chaussure★ CY M – Musée diocésain Art sacré★ à Mours-St-Eusèbe, 4 km par ①.

de Saint-Didier, ✆ 75 59 67 01, par ④ : 15 km.

Office de Tourisme Le Neuilly, pl. J.-Jaurès ✆ 75 02 28 72, Fax 75 05 91 62.

ris 561 ⑤ – Valence 18 ④ – Die 79 ④ – ♦Grenoble 79 ② – ♦St-Étienne 119 ⑤ – Vienne 71 ⑤.

Plan page suivante

Primevère M, clos des Tanneurs ✆ 75 05 10 20, Fax 75 02 03 00, ☂, ⛱ – ✈ TV ☎ ✆ ♿ P – 🏛 25. AE ⓓ GB JCB — AZ n
Repas 81/150 ♁, enf. 41 – ☐ 35 – **32 ch** 295.

Cendrillon sans rest, 9 pl. Carnot ✆ 75 02 83 77, Fax 75 05 35 33 – ☎. AE ⓓ GB
☐ 24 – **28 ch** 150/230. — AZ s

Magdeleine sans rest, 31 av. P. Sémard ✆ 75 02 33 53 – TV ☎. GB — AZ e
fermé dim. sauf juil.-août – ☐ 24 – **16 ch** 150/230.

XX **Parc,** 6 av. Gambetta par ② ✆ 75 70 26 12, ☂, ☂ – GB JCB
fermé dim. soir et lundi – **Repas** 130/300.

XX **La Fourchette,** 8 r. Solférino ✆ 75 02 12 94, Fax 75 02 65 51, ☂, ☂ – ⓓ GB — CY d
fermé 16 au 20 août, 18 au 25 nov., vacances de fév., dim. soir et lundi – **Repas** 99 (déj.), 140/280.

à l'Est : par ② et N 92 : 4 km – ✉ 26750 St-Paul-lès-Romans :

Karene H. M, ✆ 75 05 12 50, Fax 75 05 25 17, ⛱, ☂ – TV ☎ ✆ P – 🏛 30. AE ⓓ GB
fermé 20 déc. au 2 janv. – **Repas** (dîner seul.) 92/98 – ☐ 42 – **23 ch** 262/320 – ½ P 260/272.

à Granges-lès-Beaumont par ⑤ : 6 km – 791 h. alt. 155 – ✉ 26600 :

XXX ✿ **Les Cèdres** (Bertrand), ✆ 75 71 50 67, Fax 75 71 64 39, ☂, ⛱, ☂ – P. GB
fermé en sept., vacances de fév., jeudi soir et lundi – **Repas** (nombre de couverts limité, prévenir) 175/420
Spéc. Carpaccio de filet d'agneau mariné aux truffes. Ragoût de lotte aux herbes et ravioles du Dauphiné. Pétales de boeuf Angus, sauce à la lie de vin d'Hermitage. **Vins** Crozes-Hermitage, Hermitage.

XX **Lanaz** avec ch, ✆ 75 71 50 56, ☂ – ☎ P. GB JCB
fermé 1er au 9 mai – **Repas** *(fermé sam. en hiver)* 58 (déj.), 82/195 ♁ – ☐ 24 – **7 ch** 210/245 – ½ P 180/198.

à St-Paul-lès-Romans par ② : 8 km – 1 401 h. alt. 171 – ✉ 26750 :

XXX **La Malle Poste,** ✆ 75 45 35 43, Fax 75 71 40 48 – ▤. AE ⓓ GB
fermé 1er au 15 janv., dim. soir et lundi – **Repas** 135 (déj.), 185/350 et carte 220 à 300.

TROEN Romans Autom., Place Massenet
✆ 75 70 00 66
ORD Gar. Larat, ZI N 92 ✆ 75 70 07 01
PEL Rocade Autom., av. du Vercors
✆ 75 02 21 21
EUGEOT Gar. des Dauphins, ZI, N 92 par ②
✆ 75 70 24 66 N ✆ 72 55 89 25

Ⓜ Dorcier Ayme Pneus, 41 cours P.-Didier
✆ 75 02 24 64
Drom Pneus, à Bourg-de-Péage ✆ 75 02 49 31
Euromaster, ZI N 92 ✆ 75 70 45 67

ROMANS-SUR-ISÈRE BOURG-DE-PÉAGE

Cordeliers (Côtes des) .... CY
Faure (Pl. M.) .... BY
Gailly (Pl. E.) .... BY
Jacquemart (Côte) .... BY 15
Jacquemart (R.) .. AZ 16
Mathieu-de-la-Drôme (R.) .. CY 18

Clerc (R. des) .... CY 4
Ecosserie (R. de l') ...... BY 8
Fontaine-des-Cordeliers (R.) . CY 10
Guillaume (R.) .... AZ 12
Herbes (Pl. aux) .. BY 14
Massenet (Pl.) .... CY 17
Merlin (R.) ...... CY 20
Mouton (R. du) ... BY 22
Palestro (R.) ..... AZ 24
Perrot-de-Verdun (Pl.) .... BY 26
Sabaton (R.) ..... CY 28
Ste-Marie (R.) .... CY 29
Semard (R. P.) ... AZ 30
Trois-Carreaux (R.) CY 32
Victor-Hugo ..... AZ 34

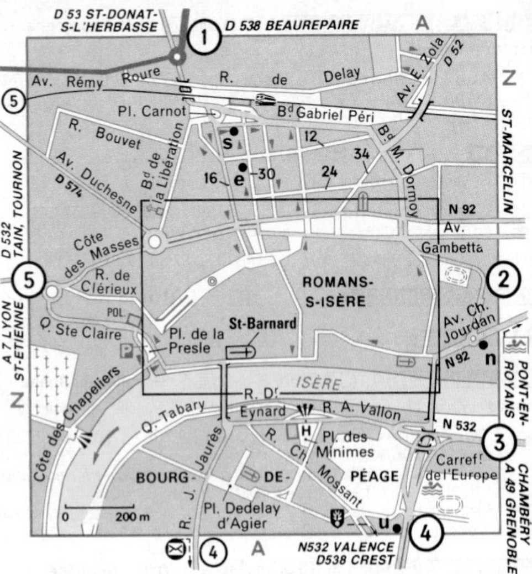

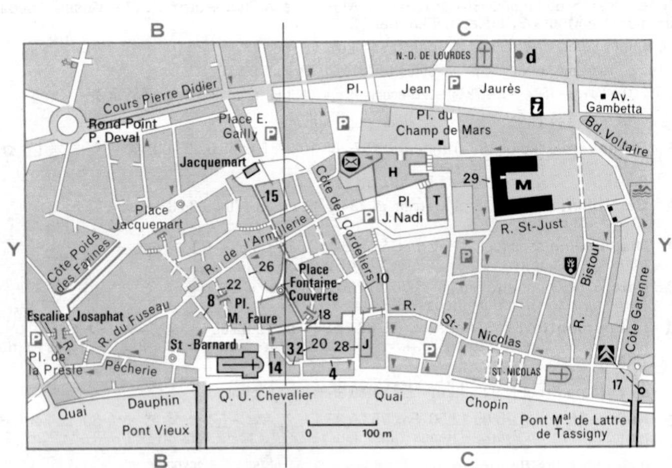

Les prix Pour toutes précisions sur les prix indiqués dans ce guide, reportez-vous aux pages explicatives.

ROMANSWILLER **67** B.-Rhin 87 ⑭ – rattaché à Wasselonne.

ROMILLY-SUR-SEINE **10100** Aube 61 ⑤ – 15 557 h alt. 76.

Paris 124 – Troyes 38 – Châlons-en-Champagne 73 – Nogent-sur-Seine 18 – Sens 60 – Sézanne 26.

Aub. de Nicey M, 24 r. Carnot ✆ 25 24 10 07, Fax 25 24 47 01, – P – 30. AE GB
fermé dim. soir – **Repas** 95/249 – 45 – **23 ch** 330/400 – 1/2 P 300.

CITROEN Gar. Garnerot, 126 r. A.-Briand N 19 ✆ 25 24 79 48 N ✆ 07 66 99 27
FORD Gar. D'Agostino, 6 r. E.-Zola ✆ 25 24 71 58
PEUGEOT Gar. Lesaffre, Rd-Pt Val-Thibault ✆ 25 24 74 45 N ✆ 07 01 84 58
RENAULT Gar. Cadot, 1-3 bd Robespierre ✆ 25 39 51 80 N ✆ 05 05 15 15

VAG Gar. Rocca, N 19, 64 ter av. Diderot ✆ 25 24 90 42

Euromaster, 223 r. A.-Briand ✆ 25 24 79 40

OMORANTIN-LANTHENAY ⟨SP⟩ **41200** L.-et-Ch. **64** ⑱ **G. Châteaux de la Loire** – 17 865 h alt. 93.

ir Maisons anciennes★ **B** – Vues des ponts★ – Musée de Sologne★ **M**[1].

v. Aliotis, l'Aquarium de Sologne★ au lieu-dit le Moulin des Tourneux E : 8 km par ②.

Office de Tourisme pl. Paix ✆ 54 76 43 89, Fax 54 76 96 24.

is 203 ① – Bourges 71 ③ – Blois 40 ⑤ – Châteauroux 74 ③ – ♦Orléans 68 ① – ♦Tours 91 ④ – Vierzon 34 ③.

ROMORANTIN-LANTHENAY

Clemenceau (R. Georges) 6
Trois-Rois (R. des) . . . 36
Verdun (R. de) 37

Brault (R. Porte) 2
Capucins (R. des) 4
Four-à-Chaux (R. du) 8
Gaulle (Pl. Gén. de) . . 10
Ile-Marin (Quai de l') . 13
Jouanettes (R. des) . . 14
Lattre de Tassigny (Av. du Mar. de) . . . 15
Limousins (R. des) . . . 17
Mail de l'Hôtel-Dieu . . 18
Milieu (R. du) 20
Orléans (Fg d') 22
Paix (Pl. de la) 23
Pierre (R. de la) 24
Prés.-Wilson (R. du) . . 26
Résistance (R. de la) 28
St-Roch (Fg) 30
Sirène (R. de la) 33
Tour (R. de la) 34

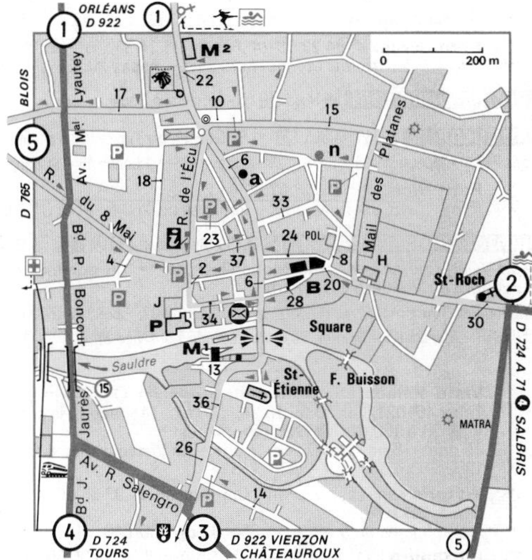

♔♔♔♔ ⚘⚘ **Gd H. Lion d'Or** Ⓜ, 69 r. Clemenceau **(a)** ✆ 54 94 15 15, Fax 54 88 24 87, ☂, « Belle décoration intérieure, patio fleuri » – |⇕| ▤ rest TV ☎ ♿ P – 🔑 50. AE ⓓ GB
fermé mi-fév. à fin mars – **Repas** (nombre de couverts limité, prévenir) 410/600 et carte 480 à 600 – ☕ 110 – **13 ch** 600/2000, 3 appart
Spéc. Persillade de petites anguilles à l'oseille. Langoustines bretonnes rôties à la poudre d'épices douces. Fraises confites au vin rouge et lait glacé (mai à sept.). **Vins** Bourgueil, Vouvray.

La Pyramide Ⓜ 🐌, r. Pyramide par ① ✆ 54 76 26 34, Fax 54 76 22 28 – |⇕| ⇆ TV ☎ ♿ P – 🔑 60. GB
Repas 75/120 🍷, enf. 40 – ☕ 35 – **66 ch** 180/220 – ½ P 210.

XX ⚘ **Le Lanthenay** (Valin) 🐌 avec ch, à Lanthenay par ① : 2,5 km, pl. Église ✆ 54 76 09 19, Fax 54 76 72 91, ☂ – TV ☎. AE ⓓ GB
fermé 15 au 30 juil., 21 déc. au 14 janv., dim. soir et lundi – **Repas** 98/290 et carte 210 à 300, enf. 60 – ☕ 35 – **10 ch** 250/300 – ½ P 265/295
Spéc. Vol-au-vent "Lucien Tendret". Daube d'huîtres et pieds de porc (sept. à avril). Pâté chaud de colvert, sauce poivrade (oct. à fév.). **Vins** Quincy, Cheverny rouge.

XX **Le Colombier** avec ch, 18 pl. Vieux Marché **(n)** ✆ 54 76 12 76, Fax 54 76 39 40, ☂ – TV ☎ P. GB
fermé mi-fév. à mi-mars – **Repas** 98/170 – ☕ 30 – **10 ch** 240/300.

X **La Cabrière,** 30 av. Villefranche par ③ ✆ 54 76 38 94 – GB
fermé dim. soir et lundi soir – **Repas** 60/178 🍷, enf. 35.

ORD Gar. Girard, 86 fg d'Orléans par ① 54 76 11 01
EUGEOT Gar. Hureau, 14 fg d'Orléans 54 76 01 98

RENAULT Gar. de Paris, 12-14 av. de Paris par fg d'Orléans ✆ 54 76 06 68 N ✆ 54 95 00 83

ONCE-LES-BAINS 17 Char.-Mar. **71** ⑭ **G. Poitou Vendée Charentes** – alt. 6 – ✉ **17390** La Tremblade.

Office de Tourisme pl. Brochard ✆ 46 36 06 02, Fax 46 36 38 17.

ris 500 – Royan 26 – Marennes 10 – Rochefort 30 – La Rochelle 64.

Le Grand Chalet, 2 av. La Cèpe ✆ 46 36 06 41, Fax 46 36 38 87, ≤ île d'Oléron, ☂ – ☎ P. GB. ✻ rest
fermé 15 nov. au 15 fév. – **Repas** *(fermé mardi)* 89 (déj.), 130/300 – ☕ 35 – **28 ch** 240/320 – ½ P 280/320.

Avec votre guide Rouge utilisez la carte et le guide Vert Michelin : ils sont inséparables.

RONCHAMP 70250 H.-Saône 66 ⑦ – 3 088 h alt. 380.

Voir Chapelle★★, G. Jura.

Paris 393 – ◆ Besançon 95 – Belfort 20 – Lure 12 – Luxeuil-les-Bains 31 – Vesoul 44.

au Rhien N : 3 km – ✉ 70250 Ronchamp :

Rhien Carrer ⛰, ✆ 84 20 62 32, Fax 84 63 57 08, 🍴, ⛱, ✂ – 📺 ☎ ♿ 🅿 – 🏛 30. GB
Repas 55/220 🍷, enf. 40 – ☕ 28 – **22 ch** 125/210 – ½ P 148/185.

à Champagney E : 4,5 km par D 4 – 3 283 h. alt. 370 – ✉ 70290 :

Commerce, ✆ 84 23 13 24, Fax 84 23 24 33, ⛱ – ☎ 🅿. AE ⦿ GB
fermé 1er au 15 fév. et lundi hors sais. – **Repas** 70/250 🍷 – ☕ 25 – **25 ch** 200/250 – ½ P 22…

ROOST-WARENDIN 59 Nord 51 ⑯ – rattaché à Douai.

ROQUEBRUN 34460 Hérault 83 ⑭ G. Gorges du Tarn – 550 h alt. 89.

Paris 777 – ◆ Montpellier 93 – Béziers 29 – Lodève 63 – Narbonne 46 – St-Pons 37.

✗ **Petit Nice** avec ch, ✆ 67 89 64 27, ←
fermé merc. sauf juil.-août – **Repas** 95 bc/260 bc – ☕ 34 – **8 ch** 170/240 – ½ P 250.

ROQUEBRUNE-CAP-MARTIN 06190 Alpes-Mar. 84 ⑩ 115 ㉘ G. Côte d'Azur – 12 376 h alt. 70.

Voir Village perché★★ : rue Moncollet★, ✵★★ du donjon★ – Cap Martin ←★★ X – ←★★ belvédère du Vistaëro SO : 4 km.

ℹ Office de Tourisme 20 av. P.-Doumer ✆ 93 35 62 87, Fax 93 28 57 00.

Paris 956 – Monaco 8,5 – Menton 5,5 – Monte-Carlo 7 – ◆ Nice 24.

Plans : voir à Menton..

Vista Palace Ⓜ ⛰, Grande Corniche O : 4 km par ③ et D 2564 ✆ 92 10 40 0…
Télex 461021, Fax 93 35 18 94, 🍴, « ← Monaco et la côte », 🏋, 🏊, ⛱ – 🛗 ▤ 📺 ☎ ♿
– 🏛 25 à 100. AE ⦿ GB JCB. ✻ rest
15 mars-15 nov. et 20 déc.-3 janv. – ***Le Vistaero*** **: Repas** 200(déj.), 300/560 – ☕ 100 – **63 c…**
1250/1550, 5 appart – ½ P 1145.

Victoria sans rest, 7 prom. Cap-Martin ✆ 93 35 65 90, Fax 93 28 27 02, ← – ▤ 📺 ☎ …
AE ⦿ GB. ✻ AX
fermé 5 janv. au 5 fév. – ☕ 35 – **32 ch** 400/510.

Alexandra sans rest, 93 av. W. Churchill ✆ 93 35 65 45, Fax 93 57 96 51, ← – 🛗 ▤ 📺 …
🅿. AE ⦿ GB AX
fermé 15 nov. au 15 déc. – ☕ 40 – **40 ch** 400/520.

Westminster, 14 av. L. Laurens, quartier Bon Voyage par ③ et N 98 : 3 k…
✆ 93 35 00 68, Fax 93 28 88 50, ←, « Jardin en terrasses » – ☎ 🅿. AE GB. ✻
hôtel : 10 fév.-12 nov. ; rest. : 10 fév.-5 oct. – **Repas** (dîner seul.)(résidents seul.) 75/130…
☕ 30 – **27 ch** 290/420 – ½ P 280/360.

Regency sans rest, 98 av. J. Jaurès par ③ et N 98 : 2,5 km ✆ 93 35 00 9…
Fax 93 28 99 55, ← – ☎. GB. ✻
fermé 11 nov. au 26 déc. – ☕ 27 – **12 ch** 243/336.

✗✗✗ **Roquebrune,** 100 av. J. Jaurès par ③ et N 98 : 2,5 km ✆ 93 35 00 16, Fax 93 28 98 36, …
🍴 – AE ⦿ GB JCB
fermé 4 nov. au 6 déc., le midi de juin à août sauf week-ends, merc. midi et mardi de sept. mai – **Repas** (prévenir) 170/360 et carte 340 à 660.

✗✗ **Au Grand Inquisiteur,** (accès piétonnier) r. Château, au village par ③ : 3,5 k…
✆ 93 35 05 37, « Salle rustique voûtée » – ▤. AE GB. ✻
fermé 4 nov. au 25 déc. et lundi – **Repas** (prévenir) 148/218.

✗✗ **Le Corail,** 7 prom. du Cap ✆ 93 41 37 69, ←, 🍴 – ▤. AE ⦿ GB AX
fermé 5 janv. au 5 fév. et lundi – **Repas** - cuisine vietnamienne et chinoise - 88/98.

✗✗ **Deux Frères** avec ch, pl. Deux Frères, au village par ③ : 3,5 km ✆ 93 28 99 0…
Fax 93 28 99 10, 🍴 – 📺 ☎. AE GB
Repas *(fermé 15 nov. au 15 déc., vend. midi et jeudi)* carte 230 à 390 – ☕ 45 – **10 c…**
385/495.

✗✗ **Hippocampe,** av. W. Churchill ✆ 93 35 81 91, ← baie et littoral, 🍴 – AE GB
fermé 29 avril au 21 mai, 14 oct. au 14 nov., 8 au 23 janv., dim. soir et jeudi soir de juil. sept. et lundi – **Repas** (prévenir) 160/330. AX

La ROQUEBRUSSANNE 83136 Var 84 ⑮ 114 ㉜ – 1 235 h alt. 365.

Paris 813 – ◆ Toulon 36 – Aix-en-Provence 59 – Aubagne 48 – Brignoles 15 – St-Maximin-la-Ste-Beaume 19.

Aub. de la Loube Ⓜ, ✆ 94 86 81 36, 🍴 – 📺 ☎. AE GB
Repas *(fermé mardi)* 109/189 – ☕ 35 – **8 ch** 320 – ½ P 298.

ROQUEFORT-LES-PINS 06330 Alpes-Mar. 84 ⑨ – 4 714 h alt. 184.

Paris 917 – ◆ Nice 22 – Cannes 17 – Grasse 13.

Aub. du Colombier ⛰, ✆ 93 77 10 27, Fax 93 77 07 03, ←, 🍴, parc, 🏊, ✂ – 📺 ☎ 🅿
🏛 25. AE ⦿ GB
fermé 10 janv. au 10 fév. – **Repas** *(fermé mardi d'oct. à mars)* 125/190, enf. 60 – ☕ 50
18 ch 270/650 – ½ P 387/480.

ROQUEFORT-SUR-SOULZON 12250 Aveyron 80 ⑭ **G. Gorges du Tarn** – 789 h alt. 550.

Voir Caves de Roquefort★ – Rocher St-Pierre ≤★.

Paris 678 – Lodève 64 – Millau 24 – Rodez 80 – St-Affrique 11,5 – Le Vigan 76.

Grand Hôtel, ✆ 65 59 90 20, Fax 65 59 97 92, – ☎ P. AE ⓓ GB
1er avril-15 oct. et fermé dim. soir et lundi sauf juil.-août – **Repas** 120/260 – ☕ 58 – **15 ch** 260/320.

La ROQUE-GAGEAC 24250 Dordogne 75 ⑰ **G. Périgord Quercy** – 447 h alt. 85.

Voir Site★★.

Paris 535 – Brive-la-Gaillarde 70 – Sarlat-la-Canéda 12 – Cahors 54 – Fumel 58 – Lalinde 45 – Périgueux 69.

Belle Étoile, ✆ 53 29 51 44, Fax 53 29 45 63, ≤, – rest ☎. AE GB
1er avril-15 oct. – **Repas** *(fermé lundi de mars à juin)* 110/250, enf. 50 – ☕ 35 – **17 ch** 260/310 – ½ P 330.

Gardette, ✆ 53 29 51 58, Fax 53 31 19 32, – ☎ P. GB
31 mars-fin oct. – **Repas** 115/250 – ☕ 30 – **15 ch** 190/300 – ½ P 275/300.

Plume d'Oie M avec ch, ✆ 53 29 57 05, Fax 53 31 04 81 – TV ☎. GB
fermé fin janv. à début mars – **Repas** *(fermé dim. soir et lundi de sept. à juin, sam. midi et lundi midi en juil.-août)* 175/265 – ☕ 55 – **4 ch** 350/380.

rte de Vitrac SE : 4 km par D 703 – ✉ **24250** La Roque Gageac:

Le Périgord , ✆ 53 28 36 55, Fax 53 28 38 73, parc, , – rest TV ☎ P. AE GB
fermé janv., fév., mardi midi, dim. soir et lundi du 2 nov. au 1er avril – **Repas** 98/260, enf. 50 – ☕ 35 – **40 ch** 250/360 – ½ P 290/340.

ROQUEMAURE 30150 Gard 81 ⑪ ⑫ **G. Provence** – 4 647 h alt. 19.

Paris 670 – Avignon 19 – Alès 71 – Bagnols-sur-Cèze 20 – Nîmes 46 – Orange 11 – Pont-St-Esprit 30.

Château de Cubières sans rest, ✆ 66 82 64 28, Fax 66 90 21 20, « Demeure du 18e siècle, parc », – ☎ P. GB
fermé 20 oct. au 3 nov. et 15 fév. au 10 mars – ☕ 46 – **19 ch** 275/440.

Clément V, rte Nîmes ✆ 66 82 67 58, Fax 66 82 84 66, , , – ☎ P. GB
fermé vacances de Toussaint, de fév. et dim. hors sais. – **Repas** (dîner seul.) (résidents seul.) 90/120 – ☕ 35 – **20 ch** 280 – ½ P 220/245.

Rest. Château de Cubières, ✆ 66 82 89 33, Fax 66 82 60 04, – P. AE GB
fermé 15 au 30 nov., dim. soir hors sais. et lundi – **Repas** 150/250, enf. 75.

ROSAY 78 Yvelines 55 ⑱, 106 ⑮ – rattaché à Mantes-la-Jolie.

ROSBRUCK 57 Moselle 57 ⑯ – rattaché à Forbach.

ROSCOFF 29680 Finistère 58 ⑥ **G. Bretagne** (plan) – 3 711 h alt. 7.

Voir Église N.-D.-de-Kroaz-Batz★ Y – Aquarium Ch. Pérez★ Y.

Office de Tourisme 46 r. Gambetta ✆ 98 61 12 13.

Paris 565 ① – Brest 65 ① – Landivisiau 27 ① – Morlaix 23 ① – Quimper 99 ①.

Plan page suivante

Brittany, bd Ste Barbe ✆ 98 69 70 78, Fax 98 61 13 29, ≤, – TV ☎ P – 30. AE GB. rest Z **a**
20 mars-5 nov. – **Repas** *(fermé lundi midi)* 125/320 – ☕ 58 – **25 ch** 520/700 – ½ P 480/590.

Gulf Stream , r. Marquise de Kergariou par r. E. Corbière ✆ 98 69 73 19, Fax 98 61 11 89, ≤, , – TV ☎ P – 50. AE GB.
18 mars-8 oct. – **Repas** 120/300 – ☕ 42 – **32 ch** 520 – ½ P 430/530.

Talabardon, pl. Église ✆ 98 61 24 95, Fax 98 61 10 54, ≤ – TV ☎ P – 40. AE ⓓ GB JCB Y **b**
fermé 1er déc. au 15 fév. – **Repas** *(fermé dim. soir)* 118/265, enf. 60 – ☕ 50 – **39 ch** 460/600 – ½ P 370/490.

La Résidence sans rest, r. des Johnies ✆ 98 69 74 85, Fax 98 69 78 63, – ☎. GB Y **f**
1er mars-15 nov. – ☕ 35 – **30 ch** 260/300.

Armen Le Triton sans rest, r. Dr Bagot ✆ 98 61 24 44, Fax 98 69 77 97, , – TV ☎ P. AE GB Z **u**
15 fév.-15 nov. – ☕ 35 – **45 ch** 240/350.

Les Tamaris sans rest, r. É. Corbière ✆ 98 61 22 99, Fax 98 69 74 36, ≤ – TV ☎. AE GB
1er avril-1er oct. – ☕ 32 – **27 ch** 320. Y **d**

Ibis-Le Corsaire sans rest, pl. Église ✆ 98 61 22 61, Fax 98 61 11 94, ≤ – TV ☎. GB
☕ 38 – **40 ch** 350/400. Y **e**

Bellevue, r. Jeanne d'Arc ✆ 98 61 23 38, Fax 98 61 11 80, ≤ – TV ☎. GB. rest Z **h**
hôtel : mi-mars-mi-nov. ; rest. : mi-mars-mi-nov., 15 déc.-15 janv. et fermé lundi sauf vacances scolaires – **Repas** 110/260, enf. 65 – ☕ 38 – **18 ch** 295/380 – ½ P 300/340.

Centre - Chez Janie, 5 r. Gambetta ✆ 98 61 24 25, ≤, – ☎. AE GB Y **r**
Repas *(fermé jeudi d'oct. à mai)* 80/175 , enf. 42 – ☕ 30 – **15 ch** 260/300 – ½ P 210/270.

Gambetta (R.) .... Y 8	Courbet (R. Amiral) .... Z 6	Pasteur (R. L.) .... Y 15
Jules-Ferry (R.) .... Z 10	Gaulle (Q. Ch. de) .... Y 7	Pen al Leur (Pl. de) .... Z 17
Reveillère (R. Amiral) .... Y 20	Johnnies (R. des) .... Y 9	République (Pl. de la) .... Z 19
	Kléber (R.) .... Z 12	Ste-Barbe (Bd) .... Z 22
Auxerre (Quai d') .... Z 2	Lacaze-Duthiers (Pl.) .... Y 13	Tessier (Pl. G.) .... Y 23
Capucins (R. des) .... Z 3	Lannurien (R. G. de) .... Z 14	Victor-Hugo (R.) .... Y 26

XXX **Le Temps de Vivre,** pl. Église ✆ 98 61 27 28, Fax 98 61 27 28, < – AE GB JCB Y **e**
fermé vacances de Toussaint, de fév., dim. soir sauf juil.-août et lundi – **Repas** 110/350 et carte 260 à 340.

XX **Chardons Bleus** avec ch, 4 r. Amiral Réveillère ✆ 98 69 72 03, Fax 98 61 27 86 – ☎. GB Y **n**
fermé fév. et jeudi sauf juil.-août – **Repas** 85/200, enf. 50 – ☕ 38 – **10 ch** 270/300 – ½ P 290/310.

X **Surcouf,** r. Amiral Réveillère ✆ 98 69 71 89 – GB Y **s**
1er avril-11 nov. et fermé merc. sauf juil.-août – **Repas** 88/150 🍷, enf. 34.

CITROEN Gar. Scouarnec, r. J.-Bara ✆ 98 61 23 05

ROSHEIM **67560** B.-Rhin 62 ⑨ **G. Alsace Lorraine** – 4 016 h alt. 190.

Voir Église St-Pierre et St-Paul★.

Office de Tourisme à la Mairie ✆ 88 50 75 38.

Paris 484 – ♦Strasbourg 30 – Erstein 19 – Molsheim 7,5 – Obernai 6 – Sélestat 31.

Host. du Rosenmeer, NE : 2 km sur D 35 ✆ 88 50 43 29, Fax 88 49 20 57, 🏡, 🌳 – ▤ rest TV ☎ P – 🏰 25. AE GB
fermé 15 janv. au 5 fév. – **Repas** *(fermé dim. soir et lundi de nov. à Pâques)* 120/400 🍷 – ***Winstub d'Rosemer :*** *(fermé dim. soir et lundi de nov. à Pâques)* **Repas** 50 (déj.), 60/150 🍷 – ☕ 60 – **20 ch** 240/400 – ½ P 390/420.

XX **Aub. du Cerf,** 120 r. Gén. de Gaulle ✆ 88 50 40 14 – GB
fermé 3 au 10 janv., dim. soir et lundi – **Repas** 58 (déj.), 85/195 🍷.

X **La Petite Auberge,** 41 r. Gén. de Gaulle ✆ 88 50 40 60, Fax 88 50 40 60, 🏡 – GB
fermé 24 au 30 juin, 26 janv. au 15 fév., mardi soir du 1er nov. au 1er juin et merc. – **Repas** 98/280 🍷.

PEUGEOT Gar. Jost, ✆ 88 50 40 53 N ✆ 88 50 40 53

La ROSIÈRE **73** Savoie 74 ⑱ ⑲ **G. Alpes du Nord** – alt. 1820 – Sports d'hiver : 1 100/2 600 m 🚡18 ⛷ – ✉ **73700** Bourg-St-Maurice.

Altiport ✆ 79 06 83 40.

Office de Tourisme ✆ 79 06 80 51, Fax 79 06 83 20.

Paris 663 – Albertville 71 – Bourg-St-Maurice 18 – Chambéry 117 – Chamonix-Mont-Blanc 58 – Val-d'Isère 32.

Relais Petit St-Bernard 🐦, ✆ 79 06 80 48, Fax 79 06 83 40, < montagnes, 🏡 – ☎ P. GB. ✂ ch
23 juin-8 sept. et 15 déc.-30 avril – **Repas** 90/110 – ☕ 35 – **20 ch** 220/325 – ½ P 300/340.

es ROSIERS-SUR-LOIRE **49350** M.-et-L. 64 ⑫ **G. Châteaux de la Loire** – 2 204 h alt. 22.

Syndicat d'Initiative pl. Mail (juin-sept.) ✆ 41 51 90 22.

ris 300 – ♦Angers 31 – Baugé 27 – Bressuire 65 – Cholet 62 – La Flèche 46 – Saumur 18.

XXX ✿ **Jeanne de Laval** (Augereau) avec ch, rte Nationale ✆ 41 51 80 17, Fax 41 38 04 18, « Jardin fleuri » – rest TV ☎ P. GB
fermé 22 nov. au 7 déc., 23 déc. au 7 fév. et lundi en hiver – **Repas** (nombre de couverts limité, prévenir) 180/440 et carte 310 à 420 – 50 – **4 ch** 350/600 – ½ P 340/660
Spéc. Foie gras de canard au torchon. Poissons de Loire au beurre blanc (saison). Canard au sang et au vin de Champigny. **Vins** Saumur blanc, Saumur-Champigny.

Annexe Ducs d'Anjou sans rest, ✆ 41 51 80 17, Fax 41 38 04 18, parc – TV ☎ P. GB
fermé 22 nov. au 7 déc., 23 déc. au 7 fév. et lundi en hiver – 50 – **8 ch** 350/480.

XXX **La Toque Blanche,** rte Angers ✆ 41 51 80 75, Fax 41 38 06 38 – P. GB
fermé mardi soir et merc. – **Repas** 100/210 .

XX **Val de Loire** avec ch, pl. Église ✆ 41 51 80 30, Fax 41 51 95 00 – TV ☎. GB
fermé 1er fév. au 15 mars, dim. soir et lundi hors sais. – **Repas** 70/185 – 28 – **9 ch** 220/260 – ½ P 290/325.

OSNY-SOUS-BOIS **93** Seine-St-Denis 56 ⑪, 101 ⑰ – voir à Paris, Environs.

OSOY **89** Yonne 61 ⑭ – rattaché à Sens.

OTHÉNEUF **35** I.-et-V. 59 ⑥ – rattaché à St-Malo.

a ROTHIÈRE **10** Aube 61 ⑱ – rattaché à Brienne-le-Château.

Before setting out on your journey through France
Consult the Michelin Map no 911 FRANCE – Route Planning.
On this map you will find
– distances
– journey times
– alternative routes to avoid traffic congestion
– 24-hour petrol stations
Plan for a cheaper and trouble-free journey.

OUBAIX **59100** Nord 51 ⑥ ⑯ 111 ⑮ **G. Flandres Artois Picardie** – 97 746 h alt. 27.

oir Centre des archives du monde du travail BX **M** – Parc Barbieux – Chapelle d'Hem★ nurs-vitraux★★ de Manessier) 5 km, voir plan de Lille JS **B**.

des Flandres (privé) ✆ 20 72 20 74, par ⑦ : 8 km ; du Sart (privé) ✆ 20 72 02 51, par ⑦ : km ; de Brigode à Villeneuve-d'Ascq ✆ 20 91 17 86, par ⑦ : 6 km ; de Bondues 20 23 20 62, par D 9 : 8 km AX.

Office de Tourisme 78 bd Gal-Leclerc ✆ 20 65 31 90, Fax 20 65 31 83 – Automobile Club du Nord 42 r. ar.-Foch ✆ 20 65 95 95.

ris 230 ⑩ – ♦Lille 13 ⑩ – Kortrijk 22 ④ – Tournai 19 ⑦.

Accès et sorties : voir plan de Lille.

Gd Hôtel Mercure M, 22 av. J. Lebas ✆ 20 73 40 00, Télex 132301, Fax 20 73 22 42 – TV ☎ P – 30 à 100. AE GB — BX **r**
Repas 100 – 50 – **92 ch** 370/490.

Ibis M sans rest, bd Gén. Leclerc ✆ 20 45 00 00, Fax 20 73 59 31 – TV ☎ – 25. AE GB — BX **e**
35 – **94 ch** 285.

XXX **Le Caribou,** 8 r. Mimerel ✆ 20 70 87 08, Fax 20 11 24 52 – P. GB. — AX **u**
fermé 12 juil. au 1er sept., le soir sauf vend. et sam. – **Repas** 180 et carte 230 à 300.

XX **Chez Charly,** 127 r. J. Lebas ✆ 20 70 78 58 – GB. — AX **a**
fermé vacances de printemps, 25 juil. au 25 août et dim. – **Repas** (déj. seul.) 100/180.

à Lys-lez-Lannoy 5 km par D 206 – 12 300 h. alt. 28 – ✉ **59390** :

XX **Aub. de la Marmotte,** 5 r. J.-B. Lebas ✆ 20 75 30 95, Fax 20 81 16 34 – P. GB
fermé août, vacances de fév., dim. soir, mardi soir, merc. soir et lundi – **Repas** 75 bc/300.
plan de Lille JS **f**

EUGEOT V.L.D., 196 bd Gambetta CX
20 73 91 00
ENAULT Succursale, 55 r. Mar.-Foch BY
20 99 43 00 N ✆ 05 05 15 15

Crépy Pneus Point S, 29 r. de l'Ouest
20 70 98 02

Nord Pneus-Point S, 76 r. Carnot à Wattrelos
✆ 20 02 79 19
Prévost Pneus, 29 r. V.-Hugo ✆ 20 75 53 79

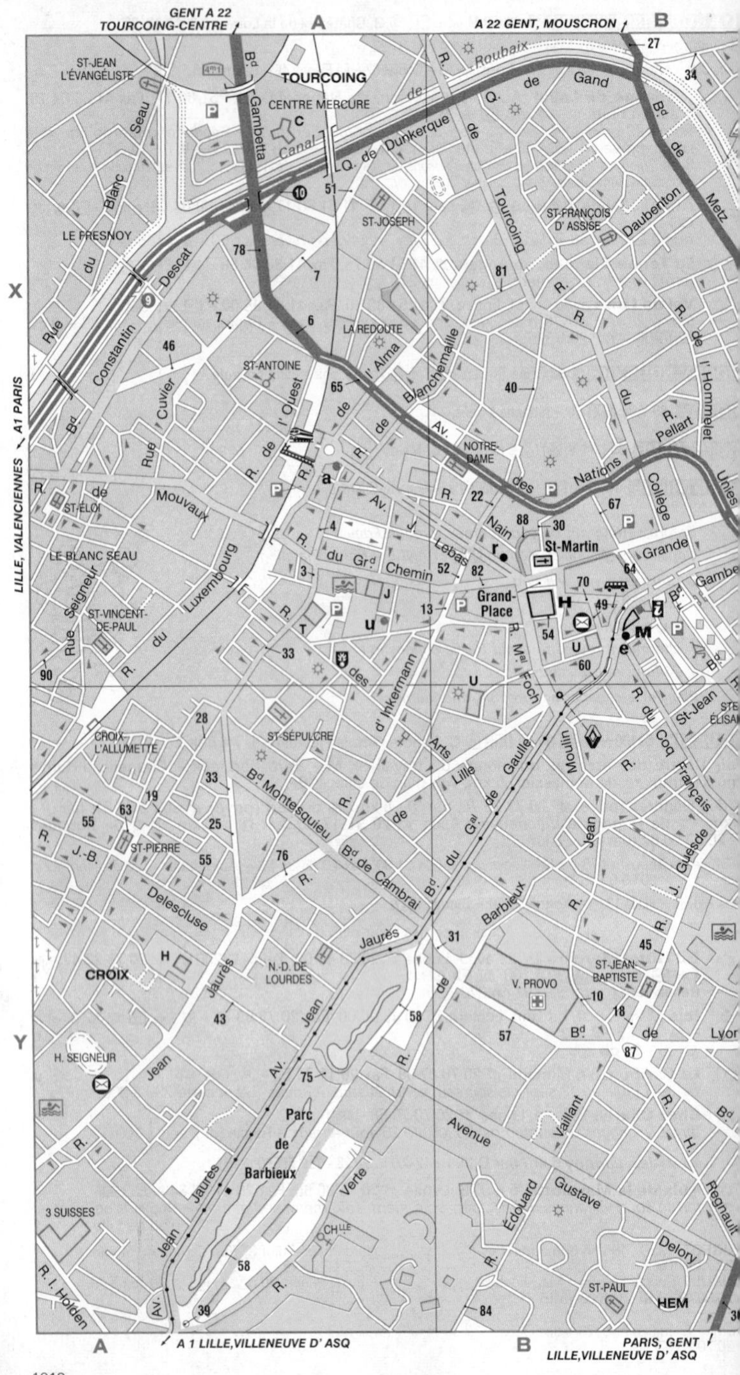
GENT A 22
TOURCOING-CENTRE
A 22 GENT, MOUSCRON
TOURCOING
CENTRE MERCURE
ST-JEAN L'ÉVANGÉLISTE
LE FRESNOY
ST-JOSEPH
ST-FRANÇOIS D' ASSISE
LA REDOUTE
ST-ANTOINE
NOTRE-DAME
St-Martin
Grand-Place
ST-ÉLOI
LE BLANC SEAU
ST-VINCENT-DE-PAUL
CROIX-L'ALLUMETTE
ST-SÉPULCRE
ST-PIERRE
CROIX
N.-D. DE LOURDES
ST-JEAN-BAPTISTE
V. PROVO
H. SEIGNEUR
Parc de Barbieux
3 SUISSES
ST-PAUL
HEM
LILLE, VALENCIENNES A1 PARIS
A 1 LILLE, VILLENEUVE D' ASQ
PARIS, GENT
LILLE, VILLENEUVE D' ASQ

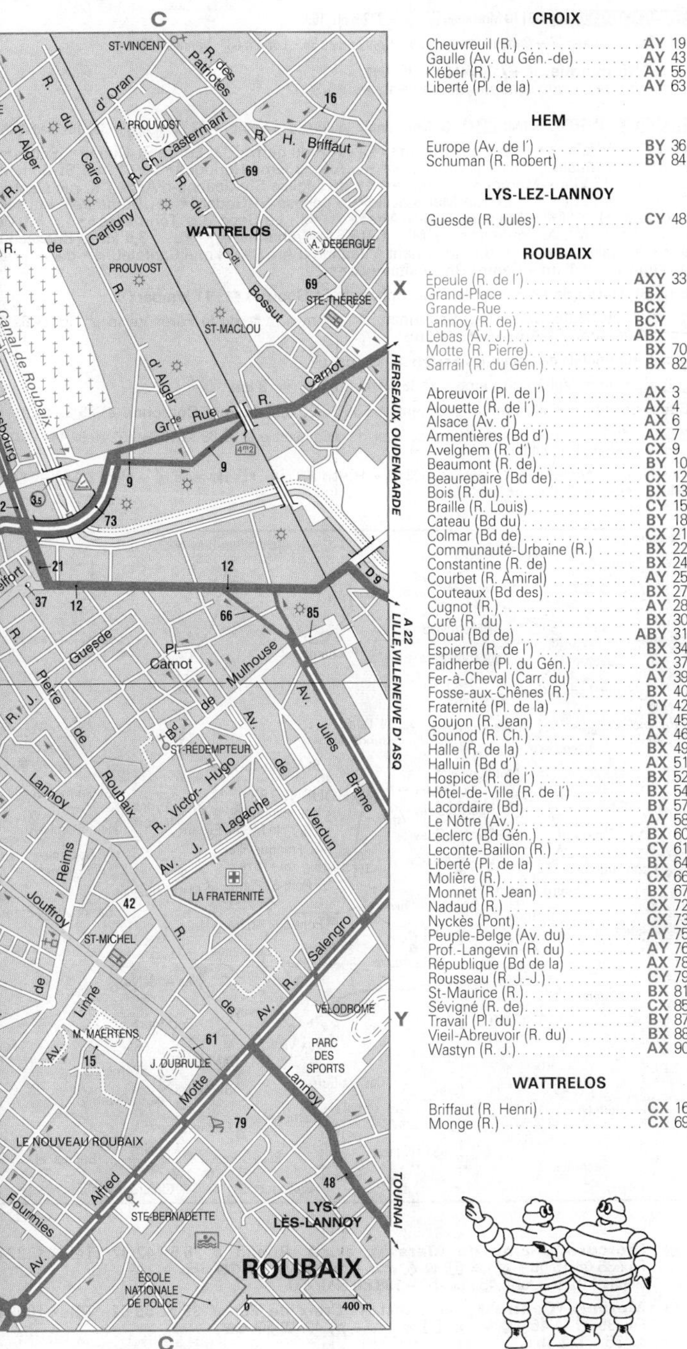

CROIX

Cheuvreuil (R.) . . . . AY 19
Gaulle (Av. du Gén.-de) . . . . AY 43
Kléber (R.) . . . . AY 55
Liberté (Pl. de la) . . . . AY 63

HEM

Europe (Av. de l') . . . . BY 36
Schuman (R. Robert) . . . . BY 84

LYS-LEZ-LANNOY

Guesde (R. Jules) . . . . CY 48

ROUBAIX

Épeule (R. de l') . . . . AXY 33
Grand-Place . . . . BX
Grande-Rue . . . . BCX
Lannoy (R. de) . . . . BCY
Lebas (Av. J.) . . . . ABX
Motte (R. Pierre) . . . . BX 70
Sarrail (R. du Gén.) . . . . BX 82

Abreuvoir (Pl. de l') . . . . AX 3
Alouette (R. de l') . . . . AX 4
Alsace (Av. d') . . . . AX 6
Armentières (Bd d') . . . . AX 7
Avelghem (R. d') . . . . CX 9
Beaumont (R. de) . . . . BY 10
Beaurepaire (Bd de) . . . . CX 12
Bois (R. du) . . . . BX 13
Braille (R. Louis) . . . . CY 15
Cateau (Bd du) . . . . BY 18
Colmar (Bd de) . . . . CX 21
Communauté-Urbaine (R.) . . . . . . BX 22
Constantine (R. de) . . . . BX 24
Courbet (R. Amiral) . . . . AY 25
Couteaux (Bd des) . . . . BX 27
Cugnot (R.) . . . . AY 28
Curé (R. du) . . . . BX 30
Douai (Bd de) . . . . ABY 31
Espierre (R. de l') . . . . BX 34
Faidherbe (Pl. du Gén.) . . . . CX 37
Fer-à-Cheval (Carr. du) . . . . AY 39
Fosse-aux-Chênes (R.) . . . . BX 40
Fraternité (Pl. de la) . . . . CY 42
Goujon (R. Jean) . . . . BY 45
Gounod (R. Ch.) . . . . AX 46
Halle (R. de la) . . . . BX 49
Halluin (Bd d') . . . . AX 51
Hospice (R. de l') . . . . BX 52
Hôtel-de-Ville (R. de l') . . . . BX 54
Lacordaire (Bd) . . . . BY 57
Le Nôtre (Av.) . . . . AY 58
Leclerc (Bd Gén.) . . . . BX 60
Leconte-Baillon (R.) . . . . CY 61
Liberté (Pl. de la) . . . . BX 64
Molière (R.) . . . . CX 66
Monnet (R. Jean) . . . . BX 67
Nadaud (R.) . . . . CX 72
Nyckès (Pont) . . . . CX 73
Peuple-Belge (Av. du) . . . . AY 75
Prof.-Langevin (R. du) . . . . AY 76
République (Bd de la) . . . . AX 78
Rousseau (R. J.-J.) . . . . CY 79
St-Maurice (R.) . . . . BX 81
Sévigné (R. de) . . . . CX 85
Travail (Pl. du) . . . . BY 87
Vieil-Abreuvoir (R. du) . . . . BX 88
Wastyn (R. J.) . . . . AX 90

WATTRELOS

Briffaut (R. Henri) . . . . CX 16
Monge (R.) . . . . CX 69

ROUDOUALLEC **56110** Morbihan 58 ⑯ – 772 h alt. 167.

Paris 521 – Quimper 34 – Carhaix-Plouguer 25 – Concarneau 36 – Lorient 63 – Vannes 109.

✗ **Bienvenue,** ✆ 97 34 50 01 – 🅿. GB
fermé vacances de fév. et lundi – **Repas** 66/300.

ROUEN 🅿 **76000** S.-Mar. 55 ⑥ **G. Normandie Vallée de la Seine** – 102 723 h Aggl. 380 161 h alt. 12.

Voir Cathédrale★★★ – Le Vieux Rouen★★★ : ✳★★ du beffroi BZ, Église St-Ouen★★, Église★★ Aître★★ St-Maclou, Palais de Justice★★ BY, rue du Gros-Horloge★★ ABYZ, rue St-Romain★ BZ, place du Vieux-Marché★ AY, verrière★★ de l'église Ste-Jeanne-d'Arc AY **K**, rue Ganterie BY, rue Damiette★ CZ **35**, rue Martainville★ CZ, église St-Godard★ BY, Demeure★ (musée de l'Éducation) CZ **M**[9] – Musées: Beaux-Arts★★ BY **M**[1], Le Secq des Tournelles★★ BY **M**[3], Céramique★★ BY **M**[2], Antiquités★★ CY **M**[7] – Côte Ste-Catherine ✳★★★ EV, 3,5 km – Bonsecours ✳★★ du calvaire et ⋖★★ du monument à Jeanne d'Arc FX, 3 km – Canteleu ⋖★ de la terrasse de l'église DV, 4 km – Centre Universitaire ✳★★ EV.

Env. St-Martin de Boscherville : anc. abbatiale St-Georges★★, 11 km par ⑦.

18 ✆ 35 76 38 65, près Mont-St-Aignan, N : 4 km AB ; 18 de la Forêt Verte ✆ 35 33 62 94 Bosc-Guérande-St-Adrien, N : 14 km.

Circuit automobile de Rouen-les-Essarts 13 km par ⑥.

✈ de Rouen-Vallée de Seine : ✆ 35 79 41 00, par ③ : 9 km.

Bacs: de Dieppedalle : renseignements ✆ 35 36 20 81 ; du Petit-Couronne ✆ 35 32 40 21.

i Office de Tourisme et Accueil de France 25 pl. de la Cathédrale ✆ 32 08 32 40, Fax 32 08 32 44 – A.C. 46 Gén.-Giraud ✆ 35 71 44 89.

Paris 137 ⑥ – ♦Amiens 114 ① – ♦Caen 122 ⑥ – ♦Calais 209 ① – ♦Le Havre 86 ⑧ – ♦Lille 230 ① – ♦Le Ma 194 ⑥ – ♦Rennes 297 ⑥ – ♦Tours 273 ⑥.

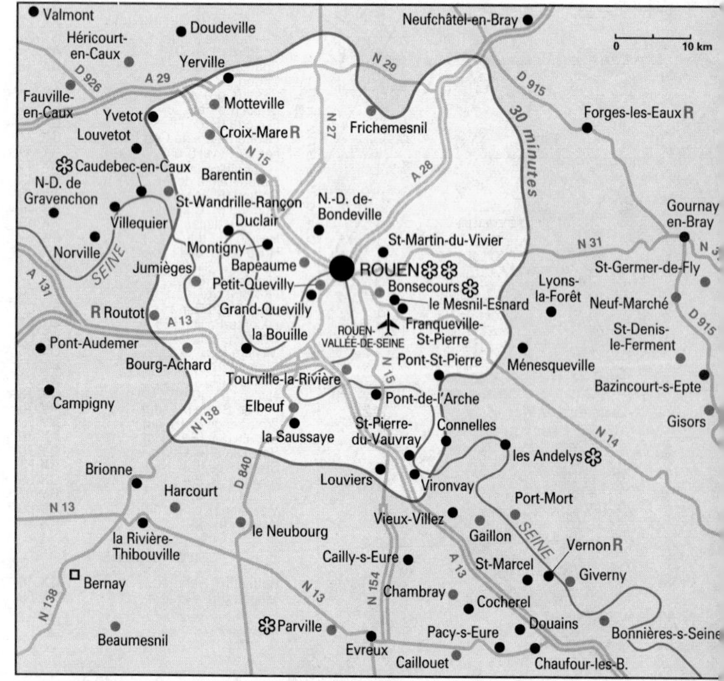

🏨 **Mercure Champ de Mars** M, av. A. Briand ✆ 35 52 42 32, Télex 172242 Fax 35 08 15 06 – |\$| ⇷ TV ☎ ♿ 🚗 – 🏛 160. AE ⓓ GB JCB CZ
Repas 115/160, enf. 45 – ☐ 52 – **139 ch** 520/700.

🏨 **Mercure Centre** M sans rest, r. Croix de Fer ✆ 35 52 69 52, Télex 180949 Fax 35 89 41 46 – |\$| ⇷ ▤ TV ☎ 🚗 – 🏛 40. AE ⓓ GB BZ
☐ 55 – **122 ch** 530.

Dieppe et rest. Le Quatre Saisons, pl. B. Tissot ✆ 35 71 96 00, Fax 35 89 65 21 – TV ☎. AE GB JCB BY **z**
Repas 138/198 – ☐ 45 – **41 ch** 390/595 – ½ P 360.

Le Dandy sans rest, 93 bis r. Cauchoise ✆ 35 07 32 00, Fax 35 15 48 82 – TV ☎. GB AY **p**
☐ 40 – **18 ch** 270/360.

Bordeaux sans rest, 9 pl. République ✆ 35 71 93 58, Fax 35 71 92 15 – TV ☎. AE GB JCB BZ **e**
☐ 30 – **48 ch** 260/330.

Ibis Rouen Centre M, 56 quai G. Boulet ✆ 35 70 48 18, Fax 35 71 68 95, – TV ☎ P – 30 à 70. AE GB EV **a**
Repas 100 bc, enf. 39 – ☐ 35 – **88 ch** 295/310.

Astrid sans rest, pl. Gare ✆ 35 71 75 88, Fax 35 88 53 25 – TV ☎. AE GB BY **s**
☐ 35 – **40 ch** 250/360.

Clarine, 14 quai G. Boulet ✆ 35 15 25 25, Fax 35 15 92 90 – TV ☎ P – 180. AE GB AY **v**
Repas 78/98, enf. 39 – ☐ 30 – **84 ch** 285.

Ibis St-Sever sans rest, 44 r. Amiral Cécille ✉ 76100 ✆ 35 63 27 27, Fax 35 63 27 11 – TV ☎. AE GB AZ **m**
☐ 37 – **81 ch** 285/295.

Viking sans rest, 21 quai Havre ✆ 35 70 34 95, Fax 35 89 97 12 – cuisinette TV ☎. AE GB AZ **y**
☐ 35 – **38 ch** 255/320.

Québec sans rest, 18 r. Québec ✆ 35 70 09 38, Fax 35 15 80 15 – TV ☎. AE GB
fermé 21 déc. au 6 janv. – ☐ 35 – **38 ch** 165/330. BZ **q**

Cardinal sans rest, 1 pl. Cathédrale ✆ 35 70 24 42, Fax 35 89 75 14 – TV ☎. GB
fermé 25 déc. au 3 janv. – ☐ 32 – **20 ch** 230/355. BZ **r**

Lisieux sans rest, 4 r. Savonnerie ✆ 35 71 87 73, Fax 35 89 31 52 – TV ☎. AE GB BZ **b**
fermé 23 déc. au 1er janv. – ☐ 34 – **30 ch** 185/310.

Vieille Tour sans rest, 42 pl. Haute Vieille Tour ✆ 35 70 03 27, Fax 35 98 08 54 – TV ☎. AE GB BZ **d**
☐ 30 – **23 ch** 160/295.

XXX ✿✿ **Gill** (Tournadre), 9 quai Bourse ✆ 35 71 16 14, Fax 35 71 96 91 – ▤. AE GB JCB BZ **a**
fermé 28 juil. au 19 août, dim. sauf le midi d'oct. à avril et lundi – **Repas** 199/390 et carte 320 à 460
Spéc. Poêlée de foie de canard, navets confits au cidre. Pigeon à la rouennaise. Millefeuille.

XX ✿ **Les Nymphéas** (Kukurudz), 9 r. Pie ✆ 35 89 26 69, Fax 35 70 98 81, – AE GB
fermé 26 août au 9 sept., dim. soir et lundi – **Repas** 165/250 et carte 270 à 390 AY **h**
Spéc. Foie gras chaud de canard au vinaigre de cidre. Sauvageon à la rouennaise. Soufflé chaud aux pommes et calvados.

XX **La Couronne,** 31 pl. Vieux Marché ✆ 35 71 40 90, Fax 35 71 05 78, « Maison normande du 14e siècle » – AE GB AY **d**
Repas 150/240 et carte 250 à 400.

XX ✿ **L'Écaille** (Tellier), 26 rampe Cauchoise ✆ 35 70 95 52, Fax 35 70 83 49 – ▤. GB AY **g**
fermé dim. sauf le midi de sept. à juin et lundi – **Repas** 150/380 et carte 330 à 420
Spéc. Galette de Saint-Jacques au tourteau (15 oct. au 15 mai). Turbot laqué au cidre et jus de viande. Bouillabaisse.

XX ✿ **Le Beffroy** (Mme Engel), 15 r. Beffroy ✆ 35 71 55 27, Fax 35 89 66 12, « Cadre normand » – AE GB BY **b**
fermé dim. soir et mardi soir – **Repas** 100/275 et carte 220 à 330
Spéc. Timbale de homard et de langoustines. Canard à la rouennaise. Sauvageon à la vanille.

XX **Aub. du Vieux Carré,** 34 r. Ganterie ✆ 35 71 67 70, Fax 35 98 56 21, – GB BY **v**
fermé 1er au 15 août, dim. soir et lundi – **Repas** 120/230 et carte 260 à 350.

XX ✿ **Les P'tits Parapluies** (Andrieu), 2 pl Rougemare ✆ 35 88 55 26, Fax 35 70 24 31 – AE GB JCB CY **e**
fermé 4 au 21 août, vacances de fév., dim. sauf le midi d'oct. à juin et lundi – **Repas** 150/240 et carte 240 à 340
Spéc. Paupiettes d'huîtres et de saumon au caviar. Rosaces de sole et Saint-Jacques au cidre. Soufflé chaud aux framboises (mai à sept.).

X **Reverbère,** 5 pl. République ✆ 35 07 03 14, Fax 35 89 77 93 – AE GB BZ **e**
fermé 12 au 25 août et dim. sauf le midi de mi-sept. à fin mai – **Repas** 165/310.

X **Dufour,** 67 r. St-Nicolas ✆ 35 71 90 62, Fax 35 89 70 34, « Cadre vieux normand » – AE GB BZ **w**
fermé dim. soir et lundi – **Repas** 120/230.

X **L'Orangerie,** 2 r. T. Cormeille ✆ 35 88 43 97, Fax 35 98 70 44, , « Salle voûtée » – AE GB AY **e**
Repas 98/178.

ROUEN

Alliés (Av. des) . . . . **DX** 4
Ango (R. Jean) . . . . **EV** 7
Béthencourt (Quai de) . . . . **EV** 13
Bicheray (Av. du Commandant) **DV** 15
Bois-des-Dames (Av. du) . . . . **EV** 17
Boisguilbert (Bd de) . . . . **EV** 18
Bonsecours (Rte de) . . . . **EV** 21
Briand (R. Aristide) . . . . **DX** 33
Brossolette (Bd) . . . . **DX** 34
Bruyères (Rond-Point des) . . . **EX** 36
Caen (Av. de) . . . . **EV** 37
Canteleu (Route de) . . . . **DV** 39
Carnot (Av.) . . . . **DV** 40
Chasselièvre (R.) . . . . **EV** 52
Clères (Chemin de) . . . . **EV** 54
Coquelicots (R. des) . . . . **EX** 56
Corneille (R. Pierre) . . . . **EX** 58
Corniche (Route de la) . . . . **FV** 60
Darnétal (Route de) . . . . **FV** 64
Duclair (R. de) . . . . **DV** 69
Elbeuf (R. d') . . . . **EX** 75
Europe (Av. de l') . . . . **EV** 78
Europe (Bd de l') . . . . **EVX** 79
Felling (Av. de) . . . . **EX** 80
Fond du Val (Allée du) . . . . **EV** 81
France (Quai de) . . . . **DV** 84
Gaulle (Bd Charles-de) . . . . . . **DX** 85
Grand-Cours (Av. du) . . . . **EX** 90
Grand'Mare (Av. de la) . . . . . . **FV** 92
Jean-Jaurès (Av.) . . . . **DX** 97
Jean-Jaurès (Bd) . . . . **DV** 99
La-Fayette (R.) . . . . **EV** 103
Leclerc (Av. Général) . . . . **DV** 105
Leclerc-de-Hauteclocque
(Av. du Gén.) . . . . **DX** 106
Lesseps (Bd Ferdinand-de) . . . **EV** 108
Maréchal-Juin (Av. du) . . . . . . **FV** 110
Martyrs-de-la-Résistance
(R. des) . . . . **DV** 111
Mont-Riboudet (Av. du) . . . . . . **EV** 112
Nansen (R.) . . . . **DV** 114
Pène (R. Annie de) . . . . **FV** 118
Quatre-Mares (Grande R. de) . **EX** 120
Renard (R. du) . . . . **EV** 123
République (R. de la) . . . . **FV** 124
Rondeaux (Av. Jean) . . . . **EV** 127
Roosevelt (Bd Franklin) . . . . . . **DX** 129
Ste-Lucie (Rond-Point) . . . . . . **DX** 132
Siegfried (Bd André) . . . . **EV** 136
Sotteville (R. de) . . . . **EX** 139
Verdun (Bd de) . . . . **EV** 144
11-Novembre (Bd du) . . . . **EX** 147
AMFREVILLE . . . .
Paris (Route de) . . . . **FX** 148
BONSECOURS . . . .
République (R. de la) . . . . **EX** 150
GRAND-QUEVILLY . . . .
Verdun (Bd de) . . . . **DX** 151

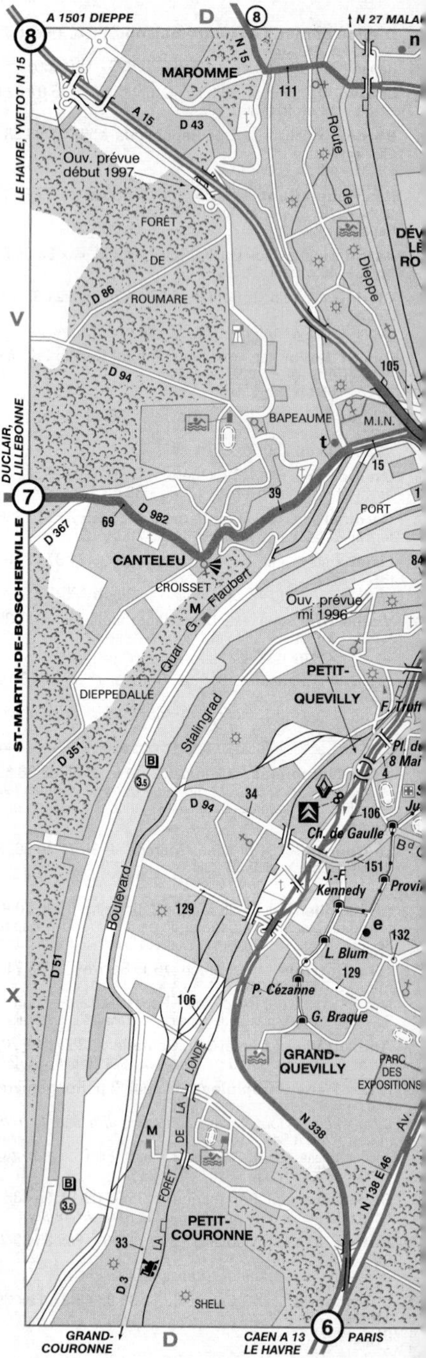

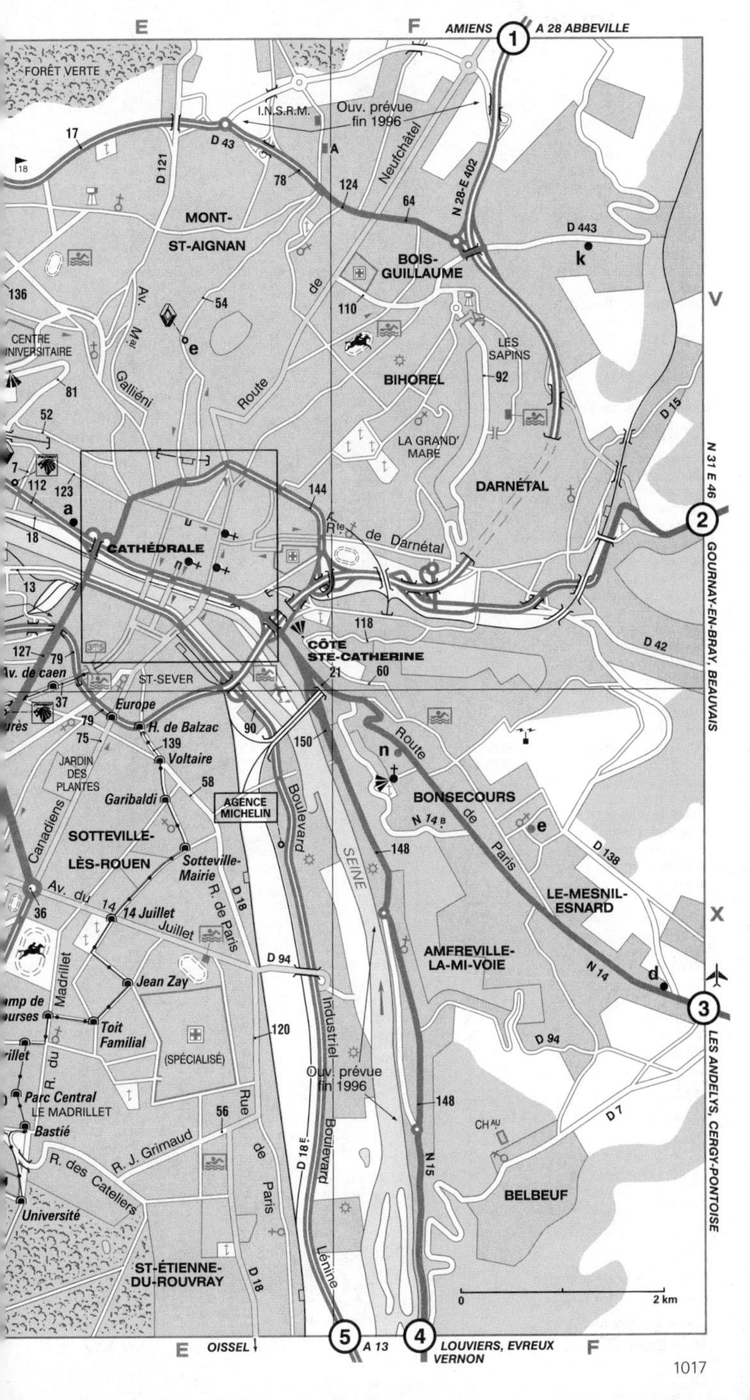
E
F
AMIENS
A 28 ABBEVILLE
FORÊT VERTE
I.N.S.R.M.
Ouv. prévue fin 1996
D 43
Neufchâtel
N 28-E 402
MONT-ST-AIGNAN
BOIS-GUILLAUME
D 443
D 121
CENTRE UNIVERSITAIRE
Av. Mal Galliéni
Route de
LES SAPINS
BIHOREL
LA GRAND' MARE
DARNÉTAL
D 15
N 31 E 46
GOURNAY-EN-BRAY, BEAUVAIS
CATHÉDRALE
Rte de Darnétal
CÔTE STE-CATHERINE
D 42
ST-SEVER
Av. de caen
Europe
H. de Balzac
Voltaire
Garibaldi
JARDIN DES PLANTES
AGENCE MICHELIN
Boulevard
SEINE
Route de Paris
BONSECOURS
N 14 B
D 138
SOTTEVILLE-LÈS-ROUEN
Sotteville-Mairie
Canadiens
Av. du 14 Juillet
14 Juillet
R. de Paris
D 18
LE-MESNIL-ESNARD
AMFREVILLE-LA-MI-VOIE
N 14
D 94
Jean Zay
Madrillet
Toit Familial
(SPÉCIALISÉ)
Industriel
Ouv. prévue fin 1996
D 94
LES ANDELYS, CERGY-PONTOISE
Parc Central
LE MADRILLET
Bastié
R. du Madrillet
R. J. Grimaud
Rue de Paris
D 18E
Boulevard
N 15
D 7
CHAU
R. des Cateliers
Université
BELBEUF
ST-ÉTIENNE-DU-ROUVRAY
D 18
Lénine
0
2 km
OISSEL
A 13
LOUVIERS, EVREUX VERNON
V
X

ROUEN

Carmes (R. des) . . . . **BYZ**
Ganterie (R.) . . . . **BY**
Grand-Pont (R.) . . . . **BZ**
Gros-Horloge (R. du) . . . . . **ABYZ**
Jeanne-d'Arc (R.) . . . . **BYZ**
Leclerc (R. du Gén.) . . . . **BZ**
République (R. de la) . . . . **BZ**
Vieux-Marché (Pl. du) . . . . **AY**

Albane (Cour d') . . . . **BZ** 3
Alsace-Lorraine (R. d') . . . . **CZ** 6
Aubert (Pl. du Lieutenant) . . . . **CZ** 9
Barthélemy (Pl.) . . . . **BZ** 10
Belfroy (R.) . . . . **BY** 12
Boildieu (Pont) . . . . **BZ** 16
Bons-Enfants (R. des) . . . . . . **ABY** 19
Boucheries-Saint-Ouen (R. des) . . . . **CZ** 22
Boudin (R. E.) . . . . **BY** 24
Boulet (Quai G.) . . . . **AY** 25
Bourg-l'Abbé (R.) . . . . **CY** 27
Bourse (Quai de la) . . . . **BZ** 28
Bouvreuil (R.) . . . . **BY** 30
Carrel (R. A.) . . . . **CZ** 42
Cartier (Av. Jacques) . . . . **AZ** 43
Cathédrale (Pl. de la) . . . . **BZ** 45
Cauchoise (R.) . . . . **AY** 46
Champ-des-Oiseaux (R. du) . . **BY** 48
Champlain (Av.) . . . . **BZ** 49
Chasselièvre (R.) . . . . **AY** 51
Cordier (R. du) . . . . **BY** 55
Corneille (Quai Pierre) . . . . **BZ** 57
Crosne (R. de) . . . . **AY** 61
Damiette (R.) . . . . **CZ** 63
Delacroix (Allée Eugène) . . . . . **BY** 66
Donjon (R. du) . . . . **BY** 67
Eau-de-Robec (R.) . . . . **CZ** 70
Écureuil (R. de l') . . . . **BY** 72
Émemont (R. d') . . . . **CY** 76
Faulx (R. des) . . . . **CZ** 81
Foch (Pl.) . . . . **BY** 82
Gaulle (Pl. Général-de) . . . . . . **CY** 87
Giraud (R. Général) . . . . **AZ** 88
Guillaume-le-Conquérant (Pont) . . . . **AZ** 91
Hauts-Mariages (impasse des) . . . . **CZ** 93
Hôpital (R. de l') . . . . **BY** 96
Jeanne-d'Arc (Pont) . . . . **AZ** 100
Joyeuse (R.) . . . . **CY** 101
Juifs (R. aux) . . . . **BYZ** 102
Libraires (Cour des) . . . . **BZ** 109
Ours (R. aux) . . . . **ABZ** 115
Paris (Quai de) . . . . **BZ** 117
Pie (R. de la) . . . . **AY** 120
Pucelle-d'Orléans (Pl. de la) . . . . **AZ** 121
Requins (R. des) . . . . **CY** 123
Rollon (R.) . . . . **BY** 126
Rondeaux (Av. Jean) . . . . **AZ** 128
Saint-Godard (Pl.) . . . . **BY** 130
St-Marie (R.) . . . . **CY** 133
Schuman (R. Robert) . . . . **CZ** 135
Socrate (R.) . . . . **BY** 138
Thouret (R.) . . . . **BYZ** 141
Vieux-Palais (R. du) . . . . **AY** 145

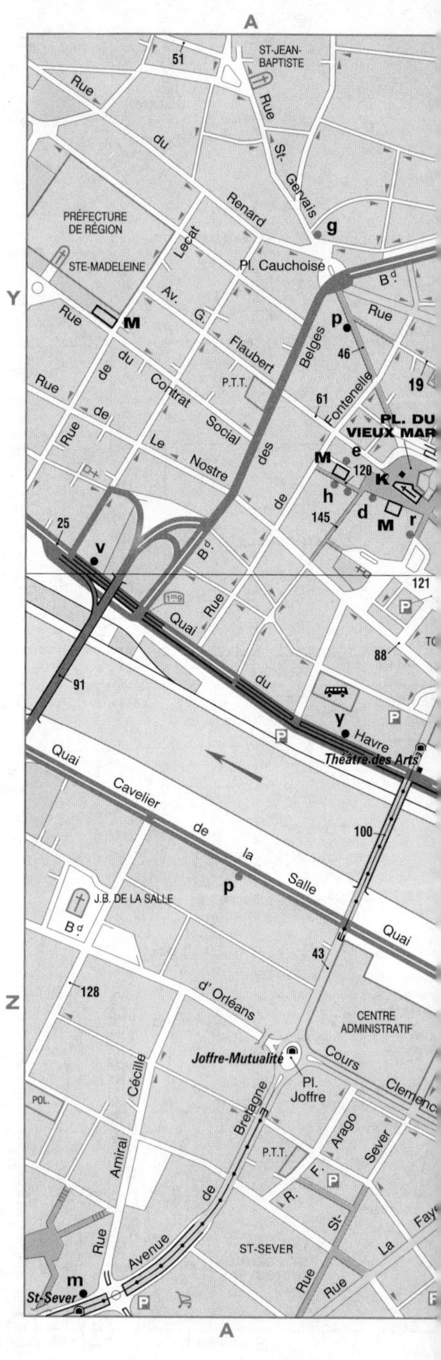

Pour les grands voyages d'affaires ou de tourisme. Guide Rouge Michelin Main Cities EUROPE.

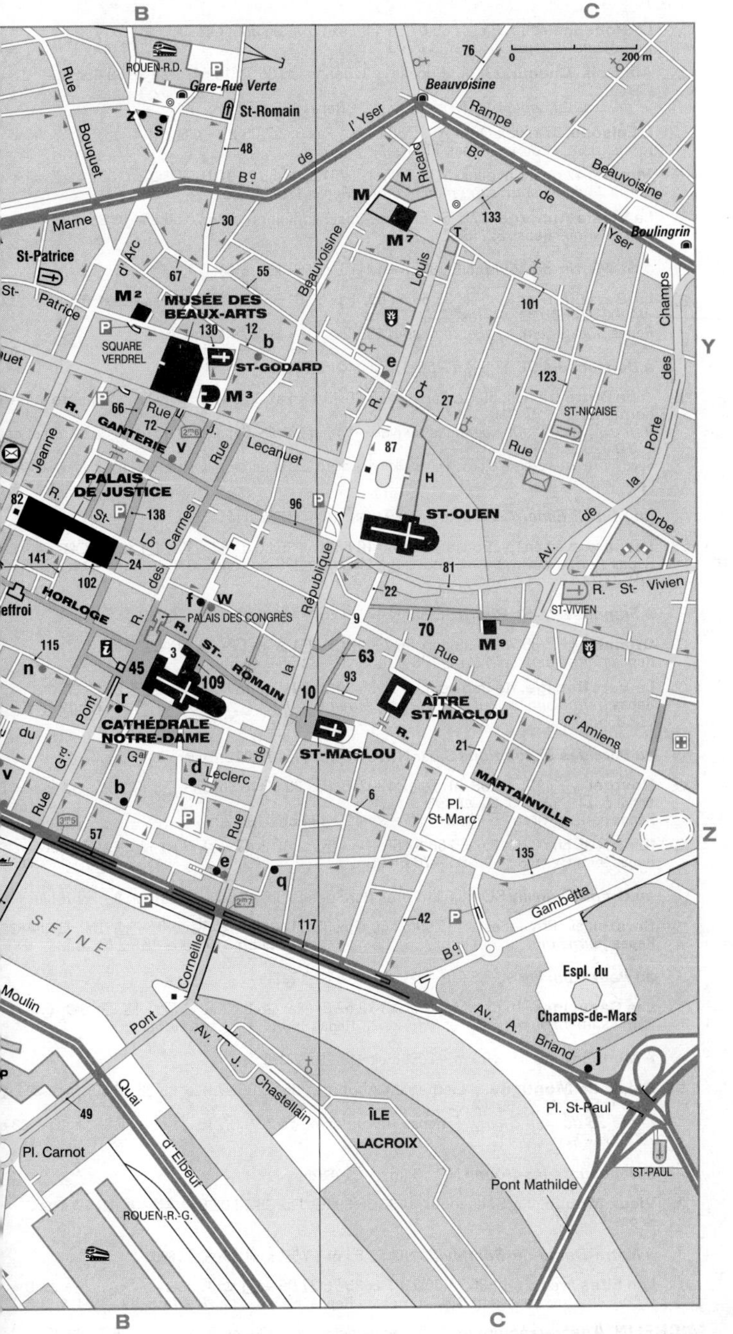
B
C
Y
Z
0
200 m
ROUEN-R.D.
Gare-Rue Verte
St-Romain
Beauvoisine
Boulingrin
Rampe
Beauvoisine
B^d de l'Yser
St-Patrice
MUSÉE DES BEAUX-ARTS
SQUARE VERDREL
ST-GODARD
PALAIS DE JUSTICE
ST-OUEN
ST-NICAISE
ST-VIVIEN
R. St- Vivien
Av. de la Porte des Champs
Orbe
Lecanuet
R. GANTERIE
HORLOGE
PALAIS DES CONGRÈS
R. ST-ROMAIN
CATHÉDRALE NOTRE-DAME
ST-MACLOU
AÎTRE ST-MACLOU
R. MARTAINVILLE
Rue d' Amiens
Pl. St-Marc
Gambetta
Espl. du Champs-de-Mars
Av. A. Briand
Pl. St-Paul
ST-PAUL
Pont Mathilde
ÎLE LACROIX
Av. J. Chastellain
Pont Corneille
SEINE
Quai d'Elbeuf
Pl. Carnot
ROUEN-R.-G.
Moulin
Rue de la République
Rue Jeanne d'Arc
Rue du G^d Pont
Rue Bouquet
Marne
Rue Ricard
Rue Louis
R. des Carmes
Rue J. Lecanuet
R. St-Lô
Gal Leclerc
Rue de la

XX **Le Rouennais,** 5 r. Pie ✆ 35 07 55 44, Fax 35 71 96 38 – GB AY
fermé lundi – **Repas** 75 (déj.), 99/240.

XX **Au Bois Chenu,** 23 pl. Pucelle d'Orléans ✆ 35 71 19 54, Fax 35 89 49 83 – AE GB AY
fermé 5 au 11 sept., mardi soir et merc. – **Repas** 105/155, enf. 50.

X **L'Épisode,** 37 r. aux Ours ✆ 35 89 01 91, Fax 35 07 06 21 – GB BZ
fermé merc. et dim. – **Repas** 110 (déj.), 170/235.

X **Marine,** 42 quai Cavelier de la Salle ✉ 76100 ✆ 35 73 10 01 – GB AZ
fermé 10 au 25 août, sam. midi et dim. – **Repas** 120/140 bc.

X **La Vieille Auberge,** 37 r. St-Étienne-des-Tonneliers ✆ 35 70 56 65 – GB BZ
fermé lundi – **Repas** 87/185.

à St-Martin-du-Vivier NE : 8 km – 1 445 h. alt. 56 – ✉ **76160** :

La Bertelière M, ✆ 35 60 44 00, Fax 35 61 56 63, – rest TV P 200. AE GB. rest FV
Repas *(fermé sam. midi et dim. soir)* 159/298 bc – 55 – **44 ch** 395/550.

à Bonsecours SE : 3,5 km – 6 898 h. alt. 144 – ✉ **76240** :

XXX ✿ **La Butte** (Hervé), 69 rte Paris ✆ 35 80 43 11, Fax 35 80 69 74, « Coquette auber normande » – AE GB FX
fermé 1er au 25 août, vacances de Noël, dim. et lundi – **Repas** 200 bc (déj.), 250/340 et ca 240 à 420
Spéc. Ravioles de petits gris dans leur bouillon d'ail doux. Sole et langoustines au caramel de cidre. Canardeau à rouennaise.

au Mesnil-Esnard SE : 6 km – 6 092 h. alt. 150 – ✉ **76240** :

XX **Léonard** avec ch, pl. Église ✆ 35 80 16 88, Fax 35 80 07 82, – TV P. GB FX
Repas *(fermé dim. soir et lundi sauf fériés)* 79/219 bc, enf. 60 – 28 – **7 ch** 200/220 – ½ P 200/220.

à Franqueville-St-Pierre SE par N 14 : 9 km – 4 230 h. alt. 140 – ✉ **76520** :

Otelinn M, ✆ 35 79 00 99, Fax 35 79 88 13 – TV P – 50. AE GB FX
Repas *(fermé dim. soir)* 85 bc/190 ♀, enf. 45 – 35 – **40 ch** 305.

Le Vert Bocage, rte Paris par ③ ✆ 35 80 14 74, Fax 35 80 55 73 – TV P. AE GB
Repas *(fermé dim. soir et lundi de nov. à mars)* 100/205 ♀, enf. 55 – 27 – **19 ch** 230/250 – ½ P 235/245.

au Parc des Expositions S par N 138 : 6 km – ✉ **76800** St-Étienne-du-Rouvray :

Novotel M, ✆ 35 66 58 50, Télex 180215, Fax 35 66 15 56, – P – 180. AE GB DX
Repas carte environ 160 ♀, enf. 35 – 49 – **134 ch** 410/470.

Ibis, ✆ 35 66 03 63, Fax 35 66 62 55 – TV P – 30 à 140. AE GB DX
Repas 99 bc, enf. 39 – 35 – **76 ch** 295.

au Grand Quevilly SO : 5,5 km près Parc des Expositions – 27 658 h. alt. 6 – ✉ **76120** :

Soretel, av. Provinces ✆ 35 69 63 50, Fax 35 69 42 28 – TV P – 100. AE GB
Repas *(fermé dim. soir et sam.)* 85/165 ♀ – 42 – **45 ch** 310/360 – ½ P 270/295. DX

au Petit Quevilly SO : 3 km – 22 600 h. alt. 5 – ✉ **76140** :

XXX **Les Capucines,** 16 r. J. Macé ✆ 35 72 62 34, Fax 35 03 23 84, – AE GB JCB
fermé sam. midi, dim. soir et lundi soir – **Repas** 160/280 et carte 220 à 360. DX

à Montigny par ⑦ : 10 km – 1 051 h. alt. 110 – ✉ **76380** :

Relais de Montigny, r. Lieutenant Aubert ✆ 35 36 05 97, Fax 35 36 19 60, – P – 30. AE GB
fermé 26 déc. au 5 janv. – **Repas** *(fermé sam. midi)* 100/215 ♀, enf. 70 – 40 – **22 c** 280/395 – ½ P 350/410.

à Bapeaume-lès-Rouen NO : 3 km – ✉ **76820** :

XX **Vieux Moulin,** 3 r. S. Lecoeur ✆ 35 36 39 59, Fax 35 36 02 56, – P. AE GB
Repas 110/320. DV

à Notre-Dame-de-Bondeville NO : 7,5 km – 7 584 h. alt. 25 – ✉ **76960** :

X **Les Elfes** avec ch, ✆ 35 74 36 21, Fax 35 75 27 09 – TV P. GB DV
fermé 1er au 15 août, dim. soir et merc. – **Repas** 98/210 – 28 – **7 ch** 150 – ½ P 180.

MICHELIN, Agence régionale, 24 bd Industriel à Sotteville-lès-Rouen B ✆ 35 73 63 73

IW S.R.D.A., 122 r. de Constantine 35 98 33 77
TROEN Succursale, 144 av. Mont Riboudet EV 35 52 86 40
RD Gar. Thibault, 135 r. Lafayette ✆ 35 72 76 84
)NDA Gar. Sporty, 65 av. du Mont Riboudet 35 88 13 88
:RCEDES Gar. Autotechnic, 99 r. de Constantine 35 88 16 88 N ✆ 35 71 93 57
SSAN S.E.R.A., 3 r. J.-Ango ✆ 35 89 01 53
'EL S.N.O.A., 31 av. de Caen ✆ 35 72 11 63
UGEOT S.I.A. de Normandie, 116 av. Mont-)oudet EV ✆ 35 89 81 44 N ✆ 35 70 02 05
UGEOT S.I.A. de Normandie, 71-73 av. de Caen ✆ 35 72 24 84 N ✆ 35 70 02 05
RENAULT Succursale, 184 av. Mont-Riboudet EV ✆ 32 10 41 41 N ✆ 05 05 15 15
TOYOTA SIDAT Toyota France, 4-10 r. Lillebonne ✆ 35 15 13 13
VAG Gar. Blet, 90 av. Mont-Riboudet ✆ 35 88 45 45 N ✆ 35 88 03 88

Ansselin Pneus, 55 av. de Caen ✆ 35 62 00 24
Blard Pneus Center, 46 r. de Lillebonne ✆ 35 71 72 97
CAP, Hangar n° 10 quai de Lesseps ✆ 35 07 08 99
CAP, 226 av. des Alliés à Petit Quevilly ✆ 35 03 33 23
Marsat-Pneus, 28 r. F.-Arago pl. Emmurees ✆ 35 72 32 38

Périphérie et environs

TROEN Succursale, Ctre Cial de Bois-Cany au and-Quevilly DX ✆ 35 18 29 20 N ✆ 35 74 11 26
AT Albion Auto, r. Canal à Bapeaume 35 74 46 74
'RD Gar. Thibaud, 128 av. J.-Jaurès au Petit-ıevilly ✆ 35 72 96 96
'EL Nord-Autos Sce, 94 r. Martyrs Résistance à aronne ✆ 35 74 22 83
'NAULT Renault, Rouen Rive Gauche 20 pl. artreux au Petit Quevilly EX ✆ 35 58 22 22 N 05 05 15 15
NAULT Gar. du Chemin de Clères, 138 chemin Clères à Bois-Guillaume EV e ✆ 35 71 22 70
:NAULT Renault, Rouen Rive Gauche Bois Cany Grand Quévilly DX ✆ 35 58 22 22 N 05 05 15 15
)VER Rédélé Autom., 226 av. des Alliés au Petit ıevilly ✆ 35 73 24 02
VAG Gar. Blet, Ctre Cial, r. Lavoisier au Grand Quevilly ✆ 35 69 69 45 N ✆ 35 88 03 88
VAG Socap, 164 r. de Paris au Mesnil-Esnard ✆ 35 80 15 55 N ✆ 35 73 39 56

Marsat Pneus, 141-143 pl. A.-Briand à Maromme ✆ 35 74 27 69
Pneu Paris Normandie Vulcopneu, bd Industriel à Sotteville-lès-Rouen ✆ 35 72 50 90
Regnier, 18 av. J.-Jaurès au Petit Quevilly ✆ 35 72 67 01
Rouen Pneus, r. Cateliers ZI Madrillet à St-Etienne-du-Rouvray ✆ 35 65 34 13
Sube Pneurama Point S, 23 r. de Roanne à Elbeuf ✆ 35 81 04 47
Sube Pneurama Point S, r. Chesnaie à St-Etienne-du-Rouvray ✆ 35 65 24 53

OUFFACH **68250** H.-Rhin 62 ⑲ **G. Alsace Lorraine** – 4 303 h alt. 204.

Golf d'Alsace ✆ 89 78 59 59 par D 8 : 2 km.

ris 487 – Colmar 15 – Basel 60 – Belfort 55 – Guebwiller 10,5 – ♦Mulhouse 27 – Thann 26.

✿ **Château d'Isenbourg**, ✆ 89 49 63 53, Fax 89 78 53 70, ≤, – 25. AE GB JCB
fermé 13 janv. au 14 mars – **Repas** 250 bc (déj.), 270/370 et carte 330 à 490 – ☕ 85 – **40 ch** 860/1410 – ½ P 845/1120
Spéc. Beignets de grenouilles. Croustillant de pigeon et millefeuille de chou au foie gras. Grappe de raisin au chocolat blanc, crème à la cannelle. **Vins** Pinot noir, Riesling.

A la Ville de Lyon, r. Poincaré ✆ 89 49 65 51, Fax 89 49 76 67, – 40. AE GB
fermé 26 fév. au 17 mars – voir rest. ***Philippe Bohrer*** ci-après - ***Brasserie Chez Julien*** ✆ 89 49 69 80 **Repas** 48/125, enf. 38 – ☕ 45 – **43 ch** 270/430 – ½ P 325/345.

XXX ✿ **Philippe Bohrer,** r. Poincaré ✆ 89 49 62 49, Fax 89 49 76 67 – AE GB
fermé 26 fév. au 17 mars et lundi – **Repas** 125/390 et carte 250 à 360, enf. 75
Spéc. Presskopf gourmand de homard aux herbes. Tian d'escargots au gewurztraminer et pommes. Côte de cochon fourrée au foie gras. **Vins** Riesling, Pinot noir.

à Bollenberg SO : 6 km par N 83 et rte secondaire – ✉ **68250** Rouffach :

Bollenberg sans rest, ✆ 89 49 62 47, Télex 880896, Fax 89 49 77 66, – 80. AE GB
☕ 50 – **45 ch** 280/360.

XX **Vieux Pressoir,** ✆ 89 49 60 04, Fax 89 49 76 16, « Décor alsacien » – AE GB
fermé 20 au 27 déc. – **Repas** 85/330 bc, enf. 65.

TROEN Gar. Sauter, ✆ 89 49 61 46
FORD Gar. Habermacher, ✆ 89 49 60 08

OUFFIAC-TOLOSAN **31** H.-Gar. 82 ⑧ – rattaché à Toulouse.

OUFFILLAC **24** Dordogne 75 ⑱ – ✉ **24370** Carlux.

ris 534 – Brive-la-Gaillarde 49 – Sarlat-la-Canéda 16 – Gourdon 18.

Cayre, ✆ 53 29 70 24, Fax 53 31 16 36, – GB
fermé oct. – **Repas** 80/220 – ☕ 35 – **18 ch** 260/380 – ½ P 300.

e ROUGET **15290** Cantal 76 ⑪ – 910 h alt. 614.

ris 555 – Aurillac 24 – Figeac 41 – Laroquebrou 15 – St-Céré 38 – Tulle 79.

Voyageurs, ✆ 71 46 10 14, Fax 71 46 93 89 – ch
Repas 65 bc/90 bc – ☕ 22 – **38 ch** 190/220 – ½ P 190.

TROEN Gar. Fau, ✆ 71 46 11 03 N 71 46 11 03
PEUGEOT Gar. Lajarrige, à Cayrols ✆ 71 46 15 63
RENAULT Gar. Montimart, ✆ 71 46 15 47

ROUGIVILLE 88 Vosges 62 ⑰ – rattaché à St-Dié.

ROULLET 16 Charente 72 ⑬ – rattaché à Angoulême.

Les ROUSSES 39220 Jura 70 ⑮ ⑯ G. Jura – 2 840 h alt. 1110 – Sports d'hiver : 1 120/1 680 m 40
Voir Gorges de la Bienne★ O : 3 km.
9 84 60 06 25 sur D 29[E1] ; 18 du Mont-Saint-Jean 84 60 09 71, E : 1 km par D 29[E1].
Office de Tourisme 84 60 02 55, Fax 84 60 52 03.
Paris 466 – Genève 40 – Gex 29 – Lons-le-Saunier 66 – Nyon 20 – St-Claude 32.

France, 84 60 01 45, Fax 84 60 04 63, – TV – 25. AE GB JCB
fermé 10 au 28 juin et 18 nov. au 13 déc. – **Repas** 145/430 et carte 300 à 470 – 4
32 ch 380/515 – ½ P 325/445
Spéc. Cannelloni de saumon fumé sur palet parmentier. Poulet de Bresse aux morilles à la crème. Crêpe soufflé Grand-Marnier. **Vins** Arbois.

Relais des Gentianes, 84 60 50 64, Fax 84 60 04 58, – TV . AE GB JCB
fermé dim. soir et lundi hors sais. – **Repas** 98/260 – 45 – **14 ch** 295/375 – ½ P 380.

La Redoute, 84 60 00 40, Fax 84 60 04 59 – TV . GB
fermé 15 nov. au 10 déc. – **Repas** 85/185, enf. 45 – 35 – **26 ch** 350/380 – ½ P 320/32

Annexe Le Noirmont sans rest, à 3 km 84 60 30 15, – TV – 30. GB
fermé 15 nov. au 10 déc. – 35 – **7 ch** 350/380.

à la Cure SE : 2,5 km par N 5 – ✉ 39220 Les Rousses :

XX **Arbez Franco-Suisse** avec ch, 84 60 02 20, Fax 84 60 08 59, – TV . rest
fermé 15 au 30 nov., lundi soir et mardi en mai, juin et oct. – **Repas** 145/205, enf. 55 – – **10 ch** 260/340 – ½ P 285/300.

à Noirmont N : 3 km par D 29[E] – ✉ 39220 Les Rousses :

Chamois , 84 60 01 48, Fax 84 60 39 38, ← – . GB
fermé 22 avril au 15 mai et 25 nov. au 10 déc. – **Repas** 65 (déj.), 78/145 , enf. 40 – 3
12 ch 250/270 – ½ P 260.

RENAULT Gar. des Neiges, 84 60 02 54 N 84 60 02 54

ROUSSILLON 84220 Vaucluse 81 ⑬ G. Provence (plan) – 1 165 h alt. 360.
Voir Site★ du village★.
Office de Tourisme pl. de la Poste 90 05 60 25.
Paris 725 – Apt 11,5 – Avignon 45 – Bonnieux 10,5 – Carpentras 37 – Cavaillon 26 – Sault 32.

Mas de Garrigon , N : 3 km par C 7 et D 2 90 05 63 22, Fax 90 05 70 01, ←, , – TV . AE GB. rest
Repas *(fermé 11 nov. au 1er mars, mardi et lundi)* (prévenir) 185/340 – 75 – **9 ch** 760/ – ½ P 380/410.

XX **David,** pl. Poste 90 05 60 13, Fax 90 05 75 80, ← falaises et vallée, – GB
20 mars-20 nov. et fermé lundi sauf fériés – **Repas** (week-ends et fêtes prévenir) 128 bc/ , enf. 50.

ROUSSILLON 38150 Isère 77 ① – 7 365 h alt. 200.
Paris 511 – Annonay 27 – ◆Grenoble 87 – ◆St-Étienne 68 – Tournon-sur-Rhône 42 – Vienne 20.

Le Médicis sans rest, r. Fernand Léger 74 86 22 47, Fax 74 86 48 05 – TV – 60. GB
32 – **15 ch** 220/310.

Europa, rte Valence 74 86 28 84, Fax 74 86 15 11 – ch TV . AE GB
fermé 21 déc. au 5 janv. et dim. de sept. à mars – **Repas** *(fermé sam. midi et dim. s* 89/175, enf. 45 – 30 – **26 ch** 180/210 – ½ P 170.

CITROEN Gar. Pleynet, 5 r. Puits-sans-Tour à Péage-de-Roussillon 74 86 20 12
CITROEN Drisar Autom., 132 N 7 à Salaise-sur-Sanne 74 86 04 20
PEUGEOT Gar. Bourget, 79 av. G.-Péri 74 86 17 08

ROUTOT 27350 Eure 54 ⑲ G. Normandie Vallée de la Seine – 1 043 h alt. 140.
Voir La Haye-de-Routot : ifs millénaires★ N : 4 km.
Paris 152 – ◆ Le Havre 57 – ◆ Rouen 34 – Bernay 44 – Évreux 68 – Pont-Audemer 18.

XX **L'Écurie,** 32 57 30 30 – GB
fermé 29 juil. au 5 août, 1er au 7 janv., vacances de fév., merc. soir, dim. soir et lundi – **Rep** 100/240.

CITROEN Gar. Bocquier, 32 57 30 48
FIAT Gar. du Centre, 32 57 31 23 N 32 57 31 23

ROUVRAY 21530 Côte-d'Or 65 ⑰ – 601 h alt. 395.
Syndicat d'Initiative (après-midi seul.) 80 64 72 61.
Paris 229 – Avallon 18 – ◆Dijon 83 – Saulieu 20.

Axéal , N 6 80 64 79 79, Fax 80 64 79 56, , – TV – 30. AE
Repas grill 98 , enf. 45 – 28 – **26 ch** 250/330 – ½ P 260.

OUVRES-EN-XAINTOIS **88500** Vosges 62 ⑭ – 337 h alt. 330.

ris 365 – Épinal 40 – Lunéville 57 – Mirecourt 7,5 – ◆Nancy 54 – Neufchâteau 32 – Vittel 16.

Burnel ⛰, au village ☎ 29 65 64 10, Fax 29 65 68 88, – TV ☎ & P. AE GB
fermé 23 au 31 déc. – **Repas** *(fermé dim. soir hors sais.)* 83/270 – ☕ 45 – **17 ch** 165/300 – ½ P 195/248.

OUVRES-LA-CHÉTIVE **88** Vosges 62 ⑬ – rattaché à Neufchâteau.

OUVROIS-SUR-OTHAIN **55** Meuse 57 ② – rattaché à Longuyon (M.-et-M.).

OYAN **17200** Char.-Mar. 71 ⑮ **G. Poitou Vendée Charentes** – 16 837 h alt. 20 – Casino Royan Pontaillac A.

oir Front de mer★ C – Église N.-Dame★ **E** – Corniche★ et Conche★ de Pontaillac A.

de Royan Côte de Beauté ☎ 46 23 16 24, par ④ : 7 Km.

ac : pour le Verdon-s-Mer : renseignements ☎ 56 09 60 84, Fax 56 09 68 43.

Office de Tourisme Palais des Congrès ☎ 46 38 65 11, Télex 790441, Fax 46 38 52 01 et pl. Poste ☎ 46 05 71, Fax 46 06 67 76.

ris 506 ① – ◆Bordeaux 120 ② – Périgueux 172 ② – Rochefort 40 ⑤ – Saintes 40 ①.

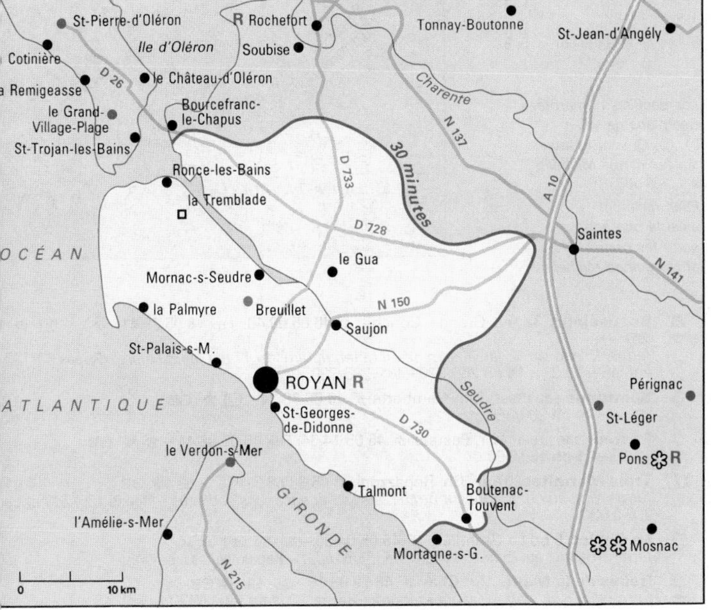

Novotel M ⛰, bd Carnot - Conche du Chay ☎ 46 39 46 39, Télex 793270, Fax 46 39 46 46, ≤ mer, centre de thalassothérapie, – TV ☎ & P – 130. AE GB — A **b**
Repas 100 , enf. 60 – ☕ 60 – **83 ch** 795 – ½ P 585.

Family Golf H. M sans rest, 28 bd Garnier ☎ 46 05 14 66, Fax 46 06 52 56, ≤ Pointe de Grave – TV ☎ P. GB — C **m**
1er avril-30 sept. – ☕ 42 – **33 ch** 350/500.

Beau Rivage sans rest, 9 façade Foncillon ☎ 46 39 43 10, Fax 46 38 22 50, ≤ – TV ☎. GB. — B **z**
fermé 1er déc. au 15 janv. – ☕ 38 – **22 ch** 320/410.

Bleuets, 21 façade Foncillon ☎ 46 38 51 79, Fax 46 23 82 00 – TV ☎. GB. — B **a**
Repas (dîner seul.) 100 – ☕ 32 – **16 ch** 265/335 – ½ P 265/300.

Corinna ⛰ sans rest, 5 r. Amazones ☎ 46 39 82 53 – ☎ P. — A **d**
15 avril-fin sept. – ☕ 30 – **14 ch** 250/275.

ROYAN

Briand (Bd A.) .... B 5
Europe (Cours de l') C
Gambetta (R.) .... B
Loti (R. Pierre) .... B
République (Bd de la) .... B 40

Alsace-Lorraine (R.) ...... B 3
Conche-du-Chay (Av. de la) .... A 6
Desplats (R. du Colonel) .... B 7
Dr. Audouin (Bd du) ..... B 8
Dr. Gantier (Pl. du) .... C 9
Dugua (R. P.) .... B 10
Façade de Foncillon ...... B 12
Falaise (Bd de la) .... AB 13
Foch (Pl. Mar.) .... C 15
Foncillon (R. de) .... B 16
Font-de-Cherves (R.) ...... B 17
Gaulle (Pl. Ch. de) .... B 19
Grandière (Bd de la) ...... C 21
Leclerc (Av. Mar.) .... C 26
Libération (Av. de la) ..... C 28
Notre-Dame (R.) .... B 32
Parc (Av. du) .... C 35
Rochefort (Av. de) .... B 42
Schuman (Pl. R.) .... B 45
Semis (Av. des) .... C 46
Thibeaudeau (Rd-Pt. du Cdt.) .... B 48
5-Janvier-1945 (Bd du) ... B 52

Les pastilles numérotées des plans de villes ①, ②, ③ sont répétées sur les cartes Michelin à 1/200 000. Elles facilitent ainsi le passage entre les cartes et les guides Michelin.

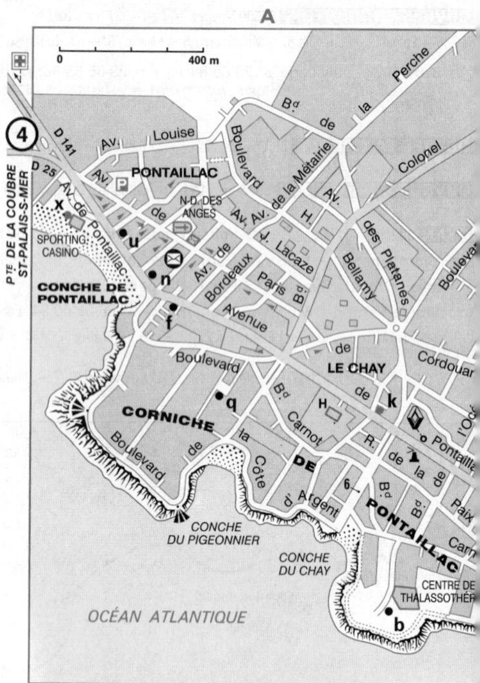

Beauséjour, 32 av. Grande Conche ☎ 46 05 09 40, Fax 46 05 39 41, – TV ☎ GB — C
fermé 15 déc. au 15 janv., sam. (sauf hôtel) et dim. du 1er oct. au 30 mars – **Repas** 69/120, enf. 45 – ☐ 32 – **14 ch** 250/320 – ½ P 285/330.

Saintonge sans rest, 14 r. Gambetta ☎ 46 05 78 24 – TV ☎. GB — B
☐ 34 – **14 ch** 200/380.

Pasteur sans rest, 40 r. Pasteur ☎ 46 05 14 34, Fax 46 05 96 44 – ☎. GB — B
☐ 27 – **11 ch** 180/290.

Trois Marmites, 37 av. Ch. Regazzoni ☎ 46 38 66 31, – AE ⓓ GB — B
fermé dim. soir et lundi sauf de juil. à sept. et vacances scolaires – **Repas** 135/230 et car 200 à 330.

Le Chalet, 6 bd La Grandière ☎ 46 05 04 90 – ▤. AE GB JCB — C
fermé 15 janv. au 15 fév. et merc. sauf juil.-août – **Repas** 100/280, enf. 45.

Relais de la Mairie, 1 r. Chay ☎ 46 39 03 15 – ▤. AE ⓓ GB — A
fermé dim. soir sauf juil.-août et mardi – **Repas** 80 (sauf fêtes)/170 ♀, enf. 48.

à Pontaillac :

Gd H. de Pontaillac sans rest, 195 av. Pontaillac ☎ 46 39 00 44, Fax 46 39 04 05, ← – TV ☎. GB — A
20 avril-30 sept. – ☐ 43 – **41 ch** 450/560.

Miramar sans rest, 173 av. Pontaillac ☎ 46 39 03 64, Fax 46 39 23 75, ← – TV ☎. AE GB — A
15 mars-30 oct. – ☐ 45 – **27 ch** 350/500.

Résidence de Saintonge et rest. Pavillon Bleu , allée des Algues ☎ 46 39 00 0 Fax 46 39 07 00 – TV ☎ P. GB — A
30 mars-30 sept. – **Repas** 68/175 – ☐ 38 – **40 ch** 220/340 – ½ P 350.

Belle-Vue sans rest, 122 av. Pontaillac ☎ 46 39 06 75, Fax 46 39 44 92, ← – TV ☎ GB — A
1er mars-1er nov. – ☐ 35 – **18 ch** 255/335.

La Jabotière, près Casino ☎ 46 39 91 29, Fax 46 38 39 93, ← – AE GB — A
fermé 23 au 30 déc., 2 janv. au 2 fév., dim. soir et lundi hors sais. et fériés – **Repas** 128/35

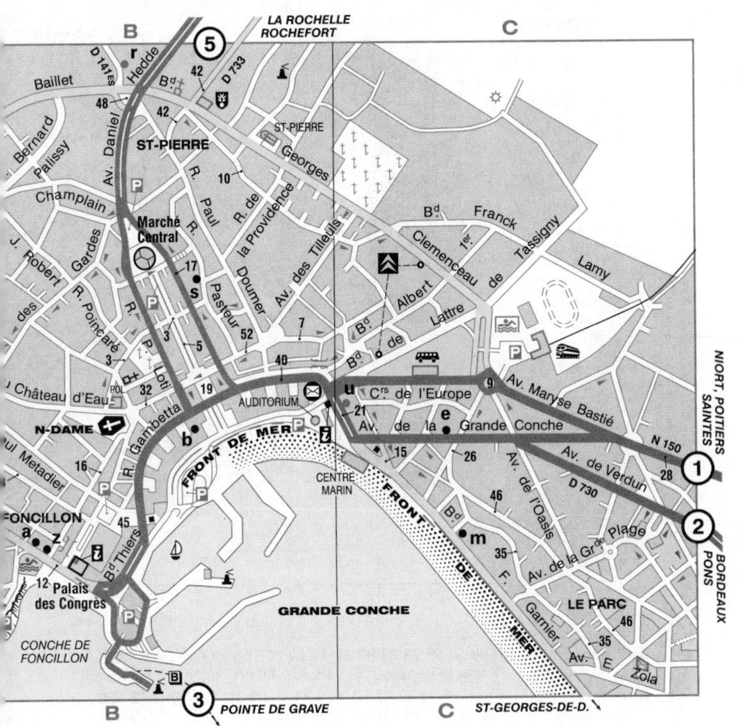

rte de St-Palais par ④ : 3,5 km – ✉ **17640** Vaux-sur-Mer :

Résidence de Rohan sans rest, conche de Nauzan ℘ 46 39 00 75, Fax 46 38 29 99, ←, « Villas dans un parc dominant la plage », – TV ☎ P. AE GB
23 mars-11 nov. – ☕ 51 – **41 ch** 490/700.

La Biche au Bois avec ch, D 25 ℘ 46 39 01 52, Fax 46 38 17 96, – TV ☎ P. GB
24 fév.-29 sept. et fermé jeudi du 24 fév. à fin mai – **Repas** 52/165, enf. 34 – ☕ 25 – **12 ch** 190/210 – ½ P 198/213.

'W Gar. Bienvenue, 43 av. M.-Bastié
46 05 01 62
'ROEN Gar. Casagrande, 24 bd de Lattre-de-
ıssigny ℘ 46 05 04 26
RD Gar. Zanker, 11 r. Notre-Dame
46 05 69 87
JGEOT Gar. Richard, Zone Ciale, rte de Saintes
· ① ℘ 46 05 03 55 N ℘ 46 05 24 24

RENAULT Gar. du Chay, 75 av. de Pontaillac
℘ 46 38 48 88
RENAULT Royan auto 2000, 20 r. Lavoisier par ①
℘ 46 05 05 08 N ℘ 07 55 02 96

Brault Point S, av. Libération ℘ 46 05 46 93
Euromaster, 50 bd de Lattre-de-Tassigny
℘ 46 05 54 24

OYAT **63130** P.-de-D. 73 ⑭ **G. Auvergne** – 3 950 h alt. 450 – Stat. therm. – Casino B.

ıir Église St-Léger★ A.

18 des Volcans à Orcines ℘ 73 62 15 51, par ③ : 9 km ; 9 de Charade ℘ 73 35 73 09, SO :
.m par ②, D 5 et D 5F.

'cuit automobile de montagne d'Auvergne.

Office de Tourisme pl. Allard ℘ 73 35 81 87, Fax 73 35 81 07.

'is 429 – ◆ Clermont-Ferrand 3,5 – Aubusson 87 – La Bourboule 45 – Le Mont-Dore 41.

Accès et sorties : voir plan de Clermont-Ferrand.

Métropole, bd Vaquez ℘ 73 35 80 18, Fax 73 35 66 67 – ☎ P. AE GB.
rest B **h**
1er mai-30 sept. – **Repas** 165, enf. 80 – ☕ 45 – **61 ch** 230/550, 5 appart – P 345/599.

Royal St-Mart, av Gare ℘ 73 35 80 01, Fax 73 35 75 92, – ☎ P. GB B **n**
1er mai-30 sept. – **Repas** 110/135 – ☕ 33 – **60 ch** 160/350 – ½ P 205/385.

ROYAT

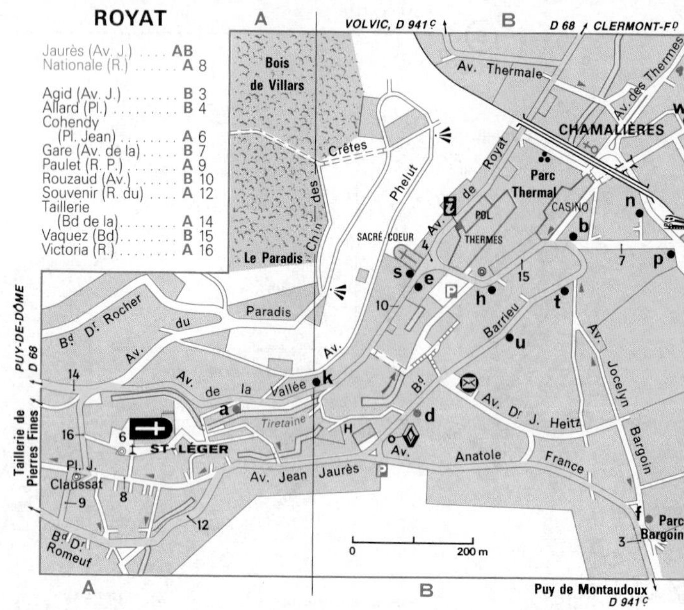

Richelieu, av. A. Rouzaud ☎ 73 35 86 31, Fax 73 35 63 98 – GB. rest
14 avril-début oct. – **Repas** 85 (dîner)/103 – 30 – **60 ch** 180/400 – P 218/368. B

Barrieu M, 1 bd Barrieu ☎ 73 35 82 50, Fax 73 35 63 31 – P. GB. rest
1er avril-25 oct. – **Repas** 80/120, enf. 50 – 30 – **30 ch** 245/345 – P 375/395. B

Univers, av. Gare ☎ 73 35 81 28, Fax 73 35 66 79 – GB B
1er mai-30 sept. – **Repas** 85 (dîner), 95/120 – 30 – **42 ch** 140/290 – P 265/300.

Castel H., pl. Dr Landouzy ☎ 73 35 80 14, Fax 73 35 80 49, ← – AE B
1er mars-30 oct. – **Repas** 75/130 – 29 – **57 ch** 130/320 – P 245/293.

Athena sans rest, av. A. Rouzaud ☎ 73 35 80 32, Fax 73 35 66 26 – AE JCB B
30 – **24 ch** 220/330.

Le Chatel, av. Vallée ☎ 73 35 82 78, Fax 73 35 79 49 – GB B
20 mars-30 oct. – **Repas** 69/165, enf. 45 – 32 – **25 ch** 180/320 – P 260/320.

Chalet Camille, bd Barrieu ☎ 73 35 80 87, Fax 73 35 63 62, – P. GB B
fermé vacances de fév. – **Repas** *(ouvert 11 mars-28 oct.)* 85/110 – 28 – **22 ch** 225/26
P 260/360.

Belle Meunière avec ch, av. Vallée ☎ 73 35 80 17, – AE GB JCB
fermé 1er au 15 nov., 1er au 15 fév., dim. soir et merc. – **Repas** 120/245 et carte 270 à 3
enf. 60 – 30 – **7 ch** 210/280 – P 320/330. A

L'Oasis, 31 av. Bargoin ☎ 73 35 82 79, Fax 73 35 62 93, ← – GB B
fermé 15 juil. au 14 août, dim. soir et lundi sauf fériés le midi – **Repas** 80/180, enf. 60.

L'Hostalet, bd Barrieu ☎ 73 35 82 67 – AE GB B
fermé 3 janv. au 31 mars, dim. et lundi sauf fériés – **Repas** 75 (déj.), 125/185.

CITROEN Gar. Boyer, 50 av. Thermes, à Chamalières ☎ 73 37 71 57
RENAULT Gar. Valleix, 57 bd Gambetta à Chamalières B ☎ 73 93 11 43
RENAULT Royat centre auto, 49 bd Barrieu ☎ 73 35 82 20

ROYE **80700** Somme 52 ⑳ **G. Flandres Artois Picardie** – 6 333 h alt. 88.

Paris 111 ⑤ – Amiens 43 ⑥ – Compiègne 40 ⑤ – Arras 75 ⑦ – St-Quentin 44 ②.

Plan page ci-contre

Les Lions, rte Rosières **(v)** ☎ 22 87 20 61, Fax 22 87 24 83 – P – 80. AE GB
Repas 95/190, enf. 50 – 40 – **43 ch** 280/320 – ½ P 230/260.

ROYE

Amiens (R. d') 2
Basse-Ville (R.) 3
Dr-Duquesnel (R.) 4
Est (Bd de l') 6
Fontaines (R. des) 8
Goyencourt (R. de) 9
Jaurès (Av. Jean-) 10
Lavaquerie (R.) 13
Leclerc (Bd Gén.) 14
Nesle (R. de) 15
Noyon (R. de) 16
Paris (R. de) 17
Péronne (R. de) 19
République (Pl. de la) 21
St-Médard (R.) 23

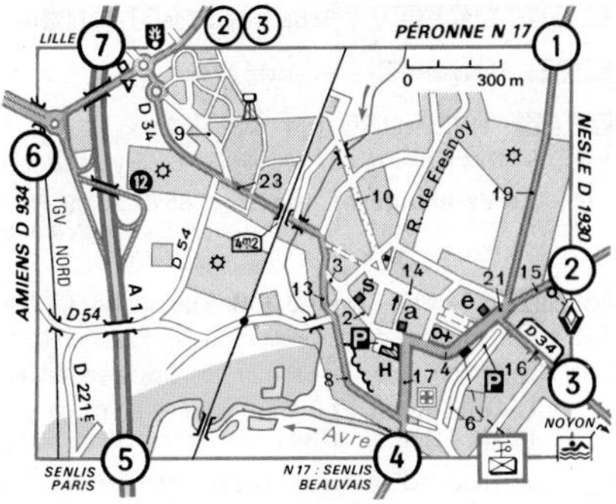

Pas de publicité payée dans ce guide

XXX ✿ **La Flamiche** (Mme Klopp), pl. H. de Ville **(a)** ✆ 22 87 00 56, Fax 22 78 46 77 – AE ⓓ GB JCB
fermé 9 au 15 juil., 21 déc. au 13 janv., dim. soir et lundi – **Repas** 135/695 et carte 350 à 500
Spéc. Flamiche aux poireaux (oct. à avril). Anguille à la bière et pain d'épices. Colvert en concassé de fèves de cacao (mi-juil. à mi-janv.).

XX **Central et rest. Florentin** avec ch, 36 r. Amiens **(s)** ✆ 22 87 11 05, Fax 22 87 42 74 – TV ☎. AE GB. ✻ ch
fermé 19 août au 1er sept., 23 déc. au 3 janv., dim. soir et lundi – **Repas** 88/210, enf. 60 – ☕ 30 – **8 ch** 230/320.

XX **Nord** avec ch, pl. République **(e)** ✆ 22 87 10 87, Fax 22 87 46 88 – GB
fermé 17 au 31 juil., 12 au 28 fév., mardi soir et merc. – **Repas** 95/295, enf. 65 – ☕ 29 – **7 ch** 165/180.

ITROEN Gar. François, 20 r. du Fg St-Nicolas à esle par ② ✆ 22 88 25 47
ENAULT Péronne Autom. Roye, 10 r. de Nesle 22 87 07 88

Euromaster, 12 r. de Péronne ✆ 22 87 11 03

ROZAY-EN-BRIE **77540** S.-et-M. 61 ③ **G. Ile de France** – 2 380 h alt. 90.

aris 60 – Coulommiers 19 – Meaux 38 – Melun 29 – Provins 31 – Sézanne 58.

🏨 **Les 3 Épis** M, 2 av. Épi (près N 4) ✆ (1) 64 25 65 25, Fax (1) 64 25 70 04 – ▤ rest TV ☎ ♿ P – 🧑‍💼 70. AE GB
Repas 49/95 – ☕ 35 – **55 ch** 260 – ½ P 220.

EUGEOT Gar. Mirat, ✆ (1) 64 25 60 54

Le ROZIER **48150** Lozère 80 ④ ⑤ **G. Gorges du Tarn** – 157 h alt. 400.

oir Terrasses du Truel ≤★ E : 3,5 km – Gorges du Tarn★★★.
nv. Chaos de Montpellier-le-Vieux★★★ S : 11,5 km – Corniche du Causse Noir ≤★★ SE : 13 km uis 15 mn.

Office de Tourisme ✆ 65 62 60 89, Fax 65 62 60 27.

aris 640 – Mende 62 – Florac 57 – Millau 21 – Sévérac-le-Château 28 – Le Vigan 72.

🏨 **Voyageurs**, ✆ 65 62 60 09, Fax 65 62 64 01 – |≑| ☎. AE GB. ✻
1er mars-1er oct. – **Repas** 80/160 ♨ – ☕ 35 – **29 ch** 245/400 – ½ P 245/265.

🏨 **Doussière** sans rest (annexe 🏨 ☎ 11 ch), ✆ 65 62 60 25 – GB
Pâques-11 nov. – ☕ 31 – **24 ch** 180/305.

RUCH **33350** Gironde 75 ⑬ – 509 h alt. 100.

oir Moulin de Labarthe★ SO : 4 km, **G. Pyrénées Aquitaine.**

aris 604 – ♦ Bordeaux 45 – Bergerac 55 – Libourne 26 – La Réole 26.

🏨 **Château Lardier** ⛰, NE : 2 km par D 232 et rte secondaire ✆ 57 40 54 11, Fax 57 40 70 38, ⛱, ⛱ – ☎ P. GB
début mars-15 nov. et fermé dim. soir et lundi hors sais. – **Repas** 90/240 ♨, enf. 40 – ☕ 30 – **9 ch** 230/340 – ½ P 275/325.

RUE **80120** Somme 52 ⑥ **G. Flandres Artois Picardie** – 2 942 h alt. 9.

Voir Chapelle du St-Esprit★.

Office de Tourisme 54 Porte de Bécray ✆ 22 25 69 94, Fax 22 25 76 26.

aris 201 – ♦ Amiens 68 – Abbeville 24 – Berck-Plage 22 – Le Crotoy 8,5.

🏨 **Lion d'Or**, r. Barrière ✆ 22 25 74 18, Fax 22 25 66 63 – TV ☎ P. GB
fermé 4 au 25 déc. – **Repas** *(fermé dim. soir d'oct. à mai)* 80/90 ♨, enf. 55 – ☕ 35 – **16 ch** 240/340 – ½ P 230/240.

RENAULT Gar. Dupont, RD 940 à Quend ✆ 22 23 23 68

RUEIL-MALMAISON 92 Hauts-de-Seine 55 ⑳, 101 ⑭ – voir à Paris, Environs.

RUGY 57 Moselle 57 ④ – rattaché à Metz.

RULLY 71150 S.-et-L. 70 ① – 1 635 h alt. 220.

Paris 335 – Chalon-sur-Saône 17 – Autun 42 – Chagny 5 – Le Creusot 31.

XX **Le Vendangerot** avec ch, ✆ 85 87 20 09, Fax 85 91 27 18, – TV ☎ P. GB
fermé 20 fév. au 20 mars, mardi soir d'oct. à mars et merc. – **Repas** 80/195 – 33 – **14** 150/280 – ½ P 238.

RUMILLY 74150 H.-Savoie 74 ⑤ **G. Alpes du Nord** – 9 991 h alt. 334.

Office de Tourisme de l'Albanais ✆ 50 64 58 32, Fax 50 64 69 21.

Paris 533 – Annecy 16 – Aix-les-Bains 20 – Bellegarde-sur-Valserine 37 – Belley 45 – Genève 64.

XX **L'Améthyste,** 27 r. Pont-Neuf ✆ 50 01 02 52 – ▤. GB
fermé 27 juil. au 16 août, dim. soir et lundi soir – **Repas** 88/360, enf. 50.

à Moye NO : 4 km par D 231 – 697 h. alt. 472 – ✉ **74150** :

Relais du Clergeon , ✆ 50 01 23 80, Fax 50 01 41 38, ≤, , – ☎ P. GB
fermé 26 août au 3 sept., janv., fév., dim. soir et lundi – **Repas** (dim. et fêtes prévenir) 250 , enf. 49 – 35 – **19 ch** 155/330 – ½ P 220/280.

CITROEN Gar. Lacrevaz, 7 r. J.-Béard ✆ 50 01 11 75

PEUGEOT Gar. Central, rte d'Aix-les-Bains ✆ 50 01 41 81 N ✆ 05 44 24 24

RUNGIS 94 Val-de-Marne 61 ①, 101 ㉖ – voir à Paris, Environs.

Konsultieren Sie vor Ihrer Reise die Michelin-Karte Nr. 911.

Sie gibt die geschätzte Fahrzeit von Stadt zu Stadt an und trägt zur Zeitersparnis bei.

RUOMS 07120 Ardèche 80 ⑨ **G. Vallée du Rhône** – 1 858 h alt. 121.

Voir Défilé★ NO : 2,5 km – Gorges de la Beaume★ O : 4 km – Auriolles : Promenade★ Labeaume SO : 4 km puis 30 mn.

Office de Tourisme r. Alphonse Daudet ✆ 75 93 91 90, Fax 75 39 78 91.

Paris 655 – Alès 54 – Aubenas 24 – Pont-St-Esprit 47.

rte des Vans SO : 3,5 km par D 111 – ✉ **07120** Ruoms :

La Chapoulière, ✆ 75 39 65 43, Fax 75 39 75 82, , – TV ☎ P. GB
15 mars-15 nov. – **Repas** *(fermé lundi du 15 sept. au 15 nov.)* 87/200, enf. 46 – 40 – **12** 260/310 – ½ P 245/295.

domaine du Rouret près Grospierres, SO : 13 km par D 111 – ✉ **07120** Grospierres :

Latitudes Le Caleou , ✆ 75 35 77 00, Fax 75 93 97 46, ≤, , « Parc ombragé complexe de loisirs », , , , – ▤ TV ☎ P – 100. AE GB JCB.
30 mars-26 oct. – **Repas** 75 (déj.), 150/190, enf. 60 – 55 – **117 ch** 700.

CITROEN Gar. Dupland, ✆ 75 39 61 23 N ✆ 75 39 61 94

RENAULT Gar. Bouschon, ✆ 75 39 61 08 N ✆ 75 39 61 08

RUYNES-EN-MARGERIDE 15320 Cantal 76 ⑭ ⑮ – 605 h alt. 920.

Paris 528 – Aurillac 86 – Langeac 44 – Le Puy-en-Velay 83 – St-Chély-d'Apcher 31 – St-Flour 13.

Moderne, ✆ 71 23 41 17, – ☎ P. AE GB
5 mars-début oct. – **Repas** 60/145 , enf. 42 – 30 – **33 ch** 145/205 – ½ P 195/215.

RENAULT Gar. Brun, ✆ 71 23 42 31

Les SABLES-D'OLONNE SP 85100 Vendée 67 ⑫ **G. Poitou Vendée Charentes** – 15 830 h alt. 4

Casinos de la plage AZ, Casino des Sports CY.

Voir Le Remblai★ BCZ.

18 des Olonnes ✆ 51 33 16 16, 6 km par ②.

Office de Tourisme r. Mar.-Leclerc ✆ 51 32 03 28, Fax 51 32 84 49.

Paris 449 ② – La Roche-sur-Yon 37 ② – Cholet 101 ② – ♦Nantes 93 ② – Niort 110 ④ – La Rochelle 89 ④.

Plan page ci-contre

Atlantic H., 5 prom. Godet ✆ 51 95 37 71, Fax 51 95 37 30, ≤, – ▤ rest TV ☎ 25. AE GB BY
Le Sloop (fermé déc. et vend. d'oct. à avril) **Repas** 99/150, enf. 59 – 50 – **30 ch** 440/730 ½ P 515/598.

Roches Noires M sans rest, 12 prom. G. Clemenceau ✆ 51 32 01 71, Fax 51 21 61 00, – TV ☎ . AE GB BY
40 – **37 ch** 350/660.

LES SABLES-D'OLONNE

Bisson (R.) . . . . AZ 8
Guynemer (R.) . . . . BZ
Halles (R. des) . . . . AZ 29
H.-de-Ville (R. de l') . . . AZ
Nationale (R.) . . . . BZ

Travot (R.) . . . . BZ 60

Anjou (Av. d') . . . . BY 2
Aquitaine (Av. de l') . . . CY 3
Arago (Bd) . . . . BY 4
Baudry (R. P.) . . . . BY 5
Bauduère (R. de la) . . . . BZ 6
Beauséjour (R.) . . . . BY 7
Briand (Av. A.) . . . . CY 9
Caisse-d'Épargne (R.) . . AZ 10

Castelnau (Bd de) . . . . . BY 12
Château-d'Olonne (Av.) CY 13
Collineau (Pl. du Gén.) . BZ 14
Commerce (Pl. du) . . . . AZ 15
Coty (Av. R.) . . . . CY 16
Dingler (Quai) . . . . AZ 18
Dr-Canteleau (R. du) . . . AY 19
Dr-Schweitzer (R. du) . . CY 22
Doumer (Av. P.) . . . . . . CY 23
Église (Pl. de l') . . . . . . AZ 24

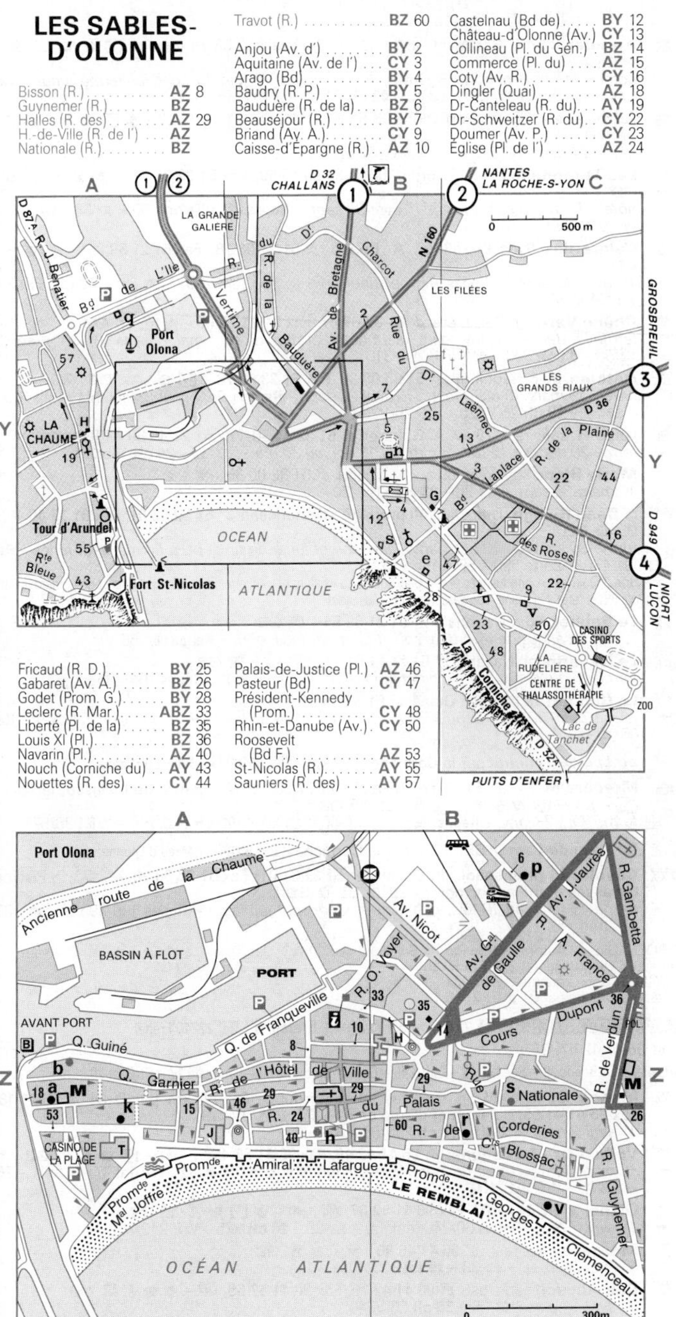

Fricaud (R. D.) . . . . BY 25
Gabaret (Av. A.) . . . . . . BZ 26
Godet (Prom. G.) . . . . . . BY 28
Leclerc (R. Mar.) . . . . . ABZ 33
Liberté (Pl. de la) . . . . . BZ 35
Louis XI (Pl.) . . . . BZ 36
Navarin (Pl.) . . . . AZ 40
Nouch (Corniche du) . . AY 43
Nouettes (R. des) . . . . . CY 44

Palais-de-Justice (Pl.) . AZ 46
Pasteur (Bd) . . . . CY 47
Président-Kennedy (Prom.) . . . . CY 48
Rhin-et-Danube (Av.) . CY 50
Roosevelt (Bd F.) . . . . AZ 53
St-Nicolas (R.) . . . . AY 55
Sauniers (R. des) . . . . . AY 57

Arundel, 8 bd F. Roosevelt ✆ 51 32 03 77, Fax 51 32 86 28 – AE GB rest AZ
hôtel : fermé 8 déc. au 8 janv. ; rest : ouvert 1er juin-15 sept. et fermé lundi – **Rep** (résidents seul.) 95/130 – 45 – **42 ch** 340/550 – ½ P 350/425.

Admiral's sans rest, Port Olona ✆ 51 21 41 41, Fax 51 32 71 23 – 25. GB AY
fermé 24 déc. au 1er janv. – 45 – **32 ch** 360/425.

Les Hirondelles, 44 r. Corderies ✆ 51 95 10 50, Fax 51 32 31 01 – GB CZ
hôtel : 1er avril-3 nov. ; rest. : 1er avril-30 sept. – **Repas** 80/140, enf. 50 – 36 – **64 ch** 370 ½ P 310/330.

Calme des Pins M, 43 av. A. Briand ✆ 51 21 03 18, Fax 51 21 59 85 – GB CY
1er avril-30 sept. – **Repas** *(fermé lundi soir)* 85/150, enf. 50 – 35 – **46 ch** 350/370 ½ P 340/360.

Chêne Vert, 5 r. Baudère ✆ 51 32 09 47, Fax 51 21 29 65 – GB CZ
fermé 20 déc. au 5 janv., sam. (sauf hôtel) et dim. d'oct. à mai – **Repas** 50/130, enf. 35 – 30 – **33 ch** 300/330 – ½ P 250/310.

Antoine, 60 r. Napoléon ✆ 51 95 08 36, Fax 51 23 92 78 – GB. AZ
hôtel : 15 mars-15 oct. ; rest. : 15 avril-30 sept. – **Repas** (dîner seul.)(résidents seul.) 100/1... – 32 – **19 ch** 260/320 – ½ P 250/290.

Alizé H. sans rest, 78 av. A. Gabaret ✆ 51 32 44 90, Fax 51 21 49 59 – GB.
fermé 20 déc. au 15 fév. et dim. du 1er oct. au 30 mai – 30 – **24 ch** 195/250. BY

Merle Blanc sans rest, 59 av. A. Briand ✆ 51 32 00 35, CY
1er mars-30 sept. – 28 – **23 ch** 115/280.

XXX ✿ **Beau Rivage** (Drapeau), 40 prom. G. Clemenceau ✆ 51 32 03 01, Fax 51 32 46 48, AE GB CZ
fermé 30 sept. au 10 oct., janv., dim. soir et lundi de fin sept. à fin mai sauf fériés – **Rep** 188/470 et carte 390 à 530, enf. 115
Spéc. Queues de langoustines et foie gras poêlés au vinaigre balsamique. Fricassée de rattes et de homard aux truf blanches (été). Farandole des desserts. **Vins** Muscadet.

XX **Le Sablier,** 56 r. Nationale ✆ 51 21 09 54 – AE GB CZ
fermé vacances de fév., dim. soir et lundi sauf juil.-août – **Repas** 98/258.

XX **Le Navarin,** pl. Navarin ✆ 51 21 11 61, AE GB BZ
fermé 15 au 30 nov., dim. soir et lundi sauf de juin à août – **Repas** 158/295.

XX **Le Clipper,** 19 bis quai Guiné ✆ 51 32 03 61 – GB AZ
fermé 25 au 30 nov., 10 au 28 fév., mardi soir et merc. hors sais. et lundi en juil.-août – **Rep** 66/189.

au Lac de Tanchet par la Corniche : 2,5 km – ✉ **85100** Les Sables d'Olonne :

Mercure M, ✆ 51 21 77 77, Fax 51 21 77 80, centre de thalassothérapie, 120. AE GB CY
fermé 7 au 28 janv. – **Repas** 155/170, enf. 50 – 60 – **100 ch** 680/750 – ½ P 535/570.

à l'anse de Cayola SE : 7 km par la Corniche – ✉ **85180** Château d'Olonne :

XXX **Cayola,** 76 promenade de Cayola ✆ 51 22 01 01, Fax 51 22 08 28, « Piscine terrasses dominant la mer » – AE GB
fermé 15 janv. au 10 fév., dim. soir et lundi sauf juil.-août – **Repas** 199/495 et carte 395 475, enf. 90.

CITROEN Olonne Autom., av. du Pas du Bois au Château-d'Olonne par ④ ✆ 51 21 36 36
PEUGEOT Gar. Olonauto, av. du Mar.-Juin au Château d'Olonne par ④ ✆ 51 21 06 18
VAG Gar. Tixier, La Mouzinière, au Château-d'Olonne ✆ 51 32 41 04

SABLES-D'OR-LES-PINS 22 C.-d'Armor 59 ④ G. Bretagne – ✉ 22240 Fréhel.

18 ✆ 96 41 42 57, SE.

Paris 459 – St-Brieuc 39 – St-Malo 45 – Dinan 45 – Dol-de-Bretagne 60 – Lamballe 27 – St-Cast 20.

Manoir St-Michel sans rest, à la Carquois, E : 1,5 km par D 34 ✆ 96 41 48 8 Fax 96 41 41 55, « Jardin et plan d'eau » – GB
1er avril-2 nov. – 40 – **17 ch** 280/550, 3 duplex.

Voile d'Or - La Lagune, ✆ 96 41 42 49, Fax 96 41 55 45, GB.
15 mars-15 nov. et fermé mardi midi et lundi en oct. – **Repas** 72/375, enf. 52 – 41 – **26** 265/400 – ½ P 285/400.

Diane, ✆ 96 41 42 07, Fax 96 41 42 67, AE GB
1er avril-7 oct. – **Repas** 80/240, enf. 50 – 35 – **28 ch** 375 – ½ P 240/322.

Morgane sans rest, ✆ 96 41 46 90, GB
1er avril-30 sept. – 38 – **19 ch** 300/400.

Bon Accueil sans rest, ✆ 96 41 42 19, Fax 96 41 57 59, GB
1er avril-1er oct. – 35 – **38 ch** 250/340.

Pins, ✆ 96 41 42 20, Fax 96 41 59 02, AE GB
30 mars-30 sept. – **Repas** 78/180, enf. 48 – 36 – **22 ch** 210/260 – ½ P 250/300.

à Pléhérel-plage E : 3,5 km par D 34 – ✉ **22240** Fréhel :

Plage et Fréhel ⛰, ☎ 96 41 40 04, Fax 96 41 57 96, ≤, – ☎ P. GB. rest
30 mars-30 sept. et 25 oct.-12 nov. – **Repas** 80/235 – ☕ 35 – **27 ch** 245/295 – ½ P 216/285.

ar. Hamon, ☎ 96 41 42 48

SABLÉ-SUR-SARTHE **72300** Sarthe 64 ① **G. Châteaux de la Loire** – 12 178 h alt. 29.

18 ☎ 43 95 28 78, S : 6 km par D 159.

Office de Tourisme pl. R.-Elizé ☎ 43 95 00 60, Fax 43 92 60 77.

ris 257 – ♦ Le Mans 58 – ♦Angers 64 – La Flèche 26 – Laval 43 – Mayenne 60.

Escu du Roy avec ch, 20 r. L. Legludic (près Eglise) ☎ 43 95 90 31, Fax 43 92 33 69 – rest TV ☎. GB
fermé vend. d'oct. à fév. et dim. soir – **Repas** 85/210 , enf. 40 – ☕ 40 – **9 ch** 230/260.

Host. St-Martin, 3 r. Haute St-Martin ☎ 43 95 00 03, – AE GB
fermé 26 fév. au 9 mars et lundi sauf juil.-août – **Repas** 95/170, enf. 50.

à Solesmes NE : 3 km par D 22 – 1 277 h. alt. 28 – ✉ **72300**.

Voir Statues des "Saints de Solesmes"★★ dans l'église abbatiale★ (chant grégorien) – Pont ≤★.

Grand Hôtel, ☎ 43 95 45 10, Fax 43 95 22 26, – TV ☎ – 60. AE GB
Repas 110/280 – ☕ 45 – **34 ch** 350/420 – ½ P 320.

TROEN Gar. Alteam, rte du Mans ☎ 43 95 06 51
UGEOT Sablé Autom., r. de la Briquetterie
43 92 55 55
ENAULT Centre Auto Tuilerie, 3 r. de la Tuilerie
43 95 55 67 N ☎ 43 95 55 67

Euromaster, ZA rte de la Flèche ☎ 43 92 20 35

SABRES **40630** Landes 78 ④ **G. Pyrénées Aquitaine** – 1 096 h alt. 78.

oir Ecomusée★ de la grande Lande NO : 4 km.

Office de Tourisme - Mairie ☎ 58 07 56 39, Fax 58 07 51 86.

ris 683 – Mont-de-Marsan 36 – Arcachon 92 – ♦Bayonne 111 – ♦Bordeaux 94 – Mimizan 40.

Aub. des Pins ⛰, ☎ 58 07 50 47, Fax 58 07 56 74, , parc – TV ☎ P – 40. AE GB. ch
fermé 1er au 21 janv., dim. soir et lundi – **Repas** 90/350 , enf. 60 – ☕ 48 – **23 ch** 300/650 – ½ P 300/450.

SACHÉ **37** I.-et-L. 64 ⑭ – rattaché à Azay-le-Rideau.

SAGONE **2A** Corse-du-Sud 90 ⑯ – voir à Corse.

SAHORRE **66** Pyr.-Or. 86 ⑰ – rattaché à Vernet-les-Bains.

SAIGNES **15240** Cantal 76 ② **G. Auvergne** – 1 009 h alt. 480.

ris 481 – Aurillac 79 – ♦Clermont-Ferrand 89 – Mauriac 27 – Le Mont-Dore 56 – Ussel 37.

Relais Arverne, ☎ 71 40 62 64, Fax 71 40 61 14 – TV ☎ P. GB
fermé 1er au 15 oct., vacances de fév., vend. soir et dim. soir hors sais. – **Repas** 75/210 – ☕ 29 – **10 ch** 210/240 – ½ P 197/222.

UGEOT Gar. Brigoux, rte d'Auzer ☎ 71 40 62 11
☎ 71 40 62 11

RENAULT Gar. Tribout, av. de la Gare
☎ 71 40 61 11

SAIGNON **84** Vaucluse 81 ⑭, 114 ② – rattaché à Apt.

SAILLAGOUSE **66800** Pyr.-Or. 86 ⑯ **G. Pyrénées Roussillon** – 825 h alt. 1309.

oir Gorges du Sègre★ E : 2 km.

Office de Tourisme ☎ 68 04 72 89.

ris 886 – Font-Romeu-Odeillo-Via 12 – Bourg-Madame 9 – Mont-Louis 12 – ♦Perpignan 92.

Planes (La Vieille Maison Cerdane), ☎ 68 04 72 08, Fax 68 04 75 93 – TV ☎ . AE GB
fermé 10 oct. au 20 déc. – **Repas** 140/250, enf. 58 - ***Brasserie*** : **Repas** 60, – ☕ 30 – **18 ch** 210/250 – ½ P 250/280.

Planotel M ⛰ sans rest, ☎ 68 04 72 08, Fax 68 04 75 93, ≤, , – TV ☎ P. AE GB
1er juin-30 sept., 20 déc.-3 janv. et vacances scolaires – ☕ 30 – **20 ch** 230/270.

à Llo E : 3 km par D 33 – 131 h. alt. 1424 – ✉ **66800**.

Voir Site★.

Aub. Atalaya ⛰, ☎ 68 04 70 04, Fax 68 04 01 29, ≤, , « Jolie auberge rustique », – TV ☎ P. AE GB. rest
fermé 10 janv. au 1er avril – **Repas** *(fermé mardi midi et lundi hors sais.)* 165/390 – ☕ 60 – **13 ch** 490/650 – ½ P 470/600.

TROEN Gar. Rougé, ☎ 68 04 70 55

RENAULT Gar. Domenech, ☎ 68 04 70 30 N
☎ 68 04 76 45

ST-AFFRIQUE 12400 Aveyron 80 ⑬ **G. Gorges du Tarn** (plan) – 7 798 h alt. 325.

Office de Tourisme bd Verdun ℘ 65 99 09 05.

Paris 681 – Albi 82 – Castres 92 – Lodève 66 – Millau 27 – Rodez 79.

Moderne, 54 av. A. Pezet ℘ 65 49 20 44, Fax 65 49 36 55 – TV ☎. AE GB
fermé 7 au 13 oct. (sauf hôtel) et 20 déc. au 20 janv. – **Repas** 90/270 – 35 – **28**
200/390 – ½ P 230/280.

Annexe Les Tilleuls sans rest, ℘ 65 99 07 24 – TV ☎. AE GB
35 – **18 ch** 95/180.

Palais Gourmand, bd E. Trémolet ℘ 65 99 07 43, – GB
fermé 15 fév. au 9 mars et merc. sauf juil.-août – **Repas** 78/165, enf. 35.

CITROEN Gar. Bousquet, Rte de St-Affrique à Vabres l'Abbaye ℘ 65 98 10 00
PEUGEOT Gar. Pujol, 36 bd E.-Borel ℘ 65 49 21 09
Maury, rte de Vabres, Le Vern ℘ 65 99 06 83
Treillet Pneus Point S, av. J.-Bourgougnon ℘ 65 49 22 08 N ℘ 65 60 23 04

La Maison du Pneu, 7 bd de Verdun ℘ 65 49 01 23

ST-AGRÈVE 07320 Ardèche 76 ⑨ ⑲ **G. Vallée du Rhône** (plan) – 2 762 h alt. 1050.

Voir Mont Chiniac ≤★★.

Office de Tourisme à la Mairie (15 juin-15 sept.) ℘ et Fax 75 30 15 06.

Paris 581 – Le Puy-en-Velay 52 – Aubenas 66 – Lamastre 20 – Privas 64 – ♦St-Étienne 69 – Yssingeaux 34.

L'Arraché sans rest, ℘ 75 30 10 12, – ☎. AE ⓓ GB
15 juin-15 sept. – 25 – **10 ch** 230/250.

Domaine de Rilhac avec ch, par D 120, D 21 et rte secondaire : 2 km ℘ 75 30 20
Fax 75 30 20 00, ≤, – TV ☎ P. GB
fermé fév., lundi soir et mardi sauf juil.-août – **Repas** 110 (déj.), 140/270 et carte environ 2
enf. 70 – 50 – **8 ch** 330/430 – ½ P 390/440.

RENAULT Gar. Chareyron, La Batterie à Mars ℘ 75 30 14 12 N ℘ 75 30 14 12

ST-AIGNAN 41110 L.-et-Ch. 64 ⑰ **G. Châteaux de la Loire** (plan) – 3 672 h alt. 115.

Voir Crypte★★ de l'église★ – Zoo Parc de Beauval★ S : 4 km.

Office de Tourisme (juil.-août) ℘ 54 75 22 85.

Paris 220 – ♦Tours 60 – Blois 39 – Châteauroux 65 – Romorantin-Lanthenay 32 – Vierzon 57.

Clos du Cher M, le Boeuf Couronné, N : 1 km ✉ 41140 Noyers-sur-Ch
℘ 54 75 00 03, Fax 54 75 03 79, parc – TV ☎ ♿ P. AE ⓓ GB. ch
fermé 18 au 25 nov., début janv. à mi-fév. et merc. d'oct. à juin – **Repas** 135/340, enf. 6
60 – **10 ch** 390/550 – ½ P 395/460.

Gd H. St-Aignan, ℘ 54 75 18 04, Fax 54 75 12 59, ≤ – ☎ P – 25. AE ⓓ GB
fermé 17 au 28 nov., 16 fév. au 11 mars, dim. soir et lundi de nov. à fin mars – **Repas** 85/1
– 28 – **21 ch** 110/340 – ½ P 185/300.

Gare avec ch, à la gare de Noyers N : 2 km sur D 675 ✉ 41140 Noyers-sur-Ch
℘ 54 75 16 38 – P. GB. ch
fermé 6 fév. au 1er mars, dim. soir et lundi – **Repas** 60/200 – 25 – **11 ch** 120/18
½ P 250.

PEUGEOT Gar. Danger, La Croix-Michel ℘ 54 75 19 72
RENAULT Touraine Sologne Autom., à Seigy ℘ 54 75 40 18 N ℘ 54 75 40 18

ST-ALBAN-DE-MONTBEL 73 Savoie 74 ⑮ – rattaché à Aiguebelette-le-Lac.

ST-ALBAN-LES-EAUX 42370 Loire 73 ⑦ – 843 h alt. 410.

Paris 387 – Roanne 12 – Lapalisse 45 – Montbrison 65 – ♦St-Étienne 85 – Thiers 49 – Vichy 63.

St-Albanais, ℘ 77 65 84 23, – GB
fermé 1er au 15 août, vacances de fév., mardi soir et merc. – **Repas** 65/240 .

ST-ALBAN-LEYSSE 73 Savoie 74 ⑮ – rattaché à Chambéry.

ST-ALBAN-SUR-LIMAGNOLE 48120 Lozère 76 ⑮ – 1 928 h alt. 950.

Paris 549 – Mende 41 – Le Puy-en-Velay 75 – Espalion 74 – St-Chély-d'Apcher 13 – Sévérac-le-Château 72.

Relais St-Roch , Château de la Chastre ℘ 66 31 55 48, Fax 66 31 53 26, , –
☎ P. AE ⓓ GB JCB
30 mars-15 nov. – ***La Petite Maison*** ℘ 66 31 56 00 *(fermé lundi midi en juil.-août, mardi m
et lundi hors sais.)* **Repas** 78déj.), 118/248, enf. 68 – 49 – **10 ch** 390/690 – ½ P 378/519

Gar. Brunet, ℘ 66 31 55 29

ST-AMAND-MONTROND SP 18200 Cher 69 ① ⑪ **G. Berry Limousin** – 11 937 h alt. 160.

Voir Ancienne abbaye de Noirlac★★ 4 km par ⑥.

Env. Château de Meillant★★ 8 km par ① – Ainay-le-Vieil : château★ 11 km par ④.

Office de Tourisme pl. République (fermé dim.) ℘ 48 96 16 86, Fax 48 96 46 64.

Paris 288 ⑤ – Bourges 44 ⑤ – Châteauroux 66 ⑤ – Montluçon 54 ④ – Moulins 86 ③ – Nevers 70 ③.

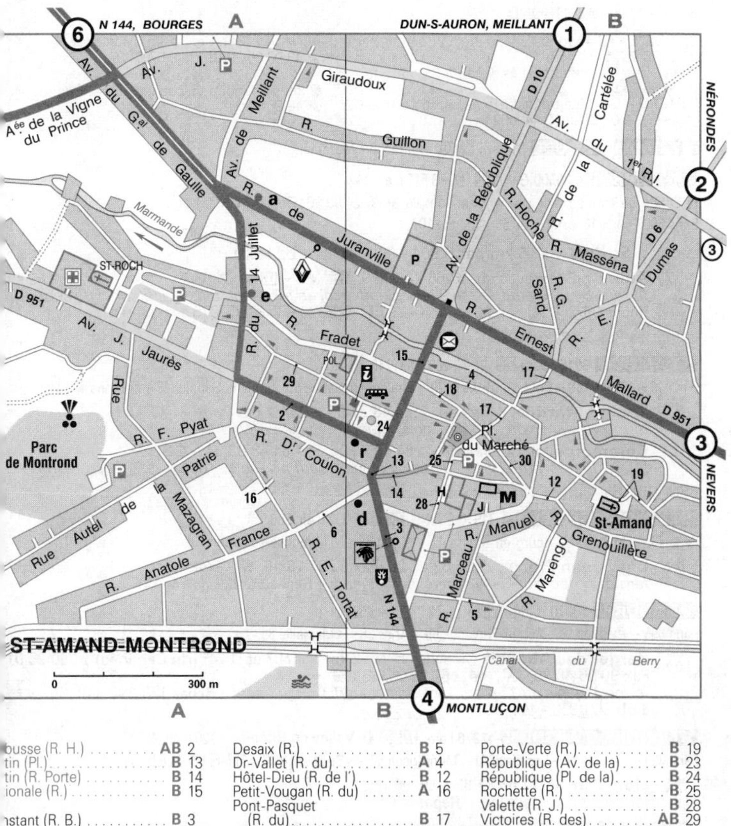

busse (R. H.) . . . . **AB** 2	Desaix (R.) . . . . **B** 5	Porte-Verte (R.) . . . . **B** 19
tin (Pl.) . . . . **B** 13	Dr-Vallet (R. du) . . . . **A** 4	République (Av. de la) . . . . . **B** 23
tin (R. Porte) . . . . **B** 14	Hôtel-Dieu (R. de l') . . . . **B** 12	République (Pl. de la) . . . . . . **B** 24
ionale (R.) . . . . **B** 15	Petit-Vougan (R. du) . . . . **A** 16	Rochette (R.) . . . . **B** 25
	Pont-Pasquet	Valette (R. J.) . . . . **B** 28
nstant (R. B.) . . . . **B** 3	(R. du) . . . . **B** 17	Victoires (R. des) . . . . **AB** 29
ntrescarpe (R.) . . . . **B** 4	Porte-de-Bourges (R.) . . . . . . **B** 18	Vieilles-Prisons (R. des) . . . . . **B** 30

L'Amandois M, 7 r. H. Barbusse ☎ 48 63 72 00, Fax 48 96 77 11 – rest TV ☎ & P – 25. AE O GB — B **r**
Repas *(fermé dim. soir d'oct. à avril)* 78/150 – 35 – **27 ch** 250/350 – ½ P 295.

Le Noirlac M, rte Bourges par ⑥ : 2 km ☎ 48 96 80 80, Fax 48 96 63 88, – TV ☎ & P – 30. AE GB
fermé 26 déc. au 1er janv. – **Repas** 92/192, enf. 45 – 34 – **44 ch** 255/298 – ½ P 265.

Poste, 9 r. Dr Vallet ☎ 48 96 27 14, Fax 48 96 97 74 – TV ☎ P. AE GB — B **d**
fermé 6 janv. au 10 fév., dim. soir et lundi de nov. à mars – **Repas** 120/250, enf. 65 – 39 – **20 ch** 175/300 – ½ P 290.

Croix d'Or avec ch, 28 r. 14-Juillet ☎ 48 96 09 41, Fax 48 96 72 89 – TV ☎. AE GB — A **e**
Repas *(fermé vend. soir sauf fériés)* 90/300 – 40 – **12 ch** 170/290.

Boeuf Couronné, 86 r. Juranville ☎ 48 96 42 72, Fax 48 96 33 80 – P. GB — A **a**
fermé 2 au 23 janv., mardi soir et merc. – **Repas** 95/125.

à Noirlac par ⑥ et D 35 : 4 km – ✉ **18200** St-Amand-Montrond :

Aub. Abbaye de Noirlac, ☎ 48 96 22 58 – GB
fermé 8 janv. au 15 fév. et merc. – **Repas** 95/170.

à Bruère-Allichamps par ⑥ : 8,5 km – 609 h. alt. 170 – ✉ **18200** :

Les Tilleuls, rte Noirlac ☎ 48 61 02 75, – ☎ P. GB. ch
fermé fév., dim. soir de nov. à mars et lundi – **Repas** 100/220, enf. 60 – 35 – **10 ch** 165/215 – ½ P 220/255.

CITROEN Gén. Auto St-Amand, rte de Bourges par ⑥ ✆ 48 96 25 07
FORD Gar. Marembert, 94 av. Gén.-de-Gaulle ✆ 48 96 26 93
PEUGEOT Gar. Charbonnier, 15 r. B.-Constant ✆ 48 96 10 07 N ✆ 05 44 24 24

RENAULT Gar. Centre, 45 r. Juranville ✆ 48 96 05 89 N ✆ 48 57 54 97

Pneu Poughon Vulcopneu, 99 av. Gén.-de-Ga ✆ 48 96 11 21

ST-AMANS-SOULT **81** Tarn 83 ⑫ – rattaché à Mazamet.

ST-AMBROIX **30500** Gard 80 ⑧ – 3 517 h alt. 142.

Office de Tourisme pl. de l'Ancien Temple ✆ 66 24 33 36, Fax 66 24 30 00.

Paris 690 – Alès 18 – Aubenas 56 – Mende 107.

à St-Brès N : 1,5 km par D 904 – 612 h. alt. 156 – ✉ **30500** :

XX **Aub. St-Brès** avec ch, ✆ 66 24 10 79, – TV ☎ P. GB
fermé 25 au 30 août, 1er au 9 janv., lundi midi en juil.-août, dim. soir et lundi de sept. à ju
Repas 95/250 , enf. 50 – ☕ 40 – **9 ch** 190/320 – ½ P 275/375.

Thomas-Pneus, ✆ 66 24 17 91

ST AMOUR **39160** Jura 70 ⑬ – 2 200 h alt. 248.

Paris 405 – Mâcon 48 – Bourg-en-Bresse 29 – Chalon-sur-Saône 68 – Lons-le-Saunier 33 – Tournus 43.

XX **Fred et Martine,** r. Bresse ✆ 84 48 71 95 – AE GB
fermé vacances de fév., dim. soir et lundi – **Repas** 120/240 .

X **Commerce,** pl. Chevalerie ✆ 84 48 73 05, Fax 84 48 86 94 – GB
fermé 15 déc. au 20 janv., dim. soir et lundi sauf juil.-août – **Repas** 85/200 , enf. 60.

RENAULT Gar. Lecuelle, ✆ 84 48 73 52

ST-AMOUR-BELLEVUE **71570** S.-et-L. 74 ① – 492 h alt. 306.

Paris 403 – Mâcon 11 – Bourg-en-Bresse 47 – ♦Lyon 68 – Villefranche-sur-Saône 32.

XX **Chez Jean Pierre,** ✆ 85 37 41 26, Fax 85 37 18 40, – GB
fermé 15 déc. au 8 janv., merc. soir et jeudi – **Repas** 95/220 , enf. 50.

ST-ANDIOL **13670** B.-du-R. 84 ① – 2 253 h alt. 55.

Paris 695 – Avignon 16 – Aix-en-Provence 65 – Arles 36 – ♦Marseille 83.

XX **Berger des Abeilles** avec ch, N : 2 km par N 7 et D 74E (rte Cabanes) ✆ 90 95 01
Fax 90 95 48 26, – TV ☎ P. AE GB JCB
fermé 1er janv. au 1er mars, dim. soir et lundi sauf juil-août – **Repas** 120/190, enf. 65 – ☕
6 ch 300/350 – ½ P 350.

ST-ANDRÉ-D'APCHON **42370** Loire 73 ⑦ **G. Vallée du Rhône** – 1 720 h alt. 417.

Paris 383 – Roanne 11 – Lapalisse 41 – Montbrison 67 – ♦St-Étienne 86 – Thiers 56 – Vichy 59.

XX **Lion d'Or,** ✆ 77 65 81 53 – AE GB
fermé dim. soir et lundi – **Repas** 110/295 .

ST-ANDRÉ-DE-CORCY **01390** Ain 74 ② – 2 547 h alt. 296.

Paris 453 – ♦ Lyon 27 – Bourg-en-Bresse 38 – Meximieux 21 – Villefranche-sur-Saône 24.

à St-Marcel N : 3 km par N 83 – 786 h. alt. 265 – ✉ **01390** :

X **La Colonne,** ✆ 72 26 11 06 – GB
fermé 4 au 11 juil., 20 déc. au 20 janv., lundi soir et mardi sauf fériés – **Repas** 90/230.

ST-ANDRÉ-DE-CUBZAC **33240** Gironde 71 ⑧ – 6 341 h alt. 35.

Office de Tourisme 141 r. Nationale ✆ 57 43 64 80, Fax 57 43 69 63.

Paris 558 – ♦ Bordeaux 24 – Angoulême 92 – Blaye 25 – Jonzac 63 – Libourne 21 – Saintes 94.

à St-Gervais NO : 3,5 km par N 137 et D 151E – 1 204 h. alt. 39 – ✉ **33240** :

XX **Au Sarment,** ✆ 57 43 44 73, Fax 57 43 90 28, – GB
fermé 5 au 26 août, dim. soir et lundi – **Repas** 90/190.

CITROEN Gar. Darroman, 480 rte de Bordeaux ✆ 57 43 06 49
FORD Gar. de l'Europe, 168 rte Nationale ✆ 57 43 03 95
OPEL Gar. Normand, 25 N 10 ✆ 57 43 01 42

RENAULT Gar. Carip, N 137 à Pugnac ✆ 57 68 80 50 N ✆ 05 05 15 15

Ateliers Aquitaine Pneumatique, 70 ch. Bois Milon ✆ 57 43 20 56

ST-ANDRÉ-D'HÉBERTOT **14** Calvados 55 ④ – rattaché à Pont-l'Évêque.

ST-ANDRÉ-LES-ALPES **04170** Alpes-de-H.-P. 81 ⑱ **G. Alpes du Sud** – 794 h alt. 914.

Office de Tourisme pl. M.-Pastorelli ✆ 92 89 02 39.

Paris 792 – Digne-les-Bains 43 – Castellane 21 – Colmars 28 – Manosque 93 – Puget-Théniers 45.

Monge sans rest, ✆ 92 89 01 06, Fax 92 89 17 37, – ☎ P. AE GB.
fermé 1er au 7 nov. – ☕ 40 – **25 ch** 210/260.

X **Aub. du Parc** avec ch, ✆ 92 89 00 03, Fax 92 89 17 38, , – TV P
fermé 1er janv. au 15 fév. – **Repas** 85/170, enf. 45 – ☕ 37 – **13 ch** 140/300 – ½ P 260.

ST-ANDRÉ-LES-VERGERS 10 Aube 61 ⑯ – rattaché à Troyes.

ST-ANTHÈME **63660** P.-de-D. 73 ⑰ **G. Vallée du Rhône** – 880 h alt. 950 – Sports d'hiver : 1 250/1 410 m 3.

Syndicat d'Initiative, Mairie 73 95 47 06.

Paris 510 – ◆ St-Étienne 50 – Ambert 22 – ◆ Clermont-Ferrand 97 – Montbrison 24.

à Raffiny S par D 261 : 5 km – ✉ **63660** St Romain :

Pont de Raffiny, 73 95 49 10, Fax 73 95 80 21 – ☎ P. GB
fermé janv. à mi fév., dim. soir et lundi du 3 sept. au 15 juin – **Repas** 85/160 , enf. 55 – 30 – **12 ch** 175/225 – ½ P 200.

ST-ANTOINE-L'ABBAYE **38160** Isère 77 ③ **G. Vallée du Rhône** – 873 h alt. 339.

Voir Abbatiale★.

Office de Tourisme, Maison du Tourisme et du Patrimoine 76 36 44 46, Fax 76 36 40 49.

Paris 563 – Valence 44 – ◆ Grenoble 64 – Romans-sur-Isère 25 – St-Marcellin 12.

XX **Aub. de l'Abbaye,** Mail de l'Abbaye 76 36 42 83, , « Maison ancienne face à l'Abbaye » – AE GB
fermé 7 au 28 janv., lundi soir et mardi de sept. à mai – **Repas** 114 bc/247.

ST-AUBAN 04 Alpes-de-H.-P. 81 ⑯ – rattaché à Château-Arnoux.

ST-AUBIN-DE-MÉDOC **33160** Gironde 71 ⑨ – 4 332 h alt. 29.

Paris 592 – ◆ Bordeaux 17 – Lesparre-Médoc 52 – Libourne 46.

Quatre Saisons M, N 215 56 95 86 90, Fax 56 95 79 72 – TV ☎ & P. GB.
Repas *(fermé dim. soir et sam.)* 90/230 – 35 – **16 ch** 300/350 – ½ P 300.

ST-AUBIN-SUR-MER **14750** Calvados 55 ① **G. Normandie Cotentin** – 1 526 h alt. 7.

Office de Tourisme Digue Favereau 31 97 30 41, Fax 31 96 18 92.

Paris 256 – ◆ Caen 18 – Arromanches-les-Bains 18 – Bayeux 27 – Cabourg 31.

Clos Normand, 31 97 30 47, Fax 31 96 46 23, <, , – ☎ P. AE GB
15 fév.-15 nov. – **Repas** 98/260, enf. 56 – 36 – **29 ch** 310/350 – ½ P 310/355.

St-Aubin, 31 97 30 39, Fax 31 97 41 56, < – TV ☎ P. AE GB
fermé 3 janv. au 1er fév., dim. soir et lundi d'oct. à avril – **Repas** 110/280, enf. 50 – 35 – **24 ch** 330 – ½ P 280/330.

ST-AULAIRE 19 Corrèze 75 ⑧ – rattaché à Objat.

ST-AUNÈS **34130** Hérault 83 ⑦ – 2 027 h alt. 32.

Paris 752 – ◆ Montpellier 11 – Lunel 17 – ◆ Nîmes 46.

Cetus M, N 113 67 70 38 40, Fax 67 87 38 04, , , , – TV ☎ & P – 40. AE GB
Repas *(fermé sam. midi)* 87/230 – 40 – **50 ch** 320/390 – ½ P 320.

ST-AUVENT **87310** H.-Vienne 72 ⑯ – 817 h alt. 300.

Paris 431 – ◆ Limoges 34 – Chalûs 22 – Rochechouart 9,5 – St-Junien 13.

X **Aub. Vallée de la Gorre,** 55 00 01 27 – . GB
fermé 1er au 10 sept., dim. soir et lundi soir – **Repas** 68/220 .

ST-AVÉ 56 Morbihan 63 ③ – rattaché à Vannes.

ST-AVOLD **57500** Moselle 57 ⑮ **G. Alsace Lorraine** – 16 533 h alt. 260.

Voir Groupe sculpté★ dans l'église St-Nabor.

Faulquemont-Pontpierre 87 91 48 48, SO : 16 km par D 20.

Office de Tourisme à la Mairie 87 91 30 19.

Paris 371 – ◆ Metz 42 – Haguenau 116 – Lunéville 74 – ◆ Nancy 71 – Saarbrücken 33 – Sarreguemines 28 – Strasbourg 123 – Thionville 68 – Trier 92.

Europe, 7 r. Altmayer 87 92 00 33, Fax 87 92 01 23, – TV ☎ P – 25. AE GB JCB
Repas *(fermé sam. midi et dim.)* 130/290 – 45 – **34 ch** 280/310 – ½ P 255.

XXX **Le Neptune,** à la piscine 87 92 27 90, Fax 87 92 38 10 – AE GB.
fermé juil., août, sam. midi, dim. soir et lundi – **Repas** 120/265 et carte 220 à 350.

au Nord 2,5 km sur N 33 (près échangeur A 4) – ✉ **57500** St-Avold :

Novotel M , 87 92 25 93, Fax 87 92 02 47, , « A l'orée de la forêt », , – rest TV ☎ & P – 25 à 150. AE GB
Repas carte environ 150 , enf. 50 – 50 – **61 ch** 415/450.

au Nord-Ouest par D 72 et D 25^{D} : 5 km – ✉ **57740** Longeville-lès-St-Avold :

XX **Moulin d'Ambach,** ☎ 87 92 18 40, Fax 87 29 08 68, 🏡 – P. AE GB
fermé 10 au 31 juil., vacances de fév., lundi soir et mardi – **Repas** 120/270, enf. 55.

CITROEN Gar. Rein, 65 r. Gén.-Mangin ☎ 87 29 24 24
FORD Gar. Schwaller, r. du 27 Novembre ☎ 87 29 27 27
PEUGEOT Derr St-Avold Auto, N 3, ZI Longeville ☎ 87 29 20 50
RENAULT Moselle Autom., 67 av. Patton ☎ 87 91 83 83 N ☎ 87 23 44 42

Leclerc-Pneu, 10 r. Mar.-Foch ☎ 87 92 24 68

ST-AYGULF 83370 Var 84 ⑱ 114 ㊳ 115 ㉝ **G. Côte d'Azur** – alt. 15.

Office de Tourisme pl. Poste ☎ 94 81 22 09.

Paris 878 – Fréjus 6 – Brignoles 68 – Draguignan 33 – St-Raphaël 8 – Ste-Maxime 14.

Catalogne sans rest, ☎ 94 81 01 44, Fax 94 81 32 42, ⛱, 🌳 – |$| TV ☎ P. AE ⓓ GB.
Pâques-15 oct. – ☕ 45 – **32 ch** 510.

ST-BEAUZEIL 82150 T.-et-G. 79 ⑯ – 120 h alt. 181.

Paris 624 – Agen 35 – Cahors 56 – Montauban 63 – Villeneuve-sur-Lot 23.

Château de l'Hoste ⛰, rte Agen (D 656) ☎ 63 95 25 61, Fax 63 95 25 50, 🏡, parc, ⛱
☎ 📞 ♿ P. GB
fermé 15 fév. au 15 mars, dim. soir et lundi d'oct. à avril – **Repas** 115 – ☕ 40 – **32**
210/260 – ½ P 280.

ST-BENOIT 01300 Ain 74 ⑭ – 488 h alt. 230.

Paris 501 – Belley 17 – Bourg-en-Bresse 70 – ♦Lyon 74 – La Tour-du-Pin 27 – Vienne 70 – Voiron 41.

X **Billiemaz,** au pont d'Evieu SO : 2,5 km ☎ 74 39 72 56 – P. AE ⓓ GB
fermé 2 au 13 juil., 3 au 12 sept., mardi soir et merc. – **Repas** 68/220.

PEUGEOT Gar. Personeni, ☎ 74 39 72 59 N ☎ 74 39 72 59

ST-BENOIT 86 Vienne 68 ⑬ ⑭ – rattaché à Poitiers.

ST-BENOIT-SUR-LOIRE 45730 Loiret 64 ⑩ **G. Châteaux de la Loire** – 1 880 h alt. 126.

Voir Basilique★★ (chant grégorien).

Env. Germigny-des-Prés : mosaïque★★ de l'église★ NO : 6 km – Châteauneuf-sur-Loire mausolée★ dans l'église St-Martial NO : 10 km.

Syndicat d'Initiative 44, r. Orléanaise ☎ 38 35 79 00.

Paris 137 – ♦Orléans 40 – Bourges 92 – Châteauneuf-sur-Loire 10 – Gien 31 – Montargis 43.

Labrador ⛰ sans rest, ☎ 38 35 74 38, Fax 38 35 72 99, 🌳 – TV ☎ ♿ P – 🏛 50. AE GB
fermé 1er janv. au 15 fév. – ☕ 40 – **45 ch** 165/360.

ST-BERTRAND-DE-COMMINGES 31510 H.-Gar. 85 ⑳ **G. Pyrénées Aquitaine** – 217 h alt. 581.

Voir Site★★ – Cathédrale★ : boiseries★★, cloître★★ et trésor★ – Basilique Saint-Just★ Valcabrère NE : 2 km.

Paris 811 – Bagnères-de-Luchon 33 – Lannemezan 25 – St-Gaudens 17 – Tarbes 57 – ♦Toulouse 107.

L'Oppidum M ⛰, r. Poste ☎ 61 88 33 50, Fax 61 95 94 04 – ☎ ♿. AE GB
15 fév.-15 nov. et fermé merc. sauf vacances scolaires – **Repas** 85/170 🍷, enf. 50 – ☕ 32
15 ch 230/340 – ½ P 300/310.

Comminges, ☎ 61 88 31 43, Fax 61 94 98 22, 🏡, 🌳 – ☎ P. GB. ❊ rest
1er avril-30 sept. – **Repas** *(fermé mardi sauf du 1er juin au 30 sept.)* 85/130 🍷 – ☕ 30 – **14**
180/350 – ½ P 198/238.

à Gaudent S : 6 km par D 26^{A} et D 925 – 34 h. alt. 514 – ✉ **65370** :

X **La Chapelle d'Albret** ⛰ avec ch, ☎ 62 99 21 13, Fax 62 99 23 69, 🌳, ✂ – TV P. GB
Repas *(fermé lundi)* 75/120 🍷, enf. 40 – ☕ 25 – **4 ch** 220/250 – ½ P 250/270.

ST-BOIL 71390 S.-et-L. 70 ⑪ – 377 h alt. 240.

Paris 362 – Chalon-sur-Saône 24 – Cluny 27 – Montceau-les-Mines 34 – Mâcon 50.

XX **Aub. Cheval Blanc** M avec ch, ☎ 85 44 03 16, Fax 85 44 07 25, 🏡, ⛱, 🌳 – TV ☎ ♿
GB. ❊ ch
fermé 15 fév. au 15 mars et merc. – **Repas** 95/260 – ☕ 56 – **14 ch** 370/470 – ½ P 520/550

ST-BONNET-EN-CHAMPSAUR 05500 H.-Alpes 77 ⑯ **G. Alpes du Sud** – 1 371 h alt. 1025.

Env. ≤★★ du col du Noyer O : 13,5 km.

Office de Tourisme r. Maréchaux ☎ 92 50 02 57.

Paris 652 – Gap 15 – ♦Grenoble 90 – La Mure 52.

La Crémaillère ⛰, ☎ 92 50 00 60, Fax 92 50 01 57, ≤, 🌳 – TV ☎ P. GB. ❊ rest
1er avril-30 sept. – **Repas** 90/190, enf. 55 – ☕ 33 – **21 ch** 260/320 – ½ P 260/290.

PEUGEOT Champsaur Autos, ☎ 92 50 52 33
RENAULT Gar. Piot, à La Fare-en-Champsaur ☎ 92 50 53 80 N ☎ 92 50 53 80
Gar. Central, ☎ 92 50 52 52

ST-BONNET-LE-CHÂTEAU 42380 Loire 76 ⑦ G. Vallée du Rhône – 1 687 h alt. 870.

Voir Chevet de la collégiale ≤★ – Chemin des Murailles★.

Syndicat d'Initiative pl. de la République ✆ 77 50 52 48.

Paris 558 – ♦St-Étienne 35 – Ambert 43 – Montbrison 33 – Le Puy-en-Velay 65.

✗ **La Calèche,** 7 r. F. Valette ✆ 77 50 15 58 – GB
fermé 24 juin au 2 juil., 26 au 30 août, vacances de fév., merc. sauf le midi en juil.-août et mardi soir – **Repas** 80/230.

ST-BONNET-LE-FROID 43290 H.-Loire 76 ⑨ – 180 h alt. 1126.

Paris 561 – Le Puy-en-Velay 56 – Valence 68 – Aubenas 86 – Annonay 26 – ♦St-Étienne 51 – Tournon-sur-Rhône 51 – Yssingeaux 30.

✗✗✗ ✿ **Aub. des Cimes** (Marcon) M avec ch, ✆ 71 59 93 72, Fax 71 59 93 40, – rest TV ☎ P. GB
Pâques-15 nov. et fermé dim. soir et lundi sauf juil.-août – **Repas** 140/550 et carte 320 à 440 – ☐ 70 – **18 ch** 380/700 – ½ P 450/700
Spéc. Brochette "Margaridou". Tarte soufflée aux châtaignes. Menu champignons (saison). **Vins** Crozes-Hermitage blanc et rouge.

✗✗ **André Chatelard,** ✆ 71 59 96 09, Fax 71 59 98 75, – GB
fermé vacances de fév., mardi de nov. à mars, dim. soir et lundi – **Repas** 95/320 , enf. 60.

ST-BRÈS 30 Gard 80 ⑧ – rattaché à St-Ambroix.

ST-BRÉVIN-LES-PINS 44250 Loire-Atl. 67 ① G. Poitou Vendée Charentes – 8 688 h alt. 9 – Casino à St-Brévin-l'Océan.

Voir Pont routier St-Nazaire-St-Brévin★, G. Bretagne.

Pont de St-Nazaire : Passage gratuit.

Office de Tourisme 10 r. Église ✆ 40 27 24 32 et Bureau de l'Océan (saison) ✆ 40 39 15 87.

Paris 443 – ♦Nantes 56 – Challans 63 – Noirmoutier-en-l'Ile 77 – Pornic 18 – St-Nazaire 13.

Estuaire sans rest, parc d'activités de la Guerche, SE : 1 km ✆ 40 27 39 40, Fax 40 64 40 98 – ☎ ♿ P. GB
☐ 40 – **25 ch** 250/300.

à Mindin N : 3 km – ✉ 44250 St-Brévin-les-Pins :

La Boissière , 70 av. Mindin ✆ 40 27 21 79, Fax 40 39 11 88, , – ☎ P. AE GB. rest
30 mars-10 oct. – **Repas** 90/150 – ☐ 30 – **23 ch** 300/420 – ½ P 260/390.

✗✗ **Débarcadère** avec ch, pl. Marine ✆ 40 27 20 53, Fax 40 27 23 69, ≤, – ☎ P. AE GB
fermé 1er déc. au 15 janv. – **Repas** *(fermé sam. midi et dim. soir sauf juil.-août)* 95/165, enf. 60 – ☐ 32 – **14 ch** 240/300 – ½ P 320/330.

RENAULT Gar. Clisson, Parc d'Activité de la Guerche ✆ 40 27 20 07

ST-BRIAC-SUR-MER 35800 I.-et-V 59 ⑤ – 1 825 h alt. 30.

Office de Tourisme 49 Grande Rue ✆ 99 88 32 47.

Paris 429 – St-Malo 16 – Dinan 23 – Dol-de-Bretagne 32 – Lamballe 42 – St-Brieuc 63 – St-Cast-le-Guildo 21.

à Lancieux SO : 2 km par D 786 – ✉ 22770 :

Bains M sans rest, 20 r. Poncel ✆ 96 86 31 33, Fax 96 86 22 85, – cuisinette TV ☎ ♿ P. AE GB
fermé janv. – ☐ 38 – **12 ch** 700/800.

ST-BRICE-EN-COGLÈS 35460 I.-et-V. 59 ⑱ – 2 484 h alt. 105.

Paris 339 – St-Malo 61 – Avranches 35 – Fougères 15 – ♦Rennes 45.

Lion d'Or, r. Chateaubriant ✆ 99 98 61 44, Fax 99 97 85 66 – TV ☎ ♿ P – 25. GB
fermé dim. soir sauf juil.-août – **Repas** 70/180, enf. 45 – ☐ 30 – **24 ch** 180/270 – ½ P 160/220.

FORD Gar. Guerinel, ✆ 99 98 61 27 N ✆ 99 98 67 67

ST-BRIEUC P 22000 C.-d'Armor 59 ③ G. Bretagne – 44 752 h alt. 78.

Voir Cathédrale★ AY – Tertre Aubé ≤★ BV.

Env. Pointe du Roselier★ NO : 8,5 km par D 24 BV.

de la Crinière ✆ 96 32 72 60 aux Ponts-neufs, par ② : 15 km.

de St-Brieuc-Armor : ✆ 96 94 95 00, 10 km par ①.

✆ 96 94 50 50.

Office de Tourisme 7 r. St-Gouéno ✆ 96 33 32 50, Fax 96 61 42 16 – A.C. 6 pl. Duguesclin ✆ 96 33 16 20.

Paris 453 ② – ♦Brest 143 ① – ♦Caen 226 ② – ♦Cherbourg 259 ② – Dinan 59 ② – Lorient 114 ③ – Morlaix 87 ① – Quimper 130 ③ – ♦Rennes 101 ② – St-Malo 74 ②.

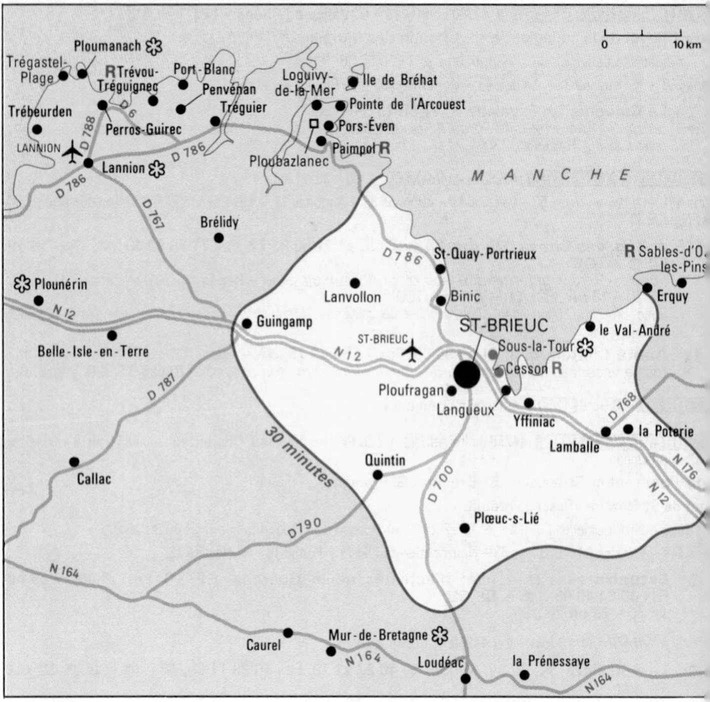

🏨 **de Clisson** Ⓜ sans rest, 36 r. Gouët ☎ 96 62 19 29, Fax 96 61 06 95 – |‡| ⊁ TV ☎ ♿ P. AE GB. ✂ AY
⊒ 48 – **24 ch** 260/425.

🏨 **Champ de Mars** Ⓜ sans rest, 13 r. Gén. Leclerc ☎ 96 33 60 99, Fax 96 33 60 05 – |‡| ☎ ✆ ♿. GB BZ
fermé 22 déc. au 2 janv. – ⊒ 35 – **21 ch** 240/290.

🏨 **Ker Izel** sans rest, 20 r. Gouët ☎ 96 33 46 29, Fax 96 61 86 12 – ⊁ TV ☎ ✆. GB ✂ AY
⊒ 35 – **22 ch** 220/320.

🏨 **Quai des Etoiles** Ⓜ sans rest, 51 r. Gare ☎ 96 78 69 96, Fax 96 78 69 90 – |‡| TV ☎ ♿. AE ⓓ GB AZ
⊒ 40 – **41 ch** 245/295.

XXX **Aux Pesked,** 59 r. Légué ☎ 96 33 34 65, Fax 96 33 65 38, ≤ – ▤ P. AE GB ✂ AV
fermé vacances de fév., dim. soir et lundi – **Repas** 108/495 bc et carte 200 à 280.

XX **Amadeus,** 22 r. Gouët ☎ 96 33 92 44, Fax 96 61 42 05 – GB AY
fermé vacances de printemps, 15 au 31 août, lundi midi et dim. – **Repas** 85 (dîner), 105/28

à Sous-la-Tour NE : 3 km par Port Légué et D 24 BV – ✉ **22190** Plérin :

XX ✿ **La Vieille Tour** (Hellio), 75 r. de la Tour ☎ 96 33 10 30, Fax 96 33 10 30 – ▤. AE GB
fermé 25 août au 5 sept., vacances de fév., dim. soir et lundi – **Repas** (nombre de couve limité, prévenir) 130 (déj.), 150/367 et carte 290 à 360, enf. 100
Spéc. Homard breton grillé servi en deux temps. Saint-Jacques (nov. à mai). Barbue aux poireaux, sauce porto.

à Cesson E : 3 km par r. Genève BV – ✉ **22000** :

XXX **Croix Blanche,** 61 r. Genève ☎ 96 33 16 97, Fax 96 62 03 50, 🌳 – ▤ P. AE ⓓ GB
fermé 5 au 22 août, dim. soir et lundi – **Repas** 98/230.

XX **Le Quatre Saisons,** 61 chemin Courses ☎ 96 33 20 38, Fax 96 33 77 38, 🌳 – GB
fermé 24 sept. au 7 oct., vacances de fév., sam. midi, dim. soir et lundi soir – **Repas** 98/31

à Langueux SE : 4 km par r. Dr Rahuel BX – 5 938 h. alt. 101 – ✉ **22360** :

🏨 **Campanile,** ☎ 96 33 65 66, Fax 96 33 86 87 – ⊁ TV ☎ ✆ ♿ P – 🏛 25. AE ⓓ GB
Repas 84 bc/107 bc, enf. 39 – ⊒ 32 – **38 ch** 270.

ST-BRIEUC

Chapitre (R. du) . . . . . . AZ 3
Charbonnerie (R.) . . . . AY 4
Glais-Bizoin (R.) . . . . ABY 20
Jouallan (R.) . . . . AY 26
St-Gilles (R.) . . . . AY 43
St-Guillaume (R.) . . . . BZ 46

Abbé-Garnier (R.) . . . . . AX 2
Corderie (R. de la) . . . . . AX 13
Ferry (R. Jules) . . . . AX 16
Gambetta (Bd) . . . . AV 17
Gaulle (Pl. Gén. de) . . . . AY 18
Hérault (Bd) . . . . AV 23
Le Gorrec (R.P.) . . . . AZ 28
Libération (Av. de la) . . . BZ 29
Lycéens-Martyrs (R.) . . . AZ 32

Martray (Pl. du) . . . . AY 33
Plélo (Bd de) . . . . BV 34
Quinquaine (R.) . . . . AY 38
Résistance (Pl. de la) . . AY 39
Rohan (R. de) . . . . AYZ 40
St-Gouéno (R.) . . . . AY 44
Victor-Hugo (R.) . . . . . . BX 50
3-Frères-Le Goff (R.) . . . AY 52
3-Frères-Merlin (R.) . . . AY 53

à Yffiniac par ② : 8 km – 3 510 h. alt. 10 – ✉ **22120** :

Ibis, aire de repos N 12 ✆ 96 72 64 10, Fax 96 72 71 55 – 🛗 ⇔ TV ☎ ✆ ♿ P – 🏛 80.
◑ GB. ✻ rest
Repas 99 bc, enf. 39 – ☐ 38 – **42 ch** 275.

à Ploufragan SO : 5 km par r. Luzel AX – 10 583 h. alt. 139 – ✉ **22440** :

Beaucemaine 🐦, ✆ 96 78 05 60, Fax 96 78 08 33 – TV ☎ P. GB. ✻ rest
fermé 22 déc. au 5 janv. – **Repas** *(fermé le midi en semaine et dim. soir)* 65/95 🍷 – ☐ 25
25 ch 155/270 – ½ P 170/210.

rte de Guingamp par r. Corderie AX ***13*** :

Le Buchon, à Trémuson : 8 km ✉ 22440 ✆ 96 94 85 84 – GB
fermé 1er au 15 nov., sam. midi du 1er nov. au 30 mars, lundi soir et mardi soir – **Repa**
82/306.

CITROEN Gar. SAVRA, 101 r. du Gouedic ✆ 96 68 15 15 **N** ✆ 96 33 44 07
MERCEDES Hamon Autom., 1 r. Gay Lussac ✆ 96 33 33 45 **N** ✆ 05 24 24 30
PEUGEOT Gds Gar. des Côtes-d'Armor, 65 r. Chaptal, ZI par ② ✆ 96 62 24 24 **N** ✆ 96 01 91 77
RENAULT S.B.D.A., r. Monge, ZI par r. de Gouédic BX ✆ 96 68 16 16 **N** ✆ 05 05 15 15
RENAULT Gar. Monfort, 28 r. Vallée à Plérin par ① ✆ 96 74 52 61
VAG Sélection Auto, 14 r. Chaptal ✆ 96 33 18 48

Ⓜ Euromaster, ZAC r. Lecuyer à Plérin par ① ✆ 96 74 70 56 **N** ✆ 76 29 55 49
Pneu Armorique Vulcopneu, 2 r. Ampère ✆ 96 60 46 65

ST-CAPRAISE-DE-LALINDE 24 Dordogne 75 ⑮ – rattaché à Lalinde.

ST-CAST-LE-GUILDO 22380 C.-d'Armor 59 ⑤ G. Bretagne – 3 093 h alt. 52.

Voir Pointe de St-Cast ⩽★★ – Pointe de la Garde ⩽★★ – Pointe de Bay ⩽★ S : 5 km.

⛳18 de Pen Guen ✆ 96 41 91 20, S : 4 km.

ℹ Office de Tourisme pl. Gén.-de-Gaulle ✆ 96 41 81 52, Fax 96 41 76 19.

Paris 441 – St-Malo 34 – Avranches 88 – Dinan 34 – St-Brieuc 51.

Arcades M, 15 r. Duc d'Aiguillon ✆ 96 41 80 50, Fax 96 41 77 34, 🏖 – 🛗 TV ☎. AE
GB
1er avril-15 sept. – **Repas** 78/158 🍷, enf. 39 – ☐ 35 – **32 ch** 350/495 – ½ P 320/395.

Dunes, r. Primauguet ✆ 96 41 80 31, Fax 96 41 85 34, 🌳, 🎾 – TV ☎ P. GB. ✻
29 mars-3 nov. et fermé dim. soir et lundi en oct. – **Repas** 105/380 – ☐ 40 – **27 ch** 330/380
½ P 370/400.

Bon Abri, r. Sémaphore ✆ 96 41 85 74, Fax 96 41 99 11 – ☎ P. GB
hôtel : 16 mai-10 sept. ; rest. : 1er juin-10 sept. – **Repas** 100/145, enf. 50 – ☐ 35 – **42 c**
210/300 – ½ P 215/260.

Le Biniou, à Pen-Guen S : 1,5 km ✆ 96 41 94 53, ⩽ – P. GB
15 fév.-11 nov. et fermé mardi du 15 sept. au 15 juin sauf vacances scolaires – **Repas** 90
(déj.), 110/220, enf. 50.

PEUGEOT Gar. Depagne, 13 bd Vieuxville ✆ 96 41 86 67

ST-CÉRÉ 46400 Lot 75 ⑲ ⑳ G. Périgord Quercy (plan) – 3 760 h alt. 152.

Voir Site★ – Tapisseries de Jean Lurçat★ au casino – Atelier-musée Jean Lurçat★ – Château
Montal★★ O : 3 km.

Env. Cirque d'Autoire★ : ⩽★★ par Autoire (site★) O : 8 km.

⛳9 Golf Club des 3 Vallées à St-Jean l'Espinasse ✆ 65 10 83 09.

ℹ Office de Tourisme pl. République ✆ 65 38 11 85, Fax 65 38 38 71.

Paris 543 – Brive-la-Gaillarde 54 – Aurillac 65 – Cahors 74 – Figeac 42 – Tulle 61.

Trois Soleils de Montal M 🐦, rte de Gramat O : 2 km par D 673 ✆ 65 38 20 6
Fax 65 38 30 66, ⩽, 🏖, 🏋, 🏊, 🌳, 🎾 – TV ☎ ♿ P – 🏛 50. GB. ✻ rest
Repas *(fermé 2 au 20 janv., sam. midi, dim. soir et lundi midi du 1er oct. au 31 mars)* 120/2
– ☐ 50 – **28 ch** 450 – ½ P 410.

France, av. F. de Maynard ✆ 65 38 02 16, Fax 65 38 02 98, 🏖, 🏊, 🌳 – cuisinette TV
P. GB. ✻ rest
20 mars-6 nov. – **Repas** *(fermé sam. midi et vend. de sept. à juin)* 120/250, enf. 60 – ☐ 45
18 ch 300/380 – ½ P 340/400.

Le Coq Arlequin sans rest, av. Dr Roux ✆ 65 38 02 13, Fax 65 38 37 27 – TV ☎ 🚗
GB
15 mars-15 nov. – ☐ 45 – **16 ch** 250/480.

du Touring sans rest, pl. République ✆ 65 38 30 08, Fax 65 38 18 67 – ☎ ✆. GB
fermé 15 oct. au 15 nov. – ☐ 32 – **28 ch** 260/310.

Ric M 🐦 avec ch, rte Leyme par D 48 : 2 km ✆ 65 38 04 08, Fax 65 38 00 14, ⩽ plate
du Quercy, 🏖, 🏊, 🌳 – TV ☎ P. GB
fermé janv. et lundi hors sais. – **Repas** 110 (déj.), 165/250 et carte 250 à 390 – ☐ 45 – **6 c**
380 – ½ P 380.

MERCEDES, VAG Gar. Payrot, 401 av. Anatole de Monzie ✆ 65 38 01 07

Ⓜ Meublat, rte de Monteil ✆ 65 38 16 54

ST-CERGUES 74140 H.-Savoie 70 ⑯ ⑰ – 2 337 h alt. 615.

aris 549 – Thonon-les-Bains 20 – Annecy 54 – Annemasse 9 – Bonneville 25 – Genève 16.

🏨 **France,** ☎ 50 43 50 32, Fax 50 94 66 45, 🌲, 🌳, 🍴 – TV ☎ 📞 P – 🏗 30. GB
fermé 5 avril au 3 mai, 25 oct. au 8 nov., dim. soir et lundi sauf juil.-août – **Repas** 98/240, enf. 60 – ☕ 35 – **21 ch** 145/280 – ½ P 190/255.

ST-CÉZAIRE-SUR-SIAGNE 06780 Alpes-Mar. 84 ⑧ 114 ⑫ **G. Côte d'Azur** – 2 182 h alt. 475.

'oir Site★ – Point de vue★ – Grottes de St-Cézaire★ NE : 4 km.

Office de Tourisme à la Mairie ☎ 93 60 84 30.

aris 910 – Cannes 32 – Castellane 62 – Draguignan 57 – Grasse 16 – ♦Nice 55.

🍴 **Aub. Puits d'Amon** avec ch, ☎ 93 60 28 50 – ▤ rest. GB
fermé 6 au 13 juin, 3 au 10 oct., 25 janv. au 15 fév., jeudi sauf le soir en juil.-août et merc. soir – **Repas** 105/210 – ☕ 35 – **5 ch** 210/250 – ½ P 215/240.

🍴 **Petite Auberge** avec ch, ☎ 93 60 26 60, 🌲 – GB
fermé mi-déc. à mi-janv. – **Repas** *(fermé lundi soir et mardi sauf juil.-août)* 75/155 🍷, enf. 48 – ☕ 30 – **6 ch** 125/215 – ½ P 178.

ST-CHAMAS 13250 B.-du-R. 84 ① **G. Provence** – 5 396 h alt. 15.

Office de Tourisme, Montée des Pénitents ☎ 90 50 90 54, Fax 90 50 90 10.

aris 737 – ♦Marseille 49 – Arles 40 – Martigues 28 – St-Rémy-de-Provence 37 – Salon-de-Provence 16.

🍴🍴 **Le Rabelais,** 10 r. A. Fabre ☎ 90 50 84 40, Fax 90 50 78 49, 🌲, « Salle voûtée » – ▤. AE GB
fermé 16 au 31 août, vacances de fév. et merc. – **Repas** 109/197.

ST-CHAMOND 42400 Loire 73 ⑲ **G. Vallée du Rhône** – 38 878 h alt. 388.

aris 512 ① – ♦St-Étienne 11 ④ – Feurs 50 ④ – ♦Lyon 52 ① – Montbrison 50 ④ – Vienne 41 ①.

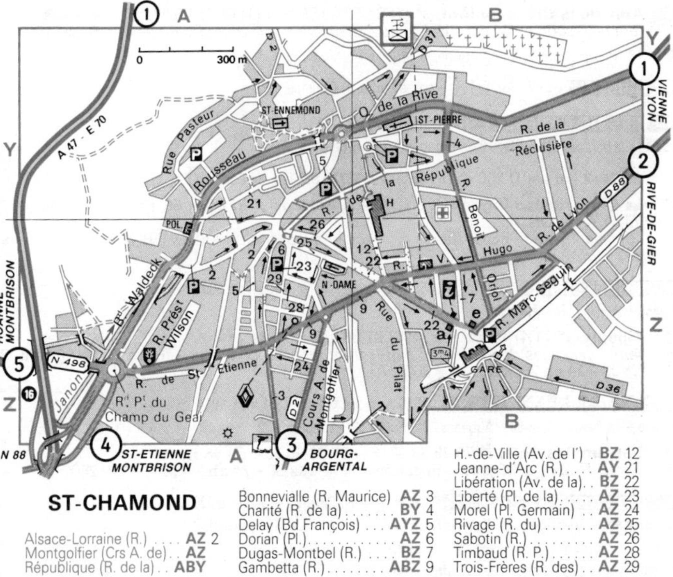

ST-CHAMOND

Alsace-Lorraine (R.) .... AZ 2	Bonnevialle (R. Maurice) AZ 3	H.-de-Ville (Av. de l') . BZ 12
Montgolfier (Crs A. de) .. AZ	Charité (R. de la) .... BY 4	Jeanne-d'Arc (R.) .... AY 21
République (R. de la) .. ABY	Delay (Bd François) ... AYZ 5	Libération (Av. de la) .. BZ 22
	Dorian (Pl.) .... AZ 6	Liberté (Pl. de la) ...... AZ 23
	Dugas-Montbel (R.) .... BZ 7	Morel (Pl. Germain) ... AZ 24
	Gambetta (R.) .... ABZ 9	Rivage (R. du) .... AZ 25
		Sabotin (R.) .... AZ 26
		Timbaud (R. P.) .... AZ 28
		Trois-Frères (R. des) .. AZ 29

🏨 **Ambassadeurs,** 28 av. Libération ☎ 77 22 85 80, Fax 77 31 96 95 – TV ☎. AE ⓓ GB BZ **a**
hôtel: fermé 10 au 18 août ; rest. : fermé 28 avril au 8 mai, 4 au 25 août, vend. soir et sam. – **Repas** 78/239 🍷, enf. 50 – ☕ 28 – **19 ch** 120/320 – ½ P 220/260.

🍴🍴 **Chemin de Fer,** 27 av. Libération ☎ 77 22 00 15, Fax 77 22 06 01 – AE ⓓ GB BZ **e**
fermé août, vend. soir, dim. soir et sam. – **Repas** 65 bc/225 🍷.

à l'Horme par ② : 3 km – 4 689 h. alt. 320 – ✉ **42152** :

🏨 **Vulcain** sans rest, ☎ 77 22 17 11, Fax 77 29 07 95 – 🛗 TV ☎ 🚗 P. AE GB
☕ 33 – **30 ch** 215/352.

EUGEOT I.C.A.R. Vallée du Gier, Sortie autoroute t-Julien par ② ☎ 77 31 42 42

ENAULT Fonsala Autom., bd Fonsala par ② ☎ 77 22 22 98

Ⓜ Hall du Pneu, 8 pl. G.-Morel ☎ 77 22 28 96

ST-CHARTIER 36 Indre 68 ⑲ – rattaché à La Châtre.

ST-CHÉLY-D'APCHER 48200 Lozère 76 ⑮ – 4 570 h alt. 1000.

Office de Tourisme pl. 19-Mars-1962 ☏ 66 31 03 67, Fax 66 31 30 30.

Paris 551 – Aurillac 104 – Mende 46 – Le Puy-en-Velay 86 – Rodez 113 – St-Flour 35.

Jeanne d'Arc, 49 av. Gare ☏ 66 31 00 46, Fax 66 31 28 85, – TV ☎. GB.
fermé 25 déc. au 1er janv. – **Repas** 75/185 – 30 – **13 ch** 230 – ½ P 210/220.

à La Garde N : 9 km par N 9 – ✉ 48200 Albaret-Ste-Marie :

Rocher Blanc, ☏ 66 31 90 09, Fax 66 31 93 67, – rest TV ☎ P. GB
Pâques-15 nov. et fermé dim. soir et lundi sauf juil.-août – **Repas** (dim. prévenir) 84 (dîner) 90/195 – 38 – **20 ch** 240/360 – ½ P 300/320.

Terrisson Pneus, Croix des Anglais, N 9 ☏ 66 31 23 93

ST-CHÉLY-D'AUBRAC 12470 Aveyron 80 ③ ④ – 547 h alt. 700 – Sports d'hiver à Brameloup : 1 200 1 390 m 9.

Syndicat d'Initiative à la Mairie ☏ 65 44 26 25.

Paris 589 – Rodez 52 – Espalion 20 – Mende 79 – St-Flour 83 – Sévérac-le-Château 60.

Voyageurs-Vayrou (annexe), ☏ 65 44 27 05 – GB. ch
6 avril-30 sept. – **Repas** *(fermé sam. midi sauf juil.-août)* 88/176, enf. 65 – 32 – **14 ch** 270/290 – ½ P 260/270.

ST-CHÉRON 91530 Essonne 60 ⑩ – 4 082 h alt. 100.

Paris 43 – Fontainebleau 61 – Chartres 52 – Dourdan 9 – Étampes 17 – ◆Orléans 87 – Rambouillet 28 – Versailles 36.

à St-Évroult S : 1,5 km par V 6 – ✉ 91530 St-Chéron :

Aub. de la Cressonnière, ☏ (1) 64 56 60 55, Fax (1) 64 56 56 37, – GB
fermé 16 sept. au 1er oct., 19 fév. au 4 mars, dim. soir et lundi sauf fériés – **Repas** 110/200.

RENAULT P.O.G. Auto, r. P.-Payenneville ☏ (1) 64 56 50 42

ST-CHRISTAU 64 Pyr.-Atl. 85 ⑥ – voir à Lurbe-St-Christau.

ST-CIERS-DE-CANESSE 33710 Gironde 71 ⑧ – 713 h alt. 40.

Paris 548 – ◆Bordeaux 45 – Blaye 8 – Jonzac 50 – Libourne 41.

au N : 2 km par D 250 et D 135E – ✉ 33710 St-Ciers-de-Canesse :

La Closerie des Vignes M, Village Arnauds ☏ 57 64 81 90, Fax 57 64 94 44, ←, TV ☎ P. GB
15 mars-15 nov. – **Repas** *(fermé dim. soir et mardi hors sais.)* 120/170, enf. 70 – 35 – **9 ch** 360 – ½ P 325.

ST-CIRGUES-DE-JORDANNE 15590 Cantal 76 ② ⑫ – 199 h alt. 800.

Paris 556 – Aurillac 17 – Murat 34.

Tilleuls, ☏ 71 47 92 19, Fax 71 47 91 06, – ☎ P – 25. GB
fermé vacances de Toussaint, dim. soir et lundi d'oct. à avril – **Repas** 70/210, enf. 37 – 30 – **14 ch** 250/300 – ½ P 250/275.

ST-CIRGUES-EN-MONTAGNE 07510 Ardèche 76 ⑱ – 361 h alt. 1044.

Paris 595 – Le Puy-en-Velay 53 – Aubenas 38 – Privas 69 – Langogne 32.

Parfum des Bois, ☏ 75 38 93 93, Fax 75 38 95 38 – TV ☎ P. GB
fermé 1er déc. au 30 janv. – **Repas** 65/165 – 30 – **24 ch** 240/280 – ½ P 250.

ST-CIRQ-LAPOPIE 46330 Lot 79 ⑨ G. Périgord Quercy – 187 h alt. 320.

Voir Site★★ – Vestiges de l'ancien château ←★★ – Le Bancourel ←★.

Office de Tourisme ☏ et Fax 65 31 29 06, Mairie ☏ 65 31 24 14.

Paris 592 – Cahors 25 – Figeac 43 – Villefranche-de-Rouergue 37.

La Pélissaria, ☏ 65 31 25 14, Fax 65 30 25 52, ←, « Maison du 13e siècle », – ☎. GB
1er avril-15 nov. – **Repas** *(fermé jeudi et vend.)* (prévenir) (dîner seul.) 200 – 50 – **10 ch** 460/650.

Aub. du Sombral "Aux Bonnes Choses" avec ch, ☏ 65 31 26 08, Fax 65 30 26 37, – ☎. GB
1er avril-15 nov. et fermé mardi soir et merc. sauf de juil. à sept – **Repas** 100/250 – 48 – **8 ch** 300/400.

à Tour-de-Faure E : 2 km par D 40 – 296 h. alt. 137 – ✉ 46330 :

Les Gabarres M sans rest, ☏ 65 30 24 57, Fax 65 30 25 85, – ☎ P. GB
1er avril-30 oct. – 35 – **28 ch** 265/305.

ST-CLAIR 83 Var 84 ⑯, 114 ㊽ – rattaché au Lavandou.

ST-CLAUDE <SP> **39200** Jura **70** ⑮ **G. Jura** – 12 704 h alt. 450.

oir Site★★ – Cathédrale St-Pierre★ : stalles★★ Z – Place Louis-XI ≤★ Z – Exposition de pipes : diamants Z **E** – Gorges du Flumen★ par ②.

nv. Route de Morez (D 69) ≤★★ 7 km par ① – Crêt Pourri ✻★ E : 6 km puis 30 mn par D 304 Z. de Villard-Saint-Sauveur ☏ 84 41 05 15, par ② : 5 km.

Office de Tourisme 6 rue du Marché ☏ 84 45 34 24, Fax 84 41 02 72 – Automobile Club St-Blaise · 84 45 67 57.

ıris 451 ③ – Annecy 86 ② – Bourg-en-Bresse 72 ③ – Genève 68 ② – Lons-le-Saunier 60 ③.

ST-CLAUDE

elfort (Av. de) .... Y 3
é (R. du) .... YZ
Avril-1944 (Pl. du) ...... Y 27
obaye (Pl. de l') .... Z 2
nristin (Pl.) .... Y 5
ambetta (R.) .... Z 6
nvier (R. A.) .... Z 7
cuzon (R.) .... Y 8
martine (R.) .... Y 9
uis-XI (Pl.) .... Z 12
arché (R. du) .... Z 20
épublique (Bd de la) .... Y 23
osset (R.) .... Z 24
ctor-Hugo (R.) .... Y 25
oltaire (Pl.) .... Y 26

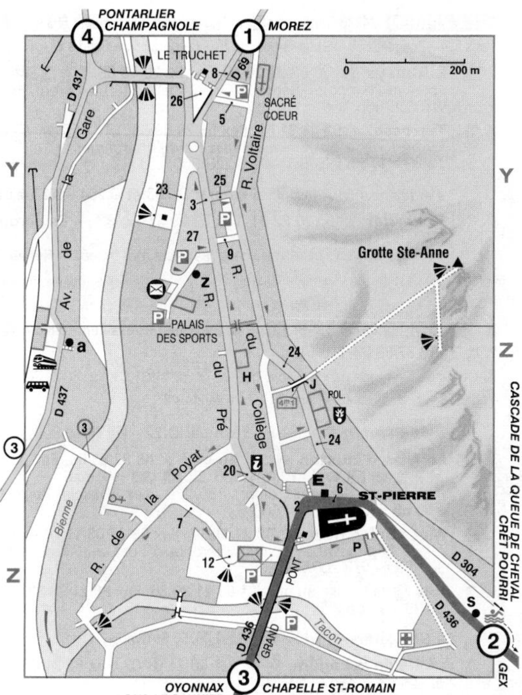

es rues ont sélectionnées n fonction e leur importance our la circulation le repérage es établissements cités. es rues secondaires e sont qu'amorcées.

St-Hubert, pl. St-Hubert ☏ 84 45 10 70, Fax 84 45 64 76 – GB
hôtel : fermé 24/12 au 1/1 ; rest. : fermé 24/12 au 8/1, dim. soir sauf juil.-août, sam. midi et lundi midi – **Repas** 80/160, enf. 50 – ☐ 30 – **30 ch** 265/420 – ½ P 235/255. Z **s**

Jura, 40 av. Gare ☏ 84 45 24 04, Fax 84 45 58 10 – GB Z **a**
Repas 98/360 – ☐ 35 – **35 ch** 190/320 – ½ P 260/315.

Poste sans rest, 1 r. Reybert ☏ 84 45 52 34, Fax 84 45 69 67 – GB Y **z**
fermé 13 au 31 janv. – ☐ 25 – **15 ch** 135/270.

à ***Villard-St-Sauveur*** par ② et D 290 : 5 km – 588 h. alt. 545 – ✉ **39200** St-Claude :

Au Retour de la Chasse ☏ 84 45 44 44, Fax 84 45 13 95, ≤ – cuisinette – 30. AE GB
fermé 20 au 30 déc., dim. soir et lundi hors sais. – **Repas** 90/330, enf. 60 – ☐ 33 – **15 ch** 280/390 – ½ P 310/330.

ITROEN Gar. Duchène, 21 rte Valfin par ④ · 84 45 12 07 **N** ☏ 88 19 32 60
AT Gar. de Genève, 11 r. Lt-Froidurot 84 45 21 01
ORD Gar. Grenard, 20 bis r. Carnot ☏ 84 45 06 48 ☏ 84 45 42 34
SSAN Gar. Cavallin, 4 r. Gambetta ☏ 84 45 18 69
EUGEOT Gar. Ganeval, ZA d'Etables, rte de Lyon ar ③ ☏ 84 45 11 07 **N** ☏ 84 35 94 06

RENAULT Lacuzon Autom., 21 r. Carnot par ③ ☏ 84 41 51 51 **N** ☏ 84 35 93 71

Alain Pneu Point S, 28 r. Collège ☏ 84 45 15 37
Carronnier, 25 r. Carnot ☏ 84 45 58 78
Euromaster, r. Plan d'Acier, ZI ☏ 84 45 12 74

ST-CLÉMENT-DES-BALEINES **17** Char.-Mar. **71** ⑫ – voir à Ré (île de).

ST-CLÉMENT-SUR-VALSONNE 69170 Rhône 73 ⑨ – 467 h alt. 370.
Paris 461 – Roanne 45 – ◆Lyon 42 – Montbrison 63 – Tarare 4 – Villefranche-sur-Saône 30.

St-Clément avec ch, ✆ 74 05 17 80, – . GB
fermé 1er au 21 janv., lundi soir et mardi sauf juil.-août – **Repas** 60 (déj.), 98/200 , enf. 45
25 – **9 ch** 200/240 – ½ P 160.

ST-CLOUD 92 Hauts-de-Seine 55 ⑳, 101 ⑭ – voir à Paris, Environs.

ST-CÔME-ET-MARUEJOLS 30 Gard 80 ⑮ – rattaché à Nîmes.

ST-CYPRIEN 24220 Dordogne 75 ⑯ **G. Périgord Quercy** – 1 593 h alt. 80.
Paris 534 – Périgueux 55 – Sarlat-la-Canéda 20 – Bergerac 54 – Cahors 68 – Fumel 51 – Gourdon 37.

L'Abbaye , ✆ 53 29 20 48, Fax 53 29 15 85, , , – . AE GB. rest
15 avril-20 oct. – **Repas** 100 bc (déj.), 140/320, enf. 58 – 58 – **24 ch** 370/680
½ P 395/565.

Terrasse, ✆ 53 29 21 69, Fax 53 29 60 88, – . AE GB
fermé 1er janv. au 15 fév. – **Repas** *(fermé mardi midi et lundi d'oct. à avril)* 75/180 , enf. 40
33 – **17 ch** 216/370 – ½ P 220/300.

à Allas-les-Mines SO : 5 km par D 703 et C 204 – 203 h. alt. 85 – 24220 :

Gabarrier, ✆ 53 29 22 51, Fax 53 29 47 12, , « En bordure de la Dordogne », –
GB
1er mars-30 nov. et fermé merc. sauf de mai à sept. – **Repas** 115/320, enf. 65.

RENAULT Castillon Veyssière, à Castels ✆ 53 29 20 23

Sauvanet Pneus, ✆ 53 29 23 21

ST-CYPRIEN 66750 Pyr.-Or. 86 ⑳ **G. Pyrénées Roussillon** – 6 892 h alt. 5 – Casino .
9 18 ✆ 68 37 63 63, N : 1 km.
Office de Tourisme parking Nord du Port ✆ 68 21 01 33, Fax 68 21 98 33.
Paris 876 – ◆Perpignan 16 – Céret 30 – Port-Vendres 21.

à St-Cyprien-Plage NE : 3 km par D 22 – 66750 St-Cyprien :

Le Mas d'Huston M , au golf ✆ 68 37 63 63, Fax 68 37 64 64, , , « Parc »,
– – 120. AE GB. rest
fermé fév. – **Repas** 150 (dîner), 185/270 - ***Les Parasols :*** **Repas** (déj. seul.) 140, enf. 75 –
– **50 ch** 535/770 – ½ P 500.

Mar i Sol, r. Rodin ✆ 68 21 00 17, Fax 68 37 03 11, – . GB
fermé 1er janv. au 1er mars et merc. du 1er oct. au 30 avril – **Repas** 65/140 – 30 – **45 c**
300/330 – ½ P 260/280.

Ibis M sans rest, au port ✆ 68 21 30 30, Fax 68 21 28 32, – . AE G
36 – **34 ch** 375.

à St-Cyprien-Sud : 3 km – 66750 St-Cyprien :

L'Ile de la Lagune M , ✆ 68 21 01 02, Fax 68 21 06 28, , , , –
– 60. AE GB
fermé 2 janv. au 12 mars, dim. soir et lundi du 15 oct. au 1er avril – ***L'Almandin*** *(fermé 2 jan. au 12 mars, dim. soir et lundi du 15 sept. au 15 juin)* **Repas** 160/380 et car 280 à 420, enf. 80 – 65 – **18 ch** 630/900, 4 appart – ½ P 670/710
Spéc. Blinis aux anchois de Collioure à la tapenade. Blanc de turbotin poêlé sauce vierge. Croustillant d'abricots fraises des bois. **Vins** Côtes du Roussillon, Collioure.

PEUGEOT Gar. des Albères, ✆ 68 21 02 44

RENAULT Gar. Vandellos, ✆ 68 21 05 47

ST-CYR-SUR-MER 83270 Var 84 ⑭ 114 ㊸ – 7 033 h alt. 10.
18 Golf de la Frégate ✆ 94 32 50 50.
Paris 812 – ◆Marseille 39 – ◆Toulon 24 – Bandol 8 – Le Beausset 13 – Brignoles 69.

Les Lecques – 83270 St-Cyr-sur-Mer :

Grand Hôtel , ✆ 94 26 23 01, Fax 94 26 10 22, , « Parc fleuri », , –
AE GB
6 avril-20 oct. – **Repas** 167/220, enf. 65 – 60 – **58 ch** 385/940 – ½ P 470/720.

Chanteplage, ✆ 94 26 16 55, Fax 94 26 25 71, , – . AE GB
hôtel : 15 fév.-15 nov. ; rest : 15 mars-15 sept. – **Repas** 99/145, enf. 55 – 32 – **20 c**
350/420 – ½ P 280/350.

Petit Nice , ✆ 94 32 00 64, Fax 94 88 72 39, , – . AE GB. rest
hôtel : 15 mars-1er nov. ; rest. : 15 avril-30 sept. – **Repas** (1/2 pens. seul.) – 32 – **30 c**
263/330 – ½ P 265/331.

à La Madrague S : 1,5 km – 83270 St-Cyr-sur-Mer :

Pins, ✆ 94 26 28 36, Fax 94 88 74 51, – . GB
Pâques-1er oct. – **Repas** (dîner seul.) 95/210 – 32 – **20 ch** 300 – ½ P 280.

SE : 4 km par D 559 – ✉ **83270** St-Cyr-sur-Mer :

de Frégate Ⓜ, ✆ 94 29 39 39, Fax 94 29 39 40, ← mer, parc, « Beau complexe de loisirs, centre de conférences », – 100. AE GB
Repas 180/220 – ☕ 80 – **95 ch** 1180/1390, 5 appart – ½ P 955.

PEUGEOT Gar. Iori, 63 Bd J.-Jaurès ✆ 94 26 23 80 — **Gar. Marro,** quartier Banette ✆ 94 26 31 09

ST-DALMAS-DE-TENDE **06** Alpes-Mar. 84 ⑩ ⑳, 115 ⑧ ⑨ – rattaché à Tende.

ST-DALMAS-VALDEBLORE **06** Alpes-Mar. 84 ⑲, 115 ⑥ – voir à Valdeblore.

ST-DENIS **93** Seine-St-Denis 56 ⑪, 101 ⑯ – voir à Paris, Environs.

ST-DENIS-D'ANJOU **53290** Mayenne 64 ① **G. Châteaux de la Loire** – 1 278 h alt. 51.

Paris 267 – ♦Angers 44 – ♦Le Mans 68 – Sablé-sur-Sarthe 10,5.

La Calèche avec ch, ✆ 43 70 61 00, Fax 43 70 94 40, – GB
hôtel : fermé 15 oct. au 5 nov., 1er janv. au 31 mars, dim. soir et mardi – **Repas** *(fermé 15 oct. au 5 nov., 15 au 31 janv., dim. soir et mardi)* 59 (déj.), 89/180, enf. 50 – ☕ 35 – **8 ch** 215/260 – ½ P 245/295.

ST-DENIS-D'ORQUES **72350** Sarthe 60 ⑫ – 693 h alt. 120.

Paris 237 – ♦Le Mans 35 – Alençon 63 – Laval 39 – Mayenne 47 – Sablé-sur-Sarthe 23.

Aub. de la Grande Charnie, av. Libération ✆ 43 88 43 12, Fax 43 88 61 08 – GB
fermé vacances de fév., dim. soir et lundi – **Repas** 78/198, enf. 45.

ST-DENIS-LE-FERMENT **27** Eure 55 ⑧ – rattaché à Gisors.

ST-DENIS-SUR-SARTHON **61420** Orne 60 ② – 971 h alt. 193.

Paris 203 – Alençon 11,5 – Argentan 40 – Domfront 49 – Falaise 63 – Flers 59 – Mayenne 49.

La Faïencerie, ✆ 33 27 30 16, parc – AE GB. rest
Pâques-fin sept. et fermé lundi midi – **Repas** 120/180, enf. 65 – ☕ 35 – **16 ch** 220/350.

RENAULT Gar. Poirier, ✆ 33 27 30 32

ST-DIDIER **35** I.-et-V. 59 ⑱ – rattaché à Chateaubourg.

ST-DIDIER-DE-LA-TOUR **38** Isère 74 ⑭ – rattaché à La Tour-du-Pin.

ST-DIÉ <SP> **88100** Vosges 62 ⑰ **G. Alsace Lorraine** – 22 635 h alt. 350.

Voir Cathédrale★ B – Cloître gothique★ AB.

Office de Tourisme 31 r. Thiers ✆ 29 56 17 62, Fax 29 56 72 30.

Paris 432 ③ – Colmar 57 ① – Épinal 50 ② – Belfort 123 ① – ♦Mulhouse 99 ① – ♦Strasbourg 89 ①.

Plan page suivante

Ibis, 5 quai Jeanne d'Arc ✆ 29 55 43 44, Fax 29 55 49 15 – – 40. AE GB — B a
Repas 99 bc, enf. 39 – ☕ 36 – **49 ch** 290/320.

Moderne, 64 r. Alsace ✆ 29 56 11 71, Fax 29 56 45 06 – GB. — B v
fermé 22 déc. au 6 janv., vend. soir et sam. sauf juil.-août – **Repas** 96/180 – ☕ 32 – **10 ch** 240/380 – ½ P 200/225.

Vosges et Commerce sans rest, 57 r. Thiers ✆ 29 56 16 21, Fax 29 55 48 71 – AE GB — A r
☕ 27 – **30 ch** 135/300.

Campanile, O : 1,5 km par ② et Z.A.C. d'Hellieule ✆ 29 56 85 20, Fax 29 55 52 64, – – 25. AE GB
Repas 84 bc/107 bc, enf. 39 – ☕ 32 – **47 ch** 270.

Parc sans rest, 5 r. J.-J. Baligan ✆ 29 56 36 54 – GB — A k
fermé dim. d'oct. à mai – ☕ 30 – **7 ch** 220/260.

Voyageurs, 22 r. Hellieule ✆ 29 56 21 56, Fax 29 56 60 80 – GB — A u
fermé vacances de printemps, 15 juil. au 6 août, vacances de Noël, dim. soir et lundi – **Repas** 60/170.

à Rougiville O : 6 km par ② – ✉ **88100** St-Dié :

Le Haut Fer, ✆ 29 55 03 48, Fax 29 55 23 40, ←, – AE GB
fermé 1er au 16 janv., lundi (sauf hôtel) et dim. soir sauf juil.-août et fériés – **Repas** 75/200 – ☕ 30 – **16 ch** 280/300 – ½ P 250/270.

FORD Gar. Thouzet, rte de Raon ✆ 29 52 27 27
RENAULT Gar. Husson, 52 r. Bolle ✆ 29 51 62 62
✆ 29 56 60 70

Pneu Villaume, N 59 rte de Raon ✆ 29 56 14 18
Pneus et Services D.K., 126 r. d'Alsace ✆ 29 56 11 34

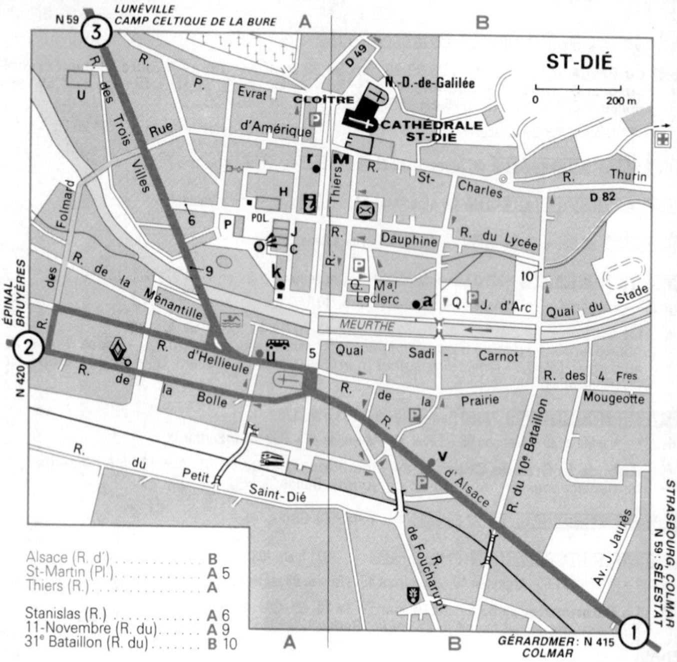

ST-DIÉ

Alsace (R. d') . . . . B
St-Martin (Pl.) . . . . A 5
Thiers (R.) . . . . A

Stanislas (R.) . . . . A 6
11-Novembre (R. du) . . . . . . A 9
31e Bataillon (R. du) . . . . . . B 10

ST-DISDIER 05250 H.-Alpes 77 ⑮ **G. Alpes du Nord** – 157 h alt. 1024.

Voir Défilé de la Souloise★ N – Paris 642 – Gap 44 – ◆Grenoble 73 – La Mure 34.

Aub. La Neyrette, ✆ 92 58 81 17, Fax 92 58 89 95, ≤, – ☎ P. AE GB
fermé 1er oct. au 15 déc. – **Repas** 96/210 – ☕ 31 – **10 ch** 230/280 – ½ P 260.

ST-DIZIER ⟨SP⟩ **52100** H.-Marne 61 ⑨ **G. Champagne** – 33 552 h alt. 147.

Office de Tourisme Pavillon du Jard ✆ 25 05 31 84.

Paris 207 ⑤ – Bar-le-Duc 24 ① – Chaumont 75 ③ – ◆Nancy 100 ② – Troyes 85 ④ – Vitry-le-François 29 ⑤.

ST-DIZIER

Gambetta (R.) . . . . B 8
Liberté (Pl. de la) . . . . B 12
République (Av. de la) . . . A

Alsace-Lorraine (Av. d') . . B 3
Anatole-France (R.) . . . . . B 4
Commune-de-Paris (Av. de la) . . . . AB 7
Gaulle (Pl. du Gén. de) . . B 9

Giros (R. E.) . . . . B 10
Pasteur (Av.) . . . . B 13
République (Pl. de la) . . . A 14
Tanneurs (R. des) . . . . . . B 15
Vergy (Pont de) . . . . A 16

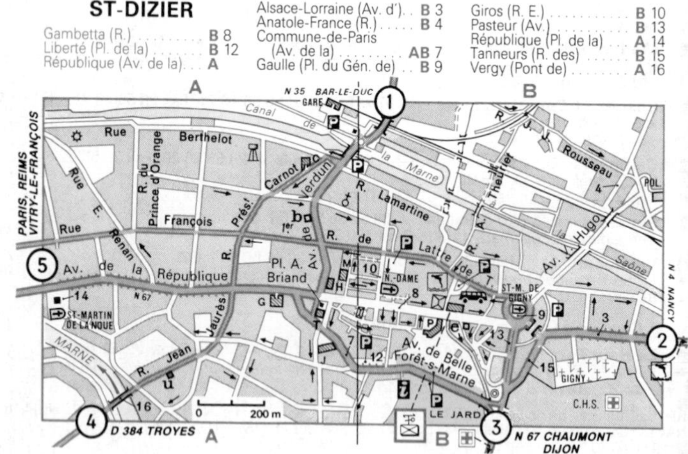

Gambetta, 62 r. Gambetta ✆ 25 56 52 10, Fax 25 56 39 47, – |‡| ▤ rest TV ☎ ♿ – P – 30 à 150. AE ◑ GB JCB — B e
Repas *(fermé dim. soir et soirs fériés)* 85/125 ♂, enf. 50 – ☕ 35 – **63 ch** 240/390 – ½ P 210.

Ibis M, rte Bar-le-Duc par ① : 2 km ✆ 25 05 68 22, Télex 840946, Fax 25 56 37 77, – |‡| TV ☎ ♿ P – 80. AE ◑ GB
Repas *(fermé sam. midi et dim. soir)* 100/155 ♂, enf. 45 – ☕ 35 – **62 ch** 290/355.

Picardy sans rest, 15 av. Verdun ✆ 25 05 09 12, Fax 25 05 36 81 – TV ☎ P. AE GB
☕ 26 – **12 ch** 150/250. — A b

La Gentilhommière, 29 r. J. Jaurès ✆ 25 56 32 97, Fax 25 06 32 66 – GB — A u
fermé 16 au 26 août, dim. soir et lundi – **Repas** 83 (déj.), 100/162.

à Perthes par ⑤ : 10 km – ✉ **52100** :

La Cigogne Gourmande avec ch, ✆ 25 56 40 29, Fax 25 05 79 12 – ▤ rest TV. AE GB
Repas 90/295 ♂, enf. 65 – ☕ 30 – **6 ch** 180/275 – ½ P 240.

RD Dynamic Motors, Rte de Bar le Duc
25 56 03 98
UGEOT C.A.B., 6 av. Parchim ✆ 25 56 19 72 N
80 61 52 71
NAULT Gar. Fogel, 20 av. des Etats-Unis par ②
25 56 19 79 N ✆ 25 94 91 82

Leclerc-Pneus, rte de Bar-le-Duc à Bettancourt-la-Ferrée ✆ 25 05 19 16
Pneus Legros Sud Point S, 111 r. E.-Renan
✆ 25 05 23 54

When looking for a hotel or restaurant use the most efficient method.
Look for the names of towns underlined in red
on the Michelin maps scale: 1:200 000.

But make sure you have an up-to-date map!

T-DONAT-SUR-L'HERBASSE 26260 Drôme 77 ② **G. Vallée du Rhône** – 2 658 h alt. 202.
ris 550 – Valence 27 – ♦Grenoble 92 – Hauterives 19 – Romans-sur-Isère 13 – Tournon-sur-Rhône 16.

Chartron M avec ch, ✆ 75 45 11 82, Fax 75 45 01 36, – ▤ rest TV ☎ P. AE ◑ GB
fermé lundi soir de sept. à juin (sauf hôtel) et mardi – **Repas** 120/420, enf. 75 – ☕ 45 – **7 ch** 280/350 – ½ P 300.

T-DYÉ-SUR-LOIRE 41500 L.-et-Ch. 64 ⑦ ⑧ **G. Châteaux de la Loire** – 895 h alt. 96.
ris 172 – ♦Orléans 49 – Beaugency 21 – Blois 16 – Romorantin-Lanthenay 43.

Manoir Bel Air , ✆ 54 81 60 10, Fax 54 81 65 34, ←, parc – TV ☎ P – 25 à 40. GB JCB. rest
fermé 20 janv. au 20 fév. – **Repas** 118/248 – ☕ 36 – **40 ch** 240/400 – ½ P 340/360.

AINTE voir après la nomenclature des Saints.

T-ELOY-LES-MINES 63700 P.-de-D. 73 ③ – 4 721 h alt. 490.
ris 363 – ♦Clermont-Ferrand 59 – Guéret 84 – Montluçon 29 – Moulins 70 – Vichy 57.

Le St-Joseph, r. J. Jaurès ✆ 73 85 21 50, Fax 73 85 47 73 – TV ☎ ♿ P – 25. AE GB
Repas 60/180 ♂, enf. 40 – ☕ 25 – **29 ch** 215/260 – ½ P 190/210.

TROEN Gar. Mercier, 1 r. J.-Jaurès ✆ 73 85 03 68
UGEOT Gar. H et W, rte des Nigonnes
73 85 03 92
UGEOT Gar. St-Christophe, 112 r. J.-Jaurès
73 85 06 60

RENAULT Gar. Gidel, N 144 "La Boule"
✆ 73 85 06 83 N ✆ 73 85 16 16

T-EMILION 33330 Gironde 75 ⑫ **G. Pyrénées Aquitaine** (plan) – 2 799 h alt. 30.
oir Site★★ – Église monolithe★ – Cloître des Cordeliers★ – ←★ de la tour du château du Roi.
Office de Tourisme pl. Créneaux ✆ 57 24 72 03, Fax 57 74 47 15.
ris 585 – ♦Bordeaux 41 – Bergerac 57 – Langon 48 – Libourne 8 – Marmande 60.

Host. Plaisance (Quilain), pl. Clocher ✆ 57 24 72 32, Fax 57 74 41 11, – ▤ ☎ – 35. AE ◑ GB
fermé janv. – **Repas** 140/270 – ☕ 56 – **12 ch** 500/790
Spéc. Eventail d'esturgeon des Landes au caviar. Aiguillettes de pigeonneau fermier rosé, sauce salmis (1er fév. au 15 oct.). Escalope de foie gras de canard aux nouilles fraîches. **Vins** Saint-Emilion.

Aub. de la Commanderie sans rest, r. Cordeliers ✆ 57 24 70 19, Fax 57 74 44 53 – |‡| TV ☎. GB.
fermé 15 janv. au 15 fév. – ☕ 45 – **17 ch** 270/450.

Logis des Remparts sans rest, r. Guadet ✆ 57 24 70 43, Fax 57 74 47 44, – TV ☎ P. GB.
fermé 15 déc. au 15 janv. – ☕ 48 – **17 ch** 320/498.

Palais Cardinal, pl. 11 Novembre 1918 ✆ 57 24 72 39, Fax 57 74 47 54, , , – TV ☎ . GB. ch
1er avril-30 nov. – **Repas** *(fermé merc.)* 79/198, enf. 60 – ☕ 47 – **17 ch** 315/380 – ½ P 345/365.

XX **Francis Goullée,** r. Guadet ✆ 57 24 70 49, Fax 57 74 47 96 – GB
fermé 27 nov. au 11 déc., lundi du 1er oct. au 25 mars et dim. soir – **Repas** 120/230 ♁.

XX **Le Tertre,** r. Tertre de la Tente ✆ 57 74 46 33, Fax 57 74 49 87 – ▤. AE GB
fermé 4 nov. au 3 janv. – **Repas** 90 (déj.), 120/300.

X **Clos du Roy,** 12 r. Petite Fontaine ✆ 57 74 41 55, Fax 57 74 45 13 – GB
fermé fin fév. au 15 mars, dim. soir et merc. – **Repas** 95/260.

NO : 4 km par D 243 – ✉ **33330** St-Émilion :

Château Gd Barrail ⛭, ✆ 57 55 37 00, Fax 57 55 37 49, ≤, ⛱, « Château du 19e siè au milieu des vignobles », ⛱, ⛱ – |♿| ▤ TV ☎ ♿ P – 🏃 40. AE ◑ GB. ✂ rest
Repas 150 (déj.), 195/295 – ☕ 100 – **28 ch** 1100/1500 – ½ P 895/1045.

ST-ESTEBEN **64640** Pyr.-Atl. 85 ③ **G. Pyrénées Aquitaine** – 391 h alt. 100.
Paris 789 – Biarritz 47 – ♦Bayonne 33 – Orthez 53 – Pau 109 – St-Jean-Pied-de-Port 28.

XX **Chez Onésime,** ✆ 59 29 65 51, « Cadre rustique », ⛱ – P. GB
fermé merc. sauf juil.-août – **Repas** 100/250.

ST-ÉTIENNE P **42000** Loire 73 ⑲ 76 ⑨ **G. Vallée du Rhône** – 199 396 h Agglo. 313 338 h alt. 520.

Voir Le vieux St-Etienne★ : maisons sans escaliers★ (n° 54 et 56 rue Daguerre U 16) – Mus d'Art moderne★★ T **M** – Musée d'Art et d'Industrie : Armes★ Z – Puits Couriot★ U **M**1.

Env. Guizay ≤★★ S : 10 km V.

18 Golf Public de St-Etienne ✆ 77 32 14 63.

✈ de St-Étienne-Bouthéon : ✆ 77 36 54 79, par ⑤ : 15 km.

i Office de Tourisme pl. Roannelle ✆ 77 25 12 14, Fax 77 32 71 28 – Automobile Club du Forez 9 r. Gén. F ✆ 77 32 55 99, Fax 77 32 18 44.

Paris 520 ① – ♦Clermont-Ferrand 147 ④ – ♦Grenoble 158 ① – ♦Lyon 60 ① – Valence 118 ②.

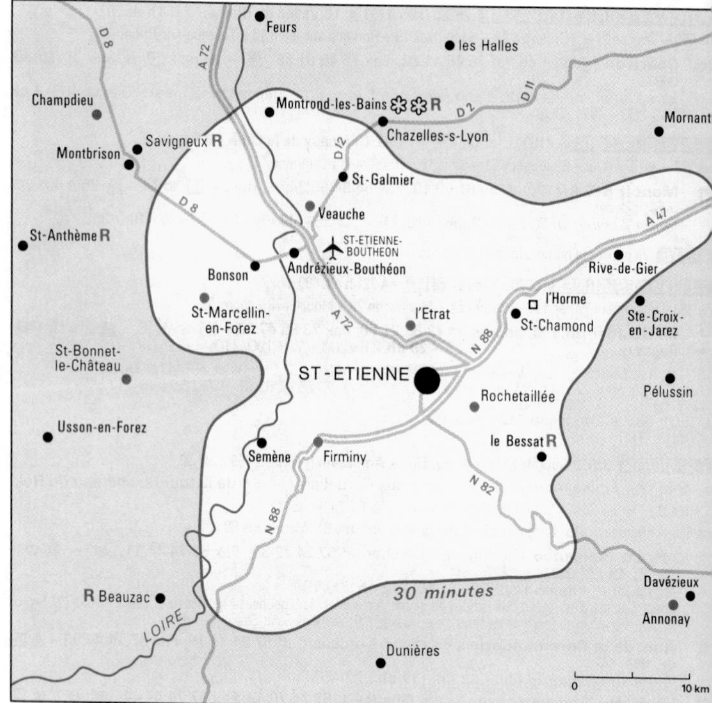

Mercure Parc de l'Europe, r. Wuppertal SE du plan, par cours Fauriel ✉ 421(✆ 77 42 81 81, Télex 300050, Fax 77 42 81 89, ⛱ – |♿| ⇆ ▤ rest TV ☎ ✆ 🚗 P 🏃 200. AE ◑ GB U
La Ribandière : *(fermé août, 23 déc. au 2 janv., sam. et dim.)* **Repas** 140/210, enf. 50 – ☕ 5 – **120 ch** 480/540.

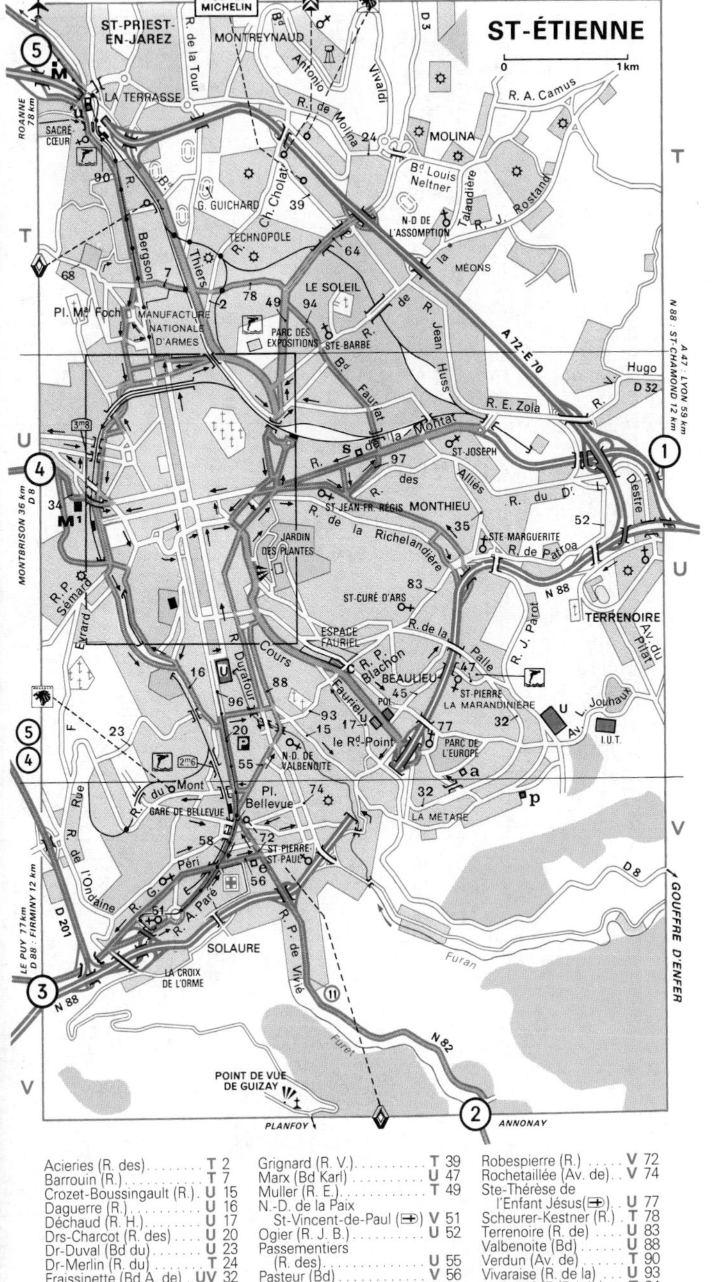

Acieries (R. des) . . . . T 2
Barrouin (R.) . . . . T 7
Crozet-Boussingault (R.) . U 15
Daguerre (R.) . . . . U 16
Déchaud (R. H.) . . . . U 17
Drs-Charcot (R. des) . . . . U 20
Dr-Duval (Bd du) . . . . U 23
Dr-Merlin (R. du) . . . . T 24
Fraissinette (Bd A. de) . UV 32
Franchet-d'Esperey (Bd Mar.) . . . . U 34
Gauthier-Dumont (R.) . . . U 35
Grignard (R. V.) . . . . T 39
Marx (Bd Karl) . . . . U 47
Muller (R. E.) . . . . T 49
N.-D. de la Paix St-Vincent-de-Paul (⊞) V 51
Ogier (R. J. B.) . . . . U 52
Passementiers (R. des) . . . . U 55
Pasteur (Bd) . . . . V 56
Péri (R. G.) . . . . V 58
Pompidou (Bd G.) . . . . T 64
Revollier (R. J.-J.) . . . . T 68
Robespierre (R.) . . . . . V 72
Rochetaillée (Av. de) . . V 74
Ste-Thérèse de l'Enfant Jésus (⊞) . . U 77
Scheurer-Kestner (R.) . T 78
Terrenoire (R. de) . . . . U 83
Valbenoite (Bd) . . . . U 88
Verdun (Av. de) . . . . T 90
Vivaraise (R. de la) . . . U 93
8-Mai-1945 (Bd du) . . . T 94
11-Novembre (R. du) . U 96
38e-R.-I. (Bd du) . . . . . U 97

X
Y
Z
ST-JEAN-BAPTISTE
GARE CARNOT
Thierry
Ampère
Janin
Lavoisier
LA NATIVITÉ
CRÊT DE ROC
Marengo
Gonnet
Musset
Malon
Balay
Gaulle
Salengro
l'Eternité
Pl. P. Painlevé
Pl. J. Jaurès
ST-CHARLES
Prairie
d'Arcole
Blanqui
Paix
Briand
Rondet
Teissier
STE-MARIE
Cours
Mendès
France
Av. A. Dupré
Grand' Eglise
Pl. J. Merlat
ST-ENNEMOND
N-DAME
Nautin
ST-LOUIS
Hugo
Michelet
Gambetta
Sémard
Paillon
Beaudurn
Pl. Raspail
BEAUBRUN
Sablière
Franklin
Musée d'Art et d'Industrie
Delaroa
Claude
Bernard
Tardy
D 8
D 88
0
200 m

ST-ÉTIENNE

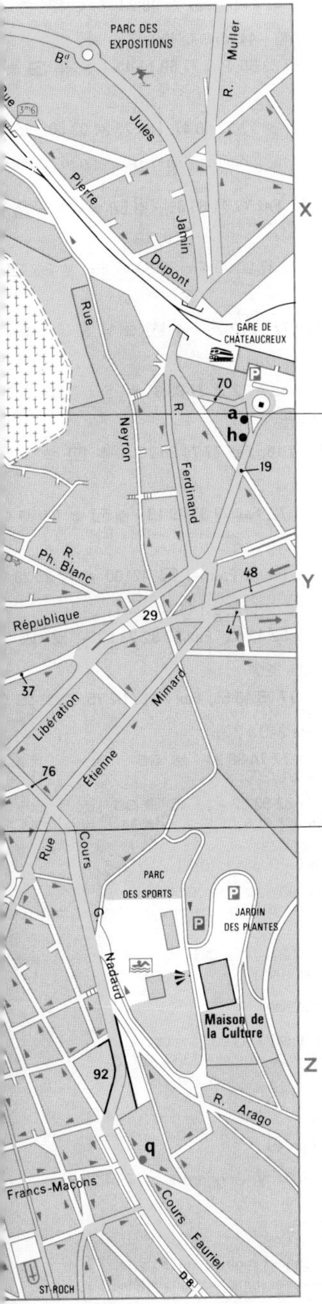

Bérard (R. P.) . . . . Y 8
Foy (R. Gén.) . . . . Y 30
Gambetta (R.) . . . . Z
Gaulle (R. Ch.-de) X
Gervais (R. E.) . . . . Y 37
Grand-Moulin (R. du) . . . . Y 38
Hôtel-de-Ville (Pl. de l') . . . . Y 40
Libération (Av. de la) . . . . Y
Michelet (R.) . . . . Z
Peuple (Pl. du) . . . . Z 60
Président-Wilson (R.) . . . . Y 65
République (R. de la) . . . . Y
Résistance (R. de la) . . . . Y 67

Albert-1er (Bd) . . . . X 3
Alliés (R. des) . . . . Y 4
Ampère (R.) X
Anatole-France (Pl.) . . . . Z 5
Arago (R.) . . . . Z
Arcole (R. d') . . . . Y
Badouillère (R. de la) . . . . Z 6
Balay (R.) X
Beaubrun (R.) . . . . Z
Bergson (R.) . . . . X 9
Bernard (R. M.) . . . . Z
Blanc (R. Ph.) . . . . Y
Blanqui (R.) . . . . Y
Boivin (Pl.) . . . . Y 12
Briand et de la Paix (R. A.) . . . . Y
Chavanelle (Pl.) . . . . Z 13
Claude (R. D.) . . . . Z
Coin (R. du) . . . . Y
Comte (Pl. Louis) . . . . Z 14
Delaroa (R. Cl.) . . . . Z
Denfert-Rochereau (Av.) . . . . Y 19
Dormoy (R. M.) . . . . Y 25
Dupont (R. P.) X
Dupré (Av. A.) . . . . Y
Dupré (R. G.) . . . . Y 26
Escoffier (R. D.) . . . . Y 27
Éternité (R. de l') . . . . XY
Fauriel (Cours) . . . . Z
Ferdinand (R.) . . . . XY
Fougerolle (R.) . . . . Z 28
Fourneyron (Pl.) . . . . Y 29
Foyatier (R.) . . . . Y
Francs-Maçons (R. des) . . . . Z
Franklin (R.) . . . . Z
Grand-Gonnet (R. du) . . . . XY
Jacquard (Pl.) . . . . Y 42
Janin (Bd J.) X
Jaurès (Pl. J.) . . . . Y
Krumnow (Bd F.) . . . . Y 44
Lavoisier (R.) X
Loubet (Av. E.) . . . . YZ 45
Malon (R. B.) X
Marengo (R.) X
Martyrs-de-Vingré (R. des) . . . . Z 46
Mendès-France (Crs) . . . . YZ
Merlat (Pl. J.) . . . . Z
Mimard (R. E.) . . . . YZ
Montat (R. de la) . . . . Y 48
Muller (R.) X
Musset (Bd A.-de) . . . . XY
Nadaud (Crs G.) . . . . Z
Nautin (R. L.) . . . . Z
Neuve (Pl.) . . . . Z 50
Neyron (R.) . . . . XY
Paillon (R.) . . . . Z
Painlevé (Pl. P.) . . . . Y
Pointe-Cadet (R.) . . . . Z 62
Praire (R.) . . . . Y
Raspail (Pl.) . . . . Z
Rivière (R. du Sergent) . . . . X 70
Rondet (R. M.) . . . . Y
Sablière (R. de la) . . . . Z
Sadi-Carnot (Pl.) . . . . X 75
Salengro (R. R.) . . . . XY
Sauzéa (R. H.) . . . . Y 76
Sernard (R. P.) . . . . Z
Servet (R. M.) . . . . Y 82
Tardy (R. de) . . . . Z
Teissier (R. G.) . . . . Y
Théâtre (R. du) . . . . Z 84
Thierry (R. A.) X
Thomas (Pl. A.) . . . . Z 85
Ursules (Pl. des) . . . . Z 87
Victor-Hugo (Crs) . . . . Z
Ville (R. de la) . . . . Y 91
Villebœuf (Pl.) . . . . Z 92

Albatros M, face au golf par r. Revollier T ☏ 77 41 41 00, Fax 77 38 28 16, ≤, – 60. AE GB
fermé 23 déc. au 7 janv. – **Repas** 110/175 – ☐ 48 – **44 ch** 390/450.

Midi sans rest, 19 bd Pasteur ✉ 42100 ☏ 77 57 32 55, Fax 77 59 11 43 – AE GB V
fermé août – ☐ 44 – **33 ch** 310/380.

Terminus du Forez, 31 av. Denfert-Rochereau ☏ 77 32 48 47, Fax 77 34 03 30 – rest – 30. AE GB JCB Y
Repas *(fermé 28 août au 25 sept., 25 déc. au 1er janv., lundi midi, sam. midi et dim.)* 98/19
☐ 50 – **65 ch** 280/380.

Ténor M sans rest, 12 r. Blanqui ☏ 77 33 79 88, Fax 77 41 69 81 – GB Y
☐ 36 – **68 ch** 302.

Ibis M sans rest, 35 av. Denfert-Rochereau ☏ 77 37 90 90, Fax 77 38 47 65 – GB Y
☐ 36 – **88 ch** 300/340.

Valrhôtel M, 77 r. Montat ☏ 77 21 12 21, Fax 77 41 57 28 – AE GB U
Repas 84/110, enf. 39 – ☐ 32 – **70 ch** 290 – ½ P 228.

Ibis, 35 pl. Massenet, NO du plan par bd Thiers ou A 72 ☏ 77 93 31 87, Fax 77 93 71 2 rest – 100. GB T
Repas 99 bc/109, enf. 41 – ☐ 35 – **85 ch** 300/335.

Carnot sans rest, 11 bd J. Janin ☏ 77 74 27 16, Fax 77 74 25 79 – GB X
☐ 40 – **24 ch** 195/275.

Cheval Noir sans rest, 11 r. F. Gillet ☏ 77 33 41 72, Fax 77 37 79 19 – AE JCB Y
fermé 10 au 27 août – ☐ 32 – **45 ch** 150/270.

XXX **Clos des Lilas,** 28 r. Virgile SE du plan par cours Fauriel ✉ 42100 ☏ 77 25 28 Fax 77 41 58 91, – GB V
fermé août et vacances de fév. – **Repas** 185/400 et carte 250 à 410.

XXX **André Barcet,** 19 bis cours V. Hugo ☏ 77 32 43 63, Fax 77 32 23 93 – AE GB Z
fermé 14 au 31 juil. – **Repas** 165/320 et carte 240 à 380.

XXX **Le Chantecler,** 5 cours Fauriel ✉ 42100 ☏ 77 25 48 55, Fax 77 37 62 75 – AE GB Z
fermé août, sam. et dim. – **Repas** 138/205 et carte 240 à 300.

XX **Le Régency,** 17 bd J. Janin ☏ 77 74 27 06, Fax 77 74 98 24 – GB X
fermé août, dim. soir, lundi soir et sam. – **Repas** 120/200.

XX **Le Bouchon,** 7 r. Robert ☏ 77 32 93 32, Fax 77 32 93 32 – AE GB Y
fermé 6 au 28 juil., dim. sauf le midi d'oct. à Pâques et sam. midi – **Repas** 98 (déj.)/340.

X **Le Gratin,** 30 r. St-Jean ☏ 77 32 32 60 – AE GB JCB Y
fermé 1er au 22 août, sam. midi, dim. soir et lundi – **Repas** 72 (déj.), 90/196.

X **Praire,** 14 r. Praire ☏ 77 37 85 74, Fax 77 38 81 90 – GB. Y
fermé 11 au 20 mai, 11 au 20 août, dim. sauf le midi de sept. à avril, sam. midi et lundi mic
Repas - produits de la mer - 98 (déj.)/150.

X **Hubert Chaurand,** 13 pl. Massenet ☏ 77 93 62 21, – GB T
fermé 12 au 25 août, dim. soir et sam. – **Repas** 95/258.

à l'Étrat N : 5 km par D 11 – 2 524 h. alt. 460 – ✉ **42580** :

XX **Yves Pouchain,** rte St-Héand ☏ 77 93 46 31, Fax 77 93 90 71 – GB
fermé 16 au 30 août, 17 au 23 fév., dim. soir et lundi – **Repas** 95/380, enf. 75.

à Rochetaillée SE : 8 km par D 8 – ✉ **42100** :

X **Le Coissou,** ☏ 77 32 88 48, ≤ – AE GB
fermé août, sam. midi et dim. – **Repas** 99/270, enf. 49.

MICHELIN, Agence Régionale, ZI de Montreynaud, 9 r. V.-Grignard T ☏ 77 74 22 88

TROEN Succursale, 1 r. V.-Grignard T 77 92 28 40 N ✆ 77 37 22 64
AT Autorama 42, ZI de Montreynaud, r. J.-Neyret 77 79 08 45
RD E.D.A., ZI de Montreynaud, 17-19 r. -Delory ✆ 77 74 42 44
ERCEDES Alcia St-Etienne, r. J.-Snella 77 92 13 92
PEL St-Étienne Autom., 50 rue D.-Claude 77 32 50 25
UGEOT Gar. Boniface, 24 à 28 r. Mont 77 57 17 37 N ✆ 77 88 34 94
UGEOT Gar. Boniface, ZI de Montreynaud, -15 r. G.-Delory ✆ 77 74 74 66 N ✆ 77 88 34 94
ENAULT Bellevue Automobile, 1 r. Thimonier V 77 57 28 28

RENAULT Succursale, 5 r. C.-Oddé T ✆ 77 43 49 49 N ✆ 05 05 15 15
VAG Gar. Rocle, 6 r. E.-Mimard ✆ 77 25 40 28
Fournier Autocenter, 1 et 3 r. Nicéphore Niepce ✆ 77 57 25 13

Euromaster, 36 r. Montat ✆ 77 33 06 20
Euromaster, 22 r. J.-Neyret ✆ 77 33 06 81
Métifiot, ZI de Montreynaud, 12 r. V.-Grignard ✆ 77 79 06 03
Philibert Pneus, à la Talaudière ✆ 77 53 07 19
Pneu Rhône Alpes Vulcopneu, 22 r. Voltaire ✆ 77 25 44 05
Pneu Rhône Alpes Vulcopneu, 2 r. J.-Snella ✆ 77 74 42 66

ST-ÉTIENNE-DE-BAÏGORRY **64430** Pyr.-Atl. 85 ③ **G. Pyrénées Aquitaine** – 1 565 h alt. 163.

oir Église St-Etienne*.

Office de Tourisme pl. Église ✆ 59 37 47 28.

ris 820 – Biarritz 53 – Cambo-les-Bains 31 – Pau 109 – St-Jean-Pied-de-Port 11.

Arcé ⑤, ✆ **59 37 40 14, Fax 59 37 40 27**, « **Terrasse au bord de l'eau** », – TV ☎ P. GB
mi-mars-mi-nov. – **Repas** *(fermé lundi midi hors sais. sauf vacances scolaires et fériés)* (dim. prévenir) 110/260, enf. 60 – ☐ 47 – **24 ch** 420/680 – ½ P 400/540.

ST-ÉTIENNE-DE-FURSAC **23** Creuse 72 ⑧ – rattaché à La Souterraine.

ST-ÉTIENNE-LES-ORGUES **04230** Alpes-de-H.-P. 81 ⑮ **G. Alpes du Sud** – 1 091 h alt. 700.

Syndicat d'Initiative ✆ 92 76 02 57.

ris 736 – Digne-les-Bains 46 – Forcalquier 17 – Sault 47 – Sisteron 30.

St-Clair ⑤, S : 2 km par D 13 ✆ **92 73 07 09, Fax 92 73 12 60**, ≤, – ☎ P. GB. ch
1er mars-31 oct. – **Repas** 80/170, enf. 50 – ☐ 37 – **30 ch** 212/388 – ½ P 217/313.

ST-FARGEAU-PONTHIERRY **77** S.-et-M. 61 ① – rattaché à Ponthierry.

ST-FÉLIX-LAURAGAIS **31540** H.-Gar. 82 ⑲ **G. Pyrénées Roussillon** – 1 177 h alt. 332.

oir Site*.

Office de Tourisme ✆ 62 18 96 99, Mairie ✆ 61 83 01 71, Fax 62 18 90 84.

ris 740 – ♦Toulouse 42 – Auterive 45 – Carcassonne 61 – Castres 36 – Gaillac 65.

✿ **Aub. du Poids Public** (Taffarello), ✆ **61 83 00 20, Fax 61 83 86 21**, ≤, – TV ☎ P – 25. AE GB
fermé janv. et dim. soir d'oct. à avril – **Repas** 135/305 et carte 250 à 380 – ☐ 42 – **13 ch** 250/295 – ½ P 265/300
Spéc. Foie gras cuit au torchon. Quasi de veau du Lauragais au jus. Millefeuille au chocolat. **Vins** Gaillac.

ST-FERRÉOL **31** H.-Gar. 82 ⑳ – rattaché à Revel.

ST-FIRMIN **05800** H.-Alpes 77 ⑯ **G. Alpes du Nord** – 408 h alt. 901.

ris 645 – Gap 31 – Corps 11 – ♦Grenoble 75 – La Mure 36 – St-Bonnet-en-Champsaur 18.

au Séchier E : 4 km – ✉ **05800** St-Firmin :

Loubet ⑤, ✆ **92 55 21 12, Fax 92 55 32 72**, ≤, – ☎ P
15 juin-fin sept. – **Repas** 57/158, enf. 50 – ☐ 25 – **23 ch** 192/277 – ½ P 188/272.

ST-FLORENT **2B** H.-Corse 90 ③ – voir à Corse.

ST-FLORENTIN **89600** Yonne 61 ⑮ **G. Bourgogne** – 6 433 h alt. 120.

oir Vitraux* de l'église E.

Office de Tourisme 8 r. de la Terrasse ✆ 86 35 11 86.

ris 162 ④ – Auxerre 33 ③ – Troyes 51 ① – Chaumont 137 ② – ♦Dijon 162 ② – Sens 42 ④.

Plan page suivante

Tilleuls ⑤, 3 r. Decourtive **(s)** ✆ **86 35 09 09, Fax 86 35 36 90**, – TV ☎ P. AE GB
fermé 29 déc. au 4 janv., 11 fév. au 4 mars, lundi (sauf hôtel) et dim. soir de sept. à mai – **Repas** 80 (déj.), 120/240, enf. 60 – ☐ 38 – **9 ch** 225/320.

XXX ✿ **Grande Chaumière** (Bonvalot) M ⑤ avec ch, 3 r. Capucins **(a)** ✆ **86 35 15 12, Fax 86 35 33 14**, – TV ☎ P. AE GB. ch
fermé 27 août au 2 sept., jeudi midi et merc. de sept. à mai – **Repas** 135 (déj.), 210/495 et carte 320 à 420 – ☐ 54 – **11 ch** 400/550 – ½ P 550
Spéc. Gâteau de ris de veau au velouté de céleri. Queues de langoustines au safran et au riz. Rognons de veau en meurette. **Vins** Coulanges-la-Vineuse, Rosé des Riceys.

ST-FLORENTIN

Grande-Rue 5
St-Martin (R.) 15

Aval (R. du Fg-d') 2
Dilo (Pl.) 3
Dilo (R. du Fg) 4
Guimbarde (R. de la) 6
Halle (Pl. de la) 7
Landrecies (Fg) 9
Leclerc (R. Gén.) 10
Montarmance (R.) 12
Pont (R. du) 13
Rempart (R. Basse-du) 14
St-Martin (R. du Fg) 17

Une réservation confirmée par écrit est toujours plus sûre.

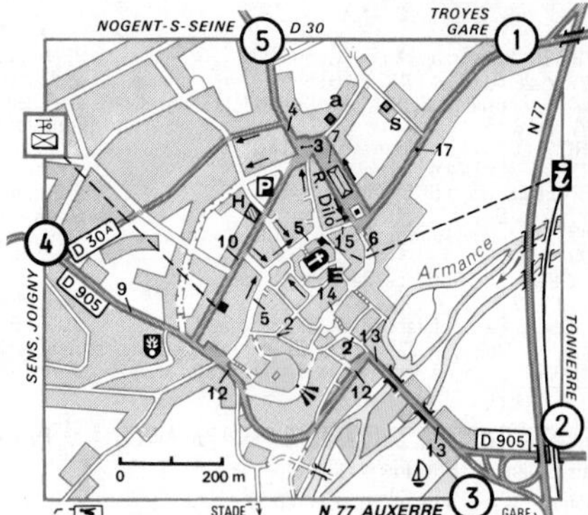

à ***Neuvy-Sautour*** par ① : 7 km – 959 h. alt. 157 – ✉ **89570** :

XX **Dauphin,** ✆ 86 56 30 01, Fax 86 56 40 00, – P. GB
fermé dim. soir et lundi d'oct. à avril sauf fériés – **Repas** 95/220, enf. 60.

aux Pommerats par ⑤, rte de Venizy et D 129 : 4 km – ✉ **89210** Venizy :

Moulin des Pommerats ⛰, ✆ 86 35 08 04, Fax 86 43 47 88, – TV ☎ P – 3
GB
fermé dim. soir et lundi hors sais. – **Repas** 99/195 – ☕ 38 – **19 ch** 290/450 – ½ P 290/320.

CITROEN Gar. Bleu, rte de Troyes ✆ 86 35 12 52 N ✆ 86 35 32 49
PEUGEOT Gar. de l'Europe, av. 8 Mai par ④ ✆ 86 35 06 05 N ✆ 86 35 12 81
RENAULT Gar. Autoflo, rte de Paris par ④ ✆ 86 35 06 26 N ✆ 05 05 15 15

Auto Service Pneumatiques, 5-7 r. de Lancôme ✆ 86 43 43 33

ST-FLORENT-LE-VIEIL **49410** M.-et-L. 63 ⑲ **G. Châteaux de la Loire** – 2 511 h alt. 45.

Voir Tombeau★ dans l'église – Esplanade ≤★.

Office de Tourisme à la Mairie ✆ 41 72 62 32.

Paris 336 – ◆Angers 42 – Ancenis 15 – Châteaubriant 67 – Château-Gontier 63 – Cholet 37.

Host. de la Gabelle, ✆ 41 72 50 19, Fax 41 72 54 38, ≤ – TV ☎. AE GB
fermé vend. soir en hiver (sauf rest.) et dim. soir – **Repas** 80/250, enf. 40 – ☕ 30 – **20 c**
180/250 – ½ P 215.

PEUGEOT Gar. Alloyer, ✆ 41 72 50 07

ST-FLOUR SP **15100** Cantal 76 ④ ⑭ **G. Auvergne** – 7 417 h alt. 783.

Voir Site★★ – Cathédrale★ B – Brassard★ dans le musée de la Haute Auvergne B **H** – Plateau c
la Chaumette : calvaire ≤★ S : 3 km par D 40 puis 30 mn.

Office de Tourisme av. du Dr. Mallet ✆ 71 60 22 50, Fax 71 60 05 14.

Paris 517 ① – Aurillac 73 ④ – Issoire 64 ① – Millau 131 ② – Le Puy-en-Velay 109 ① – Rodez 115 ③.

Plan page ci-contre

Ville basse :

L'Étape (Annexe 11 ch), 18 av. République par ② ✆ 71 60 13 03, Fax 71 60 48 05 –
TV ☎. AE GB JCB
fermé 25 déc. au 15 janv. – **Repas** *(fermé dim. soir et lundi hors sais.)* 90/280 – ☕ 42 – **34 c**
120/430 – ½ P 250/320.

Les Messageries et rest. Nautilus, 23 av. Ch. de Gaulle par ② ✆ 71 60 11 3
Fax 71 60 46 79, – TV ☎ P. GB
fermé 20 janv. au 16 fév., sam. midi et vend. d'oct. à Pâques sauf vacances scolaires
Repas 80 bc/370, enf. 60 – ☕ 50 – **17 ch** 200/390 – ½ P 245/275.

St-Jacques, 8 pl. Liberté ✆ 71 60 09 20, Fax 71 60 33 81, – TV ☎. GB B
fermé 11 nov. au 5 janv., vend. soir et sam. midi de nov. à Pâques – **Repas** 90/230, enf. 50
☕ 40 – **28 ch** 250/400 – ½ P 260/300.

Aub. La Providence, 1 r. Château d'Alleuze par D 40 (sud du plan) ✆ 71 60 12 0
Fax 71 60 33 94 – TV ☎ P. AE GB. rest
fermé 15 oct. au 15 nov., 1er au 10 janv., lundi midi en été, sam. midi et vend. en hiver
Repas 90/160 – ☕ 35 – **10 ch** 250/280 – ½ P 260/280.

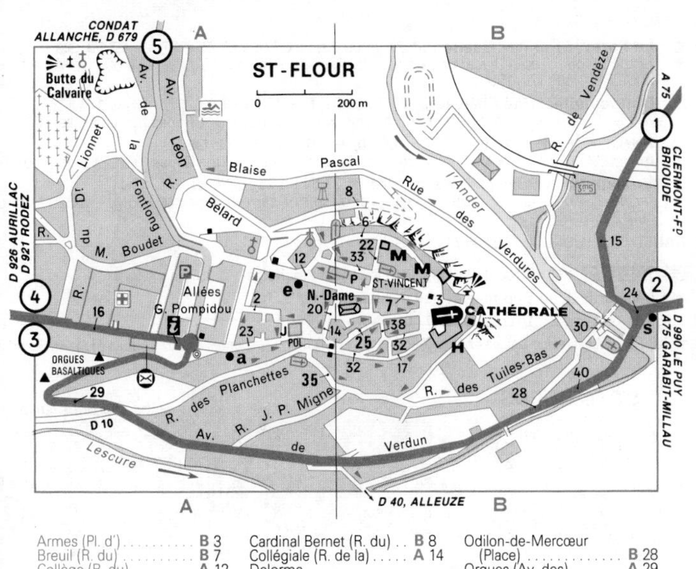

Armes (Pl. d') . . . . B 3
Breuil (R. du) . . . . B 7
Collège (R. du) . . . . A 12
Lacs (R. des) . . . . A 23
Liberté (Pl. de la) . . . . B 24
Marchande (R.) . . . . B 25

Agials (R. des) . . . . A 2
Belloy (R. de) . . . . B 6

Cardinal Bernet (R. du) . . B 8
Collégiale (R. de la) . . . . . A 14
Delorme (Av. du Cdt) . . . . B 15
Dr Mallet (Av. du) . . . . . . A 16
Frauze (R. de la) . . . . B 17
Halle-aux-Bleds (Pl. de la) . . . . AB 20
Jacobins (R. des) . . . . B 22

Odilon-de-Mercœur (Place) . . . . B 28
Orgues (Av. des) . . . . A 29
Pont-Vieux (R. du) . . . . . . B 30
Rollandie (R. de la) . . . . . B 32
Sorel (R.) . . . . B 33
Thuile-Haut (R. du) . . . . . B 35
Traversière (R.) . . . . B 38
11-Novembre (Av. du) . . B 40

Ville haute :

Europe, 12 cours Ternes ☏ 71 60 03 64, Fax 71 60 03 45, ≤ vallée – 🛗 TV ☎ 🚗. GB
fermé 9 au 25 janv. – **Repas** 79/260 – ☕ 40 – **45 ch** 250/360 – ½ P 210/310. A **a**

Gd H. Voyageurs, 25 r. Collège ☏ 71 60 34 44, Fax 71 60 00 21 – 🛗 TV ☎ 🚗. ⓓ GB A **e**
Pâques-1er nov. – **Repas** 88/220, enf. 55 – ☕ 37 – **33 ch** 150/360 – ½ P 190/300.

ITROEN Gar. Bardoux, 47 av. République par ②
☏ 71 60 12 39
AT Gar. des Orgues, Av. de Verdun
☏ 71 60 34 76
ORD Saint Flour Autom., Les Rosiers, échangeur
ord ☏ 71 60 21 25
ADA, OPEL Gar. Universel, 1 r. M.-Boudet
☏ 71 60 09 64

PEUGEOT Montplain Autom., av. Lioran, ZI Montplain par ④ ☏ 71 60 02 43 N ☏ 71 60 18 85
RENAULT Gar. Berthet, Av. République par ② ☏ 71 60 01 81
SEAT Gar. Teissedre, ZI Montplain, rte d'Aurillac ☏ 71 60 20 66 N ☏ 71 60 10 35

ST-FRANÇOIS-LONGCHAMP **73130** Savoie 74 ⑰ **G. Alpes du Nord** – 236 h alt. 1400 – Sports d'hiver : 415/2 550 m ⛷16.

Office de Tourisme, Maison du Tourisme ☏ 79 59 10 56, Fax 79 59 13 67.

aris 615 – Albertville 61 – Chambéry 73 – Moûtiers 36 – St-Jean-de-Maurienne 24.

Station Haute : Longchamp – ✉ **73130** La Chambre.

Office de Tourisme (saison) ☏ 79 59 10 56, Fax 79 59 13 67.

Cheval Noir, ☏ 79 59 10 88, Fax 79 59 10 00, ≤, 🌳 – TV ☎ P. GB. ✂ rest
1er juil.-31 août et 20 déc.-20 avril – **Repas** 98/180, enf. 52 – ☕ 40 – **20 ch** 280/360, 7 duplex – ½ P 360/405.

ST-GALMIER **42330** Loire 73 ⑱ **G. Vallée du Rhône** – 4 272 h alt. 400.

oir Vierge du Pilier★ et triptyque★ dans l'église.

Office de Tourisme bd Sud ☏ 77 54 06 08, Fax 77 54 06 07.

aris 501 – ◆St-Étienne 23 – ◆Lyon 59 – Montbrison 23 – Montrond-les-Bains 10,5 – Roanne 60.

La Charpinière M 🐎, ☏ **77 54 10 20, Fax 77 54 18 79,** 🌳, **parc,** 🏊, 🎾 – TV ☎ P – 🏛 35. AE ⓓ GB. ✂ rest
Repas 95/230 – ☕ 48 – **34 ch** 410 – ½ P 350.

Le Forez, 6 r. Didier Guetton ✆ 77 54 00 23, Fax 77 54 07 49 – TV ☎. AE ① GB
fermé 16 au 31 août, vacances de fév. et dim. soir – **Repas** 61/171 ♁, enf. 50 – ☐ 40 – **17 ch** 200/280 – ½ P 170/190.

Bougainvillier, Pré Château ✆ 77 54 03 31, Fax 77 94 95 93, ☂ – ▤. GB
fermé 12 août au 5 sept., vacances de fév., dim. soir et lundi – **Repas** (prévenir) 90/270.

Poste, r. Maurice André ✆ 77 54 00 30, ≤, ☂ – ▤. AE ① GB
fermé 22 juil. au 8 août, 15 janv. au 8 fév., merc. soir et jeudi – **Repas** (dim. prévenir) 80/295.

Voyageurs avec ch, pl. Hôtel de Ville ✆ 77 54 00 25, ☂ – ☎ ⛟. GB
fermé 1er au 25 août, 1er au 20 janv., vend. soir et sam. – **Repas** 66/156 ♁ – ☐ 25 – **11 ch** 150/215.

RENAULT Gar. Pailleux, ✆ 77 54 06 71

ST-GAUDENS

31800 H.-Gar. 86 ① G. Pyrénées Aquitaine – 11 266 h alt. 405.

Voir Boulevards Jean-Bepmale et des Pyrénées ≤★ Z.

Office de Tourisme 2 r. Thiers ✆ 61 94 77 61, Fax 61 94 77 50.

Paris 785 ② – Bagnères-de-Luchon 47 ④ – Auch 74 ① – Foix 87 ② – Lourdes 83 ⑤ – Tarbes 63 ⑤ – ✦Toulouse 89 ②.

ST-GAUDENS

République (R. de la) Y 14
Thiers (R.) Y 15
Victor-Hugo (R.) Z

Boulogne (Av. de) Y 2
Compagnons-du-Tour de-France (R. des) Y 3
Foch (Av. Mar.) Z 4
Isle (Av. de l') Y 5
Jaurès (Pl. Jean) YZ 6
Joffre (Av. Mar.) Z 7
Leclerc (Av. Gén.) Y 8
Mathe (R.) Y 9
Palais (Pl. du) Y 10
Pasteur (Bd) Y 12
Pyrénées (Bd des) Z 13
Toulouse (Av. de) Y 16

Les guides Rouges, les guides Verts et les cartes Michelin sont complémentaires. Utilisez-les ensemble.

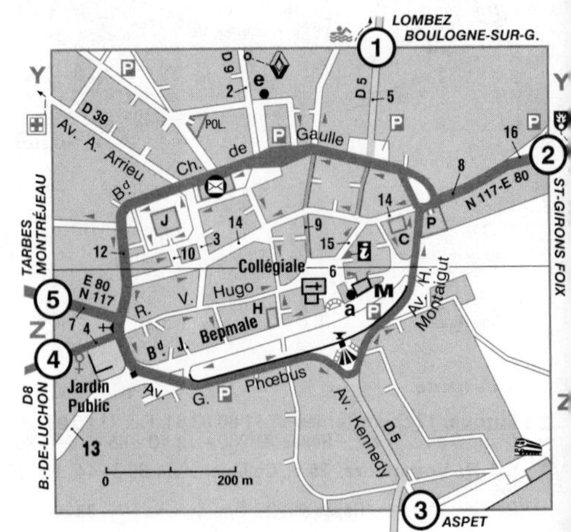

Commerce, av. Boulogne ✆ 61 89 44 77, Fax 61 95 06 96 – |♦| ▤ TV ☎ ♿ ⛟. AE ① GB — Y e
fermé 23 déc. au 1er fév. – **Repas** 85/210 ♁, enf. 60 – ☐ 45 – **49 ch** 230/380 – ½ P 220/280.

Esplanade sans rest, 7 pl. Mas St-Pierre ✆ 61 89 15 90 – |♦| ☎. GB — Z a
☐ 35 – **12 ch** 200/300.

CITROEN G.A.M., av. de Toulouse par ② ✆ 61 95 13 69 N ✆ 05 05 24 24
FORD SORVA, N 117 à Landorthe ✆ 61 89 23 79 N ✆ 61 89 43 10
PEUGEOT Gar. Comet, N 117 à Landorthe par ② ✆ 61 94 72 22
RENAULT S.I.A.C., 14 av. de Boulogne ✆ 61 94 77 94 N ✆ 61 95 07 07
VAG Gar. Dambax, N 117 à Estancarbon ✆ 61 95 43 43

Comptoir du Pneu Vulcopneu, 162 av. de Toulouse ✆ 61 89 28 25
Euromaster, 5 pl. Mar.-Juin ✆ 61 89 11 24
Pyrénées Pneus Point S, N 117 à Villeneuve-de-Rivière ✆ 61 95 58 58 N ✆ 61 95 58 58

ST-GENIEZ-D'OLT

12130 Aveyron 80 ④ G. Gorges du Tarn – 1 988 h alt. 410.

Office de Tourisme les Cloîtres ✆ 65 70 43 42.

Paris 627 – Rodez 47 – Espalion 26 – Florac 80 – Mende 69 – Sévérac-le-Château 24.

France, ✆ 65 70 42 20, Fax 65 47 41 38 – |♦| TV ☎ ✆. GB
20 mars-1er nov. – **Repas** 70/175 ♁ – ☐ 32 – **48 ch** 245/285 – ½ P 270/290.

Poste ♨, ✆ 65 47 43 30, Fax 65 47 42 75, ☂, ⛱, ☂, ✂ – |♦| ☎ P. AE GB
1er avril-15 nov. – **Repas** 86/140 ♁, enf. 45 – ☐ 35 – **50 ch** 240/300 – ½ P 260/280.

RENAULT Gar. Crespo, ✆ 65 47 52 89
Gar. Fages, ✆ 65 70 41 40

T-GENIS-POUILLY 01630 Ain 70 ⑮ – 5 696 h alt. 445.

'is 523 – Bellegarde-sur-Valserine 26 – Bourg-en-Bresse 99 – Genève 11 – Gex 10.

XX **L'Amphitryon,** N : 2 km sur D 984 ᶜ ✆ 50 20 64 64, Fax 50 42 06 98, 🌳 – P. GB
fermé 1er au 17 août, 27 déc. au 12 janv., dim. soir et lundi – **Repas** 90 (déj.), 180/290.

XX **Auberge Charaux,** SO : 2 km sur D 984 ✉ 01710 Thoiry ✆ 50 42 29 38, Fax 50 28 21 25, ←, 🌳, 🌳 – P. AE ⓓ GB
fermé 1er au 15 juil., 23 déc. au 2 janv., 24 janv. au 10 mars, dim. soir et lundi – **Repas** 100/290, enf. 50.

'ROEN Gar. du Centre, ✆ 50 42 10 03 — RENAULT Gar. Pelletier, ✆ 50 42 12 91

T-GEORGES-DE-DIDONNE 17110 Char.-Mar. 71 ⑮ **G. Poitou Vendée Charentes** – 4 705 h alt. 7.

)ir Pointe de Vallières★ – Pointe de Suzac★ S : 3 km.

Office de Tourisme bd Michelet ✆ 46 05 09 73, Fax 46 06 39 99.

'is 505 – Royan 3 – Blaye 78 – ♦Bordeaux 117 – Jonzac 58 – La Rochelle 79.

Colinette 🐦, 16 av. Gde Plage ✆ 46 05 15 75, Fax 46 06 54 17, 🌳 – ☎. GB
15 fév. au 1er nov. – **Repas** *(dim. soir et lundi hors sais.)* 55/140, enf. 37 – ☕ 27 – **26 ch** 145/235 – ½ P 185/230.

Floréal 🐦, 10 allée Repos ✆ 46 05 08 12, Fax 46 06 30 70, 🌳 – ☎ P. ⓓ GB
Repas *(ouvert avril-sept.)* 65/120 🍷 – ☕ 27 – **18 ch** 150/260 – ½ P 235/250.

Printemps 🐦 sans rest, 7 av. Pelletan ✆ 46 05 14 65 – ☎ P. ❀
Pâques-fin sept. et vacances de Noël – ☕ 28 – **12 ch** 205/240.

T-GEORGES-DE-RENEINS 69830 Rhône 74 ① – 3 509 h alt. 209.

'is 420 – Mâcon 31 – Bourg-en-Bresse 47 – Chauffailles 47 – ♦Lyon 40 – Villefranche-sur-Saône 9.

Sables, r. Saône ✆ 74 67 64 08, Fax 74 67 68 23 – TV ☎ P. AE GB
Repas (dîner seul.) 69/92 🍷 – ☕ 24 – **18 ch** 120/185.

XX **Host. St-Georges,** N 6 ✆ 74 67 62 78, 🌳 – GB
fermé 1er au 24 août, vacances de Noël, mardi soir, dim. soir et merc. – **Repas** 73 (déj.), 107/239 🍷.

T-GEORGES-D'ESPÉRANCHE 38790 Isère 74 ⑫ – 2 221 h alt. 400.

ris 496 – ♦Lyon 35 – Bourgoin-Jallieu 21 – ♦Grenoble 88 – Vienne 21.

XX **Le Castel d'Espéranche,** ✆ 74 59 18 45, Fax 74 59 04 40, 🌳, 🌳 – P. AE GB
fermé 17 août au 5 sept., mardi soir et merc. – **Repas** 98 (déj.), 135/340, enf. 70.

:NAULT Gar. Berthon, ✆ 74 59 02 09 N ✆ 74 59 19 66

T-GEORGES-LA-POUGE 23250 Creuse 72 ⑩ – 328 h alt. 585.

ris 384 – Limoges 69 – Aubusson 21 – Bourganeuf 21 – Guéret 29 – Montluçon 71.

Domaine des Mouillères 🐦, N : 2 km par D 3 et rte secondaire ✆ 55 66 60 64, Fax 55 66 68 80, ←, 🌳, « Dans la campagne limousine », 🌳 – ☎ P. GB. ❀
20 mars-1er oct. – **Repas** (dîner seul.)(résidents seul.) carte environ 160 – ☕ 40 – **7 ch** 200/380.

T-GEORGES-SUR-LOIRE 49170 M.-et-L. 63 ⑲ ⑳ **G. Châteaux de la Loire** – 3 101 h alt. 50.

oir Château de Serrant★★ NE : 2 km.

ris 312 – ♦Angers 18 – Ancenis 33 – Châteaubriant 63 – Château-Gontier 54 – Cholet 46.

XX **Relais d'Anjou,** r. Nationale ✆ 41 39 13 38, Fax 41 39 13 69, 🌳 – AE GB
fermé 2 au 15 janv., 1er au 15 juil., dim. soir, mardi soir et lundi – **Repas** 105/325.

X **Tête Noire,** r. Nationale ✆ 41 39 13 12 – GB. ❀
fermé 1er au 21 août, 3 au 11 fév., vend. soir et sam. – **Repas** 72 (déj.), 107/250.

T-GERMAIN-DE-JOUX 01130 Ain 74 ④ ⑤ – 465 h alt. 507.

ris 488 – Bellegarde-sur-Valserine 11 – Belley 66 – Bourg-en-Bresse 59 – Nantua 13 – St-Claude 33.

Reygrobellet, N 84 ✆ 50 59 81 13, Fax 50 59 83 74 – TV ☎ 🚗 P. ⓓ GB. ❀
fermé 26 mars au 4 avril, 1er au 10 juil., 15 oct. au 10 nov., dim. soir et lundi – **Repas** 96/250 🍷 – ☕ 32 – **10 ch** 220/260 – ½ P 210/250.

T-GERMAIN-DES-VAUX 50440 Manche 54 ① – 489 h alt. 59.

oir Baie d'Ecalgrain★★ S : 3 km – Port de Goury★ NO : 2 km.

nv. Nez de Jobourg★★ S : 7,5 km puis 30 mn – ←★★ sur anse de Vauville SE : 9,5 km par erqueville, **G. Normandie Cotentin.**

ris 388 – ♦Cherbourg 27 – Barneville-Carteret 48 – Nez de Jobourg 6,5 – St-Lô 104.

XX **Moulin à Vent,** E : 1,5 km par D 45 ✆ 33 52 75 20, Fax 33 52 22 57, 🌳 – P. AE GB
fermé vacances de Toussaint, sam. midi, dim. soir et lundi sauf fériés – **Repas** 95, enf. 40.

.UGEOT Gar. Troude, à Beaumont-Hague 33 52 70 12 — RENAULT Gar. Lecocq, à Beaumont ✆ 33 52 76 58 N ✆ 33 52 73 16

T-GERMAIN-DE-TALLEVENDE 14 Calvados 59 ⑨ – rattaché à Vire.

ST-GERMAIN-DU-BOIS **71330** S.-et-L. 70 ③ **G. Bourgogne** – 1 856 h alt. 210.

Paris 368 – Chalon-sur-Saône 31 – Dole 55 – Lons-le-Saunier 31 – Mâcon 73 – Tournus 44.

Host. Bressane avec ch, ✆ 85 72 04 69, Fax 85 72 07 75 – ☎ P. GB
fermé 13 au 22 avril, 21 déc. au 13 janv., dim. soir sauf juil.-août et lundi – **Repas** 55/165, enf. 36 – ☐ 25 – **9 ch** 105/240 – ½ P 175/205.

ST-GERMAIN-DU-CRIOULT **14** Calvados 59 ⑩ – rattaché à Condé-sur-Noireau.

ST-GERMAIN-EN-LAYE **78** Yvelines 55 ⑲ ⑳, 101 ⑬ – voir à Paris, Environs.

ST-GERMAIN-LAVAL **42260** Loire 73 ⑰ **G. Vallée du Rhône** – 1 510 h alt. 410.

Syndicat d'Initiative ✆ 77 65 52 96, Fax 77 65 51 31 et à la Mairie ✆ 77 65 41 30.

Paris 504 – Roanne 34 – L'Arbresle 68 – Montbrison 29 – ♦St-Étienne 66 – Thiers 53 – Vichy 86.

Touristes, ✆ 77 65 41 08 – GB
fermé fév. et mardi sauf juil.-août – **Repas** 60/200 – ☐ 24 – **12 ch** 100/230 – ½ P 170/200

PEUGEOT Gar. Rambaud, ✆ 77 65 41 09 N ✆ 77 65 41 09

ST-GERMAIN-L'HERM **63630** P.-de-D. 73 ⑯ – 533 h alt. 1050.

Paris 484 – ♦Clermont-Ferrand 66 – Ambert 28 – Brioude 32 – Le Puy-en-Velay 67 – ♦St-Étienne 103.

France, ✆ 73 72 00 27, Fax 73 72 02 33, – ☎ . AE GB
fermé 10 oct. au 10 nov., 5 au 12 janv. et merc. hors sais. – **Repas** 60/150 – ☐ 38 – **21 ch** 150/310 – ½ P 200/240.

ST-GERMER-DE-FLY **60850** Oise 55 ⑧ ⑨ **G. Flandres Artois Picardie** – 1 585 h alt. 105.

Voir Église★ – ≤★ de la D 129 SE : 4 km.

Office de Tourisme pl. de Verdun ✆ 44 82 62 74.

Paris 92 – ♦Rouen 57 – Les Andelys 40 – Beauvais 27 – Gisors 20 – Gournay-en-Bray 7,5.

Aub. de l'Abbaye, ✆ 44 82 50 73, Fax 44 82 64 54 – GB
fermé 16 au 31 août, 5 au 31 janv., mardi soir, dim. soir sauf fêtes et merc. – **Repas** 62 (déj.) 94/158, enf. 50.

ST-GERVAIS **33** Gironde 75 ⑪ – rattaché à St-André-de-Cubzac.

ST-GERVAIS-D'AUVERGNE **63390** P.-de-D. 73 ③ **G. Auvergne** – 1 419 h alt. 725.

Syndicat d'Initiative à la Mairie ✆ 73 85 80 94.

Paris 379 – ♦Clermont-Ferrand 53 – Aubusson 73 – Gannat 42 – Montluçon 46 – Riom 38 – Ussel 83.

Castel H. 1904, ✆ 73 85 70 42, Fax 73 85 84 39, – TV ☎ P. GB.
31 mars-11 nov. – **Repas** 145/279 - ***Comptoir à Moustaches*** (bistrot) **Repas** 70/99 ,enf.65 – ☐ 38 – **17 ch** 270 – ½ P 240.

Relais d'Auvergne, rte Châteauneuf ✆ 73 85 70 10, Fax 73 85 85 66 – ☎ P. GB
fermé 2 au 18 janv. – **Repas** 68/140 – ☐ 27 – **12 ch** 110/215 – ½ P 155/195.

ST-GERVAIS-EN-VALLIÈRE **71350** S.-et-L. 70 ② – 269 h alt. 203.

Paris 326 – Chalon-sur-Saône 24 – Beaune 18 – Chagny 19 – Verdun-sur-le-Doubs 10.

à Chaublanc NE : 3 km par D 94 et D 183 – ✉ **71350** St-Gervais-en-Vallière :

Moulin d'Hauterive, ✆ 85 91 55 56, Fax 85 91 89 65, , parc, , , – TV ☎ – 30. AE GB. rest
fermé janv., dim. soir, mardi midi et lundi de nov. à mars – **Repas** 85 (déj.), 240/400, enf. 80 – ☐ 70 – **10 ch** 600/650, 6 appart, 5 duplex – ½ P 600/730.

ST-GERVAIS-LES-BAINS **74170** H.-Savoie 74 ⑧ **G. Alpes du Nord** – 5 124 h alt. 820 – Stat. therm. (8 avril-23 nov.) – Sports d'hiver : 850/2 400 m 2 36 .

Env. Route du Bettex★★★ 8 km par ③ puis D 43 – Le Planey ★★ S : 10,5 km par D 43 – Site★ de St-Nicolas-de-Véroce S : 9 km par D 43 – Le Plateau de la Croix ★★ S : 12 km par D 43.

✆ 50 66 50 50.

Office de Tourisme av. Mont-Paccard ✆ 50 47 76 08, Fax 50 47 75 69.

Paris 598 ⑤ – Chamonix-Mont-Blanc 23 ① – Annecy 80 ⑤ – Bonneville 40 ⑤ – Megève 11 ③ – Morzine 56 ⑤.

Plan page ci-contre

Carlina, r. Rosay **(w)** ✆ 50 93 41 10, Fax 50 93 56 26, ≤, , – TV ☎ P. AE GB.
15 juin-30 sept. et 20 déc.-15 avril – **Repas** 135/180 – ☐ 48 – **34 ch** 425/600 – ½ P 650.

L'Adret sans rest, chemin La Mollaz **(d)** ✆ 50 93 50 60, Fax 50 93 58 54, ≤ – P.
15 juin-26 sept. et 20 déc.-15 avril – ☐ 35 – **15 ch** 220/340.

Edelweiss sans rest, chemin du Vorassay par ② **(u)** ✆ 50 93 44 48, Fax 50 47 75 05, ≤ ☎ P. GB
☐ 35 – **14 ch** 190/310.

X **Rest. Val d'Este,** pl. Église **(b)** ✆ 50 47 76 06 – AE GB
fermé 3 au 13 juin, 15 nov. au 15 déc. et merc. en mai, juin et oct. – **Repas** 98/175 ⑧.

au Bettex SO : 8 km par D 43 ou par télécabine, station intermédiaire – ✉ **74170** St-Gervais-les-Bains

🏨 **Arbois-Bettex** M ⑤, ✆ 50 93 12 22, Fax 50 93 14 42, ← Massif Mt-Blanc, ⚇, ⛱ – TV ☎ P. GB. ✂ rest
1er juil.-5 sept. et 20 déc.-15 avril – **Repas** 135/180, enf. 55 – ☕ 50 – **33 ch** 430/880 – ½ P 580/650.

🏨 **Flèche d'Or** ⑤, ✆ 50 93 11 54, ← Massif Mt-Blanc, ☂ – ☎. GB
fin juin-fin août et Noël-fin avril – **Repas** 80/100 ⑧, enf. 55 – ☕ 38 – **16 ch** (½ pens. seul.) – ½ P 340/440.

au Mont d'Arbois par télécabine – ✉ **74190** Le Fayet :

🏨 **Chez la Tante** ⑤, à la station supérieure (accès piétonnier) ✆ 50 21 31 30, Fax 50 21 31 33, ☂, « ✳ exceptionnel de la chaîne des Aravis au Mt-Blanc », ⚇ – ☎. AE GB
1er juil.-15 sept. et 15 déc.-25 avril – **Repas** carte 120 à 180 ⑧ – ☕ 30 – **25 ch** 290/350 – ½ P 425.

voir aussi à Megève : **L'Igloo** 🏨 (accès piétonnier)

ORD Gar. Tuaz, ✆ 50 78 30 75

Le Fayet – ✉ **74190**.

i Syndicat d'Initiative r. de la Poste ✆ 50 93 64 64, Fax 50 78 38 48.

🏨 **La Chaumière,** av. Genève **(a)** ✆ 50 93 60 10, Fax 50 78 37 23 – TV ☎ P. AE ① GB
fermé 20 nov. au 15 déc. – **Repas** 92/255, enf. 51 – ☕ 38 – **22 ch** 310/360 – ½ P 305/330.

ST-GERVAIS-LES-BAINS LE FAYET

Comtesse (R.) 2
Gontard (Av.) 4
Miage (Av. de) 5
Mont-Blanc (R. et jardin du) 6
Mont-Lachat (R. du) 7

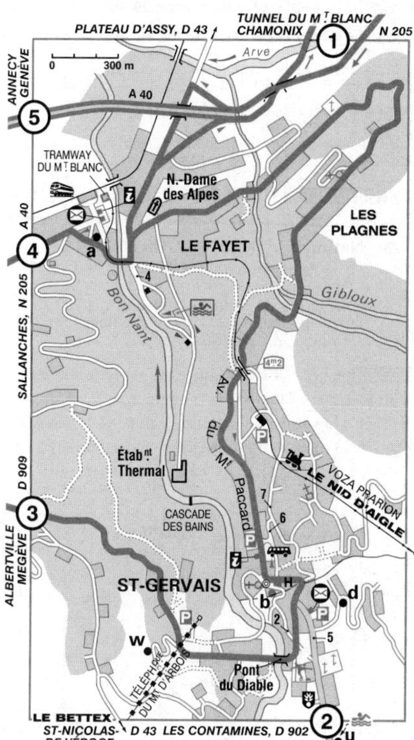

ST-GILLES 30800 Gard 83 ⑨ **G. Provence** (plan) – 11 304 h alt. 10.

Voir Façade★★ et crypte★ de l'église – Vis de St-Gilles★.

i Office de Tourisme pl. Mistral ✆ 66 87 33 75, Fax 66 87 16 28.

Paris 728 – ◆Montpellier 59 – Aigues-Mortes 36 – Arles 17 – Beaucaire 25 – Lunel 31 – Nîmes 19.

🏨 **Cours,** 10 av. F. Griffeuille ✆ 66 87 31 93, Fax 66 87 31 83, ☂ – TV ☎. AE ① GB JCB
fermé 15 déc. au 25 fév. – **Repas** 49/145, enf. 41 – ☕ 31 – **34 ch** 215/300 – ½ P 230/250.

X **Le Clément IV,** port de plaisance ✆ 66 87 00 66 – GB
fermé 15 janv. au 15 fév., dim. soir et lundi – **Repas** 98/158.

X **La Rascasse,** 16 av. F. Griffeuille ✆ 66 87 42 96 – ▤. GB
fermé fév., mardi soir hors sais. et merc. – **Repas** 67/110, enf. 50.

rte d'Arles E : 3,5 km – ✉ **13200** Arles :

🏨 **Les Cabanettes** ⑤, ✆ 66 87 31 53, Fax 66 87 35 39, ☂, ⛱, ⛱ – ▤ TV ☎ 🚗 P – 🏛 25. AE ① GB JCB
fermé 25 janv. au 28 fév. – **Repas** 130/190, enf. 70 – ☕ 45 – **29 ch** 430 – ½ P 375.

Ayme Pneus, rte de Nîmes ✆ 66 87 08 30

ST-GILLES-CROIX-DE-VIE 85800 Vendée 67 ⑫ **G. Poitou Vendée Charentes** – 6 296 h alt. 12.

18 St-Jean-de-Monts ℘ 51 58 82 73, N par D 38 : 20 km ; 18 des Fontenelles ℘ 51 54 13 9 E par D 6 : 11 km.

Office de Tourisme Forum du Port de Plaisance, bd Égalité ℘ 51 55 03 66, Fax 51 55 69 60.

Paris 457 – La Roche-sur-Yon 46 – Challans 20 – Cholet 100 – ◆Nantes 78 – Les Sables-d'Olonne 30.

XXX **Les Embruns** avec ch, 16 bd Mer ℘ 51 55 11 40, Fax 51 55 11 20, ← – TV ☎. GB ch
fermé 15 nov. au 15 déc., dim. soir et lundi hors sais. – **Repas** 95/260 et carte 290 à 4 enf. 60 – ☐ 50 – **14 ch** 230/480 – ½ P 340/450.

CITROEN Gar. Goillandeau, rte des Sables, Km 3 à Givrand ℘ 51 55 89 94
FORD Pineau-Bossard, 39 r. du Mar. Leclerc ℘ 51 55 19 25
PEUGEOT EL.ME.CA., 2 r. Pasteur ℘ 51 55 10 19
RENAULT Gar. Raffin, Le Fenouiller ℘ 51 55 84 9

ST-GINGOLPH 74500 H.-Savoie 70 ⑱ **G. Alpes du Nord** – 677 h alt. 385.

Paris 549 – Thonon-les-Bains 26 – Annecy 100 – Évian-les-Bains 17 – Montreux 20.

National, ℘ 50 76 72 97, Fax 50 76 71 93, ← – ☎ P. AE GB. ch
fermé 20 oct. au 20 nov., mardi soir et merc. sauf juil.-août – **Repas** 95/260 – ☐ 35 – **14 c** 180/320 – ½ P 230/290.

XXX **Aux Ducs de Savoie** avec ch, ℘ 50 76 73 09, Fax 50 76 74 31, ←, – ☎ P. AE G
fermé lundi et mardi hors sais. – **Repas** 140/315 et carte 220 à 380, enf. 85 – ☐ 34 – **12 c** 180/245 – ½ P 285/325.

ST-GIRONS SP 09200 Ariège 86 ③ – 6 596 h alt. 398.

Voir St-Lizier : Cloître★ de la cathédrale N : 2 km, **G. Pyrénées Aquitaine.**

Office de Tourisme pl. A.-Sentein ℘ 61 66 14 11, Fax 61 66 25 59.

Paris 795 ① – Foix 44 ② – Auch 112 ① – St-Gaudens 43 ① – ◆Toulouse 99 ①.

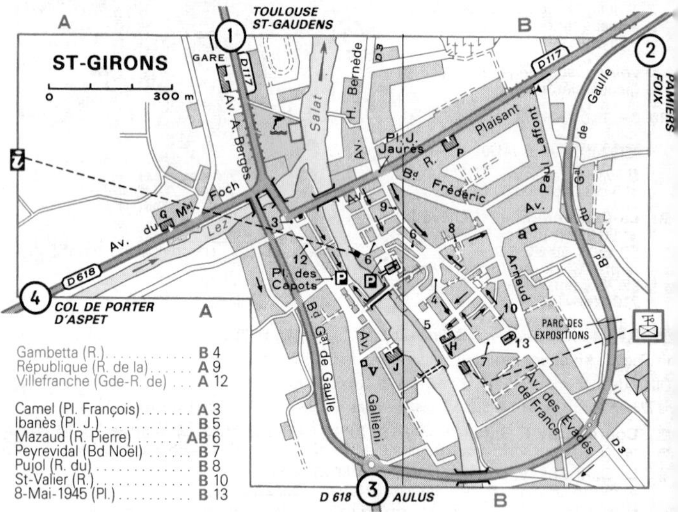

Eychenne , 8 av. P. Laffont ℘ 61 66 20 55, Fax 61 96 07 20, , « Bel aménageme intérieur », , – rest TV ☎ P – 35. GB B
fermé 22 déc. au 31 janv., dim. soir et lundi de nov. à fin mars sauf fériés – **Repas** 132/330 carte 200 à 310 – ☐ 48 – **42 ch** 290/545 – ½ P 370/430
Spéc. Foie de canard frais aux raisins. Pigeonneau au fitou. Soufflé au Grand-Marnier. **Vins** Pacherenc du Vic-Bi Madiran.

Château de Seignan , par ② : 2,5 km ℘ 61 96 08 80, Fax 61 96 08 20, , parc, – TV ☎ P. AE GB
fermé 1er nov. au 15 déc., jeudi midi et merc. – **Repas** 98/380 bc – ☐ 45 – **9 ch** 450/850 ½ P 372/585.

Mirouze, 19 av. Gallieni ℘ 61 66 12 77, Fax 61 04 81 59, – ☎ P. AE GB A
fermé 22 déc. au 31 janv., dim. soir et lundi midi de mi-oct. à mi-déc. et de janv. à mars **Repas** 69/135 , enf. 40 – ☐ 29 – **24 ch** 120/250 – ½ P 145/200.

à Lorp-Sentaraille par ① : 4 km – 1 092 h. alt. 361 – ✉ 09190 St-Lizier :

Horizon 117, ✆ 61 66 26 80, Fax 61 66 26 08, ☂, ⛱, ⛟, ✗ – ▣ ☎ ✆ P – 🚶 25. AE ⓓ GB
fermé 1er au 15 nov., sam. midi et dim. soir d'oct. à mai – **Repas** 75/210 🍷, enf. 45 – ☕ 35 – **20 ch** 250/330 – ½ P 270/310.

CITROEN Sté Autom. du Couserans, av. Résistance, l'Arial par ③ ✆ 61 66 34 45
PEUGEOT SEGAC, rte de Toulouse à St-Lizier par ① ✆ 61 66 31 00 N ✆ 61 02 55 87
RENAULT Austria Auto, rte de Toulouse à St-Lizier par ① ✆ 61 66 32 32 N ✆ 61 96 09 09
VAG Ariège Auto Services, rte de Toulouse à St-Lizier ✆ 61 04 86 86

Euromaster, Chantereine St-Lizier ✆ 61 66 00 81
St-Girons Pneus, 77 bis rte de Foix ✆ 61 66 79 50

ST-GOBAIN **02410** Aisne 56 ④ **G. Flandres Artois Picardie** – 2 321 h alt. 200.

Voir Forêt★★.

Paris 137 – Compiègne 57 – St-Quentin 30 – La Fère 7,5 – Laon 20 – Noyon 34 – Soissons 30.

Parc, ✆ 23 52 80 58, ☂, ⛟ – P. GB
fermé 14 juil. au 14 août, dim. soir et lundi – **Repas** 90/170.

ST-GRATIEN **95** Val-d'Oise 55 ⑳, 101 ⑤ – voir à Paris, Environs.

ST-GRÉGOIRE **35** I.-et-V. 59 ⑰ – rattaché à Rennes.

In questa guida
uno stesso simbolo, uno stesso carattere
stampati a colori o in nero, in magro o in ***grassetto***
hanno un significato diverso.
Leggete attentamente le pagine esplicative.

ST-GUÉNOLÉ **29** Finistère 58 ⑭ **G. Bretagne** – ✉ **29760** Penmarch.

Voir Musée préhistorique★ – ≤★★ du phare d'Eckmühl★ S : 2,5 km – Église★ de Penmarch SE : 3 km – Pointe de la Torche ≤★ NE : 4 km.

Office de Tourisme pl. du Mar.-Davout ✆ 98 58 81 44, Fax 98 58 86 62.

Paris 582 – Quimper 33 – Douarnenez 42 – Guilvinec 8 – Plonéour-Lanvern 16 – Pont-l'Abbé 14.

Sterenn 🐦, rte phare Eckmühl ✆ 98 58 60 36, Fax 98 58 71 28, ≤ pointe de Penmarch – ▤ rest ▣ ☎ ✆ P. AE GB. ✻
31 mars-7 oct. et fermé merc. sauf du 19 juin au 24 sept. – **Repas** 80/280, enf. 60 – ☕ 38 – **16 ch** 340/440 – ½ P 360/420.

Héol sans rest, r. L. Le Lay ✆ 98 58 71 71, Fax 98 58 64 02, ≤, ⛱ – ▣ ☎ ✆ P. GB
15 juin-15 sept. et fermé lundi – ☕ 38 – **18 ch** 280/440.

Mer, 184 r. F. Péron ✆ 98 58 62 22, Fax 98 58 53 86 – ▣ ☎. GB
fermé 8 janv. au 8 fév., dim. soir et lundi sauf du 1er mai au 31 sept. – **Repas** 85/270 – ☕ 39 – **15 ch** 310 – ½ P 360/370.

Les Ondines 🐦, rte phare d'Eckmühl ✆ 98 58 74 95, Fax 98 58 73 99, ☂ – ☎. GB
avril-déc. et fermé mardi du 15 sept. au 15 juin – **Repas** 70/230 – ☕ 33 – **16 ch** 255/275 – ½ P 285.

ST-GUIRAUD **34** Hérault 83 ⑤ – rattaché à Clermont-l'Hérault.

ST-HENRI **46** Lot 79 ⑧ – rattaché à Cahors.

ST-HILAIRE-D'OZILHAN **30** Gard 80 ⑲ – rattaché à Remoulins.

ST-HILAIRE-DU-HARCOUËT **50600** Manche 59 ⑨ **G. Normandie Cotentin** – 4 489 h alt. 70.

Office de Tourisme pl. du Bassin ✆ 33 49 15 27 et à la Mairie (hors saison) ✆ 33 49 10 06.

Paris 290 – Alençon 99 – Avranches 27 – ♦Caen 98 – Fougères 28 – Laval 66 – St-Lô 69.

La Résidence sans rest, rte Fougères ✆ 33 49 10 14, Fax 33 49 53 70 – |‡| ▣ ☎ ✆ P – 🚶 80. AE ⓓ GB. ✻
fermé 23 déc. au 3 janv. – ☕ 36 – **25 ch** 230/350.

Cygne, rte Fougères ✆ 33 49 11 84, Fax 33 49 53 70 – |‡| ▣ ☎ ✆ – 🚶 60. AE ⓓ GB JCB
fermé 23 déc. au 3 janv. – **Repas** 70/200 🍷, enf. 42 – ☕ 36 – **20 ch** 185/350 – ½ P 255/290.

CITROEN Gar. Ledebt-Aubril, 77 r. de Paris ✆ 33 49 10 89
OPEL Gar. Lemaréchal, ZA la Fosse aux Loups ✆ 33 49 21 90
PEUGEOT Gar. Lemonnier, rte de Paris ✆ 33 49 24 90 N ✆ 33 49 24 90
RENAULT Gar. Boulaux, 64 r. de Paris ✆ 33 49 20 71 N ✆ 33 49 20 71
Gar. Garnier, 126 r. de Mortain ✆ 33 49 12 02

ST-HILAIRE-DU-ROSIER 38840 Isère 77 ③ – 1 731 h alt. 240.

Paris 581 – Valence 38 – ♦Grenoble 61 – Romans-sur-Isère 19 – St-Marcellin 8,5.

XXX ✿ **Bouvarel** avec ch, à St-Hilaire-gare, S : 4 km ✆ 76 64 50 87, Fax 76 64 58 47, « Jardin fleuri », – TV ☎ P. AE ① GB JCB
fermé 13 au 24 janv., dim. soir et lundi hors sais. – **Repas** 198/460 et carte 330 à 490 – ☐ 7 – **14 ch** 340/400 – ½ P 550
Spéc. Ravioles. Chausson aux truffes. Poulet aux écrevisses. Vins Saint-Joseph, Hermitage.

ST-HILAIRE-LE-CHÂTEAU 23250 Creuse 72 ⑨ ⑩ – 296 h alt. 453.

Paris 380 – ♦Limoges 63 – Aubusson 25 – Bourganeuf 14 – Guéret 27 – Montluçon 81.

XXX **du Thaurion** avec ch, ✆ 55 64 50 12, Fax 55 64 90 92, , – TV ☎ P. AE ① GB
fermé 19 au 28 déc., 2 janv. au 28 fév., jeudi midi et merc. sauf juil.-août – **Repas** 95/400 et carte 210 à 350 – ☐ 42 – **10 ch** 250/600.

ST-HILAIRE-PETITVILLE 50 Manche 54 ⑬ – rattaché à Carentan.

ST-HILAIRE-ST-FLORENT 49 M.-et-L. 64 ⑫ – rattaché à Saumur.

ST-HILAIRE-ST-MESMIN 45 Loiret 64 ⑨ – rattaché à Orléans.

ST-HIPPOLYTE 25190 Doubs 66 ⑱ **G. Jura** – 1 128 h alt. 380.

Voir Site★ – Vallée du Dessoubre★ S.

ℹ Office de Tourisme ✆ 81 96 53 75.

Paris 488 – ♦Besançon 89 – Basel 85 – Belfort 47 – Montbéliard 29 – Pontarlier 72.

Le Bellevue, rte Maîche ✆ 81 96 51 53, Fax 81 96 52 40, – TV ☎ P. GB
fermé vacances de Toussaint, vend. soir, sam. midi et dim. soir du 1er oct. au 31 mars
Repas 57 (déj.), 95/250 , enf. 55 – ☐ 34 – **15 ch** 140/285 – ½ P 190/248.

ST-HIPPOLYTE 68590 H.-Rhin 62 ⑲ **G. Alsace Lorraine** – 1 078 h alt. 234.

Env. Château du Haut-Koenigsbourg★★ : ※★★ NO : 8 km.

Paris 477 – Colmar 20 – Ribeauvillé 7 – St-Dié 41 – Sélestat 9 – Villé 17.

Aux Ducs de Lorraine , ✆ 89 73 00 09, Fax 89 73 05 46, ≤ – ▤ rest TV ☎ P 40. GB. ※ ch
fermé du 3 au 20 déc., 9 janv. au 1er mars, dim. soir hors sais. et lundi – **Repas** 95 (déj.) 105/310 – ☐ 55 – **44 ch** 350/700 – ½ P 450/600.

Parc M , ✆ 89 73 00 06, Fax 89 73 04 30, , , , – TV ☎ ♿ P – 50. AE ① GB JCB
fermé 1er au 6 juil. (sauf hôtel), 18 nov. au 2 déc. et 26 fév. au 11 mars – **Repas** *(fermé lundi)* 85 (déj.), 125/300 – ☐ 50 – **36 ch** 250/560, 6 duplex – ½ P 320/450.

La Vignette, ✆ 89 73 00 17, Fax 89 73 05 69 – ☎. GB. ※ ch
fermé 23 déc. au 15 fév. et merc. – **Repas** 90/250 , enf. 55 – ☐ 35 – **25 ch** 180/385 ½ P 215/313.

PEUGEOT Gar. Thirion, ✆ 89 73 03 26 N ✆ 89 73 00 85

ST-HIPPOLYTE 63 P.-de-D. 73 ④ – rattaché à Châtelguyon.

ST-HIPPOLYTE 12140 Aveyron 76 ⑫ – 541 h alt. 695.

Paris 586 – Aurillac 42 – Rodez 60 – Entraygues-sur-Truyère 14 – Espalion 40 – Figeac 68.

Gd H. Le St-Hippolyte M , ✆ 65 66 60 00, Fax 65 66 60 01, ≤, , , – ▤ rest TV ☎ ♿ P – 100. AE ① GB JCB
15 mars-15 nov. – **Repas** *(fermé dim. soir et lundi sauf de juin à sept.)* 90/200 – ☐ 50 **17 ch** 250/350 – ½ P 260/340.

ST-HONORAT (Ile) ★★ 06 Alpes-Mar. 84 ⑨ 115 ㉟ ㊴ **G. Côte d'Azur.**

Voir Ancien monastère fortifié★ : ≤★★ – Tour de l'île★★.

Accès par transports maritimes.

depuis **Golfe-Juan et Juan-les-Pins** (escale à l'Ile Ste Marguerite). en saison - Traversée 45 mn – Renseignements et tarifs : Transports Maritimes Cap d'Antibes, Port de Golfe Juan ✆ 93 63 81 31 (Golfe-Juan).

ST-HONORÉ-LES-BAINS 58360 Nièvre 69 ⑥ **G. Bourgogne** – 754 h alt. 300 – Stat. therm. (avril-sept.) Casino .

ℹ Office de Tourisme pl. du Marché ✆ 86 30 71 70.

Paris 306 – Château-Chinon 27 – Luzy 22 – Moulins 68 – Nevers 69 – St-Pierre-le-Moutier 66.

Lanoiselée, 4 av. Jean Mermoz ✆ 86 30 75 44, Fax 86 30 75 66, , – TV ☎ ♿ P. AE ① GB. ※ rest
fermé 15 déc. au 31 janv. – **Repas** *(fermé 17 nov. au 15 fév., dim. soir et lundi d'oct. à mars)* 85 (déj.), 120/170 – ☐ 35 – **18 ch** 330/395 – P 320.

Aub. du Pré Fleuri, ✆ 86 30 74 96, Fax 86 30 64 61, , – TV ☎ P. AE GB
fermé fév., dim. soir et lundi d'oct. à mars – **Repas** 90/182, enf. 60 – ☐ 38 – **9 ch** 290/340 P 360.

T-IGNACE (Col de) **64** Pyr.-Atl. 85 ② – rattaché à Ascain.

T-JACQUES-DES-BLATS **15800** Cantal 76 ③ – 352 h alt. 990.

s 543 – Aurillac 32 – Brioude 73 – Issoire 90 – St-Flour 41.

Le Griou, ✆ 71 47 06 25, Fax 71 47 00 16, ≤, 🏛, ⛱ – ☎ 🅿. GB
fermé 15 oct. au 15 déc. – **Repas** 70/170, enf. 45 – ☕ 30 – **20 ch** 200/280 – ½ P 220/250.

Le Brunet 🐌, ✆ 71 47 05 86, Fax 71 47 04 27, ≤, 🏛, parc – ☎ 🅿. GB. ✻ rest
fermé 30 mars au 10 avril et 15 oct. au 20 déc. – **Repas** 75/140, enf. 40 – ☕ 30 – **16 ch** 210/260 – ½ P 220/245.

T-JAMES **50240** Manche 59 ⑧ **G. Normandie Cotentin** – 2 976 h alt. 100.

oir Cimetière américain.

is 346 – St-Malo 58 – Avranches 19 – Fougères 22 – ♦Rennes 59 – St-Lô 78.

Normandie, pl. Bagot ✆ 33 48 31 45, Fax 33 48 59 45 – TV ☎. GB
fermé 24 déc. au 13 janv. – **Repas** *(fermé dim. soir du 11 nov. au 20 fév.)* 70/230 🍷, enf. 55 – ☕ 37 – **14 ch** 180/260 – ½ P 270.

T-JEAN-AUX-BOIS **60** Oise 56 ② ③ – rattaché à Compiègne.

T-JEAN-CAP-FERRAT **06230** Alpes-Mar. 84 ⑩ 115 ㉗ **G. Côte d'Azur** – 2 248 h alt. 12.

oir Fondation Ephrussi-de-Rothschild★★ **M** : site★★, musée Ile de France★★, jardins★ – Phare ★★ – Pointe de St-Hospice ≤★ de la chapelle.

Office de Tourisme av. D.-Semeria ✆ 93 76 08 90, Fax 93 76 16 67.

ris 942 ④ – ♦Nice 10,5 ④ – Menton 26 ③.

ST-JEAN-CAP-FERRAT

Les flèches noires indiquent les sens uniques supplémentaires l'été

Albert-1er (Av.)	2
Centrale (Av.)	3
États-Unis (Av. des)	5
Gaulle (Bd Gén. de)	6
Grasseuil (Av.)	7
Libération (Bd)	9
Mermoz (Av. J.)	12
Passable (Ch. de)	13
Phare (Av. du)	14
Puncia (Av. de la)	15
St-Jean (Pont)	16
Sauvan (Bd H.)	17
Semeria (Av. D.)	18
Verdun (Av. de)	20
Vignon (Av. C.)	21

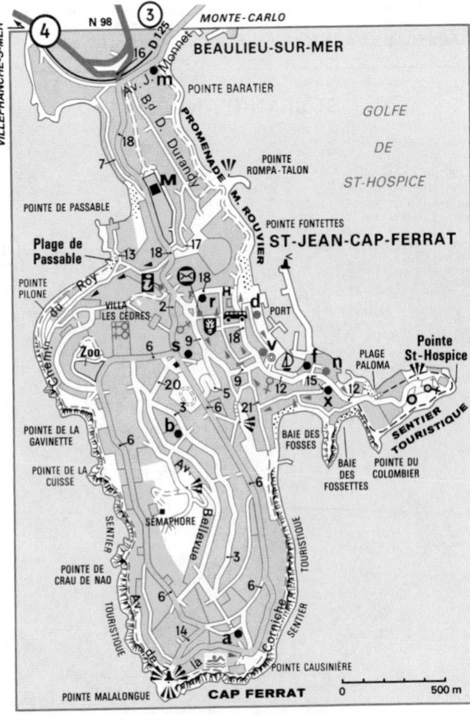

Promeneurs, campeurs, fumeurs
ATTENTION AU FEU
soyez prudents!
Le feu est le plus terrible ennemi de la forêt

❀ **Grand H. du Cap Ferrat** M 🐌, bd Gén. de Gaulle au Cap-Ferrat **(a)** ✆ 93 76 50 50, Fax 93 76 04 52, ≤, 🏛, « Vaste parc, jardin fleuri, 🏊 en bord de mer, funiculaire privé », 🏋, 🎾 – 🛗 ▤ TV ☎ 🅿 – 🏛 70. AE ⓓ GB. ✻ rest
fermé mi-janv. à mi-fév. – **Repas** 420/480 et carte 390 à 580 - ***Club Dauphin*** à la piscine *(avril-oct.)* **Repas** (déj. seul.) 370/500, enf. 120 – **55 ch** ☕ 2900/5900, 4 appart
Spéc. Blanc de Saint-Pierre aux girolles et artichauts. Carré d'agneau de Sisteron aux petits farcis. Millefeuille caramélisé aux fraises des bois.. **Vins** Bellet.

Royal Riviera M, av. J. Monnet **(m)** ✆ 93 01 20 20, Télex 470302, Fax 93 01 23 0…, ≤, « Jardin fleuri, ⛱ », – ⏸ ▤ ch TV ☎ ♿ P – 🏛 40 à 80. AE ⊙ GB JCB. rest
1er mars-31 oct. – ***Le Panorama* :** **Repas** 265/320 – ☕ 110 – **77 ch** 1450/2795.

Voile d'Or M, au port **(f)** ✆ 93 01 13 13, Télex 470317, Fax 93 76 11 17, ≤ port et golf…, ⚙, ⛱ – ⏸ ▤ TV ☎ – 🏛 25
15 mars-30 oct. – **Repas** 260 (déj.), 380/490 – ☕ 120 – **50 ch** 1600/2660, 5 appart.

Panoramic sans rest, av. Albert 1er **(s)** ✆ 93 76 00 37, Fax 93 76 15 78, ≤ Cap et gol… – TV ☎ P. AE ⊙ GB
1er fév.-30 oct. – ☕ 50 – **20 ch** 555/715.

Brise Marine sans rest, av. J. Mermoz **(x)** ✆ 93 76 04 36, Fax 93 76 11 49, ≤ Cap … golfe, – ▤ TV ☎. AE GB – *fermé 15 nov. au 1er fév.* – ☕ 57 – **16 ch** 650/710.

Belle Aurore, av. D. Séméria **(r)** ✆ 93 76 04 59, Fax 93 76 15 10, ⛱ – TV ☎ P. … ⊙ GB JCB – **Repas** (*1er mai-30 sept.*) 160 – ☕ 49 – **19 ch** 475/660 – ½ P 479/539.

Clair Logis sans rest, av. Centrale **(b)** ✆ 93 76 04 57, Fax 93 76 11 85, « Parc » – … ☎ P. AE ⊙ GB
fermé 10 nov. au 15 déc. et 15 janv. au 1er mars – ☕ 45 – **18 ch** 300/650.

XXX ✿ **Le Provençal** (Jouteux), av. D. Séméria **(v)** ✆ 93 76 03 97, Fax 93 76 05 39, ≤, … « Décor élégant » – ▤. AE GB
fermé jeudi midi, mardi et merc. d'oct. à mars – **Repas** 560 et carte environ 430
Spéc. Fond d'artichaut violet en coque demi-homard. Saint-Pierre rôti en feuille de figue. **Vins** Bellet, Gassin.

XX **Le Sloop,** au nouveau port **(d)** ✆ 93 01 48 63, – AE GB
fermé 15 nov. au 15 déc., mardi midi en juil.-août et merc. sauf le soir en juil.-août – **Repa…** 155.

XX **Capitaine Cook,** av. J. Mermoz **(n)** ✆ 93 76 02 66, – GB
fermé 15 nov. au 26 déc., jeudi midi et merc. – **Repas** 135/165.

ST-JEAN (Col) 04 Alpes-de-H.-P. 81 ⑦ – rattaché à La Seyne.

ST-JEAN-D'ANGÉLY

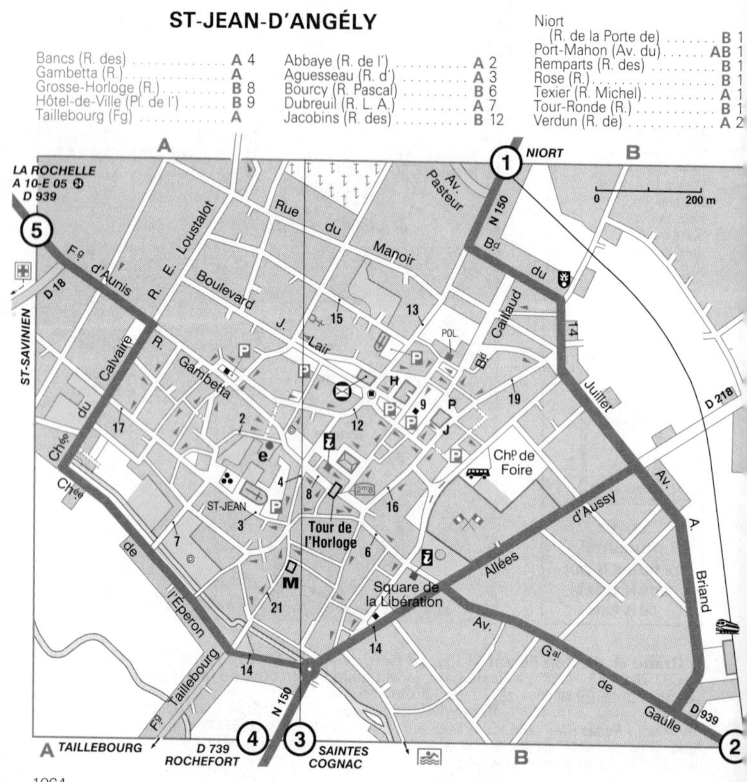

-JEAN-D'ANGÉLY ⟨SP⟩ **17400** Char.-Mar. **71** ③ ④ **G. Poitou Vendée Charentes** – 8 060 h alt. 25.

v. Église St-Pierre★★ à Aulnay, NE : 18 km par ② et D 950.

)ffice de Tourisme square Libération ✆ 46 32 04 72 et annexe, 10 pl. du Marché (saison).

is 444 ② – La Rochelle 66 ④ – Royan 70 ③ – Angoulême 64 ② – Cognac 35 ③ – Niort 47 ① – Saintes 34 ⑤.

Plan page ci-contre

✗ **Le Scorlion,** 5 r. Abbaye ✆ 46 32 52 61, « Ancienne abbaye royale » – GB
fermé 7 au 14 mai, 5 au 19 nov., 2 au 11 janv., 3 au 10 fév., dim. soir et lundi – **Repas** 145/326. A **e**

'ROEN Gar. Delaleau, ZI de la Sacristinerie ② ✆ 46 32 44 44 **N** ✆ 09 67 64 76
RD Gar. Sarrazin, 4 av. de Saintes ✆ 46 32 46 33
RCEDES S.A.V.I.A., ZI du Point-du-Jour n° 2 46 59 03 03 **N** ✆ 05 24 24 30
JGEOT Gar. Nouraud-Amy, ZI, 27 av. Point-du-ır par ② ✆ 46 59 09 09

RENAULT SAGA, rte de Saintes par ③ ✆ 46 32 40 22 **N** ✆ 46 97 32 51
VAG Gar. Drevet, 17 fg Taillebourg ✆ 46 32 01 74

Pneu Plus Ouest Vulcopneu, ZI av. Point du Jour ✆ 46 32 12 43

T-JEAN-D'ASSÉ **72380** Sarthe **60** ⑬ – 1 021 h alt. 68.

'is 214 – ♦Le Mans 17 – Alençon 32 – La Ferté-Bernard 61 – Mamers 33.

✗ **La Petite Auberge,** rte Nationale (N 138) ✆ 43 25 25 15, – **P**. GB
fermé août, dim. soir et lundi – **Repas** 65/150 ₰.

TROEN Gar. Bardet, ✆ 43 25 25 27

T-JEAN-DE-BLAIGNAC **33420** Gironde **75** ⑫ – 405 h alt. 50.

'is 594 – ♦Bordeaux 36 – Bergerac 54 – Libourne 15 – La Réole 29.

✗✗ **Aub. St-Jean,** ✆ 57 74 95 50, Fax 57 84 50 56 – ▤. GB
fermé lundi – **Repas** 58/250 ₰.

T-JEAN-DE-BRAYE **45** Loiret **64** ⑨ – rattaché à Orléans.

T-JEAN-DE-CHEVELU **73170** Savoie **74** ⑮ – 485 h alt. 310.

ris 528 – Annecy 49 – Aix-les-Bains 15 – Bellegarde-sur-Valserine 61 – Belley 21 – Chambéry 20 – La Tour-du-ı 43.

La Source ⟡, S : 3,5 km par rte du Col du Chat ✆ 79 36 80 16, ≤, – ☎ ♿ **P**. GB. ✻ ch
fermé janv. – **Repas** 95/225 – ☐ 40 – **14 ch** 140/300 – ½ P 200/300.

T-JEAN-DE-LA-BLAQUIÈRE **34** Hérault **83** ⑤ – rattaché à Lodève.

T-JEAN-DE-LUZ **64500** Pyr.-Atl. **85** ② **G. Pyrénées Aquitaine** – 13 031 h alt. 3.

oir Église St-Jean-Baptiste★★ AZ **B** – Maison Louis-XIV★ AZ **E** – Corniche basque★★ par ④ – émaphore de Socoa ≤★★ 5 km par ④.

de la Nivelle ✆ 59 47 18 99, par ③ et D 704 : 1 km ; 18 de Chantaco ✆ 59 26 14 22, par ② : 5 km.

Office de Tourisme pl. Mar.-Foch ✆ 59 26 03 16, Fax 29 26 21 47.

ris 793 ① – Biarritz 16 ① – ♦Bayonne 21 ① – Pau 128 ① – San Sebastián 33 ③.

Hélianthal M, pl. M. Ravel ✆ 59 51 51 51, Télex 573415, Fax 59 51 51 54, institut de thalassothérapie – ▤ TV ☎ ♿ **P** – 25 à 50. AE ① GB. ✻ rest BY **v**
fermé 5 au 20 déc. – **Repas** 135 (déj.)/195, enf. 65 – ☐ 70 – **100 ch** 780/1350 – ½ P 690/915.

Chantaco, face au golf par ② : 2 km ✆ 59 26 14 76, Fax 59 26 35 97, ≤, « Jardin fleuri, » – TV ☎ **P**. AE ① GB JCB. ✻ rest
mai-oct. – **Repas** 140 (déj.), 170/245 – ☐ 80 – **24 ch** 850/1700 – ½ P 850/950.

✿ **Grand Hôtel,** 43 bd Thiers ✆ 59 26 35 36, Télex 571810, Fax 59 51 19 91, ≤, – ▤ TV ☎ – 30. AE ① GB. ✻ rest BY **n**
1er mai-30 oct. – **Repas** 170 (déj.)/220 et carte 290 à 400 – ☐ 100 – **43 ch** 1100/1500, 5 appart – ½ P 825/975
Spéc. Roulés croustillants de tourteau "txangurro" vinaigrette d'algues marines. Filets de rouget à la poêle, rouelle de chipirons farcis (juin à oct.). Boléro de fruits rouges "Maurice Ravel". **Vins** Irouleguy, Jurançon.

Parc Victoria M ⟡, 5 r. Cépé par bd Thiers et rte Quartier du Lac ✆ 59 26 78 78, Fax 59 26 78 08, « Décor élégant, jardin fleuri, » – TV ☎ ♿ **P**. AE ① GB. ✻ rest
hôtel : 15 mars-15 nov. ; rest : 1er avril-30 oct. et fermé lundi – **Repas** 220/300 – ☐ 75 – **12 ch** 850/1280 – ½ P 775/900.

La Réserve ⟡, rd-pt Ste-Barbe N : 2 km par bd Thiers ✆ 59 26 04 24, Fax 59 26 11 74, ≤, – cuisinette TV ☎ ♿ **P** – 30. AE ① GB
1er avril-31 oct. – **Repas** 160/250, enf. 85 – ☐ 55 – **41 ch** 560/820, 19 studios – ½ P 515/625.

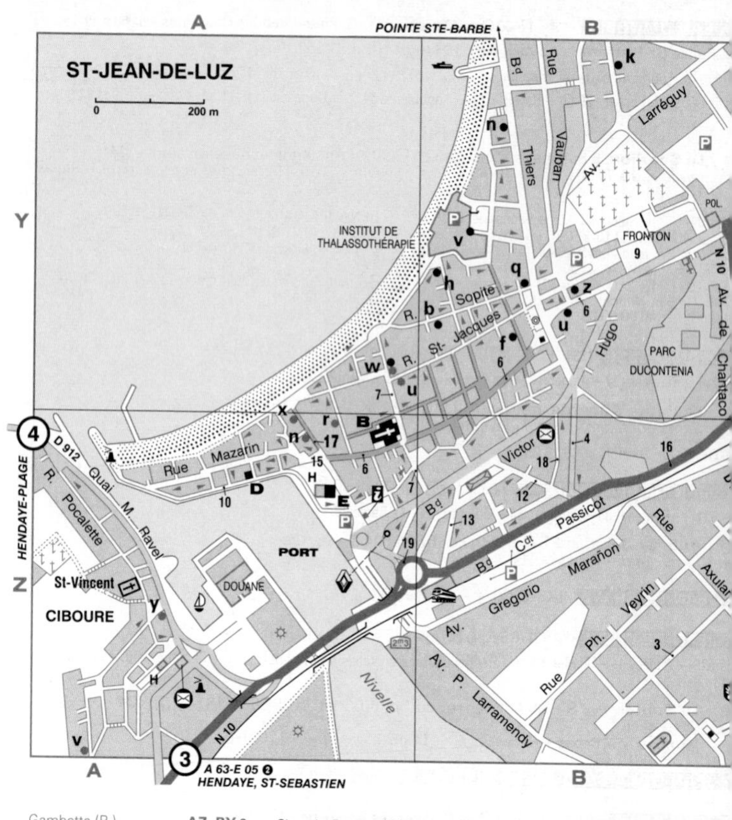

Gambetta (R.) .... AZ, BY 6
Garat (R.) .... AYZ 7
Victor-Hugo (Bd) .... BYZ

Bibal (R. F.) .... BZ 3

Chauvin-Dragon (R.) .... BZ 4
Grandes Allées .... BY 9
Infante (Quai de l') .... AZ 10
Jaurréguiberry (Av.) .... BZ 12
Labrouche (Av.) .... BZ 13

Louis-XIV (Pl.) .... AZ
Pyrénées (Av. des) .... BZ
République (R. de la) .... AZ
Salagoity (R. de) .... BZ
Verdun (Av. de) .... AZ

La Devinière sans rest, 5 r. Loquin ✆ 59 26 05 51, Fax 59 51 26 38, « Bel aménageme intérieur », – ☎. GB. BY
fermé 15 au 30 nov. – 50 – **8 ch** 500/650.

La Marisa M sans rest, 16 r. Sopite ✆ 59 26 95 46, Fax 59 51 17 06 – TV ☎ GB BY
40 – **16 ch** 480.

Gd H. Poste sans rest, 83 r. Gambetta ✆ 59 26 04 53, Fax 59 26 42 14 – TV ☎. AE GB BY
38 – **34 ch** 380/440.

Les Goëlands, 4 av. Etcheverry ✆ 59 26 10 05, Fax 59 51 04 02, – TV ☎ P. AE GB. rest BY
Repas *(Pâques-fin sept.)* (résidents seul.) 125 – 35 – **35 ch** 265/545 – ½ P 415/430.

Ohartzia sans rest, 28 r. Garat ✆ 59 26 00 06, Fax 59 26 74 75, – TV ☎. GB AY
40 – **18 ch** 430.

Villa Bel Air, Promenade J. Thibaud ✆ 59 26 04 86, Fax 59 26 62 34, ← – TV ☎ P. GB rest BY
hôtel : 5 avril-11 nov. ; rest : 3 juin-28 sept. – **Repas** *(fermé dim.)* 130 – 39 – **19 c** 438/575 – ½ P 404/450.

Madison sans rest, 25 bd Thiers ✆ 59 26 35 02, Fax 59 51 14 76 – TV ☎. AE GB JCB BY
fermé 7 janv. au 1er fév. – 38 – **25 ch** 350/450.

Donibane [M], par ①, près échangeur Nord : 2 km ☎ 59 26 21 21, Fax 59 51 20 50, ☼, ⛱ – ▤ rest TV ☎ ♿ P – 🚻 45. AE GB
Repas 80 (déj.), 90/120 ♀, enf. 45 – ☕ 38 – **68 ch** 380 – ½ P 300.

Agur sans rest, 96 r. Gambetta ☎ 59 51 91 11, Fax 59 51 91 21 – TV ☎. AE ⓓ GB. ✻ BY **u**
1er mars-10 nov. – ☕ 37 – **17 ch** 330/450.

XX **Aub. Kaïku,** 17 r. République ☎ 59 26 13 20, Fax 59 51 07 47, ☼, « Maison du 16e siècle » – AE GB AZ **x**
fermé 12 nov. au 20 déc., lundi midi du 15 juin au 15 sept. et merc. du 16 sept. au 14 juin – **Repas** - produits de la mer - (en saison, prévenir) 150/250.

XX **Le Tourasse,** 25 r. Tourasse ☎ 59 51 14 25, Fax 59 51 14 25 – AE GB AZ **r**
fermé mi-janv. à mi-fév., mardi soir et merc. hors sais. sauf vacances scolaires – **Repas** (en saison, prévenir) 110 (sauf week-ends)et carte 250 à 310.

XX **Taverne Basque,** 5 r. République ☎ 59 26 01 26, ☼ – AE ⓓ GB AZ **n**
fermé 15 janv. au 31 mars sauf vacances de fév., lundi soir et mardi de sept. à juin – **Repas** 95/150, enf. 50.

X **Ramuntcho,** 24 r. Garat ☎ 59 26 03 89, Fax 59 51 23 80 – ▤. AE GB AY **w**
fermé 11 nov. au 1er fév. et lundi d'oct. à mars – **Repas** 88/160 ♀, enf. 42.

X **Petit Grill Basque,** 4 r. St-Jacques ☎ 59 26 80 76 – AE ⓓ GB AY **u**
fermé 20 déc. au 20 janv. et merc. – **Repas** 98 ♀.

RD Auto Durruty, ZI de Layatz ☎ 59 26 45 94 N 59 23 68 68
SSAN Gar. Corro, ZI de Jalday ☎ 59 51 22 23
NAULT Gar. Lamerain, Zone de Layatz, N 10 par ☎ 59 26 94 80 N ☎ 09 38 25 74
NAULT Gar. Lamerain, 4 bd V.-Hugo 59 26 04 02 N ☎ 09 38 25 74

VAG Gar. de l'Avenir, 13 av. Errepira à Ciboure ☎ 59 47 26 56

Ⓜ Côte Basque Pneus, ZI de Jalday ☎ 59 26 45 81

Ciboure AZ du plan – 5 849 h alt. 3 – ✉ **64500**.

Voir Chapelle N.-D. de Socorri : site★ 5 km par ③.

XX **Chez Pantxua,** au port de Socoa par ④ : 2 km ☎ 59 47 13 73, ←, ☼ – GB
15 fév.-15 nov. et fermé lundi soir sauf juil.-août et mardi – **Repas** 140 et carte 210 à 310.

XX **Chez Dominique,** 15 quai M. Ravel ☎ 59 47 29 16, ☼ – ▤. AE GB AZ **y**
fermé fév., dim. soir et lundi – **Repas** - produits de la mer - 140.

X **Chez Mattin,** 63 r. E. Baignol ☎ 59 47 19 52 – AE GB. ✻ AZ **v**
fermé janv., fév. et lundi – **Repas** carte 210 à 270.

ST-JEAN-DE-MAURIENNE SP **73300** Savoie **77** ⑦ **G. Alpes du Nord** – 9 439 h alt. 556.

Voir Ciborium★ et stalles★ de la cathédrale AY.

Office de Tourisme pl. Cathédrale ☎ 79 64 03 12.

Paris 617 ① – Albertville 63 ① – Chambéry 73 ① – ♦Grenoble 104 ① – Torino 134 ②.

Plan page suivante

Nord, pl. Champ de Foire ☎ 79 64 02 08, Fax 79 59 91 31 – ▮ TV ☎ P. GB. ✻ rest AY **e**
fermé 15 nov. au 15 déc. – **Repas** *(fermé dim. soir)* 68/165 – ☕ 28 – **19 ch** 195/240 – ½ P 210/215.

St-Georges sans rest, 334 r. République ☎ 79 64 01 06, Fax 79 59 84 84 – ⇔ TV ☎ P. AE ⓓ GB AZ **s**
☕ 35 – **22 ch** 190/280.

Dorhotel [M] sans rest, r. L. Sibué ☎ 79 83 23 83, Fax 79 83 23 00 – ▮ TV ☎ ☏ ♿ P – 🚻 40. AE ⓓ GB JCB BY **n**
☕ 30 – **36 ch** 295/350.

ITROEN Gar. Deléglise, quai J.-Poncet ☎ 79 64 03 00 N ☎ 79 64 03 00
EUGEOT Gar. Alpettaz, ZI Les Plans par ② ☎ 79 64 13 88 N ☎ 79 59 60 22
ENAULT Gar. Duverney, ZI le Parquet ☎ 79 64 12 33 N ☎ 05 05 15 15

VAG Gar. J.-Lain, ZI Le Parquet ☎ 79 64 26 63

Ⓜ Euromaster, pl. Champ de Foire ☎ 79 64 05 74

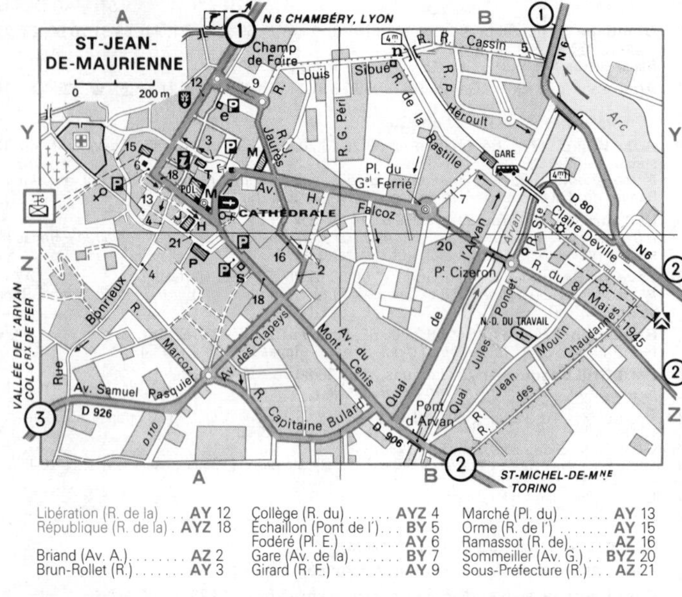

Libération (R. de la) . . . AY 12
République (R. de la) . AYZ 18

Briand (Av. A.). . . . . AZ 2
Brun-Rollet (R.). . . . . . . AY 3

Collège (R. du) . . . . . . AYZ 4
Échaillon (Pont de l') . . . BY 5
Fodéré (Pl. E.) . . . . AY 6
Gare (Av. de la). . . . . . . BY 7
Girard (R. F.) . . . . AY 9

Marché (Pl. du). . . . . . . AY 13
Orme (R. de l') . . . . AY 15
Ramassot (R. de). . . . . . AZ 16
Sommeiller (Av. G.) . . BYZ 20
Sous-Préfecture (R.) . . . AZ 21

ST-JEAN-DE-MONTS 85160 Vendée 67 ⑪ **G. Poitou Vendée Charentes** – 5 959 h alt. 16 – Casino La Pastourelle.

18 ✆ 51 58 82 73, O : 2,5 km.

Office de Tourisme 27 esplanade de la Mer ✆ 51 58 10 00, Fax 51 58 10 20.

Paris 453 – La Roche-sur-Yon 56 – Cholet 99 – ◆Nantes 72 – Noirmoutier-en-l'Ile 33 – Les Sables-d'Olonne 47.

Mercure M, av. Pays de Monts ✆ 51 59 15 15, Fax 51 59 91 03, – P. AE GB
1er mars-11 nov. – **Repas** 95 (déj.)/155, enf. 78 – 55 – **44 ch** 580/690.

L'Espadon, 8 av. Forêt ✆ 51 58 03 18, Fax 51 59 16 11 – P. AE GB
Repas *(1er mars-7 nov.)* 80/180, enf. 40 – 40 – **70 ch** 330/345 – ½ P 295/335.

Annexe Les Dunes, 1 allée d'Alsace ✆ 51 58 10 32, Fax 51 59 16 11 – P. GB
1er avril-15 sept. – **Repas** voir ***L'Espadon*** – 40 – **44 ch** 315/330 – ½ P 295.

Le Robinson (annexe M ch), 28 bd Gén. Leclerc ✆ 51 59 20 20, Fax 51 58 88 03 – rest AE GB
fermé 15 déc. au 15 janv. – **Repas** 73/215, enf. 60 – 35 – **83 ch** 225/365 – ½ P 235/295.

Tante Paulette, 32 r. Neuve ✆ 51 58 01 12, Fax 51 59 77 54, – AE GB
1er mars-1er nov. – **Repas** 74/170, enf. 50 – 30 – **32 ch** 250/290 – ½ P 285/316.

La Cloche d'Or, 26 av. Tilleuls ✆ 51 58 00 58, Fax 51 59 04 04 – GB. rest
Pâques-fin sept. – **Repas** 76/138, enf. 38 – 30 – **25 ch** 340/400 – ½ P 260/400.

Le Richelieu avec ch, 8 av. Oeillets ✆ 51 58 06 78, – AE GB. ch
15 mars-15 nov. – **Repas** 98/295, enf. 45 – 35 – **8 ch** 300/350 – ½ P 310.

Jacques Rondeau, 9 av. Forêt ✆ 51 58 02 66, – GB
fermé lundi – **Repas** 68 (déj.), 118/145.

sur D 38 (rte N.-D. de Monts) NO : 3 km – ✉ **85160** St-Jean-de-Monts :

La Quich'Notte, ✆ 51 58 62 64 – P. AE GB
15 mars-20 sept. et fermé mardi midi et lundi hors sais. – **Repas** 95/199, enf. 42.

à Orouet SE : 7 km – ✉ **85160** St-Jean-de-Monts :

Aub. de la Chaumière, D 38 ✆ 51 58 67 44, Fax 51 58 98 12, parc, – P. AE GB
1er mars-30 sept. – **Repas** *(fermé dim. soir en mars et avril)* 78 (déj.), 98/220, enf. 59 – 35 – **37 ch** 270/400 – ½ P 290/370.

PEUGEOT Gar. Besseau, ✆ 51 58 88 88 N ✆ 40 95 49 73
RENAULT Gar. Vrignaud, 30 et 35 rte de Challans ✆ 51 58 26 74 N ✆ 40 95 48 46
RENAULT Gar. Marionneau, 354 r. de Notre-Dame ✆ 51 58 83 14

ST-JEAN-DE-REBERVILLIERS 28170 E.-et-L. 60 ⑦ – 161 h alt. 181.

Paris 97 – ◆Chartres 29 – Dreux 17 – Verneuil-sur-Avre 30.

XXX **Saint-Jean,** ✆ 37 51 62 83, Fax 37 51 84 52, 🏡 – P. AE ⓓ GB
fermé 6 au 28 mars, 11 sept. au 3 oct., dim. soir, jeudi soir et vend. – **Repas** (nombre de couverts limité, prévenir) 140 (déj.), 165/215 et carte 250 à 350.

ST-JEAN-DE-SIXT 74450 H.-Savoie 74 ⑦ **G. Alpes du Nord** – 852 h alt. 963.

Voir Défilé des Étroits★ NO : 3 km.

Office de Tourisme ✆ 50 02 70 14, Fax 50 02 31 03.

Paris 577 – Annecy 29 – Chamonix-Mont-Blanc 78 – Bonneville 22 – La Clusaz 3 – Genève 48.

🏠 **Beau Site** 🐦, ✆ 50 02 24 04, Fax 50 02 35 82, ≤, 🏊, 🌳 – 🛗 TV ☎ 🚗 P. GB. 🚫 rest
◆ *20 juin-10 sept. et Noël-Pâques* – **Repas** 80/150 – ☕ 30 – **20 ch** 190/310 – ½ P 235/280.

ST-JEAN-DES-OLLIÈRES 63520 Puy-de-Dôme 73 ⑮ – 363 h alt. 652.

Paris 459 – ◆Clermont-Ferrand 42 – Ambert 40 – Billom 16 – Issoire 28 – Thiers 34.

X **L'Archou** 🐦 avec ch, ✆ 73 70 92 00, Fax 73 70 99 22 – ☎. AE GB
fermé janv., dim. soir du 1er sept. au 31 mars et jeudi – **Repas** 98/220 🍷, enf. 50 – ☕ 30 – **7 ch** 170/230 – ½ P 210/250.

ST-JEAN-DU-BRUEL 12230 Aveyron 80 ⑮ **G. Gorges du Tarn** – 820 h alt. 520.

Env. Gorges de la Dourbie★★ NE : 10 km.

Syndicat d'Initiative, 4 Grande-Rue ✆ 65 62 23 64.

Paris 695 – ◆Montpellier 98 – Le Caylar 26 – Lodève 44 – Millau 41 – Rodez 107 – St-Affrique 48 – Le Vigan 36.

🏠 **Midi-Papillon** 🐦, ✆ 65 62 26 04, Fax 65 62 12 97, ≤, 🏊, 🌳 – ☎. GB
◆ *30 mars-11 nov.* – **Repas** 73/200 🍷, enf. 46 – ☕ 24 – **19 ch** 125/195 – ½ P 185/220.

ST-JEAN-DU-DOIGT 29630 Finistère 58 ⑥ **G. Bretagne** – 661 h alt. 15.

Voir Enclos paroissial : trésor★★, église★, fontaine★.

Paris 546 – ◆Brest 77 – Guingamp 62 – Lannion 34 – Morlaix 17 – Quimper 96.

🏠 **Le Ty Pont,** ✆ 98 67 34 06, 🌳 – ☎. GB
◆ *15 mars-15 nov. et fermé dim.soir et lundi sauf du 9 juin au 10 sept.* – **Repas** 75/137, enf. 52 – ☕ 33 – **28 ch** 140/230 – ½ P 205/225.

ST-JEAN-DU-GARD 30270 Gard 80 ⑰ **G. Gorges du Tarn** – 2 441 h alt. 183.

Voir Musée des Vallées Cévenoles★.

Office de Tourisme, pl. Rabaut-St-Etienne ✆ 66 85 32 11, Fax 66 85 16 28.

Paris 688 – Alès 27 – Florac 53 – Lodève 92 – ◆Montpellier 73 – Nîmes 59 – Le Vigan 58.

🏠 **Aub. du Péras,** rte Anduze ✆ 66 85 35 94, Fax 66 52 30 32, 🏡 – TV ☎ P. AE ⓓ GB
◆ *1er mars-30 nov.* – **Repas** 78/170 – ☕ 28 – **10 ch** 268/290.

PEUGEOT Gar. Rossel, ✆ 66 85 30 32

ST-JEAN-EN-ROYANS 26190 Drôme 77 ③ **G. Alpes du Nord** – 2 895 h alt. 250.

Office de Tourisme Pavillon du Tourisme ✆ 75 48 61 39.

Paris 589 – Valence 43 – Die 63 – Romans-sur-Isère 27 – ◆Grenoble 68 – St-Marcellin 20 – Villard-de-Lans 33.

🏠 **Castel Fleuri,** pl. Champ de Mars ✆ 75 47 58 01, Fax 75 47 79 30, 🏡, 🌳 – TV ☎ P. ⓓ GB
fermé 12 nov. au 4 déc., 1er au 15 fév., dim. soir et lundi sauf juil.-août – **Repas** 87/169, enf. 50 – ☕ 35 – **12 ch** 190/280 – ½ P 225.

au col de la Machine SE : 11 km par D 76.

Voir Combe Laval★★★.

🏠 **du Col de la Machine** 🐦, ✆ 75 48 26 36, Fax 75 48 29 12, ≤, 🏊 – TV ☎ 🚗 P. GB
fermé 18 au 25 mars, 12 nov. au 5 déc., dim. soir et lundi d'oct. à mai – **Repas** 90/200, enf. 48 – ☕ 38 – **14 ch** 170/285 – ½ P 210/260.

RENAULT Gar. Usclard, ✆ 75 47 55 39 N ✆ 75 47 53 92

ST-JEAN-LE-THOMAS **50530** Manche 59 ⑦ – 398 h alt. 20.

Paris 348 – St-Lô 61 – St-Malo 82 – Avranches 16 – Granville 16 – Villedieu-les-Poêles 30.

Bains, ✆ 33 48 84 20, Fax 33 48 66 42, – ☎ **P**. AE ⓓ GB
27 mars-5 nov. – **Repas** *(fermé merc. sauf fériés et vacances scolaires)* 71/180, enf. 50 – ☕ 32 – **30 ch** 196/335 – ½ P 242/326.

ST-JEAN-PIED-DE-PORT **64220** Pyr.-Atl. 85 ③ **G. Pyrénées Aquitaine** – 1 432 h alt. 159.

Voir Trajet des pèlerins de St-Jacques★.

Office de Tourisme pl. Ch.-de-Gaulle ✆ 59 37 03 57, Fax 59 37 34 91.

Paris 825 ③ – Biarritz 57 ③ – ♦Bayonne 53 ③ – Dax 86 ① – Oloron-Ste-Marie 69 ① – Pau 98 ① – San Sebasti 97 ③.

ST-JEAN-PIED-DE-PORT

Citadelle (R. de la) 4
Espagne (R. d') ....
Gaulle (Pl. Ch.-de) 9

Çaro (Rte de) 2
Église (R. de l') 6
France (R.) 12
Fronton (Av. de) 15
Liberté (R. de la) 17
St-Jacques (Ch. de) 18
St-Michel (Rte de) 21
Trinquet (Pl. du) 24
Uhart (R. d') 27
Zuharpeta (R.) 30

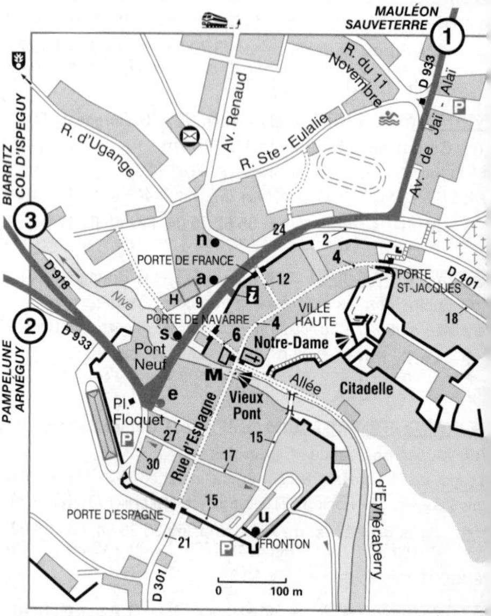

Si vous êtes retardé sur la route, dès 18 h, confirmez votre réservation par téléphone, c'est plus sûr... et c'est l'usage.

Pyrénées (Arrambide), pl. Ch. de Gaulle **(a)** ✆ 59 37 01 01, Fax 59 37 18 97, rest ☎ – 30. AE GB JCB.
fermé 20 nov. au 22 déc., 5 au 28 janv., lundi soir de nov. à mars et mardi du 20 sept. au 3 juin – **Repas** (dim. et saison - prévenir) 230/500 et carte 350 à 480 – ☕ 80 – **20 ch** 540/880 ½ P 650/750
Spéc. Filets de rougets et chipirons grillés, sauce à l'encre. Lasagnes au foie gras et aux truffes. Ris d'agneau de la aux poivrons et aux cèpes. **Vins** Jurançon, Irouléguy.

Continental sans rest, 3 av. Renaud **(n)** ✆ 59 37 00 25, Fax 59 37 27 81 – ☎ **P**. ⓓ GB JCB.
Pâques-30 nov. – ☕ 49 – **18 ch** 330/490.

Central, pl. Ch. de Gaulle **(s)** ✆ 59 37 00 22, Fax 59 37 27 79, – ☎. AE ⓓ GB JCB
fermé 22 déc. au 10 fév. – **Repas** 98/220, enf. 60 – ☕ 45 – **14 ch** 350/450 – ½ P 370/440.

Haïzpea , à Uhart-Cize 1,5 km par ③ et D 403, rte Lasse ✆ 59 37 05 44, ≤, , parc – **P**.
1er juin-1er oct. – **Repas** (résidents seul.) – **10 ch** (½ pens. seul.) – ½ P 230/325.

Plaza Berri sans rest, av. Fronton **(u)** ✆ 59 37 12 79 –
fermé 15 nov. au 15 déc. – ☕ 36 – **8 ch** 220/320.

Ipoutchaïnia avec ch, à Ascarat O : 1,5 km par ③ et D 15 ✆ 59 37 02 34 Fax 59 37 36 95, – ☎ **P**.
fermé 15 nov. au 15 déc. – **Repas** 80/150, enf. 50 – ☕ 35 – **12 ch** 220 – ½ P 240.

Etche Ona avec ch, pl. Floquet **(e)** ✆ 59 37 01 14 – ☎. GB. ch
fermé 11 nov. au 23 déc., jeudi soir (sauf rest.) et vend. d'oct. à juin – **Repas** 110/260 – ☕ 4 – **5 ch** 330 – ½ P 310/350.

à Aincillé par ① et D 18 : 7 km – 110 h. alt. 253 – ✉ **64220** :

Pecoïtz avec ch, ✆ 59 37 11 88, ←, – ☎ 🅿. GB
fermé 1er janv. au 1er mars et vend. d'oct. à mai – **Repas** 80/185, enf. 50 – ☕ 28 – **16 ch** 160/210 – ½ P 180/215.

à Estérençuby S : 8 km par D 301 – 427 h. alt. 229 – ✉ **64220** :

Sources de la Nive, S : 4 km par rte secondaire ✆ 59 37 10 57, ← – ☎ 🅿. GB
fermé janv. et mardi hors sais. – **Repas** 50/160, enf. 40 – ☕ 32 – **26 ch** 220 – ½ P 200.

ST-JEAN-SUR-VEYLE 01290 Ain 74 ② – 926 h alt. 200.

Paris 400 – Mâcon 10 – Bourg-en-Bresse 29 – Villefranche-sur-Saône 41.

Petite Auberge, ✆ 85 31 53 92, Fax 85 31 69 34 – GB
fermé vacances de Toussaint, 2 au 16 janv., dim. soir de sept. à mai et lundi – **Repas** 65 bc (déj.), 95/220.

ST-JOACHIM 44720 Loire-Atl. 63 ⑮ G. Bretagne – 3 994 h alt. 5.

Voir Tour de l'île de Fédrun★ O : 4,5 km – Promenade en chaland★★.

Paris 440 – ◆Nantes 62 – Redon 41 – St-Nazaire 16 – Vannes 61.

Aub. du Parc avec ch, Ile de Fedrun ✆ 40 88 53 01, Fax 40 91 67 44, « Chaumière briéronne », – ☎ 🅿. AE GB
fermé 15 janv. au 1er mars, dim. soir et lundi du 1er oct. au 15 juin – **Repas** 130/195 – ☕ 35 – **4 ch** 380.

ST-JORIOZ 74410 H.-Savoie 74 ⑥ – 4 178 h alt. 452.

Office de Tourisme, pl. de la Mairie ✆ 50 68 61 82.

Paris 546 – Annecy 9,5 – Albertville 36 – Megève 51.

Manoir Bon Accueil, à Epagny : 2,5 km par D 10 A ✆ 50 68 60 40, Fax 50 68 94 84, – 📺 ☎ 🅿 – 25. GB. rest
fermé 20 déc. au 20 janv. – **Repas** *(fermé dim. soir du 20 sept. au 20 avril)* 120/180 – ☕ 42 – **28 ch** 330/500 – ½ P 390/520.

ST-JULIEN 56 Morbihan 63 ⑫ – rattaché à Quiberon.

ST-JULIEN-CHAPTEUIL 43260 H.-Loire 76 ⑦ G. Vallée du Rhône – 1 664 h alt. 815.

Voir Site★.

Env. Montagne du Meygal★ : Grand Testavoyre ✻★★ NE : 14 km puis 30 mn.

Office de Tourisme ✆ 71 08 77 70.

Paris 568 – Le Puy-en-Velay 20 – Lamastre 53 – Privas 87 – St-Agrève 32 – Yssingeaux 16.

Barriol, ✆ 71 08 70 17, Fax 71 08 74 19 – 📺 ☎. GB.
1er fév.-31 oct. et fermé dim. soir et lundi sauf juil.-août – **Repas** 62 (déj.), 105/198, enf. 54 – ☕ 42 – **11 ch** 275 – ½ P 240.

Vidal, ✆ 71 08 70 50, Fax 71 08 40 14 – AE GB
fermé 15 janv. au 28 fév., mardi sauf juil.-août et lundi soir – **Repas** 100/310.

PEUGEOT Gar. Abrial, ✆ 71 08 72 20 N ✆ 71 08 72 20

RENAULT Gar. de Chapteuil, ✆ 71 08 72 79 N ✆ 71 08 72 79

ST-JULIEN-DE-CREMPSE 24 Dordogne 75 ⑮ – rattaché à Bergerac.

ST-JULIEN-DE-JONZY 71110 S.-et-L. 73 ⑧ G. Bourgogne – 282 h alt. 508.

Voir Portail★ de l'église.

Env. Église★ de Semur-en-Brionnais NO : 6 km.

Paris 390 – Moulins 82 – Roanne 29 – Charolles 32 – Lapalisse 46 – Mâcon 79.

Pont avec ch, ✆ 85 84 01 95, Fax 85 84 14 61, – 📺 ☎ 🅿. GB
fermé vacances de fév. – **Repas** *(fermé lundi soir)* 54 (déj.), 75/158, enf. 45 – ☕ 33 – **7 ch** 185/230 – ½ P 230.

ST-JULIEN-DE-JORDANNE 15 Cantal 76 ② – alt. 920 – ✉ 15590 Mandailles-St-Julien.

Voir Vallée de Mandailles★★, G. Auvergne.

Paris 544 – Aurillac 24 – Mauriac 54 – Murat 28.

Touristes, ✆ 71 47 94 71, Fax 71 47 91 64, – 🅿. AE GB
Pâques-fin sept., vacances de Noël, de fév. et week-ends en hiver – **Repas** 60/130 – ☕ 30 – **18 ch** 110/250 – ½ P 190/220.

ST-JULIEN-D'EMPARE 12 Aveyron 79 ⑩ – rattaché à Figeac.

ST-JULIEN-EN-CHAMPSAUR 05500 H.-Alpes 77 ⑯ – 252 h alt. 1050.

Paris 659 – Gap 17 – ◆Grenoble 95 – La Mure 57 – Orcières 20.

Les Chenets, ✆ 92 50 03 15, Fax 92 50 73 06 – ☎. GB
fermé 9 au 27 avril, 31 oct. au 22 déc., dim. soir et merc. hors sais. – **Repas** 85/160, enf. 48 – ☕ 32 – **18 ch** 190/270 – ½ P 250.

ST-JULIEN-EN-GENEVOIS 74160 H.-Savoie 74 ⑥ – 7 922 h alt. 460.

Country Club de Bossey ℘ 50 43 75 25.

Syndicat d'Initiative (juil.-août) ℘ 50 49 30 61.

Paris 528 – Annecy 34 – Thonon-les-Bains 45 – Bonneville 35 – Genève 13 – Nantua 55.

Savoie H. sans rest, av. L. Armand ℘ 50 49 03 55, Fax 50 49 06 23 – ⌂ ▤ TV ☎ ✆ P. GB. ✂
☐ 30 – **20 ch** 225/300.

Le Soli sans rest, r. Mgr Paget ℘ 50 49 11 31, Fax 50 35 14 64 – ⌂ TV ☎ P. AE ⓞ GB
fermé 23 déc. au 3 janv. – ☐ 35 – **27 ch** 210/275.

XXX **Diligence et Taverne du Postillon,** av. Genève ℘ 50 49 07 55, Fax 50 49 52 31 – ▤. ⓞ GB JCB
Repas (brasserie) *(fermé 29 juil. au 5 août, 2 au 6 janv., dim. soir et lundi)* 101 (déj.)/120 enf. 55 - ***Taverne*** (sous-sol) *(fermé 5 au 26 août, 2 au 6 janv., dim. soir et lundi)* **Rep** 150(déj.), 180/350 et carte 260 à 380.

*à **Bossey*** E : 5 km par N 206 – 486 h. alt. 438 – ✉ **74160** :

XXX **La Ferme de l'Hospital,** ℘ 50 43 61 43, Fax 50 95 31 53, ☂ – ▤ P. GB
fermé 1er au 15 nov., 15 fév. au 8 mars, dim. soir, lundi midi et merc. – **Repas** 190/265 carte 250 à 320.

*au **Sud*** par N 201 – ✉ **74350** Cruseilles :

Rey, au Col du Mont Sion : 9,5 km ℘ 50 44 13 29, Fax 50 44 05 48, ≤, ☂, ⛱, ⛾, ✂ – TV ☎ P. GB. ✂ ch
hôtel : fermé 24 oct. au 7 nov. et 5 au 25 janv. – ***Clef des Champs*** ℘ 50 44 13 11 *(fermé 17/ au 7/11, 5 au 25/1, jeudi sauf du 1 au 20/8 et vend. midi)* **Repas** 104/335, enf. 66 – ☐ 38 **30 ch** 260/420 – ½ P 312/376.

OPEL Leclerc et Maréchal, 7 rte d'Annecy ℘ 50 49 28 31
PEUGEOT Gar. Lemuet, ZI à Neydens ℘ 50 35 19 30 N ℘ 50 87 91 86

RENAULT Rd-Pt Auto, rte d'Annemasse ℘ 50 49 07 35
Gar. Megevand, 3 r. Platière ℘ 50 49 28 33

ST-JUNIEN 87200 H.-Vienne 72 ⑥ G. Berry Limousin – 10 604 h alt. 240.

Voir Collégiale★ Y **B.**

℘ 55 02 32 52 et Fax, O : 4 km par ③.

Office de Tourisme pl. Champ-de-Foire ℘ 55 02 17 93, Fax 55 02 94 31.

Paris 412 ① – ♦Limoges 30 ① – Angoulême 73 ③ – Bellac 34 ① – Confolens 28 ③ – Ruffec 69 ③.

ST-JUNIEN

Dumas (R. Lucien) . . . . Y 8
J.-J.-Rousseau (R.) . . . . . . Y 12
Mocquet (Pl. Guy) . . . . Y 16
Péri (R. Gabriel) . . . . Y 17

Anatole-France (Av.) . . . . . Y
Bastié (Av. Maryse) . . . . . . Z 2
Blanc (Bd Louis) . . . . Y 3
Blanqui (Fg Auguste) . . . . . Z 4
Brossolette (Bd) . . . . Y 6
Cachin (Bd Marcel) . . . . . . Y
Carnot (Av. Sadi) . . . . Y
Corot (Av.) . . . . Y 7
Defaye (R.) . . . . Y
Estienne-d'Orves (Av. d') . . . . Z
Flaubert (Av. G.) . . . . YZ
Gaillard (Fg) . . . . Z 10
Lasvergnas (Pl.) . . . . Y
Liebknecht (Fg) . . . . Y 13
Michels (Pl. Ch.) . . . . Z 15
Pérucaud (R. H.) . . . . Y 18
Petit (Pl. J.) . . . . Y 19
République (Bd de la) . . . . Y 20
Rigaud (R. Junien) . . . . Y
Roche (Pl. Auguste) . . . . . . Y 21
Roche (Av. Victor) . . . . Z
Vaillant-Couturier (R. Paul) . . . . Z 23
Victor-Hugo (Bd) . . . . Y
Vignerie (Av. L.) . . . . Y
Voltaire (Av.) . . . . Y 24

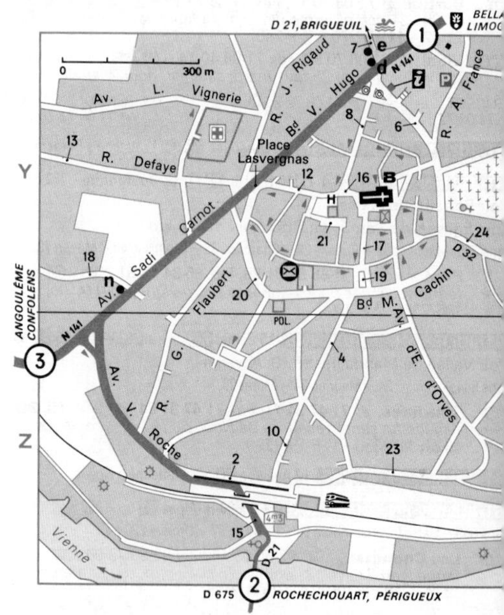

Les plans de villes sont orientés le Nord en haut.

Relais de Comodoliac, 22 av. Sadi-Carnot ✆ 55 02 27 26, Fax 55 02 68 79, – TV ☎ P – 40. AE ① GB Y n
fermé dim. soir de nov. à fév. – **Repas** 75 (déj.), 95/265, enf. 55 – ☕ 35 – **28 ch** 180/310.

Boeuf Rouge, 57 bd V. Hugo ✆ 55 02 31 84, Fax 55 02 62 40, – ▤ rest TV ☎ P – 25. AE GB Y d
Repas 79/200, enf. 59 – ☕ 35 – **30 ch** 265/360 – ½ P 255/295.

Althôtel M sans rest, 1 av. Corot ✆ 55 02 95 78, Fax 55 02 62 40, – TV ☎ P. AE GB – ☕ 35 – **21 ch** 200/250. Y e

au pont à la Planche par ① et D 675 : 5 km – ✉ **87200** St-Junien :

Rendez-vous des Chasseurs avec ch, ✆ 55 02 19 73, Fax 55 02 06 98, – ▤ rest TV ☎ P. GB
fermé 29 juil. au 12 août, 23 au 6 janv., dim. soir (sauf hôtel) et vend. – **Repas** 72/220, enf. 40 – ☕ 30 – **7 ch** 180/220 – ½ P 200/250.

ITROEN Gar. Vigier, Le Pavillon par ① ✆ 55 02 31 29 N ✆ 55 02 31 29
'EUGEOT Ouest Limousin Autom., La Croix Blanche N 141 par ① ✆ 55 02 50 50
RENAULT St-Junien Autos, ZI Parc Activité Axial ✆ 55 02 38 37 N ✆ 55 06 57 51

Gar. Guéroux, 4 av. d'Oradour sur Glane ✆ 55 02 16 28

Pneus et C/c, 1 r. de Montrozier ✆ 55 02 14 57

ST-JUST 01 Ain 74 ③ – rattaché à Bourg-en-Bresse.

ST-JUST-EN-CHEVALET 42430 Loire 73 ⑦ – 1 422 h alt. 647.

aris 488 – Roanne 30 – L'Arbresle 86 – Montbrison 47 – ◆St-Étienne 87 – Thiers 29 – Vichy 50.

Londres, pl. Rochetaillée ✆ 77 65 02 42 – GB
fermé vacances de printemps, de Toussaint, vend. soir et sam. hors sais. – **Repas** 84/220.

Gar. Du Lac, à Juré ✆ 77 62 54 13 N ✆ 77 62 54 13

ST-LAMBERT 78 Yvelines 60 ⑨ 106 ㉙ 101 ㉒ **G. Ile de France** – 382 h alt. 120 – ✉ **78470** St-Lambert-les-Bois.

Voir Vestiges de l'abbaye de Port-Royal des Champs★ NO : 1,5 km.

Paris 38 – Rambouillet 22 – Versailles 14.

Les Hauts de Port Royal, D 91 ✆ (1) 30 44 10 21, Fax (1) 30 64 44 10, – P. AE GB
fermé 1er au 15 août, dim. soir et lundi – **Repas** 250 et carte 300 à 400.

ST-LARY-SOULAN 65170 H.-Pyr. 85 ⑲ **G. Pyrénées Aquitaine** – 1 108 h alt. 820 – Stat. therm. – Sports d'hiver : 1 680/2 450 m 2 29.

Office de Tourisme r. Principale ✆ 62 39 50 81, Fax 62 39 50 06.

Paris 863 – Bagnères-de-Luchon 44 – Arreau 12 – Auch 103 – St-Gaudens 64 – Tarbes 69.

Mercure Cristal Parc M, ✆ 62 99 50 00, Fax 62 99 50 10, ←, , – TV ☎ P – 100. AE ① GB
hôtel : fermé 1er nov. à mi-déc. – ***Les Délices :*** *(fermé mi-oct. à mi-déc.)* **Repas** carte 180 à 260, enf. 55 – ☕ 55 – **65 ch** 560 – ½ P 465.

Motel de la Neste, ✆ 62 39 42 79, Fax 62 39 58 77, ← – ▤ rest TV ☎ P. GB.
1er juin-30 sept. et 15 déc.-30 avril – **Repas** 70/140, enf. 40 – ☕ 36 – **21 ch** 250/300 – ½ P 260.

Aurélia, N : 1,5 km sur D 19 ✆ 62 39 56 90, Fax 62 39 43 75, , , , – ☎ P. GB. – *fermé 30 sept. au 15 déc.* – **Repas** 70/120 – ☕ 35 – **18 ch** 210/255 – ½ P 260.

La Pergola, ✆ 62 39 40 46, Fax 62 40 06 65, ←, – P. GB.
fermé mai, début nov. au 15 déc. – **Repas** carte 75 à 190 – ☕ 30 – **20 ch** 190/280 – ½ P 280.

Pons "Le Dahu", ✆ 62 39 43 66, Fax 62 40 00 86, – ☎ P. AE GB. rest
Repas 50 bc/90 – ☕ 30 – **40 ch** 200/250 – ½ P 240.

à Espiaube NO : 11 km par D 123 et rte secondaire – ✉ **65170** St-Lary-Soulan :

La Sapinière, ✆ 62 98 44 04, Fax 62 98 44 46, ← – ☎ P. GB
20 déc.-1er avril – **Repas** 80/120 – ☕ 30 – **16 ch** 310/350 – ½ P 290.

Gar. Celotti, ✆ 62 39 40 39

ST-LATTIER 38840 Isère 77 ③ – 1 028 h alt. 170.

Paris 576 – Valence 33 – ◆Grenoble 67 – Romans-sur-Isère 15 – St-Marcellin 15.

Lièvre Amoureux, ✆ 76 64 50 67, Fax 76 64 31 21, , « Jardin fleuri, » – ☎ P. AE ① GB
1er mars-1er oct. et fermé dim. soir et lundi du 1er mars au 30 mai – **Repas** 179/199, enf. 65 – ☕ 60 – **12 ch** 320/460 – ½ P 455.

Brun, Les Fauries, N 92 ✆ 76 64 54 76, Fax 76 64 31 78, – TV ☎ P. GB
Repas 65 (déj.), 100/210, enf. 50 – ☕ 40 – **10 ch** 170/210 – ½ P 195.

Aub. du Viaduc M avec ch, N 92 ✆ 76 64 51 65, Fax 76 64 30 93, , – TV ☎ P. GB
Repas *(fermé 15 au 30 déc., dim. soir et lundi)* 95/195 – ☕ 50 – **9 ch** 350/450 – ½ P 320/425.

ST-LAURENT-DE-LA-SALANQUE 66250 Pyr.-Or. 86 ⑳ – 7 186 h alt. 2.

Env. Fort de Salses★★ NO : 9 km, **G. Pyrénées Roussillon.**

Office de Tourisme pl. Gambetta (saison) ✆ 68 28 31 03.

Paris 860 – ◆Perpignan 17 – Elne 26 – Narbonne 60 – Quillan 79 – Rivesaltes 10.

Aub. du Pin sans rest, rte Perpignan ✆ 68 28 01 62, Fax 68 28 39 14, – ☎ P. AE GB
1er juin-15 oct. – ☕ 30 – **18 ch** 200/220.

Commerce avec ch, bd Révolution ✆ 68 28 02 21 – ▤ rest ☎ – 25. GB.
fermé 4 au 19 mars, 28 oct. au 19 nov., lundi sauf le soir en juil.-août et dim. soir de sept. juin – **Repas** 95/200 – ☕ 33 – **14 ch** 195/275 – ½ P 220/265.

CITROEN Gar. Formenty, rte de Barcares ✆ 68 28 01 08
PEUGEOT Gar. Balouet, av. de la Côte-Vermeille ✆ 68 28 32 73
RENAULT Gar. Billes, ZA rte de Torreilles ✆ 68 28 54 54
RENAULT Gar. Tarrius, 2 bd Canal ✆ 68 28 14 67 ✆ 68 61 95 55

ST-LAURENT-DE-MURE 69720 Rhône 74 ⑫ – 4 513 h alt. 252.

Paris 487 – ◆Lyon 19 – Pont-de-Chéruy 16 – La Tour-du-Pin 37 – Vienne 33.

Host. Le St-Laurent, ✆ 78 40 91 44, Fax 78 40 45 41, , parc – TV ☎ P. AE GB JCB
fermé 10 au 25 août, dim. soir, sam. et soirs fériés – **Repas** 82/290 – ☕ 30 – **29 ch** 240/320.

ST-LAURENT-DES-ARBRES 30126 Gard 80 ⑳ – 1 683 h alt. 60.

Paris 677 – Avignon 20 – Alès 58 – Nîmes 45 – Orange 17.

La Galinette M sans rest, pl. de l'Arbre ✆ 66 50 14 14, Fax 66 50 46 30, « Bel aménagement intérieur » – TV ☎. GB.
☕ 40 – **10 ch** 330/440.

ST-LAURENT-DES-AUTELS 49270 M.-et-L. 67 ④ – 1 510 h alt. 92.

Paris 358 – ◆Nantes 33 – Ancenis 10 – Cholet 41 – Clisson 26.

Cheval Blanc, ✆ 40 83 90 05 – GB
fermé 1er au 15 août, vacances de fév., dim. soir, mardi soir et merc. – **Repas** 100/250.

ST-LAURENT-DU-PONT 38380 Isère 77 ⑤ G. Alpes du Nord – 4 061 h alt. 410.

Voir Gorges du Guiers Mort★★ SE : 2 km – Site★ de la Chartreuse de Curière SE : 4 km.

Office de Tourisme, Mairie ✆ 76 06 20 00, Fax 76 55 12 30.

Paris 546 – ◆Grenoble 32 – Chambéry 29 – La Tour-du-Pin 40 – Voiron 15.

Voyageurs, r. Pasteur ✆ 76 55 21 05, Fax 76 55 12 68 – TV ☎. GB
fermé mi-déc. à mi-janv., vend. soir et dim. soir sauf du 14 juil. au 15 août – **Repas** 59/300, enf. 40 – ☕ 33 – **17 ch** 150/290 – ½ P 159/225.

La Blache, av. Gare ✆ 76 55 29 57, – P. GB
fermé 16 au 30 août, vacances de fév. et lundi – **Repas** 115/235.

ST-LAURENT-DU-VAR 06700 Alpes-Mar. 84 ⑨ 115 ㉖ G. Côte d'Azur – 24 426 h alt. 18.

Voir Corniche du Var★ N.

Office de Tourisme 1, promenade des Flots Bleus ✆ 92 12 40 00, Fax 93 14 92 83.

Paris 925 – ◆Nice 9 – Antibes 15 – Cagnes-sur-Mer 6 – Cannes 25 – Grasse 28 – Vence 14.

Voir plan de NICE Agglomération.

au Cap 3000 – ✉ **06700** :

Novotel M, 80 av. Verdun ✆ 93 31 61 15, Télex 470643, Fax 93 07 62 25, , , – ▤ TV ☎ P – 120. AE GB
Repas carte environ 160, enf. 50 – ☕ 49 – **103 ch** 590.

Galaxie sans rest, av. Mar. Juin ✆ 93 07 73 72, Fax 93 14 32 14 – ▤ TV ☎ P. AE GB JCB
☕ 40 – **28 ch** 510/610.

au Port St-Laurent – ✉ **06700** :

Holiday Inn SunSpree Resort M, ✆ 93 14 80 00, Télex 470231, Fax 93 07 21 24, , , , – ▤ TV ☎ – 50. AE GB JCB. rest
Le Lavandin : **Repas** 120/170, enf. 50 – ☕ 90 – **124 ch** 790/1390 – ½ P 710/960.

Le Centurion, ✆ 93 07 99 10 – ▤. AE GB
fermé 1er au 21 nov., dim. soir et merc. – **Repas** 85/310, enf. 55.

R 70/185

Repas à prix fixes :
des menus à prix intermédiaires à ceux indiqués sont généralement proposés.

ST-LAURENT-EN-GRANDVAUX 39150 Jura 70 ⑮ **G. Jura** – 1 781 h alt. 904.

Paris 446 – Champagnole 22 – Lons-le-Saunier 46 – Morez 12 – Pontarlier 60 – St-Claude 30.

Commerce, ☎ 84 60 11 41, Fax 84 60 10 68, – ☎ . GB
fermé 14 avril au 2 mai, 11 nov. au 2 déc., dim. soir et lundi sauf du 2 juil. au 19 août – **Repas** 75/250 – ☕ 32 – **13 ch** 160/300 – ½ P 190/250.

Poste, ☎ 84 60 15 39, Fax 84 60 89 03 – ☎ . GB
fermé 1er au 15 mai et 25 oct. au 2 déc. – **Repas** 75/130 – ☕ 30 – **10 ch** 200/250 – ½ P 210.

ST-LAURENT-EN-ROYANS 26190 Drôme 77 ③ – 1 330 h alt. 312.

Paris 589 – ♦Grenoble 68 – Valence 43 – Romans-sur-Isère 27 – St-Marcellin 20 – Villard-de-Lans 29.

Bérard avec ch, ☎ 75 48 61 13, – GB
fermé janv., lundi soir et mardi sauf juil.-août – **Repas** 75 bc/190 bc – ☕ 35 – **6 ch** 160 – ½ P 200.

RENAULT Gar. Magnan, ☎ 75 48 65 38 N ☎ 75 48 65 38

ST-LAURENT-NOUAN 41220 L.-et-Ch. 64 ⑧ **G. Châteaux de la Loire** – 3 399 h alt. 84.

des Bordes ☎ 54 87 72 13, à 6 km.

Paris 160 – ♦Orléans 30 – Beaugency 8,5 – Blois 27.

Relais des Sapins, D 951 ☎ 54 87 70 71, Fax 54 87 21 99, , , , – | TV ☎ P – 80. AE GB
Repas 60/160 – ☕ 40 – **42 ch** 280/320 – ½ P 300/350.

ST-LAURENT-SUR-MANOIRE 24 Dordogne 75 ⑥ – rattaché à Périgueux.

Ne prenez pas la route sans connaître votre temps de parcours.

La carte Michelin n° 911 c'est "la carte du temps gagné".

ST-LAURENT-SUR-SÈVRE 85290 Vendée 67 ⑤ **G. Poitou Vendée Charentes** – 3 247 h alt. 121.

Paris 362 – ♦Angers 70 – La Roche-sur-Yon 57 – Bressuire 35 – Cholet 12 – ♦Nantes 68.

Hermitage, r. Jouvence ☎ 51 67 83 03, Fax 51 67 84 11, – ☎ P. AE GB
fermé 1er au 12 août, vacances de fév., sam. d'oct. à avril et dim. soir de mai à sept. – **Repas** 72/155 – ☕ 30 – **16 ch** 190/280 – ½ P 245/265.

ST-LÉGER 17 Char.-Mar. 71 ⑤ – rattaché à Pons.

ST-LÉGER-EN-YVELINES 78610 Yvelines 60 ⑧ 106 ㉗ – 1 074 h alt. 150.

Paris 53 – Chartres 54 – Dreux 37 – Mantes-la-Jolie 36 – Rambouillet 11 – Versailles 35.

La Belle Aventure avec ch, ☎ (1) 34 86 31 35, Fax (1) 34 86 36 85, , – ☎. GB
fermé 1er au 22 août et vacances de fév. – **Repas** *(fermé dim. soir et lundi)* 159 – ☕ 60 – **8 ch** 350/500 – ½ P 375/475.

ST-LÉGER-LES-MÉLÈZES 05260 H.-Alpes 77 ⑯ **G. Alpes du Nord** – 182 h alt. 1250 – Sports d'hiver : 1 260/2 000 m 14 .

Paris 674 – Gap 21 – ♦Grenoble 105.

L'Ecureuil, ☎ 92 50 40 49, Fax 92 50 71 64, ←, , – | ☎ P – 60. GB. rest
15 juin-15 sept. et 26 déc.-20 mars – **Repas** 90/180 – ☕ 40 – **40 ch** 250/280 – ½ P 250.

ST-LÉONARD-DE-NOBLAT 87400 H.-Vienne 72 ⑱ **G. Berry Limousin** – 5 024 h alt. 347.

Voir Église★ : clocher★★.

de la Porcelaine ☎ 55 31 10 69, O par D 941 puis VC : 14 km.

Office de Tourisme r. R.-Salengro ☎ 55 56 25 06, Fax 55 56 36 97.

Paris 402 – ♦Limoges 19 – Aubusson 67 – Brive-la-Gaillarde 92 – Guéret 62.

Gd St-Léonard, 23 av. Champs de Mars ☎ 55 56 18 18, Fax 55 56 98 32 – TV ☎ . AE GB
fermé 15 déc. au 15 janv. et lundi sauf le soir du 15 juin au 15 sept. – **Repas** 115/290 – ☕ 45 – **14 ch** 270/300 – ½ P 290/310.

Modern avec ch, 6 bd A. Pressemane ☎ 55 56 00 25 – TV ☎ . GB
fermé 1er fév. au 3 mars, dim. soir du 30 sept. au 1er juil. et lundi sauf le soir du 1er juil. au 30 sept. – **Repas** 110/250, enf. 65 – ☕ 35 – **7 ch** 235/290 – ½ P 280/290.

PEUGEOT Gar. Ducros, rte de Bujaleuf ☎ 55 56 17 17

ST-LÉONARD-DES-BOIS 72590 Sarthe 60 ⑫ **G. Normandie Cotentin** – 497 h alt. 105.

Voir Alpes Mancelles★.

Paris 212 – Alençon 19 – ♦Le Mans 49 – Fresnay-sur-Sarthe 12 – Laval 75 – Mayenne 46.

Touring H. , ☎ 43 97 28 03, Fax 43 97 07 72, ←, « Jardin au bord de la Sarthe », , – | TV ☎ P – 40. AE GB JCB
15 fév.-15 nov. – **Repas** *(fermé vend. soir et sam. du 15 oct. au 15 mars)* (dim. prévenir) 105/235, enf. 60 – ☕ 45 – **35 ch** 260/455 – ½ P 280/370.

ST-LÔ P **50000** Manche 54 ⑬ **G. Normandie Cotentin** – 21 546 h alt. 20.

Voir Haras★ B.

Office de Tourisme pl. du Gén.-de-Gaulle ✆ 33 05 02 09.

Paris 303 ② – ◆Caen 65 ② – ◆Cherbourg 78 ⑦ – Fougères 98 ⑤ – Laval 136 ⑤ – ◆Rennes 133 ⑤.

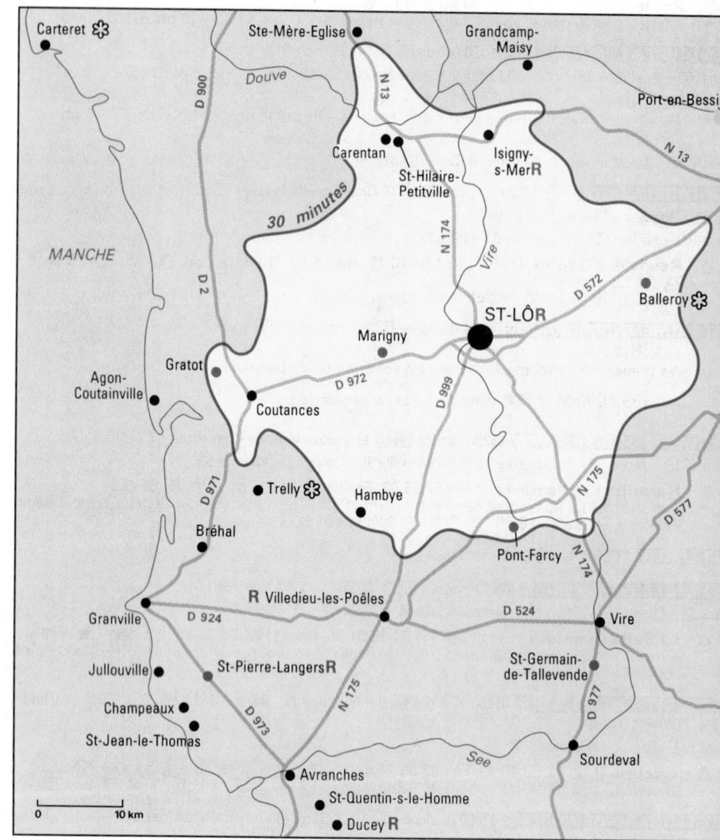

Voyageurs M, 5 av. Briovère ✆ 33 05 08 63, Fax 33 05 14 34, – 80. AE GB — A
Le Tocqueville : **Repas** 99/290, enf. 55 – 40 – **31 ch** 320/360 – ½ P 310.

Armoric sans rest, 15 r. Marne ✆ 33 05 61 32, Fax 33 05 12 68 – P. GB — B
22 – **20 ch** 170/270.

XXX **La Gonivière,** rd-pt 6 Juin (1er étage) ✆ 33 05 15 36, Fax 33 05 01 72 – AE GB — A
fermé dim. – **Repas** 110/280 et carte 230 à 330.

XX **Le Péché Mignon,** 84 r. Mar. Juin ✆ 33 72 23 77, Fax 33 72 27 58 – AE GB — B
fermé 29 juil. au 5 août, 28 oct. au 4 nov., vacances de fév., sam. midi et lundi sauf fériés
Repas 82/285, enf. 45.

au Calvaire par ② et D 972 : 7 km – ✉ **50810** St-Pierre-de-Semilly :

XXX **Les Glycines,** ✆ 33 05 02 40, Fax 33 56 29 32, – P. AE GB
fermé 15 au 21 juil., vacances de fév., dim. soir et lundi – **Repas** 148/288 et carte 250 à 390
enf. 50.

Z.A. La Chevalerie par ③ : 4 km – ✉ **50000** St-Lô :

Ibis M, ✆ 33 57 78 38, Fax 33 55 27 67, – P – 100. AE GB
Repas 101 bc, enf. 40 – 36 – **48 ch** 275/320.

ST-LÔ

Havin (R.) . . . . A 13
Leclerc (R. Mar.) . . . . B
St-Thomas (R.) . . . . A
Torteron (R.) . . . . A

Alsace-Lorraine (R.) . . . . . A 2
Baltimore (R. de) . . . . A 3
Belle (R. du) . . . . A 4
Briovère (Av. de) . . . . A 5
Champ-de-Mars (Pl.) . . . . B 6
Feuillet (R. Octave) . . . . . A 7
Gaulle (Pl. Gén.-de) . . . . . A 8
Gerahrdt (R. Gén.) . . . . B 9
Grimouville (R. de) . . . . . . A 10
Houssin-Dumanoir (R.) . . . . A 12
Lattre-de-T. (R. Mar.-de) . B 14
Neufbourg (R. du) . . . . . . B 15
Notre-Dame (Parvis) . . . . A 18
Noyers (R. des) . . . . A 19
Poterne (R. de la) . . . . A 23
Ste-Croix (Pl.) . . . . B 24
80e-et-136e (R. des) . . . . . A 25

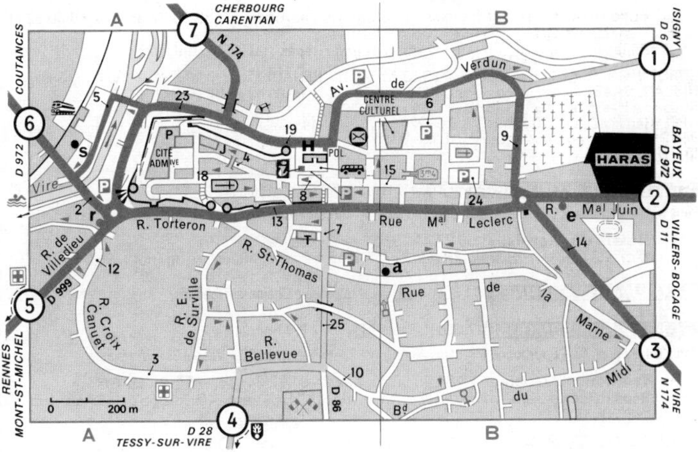

LFA ROMEO, SEAT Manche Alfa, rte de outances à Agneaux ☏ 33 05 19 34
ITROEN DI.CO.MA., ZA la Chevalerie par ④ ☏ 33 57 48 30 N ☏ 33 56 59 46
ORD Manche Auto Services, 700 av. de Paris ☏ 33 05 39 39
IISSAN Gar. Dessoude, Zone Delta ☏ 33 05 30 52
EUGEOT Autom. St-Loises, av. de Paris ☏ 33 77 37 37 N ☏ 99 65 89 93
ENAULT Gar. Briocar, ZAC La Chevalerie par ③ ☏ 33 05 04 04 N ☏ 33 05 04 04

VAG Gar. Lebon, Zone Delta, rte de Bayeux ☏ 33 72 07 95
Gar. Marie, 164, rte de Tessy ☏ 33 57 12 98
Gar. de l'Institut, 29 rte de Coutances à Agneaux, ☏ 33 55 49 28

Euromaster, 700 av. de Paris ☏ 33 57 52 37
Ledoyen Pneus Point S, 559 av. de Paris ☏ 33 57 73 04
Schmitt-pneus Vulcopneu, 290 av. de Paris ☏ 33 57 40 57

ST-LOUBÈS **33450** Gironde **71** ⑨ – 6 207 h alt. 28.

aris 569 – ♦Bordeaux 17 – Créon 23 – Libourne 19 – St-André-de-Cubzac 12.

X **Le Coq Sauvage** avec ch, à Cavernes, NO : 4 km ☏ 56 20 41 04, Fax 56 20 44 76 – TV ☎ – 25. GB
fermé 3 au 25 août, 23 déc. au 7 janv., sam. soir et dim. – **Repas** 88/175 – 30 – **6 ch** 265/285 – ½ P 230.

ITROEN Gar. Dupuy, 17 av. de la République ☏ 56 20 41 40

ST-LOUIS **68300** H.-Rhin **66** ⑩ – 19 547 h alt. 250.

aris 505 – ♦Mulhouse 29 – Altkirch 27 – Basel 5 – Belfort 72 – Colmar 62 – Ferrette 23.

Berlioz sans rest, 14 r. Henner (près gare) ☏ 89 69 74 44, Fax 89 70 19 17 – TV ☎ P. AE GB
fermé 24 déc. au 6 janv. – 39 – **20 ch** 230/310.

XXX **Le Trianon,** 46 r. Mulhouse ☏ 89 67 03 03, Fax 89 69 15 94 – GB
fermé 15 juil. au 13 août, 15 au 30 janv., lundi et mardi – **Repas** 140 (déj.), 310/360 et carte 330 à 430.

*à **Huningue*** E : 2 km par D 469 – 6 252 h. alt. 245 – ✉ **68330** :

Tivoli, 15 av. Bâle ☏ 89 69 73 05, Télex 881113, Fax 89 67 82 44 – rest TV ☎ P. GB
Repas *(fermé 1er au 24 août, 24 déc. au 7 janv., sam. midi et dim.)* 145/360 – 50 – **44 ch** 340/390 – ½ P 280/350.

*à **Village-Neuf*** NE : 3 km par N 66 et D 21 – 2 920 h. alt. 240 – ✉ **68128** :

XX **Mayer,** 2 r. St-Louis ☏ 89 67 11 15, Fax 89 69 45 08 – P. GB
fermé 15 juil. au 5 août, 23 déc. au 4 janv., dim. soir et lundi – **Repas** 195/380.

à Hésingue O : 4 km par D 419 – 1 713 h. alt. 290 – ✉ **68220** :

XXX **Au Boeuf Noir,** ✆ 89 69 76 40, Fax 89 67 77 29, 🏕 – AE GB
fermé 5 au 18 août, sam. midi et dim. – **Repas** 160 (déj.), 240/300 et carte 270 à 400.

à l'Aéroport de Bâle-Mulhouse (Euro-Airport) NO : 5 km par N 66 et D 12 – ✉ 683
St-Louis :

XX **Euroairport** (secteur français), 5e étage de l'aérogare ✆ 89 90 32 35, Fax 89 90 32 65,
– ▤. AE ⓓ GB
Repas brasserie 50 (déj.)/78 ♁, enf. 32 - ***grill :*** **Repas** 115/195 ♁, enf. 32.

CITROEN Gar. Flury, 11 r. du Rhône ✆ 89 69 13 02
NISSAN, SAAB Autos Franco Suisse, 106 r. de St-Louis à Hesingue ✆ 89 69 18 42
OPEL Gar. Feldbauer, 20 r. Prés ✆ 89 69 22 26
PEUGEOT Gar. Ledy, 4 r. A.-Lauly ✆ 89 69 80 35
N ✆ 89 26 78 85

RENAULT Gar. Bader, 81 av. Gén.-de-Gaulle
✆ 89 69 00 15 N ✆ 05 05 15 15

Pneus et Services D. K., 65 r. Gén.-de-Gaulle
✆ 89 69 81 08

ST-LOUIS-DE-MONTFERRAND 33440 Gironde 71 ⑧ – 1 808 h alt. 1.

Paris 571 – ◆Bordeaux 14 – Blaye 36 – Libourne 35 – St-André-de-Cubzac 11.

X **Relais du Marais,** ✆ 56 77 41 19, 🏕 – P. GB. ✻
fermé 20 juil. au 18 août, 23 déc. au 1er janv. et sam. – **Repas** 60 bc (déj.), 95/165.

ST-LOUP-DE-VARENNES 71 S.-et-L. 69 ⑨ – rattaché à Chalon-sur-Saône.

ST-LOUP-SUR-SEMOUSE 70800 H.-Saône 66 ⑥ – 4 677 h alt. 247.

Paris 374 – Épinal 43 – Bourbonne-les-Bains 48 – Gray 82 – Remiremont 33 – Vesoul 35 – Vittel 58.

Trianon, pl. J.-Jaurès ✆ 84 49 00 45, Fax 84 94 22 34, 🏕 – TV ☎. AE GB
Repas *(fermé sam. midi de sept. à avril)* 72/235 ♁, enf. 40 – ☕ 32 – **13 ch** 185/260
½ P 205/240.

FORD Gar. Dormoy, ✆ 84 94 27 27 N ✆ 84 94 27 27

ST-LYPHARD 44410 Loire-Atl. 63 ⑭ G. Bretagne – 2 889 h alt. 12.

Voir Clocher de l'église ✻★★.

Office de Tourisme, pl. de l'Eglise Herbignac ✆ 40 91 41 34, Fax 40 91 34 96.

Paris 449 – ◆Nantes 71 – La Baule 16 – Redon 38 – St-Nazaire 21.

Les Chaumières du Lac et Aub. Les Typhas M, rte Herbignac ✆ 40 91 32 3
Fax 40 91 30 33, 🏕 – TV ☎ ♿ P. GB
hôtel : ouvert 15 mars-15 nov. – **Repas** *(fermé 15 au 25/11, fév., lundi midi en été, lundi s d'oct. à avril et mardi sauf le soir en juil.-août)* 98/250 – ☕ 45 – **20 ch** 330/490 – ½ P 36
380.

rte de St-Nazaire S : 3 km par D 47 – ✉ **44410** St-Lyphard :

XX **Aub. le Nézil,** ✆ 40 91 41 41, « Chaumière briéronne », 🏕 – P. GB
fermé vacances de Toussaint, de fév., mardi soir sauf juil.-août et merc. – **Repas** 90/18
enf. 50.

à Bréca S : 6 km par D 47 et rte secondaire – ✉ **44410** St-Lyphard :

XX **Aub. de Bréca,** ✆ 40 91 41 42, Fax 40 91 37 41, 🏕, « Chaumière briéronne dans u
jardin fleuri » – AE GB
30 mars-3 nov. et fermé dim. soir et jeudi sauf juil.-août – **Repas** 120/220, enf. 50.

à Kerbourg SO : 6 km par D 51 (rte de Guérande) – ✉ **44410** St-Lyphard :

XX **Aub. de Kerbourg,** ✆ 40 61 95 15, Fax 40 61 98 64, 🏕, « Chaumière briéronne amén
gée avec élégance » – P. GB
fermé nov.-déc. (sauf week-ends), 1er janv. au 15 fév., mardi midi, dim. soir et lundi – **Rep**
(en saison, prévenir) 125 (déj.), 145/190.

ST-MACAIRE 33 Gironde 79 ② – rattaché à Langon.

ST-MACAIRE-EN-MAUGES 49450 M.-et-L. 67 ⑤ – 5 543 h alt. 101.

Paris 355 – ◆Angers 61 – Ancenis 39 – Cholet 12 – ◆Nantes 48.

La Gâtine, ✆ 41 55 30 23, Fax 41 46 11 30 – TV ☎. GB. ✻
fermé 16 juil. au 13 août – **Repas** *(fermé dim. soir et lundi)* 72/200 – ☕ 28 – **15 ch** 130/290
½ P 280/320.

ST-MAIME 04 Alpes-de-H.-Pr 81 ⑮ – rattaché à Manosque.

-MAIXENT-L'ÉCOLE **79400** Deux-Sèvres 68 ⑫ **G. Poitou Vendée Charentes** (plan) – 6 893 h alt. 85.

ir Église abbatiale★ – Musée militaire : série d'uniformes★.

du Petit Chêne à Mazières ✆ 49 63 28 33, O par D 6 : 20 km.

Office de Tourisme Porte Châlon ✆ 49 05 54 05.

s 384 – Poitiers 51 – Angoulême 99 – Niort 23 – Parthenay 29.

Logis St-Martin ⛰, chemin Pissot ✆ 49 05 58 68, Fax 49 76 19 93, ≤, 🌳, parc, « Demeure du 17e siècle » – 📺 ☎ 🅿. AE ⓓ GB. ✂ rest
fermé 2 au 28 janv. – **Repas** *(fermé dim. soir et lundi du 16 oct. au 14 mai)* 95 (déj.), 140/160 – ☕ 55 – **10 ch** 360/460 – ½ P 390/440.

à Soudan E : 7,5 km par N 11 – 306 h. alt. 155 – ✉ **79800**.

Voir Musée des Tumulus de Bougon★★.

L'Orangerie avec ch, ✆ 49 06 56 06, Fax 49 06 56 10, 🌳 – 📺 ☎ 🅿. GB. ✂
fermé 4 janv. au 1er fév. et dim. soir – **Repas** 88/185, enf. 48 – ☕ 40 – **9 ch** 120/240.

JGEOT Gar. Courtois, 87 r. Clémenceau
49 76 13 42
NAULT Gar. du Grand Chêne, N 11
49 05 50 72

Moinet Pneus, 12 av. de Blossac
✆ 49 05 50 22 N ✆ 49 25 50 22

-MALO SP **35400** I.-et-V. 59 ⑥ **G. Bretagne** – 48 057 h alt. 5 – Casino AXY.

ir Site★★★ – Remparts★★★ DZ – Château★★ DZ : musée d'histoire de la ville★ **M**2, tourelles guet ✱★★, tour Quic-en-Groigne★ DZ **E** – Fort national★ : ≤★★ 15 mn AX – Vitraux★ de la thédrale St-Vincent DZ – Usine marémotrice de la Rance : digue ≤★ S : 4 km par ④.

de Dinard-Pleurtuit-St-Malo : ✆ 99 46 70 28, par ③ : 14 km.

Office de Tourisme esplanade St-Vincent ✆ 99 56 64 48, Fax 99 40 93 13.

's 423 ③ – Alençon 177 ③ – Avranches 64 ③ – Dinan 32 ③ – ◆Rennes 69 ③ – St-Brieuc 75 ③.

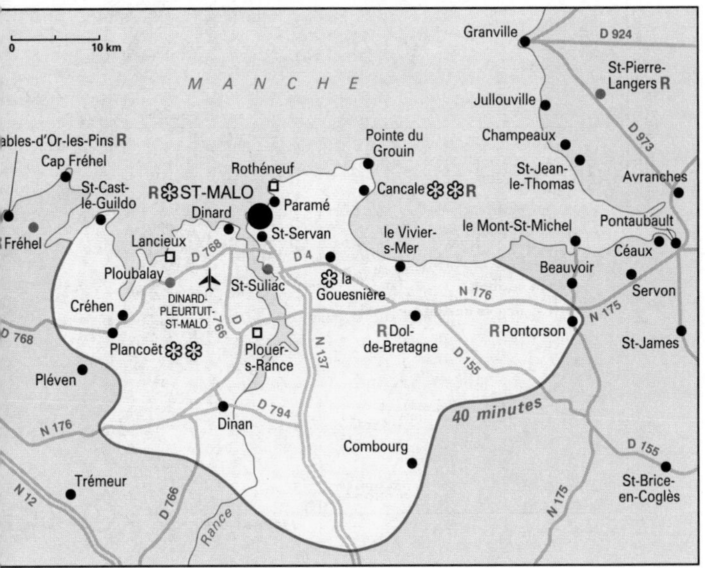

Intra muros :

Central et rest. la Frégate, 6 Gde rue ✆ 99 40 87 70, Télex 740802, Fax 99 40 47 57 – 🛗 📺 ☎ 📞 🚗 – 🏛 25. AE ⓓ GB JCB DZ **n**
Repas 99/199 🍷, enf. 72 – ☕ 57 – **47 ch** 425/575 – ½ P 395/515.

La Cité M sans rest, 26 r. Ste-Barbe ✆ 99 40 55 40, Fax 99 40 10 04 – 🛗 📺 ☎ ♿ 🚗. AE ⓓ GB DZ **v**
☕ 45 – **40 ch** 460/540.

Ajoncs d'Or sans rest, 10 r. Forgeurs ✆ 99 40 85 03, Fax 99 40 80 70 – 🛗 📺 ☎. AE ⓓ GB JCB DZ **a**
1er mars-12 nov. – ☕ 45 – **22 ch** 420/550.

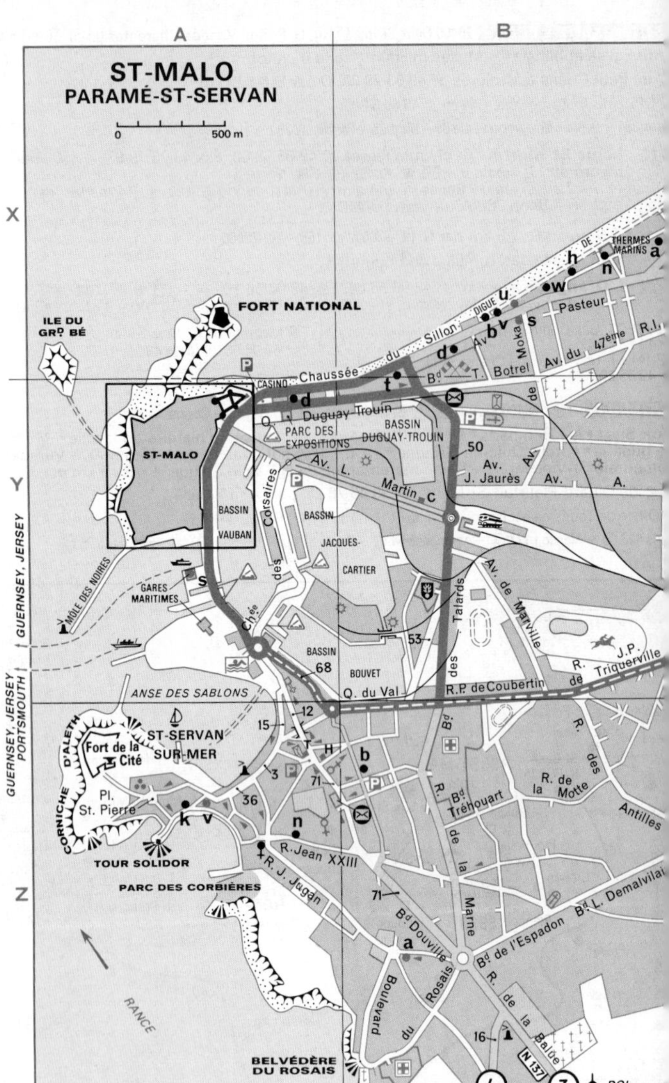

🏨 **Quic en Groigne** sans rest, 8 r. d'Estrées ✆ 99 40 86 81, Fax 99 40 11 64 – TV ☎ GB. ✻ DZ
⊡ 40 – **15 ch** 270/460.

🏨 **Jean Bart** sans rest, 12 r. Chartres ✆ 99 40 33 88, Fax 99 40 33 88 – |‡| TV GB DZ
1er mars-15 nov. et Noël-Jour de l'An – ⊡ 35 – **18 ch** 300/370.

🏨 **Palais** sans rest, 8 r. Toullier ✆ 99 40 07 30, Fax 99 40 29 53 – |‡| TV ☎. AE GB DZ
fermé 10 au 27 déc. et 10 au 28 janv. – ⊡ 37 – **18 ch** 250/360.

🏨 **Brochet** sans rest, 1 r. Corne de Cerf ✆ 99 56 30 00, Fax 99 56 55 54 – |‡| TV ☎. G ✻ DZ
fermé 5 janv. au 15 fév. – ⊡ 40 – **22 ch** 230/330.

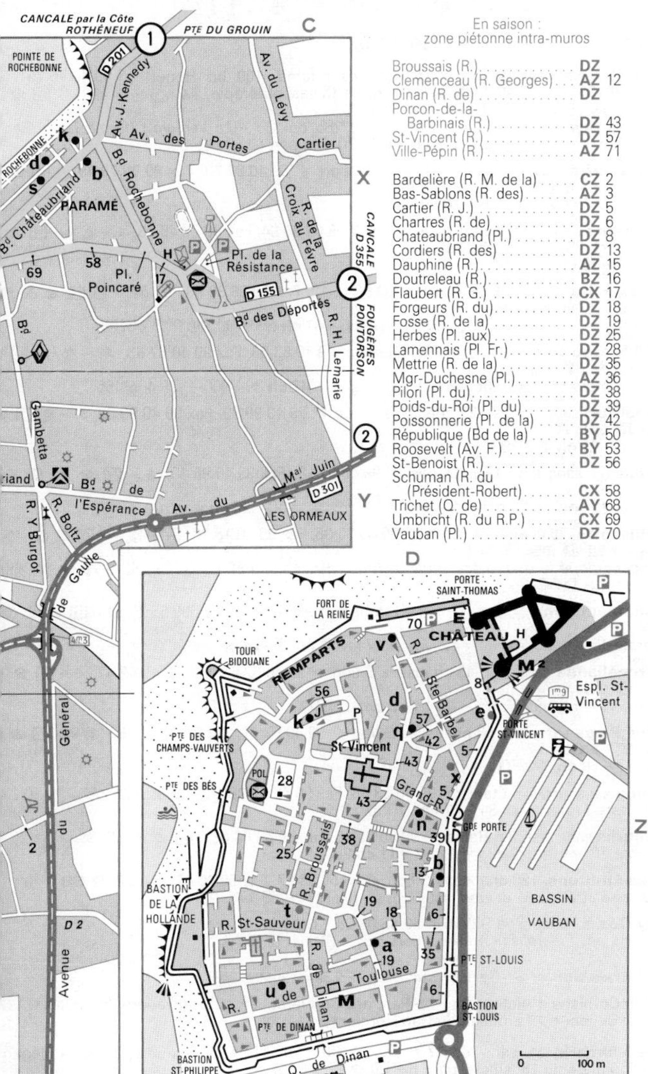

XX ✿ **A la Duchesse Anne** (Thirouard), 5 pl. Guy La Chambre ✆ 99 40 85 33, Fax 99 40 00 28, ☗ – GB. ✈ DZ **e**
fermé déc., janv., dim. soir et merc. hors sais. – **Repas** carte 200 à 350
Spéc. Foie gras de canard frais maison. Homard grillé "Duchesse Anne". Tarte tatin.

XX ✿ **Le Chalut** (Foucat), 8 r. Corne de Cerf ✆ 99 56 71 58 – ▤. AE GB DZ **d**
fermé dim. soir sauf juil.-août et lundi – **Repas** (prévenir) 95/300
Spéc. Aileron de raie bouclée poêlé en vinaigrette safranée. Saumon d'Écosse rôti au beurre demi-sel. Crème brulée à la vanille de Tahiti.

XX **Delaunay,** 6 r. Ste-Barbe ✆ 99 40 92 46, Fax 99 56 88 91 – AE GB – *fermé 24 nov. au 10 déc., 2 au 31 janv., dim. sauf fêtes et lundi d'oct. à mars* – **Repas** 125 (déj.)/198. DZ **x**

X **Gilles,** 2 r. Pie qui boit ✆ 99 40 97 25 – GB DZ **t**
fermé vacances de fév. et merc. sauf le soir en juil.-août – **Repas** 88/270, enf. 65.

St-Malo Est et Paramé – ✉ **35400** St-Malo :

Gd H. Thermes Ⓜ ⛰, aux Thermes marins, 100 bd Hébert ✆ 99 40 75 75, Télex 740184, Fax 99 40 76 00, ≤, centre de thalassothérapie, ⅼ₆, ⬚ – ⎮ ▤ rest ⬚ ☎ ⬚ – 🏛 25 à 80. AE ⓪ GB JCB. ✗ rest BX
***Le Cap Horn** : ✆ 99 40 75 40 **Repas** 125/285, enf. 85 – **La Verrière** : (fermé janv.)* **Repas** 160/195, enf. 85 – ☕ 65 – **179 ch** 340/1270, 7 appart – ½ P 625/985.

La Villefromoy ⛰ sans rest, 7 bd Hébert ✆ 99 40 92 20, Fax 99 56 79 49, « Mobilier ancien » – ⎮ ⬚ ☎ ♿ P. AE ⓪ GB CX
15 mars-15 nov. – ☕ 55 – **20 ch** 500/700.

Mercure sans rest, 2 chaussée Sillon ✆ 99 56 84 84, Fax 99 56 45 73, ≤ – ⎮ ⬚ ⬚ ☎ ⬚ – 🏛 25 à 50. AE ⓪ GB AY
☕ 50 – **70 ch** 520/850.

Alexandra ⛰, 138 bd Hébert ✆ 99 56 11 12, Fax 99 56 30 03, ≤, ⬚ – ⎮ ⬚ ☎ ♿ P 🏛 30. AE ⓪ GB JCB BX
fermé janv. – **Repas** 95/350, enf. 50 – ☕ 55 – **43 ch** 650/790 – ½ P 450/570.

Gd H. Courtoisville ⛰, 69 bd Hébert ✆ 99 40 83 83, Fax 99 40 57 83, ⬚ – ⎮ ⬚ ⬚ ⬚. GB. ✗ rest BX
début mars-mi-nov. – **Repas** 120/190 – ☕ 48 – **47 ch** 380/600 – ½ P 405/455.

Beaufort Ⓜ sans rest, 25 chaussée Sillon ✆ 99 40 99 99, Fax 99 40 99 62, ≤ – ⎮ ⬚ AE ⓪ GB. ✗ BX
☕ 49 – **21 ch** 450/790.

Alba ⛰ sans rest, 17 r. Dunes ✆ 99 40 37 18, Fax 99 40 96 40, ≤ – ⬚ ☎ P. AE GB ✗ BX
fermé 15 nov. au 20 déc. et 3 janv. au 10 fév. – ☕ 50 – **20 ch** 420/700.

Mascotte, 76 chaussée Sillon ✆ 99 40 36 36, Fax 99 40 18 78, ⬚ – ⎮ ⬚ ⬚ ☎ ♿ ⬚ 🏛 40. AE ⓪ GB. ✗ rest BX
Repas *(fermé le midi d'oct. à Pâques)* (résidents seul.) 85/90 🍷 – ☕ 43 – **79 ch** 340/50.. 9 duplex – ½ P 350.

Chateaubriand ⛰ sans rest, 8 bd Hébert ✆ 99 56 01 19, Fax 99 56 17 81 – ⬚ ☎ P. GB ✗ CX
fermé 15 nov. au 20 déc. et 7 janv. au 7 fév. – ☕ 33 – **24 ch** 280/480.

Brocéliande sans rest, 43 chaussée Sillon ✆ 99 20 62 62, Fax 99 40 42 47, ≤ – ⬚ ☎ AE ⓪ GB. ✗ BX
fermé 15 nov. au 15 déc. – ☕ 48 – **9 ch** 470/550.

Ibis Plage sans rest, 58 chaussée Sillon ✆ 99 40 57 77, Fax 99 40 57 78 – ⎮ ⬚ ⬚ ☎ ♿. AE ⓪ GB BXY
☕ 37 – **60 ch** 390/500.

Eden sans rest, 1 r. Étang ✆ 99 40 23 48, Fax 99 40 55 86 – ⬚ ☎ P. GB. ✗ CX
1er mars-11 nov. – ☕ 34 – **27 ch** 270/320.

Courlis sans rest, 9 r. Bains ✆ 99 56 00 15, Fax 99 56 68 63 – ⬚ ☎ P. AE GB CX
fermé 20 nov. au 20 déc. – ☕ 32 – **11 ch** 260/300.

XX **Les Embruns**, 120 chaussée Sillon ✆ 99 56 33 57, Fax 99 40 47 53 – AE ⓪ GB BX
fermé 8 au 31 janv. et lundi sauf fériés – **Repas** 92/165, enf. 40.

X **Ty Coz**, 57 chaussée Sillon ✆ 99 56 09 68 – GB BX
fermé janv., mardi soir et merc. hors sais. – **Repas** 85/150 🍷.

St-Malo Sud et St-Servan-sur-Mer – ✉ **35400** St-Malo.

Voir Corniche d'Aleth ≤★★ AZ – Parc des Corbières ≤★ AZ – Belvédère du Rosais★ ABZ Tour Solidor★ AZ : musée du Cap Hornier★, ≤★.

Le Valmarin ⛰ sans rest, 7 r. Jean XXIII ✆ 99 81 94 76, Fax 99 81 30 03, « Élégante malouinière du 18e siècle, parc » – ⬚ ☎ P. AE GB AZ
fermé 15 nov. au 23 déc. et 7 janv. au 15 fév. – ☕ 55 – **12 ch** 500/700.

La Korrigane ⛰ sans rest, 39 r. Le Pomellec ✆ 99 81 65 85, Fax 99 82 23 89, « Demeure ancienne au confort raffiné », ⬚ – ⬚ ☎. AE ⓪ GB BZ
fermé 3 au 31 janv. – ☕ 55 – **10 ch** 580/800.

Manoir de la Grassinais Ⓜ, quartier La Grassinais S : 3 km par av. Gén. de Gaulle ✆ 99 81 33 00, Fax 99 81 60 90 – ⬚ ☎ ♿ P – 🏛 25. GB
fermé lundi midi et mardi midi en juil.-août, lundi (sauf hôtel) et dim. soir hors sais. – **Repas** 98/185 🍷 – ☕ 35 – **29 ch** 280/350 – ½ P 295.

La Rance Ⓜ sans rest, 15 quai Sébastopol (port Solidor) ✆ 99 81 78 63, Fax 99 81 44 8.. ≤, « Beau mobilier ancien » – ⬚ ☎ ⬚. AE GB JCB AZ
☕ 46 – **11 ch** 390/490.

Ibis, centre com. La Madeleine S : 3 km par av. Gén. de Gaulle CZ ✆ 99 82 10 1.. Fax 99 82 35 74, ⬚ – ⬚ ⬚ ☎ ⬚ ♿ P – 🏛 60. AE ⓪ GB
Repas 99 bc, enf. 39 – ☕ 35 – **73 ch** 340/400.

XXX **Métairie de Beauregard,** par ③ et rte Château Malo ✆ 99 81 37 06, Fax 99 81 37 06, – P. AE ⓓ GB
Repas (prévenir) 100/300 et carte 230 à 300.

XX **St-Placide,** 6 pl. Poncel ✆ 99 81 70 73, Fax 99 81 89 49 – AE GB. ✻ BZ **a**
fermé 15 au 30 oct., mardi soir hors sais. et merc. – **Repas** 112/210, enf. 65.

XX **Les Écluses,** gare maritime de la Bourse ✆ 99 56 81 00, Fax 99 56 95 90, ← – P. GB
fermé dim. soir et lundi – **Repas** 90/140, enf. 55. AY **s**

X **L'Atre,** 7 espl. Cdt Menguy (port Solidor) ✆ 99 81 68 39, Fax 99 81 56 18, ← – AE GB. ✻ AZ **v**
fermé 15 déc. au 15 janv., le soir du 15 nov. au 15 fév., mardi soir et merc. – **Repas** 80/130.

à Rothéneuf par ① : 3 km – ✉ **35400**.
Voir Manoir de Jacques Cartier★.

Terminus sans rest, 16 r. Goélands ✆ 99 56 97 72, Fax 99 40 58 17 – TV ☎ P. GB
15 fév.-15 nov. – ⊒ 30 – **30 ch** 190/272.

TROEN Gar. Côte d'Emeraude, 131 bd Gambetta ✆ 99 81 66 69 N ✆ 99 82 50 10
'UGEOT Gar. Dutan, ZAC la Madeleine, N 137 r ③ ✆ 99 82 77 77 N ✆ 99 24 18 90
:NAULT Gar. Malouins Griveau, 61 bd Gambetta ✆ 99 20 60 60 N ✆ 99 82 94 09
Euromaster, 49 quai Duguay-Trouin ✆ 99 56 74 74

T-MANDÉ **94** Val-de-Marne **56** ⑪, **101** ㉗ – voir à Paris, Environs.

T-MARCEL **01** Ain **74** ② – rattaché à St-André-de-Corcy.

T-MARCEL **36** Indre **68** ⑰ ⑱ – rattaché à Argenton-sur-Creuse.

T-MARCEL **71** S.-et-L. **69** ⑨ – rattaché à Chalon-sur-Saône.

T-MARCEL **27** Eure **55** ⑰ – rattaché à Vernon.

T-MARCELLIN **38160** Isère **77** ③ **G. Vallée du Rhône** – 6 696 h alt. 282.
Office de Tourisme av. Collège ✆ 76 38 53 85.
ris 565 – ◆Grenoble 52 – Valence 44 – Die 72 – Vienne 71 – Voiron 46.

Savoyet-Serve (annexe), 16 bd Gambetta ✆ 76 38 24 31, Fax 76 64 02 99 – rest TV ☎ P – 45. AE GB
fermé dim. soir – **Repas** 88/240 ⅄, enf. 44 – ⊒ 35 – **51 ch** 150/385 – ½ P 235/335.

XXX **La Tivollière,** Château du Mollard ✆ 76 38 21 17, Fax 76 64 02 99, – P. AE GB
fermé dim. soir et lundi – **Repas** 140/300 et carte 220 à 260, enf. 70.

TROEN Gar. Costaz, 16 av. des Alpes 76 38 09 25
RD Gar. Giraud, 4 rte de Romans ✆ 76 38 07 06 ✆ 76 38 06 89
UGEOT Gar. Cuzin, rte de Chatte ✆ 76 38 25 90
RENAULT Gar. Rey, 36 av. de Provence ✆ 76 64 92 15
Mouren Point S, 19 av. de Provence ✆ 76 38 01 14

T-MARCELLIN-EN-FOREZ **42680** Loire **73** ⑱ – 3 133 h alt. 390.
ris 541 – ◆St-Étienne 24 – Craponne-sur-Arzon 43 – Feurs 35 – Montbrison 16.

XX **Manoir du Colombier,** ✆ 77 52 90 37, « Demeure du 17e siècle » – P. GB
fermé mardi soir et merc. – **Repas** 95/265.

TROEN Gar. Breuil, ✆ 77 52 81 09

T-MARS-LA-JAILLE **44540** Loire-Atl. **63** ⑱ – 2 114 h alt. 28.
ris 345 – ◆Nantes 54 – Ancenis 18 – ◆Angers 51 – Châteaubriant 28.

XXX **Relais de St-Mars,** 1 r. Industrie ✆ 40 97 00 13 – AE GB
fermé 1er au 15 août, dim. soir et merc. soir de nov. à mai – **Repas** 130/255 et carte 230 à 350, enf. 60.

T-MARTIN-AUX-CHARTRAINS **14** Calvados **55** ③ – rattaché à Pont-l'Évêque.

T-MARTIN-BELLE-ROCHE **71** S.-et-L. **70** ⑪ – rattaché à Macon.

T-MARTIN-BELLEVUE **74370** H.-Savoie **74** ⑥ – 1 412 h alt. 732.
ris 534 – Annecy 9 – Aix-les-Bains 45 – La Clusaz 36 – Genève 37 – Rumilly 32.

Beau Séjour, à la gare : 1 km ✆ 50 60 30 32, Fax 50 60 38 44, , – TV ☎ P – 30. GB. ✻ rest
15 mars-15 déc. et fermé lundi (sauf hôtel) et dim. soir – **Repas** 95/250 ⅄ – ⊒ 47 – **32 ch** 270/360 – ½ P 330.

T-MARTIN-D'ARMAGNAC **32110** Gers **82** ② – 205 h alt. 115.
ris 735 – Mont-de-Marsan 51 – Agen 93 – Aire-sur-l'Adour 20 – Auch 69 – Tarbes 60.

XX **Aub. du Bergerayre** avec ch, ✆ 62 09 08 72, Fax 62 09 09 74, « Jardin ouvert sur la campagne », – TV ☎ P. GB
Repas *(fermé merc.)* 80 bc/200 bc, enf. 50 – ⊒ 35 – **14 ch** 300/425 – ½ P 255/325.

ST-MARTIN-D'AUXIGNY 18110 Cher 65 ⑪ – 1 909 h alt. 208.

Paris 229 – Bourges 16 – Bonny-sur-Loire 61 – Gien 62 – ♦Orléans 105 – Salbris 41 – Vierzon 29.

Le St-Georges, D 940 ✆ 48 64 50 14, Fax 48 64 13 67 – 📺 ☎ 🚗 🅿 – 🏛 30. GB
fermé 16 au 22 juil., fév. et dim. soir du 2 nov. au 31 mars – **Repas** 85/185, enf. 70 – ☕ 3(
10 ch 165/350 – ½ P 210/290.

CITROEN Gar. Pinet, ✆ 48 64 50 21

ST-MARTIN-DE-BELLEVILLE 73440 Savoie 74 ⑰ **G. Alpes du Nord** – 2 341 h alt. 1450 – Sports d'hiv
1 400/3 200 m 🚡9 ⛷38.

Paris 629 – Albertville 45 – Chambéry 92 – Moûtiers 15.

Alp-Hôtel 🔇, ✆ 79 08 92 82, Fax 79 08 94 61, ≤, 🏔, 🏋 – 🛗 ☎ ♿. AE GB. 🚫 rest
15 déc.-20 avril – **Repas** (½ pens. seul.) – ☕ 48 – **30 ch** 620/690 – ½ P 455/499.

XX **La Bouitte,** à St-Marcel SE : 2 km ✆ 79 08 96 77, 🏔 – 🅿. AE ⓓ GB JCB
1er juil.-3 sept. et 20 déc.-1er mai – **Repas** 115/420, enf. 75.

ST-MARTIN-DE-CRAU 13310 B.-du-R. 83 ⑩ – 11 040 h alt. 22.

Paris 724 – ♦Marseille 76 – Arles 16 – Martigues 44 – St-Rémy-de-Provence 19 – Salon-de-Provence 27.

Aub. des Épis, 13 av. Plaisance ✆ 90 47 31 17, Fax 90 47 16 30, 🏔 – 📺 ☎ 🅿. AE GB
fermé 19 au 27 nov., 30 janv. au 1er mars, dim. soir et lundi 15 oct. à Pâques – **Repas** 95/2(
enf. 60 – ☕ 35 – **11 ch** 255/275 – ½ P 250/285.

Ⓜ Crau-Pneus, 20 Zone du Cabrau ✆ 90 47 00 74

ST-MARTIN-DE-FRAIGNEAU 85 Vendée 71 ① – rattaché à Fontenay-le-Comte.

ST-MARTIN-DE-LA-PLACE 49160 M.-et-L. 64 ⑫ – 1 129 h alt. 80.

Voir Château de Boumois★ SE : 3 km, **G. Châteaux de la Loire.**

Paris 289 – ♦Angers 38 – Baugé 28 – La Flèche 46 – Les Rosiers 7,5 – Saumur 7,5.

XX **Cheval Blanc** avec ch, ✆ 41 38 42 96, Fax 41 38 42 62 – ☎ ♿. GB. 🚫 rest
fermé 2 janv. au 5 fév., dim. soir et lundi du 1er oct. au 30 mai – **Repas** 90/250, enf. 55 – ☕
– **12 ch** 215/360 – ½ P 270/300.

ST-MARTIN-DE-LONDRES 34380 Hérault 83 ⑥ **G. Gorges du Tarn** – 1 623 h alt. 194.

Paris 751 – ♦Montpellier 25 – Le Vigan 37.

XXX **Les Muscardins,** 19 rte Cévennes ✆ 67 55 75 90, Fax 67 55 70 28 – AE ⓓ GB
fermé 28 oct. au 10 nov., 5 au 25 fév., lundi et mardi sauf le soir en été – **Repas** 170 (dé
240/390, enf. 80.

XX **La Pastourelle,** chemin de la Prairie ✆ 67 55 72 78, 🏔, 🌳 – 🅿. AE GB
fermé 15 au 30 sept., vacances de fév., mardi soir en hiver et merc. – **Repas** 100/260, enf. (

au Sud 12 km par D 32, D 121 et D 127^E6 – ✉ **34380** Argelliers :

XX **Aub. de Saugras** 🔇 avec ch, ✆ 67 55 08 71, Fax 67 55 04 65, 🏔, « Ancien mas du 1
siècle », 🏊 – 🅿. AE GB
fermé 17 au 28 juin, 4 au 29 nov., mardi soir et merc. sauf juil.-août – **Repas** 97/270, enf. 7(
4 ch ☕ 200/220 – ½ P 200.

ST-MARTIN-DE-RÉ 17 Char.-Mar. 71 ⑫ – voir à Ré (Ile de).

ST-MARTIN-DE-VALAMAS 07310 Ardèche 76 ⑲ – 1 386 h alt. 550.

Env. Ruines de Rochebonne★ : site★★ E : 7 km, **G. Vallée du Rhône.**

ℹ Syndicat d'Initiative r. Poste ✆ 75 30 47 72.

Paris 595 – Aubenas 59 – Le Cheylard 9,5 – Lamastre 30 – Privas 58 – Le Puy-en-Velay 57 – St-Agrève 14.

RENAULT Gar. Mounier, ✆ 75 30 44 97 🅽 ✆ 75 30 44 97

ST-MARTIN-DU-FAULT 87 H.-Vienne 72 ⑦ – rattaché à Limoges.

ST-MARTIN-DU-TOUCH 31 H.-Gar. 82 ⑦ – rattaché à Toulouse.

ST-MARTIN-DU-VAR 06670 Alpes-Mar. 84 ⑨ 115 ⑯ – 1 869 h alt. 110.

Paris 942 – ♦Nice 26 – Antibes 34 – Cannes 44 – Puget-Théniers 37 – St-Martin-Vésubie 39 – Vence 23.

XXXX ✿✿ **Jean-François Issautier,** S : 3 km sur N 202 ✆ 93 08 10 65, Fax 93 29 19 73 – ▤
AE ⓓ GB
fermé 14 au 23 oct., fin fév. à fin mars, dim. (sauf le midi au 8 sept. au 30 juin) et lund
Repas (nombre de couverts limité, prévenir) 210 (déj.), 320/515 et carte 430 à 580
Spéc. Grosses crevettes poêlées en robe de pomme de terre. Poisson de Méditerranée rôti au jus de tomate, sa
pistou. "Cul" d'agneau de Sisteron à la menthe fraîche. **Vins** Côtes de Provence, Coteaux d'Aix.

ST-MARTIN-DU-VIVIER 76 S.-Mar. 55 ⑦ – rattaché à Rouen.

ST-MARTIN-EN-BRESSE 71620 S.-et-L. 69 ⑩ – 1 603 h alt. 192.

aris 354 – Chalon-sur-Saône 17 – Beaune 36 – ✦Dijon 76 – Dôle 52 – Lons-le-Saunier 49.

Au Puits Enchanté, ✆ 85 47 71 96, Fax 85 47 74 58 – ☎ P. GB
fermé 1 au 7/9, 15 au 31/1, vacances de fév., dim. soir sauf juil.-août, lundi du 1er nov. au 28 fév. et mardi – **Repas** 92/220, enf. 55 – ☕ 37 – **14 ch** 165/280 – ½ P 205/265.

ST-MARTIN-LA-GARENNE 78 Yvelines 55 ⑱, 106 ③ – rattaché à Mantes.

ST-MARTIN-LA-MÉANNE 19320 Corrèze 75 ⑩ – 362 h alt. 500.

oir Barrage du Chastang★ SE : 5 km, **G. Berry Limousin.**

aris 510 – Brive-la-Gaillarde 54 – Aurillac 68 – Mauriac 50 – St-Céré 52 – Tulle 33 – Ussel 58.

Voyageurs, ✆ 55 29 11 53, Fax 55 29 27 70, 🌳 – ☎ 🚗. GB
fermé 2 au 31 janv., dim. soir et lundi hors sais. – **Repas** 95/200 🍷 – ☕ 29 – **8 ch** 230/300 – ½ P 220/240.

ST-MARTIN-LE-BEAU 37270 I.-et-L. 64 ⑮ **G. Châteaux de la Loire** – 2 427 h alt. 55.

aris 232 – ✦Tours 19 – Amboise 9,5 – Blois 43 – Loches 32.

La Treille avec ch, ✆ 47 50 67 17, Fax 47 50 20 14 – TV ☎ 🚗. GB
fermé fév., dim. soir et lundi hors sais. – **Repas** 67/260 – ☕ 33 – **8 ch** 200/250 – ½ P 235/260.

ST-MARTIN-LE-GAILLARD 76260 S.-Mar. 52 ⑤ **G. Normandie Vallée de la Seine** – 279 h alt. 60.

aris 167 – ✦Amiens 76 – Dieppe 26 – Eu 12 – Neufchâtel-en-Bray 34 – ✦Rouen 83.

Moulin du Becquerel, NO : 1,5 km sur D 16 ✆ 35 86 74 94, 🌳, « Dans la campagne », 🌳 – GB
fermé 15 janv. au 1er mars, dim. soir et lundi – **Repas** 95/148.

Pour les grands voyages d'affaires ou de tourisme,
Guide Rouge MICHELIN : EUROPE.

ST-MARTIN-LE-VINOUX 38 Isère 77 ⑤ – rattaché à Grenoble.

ST-MARTIN-VÉSUBIE 06450 Alpes-Mar. 84 ⑲ 115 ⑥ **G. Côte d'Azur** (plan) – 1 041 h alt. 1000.

oir Venanson : ≤★, fresques★ de la chapelle St-Sébastien S : 4,5 km.

nv. Le Boréon★★ (cascade★) N : 8 km – Vallon de la Madone de Fenestre★ et cirque★★ NE : 2 km.

Office de Tourisme pl. F.-Faure ✆ 93 03 21 28.

aris 858 – Antibes 73 – Barcelonnette 116 – Cannes 83 – Menton 62 – ✦Nice 65.

Edward's et Châtaigneraie 🐦, ✆ 93 03 21 22, Fax 93 03 33 99, 🌳, parc – ☎ P. AE GB. ✻
1er juin-30 sept. – **Repas** (résidents seul.) 90/150 – ☕ 30 – **35 ch** 400/600 – ½ P 340/360.

ST-MATHIEU (Pointe de) 29 Finistère 58 ③ – rattaché au Conquet.

ST-MAUR-DES-FOSSÉS 94 Val-de-Marne 61 ①, 101 ㉗ – voir à Paris, Environs.

ST-MAXIMIN 30 Gard 80 ⑲ – rattaché à Uzès.

ST-MAXIMIN-LA-STE-BAUME 83470 Var 84 ④ ⑤ 114 ⑱ **G. Provence** – 9 594 h alt. 289.

oir Basilique★★ – Ancien couvent royal★.

Sainte-Baume à Nans-les-Pins ✆ 94 78 60 12, S par N 560 : 9 km.

Office de Tourisme, Hôtel de Ville ✆ 94 59 84 59, Fax 94 86 52 26.

aris 792 – Aix-en-Provence 43 – Brignoles 20 – Draguignan 75 – ✦Marseille 50 – Rians 23 – ✦Toulon 55.

France, av. Albert 1er ✆ 94 78 00 14, Fax 94 59 83 80, 🌳, 🏊 – ▤ ch TV ☎ 🚗 P – 🏛 25. AE ⓓ GB
Repas 115/210 – ☕ 38 – **26 ch** 310/350 – ½ P 300/335.

Plaisance M sans rest, 20 pl. Malherbe ✆ 94 78 16 74, Fax 94 78 18 39 – TV ☎ 🚗. AE ⓓ GB
☕ 45 – **13 ch** 340/400.

Chez Nous, bd J. Jaurès ✆ 94 78 02 57, Fax 94 78 13 04, 🌳 – AE GB
fermé 20 déc. au 20 janv. et merc. hors sais. – **Repas** 115/210.

Gérard-Pneus, ZI N 7 ✆ 94 78 14 49

ST-MÉDARD 46150 Lot 79 ⑦ – 136 h alt. 170.

aris 578 – Cahors 19 – Gourdon 30 – Villeneuve-sur-Lot 58.

✿ **Le Gindreau** (Pelissou), ✆ 65 36 22 27, Fax 65 36 24 54, ≤, 🌳 – AE GB
fermé 11 nov. au 8 déc., dim. soir du 1er sept. au 30 juin et lundi sauf les midis fériés – **Repas** (dim. et fêtes prévenir) 170/400 et carte 290 à 400, enf. 75
Spéc. Magret de canard mariné. Escalopes de foie gras de canard poêlées, sauce aux câpres. Truffes fraîches (15 déc. au 1er mars). Vins Cahors.

ST-MÉDARD-EN-JALLES 33160 Gironde 71 ⑨ – 22 064 h alt. 22.

Paris 593 – ◆Bordeaux 17 – Blaye 63 – Jonzac 99 – Libourne 47 – Saintes 129.

Le Montaigne, av. La Boëtie ✆ 56 95 81 33, Fax 56 05 88 97 – 120. AE ⓓ GB
Repas *(fermé sam. midi et dim.)* 78/170 – 45 – **40 ch** 350/420 – ½ P 263.

Tournebride, rte Le Porge : 2 km ✆ 56 05 09 08, Fax 56 05 09 08 – P. AE ⓓ GB
fermé 10 au 30 août, dim. soir et lundi – **Repas** 95/205.

ST-MICHEL-DE-MONTAIGNE 24230 Dordogne 75 ⑬ – 292 h alt. 100.

Paris 547 – Bergerac 41 – ◆Bordeaux 56 – La Réole 43.

Jardin d'Eyquem M sans rest, ✆ 53 24 89 59, Fax 53 61 14 40, – cuisinette P. GB.
1er mars-30 nov. – 48, 5 appart 395/590.

ST-MIHIEL 55300 Meuse 57 ⑫ G. Alsace Lorraine (plan) – 5 367 h alt. 228.

Voir Sépulcre★★ dans l'église St-Étienne – Pâmoison de la Vierge★ dans l'église St-Michel.

du Lac de Madine ✆ 29 89 56 00 à la base de Loisirs ; à Heudicourt-sous-les-Côtes pa D 901.

Office de Tourisme pl. J.-Bailleux ✆ 29 89 06 47.

Paris 286 – Bar-le-Duc 33 – ◆Metz 62 – ◆Nancy 71 – Toul 48 – Verdun 35.

Trianon, 38 r. Basse des Fosses ✆ 29 90 90 09, Fax 29 90 96 11 – GB
Repas *(fermé dim. soir et lundi)* 68 (déj.), 115/215 – 30 – **10 ch** 200/280.

à Heudicourt-sous-les-Côtes NE : 15 km par D 901 et D 133 – 169 h. alt. 240 – ✉ **55210**.

Voir Butte de Montsec : ✻★★, monument★ S : 13 km.

Lac de Madine (annexe), ✆ 29 89 34 80, Fax 29 89 39 20, – P 40. GB
fermé 2 janv. au 28 fév. et lundi hors sais. – **Repas** 80/220 , enf. 50 – 34 – **48 ch** 240/30[illegible] – ½ P 245/275.

Knutti, 8 pl. du Quartier Colson Blaise ✆ 29 90 27 05

Pour vos voyages,
en complément indispensable de ce guide
utilisez
les **cartes Michelin** détaillées à 1/200 000.

ST-NAZAIRE 44600 Loire-Atl. 63 ⑮ G. Bretagne – 64 812 h Agglo. 131 511 h alt. 4.

Voir Base de sous-marins★ et sortie sous-marine du port★ BZ – Terrasse panoramique★ BZ **B** – Pont routier de St-Nazaire-St-Brévin★.

Accès Pont de Saint-Nazaire : gratuit.

Office de Tourisme pl. F.-Blancho ✆ 40 22 40 65, Fax 40 22 19 80 – Automobile Club 33 r. Gén.-de-Gaull[e] ✆ 40 01 99 82.

Paris 439 ① – ◆Nantes 61 ① – La Baule 12 ② – Vannes 75 ③.

Plan page ci-contre

Berry, 1 pl. Gare ✆ 40 22 42 61, Télex 700952, Fax 40 22 45 34 – AE ⓓ GB — AY
Repas 89/225 – 45 – **29 ch** 260/470 – ½ P 275/370.

Europe sans rest, 2 pl. Martyrs de la Résistance ✆ 40 22 49 87, Fax 40 66 23 28 – P. AE ⓓ GB — AY
35 – **39 ch** 180/400.

Touraine sans rest, 4 av. République ✆ 40 22 47 56 – AE ⓓ GB JCB — AZ
26 – **18 ch** 120/215.

Au Bon Accueil avec ch, 39 r. Marceau ✆ 40 22 07 05, Fax 40 19 01 58 – AE ⓓ GB — AZ
Repas *(fermé dim. soir)* 115/290 et carte 240 à 320 – 49 – **10 ch** 325/375 – ½ P 325.

L'An II, 2 r. Villebois-Mareuil ✆ 40 00 95 33, Fax 40 53 44 20 – AE GB — AZ
Repas 105/155, enf. 59.

Moderne, 46 r. Anjou ✆ 40 22 55 88 – GB — AZ
fermé dim. soir et lundi – **Repas** 78/198 .

CITROEN Sonadib, Etoile du Matin voie express Pornichet par ② ✆ 40 17 10 10 N ✆ 40 70 21 60
PEUGEOT S.I.N.A., 374 rte de la Côte d'Amour par ② ✆ 40 53 34 77 N ✆ 40 95 30 81
RENAULT Centre Auto de l'Etoile, Voie express de Pornichet par ② ✆ 40 17 20 20 N ✆ 05 05 15 15
RENAULT Gar. de la Torse, la Torse à Montoir-de-Bretagne par ① ✆ 40 90 02 78

Interpneu Vulcopneu, 18-22 bd Hôpital ✆ 40 70 07 19
Picaud Pneus, 210 rte Côte d'Amour ✆ 40 70 00 39
SOFRAP, 20 r. H.-Gautier ✆ 40 66 15 15

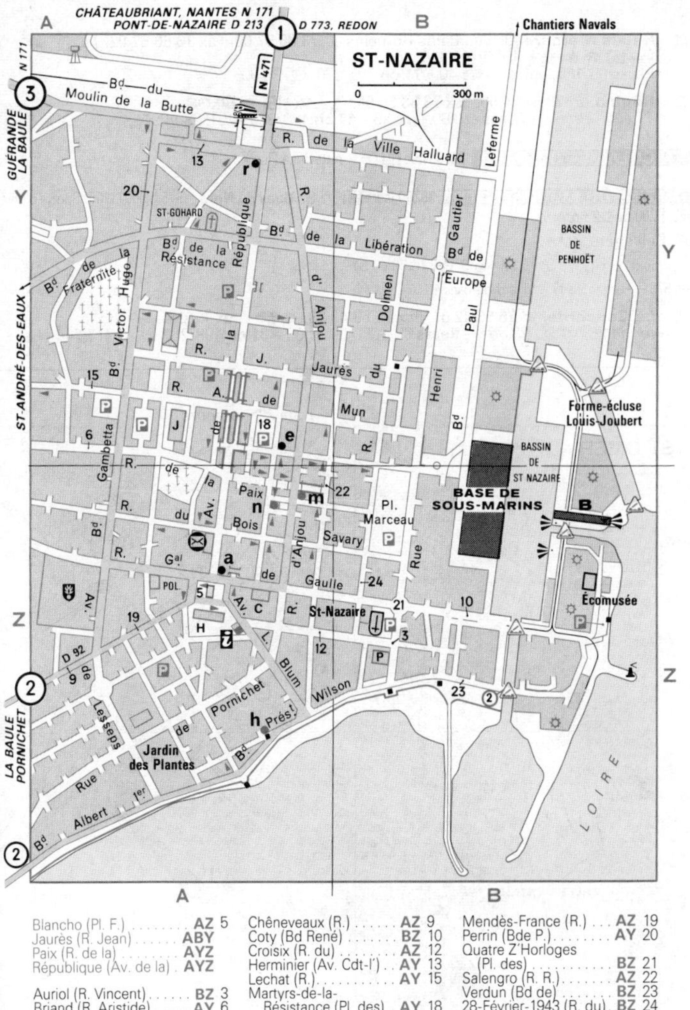

Blancho (Pl. F.) . . . . AZ 5	Chêneveaux (R.) . . . . . . AZ 9	Mendès-France (R.) . . . AZ 19
Jaurès (R. Jean) . . . . . . ABY	Coty (Bd René) . . . . BZ 10	Perrin (Bde P.) . . . . AY 20
Paix (R. de la) . . . . AYZ	Croisix (R. du) . . . . AZ 12	Quatre Z'Horloges
République (Av. de la) . AYZ	Herminier (Av. Cdt-l') . . AY 13	(Pl. des) . . . . BZ 21
	Lechat (R.) . . . . AY 15	Salengro (R. R.) . . . . AZ 22
Auriol (R. Vincent) . . . . . . BZ 3	Martyrs-de-la-	Verdun (Bd de) . . . . BZ 23
Briand (R. Aristide) . . . . . AY 6	Résistance (Pl. des) . AY 18	28-Février-1943 (R. du) . BZ 24

ST-NAZAIRE-EN-ROYANS 26190 Drôme 77 ③ **G. Alpes du Nord** – 531 h alt. 172.

Paris 580 – Valence 34 – ♦Grenoble 63 – Pont-en-Royans 9 – Romans-sur-Isère 18 – St-Marcellin 14.

Rome, ✆ 75 48 40 69, Fax 75 48 31 17, ≤, – |$| rest TV ☎ – 25. AE ⓓ GB
fermé 2 au 24 nov., dim. soir et lundi sauf juil.-août – **Repas** 90/240 – ☕ 35 – **13 ch** 180/280 – 1/2 P 250/270.

Rest. Muraz "du Royans", ✆ 75 48 40 84, Fax 75 48 47 06 – GB
fermé 3 au 11 juin, 30 sept. au 27 oct., mardi soir en juil.-août, lundi soir et mardi de sept. à juin – **Repas** 85/220 ♨.

ST-NECTAIRE 63710 P.-de-D. 73 ⑭ **G. Auvergne** (plan) – 664 h alt. 700 – Stat. therm. .

Voir Église★★ : trésor★★ – Puy de Mazeyres ✻★ E : 3 km puis 30 mn.

Office de Tourisme Anciens Thermes (mai-sept.) ✆ 73 88 50 86, Fax 73 88 54 42.

Paris 459 – ♦Clermont-Ferrand 44 – Issoire 24 – Le Mont-Dore 25.

Relais Mercure M, Les Bains Romains ✆ 73 88 57 00, Fax 73 88 57 02, – 40. AE GB JCB
Repas 95/165, enf. 49 – 40 – **71 ch** 295/370 – ½ P 290.

Régina, ✆ 73 88 54 55, Fax 73 88 50 56, – GB
1er avril-11 nov. – **Repas** 82/180 – 25 – **17 ch** 180/330 – ½ P 230/290.

ST-NICOLAS-LA-CHAPELLE **73** Savoie 74 ⑦ – rattaché à Flumet.

ST-NIZIER-DU-MOUCHEROTTE **38250** Isère 77 ④ **G. Alpes du Nord** – 575 h alt. 1170 – Sports d'hiver 1 162/1 200 m 2 .

Voir Belvédère ✻★★.

Syndicat d'Initiative ✆ 76 53 40 60, Fax 76 53 42 51.

Paris 579 – ♦Grenoble 17 – Villard-de-Lans 18.

Le Concorde, ✆ 76 53 42 61, Fax 76 53 43 28, ≤, – ☎ P. GB. ch
fermé 28 oct. au 23 déc. – **Repas** 82/165 – 33 – **31 ch** 198/263 – ½ P 212/244.

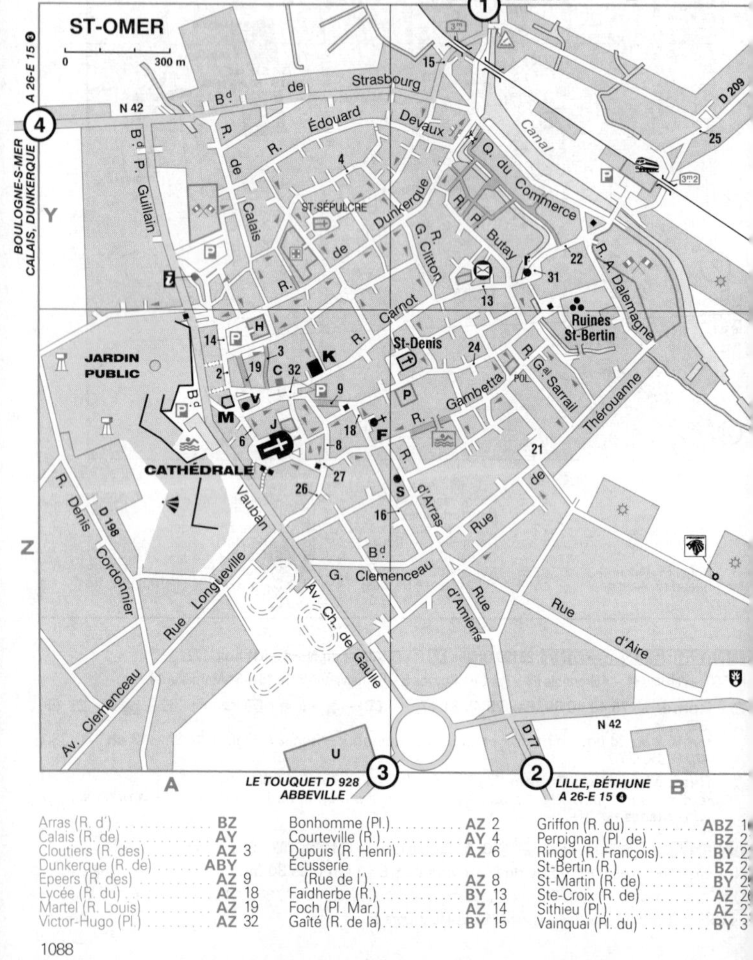

Arras (R. d') . . . . . **BZ**	Bonhomme (Pl.) . . . . . **AZ** 2	Griffon (R. du) . . . . . **ABZ** 1
Calais (R. de) . . . . . **AY**	Courteville (R.) . . . . . **AY** 4	Perpignan (Pl. de) . . . . . **BZ** 2
Cloutiers (R. des) . . . . . **AZ** 3	Dupuis (R. Henri) . . . . . **AZ** 6	Ringot (R. François) . . . . . **BY** 2
Dunkerque (R. de) . . . . . **ABY**	Écusserie (Rue de l') . . . . . **AZ** 8	St-Bertin (R.) . . . . . **BZ** 2
Epeers (R. des) . . . . . **AZ** 9	Faidherbe (R.) . . . . . **BY** 13	St-Martin (R. de) . . . . . **BY** 2
Lycée (R. du) . . . . . **AZ** 18	Foch (Pl. Mar.) . . . . . **AZ** 14	Ste-Croix (R. de) . . . . . **AZ** 2
Martel (R. Louis) . . . . . **AZ** 19	Gaîté (R. de la) . . . . . **BY** 15	Sithieu (Pl.) . . . . . **AZ** 2
Victor-Hugo (Pl.) . . . . . **AZ** 32		Vainquai (Pl. du) . . . . . **BY** 3

T-OMER 62500 P.-de-C. 51 ③ **G. Flandres Artois Picardie** – 14 434 h alt. 23.

oir Cathédrale N.-Dame★★ AZ – Hôtel Sandelin et musée★★ AZ **K** – Anc. chapelle des ésuites★ AZ **F** – Jardin public★ AZ.

nv. Ascenseur des Fontinettes★ 5,5 km SE.

du Bois de Ruminghem ✆ 21 85 30 33, par ④ ; Aa St-Omer Golf Club ✆ 21 38 59 90, par) N 42 et D 225 : 15 km.

Office de Tourisme bd P.-Guillain ✆ 21 98 08 51, Fax 21 98 22 82.

aris 256 ④ – ◆Calais 41 ④ – Abbeville 87 ③ – ◆Amiens 111 ② – Arras 73 ④ – Béthune 43 ④ – Boulogne-sur-Mer ④ – Dunkerque 45 ① – Ieper 54 ② – ◆Lille 62 ②.

Plan page ci-contre

Bretagne, 2 pl. Vainquai ✆ 21 38 25 78, Fax 21 93 51 22 – TV ☎ – 80. AE GB
Repas *(fermé 12 au 25 août, 2 au 14 janv., sam. midi, dim. soir et soirs fériés)* 95/185 - ***Maëva*** grill *(fermé 23 déc. au 2 janv., sam. midi et lundi)* **Repas** 77, enf. 38 – 45 – **75 ch** 290/420. BY **r**

St-Louis, 25 r. Arras ✆ 21 38 35 21, Fax 21 38 57 26 – rest TV ☎ P. AE GB. rest
Repas 70/150, enf. 50 – 30 – **30 ch** 180/290 – ½ P 250/280. BZ **s**

Ibis M, 2 r. H. Dupuis ✆ 21 93 11 11, Fax 21 88 80 20 – TV ☎ – 25. AE GB AZ **v**
Repas 99 bc, enf. 39 – 36 – **66 ch** 262/310.

à Hallines par ③ et D 211 : 6 km – 1 396 h. alt. 36 – ✉ **62570** :

XXX **Host. St-Hubert** avec ch, ✆ 21 39 77 77, Fax 21 93 00 86, « Demeure 19ᵉ siècle, parc avec rivière » – TV ☎ P. GB
fermé dim. soir et lundi – **Repas** 120/340 et carte 260 à 380 – 50 – **9 ch** 350/800.

à Tilques par ④, N 42, N 43 et rte secondaire : 6 km – 900 h. alt. 27 – ✉ **62500** :

Château Tilques, ✆ 21 93 28 99, Télex 133360, Fax 21 38 34 23, « Parc », – TV ☎ – 25 à 150. AE GB.
Repas 100 (déj.), 185/300 – 50 – **53 ch** 450/850.

MW Gar. Lengaigne, 42 av. Joffre ✆ 21 98 50 00 ✆ 21 85 55 00
ITROEN Audomarois Autom., Rte de Calais à -Martin au Laert ✆ 21 38 20 88 ✆ 21 98 42 13
ORD Gar. de l'Europe, Ctre Cial Maillebois à ongueness ✆ 21 98 99 33 ✆ 21 98 42 13
ANCIA Gar. Dassonneville, 144 r. L.-Blum à Vizernes ✆ 21 93 34 04
IAZDA Gar. Rebergue, 39 rte de Calais à -Martin-au-Laërt ✆ 21 38 01 41
PEL Gar. Lemoine, ZI Maillebois, r. St-Adrien à ongueness ✆ 21 38 11 87
EUGEOT Gar. Damide, ZI du Fort Maillebois, av. -Courbet à Longuenesse ✆ 21 98 04 44 05 44 24 24
RENAULT Gar. Audomarois, rte d'Arques à Longuenesse ✆ 21 38 25 77 ✆ 21 38 70 77
ROVER Gar. Molmy, 83 av. L.-Blum à Longuenesse ✆ 21 38 12 07
VAG Gar. Delattre, N de Calais à Salperwick ✆ 21 93 68 37

Equipneu Point S, ZI r. Lobel à Arques ✆ 21 38 42 43
Equipneu Point S, 35 bis bd de Strasbourg ✆ 21 88 58 34
Euromaster, 16 bis r. Pasteur ✆ 21 38 43 66

T-OMER-EN-CHAUSSÉE 60860 Oise 55 ⑨ – 1 092 h alt. 99.

aris 93 – Compiègne 72 – Aumale 34 – Beauvais 13 – Breteuil 29 – Gournay-en-Bray 28 – Poix-de-Picardie 31.

XX **Aub. de Monceaux,** aux Monceaux S : 1 km sur D 901 ✆ 44 84 50 32, Fax 44 84 01 85, « Cadre rustique » – P. GB
fermé 1ᵉʳ au 12 août, janv., merc. soir et jeudi – **Repas** (dim. prévenir) 112/225.

T-OUEN 93 Seine-St-Denis 55 ⑳, 101 ⑯ – voir à Paris, Environs.

T-OUEN-LES-VIGNES 37 I.-et-L. 64 ⑯ – rattaché à Amboise.

T-OYEN-MONTBELLET 71 S.-et-L. 69 ⑲ ⑳ – rattaché à Fleurville.

T-PALAIS 64120 Pyr.-Atl. 85 ④ **G. Pyrénées Aquitaine** – 2 055 h alt. 50.

aris 792 – Biarritz 68 – ◆Bayonne 54 – Dax 54 – Pau 72 – St-Jean-Pied-de-Port 31.

Paix M, ✆ 59 65 73 15, Fax 59 65 63 83, – TV ☎ – 50. AE GB
Repas *(fermé vend. soir de janv. à mars)* 70/150 – 30 – **27 ch** 275/285 – ½ P 245.

Trinquet, ✆ 59 65 73 13, Fax 59 65 83 84 – TV ☎. GB
fermé 20 mars au 10 avril, 25 sept. au 20 oct., dim. soir et lundi du 1ᵉʳ sept. au 1ᵉʳ juil. – **Repas** 80/135, enf. 45 – 28 – **12 ch** 230/280 – ½ P 240.

T-PALAIS-SUR-MER 17420 Char.-Mar. 71 ⑮ **G. Poitou Vendée Charentes** – 2 736 h alt. 5.

oir La Grande Côte★★ NO : 3 km.

de Royan Côte de Beauté ✆ 46 23 16 24, N : 3 km.

Office de Tourisme 1 av. de la République ✆ 46 23 22 58, Fax 46 23 36 73.

aris 514 – Royan 5,5 – La Rochelle 78.

Primavera, rte Gde Côte NO : 2 km ✆ 46 23 20 35, Fax 46 23 28 78, ←, « Élégantes villas 1900 dans un parc face à la mer », – TV ☎ P. AE GB. ch
fermé 1ᵉʳ au 20 déc. et vacances de fév. – **Repas** *(fermé mardi soir et merc. d'oct. à mars)* 115/225 – 48 – **45 ch** 440/620 – ½ P 365/445.

Résidence Frivole sans rest, 10 av. Platin ☎ 46 23 25 00, Fax 46 23 20 25,
AE ⓓ GB
28 mars-7 oct. – ☐ 50 – **11 ch** 320/440.

à la plage de Nauzan SE : 1,5 km par rte Royan – ✉ **17420** St-Palais-sur-Mer :

Téthys, ☎ 46 23 33 61, ←, – TV ☎ P. GB
mai-sept. – **Repas** 95/200, enf. 40 – ☐ 35 – **23 ch** 270/330 – ½ P 300/350.

CITROEN Gar. Valz, ☎ 46 23 10 53

ST-PARDOUX 63440 P.-de-D. 73 ④ – 363 h alt. 615.

Paris 383 – ◆ Clermont-Ferrand 39 – Aubusson 92 – Montluçon 49 – Vichy 39.

sur autoroute A 71 aire des Volcans ou accès de St-Pardoux SE par N 144 et D 12 : 8 km – ✉ **63440** Champs :

des Volcans M, ☎ 73 33 71 50, Fax 73 33 03 78, ←, – rest TV ☎ ♿ P
30. AE GB
Repas 115, enf. 39 – ☐ 39 – **46 ch** 325.

RENAULT Gar. Malleret, ☎ 73 97 40 94

ST-PARDOUX-LA-CROISILLE 19320 Corrèze 75 ⑩ – 173 h alt. 410.

Paris 477 – Brive-la-Gaillarde 50 – Aurillac 81 – Mauriac 45 – St-Céré 66 – Tulle 28 – Ussel 51.

Beau Site, ☎ 55 27 79 44, Fax 55 27 69 52, ←, parc, – ☎ P. GB. rest
1er mai-29 sept. – **Repas** 105/215, enf. 50 – ☐ 37 – **32 ch** 220/305 – ½ P 296/306.

ST-PATRICE 37 I.-et-L. 64 ⑬ – rattaché à Langeais.

ST-PAUL 06570 Alpes-Mar. 84 ⑨ 115 ㉕ G. Côte d'Azur – 2 903 h alt. 125.

Voir Site★ – Remparts★ – Fondation Maeght★★.

Office de Tourisme Maison Tour, r. Grande ☎ 93 32 86 95, Fax 93 32 64 58.

Paris 926 – ◆ Nice 18 – Antibes 16 – Cagnes-sur-Mer 7 – Cannes 26 – Grasse 21 – Vence 4.

Le Saint-Paul M, 86 r. Grande, au village ☎ 93 32 65 25, Fax 93 32 52 94,
« Élégante décoration intérieure » – TV ☎ ♿. AE ⓓ GB JCB
fermé 9 janv. au 17 fév. – **Repas** *(fermé merc. midi et jeudi midi de nov. à mars)* 185 (déj.) 290/380 – ☐ 90 – **18 ch** 900/1400 – ½ P 930/1080.

La Colombe d'Or, ☎ 93 32 80 02, Fax 93 32 77 78, , « Peintures modernes, cadr "vieille Provence" et jardin romain » – ch TV ☎ P. AE ⓓ GB JCB
fermé 3 nov. au 20 déc. – **Repas** carte 300 à 400 – ☐ 60 – **16 ch** 1250, 10 appart – ½ P 830

La Couleur Pourpre, 7 rempart Ouest ☎ 93 32 60 14 – AE GB
fermé 13 nov. au 23 déc., mardi midi et vend. midi en juil.-août et mardi de sept. à juin
Repas 175.

par rte de La Colle-sur-Loup :

✿ **Mas d'Artigny**, rte des Hauts de St-Paul ☎ 93 32 84 54, Télex 470601 Fax 93 32 95 36, ←, , parc, « Appartements avec piscines privées », – c
TV ☎ P – 40 à 200. AE ⓓ GB JCB
Repas 300/410 et carte 350 à 600, enf. 100 – ☐ 95 – **55 ch** 705/1830, 29 appart ½ P 845/1315
Spéc. Salade gourmande aux queues de langoustines rôties et caviar. Suprême de loup croustillant, beurre au amandes. Canon d'agneau rôti à l'ail doux et au basilic. **Vins** Côtes de Provence, Bandol.

Le Hameau sans rest, D 7D ☎ 93 32 80 24, Fax 93 32 55 75, ←, « Jardin en terrasses », – ☎ P. GB
fermé 15 nov. au 22 déc. et 6 janv. au 15 fév. – ☐ 52 – **14 ch** 430/600, 3 appart.

Messugues sans rest, quartier Gardettes par rte Fondation Maeght ☎ 93 32 53 32 Fax 93 32 94 15, « Piscine originale », – ☎ P. AE ⓓ GB
1er avril-30 sept. – ☐ 50 – **15 ch** 450/650.

au Sud : 3 km par D 2 et rte secondaire :

Les Bastides de St-Paul sans rest, 880 rte Blaquières ☎ 92 02 08 07, Fax 93 20 50 41
– TV ☎ ♿ P. AE ⓓ GB JCB
fermé dim. du 15 nov. au 15 mars – ☐ 45 – **17 ch** 400/600.

ST-PAUL-CAP-DE-JOUX 81220 Tarn 82 ⑩ – 924 h alt. 158.

Paris 709 – ◆ Toulouse 60 – Albi 49 – Castelnaudary 47 – Castres 23 – Montauban 72.

à Viterbe NO : 7 km par D 112 et D 149 – 234 h. alt. 141 – ✉ **81220** :

Marronniers, ☎ 63 70 64 96, Fax 63 70 60 96, – P. AE ⓓ GB
fermé vacances de Toussaint, mardi soir d'oct. à mars et merc. – **Repas** 62 (déj.), 94/153 enf. 40.

ST-PAUL-DE-VARCES 38760 Isère 77 ④ – 1 530 h alt. 428.

Paris 583 – ◆ Grenoble 18 – Villard-de-Lans 46 – Voiron 42.

Aub. Messidor, ☎ 76 72 80 64, – GB
fermé fév., dim. soir et lundi sauf fêtes – **Repas** 125/262.

ST-PAULIEN 43350 H.-Loire 76 ⑦ **G. Vallée du Rhône** – 1 872 h alt. 795.
Voir Intérieur★ de l'église.
Paris 534 – Le Puy-en-Velay 14 – La Chaise-Dieu 27 – Craponne-sur-Arzon 24 – ♦St-Étienne 85 – Saugues 44.

Voyageurs, 9 av. Rochelambert ✆ 71 00 40 47, Fax 71 00 51 05 – ▤ rest TV ☎ ✆ . GB
Repas 65/135 bc, enf. 40 – ☕ 25 – **13 ch** 205/225 – ½ P 185.

ST-PAUL-LE-JEUNE 07460 Ardèche 80 ⑧ – 862 h alt. 255.
Voir Banne : ruines de la citadelle ≤★ N : 5 km, **G. Provence.**
Paris 675 – Alès 30 – Aubenas 44 – Pont-St-Esprit 53 – Vallon-Pont-d'Arc 28 – Villefort 37.

Moderne avec ch, ✆ 75 39 82 75 – ☎. GB
fermé fév. et merc. – **Repas** 85/175 – ☕ 28 – **9 ch** 190 – ½ P 210/230.

ST-PAUL-LÈS-DAX 40 Landes 78 ⑦ – rattaché à Dax.

ST-PAUL-LÈS-ROMANS 26 Drôme 77 ③ – rattaché à Romans-sur-Isère.

ST-PAUL-TROIS-CHATEAUX 26130 Drôme 81 ① **G. Vallée du Rhône** – 6 789 h alt. 90.
Voir Cathédrale★.
Env. Barry ≤★★ S : 8 km.
ℹ Office de Tourisme r. République ✆ 75 96 61 29, Fax 75 96 74 61.
Paris 632 – Montélimar 28 – Nyons 38 – Orange 33 – Vaison-la-Romaine 34 – Valence 71.

L'Esplan M, pl. l'Esplan ✆ 75 96 64 64, Fax 75 04 92 36, ☂, « Décor contemporain » – |‡| TV ☎. AE ⓓ GB JCB
fermé 20 déc. au 5 janv. – **Repas** *(fermé dim. soir du 15 oct. au 15 avril)* 98/270 ♁ – ☕ 40 – **36 ch** 300/490 – ½ P 340/390.

La Vieille France, ✆ 75 96 70 47, Fax 75 96 70 47 – AE GB
fermé 1er au 22 août, sam. midi et dim. – **Repas** 90/170.

ST-PÉE-SUR-NIVELLE 64310 Pyr.-Atl. 85 ② – 3 463 h alt. 30.
Paris 791 – Biarritz 17 – ♦Bayonne 19 – Cambo-les-Bains 18 – Pau 131 – St-Jean-de-Luz 23.

à Ibarron O : 1,5 km – ✉ **64310** St-Pée-sur-Nivelle :

Fronton, ✆ 59 54 10 12, Fax 59 54 18 09, ☂ – AE ⓓ GB JCB
fermé mars, mardi soir et merc. soir – **Repas** 130/238, enf. 60.

O : 4 km par rte de St-Jean-de-Luz et D 307 – ✉ **64310** St-Pée-sur-Nivelle :

Aub. Basque ⛰ sans rest, ✆ 59 54 10 15, ≤, « Jardin ombragé » – ☎ P. GB.
Pâques-mi-oct. – ☕ 30 – **19 ch** 290/300.

ST-PÉRAY 07130 Ardèche 77 ⑪ ⑫ – 5 886 h alt. 124.
Voir Ruines du château de Crussol : site★★★ et ≤★★ SE : 2 km, **G. Vallée du Rhône.**
Env. Saint-Romain-de-Lerps ✱★★★ NO : 9,5 km par D 287.
ℹ Syndicat d'Initiative 45 r. République ✆ 75 40 46 75.
Paris 566 – Valence 5 – Lamastre 36 – Privas 39 – Tournon-sur-Rhône 14.

Pôle 2000 M, rte Granges-lès-Valence ✆ 75 40 55 56, Fax 75 40 29 72 – TV ☎ ✆ ♿ P. AE ⓓ GB
Repas 81/132 ♁ – ☕ 28 – **25 ch** 196/241 – ½ P 208/278.

à Cornas N : 2 km par N 86 – 2 102 h. alt. 130 – ✉ **07130** :

Ollier, ✆ 75 40 32 17 – ▤. GB
fermé 7 au 27 août, vacances de fév., lundi soir d'oct. à avril, mardi soir et merc. – **Repas** 85/180.

à Soyons S : 7 km par N 86 – 1 551 h. alt. 106 – ✉ **07130** :

Domaine de la Musardière M, ✆ 75 60 83 55, Fax 75 60 85 21, ☂, parc, Ⅎδ, ⛱, ✂ – |‡| ▤ ch TV ☎ P – 🏔 30. AE ⓓ GB
Repas 130/290 – ☕ 90 – **12 ch** 700/1300, 3 appart – ½ P 650/900.

La Châtaigneraie 🏨., parc, ⛱, ✂ – cuisinette ▤ ch TV ☎ P. AE ⓓ GB
Repas voir ***Domaine de la Musardière*** – ☕ 90 – **18 ch** 450/750 – ½ P 565/665.

ST-PÈRE 89 Yonne 65 ⑮ ⑯ – rattaché à Vézelay.

ST-PÉREUSE 58110 Nièvre 69 ⑥ – 260 h alt. 355.
Paris 273 – Autun 53 – Château-Chinon 14 – Clamecy 56 – Nevers 56.

La Madonette, ✆ 86 84 45 37, Fax 86 84 46 69, ☂, « Jardin fleuri » – AE GB
fermé 15 déc. au 1er fév. et merc. sauf juil.-août – **Repas** 60/230 ♁, enf. 55.

ST-PEY-DE-CASTETS 33350 Gironde 75 ⑫ – 597 h alt. 80.
Paris 603 – ♦Bordeaux 54 – Bergerac 53 – Libourne 24 – La Réole 32.

Aub. Gasconne, ✆ 57 40 52 08, Fax 57 40 52 08 – P. AE ⓓ GB
fermé 5 au 23 fév. et lundi – **Repas** 75 bc (déj.), 95/260 ♁.

ST-PIERRE-DE-BOEUF 42520 Loire 77 ① – 1 174 h alt. 142.

Paris 512 – Annonay 24 – ◆Lyon 52 – ◆St-Étienne 51 – Tournon-sur-Rhône 47 – Vienne 22.

XX **La Diligence,** ✆ 74 87 12 19, Fax 74 87 10 08 – ▤. AE GB
fermé 15 au 31 juil., dim. soir et lundi sauf fériés – **Repas** 98/280.

ST-PIERRE-DE-CHARTREUSE 38380 Isère 77 ⑤ **G. Alpes du Nord** – 650 h alt. 885 – Sports d'hiver : 900/1 800 m 1 12 .

Voir Terrasse de la Mairie ≤★ – Prairie de Valombré ≤★ sur couvent de la Grande Chartreuse O : 4 km – Site★ de Perquelin E : 3 km – La Correrie : musée Cartusien★ du couvent de la Grande Chartreuse NO : 3,5 km – Décoration★ de l'église de St-Hugues-de-Chartreuse S : 4 km.

Office de Tourisme ✆ 76 88 62 08, Fax 76 88 64 65.

Paris 555 – ◆Grenoble 29 – Belley 66 – Chambéry 40 – La Tour-du-Pin 51 – Voiron 26.

Beau Site, ✆ 76 88 61 34, Fax 76 88 64 69, ≤, – – ☎ – 30. GB
fermé 15 oct. au 20 déc. – **Repas** *(fermé dim. soir et lundi hors sais.)* 80/165 – 30 – **31 ch** 300/360 – ½ P 300/330.

Le Saint-Pierre, La Diat SO : 1 km ✆ 76 88 65 79, Fax 76 88 68 95 – AE GB
fermé 15 nov. au 15 déc. – **Repas** *(fermé dim. soir, mardi soir et lundi)* 85/158 , enf. 50 – 35 – **7 ch** 200/280 – ½ P 198/240.

X **Aub. Atre Fleuri** avec ch, S : 3 km sur D 512 ✆ 76 88 60 21, Fax 76 88 64 97, , – ☎ P. GB
fermé 24 au 30 juin (sauf hôtel), 20 oct. au 26 déc., mardi soir et merc. hors sais. – **Repas** 79/215, enf. 50 – 30 – **7 ch** 195/220 – ½ P 220/230.

X **Le Chant d'Aile,** ✆ 76 88 60 72, – AE GB
fermé 15 nov. au 15 déc., lundi soir et mardi – **Repas** 75 (déj.), 85/190 .

au col du Cucheron N : 3,5 km par D 512 – Sports d'hiver au Planolet : 1 050/1 500 m 7 –
✉ **38380** St-Pierre-de-Charteuse :

X **Chalet H. du Cucheron** avec ch, ✆ 76 88 62 06, Fax 76 88 65 43, ≤, – AE GB rest
fermé 14 oct. au 25 déc., 20 au 26 janv. et lundi sauf vacances scolaires – **Repas** 92/175 enf. 49 – 28 – **7 ch** 140/200 – ½ P 190/220.

The Guide changes, so renew your Guide every year.

ST PIERRE D'ENTREMONT 73670 Savoie 74 ⑮ **G. Alpes du Nord** – 294 h alt. 640.

Voir Cirque de St-Même★★ SE : 4,5 km – Gorges du Guiers Vif★★ et Pas du Frou★★ O : 5 km – Château du Gouvernement★ : ≤★ SO : 3 km.

Office de Tourisme de la Vallée des Entremonts ✆ et Fax 79 65 81 90.

Paris 551 – ◆Grenoble 46 – Belley 59 – Chambéry 25 – Les Echelles 11,5 – ◆Lyon 100.

H. du Château de Montbel, ✆ 79 65 81 65, Fax 79 65 89 49 – ☎ . GB.
fermé 22 au 29 avril, 25 oct. à fin nov., dim. soir et lundi sauf vacances scolaires – **Repas** 80/190, enf. 60 – 38 – **15 ch** 180/255 – ½ P 220/260.

X **Aub. du Cozon,** N : 1 km rte Granier ✆ 79 65 80 09, Fax 79 65 80 09, – P. AE GB JCB.
fermé 6 janv. au 4 fév., lundi soir et mardi sauf vacances scolaires – **Repas** 100/210 enf. 60.

ST-PIERRE-DES-CORPS 37 I.-et-L. 64 ⑮ – rattaché à Tours.

ST-PIERRE-DES-NIDS 53370 Mayenne 60 ② – 1 595 h alt. 246.

Paris 207 – Alençon 15 – Argentan 43 – Domfront 48 – Laval 79 – Mayenne 48.

XX **Dauphin** avec ch, rte Alençon ✆ 43 03 52 12, Fax 43 03 55 49 – TV ☎ P. AE GB.
fermé 25 août au 5 sept., vacances de fév. et merc. du 1er sept. à Pâques – **Repas** 92/265 enf. 47 – 35 – **9 ch** 145/275 – ½ P 280.

ST-PIERRE-D'OLÉRON 17 Char.-Mar. 71 ⑬ – voir à Oléron (Ile d').

ST-PIERRE-DU-VAUVRAY 27 Eure 55 ⑰ – rattaché à Louviers.

ST-PIERRE-LAFEUILLE 46 Lot 79 ⑧ – 217 h alt. 350 – ✉ **46090** Cahors.

Paris 570 – Cahors 10 – Figeac 61 – Payrac 38 – Puy-l'Évêque 33 – Rocamadour 46.

X **La Bergerie,** N 20 ✆ 65 36 82 82, Fax 65 36 82 40 – P. GB
fermé 6 janv. au 5 fév., dim. soir et lundi sauf juil.-août – **Repas** 90/220, enf. 55.

ST-PIERRE-LANGERS 50530 Manche 59 ⑦ – 357 h alt. 40.

Paris 344 – St-Lô 59 – St-Malo 83 – Avranches 16 – Granville 10,5.

XX **Le Jardin de l'Abbaye,** Croix Barrée ✆ 33 48 49 08, Fax 33 48 18 50 – GB
fermé 25 sept. au 11 oct., 6 au 28 fév., dim. soir (sauf juil.-août) et lundi – **Repas** 90/300 enf. 60.

ST-PIERRE-LE-MOUTIER 58240 Nièvre 69 ③ **G. Bourgogne** – 2 091 h alt. 214.

Syndicat d'Initiative à la Mairie ☎ 86 37 42 09, Fax 86 37 45 80.

Paris 263 – Bourges 71 – Moulins 31 – Château-Chinon 86 – Montluçon 75 – Nevers 23.

Vieux Puits sans rest, près Église ☎ 86 37 44 77, Fax 86 37 49 05 – TV ☎ . AE GB
☐ 35 – **11 ch** 230/325.

La Vigne avec ch, rte Decize ☎ 86 37 41 66, Fax 86 37 28 90, , parc – TV ☎ P. AE GB
fermé merc. (sauf hôtel) et dim. soir d'oct. à fin mars – **Repas** (dim. et fêtes prévenir) 92/265 – ☐ 50 – **12 ch** 250/320 – ½ P 275/306.

CITROEN Gar. Belli, pl. Jeanne-d'Arc ☎ 86 37 40 60

PEUGEOT St-Pierroise Rép. Auto, 3 rte de Moulins ☎ 86 37 40 74 N ☎ 86 37 46 99

ST-PIERRE-LÈS-AUBAGNE 13 B.-du-R. 84 ⑭, 114 ㉙ ㉚ – rattaché à Aubagne.

ST-PIERREMONT 88700 Vosges 62 ⑥ – 167 h alt. 251.

Paris 357 – ♦Nancy 53 – Lunéville 24 – St-Dié 39.

Relais Vosgien, ☎ 29 65 02 46, Fax 29 65 02 83, , – ☎ P. GB
fermé 20 déc. au 10 janv. et sam. midi – **Repas** 70/230 , enf. 50 – ☐ 35 – **17 ch** 180/270 – ½ P 200/300.

ST-PIERRE-QUIBERON 56 Morbihan 63 ⑪ ⑫ – rattaché à Quiberon.

ST-PIERRE-SUR-MER 11560 Aude 83 ⑭ **G. Pyrénées Roussillon.**

Paris 802 – ♦Perpignan 81 – Carcassonne 77 – Narbonne 19.

Floride, au port ☎ 68 49 42 08, – AE GB
fermé 3 au 30 janv., dim. soir et lundi hors sais. – **Repas** 85/180, enf. 40.

Ne prenez pas la route au hasard !

*3615 - 3617 MICHELIN vous apportent sur votre **Minitel** ou sur **fax** ses conseils routiers, hôteliers et touristiques.*

ST-POL-DE-LÉON 29250 Finistère 58 ⑥ **G. Bretagne** – 7 261 h alt. 60.

Voir Clocher★★ de la chapelle du Kreisker★ : ★★ de la tour – Ancienne cathédrale★ – Rocher Ste-Anne : ≤★ dans la descente.

Office de Tourisme pl. de l'Évêché ☎ 98 69 05 69, Fax 98 69 01 20.

Paris 558 – ♦Brest 61 – Brignogan-Plages 31 – Morlaix 20 – Roscoff 5.

France, r. Minimes ☎ 98 29 14 14, Fax 98 29 10 57, – TV ☎ P – 50. AE GB
fermé lundi d'oct. à avril – **Repas** 89/169, enf. 45 – ☐ 35 – **22 ch** 270 – ½ P 270.

RENAULT Gar. Huitric, rte de Plouenan - la Gare ☎ 98 29 02 82 N ☎ 05 05 15 15

Caroff Pneus, 26 r. de Brest ☎ 98 69 08 87 N ☎ 98 69 08 33

ST-PONS-DE-THOMIÈRES 34220 Hérault 83 ⑬ **G. Gorges du Tarn** – 2 566 h alt. 301.

Voir Grotte de la Devèze★ SO : 5 km.

Office de Tourisme pl. du Foirail ☎ 67 97 06 65.

Paris 771 – Béziers 50 – Carcassonne 61 – Castres 51 – Lodève 74 – Narbonne 52.

au Nord : 10 km sur D 907 – ✉ 34220 St-Pons :

Aub. du Cabaretou avec ch, ☎ 67 97 02 31, Fax 67 97 32 74, ≤ vallée et montagne, , – TV ☎ P. AE GB
fermé mi-janv. à mi-fév., dim. soir et lundi d'oct. à avril – **Repas** 95/255 – ☐ 45 – **11 ch** 250/280 – ½ P 250/270.

ST-POURÇAIN-SUR-SIOULE 03500 Allier 69 ⑭ **G. Auvergne** – 5 159 h alt. 234.

Voir Église Ste-Croix★ AY**B** – Musée de la Vigne et du Vin★ AY **M.**

de Briailles ☎ 70 45 49 49, E : 3 km par D 130 BZ **et VO.**

Office de Tourisme 35 bd L.-Rollin ☎ 70 45 32 73, Fax 70 45 60 27.

Paris 378 ① – Moulins 31 ① – Montluçon 63 ⑤ – Riom 50 ③ – Roanne 79 ② – Vichy 30 ③.

Plan page suivante

Chêne Vert, bd Ledru-Rollin ☎ 70 45 40 65, Fax 70 45 68 50, – TV ☎ P – 40. AE GB ABY **s**
fermé 5 au 28 janv., dim. soir et lundi du 15 sept. au 15 juin – **Repas** 90/190, enf. 45 – ☐ 40 – **31 ch** 230/410.

CITROEN Gar. Poubeau, 53 rte de Gannat ☎ 70 45 33 99 N ☎ 70 45 33 99
FORD Gar. Gaulmin, 7 pl. Liberté ☎ 70 45 37 39
PEUGEOT Gar. Orpelière, 39-41 rte de Montmarault par ⑤ ☎ 70 45 51 36

Euromaster, 1 r. Gare ☎ 70 45 59 15

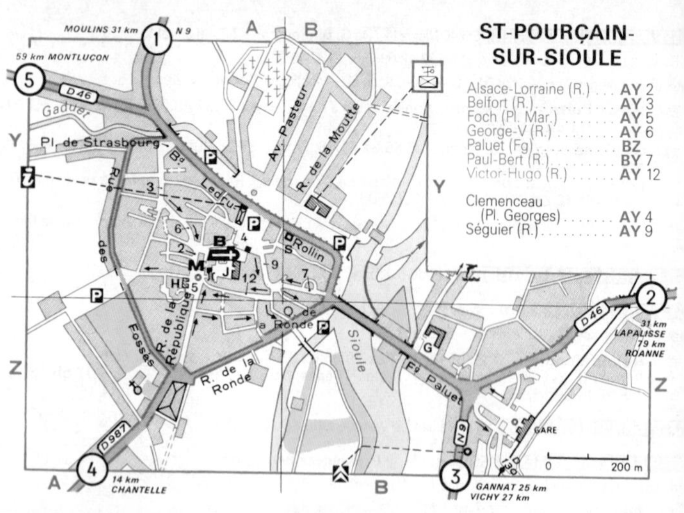

ST-PRIEST-BRAMEFANT 63 P.-de-D. 73 ⑤ – rattaché à Randan.

ST-PRIEST-TAURION **87480** H.-Vienne 72 ⑧ **G. Berry Limousin** – 2 506 h alt. 255.

Env. Ambazac : chasse★★ et dalmatique★ dans l'église, ≤★ du parc de Montméry N : 9 km pa D 44.

Paris 395 – ◆Limoges 14 – Bellac 45 – Bourganeuf 34 – La Souterraine 53.

- **Relais du Taurion,** ✆ 55 39 70 14, Fax 55 39 67 63, – ☎ 📞 P. GB
  fermé 1er au 9 sept., 15 déc. au 15 janv., dim. soir et lundi – **Repas** 105/200 – ☕ 30 – **8 c**h 240/300 – ½ P 260/300.

ST-PROJET 15 Cantal 76 ⑪ ⑫ – alt. 220 – ✉ **15340** Calvinet.

Paris 619 – Aurillac 46 – Rodez 47 – Entraygues-sur-Truyère 22 – Figeac 38 – Villefranche-de-Rouergue 62.

- **Pont,** ✆ 71 49 94 21, Fax 71 49 96 10, ≤, parc – ☎ P. GB
  1er avril-1er nov. – **Repas** 70/180 ♁, enf. 48 – ☕ 37 – **17 ch** 125/210 – ½ P 170/220.

ST-QUAY-PORTRIEUX **22410** C.-d'Armor 59 ③ **G. Bretagne** – 3 018 h alt. 25 – Casino.

18 des Ajoncs d'Or ✆ 96 71 90 74, O : 7 km.

Office de Tourisme et Accueil de France 17 bis, r. Jeanne d'Arc ✆ 96 70 40 64, Fax 96 70 39 99.

Paris 471 – St-Brieuc 19 – Étables-sur-Mer 2,5 – Guingamp 28 – Lannion 53 – Paimpol 26.

- **Ker Moor** 🐚, 13 r. Prés. Le Sénécal ✆ 96 70 52 22, Fax 96 70 50 49, ≤ côte et mer, – 📺 ☎ P – 🏊 25. AE ⓞ GB. rest
  fermé 20 déc. au 8 janv. – **Repas** 130/290 – ☕ 50 – **29 ch** 440/495 – ½ P 470/515.
- **Gerbot d'Avoine,** bd Littoral ✆ 96 70 40 09, Fax 96 70 34 06 – 📺 ☎ P. GB
  fermé 18 nov. au 9 déc., 6 au 27 janv., dim. soir et lundi hors sais. – **Repas** 83/286 ♁, enf. 48 – ☕ 42 – **20 ch** 245/345 – ½ P 252/330.

ST-QUENTIN SP **02100** Aisne 53 ⑭ **G. Flandres Artois Picardie** – 60 644 h alt. 74.

Voir Basilique★ BY – Pastels de Quentin de La Tour★★ au musée Lécuyer AY **M**[1].

9 à Mesnil-St-Laurent ✆ 23 68 19 48, SE par ③ D 12 : 10 km.

Office de Tourisme espace St-Jacques, 14 r. de la Sellerie ✆ 23 67 05 00, Fax 23 67 78 71 – Automobile Club 14 r. de la Sellerie ✆ 23 62 30 34.

Paris 142 ⑤ – ◆Amiens 74 ⑥ – Charleroi 155 ③ – ◆Lille 109 ⑥ – ◆Reims 95 ③ – Valenciennes 79 ⑥.

Plans pages suivantes

- ✿ **Gd Hôtel et rest. Président** M, 6 r. Dachery ✆ 23 62 69 77, Fax 23 62 53 52 – 📺 ☎ 📞 ♿ P – 🏊 30. AE ⓞ GB JCB BZ n
  Repas *(fermé 29 juil. au 26 août, 23 au 30 déc., sam. midi et dim.)* 180 bc/330 et carte 290 à 430 – ☕ 60 – **24 ch** 420/600
  Spéc. Poêlée de langoustines et Saint-Jacques au pistou (oct. à mai). "Soissoulet" d'agneau à la picarde. Soufflé à la chicorée à café et son coulis.
- **Paix et Albert 1er,** 3 pl. 8-Octobre ✆ 23 62 77 62, Fax 23 62 66 03 – 📺 ☎ 📞 P – 🏊 40. AE ⓞ GB BZ a
  Le Brésilien **: Repas** 105/160, enf. 60 – ***Le Carnotzet*** **: Repas** (dîner seul.) 105/160, enf. 60 – ☕ 35 – **52 ch** 270/300 – ½ P 250.

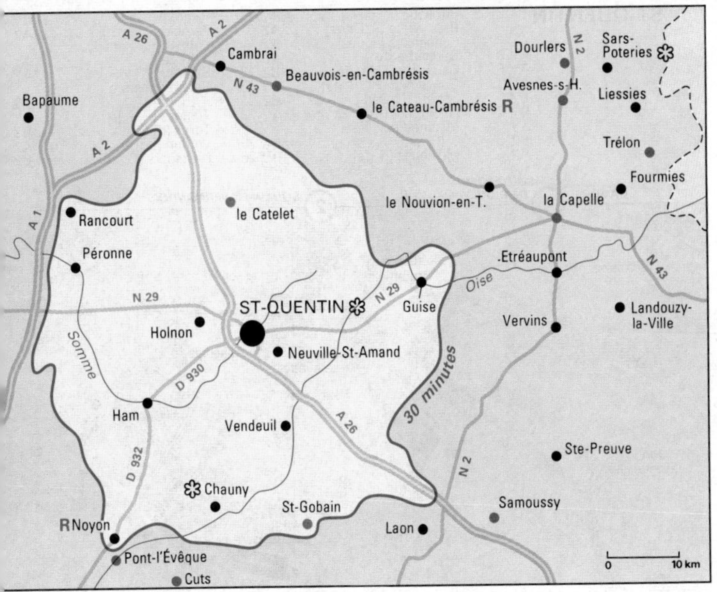

🏠 **Ibis** Ⓜ, 14 pl. Basilique ✆ 23 64 19 19, Fax 23 62 69 36 – |‡| ⇆ ▤ rest 📺 ☎ ✆ ♿. AE ⓓ GB ABZ **r**
Repas *(fermé dim. soir et soirs fériés)* 99/145 bc, enf. 50 – ☕ 36 – **43 ch** 290/300.

🏠 **Mémorial** sans rest, 8 r. Comédie ✆ 23 67 90 09, Fax 23 62 34 96 – 📺 ☎ ✆ 🅿. AE ⓓ GB AZ **b**
☕ 40 – **18 ch** 280/400.

🏠 **France et Angleterre** sans rest, 28 r. E. Zola ✆ 23 62 13 10, Fax 23 62 63 44 – ⇆ 📺 ☎ 🚗. AE GB JCB AZ **d**
☕ 35 – **28 ch** 155/250.

XXX **Le Rond d'Alembert,** 27 r. d'Isle ✆ 23 64 46 46, Fax 23 64 49 90 – |‡|. AE ⓓ GB BZ **e**
fermé dim. soir – **Repas** 150 bc/160 et carte 290 à 350, enf. 70.

*à **Neuville-St-Amand*** SE : 3 km par ③ et D 12 – 916 h. alt. 82 – ✉ **02100** :

🏠 **Le Château** 🐌, ✆ 23 68 41 82, Fax 23 68 46 02, parc – 📺 ☎ ✆ 🅿 – 🏛 25. AE ⓓ GB. ✱ ch
fermé 29 juil. au 18 août, 24 au 31 déc., sam. midi et dim. soir – **Repas** 125/345 – ☕ 45 – **15 ch** 330/390.

par ⑥ et N 29 : 2 km – ✉ **02100** St-Quentin :

🏠 **Campanile,** ✆ 23 67 91 22, Fax 23 67 49 55 – ⇆ 📺 ☎ ✆ ♿ 🅿 – 🏛 25. AE ⓓ GB
Repas 84 bc/107 bc, enf. 39 – ☕ 32 – **39 ch** 270.

*à **Holnon*** par ⑥ et N 29 : 6 km – 1 199 h. alt. 102 – ✉ **02760** :

🏠 **Pot d'Étain** Ⓜ, ✆ 23 09 61 46, Fax 23 09 66 55, 🏛 – 📺 ☎ ✆ ♿ 🅿 – 🏛 25. AE ⓓ GB
Repas 85/240, enf. 50 – ☕ 32 – **32 ch** 290/510 – ½ P 270.

ITROEN Saint-Quentin Auto, r. G.-Philippe à auchy ✆ 23 08 68 00 🅽 ✆ 05 05 24 24
IAT P.P.B Autom., 92 av. Fusillés-Fontaine-Notre-ame ✆ 23 68 19 87
ONDA, SAAB Hubault 4 Autom., r. C.-Linné ZAC Vallée ✆ 23 64 81 82
EUGEOT Center Auto, ZAC la Vallée, r. Parmentier ar ⑥ ✆ 23 64 16 16 🅽 ✆ 23 08 03 63
ENAULT Gar. Gueudet, ZAC La Vallée, r. armentier par ⑥ ✆ 23 67 47 47 🅽 ✆ 23 08 04 82
AG Gar. du Cambrésis, 98 r. A.-Dumas ✆ 23 62 45 43

Ⓦ Euromaster, 51 ter av. Gén.-de-Gaulle ✆ 23 06 67 67
Pneus-Lepilliez-Dubois-Point S, 3 pl. Basilique ✆ 23 62 33 30
Pneus-Lepilliez-Dubois-Point S, ZI r. de Picardie à Gauchy ✆ 23 62 33 30
Pneus-Lepilliez-Dubois-Point S, 155 r. de Fayet ✆ 23 62 33 30

ST-QUENTIN

Croix-Belle-Porte (R.) . . . . . AY 6
États-Généraux (R. des) . . . AY 8
Hôtel-de-Ville (Pl. de l') . . . . AZ 17
Isle (R. d') . . . . BZ
Lyon (R. de) . . . . BZ 24
Raspail (R.) . . . . AY
Sellerie (R. de la) . . . . BZ 33
Zola (R. Émile) . . . . AZ

Basilique (Pl. de la) . . . . . . ABY 2
Brossolette (R. Pierre) . . . . . AZ 3
Canonniers (R. des) . . . . AZ 4
Faidherbe (Av.) . . . . AZ 10
Gaulle (Av. Gén.-de) . . . . . . BZ 13
Gouvernement (R. du) . . . . BY 15
Leclerc (R. Gén.) . . . . BZ 21
Le Sérurier (R.) . . . . AY 23
Marché-Franc (Pl. du) . . . . BZ 25
Mulhouse (R. de) . . . . BY 26

Picard (R. Ch.) . . . . BY
Pompidou (R. G.) . . . . AY
Prés.-J.-F.-Kennedy (R. du) . . . . AY
St-André (R.) . . . . AY
Sous-Préfecture (R. de la) . . . . BZ
Thomas (R. A.) . . . . AY
Toiles (R. des) . . . . BZ
Verdun (Bd) . . . . AZ
8-Octobre (Pl. du) . . . . BZ

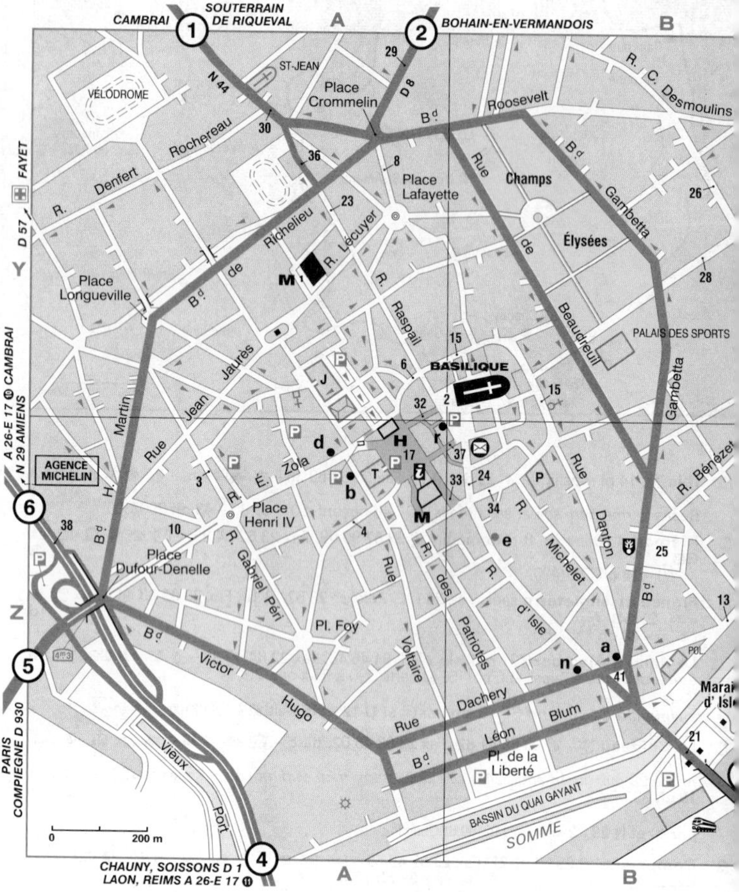

ST-QUENTIN-EN-YVELINES 78 Yvelines 60 ⑨ 106 ㉙ 101 ㉑.

Coignières 60 ⑨ 106 ㉘ – 4 157 h alt. 160 – ✉ **78310**.

Paris 37 – St-Quentin-en-Yvelines 6,5.

Primevère M, 1 r. Prévenderie (N 10) ✆ (1) 34 61 00 90, Fax (1) 34 61 15 87 – ☎ ♿ – 60. AE GB
Repas 71 (déj.), 84/104 , enf. 39 – 42 – **71 ch** 270/270.

XXX **Aub. du Capucin Gourmand,** N 10 ✆ (1) 34 61 46 06, Fax (1) 34 61 73 46, – P. GB
fermé dim. soir – **Repas** 250 (dîner)/350 et carte 330 à 460.

XXX **Aub. d'Angèle,** N 10 ✆ (1) 34 61 64 39, Fax (1) 34 61 94 30, – P. GB
fermé dim. soir et lundi – **Repas** 150/315 et carte 290 à 390.

'ROEN Gar. Collet, 21 N 10 ✆ (1) 30 50 11 30
RD Gar. Poroux, 88 rte Nationale
(1) 30 13 74 74
'UNDAI Pacific Motors, 98 N 10
(1) 34 61 06 25

LADA G.A.B., 26 r. de la Gare ✆ (1) 34 61 43 03
PEUGEOT Coignières Autom., ZI Pariwest, 2 r. Fresnel ✆ (1) 34 82 03 30 N ✆ (1) 05 44 24 24

Euromaster, 109-115 N 10 ✆ (1) 34 61 47 37

Montigny-le-Bretonneux 60 ⑨ 106 ㉙ – 31 687 h alt. 162 – ✉ **78180**.

Club National ✆ (1) 30 43 36 00, E par D 36 et D 912 : 5 km.

Paris 30 – St-Quentin-en-Yvelines 3,5.

Adagio M, 9 pl. Choiseul ✆ (1) 30 57 00 57, Fax (1) 30 57 15 22, – 70. AE GB
Repas *(fermé vend. soir, dim. midi, fériés le midi et sam.)* 120/155 – 60 – **74 ch** 560/625.

Campanile, 2 pl. Ovale (G. Pompidou) ✆ (1) 30 57 49 50, Fax (1) 30 44 27 37 – 40. AE GB
Repas 92 bc/119 bc, enf. 39 – 34 – **108 ch** 340.

AT Sodiam 78, 1 r. N.-Copernic à Guyancourt
(1) 30 43 39 39
UGEOT SOVEDA, N 286 ✆ (1) 30 45 09 42 N
(1) 05 44 24 24

RENAULT Gar. Cedam, 43 av. de Manet
✆ (1) 30 43 25 79 N ✆ (1) 05 05 15 15
VAG M.B.A., ZAS 10 av. des Prés
✆ (1) 30 44 12 12

Voisins-le-Bretonneux 60 ⑨ 106 ㉙ – 11 220 h alt. 163 – ✉ **78960**.

Paris 34 – St-Quentin-en-Yvelines 6.

Le Relais de Voisins M, av. Grand-Pré ✆ (1) 30 44 11 55, Fax (1) 30 44 02 04, – 40. GB. rest
Repas *(fermé dim. soir)* 75/159 – 32 – **53 ch** 295 – ½ P 250.

Port Royal sans rest, 20 r. H. Boucher ✆ (1) 30 44 16 27, Fax (1) 30 57 52 11, – GB
32 – **36 ch** 260/290.

au golf national E : 2 km par D 36 – ✉ **78114** Magny-les-Hameaux :

Novotel St-Quentin Golf National M, ✆ (1) 30 57 65 65, Fax (1) 30 57 65 00, – 200. AE GB
Repas 145, enf. 50 – 55 – **131 ch** 480/850.

ENAULT Gar. Nodarian, 34 r. H.-Boucher ✆ (1) 30 43 74 99 N ✆ (1) 05 05 15 15

ST-QUENTIN-SUR-LE-HOMME 50 Manche 59 ⑧ – rattaché à Avranches.

ST-QUIRIN 57560 Moselle 62 ⑧ G. Alsace Lorraine – 904 h alt. 305.

Syndicat d'Initiative ✆ 87 08 60 34.

Paris 436 – ♦Strasbourg 89 – Baccarat 40 – Lunéville 52 – Phalsbourg 33 – Sarrebourg 18.

Host. du Prieuré, ✆ 87 08 66 52, Fax 87 08 66 49 – GB
fermé fin janv. à début fév. et merc. – **Repas** 58 (déj.), 85/240 , enf. 45.

rte du col du Donon SE : 5,5 km par D 96 et D 993 – ✉ **57560** Abreschwiller :

Aub. du Kiboki , ✆ 87 08 60 65, Fax 87 08 65 26, , parc, – GB.
fermé 15 janv. au 15 mars, merc. soir et lundi du 15 nov. au 15 janv., merc. midi et mardi – **Repas** 98/240 , enf. 65 – 45 – **16 ch** 380/420 – ½ P 420.

ST-RAPHAËL 83700 Var 84 ⑧ 114 ㉕ 115 ㉝ G. Côte d'Azur – 26 616 h alt. 6 – Casino Z.

Voir Collection d'amphores★ dans le musée archéologique Y **M**.

de Valescure ✆ 94 82 40 46, NE par D 37 : 6 km ; Estérel ✆ 94 82 47 88, E : 5 km.

Office de Tourisme r. W.-Rousseau ✆ 94 19 52 52, Fax 94 83 85 40 – Automobile Club ✆ 94 19 52 52.

Paris 875 ③ – Fréjus 3 ③ – Aix-en-Provence 119 ③ – Cannes 40 ④ – ♦Toulon 93 ③.

Accès et sorties : voir plan de Fréjus.

Excelsior M, 193 bd F. Martin (prom. R. Coty) ✆ 94 95 02 42, Fax 94 95 33 82, – AE GB Z **h**
Repas 120 (déj.), 140/280 – 50 – **36 ch** 375/750 – ½ P 440/540.

Continental M sans rest, prom. René Coty ✆ 94 83 87 87, Fax 94 19 20 24, – AE GB Z **e**
50 – **44 ch** 550/990.

Relais Bleus Les Congrès M, port Santa-Lucia par ① ✆ 94 95 31 31, Fax 94 82 21 46, – 300. AE GB. rest
Repas 125/150 , enf. 50 – 45 – **100 ch** 460/590 – ½ P 395/440.

L'Arbousier, 6 av. Valescure ✆ 94 95 25 00, Fax 94 83 81 04, – AE GB Y **r**
fermé 12 déc. au 3 janv., mardi soir et merc. hors sais., mardi midi, merc. midi et jeudi midi en sais. – **Repas** 140 (déj.), 170/290 et carte 270 à 390.

Le Sirocco, 35 quai Albert 1er ✆ 94 95 39 99, Fax 94 83 87 35, – AE GB JCB Y **s**
Repas 120/285 et carte 220 à 360.

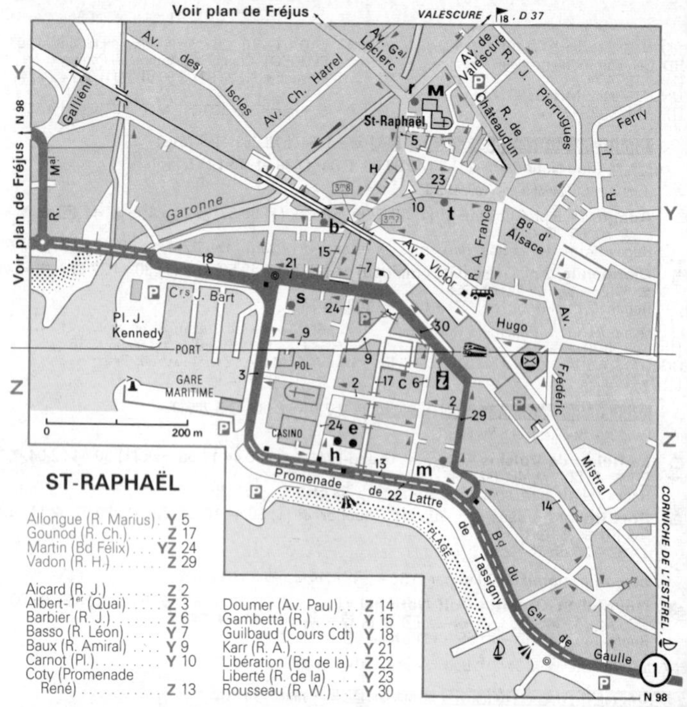

XX **Pastorel,** 54 r. Liberté 94 95 02 36, Fax 94 95 64 07, – AE GB — Y
fermé le midi en août, dim. soir et lundi – **Repas** 155/190.

XX **L'Orangerie,** prom. R. Coty 94 83 10 50, – AE GB — Z
fermé 12 au 28/1, mardi midi et merc. midi du 1/7 au 30/9 et lundi sauf le soir du 1/7 a 30/9 – **Repas** 99/145.

XX **Le Tisonnier,** 70 r. Garonne 94 95 28 51 – AE GB — Y
fermé mardi soir hors sais. – **Repas** 89/250.

au NE : 5 km par D 37 et rte Golf – 83700 St-Raphaël :

H. Golf de Valescure, 94 52 85 00, Fax 94 82 41 88, <, parc, – c
– 40 à 60. AE GB. rest
fermé 15 nov. au 20 déc. et 7 au 31 janv. – **Repas** 98 bc (déj.), 165/195 – 55 – **40 c**
570/910 – ½ P 520/585.

Latitudes M, av. Golf 94 82 42 42, Fax 94 44 61 37, <, parc,
– 150. AE GB. rest
Repas (dîner seul.) 180 – 50 – **89 ch** 930, 6 appart – ½ P 660.

San Pedro M, av. Col. Brooke 94 83 65 69, Fax 94 40 57 20, parc, – c
AE GB
Repas *(fermé 10 janv. au 10 fév., dim. soir et lundi du 15 sept. au 15 juin)* 160/320 – 60
28 ch 850 – ½ P 600.

à Boulouris par ① : 5 km – 83700 St-Raphaël :

La Potinière M, 94 95 21 43, Fax 94 95 29 10, parc, –
60. AE GB
Repas *(fermé le midi sauf week-ends du 1er nov. au 15 déc. et du 5 janv. au 31 mars et jeuc midi sauf de juin à sept.)* 120/240, enf. 75 – 50 – **25 ch** 470/760 – ½ P 415/500.

au Dramont par ① : 6 km – 83530 Agay :

Sol e Mar, rte Corniche d'Or 94 95 25 60, Fax 94 83 83 61, < Ile d'Or et cap d Dramont, – AE GB
4 avril-6 oct. – **Repas** 150/210 – 50 – **46 ch** 500/690 – ½ P 450/580.

FORD Gar. Vagneur, 142 av. Valescure 94 95 42 78

ST-RÉMY 71 S.-et L. 69 ⑨ – rattaché à Chalon-sur-Saône.

-RÉMY-DE-PROVENCE 13210 B.-du-R. 81 ⑫ G. Provence – 9 340 h alt. 59.

ir Les Antiques★★ : Mausolée★★, Arc municipal★, Glanum★ 1km par ③ – Cloître★ de ıcien monastère de St-Paul-de-Mausole par ③ – Hôtel de Sade : dépôt lapidaire★ Y L.

v. ✳★★ de la Caume 7 km par ③.

de Servannes ☎ 90 47 59 95 à Mouriès, 17 km par ③.

)ffice de Tourisme pl. J.-Jaurès ☎ 90 92 05 22, Fax 90 92 38 52.

s 705 ① – Avignon 19 ① – Arles 24 ④ – ◆Marseille 91 ② – Nîmes 41 ④ – Salon-de-Provence 37 ②.

ST-RÉMY-DE-PROVENCE

Lafayette (R.) . . . . Z 6

Carnot (R.) . . . . Y
Combette (Ch. de la) . . Z
Commune (R.) . . . . Z 2
Durant-Maillane (Av.) . Z
Fauconnet (Av.) . . . . . . Z
Favier (Pl.) . . . . Y
Gambetta (Bd) . . . . Y
Gras (Av. F.) . . . . Y
Hoche (R.) . . . . Z 4
Jaurès (Pl. J.) . . . . Z
Libération (Av. de la) . . Y 7
Marceau (Bd) . . . . Y
Mirabeau (Bd) . . . . . . YZ 8
Mistral (Av. F.) . . . . Y
Mistral (Av. L.) . . . . Y
Nostradamus (R.) . . . . Y 10
Parage (R.) . . . . Y 12
Pasteur (Av.) . . . . Z
Pelissier (Pl. J.) . . . . . . Z
République (Pl. de la) . Z
Résistance (Av.) . . . . . . Z 13
Roux (R.) . . . . Z 14
Salengro (R. R.) . . . . . . Y 15
Schweitzer (Av. A.) . . . Y
Taillandier (Av. G. St-René) . . . Y
Victor-Hugo (Bd) . . . . . Z
8-Mai-1945 (R. du) . . . Z 16

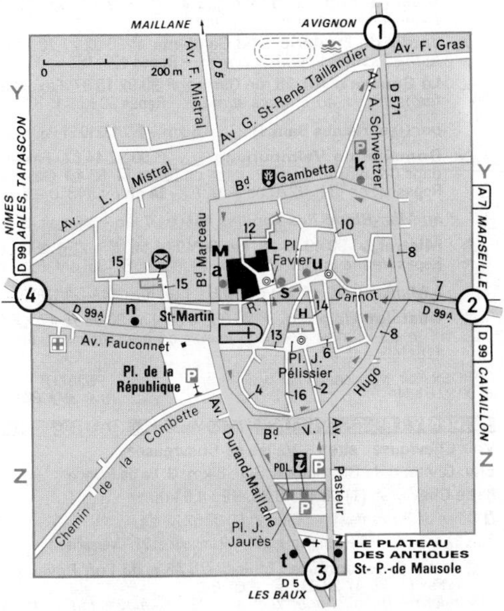

Pas de publicité payée dans ce guide.

Host. du Vallon de Valrugues Ⓜ ⛰, chemin Canto Cigalo par ② : 1 km ☎ 90 92 04 40, Télex 431677, Fax 90 92 44 01, ←, ☂, « Terrasse fleurie au bord de la piscine », Ⅎ₅, ⚘, ✂ – |♦| ▤ ch TV ☎ 🅿 – 🏛 30. AE ⓓ GB JCB. ✂
Repas 190 (déj.), 290/380 – ☕ 85 – **41 ch** 680/1080, 12 appart – ½ P 710/910

Château des Alpilles ⛰, O : 2 km par D 31 ☎ 90 92 03 33, Fax 90 92 45 17, ☂, « Demeure du 19e siècle dans un parc », 🏊, ✂ – cuisinette ▤ ch TV ☎ ♿ 🅿. AE ⓓ GB. ✂ rest
fermé 7 janv. au 17 fév., 12 nov. au 20 déc., jeudi midi et merc. du 17 fév. au 23 mars – **Repas** (dîner seul.)(résidents seul.) 190/250 – ☕ 74 – **15 ch** 900/1080, 5 appart.

Canto Cigalo ⛰ sans rest, chemin Canto Cigalo par ② : 1 km ☎ 90 92 14 28, Fax 90 92 24 48, ⚘ – ☎ 🅿. GB. ✂
début mars-mi-nov. – ☕ 38 – **20 ch** 270/340.

Mas des Carassins ⛰ sans rest, 1 chemin Gaulois par ③ : 1 km ☎ 90 92 15 48, Fax 90 92 63 47, ←, ⚘ – ☎ 🅿. GB. ✂
15 mars-15 nov. – ☕ 49 – **10 ch** 345/500.

Castelet des Alpilles, pl. Mireille ☎ 90 92 07 21, Fax 90 92 52 03, ☂, ⚘ – TV ☎ 🅿. AE ⓓ GB Z t
31 mars-31 oct. – **Repas** *(fermé mardi midi et lundi sauf fériés)* 135/200, enf. 78 – ☕ 44 – **19 ch** 350/490 – ½ P 360/430.

Soleil ⛰ sans rest, 35 av. Pasteur ☎ 90 92 00 63, Fax 90 92 61 07, 🏊 – ☎ 🅿. AE ⓓ GB. ✂ Z z
11 mars-15 nov. – ☕ 37 – **21 ch** 280/355.

L'Amandière ⛰ sans rest, av. Th. Aubanel par ① puis rte Noves : 1 km ☎ 90 92 41 00, Fax 90 92 48 38, ⚘ – TV ☎ ✆ ♿ 🅿. GB. ✂
☕ 38 – **26 ch** 265/330.

Van Gogh ⛰ sans rest, 1 av. J. Moulin par ② ☎ 90 92 14 02, Fax 90 92 09 05, 🏊, ⚘ – TV ☎ 🅿. GB. ✂
1er mars-15 nov. – ☕ 33 – **22 ch** 300/360.

Cheval Blanc sans rest, 6 av. Fauconnet ☎ 90 92 09 28, Fax 90 92 69 05 – TV ☎ ✆ 🚗 🅿. GB Z n
fermé 15 nov. au 15 déc. et 5 janv. au 5 fév. – ☕ 30 – **22 ch** 250/300.

Acacia, rte Maillane : 1 km par av. F. Mistral ℘ 90 92 13 43, Fax 90 92 64 01, ... – ☎ P. GB. ✈
fermé 5 janv. au 28 fév. – **Repas** *(fermé lundi d'oct. à juin sauf fériés)* 76/148 ♫, enf. 5… ☕ 32 – **12 ch** 225/275 – ½ P 232/252.

XX **La Maison Jaune,** 15 r. Carnot ℘ 90 92 56 14, ... – GB Y
fermé 22 janv. au 8 mars, mardi midi de juil. à sept., dim. soir en hiver et lundi – **Repas** 100 (déj.), 165/275.

XX **Alain Assaud,** 13 bd Marceau ℘ 90 92 37 11 – ▤. AE ⓓ GB Y
fermé jeudi midi et merc. – **Repas** 170/270.

X **Jardin de Frédéric,** 8 bd Gambetta ℘ 90 92 27 76 – ▤. GB Y
fermé vacances de fév. et merc. – **Repas** 135/165.

X **La Gousse d'Ail,** 25 rue Carnot ℘ 90 92 16 87, Fax 90 92 14 58 – ▤. AE ⓓ GB Y
fermé 15 fév. au 1er mars et merc. – **Repas** 90 (déj.), 165/220, enf. 65.

par ④ et rte des Baux D 27 : 4,5 km – ✉ **13210** St-Rémy-de-Provence :

Domaine de Valmouriane ⑤, ℘ 90 92 44 62, Fax 90 92 37 32, ..., « Mas provenç… dans un parc », ⛱, ✂ – ▣ ▤ ch TV ☎ P. AE ⓓ GB
Repas 140 bc (déj.)/270 bc – ☕ 70 – **14 ch** 890/1310 – ½ P 730/940.

au Mas-Blanc-des-Alpilles par ④ : 7 km – 348 h. alt. 15 – ✉ **13150** :

Mistral, ℘ 90 49 02 28, Fax 90 49 01 56, ... – TV ☎ P. AE GB. ✈
Repas *(fermé le midi sauf dim. et fêtes)* 78/135, enf. 57 – ☕ 30 – **11 ch** 250/260 – ½ P 22…

à Maillane NO : 7 km par D 5 – 1 664 h. alt. 14 – ✉ **13910** :

XX **Oustalet Maïanen,** ℘ 90 95 74 60, Fax 90 95 76 17, ... – ▤. AE GB
1er mars-30 nov. et fermé le soir en mars et nov., dim. soir et lundi sauf fériés – **Rep…** 118/145, enf. 60.

CITROEN Gar. Merklen, ZA par av. F. Mistral ℘ 90 92 01 24

PEUGEOT Gar. Franguy, rte de Tarascon, av. Gleiz… par ④ ℘ 90 92 13 16

ST-RÉMY-LÈS-CHEVREUSE **78470** Yvelines 60 ⑨ ⑩ 106 ㉙ 101 ㉜ – 5 589 h alt. 73.

Voir Chevreuse : site★ – Vallée de Chevreuse★.

Env. Château de Breteuil★★, SO : 8 km, **G. Ile de France.**

⛳ de Chevry ℘ (1) 60 12 40 33, SE : 4,5 km.

ℹ Office de Tourisme, 1 rue Ditte ℘ (1) 30 52 22 49.

Paris 37 – Chartres 60 – Longjumeau 21 – Rambouillet 21 – Versailles 14.

XX ✿ **La Cressonnière** (Toulejbiez), 46 r. de Port Royal, direction Milon ℘ (1) 30 52 00 4… Fax (1) 30 47 28 31, ... – AE GB
fermé 16 au 31 août, dim. soir de nov. à avril, mardi et merc. – **Repas** 190/290 et carte 320 à 420
Spéc. Huîtres tièdes, sauce moutarde à l'ancienne (oct. à mai). Cassolette de homard et filet de sole à la ciboulet… Fricassée de grenouilles, crème d'ail doux.

TOYOTA Gar. du Claireau, ℘ (1) 30 52 41 00

ST-RÉMY-SUR-DUROLLE **63550** P.-de-D. 73 ⑥ **G. Auvergne** – 2 033 h alt. 620.

Voir Calvaire ✻★ 15 mn.

Paris 446 – ◆Clermont-Ferrand 51 – Chabreloche 12 – Thiers 7.

XX **Vieux Logis** avec ch, N : 3,5 km sur D 201 ℘ 73 94 30 78, Fax 73 94 04 70, ≤, ... – … GB
mars-début oct. et fermé dim. soir et lundi – **Repas** 90/160 ♫ – ☕ 41 – **4 ch** 160.

ST-RESTITUT **26130** Drôme 81 ① **G. Vallée du Rhône** – 947 h alt. 150.

Voir Décoration★ de l'église – Belvédère ≤★ 3 km par D59A puis 15 mn.

Env. Clansayes ≤★★ N : 8 km.

Paris 635 – Bollène 9 – Montélimar 30 – Nyons 37 – Valence 75.

Aub. des Quatre-Saisons ⑤, ℘ 75 04 71 88, Fax 75 04 70 88, « Maisons romane… aménagées en hostellerie » – ☎. AE ⓓ GB
fermé janv. – **Repas** *(fermé sam. midi)* 130/350 – ☕ 50 – **10 ch** 250/450 – ½ P 300/385.

ST-ROMAIN-D'AY **07** Ardèche 76 ⑩ – rattaché à Satillieu.

ST-ROMAIN-EN-VIENNOIS **84** Vaucluse 81 ③ – rattaché à Vaison-la-Romaine.

ST-ROMAIN-SUR-CHER **41** L.-et-Ch. 64 ⑰ – 1 236 h alt. 130 – ✉ **41140** Noyers-sur-Cher.

Paris 214 – ◆Tours 64 – Blois 33 – Montrichard 23 – Romorantin-Lanthenay 36.

XX **St-Romain** avec ch, ℘ 54 71 71 10, Fax 54 71 72 89 – ▤ ch TV ☎ P. GB
fermé 9 sept. au 7 oct., dim. soir et lundi sauf juil.-août et fériés – **Repas** 68/218, enf. 42 ☕ 30 – **5 ch** 152/270 – ½ P 230.

Richiedete nelle librerie il catalogo delle pubblicazioni Michelin.

ST-ROME-DE-TARN 12490 Aveyron 80 ⑬ – 676 h alt. 360.

Paris 660 – Rodez 64 – Le Caylar 49 – Millau 20 – St-Affrique 15.

Les Raspes M, ✆ 65 58 11 44, Fax 65 58 11 45, 🏠, 🏠 – |♦| TV ☎ ♿ P. GB
fermé 15 nov. au 10 déc. – **Repas** *(fermé dim. soir et lundi midi)* 140/220, enf. 50 – ☐ 35 – **16 ch** 330/350 – ½ P 285/295.

ST-SALVADOUR 19 Corrèze 75 ⑨ – rattaché à Seilhac.

ST-SAMSON-DE-LA-ROQUE 27680 Eure 55 ④ – 271 h alt. 80.

Voir Phare de la Roque ✻★ N : 2 km, **G. Normandie Vallée de la Seine.**

Paris 185 – ♦ Le Havre 38 – Beuzeville 12 – Bolbec 23 – Évreux 77 – Honfleur 21 – Pont-Audemer 13.

XXX **Relais du Phare,** ✆ 32 57 61 68, 🏠, 🏠 – GB
fermé vacances de fév., dim. soir et lundi sauf juil.-août et fériés – **Repas** 190/230 et carte 200 à 330.

ST-SATUR 18 Cher 65 ⑫ – rattaché à Sancerre.

ST-SAUD-LACOUSSIÈRE 24470 Dordogne 72 ⑯ – 951 h alt. 370.

Paris 453 – ♦ Limoges 54 – Brive-la-Gaillarde 96 – Châlus 22 – Nontron 16 – Périgueux 57.

Host. St-Jacques ⑤, ✆ 53 56 97 21, Fax 53 56 91 33, 🏠, « Terrasse et jardin fleuris », ⛱, ✂ – TV ☎ P. GB
ouvert 1er avril au 15 oct., dim. midi et midi fériés en hiver et fermé dim. soir (sauf hôtel) et lundi – **Repas** 95/297, enf. 70 – ☐ 45 – **22 ch** 300/450 – ½ P 260/390.

ST-SAUVES D'AUVERGNE 63 P.-de-D. 73 ⑬ – rattaché à La Bourboule.

ST-SAUVEUR-DE-LANDEMONT 49270 M.-et-L. 67 ④ – 587 h alt. 65.

Paris 362 – ♦ Nantes 32 – Ancenis 15 – Cholet 46 – Clisson 26.

Château de la Colaissière M ⑤, ✆ 40 98 75 04, Fax 40 98 74 15, ≤, « Parc », ⛱, ✂ – TV ☎ ♿ P – 🏠 40. GB
fermé 5 janv. au 5 fév. – **Repas** *(fermé dim. soir et lundi)* 166 (déj.), 200/300 – ☐ 75 – **16 ch** 630/1280.

ST-SAUVEUR-DE-MONTAGUT 07190 Ardèche 76 ⑲ – 1 396 h alt. 218.

Paris 599 – Valence 39 – Le Cheylard 24 – Lamastre 32 – Privas 24.

X **Montagut** avec ch, pl. Église ✆ 75 65 40 31, Fax 75 65 41 86, 🏠 – GB
fermé 5 au 26 sept., 1er au 15 janv., dim. soir et mardi – **Repas** 70 (déj.), 95/210 ♂, enf. 50 – ☐ 25 – **4 ch** 180/200 – ½ P 200.

CITROEN Gar. Marze, ✆ 75 65 41 66

ST-SAVIN 65 H.-Pyr. 85 ⑰ – rattaché à Argelès-Gazost.

ST-SAVINIEN 17350 Char.-Mar. 71 ④ **G. Poitou Vendée Charentes** – 2 340 h alt. 18.

Env. Château de la Roche Courbon★ et Jardins★ : ≤★★ SO : 10 km.

ℹ Office de Tourisme r. Bel Air ✆ 46 90 21 07, Fax 46 90 19 45.

Paris 458 – Rochefort 28 – La Rochelle 59 – St-Jean-d'Angély 15 – Saintes 15 – Surgères 30.

CITROEN Gar. Roy, ✆ 46 90 21 12 N ✆ 46 90 21 12

RENAULT Gar. Garnier, ✆ 46 90 20 24

ST-SÉBASTIEN-SUR-LOIRE 44 Loire-Atl. 67 ③ – rattaché à Nantes.

ST SEINE L'ABBAYE 21440 Côte-d'Or 65 ⑲ **G. Bourgogne** – 326 h alt. 451.

Paris 290 – ♦ Dijon 28 – Autun 74 – Châtillon-sur-Seine 57 – Montbard 47.

Poste ⑤, ✆ 80 35 00 35, Fax 80 35 07 64, 🏠, 🏠 – ☎ 🚗 P. GB
1er mars-15 nov. – **Repas** 80/250, enf. 40 – ☐ 40 – **20 ch** 150/300 – ½ P 220/325.

ST-SERNIN-SUR-RANCE 12380 Aveyron 80 ⑫ **G. Gorges du Tarn** – 563 h alt. 300.

Paris 713 – Albi 50 – Cassagnes-Bégonhès 57 – Castres 68 – Lacaune 30 – Rodez 82 – St-Affrique 32.

Carayon ⑤, ✆ 65 99 60 26, Fax 65 99 69 26, ≤, 🏠, parc, ⛱, Fō, ✂ – |♦| TV ☎ ♿ 🚗 P. AE ⓓ GB
fermé nov., dim soir et lundi de déc. à avril – **Repas** 72/300 ♂, enf. 49 – ☐ 35 – **55 ch** 189/369 – ½ P 299/389.

ST-SERVAN-SUR-MER 35 I.-et-V. 59 ⑥ – voir à St-Malo.

We suggest:

for a successful tour, that you prepare it in advance.

Michelin Maps and Guides, will give you much useful information on route planning, places of interest, accommodation, prices etc.

ST-SEVER 40500 Landes 78 ⑥ G. Pyrénées Aquitaine – 4 536 h alt. 102.

Voir Chapiteaux★ de l'église.

Office de Tourisme pl. Tour-du-Sol ✆ 58 76 34 64.

Paris 726 – Mont-de-Marsan 16 – Aire-sur-l'Adour 31 – Dax 47 – Orthez 37 – Pau 63 – Tartas 23.

XXX **Relais du Pavillon** avec ch, au N : 2 km carrefour D 933 et D 924 ✆ 58 76 20 Fax 58 76 25 81, ⌂, ⛱, ⌂ – TV ☎ P – 🚶 30. AE ⓓ GB
fermé dim. soir du 15 sept. au 15 juin – **Repas** 100/200 et carte 230 à 330, enf. 60 – ☐ 4 **14 ch** 230/310 – ½ P 295.

PEUGEOT Gar. Junca, 24 r. du Castallet ✆ 58 76 02 95

STS-GEOSMES 52 H.-Marne 66 ③ – rattaché à Langres.

ST-SORLIN-D'ARVES 73530 Savoie 77 ⑥ ⑦ G. Alpes du Nord – 291 h alt. 1550.

Voir Site★ de l'église de St-Jean-d'Arves SE : 2,5 km.

Env. Col de la Croix de Fer ✻★★ O : 7,5 km puis 15 mn – Col du Glandon ≤★ puis Com d'Olle★★ O : 10 km.

Office de Tourisme, Vallée de l'Arvan ✆ 79 59 71 77, Fax 79 59 75 50.

Paris 637 – Albertville 83 – Le Bourg-d'Oisans 49 – Chambéry 93 – St-Jean-de-Maurienne 20.

⌂ **Chardon Bleu** ⊗, ✆ 79 59 71 47, Fax 79 59 76 02, ≤, ⌂, ⛱ – ⌂ ☎. GB. ⌂ rest
1er juil.-31 août et 15 déc.-20 avril – **Repas** 95 (dîner), 100/120 ♨, enf. 65 – ☐ 30 – **28** 210/250 – ½ P 280/300.

ST-SULIAC 35430 I.-et-V 59 ⑥ – 802 h alt. 30.

Paris 415 – St-Malo 12 – Dinan 19 – Dol-de-Bretagne 20 – Lamballe 56 – ◆Rennes 61 – St-Cast-le-Guildo 36.

XX **La Grève,** ✆ 99 58 33 83, Fax 99 58 35 40, ≤, ⌂ – AE GB
fermé 13 au 31 janv., dim. soir et lundi sauf juil.-août – **Repas** 95/185, enf. 70.

ST-SULPICE 81370 Tarn 82 ⑨ – 4 354 h alt. 112.

Paris 687 – ◆Toulouse 29 – Albi 48 – Castres 53 – Montauban 42.

XX **Aub. de la Pointe,** N 88 ✆ 63 41 80 14, Fax 63 41 90 24, ⌂, ⛱, ⌂ – P. AE GB
fermé mardi soir et merc. d'oct. à mai – **Repas** 65 (déj.), 90/190 ♨, enf. 50.

CITROEN Gar. Graniti, ✆ 63 40 01 70

RENAULT Gar. Gomez, ✆ 63 41 80 57 N ✆ 63 4 96 44

ST-SULPICE-SUR-LÈZE 31410 H.-Gar. 82 ⑰ – 1 423 h alt. 200.

Paris 730 – ◆Toulouse 34 – Auterive 13 – Foix 53 – St-Gaudens 61.

XX **La Commanderie,** ✆ 61 97 33 61, ⌂, ⌂ – GB
fermé 25 sept. au 17 oct., 5 au 20 fév., lundi soir et mardi – **Repas** 85/240 ♨, enf. 50.

ST-SYLVESTRE-SUR-LOT 47 L-et-G. 79 ⑥ – rattaché à Villeneuve-sur-Lot.

ST-SYMPHORIEN 72240 Sarthe 60 ⑫ – 469 h alt. 135.

Paris 227 – ◆Le Mans 26 – Alençon 51 – Laval 63 – Mayenne 52.

XX **Relais de la Charnie** avec ch, ✆ 43 20 72 06, Fax 43 20 70 59, ⛱ – TV ☎. GB
fermé dim. soir et lundi – **Repas** 80/195 – ☐ 30 – **9 ch** 280/320 – ½ P 220/300.

ST-SYMPHORIEN-DE-LAY 42470 Loire 73 ⑧ – 1 489 h alt. 446.

Paris 409 – Roanne 18 – ◆Lyon 69 – Montbrison 54 – ◆St-Étienne 74 – Thizy 20.

NE par N 7 et D 80[1] : 2 km – ✉ 42470 St-Symphorien-de-Lay :

X **Aub. des Terrasses,** ✆ 77 64 72 87, ≤ – GB
fermé 6 janv. au 3 fév., dim. soir et lundi – **Repas** 70/220 ♨.

ST-THÉGONNEC 29410 Finistère 58 ⑥ G. Bretagne – 2 139 h alt. 83.

Voir Enclos paroissial★★.

Env. Enclos paroissial★★ de Guimiliau SO : 7,5 km.

Paris 550 – ◆Brest 48 – Châteaulin 50 – Landivisiau 12 – Morlaix 12 – Quimper 70 – St-Pol-de-Léon 28.

⌂ **Aub. St-Thégonnec** M, ✆ 98 79 61 18, Fax 98 62 71 10, ⌂, ⌂ – TV ☎ ✆ ♿ P. AE GB
fermé 20 déc. au 1er fév., lundi midi du 15 juin au 15 sept., dim. soir et lundi du 15 sept. 15 juin – **Repas** 80 (déj.), 95/210 ♨, enf. 68 – ☐ 35 – **19 ch** 300/500 – ½ P 350/500.

ST-THIBAULT-DES-VIGNES 77 S.-et-M. 56 ⑫, 101 ⑳ – voir à Paris, Environs (Marne-la-Vallée).

ST-TROJAN-LES-BAINS 17 Char.-mar. 71 ⑭ – voir à Oléron (Ile d').

T-TROPEZ 83990 Var 84 ⑰ 114 ㊲ **G. Côte d'Azur** – 5 754 h alt. 4.

oir Musée de l'Annonciade★★ Z – Port★ YZ – Môle Jean Réveille ≤★ Y – Citadelle★ Y : ≤★ des mparts, ✵★★ du donjon – Chapelle Ste-Anne ≤★ S : 4 km par av. P. Roussel Z.

Office de Tourisme quai J.-Jaurès ✆ 94 97 45 21, Fax 94 97 82 66.

ris 876 – Fréjus 34 – Aix-en-Provence 119 – Brignoles 66 – Cannes 76 – Draguignan 48 – ♦Toulon 71.

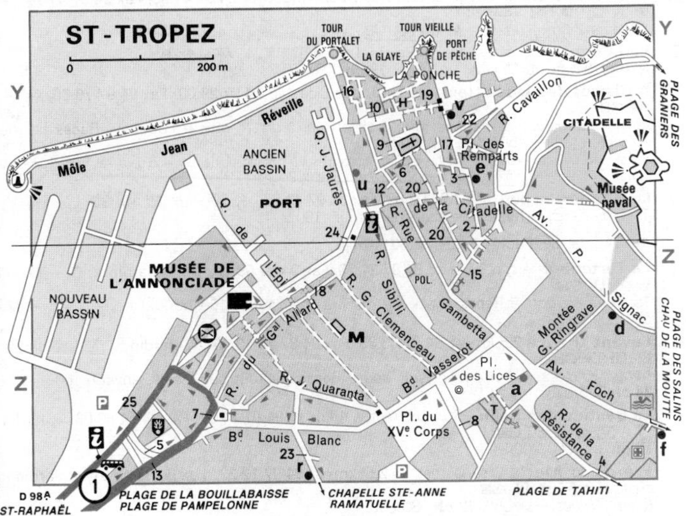

En saison : zone piétonne dans la vieille ville.

Aire-du-Chemin (R.) . . . . . Y 2	Guichard (R. du Cdt) . . . . Y 9	Péri (Quai Gabriel) . . . . . . Z 18
Aumale (Bd d') . . . . Y 3	Hôtel-de-Ville (Pl. de l') . . Y 10	Ponche (R. de la) . . . . Y 19
Belle-Isnarde (Ch. de la) . . Z 4	Laugier (R. V.) . . . . Y 12	Portail-Neuf (R. du) . . . . YZ 20
Blanqui (Pl. Auguste) . . . . . Z 5	Leclerc (Av. Général) . . . . Z 13	Remparts (R. des) . . . . . . Y 22
Clocher (R. du) . . . . Y 6	Miséricorde (R.) . . . . Z 15	Roussel (Av. Paul) . . . . . . Z 23
Croix-de-Fer (Pl. de la) . . . . Z 7	Mistral (Quai Frédéric) . . . Y 16	Suffren (Quai) . . . . Y 24
Grangeon (Av.) . . . . Z 8	Ormeau (Pl. de l') . . . . Y 17	11-Novembre (Av. du) . . . Z 25

Byblos M ⛰, av. P. Signac ✆ 94 56 68 00, Télex 470235, Fax 94 56 68 01, ≤, 🏖, 𝐹𝑜, 🏊, 🌳 – 🛗 ≡ TV ☎ 🚗 P – 🏢 50. AE ⓓ GB Z d
4 avril-7 oct. – ***Les Arcades :*** **Repas** 180(déj.), 280/390, enf. 150 – ***L'Oléa*** rest. italien *(fermé lundi)(dîner seul.)* **Repas** 150 et carte 200 à 340 – ☕ 120 – **58 ch** 1380/2870, 44 appart – ½ P 1420/1835.

✿ **Résidence de la Pinède** M ⛰, à la plage de la Bouillabaisse par ① : 1 km ✆ 94 97 04 21, Fax 94 97 73 64, ≤, 🏖, 🏊, 🏖, 🌳 – 🛗 ≡ TV ☎ ♿ P. AE ⓓ GB
Pâques-15 oct. – **Repas** 250 (déj.), 380/620 et carte 410 à 570 – ☕ 115 – **37 ch** 2090/3410, 6 appart – ½ P 1325/1875
Spéc. Grosses langoustines rôties au pistou. Tronçon de turbot à la broche, sauté de supions à la provençale. Pièce d'agneau de lait rôtie à l'ail.. **Vins** Gassin.

✿ **La Bastide de St-Tropez** M ⛰, rte Carles : 1 km par av. P. Roussel - Z ✆ 94 97 58 16, Fax 94 97 21 71, 🏖, « Belle décoration intérieure, 🏊 », 🌳 – ≡ ch TV ☎ ♿ P – 🏢 25. AE ⓓ GB
fermé 2 janv. au 15 fév. – ***L'Olivier*** *(fermé mardi midi et lundi du 7 oct. au 25 mars)* **Repas** 180(déj.), 235/510 et carte 230 à 450, enf. 100 – ☕ 60 – **20 ch** 1600/2000, 6 appart – ½ P 1120/1320
Spéc. Chaud et froid rustique de truffes au vieux parmesan. "Crosti" de rougets de roche, mesclun et aubergines. Pistou de poissons aux légumes de Provence. **Vins** Côtes de Provence.

Domaine de l'Astragale M ⛰, par ① : 1,5 km, chemin de la Gassine ✆ 94 97 48 98, Fax 94 97 16 01, 🏖, 𝐹𝑜, 🏊, 🌳, 🎾 – ≡ TV ☎ ♿ P – 🏢 35. AE ⓓ GB. ✂ rest
15 mai-10 oct. – **Repas** 195 bc/295 – ☕ 95 – **34 ch** 2260/2680.

La Mandarine M ⛰, S: 0,5 km par av. P. Roussel, rte Tahiti ✆ 94 79 06 66, Fax 94 97 33 67, 🏖, 🏊, 🌳 – ≡ ch TV ☎ P – 🏢 50. AE ⓓ GB
15 mai-15 oct. – **Repas** 190/260 et carte le midi – ☕ 85 – **39 ch** 1160/1890, 4 appart – ½ P 925/1815.

Le Yaca, 1 bd Aumale ✆ 94 97 11 79, Fax 94 97 58 50, 🏖, 🏊, 🌳 – ≡ ch TV ☎. AE ⓓ GB. ✂ rest Y e
5 avril-10 oct. – **Repas** *(fermé merc. du 1er avril au 30 juin)* carte 240 à 330 – ☕ 85 – **22 ch** 1250/2300.

Le Provençal, par ① : 2 km, chemin Bonnaventure 94 97 00 83, Fax 94 97 44 3
Repas snack de piscine *(juin-sept.)* carte environ 200 – 60 – **20 ch** 900/1000.

La Ponche, pl. Révelin 94 97 02 53, Fax 94 97 78 61, AE GB JCB Y
1er avril-15 oct. – **Repas** 120 (déj.), 170/240 – 60 – **18 ch** 800/1600.

Lou Troupelen sans rest, chemin des Vendanges 94 97 44 88, Fax 94 97 41 76, AE GB JCB Z
29 mars-3 nov. – 45 – **45 ch** 380/490.

Lou Cagnard sans rest, av. P. Roussel 94 97 04 24, Z
fermé 15 nov. au 1er janv. – 40 – **19 ch** 300/450.

XXX **Bistrot des Lices** (Tarridec), 3 pl. des Lices 94 97 29 00, Fax 94 97 76 39, GB Z
fermé début janv. à Pâques, dim. soir et merc. du 1er nov. à Pâques – **Repas** 185 (dé 280/420 et carte 450 à 630, enf. 150
Spéc. Embeurrée d'épeautre aux petits gris "comme un risotto". Brandade de cabillaud demi-sel, huile d'ail et jus viande. Dorade de pays braisée sur fenouil sec. **Vins** Côtes de Provence.

XX **Le Girelier**, au port 94 97 03 87, Fax 94 97 43 86, AE GB Y
1er avril-10 oct. – **Repas** - produits de la mer - 180.

au SE : par av. Foch - Z – 83990 St-Tropez :

La Tartane M, à 3 km 94 97 21 23, Fax 94 97 09 16, « Jardin », – ch AE GB
15 mars-15 oct. – **Repas** snack de piscine (déj. seul.) 150 bc/250 bc – 68 – **12 c** 650/900.

Levant M, à 2,5 km 94 97 33 33, Fax 94 97 76 13, « Jardin », – ch AE GB
hôtel : 15 mars-15 oct. ; rest. : juil.-août – **Repas** grill (déj. seul.) carte environ 160 – 58 **28 ch** 595/875.

La Bastide des Salins sans rest, à 4 km 94 97 24 57, Fax 94 54 89 03, « Jardin AE GB
15 ch 1000/2000.

Pré de la Mer sans rest, à 2,5 km 94 97 12 23, Fax 94 97 43 91, « Jardin » cuisinette GB
6 avril-15 oct. – 55 – **12 ch** 680/890.

La Barlière sans rest, à 1,5 km 94 97 41 24, Fax 94 97 73 40, GB
60 – **22 ch** 550/850.

au SE : par av. Paul Roussel et rte de Tahiti :

Château de la Messardière M, à 2 km 83990 St-Tropez 94 56 76 00, Télex 461150, Fax 94 56 76 01, parc, « Dans une pinède dominant la baie, », 100. AE GB. rest
5 avril-14 oct. – **Repas** (dîner seul.) 240/420, enf. 150 – 90 – **75 ch** 1700/3000, 15 appar

St-Vincent M, à 4 km 83350 Ramatuelle 94 97 36 90, Fax 94 54 80 37, – ch AE GB
hôtel : 23 mars-15 oct. ; rest. : 15 mai-7 sept. – **Repas** grill carte 180 à 300 – 70 – **16 c** 970/1200, 4 duplex.

La Figuière M, à 4 km 83350 Ramatuelle 94 97 18 21, Fax 94 97 68 48, – ch GB
4 avril-7 oct. – **Repas** grill carte 170 à 260 – 65 – **42 ch** 500/900.

La Garbine M sans rest, à 4 km 83350 Ramatuelle 94 97 11 84, Fax 94 97 34 1 AE GB.
fin mars-fin oct. et Noël-3 janv. – 50 – **20 ch** 550/950.

La Ferme d'Augustin sans rest, à 4 km 83350 Ramatuelle 94 97 23 8 Fax 94 97 40 30, AE GB
29 mars-15 oct. – 75 – **36 ch** 620/1600.

St-André sans rest, à 4 km 83350 Ramatuelle 94 97 21 54, Fax 94 97 37 80, GB.
avril-sept. – 55 – **30 ch** 500/730.

par ① et D 93 rte de Ramatuelle – 83350 Ramatuelle :

Les Bergerettes M, à 5 km 94 97 40 22, Fax 94 97 37 55, parc, AE GB
hôtel : 15 avril-mi-oct. ; rest : mi-mai-mi-sept. – **Repas** snack de piscine carte 200 à 300 75 – **29 ch** 930/990.

Les Bouis M, à 6 km 94 79 87 61, Fax 94 79 85 20, mer, – ch AE GB. rest
hôtel : 25 mars-30 oct. ; rest. : 15 avril-30 sept. – **Repas** grill (déj. seul.) 150/250 – 70 **13 ch** 1050/1150, 4 duplex.

Deï Marres sans rest, à 3 km 94 97 26 68, Fax 94 97 62 76, AE GB
15 mars-31 oct. – 45 – **22 ch** 650/1100.

XX **Aub. des Vieux Moulins** avec ch, à 4 km ✆ 94 97 17 22, Fax 94 97 72 70, 斎 – TV ☎ P. AE GB
15 avril-15 oct. – **Repas** (dîner seul.) 220 – ☲ 60 – **5 ch** 500/600.

par ① domaine du Treizain : 3 km – ✉ **83580** Gassin :

🏨 **Treizain** 🐦, ✆ 94 97 70 08, Fax 94 97 67 25, ←, 斎, ⛱, ☞ – ▤ ch TV ☎ P. AE ⓓ GB
1er avril-15 oct. – **Repas** snack carte environ 130 – ☲ 50 – **16 ch** 750/1000.

🏨 **Les Capucines** 🐦 sans rest, ✆ 94 97 70 05, Fax 94 97 55 85, ⛱, ☞ – TV ☎ P. AE ⓓ GB
1er avril-15 oct. – ☲ 50 – **24 ch** 580/980.

TROEN Gar. Azzena, à Gassin par ① ✆ 94 56 10 38

ST-VAAST-LA-HOUGUE **50550** Manche 54 ③ **G. Normandie Cotentin** – 2 134 h alt. 4.

de Fontenay-en-Cotentin ✆ 33 21 44 27, S : 16 km.

Office de Tourisme, quai Vauban ✆ 33 54 41 37.

ris 351 – ♦Cherbourg 29 – Carentan 39 – St-Lô 67 – Valognes 17.

🏨 **France et Fuchsias,** ✆ 33 54 42 26, Fax 33 43 46 79, 斎, ☞ – TV ☎. AE ⓓ GB. ⚘
fermé 5 janv. au 25 fév., mardi midi de nov. à mars et lundi du 15 sept. au 15 mai – **Repas** 76/250 ♨, enf. 57 – ☲ 42 – **34 ch** 187/400 – ½ P 225/365.

🏨 **La Granitière,** ✆ 33 54 58 99, Fax 33 20 34 91, ☞ – ☎ P. AE ⓓ GB. ⚘ rest
hôtel : fermé 15 fév. au 25 mars et fermé le mardi – **Repas** *(1er avril-31 déc. et fermé mardi, merc., et jeudi hors sais.)* (dîner seul.) 85/190 ♨ – ☲ 40 – **11 ch** 285/458 – ½ P 292/379.

ST-VALÉRIEN **89150** Yonne 61 ⑬ – 1 666 h alt. 165.

aris 112 – Fontainebleau 48 – Auxerre 65 – Nemours 32 – Sens 15.

XX **Le Gâtinais,** ✆ 86 88 62 78 – GB
fermé mardi soir, merc. soir et dim. soir – **Repas** 95/250.

EUGEOT Gar. Février, ✆ 86 88 61 05

ST-VALERY-EN-CAUX **76460** S.-Mar. 52 ③ **G. Normandie Vallée de la Seine** – 4 595 h alt. 5 – Casino .

oir Falaise d'Aval ←★ O : 15 mn.

Office de Tourisme Maison Henri IV ✆ 35 97 00 63, Fax 35 97 32 65.

aris 196 – ♦Le Havre 78 – Bolbec 42 – Dieppe 34 – Fécamp 32 – ♦Rouen 59 – Yvetot 30.

🏨 **Relais Mercure,** 14 av. Clemenceau ✆ 35 97 35 48, Fax 35 97 65 40, ← – |‡| TV ☎ – 🅰 100. AE ⓓ GB. ⚘ rest
Repas carte 100 à 130, enf. 40 – ☲ 50 – **145 ch** 290/380, 4 appart.

🏠 **Terrasses,** à la plage ✆ 35 97 11 22, Fax 35 97 05 83, ← – TV ☎. GB
fermé 20 déc. au 20 janv. et merc. sauf juil.-août – **Repas** 135/198 ♨, enf. 50 – ☲ 35 – **12 ch** 220/350 – ½ P 310/330.

XX **Port,** quai d'Amont ✆ 35 97 08 93, Fax 35 97 28 32 – GB
fermé lundi sauf le midi en juil.-août et dim. soir – **Repas** 115/198.

par rte Fécamp : par D 925 et D 68 le Bourg Ingouville – ✉ **76460** Ingouville-sur-Mer :

XXX **Les Hêtres** 🐦 avec ch, ✆ 35 57 09 30, Fax 35 57 09 31, « Jardin fleuri » – TV ☎ P. GB
fermé 19 janv. au 12 fév., lundi soir et mardi hors sais. – **Repas** 160/330 et carte 270 à 400 – ☲ 65 – **4 ch** 580/680.

ST-VALERY-SUR-SOMME **80230** Somme 52 ⑥ **G. Flandres Artois Picardie** – 2 769 h alt. 27.

oir Digue-promenade★ – Chapelle des Marins ←★ – Musée Picarvie★ – La baie de Somme★★.

aris 197 – ♦Amiens 64 – Abbeville 18 – Blangy-sur-Bresle 36 – Le Tréport 23.

🏠 **Relais Guillaume de Normandy** 🐦, quai Romerel ✆ 22 60 82 36, Fax 22 60 81 82 – TV ☎ P. GB
fermé 25 nov. au 30 déc. et mardi sauf juil.-août – **Repas** 87/205 ♨, enf. 50 – ☲ 37 – **14 ch** 210/335 – ½ P 265/275.

ST-VALLIER **26240** Drôme 77 ① **G. Vallée du Rhône** – 4 115 h alt. 135.

Office de Tourisme, Pays Valloire Galaure ✆ 75 31 27 27.

aris 530 – Valence 31 – Annonay 20 – ♦St-Étienne 61 – Tournon-sur-Rhône 16 – Vienne 39.

XXX **Albert Lecomte et H. Terminus** M avec ch, 116 av. J. Jaurès, rte Lyon ✆ 75 23 01 12, Fax 75 23 38 82 – ▤ TV ☎ 🚗. AE ⓓ GB
fermé 12 au 23 août, vacances de fév., dim. soir et lundi – **Repas** 130 (déj.), 160/420 et carte 300 à 400, enf. 80 – ☲ 50 – **10 ch** 270/380 – ½ P 310.

XX **Voyageurs,** 2 av. J. Jaurès ✆ 75 23 04 42, Fax 75 23 46 99, 斎 – ▤. AE ⓓ GB
fermé 12 nov. au 5 déc. et dim. soir – **Repas** 95/200.

EUGEOT Gar. de l'Europe, ✆ 75 23 28 42 Gar. Trouiller, ✆ 75 23 07 78

ST-VALLIER-DE-THIEY 06460 Alpes-Mar. 84 ⑧ 114 ⑫ 115 ㉓ G. Côte d'Azur – 1 536 h alt. 730.

Voir Pas de la Faye ≤★★ NO : 5 km – Grotte de Beaume Obscure★ S : 2 km – Col de la Lèq ≤★ SO : 5 km.

Office de Tourisme pl. du Tour ✆ 93 42 78 00, Fax 93 42 66 51.

Paris 913 – Cannes 28 – Castellane 51 – Draguignan 59 – Grasse 12 – ◆Nice 47.

Le Préjoly, ✆ 93 42 60 86, Fax 93 42 67 80, ⛱, ⅉ, ⛰ – TV ☎. AE ⓞ GB
fermé 15 déc. au 15 janv. et mardi d'oct. à mai – **Repas** 98/220, enf. 60 – ☕ 45 – **17** 250/320 – ½ P 320/360.

Relais Impérial, ✆ 93 42 60 07, Fax 93 42 66 21 – |☰| TV ☎. AE ⓞ GB
fermé 15 nov. au 15 déc. – **Repas** 95/198 ♖, enf. 50 – ☕ 35 – **30 ch** 300/450 – ½ P 300/37

ST-VÉRAN 05350 H.-Alpes 77 ⑲ G. Alpes du Sud – 257 h alt. 2042 la plus haute commune d'Europe – Spo d'hiver : 1 750/2 800 m ≰15 ⛷.

Voir Village★★.

Office de Tourisme ✆ 92 45 82 21, Fax 92 45 84 52.

Paris 737 – Briançon 51 – Guillestre 32.

L'Astragale M ♨, à l'église ✆ 92 45 87 00, Fax 92 45 87 10, ≤, ⛱ – |☰| ⇹ TV ☎ ✆ P. GB
fermé 4 nov. au 20 déc. – **Repas** 85 (déj.)/130 – ☕ 50 – **21 ch** 435/840 – ½ P 420/590.

Chateaurenard ♨, ✆ 92 45 85 43, Fax 92 45 84 20, ≤ vallée et montagnes, ⛱ – TV P. GB. ✻ rest
Repas 90/116 ♖, enf. 55 – ☕ 45 – **20 ch** 295/365 – ½ P 285/305.

Grand Tétras ♨, ✆ 92 45 82 42, Fax 92 45 85 98, ≤, ⛱, ⅉ – ☎ P. GB
8 juin-15 sept. et 21 déc.-14 avril – **Repas** 83/120 ♖, enf. 45 – ☕ 44 – **21 ch** 230/415 ½ P 270/355.

ST-VÉRAND 71570 S.-et-L. 74 ① – 191 h alt. 300.

Paris 404 – Mâcon 12 – Bourg-en-Bresse 48 – ◆Lyon 69 – Villefranche-sur-Saône 33.

Aub. du St-Véran, ✆ 85 37 16 50, Fax 85 37 49 27, ⛱, ⛰ – TV ☎ P. GB
fermé 8 au 31 janv., mardi midi et lundi – **Repas** 95/195 ♖, enf. 60 – ☕ 40 – **11 ch** 210/24

ST-VIANCE 19 Corrèze 75 ⑧ – rattaché à Brive-la-Gaillarde.

ST-VIATRE 41 L.-et-Ch. 64 ⑲ – rattaché à Nouan-le-Fuzelier.

ST-VINCENT 43800 H.-Loire 76 ⑦ – 806 h alt. 605.

Paris 548 – Le Puy-en-Velay 17 – La Chaise-Dieu 35 – ◆St-Étienne 72.

XX **La Renouée**, à Cheyrac, N par D 103 ✆ 71 08 55 94 – GB. ✻
fermé 7 au 13 oct., 6 janv. au 1er mars, lundi sauf juil.-août et dim. soir – **Repas** 105/25 enf. 55.

ST-VINCENT-DE-MERCUZE 38660 Isère 77 ⑤ – 1 060 h alt. 336.

Voir Château du Touvet★ S : 3 km, G. Alpes du Nord.

Paris 571 – ◆Grenoble 31 – Belley 63 – Chambéry 27 – La Tour-du-Pin 74.

Aub. St-Vincent, ✆ 76 08 46 97, Fax 76 08 49 55, ⛱ – TV ☎ P. AE GB
fermé 21 au 30 avril, 31 août au 8 sept., 22 oct. au 3 nov., 2 au 9 janv., lundi (sauf hôtel) dim. soir – **Repas** 100/280, enf. 60 – ☕ 40 – **16 ch** 260/320 – ½ P 320/350.

RENAULT Gar. Gherardi, ✆ 76 08 42 04

ST-VINCENT-DE-TYROSSE 40230 Landes 78 ⑰ – 5 075 h alt. 24.

Paris 744 – Biarritz 42 – Mont-de-Marsan 72 – ◆Bayonne 25 – Dax 24 – Pau 99 – Peyrehorade 24.

Twickenham, av. Gare ✆ 58 77 01 60, Fax 58 77 95 15, ⛱, ⛱ – ⇹ TV ☎ ✆ P ⛹ 40 à 60. GB
fermé vend. soir et sam. d'oct. à mars – **Repas** 80 (déj.), 135/220 – ☕ 28 – **30 ch** 260/300 ½ P 320/350.

Côte d'Argent ♨ sans rest, rte Hossegor ✆ 58 77 02 16, Fax 58 77 23 96, ⛰ – |☰| TV P. AE ⓞ GB
☕ 30 – **22 ch** 250/290.

XXX **Le Hittau**, ✆ 58 77 11 85, ⛱, « Ancienne bergerie dans un jardin fleuri » – P. AE GB
fermé fév., dim. soir de sept. à juin et lundi sauf le soir en juil.-août – **Repas** 155/400 et car 250 à 350.

XX **Les Gourmets**, N10 ✆ 58 77 16 97, ⛱ – AE GB
fermé vacances de Noël, mardi soir et merc. sauf juil.-août – **Repas** 65/165 ♖, enf. 48.

RENAULT Gar. Darrigade, ✆ 58 77 03 33 N ✆ 58 77 03 33

Comptoir Landais Pneu Vulcopneu, ✆ 58 77 00 88

ST-VINCENT-SUR-JARD 85520 Vendée 67 ⑪ **G. Poitou Vendée Charentes** – 658 h alt. 10.

Office de Tourisme le Bourg (fermé après-midi d'avril à sept.) ✆ 51 33 62 06.

Paris 449 – La Rochelle 67 – La Roche-sur-Yon 34 – Challans 68 – Luçon 32 – Les Sables-d'Olonne 22.

Océan, S : 1 km (près maison de Clemenceau) ✆ 51 33 40 45, Fax 51 33 98 15, – rest ☎ P. GB
fermé 30 nov. au 15 fév. et jeudi hors sais. – **Repas** 79/225, enf. 45 – 31 – **38 ch** 230/410 – ½ P 290/370.

Chabosselières sans rest, rte Jard ✆ 51 33 43 32, – ☎ P. GB
1er avril-30 sept. et fermé mardi sauf juil.-août – 26 – **10 ch** 220/240.

Chalet St-Hubert avec ch, rte Jard ✆ 51 33 40 33, – ☎ P. GB
fermé 15 nov. au 15 déc., dim. soir et lundi du 15 sept. au 30 avril – **Repas** 78/298, enf. 48 – 30 – **10 ch** 240 – ½ P 215/230.

ST-VIT 25410 Doubs 66 ⑭ ⑮ – 3 774 h alt. 257.

Paris 390 – Besançon 17 – Dole 28 – Gray 39 – Pontailler-sur-Saône 36 – Salins-les-Bains 35.

Le Tisonnier, E : 5 km rte Besançon (N 73) ✆ 81 58 50 01, Fax 81 58 63 46, – P. AE GB
fermé lundi – **Repas** 98 bc (déj.), 120/250 bc, enf. 55.

ST-VRAIN 91770 Essonne 60 ⑩ 106 ㊸ – 2 307 h alt. 75.

Voir Parc animalier et de loisirs ★, **G. Ile de France.**

Paris 41 – Fontainebleau 38 – Corbeil-Essonnes 16 – Étampes 20 – Melun 36.

Host. de St-Caprais, r. St-Caprais ✆ (1) 64 56 15 45, Fax (1) 64 56 85 22, – GB
fermé 15 juil. au 10 août, dim. soir et lundi – **Repas** 148/185.

ST-WANDRILLE-RANÇON 76490 S.-Mar. 55 ⑤ **G. Normandie Vallée de la Seine** – 1 151 h alt. 16.

Voir Abbaye★ (chant grégorien).

Paris 167 – Le Havre 57 – Lillebonne 19 – Rouen 31 – Barentin 17 – Duclair 12 – Yvetot 15.

Aub. Deux Couronnes, ✆ 35 96 11 44, Fax 35 56 56 23, « Maison normande ancienne » – AE GB
fermé 2 au 21 sept., dim. soir et lundi – **Repas** 125/155, enf. 55.

ST-YORRE 03 Allier 73 ⑤ – rattaché à Vichy.

ST-YRIEIX-LA-PERCHE 87500 H.-Vienne 72 ⑰ **G. Berry Limousin** – 7 558 h alt. 360.

Voir Collégiale du Moûtier★.

Office de Tourisme 6 r. Plaisances ✆ 55 75 94 60, Fax 55 75 08 97.

Paris 436 – Limoges 38 – Brive-la-Gaillarde 60 – Périgueux 62 – Rochechouart 52 – Tulle 70.

à la Roche l'Abeille NE : 12 km par D 704 et 17A – 563 h. alt. 400 – ✉ **87800** :

Moulin de la Gorce (Bertranet), S : 2 km par D 17 ✆ 55 00 70 66, Fax 55 00 76 57, « En bordure d'étang, parc » – ☎ P. AE GB
fermé 2 janv. au 6 fév., dim. soir et lundi d'oct. à mars – **Repas** 180 bc/480 et carte 340 à 480 – 75 – **10 ch** 480/900 – ½ P 775/850
Spéc. Oeufs brouillés aux truffes dans leur coque. Asperges vertes de Provence et langoustines à la vanille (20 déc. au 31 mars). Lièvre à la royale (15 oct. au 20 déc.).

VAG Gar. Dubois, rte de Coussac ✆ 55 75 10 70 N ✆ 55 75 10 70

Pneus et Caoutchouc, 3 av. de Limoges ✆ 55 08 14 98

STE-ADRESSE 76 S.-Mar. 55 ③ – rattaché au Havre.

STE-ANNE-D'AURAY 56400 Morbihan 63 ② **G. Bretagne** – 1 630 h alt. 42.

Voir Trésor★ de la basilique – Pardon (26 juil.).

Paris 477 – Vannes 15 – Auray 6,5 – Hennebont 30 – Locminé 27 – Lorient 40 – Quimperlé 55.

Croix Blanche, ✆ 97 57 64 44, Fax 97 57 50 60, – ☎ P. AE GB.
fermé 12 au 26 nov., 20 janv. au 18 fév., dim. soir et lundi d'oct. à mai – **Repas** 85/275, enf. 60 – 40 – **23 ch** 215/365 – ½ P 240/300.

Le Myriam sans rest, ✆ 97 57 70 44, Fax 97 57 50 61 – ☎ P. GB
1er mai-30 sept. et fermé lundi soir et mardi sauf juil.-août – 26 – **30 ch** 255/280.

Paix, ✆ 97 57 65 08, Fax 97 57 50 61 – ☎. GB
1er avril-30 sept. et fermé lundi soir et mardi – **Repas** 60/125 – 26 – **24 ch** 190.

L'Auberge M avec ch, ✆ 97 57 61 55, Fax 97 57 69 10 – ☎ P. AE GB
fermé 7 au 21 oct., 7 au 21 janv., 24 fév. au 3 mars, mardi soir sauf juil.-août et merc. – **Repas** 84/320 et carte 200 à 290 – 32 – **6 ch** 220/290 – ½ P 246/261.

RENAULT Gar. Josset, ✆ 97 57 64 13 N ✆ 97 57 74 30

STE-ANNE-LA-PALUD (Chapelle de) 29 Finistère 58 ⑭ **G. Bretagne** – alt. 65 – ✉ **29127** Plonevez-Porzay – **Voir** Pardon (fin août).

Paris 566 – Quimper 25 – ◆Brest 68 – Châteaulin 19 – Crozon 35 – Douarnenez 16 – Plomodiern 12.

Plage , à la plage ✆ 98 92 50 12, Fax 98 92 56 54, ≤, , , – rest . AE GB. rest
début avril-début nov. – **Repas** 220/410 et carte 330 à 370 – ☐ 75 – **26 ch** 680/1300, 4 appart – ½ P 830/1000
Spéc. Cotriade de maquereau et sa crépinette de pied de porc. Turbot de palangre aux huîtres. Coffret de fraises de Plougastel à la rhubarbe.

STE-CÉCILE-LES-VIGNES **84290** Vaucluse 81 ② – 1 927 h alt. 108.

Paris 650 – Avignon 50 – Bollène 12 – Nyons 26 – Orange 16 – Vaison-la-Romaine 22.

Le Relais M , ✆ 90 30 84 39, Fax 90 30 81 79, ≤, , – . GB
fermé 1er au 15 mars, 1er au 15 oct., dim. soir et lundi sauf hôtel du 15 mars au 15 oct. – **Repas** 130/260 – ☐ 50 – **12 ch** 650/850.

Comtat-Pneus, ✆ 90 30 88 11

STE-COLOMBE **84** Vaucluse 81 ⑬ – rattaché à Bédoin.

STE-CROIX **01** Ain 74 ② – rattaché à Montluel.

STE-CROIX-EN-JAREZ **42** Loire 73 ⑲ – rattaché à Rive-de-Gier.

STE-ÉNIMIE **48210** Lozère 80 ⑤ **G. Gorges du Tarn** (plan) – 473 h alt. 470.

Env. ≤★★ **sur le canyon du Tarn S : 6,5 km par D 986.**

Office de Tourisme à la Mairie ✆ 66 48 53 44, Fax 66 48 52 58.

Paris 624 – Mende 27 – Florac 27 – Meyrueis 29 – Millau 56 – Sévérac-le-Château 46 – Le Vigan 86.

Aub. du Moulin, ✆ 66 48 53 08, Fax 66 48 58 16, – . GB
15 mars-15 nov. – **Repas** *(fermé dim. soir et lundi midi sauf juil.-août)* 88/170 – ☐ 34 – **10 ch** 290/340 – ½ P 290.

STE-EULALIE-D'OLT **12130** Aveyron 80 ④ – 310 h alt. 425.

Paris 625 – Rodez 44 – Espalion 24 – Sévérac-le-Château 28.

Au Moulin d'Alexandre avec ch, ✆ 65 47 45 85, – . rest
fermé 13 au 26 avril, 1er au 13 oct. et dim. du 3 nov. à Pâques – **Repas** 65/125 – ☐ 40 – **9 ch** 230/280 – ½ P 240.

STE-FEYRE **23** Creuse 72 ⑩ – rattaché à Guéret.

STE-FLORINE **43250** H.-Loire 76 ⑤ – 3 021 h alt. 440.

Paris 468 – ◆Clermont-Fd 56 – Brioude 15 – Issoire 21 – Murat 58 – Le Puy-en-Velay 76 – St-Flour 49.

Le Florina avec ch, ✆ 73 54 04 45, Fax 73 54 02 62 – . GB
fermé dim. soir – **Repas** 70/165 – ☐ 30 – **10 ch** 200/230 – ½ P 185.

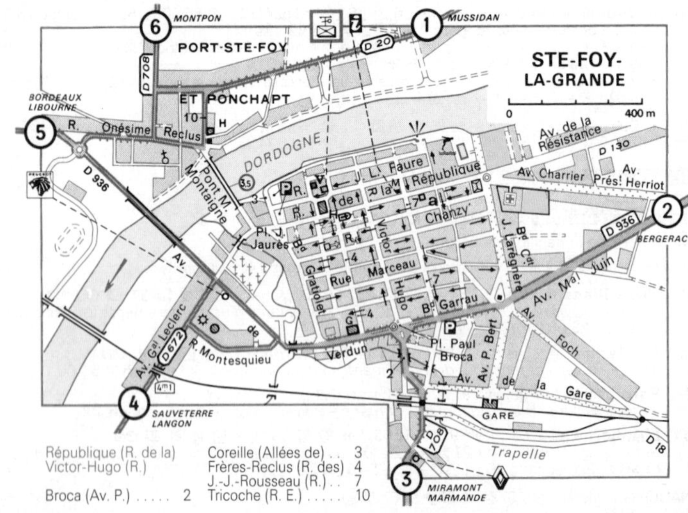

TE-FOY-LA-GRANDE 33220 Gironde 75 ⑬ ⑭ **G. Périgord Quercy** – 2 745 h alt. 10.

du Château des Vigiers ✆ 53 61 50 00, SE : 9 km par D 18.

Office de Tourisme r. de la République ✆ 57 46 03 00, Fax mairie 57 46 53 77.

s 557 ⑤ – Périgueux 66 ① – ♦Bordeaux 70 ⑤ – Langon 58 ④ – Marmande 44 ③.

Plan page ci-contre

Grand Hôtel, r. République **(a)** ✆ 57 46 00 08, Fax 57 46 50 70, – ☎ . AE GB JCB
Repas *(fermé sam. midi et lundi hors sais.)* 95/230 – ☕ 37 – **17 ch** 280/380 – ½ P 225.

Vieille Auberge avec ch, r. Pasteur **(v)** ✆ 57 46 04 78 – GB
Repas *(fermé dim. soir et lundi)* 75 (déj.), 95/175 , enf. 50 – ☕ 26 – **6 ch** 140/200 – ½ P 180/190.

JGEOT A.C.A.L., av. de Verdun à Pineuilh ✆ 57 46 33 10
NAULT Pineuilh Autos, 68 av. de la Résistance à euilh par ③ ✆ 57 46 29 65 N ✆ 57 46 29 65
NAULT Gar. Daniel, 26 bd Gratiolet ✆ 57 46 01 63

Service du Pneu-Point S, à Port Ste-Foy ✆ 53 24 76 00

TE-FOY-TARENTAISE 73640 Savoie 74 ⑲ **G. Alpes du Nord** – 643 h alt. 1050.

is 647 – Albertville 65 – Chambéry 111 – Moûtiers 37 – Val-d'Isère 19.

Le Monal, ✆ 79 06 90 07, Fax 79 06 94 72 – ☎. AE GB
fermé 8 mai au 10 juin et 11 oct. au 4 nov. – **Repas** 80 (déj.), 100/150 , enf. 45 – ☕ 35 – **24 ch** 145/350 – ½ P 260/280.

TE-GEMME-MORONVAL 28 E.-et-L. 60 ⑦, 106 ㉕ – rattaché à Dreux.

TE-GENEVIÈVE-SUR-ARGENCE 12420 Aveyron 76 ⑬ – 1 143 h alt. 800.

iv. Barrage de Sarrans★★ N : 8 km, **G. Gorges du Tarn.**

Syndicat d'Initiative à la Mairie ✆ 65 66 41 46.

is 570 – Aurillac 59 – Chaudes-Aigues 33 – Espalion 45.

Voyageurs, ✆ 65 66 41 03, – TV ☎ . GB
fermé 25 sept. au 10 oct., dim. soir et sam. du 10 oct. au 30 juin – **Repas** 60/160 – ☕ 28 – **14 ch** 180/210 – ½ P 200/230.

TE-HERMINE 85210 Vendée 67 ⑮ – 2 285 h alt. 28.

is 418 – La Roche-sur-Yon 34 – Fontenay-le-Comte 22 – ♦Nantes 86 – Les Sables-d'Olonne 63.

Relais de la Marquise avec ch, ✆ 51 27 30 11, Fax 51 28 84 38 – P. GB
fermé 1er au 7 nov., 17 fév. au 9 mars, dim. soir sauf juil.-août et lundi – **Repas** 59/150 – ☕ 27 – **9 ch** 140/210 – ½ P 120/155.

TE-MAGNANCE 89420 Yonne 65 ⑰ **G. Bourgogne** – 325 h alt. 310.

oir Tombeau★ dans l'église.

ris 225 – Auxerre 63 – Avallon 15 – ♦Dijon 68 – Saulieu 23.

La Chènevotte, N 6 ✆ 86 33 14 79 – GB
fermé 1er au 15 oct., 15 au 30 nov., mardi soir et merc. – **Repas** 108/190.

TE-MARGUERITE (Ile) ★★ 06 Alpes-Mar. 84 ⑨ 115 ㉟ ㊴ **G. Côte d'Azur** – ✉ 06400 Cannes.

oir Forêt★★ – ≤★ de la terrasse du Fort-Royal.

ccès par transports maritimes.

depuis **Cannes**. Traversée 15 mn par Cie Esterel-Chanteclair, gare maritime des Iles ✆ 93 39 11 82, Fax 92 98 80 32.

TE-MARIE 44 Loire-Atl. 67 ① – rattaché à Pornic.

TE-MARIE-AUX-MINES 68160 H.-Rhin 87 ⑯ **G. Alsace Lorraine** – 5 767 h alt. 350.

nnel de Ste-Marie-aux-Mines. Péage aller simple : autos 16 F, camions 31 à 63 F - Renseignements par S.A.P.R.R. ✆ 29 51 21 71.

Office de Tourisme ✆ 89 58 80 50.

ris 459 – Colmar 34 – St-Dié 23 – Sélestat 22.

Aux Mines d'Argent avec ch, r. Dr Weisgerber (près H. de Ville) ✆ 89 58 55 75, – TV ☎. GB. ch
fermé 28 août au 5 sept. et 26 fév. au 10 mars – **Repas** *(fermé mardi soir et merc.)* 65 (déj.), 85/225 – ☕ 35 – **5 ch** 220/250 – ½ P 280.

TROEN Gar. Vogel, ✆ 89 58 74 73

PEUGEOT Gar. Moeglen, ✆ 89 58 70 40

TE-MARIE-DE-CAMPAN 65 H.-Pyr. 85 ⑲ – rattaché à Campan.

TE-MARIE-DE-VARS 05 H.-Alpes 77 ⑱ – rattaché à Vars.

TES-MARIES-DE-LA-MER – voir après Saintes.

TE-MARIE-SICCHÉ 2A Corse-du-Sud 90 ⑰ – voir à Corse.

STE-MARINE 29 Finistère 58 ⑮ G. Bretagne – ✉ 29120 Pont-l'Abbé.

Paris 561 – Quimper 19 – Bénodet 5,5 – Concarneau 26 – Pont-l'Abbé 9,5.

XX ✿ **L'Agape** (Le Guen), ✆ 98 56 32 70, 🌳 – 🅿. AE GB
fermé 15 janv. au 15 fév., mardi soir et merc. sauf juil.-août – **Repas** 160/270 et carte 260 380, enf. 70
Spéc. Agapes de poissons marinés. Galette de turbot au jus de viande. Jardinière de homard.

STE-MAURE 10 Aube 61 ⑯ – rattaché à Troyes.

STE-MAURE-DE-TOURAINE 37800 I.-et-L. 68 ④ ⑤ G. Châteaux de la Loire – 3 983 h alt. 85.

ℹ Office de Tourisme r. du Château ✆ 47 65 66 20.

Paris 271 – ♦Tours 37 – Le Blanc 69 – Châtellerault 35 – Chinon 33 – Loches 31 – Thouars 71.

🏨 **Host. Hauts de Ste-Maure,** av. Ch. de Gaulle ✆ 47 65 50 65, Fax 47 65 60 24, 🍽, 🌳, |⇕| TV ☎ ♿ 🅿 – 🏋 40. AE ⦿ GB
fermé lundi midi et dim. d'oct. à avril – **Repas** 108/240 – ☕ 50 – **19 ch** 350/420 – ½ P 35 450.

XX **Gueulardière** avec ch, av. Ch. de Gaulle ✆ 47 65 40 71, Fax 47 65 69 47 – TV ☎ 🅿. AE ⦿
♦ GB
fermé 13 janv. au 2 fév. et dim. soir – **Repas** 75/175, enf. 50 – ☕ 35 – **16 ch** 170/260 ½ P 220/270.

à l'échangeur autoroute A 10 O : 2,5 km sur rte de Chinon – ✉ **37800** Noyant-de-Tourain

XX **La Ciboulette,** ✆ 47 65 84 64, 🍽 – 🅿. GB
Repas 100/325 🍷, enf. 50.

à Pouzay SO : 8 km – 696 h. alt. 51 – ✉ **37800** :

X **Gardon Frit,** ✆ 47 65 21 81, Fax 47 65 21 81, 🍽 – GB
fermé 4 au 14 mars, 23 sept. au 2 oct., 5 au 15 janv., mardi et merc. – **Repas** - produits de mer - 72 (déj.), 95/199 🍷, enf. 45.

CITROEN Gar. Rico, 78 av. Gén.-de-Gaulle ✆ 47 65 40 46 🅽 ✆ 47 65 40 46
PEUGEOT Gar. Saint-Aubin, ✆ 47 65 40 85 🅽 ✆ 47 65 40 85
RENAULT Gar. de Vauzelles, ✆ 47 65 41 13

STE-MAXIME 83120 Var 84 ⑰ 114 ㊲ G. Côte d'Azur – 10 015 h alt. 10.

Voir Sémaphore ✷★ N : 1,5 km.

⛳9 de Beauvallon ✆ 94 96 16 98, par ③ : 4 km ; ⛳18 ✆ 94 49 26 60, N : 3 km par route sémaphore B.

ℹ Office de Tourisme promenade S. Lorière ✆ 94 96 19 24, Télex 970080, Fax 94 49 17 97.

Paris 877 ① – Fréjus 20 ② – Aix-en-Provence 120 ① – Cannes 61 ② – Draguignan 34 ① – ♦Toulon 71 ③.

Plan page ci-contre

🏨 **Belle Aurore** M, 4 bd Jean Moulin par ③ ✆ 94 96 02 45, Fax 94 96 63 87, ≤ golfe St-Tropez, « En bordure de mer », 🏊, ⛵ – ▤ TV ☎ 🅿. AE ⦿ GB
hôtel : fermé 10 au 25 oct., 15 nov. au 21 déc. et 6 janv. au 28 fév. – **Repas** *(avril-sept. fermé merc. midi hors sais.)* 235/380 – ☕ 75 – **16 ch** 700/1800 – ½ P 700/1300.

🏨 **Mas des Oliviers** M 🔇 sans rest, quartier de la Croisette par ③ : 1 km ✆ 94 96 13 3 Fax 94 49 01 46, ≤, 🏊, 🌳, 🎾 – TV ☎ ♿ 🅿. AE ⦿ GB
fermé 15 janv. au 15 fév. – ☕ 45 – **20 ch** 520/700.

🏨 **La Croisette** 🔇, 2 bd Romarins par ③ ✆ 94 96 17 75, Fax 94 96 52 40, 🍽, 🌳 – |⇕| ☎ ♿ 🅿. AE GB
1er mars-31 oct. – **Repas** (dîner seul.) 150/275 – ☕ 50 – **17 ch** 500/980 – ½ P 750/790.

🏨 **Petit Prince** M sans rest, 11 av. St-Exupéry ✆ 94 96 44 47, Fax 94 49 03 38 – |⇕| ▤ TV ♿ 🅿. AE ⦿ GB A
☕ 45 – **29 ch** 320/750.

🏨 **Les Santolines** sans rest, La Croisette par ③ ✆ 94 96 31 34, Fax 94 49 22 12, « Jard fleuri », 🏊 – ▤ TV ☎ ♿ 🅿. AE GB
☕ 50 – **13 ch** 780.

🏨 **Poste** sans rest, 7 bd F. Mistral ✆ 94 96 18 33, Fax 94 96 41 68, 🏊 – |⇕| TV ☎. AE ⦿ G
20 mai-20 oct. – ☕ 45 – **24 ch** 440/590. B

🏨 **Montfleuri** 🔇, 4 av. Montfleuri par ② ✆ 94 96 19 57, Fax 94 49 25 07, 🍽, 🌳 – |⇕| TV 🅿. GB
1er avril-30 sept. – **Repas** (dîner seul.) 150/190 – ☕ 45 – **31 ch** 320/550 – ½ P 340/465.

🏨 **Chardon Bleu** sans rest, r. Verdun ✆ 94 96 02 08, Fax 94 43 90 89 – TV ☎. AE GB A
☕ 38 – **25 ch** 360/450.

XXX **L'Amiral,** galerie marchande du port ✆ 94 43 99 36, ≤ port et golfe, 🍽 – AE ⦿ JCB B
fermé 15 nov. au 15 déc., dim. soir et lundi hors sais. – **Repas** 165/250 et carte 260 à 430.

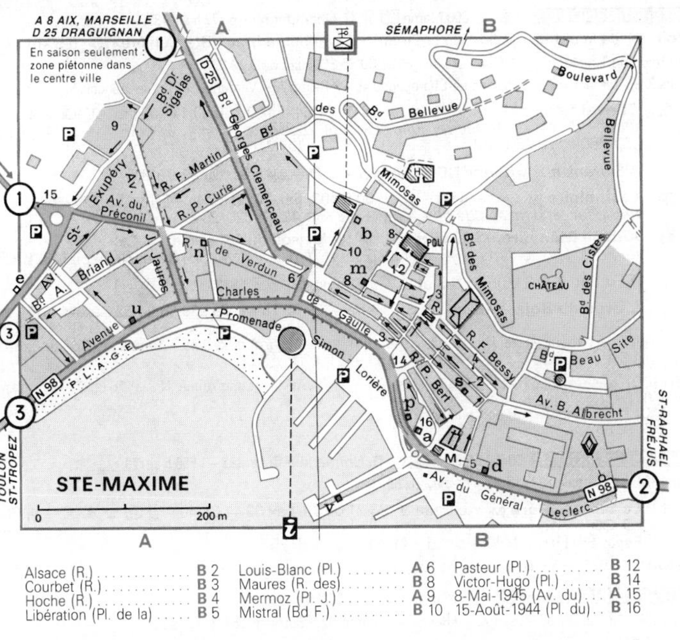

Alsace (R.)	B 2	Louis-Blanc (Pl.)	A 6
Courbet (R.)	B 3	Maures (R. des)	B 8
Hoche (R.)	B 4	Mermoz (Pl. J.)	A 9
Libération (Pl. de la)	B 5	Mistral (Bd F.)	B 10
Pasteur (Pl.)	B 12		
Victor-Hugo (Pl.)	B 14		
8-Mai-1945 (Av. du)	A 15		
15-Août-1944 (Pl. du)	B 16		

XX **L'Esquinade,** av. Ch. de Gaulle ✆ 94 96 01 65 – GB — B **p**
fermé mardi sauf juil.-août – **Repas** 112/195.

XX **Le Daniéli,** av. Gén. Leclerc ✆ 94 43 96 45, Fax 94 96 05 83, 🍽 – AE GB JCB — B **d**
fermé 2 au 16 déc., 13 au 27 janv. et lundi du 1er oct. au 1er avril – **Repas** 99 (déj.), 129/210.

XX **L'Hermitage,** av. Ch. de Gaulle ✆ 94 96 17 77, 🍽 – ▤. AE GB — B **a**
Repas carte 210 à 310.

X **Sans Souci,** r. P. Bert ✆ 94 96 18 26, 🍽 – GB — B **s**
15 fév.-15 oct. et fermé lundi sauf de mai à sept. – **Repas** 92/132, enf. 57.

X **Le Dauphin,** av. Ch. de Gaulle ✆ 94 96 31 56 – ▤. GB — A **u**
fermé 1er déc. au 15 janv., mardi soir et merc. hors sais. – **Repas** (nombre de couverts limité, prévenir) 95/198.

X **Sarrazin,** pl. Colbert ✆ 94 96 10 84 – GB — B **m**
fermé 5 janv. au 2 fév., merc. midi et mardi hors sais. – **Repas** (dîner seul. en juil.-août) 110/220.

au Nord-Est par r. Clemenceau et rte du Débarquement – ✉ **83120** Ste-Maxime :

Golf Plaza M, au Golf, 5,5 km ✆ 94 56 66 66, Fax 94 56 66 00, ≤ baie et golf, 🍽, espace balnéothérapie, golf, 🏋, 🏊, 🏊, 🎾 – |‡| ▤ 📺 ☎ ♿ 🚗 – 🏛 120. AE ⓓ GB
Relais Provence : **Repas** (dîner seul.) 195 – ***Le St-Andrews*** (club house) ✆ 94 49 23 32 **Repas** 98 (déj.)/120, enf. 65 – ***Costa Smeralda*** (snack) *(15 juin.-15 sept.)* **Repas** (déj. seul.) carte 170 à 200 – **98 ch** ☕ 1300/1450, 13 appart.

Parc H. Jas Neuf M, 71 rte Débarquement, 4 km ✆ 94 96 51 88, Fax 94 49 09 71, ≤, 🍽, 🏊, 🌳 – |‡| ▤ 📺 ☎ P. GB. ✗
fermé nov. – ***L'Olive d'Or*** *(fermé jeudi d'oct. à mai)* **Repas** 145bc/220 🍷, enf. 60 – ☕ 55 – **22 ch** 450/890 – ½ P 540/590.

à La Nartelle par ② : 4 km – ✉ **83120** Ste-Maxime :

Host. Vierge Noire sans rest, ✆ 94 96 33 11, Fax 94 49 28 90, 🏊, 🌳 – 📺 ☎ P. GB. ✗
22 mars-15 oct. – ☕ 47 – **11 ch** 480/700.

Plage sans rest, ✆ 94 96 14 01, Fax 94 49 23 53, ≤ – ☎ P. GB
6 au 15 avril et 11 mai-1er oct. – ☕ 35 – **18 ch** 275/426.

ENAULT Gar. de l'Arbois, av. Gén.-Leclerc ✆ 94 96 14 03

En juin et en septembre,
les hôtels sont moins chers qu'en pleine saison, le service est plus soigné.

STE-MENEHOULD 51800 Marne 56 ⑲ **G. Champagne** – 5 177 h alt. 137.

Voir ≤★ de la butte appelée "Le château" – Château de Braux-Ste-Cohière★ O : 5,5 km.

Office de Tourisme 15 pl. Gén.-Leclerc ☎ 26 60 85 83, Fax 26 60 27 22.

Paris 220 – Bar-le-Duc 50 – Châlons-en-Champagne 45 – ◆Reims 78 – Verdun 46 – Vitry-le-François 52.

Cheval Rouge M, 1 r. Chanzy ☎ 26 60 81 04, Fax 26 60 93 11 – TV ☎. AE ⓓ GB
fermé 18 nov. au 9 déc. et lundi de sept. à Pâques – **Repas** 90/215 – ☕ 45 – **20** 230/260 – ½ P 260/280.

à Florent-en-Argonne NE : 7,5 km par D 85 – 234 h. alt. 225 – ✉ **51800** :

Le Jabloire M ≫ sans rest, ☎ 26 60 82 03, Fax 26 60 85 45 – TV ☎ P. AE GB
fermé fév. et dim. soir de nov. à fév. – ☕ 35 – **12 ch** 320/380.

XX **Aub. la Ményère,** ☎ 26 60 93 70, ☂, « Maison du 16e siècle » – GB
fermé 20 fév. au 7 mars, 16 août au 6 sept., dim. soir et lundi – **Repas** 60 (déj.)/140.

à Futeau E : 13 km par N 3 et D 2 – 173 h. alt. 190 – ✉ **55120** :

XXX **L'Orée du Bois** ≫ avec ch, S : 1 km ☎ 29 88 28 41, Fax 29 88 24 52, ≤, – TV ☎ GB
fermé vacances de Toussaint, janv., dim. soir et mardi hors sais. – **Repas** 115/360 et carte 2 à 370, enf. 85 – ☕ 50 – **7 ch** 300/365 – ½ P 420.

PEUGEOT Gar. Crochet, rte de Châlons ☎ 26 60 84 78
RENAULT Gar. Roudier, rte de Châlons ☎ 26 60 80 80
VAG Argonne Autos, N 3 ☎ 26 60 97 72

STE-MÈRE-ÉGLISE 50480 Manche 54 ③ **G. Normandie Cotentin** – 1 556 h alt. 28.

Paris 324 – ◆Cherbourg 37 – St-Lô 41 – Bayeux 56.

Le Sainte-Mère M, rte Caen ☎ 33 21 00 30, Fax 33 41 38 40 – TV ☎ P – 70. ⓓ GB
Repas 85/170, enf. 40 – ☕ 35 – **41 ch** 260 – ½ P 250.

RENAULT Gar. Lecathelinais, r. Cap. Laine, rte de Cherbourg ☎ 33 41 43 09

STE-PREUVE 02 Aisne 56 ⑥ – 75 h alt. 115 – ✉ **02350** Liesse.

Paris 161 – St-Quentin 65 – Laon 23 – ◆Reims 48 – Rethel 42 – Soissons 58 – Vervins 28.

Château de Barive ≫, ☎ 23 22 15 15, Fax 23 22 08 39, parc, , – cuisinette TV P – 25. AE ⓓ GB.
fermé mi-déc. à mi-janv. – **Repas** 130/400 – ☕ 55 – **14 ch** 380/780 – ½ P 395/495.

SAINTES 17100 Char.-Mar. 71 ④ **G. Poitou Vendée Charentes** – 25 874 h alt. 15.

Voir Abbaye aux Dames : église abbatiale★ – Vieille ville★ : cathédrale St-Pierre – Arc Germanicus★ BZ **F** – Église St-Eutrope : église inférieure★ AZ **D** – Arènes★ – Musée d Beaux-Arts★ AZ **M**[2] – Musée Dupuy-Mestreau (collections régionales) AZ **M**[5] – Polissoir Grézac (Musée éducatif de préhistoire) BZ **M**[3].

Louis-Rouyer-Guillet ☎ 46 74 27 61, N 150 par ① : 5 km.

Office de Tourisme Villa Musso, 62 cours National ☎ 46 74 23 82, Fax 46 92 17 01.

Paris 470 ⑥ – Royan 40 ⑤ – ◆Bordeaux 115 ④ – Niort 73 ⑥ – Poitiers 138 ⑥ – Rochefort 40 ⑦.

Plan page ci-contre

Relais du Bois St-Georges M ≫, r. Royan (D 137) ☎ 46 93 50 99, Fax 46 93 34 93, ☂, « Dans un parc avec étang », – TV ☎ P – 50. GB — Y
Repas 190 bc/480 bc – ☕ 74 – **27 ch** 420/1050, 3 duplex.

Bosquets M ≫ sans rest, 107 cours Mar. Leclerc ☎ 46 74 04 47, Fax 46 74 27 89, TV ☎ P. GB JCB — Y
fermé 22 déc. au 7 janv. – ☕ 32 – **35 ch** 269/285.

Trois Sapins M sans rest, rte Rochefort ☎ 46 74 42 70 – TV ☎ P. AE GB. — Y
☕ 30 – **34 ch** 268/290.

Messageries ≫ sans rest, r. Messageries ☎ 46 93 64 99, Fax 46 92 14 34 – TV ☎. AE GB — AZ
fermé 21 déc. au 4 janv. – ☕ 34 – **34 ch** 220/360.

Avenue sans rest, 114 av. Gambetta ☎ 46 74 05 91, Fax 46 74 32 16 – TV ☎ GB — BZ
fermé 26 déc. au 3 janv. et dim. du 1er nov. au 28 fév. – ☕ 31 – **15 ch** 172/265.

France et rest. Le Chalet, pl. Gare ☎ 46 93 01 16, Fax 46 74 37 90, ☂ – TV ☎. GB — BZ
Repas *(fermé dim. de fin sept. à Pâques)* 80/175 – ☕ 30 – **25 ch** 215/300 – ½ P 240/36

Au Terminus sans rest, 2 r. J. Moulin ☎ 46 74 35 03, Fax 46 97 24 47 – TV ☎. AE GB — BZ
fermé 23 déc. au 15 janv. – ☕ 32 – **28 ch** 200/390.

XXX **Logis Santon,** 54 cours Genêt ☎ 46 74 20 14, Fax 46 74 49 79, ☂, – P. AE ⓓ G JCB — Y
fermé dim. et lundi – **Repas** 98/250 et carte 250 à 350.

XX **La Rôtisserie de François,** 5 r. A. Lemoyne ☎ 46 94 15 01, Fax 46 97 78 10 – AE GB — AZ
fermé dim. soir et lundi sauf juil.-août – **Repas** 85/145, enf. 45.

SAINTES

ıace-Lorraine (R.) . . . . AZ 3
ımbetta (Av.) . . . . BZ
tional (Cours) . . . . AZ

ende
(Av. Salvador) . . . . Y 2
: de
Triomphe (R.) . . . . BZ 4
ssompierre (Pl.) . . . . BZ 5
rthonnière (R.) . . . . AZ 7
ir (Pl.) . . . . AZ 9
is d'Amour (R.) . . . . AZ 10
urignon (R.) . . . . Y 12
ınaud (R. A.) . . . . AZ 13
ımenceau (R.) . . . . AZ 15
nfert-
Rochereau (R.) . . . . BZ 16
ıfaure (Av. J.) . . . . Y 18
ch (Pl. Mar.) . . . . AZ 20
cobins (R. des) . . . . AZ 25
an (R. du Doc.) . . . . Y 27
nnedy (Av. J.-F.) . . . . Y 31
curie (R.) . . . . Y 33
clerc (Crs Mar.) . . . . Y 34
ımercier (Cours) . . . . AZ 35
ırne (Av. de la) . . . . BZ 37
ıstreau (R. F.) . . . . BZ 38
onconseil (R.) . . . . AZ 39
ıpublique (Quai) . . . . AZ 41

St-Eutrope (R.) . . . . AZ 42
St-François (R.) . . . . AZ 43
St-Macoult (R.) . . . . AZ 45
St-Pierre (R.) . . . . AZ 46
St-Vivien (Pl.) . . . . AZ 47
Victor-Hugo (R.) . . . . AZ 49

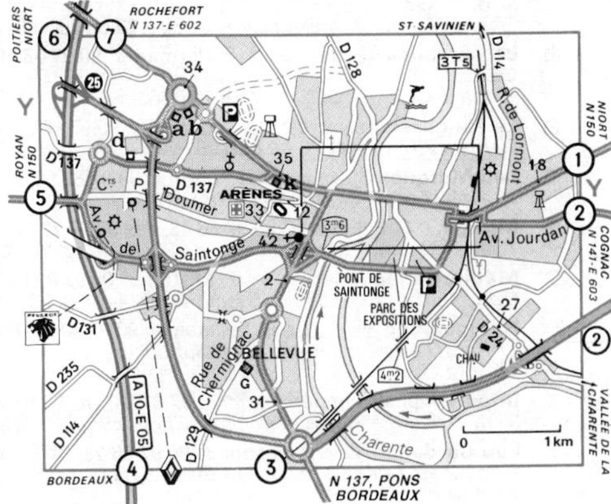

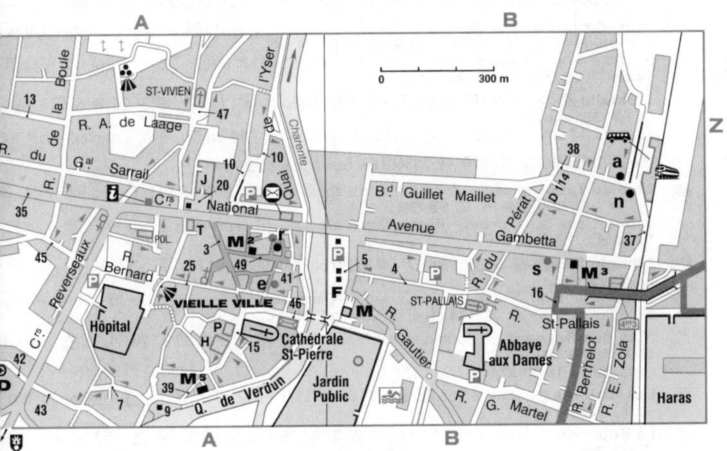

✗ **Bistrot Galant,** 28 r. St-Michel ✆ 46 93 08 51 – GB AZ **e**
fermé 10 au 16 juin, 1er au 15 fév., dim. soir et lundi – **Repas** 90/230, enf. 49.

ITROEN Gar. Ardon, rte de Bordeaux par ③
› 46 93 88 02 N ✆ 46 93 88 08
EUGEOT Gar. Guerry, av. de Saintonge, ZI
ırmeau de Pied ✆ 46 93 48 33 N ✆ 07 56 16 14
ENAULT Gar. Bagonneau, ZI 137 cours P.-
oumer ✆ 46 92 35 35 N ✆ 07 48 51 26

VAG Voiville Auto, av. de Saintonge ✆ 46 92 01 44

Euromaster, ZI de l'Ormeau-de-Pied, rte de Royan ✆ 46 93 11 03
Pneu Ouest Vulcopneu, D 137 ZI de l'Ormeau de Pied ✆ 46 94 08 18

STE-SABINE 21 Côte-d'Or 65 ⑱ – rattaché à Pouilly-en-Auxois.

STE-SAVINE 10 Aube 61 ⑯ – rattaché à Troyes.

STES-MARIES-DE-LA-MER 13460 B.-du-R. 83 ⑲ **G. Provence** (plan) – 2 232 h alt. 1.
'oir Église★ – Pèlerinage des Gitans★★ (24 et 25 mai).
Office de Tourisme av. Van Gogh ✆ 90 97 82 55, Fax 90 97 71 15.
ıris 764 – ◆Montpellier 65 – Aigues-Mortes 32 – Arles 38 – ◆Marseille 129 – Nîmes 53 – St-Gilles 34.

Galoubet sans rest, rte Cacharel ✆ 90 97 82 17, Fax 90 97 71 20, ⛱ – TV ☎ P. GB.
fermé 5 janv. au 15 fév. – ☕ 35 – **20 ch** 300/400.

Le Bleu Marine [M] sans rest, av. Dr Cambon ☎ 90 97 77 00, Fax 90 97 76 00, – TV ☎ ♿ P. GB
1er avril-1er nov. et Noël-4 janv. – ☕ 30 – **26 ch** 290/360.

Les Arcades [M] sans rest, r. P. Herman ☎ 90 97 73 10, Fax 90 97 75 23 – TV ☎ ♿. GB
1er mars-12 nov. – ☕ 32 – **17 ch** 295/360.

Le Fangassier sans rest, rte Cacharel ☎ 90 97 85 02 – ☎ P. GB.
20 mars-20 oct. – ☕ 26 – **22 ch** 263/318.

Lou Marquès sans rest, r. Vibre ☎ 90 97 82 89, Fax 90 97 72 24 – ☎. GB.
1er avril-31 oct. – ☕ 30 – **14 ch** 290.

Mirage, r. C. Pelletan ☎ 90 97 80 43, Fax 90 97 72 22, – ☎. GB. ch
1er avril-30 sept. – **Repas** (dîner seul.) 80/120 – ☕ 28 – **27 ch** 240/280.

Méditerranée sans rest, 4 r. F. Mistral ☎ 90 97 82 09, Fax 90 97 76 31 – ☎. GB.
fermé 15 nov. au 20 déc. et 5 janv. au 10 fév. – ☕ 26 – **14 ch** 180/280.

Hippocampe avec ch, r. C. Pelletan ☎ 90 97 80 91, Fax 90 97 73 05, – GB
17 mars-11 nov. et fermé mardi sauf du 10 juil. au 1er oct. – **Repas** 125/220 – ☕ 27 – **4**
325.

Impérial, pl. des Impériaux ☎ 90 97 81 84, Fax 90 97 74 25, – GB
30 mars-3 nov. – **Repas** *(fermé mardi hors sais.)* 120/170 , enf. 60.

Lou Cardelino, 25 r. F. Mistral ☎ 90 97 96 23, – GB
fermé 2 au 7 déc., 3 fév. au 13 mars et merc. sauf le soir du 1er juil. au 20 sept. – **Rep**
90/200, enf. 55.

rte du Bac du Sauvage NO : 4 km par D 38 – ✉ **13460** Les Stes-Maries-de-la-Mer :

Mas de la Fouque [M] , ☎ 90 97 81 02, Fax 90 97 96 84, ≤, , parc, « Dans Camargue », , – rest TV ☎ ♿ P. AE GB
29 mars-4 nov. – **Repas** *(fermé mardi sauf juil.-août)* 170 (déj.), 235/395, enf. 75 – ☕ 75
14 ch 1100/2000 – ½ P 1010/1300.

L'Estelle [M] , ☎ 90 97 89 01, Fax 90 97 80 36, ≤, , , , – TV ☎ ♿ P – 5
AE GB JCB. rest
16 mars-17 nov. – **Repas** 90 (déj.), 145/240 – ☕ 60 – **14 ch** 670/840, 4 duplex – ½ P 49

rte d'Arles NO par D 570 – ✉ **13460** Les Stes-Maries-de-la-Mer :

Mas du Tadorne [M] , à 2,5 km et rte secondaire ☎ 90 97 93 11, Fax 90 97 71 04,
, – ch TV ☎ P. AE GB
fermé 7 janv. au 1er mars – **Repas** *(fermé lundi du 16 sept. au 31 mai)* 170/220 – ☕ 65
15 ch 850/1300 – ½ P 600.

Mangio Fango [M] , à 1 km ☎ 90 97 80 56, Fax 90 97 83 60, , , – TV ☎
P. AE GB
fermé 12 nov. au 20 déc. et 5 au 26 janv. – **Repas** *(fermé merc. sauf du 15 juin au 15 sep*
carte 200 à 320 – ☕ 45 – **14 ch** 450/600 – ½ P 445/520.

Mas des Roseaux sans rest, à 1 km ☎ 90 97 86 12, Fax 90 97 70 84, ≤, , –
☎ P. AE GB.
mars-nov. – **15 ch** ☕ 500/600.

Les Rizières sans rest, à 2,5 km ☎ 90 97 91 91, Fax 90 97 70 77, – TV ☎ P. GB
☕ 40 – **27 ch** 480.

Le Boumian sans rest, à 1,5 km ☎ 90 97 81 15, Fax 90 97 89 94, – TV ☎ P – 5
AE GB
31 mars-11 nov. – **28 ch** ☕ 380/500.

Host. du Pont de Gau avec ch, à 5 km ☎ 90 97 81 53, Fax 90 97 98 54 – TV ☎ P. AE
fermé 4 janv. au 20 fév. et merc. du 15 oct. à Pâques sauf vacances scolaires – **Rep**
96/255, enf. 70 – ☕ 32 – **9 ch** 250 – ½ P 307.

Les SAISIES 73620 Savoie 74 ⑰ G. Alpes du Nord – Sports d'hiver : 1 600/1 950 m 24 .

Voir Signal de Bisanne ✻★★ O : 5 km.

Office de Tourisme ☎ 79 38 90 30, Fax 79 38 96 29.

Paris 624 – Albertville 30 – Beaufort 18 – Bourg-St-Maurice 58 – Megève 25.

Le Calgary [M] , ☎ 79 38 98 38, Fax 79 38 98 00, ≤, , , – TV ☎ ♿ .
GB. rest
22 juin-7 sept. et 9 déc.-26 avril – **Repas** 115 (déj.), 140/200 – ☕ 60 – **36 ch** 490/72
4 duplex – ½ P 505/560.

SALBRIS 41300 L.-et-Ch. 64 ⑲ G. Châteaux de la Loire – 6 083 h alt. 104.

18 de Rivaulde ☎ 54 97 21 85, E par D 724 : 1 km.

Office de Tourisme, bd de la République ☎ 54 96 15 52.

Paris 188 – Bourges 58 – Blois 64 – Montargis 101 – ♦Orléans 64 – Vierzon 23.

Parc, 8 av. Orléans ☎ 54 97 18 53, Fax 54 97 24 34, , parc – TV ☎ P. AE GB
Repas *(fermé dim. soir et lundi de janv. à mars)* 95/200, enf. 45 – ☕ 42 – **27 ch** 200/450
½ P 230/330.

Domaine de Valaudran M ♨, SO : 1,5 km par D 724 ✆ 54 97 20 00, Fax 54 97 12 22, ☂, ⛱, 🌳 – TV ☎ ♿ P – 🏛 50. AE ⓓ GB
Repas 160/490 – ☕ 70 – **31 ch** 380/520 – ½ P 380.

La Sauldraie, 81 av. Orléans ✆ 54 97 17 76, Fax 54 97 29 67, ☂, parc – TV ☎ P. GB
Repas *(fermé 9 au 22 sept., vacances de fév., dim. soir et lundi en hiver)* 105/250, enf. 55 – ☕ 45 – **11 ch** 255/350.

UGEOT Gar. Deniau, 70 bd de la République 54 97 00 42 N ✆ 54 97 23 97

RENAULT Gar. le Bozec, 92 rte d'Orléans ✆ 54 97 05 14

ALERS 15140 Cantal 76 ② **G. Auvergne** (plan) – 439 h alt. 950.

oir Grande-Place★★ – Église★ – Esplanade de Barrouze ≤★.

Office de Tourisme, pl. Tyssandier d'Escous ✆ 71 40 70 68.

ris 519 – Aurillac 42 – Brive-la-Gaillarde 101 – Mauriac 20 – Murat 43.

Le Bailliage ♨, ✆ 71 40 71 95, Fax 71 40 74 90, ☂, ⛱, 🌳 – TV ☎ 🚗 P. AE GB
fermé 20 déc. au 1er fév. – **Repas** 66/170, enf. 40 – ☕ 38 – **30 ch** 300/370 – ½ P 310.

Le Gerfaut ♨, rte Puy Mary, NE : 1 km par D 680 ✆ 71 40 75 75, Fax 71 40 73 45, ≤, ⛱, 🌳 – |♦| cuisinette TV ☎ ✆ ♿ P – 🏛 25. AE ⓓ GB
Pâques-1er nov. voir rest. ***Les Templiers*** ci-après – ☕ 35 – **20 ch** 290/430, 5 studios – ½ P 295/320.

Les Remparts ♨, ✆ 71 40 70 33, Fax 71 40 75 32, ≤ Monts du Cantal, ☂ – TV ☎. GB
fermé 20 oct. au 20 déc. – **Repas** 65/130, enf. 40 – ☕ 35 – **18 ch** 290 – ½ P 250/280.

Annexe Château de la Bastide 🏨 M ♨, ✆ 71 40 74 14, 🌳 – TV ☎. GB
Repas voir ***Les Remparts*** – ☕ 35 – **13 ch** 345 – ½ P 295/305.

Les Templiers, r. Couvent ✆ 71 40 71 35, Fax 71 40 73 45 – AE GB
15 fév.-15 nov. et fermé lundi sauf de mai à oct. – **Repas** 65/160 🍷, enf. 40.

au Theil SO : 6 km par D 35 et D 37 – ✉ **15140** St-Martin-Valmeroux :

Host. de la Maronne ♨, ✆ 71 69 20 33, Fax 71 69 28 22, ≤, « Jardin fleuri », ⛱, 🎾 – |♦| ▤ rest ☎ ✆ P. AE GB. ✻ rest
25 mars- 5 nov. – **Repas** *(fermé le midi sauf dim.)* 140/250 – ☕ 50 – **20 ch** 360/600 – ½ P 380/530.

TROEN Gar. Moderne, ✆ 71 40 70 80 N
71 40 70 80

RENAULT Gar. Roux, ✆ 71 40 72 04 N
✆ 71 40 72 04

ALÈVE (Mont) ★★ **74** H.-Savoie 74 ⑥ **G. Alpes du Nord** – alt. 1 380 au Grand Piton, 1 184 à la table orientation des Treize Arbres ✻★★ (13 km SO d'Annemasse par ④, D 41 puis 15 mn).

aris 540 – Annecy 31 – Thonon-les-Bains 45 – Bellegarde-sur-Valserine 46 – Bonneville 34.

Dusonchet ♨, à La Croisette - alt. 1 176 m. ✉ 74560 Monnetier-Mornex ✆ 50 94 52 04, ≤, ☂ – ☎ P. GB. ✻
fermé vacances de Toussaint à fin nov., dim. soir et merc. – **Repas** 100/150 – ☕ 30 – **10 ch** 190/300 – ½ P 250/260.

SALIES-DE-BÉARN

Coustère (R. Élysée) 4
Jardin-Public (Cours du) 8
Jeanne d'Albret (Pl.) 10
St-Vincent (R.) 24

Bains (R. des) 2
Bignot (Pl. du) 3
Docteurs-Foix (Av. des) 5
Gare (Av. de la) 7
Lanabère (Bd du Gén.) 15
Leclerc (Av. du Mar.) 16
Martinàa (R.) 18
Pécaut (Av. Félix) 19
Pyrénées (Av. des) 21
St-Martin (R.) 23
Tannerie (R. de la) 26
Temple (Pl. du) 27
Toulet (R. Paul-Jean) 28

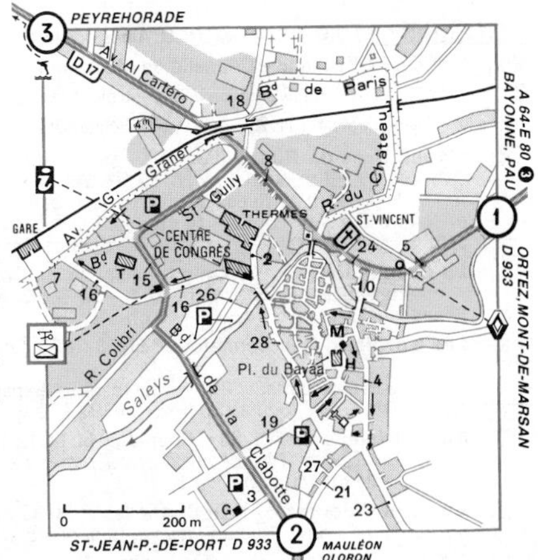

Pour aller loin rapidement, utilisez les cartes Michelin des pays d'Europe à 1/1 000 000.

SALIES-DE-BÉARN **64270** Pyr.-Atl. 78 ⑧ **G. Pyrénées Aquitaine** – 4 974 h alt. 50 – Stat. therm. .

Env. Sauveterre-de-Béarn : site★, ≤★★ du vieux pont, S : 10 km.

d'Hélios ☎ 59 38 37 59, 2 km par ① rte d'Orthez.

Office de Tourisme r. des Bains ☎ 59 38 00 33, Fax 59 38 02 95.

Paris 770 ① – Pau 62 ① – ◆Bayonne 57 ① – Dax 36 ① – Orthez 15 ① – Peyrehorade 19 ③.

Plan page précédente

du Golf M, par ① : 1 km ☎ 59 65 02 10, Fax 59 38 16 41, ... – TV ☎ P. GB
Repas 75/95 ♃, enf. 45 – ☐ 35 – **33 ch** 250/310 – P 340/435.

à Castagnède par ③, D 17, D 27 et D 384 : 8 km – 212 h. alt. 38 – ✉ **64270** :

La Belle Auberge avec ch, ☎ 59 38 15 28, Fax 59 65 03 57, ... – TV ☎ P. ...
fermé mi-déc. à début fév. et dim. soir de sept. à juin – **Repas** 62/110 ♃ – ☐ 26 – **8** ...
180/250 – P 260.

RENAULT Gar. Hourdebaigt, ☎ 59 38 06 19 N ☎ 59 38 06 19

SALIGNAC-EYVIGUES **24590** Dordogne 75 ⑰ **G. Périgord Quercy** – 964 h alt. 297.

Paris 520 – Brive-la-Gaillarde 35 – Sarlat-la-Canéda 17 – Cahors 81 – Périgueux 68.

La Terrasse, ☎ 53 28 80 38, Fax 53 28 99 67 – ☎. GB
31 mars-15 oct. et fermé merc. midi hors sais. – **Repas** 85/210, enf. 55 – ☐ 42 – **15** ...
260/380 – ½ P 290.

NO : 2,5 km par D 62ᴮ et rte secondaire – ✉ **24590** Salignac-Eyvigues :

La Meynardie, ☎ 53 28 85 98, Fax 53 28 82 79, ... – P. GB
fermé merc. de fin sept. à mi-juin – **Repas** 72 (déj.), 98/220, enf. 72.

SALINS-D'HYÈRES **83** Var 84 ⑯, 114 ㊼ – rattaché à Hyères.

SALINS-LES-BAINS **39110** Jura 70 ⑤ **G. Jura** (plan) – 3 629 h alt. 340 – Stat. therm. – Casino .

Voir Site★ – Fort Belin★ – Fort St-André★ O : 4 km par D 94.

Office de Tourisme pl. Salines ☎ 84 73 01 34, Fax 84 37 92 85.

Paris 408 – ◆Besançon 42 – Dole 44 – Lons-le-Saunier 52 – Poligny 24 – Pontarlier 44.

Gd H. des Bains sans rest, pl. Alliés ☎ 84 37 90 50, Fax 84 37 96 80, ... – TV ☎ P – 30. GB
fermé 5 au 20 janv. et dim. soir du 15 oct. au 30 avril – ☐ 39 – **31 ch** 240/395.

Rest. des Bains, pl. des Alliés ☎ 84 73 07 54, Fax 84 37 99 43 – ▤. AE GB
fermé 2 au 21 janv., dim. soir et lundi du 15 sept. au 15 juin – **Repas** 100/300.

rte de Champagnole S : 5 km par D 467 – ✉ **39110** Salins-les-Bains :

Relais de Pont d'Héry, ☎ 84 73 06 54, Fax 84 73 06 51, ... – GB
fermé 5 janv. au 20 fév., lundi sauf juil.-août et dim. soir – **Repas** 84/139 ♃.

CITROEN, FORD Gar. Salinois, ☎ 84 73 08 63 N ☎ 84 73 08 63

PEUGEOT Gar. Vurpillot, ☎ 84 73 05 45 N ☎ 84 73 05 45

RENAULT Gar. Vieille-Girardet, ☎ 84 73 11 56

SALLANCHES **74700** H.-Savoie 74 ⑧ **G. Alpes du Nord** – 12 767 h alt. 550.

Voir ☀★★ sur le Mt-Blanc – Chapelle de Médonnet : ☀★★ – Cascade d'Arpenaz★ N : 5 km.

Office de Tourisme 31 quai Hôtel de Ville ☎ 50 58 04 25, Fax 50 58 38 47.

Paris 586 – Chamonix-Mont-Blanc 26 – Annecy 69 – Bonneville 29 – Megève 13 – Morzine 43.

✿ **Host. Prés du Rosay** (Perrin) M, rte du Rosay ☎ 50 58 06 15, Fax 50 58 48 70, ... – TV ☎ ♿ P – 25. AE GB. rest
fermé 1er au 10 mai – **Repas** *(fermé dim. soir et lundi midi sauf du 10 juil. au 20 août)* 190/4...
et carte 260 à 380 – ☐ 65 – **15 ch** 380/480 – ½ P 440
Spéc. Trilogie de foie gras. Omble chevalier. Grand dessert. **Vins** Chardonnay du Bugey, Chignin Bergeron.

La Crémaillère, 1,5 km par ancienne rte Combloux ☎ 50 58 32 50, Fax 50 93 74 1...
≤ chaîne Mt-Blanc, ... – TV ☎ P – 50. AE GB JCB
Repas 98/245, enf. 45 – ☐ 45 – **43 ch** 340/450 – ½ P 320/395.

Les Sorbiers, r. Dr Bonnefoy ☎ 50 58 01 22, Fax 50 58 39 55, ... – TV ☎. ...
GB
fermé 13 avril au 3 mai et 20 nov. au 15 déc. – **Repas** *(fermé dim. soir et lundi midi du 1er av... au 15 juin et du 1er oct. au 30 nov.)* 85/198 ♃, enf. 55 – ☐ 30 – **27 ch** 240/330 – ½ P 305.

Mont-Blanc sans rest, 83 r. Chenal ☎ 50 58 12 47 – TV ☎. AE GB JCB
fermé 9 au 22 avril, 14 sept. au 1er oct. et dim. du 11 mars au 15 juin et du 1er sept. au 15 dé...
– ☐ 29 – **24 ch** 145/270.

Bernard Villemot, 57 r. Dr Berthollet ☎ 50 93 74 82 – AE GB
fermé 9 au 23 nov., 4 au 26 janv., le midi du 15 juin au 15 sept., dim. soir et lundi – **Repa...**
150/280.

à Cordon SO : 4 km par D 113 – 766 h. alt. 871 – Sports d'hiver : 1 000/1 600 m ⛷6 – ✉ **74700**.

Office de Tourisme pl. de l'Eglise ✆ 50 58 01 57, Fax 50 93 95 08.

Roches Fleuries ⑤, ✆ 50 58 06 71, Fax 50 47 82 30, ≤ chaîne Mt-Blanc, 帝, Ⓛ, ⛱, 🐴 – TV ☎ ⇔ P. AE ⓓ GB. ✻ rest
8 mai-29 sept. et 20 déc.-15 avril – **Repas** 140/295 - ***La Boîte à Fromages*** *(dîner seul.)* **Repas** 155 – **28 ch** (½ pens. seul.) – ½ P 450/600.

Chamois d'Or ⑤, ✆ 50 58 05 16, Fax 50 93 72 96, ≤ chaîne Mt-Blanc, 帝, Ⓛ, ⛱, 🐴, ✻ – ⎮ TV ☎ ⇔ P – 🏔 25. AE ⓓ GB
1er juin-15 sept. et 20 déc.-mi avril – **Repas** 125/280 – ☕ 58 – **29 ch** 420/700 – ½ P 400/550.

Le Cordonant ⑤, ✆ 50 58 34 56, Fax 50 47 95 57, ≤ chaîne Mt-Blanc, 帝, Ⓛ – TV ☎ P. GB. ✻ rest
9 mai-25 sept. et 20 déc.-15 avril – **Repas** 120/180 – ☕ 38 – **16 ch** 310/360 – ½ P 330/360.

Solneige ⑤, ✆ 50 58 04 06, ≤ chaîne Mt-Blanc, 🐴 – TV ☎ P. GB
fermé 18 sept. au 22 déc. – **Repas** 95/150 – ☕ 34 – **27 ch** 262/294 – ½ P 255/265.

Les Rhodos ⑤, ✆ 50 58 13 54, Fax 50 58 57 23, ≤ chaîne Mt-Blanc – ☎ P. GB. ✻ rest
1er juin-20 sept. et 20 déc.-20 avril – **Repas** 80 (dîner), 102/140, enf. 50 – ☕ 37 – **30 ch** 220/280 – ½ P 240/265.

Le Perron ⑤, ✆ 50 58 11 18, Fax 50 91 25 27, ≤ Mt-Blanc – ⇔ ☎ P. GB. ✻ rest
Repas 90/150 ♂ – ☕ 30 – **14 ch** 280/320 – ½ P 250/260.

LFA ROMEO, FIAT Gar. St-Martin, 135 rte de assy ✆ 50 58 41 88
ITROEN Gar. Greffoz, 1222 av. de Genève ✆ 50 58 20 49
EUGEOT Gar. Lemuet, 1501 rte du Fayet ✆ 50 58 24 75
ENAULT Alpautomobiles, 2374 av. de Genève ✆ 50 93 92 92 N ✆ 05 05 15 15

VAG MERCEDES Gar. des Fontanets, 1336 rte de Chamonix ✆ 50 58 36 44

Dhoomun Centre du Pneu, ZI sortie autoroute ✆ 50 58 47 45

SALLEBOEUF 33370 Gironde 71 ⑨ – 1 714 h alt. 46.

aris 584 – ♦Bordeaux 17 – Créon 11 – Libourne 19 – St-André-de-Cubzac 29.

La Forêt, ✆ 56 21 25 49, Fax 56 21 25 49, 帝, 🐴 – P. GB
fermé 15 au 30 sept., dim. soir et lundi – **Repas** 80/240.

SALLÈDES 63270 P.-de-D. 73 ⑮ – 402 h alt. 590.

aris 445 – ♦Clermont-Fd 32 – Ambert 49 – Issoire 18 – Thiers 37.

La Reine Margot, ✆ 73 69 00 16, Fax 73 69 21 92 – GB
fermé 18 juil. au 5 août, 15 au 22 janv., mardi soir et merc. du 1er mars au 15 oct. – **Repas** (déj. seul. sauf week-ends du 15 oct. au 28 fév.) 85/250, enf. 50.

SALLES-CURAN 12410 Aveyron 80 ⑬ – 1 277 h alt. 887.

aris 653 – Rodez 38 – Albi 77 – Millau 37 – St-Affrique 41.

Host. du Lévézou ⑤, ✆ 65 46 34 16, Fax 65 46 01 19, 帝, Demeure du 14e siècle, 🐴 – ☎ P. AE ⓓ GB
Pâques-oct. et fermé dim. soir et lundi sauf juil.-août – **Repas** (dim. et fêtes prévenir) 75 (déj.), 125/270, enf. 60 – ☕ 40 – **20 ch** 150/350 – ½ P 290/340.

Les SALLES-SUR-VERDON 83630 Var 84 ⑥ 114 ⑧ **G. Alpes du Sud** – 154 h alt. 440.

/oir Lac de Ste-Croix★★.

aris 786 – Digne-les-Bains 58 – Brignoles 54 – Draguignan 48 – Manosque 59 – Moustiers-Ste-Marie 13.

Aub. des Salles ⑤, ✆ 94 70 20 04, Fax 94 70 21 78, ≤, 🐴 – ⎮ TV ☎ P. GB
avril-nov. et fermé mardi soir et merc. en avril et oct. – **Repas** 85/218, enf. 42 – ☕ 35 – **30 ch** 270/330 – ½ P 275/305.

Ste-Anne sans rest, ✆ 94 70 20 02, Fax 94 84 23 00, ≤ – ☎. GB. ✻
fermé janv. et merc. du 1er oct. au 1er mai – ☕ 45 – **19 ch** 280/320.

SALON-DE-PROVENCE 13300 B.-du-R. 84 ② **G. Provence** – 34 054 h alt. 80.

/oir Château de l'Empéri : musée★★ BYZ.

:nv. Table d'orientation de Lançon ≤★★ 12 km par ② puis 15 mn.

Office de Tourisme 56 cours Gimon ✆ 90 56 27 60, Fax 90 56 77 09.

aris 723 ① – ♦Marseille 53 ② – Aix-en-Provence 37 ② – Arles 44 ③ – Avignon 46 ① – Nîmes 74 ③.

Plan page suivante

Angleterre sans rest, 98 cours Carnot ✆ 90 56 01 10, Fax 90 56 71 75 – TV ☎ ✆ – 🏔 50. AE GB JCB AY **b**
☕ 33 – **26 ch** 195/285.

Midi sans rest, 518 allées Craponne par ② ✆ 90 53 34 67, Fax 90 53 37 41 – ⎮ TV ☎ ✆ P. AE GB
☕ 42 – **27 ch** 230/300.

SALON-DE-PROVENCE

Carnot (Cours) . . . . AY 4
Crousillat (Pl.) . . . . BY 12
Frères-Kennedy (R. des) . . . . AY
Gimon (Cours) . . . . BZ
Victor-Hugo (Cours) . . . . BY 38

Ancienne Halle (Pl.) . . . . BY 2
Capucins (Bd des) . . . . . BZ 3
Centuries (Pl. des) . . . . . BY 6
Clemenceau (Bd Georges) . . . . AY 7
Coren (Bd Léopold) . . . . AY 8
Craponne (Allées de) . . . . BZ 10
Farreyroux (Pl.) . . . . BZ 13
Ferrage (Pl.) . . . . BZ 14
Fileuses-de-Soie (R. des) . . . . AY 15
Gambetta (Pl.) . . . . BZ 18
Horloge (R. de l') . . . . BY 20
Ledru-Rollin (Bd) . . . . AY 22
Massenet (R.) . . . . AY 23
Médicis (Pl. C. de) . . . . . . BZ 24
Mistral (Bd Frédéric) . . . . BY 26
Moulin d'Isnard (R.) . . . . BY 27
Nostradamus (Bd) . . . . . . AY 28
Pasquet (Bd) . . . . BZ 30
Pelletan (Cours Camille) . . . . . . AY 32
République (Bd de la) . . . . AY 33
Raynaud-d'Ursule (R.) . . . BZ 34
St-Laurent (Square) . . . . BY 35

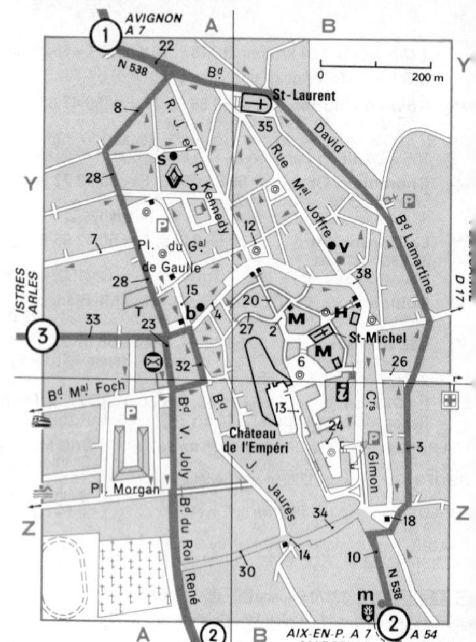

Vendôme sans rest, 34 r. Mar. Joffre ☎ 90 56 01 96 – AE GB BY v
38 – **24 ch** 220/285.

Sélect sans rest, 35 r. Suffren ☎ 90 56 07 17, Fax 90 56 42 48 – AE GB JCB. AY s
fermé dim. de nov. à fév. sauf vacances scolaires – 30 – **17 ch** 190/250.

XXX **Le Mas du Soleil** avec ch, 38 chemin St-Côme (Est - BY - par D 17) ☎ 90 56 06 53, Fax 90 56 21 52, « Bel aménagement intérieur », – AE GB JCB
Repas *(fermé dim. soir et lundi)* 170/450 et carte 260 à 460 – 60 – **10 ch** 500/850 – ½ P 675.

XXX **La Salle à Manger,** 6 r. Mar. Joffre ☎ 90 56 28 01, « Maison bourgeoise aménagée avec élégance » – GB BY v
fermé 7 au 23 août, 18 déc. au 3 janv., dim. soir et lundi – **Repas** carte environ 160.

XX **Craponne,** 146 allées Craponne ☎ 90 53 23 92, – GB BZ m
fermé 17 juil. au 8 août, 24 déc. au 3 janv., dim. soir et lundi – **Repas** 98/195, enf. 68.

au NE : 5 km par D 17 BY puis D 16 – ✉ **13300** Salon-de-Provence :

✿ **Abbaye de Sainte-Croix**, ☎ 90 56 24 55, Fax 90 56 31 12, ←, parc, – ch – 150. AE GB. rest
15 mars-31 oct. – **Repas** *(fermé mardi midi et lundi soir du 15 mars au 5 avril et lundi midi sauf fériés)* 195 (déj.), 260/535 et carte 390 à 460, enf. 125 – 75 – **19 ch** 745/1275, 5 appart – ½ P 778/1098
Spéc. Bavaroise d'artichauts aux crustacés (saison). Gros goujons de Saint-Pierre poêlés en parmentière (saison). Dépiécé de lapereau sauté à l'hysope (saison). **Vins** Côteaux d'Aix.

rte de Pélissanne par ② : 3 km – ✉ **13300** Salon-de-Provence :

Campanile, ☎ 90 42 14 14, Fax 90 53 51 26, – rest – 25. AE GB
Repas 84 bc/107 bc, enf. 39 – 32 – **48 ch** 270.

à la Barben SE : 8 km par ②, D 572 et D 22E – 500 h. alt. 105 – ✉ **13330** :

XX **La Touloubre** avec ch, ☎ 90 55 16 85, Fax 90 55 17 99, – GB
fermé 7 au 20 oct., vacances de fév., dim. soir et lundi – **Repas** 120/240, enf. 65 – 30 – **7 ch** 240.

sur Autoroute A7 Aire de Lançon ou par ② et D 19 : 11 km – ✉ **13680** Lançon :

Mercure sans rest, ☎ 90 42 87 11, Fax 90 42 88 71, – – 60. AE GB
52 – **99 ch** 295/510.

au Sud par ②, N 113 et D 19 (direction Grans) : 5 km – ✉ **13250** Cornillon :

Devem de Mirapier M, ✆ 90 55 99 22, Fax 90 55 86 14, ←, « Dans un parc de pins et garrigues », – – 100. AE GB
fermé 15 déc. au 20 janv. et week-ends d'oct. à mars – **Repas** (résidents seul.) 100 (déj.), 180/240 – ☐ 60 – **15 ch** 520/680 – ½ P 600.

TROEN P.A.D., 306 av. Michelet par ③
90 42 39 39 N ✆ 05 05 24 24
UGEOT Gar. Blanc, rte de Miramas par ③
90 56 23 71
NAULT S.A.P.A.S., 666 bd du Roi René
90 42 13 13 N ✆ 05 05 15 15
NAULT Gar. Rigaud, 52 pl. des Martyrs **AY**
90 56 00 45

Bues-Pneus, quartier Crau-Sud déviation N 113
✆ 90 53 30 40
Euromaster, bd Roi-René ✆ 90 53 15 75
Pyrame, 411 bd Roi René ✆ 90 53 30 38

es SALVAGES **81** Tarn 83 ① – rattaché à Castres.

ALVAGNY **74** H.-Savoie 74 ⑧ – rattaché à Samoëns.

e SAMBUC **13200** B.-du-R. 83 ⑩.
ris 744 – Arles 24 – ♦Marseille 91 – Stes-Marie-de-la-Mer 49 – Salon-de-Provence 66.

Le Mas de Peint M, 2,5 km par rte Salins ✆ 90 97 20 62, Fax 90 97 22 20, parc, ambiance guest house, « Demeure camarguaise du 17ᵉ siècle aménagée avec élégance », – P. AE GB
fermé 10 janv. au 15 mars – **Repas** *(fermé mardi sauf fériés)* (nombre de couverts limité, prévenir) 165 (déj.)/210 – ☐ 80 – **10 ch** 980/1500 – ½ P 730/1190.

La guida cambia, cambiate la guida ogni anno.

AMOËNS **74340** H.-Savoie 74 ⑧ **G. Alpes du Nord** – 2 148 h alt. 710 – Sports d'hiver : 800/2 280 m 2 14.

oir Place du Gros Tilleul★ – Jardin alpin Jaysinia★.
nv. La Rosière ←★★ N : 6 km – Cascade du Rouget★★ S : 10 km – Cirque du Fer à Cheval★★ E : km.

Office de Tourisme, Gare routière ✆ 50 34 40 28, Télex 385924, Fax 50 34 95 82.
ris 584 – Chamonix-Mont-Blanc 61 – Thonon-les-Bains 59 – Annecy 71 – Bonneville 30 – Cluses 21 – Genève 55 – egève 49 – Morzine 29.

Neige et Roc, ✆ 50 34 40 72, Fax 50 34 14 48, ←, – cuisinette P – 25. GB. rest
1ᵉʳ juin-25 sept. et 15 déc.-15 avril – **Repas** 100 (déj.), 120/240 – ☐ 45 – **32 ch** 500, 18 studios – ½ P 410.

Gai Soleil, ✆ 50 34 40 74, Fax 50 34 10 78, ←, – cuisinette P. GB. rest
9 juin-15 sept. et 20 déc.-15 avril – **Repas** 77/175 – ☐ 39 – **24 ch** 345 – ½ P 280/300.

Edelweiss, NO : 1,5 km par rte Planpraz ✆ 50 34 41 32, Fax 50 34 18 75, ← montagnes, – P. GB. rest
fermé 30 sept. au 15 déc. – **Repas** 100/140 – ☐ 38 – **20 ch** 260/340 – ½ P 300.

Les Drugères, ✆ 50 34 43 84, Fax 50 34 19 06, – P. GB. rest
22 juin-14 sept. et 21 déc.-14 avril – **Repas** 80/160, enf. 50 – ☐ 30 – **20 ch** 330 – ½ P 290.

à Morillon O : 4,5 km – 428 h. alt. 687 – Sports d'hiver 700/2200 m 1 7 – ✉ **74440**.
Office de Tourisme ✆ 50 90 15 76, Fax 50 90 11 47.

Le Sauvageon, SE : 1,5 km par D 255 et rte secondaire ✆ 50 90 10 25, Fax 50 90 13 08, ←, – P. GB. rest
1ᵉʳ juin-15 sept., 15 déc.-30 avril et fermé dim. soir et lundi hors sais. – **Repas** 90/165, enf. 50 – ☐ 30 – **20 ch** 150/260 – ½ P 240/270.

Morillon, ✆ 50 90 10 32, Fax 50 90 70 08, ←, – cuisinette P. GB. rest
10 juin-15 sept. et 20 déc.-10 avril – **Repas** 85/120, enf. 42 – ☐ 38 – **25 ch** 250/295 – ½ P 295/310.

à Verchaix O : 6 km par D 907 – 391 h. alt. 800 – ✉ **74440** :

Rouge Gorge, D 907 ✆ 50 90 16 77 – GB JCB
fermé 15 au 30 juin, 15 au 30 nov., dim. soir et lundi – **Repas** (nombre de couverts limité, prévenir) 75 (déj.), 105/198, enf. 52.

à Salvagny SE : 9 km par D 907 et D 29 – ✉ **74740** Sixt-Fer-à-Cheval :

Le Petit Tetras, ✆ 50 34 42 51, Fax 50 34 12 02, ←, – P. AE GB. rest
15 mai-15 sept. et 22 déc.-2 avril – **Repas** 90/180, enf. 58 – ☐ 38 – **30 ch** 260/320 – ½ P 340/360.

TROEN Gar. Baudet, ✆ 50 34 43 82 N ✆ 50 34 43 82

SAMOIS-SUR-SEINE 77920 S.-et-M. 61 ② 106 ㊻ **G. Ile de France** – 1 916 h alt. 83.

Voir Ensemble★ (quai, île du Berceau) – Tour Dénecourt ※★ SO : 5 km.

Paris 63 – Fontainebleau 9 – Melun 14 – Montereau-Fault-Yonne 21.

XXX **Maison de Champgosier,** à Samois-le-Haut ℘ (1) 64 24 60 71, Fax (1) 64 24 80 93, 🏠, 🍴 – AE ⓓ GB
fermé 19 au 22 août, 6 au 28 janv., lundi soir et mardi – **Repas** 160 bc/280 et carte 280 à 390.

SAMOREAU 77210 S.-et-M. 61 ② – 1 856 h alt. 55.

Paris 65 – Fontainebleau 6 – Melun 16 – Montereau-Faut-Yonne 17 – Nemours 22.

X **Aub. de la Treille,** 5 r. Grande ℘ (1) 64 23 71 22, 🏠, 🍴 – GB
fermé vacances de fév., dim. soir et lundi – **Repas** 115/180.

SAMOUSSY 02 Aisne 56 ⑤ – rattaché à Laon.

SANARY-SUR-MER 83110 Var 84 ⑭ 114 ㊹ **G. Côte d'Azur** – 14 730 h alt. 1.

Voir Chapelle N.-D.-de-Pitié ≤★ – Site★ de N.-D.-de-Pépiole 5 km par ③.

ℹ Office de Tourisme Jardins de la Ville ℘ 94 74 01 04, Fax 94 74 58 04.

Paris 827 ① – ♦Toulon 12 ② – Aix-en-Provence 70 ① – La Ciotat 29 ① – ♦Marseille 54 ①.

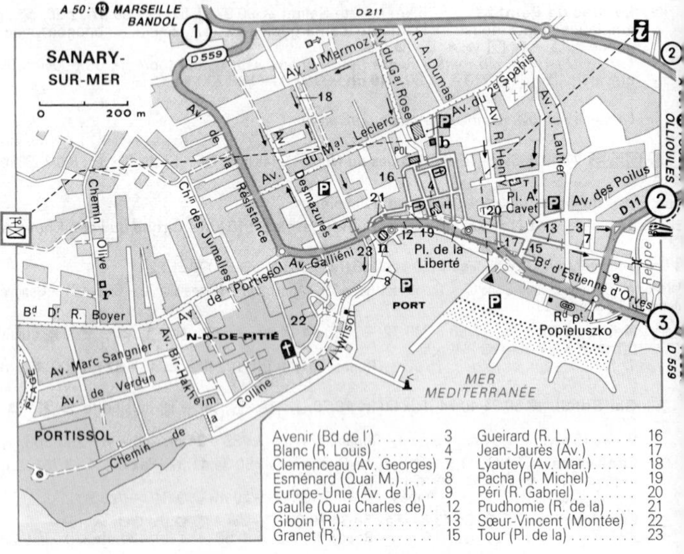

Avenir (Bd de l')	3	Gueirard (R. L.)	16
Blanc (R. Louis)	4	Jean-Jaurès (Av.)	17
Clemenceau (Av. Georges)	7	Lyautey (Av. Mar.)	18
Esménard (Quai M.)	8	Pacha (Pl. Michel)	19
Europe-Unie (Av. de l')	9	Péri (R. Gabriel)	20
Gaulle (Quai Charles de)	12	Prudhomie (R. de la)	21
Giboin (R.)	13	Sœur-Vincent (Montée)	22
Granet (R.)	15	Tour (Pl. de la)	23

🏨 **Tour,** quai Gén. de Gaulle **(n)** ℘ 94 74 10 10, Fax 94 74 69 49, ≤, 🏠 – TV ☎. AE ⓓ GB
Repas *(fermé mardi sauf juil.-août)* 120/250 – ☕ 35 – **25 ch** 300/460 – ½ P 320/370.

🏨 **Synaya** 🐴, chemin Olive **(r)** ℘ 94 74 10 50, 🍴 – ☎ P. GB. ✗ rest
1er avril-1er nov. – **Repas** (dîner seul.) (résidents seul.) 90 – ☕ 35 – **11 ch** 190/260 – ½ P 235/265.

XX **Relais de la Poste,** pl. Poste **(b)** ℘ 94 74 22 20, 🏠 – ▤. AE GB
fermé dim. soir et lundi sauf juil.-août – **Repas** 95 (déj.), 135/250, enf. 80.

SANCERRE 18300 Cher 65 ⑫ **G. Berry Limousin** – 2 059 h alt. 342.

Voir Site★ – Esplanade de la porte César ≤★★ – Tour des Fiefs ※★ – Carrefour D 923 et D ≤★★ O : 4 km.

⛳18 du Sancerrois ℘ 48 54 11 22 par ① puis D 955 : 4 km.

ℹ Syndicat d'Initiative à l'Hôtel de Ville ℘ 48 54 00 26 et Nouvelle Place (juin-sept.) ℘ 48 54 08 21.

Paris 197 ① – Bourges 47 ③ – La Charité-sur-Loire 24 ② – Salbris 70 ③ – Vierzon 66 ③.

Plan page ci-contre

🏨 **Panoramic,** rempart des Augustins **(a)** ℘ 48 54 22 44, Fax 48 54 39 55, ≤, 🏊 – 🛗 ▤ res TV ☎ – 🏋 60. AE GB
Tasse d'Argent : ℘ 48 54 01 44 *(fermé 2 au 30 janv. et merc. de nov. à mars)* **Repa** 92/278, enf. 48 – ☕ 35 – **57 ch** 290/360 – ½ P 285/340.

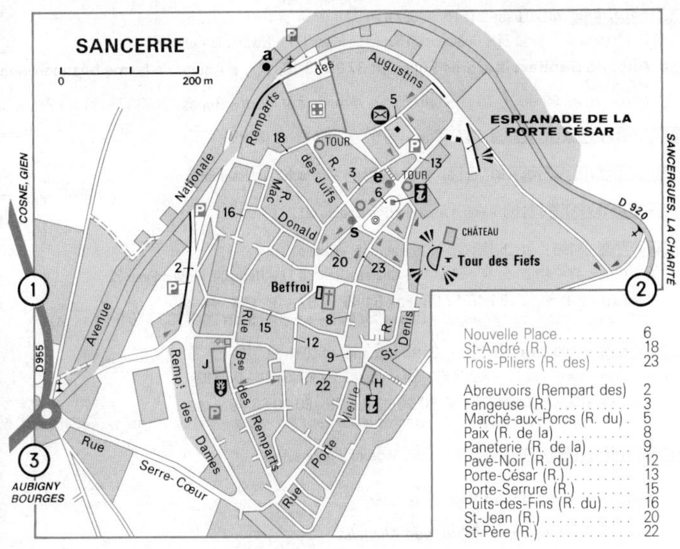

XXX **La Tour,** Nouvelle Place **(e)** ✆ 48 54 00 81, Fax 48 78 01 54 – ▤. AE GB
Repas 79/249 et carte 210 à 320, enf. 75.

X **La Moussière,** Nouvelle Place **(s)** ✆ 48 54 15 01, Fax 48 54 07 62 – GB
20 mars-5 nov. et fermé mardi midi et lundi – **Repas** 75/140.

*à **St-Satur*** par ① : 3 km – 1 805 h. alt. 155 – ✉ **18300** :

Verger Fleuri ⛰, 22 r. Basse des Moulins ✆ 48 54 31 82, Fax 48 54 38 42, ☂, ⛱ – ⇆ TV ☎ P. AE GB. ✂
fermé 1er au 6 oct., 15 déc. au 20 janv. et lundi hors sais. – **Repas** 78/195 – ☕ 34 – **12 ch** 245/280 – ½ P 200/218.

XX **Le Laurier** avec ch, 29 r. Commerce ✆ 48 54 17 20, Fax 48 54 04 54 – TV ☎. GB
fermé 4 au 18 mars, 12 au 29 nov., dim. soir et lundi – **Repas** 74/255 ♗, enf. 50 – ☕ 35 – **8 ch** 105/265 – ½ P 145/200.

*à **Chavignol*** par ① et D 183 : 4 km – ✉ **18300** :

XX **La Côte des Monts Damnés,** ✆ 48 54 01 72, Fax 48 54 14 24 – GB
fermé 3 fév. au 4 mars, dim. soir et lundi – **Repas** 98/245.

CITROEN Gar. Declomesnil, à St-Satur par ① ✆ 48 54 11 34
PEUGEOT Gar. Cotat-Mulhausen, 1 av. de Verdun par ③ ✆ 48 54 00 62
RENAULT Gar. Bonlieu, rte de Bourges par ③ ✆ 48 54 12 82 N ✆ 48 54 12 82

SANCOINS **18600** Cher 69 ③ **G. Berry Limousin** – 3 634 h alt. 210.

Syndicat d'Initiative r. M. Lucas (juin-sept.) ✆ 48 74 65 85.

Paris 297 – Bourges 53 – Moulins 48 – Montluçon 69 – Nevers 32 – St-Amand-Montrond 38.

Parc ⛰ sans rest, r. M. Audoux ✆ 48 74 56 60, Fax 48 74 61 30 – ☎ 🚗 P. ✂
fermé 1er au 15 janv. – ☕ 29 – **11 ch** 210/270.

X **L'Ancienne Poste,** 36 r. M. Lucas ✆ 48 76 23 34 – GB
fermé 1er au 15 oct., lundi sauf juil.-août et dim. soir – **Repas** 60/120, enf. 39.

CITROEN Central Gar., Les Cachons, N 76 ✆ 48 74 50 42 N ✆ 48 74 50 42
RENAULT Gar. le Val d'Aubois, rte de Bourges ✆ 48 74 57 41 N ✆ 48 74 57 41

SANCY (Puy de) **63** P.-de-D. 73 ⑬ – voir ressources hôtelières au Mont-Dore.

SAND **67230** B.-Rhin 62 ⑩ – 941 h alt. 159.

Paris 502 – ◆Strasbourg 29 – Barr 13 – Erstein 7,5 – Molsheim 25 – Obernai 14 – Sélestat 20.

Host. La Charrue ⛰, ✆ 88 74 42 66, Fax 88 74 12 02 – TV ☎ ✆ P. GB. ✂
Repas *(fermé mardi midi et lundi)* 95/150 ♗, enf. 50 – ☕ 35 – **26 ch** 180/290 – ½ P 250.

SANDARVILLE 28120 E.-et-L. 60 ⑰ – 282 h alt. 171.

Paris 104 – Chartres 18 – Brou 24 – Châteaudun 35 – ◆Le Mans 117 – Nogent-le-Rotrou 43.

XXX **Aub. de Sandarville,** près Église ✆ 37 25 33 18, 🏡, « Ancienne ferme beauceronne », – GB
fermé 15 au 31 août, 15 janv. au 5 fév., dim. soir et lundi – **Repas** 190/330 et carte 260 à 390

SAN-MARTINO-DI-LOTA 2B H.-Corse 90 ② – voir à Corse (Bastia).

SAN-PEIRE-SUR-MER 83 Var 84 ⑰ ⑱, 114 ㊲ – rattaché aux Issambres.

SANTA-COLOMA 86 ⑭ – voir à Andorre (Principauté d').

SANTENAY 41190 L.-et-Ch. 64 ⑥ – 229 h alt. 115 – Casino .

Paris 199 – ◆Tours 43 – Amboise 24 – Blois 17 – Château-Renault 17 – Herbault 5 – Vendôme 32.

X **Union** avec ch, ✆ 54 46 11 03, Fax 54 46 18 57 – P. GB. ✂ ch
fermé fév., dim. soir et lundi – **Repas** 70/250 – ☕ 26 – **5 ch** 200/300 – ½ P 240/300.

SANTENAY 21590 Côte-d'Or 70 ① **G. Bourgogne** – 1 008 h alt. 225.

Paris 329 – Chalon-sur-Saône 22 – Autun 39 – Le Creusot 28 – ◆Dijon 61 – Dole 82.

XX **Le Terroir,** pl. Jet d'Eau ✆ 80 20 63 47, Fax 80 20 66 45 – GB
fermé 15 déc. au 15 janv. dim. soir et jeudi sauf juil.-août – **Repas** 78 (déj.), 98/210, enf. 50.

SANT-JULIA-DE-LORIA 86 ⑭ – voir à Andorre (Principauté d').

Ferienreisen wollen gut vorbereitet sein.

Die Straßenkarten und Führer von Michelin
geben Ihnen Anregungen und praktische Hinweise zur Gestaltung Ihrer Reise :
Streckenvorschläge, Auswahl und Besichtigungsbedingungen
der Sehenswürdigkeiten, Unterkunft, Preise ... u. a. m.

Le SAPPEY-EN-CHARTREUSE 38700 Isère 77 ⑤ **G. Alpes du Nord** – 762 h alt. 1014 – Sports d'hiver au Sappey et au Col de Porte : 1 000/1 700 m ⛷ 11 ⛷.

Env. Charmant Som ※★★★ NO : 9 km puis 1 h.

ℹ Syndicat d'Initiative - Mairie ✆ 76 88 84 05.

Paris 584 – ◆Grenoble 13 – Chambéry 52 – St-Pierre-de-Chartreuse 14 – Voiron 38.

🏠 **Skieurs** ⛰, ✆ 76 88 80 15, Fax 76 88 85 76, ≤, 🏡, 🏊, 🌳 – TV ☎ P. GB
fermé avril, nov., déc., dim. soir et lundi sauf en été – **Repas** 120/250 – ☕ 40 – **18 ch** 290/310 – ½ P 375/400.

XX **Le Pudding,** ✆ 76 88 80 26, Fax 76 88 84 66, 🏡 – GB. ✂
fermé 9 au 30 sept., dim. soir et lundi – **Repas** 135/290, enf. 70.

SARCEY 69490 Rhône 73 ⑨ – 690 h alt. 380.

Paris 458 – Roanne 53 – ◆Lyon 33 – Tarare 12 – Villefranche-sur-Saône 22.

🏨 **Chatard** M ⛰, ✆ 74 26 85 85, Fax 74 26 89 99, 🏊, 🎾 – 🛗 TV ☎ ♿ P – 🏛 40. AE GB
fermé 2 au 15 janv. – **Repas** 85 (déj.), 104/315, enf. 50 – ☕ 42 – **38 ch** 200/310 – ½ P 225/245.

SARE 64310 Pyr.-Atl. 85 ② **G. Pyrénées Aquitaine** – 2 054 h alt. 70.

Paris 799 – Biarritz 29 – Cambo-les-Bains 19 – Pau 134 – St-Jean-de-Luz 13 – St-Pée-sur-Nivelle 28.

🏨 **Arraya,** ✆ 59 54 20 46, Fax 59 54 27 04, 🏡, « Cadre rustique basque, jardin » – TV ☎ P. AE GB. ✂ ch
27 avril-4 nov. – **Repas** 130/190, enf. 50 – ☕ 48 – **20 ch** 435/530 – ½ P 418/478.

🏨 **Pikassaria** ⛰, S : 2 km par rte secondaire ✆ 59 54 21 51, Fax 59 54 27 40, ≤, 🌳 – TV ☎ ♿ P. GB
20 mars-15 nov. et fermé merc. sauf du 1er juil. au 30 sept. – **Repas** 88/170, enf. 60 – ☕ 32 – **35 ch** 200/260 – ½ P 240.

SARLAT-LA-CANÉDA ⟨SP⟩ 24200 Dordogne 75 ⑰ **G. Périgord Quercy** – 9 909 h alt. 145.

Voir Vieux Sarlat★★ : place des Oies★ Y, rue des Consuls★ Y, hôtel Plamon★ Y **E**, hôtel de Malleville★ Y **B**, maison de La Boétie★ Z **D** – Musée-aquarium★ Y **M**[1].

Env. Décor★ et mobilier★ du château de Puymartin NO : 7 km par ④.

⛳9 de Rochebois à Vitrac ✆ 53 31 52 80.

ℹ Office de Tourisme pl. Liberté ✆ 53 59 27 67, Fax 53 59 19 44 et av. Général-de-Gaulle (juillet-août) ✆ 53 59 18 87.

Paris 522 ① – Brive-la-Gaillarde 52 ① – Bergerac 74 ③ – Cahors 62 ③ – Périgueux 66 ④.

de Selves [M] sans rest, 93 av. de Selves ✆ 53 31 50 00, Fax 53 31 23 52, ☒, ✲ – ▤ ☰ TV ☎ ✆ ♿ ⛟ – 🏛 30. AE GB Y v
fermé 8 janv. au 9 fév. – ☐ 50 – **40 ch** 380/570.

La Madeleine, 1 pl. Petite Rigaudie ✆ 53 59 10 41, Fax 53 31 03 62, ☂ – ▤ ☰ ch TV ☎ ✆ ⛟. AE ⓞ GB Y e
hôtel : 15 mars-11 nov. ; rest. : 30 mars-11 nov. et fermé lundi midi sauf août et fêtes – **Repas** 98/255, enf. 65 – ☐ 43 – **22 ch** 295/380 – ½ P 345/355.

St-Albert et Montaigne (annexe 🏛 [M]), pl. Pasteur ✆ 53 31 55 55, Fax 53 59 19 99 – ▤ ☰ rest TV ☎ – 🏛 25. AE GB. ✗ ch Z n
fermé lundi (sauf hôtel) et dim. soir du 17 nov. au 1er avril – **Repas** 96/170 ♨ – ☐ 40 – **61 ch** 260/320 – ½ P 290/320.

Compostelle sans rest, 64 av. Selves ✆ 53 59 08 53, Fax 53 30 31 65 – ▤ TV ☎ ♿. GB Y r
Pâques-mi-nov. – ☐ 35 – **23 ch** 270/300.

Mas del Pechs ⛰, Les Pechs, E : 1,5 km par rte secondaire ✆ 53 31 12 11, Fax 53 31 16 99, ☒, ✲ – TV ☎ ♿ [P]. GB
hôtel : 27 mars-15 nov. ; rest. : 27 mars-1er oct. – **Repas** 75/168, enf. 40 – ☐ 40 – **14 ch** 270/300 – ½ P 250.

Aub. de Mirandol, r. Consuls ✆ 53 29 53 89, Fax 53 30 32 41, ☂ – AE ⓞ GB Y s
29 mars-17 nov. et fermé lundi sauf juil.-août – **Repas** 90/190, enf. 50.

Marcel avec ch, 8 av. Selves ✆ 53 59 21 98, Fax 53 30 27 77 – TV ☎ [P]. GB Y a
1er mars-15 nov. – **Repas** *(fermé vend. midi et lundi sauf juil.-août)* 75/145 ♨, enf. 45 – ☐ 32 – **12 ch** 220/280 – ½ P 235/250.

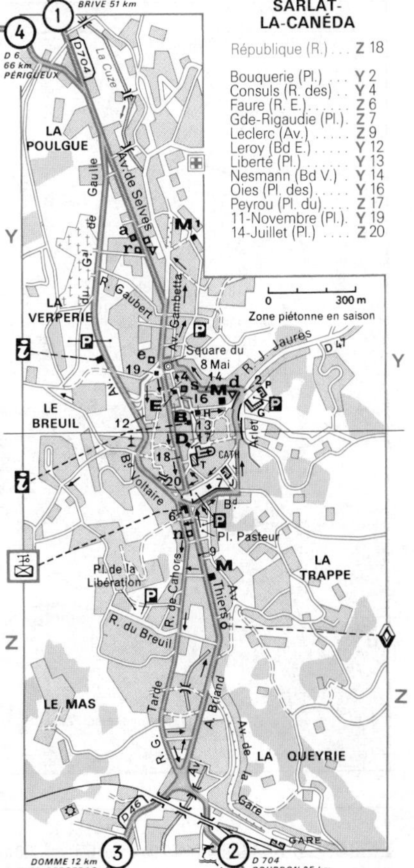

au Sud par ② et C 1 : 3 km :

Mas de Castel ⛰ sans rest, ✆ 53 59 02 59, Fax 53 28 25 62, ☒, ✲ – ☎ [P]. GB. ✗
Pâques-11 nov. – ☐ 32 – **13 ch** 220/330.

par ③ rte de Bergerac et rte secondaire : 3 km – ✉ **24200** Sarlat-la-Canéda :

Relais de Moussidière [M] ⛰, ✆ 53 28 28 74, Fax 53 28 25 11, ←, ☂, « Parc », ☒ – ☰ rest TV ☎ ✆ ♿ [P] – 🏛 30. AE GB
1er avril-15 nov. – **Repas** (dîner seul.) 170/245 – ☐ 65 – **35 ch** 550/620 – ½ P 480/515.

par ④ rte des Eyzies et rte secondaire : 3 km

Host. Meysset ⛰, ✆ 53 59 08 29, Fax 53 28 47 61, ←, ☂, parc – ☎ [P]. AE ⓞ GB
27 avril-30 sept. et fermé lundi midi et merc. midi – **Repas** 100/230 – ☐ 45 – **22 ch** 275/430, 4 appart – ½ P 335/380.

TROEN Sarlat Autos, rte de Vitrac par ③ 53 59 10 64
AT, LANCIA Gar. Lacombe, 12 av. de Selves 53 29 18 52
RD Gar. Carles, rte de Vitrac ✆ 53 59 05 23 N 53 59 07 35
UGEOT S.M.A.S., av. Dordogne par ③ 53 59 10 75 N ✆ 53 31 90 91

RENAULT Gar. Robert, 33 av. Thiers ✆ 53 59 35 21
Gar. Marchese, 13 bis r. A.-Briand ✆ 53 59 37 67

Ⓜ Sauvanet Pneus, ch. des Sables ✆ 53 31 08 59
Service du Pneu Point S, rte du Lot ✆ 53 59 00 33

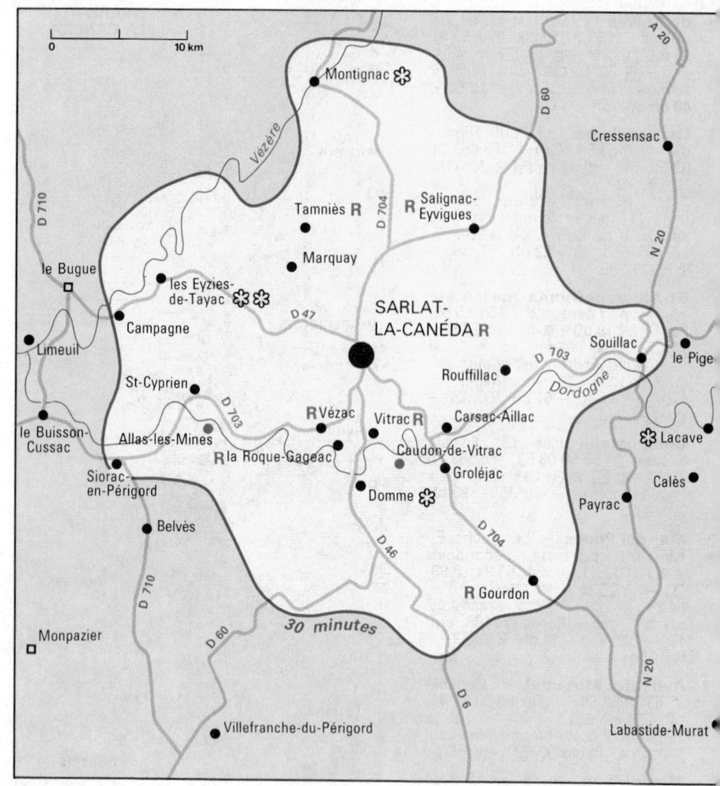

SARLIAC-SUR-L'ISLE 24420 Dordogne 75 ⑥ – 798 h alt. 102.

Paris 483 – Périgueux 14 – Brive-la-Gaillarde 65 – ◆Limoges 88.

- **Chabrol,** ☎ 53 07 83 39, – ☎ . GB.
  fermé sept. – **Repas** *(fermé lundi)* 70/260 – ☕ 30 – **10 ch** 120/180 – ½ P 250.

SARRAS 07370 Ardèche 77 ① – 1 837 h alt. 133.

Voir De la D 506 coup d'oeil★★ sur le défilé de St-Vallier★ S : 5 km, **G. Vallée du Rhône.**

Paris 531 – Valence 33 – Annonay 19 – ◆Lyon 71 – ◆St-Étienne 59 – Tournon-sur-Rhône 16.

- **Vivarais,** ☎ 75 23 01 88, Fax 75 23 49 73, – ☎ P. AE GB
  fermé 1er au 10 août, vacances de fév. et mardi – **Repas** 90/320 – ☕ 35 – **7 ch** 250/300.
- **Commerce,** ☎ 75 23 03 88 – . GB
  fermé 26 déc. au 8 janv., dim. soir et lundi midi – **Repas** 64 (déj.), 65/140 – ☕ 22 – **12 c**
  100/170 – ½ P 120/150.

SARREBOURG SP 57400 Moselle 62 ⑧ **G. Alsace Lorraine** – 13 311 h alt. 282.

Voir Vitrail★ dans la chapelle des Cordeliers **B.**

Office de Tourisme Chapelle des Cordeliers ☎ 87 03 11 82.

Paris 426 ④ – ◆Strasbourg 72 ② – Épinal 85 ④ – Lunéville 53 ④ – ◆Metz 93 ④ – St-Dié 68 ④ – Sarreguemin
53 ①.

Plan page ci-contre

- **Les Cèdres** M, par ③ et chemin d'Imling : 3 km ☎ 87 03 55 55, Fax 87 03 66 33,
  ☎ TV – 100. AE GB
  fermé sam. midi et dim. soir – **Repas** *(fermé 23 déc. au 2 janv.)* 66/214 – ☕ 38 – **42 c**
  320/350 – ½ P 227.

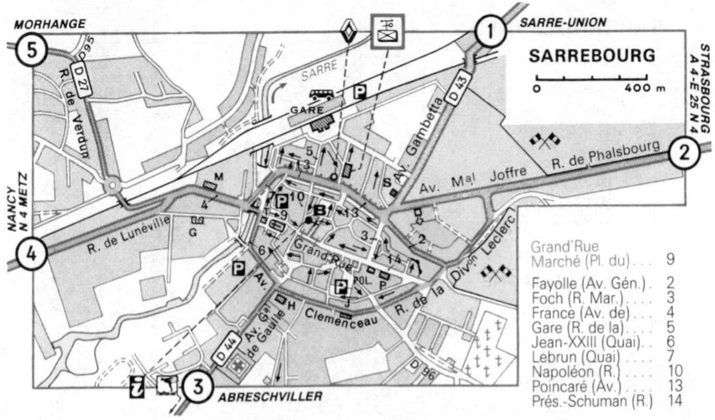

XX ✿ **Mathis,** 7 r. Gambetta **(s)** ✆ 87 03 21 67, Fax 87 23 00 64 – AE GB
fermé 30 juil. au 9 août, 2 au 10 janv., dim. soir, mardi soir et lundi – **Repas** 125 (déj.), 169/315 et carte 240 à 320 ♁
Spéc. Demi-homard tiède en macédoine de foie gras. Baekeoffe à l'agneau de lait et copeaux de truffe (fin déc. à fin fév.). Pojarsky de dos de biche (oct. à janv.). **Vins** Clevner, Chasselas.

ITROEN Gar. Oblinger, N 4 Zone Ariane-de-Buhl ar ④ ✆ 87 23 89 56
AT Europ'Auto, ZA rte de Niderviller
87 03 22 12
ORD Gar. des Deux Sarres, ZA Ariane à Buhl-orraine ✆ 87 03 32 60
EUGEOT Berthel Auto, Zone Ariane "plus" à Buhl orraine ✆ 87 03 09 09

RENAULT Gar. Billiar, 25 av. Poincaré
✆ 87 23 22 22 **N** ✆ 87 69 24 50
VAG Gar. Lett Autom., rte de Hesse ✆ 87 03 14 02

Kautzmann, 5 r. Dr-Schweitzer ✆ 87 03 23 53
Pneus et Services D.K., voie A.-Malraux
✆ 87 03 21 87

GREEN TOURIST GUIDES
Picturesque scenery, buildings
Attractive routes
Touring programmes
Plans of towns and buildings

SARREGUEMINES SP 57200 Moselle **57** ⑯ ⑰ **G. Alsace Lorraine** – 23 117 h alt. 210.
oir Musée : jardin d'hiver★★, collection de céramiques★ BY **M.**
nv. Parc archéologique européen de Bliesbruck-Reinheim : thermes publics★, 9,5 km par ①.
Office de Tourisme r. Maire-Massing ✆ 87 98 80 81, Fax 87 98 25 77.
aris 396 ③ – ♦Strasbourg 105 ② – Colmar 151 ② – Épinal 150 ② – Karlsruhe 138 ① – Lunéville 92 ② – ♦Metz 3 ③ – ♦Nancy 89 ② – St-Dié 134 ② – Saarbrücken 18 ③.

Plan page suivante

Alsace, 10 r. Poincaré ✆ 87 98 44 32, Fax 87 98 39 85, – TV ☎ P – 25. AE GB. ABY **r**
Rôtisserie Ducs de Lorraine *: (fermé dim. soir)* **Repas** 130/315, ♁, enf. 65 – ***La Taverne*** **: Repas** carte 120 à 230, ♁, enf. 32 – ☕ 40 – **26 ch** 315/390.

Primevère, rte Bitche par ① : 2 km ✆ 87 95 34 35, Fax 87 95 34 60 – TV ☎ ♿ P – 25. AE GB JCB
Repas 81/104 ♁, enf. 41 – ☕ 32 – **45 ch** 290 – 1/2 P 225.

XXX **Aub. St-Walfrid** (chambres prévues), par ③ et rte Grosbliederstroff ✆ 87 98 43 75, Fax 87 95 76 75, – P. AE GB
Repas 130/350 et carte 290 à 400 ♁.

XXX **Aub. Vieux Moulin,** 135 r. France par ③ : 1,5 km ✆ 87 98 22 59, Fax 87 28 12 63 – P. GB
fermé 11 juil. au 7 août, mardi et merc. – **Repas** 145/290 et carte 220 à 360 ♁.

rte de Bitche par ① : 11 km sur N 62 – ✉ **57200** Sarreguemines :

XX **Pascal Dimofski,** ✆ 87 02 38 21, Fax 87 02 21 36, – P. AE GB
fermé 19 août au 5 sept., vacances de fév., lundi soir et mardi – **Repas** 160 (déj.), 180/360, enf. 80.

ITROEN Gar. Herber, rue des Frères Rémy ZI
87 98 84 81
EUGEOT Gar. Derr, ZI r. Gutenberg par ①
87 95 67 94

RENAULT Gar. Rebmeister, ZI r. Frères-Lumière par ① ✆ 87 95 10 88 **N** ✆ 05 05 15 15

Euromaster, 120 av. Foch ✆ 87 95 18 24

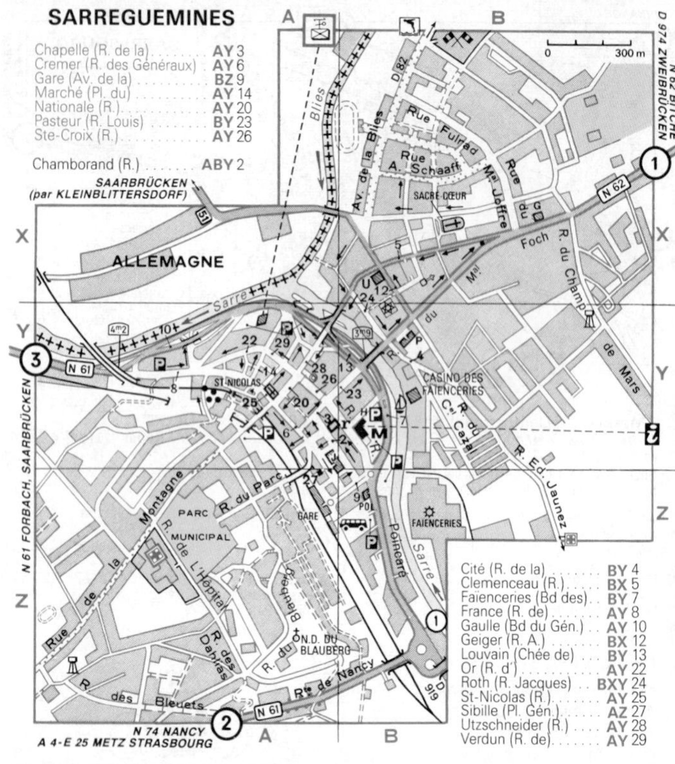

SARRE-UNION 67260 B.-Rhin 57 ⑰ – 3 159 h alt. 240.

Paris 409 – ✦Strasbourg 83 – Lunéville 74 – ✦Metz 81 – ✦Nancy 77 – St-Avold 38 – Sarreguemines 24.

Au Cheval Noir, r. Phalsbourg ℘ 88 00 12 71, Fax 88 00 19 09 – TV ☎ P – 40. AE GB. ch
fermé 1er au 21 oct. – **Repas** *(fermé lundi)* 55/250 – 30 – **20 ch** 120/250 – ½ P 210/260

rte de Strasbourg SE : 8 km par N 61 – ✉ **67320** Berg :

Kirchberg Park H. M, N 61 ℘ 88 00 60 60, Fax 88 00 76 45, ≤, – TV ☎ P. GB
Repas 99/250 – 55 – **10 ch** 260/450, 5 duplex.

Weiss Pneus Point S, à Diemeringen ℘ 88 00 42 60

SARS-POTERIES 59216 Nord 53 ⑥ **G. Flandres Artois Picardie** – 1 496 h alt. 181.

Voir Musée du Verre★.

Syndicat d'Initiative 20 r. du Gén.-de-Gaulle ℘ 27 39 35 49.

Paris 218 – St-Quentin 77 – Avesnes-sur-Helpe 10 – Charleroi 43 – ✦Lille 105 – Maubeuge 16.

XXX ✿ **Auberge Fleurie** (Lequy), ℘ 27 61 62 48, Fax 27 59 32 16 – P. AE GB
fermé 15 au 31 août, 15 janv. à début fév., dim. soir et lundi sauf fériés – **Repas** (nombre de couverts limité - prévenir) 150/300 et carte 240 à 350
Spéc. Homard décortiqué, beurre blanc à l'estragon. Agneau de lait rôti (déc. à mai). Figues au vin épicé, glace au pain d'épices.

SARTÈNE 2A Corse-du-Sud 90 ⑱ – voir à Corse.

SARTROUVILLE 78 Yvelines 55 ⑳, 106 ⑱, 101 ⑬ – voir à Paris, Environs.

SARZEAU 56370 Morbihan 63 ⑬ **G. Bretagne** – 4 972 h alt. 30.

Voir Ruines★ du château de Suscinio SE : 3,5 km – Presqu'île de Rhuys★.

18 Kerver ℘ 97 45 30 09, O par D 780 : 7 km.

Office de Tourisme, Centre Bourg, Bâtiment des Trinitaires ℘ 97 41 82 37, Fax 97 41 74 95.

Paris 475 – Vannes 22 – ✦Nantes 110 – Redon 62.

à St-Colombier NE : 4 km par D 780 – ✉ **56370** Sarzeau :

X **Le Tournepierre,** ✆ 97 26 42 19 – AE GB
fermé 17 au 30 nov., dim. soir et lundi sauf juil.-août – **Repas** 95 (déj.), 145/260, enf. 65.

à Penvins SE : 7 km par D 198 – ✉ **56370** Sarzeau :

Mur du Roy ⛺, ✆ 97 67 34 08, Fax 97 67 36 23, ←, 🏖, 🏡 – ☎ ♿ P. GB
fermé 2 au 31 janv. et mardi midi du 15 oct. au 31 janv. – **Repas** 98/250, enf. 35 – ☕ 35 – **10 ch** 290/340 – ½ P 295/320.

'ROEN Gar. Clinchard, rte de St-Gildas 97 41 81 23

Gar. Pépion, 17 r. Venetes ✆ 97 41 84 12

ASSENAGE 38 Isère 77 ④ – rattaché à Grenoble.

ASSETOT-LE-MAUCONDUIT 76540 S.-Mar. 52 ⑫ – 944 h alt. 89.
'is 204 – ♦Le Havre 54 – Bolbec 28 – Fécamp 15 – ♦Rouen 63 – St-Valery-en-Caux 20 – Yvetot 27.

XX **Relais des Dalles,** près château ✆ 35 27 41 83, Fax 35 27 13 91, 🏖, « Jardin fleuri » – AE GB JCB
fermé 15 au 29 déc., mardi soir et merc. sauf du 10 juil. au 31 août – **Repas** (dim. prévenir) 94 (déj.), 128/196.

ATILLIEU 07290 Ardèche 76 ⑨ – 1 818 h alt. 485.
'is 548 – Valence 47 – Annonay 13 – Lamastre 37 – Privas 87 – St-Vallier 20 – Tournon-sur-Rhône 30 – ;ingeaux 53.

à St-Romain-d'Ay NE : 4,5 km par D 578^A et D 6 – 660 h. alt. 450 – ✉ **07290** :

XX **Régis Poinard,** ✆ 75 34 42 01, Fax 75 34 48 23 – P. GB
fermé 15 janv. au 20 fév., dim. soir et lundi – **Repas** 90/300.

For business or tourist interest:
MICHELIN Red Guide: EUROPE.

AUGUES 43170 H.-Loire 76 ⑯ **G. Auvergne** – 2 089 h alt. 960.
Office de Tourisme ✆ 71 77 84 46, Fax 71 77 66 40.
'is 537 – Le Puy-en-Velay 44 – Brioude 50 – Mende 72 – St-Chély-d'Apcher 42 – St-Flour 54.

La Terrasse, ✆ 71 77 83 10, Fax 71 77 63 79 – ☎. AE GB. ✻ rest
fermé janv. et lundi hors sais. – **Repas** 60/200 – ☕ 35 – **15 ch** 170/290 – ½ P 195/225.

AUJON 17600 Char.-Mar. 71 ⑮ **G. Poitou Vendée Charentes** – 4 891 h alt. 7 – Stat. therm.
›ir Chapiteaux★ dans l'église.
Office de Tourisme pl. Ch.-de-Gaulle ✆ 46 02 83 77.
'is 495 – Royan 12 – ♦Bordeaux 117 – Marennes 25 – Rochefort 33 – La Rochelle 67 – Saintes 28.

Commerce, r. Saintonge ✆ 46 02 80 50, 🏖 – ☎ P. GB
15 mars-15 déc. et fermé dim. soir et lundi hors sais. – **Repas** 82/180, enf. 48 – ☕ 30 – **19 ch** 148/290 – ½ P 235/300.

au Gua N : 6 km par D 1 – 1 689 h. alt. 3 – ✉ **17680** :

Moulin de Châlons, Châlons O : 1 km rte Royan ✆ 46 22 82 72, Fax 46 22 91 07, 🏖, parc, « Ancien moulin à marée du 18e siècle » – ☎ P. AE ⓓ GB
11 mai-16 sept. et fermé merc. midi et mardi sauf juil.-août – **Repas** 130 bc (déj.), 145/350 – ☕ 60 – **14 ch** 350/500 – ½ P 443/468.

'ROEN Central Gar., ✆ 46 02 80 25

AULCE-SUR-RHÔNE 26270 Drôme 77 ⑪ – 1 443 h alt. 93.
'is 591 – Valence 31 – Crest 22 – Montélimar 18 – Privas 25.

Clutier, 62 av. Provence ✆ 75 63 00 22, Fax 75 63 12 60, 🏖, 🏊, 🏡 – ▤ TV ☎ 🚗 P – 🏛 50. GB
fermé 5 au 14 oct., 22 déc. au 24 janv., dim. soir de sept. à mai et lundi – **Repas** 70/200 🍷, enf. 50 – ☕ 34 – **20 ch** 200/270 – ½ P 230/280.

à Mirmande SE : 3 km par D 204 **G. Vallée du Rhône** – 497 h. alt. 204 – ✉ **26270** :

La Capitelle ⛺, ✆ 75 63 02 72, Fax 75 63 02 50, ←, 🏖, « Demeure ancienne » – ☎. AE ⓓ GB
fermé 15 janv. au 20 fév., merc. midi et mardi sauf juil.-août – **Repas** 135/185 🍷 – ☕ 52 – **11 ch** 310/460 – ½ P 307/392.

AULCHOY 62870 P.-de-C. 51 ⑫ – 260 h alt. 13.
'is 202 – ♦Calais 88 – Abbeville 31 – Arras 77 – Berck-sur-Mer 22 – Doullens 43 – Hesdin 17 – Montreuil 16.

XX **Val d'Authie,** ✆ 21 90 30 20, 🏖 – GB. ✻
fermé 2 au 7 sept. et jeudi du 1er oct. au 30 avril – **Repas** 75/170 🍷.

SAULGES 53340 Mayenne 60 ⑪ **G. Normandie Cotentin** – 333 h alt. 97.

Paris 248 – ◆Le Mans 51 – Château-Gontier 36 – La Flèche 46 – Laval 35 – Mayenne 42.

Ermitage ⛓, ✆ 43 90 52 28, Fax 43 90 56 61, ☂, « Jardin fleuri », ⛓, ⛓ – TV ☎ ♿ P ⛓ 45. AE ⓓ GB
fermé fév., dim. soir et lundi du 1er oct. au 15 avril – **Repas** 100/300, enf. 70 – ⛓ 52 – **36 c** 360/490 – ½ P 400/440.

SAULIEU 21210 Côte-d'Or 65 ⑰ **G. Bourgogne** – 2 917 h alt. 535.

Voir Basilique St-Andoche★ : chapiteaux★★ – Le Taureau★ (sculpture) par Pompon.

Office de Tourisme r. d'Argentine ✆ 80 64 00 21, Fax 80 64 21 96.

Paris 249 ① – ◆Dijon 73 ② – Autun 41 ④ – Avallon 38 ① – Beaune 64 ② – Clamecy 76 ①.

SAULIEU

Marché (R. du) 17

Abattoir (R. de l') 2
Argentine (R. d') 3
Bertin (R. J.) 4
Collège (R. du) 6
Courtépée (R.) 7
Foire (R. de la) 8
Gambetta (R.) 10
Gare (Av. de la) 12
Gaulle (Pl. Ch. de) 14
Grillot (R.) 15
Sallier (R.) 18
Tanneries (R. des) 20
Vauban (R.) 21

Les localités citées dans le guide Michelin sont soulignées de rouge sur les cartes Michelin à 1/200 000.

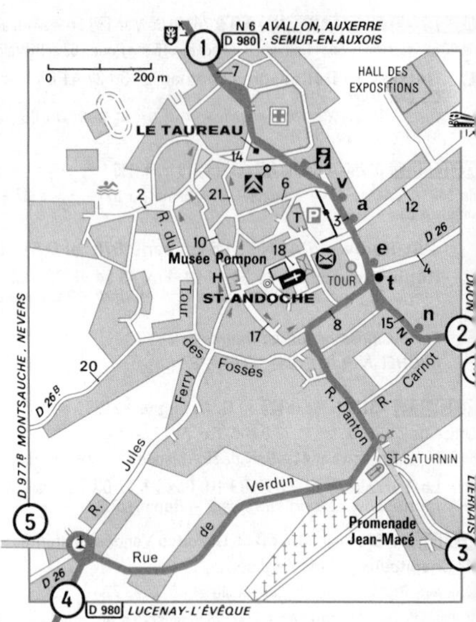

La Côte d'Or (Loiseau) M ⛓, 2 r. Argentine **(e)** ✆ 80 90 53 53, Fax 80 64 08 9
« Élégante hostellerie agrémentée d'un jardin fleuri » – TV ☎ ⛓ – ⛓ 30. AE ⓓ G JCB
Repas 390 (déj.), 680/890 et carte 530 à 920, enf. 110 – ⛓ 120 – **24 ch** 310/980, 3 duplex
Spéc. Jambonnettes de grenouilles à la purée d'ail et au jus de persil. Sandre à la fondue d'échalote, sauce vin rou Blanc de volaille au foie gras chaud et purée truffée. **Vins** Givry, Marsannay.

Poste, 1 r. Grillot **(t)** ✆ 80 64 05 67, Fax 80 64 10 82 – ⛓ rest TV ☎ ⛓ P – ⛓ 30. AE GB
15 mars-15 nov. – **Repas** 98/188 – ⛓ 35 – **45 ch** 170/485 – ½ P 300/450.

XX **La Borne Impériale** avec ch, 16 r. Argentine **(v)** ✆ 80 64 19 76, ☂, ⛓ – ☎ P. GB
fermé 10 janv. au 10 fév., mardi soir et merc. – **Repas** 85 (déj.), 98/198 – ⛓ 38 – **7** 190/290.

XX **Aub. du Relais** avec ch, 8 r. Argentine **(a)** ✆ 80 64 13 16, Fax 80 64 08 33 – TV. AE G ⛓ ch
Repas 98/198 ♂, enf. 62 – ⛓ 34 – **5 ch** 240/280 – ½ P 240/295.

X **Vieille Auberge** avec ch, 15 r. Grillot **(n)** ✆ 80 64 13 74 – P. AE GB
fermé 6 janv. au 6 fév., mardi soir et merc. sauf du 9 juil. au 24 sept. – **Repas** 70/165 – ⛓ – **5 ch** 210/260 – ½ P 230.

CITROEN Gar. de l'Etape, ✆ 80 64 17 99

RENAULT S.C.A. par ② ✆ 80 64 03 45 N ✆ 80 64 03 45

SAULT 84390 Vaucluse 81 ⑭ **G. Alpes du Sud** – 1 206 h alt. 765.

Env. Gorges de la Nesque★★ : belvédère★★ SO : 11 km par D 942 – Mont Ventoux ✻★★★ N(26 km.

Office de Tourisme av. Promenade ✆ 90 64 01 21.

Paris 718 – Digne-les-Bains 90 – Aix-en-Provence 82 – Apt 31 – Avignon 65 – Carpentras 40 – Gap 102.

Host. du Val de Sault, rte St-Trinit et rte secondaire : 2 km 90 64 01 41, Fax 90 64 12 74, ≤, , , – TV ☎ & P. AE GB
1er avril-7 nov. – **Repas** *(fermé le midi du 1er oct. au 15 mai sauf week-ends et fériés)* 149/217, enf. 49 – ☐ 59 – **11 ch** 490/640 – ½ P 540.

Albion sans rest, 90 64 06 22 – ☎ . GB
fermé janv. – ☐ 35 – **11 ch** 260/290.

à Aurel N : 5 km par D 942 – 128 h. alt. 780 – ✉ **84390** :

Relais du Mont Ventoux, 90 64 00 62, Fax 90 64 12 88 – GB
1er mars-30 nov. et fermé vend. hors sais. – **Repas** 85/135 – ☐ 35 – **13 ch** 160/220 – ½ P 230.

NAULT Gar. Kop, 90 64 02 41

AULX-LES-CHARTREUX 91 Essonne 60 ⑩, 101 ㉟ – voir à Paris, Environs (Longjumeau).

AULZET-LE-CHAUD 63 P.-de-D. 73 ⑭ – rattaché à Ceyrat.

AUMUR SP 49400 M.-et-L. 64 ⑫ **G. Châteaux de la Loire** – 30 131 h alt. 30.

ir Château★★ : musée d'Arts décoratifs★★, musée du Cheval★, tour du Guet ★ – Église -D.-de-Nantilly★ : tapisseries★★ – Vieux quartier★ BY : Hôtel de ville★ **H** ,tapisseries★ de glise St-Pierre – Musée de la Cavalerie★ AY **M**[1] – Musée des Blindés★ AY

Office de Tourisme et Accueil de France pl. Bilange 41 51 03 06, Fax 41 67 89 51 – Automobile Club 41 51 03 06.

is 297 ① – ♦Angers 49 ① – Châtellerault 77 ③ – Cholet 67 ③ – ♦Le Mans 97 ① – Poitiers 91 ③ – ♦Tours 66 ①.

Plan page suivante

Loire M, r. Vieux Pont 41 67 22 42, Fax 41 67 88 80, ≤ – rest TV ☎ & P – 40. AE GB JCB BY **g**
Repas *(fermé vend. et sam. soir du 1er nov. au 31 mars)* 105/195, enf. 60 – ☐ 48 – **44 ch** 430/560 – ½ P 325/377.

St-Pierre sans rest, 8 r. Haute-St-Pierre 41 50 33 00, Fax 41 50 38 68 – TV ☎. AE GB. BY **b**
fermé 20 au 31 janv. – ☐ 47 – **14 ch** 300/690.

Roi René, 94 av. Gén. de Gaulle 41 67 45 30, Fax 41 67 74 59 – TV ☎ – 25. AE GB BX **a**
hôtel : fermé 1er au 23 déc. ; rest. : ouvert 15 mars-15 nov. et fermé sam. midi – **Repas** 80/170 – ☐ 32 – **39 ch** 250/410 – ½ P 275.

Central sans rest, 23 r. Daillé 41 51 05 78, Fax 41 67 82 35 – TV ☎ . AE GB
☐ 35 – **27 ch** 190/295. BY **d**

Londres sans rest, 48 r. Orléans 41 51 23 98, Fax 41 51 12 63 – TV ☎ P. GB ABY **x**
☐ 32 – **27 ch** 210/300.

Nouveau Terminus, 15 av. David d'Angers (face gare) par ① 41 67 31 01, Fax 41 67 34 03 – TV ☎. AE GB. rest
fermé 23 déc. au 5 janv. – **Repas** 75 , enf. 45 – ☐ 37 – **43 ch** 220/280 – ½ P 250.

Le Volney sans rest, 1 r. Volney 41 51 25 41 – TV ☎ . AE GB BZ **k**
fermé 20 déc. au 15 janv. – ☐ 34 – **12 ch** 170/300.

Les Délices du Château, cour du château 41 67 65 60, Fax 41 67 74 60, ≤, , « Terrasse face au jardin du château » – P. AE GB JCB BZ **f**
fermé déc. et dim. soir d'oct. à avril – **Repas** 130 (déj.), 175/280 et carte 290 à 390.

Les Menestrels, 11 r. Raspail 41 67 71 10, Fax 41 50 89 64 – AE GB JCB BZ **u**
fermé dim. soir d'oct. à avril et lundi midi – **Repas** 160/320 et carte 270 à 370.

La Croquière, 42 r. Mar. Leclerc 41 51 31 45, Fax 41 67 26 71 – AE GB AZ **a**
fermé dim. soir et lundi – **Repas** 102/137.

L'Orangeraie, cour du Château 41 67 12 88, Fax 41 67 74 60, ≤, , « Face au château » – P. AE GB JCB BZ **n**
fermé déc. et dim. soir d'oct. à avril – **Repas** 90.

Z.I. St-Lambert par ① : 3 km – ✉ **49400** St-Lambert-des-Levées :

Parc, av. Fusillés 41 67 17 18, Fax 41 67 18 85, – TV ☎ & P – 40. AE GB JCB
Repas *(fermé 24 déc. au 7 janv. et dim. d'oct. à mars)* 85/145 , enf. 48 – ☐ 36 – **28 ch** 280/325, 12 duplex – ½ P 290.

à St-Hilaire-St-Florent par av. Foch AXY et D 751 : 3 km – ✉ **49400** Saumur.

Voir École nationale d'Équitation★.

Clos des Bénédictins, 41 67 28 48, Fax 41 67 13 71, ≤, , – TV ☎ P. AE GB. rest
fermé 15 déc. au 20 janv. – **Repas** 159/345 – ☐ 55 – **21 ch** 350/450 – ½ P 375/470.

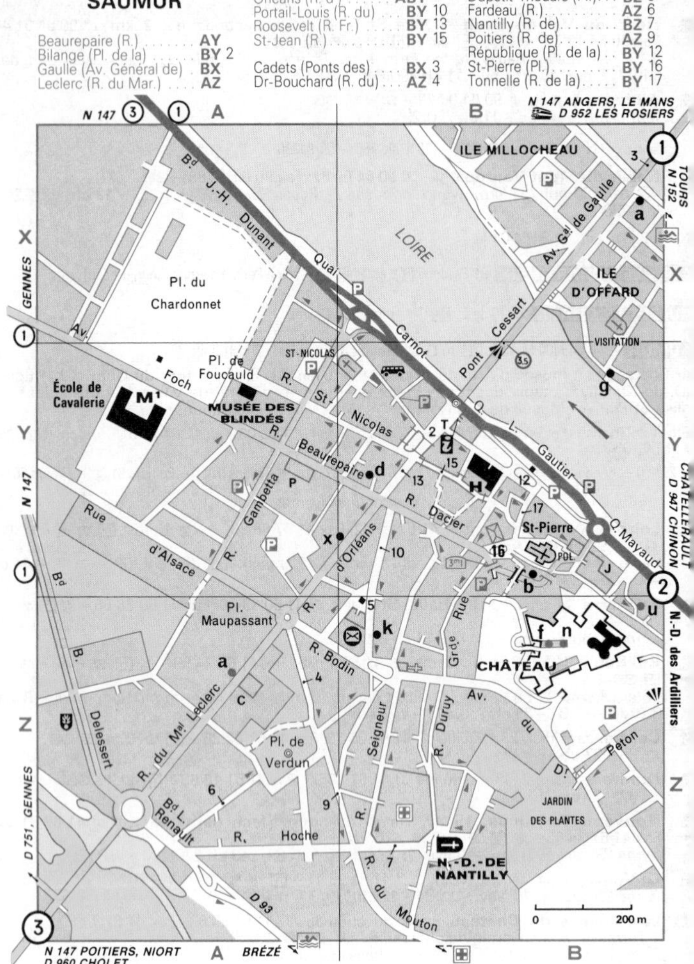

à *Chênehutte-les-Tuffeaux* par av. Foch AXY et D 751 : 8 km – 1 153 h. alt. 29 – ✉ 493
Gennes :

Le Prieuré ⚘, ✆ 41 67 90 14, Télex 720379, Fax 41 67 92 24, ←, « Site boisé domina
la Loire, parc, ⛱ », 🎾 – 📺 ☎ 🅿 – 🏊 50. AE ⓓ GB JCB
fermé 5 janv. au 5 mars – **Repas** 230/400 – ☕ 80 – **33 ch** 550/1350 – ½ P 680/980.

CITROEN Gar. Jolly, bd Mar.-Juin par bd J.-H.-Dunant AX ✆ 41 50 41 01
PEUGEOT Guillemet Autom., 103 r. Pont-Fouchard à Bagneux par ③ ✆ 41 50 11 33 🅽 ✆ 41 50 24 24
PEUGEOT Gar. Guillemet, 5 r. de Rouen par ① ✆ 41 67 48 68 🅽 ✆ 41 50 24 24

Ⓜ Godelu-Pneus, rte de Cholet à Distré ✆ 41 50 17 96

La SAUSSAYE **27370** Eure 55 ⑳ – 1 840 h alt. 137.
Paris 131 – ◆Rouen 22 – Évreux 38 – Louviers 20 – Pont-Audemer 51.

XXX **Manoir des Saules** avec ch, ✆ 35 87 25 65, Fax 35 87 49 39, 🏠, 🌳 – 📺 ☎ 📞 🅿. AE (
GB JCB
fermé 7 au 22 oct., vacances de fév., dim. soir et lundi sauf fériés – **Repas** (nombre
couverts limité, prévenir) 175/350 et carte 230 à 340, enf. 95 – ☕ 65 – **4 ch** 580/680.

SAUSSET-LES-PINS 13960 B.-du-R. 84 ⑫ **G. Provence** – 5 541 h alt. 15.

Office de Tourisme 14 av. du Port ✆ 42 44 71 48 et à la Mairie ✆ 42 44 51 51.

aris 772 – ♦Marseille 38 – Aix-en-Provence 43 – Martigues 12 – Salon-de-Provence 53.

Paradou-Méditerranée M, au port ✆ 42 44 76 76, Fax 42 44 78 48, ≤, ☂, ⛱, – |‡| ▤ TV ☎ ♿ P – 🏛 40. AE ⊙ GB
Repas *(fermé sam. midi)* 155/250, enf. 50 – ☕ 50 – **40 ch** 450/500 – ½ P 450.

XXX **Les Girelles,** ✆ 42 45 26 16, Fax 42 45 49 65, ≤, ☂ – ▤. AE GB JCB
fermé 1er au 15 mars, 15 au 30 oct., dim. soir et lundi en hiver – **Repas** 160/240.

SAUSSIGNAC 24240 Dordogne 75 ⑭ – 378 h alt. 120.

aris 568 – Périgueux 66 – Bergerac 19 – Libourne 53 – Ste-Foy-la-Grande 11.

A Saussignac, ✆ 53 27 92 08, Fax 53 27 96 57, ☂ – TV ☎. AE GB
fermé vacances scolaires, dim. soir et lundi hors sais. – **Repas** 65 bc (déj.), 95/180 🍷, enf. 50 – ☕ 32 – **19 ch** 180/280 – ½ P 208/245.

SAUTERNES 33210 Gironde 79 ① **G. Pyrénées Aquitaine** – 589 h alt. 50.

aris 628 – ♦Bordeaux 48 – Bazas 18 – Langon 9,5.

XX **Le Saprien,** ✆ 56 76 60 87, Fax 56 76 68 92, ☂ – P. AE GB
fermé 16 nov. au 16 déc., 15 au 22 fév., dim. soir et lundi – **Repas** 109/259, enf. 68.

Les principales voies commerçantes figurent en rouge au début de la liste des rues des plans de villes.

SAUTRON 44 Loire-Atl. 67 ③ – rattaché à Nantes.

SAUVETERRE 30150 Gard 81 ⑪ – 1 378 h alt. 23.

ris 674 – Avignon 12 – Alès 74 – Nîmes 49 – Orange 14 – Pont-St-Esprit 34 – Villeneuve-lès-Avignon 7,5.

Host. de Varenne 🐦, ✆ 66 82 59 45, Fax 66 82 84 83, ☂, « Demeure du 18e siècle », ⛱ – TV ☎ P. AE ⊙ GB. ✗ rest
fermé 1er au 15 fév. – **Repas** *(fermé merc. hors sais.)* 105 (déj.), 160/350 bc – ☕ 50 – **14 ch** 360/700 – ½ P 740/1080.

SAUVETERRE-DE-COMMINGES 31510 H.-Gar. 86 ① – 730 h alt. 480.

ris 795 – Bagnères-de-Luchon 35 – Lannemezan 28 – St-Gaudens 9,5 – Tarbes 61 – ♦Toulouse 100.

Host. des 7 Molles 🐦, à Gesset S : 3 km par D 9 ✆ 61 88 30 87, Fax 61 88 36 42, ≤, parc, ⛱, ✗ – |‡| TV ☎ P – 🏛 30. AE ⊙ GB
1er avril-fin oct., Noël-Jour de l'An et fermé mardi sauf de juin à sept. – **Repas** 195/295 – ☕ 75 – **20 ch** 410/780 – ½ P 545/660.

SAUVETERRE-DE-ROUERGUE 12800 Aveyron 80 ① **G. Gorges du Tarn** – 888 h alt. 460.

ir Place centrale★.

Office de Tourisme (mai-oct.) ✆ 65 72 02 52.

is 665 – Rodez 33 – Albi 54 – Millau 88 – St-Affrique 82 – Villefranche-de-Rouergue 43.

✿ **Le Sénéchal** (Truchon) M, ✆ 65 71 29 00, Fax 65 71 29 09, ☂, « Décor contemporain », ⛱ – |‡| ⇆ ▤ TV ☎ ♿ – 🏛 30. AE ⊙ GB JCB. ✗ rest
fermé 1er janv. au 1er mars, mardi midi et lundi sauf juil.-août et fériés – **Repas** (nombre de couverts limité, prévenir) 130/450 et carte 300 à 410 – ☕ 70 – **11 ch** 550 – ½ P 460
Spéc. Foie gras de canard chaud. Volailles de ferme. Croustillant à la gentiane, crème légère au cassis (mai à oct.).
Vins Marcillac, Vin d'Entraygues et du Fel.

SAUVIGNY-LES-BOIS 58160 Nièvre 69 ④ – 1 591 h alt. 210.

s 249 – Autun 95 – Decize 27 – Nevers 9,5.

X **Moulin de l'Etang,** ✆ 86 37 10 17, Fax 86 37 12 06, ☂ – P. GB
fermé merc. soir et lundi – **Repas** 98/230.

SAUX 65 H.-Pyr. 85 ⑧ – rattaché à Lourdes.

SAUXILLANGES 63490 P.-de-D. 76 ⑮ **G. Auvergne** – 1 109 h alt. 460.

ir Pic d'Usson ✲★ SO : 4 km.

s 465 – ♦Clermont-Ferrand 47 – Ambert 44 – Issoire 12 – Thiers 46 – Vic-le-Comte 19.

X **Chalut** avec ch, ✆ 73 96 80 71, Fax 73 96 87 25 – ▤ rest 🚗. AE GB. ✗ ch
fermé 3 au 20 sept., 20 janv. au 15 fév., dim. soir et lundi – **Repas** 58/280 🍷, enf. 50 – ☕ 25 – **6 ch** 140/160 – ½ P 175/195.

X **Mairie,** ✆ 73 96 80 32, Fax 73 96 80 32 – ▤. GB
fermé 24 juin au 5 juil., 23 sept. au 4 oct., mardi soir et merc. – **Repas** 79/180, enf. 40.

SAUZE 04 Alpes-de-H.-P. 81 ⑧ – rattaché à Barcelonnette.

SAUZON 56 Morbihan 63 ⑪ – voir à Belle-Ile-en-Mer.

SAVERNE 67700 B.-Rhin 57 ⑱ **G. Alsace Lorraine** – 10 278 h alt. 200.

Voir Château★ : façade★★ B – Maisons anciennes★ B **E** – St-Jean-Saverne : chapelle St-Michel★, ≤★ N : 4,5 km par D 115 puis 30 mn A – Château du Haut-Barr★ : ≤★★ SO : 5 km par D 102 puis D 171 A – Vallée de la Zorn★ par D132.

Env. Église★★ de Marmoutier, 6,5 km par ③.

Office de Tourisme Château des Rohan ✆ 88 91 80 47, Fax 88 71 02 90.

Paris 447 ① – ◆Strasbourg 39 ③ – Lunéville 82 ④ – St-Avold 83 ① – Sarreguemines 62 ①.

SAVERNE

Clés (R. des) .... B 3
Églises (R. des) .... B 8
Gare (R. de la) .... A 13
Grand' Rue .... AB
Bouxwiller (R. de) .... B 2
Côte (R. de la) .... A 5
Dettwiller (R. de) .... B 6
Foch (R. Mar.) .... A 12
Gaulle (Pl. Gén. de) .... B 14
Joffre (R. Mar.) .... B 16
Pères (R. des) .... B 17
Poincaré (R.) .... A 20
Poste (R. de la) .... B 22
19-Novembre (R. du) .... A 23

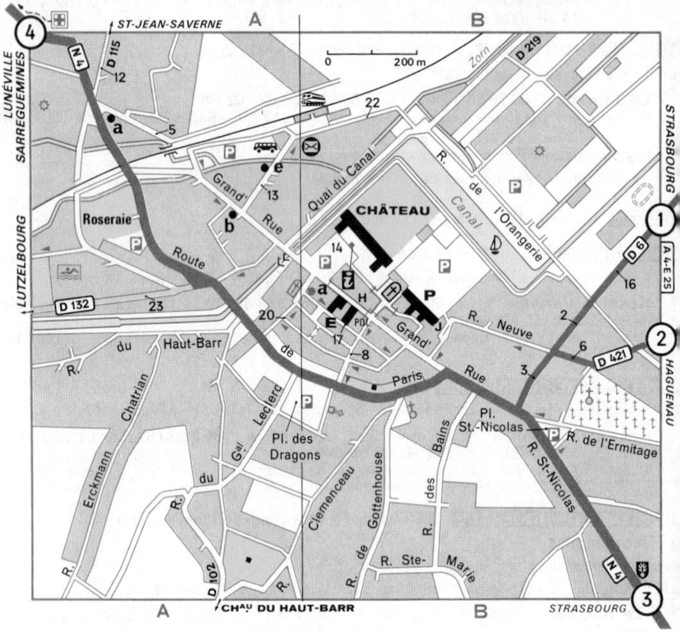

🏨 **Europe** sans rest, 7 r. Gare ✆ 88 71 12 07, Fax 88 71 11 43 – TV ☎ & AE GB
☕ 45 – **29 ch** 280/410. A

🏨 **Geiswiller,** 17 r. Côte ✆ 88 91 18 51, Fax 88 71 15 36 – TV ☎ P. AE JCB. rest A
Repas 95/280 ♁, enf. 55 – ☕ 48 – **36 ch** 280/430 – ½ P 320.

🏨 **Boeuf Noir,** 22 Gd'rue ✆ 88 91 10 53, Fax 88 71 02 26 – TV ☎ P. GB A
fermé 5 au 16 juil., dim. soir et mardi – **Repas** 62 (déj.), 96/200 ♁ – ☕ 30 – **12 ch** 195/29
½ P 285.

✗ **Zum Staeffele,** 1 r. Poincaré ✆ 88 91 63 94 – AE GB. B
fermé 15 au 30 juil., 17 déc. au 2 janv., sam. midi, dim. soir et lundi – **Repas** 55 (déj.), 185/2
♁.

CITROEN Oblinger Autom., r. du Kochersberg par ② ✆ 88 71 53 80
FORD Saverne Autos, 40 rte de Paris ✆ 88 01 85 88
OPEL Gar. Diemer, 32 r. Ermitage ✆ 88 91 19 00 N ✆ 88 91 19 00
PEUGEOT Gar. Roser, N 4 à Otterswiller par ③ ✆ 88 91 26 33

RENAULT Gar. Billiar, 116 r. St-Nicolas par ③ ✆ 88 71 55 55 N ✆ 88 57 72 25
RENAULT Gar. Adam, 4 N 4 à Marmoutier par ③ ✆ 88 70 61 10

Pneus et Services D.K., 26 r. Ermitage ✆ 88 91 18 22

SAVIGNEUX 42 Loire 73 ⑰ – rattaché à Montbrison.

Découvrez la France avec les guides Verts Michelin :
24 titres illustrés en couleurs.

SAVIGNY-LÈS-BEAUNE **21420** Côte-d'Or **70** ① – 1 392 h alt. 237.

aris 319 – ◆Dijon 38 – Autun 55 – Beaune 7 – Chalon-sur-Saône 37.

L'Ouvrée, rte Bouilland ℰ 80 21 51 52, Fax 80 26 10 04, 🏡 – TV ☎ P. GB. ✂ ch
fermé 1er fév. au 12 mars – **Repas** 95/240, enf. 50 – ☕ 32 – **22 ch** 260/290 – ½ P 255/270.

SAVIGNY-SUR-ORGE **91** Essonne **61** ①, **101** ㊱ – voir à Paris, Environs.

SAVINES-LE-LAC **05160** H.-Alpes **81** ⑦ **G. Alpes du Sud** – 759 h alt. 810.

'oir Forêt de Boscodon★★ SE : 15 km.

Office de Tourisme, Intercommunal du Savinois-Serre Ponçon ℰ 92 44 20 44, Fax 92 44 21 49.

aris 695 – Gap 28 – Barcelonnette 45 – Briançon 60 – Digne-les-Bains 83 – Guillestre 32 – Sisteron 73.

Eden Lac, ℰ 92 44 20 53, Fax 92 44 29 17, <, 🏡, 🏊, 🌳 – TV ☎ P. AE GB
fermé 25 nov. au 4 fév. – **Repas** 90/160 🍷, enf. 42 – ☕ 40 – **21 ch** 330/360 – ½ P 320/360.

SCEAUX **92** Hauts-de-Seine **60** ⑩, **101** ㉕ – voir à Paris, Environs.

SCEAUX-SUR-HUISNE **72160** Sarthe **60** ⑭ ⑮ – 472 h alt. 93.

aris 172 – ◆Le Mans 32 – La Ferté-Bernard 12 – Nogent-le-Rotrou 33 – St-Calais 33 – Vibraye 16.

Aub. Panier Fleuri, N 23 ℰ 43 93 40 08, Fax 43 93 43 86 – GB
fermé 15 au 30 sept., 15 au 28 fév., mardi soir et merc. – **Repas** 75/146.

Un conseil Michelin :

pour réussir vos voyages, préparez-les à l'avance.

Les cartes et guides Michelin, vous donnent toutes indications utiles sur : itinéraires, visite des curiosités, logement, prix, etc.

SCHIRMECK **67130** B.-Rhin **62** ⑧ **G. Alsace Lorraine** – 2 167 h alt. 315.

'oir Vallée de la Bruche★ N et S.

Syndicat d'Initiative Hôtel de Ville ℰ 88 49 63 80, Fax 88 49 63 89.

aris 405 – ◆Strasbourg 51 – ◆Nancy 101 – St-Dié 41 – Saverne 45 – Sélestat 44.

Le Sabayon, 4 r. Gare à Labroque ℰ 88 97 04 35, Fax 88 48 44 85, 🏡 – ▤. ⓓ GB JCB. ✂
fermé 16 août au 5 sept., 24 fév. au 9 mars, merc. soir et lundi – **Repas** 110/300, enf. 55.

*à **Barembach*** NE : 1,5 km – 872 h. alt. 348 – ✉ **67130** :

Château de Barembach, 5 r. Mar. de Lattre de Tassigny ℰ 88 97 97 50, Fax 88 47 17 19, 🏡, 🌳 – TV ☎ 📞 P – 🎤 25. AE ⓓ GB. ✂ rest
Repas 145 (déj.), 178/398 – ☕ 55 – **15 ch** 385/895 – ½ P 470/685.

*aux **Quelles*** SO : 7,5 km par N 420, D 261 et rte forestière – ✉ **67130** Schirmeck :

Neuhauser 🐦, ℰ 88 97 06 81, Fax 88 97 14 29, <, 🏊, 🌳 – ▤ rest TV ☎ P. GB
fermé 15 au 30 janv. – **Repas** 135/300 🍷 – ☕ 45 – **14 ch** 270/320 – ½ P 320/350.

ITROEN Gar. Béraud, à la Broque ℰ 88 97 05 43

La SCHLUCHT (Col de) **88** Vosges **62** ⑱ **G. Alsace Lorraine** – alt. 1139 – Sports d'hiver : 1 150/1 280 m 2 ⛷.

'oir Route des Crêtes★★★ N et S – Le Hohneck ✻★★★ S : 5 km.

aris 452 – Colmar 37 – Épinal 60 – Gérardmer 14 – Guebwiller 45 – St-Dié 36 – Thann 43.

Collet, au Collet : 2 km sur rte Gérardmer ✉ 88400 Gérardmer, ℰ 29 60 09 57, Fax 29 60 08 77, <, 🏡 – TV ☎ P. AE ⓓ GB
fermé 12 nov. au 20 déc. – **Repas** *(fermé merc. sauf vacances scolaires)* 85 (déj.), 115/155 🍷, enf. 50 – ☕ 50 – **21 ch** 390 – ½ P 340/380.

SCHWEIGHOUSE-SUR-MODER **67** B.-Rhin **57** ⑲ – rattaché à Haguenau.

SCIEZ (port de) **74** H.-Savoie **70** ⑰ – rattaché à Thonon-les-Bains.

SEBOURG **59** Nord **53** ⑤ – rattaché à Valenciennes.

Le SECHIER **05** H.-Alpes **77** ⑯ – rattaché à St-Firmin.

SECLIN **59113** Nord **51** ⑯ **111** ㉒ **G. Flandres Artois Picardie** – 12 281 h alt. 30.

'oir Cour★ de l'hôpital.

Syndicat d'Initiative 9 bd Hentgès ℰ 20 90 00 02.

aris 211 – ◆Lille 13 – Lens 24 – Tournai 32 – Valenciennes 44.

Campanile, Z.A.C. de l'Epinette (sortie 19 - A1) ℰ 20 96 74 63, Fax 20 96 74 60 – 🚭 TV ☎ 📞 ♿ P – 🎤 25. AE ⓓ GB
Repas 84 bc/107 bc, enf. 39 – ☕ 32 – **49 ch** 270.

XX **Aub. du Forgeron** avec ch, 17 r. Roger Bouvry ✆ 20 90 09 52, Fax 20 32 70 87 – TV ☎ 📞 P. AE GB
fermé 1ᵉʳ au 21 août, 24 déc. au 1ᵉʳ janv. et dim. – **Repas** 125/300 – ☕ 45 – **18 ch** 200/420 – ½ P 260/380.

RENAULT Gar. Wacrenier, 15 rte de Lille ✆ 20 62 94 14 N ✆ 07 55 70 43

Euromaster, ZI ✆ 20 90 65 54

SEDAN <SP> **08200** Ardennes 53 ⑲ **G. Champagne** – 21 667 h alt. 154.

Voir Château fort★ BY.

Office de Tourisme parking du Château ✆ 24 27 73 73, Fax 24 29 03 28.

Paris 244 ② – Charleville-Mézières 24 ② – Châlons-en-Champagne 118 ② – Liège 136 ① – Luxembourg 101 ① – ◆Metz 143 ① – Namur 112 ① – ◆Reims 100 ② – Thionville 123 ① – Verdun 79 ①.

SEDAN

Armes (Pl. d') .... BY 3
Carnot (R.) .... BY 6
Gambetta (R.) .... BY 12
Halle (Pl. de la) .... BY 15
Leclerc (Av. du Mar.) .. BY 24
Ménil (R. du) .... BY

Alsace-Lorraine (Pl. d') . BZ 2
Blanpain (R.) .... BY 4
Calonne (Pl.) .... BY 5
Crussy (Pl.) .... BY 8
Fleuranges (R. de) .... AY 10
Goulden (Pl.) .... BY 14
Horloge (R. de l') .... BY 17
Jardin (Bd du Gd) .... BY 18
La Rochefoucauld (R. de) .... BY 20
Lattre-de-Tassigny (Bd Mar.-de) .... AZ 21
Margueritte (Av. du G.) ABY 26
Martyrs-de-la-Résistance (Av. des). AY 27
Nassau (Pl.) .... BZ 31
Promenoir-des-Prêtres . BY 33
Rivage (R. du) .... BY 34
Rochette (Bd de la).... BY 35
Rovigo (R.) .... BY 36
Strasbourg (R. de)..... BZ 39
Turenne (Pl.) .... BY 41
Vesseron-Lejay (R.) ... AY 42
Wuidet-Bizot (R.)...... BZ 44

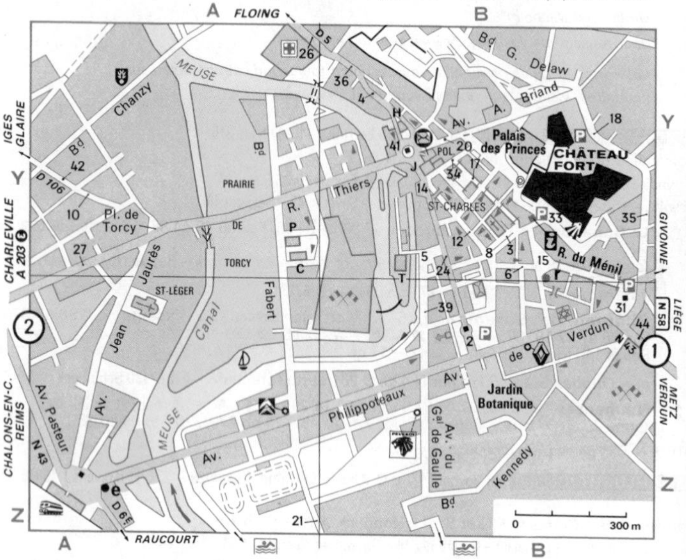

🏨 **Europe,** 2 pl. Gare ✆ 24 27 18 71, Fax 24 29 32 00 – 🛗 TV ☎ 📞 P. GB — AZ
Repas 74/139, enf. 45 – ☕ 35 – **25 ch** 210/270 – ½ P 210/275.

XXX **Au Bon Vieux Temps,** 3 pl. Halle ✆ 24 29 03 70, Fax 24 29 20 27 – AE ① GB — BYZ
fermé 12 fév. au 4 mars, dim. soir et lundi sauf fériés – **Repas** 155/300.

à Bazeilles par ① : 3 km – 1 599 h. alt. 161 – ✉ **08140** :

🏨 **Château de Bazeilles** M 🐚 sans rest, ✆ 24 27 09 68, Fax 24 27 64 20, parc – TV ☎ ♿ P. AE GB
☕ 47 – **20 ch** 375/415.

🏨 **Aub. du Port** 🐚, S : 1 km par rte Remilly-Aillicourt ✆ 24 27 13 89, Fax 24 29 35 58, ≤ « Jardin en bord de Meuse » – TV ☎ P – 🏛 25. AE ① GB. ✻ ch
fermé 16 août au 1ᵉʳ sept. et 20 déc. au 15 janv. – **Repas** *(fermé vend. soir, sam. midi et dim. soir)* 135/230, enf. 50 – ☕ 40 – **20 ch** 260/290 – ½ P 275.

XXX **L'Orangerie,** ✆ 24 27 52 11, Fax 24 27 64 20 – P. GB
fermé sam. midi, dim. soir et lundi – **Repas** 220 bc/360 et carte 240 à 350, enf. 90.

à Frénois par ② et D 67 : 3,5 km – ✉ **08200** Sedan :

🏨 **Campanile,** ✆ 24 29 45 45, Fax 24 27 64 52, ≤ – ⇔ TV ☎ 📞 ♿ P – 🏛 25. AE ① GB
Repas 84 bc/107 bc, enf. 39 – ☕ 32 – **49 ch** 270.

CITROEN Succursale, 40 av. Philippoteaux ✆ 24 29 78 58
OPEL Gar. St-Christophe, 1 av. Philippoteaux ✆ 24 27 17 89
PEUGEOT S.I.S.A., 6 av. Gén.-de-Gaulle ✆ 24 27 13 25 N ✆ 05 44 24 24
RENAULT Ardennes Autos, 19 av. de Verdun ✆ 24 27 78 78 N ✆ 05 05 15 15

VAG Gar. Poncelet, 2 pl. de Torcy ✆ 24 27 01 01 N ✆ 26 53 86 05

Legros Point S, 45 av. Ch.-de-Gaulle à Balan ✆ 24 27 44 22

SÉES **61500** Orne 60 ③ **G. Normandie Cotentin** (plan) – 4 547 h alt. 186.

Voir Cathédrale★ : choeur et transept★★ – Forêt d'Ecouves★★ SO : 5 km.

Office de Tourisme pl. Gén.-de-Gaulle ✆ 33 28 74 79, Fax 33 28 18 13.

Paris 187 – Alençon 22 – L'Aigle 41 – Argentan 22 – Domfront 65 – Mortagne-au-Perche 33.

The Garden H. sans rest, 12 r. Ardrilliers ✆ 33 27 98 27, Fax 33 28 90 07, – TV ☎ P. AE GB
25 – **24 ch** 120/250.

Dauphin avec ch, 31 pl. Halles ✆ 33 27 80 07, Fax 33 28 80 33 – TV ☎. AE GB
fermé 18 au 24 nov., janv., dim. soir et lundi d'oct. à mai – **Repas** 110/300 bc, enf. 45 – 55 – **7 ch** 290/500 – ½ P 400.

Cheval Blanc avec ch, 1 pl. St-Pierre ✆ 33 27 80 48, Fax 33 28 58 05 – TV ☎. AE GB.
fermé 11 au 17 mars, 14 oct. au 10 nov., vacances de fév., jeudi soir et vend. – **Repas** 72/185 ⅄, enf. 38 – 28 – **9 ch** 210/270 – ½ P 170/210.

à Macé : 5,5 km par rte d'Argentan et D 303 – 464 h. alt. 173 – ✉ **61500**.

Voir Château d'O★ NO : 5 km.

Ile de Sées , ✆ 33 27 98 65, Fax 33 28 41 22, , parc, – TV ☎ P – 30. GB.
fermé 1er fév. au 15 mars, dim. soir et lundi – **Repas** 78 bc (déj.), 98/170 ⅄, enf. 55 – 38 – **16 ch** 290/310 – ½ P 320.

CITROEN Gar. Hugeron, 60 r. République ✆ 33 27 80 13
PEUGEOT Gar. Portilla, ZI la Croix Ragaine ✆ 33 27 93 76 N ✆ 33 27 93 76

RENAULT Gar. Herouin, rte de Mortagne ✆ 33 27 84 10 N ✆ 33 27 94 30

Fournier pneus, r. du 8 mai ✆ 33 27 83 30

SEGOS **32** Gers 82 ② – rattaché à Aire-sur-l'Adour.

SEGRÉ **49500** M.-et-L. 63 ⑨ **G. Châteaux de la Loire** – 6 434 h alt. 40.

Voir Château de la Lorie★ SE : 2 km.

Office de Tourisme 3 r. Capitaine Hautecloque ✆ 41 92 86 83 et Mairie 41 92 17 83.

Paris 308 – ◆Angers 40 – Ancenis 45 – Châteaubriant 40 – Laval 53 – ◆Rennes 88 – Vitré 59.

La Corvette, 37 quai de Lauingen ✆ 41 61 06 94 – AE GB
fermé 19 fév. au 10 mars, dim. soir et lundi sauf fêtes – **Repas** 76/149 ⅄.

CITROEN Gar. Bellanger, 34 r. Lamartine ✆ 41 92 23 11

PEUGEOT Gar. Chesneau, à Ste-Gemme d'Andigne ✆ 41 92 22 52

SÉGURET **84** Vaucluse 81 ② – rattaché à Vaison-la-Romaine.

SÉGUR-LES-VILLAS **15300** Cantal 76 ③ – 318 h alt. 1045.

Paris 529 – Aurillac 67 – Allanche 12 – Condat 18 – Mauriac 56 – Murat 18 – St-Flour 42.

Santoire, à La Carrière du Monteil de Ségur S : 4 km sur D 3 ✆ 71 20 70 68, Fax 71 20 73 44, ←, , – cuisinette TV ☎ P. GB
fermé 6 nov. au 15 déc. – **Repas** 75/150 ⅄, enf. 45 – 32 – **28 ch** 250.

SEICHES-SUR-LE-LOIR **49140** M.-et-L. 64 ① – 2 248 h alt. 22.

Paris 273 – ◆Angers 21 – Château-Gontier 41 – Château-la-Vallière 52 – La Flèche 27 – Saumur 48.

à Matheflon N : 2 km par rte secondaire – ✉ **49140** Seiches-sur-le-Loir :

Host. St-Jacques, ✆ 41 76 20 30, Fax 41 76 61 51, – ☎ P. AE GB
fermé 1er au 15 déc., vacances de fév., dim. soir et lundi midi d'oct. à mars – **Repas** 69 bc/190 ⅄, enf. 40 – 24 – **10 ch** 125/250 – ½ P 155/220.

SEIGNELAY **89250** Yonne 65 ⑤ **G. Bourgogne** – 1 538 h alt. 120.

Paris 170 – Auxerre 16 – Chablis 25 – Joigny 21 – Nogent-sur-Seine 80 – St-Florentin 20 – Tonnerre 41.

Commerce, ✆ 86 47 71 21 – P. AE GB
fermé août, dim. et fêtes (sauf hôtel) et lundi – **Repas** 52/90 ⅄ – 20 – **8 ch** 85/140.

Pas de publicité payée dans ce guide.

SEIGNOSSE 40510 Landes 78 ⑰ – 1 630 h alt. 15.

Paris 751 – Biarritz 45 – Mont-de-Marsan 80 – Dax 29 – Soustons 12.

au Golf O : 4 km par D 86 – ✉ 40510 Seignosse :

Golf H. M ⑤, ✆ 58 43 30 00, Fax 58 43 20 90, – |‡| ▤ rest TV ☎ & P – 30. AE GB – *fermé 8 janv. au 8 mars* – **Repas** (dîner seul.) 150/200, enf. 60 – ☕ 50 – **45 ch** 490/750 – ½ P 505/525.

SEILH 31 H.-Gar. 82 ⑦ – rattaché à Toulouse.

SEILHAC 19700 Corrèze 75 ⑨ – 1 540 h alt. 500.

Paris 468 – Brive-la-Gaillarde 32 – Aubusson 101 – ♦Limoges 71 – Tulle 15 – Uzerche 15.

Relais des Monédières, rte de Tulle : 1 km ✆ 55 27 04 74, Fax 55 27 90 03, parc, – TV ☎ P. AE GB. ch
fermé 15 déc. au 22 janv. – **Repas** 70/180, enf. 60 – ☕ 30 – **15 ch** 195/290 – ½ P 210/245.

à St-Salvadour NE : 8 km par D 940, D 44 et D 173E – 292 h. alt. 460 – ✉ 19700 :

Ferme du Léondou, ✆ 55 21 60 04 – P. AE ⓓ GB
fermé 11 fév. au 10 mars et merc. sauf le midi en juil.-août – **Repas** 60/230.

SEILLANS 83440 Var 84 ⑦ 114 ⑪ 115 ㉒ **G. Côte d'Azur** – 1 793 h alt. 350.

Voir N.-D. de l'Ormeau : retable★★ SE : 1 km.

Office de Tourisme Le Valat ✆ 94 76 85 91.

Paris 892 – Castellane 56 – Draguignan 31 – Fayence 7,5 – Grasse 31 – St-Raphaël 42.

France et rest. Clariond ⑤, ✆ 94 76 96 10, Fax 94 76 89 20, ←, – TV ☎ P. AE GB. ch
fermé 18 nov. au 8 déc. (sauf rest.), 7 janv. au 2 fév. et merc. hors sais. – **Repas** 170/250, enf. 80 – ☕ 40 – **20 ch** 390/450 – ½ P 390/420.

SÉLESTAT SP 67600 B.-Rhin 62 ⑲ **G. Alsace Lorraine** – 15 538 h alt. 170.

Voir Vieille ville★ : église Ste-Foy★ BY, église St-Georges★ BY, Bibliothèque humaniste★ BY M – Volerie des Aigles : démonstrations de dressage★ au château de Kintzheim : 5 km par ④ puis 30 mn – Vallée de la Liepvrette★.

Env. Ebermunster : intérieur★★ de l'église abbatiale★, 9 km par ①.

Office de Tourisme Commanderie St-Jean, bd Gén.-Leclerc ✆ 88 58 87 20, Fax 88 92 88 63.

Paris 478 ① – Colmar 22 ③ – Gérardmer 65 ③ – St-Dié 43 ⑤ – ♦Strasbourg 50 ①.

Plan page ci-contre

Host. de l'Abbaye la Pommeraie M, 8 av. Mar. Foch ✆ 88 92 07 84, Fax 88 92 08 71, « Belle décoration intérieure », – |‡| ▤ TV ☎ &. AE ⓓ GB JCB ABZ a
Repas *(fermé 15 juil. au 5 août, dim. soir et lundi)* 150/290 bc - ***S'Apfelstuebel*** *(fermé dim soir)* **Repas** carte environ 200 – ☕ 90 – **11 ch** 850/1500, 3 duplex – ½ P 675/1150.

Aub. des Alliés M, 39 r. Chevaliers ✆ 88 92 09 34, Fax 88 92 12 88 – ▤ rest TV ☎ – 40. GB BZ u
Repas *(fermé lundi du 1er nov. au 31 mars et dim. soir)* 98/225 – ☕ 55 – **17 ch** 280/420 – ½ P 300/330.

Vaillant, pl. République ✆ 88 92 09 46, Fax 88 82 95 01, – |‡| TV ☎ – 30. ⓓ GB. rest AZ e
Repas *(fermé sam. midi et dim. sauf fêtes)* 88/205 – ☕ 50 – **47 ch** 270/380 – ½ P 250/315.

✿ **Jean-Frédéric Edel,** 7 r. Serruriers ✆ 88 92 86 55, Fax 88 92 87 26, – AE ⓓ GB BY e
fermé 22 juil. au 13 août, 23 déc. au 3 janv., dim. soir, mardi soir et merc. – **Repas** 150/400
Spéc. Foie gras aux deux façons. Sandre au riesling. Poitrine de veau à la bière. **Vins** Riesling, Tokay-Pinot gris.

Vieille Tour, 8 r. Jauge ✆ 88 92 15 02, Fax 88 92 19 42 – GB JCB BY s
fermé 20 fév. au 5 mars et lundi – **Repas** 90/270.

à Baldenheim E : 8,5 km par ①, D 21 et D 209 – 875 h. alt. 170 – ✉ 67600 :

✿ **La Couronne,** r. Sélestat ✆ 88 85 32 22, Fax 88 85 36 27 – AE GB
fermé 23 juil. au 6 août, 2 au 9 janv., dim. soir et lundi – **Repas** 170/410 et carte 270 à 400
Spéc. Bûchettes de grenouilles, crème aux fines herbes. Selle de chevreuil aux airelles (juin à déc.). Streussel aux pommes, glace aux épices. **Vins** Tokay-Pinot gris, Pinot noir.

CITROEN Gar. Ménétré, 89 rte de Strasbourg par ① ✆ 88 92 08 42
CITROEN Gar. Alsauto, ZI Nord, r. Grenchen par ① ✆ 88 82 97 02 N ✆ 88 82 30 82
FIAT Gar. Ligner, 24 rte de Sélestat à Châtenois ✆ 88 82 05 20
FORD Gar. Keller, 1 r. Waldkirch, ZI Nord ✆ 88 92 22 68
MAZDA, BMW Gar. Walter, 43 rte de Ste-Marie-aux-Mines à Châtenois ✆ 88 82 07 22
PEUGEOT Maison Rouge Autom., Rd-Pt Maison Rouge par ① ✆ 88 58 80 58 N ✆ 88 26 56 47
RENAULT Centre Alsace Autom., ZI Nord, r. Westrich par ① ✆ 88 92 88 77 N ✆ 88 92 40 57
VAG Gar. Michel, 2 r. Grenchen ZI Nord ✆ 88 57 44 44

Kautzmann, 28 rte de Colmar ✆ 88 92 38 00
Pneus et Services D.K., 95 rte de Colmar ✆ 88 92 14 95

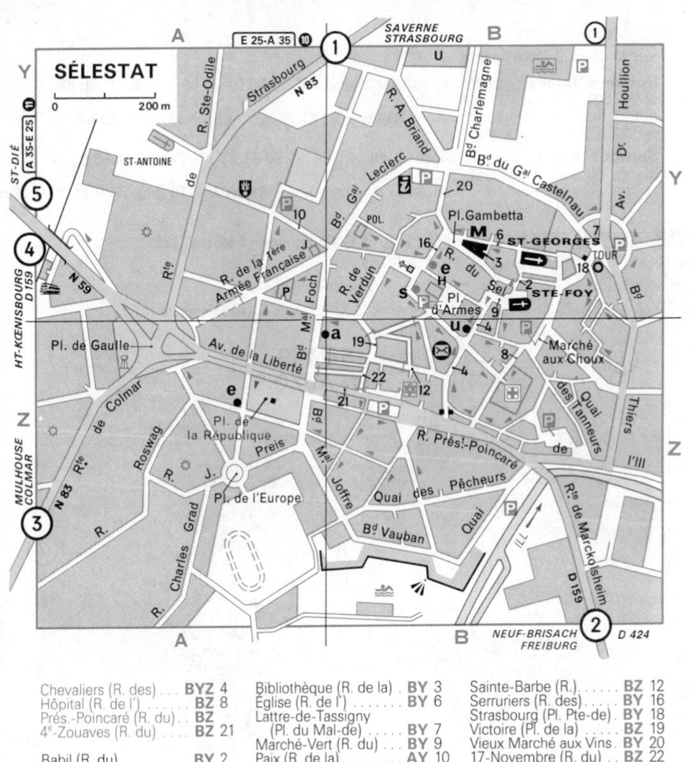

Chevaliers (R. des) . . . BYZ 4
Hôpital (R. de l') . . . . . . BZ 8
Prés.-Poincaré (R. du) . . BZ
4e-Zouaves (R. du) . . . . . BZ 21

Babil (R. du) . . . . BY 2
Bibliothèque (R. de la) . BY 3
Église (R. de l') . . . . BY 6
Lattre-de-Tassigny (Pl. du Mal-de) . . . . . BY 7
Marché-Vert (R. du) . . . BY 9
Paix (R. de la) . . . . AY 10
Sainte-Barbe (R.) . . . . . . BZ 12
Serruriers (R. des) . . . . . BY 16
Strasbourg (Pl. Pte-de) . BY 18
Victoire (Pl. de la) . . . . . BZ 19
Vieux Marché aux Vins . BY 20
17-Novembre (R. du) . . BZ 22

SELLES-SUR-CHER **41130** L.-et-Ch. 64 ⑱ **G. Châteaux de la Loire** – 4 751 h alt. 88.

Office de Tourisme, pl. Ch.-de-Gaulle (juil.-août) ☎ 54 97 67 26 et à la Mairie (hors saison) ☎ 54 97 40 19.

aris 223 – Blois 41 – ♦Orléans 100 – Romorantin-Lanthenay 19 – St-Aignan 16 – Valençay 14.

✕ **Lion d'Or** avec ch, 14 pl. Paix ☎ 54 97 40 83, Fax 54 97 72 36, – TV ☎ P. AE GB
fermé dim. soir et lundi d'oct. à mai – **Repas** 85/282 – ☕ 35 – **10 ch** 213/258 – ½ P 209/244.

SÉLONCOURT **25** Doubs 66 ⑱ – rattaché à Audincourt.

SELONNET **04** Alpes-de-H.-P. 81 ⑦ – rattaché à Seyne.

SELTZ **67470** B.-Rhin 87 ③ – 2 584 h alt. 115.

aris 509 – ♦Strasbourg 52 – Haguenau 31 – Karlsruhe 35 – Wissembourg 27.

✕✕ **Aub. de la Forêt,** rte Benheim (D 468) ☎ 88 86 50 45, Fax 88 86 17 16 – P. GB
fermé 2 au 18 juil., 23 déc. au 16 janv., dim. soir et lundi – **Repas** 150/350 ♂ - ***Winstub*** **: Repas** 50(déj.) et carte environ 180, ♂.

SEMBADEL **43** H.-Loire 76 ⑥ – rattaché à La Chaise-Dieu.

SEMBLANÇAY **37360** I.-et-L. 64 ⑭ – 1 489 h alt. 100.

aris 247 – ♦Tours 15 – ♦Angers 100 – Blois 74 – ♦Le Mans 67.

Mère Hamard, pl. Eglise ☎ 47 56 62 04, Fax 47 56 53 61 – TV ☎ P. GB
fermé vacances de Toussaint, de fév., dim. soir et lundi sauf hôtel du 15 avril au 15 oct. – **Repas** 99/250, enf. 60 – ☕ 48 – **9 ch** 200/255 – ½ P 263/275.

SEMÈNE **43** H.-Loire 76 ⑧ – rattaché à Aurec-sur-Loire.

SEMNOZ (Montagne du) **74** H.-Savoie 74 ⑥ ⑯ **G. Alpes du Nord** – ✉ **74000** Annecy.

/oir Crêt de Châtillon ✻★★★ **(accès par D 41 :** d'Annecy 20 km ou du col de Leschaux 14 km, uis 15 mn).

aris 555 – Annecy 18 – Aix-les-Bains 40 – Albertville 56 – Chambéry 57.

sur D 41 – ✉ **74000** Annecy :

Rochers Blancs ⛰, près du sommet, alt. 1 650 ☎ 50 01 23 60, Fax 50 01 40 68, ←, ☂ ☎ 🅿. GB
fermé oct. et nov. sauf rest. – **Repas** 70/140 🍷, enf. 45 – ☕ 35 – **23 ch** 170/310 ½ P 225/280.

Semnoz Alpes ⛰, au sommet, alt. 1 704 ☎ 50 01 23 17, Fax 50 64 53 05, ← Mont Blanc, ☂ – ☎ 🅿. AE GB
26 mai-30 sept. et 20 déc.-vacances de printemps – **Repas** 75/170, enf. 38 – ☕ 38 – **15 ch** 140/270 – ½ P 215/265.

SEMUR-EN-AUXOIS **21140** Côte-d'Or 65 ⑰ ⑱ **G. Bourgogne** – 4 545 h alt. 286.

Voir Site★ – Église N.-Dame★ – Pont Joly ←★.

ℹ Office de Tourisme 2 pl. Gaveau ☎ 80 97 05 96, Fax 80 97 08 85.

Paris 247 ③ – ♦ Dijon 79 ③ – Auxerre 84 ③ – Avallon 40 ③ – Beaune 81 ③ – Montbard 18 ①.

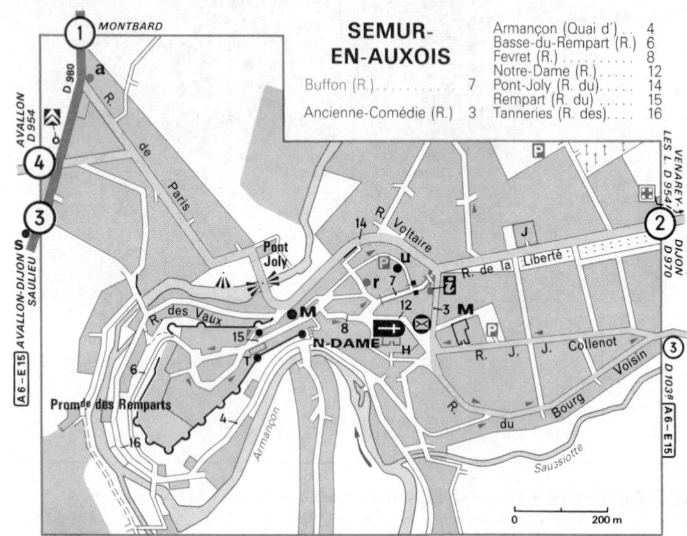

Host. d'Aussois ⛰, rte Saulieu **(s)** ☎ 80 97 28 28, Fax 80 97 34 56, ←, ☂, 🏋, 🏊 – rest TV ☎ ♿ 🅿 – 🎤 25 à 50. AE GB
Repas *(fermé 15 janv. au 10 fév. et dim. soir de déc. à fév.)* 80 (déj.), 95/195 🍷, enf. 45 – ☕ 35 – **43 ch** 370 – ½ P 305.

Cymaises ⛰ sans rest, 7 r. Renaudot **(u)** ☎ 80 97 21 44, Fax 80 97 18 23, 🌳 – ☎ ♿ 🅿 GB
fermé 1er au 14 mars et 22 oct. au 5 nov. – ☕ 34 – **18 ch** 240/320.

Gourmets, 4 r. Varenne **(r)** ☎ 80 97 09 41, Fax 80 97 17 95, ☂ – AE GB
fermé 3 au 11 juin, mi-nov. au 31 déc., lundi soir et mardi – **Repas** 100/200 🍷, enf. 58.

Quinconces, 58 r. Paris **(a)** ☎ 80 97 02 00, Fax 80 97 03 02, ☂ – 🅿. GB
fermé 1er au 15 août, 24 déc. au 15 janv., dim. soir et merc. – **Repas** 60/185 🍷, enf. 50.

au lac de Pont E : 3 km par D 103B – ✉ **21140** Semur-en-Auxois :

Lac ⛰, ☎ 80 97 11 11, Fax 80 97 29 25 – TV ☎ 🅿. 🅾 GB JCB
fermé 6 janv. au 1er fév., dim. soir et lundi du 15 oct. au 15 avril – **Repas** 90/230 🍷, enf. 55 – ☕ 36 – **22 ch** 245/330 – ½ P 300/350.

CITROEN Gar. Martin, ☎ 80 97 07 89 Gar. Pignon, ☎ 80 97 07 18

SÉNAILLAC-LATRONQUIÈRE **46210** Lot 75 ⑳ – 169 h alt. 557.

Paris 567 – Aurillac 49 – Cahors 89 – Figeac 32 – Lacapelle-Marival 25 – St-Céré 25 – Sousceyrac 8.

Le Grandgousier, ☎ 65 40 23 05
fermé 1er janv. au 10 fév., mardi midi de sept. à juin et lundi – **Repas** 105/210, enf. 50.

SENLIS 60300 Oise 56 ⑪ ⑫ 106 ⑧ ⑨ **G. Ile de France** – 14 439 h alt. 76.

Voir Cathédrale N.-Dame★★ BY – Vieilles rues★ ABY – Place du Parvis★ BY – Église St-Frambourg★ BY **B** – Jardin du Roy ≤★ AY – Forêt d'Halatte★ 5 km par la rue du Moulin Rieul BY – Butte d'Aumont ☀★ 4,5 km par la rue du Moulin Rieul BY puis 30 mn.

Env. Parc Astérix★★ S : 12 km par autoroute A1.

9 18 de Morfontaine (privé) ✆ 44 54 68 27, par ④ : 10 km.

Office de Tourisme pl. Parvis-Notre-Dame ✆ 44 53 06 40, Fax 44 53 29 80.

Paris 50 ③ – Compiègne 32 ③ – ♦Amiens 102 ③ – Beauvais 52 ⑥ – Mantes-la-Jolie 91 ⑤ – Meaux 37 ③ – Soissons 59 ③.

SENLIS

Halle (Pl. de la) . . . . BY 12

Apport-au-Pain (R.) . . . . AY 2
Boutteville (Cours) . . . . BY 5
Gaulle (Av. Gén.-de) . . . . . . BY 9
Heaume (R. du) . . . . AZ 13
Henri-IV (Pl.) . . . . AY 14
Leclerc (Av. Gén.) . . . . BY 15
Moulin Rieul (R. du) . . . . . . BY 16
Parvis (Pl. du) . . . . BY 18
Poterne (R. de la) . . . . BZ 22
St-Yves-à-l'Argent (R.) . . . . BZ 23
Ste-Geneviève (R.) . . . . BZ 25
Treille (R. de la) . . . . AY 28
Vernois (Av. F.) . . . . AY 29
Villevert (R. de) . . . . BY 32

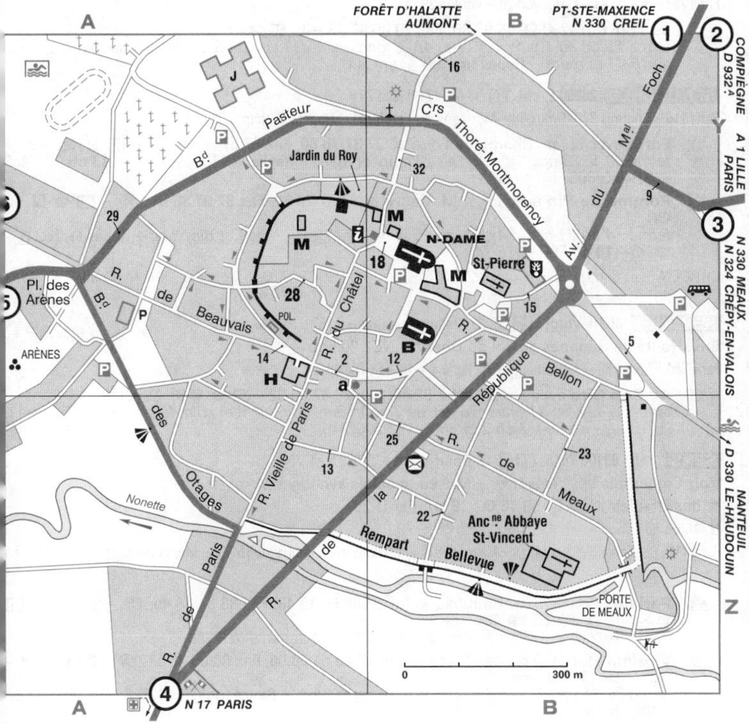

XX **Vieille Auberge,** 8 r. Long Filet ✆ 44 60 95 50, 🍽 – AE GB — AY **a**
fermé dim. soir – **Repas** 105/148.

XX **Aub. La Mitonnée,** 93 r. Moulin St-Tron N : 1,5 km par r. Moulin Rieul ✆ 44 53 10 05, Fax 44 53 13 99 – AE GB
fermé dim. soir et lundi – **Repas** 130/195.

par ③ sur N 324 : 2 km – ✉ **60300** Senlis :

Ibis, ✆ 44 53 70 50, Télex 140101, Fax 44 53 51 93 – TV ☎ ♿ P – 100. AE GB
Repas 99 bc, enf. 39 – 35 – **92 ch** 295.

à Mont-L'Évêque SE : 4 km par D 330 – 494 h. alt. 77 – ✉ **60300** :

XX **Poivre et Sel,** 26 r. Meaux ✆ 44 60 94 99 – AE GB
fermé 29 juil. au 13 août, 22 déc. au 7 janv., sam. midi, dim. soir et lundi – **Repas** 99/255, enf. 52.

CITROEN SO.FI.DAC., Angle av. E.-Audibert, F.-Louat par ③ ✆ 44 60 00 01
RENAULT S.A.C.L.I., 64 av. Gén.-de-Gaulle par ③ ✆ 44 53 97 00 N ✆ 07 55 29 20

Safari Senlis, 56 av. de Creil ✆ 44 53 16 46

SENLISSE 78720 Yvelines 60 ⑨ 106 ㉙ – 425 h alt. 103.

Paris 46 – Chartres 55 – Lonjumeau 27 – Rambouillet 14 – Versailles 21.

XX **Aub. du Gros Marronnier** avec ch, pl. Église ✆ (1) 30 52 51 69, Fax (1) 30 52 55 91, ⛱, – ☎. AE GB
fermé 22 au 27 déc. – **Repas** 135/275 et carte 230 à 300 – ☕ 40 – **16 ch** 350/375 – ½ P 295.

SENNECÉ-LÈS-MÂCON 71 S.-et-L. 69 ⑲ – rattaché à Mâcon.

SENNECEY-LÈS-DIJON 21 Côte-d'Or 66 ⑫ – rattaché à Dijon.

SENON 55230 Meuse 57 ② G. Alsace Lorraine – 205 h alt. 235.

Paris 297 – ◆Metz 63 – Longuyon 20 – Verdun 29.

XX **La Tourtière,** ✆ 29 85 98 30, Fax 29 85 95 43 – P. AE GB
fermé 29/08 au 10/09, 15/02 au 4/03, lundi du 15/11 au 15/03, mardi sauf le midi du 15/03 au 15/11 et merc. – **Repas** 100/190 ₰, enf. 44.

SENONCHES 28250 E.-et-L. 60 ⑥ – 3 171 h alt. 223.

Paris 116 – Chartres 37 – Dreux 38 – Mortagne-au-Perche 41 – Nogent-le-Rotrou 33.

XX **Forêt** avec ch, pl. Champ de Foire ✆ 37 37 78 50, Fax 37 37 74 98, ⛱ – TV ☎. AE GB
◆ *fermé 20 au 29 nov., 1er janv. au 20 mars et merc.* – **Repas** 75/175 ₰ – ☕ 30 – **13 ch** 200/250 – ½ P 250/300.

XX **Pomme de Pin** avec ch, r. M. Cauty ✆ 37 37 76 62, Fax 37 37 86 61, ⛱ – TV ☎ P. AE GB
fermé 14 au 31 oct., 24 déc. au 25 janv., lundi (sauf hôtel) et dim. soir – **Repas** 85/260 ₰ – ☕ 35 – **10 ch** 300 – ½ P 240.

CITROEN Gar. Central, 39 r. Peuret ✆ 37 37 71 18

PEUGEOT Gar. Blondeau, 20 r. M.-Cauty ✆ 37 37 70 82

SENONES 88210 Vosges 62 ⑦ G. Alsace Lorraine – 3 157 h alt. 340.

Env. Route de Senones au col du Donon★ NE : 20 km.

Paris 386 – Épinal 56 – ◆Strasbourg 79 – Lunéville 48 – St-Dié 20.

XX **Au Bon Gîte** avec ch, ✆ 29 57 92 46, Fax 29 57 93 92 – TV ☎ ✆ P. AE GB
fermé 17 fév. au 11 mars, 26 juil. au 7 août, dim. soir, lundi et soirs fériés – **Repas** 58 (déj.), 95/160 ₰ – ☕ 30 – **7 ch** 235/300 – ½ P 200/240.

SENS SP 89100 Yonne 61 ⑭ G. Bourgogne – 27 082 h alt. 70.

Voir Cathédrale★★ – Trésor★★ – Musée et palais synodal★ **M**.

⛳9 des Ursules ✆ 86 66 58 46,O : 16 km par D 26.

🅱 Office de Tourisme pl. J.-Jaurès ✆ 86 65 19 49.

Paris 119 ⑤ – Fontainebleau 54 ⑤ – Auxerre 58 ③ – Châlons-en-Champagne 151 ① – Montargis 53 ④ – Troyes 64 ②.

Plan page ci-contre

🏨 **Paris et Poste,** 97 r. République **(a)** ✆ 86 65 17 43, Fax 86 64 48 45, ⛱ – |$| ▤ rest TV ☎ 🚗 – 🎪 30. AE ⓓ GB JCB
Repas 160/240, enf. 80 – ☕ 48 – **21 ch** 380/570, 4 appart – ½ P 350.

🏨 **Virginia** M, par ② rte de Troyes : 3 km ✆ 86 64 66 66, Fax 86 65 75 11, ⛱ – TV ☎ ♿ P – 🎪 50. AE ⓓ GB JCB
fermé 24 déc. au 1er janv. et dim. soir de sept. à avril – **Repas** (grill) 98/135 ₰, enf. 55 – ☕ 30 – **100 ch** 180/260 – ½ P 205/220.

🏨 **Archotel** sans rest, 9 cours Tarbé **(u)** ✆ 86 64 26 99, Fax 86 64 46 29 – |$| TV ☎ ♿ P – 🎪 25. AE ⓓ GB
☕ 35 – **44 ch** 255/330.

🏨 **Brennus** sans rest, 21 r. Trois Croissants **(f)** ✆ 86 64 04 40, Fax 86 65 44 10 – TV ☎ ✆ ♿. GB
☕ 35 – **27 ch** 220/310.

XXX **La Madeleine,** 1 r. Alsace-Lorraine **(d)** ✆ 86 65 09 31, Fax 86 95 37 41 – ▤. AE ⓓ GB
fermé dim. soir et lundi – **Repas** 175/340 et carte 320 à 510.

XX **La Potinière,** 51 r. Cécile de Marsangy par ④ ✆ 86 65 31 08, Fax 86 64 60 19, ≤, ⛱, « Belle terrasse au bord de l'Yonne », – AE GB
fermé vacances de fév., lundi soir et mardi – **Repas** (en saison, prévenir) 152/275.

XX **Clos des Jacobins,** 49 Gde rue **(t)** ✆ 86 95 29 70 – ▤. AE GB
fermé 20 déc. au 6 janv., mardi soir et merc. – **Repas** 95/270.

XX **Aub. de la Vanne,** 176 av. de Senigallia par ③ ✆ 86 65 13 63, Fax 86 65 90 85, ⛱, « Terrasse au bord de l'eau », – P. AE GB
fermé 15 au 30 nov., 15 au 31 janv., dim. soir et mardi sauf juil.-août – **Repas** 85/168, enf. 60.

SENS

Cornet (Av. Lucien) 9
Déportés-et-de-la-Résistance (R. des)
Grande-Rue 15
République (Pl. de la) 27
République (R. de la) 28
Alsace-Lorraine (R. d') ... 2
Chambonas (Cours) 8
Cousin (Square J.) 10
Foch (Bd Mar.) 12
Garibaldi (Bd des) 13
Leclerc (R. du Gén.) 19
Maupéou (Bd de) 21
Moulin (Quai J.) 23

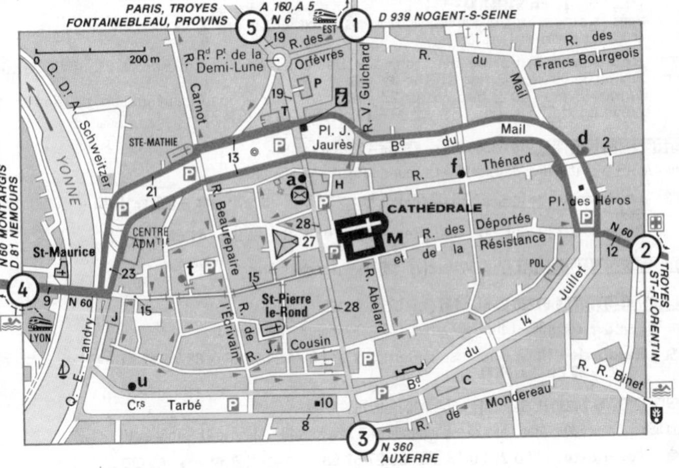

à Soucy par ① : 7 km – 1 316 h. alt. 90 – ✉ 89100 :

XX **Aub. du Regain** avec ch, ✆ 86 86 64 62, 🏡 – GB
fermé 26 août au 16 sept., 19 fév. au 4 mars, dim. soir et lundi – **Repas** 97/244 – ☕ 25 – **5 ch** 130/200 – ½ P 160/200.

à Malay-le-Petit par ② : 8 km – 308 h. alt. 85 – ✉ 89100 :

XX **Aub. Rabelais** avec ch, ✆ 86 88 21 44, 🏡 – ☎ P. GB
fermé 1er au 15 nov., 1er au 15 fév., merc. soir et jeudi sauf fêtes – **Repas** 99/259, enf. 45 – ☕ 35 – **6 ch** 165/260.

à Rosoy par ③ : 5,5 km – ✉ 89100 :

XX **Aub. de l'Hélix** avec ch, ✆ 86 97 92 10, Fax 86 97 19 00 – TV ☎ 🚗 P. GB
fermé 5 au 26 août, 15 au 28 fév., dim. soir et lundi – **Repas** 95/198 🍷, enf. 50 – ☕ 29 – **11 ch** 190 – ½ P 260.

à Subligny par ④ et N 60 : 7 km – 433 h. alt. 150 – ✉ 89100 :

X **Haie Fleurie,** La Haie Pélerine SO : 2 km ✆ 86 88 84 44, 🏡 – P. GB
fermé dim. soir, merc. soir et jeudi – **Repas** 88/245.

X **Relais de Subligny,** La Haie Pélerine SO : 2 km ✆ 86 88 83 22, 🏡, 🌳 – P. AE GB
fermé dim. soir et lundi – **Repas** 90/180, enf. 62.

à Villeroy par ④ et D 81 : 7 km – 242 h. alt. 184 – ✉ 89100 :

XXX **Relais de Villeroy** avec ch, ✆ 86 88 81 77, Fax 86 88 84 04, 🌳 – TV ☎ P. GB
fermé 15 déc. au 15 janv., dim. soir et lundi midi du 15 sept. au 15 mai – **Repas** 140/330 et carte environ 300, enf. 65 – ☕ 38 – **8 ch** 230/270.

BMW Gar. Berni, 13 av. Lorrach ✆ 86 65 70 90 N ✆ 86 65 19 97
CITROEN Gd Gar. de l'Yonne, rte de Lyon par ③ ✆ 86 65 12 92
PEUGEOT SEGAM, 16 bd Kennedy, par ③ ✆ 86 65 19 12 N ✆ 86 95 93 20
RENAULT Sté Sénonaise d'Autom., Carr. Ste-Colombe à St-Denis-les-Sens par ⑤ ✆ 86 65 18 33 N ✆ 86 96 72 31

RENAULT Gar. Martineau, 11 rte de Nogent à Thorigny-sur-Oreuse par ① ✆ 86 88 42 03 N ✆ 86 88 42 03

Ⓜ Euromaster, 105 r. Gén.-de-Gaulle ✆ 86 65 24 33
Serdin Pneus, 78 rte de Paris ✆ 86 65 26 03
Sovic Point S, 18 bd Kennedy ✆ 86 65 25 05

SEPT-SAULX 51400 Marne 56 ⑰ – 484 h alt. 96.

Paris 167 – ♦Reims 23 – Châlons-en-Champagne 28 – Épernay 31 – Rethel 50 – Vouziers 52.

🏨 **Cheval Blanc** 🐦, ✆ 26 03 90 27, Fax 26 03 97 09, 🏡, 🌳, 🎾 – TV ☎ P. AE ⓓ GB
fermé 28 janv. au 19 fév. – **Repas** 150 (déj.), 180/360 – ☕ 50 – **18 ch** 350/460, 7 appart.

SÉREILHAC 87620 H.-Vienne 72 ⑰ – 1 614 h alt. 322.

Paris 415 – ♦ Limoges 16 – Châlus 15 – Confolens 50 – Nontron 49 – Périgueux 78 – St-Yrieix-la-Perche 35.

XXX ✿ **La Meule** (Mme Jouhaud) avec ch, N 21 ✆ 55 39 10 08, Fax 55 39 19 66 – TV ☎ P 35. AE ① GB
fermé 7 au 20 janv., dim. soir et mardi en hiver – **Repas** 130 (déj.), 210/360 et carte 290 à 4… – ☐ 65 – **10 ch** 310/400 – 1/2 P 395
Spéc. Escalope de foie chaud aux feuilles d'épinards. Pigeonneau rôti au parfum de truffe, servi avec son pâté. Tarte chocolat, glace au lait d'amandes.

XX **Relais des Tuileries** avec ch, aux Betoulles NE : 2 km sur N 21 ✆ 55 39 10 2… Fax 55 36 09 21, ⛱, – TV ☎ P. GB
fermé 18 nov. au 2 déc., 6 au 27 janv., dim. soir et lundi sauf juil.-août – **Repas** (di… prévenir) 72/275 ♿, enf. 45 – ☐ 30 – **10 ch** 250/270 – 1/2 P 250.

SEREZIN-DU-RHÔNE 69360 Rhône 74 ⑪ – 2 257 h alt. 164.

Paris 478 – ♦ Lyon 18 – Rive-de-Gier 23 – La Tour-du-Pin 53 – Vienne 18.

La Bourbonnaise, ✆ 78 02 80 58, Fax 78 02 17 39, ⛱, – TV ☎ ♿ P – 30. AE … GB
Repas 120/320, enf. 80 - ***Grill*** **: Repas** 93 ♿, enf. 38 – ☐ 38 – **41 ch** 175/295.

SÉRIGNAN-DU-COMTAT 84 Vaucluse 81 ② – rattaché à Orange.

SERMERSHEIM 67230 B.-Rhin 87 ⑥ – 677 h alt. 160.

Paris 506 – ♦ Strasbourg 35 – Lahr/Schwarzwald 39 – Obernai 18 – Sélestat 13.

Relais de l'Ill M sans rest, r. Rempart ✆ 88 74 31 28, Fax 88 74 17 51 – TV ☎ ♿ P. GB
☐ 35 – **23 ch** 250/400.

SERRAVAL 74230 H.-Savoie 74 ⑰ – 430 h alt. 760.

Paris 566 – Annecy 30 – Albertville 26 – Bonneville 41 – Faverges 10 – Megève 41 – Thônes 10.

Tournette, ✆ 50 27 50 13, Fax 50 27 52 68, ←, – TV ☎ P. GB
fermé 15 oct. au 15 nov. et mardi hors sais. – **Repas** 85/185 – ☐ 30 – **18 ch** 180/280 1/2 P 175/270.

SERRE-CHEVALIER 05240 H.-Alpes 77 ⑱ **G. Alpes du Sud** – Sports d'hiver : 1 350/2 800 m 9 6…

Voir ✻★★.

Paris 672 – Briançon 10 – Gap 97 – ♦Grenoble 106 – Col du Lautaret 18.

à Chantemerle – ✉ **05330** St-Chaffrey.

Voir Col de Granon ✻★★ N : 12 km.

Plein Sud M sans rest, ✆ 92 24 17 01, Fax 92 24 10 21, ←, , , – TV ☎ … P. GB.
22 juin-22 sept. et 21 déc.-20 avril – ☐ 45 – **42 ch** 420/530.

La Balme M , ✆ 92 24 01 89, Fax 92 24 07 74, ←, – TV ☎ P. AE ① GB JCB rest
20 juin-20 sept. et 1er déc.-30 avril – **Repas** snack (dîner seul.)(résidents seul.) 140 – ☐ 45 **25 ch** 400/590 – 1/2 P 410.

La Boule de Neige M , ✆ 92 24 00 16, Fax 92 24 00 25, ⛱, – TV ☎. AE GB.
début juin-fin sept. et début déc.-fin avril – **Repas** (dîner seul.) 120/170 – ☐ 40 – **10 c…** 330/640 – 1/2 P 368/470.

à Villeneuve-la-Salle – ✉ **05240** La-Salle-les-Alpes.

Voir Eglise St-Marcellin★ de La-Salle-les-Alpes.

Office de Tourisme ✆ 92 24 71 88, Télex 400152, Fax 92 24 76 18.

Christiania, ✆ 92 24 76 33, Fax 92 24 83 82, ←, – TV ☎ P. GB. rest
22 juin-15 sept. et 7 déc.-mi-avril – **Repas** 95/150, enf. 45 – ☐ 45 – **28 ch** 300/470 – 1/2 P 42…

X **Aub. Ensoleillée** avec ch, ✆ 92 24 74 04, Fax 92 24 86 25, ⛱, « Terrasse fleurie » ☎. GB
15 juin-15 sept. et début déc.-fin avril – **Repas** 70 (déj.), 130/190 ♿, enf. 70 – ☐ 38 – **8 c…** 210/310 – 1/2 P 275/330.

X **Le Bidule,** au Bez ✆ 92 24 77 80, Fax 92 24 85 51, ⛱ – GB
fermé 1er mai au 18 juin, 1er au 20 oct. et 11 nov. au 1er déc. – **Repas** (prévenir) 90 (déj.… 130/200.

au Monêtier-les-Bains – 987 h. alt. 1480 – ✉ **05220** :

Aub. du Choucas M , ✆ 92 24 42 73, Fax 92 24 51 60, ⛱, « Décor montagnar… belle salle de restaurant voûtée », – TV ☎. GB
fermé 2 au 15 mai et 3 nov. au 19 déc. – **Repas** *(fermé dim. soir, mardi midi et lundi du 8 av… au 30 juin et du 23 sept. au 3 nov.)* 95 (déj.), 160/380, enf. 80 – ☐ 65 – **8 ch** 600/70… 4 duplex – 1/2 P 540/595.

Europe , 92 24 40 03, Fax 92 24 52 17, – . AE GB
1er juin-30 sept. et 15 déc.-25 avril – **Repas** 95/160 – 48 – **31 ch** 380/500 – ½ P 395.

Castel Pélerin , Le Lauzet NO : 6 km par rte Lautaret et rte secondaire 92 24 42 09, Fax 92 24 40 34, ← – . AE GB
20 juin-1er sept. et 20 déc.-1er avril – **Repas** 95/155 – 35 – **6 ch** 275 – ½ P 265.

La Bergerie , 92 24 41 20 – . GB
hôtel : 15 juin-15 sept. et 20 déc.-15 avril ; rest. : 1er juil.-1er sept. et 20 déc.-15 avril – **Repas** 82/100 , enf. 48 – 33 – **12 ch** 190/235 – ½ P 250.

Le Chazal, Les Guibertes 92 24 45 54, – GB
fermé 23 juin au 6 juil., 5 au 15 janv., dim. soir (sauf fév., mars et juil.-août) et lundi – **Repas** 98/170.

OPEL Gar. du Téléphérique, à St-Chaffrey 92 24 01 65 N 92 24 01 65

SERRES 05700 H.-Alpes 81 ⑤ **G. Alpes du Sud** – 1 106 h alt. 670.

Office de Tourisme pl. du Lac 92 67 00 67.

Paris 677 – Gap 41 – Die 65 – La Mure 80 – Manosque 84 – Nyons 64.

Fifi Moulin , 92 67 00 01, Fax 92 67 07 56, , – . AE GB
fermé mi-nov. à mi-déc. – **Repas** 79/146 , enf. 45 – 32 – **25 ch** 170/240 – ½ P 210.

CITROEN Gar. du Buech, 92 67 00 28 N 92 67 00 28

RENAULT Gar. Keyser, rte de Sisteron 92 67 00 11 N 92 67 00 11

SERRIÈRES 07340 Ardèche 77 ① **G. Vallée du Rhône** – 1 154 h alt. 140.

Syndicat d'Initiative quai J. Roche (mai-sept.) 75 34 06 01.

Paris 519 – Annonay 16 – Privas 90 – Rive-de-Gier 40 – ♦St-Étienne 55 – Tournon-sur-Rhône 39 – Vienne 28.

Schaeffer avec ch, 75 34 00 07, Fax 75 34 08 79, – . AE GB
fermé vacances de Toussaint, 1er au 20 janv., dim. soir et lundi sauf juil.-août – **Repas** 120/330 et carte 270 à 370 – 40 – **12 ch** 260/325.

Parc, 75 34 00 08, Fax 75 34 15 46, – GB
fermé 1er au 7 oct., 1er au 7 janv., dim. soir et lundi en hiver – **Repas** 95/230.

à l'Ouest : 5 km par N 82 et rte secondaire – ✉ **07340** Serrières :

Coq Hardi, 75 34 83 56, Fax 75 34 83 56, – . GB
fermé 9 au 16 sept., 10 au 17 fév., lundi soir et mardi – **Repas** 92/185, enf. 50.

SERVON 50170 Manche 59 ⑧ – 202 h alt. 25.

Paris 355 – St-Malo 51 – Avranches 15 – Dol-de-Bretagne 28 – St-Lô 73.

Aub. du Terroir avec ch, 33 60 17 92, Fax 33 60 35 26, , , – – 25. GB. rest
fermé vacances de fév. et merc. du 1er nov. au 1er avril – **Repas** 79/240, enf. 50 – 30 – **8 ch** 190/240 – ½ P 220/270.

SERVOZ 74310 H.-Savoie 74 ⑧ **G. Alpes du Nord** – 619 h alt. 816.

Voir Gorges de la Diosaz★ : chutes★★ E : 1 km.

Office de Tourisme Le Bouchet, pl. Église (saison) 50 47 21 68, Fax 50 47 27 06.

Paris 600 – Chamonix-Mont-Blanc 14 – Annecy 82 – Bonneville 42 – Megève 23 – St-Gervais-les-Bains 12.

Chamois sans rest, 50 47 20 09, Fax 50 47 24 87, ←, – . GB
fermé 12 au 24 oct. et 13 nov. au 14 déc. – 41 – **7 ch** 240/340.

SESSENHEIM 67770 B.-Rhin 57 ⑳ 87 ③ **G. Alsace Lorraine** – 1 542 h alt. 120.

Paris 494 – ♦Strasbourg 35 – Haguenau 18 – Wissembourg 43.

A L'Agneau, sur D 468 88 86 95 55, Fax 88 86 04 43, – . GB
fermé 10 au 21 juin, 6 au 20 fév., dim. soir et lundi – **Repas** 150 et carte 230 à 340 .

SÈTE 34200 Hérault 83 ⑯ **G. Gorges du Tarn** – 41 510 h alt. 4.

Voir Mont St-Clair★ : terrasse du presbytère de la chapelle N.-D. de la Salette ★★ AZ.

Office de Tourisme 60 Grand'Rue Mario Roustan 67 46 17 52, Fax 67 46 17 54.

Paris 791 ③ – ♦Montpellier 30 ③ – Béziers 48 ② – Lodève 68 ③.

Plan page suivante

Grand Hôtel, 17 quai Mar. de Lattre de Tassigny 67 74 71 77, Fax 67 74 29 27 – ch – 25. AE GB AY t
hôtel : fermé 23 déc. au 5 janv. – ***La Rotonde*** *67 46 12 20 (fermé sam. midi)* **Repas** 95/225, enf. 50 – 38 – **45 ch** 300/555.

Port Marine M, Môle St-Louis 67 74 92 34, Fax 67 74 92 33, ← – – 30. AE GB AZ d
Repas *(fermé dim. soir et lundi midi d'oct. à avril)* 95/170 – 40 – **36 ch** 300/480, 6 appart – ½ P 350/430.

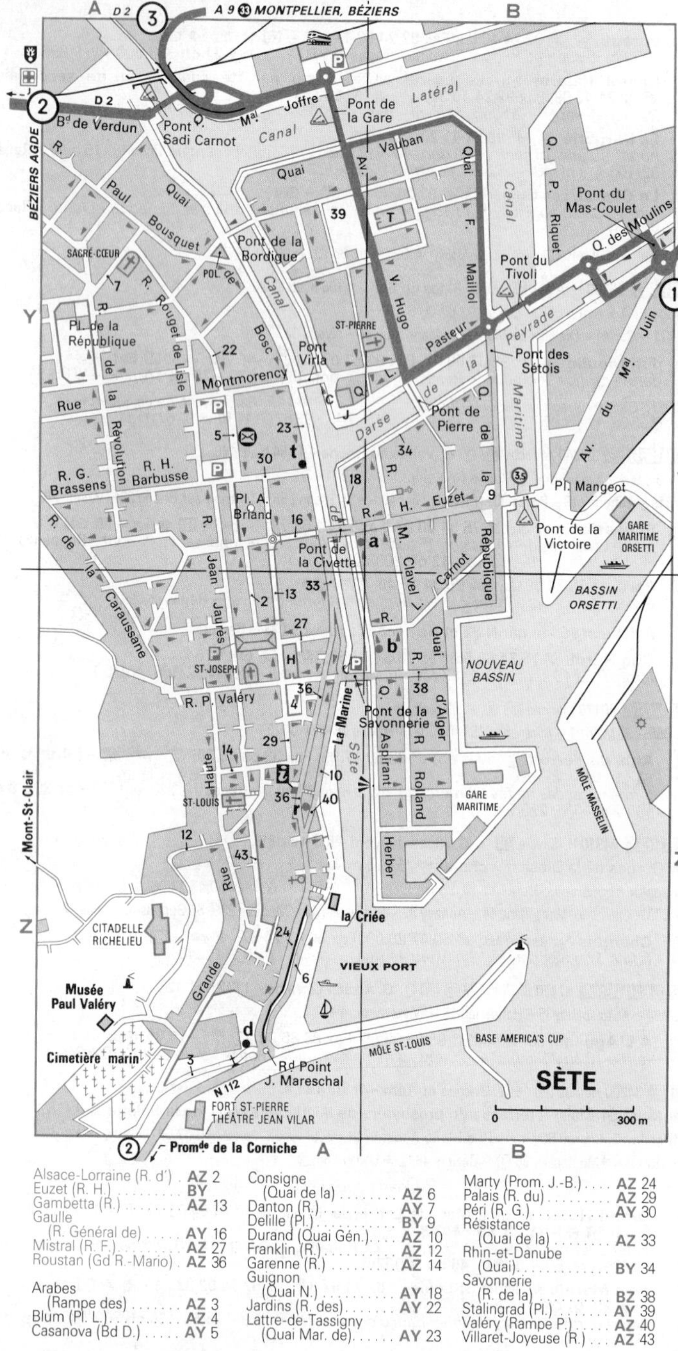

Alsace-Lorraine (R. d')	AZ 2
Euzet (R. H.)	BY
Gambetta (R.)	AZ 13
Gaulle (R. Général de)	AY 16
Mistral (R. F.)	AZ 27
Roustan (Gd R.-Mario)	AZ 36
Arabes (Rampe des)	AZ 3
Blum (Pl. L.)	AZ 4
Casanova (Bd D.)	AY 5
Consigne (Quai de la)	AZ 6
Danton (R.)	AY 7
Delille (Pl.)	BY 9
Durand (Quai Gén.)	AZ 10
Franklin (R.)	AZ 12
Garenne (R.)	AZ 14
Guignon (Quai N.)	AY 18
Jardins (R. des)	AY 22
Lattre-de-Tassigny (Quai Mar. de)	AY 23
Marty (Prom. J.-B.)	AZ 24
Palais (R. du)	AZ 29
Péri (R. G.)	AY 30
Résistance (Quai de la)	AZ 33
Rhin-et-Danube (Quai)	BY 34
Savonnerie (R. de la)	BZ 38
Stalingrad (Pl.)	AY 39
Valéry (Rampe P.)	AZ 40
Villaret-Joyeuse (R.)	AZ 43

XXX **Les Saveurs Singulières,** 5 quai Ch. Lemaresquier ✆ 67 74 14 41, Fax 67 74 38 74 – ▤. AE GB. ✻ BZ **b**
fermé 20 juin au 12 juil., vacances de fév., le midi en juil.-août, dim. soir et lundi de sept. à juin – **Repas** 165/310 et carte 300 à 410.

XX **La Palangrotte,** rampe P. Valéry - quai Marine ✆ 67 74 80 35, Fax 67 74 97 20 – ▤. AE GB AZ **r**
fermé dim. soir et lundi sauf juil.-août – **Repas** - produits de la mer - 110 (déj.), 160/300.

sur la Corniche sud du plan par N 112 : 2 km :

Joie des Sables, plage de la Corniche ✆ 67 53 11 76, Fax 67 51 24 26 – ▤ TV ☎ P – 25. AE ⓓ GB. ✻
Les Flots d'Azur ✆ 67 53 01 52 *(fermé 2 janv. au 10 fév., dim. soir et lundi d'oct. à mai et lundi midi en sais.)* **Repas** 99/260, enf.55 – ☕ 35 – **25 ch** 330 – ½ P 298.

Sables d'Or sans rest, pl. É. Herriot ✆ 67 53 09 98 – |♦| TV ☎. AE GB. ✻
☕ 35 – **30 ch** 225/325.

Les Tritons sans rest, bd Joliot-Curie ✆ 67 53 03 98, Fax 67 53 38 31, – |♦| TV ☎ P. AE ⓓ GB
☕ 35 – **36 ch** 240/340.

XX **Les Terrasses du Lido** avec ch, rond-point Europe ✆ 67 51 39 60, Fax 67 51 28 90, , – |♦| ▤ TV ☎ P – 25. AE ⓓ GB
fermé 5 au 27 fév. – **Repas** *(fermé dim. soir et lundi du 15 sept. au 15 juin)* 140/300, enf. 70 – ☕ 40 – **9 ch** 280/450 – ½ P 300/380.

X **La Corniche,** pl. É. Herriot ✆ 67 53 03 30, – GB
fermé 5 janv. au 1er mars, dim. soir d'oct. à mai et lundi – **Repas** 97/148, enf. 40.

PEL France Auto, ZI des Eaux Blanches ✆ 67 48 48 61
EUGEOT Gd Gar. Sétois, r. de Madrid - Parc quatechnique par ③ ✆ 67 46 76 00
ENAULT Sète Exploitation Autos, ZI des Eaux lanches par ③ ✆ 67 51 60 60 N ✆ 05 05 15 15
ENAULT Gar. Lacour, quai des Moulins, r. harbonniers BY ✆ 67 48 93 94
SEAT Sète Autom., 46 quai Bosc ✆ 67 74 36 66

Comptoir Méridional du C/c, 1005 rte de Montpellier ✆ 67 48 80 50
Escoffier Pneus Vulcopneu, rte de Balarue - 73 parc Aquatechnique ✆ 67 43 22 15
Guittard, 2 quai L.-Pasteur ✆ 67 74 08 91
Martinez Pneus, 24 quai République ✆ 67 74 93 61

SEURRE 21250 Côte-d'Or 69 ⑩ 70 ② **G. Bourgogne** – 2 728 h alt. 177.
aris 337 – Chalon-sur-Saône 38 – Beaune 27 – ♦Dijon 42 – Dole 38.

Le Castel, av. Gare ✆ 80 20 45 07, Fax 80 20 33 93, – TV ☎ P. GB
fermé 2 janv. au 6 fév. et lundi d'oct. à avril – **Repas** 95/180, enf. 50 – ☕ 35 – **22 ch** 240/265.

ITROEN Gar. Milan, à Labruyère ✆ 80 21 05 78
ITROEN Gar. François, ✆ 80 21 12 84
RENAULT Gar. Pignolet, ✆ 80 20 41 46

SÉVÉRAC-LE-CHÂTEAU 12150 Aveyron 80 ④ **G. Gorges du Tarn** – 2 486 h alt. 735.
Office de Tourisme r. des Douves ✆ 65 47 67 31.
aris 623 – Mende 65 – Rodez 50 – Espalion 46 – Florac 76 – Millau 30.

Causses, à Sévérac-gare ✆ 65 71 60 15, Fax 65 47 75 06 – ☎ P. GB. ✻ rest
hôtel : fermé oct. et dim. sauf vacances scolaires – **Repas** *(fermé oct., dim. sauf le midi en juil.-août et lundi midi)* 50/136 ♁, enf. 40 – ☕ 32 – **13 ch** 150/230 – ½ P 180/210.

EUGEOT Gar. Delmas, Lapanouse ✆ 65 47 62 16

SÉVIGNACQ-MEYRACQ 64260 Pyr.-Atl. 85 ⑥ – 437 h alt. 415.
aris 797 – Pau 23 – Lourdes 40 – Oloron-Ste-Marie 20.

XX **Bains de Secours** avec ch, NE : 3,5 km par D 934 et route secondaire ✆ 59 05 62 11, Fax 59 05 76 56, – TV ☎ P. AE ⓓ GB
fermé dim. soir et lundi (sauf hôtel en sais.) – **Repas** 80 (déj.), 148/150 ♁ – ☕ 36 – **7 ch** 270/330 – ½ P 240.

SEVRAN 93 Seine-St-Denis 56 ⑪, 101 ⑱ – voir à Paris, Environs.

SÈVRES 92 Hauts-de-Seine 60 ⑩, 101 ㉔ – voir à Paris, Environs.

SÉVRIER 74320 H.-Savoie 74 ⑥ **G. Alpes du Nord** – 2 980 h alt. 456.
Voir Musée de la Cloche★.
Office de Tourisme, pl. de la Mairie ✆ 50 52 40 56, Fax 50 52 48 66.
Paris 542 – Annecy 5,5 – Albertville 40 – Megève 55.

Eramotel, ✆ 50 52 43 83, , , – ☎ P. GB. ✻ rest
hôtel : fermé oct. ; rest. : ouvert juin-sept. – **Repas** (dîner seul.) 98/128 ♁ – ☕ 35 – **18 ch** 250/395 – ½ P 300/365.

Résidel M sans rest, Sous les Crêts ✆ 50 52 67 50, Fax 50 52 67 11, ≤, – cuisinette TV ☎ ♿ P. AE GB
☕ 32 – **14 ch** 250/330, 6 duplex.

X **Le Bistrot du Port,** au port ✆ 50 52 45 00, Fax 50 52 68 58, ≤, – AE GB
mi-mai-mi-sept. – **Repas** grill *(fermé mardi en mai et juin)* 98/180, enf. 65.

à Letraz N : 2 km sur N 508 – ✉ **74320** Sévrier :

Aub. de Létraz (Collon) M, ☎ 50 52 40 36, Fax 50 52 63 36, ≤, « Jardin face lac », – |‡| TV ☎ ♿ P – 25 à 80. AE ⓓ GB
Repas *(fermé dim. soir et lundi d'oct. à mai)* 195/395 et carte 290 à 430 – 56 – **25** 525/780 – ½ P 509/639
Spéc. "Tournedos" de féra au jus de viande (fév. à mi-oct.). Ballotine chaude de pigeon au foie gras. La "Sevriolai (dessert). Vins Chignin Bergeron, Pinot de Savoie.

Beauregard, ☎ 50 52 40 59, Fax 50 52 44 71, ≤, – |‡| TV ☎ P – 100. ⓓ GB
fermé 13 déc. au 13 janv. – **Repas** 82/190, enf. 58 – 34 – **45 ch** 300/375 – ½ P 292/400.

La Fauconnière, ☎ 50 52 41 18, Fax 50 52 63 33, – TV ☎ P. GB.
Repas *(fermé dim. soir et lundi midi)* 85/220 , enf. 50 – 39 – **28 ch** 220/290 – ½ P 28 290.

CITROEN Alp'Auto, ☎ 50 52 41 44 RENAULT Laudon Autom., ☎ 50 52 43 72

SEWEN 68290 H.-Rhin 66 ⑧ – 539 h alt. 500.
Voir Lac d'Alfeld★ O : 4 km, **G. Alsace Lorraine.**
Paris 448 – Épinal 76 – ◆Mulhouse 38 – Altkirch 38 – Belfort 32 – Colmar 64 – Thann 24 – Le Thillot 27.

Host. du Relais des Lacs, ☎ 89 82 01 42, Fax 89 82 09 29, parc – ☎ P. AE GB JCB
fermé 25 août au 6 sept., mardi soir et merc. hors sais. – **Repas** 95/220 – 40 – **13** 190/300 – ½ P 240/310.

Vosges, ☎ 89 82 00 43, Fax 89 82 08 33, ≤, – TV ☎ P. AE ⓓ GB
fermé 15 nov. au 20 déc., vacances de fév., dim. soir hors sais. et jeudi – **Repas** 88/330 enf. 55 – 33 – **17 ch** 250/300 – ½ P 250/280.

SEYNE 04140 Alpes-de-H.-P. 81 ⑦ **G. Alpes du Sud** – 1 222 h alt. 1200.
Voir Col du Fanget ≤★ SO : 5 km.
ℹ Office de Tourisme pl. Armes (vacances scolaires) ☎ 92 35 11 00.
Paris 719 – Digne-les-Bains 41 – Gap 45 – Barcelonnette 41 – Guillestre 74.

à Selonnet NO : 4 km par D 900 – 331 h. alt. 1060 – ✉ **04460** :

Relais de la Forge M , ☎ 92 35 16 98, Fax 92 35 07 37, – TV ☎ P. AE GB
fermé 18 nov. au 16 déc., dim. soir et lundi sauf vacances scolaires – **Repas** 75/175 32 – **15 ch** 160/265 – ½ P 190/230.

au col St-Jean au N : 12 km par D 900 – Sports d'hiver : 1 300/2 500 m 16 – ✉ **04140** Seyn

Espace M, ☎ 92 35 37 00, Fax 92 35 31 92, ≤ – |‡| TV ☎ ♿ – 45. AE GB. rest
Repas 85/185 – 35 – **44 ch** 195/290 – ½ P 295.

Les Alisiers, S : 1 km par D 207 ☎ 92 35 30 88 – P. GB
fermé 12 nov. au 25 déc., mardi et merc. sauf vacances scolaires – **Repas** 65/200, enf. 39.

La SEYNE-SUR-MER 83500 Var 84 ⑮ **G. Côte d'Azur** – 59 968 h alt. 3 – Casino (fermé).
Voir ≤★ de la terrasse du fort Balaguier E : 3 km.
ℹ Office de Tourisme pl. L.-Rollin ☎ 94 94 73 09, Fax 94 30 84 62 et esplanade des Sablettes.
Paris 833 – ◆Toulon 7 – Aix-en-Provence 76 – La Ciotat 35 – ◆Marseille 60.

Moderne sans rest, 2 r. L. Blum ☎ 94 94 86 68, Fax 94 87 05 34 – TV ☎. AE GB
30 – **26 ch** 195/350.

Aubergade, 20 r. Faidherbe ☎ 94 94 81 95 – . GB
fermé 14 juil. au 15 août, lundi soir et dim. – **Repas** 87 (déj.), 133/210.

à Fabrégas S : 4 km par D 18 et rte secondaire – ✉ **83500** La Seyne-sur-Mer :

Chez Daniel "rest. du Rivage", ☎ 94 94 85 13, Fax 94 87 25 25, ≤, – P. AE GB
fermé fév. et merc. sauf juil.-août – **Repas** - produits de la mer - 230/350.

CITROEN C.T.O., quartier Berthe, 501 av. St-Exupéry ☎ 94 11 23 23
PEUGEOT Les Gds Gar. du Var, av. E.-d'Orves, quartier Brégaillon ☎ 94 94 18 95
RENAULT Seyne Autom., camp Laurent, bretelle autoroute ☎ 94 11 05 05 N ☎ 05 05 15 15

Aude Point S, 105 av. Gambetta ☎ 94 87 09 38
Auto Sce 83, Ctre Cial Mammouth ☎ 94 30 13 87
Vulcanisation Seynoise, 2 r. J.-Louis Mabily ☎ 94 94 83 48

SEYSSEL 74910 H.-Savoie 74 ⑤ **G. Jura** – 1 630 h alt. 252.
Env. Grand Colombier ✻★★★ SO : 22 km.
ℹ Office de Tourisme Maison du Pays ☎ 50 59 26 56, Fax 50 56 21 94.
Paris 519 – Annecy 38 – Aix-les-Bains 31.

dans le Val du Fier S : 3 km par D 991 et D 14 **G. Alpes du Nord** – ✉ **74910** Seyssel.
Voir Val du Fier★.

Rôtisserie du Fier, ☎ 50 59 21 64, Fax 50 56 20 54, – P. AE GB
fermé 21 au 30 nov., 18 fév. au 2 mars, mardi soir et merc. – **Repas** 100 bc/300 .

CITROEN Gar. Rossi, ☎ 50 59 21 85

SEYSSINET-PARISET 38 Isère 77 ④ – rattaché à Grenoble.

SÉZANNE 51120 Marne 61 ⑤ **G. Champagne** – 5 829 h alt. 137.

Office de Tourisme pl. République ✆ 26 80 51 43, Fax 26 80 54 13.

Paris 113 – Troyes 60 – Châlons-en-Champagne 57 – Meaux 78 – Melun 87 – Sens 78.

Croix d'Or, 53 r. Notre-Dame ✆ 26 80 61 10, Fax 26 80 65 20 – TV ☎ P. AE ⓓ GB
fermé 2 au 12 janv. – **Repas** 65/250 🍷, enf. 55 – ☕ 30 – **13 ch** 200/240 – ½ P 220/280.

Relais Champenois, 157 r. Notre-Dame ✆ 26 80 58 03, Fax 26 81 35 32 – TV ☎ ♿ P. AE GB
fermé 22 déc. au 3 janv. et dim. soir – **Repas** 95/220 🍷, enf. 45 – ☕ 35 – **15 ch** 190/350.

Soleil, 17 r. Paris ✆ 26 80 63 13, Fax 26 80 67 92, 🏠 – GB
fermé 15 au 26 juil., vacances de fév., mardi soir et merc. – **Repas** 65/220 🍷, enf. 38.

CITROEN Petit Vissuzaine, av. J.-Jaurès ✆ 26 80 50 02 N ✆ 26 80 52 84
PEUGEOT Gar. Notre Dame, ZI rte de Troyes ✆ 26 80 71 01
RENAULT S.C.A.T., ZI, rte de Troyes ✆ 26 80 57 31

SIERCK-LES-BAINS 57480 Moselle 57 ④ **G. Alsace Lorraine** – 1 825 h alt. 147.

Voir ≤★ du château fort.

Office de Tourisme, Tour de l'Horloge ✆ 82 83 74 14, Fax 82 83 22 10.

Paris 355 – ♦Metz 45 – Luxembourg 36 – Thionville 17 – Trier 52.

*à **Montenach*** SE : 3,5 km sur D 956 – 369 h. alt. 200 – ✉ **57480** :

Aub. de la Klauss, ✆ 82 83 72 38, Fax 82 83 73 00, 🏠, 🌳 – P. GB
fermé 24 déc. au 8 janv. et lundi – **Repas** 120/270 🍷.

*à **Manderen*** E : 7 km par N 153 et D 64 – 376 h. alt. 290 – ✉ **57480** :

Au Relais du Château Mensberg 🐦, ✆ 82 83 73 16, Fax 82 83 23 37, 🌳 – TV ☎ ♿ P. AE ⓓ GB
Repas 120/270 🍷, enf. 45 – ☕ 35 – **17 ch** 240/290 – ½ P 280.

SIERENTZ 68510 H.-Rhin 66 ⑩ – 2 106 h alt. 270.

Paris 491 – ♦Mulhouse 15 – Altkirch 18 – Basel 18 – Belfort 58 – Colmar 51.

Aub. St-Laurent, 1 r. Fontaine ✆ 89 81 52 81, Fax 89 81 67 08, 🏠 – P. GB
fermé 8 au 24 juil., 11 au 28 fév., lundi et mardi – **Repas** 170 (déj.), 250/400, enf. 80.

PEUGEOT Gar. Bissel, ✆ 89 81 50 00

SIGEAN 11130 Aude 86 ⑩ **G. Pyrénées Roussillon** – 3 373 h alt. 21.

Env. Réserve africaine de Sigean★ NO : 7 km.

Office de Tourisme pl. de la Libération ✆ 68 48 14 81.

Paris 821 – ♦Perpignan 47 – Carcassonne 71 – Narbonne 21.

*au **Nord*** : 4 km par N 9 et rte secondaire – ✉ **11130** Sigean :

Château de Villefalse 🐦, ✆ 68 48 54 29, Fax 68 48 34 37, parc, 🏋, 🏊, 🏊, 🎾 – 🛗 TV ☎ P – 🎤 25. AE GB. ✻ rest
fermé 2 janv. au 1er fév., dim. soir et lundi hors sais. – **Repas** 148/340 – ☕ 85 – **15 ch** 910, 10 duplex – ½ P 720.

CITROEN Gar. Roques, ✆ 68 48 20 07 N ✆ 68 48 20 07

Write us...

If you have any comments on the contents of this Guide.

Your praise as well as your criticisms will receive careful consideration and, with your assistance, we will be able to add to our stock of information and, where necessary, amend our judgments.

Thank you in advance!

SIGNY-L'ABBAYE 08460 Ardennes 53 ⑰ G. Champagne – 1 422 h alt. 240.

Paris 213 – Charleville-Mézières 29 – Hirson 38 – Laon 71 – Rethel 23 – Rocroi 30 – Sedan 50.

Aub. de l'Abbaye avec ch, ☎ 24 52 81 27, Fax 24 53 71 72 – TV ☎. GB
fermé 2 janv. au 28 fév., merc. soir et jeudi – **Repas** 75/150 ♀, enf. 60 – ☐ 30 – **10 c**
200/350 – ½ P 200/250.

CITROEN Gar. Thomassin, rte de Rethel ☎ 24 52 80 24

RENAULT Gar. Turquin, ☎ 24 52 81 37

SIGNY-LE-PETIT 08380 Ardennes 53 ⑰ – 1 280 h alt. 238.

Paris 206 – Charleville-Mézières 37 – Hirson 15 – Chimay 24.

Au Lion d'Or, pl. Église ☎ 24 53 51 76, Fax 24 53 36 96 – TV ☎ ♿ P. AE GB JCB
Repas *(fermé 15 au 31 mars, dim. soir et mardi hors sais. et lundi)* 70/260 ♀ – ☐ 50 – **10 c**
290/460 – ½ P 285/630.

à Brognon N : 5 km par D 10 – 142 h. alt. 295 – ✉ 08380 :

Domaine St-Antoine ☎ 24 53 56 56, Fax 24 53 53 26, – TV ☎ P
25. AE GB
fermé fév. – **Repas** 160/280, enf. 60 – **10 ch** 400/500 – ½ P 400.

SION 54 M.-et-M. 62 ④ G. Alsace Lorraine – alt. 497 – ✉ 54330 Vézelise.

Voir ✱★ du calvaire – Signal de Vaudémont ✱★★ (monument à Barrès) S : 2,5 km.

Paris 369 – Épinal 50 – ♦Nancy 35 – Toul 38 – Vittel 41.

Notre Dame ☎ 83 25 13 31, Fax 83 25 11 30, – TV ☎ P. GB
Repas 75/100 ♀, enf. 35 – ☐ 32 – **15 ch** 160/240 – ½ P 205/270.

SIORAC-EN-PÉRIGORD 24170 Dordogne 75 ⑯ G. Périgord Quercy – 904 h alt. 77.

Paris 547 – Périgueux 57 – Sarlat-la-Canéda 28 – Bergerac 46 – Cahors 67.

Aub. Petite Reine, rte de Belvès : 1 km ☎ 53 31 60 42, Fax 53 31 69 60, – res
☎ P. GB. ch
15 avril-fin oct. – **Repas** 95/140 ♀, enf. 35 – ☐ 38 – **39 ch** 236/330 – ½ P 281/320.

SIRAN 34210 Hérault 83 ⑬ – 544 h alt. 96.

Voir Chapelle de Centeilles★ N : 2 km,G Gorges du Tarn.

Paris 822 – Carcassonne 33 – Lézignan-Corbières 19 – Narbonne 35 – ♦Perpignan 96.

Villa d'Eléis M ☎ 68 91 55 98, Fax 68 91 48 34, ☎ ♿ P – 60. GB
fermé 15 janv. au 15 fév., mardi soir et merc. de nov. à avril – **Repas** 135/330 bc – ☐ 55 –
12 ch 300/600 – ½ P 325/400.

SISTERON 04200 Alpes-de-H.-P. 81 ⑤ ⑥ G. Alpes du Sud – 6 594 h alt. 490.

Voir Site★★ – Citadelle★ : ≤★ Y – Église Notre-Dame★ Z.

Office de Tourisme à l'Hôtel de Ville ☎ 92 61 12 03, Fax 92 61 19 57.

Paris 711 ① – Digne-les-Bains 39 ② – Barcelonnette 97 ① – Gap 49 ①.

Plan page ci-contre

Gd H. du Cours sans rest (rest. prévu), pl. Église ☎ 92 61 04 51, Fax 92 61 41 73 – TV
☎. AE GB Z
1er mars-15 nov. – ☐ 40 – **50 ch** 230/430.

Becs Fins, 16 r. Saunerie ☎ 92 61 12 04, Fax 92 61 12 04 – AE GB Y a
fermé dim. soir et merc. sauf juil.-août – **Repas** 99/240, enf. 56.

au NO par ① et N 85 – ✉ 04200 Sisteron :

Ibis M, à 4 km ☎ 92 62 62 00, Fax 92 62 62 10, – rest TV ☎ ♿ P – 25. AE
GB
Repas 99 bc, enf. 39 – ☐ 35 – **43 ch** 295.

Les Chênes, à 2 km ☎ 92 61 13 67, Fax 92 61 16 92, – TV ☎ – 25. GB
fermé 20 oct. au 4 nov., 20 déc. au 19 janv. et dim. sauf juil.-août – **Repas** 88/155, enf. 50 –
☐ 36 – **25 ch** 270/315 – ½ P 225/250.

CITROEN Julien et Fils, 150 rte de Gap par ① ☎ 92 61 12 07
MERCEDES HYUNDAI Dif. Autom. Gdes Alpes, ZI de Proviou Sud ☎ 92 61 06 66 N ☎ 92 61 28 31
NISSAN S.E.E., N 85 à Peipin ☎ 92 75 52 40
OPEL Gar. Espitallier, 1 av. J.-Jaurès ☎ 92 61 07 09
RENAULT Gar. Meyer, rte de Gap par ① ☎ 92 61 43 77 N ☎ 92 65 13 82

TOYOTA Alpes Sud Autom., av. Libération ☎ 92 61 01 64 N ☎ 92 61 24 64
VAG Gar. Roca, N 75 ZI de Proviou Sud ☎ 92 61 46 61

Ayme Pneus, av. Libération ☎ 92 61 08 15

SISTERON

Droite (R.) . . . . Y
Provence (R. de) . . . . Z 26
Saunerie (R.) . . . . Y

Arcades (Av. des) . . . . . . Z
Arène (Av. Paul) . . . . . . YZ 3
Basse des Remparts (R.) . . . . Y 4
Citadelle (Chemin de la). . . . . . . Y
Combes (R. des) . . . . Z 6
Cordeliers (R. des). . . . . . Z 8
Deleuze (R.) . . . . YZ 9
Dr-Robert (Pl. du) . . . . . . Y 10
Font-Chaude (R.) . . . . . . Y 12
Gaulle (Pl. Gén. de) . . . . . Z 13
Glissoir (R. du). . . . . Y 14
Grande École (Pl. de la) . . . . Z 15
Horloge (Pl. de l') . . . . . . Y 16
Libération (Av. de la) . . . . Z 17
Longue-Androne (R.) . . . Y 18
Marres (R. des) . . . . Z
Melchior-Donnet (Cours). . . . . Y 20
Mercerie (R.). . . . . Y 22
Moulin (Av. Jean) . . . . . . Z 23
Porte-Sauve (R.) . . . . Z 24
Poterie (R.). . . . . Y 25
République (Pl. de la) . . . . Z 28
Ste-Ursule (R.). . . . . Z 29
Tivoli (Pl. du) . . . . Y 30
Verdun (Allée de) . . . . . . Z 32

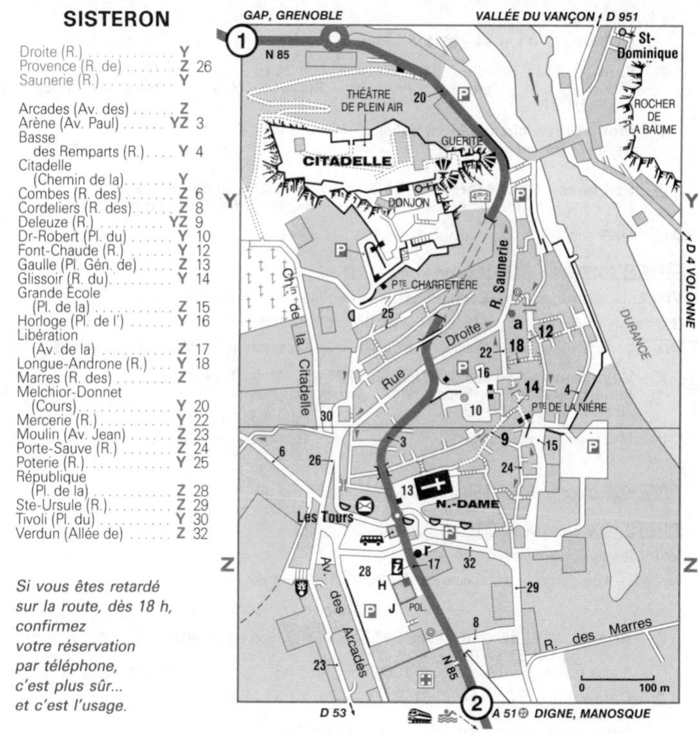

Si vous êtes retardé sur la route, dès 18 h, confirmez votre réservation par téléphone, c'est plus sûr... et c'est l'usage.

Repas soignés à prix modérés : Repas 100/130

SIX-FOURS-LES-PLAGES 83140 Var 84 ⑭ 114 ㊹ **G. Côte d'Azur** – 28 957 h alt. 20.

Voir Fort de Six-Fours ※★ N : 2 km – Presqu'île de St-Mandrier★ : ※★★ E : 5 km – ※★★ du cimetière de St Mandrier-sur-Mer E : 4 km.

Env. Chapelle N.-D.-du-Mai ※★★ S : 6 km.

Office de Tourisme plage de Bonnegrâce ☎ 94 07 02 21, Fax 94 25 13 36 et au Brusc quai St-Pierre (juil.-août) ☎ 94 34 17 50.

Paris 833 – ◆Toulon 16 – Aix-en-Provence 77 – La Ciotat 35 – ◆Marseille 60.

Clos des Pins M, 101 bis r. République ☎ 94 25 43 68, Fax 94 07 63 07, – AE GB
fermé 3 au 30 janv. – **Repas** *(fermé dim. soir et sam.)* 80/120, enf. 40 – 34 – **32 ch** 270/350 – ½ P 275/290.

Aub. St-Vincent, carrefour Pont-du-Brusc (D 559) ☎ 94 25 70 50, Fax 94 25 54 64, – AE GB
fermé lundi midi en sais., dim. soir et lundi hors sais. sauf fériés – **Repas** 119/255 et carte 210 à 300.

Verdi, carrefour Pont-du-Brusc (D 559) ☎ 94 25 50 95, Fax 94 25 54 64, – AE GB
juin-sept. et fermé lundi midi – **Repas** - cuisine italienne - 89/149.

Le Relais Provençal et Gascon, 80 av. de Lattre-de-Tassigny ☎ 94 34 50 54, – . AE GB
fermé 27 janv. au 10 fév. et lundi – **Repas** 78/215, enf. 50.

à la Plage de Bonnegrâce NO : 3 km par rte de Sanary – ✉ 83140 Six-Fours-les-Plages :

Le Dauphin, 36 square Bains ☎ 94 07 61 58, Fax 94 34 80 44, – GB
fermé dim. soir et lundi sauf juil.-août et fêtes – **Repas** 130/350.

au Brusc S : 4 km – ✉ **83140** Six-Fours-les-Plages :

Parc ⛰, 112 r. Bondil ☏ 94 34 00 15, Fax 94 34 16 94, ☂ – ☎ **P**. GB. ✂
1er avril-30 sept. et fermé dim. hors sais. – **Repas** 93/150 ⅄, enf. 55 – ☕ 33 – **18 ch** 216/33[...] – ½ P 253/310.

XX **Mont-Salva,** chemin Mont Salva ☏ 94 34 03 93, ☂ – **P**. AE GB
fermé 21 fév. au 28 mars, 14 au 22 nov., mardi soir et merc. sauf juil.-août – **Repas** 110/214 enf. 55.

XX **St-Pierre - Chez Marcel,** ☏ 94 34 02 52, Fax 94 34 18 01 – AE ⓓ GB
fermé janv., mardi soir et merc. hors sais. – **Repas** - produits de la mer - 90/198, enf. 65.

Mendez Pneus, 454 av. Mar.-Juin ☏ 94 74 70 80

SIZUN 29450 Finistère 58 ⑤ G. Bretagne – 1 728 h alt. 112.

Voir Enclos paroissial★ – Bannières★ dans l'église de Locmélar N : 5 km.

Office de Tourisme pl. Abbé-Broc'h (15 juin-15 sept.) ☏ 98 68 88 40.

Paris 574 – ◆Brest 42 – Carhaix-Plouguer 44 – Châteaulin 33 – Landerneau 15 – Morlaix 33 – Quimper 57.

Voyageurs, ☏ 98 68 80 35, Fax 98 24 11 49 – ☎ ♿ **P**. GB
fermé 6 au 29 sept. – **Repas** *(fermé sam. soir de nov. à Pâques)* 70/130 ⅄, enf. 52 – ☕ 34 – **28 ch** 200/260 – ½ P 180/230.

CITROEN Gar. Jegou, ☏ 98 68 80 47

RENAULT Gar. Dolou, ☏ 98 68 80 38 **N** ☏ 98 68 80 38

SOCCIA 2A Corse-du-Sud 90 ⑮ – voir à Corse.

SOCHAUX 25600 Doubs 66 ⑧ G. Jura – 4 419 h alt. 310.

Voir Musée Peugeot★ AX.

Paris 432 – ◆Besançon 84 – ◆Mulhouse 52 – Audincourt 8 – Belfort 16 – Montbéliard 4,5.

Voir plan de Montbéliard agglomération.

Arianis M, 11 av. Gén. Leclerc ☏ 81 32 17 17, Fax 81 32 00 90, ☂ – ⇅ ⇸ ▤ rest TV ☎ ♿ **P** – 🏛 80. AE ⓓ GB JCB AX u
Repas *(fermé dim. soir et sam.)* 98/185 ⅄, enf. 45 – ☕ 45 – **65 ch** 370/420 – ½ P 270/318.

Campanile, r. Collège ☏ 81 95 23 23, Fax 81 32 21 49, ☂ – ⇸ TV ☎ ✆ ♿ **P** – 🏛 25. AE ⓓ GB AX d
Repas 84 bc/107 bc, enf. 39 – ☕ 32 – **63 ch** 270.

XXX **Luc Piguet,** 9 r. Belfort ☏ 81 95 15 14, Fax 81 95 51 21, ☂, ☂ – **P**. AE ⓓ GB AX z
fermé 2 au 8 janv., dim. soir et lundi sauf fériés – **Repas** 105/250 et carte 270 à 380 ⅄, enf. 60.

CONSTRUCTEUR : S.A. des Automobiles Peugeot, ☏ 81 91 83 42

SOISSONS SP 02200 Aisne 56 ④ G. Flandres Artois Picardie – 29 829 h alt. 47.

Voir Anc. Abbaye de St-Jean-des-Vignes★★ – Intérieur★★ de la Cathédrale★ – Musée de l'anc abbaye de St-Léger★ BY **M.**

Office de Tourisme 1 av. Gén.-Leclerc ☏ 23 53 08 27.

Paris 101 ⑥ – Compiègne 38 ⑦ – Laon 38 ② – Meaux 64 ⑥ – ◆Reims 56 ③ – St-Quentin 59 ① – Senlis 59 ⑥.

Plan page ci-contre

Campanile, rte Paris par ⑥ ☏ 23 73 28 28, Fax 23 73 02 34, ☂ – ⇸ TV ☎ ✆ ♿ **P** – 🏛 25. AE ⓓ GB
Repas 84 bc/107 bc, enf. 39 – ☕ 32 – **48 ch** 270.

Prime, rte Paris par ⑥ ☏ 23 73 33 04, Fax 23 73 31 89 – TV ☎ ✆ ♿ **P** – 🏛 30. AE ⓓ GB
Repas 89/110 ⅄, enf. 39 – ☕ 32 – **42 ch** 268 – ½ P 333.

XX **Avenue,** 35 av. Gén. de Gaulle ☏ 23 53 10 76, Fax 23 53 63 45 – GB BZ v
fermé 12 au 26 août, dim. sauf fériés et lundi soir – **Repas** 98/230 ⅄.

BMW, TOYOTA Gar. Bachelet, Rd-Pt de l'Archer ☏ 23 73 92 92
FIAT S.E.V.A., 94 av. de Compiègne ☏ 23 53 31 63
FORD Europ Autom., 55 av. Gén.-de-Gaulle ☏ 23 59 03 29
MERCEDES Gar. Idoine, 3 av. de Compiègne ☏ 23 53 04 41 **N** ☏ 23 53 04 41
NISSAN Boulanger Autom., 103 av Château-Thierry à Belleu ☏ 23 73 21 11
OPEL S.D.A., 8-10 av. de Compiègne ☏ 23 53 10 69
PEUGEOT Gar. des Lions, 57 av. Gén.-de-Gaulle BZ ☏ 23 74 52 03 **N** ☏ 05 44 24 24

RENAULT S.A.S., rte de Reims par ③ ☏ 23 73 34 34 **N** ☏ 23 72 10 64
VAG Veltour Autom., 96 bd J.-d'Arc ☏ 23 53 59 59 **N** ☏ 23 53 59 59
N.C.V. Autom., rte Château-Thierry à Belleu ☏ 23 75 01 01

Dupont Pneus-Point S, 35 av. de Laon ☏ 23 59 42 31
Euromaster, 60 av. de Compiègne ☏ 23 59 95 95
Hurand Pneu-Vulcopneu, r. Salvador Allende, ZAC Chevreux ☏ 23 73 90 00

SOISSONS

Collège (R. du) .... AY 5
Commerce (R. du) .... BY 6
St-Christophe (R.) .... AY 33
St-Martin (R.) .... BY 35

Arquebuse (R. de l') .... BZ 2
Château-Thierry (Av.) .... BZ 4
Compiègne (Av.) .... AY 8
Desmoulins (Bd C.) .... ABZ 12
Gambetta (Bd L.) .... BY 14
Intendance (R. de l') .... BY 15
Leclerc (Av. Gén.) .... BZ 22
Marquigny (Pl. F.) .... BY 23
Paix (R. de la) .... BY 24
Panleu (R. de) .... AY 25
Prés.-Kennedy (Av.) .... AZ 26
Quinquet (R.) .... ABY 28
Racine (R.) .... BZ 29
République (Pl. de la) .... BZ 30
St-Antoine (R.) .... BY 31
St-Christophe (Pl.) .... AY 32
St-Jean (R.) .... AZ 34
St-Quentin (R.) .... BY 36
St-Rémy (R.) .... AY 37
Strasbourg (Bd de) .... BY 38
Villeneuve (R. de) .... BZ 39

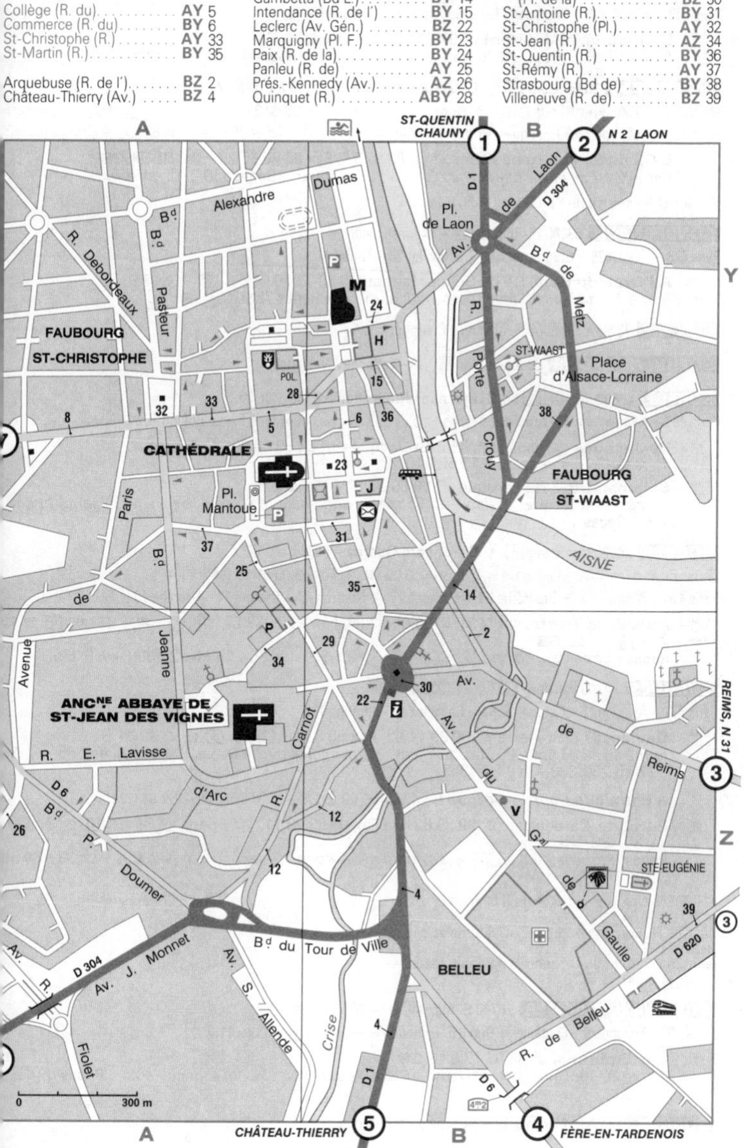

Ask your bookseller for the catalogue of Michelin publications.

SOLDEU 86 ⑮ – voir à Andorre (Principauté d').

SOLENZARA **2A** Corse-du-Sud 90 ⑦ – voir à Corse.

SOLESMES **72** Sarthe 64 ① ② – rattaché à Sablé-sur-Sarthe.

SOLLIÈS-VILLE 83210 Var 84 ⑮ 114 ㊻ **G. Côte d'Azur** – 1 895 h alt. 207.

Voir ≤★ de l'esplanade de la Montjoie.

Paris 842 – ◆Toulon 15 – Brignoles 41 – Draguignan 70 – ◆Marseille 79.

XX **L'Amourié,** pl. J. Aicard ☏ 94 33 74 72 – AE GB
fermé 1er au 7 oct., 3 au 10 fév., dim. soir et lundi – **Repas** 120/270, enf. 55.

SOMMIÈRES 30250 Gard 83 ⑧ **G. Gorges du Tarn** (plan) – 3 250 h alt. 34.

Office de Tourisme 16 r. du Gén.-Bruyère ☏ 66 80 99 30, Fax 66 80 34 78.

Paris 739 – ◆Montpellier 30 – Aigues-Mortes 29 – Alès 42 – Lunel 13 – Nîmes 29 – Le Vigan 63.

XX **L'Olivette,** 11 r. Abbé Fabre ☏ 66 80 97 71, Fax 66 80 39 28 – ▤. AE ⓓ GB
fermé 2 au 24 janv., mardi soir d'oct. à mai et merc. – **Repas** 110/170, enf. 50.

Bourrel Pneus, rte de Saussines ☏ 66 80 91 31

SONDERNACH 68380 H.-Rhin 87 ⑱ – 540 h alt. 540.

Paris 476 – Colmar 28 – Gérardmer 41 – Guebwiller 28 – Thann 42.

XX **A l'Orée du Bois,** rte du Schnepfenried ☏ 89 77 70 21, ≤, 帘 – P. GB
fermé 10 janv. au 10 fév., merc. midi et mardi – **Repas** 75/220 ₰, enf. 45.

SONNAZ 73 Savoie 74 ⑮ – rattaché à Chambéry.

SOPHIA-ANTIPOLIS 06 Alpes-Mar. 84 ⑨ – rattaché à Valbonne.

SORÈDE 66690 Pyr.-Or. 86 ⑲ **G. Pyrénées Roussillon** – 2 160 h alt. 20.

Paris 887 – ◆Perpignan 23 – Amélie-les-Bains-Palalda 30 – Argelès-sur-Mer 6,5 – Le Boulou 15.

St-Jacques ⛰ sans rest, 45 r. St-Jacques ☏ 68 89 00 60, ≤, ⛱ – ☎ P
1er mars-30 oct. – ☕ 35 – **15 ch** 240/280.

X **Salamandre,** 3 rte Laroque ☏ 68 89 26 67 – AE ⓓ GB
fermé 14 au 29 nov., 12 janv. au 25 mars, lundi (sauf le soir du 15 juil. au 15 sept.) et dir soir – **Repas** 120 ₰, enf. 50.

SORGES 24420 Dordogne 75 ⑥ **G. Périgord Quercy** – 1 074 h alt. 178.

Syndicat d'Initiative Maison de la Truffe ☏ 53 05 90 11, Fax 53 05 95 18 (Mairie).

Paris 474 – Périgueux 20 – Brantôme 24 – ◆Limoges 75 – Nontron 47 – Thiviers 14 – Uzerche 70.

Aub. de la Truffe, sur N 21 ☏ 53 05 02 05, Fax 53 05 39 27, 帘, ⛱, 🐎 – ▤ rest TV ☎ P – 🏛 30. AE GB
Repas *(fermé dim. soir en hiver)* 75/250 ₰, enf. 50 – ☕ 35 – **26 ch** 220/300 – ½ P 275.

SORGUES 84700 Vaucluse 81 ⑫ – 17 236 h alt. 24.

Paris 677 – Avignon 11 – Carpentras 16 – Cavaillon 29 – Orange 18.

Davico, 67 r. St Pierre ☏ 90 39 11 02, Fax 90 83 48 42 – |ⵗ| TV ☎. GB. ✂ ch
fermé 15 au 31 août, 20 déc. au 6 janv., sam. midi et dim. – **Repas** 100/190 ₰, enf. 60 – ☕ 3 – **27 ch** 250/330 – ½ P 285/305.

à Entraigues-sur-la-Sorgue E : 4,5 km par D 38 – 5 788 h. alt. 30 – ✉ **84320** :

Parc, rte Carpentras ☏ 90 83 62 43, Fax 90 83 29 11, 帘, parc, ⛱ – ▤ TV ☎ ♿ P 🏛 30. GB. ✂
Repas *(fermé le midi en juil.-août, lundi midi et dim. de sept. à juin)* 85/200 ₰ – ☕ 38 – **30 c** 360 – ½ P 268.

CITROEN Gar. Rolland, 224 rte d'Orange ☏ 90 83 30 04
PEUGEOT Sorgues Autom., ZAC Fournalet 2 ☏ 90 83 02 44
Gar. Lan, 125 rte de Carpentras à Entraigues-sur-Sorgues ☏ 90 83 18 73

Manu Pneus, Village d'Entreprises Ero ☏ 90 39 66 89

SOTTEVILLE-SUR-MER 76740 S.-Mar. 52 ③ – 365 h alt. 60.

Paris 200 – Dieppe 25 – Fontaine-le-Dun 9,5 – ◆Rouen 60 – St-Valery-en-Caux 11.

XX **Les Embruns,** ☏ 35 97 77 99 – GB
fermé 30 sept. au 7 oct., 20 janv. au 12 fév., dim. soir et lundi sauf juil.-août – **Repas** 72 (déj. 97/193.

SOUBISE 17 Char.-Mar. 71 ⑬ – rattaché à Rochefort.

SOUCY 89 Yonne 61 ⑭ – rattaché à Sens.

SOUDAN 79 Deux-Sèvres 68 ⑫ – rattaché à St-Maixent-l'École.

SOUESMES 41300 L.-et-Ch. 64 ⑳ – 1 135 h alt. 128.

Paris 192 – Bourges 48 – Aubigny-sur-Nère 21 – Blois 75 – Cosne-sur-Loire 61 – Gien 51 – Salbris 11.

Aub. Croix Verte, ☏ 54 98 83 70 – P
fermé 1er au 15 sept., dim. soir et lundi – **Repas** 80/130 ₰ – ☕ 28 – **13 ch** 120/180.

SOUILLAC 46200 Lot 75 ⑱ **G. Périgord Quercy** – 3 459 h alt. 104.

Voir Anc. église abbatiale : bas-relief "Isaïe"★★, revers du portail★ – Musée national de l'Automate et de la Robotique★.

Office de Tourisme bd L.-J. Malvy ☎ 65 37 81 56, Fax 65 27 11 45.

Paris 522 ① – Brive-la-Gaillarde 37 ① – Sarlat-la-Canéda 29 ③ – Cahors 63 ② – Figeac 67 ② – Gourdon 27 ②.

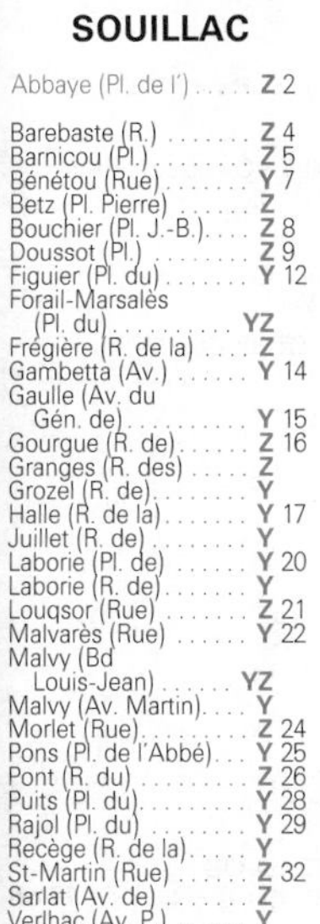

SOUILLAC

Abbaye (Pl. de l') . . . . . Z 2
Barebaste (R.) . . . . Z 4
Barnicou (Pl.) . . . . Z 5
Bénétou (Rue) . . . . Y 7
Betz (Pl. Pierre) . . . . . . Z
Bouchier (Pl. J.-B.). . . . Z 8
Doussot (Pl.) . . . . Z 9
Figuier (Pl. du) . . . . Y 12
Forail-Marsalès (Pl. du) . . . . YZ
Frégière (R. de la) . . . . Z
Gambetta (Av.) . . . . . . Y 14
Gaulle (Av. du Gén. de) . . . . Y 15
Gourgue (R. de) . . . . . . Z 16
Granges (R. des) . . . . . Z
Grozel (R. de) . . . . Y
Halle (R. de la) . . . . Y 17
Juillet (R. de) . . . . Y
Laborie (Pl. de) . . . . . . Y 20
Laborie (R. de) . . . . Y
Louqsor (Rue) . . . . Z 21
Malvarès (Rue) . . . . . . Y 22
Malvy (Bd Louis-Jean) . . . . . . YZ
Malvy (Av. Martin) . . . . Y
Morlet (Rue) . . . . Z 24
Pons (Pl. de l'Abbé) . . . Y 25
Pont (R. du) . . . . Z 26
Puits (Pl. du) . . . . Y 28
Rajol (Pl. du) . . . . Y 29
Recège (R. de la) . . . . . Y
St-Martin (Rue) . . . . . . Z 32
Sarlat (Av. de) . . . . Z
Verlhac (Av. P.) . . . . . . Y

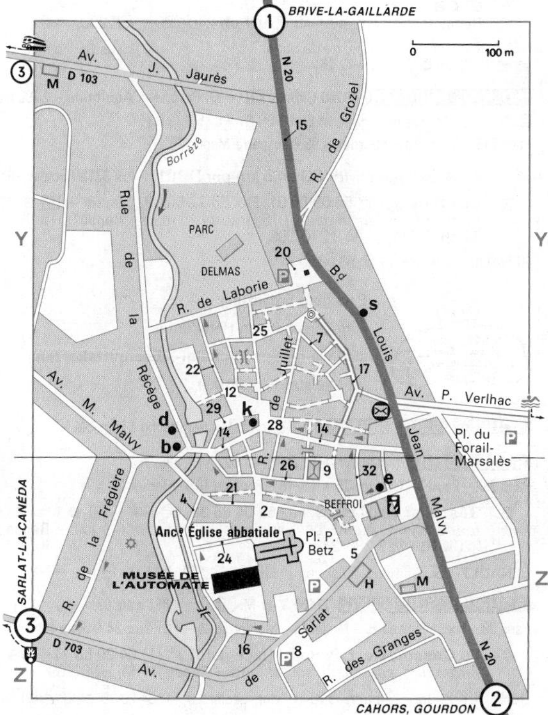

Les guides Rouges, les guides Verts et les Cartes Michelin sont complémentaires. Utilisez-les ensemble.

Vieille Auberge M, pl. Minoterie ☎ 65 32 79 43, Fax 65 32 65 19, ₺, ⛆ – ▤ rest TV ☎ ✆ ⇔ P – 🏊 30. AE ⓓ GB — Y **b**
fermé dim. soir et lundi du 1er nov. au 1er avril – **Repas** 100/200, enf. 55 – ☕ 38 – **19 ch** 300/350 – ½ P 375.

Les Granges Vieilles 🐚, av. Sarlat : 1,5 km par ③ ☎ 65 37 80 92, Fax 65 37 08 18, ⛱, parc, ⛆ – ☎ P. GB. ✗ ch
15 mars-15 nov. – **Repas** 85/270 – ☕ 40 – **11 ch** 320/480 – ½ P 345/425.

Grand Hôtel, 1 allée Verninac ☎ 65 32 78 30, Fax 65 32 66 34, ⛱ – |‡| ▤ TV ☎. AE GB
1er avril-1er nov. et fermé merc. en avril et oct. – **Repas** 70/230, enf. 48 – ☕ 35 – **44 ch** 265/430 – ½ P 228/350. — Z **e**

Le Quercy sans rest, 1 r. Récège ☎ 65 37 83 56, Fax 65 37 07 22, ⛆ – TV ☎ ⇔. GB JCB — Y **d**
15 mars-1er déc. – ☕ 33 – **25 ch** 270/300.

Puy d'Alon sans rest, av. J. Jaurès Y ☎ 65 37 89 79, Fax 65 32 69 10, ⛱ – TV ☎ ⇔ P. AE ⓓ GB
☕ 40 – **11 ch** 190/350.

Aub. du Puits, 5 pl. Puits ☎ 65 37 80 32, Fax 65 37 07 16, ⛱ – TV ☎. GB — Y **k**
fermé nov., déc., dim. soir et lundi hors sais. sauf vacances scolaires – **Repas** 75/235 ⅊ – ☕ 30 – **20 ch** 130/300 – ½ P 180/270.

Belle Vue sans rest, 68 av. J. Jaurès - Y ☎ 65 32 78 23, Fax 65 37 03 89, ⛆, ⛱, ✗ – |‡| ☎ P. GB
fermé 5 au 15 janv. – ☕ 30 – **27 ch** 205/235.

Europe sans rest, 54 bd L.-J. Malvy ☎ 65 37 08 01, Fax 65 27 11 23, ⛆ – TV ☎. GB — Y **s**
31 mars-25 oct. – ☕ 25 – **14 ch** 200/250.

XX **Le Redouillé,** 28 av. Toulouse par ② ☎ 65 37 87 25, Fax 65 37 09 09, 🏠, 🌳 – ▤ P. AE ① GB
fermé mardi du 15 sept. au 15 juin – **Repas** 95/350 🍷, enf. 60.

au Pigeon NE : 6 km par D 703 et rte secondaire – ✉ **46200** Mayrac :

XX **La Table au Fou** M avec ch, ☎ 65 32 28 50, Fax 65 32 28 55, 🏠, 🌳 – ▤ rest TV ☎ P.
AE GB
Repas 75/280, enf. 40 – ☕ 35 – **7 ch** 240/280 – ½ P 200.

RENAULT Gar. Sanfourche, rte de Sarlat ☎ 65 32 73 03 N ☎ 65 20 72 15
Pneus Service, 19 av. J.-Jaurès ☎ 65 37 81 88

SOULAC-SUR-MER **33780** Gironde 71 ⑯ **G. Pyrénées Aquitaine** – 2 790 h alt. 7 – Casino de la Plage.

Office de Tourisme r. Plage ☎ 56 09 86 61, Fax 56 73 63 76.

Paris 516 – Royan 10 – ◆Bordeaux 95 – Lesparre-Médoc 29.

à l'Amélie-sur-Mer SO : 4,5 km par D 101^E – ✉ **33780** Soulac-sur-Mer :

des Pins 🐚, ☎ 56 09 80 01, Fax 56 73 60 39, 🏠, 🌳 – TV ☎ P. AE ① GB. ✱ ch
fermé 15 nov. au 15 déc. et 15 janv. au 15 mars – **Repas** 90 (déj.), 95/250 🍷, enf. 52 – ☕ 42 – **34 ch** 225/400 – ½ P 270/395.

RENAULT Gar. Merlin, ☎ 56 09 80 44

Eine gute Ergänzung
zum vorliegenden Hotelführer
sind die gelben **Michelin-Abschnittskarten**
im Maßstab 1 : 200 000.

SOULAGES-BONNEVAL **12** Aveyron 76 ⑬ – rattaché à Laguiole.

SOUMOULOU **64420** Pyr.-Atl. 85 ⑦ – 1 022 h alt. 296.

Paris 782 – Pau 17 – Lourdes 25 – Nay 15 – Pontacq 10,5 – Tarbes 23.

Béarn, ☎ 59 04 60 09, Fax 59 04 63 33, 🏠, 🌳 – TV ☎ 🚗 P. AE ① GB
fermé 5 janv. au 10 fév., dim. soir et lundi d'oct. à juil. – **Repas** 67/199 🍷 – ☕ 39 – **14 ch** 220/310 – ½ P 230/243.

RENAULT Gar. Grimaud, à Espoey ☎ 59 04 65 17 N ☎ 05 05 15 15

SOUPPES-SUR-LOING **77460** S.-et-M. 61 ⑫ – 4 851 h alt. 67.

Paris 89 – Fontainebleau 26 – Melun 45 – Montargis 24 – ◆Orléans 84 – Sens 44.

X **La Cassolette,** r. P. Rollin (face gare) ☎ (1) 64 29 88 77 – GB
fermé dim. soir, merc. soir et lundi – **Repas** 70 (déj.), 89/159.

RENAULT Souppes Autom., 115 av. Mar.-Leclerc ☎ (1) 64 29 70 32 N ☎ (1) 64 29 70 32

SOURDEVAL **50150** Manche 59 ⑨ – 3 211 h alt. 217.

Voir Vallée de la Sée★ O, **G. Normandie Cotentin.**

Office de Tourisme ☎ 33 59 29 44, Fax 33 69 47 95.

Paris 315 – St-Lô 53 – Avranches 37 – Domfront 29 – Flers 30 – Mayenne 63 – St-Hilaire-du-Harcouët 24 – Vire 13.

XX **Le Temps de Vivre** avec ch, pl. Rex ☎ 33 59 60 41, Fax 33 59 88 34 – ☎. GB
fermé vacances de fév. et lundi sauf août – **Repas** 67/165 🍷, enf. 35 – ☕ 24 – **7 ch** 170/230 – ½ P 170/179.

PEUGEOT Gar. Postel, ☎ 33 59 60 35 N ☎ 33 59 60 35

SOUSCEYRAC **46190** Lot 75 ⑳ – 1 064 h alt. 559.

Paris 555 – Aurillac 48 – Cahors 91 – Figeac 40 – Mauriac 73 – St-Céré 17.

XX ✿ **Au Déjeuner de Sousceyrac** (Piganiol) avec ch, ☎ 65 33 00 56, Fax 65 33 04 37 – TV. GB
fermé fév., dim. soir et lundi sauf juil.-août – **Repas** 115/230 et carte environ 300, enf. 65 – ☕ 30 – **8 ch** 180/200 – ½ P 200
Spéc. Millefeuille de pommes de terre et foie gras de canard. Pigeonneau en cocotte au thym. Crème brûlée aux noix.

SOUS-LA-TOUR **22** C.-d'Armor 59 ③ – rattaché à St-Brieuc.

SOUSTONS **40140** Landes 78 ⑯ – 5 283 h alt. 9.

Voir Étang de Soustons★ O : 1 km, **G. Pyrénées Aquitaine.**

9 18 de la Côte d'Argent ☎ 58 48 54 65 NO par D 652 puis D 117 : 18 km.

Office de Tourisme "La Grange de Labouyrie" ☎ 58 41 52 62, Fax 58 41 30 63.

Paris 738 – Biarritz 55 – Mont-de-Marsan 77 – Castets 22 – Dax 26 – St-Vincent-de-Tyrosse 13.

Pavillon Landais ⛰, av. Lac ☎ 58 41 14 49, Fax 58 41 26 03, ≤, ☂, « Au bord du lac », ⛱, ☂, ✕ – TV ☎ ♿ P. AE ⓓ GB
fermé janv., dim. soir et lundi d'oct. à avril – **Repas** 100 (déj.), 150/230, enf. 85 – ☕ 40 – **27 ch** 400/480 – ½ P 350/400.

Château Bergeron, r. du Vicomte ☎ 58 41 58 14, parc, ⛱ – ☎ P. GB. ✵
1er juin-15 sept. – **Repas** (résidents seul.) – ☕ 45 – **15 ch** 260/380 – ½ P 420.

La Bergerie ⛰, av. Lac ☎ 58 41 11 43, « Demeure landaise dans un parc » – ✕ TV ☎ P. GB. ✵
1er mars-31 oct. – **Repas** (résidents seul.) – ☕ 45 – **12 ch** 300/400 – ½ P 420.

CITROEN Gar. Lartigau, 12 av. Mar.-Leclerc ☎ 58 41 14 80 N ☎ 58 41 14 80
PEUGEOT Gar. Chopin, 7 r. d'Aste ☎ 58 41 10 57
PEUGEOT Gar. Bouyrie, 6 av. Gén.-de-Gaulle ☎ 58 41 51 75

La SOUTERRAINE 23300 Creuse 72 ⑧ **G. Berry Limousin** – 5 459 h alt. 390.

Voir Église★.

Office de Tourisme pl. Gare ☎ 55 63 10 06, Fax Mairie 55 63 37 49.

Paris 345 – ♦Limoges 57 – Bellac 40 – Châteauroux 74 – Guéret 34.

Porte Saint-Jean, r. Bains ☎ 55 63 90 00, Fax 55 63 77 27 – TV ☎ ✆. AE ⓓ GB. ✵ rest
Repas *(fermé vend. soir, sam. et dim.)* 95/210 ♀, enf. 45 – ☕ 36 – **32 ch** 179/320 – ½ P 215/305.

à St-Étienne-de-Fursac S : 11 km par D 1 – 843 h. alt. 322 – ✉ **23290** :

Nougier, ☎ 55 63 60 56, Fax 55 63 65 47, « Intérieur rustique », ☂ – TV ☎ 🚗 P. GB
1er mars-30 nov. et fermé lundi midi en juil.-août, dim. soir et lundi de sept. à juin sauf fêtes – **Repas** 70 (déj.), 100/220, enf. 65 – ☕ 41 – **12 ch** 270/360 – ½ P 270.

CITROEN Gar. Chambraud, 2 r. Peu de Sedelle ☎ 55 63 08 89
PEUGEOT Gar. Laville, 7 av. République ☎ 55 63 01 63
G.P. Pneus, bd de Belmont ☎ 55 63 78 23
Pneus et Caoutchouc, bd Belmont ☎ 55 63 00 25

SOUVIGNY 03210 Allier 69 ⑭ **G. Auvergne** – 2 024 h alt. 242.

Voir Prieuré St-Pierre★★ – Calendrier★★ dans l'église-musée St-Marc.

Paris 298 – Moulins 12 – Bourbon-l'Archambault 14 – Montluçon 65.

Aub. des Tilleuls, ☎ 70 43 60 70 – GB
fermé 17 au 23 juin, 15 au 31 janv., dim. soir et lundi sauf juil.-août et fériés – **Repas** 75 (déj.), 118/220, enf. 50.

SOUVIGNY-EN-SOLOGNE 41600 L.-et-Ch. 64 ⑩ – 440 h alt. 210.

Paris 175 – ♦Orléans 37 – Gien 48 – Lamotte-Beuvron 14 – Montargis 63.

Perdrix Rouge, ☎ 54 88 41 05, Fax 54 88 05 56, « Jardin » – AE GB
fermé 28/6 au 5/7, 29/8 au 6/9, 22/2 au 14/3, lundi sauf le midi de mai à oct. et mardi sauf fériés – **Repas** (dim. et fêtes prévenir) 80/300.

Aub. Croix Blanche avec ch, ☎ 54 88 40 08, Fax 54 88 91 06 – ☎ P. GB
fermé mi-janv. à début mars, mardi soir et merc. – **Repas** 76/235 – ☕ 35 – **9 ch** 280 – ½ P 220/270.

RENAULT Gar. Paret, ☎ 54 88 43 18 N ☎ 54 88 43 18

SOYONS 07 Ardèche 77 ⑪ ⑫ – rattaché à St-Péray.

STAINS 93 Seine-St-Denis 56 ⑪, 101 ⑯ – voir à Paris, Environs.

STAINVILLE 55500 Meuse 62 ① – 380 h alt. 228.

Paris 228 – Bar-le-Duc 18 – Commercy 35 – Joinville 35 – Neufchâteau 69 – St-Dizier 20 – Toul 57.

✿ **La Petite Auberge,** ☎ 29 78 60 10 – AE ⓓ GB
fermé 22 juil. au 14 août, Noël au Jour de l'An, vend. soir, sam. midi et dim. soir – **Repas** (nombre de couverts limité, prévenir) 95 (déj.), 145/250 et carte 190 à 280
Spéc. Saumon frais à l'oseille. Duo de sole et langoustines. Nougat glacé à la Chartreuse. **Vins** Côtes de Toul.

La Grange ⛰ avec ch, ☎ 29 78 60 15, Fax 29 78 67 28, ☂, ☂ – TV ☎ ✆ 🚗. GB
fermé 20 déc. au 15 janv., dim. soir et lundi de nov. à avril – **Repas** 95/160 ♀, enf. 45 – ☕ 35 – **8 ch** 210/275 – ½ P 265.

STEINBRUNN-LE-BAS 68 H.-Rhin 66 ⑩ – rattaché à Mulhouse.

STELLA-PLAGE 62 P.-de-C. 51 ⑪ – rattaché au Touquet.

STIRING-WENDEL 57 Moselle 57 ⑥ – rattaché à Forbach.

Si vous êtes retardé sur la route, dès 18 h,
confirmez votre réservation par téléphone,
c'est plus sûr... et c'est l'usage.

STRASBOURG P **67000** B.-Rhin 62 ⑩ **G. Alsace Lorraine** – 252 338 h Agglo. 388 483 h alt. 143.

Voir Cathédrale★★★ : horloge astronomique★ – La Petite France★★ : rue du Bain-aux-Plantes★★ HJZ – Barrage Vauban ✳★★ – Ponts couverts★ – Place de la cathédrale★ KZ **26** : maison Kammerzell★ KZ **e** – Mausolée★★ dans l'église St-Thomas JZ – Place Kléber★ – Hôtel de Ville★ KY **H** – Palais de l'Europe★ – Orangerie★ – Promenades sur l'Ill et les canaux★ KZ – Musée de l'Oeuvre N.-Dame★★ KZ **M**[1] – Musées★★ (Arts décoratifs, Beaux-Arts, archéologie) au palais Rohan★ KZ – Musée Alsacien★★ KZ **M**[2] – Musée historique★ KZ **M**[3] – Visite du port★ en bateau FX.

9 9 9 à Illkirch-Graffenstaden (privé) ✆ 88 66 17 22 BT ; 18 de la Wantzenau à Wantzenau ✆ 88 96 37 73 CR ; 18 de Kempferhof à Plosheim ✆ 88 98 72 72, S par D 468 : 15 km.

✈ de Strasbourg-International : ✆ 88 64 67 67 AT.

🚗 ✆ 36 35 35 35.

ℹ Office de Tourisme 17 pl. de la Cathédrale ✆ 88 52 28 28, Fax 88 52 28 29, pl. Gare et Pont de l'Europe – A.C. 5 av. Paix ✆ 88 36 04 34, Fax 88 36 00 63.

Paris 490 ① – Basel 137 ③ – Bonn 317 ③ – ♦Bordeaux 1063 ① – Frankfurt am Main 218 ③ – Karlsruhe 82 ③ – ♦Lille 525 ① – Luxembourg 223 ① – ♦Lyon 485 ④ – Stuttgart 146 ③.

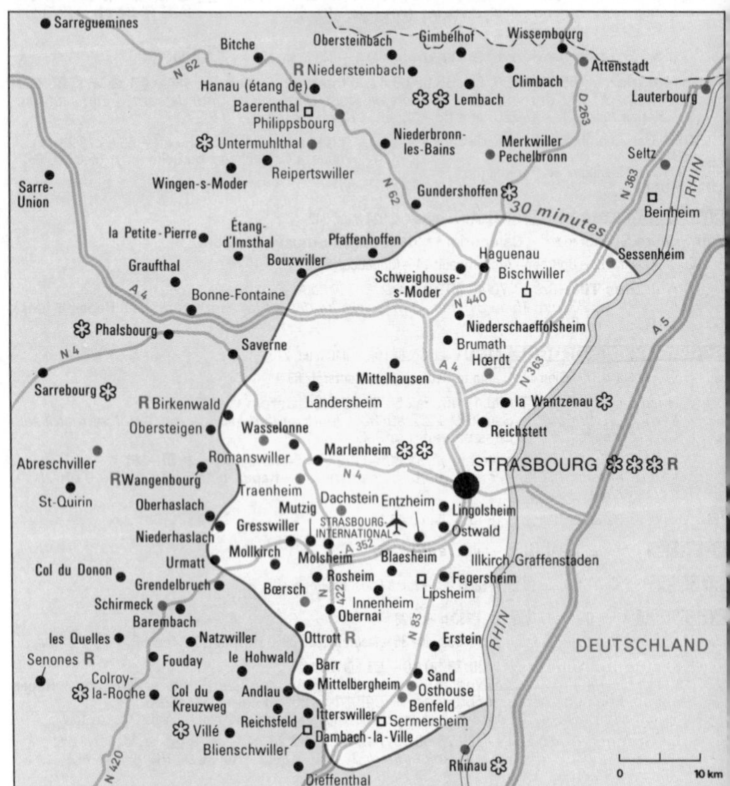

Régent Petite France M sans rest, 5 r. Moulins ✆ 88 76 43 43, Télex 880418, Fax 88 76 43 76, ←, « Anciennes glacières au bord de l'Ill - décor contemporain », – ▯ ▤ TV ☎ ♿ – 🏛 25 à 60. AE ⓓ GB JCB p. 6 JZ
fermé 21 déc. au 1er janv. – ☕ 87 – **63 ch** 1050/1800, 5 appart, 4 duplex.

Hilton, av. Herrenschmidt ✆ 88 37 10 10, Télex 890363, Fax 88 36 83 27, – ▯ ▤ TV ☎ ♿ P – 🏛 25 à 300. AE ⓓ GB JCB p. 4 EU
La Maison du Boeuf ✆ 88 35 72 31 *(fermé sam. midi et dim.)* **Repas** 180(déj.)/280, enf. 60 – ***Le Jardin*** ✆ 88 35 72 61 **Repas** 156/177 🍷, enf. 46 – ☕ 93 – **241 ch** 1050/1280, 5 appart.

Sofitel M, pl. St-Pierre-le-Jeune ✆ 88 32 99 30, Télex 870894, Fax 88 32 60 67, patio – AE GB p. 6 JY s
L'Alsace Gourmande ✆ 88 75 11 10 **Repas** carte 170 à 300, enf. 55 – 85 – **158 ch** 995.

Beaucour M sans rest, 5 r. Bouchers ✆ 88 76 72 00, Fax 88 76 72 60, « Anciennes maisons alsaciennes élégamment aménagées » – 30. AE GB p. 7 KZ k
65 – **49 ch** 550/950.

Régent Contades M sans rest, 8 av. Liberté ✆ 88 15 05 05, Fax 88 15 05 15, « Hôtel particulier du 19e siècle », – AE GB p. 7 LY f
87 – **45 ch** 770/1500.

Maison Rouge sans rest, 4 r. Francs-Bourgeois ✆ 88 32 08 60, Télex 880130, Fax 88 22 43 73, « Belle décoration intérieure » – 40. AE GB
65 – **142 ch** 540/590. p. 6 JZ g

Monopole-Métropole sans rest, 16 r. Kuhn ✆ 88 14 39 14, Télex 890366, Fax 88 32 82 55, « Décor alsacien et contemporain » – AE GB JCB
fermé 23 déc. au 5 janv. – 65 – **94 ch** 400/600. p. 6 HY p

Holiday Inn, 20 pl. Bordeaux ✆ 88 37 80 00, Télex 890515, Fax 88 37 07 04, – 50 à 500. AE GB JCB. rest p. 5 FU n
Repas 150, enf. 50 – 85 – **170ch** 920/1090.

Europe sans rest, 38 r. Fossé des Tanneurs ✆ 88 32 17 88, Fax 88 75 65 45, « Maison alsacienne à colombages, belle reproduction au 1/50e de la cathédrale » – 40. AE GB JCB p. 6 JZ g
fermé 22 au 29 déc. – 44 – **60 ch** 370/550.

France sans rest, 20 r. Jeu des Enfants ✆ 88 32 37 12, Fax 88 22 48 08 – 30. AE GB p. 6 JY v
60 – **66 ch** 450/650.

Mercure Centre M sans rest, 25 r. Thomann ✆ 88 75 77 88, Télex 880955, Fax 88 32 08 66 – AE GB p. 6 JY q
57 – **98 ch** 650.

Novotel Centre Halles M, 4 quai Kléber ✆ 88 21 50 50, Fax 88 21 50 51 – 25 à 100. AE GB p. 6 JY k
Repas carte environ 160, enf. 52 – 57 – **97 ch** 540/570.

Grand Hôtel sans rest, 12 pl. Gare ✆ 88 32 46 90, Télex 870011, Fax 88 32 16 50 – AE GB p. 6 HY m
65 – **83 ch** 380/610.

Plaza, 10 pl. Gare ✆ 88 15 17 17, Fax 88 15 17 15, – AE GB JCB p. 6 HY m
La Brasserie : **Repas** 97, enf. 40 – 58 – **72 ch** 460/530, 6 appart – ½ P 330.

Carlton M sans rest, 14 pl. Gare ✆ 88 32 62 39, Fax 88 75 94 82 – 30. AE GB p. 6 HY v
50 – **60 ch** 420/470.

Cathédrale M sans rest, 12 pl. Cathédrale ✆ 88 22 12 12, Fax 88 23 28 00 – AE GB JCB p. 7 KZ n
48 – **32 ch** 420/800, 3 duplex.

des Rohan sans rest, 17 r. Maroquin ✆ 88 32 85 11, Fax 88 75 65 37 – AE GB JCB p. 7 KZ u
50 – **36 ch** 410/695.

Villa d'Est M sans rest, 12 r. J. Kablé ✆ 88 15 06 06, Fax 88 15 06 16, – AE GB p. 4 EU s
fermé 23 déc. au 2 janv. – 67 – **48 ch** 495.

La Dauphine sans rest, 30 r. 1e Armée ✆ 88 36 26 61, Fax 88 35 50 07 – AE GB p. 4 EX a
fermé 23 déc. au 2 janv. – 60 – **45 ch** 390/550.

Dragon M sans rest, 2 r. Écarlate ✆ 88 35 79 80, Télex 871102, Fax 88 25 78 95 – AE GB. p. 6 JZ d
fermé 23 au 27 déc. – 56 – **32 ch** 430/640.

Hannong, 15 r. 22-Novembre ✆ 88 32 16 22, Fax 88 22 63 87 – rest – 30. AE GB p. 6 JY a
hôtel : fermé 3 au 9 janv. ; rest. : fermé fin juil. à mi-août, 3 au 9 janv., sam. midi et dim. – **Repas** carte 130 à 210 – 60 – **72 ch** 410/560.

Relais Mercure sans rest, 3 r. Maire Kuss ✆ 88 32 80 80, Fax 88 23 05 39, – 30. AE GB p. 6 HY e
49 – **52 ch** 370/450.

Forum H. M, 50 rte Bischwiller à Schiltigheim ✉ 67300 ✆ 88 62 55 55, Fax 88 62 66 02, – rest – 40 à 80. AE GB p. 4 EU s
Repas 98/180, enf. 49 – 50 – **85 ch** 470.

Rue	Carreau	N°
Atenheim (Route d')	CT	9
Bauerngrund (Rue de)	CT	15
Bischwiller (Rte de)	BS	18
Bœcklin (Rue)	CS	19
Bürkell (Rte de)	BT	24
Ceinture (Rue de la)	BT	27
Colmar (Route de)	BST	
Côte (Rue de la)	BR	33
Eckbolsheim (Rue de)	BS	43
Europe (Pont de l')	CS	47
Faisanderie (Rue de la)	BT	48
Foch (Rue du Mar.)	BT	54
Fontaine (Rue de la)	BR	55
Ganzau (Rue de la)	BT	66
Gaulle (Av. du Gén. de)	BS	67
Gaulle (R. du Gén. de)	BS	69
Gaulle (Rte du Gén. de)	BS	72
Gelspolsheim (Rue de)	BT	73
Graudenzerstrasse	CS	78
Hausbergen (Route de)	BS	81
Havre (Rue du)	CS	84
Hochfelden (Rue de)	BS	85
Hoenheim (Rue de)	BR	87
Holtzheim (Rue de)	AS	88
Ill (Rue de l')	CS	96
Kastler (Rue Alfred)	BT	99
Leclerc (Rue du Général)	BT	112
Lingolsheim (Rue de)	BT	115
Lyon (Route de)	BT	
Marais (Rue du)	CS	121
Mendès-France (Av. P.)	BS	132
Messmer (Avenue)	BT	138
Mittelhausbergen (Rte de)	BS	139
Neuhof (Route de)	CT	144
Niederhausbergen (Rte de)	BR	145
Oberhausbergen (R. d')	AS	148
Oberhausbergen (Rte d')	BS	
Périgueux (Rue de)	BS	159
Plaine des Bouchers (R. de la)	BS	163
Polygone (Route du)	BS	165
Pont (Rue du)	BT	166
Prés (Rue des)	BS	168
République (Rue de la)	BR	174
Rhin (Route du)	BT	175
Ribeauvillé (Rue de)	CS	177
Rochelle (Rue de la)	CT	180
Romains (Rte des)	BS	
St-Junien (R. de)	BS	184
Saverne (Rte de)	AS	196
Schirmeck (Rte de)	BS	
Seigneurs (Rue des)	AS	204
Strasbourg (Rte de)	BT	207
Strassburgerstrasse	CS	208
Tigre (Rue du)	BS	219
Vignes (Rue des)	BT	231
Vosges (Rue des)	BT	232
Wantzenau (Rte de)	CRS	
Wasselonne (Rte de)	BS	238
Wolfisheim (Rue de)	BS	241
23-Novembre (Rue du)	BT	246

Au moment de chercher un hôtel ou un restaurant, soyez efficace. Sachez utiliser les noms soulignés en rouge sur les cartes Michelin à 1/200 000. Mais ayez une carte à jour.

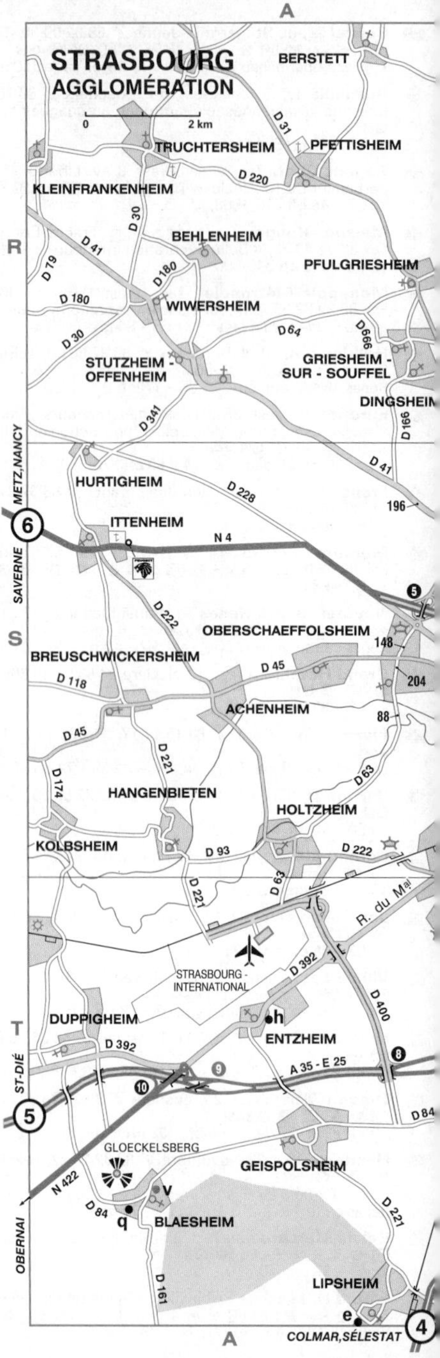

STRASBOURG AGGLOMÉRATION

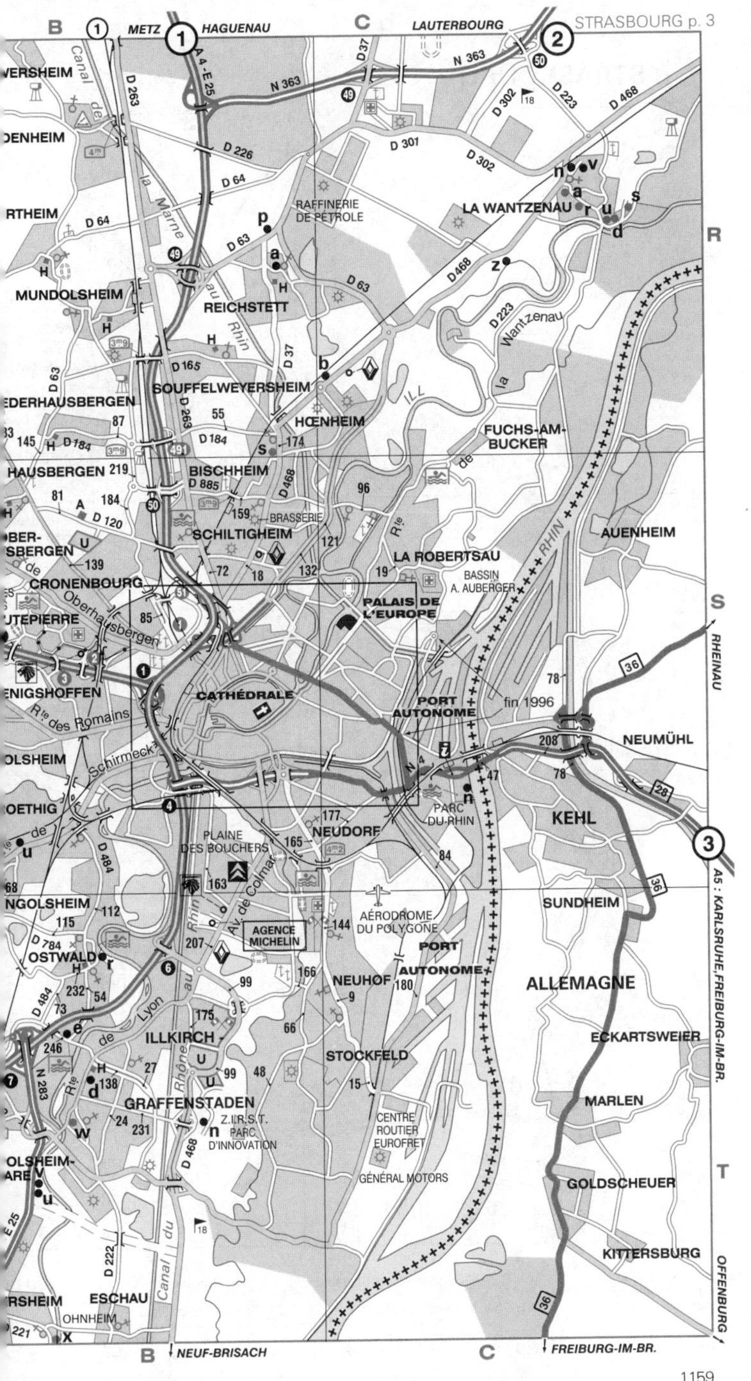

METZ
HAGUENAU
LAUTERBOURG
LA WANTZENAU
RAFFINERIE DE PÉTROLE
REICHSTETT
MUNDOLSHEIM
SOUFFELWEYERSHEIM
HŒNHEIM
FUCHS-AM-BUCKER
BISCHHEIM
SCHILTIGHEIM
BRASSERIE
AUENHEIM
LA ROBERTSAU
BASSIN A. AUBERGER
CRONENBOURG
PALAIS DE L'EUROPE
CATHÉDRALE
PORT AUTONOME
fin 1996
NEUMÜHL
PARC DU-RHIN
KEHL
NEUDORF
PLAINE DES BOUCHERS
AÉRODROME DU POLYGONE
SUNDHEIM
AGENCE MICHELIN
OSTWALD
NEUHOF
ALLEMAGNE
ILLKIRCH-
GRAFFENSTADEN
STOCKFELD
ECKARTSWEIER
MARLEN
Z.I.R.S.T. PARC D'INNOVATION
CENTRE ROUTIER EUROFRET
GÉNÉRAL MOTORS
GOLDSCHEUER
KITTERSBURG
ESCHAU
OHNHEIM
NEUF-BRISACH
FREIBURG-IM-BR.
RHEINAU
A5 : KARLSRUHE, FREIBURG-IM-BR.
OFFENBURG

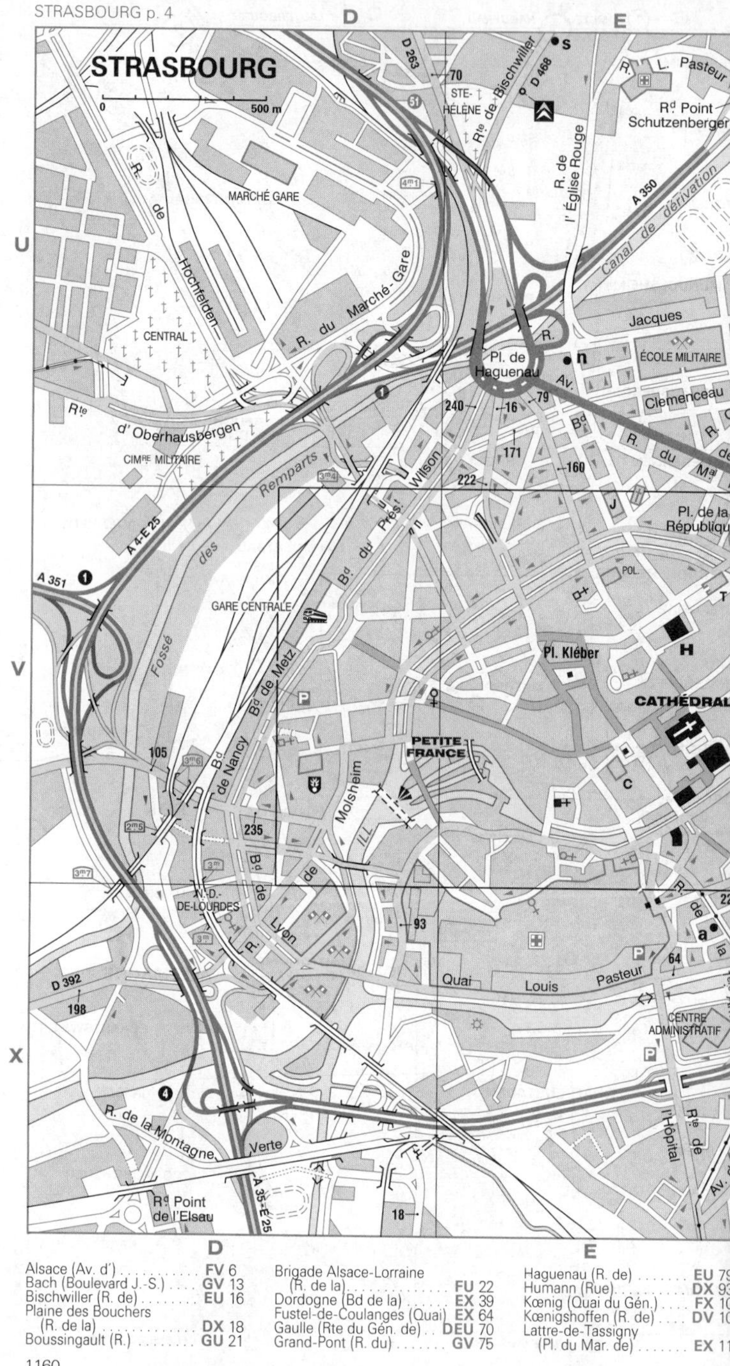

Alsace (Av. d') . . . . FV 6
Bach (Boulevard J.-S.) . . . . GV 13
Bischwiller (R. de) . . . . EU 16
Plaine des Bouchers
(R. de la) . . . . DX 18
Boussingault (R.) . . . . GU 21
Brigade Alsace-Lorraine
(R. de la) . . . . FU 22
Dordogne (Bd de la) . . . . . EX 39
Fustel-de-Coulanges (Quai) EX 64
Gaulle (Rte du Gén. de) . . DEU 70
Grand-Pont (R. du) . . . . GV 75
Haguenau (R. de) . . . . EU 79
Humann (Rue) . . . . DX 93
Kœnig (Quai du Gén.) . . . . FX 10
Kœnigshoffen (R. de) . . . . DV 10
Lattre-de-Tassigny
(Pl. du Mar. de) . . . . EX 11

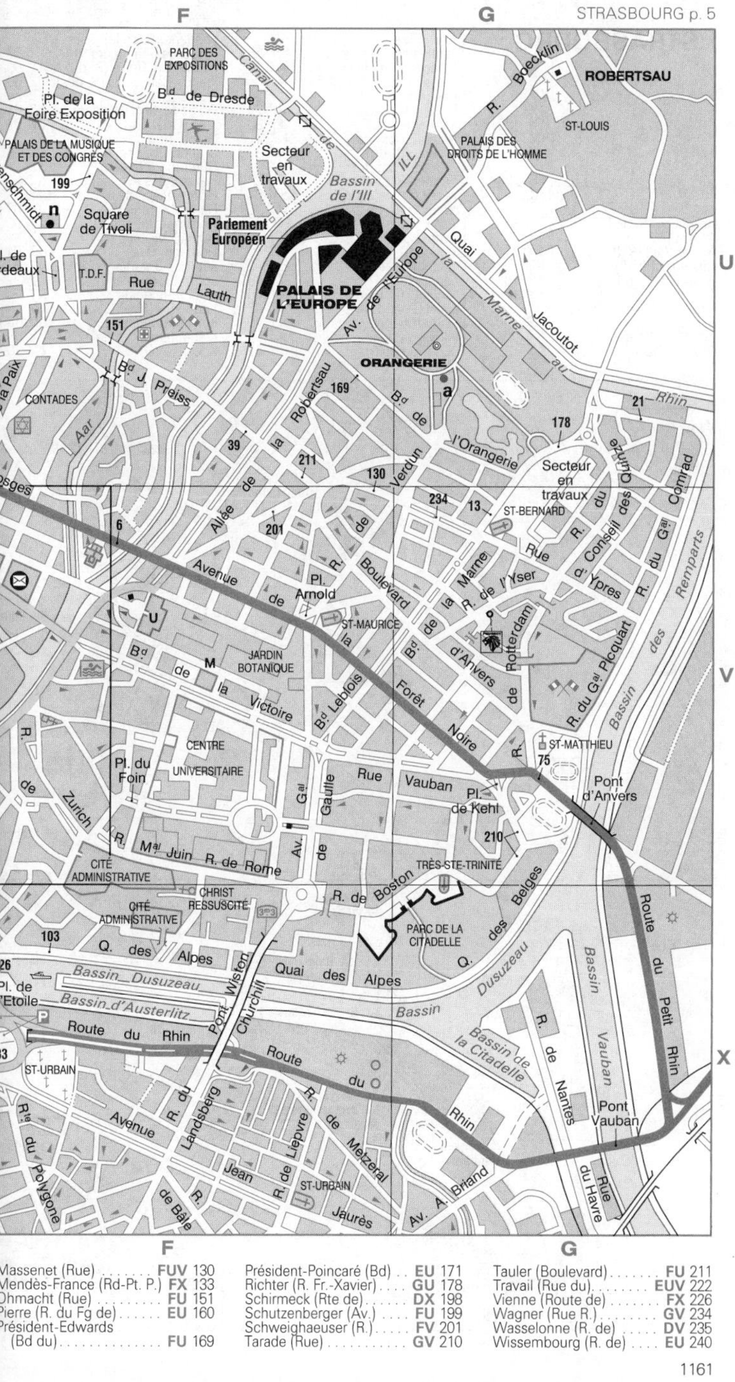

Massenet (Rue) . . . . FUV 130
Mendès-France (Rd-Pt. P.) FX 133
Ohmacht (Rue) . . . . FU 151
Pierre (R. du Fg de) . . . . . EU 160
Président-Edwards (Bd du) . . . . FU 169
Président-Poincaré (Bd) . . EU 171
Richter (R. Fr.-Xavier) . . . . GU 178
Schirmeck (Rte de) . . . . . . DX 198
Schutzenberger (Av.) . . . . FU 199
Schweighaeuser (R.) . . . . . FV 201
Tarade (Rue) . . . . GV 210
Tauler (Boulevard) . . . . FU 211
Travail (Rue du) . . . . EUV 222
Vienne (Route de) . . . . FX 226
Wagner (Rue R.) . . . . GV 234
Wasselonne (R. de) . . . . . DV 235
Wissembourg (R. de) . . . . EU 240

STRASBOURG

Division-Leclerc (R.) . . . . **JKZ**
Gdes-Arcades (R. des) . . . **JKY**
Kléber (Place) . . . . **JY**
Maire Kuss (R. du) . . . . . **HY** 120
Mésanges (R. de la) . . . . **JKY** 136
Nuée-Bleue (R. de la) . . . . **KY**
Vieux-Marché-aux-
Poissons (R. du) . . . . . . **KZ** 228
22-Novembre (R. du) . . . **HJK**

Abreuvoir (R. de l') . . . . **LZ** 3
Alsace (Av. d') . . . . **LY** 4
Arc-en-Ciel (R. de l') . . . . **KLY** 7
Austerlitz (Pl. d') . . . . **KZ**
Austerlitz (R. d') . . . . **KZ** 10
Auvergne (Pont d') . . . . **LY** 12
Bain-aux-Plantes (R. du). **HJZ**
Bateliers (Quai des) . . . . . . **KZ**
Bouchers (R. des) . . . . **KZ**
Broglie (Place) . . . . **KY**

Brulée (Rue) . . . . **KY**
Castelnau (R. Gén.-de) . . . . **KY** 25
Cathédrale (Pl. de la) . . . . . . **KZ** 26
Château (Place du) . . . . **KZ**
Chaudron (R. du) . . . . **KY** 28
Cheveux (R. des) . . . . **JZ** 29
Clément (Place) . . . . **JY** 30
Corbeau (Cour du) . . . . **KZ**
Corbeau (Pl. du) . . . . **KZ** 31
Corbeau (Pont du) . . . . **KZ**
Cordiers (R. des) . . . . **KZ** 32
Course (Pte R. de la) . . . . . **HY** 34
Dentelles (R. des) . . . . **JZ** 36
Desaix (Quai) . . . . **HY** 37
Dôme (Rue du) . . . . **KY**
Douane (R. de la) . . . . **KZ** 40
Dunant (R. Henri) . . . . **HZ** 42
Ecarlate (R. de l') . . . . **JZ** 45
Etudiants (R. des) . . . . **KY** 46
Faisan (Pont du) . . . . **JZ** 47
Finkmatt (Quai) . . . . **JKY** 49
Finkwiller (Quai) . . . . **JZ** 51
Foch (Rue du Mar.) . . . . **KY** 52

Fonderie (R. de la) . . . . **KY**
Fossé-des-Tanneurs (R.) . . **JZ** 5
Fossé-des-Treize (R. du) . . **KY** 5
Francs-Bourgeois (R. des) . **JZ** 6
Frères (R. des) . . . . **KYZ**
Frères-Matthis (R. des) . . . . **HZ** 6
Frey (Quai Ch.) . . . . **JZ** 6
Grand' Rue . . . . **HJZ**
Grande-Boucherie (Pl.) . . . **KZ** 7
Gutemberg (Place) . . . . **KZ**
Hallebardes (R. des) . . . . . . **KZ**
Halles (Place des) . . . . . . **HJY**
Haute-Montée (R.) . . . . **JY** 8
Homme-de-Fer (Pl.) . . . . . . **JY** 9
Hôpital-Militaire (R.) . . . . . . **LZ** 9
Humann (Rue) . . . . **HZ** 9
Jeu-des-Enfants (R. du) . . **JY** 9
Joffre (R. du Mar.) . . . . **LY**
Juifs (Rue des) . . . . **KY**
Kageneck (Rue) . . . . **HY**
Kellermann (Quai) . . . . **JY** 1
Kléber (Quai) . . . . **JY**
Koch (Quai) . . . . **LY** 1

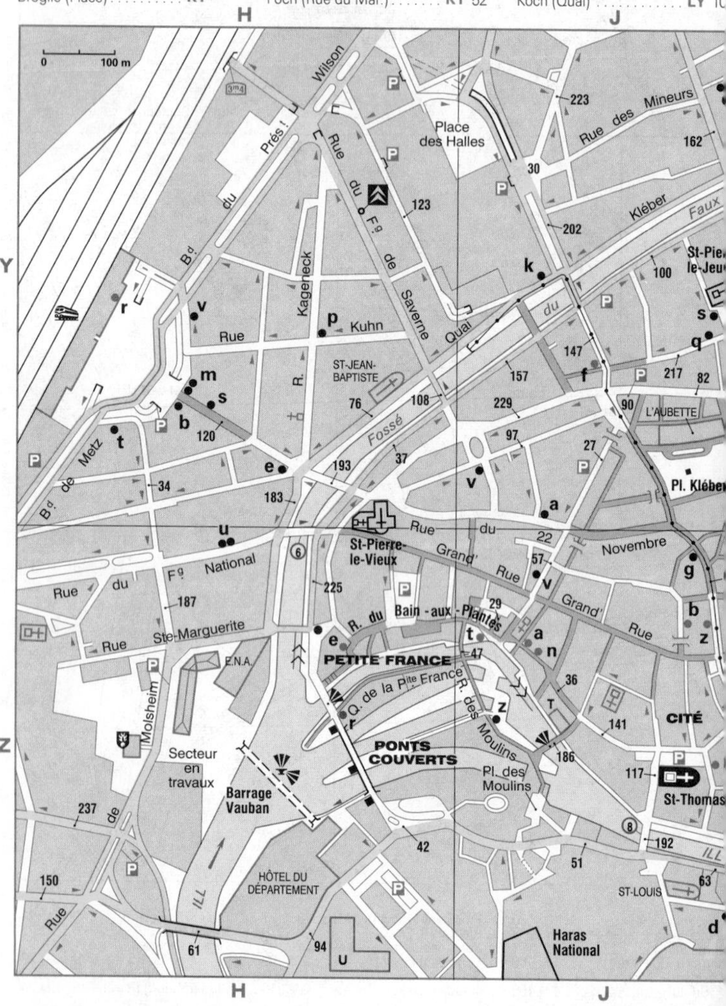

(rutenau (Rue de la) . . . . . LZ 106
(uhn (Rue) . . . . HY
(uss (Pont) . . . . HY 108
.amey (R. Auguste) . . . . . . LY 109
.ezay-Marnésia (Quai) . . . LY 114
.iberté (Av. de la) . . . . LY
.uther (Rue Martin) . . . . . . JZ 117
Maire (Quai du) . . . . LY 118
Marais-Vert (R. du) . . . . . . HY 123
Marché-aux-Cochons
de-Lait (Pl. du) . . . . KZ 124
Marché-Gayot (Pl. du) . . KYZ 126
Marché-Neuf (Pl. du) . . . KYZ 127
Maroquin (R. du) . . . . KZ 129
Marseillaise (Av. de la) . . . LY
Mercière (Rue) . . . . KZ 135
Metz (Bd de) . . . . HY
Mineurs (R. des) . . . . JY
Molsheim (R. de) . . . . HZ
Monnaie (R. de la) . . . . JZ 141
Moulins (R. des) . . . . JZ
Munch (Rue) . . . . LZ 142
National (R. du Fg) . . . . . . HZ
Noyer (Rue du) . . . . JY 147
Obernai (Rue d') . . . . HZ 150
Orphelins (R. des) . . . . LZ
Outre (R. de l') . . . . KY 153
Paix (Av. de la) . . . . KLY 154
Parchemin (R. du) . . . . KY 156
Paris (Quai de) . . . . JY 157
Pêcheurs (Q. des) . . . . LY
Pierre (R. du Fg-de) . . . . . . JY 162
Pont Royal . . . . LY
Président Wilson (Bd) . . . . HY
Récollets (R. des) . . . . . . KLY 172
République (Pl. de la) . . . . KY
St-Etienne (Place) . . . . . . KLY
St-Gothard (R. du) . . . . LZ 181
St-Jean (Quai) . . . . HY 183
St-Martin (Pont) . . . . JZ 186
St-Michel (Rue) . . . . HZ 187
St-Nicolas (Pont) . . . . KZ 189
St-Nicolas (Quai) . . . . KZ
St-Pierre-le-Jeune (Pl.) . . JKY 190
St-Thomas (Pont) . . . . JZ 192
St-Thomas (Quai) . . . . . . JKZ 193
Ste-Marguerite (R.) . . . . . . HZ
Sanglier (R. du) . . . . KY 194
Saverne (Pont de) . . . . HY 195
Saverne (R. du Fg de) . . . . HY
Schœpflin (Quai) . . . . KY
Sébastopol (R. de) . . . . JY 202
Serruriers (R. des) . . . . . . JKZ 205
Sturm (Quai J.) . . . . KY
Temple-Neuf (Pl. du) . . . . . KY 213
Temple-Neuf (R. du) . . . . . KY 214
Théâtre (Pont du) . . . . KY 216
Thomann (Rue) . . . . JY 217
Tonneliers (Rue des) . . . . . KZ 220
Travail (Rue du) . . . . JY 223
Turckheim (Quai) . . . . HZ 225
Veaux (R. des) . . . . KLZ
Vieux-Marché-
aux-Vins (R. du) . . . . JY 229
Vosges (Av. des) . . . . LY
Wasselonne (R. de) . . . . . . HZ 237
Zunch (R. de) . . . . LZ
Zurich (Place de) . . . . LZ 243
1re-Armée (R. de la) . . . . . . KZ 244

Aux Trois Roses sans rest, 7 r. Zürich ☎ 88 36 56 95, Fax 88 35 06 14 – |♦| TV ☎ ♿. ⓓ GB. ✂ p. 7 LZ
☐ 40 – **33 ch** 290/480.

Pax, 24 r. Fg National ☎ 88 32 14 54, Fax 88 32 01 16, 🌳 – |♦| ✂ TV ☎ ♿ 🚗 – 🎤 25 à 70. AE GB JCB p. 6 HYZ
fermé 24 déc. au 2 janv. – **Repas** *(fermé dim. de nov. à fév.)* 85/110 🍷 – ☐ 36 – **106** 330/370 – 1/2 P 285.

Ibis M sans rest, 18 r. Fg National ☎ 88 75 10 10, Fax 88 75 79 60 – |♦| ✂ TV ☎ 📞. AE GB p. 6 HYZ
☐ 36 – **98 ch** 370.

Saint-Christophe sans rest, 2 pl. Gare ☎ 88 22 30 30, Fax 88 32 17 11 – |♦| ✂ TV ☎. ⓓ GB p. 6 HY
☐ 35 – **70 ch** 300/380.

Couvent du Franciscain sans rest, 18 r. Fg de Pierre ☎ 88 32 93 93, Fax 88 75 68 46 – TV ☎ ♿ P. AE GB p. 6 JY
fermé 22 déc. au 5 janv. – ☐ 40 – **43 ch** 270/310.

Continental sans rest, 14 r. Maire Kuss ☎ 88 22 28 07, Fax 88 32 22 25 – |♦| TV ☎. AE GB. ✂ p. 6 HY
fermé 24 au 30 déc. – ☐ 38 – **48 ch** 297/340.

Vendôme sans rest, 19 r. Maire Kuss ☎ 88 32 45 23, Fax 88 32 23 02 – |♦| TV ☎. AE GB p. 6 HY
☐ 30 – **48 ch** 280/350.

XXXX ✿✿✿ **Au Crocodile** (Jung), 10 r. Outre ☎ 88 32 13 02, Fax 88 75 72 01, « Cadre élégant » – ▤. AE ⓓ GB p. 7 KY
fermé 8 au 29 juil., 22 déc. au 1er janv., dim. et lundi – **Repas** 300 (déj.), 400/650 et carte 4 à 650, enf. 120
Spéc. Timbale de sandre à la laitance de carpe. Lobe de foie d'oie truffé cuit tel un baeckeoffe. Groseilles et physalis gelée de gentiane à l'orange. **Vins** Riesling.

XXXX ✿✿✿ **Buerehiesel** (Westermann), dans le parc de l'Orangerie ☎ 88 61 62 Fax 88 61 32 00, ≤, parc, « Reconstitution d'une authentique ferme alsacienne agrémentée d'une verrière » – ▤ P. AE ⓓ GB p. 5 GU
fermé 6 au 22 août, 22 déc. au 5 janv., vacances de fév., mardi et merc. – **Repas** 290 (déj) 340/650 et carte 430 à 700, enf. 110
Spéc. Persillé de pintade au foie gras de canard. Schniederspäetle et cuisses de grenouilles poêlées au cerfe Poulette "pattes noires" cuite comme un baeckeoffe. **Vins** Pinot noir, Riesling.

XXX **Maison Kammerzell et H. Baumann** M avec ch, 16 pl. Cathédrale ☎ 88 32 42 Fax 88 23 03 92, « Belle maison alsacienne du 16e siècle » – |♦| ▤ ch TV ☎ – 🎤 120. ⓓ GB p. 7 KZ
Repas 190/260 et carte 200 à 300 🍷, enf. 58 – ☐ 55 – **9 ch** 420/630.

XXX **Zimmer,** 8 r. Temple Neuf ☎ 88 32 35 01, Fax 88 32 42 28 – AE ⓓ GB p. 7 KY
fermé 29 juil. au 19 août et dim. – **Repas** 170/350.

XXX **Maison des Tanneurs dite "Gerwerstub",** 42 r. Bain aux Plantes ☎ 88 32 79 Fax 88 22 17 26, « Vieille maison alsacienne au bord de l'Ill » – AE ⓓ GB p. 6 JZ
fermé 21 juil. au 12 août, 30 déc. au 21 janv., dim. et lundi – **Repas** carte 230 à 320.

XXX **Estaminet Schloegel,** 19 r. Krütenau ☎ 88 36 21 98, Fax 88 36 21 98 – ▤. AE GB p. 7 LZ
fermé dim. – **Repas** 110 (déj.), 210/290 et carte 250 à 320 🍷.

XXX **La Vieille Enseigne,** 9 r. Tonneliers ☎ 88 32 58 50, Fax 88 75 63 80, 🌳 – ▤. AE ⓓ G JCB p. 7 KZ
fermé sam. midi et dim. – **Repas** 165 (déj.), 245/380 et carte 275 à 400 🍷.

XX ✿ **Julien,** 22 quai Bateliers ☎ 88 36 01 54, Fax 88 35 40 14 – ▤. AE GB p. 7 KZ
fermé 5 au 25 août, Noël au Jour de l'An, dim. et lundi – **Repas** 195 (déj.)/280 et carte 300 390
Spéc. Foie gras d'oie poêlé au verjus de rhubarbe. Médaillons de lotte en croûte de poireaux et vinaigrette d'herbe Noisettes de selle d'agneau en croûte persillée. **Vins** Klevner, Riesling.

XX **Au Gourmet Sans Chiqué,** 15 r. Ste-Barbe ☎ 88 32 04 07, Fax 88 22 42 40 – ▤. AE GB p. 6 JZ
fermé 1er au 21 août, lundi midi et dim. – **Repas** 148 (déj.), 285/380.

XX **La Cambuse,** 1 r. Dentelles ☎ 88 22 10 22, Fax 88 23 24 99, « Décoration rappelant l'intérieur d'un bateau » – GB p. 6 JZ
fermé 29 avril au 13 mai, 4 au 19 août, 22 déc. au 6 janv., dim. et lundi – **Repas** - produits de la mer - (prévenir) carte 240 à 290 🍷.

XX **Zeyssolff,** 8 pl. Austerlitz ☎ 88 35 55 75, Fax 88 25 11 42 – ▤. AE ⓓ GB p. 7 KZ
fermé 5 au 19 août, dim. soir et lundi – **Repas** - produits de la mer - 130/270 🍷.

XX **Pont des Vosges,** 15 quai Koch ☎ 88 36 47 75, Fax 88 25 16 85, 🌳 – AE GB p. 7 LY
fermé sam. midi, dim. et fériés – **Repas** carte 170 à 230 🍷.

XX **Au Romain,** 6 r. Vieux Marché aux Grains ✆ 88 32 08 54, Fax 88 23 51 65, 🏠 – AE ⓓ GB JCB p. 6 JZ **p**
fermé dim. soir et lundi – **Repas** 62/150 🍷, enf. 50.

XX **L'Alsace à Table,** 8 r. Francs-Bourgeois ✆ 88 32 50 62, Fax 88 22 44 11 – ▤. AE ⓓ GB p. 6 JZ **z**
Repas 145 🍷, enf. 50.

XX **Zuem Sternstebele,** 17 r. Tonneliers ✆ 88 21 01 01, 🏠 – ▤. AE GB p. 7 KZ **h**
fermé lundi midi et dim. – **Repas** (nombre de couverts limité, prévenir) carte 150 à 270, enf. 70.

XX **Bec Doré,** 8 quai Pêcheurs ✆ 88 35 39 57 – ▤. AE ⓓ GB p. 7 LY **b**
fermé 15 au 30 août, 3 au 10 janv., mardi midi et lundi – **Repas** carte 140 à 230 🍷, enf. 50.

XX **Au Boeuf Mode,** 2 pl. St-Thomas ✆ 88 32 39 03, Fax 88 21 90 80 – AE ⓓ GB p. 6 JZ **k**
fermé dim. – **Repas** 95 (déj.), 150/195 🍷.

XX **Le Benjamin,** 3 r. Dentelles ✆ 88 75 16 67, Fax 88 75 16 67 – AE GB p. 6 JZ **n**
fermé 1er au 15 janv., lundi midi et dim. – **Repas** 49 (déj.), 110/158 bc, enf. 44.

XX **L'Arsenal,** 11 r. Abreuvoir ✆ 88 35 03 69, Fax 88 35 03 69 – ▤. AE ⓓ GB. ✻ p. 7 LZ **m**
fermé 27 juil. au 25 août, vacances de fév., sam. midi et dim. – **Repas** 130 (dîner), 135/200 🍷.

XX **BuffetGare,** pl. Gare ✆ 88 32 68 28, Fax 88 32 88 34 – AE ⓓ GB p. 6 HY **r**
Repas 68/100 🍷.

X **La Vieille Tour,** 1 r. A. Seyboth ✆ 88 32 54 30, 🏠 – GB p. 6 HZ **e**
fermé 15 au 29 juil., vacances de fév., lundi soir et dim. – **Repas** 110 (déj.), 170/190.

X **Ami Schutz,** 1 r. Ponts Couverts ✆ 88 32 76 98, Fax 88 32 38 40, 🏠 – AE ⓓ GB p. 6 HZ **r**
Repas 165/169 🍷.

X **A l'Ancienne Douane,** 6 r. Douane ✆ 88 32 42 19, Fax 88 22 45 64, 🏠 – AE ⓓ GB p. 7 KZ **s**
Repas brasserie 65 (déj.), 87/130 🍷, enf. 47.

X **Au Rocher du Sapin,** 6 r. Noyer ✆ 88 32 39 65, Fax 88 75 60 99, 🏠 – GB p. 6 JY **f**
fermé dim. et lundi – **Repas** - spécialités alsaciennes - 88/105 🍷.

LES WINSTUBS : Dégustation de vins et cuisine du pays, ambiance typiquement alsacienne

X **Zum Strissel,** 5 pl. Gde Boucherie ✆ 88 32 14 73, Fax 88 32 70 24, cadre rustique – ▤. GB p. 7 KZ **a**
fermé 4 au 31 juil., vacances de fév., dim. sauf fériés et lundi – **Repas** 60/130 🍷, enf. 44.

X **S'Burjerstuewel (Chez Yvonne),** 10 r. Sanglier ✆ 88 32 84 15, Fax 88 23 00 18 – GB p. 7 KYZ **r**
fermé 14 juil. au 15 août, 22 déc. au 2 janv., lundi midi et dim. – **Repas** (prévenir) carte 140 à 220 🍷.

X **Le Clou,** 3 r. Chaudron ✆ 88 32 11 67, Fax 88 75 72 83 – AE GB p. 7 KY **n**
fermé merc. midi, dim. et fériés – **Repas** 125/200 bc.

X **S'Munsterstuewel,** 8 pl. Marché aux Cochons de Lait ✆ 88 32 17 63, Fax 88 21 96 02, 🏠 – AE ⓓ GB p. 7 KZ **y**
fermé 28 juil. au 20 août, vacances de fév., dim. et lundi – **Repas** 128 bc et carte 150 à 250, enf. 56.

X **La Petite Mairie,** 8 r. Brûlée ✆ 88 32 83 06 – GB p. 7 KY **d**
fermé août, vacances de fév., sam. soir et dim. sauf déc. – **Repas** 110 (déj.), 150/200 🍷.

Environs

au Nord-Est d'Hoenheim par D 468 : 7 km – ✉ **68800** Hoenheim :

🏨 **East Hôtel** sans rest, ✆ 88 81 02 10, Fax 88 81 40 93 – ⇐ TV ☎ ✆ ♿ P. AE ⓓ GB p. 3 CR **b**
☕ 29 – **32 ch** 285.

à Reischstett : N : 7 km par D 468 et D 37 ou par A 4 et D 63 – 4 640 h. alt. 141 – ✉ **67116** :

🏨 **Paris,** sur D 63 ✆ 88 20 00 23, Fax 88 20 30 60, 🏠, 🏊, 🌳 – ⇐ ▤ rest TV ☎ P. GB p. 3 BR **p**
Repas *(fermé 5 au 25 août, 20 déc. au 3 janv., dim. soir et sam.)* 95/265 🍷 – ☕ 34 – **17 ch** 270/320 – 1/2 P 260.

🏨 **Aigle d'Or** sans rest, ✆ 88 20 07 87, Fax 88 81 83 75 – TV ☎ P. AE ⓓ GB p. 3 BR **a**
☕ 35 – **17 ch** 250/340.

à La Wantzenau NE : 12 km par D 468 – 4 394 h. alt. 130 – ✉ **67610** :

🏨 **Hôtel Au Moulin** 🐦, S : 1,5 km par D 468 ✆ 88 59 22 22, Fax 88 59 22 00, ≤, « Ancien moulin sur un bras de l'Ill », 🌳 – |‡| TV ☎ P. AE GB p. 3 CR **z**
fermé 24 déc. au 2 janv. – voir rest. ***Au Moulin*** *ci-après –* ☕ 55 – **19 ch** 330/440.

🏨 **A la Gare** sans rest, 32 r. Gare ✆ 88 96 63 44, Fax 88 96 64 95 – TV ☎ ✆ P. GB. ✻ p. 3 CR **v**
☕ 28 – **15 ch** 180/250.

XXX **Relais de la Poste** [M] avec ch, 21 r. Gén. de Gaulle ✆ 88 96 20 64, Fax 88 96 36 84, – rest. AE GB p. 3 CR
hôtel : fermé 27 déc. au 20 janv. – **Repas** *(fermé 22 juil. au 4 août, 27 déc. au 20 janv., sam. midi, dim. soir et lundi midi)* 175 (déj.), 225/395 et carte 290 à 400 – 50 – **19 ch** 300/55 – ½ P 500/750.

XXX ❀ **A la Barrière** (Sutter), 3 rte Strasbourg ✆ 88 96 20 23, Fax 88 96 25 59, – P. AE GB p. 3 CR
fermé 12 au 31 août, vacances de fév., mardi soir et merc. – **Repas** (dim. prévenir) 150 (déj.), 250 et carte 270 à 480
Spéc. Lièvre à la royale (nov.). Bouillon de Saint-Jacques et lentilles (hiver). Foie gras d'oie cuit au torchon berewecke. **Vins** Sylvaner, Riesling.

XXX **Zimmer,** 23 r. Héros ✆ 88 96 62 08, Fax 88 96 37 40, – AE GB p. 3 CR
fermé 14 juil. au 7 août, 19 janv. au 5 fév., dim. soir et lundi – **Repas** 135/335 et carte 210 à 360.

XX **Rest. Au Moulin** - Hôtel Au Moulin, S : 1,5 km par D 468 ✆ 88 96 20 01, « Jardin fleuri » – P. AE GB p. 3 CR
fermé 4 au 24 juil., 31 déc. au 16 janv., dim. soir et soirs fériés – **Repas** 140/365, enf. 80.

XX **Les Semailles,** 10 r. Petit-Magmod ✆ 88 96 38 38, – GB. p. 3 CR
fermé 15 août au 6 sept., sam. midi, dim. soir et lundi – **Repas** 160/220.

XX **Au Soleil,** 1 quai Bateliers ✆ 88 96 20 29, Fax 88 96 20 29, – P. AE GB p. 3 CR
fermé 17 fév. au 2 mars et jeudi soir – **Repas** 52 (déj.), 125/275.

X **Pont de l'Ill,** 2 r. Gén. Leclerc ✆ 88 96 29 44, Fax 88 96 21 18, – GB p. 3 CR
fermé août, merc. soir et sam. midi – **Repas** 53 (déj.), 115/195.

au pont de l'Europe vers ③ – ✉ **67000** Strasbourg :

Mercure Pont de l'Europe [M], ✆ 88 61 03 23, Télex 870833, Fax 88 60 43 05, ch – 25 à 150. AE GB p. 3 CS
Repas 85/165, enf. 45 – 53 – **93 ch** 470/495.

*à **Illkirch-Graffenstaden*** par rte de Colmar BST : 5 km ou par A 35 (sortie n° 7) – 22 307 h. alt. 140 – ✉ **67400** :

L'Échiquier [M], au Parc d'Innovation ✆ 88 40 84 84, Fax 88 66 22 83, – P – 25 à 140. AE GB p. 3 BT
Repas *(fermé sam. midi)* 100/300 – 60 – **68 ch** 495/565 – ½ P 433.

Alsace, 187 rte Lyon ✆ 88 66 41 60, Fax 88 67 04 64, – 30. GB p. 3 BT
fermé Noël au Jour de l'An – **Repas** *(fermé sam. et dim.)* 70/180 – 30 – **40 ch** 280/310 – ½ P 230.

X **Aub. du Cerf,** 305 rte Lyon ✆ 88 67 12 69, Fax 88 67 95 24 – GB p. 3 BT
fermé 4 au 10 nov., dim. soir et lundi – **Repas** 150 (déj.), 175/210.

au Sud-Ouest par A 35 (sortie n° 7), D 484 et D 884 : 10 km – ✉ **67540** Ostwald :

Mercure Strasbourg-Sud [M], r. 23 Novembre ✆ 88 67 32 00, Télex 890277, Fax 88 67 11 26, rest – 25 à 150. AE GB JCB p. 3 BT
Repas 110, enf. 49 – 52 – **93 ch** 460.

rte de Colmar vers ④ par A 35 (sortie n° 7), N 283 et N 83 : 11 km – ✉ **6740** Illkirch-Graffenstaden :

Novotel Strasbourg-Sud [M], ✆ 88 66 21 56, Fax 88 67 21 63, – 25 à 70. AE GB p. 3 BT
Repas carte environ 160, enf. 50 – 49 – **76 ch** 420/460.

Climat de France [M], ✆ 88 67 81 67, Fax 88 66 95 15, – P – 40. AE GB p. 3 BT
Repas 89/125, enf. 39 – 35 – **75 ch** 290.

*à **Fegersheim*** vers ④ par A 35 (sortie n° 7), N 283 et N 83 : 14 km – 3 953 h. alt. 145 – ✉ **67640** :

Aub. Au Chasseur, près église d'Ohnheim, E : 2 km par D 221 ✆ 88 64 03 78, Fax 88 64 05 49, – rest P. AE GB p. 3 BT
fermé août, vend. soir et sam. – **Repas** 58/350 bc, enf. 65 – 40 – **24 ch** 280 – ½ P 460.

*à **Lipsheim*** vers ④ par A 35, N 83 et D 221 – 1 772 h. alt. 146 – ✉ **67640** :

Alizés [M] sans rest, ✆ 88 59 02 00, Fax 88 64 21 61, – P – 25. AE GB p. 2 AT
fermé 24 déc. au 1er janv. – 50 – **49 ch** 300/450.

*à **Blaesheim*** vers ⑤ par A 35 (sortie n° 9), N 422 et D 84 : 19 km – 1 000 h. alt. 150 – ✉ **67113** :

Au Boeuf [M], ✆ 88 68 68 99, Fax 88 68 60 07, – rest – 100. AE GB JCB p. 2 AT
Repas *(fermé 5 au 19 août, 11 au 26 fév., dim. soir et lundi)* 200/350, (dîner à la carte) – 55 – **22 ch** 390/570 – ½ P 480.

XX **Schadt,** ✆ 88 68 86 00, Fax 88 68 89 83 – AE GB p. 2 AT
fermé 20 juil. au 8 août, dim. soir et jeudi – **Repas** 175/260.

à Entzheim vers ⑤ par A 35 (sortie nº 8), D 400 et D 392 : 12 km – 1 796 h. alt. 150 – ✉ **67960** :

Père Benoit, 34 rte Strasbourg ✆ 88 68 98 00, Fax 88 68 64 56, «Ancienne ferme alsacienne du 18e siècle », – 30. AE GB. rest
fermé Noël au Jour de l'An, lundi midi, sam. midi et dim. – **Repas** 120/148, dîner à la carte, enf. 40 – 35 – **60 ch** 260/370. p. 2 AT **h**

à Ostwald par rte de Schirmeck FR, D 392 et D 484 : 7 km ou par A 35 (sortie nº 7) et D 484 – 10 197 h. alt. 140 – ✉ **67540** :

Château de l'Ile M, 4 quai Heydt ✆ 88 66 85 00, Fax 88 66 85 49, – 40 à 160. AE GB JCB p. 3 BT **r**
Repas *(fermé dim. soir et lundi)* 230/410 - ***Winstub :* Repas** carte environ 200 – 85 – **58 ch** 1020/1890, 4 appart – ½ P 770/1365.

à Lingolsheim par rte de Schirmeck FR et D 392 : 5 km – 16 480 h. alt. 140 – ✉ **67380** :

Ramsès sans rest, 59 r. Mar. Foch ✆ 88 76 11 00, Fax 88 77 39 31 – 30. AE GB. p. 3 BS **a**
38 – **37 ch** 290/310.

Ibis M, 2 r. Mar. Foch ✆ 88 77 18 18, Fax 88 77 22 42 – 30. AE GB p. 3 BS **u**
Repas 99 bc, enf. 39 – 36 – **81ch** 320.

MICHELIN, Agence régionale, 9 r. Livio, Strasbourg-Meinau BT ✆ 88 39 39 40

BMW Gar. Le Building, 27-29 r. de Wasselonne ✆ 88 75 37 53 N ✆ 05 00 16 24
CITROEN Succursale, 200 av. de Colmar BS ✆ 88 65 87 87 N ✆ 05 05 24 24
FIAT, LANCIA Gar. des Halles, 60 r. Marché-Gare ✆ 88 28 26 10
MERCEDES Gar. Kroely, 17 r. Fossé-de-Treize ✆ 88 37 54 55
NISSAN France Autom., 134 av. de Colmar ✆ 88 44 28 36
PEUGEOT Gar. du Quinze, 1 pl. Albert 1er GV ✆ 88 61 52 19
PEUGEOT Hautepierre Autom., av. P.-Corneille BS ✆ 88 28 90 28 N ✆ 05 44 24 24
PEUGEOT Meinau Autom., 270 rte de Colmar BT ✆ 88 79 46 46 N ✆ 05 44 24 24
PORSCHE, SAAB K 67, 15 r. du Fossé des Treize ✆ 88 22 40 50 N ✆ 88 81 20 00
RENAULT Succursale, ZAC Hautepierre r. Peguy BS ✆ 88 30 85 30 N ✆ 05 05 15 15
Gar. Sengler, 59 r. J.-Giraudoux ✆ 88 30 00 75

Euromaster, 20 r. de l'Ardèche ZI Plaine des Bouchers ✆ 88 39 39 09
Kautzmann, 280 rte de Colmar ✆ 88 65 70 20
Louis Pneus, 24 r. Mar.-Lefèbvre ✆ 88 39 02 93
Metzger-Point S, 34 r. Fg-de-Pierre ✆ 88 32 39 20
Vulca Moderne, 15-17 r. Saglio ✆ 88 39 03 54

Périphérie et environs

CITROEN Succursale, 34 rte de Bischwiller à Schiltigheim ✆ 88 20 89 89 N ✆ 05 05 24 24
PEUGEOT Gar. Werle, 4 rte de Paris à Ittenheim AS ✆ 88 69 00 20
RENAULT Succursale, 4 rte de Strasbourg à Illkirch-Graffenstaden BT ✆ 88 40 82 40 N ✆ 05 05 15 15
RENAULT Gar. Simon, 1 r. Pompiers à Schiltigheim BS ✆ 88 33 62 22 N ✆ 05 05 15 15
RENAULT Gar. Simon, av. Energie à Bischeim CR ✆ 88 83 56 42 N ✆ 05 05 15 15
ROVER Gar. de la Tour, 32 rte de Brumath à Hoenheim ✆ 88 83 74 13
VAG Gd Gar. du Polygone, N 83 à Illkirch Graffenstaden ✆ 88 66 66 99
VAG Gd Gar. du Polygone, 33 rte de Brumath à Hoenheim ✆ 88 83 76 40

Metzger-Point S, 121 r. Gén.-Leclerc à Ostwald ✆ 88 30 22 72
Pneus et Services D.K, 2 rte de Strasbourg à Illkirch Graffenstaden ✆ 88 39 21 10
Vulcastra, 58 rte de Brumath à Souffelweyersheim ✆ 88 20 22 75

SUBLIGNY 89 Yonne 61 ⑭ – rattaché à Sens.

SUCÉ-SUR-ERDRE 44 Loire-Atl. 63 ⑰ – rattaché à Nantes.

SUCY-EN-BRIE 94 Val-de-Marne 61 ①, 101 ㉘ – voir à Paris, Environs.

SULLY-SUR-LOIRE 45600 Loiret 65 ① **G. Châteaux de la Loire** – 5 806 h alt. 115.

Voir Château★ : charpente★★.

✆ 38 36 52 08, par ⑥ : 4 km.

Office de Tourisme pl. Gén.-de-Gaulle ✆ 38 36 23 70.

Paris 140 ① – ◆Orléans 41 ① – Bourges 85 ④ – Gien 26 ① – Montargis 41 ① – Vierzon 85 ④.

Plan page suivante

Poste, 11 r. Fg St-Germain **(e)** ✆ 38 36 26 22, Fax 38 36 39 35, – 40. AE GB
Repas 96/200 bc – 30 – **28 ch** 130/250 – ½ P 220.

Pont de Sologne, r. Porte de Sologne **(a)** ✆ 38 36 26 34, Fax 38 36 37 86 – GB
Repas 80/170 – 30 – **28 ch** 120/260 – ½ P 180/200.

SULLY-SUR-LOIRE

Grand-Sully (R. du) .. 6
Porte-de-Sologne (R.) ... 12

Abreuvoir (R. de l') .. 2
Béthune (Av. de) 3
Champ-de-Foire (Bd du) 4
Chemin-de-Fer (Av. du) 5
Jeanne-d'Arc (Bd) ... 7
Marronniers (R. des) . 9
Porte-Berry (R.) 10
St-François (R. du Fg) 15
St-Germain (R. du Fg) 16
Venerie (Av. de la) .. 20

Utilisez le guide de l'année.

XX **Host. Grand Sully** avec ch, bd Champ de Foire **(u)** ✆ 38 36 27 56, Fax 38 36 44 54 – TV ☎ 🚗 P. AE ⓓ GB JCB
fermé 20 déc. au 10 janv. et dim. soir – **Repas** 150/210 – ☕ 40 – **10 ch** 200/300 – ½ P 290.

XX **La Ferme des Châtaigniers,** chemin Châtaigniers, SO : 2,5 km par ⑥ ✆ 38 36 51 98
🌳, 🍴 – P. GB
Repas 105/155, enf. 60.

aux Bordes par ①, D 948 et D 961 : 6 km – 1 389 h. alt. 132 – ✉ **45460** :

X **La Bonne Étoile,** D 952 ✆ 38 35 52 15 – GB
fermé dim. soir et lundi – **Repas** 68/140 🍷, enf. 45.

CITROEN Gar. Roger Michel, ZA la Pillardière, rte de Cerdon par ④ ✆ 38 36 62 85
PEUGEOT Gar. Vergnes, 83 rte d'Orléans par ⑥ ✆ 38 36 54 56
Gar. de la gare, 10 rte de Isdes ✆ 38 36 27 71

SUPER-BESSE 63 P.-de-D. 73 ⑬ – rattaché à Besse-en-Chandesse.

SUPER-LIORAN 15 Cantal 76 ③ **G. Auvergne** – Sports d'hiver : 1 160/1 850 m 1 23 – ✉ 1530 Laveissière.

Voir Plomb du Cantal ✻★★ par téléphérique – Gorges de l'Alagnon★ NE : 4 km puis 30 mn – Col de Cère ≤★ O : 2 km.

ℹ Office de Tourisme ✆ 71 49 50 08, Fax 71 49 51 01.

Paris 533 – Aurillac 37 – Condat 47 – Murat 12 – St-Jacques-des-Blats 6,5.

Gd H. Anglard et du Cerf 🐦, ✆ 71 49 50 26, Fax 71 49 53 53, ≤ Monts du Cantal – TV ☎ P – 🏃 80. AE GB
fermé 2 au 15 mai, 28 mai au 30 juin et 1er oct. au 19 déc. – **Repas** 75/230 – ☕ 30 – **38 ch** 200/360 – ½ P 280/350.

Remberter et Saporta 🐦, ✆ 71 49 50 28, Fax 71 49 52 88, ≤, 🌳, 🏊 – cuisinette TV ☎ P. GB
15 juin-15 sept. et 15 déc.-15 avril – **Repas** 80/190 🍷, enf. 46 – ☕ 35 – **30 ch** 245/320 – ½ P 267/283.

Rocher du Cerf et Crystal Chalet 🐦, ✆ 71 49 50 14, Fax 71 49 54 07, 🌳 – ☎ P. AE GB
1er juil.-10 sept. et 22 déc.-1er avril – **Repas** 75/170 🍷, enf. 44 – ☕ 25 – **29 ch** 160/230 – ½ P 270.

SUPER-SAUZE 04 Alpes-de-H.-P. 81 ⑧ – rattaché à Barcelonnette.

Le SUQUET 06 Alpes-Mar. 84 ⑲ 115 ⑯ – alt. 400 – ✉ **06450** Lantosque.

Paris 884 – Levens 17 – ♦Nice 45 – Puget-Théniers 46 – Roquebillière 10,5 – St-Martin-Vésubie 20.

Aub. Bon Puits, ✆ 93 03 17 65, 🌳 – TV ☎ 🚗 P
Pâques-début déc. et fermé mardi sauf juil.-août – **Repas** 98/150 🍷, enf. 70 – ☕ 35 – **8 ch** 280/310 – ½ P 280/310.

SURESNES 92 Hauts-de-Seine 55 ⑳, 101 ⑭ – voir à Paris, Environs.

When looking for a hotel or restaurant use the most efficient method.
Look for the names of towns underlined in red
on the Michelin maps scale: 1:200 000.
But make sure you have an up-to-date map!

URGÈRES 17700 Char.-Mar. 71 ③ G. Poitou Vendée Charentes – 6 049 h alt. 16.

oir Église Notre-Dame★.

Office de Tourisme angle r. Gambetta/Audry-de-Puyravault ✆ 46 07 20 02, Fax 46 07 53 98.

ris 441 – La Rochelle 38 – Niort 34 – Rochefort 26 – St-Jean-d'Angély 29 – Saintes 55.

- **Ronsard** avec ch, pl. Château ✆ **46 07 00 63, Fax 46 07 06 61** – TV ☎. GB. ch
  fermé vend. soir et dim. soir – **Repas** 90/150 – 30 – **11 ch** 145/230 – ½ P 150/200.
- **Vieux Puits,** 6 r. P. Bert (proche Château) ✆ **46 07 50 83** – GB
  fermé 1er au 15 mars, 15 au 30 sept., jeudi soir et dim. soir – **Repas** 98/185, enf. 45.

TROEN Gar. Dupont, 9 rte de La Rochelle 46 07 01 71

FORD Gar. Thomer, 36 av. St-Pierre ✆ 46 07 10 98

URVILLIERS-ST-WITZ 95470 Val-d'Oise 56 ⑪ 106 ⑧ – 3 661 h alt. 110.

ris 35 – Compiègne 47 – Chantilly 14 – Lagny-sur-Marne 42 – Luzarches 10 – Meaux 38 – Pontoise 39 – Senlis 18.

- **Mercure** , sur D 10 près échangeur A1 Survilliers ✆ (1) 34 68 28 28, Télex 605917, Fax (1) 34 68 22 81, , – rest TV ☎ P – 120. AE GB
  Repas 95 , enf. 50 – 56 – **115 ch** 555/580.
- **Novotel,** sur D 16 par échangeur A1 Survilliers ✆ (1) 34 68 69 80, Télex 605910, Fax (1) 34 68 64 94, , , – TV ☎ P – 90. AE GB
  Repas carte environ 160 , enf. 50 – 55 – **79 ch** 470/495.

URY-AUX-BOIS 45530 Loiret 65 ① – 433 h alt. 127.

ris 119 – ◆Orléans 40 – Châteauneuf-sur-Loire 16 – Gien 44 – Montargis 30 – Pithiviers 27.

- **Domaine de Chicamour** , S : 3,5 km N 60 ✆ 38 55 85 42, Fax 38 55 80 43, , « Demeure du 19e siècle dans un parc », – ☎ P. GB. rest
  15 mars-24 nov. – **Repas** 100/370 bc, enf. 75 – 50 – **12 ch** 340/385 – ½ P 420.

SUZE-LA-ROUSSE 26790 Drôme 81 ② G. Provence – 1 422 h alt. 92.

aris 646 – Avignon 60 – Bollène 7,5 – Nyons 28 – Orange 20 – Valence 85.

- **Relais du Château** M , ✆ 75 04 87 07, Fax 75 98 26 00, <, , , , – rest TV ☎ P – 40. AE GB
  fermé 4 au 19 nov. et 2 au 27 janv. – **Repas** *(fermé dim. soir du 1er nov. au 31 mars)* 98/365, enf. 48 – 50 – **39 ch** 330/445 – ½ P 330/360.

TAILLECOURT 25 Doubs 66 ⑧ – rattaché à Audincourt.

TAIN-TOURNON 77 ① ② G. Vallée du Rhône.

Voir Terrasses★ du château B D.

voir à Tain-l'Hermitage et à Tournon.

Plan page suivante

Tain-l'Hermitage 26 Drôme – 5 003 h alt. 124 – ✉ **26600**.

Voir Belvédère de Pierre-Aiguille★ N : 4 km par D 241.

Office de Tourisme 70 av. J.-Jaurès ✆ 75 08 06 81.

Paris 549 – Valence 16 – ◆Grenoble 98 – Le Puy-en-Velay 107 – ◆St-Étienne 77 – Vienne 59.

- **Mercure** M, 1 av. P. Durand ✆ 75 08 65 00, Fax 75 08 66 05, , – TV ☎ P – 90. AE GB — C e
  La Veraison (fermé sam. d'oct. à avril) **Repas** 185/270 , enf. 65 – 55 – **45 ch** 440/595.
- **Deux Coteaux** sans rest, 18 r. J. Péala ✆ 75 08 33 01, Fax 75 08 44 20 – TV ☎ . AE GB — B a
  fermé 25 janv. au 25 fév. – 33 – **22 ch** 160/280.
- **Reynaud** M avec ch, 82 av. Prés. Roosevelt, par ③ rte Valence ✆ 75 07 22 10, Fax 75 08 03 53, <, , – TV ☎ P. AE GB
  Repas *(fermé 16 au 23 août, 2 au 24 janv., dim. soir et lundi)* 160/400 et carte environ 340 – 60 – **10 ch** 320/500.

Tournon-sur-Rhône 07 Ardèche – 9 546 h alt. 125 – ✉ **07300**.

Voir Terrasses★ du château B.

Office de Tourisme Hôtel Tourette ✆ 75 08 10 23, Fax 75 08 41 28.

Paris 550 – Valence 17 – ◆Grenoble 99 – Le Puy-en-Velay 107 – ◆St-Étienne 76 – Vienne 59.

- **Les Amandiers** M sans rest, 13 av. de Nîmes ✆ 75 07 24 10, Fax 75 07 06 30 – TV ☎ P – 30. AE GB — C n
  33 – **25 ch** 260/320.
- **Azalées,** 6 av. Gare ✆ 75 08 05 23, Fax 75 08 18 27, – TV ☎ P. GB — B s
  fermé 25 déc. au 2 janv. – **Repas** *(fermé dim. soir d'oct. à mars)* 82/152 , enf. 45 – 33 – **37 ch** 220/260 – ½ P 230.

CITROEN Gar. Gélibert, Rd-Pt St-Vincent Rte de Nimes ✆ 75 07 11 75

TAIN-L'HERMITAGE

Jaurès (Av. J.) . . . . **BC**
Taurobole (Pl. du) . . . . **BC**

Batie (Quai de la) . . . . . . **C** 3
Defer (Pl. H.) . . . . **C** 8
Église (Pl. de l') . . . . **C** 12
Gaulle (Q. Gén. de) . . . . . **C** 14
Grande-Rue . . . . **B** 16
Michel (R. F.) . . . . **C** 21
Peala (R. J.) . . . . **B** 24
Prés.-Roosevelt (Av.) . . . . **C** 29
Rostaing (Q. A.) . . . . **C** 30
Seguin (Q. M.) . . . . **B** 32
Souvenir-Français (Pl. du) . . . . **C** 33
8-Mai-1945 (Pl. du) . . . . **BC** 39

TOURNON-SUR-RHÔNE

Grande-Rue . . . . **B**

Dumaine (R. A.) . . . . **B** 9
Faure (R. G.) . . . . **B** 13
Juventon (Av. M.) . . . . . . **B** 19
Thiers (R.) . . . . **B** 35

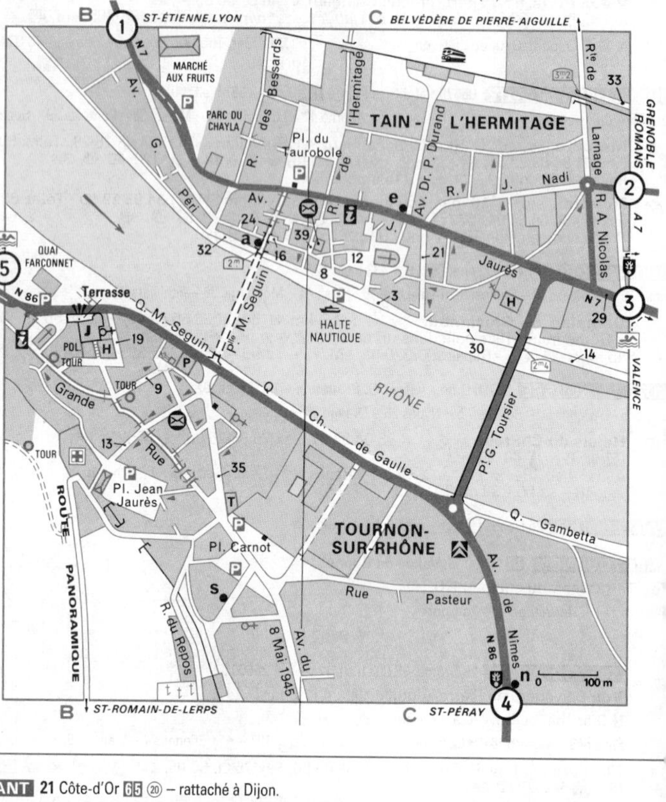

TALANT 21 Côte-d'Or 65 ⑳ – rattaché à Dijon.

TALENCE 33 Gironde 71 ⑨ – rattaché à Bordeaux.

TALLOIRES 74290 H.-Savoie 74 ⑥ **G. Alpes du Nord** – 1 287 h alt. 470.

Voir Site★★★ – Site★★ de l'Ermitage St-Germain★ E : 4 km.

du lac d'Annecy ✆ 50 60 12 89, NO : 1 km – Office de Tourisme ✆ 50 60 70 64, Fax 50 60 76 59

Paris 550 – Annecy 12 – Albertville 33 – Megève 49.

Aub. du Père Bise , bord du lac ✆ 50 60 72 01, Fax 50 60 73 05, ←, , « Repas sous l'ombrage face au lac, parc », – TV ☎ P – 25. AE ◑ GB
10 fév.-4 nov. – **Repas** 500/800 et carte 520 à 740 – ☐ 95 – **25 ch** 1000/2500, 5 appart
½ P 1300/2000
Spéc. Gratin de queues d'écrevisses. Poularde de Bresse à l'estragon. Tatin de pommes de terre, foie d'oie et truffes

L'Abbaye , ✆ 50 60 77 33, Fax 50 60 78 81, ←, , « Abbaye bénédictine du 17e siècle, terrasse et jardin ombragés » – ☎ P – 25. AE ◑ GB JCB
avril-fin oct. – **Repas** 180 (déj.), 215/360 – ☐ 70 – **32 ch** 1195/1395 – ½ P 700/1020.

Le Cottage , ✆ 50 60 71 10, Fax 50 60 77 51, ←, , « Terrasse ombragée », , TV ☎ P. AE ◑ GB. rest
15 avril-15 oct. – **Repas** 140 bc (déj.), 180/270 – ☐ 65 – **35 ch** 500/1100 – ½ P 450/790.

Les Prés du Lac sans rest, ✆ 50 60 76 11, Fax 50 60 73 42, ←, « Jardin au bord du lac », – TV ☎ P. AE ◑ GB
1er mars-31 oct. – ☐ 75 – **16 ch** 770/1090.

Hermitage , chemin de la cascade d'Angon ✆ 50 60 71 17, Fax 50 60 77 85, ≤ lac et montagnes, , « Parc en terrasses surplombant le lac », , , – 50. AE GB
fermé 1er nov. au 20 déc. – **Repas** 148/290 – 62 – **38 ch** 350/750 – ½ P 480/780.

Lac , ✆ 50 60 71 08, Télex 309274, Fax 50 60 72 99, ≤, , , – . AE GB
27 mai-30 sept. – **Repas** 120/180 – 55 – **43 ch** 600/810 – ½ P 585/640.

Beau Site , ✆ 50 60 71 04, Fax 50 60 79 22, ≤, « Jardin », , – . AE GB. rest
11 mai-11 oct. – **Repas** 170/280 – 55 – **29 ch** 440/950 – ½ P 470/630.

La Charpenterie, ✆ 50 60 70 47, Fax 50 60 79 07, – . AE GB
fermé 2 déc. au 12 fév. – **Repas** 105/165, enf. 45 – 40 – **18 ch** 380/440 – ½ P 300/370.

Villa des Fleurs avec ch, ✆ 50 60 71 14, Fax 50 60 74 06, , – – 25. AE GB
fermé 15 nov. au 15 déc., 20 janv. au 10 fév., dim. soir et lundi – **Repas** 150/290 – 55 – **8 ch** 410/460 – ½ P 410/480.

à Angon S : 2 km par D 909a – ✉ **74290** Veyrier-du-Lac :

Les Grillons, ✆ 50 60 70 31, Fax 50 60 72 19, ≤, , , – . AE GB. rest
4 avril-1er nov. – **Repas** 90 (déj.), 120/180 – 40 – **34 ch** 250/450 – ½ P 280/395.

TALMONT 17120 Char.-Mar. 71 ⑮ G. Poitou Vendée Charentes – 83 h alt. 20.

Voir Site★ de l'église Ste-Radegonde★.

Paris 501 – Royan 16 – Blaye 66 – La Rochelle 90 – Saintes 35.

L'Estuaire avec ch, au Caillaud ✆ 46 90 43 85, Fax 46 90 43 88, ≤, – . GB. ch
fermé mardi soir et merc. sauf juil.-août et hôtel : ouvert 1/4-30/9 ; rest. : fermé 1/10 au 10/10 et 15/1 au 15/2 – **Repas** 95/225, enf. 50 – 34 – **7 ch** 225/285 – ½ P 235.

Une réservation confirmée par écrit est toujours plus sûre.

LA TAMARISSIÈRE 34 Hérault 83 ⑮ – rattaché à Agde.

TAMNIÈS 24620 Dordogne 75 ⑰ – 313 h alt. 200.

Paris 513 – Brive-la-Gaillarde 54 – Périgueux 57 – Sarlat-la-Canéda 14 – Les Eyzies-de-Tayac 12.

Laborderie , ✆ 53 29 68 59, Fax 53 29 65 31, ≤, , parc, – rest . GB
30 mars-3 nov. – **Repas** 80 (déj.), 95/240, enf. 50 – 35 – **36 ch** 230/470 – ½ P 285/380.

TANCARVILLE (Pont routier de) ★ 76430 S.-Mar. 55 ④ G. Normandie Vallée de la Seine – 1 326 h alt. 48.

Voir ≤★ sur estuaire.

Péage en 1995 : auto 13 F, camions et autocars 20 ou 37 F, gratuit pour motos, vélos et piétons.

Paris 176 – ◆Le Havre 28 – ◆Caen 81 – Pont-Audemer 20 – ◆Rouen 58.

Marine M avec ch, au pied du pont (D 982) ✆ 35 39 77 15, Fax 35 38 03 30, ≤ pont suspendu et la Seine, , – . AE GB. ch
fermé 20 juil. au 20 août, dim. soir et lundi soir – **Repas** 145/230 et carte 330 à 460, enf. 62 – 45 – **8 ch** 250/340.

TANINGES 74440 H.-Savoie 74 ⑦ G. Alpes du Nord – 2 791 h alt. 640.

Office de Tourisme av. Thézières ✆ 50 34 25 05, Fax 50 34 83 96.

Paris 573 – Chamonix-Mont-Blanc 50 – Thonon-les-Bains 48 – Annecy 60 – Bonneville 19 – Cluses 10 – Genève 44 – Megève 38 – Morzine 18.

La Crémaillère, à Flérier SO : 1 km ✆ 50 34 21 98, Fax 50 34 34 88, – . GB
fermé 16 déc. au 28 janv., dim. soir et merc. sauf juil.-août – **Repas** 105/210 .

RENAULT Gar. Delfante, ✆ 50 34 20 71 N ✆ 50 34 20 71

TANNERON 83440 Var 84 ⑧ 114 ㉖ – 1 157 h alt. 376.

Paris 898 – Cannes 17 – Antibes 31 – Draguignan 57 – Grasse 15 – St-Raphaël 37.

Le Champfagou avec ch, pl. du Village ✆ 93 60 68 30, Fax 93 60 70 60, ≤, – . AE GB
fermé nov., mardi midi et merc. midi en juil.-août, mardi soir et merc. de sept. à juin – **Repas** 125/160, enf. 68 – 35 – **9 ch** 260 – ½ P 310.

TANUS 81190 Tarn 80 ⑪ – 464 h alt. 439.

Voir Viaduc du Viaur★ NE : 7 km, **G. Gorges du Tarn.**

Paris 678 – Rodez 46 – Albi 32 – St-Affrique 66.

Voyageurs avec ch, ✆ 63 76 30 06, Fax 63 76 37 94, – . GB
fermé 2 au 15 janv., dim. soir et lundi sauf juil.-août – **Repas** 85 bc/200 , enf. 40 – 35 – **13 ch** 220/270 – ½ P 270/290.

TARARE **69170** Rhône **73** ⑨ **G. Vallée du Rhône** – 10 720 h alt. 383.

🅸 Office de Tourisme 6 pl. Madeleine ✆ 74 63 06 65.

Paris 469 – Roanne **41** – ♦Lyon **45** – Montbrison **61** – Villefranche-sur-Saône **33**.

🏨 **Git'Otel-Burnichon,** E par N 7 : 1,5 km ✆ **74 63 44 01, Fax 74 05 08 52,** – TV ☎ P 30. AE ⓓ GB
Repas *(fermé sam. soir et dim.)* 70/230 – 33 – **34 ch** 160/280.

XXX ✿ **Jean Brouilly,** 3 ter r. Paris ✆ **74 63 24 56, Fax 74 05 05 48,** parc – P. AE ⓓ GB
fermé 5 au 20 août, vacances de fév., dim. sauf les midis fériés et lundi – **Repas** 160/370 e carte 240 à 350
Spéc. Poitrine d'agneau farcie. Tournedos "milotier". Blanc manger au jus d'agrumes. **Vins** Mâcon Villages, Sain Véran.

FORD Gar. Beylier, 17 r. Serroux ✆ 74 05 20 21 N ✆ 74 05 20 21
PEUGEOT Gar. Dubois, N 7 ✆ 74 63 03 80 N ✆ 74 05 77 01
RENAULT Gar. Laurent, rte de Valsonne ✆ 74 63 04 07
RENAULT Gar. Mortier, N 7 à Pontcharra-sur-Turdine ✆ 74 05 73 08

Ⓟ Pneu Rhône Alpes Vulcopneu, bd de la Turbine ✆ 74 63 44 00
Tarare Pneus, 50 bd Voltaire ✆ 74 63 38 12

TARASCON **13150** B.-du-R. **81** ⑪ **G. Provence** – 10 826 h alt. 8.

Voir Château★★ : ✲★★ Y – **Église Ste-Marthe★** Y – **Musée Charles-Deméry★ (Souleiado)** Z M.

🅸 Office de Tourisme 59 r. Halles ✆ 90 91 03 52, Fax 90 91 22 96.

Paris 708 ⑥ – Avignon **22** ① – Arles **17** ③ – ♦Marseille **100** ③ – Nîmes **25** ⑤.

TARASCON

Halles (R. des) ..... YZ
Mairie (Pl. de la) .... Y 15
Monge (R.) .... Y
Pelletan (R. E.) ...... Z 19
Proudhon (R.) .... Z 20
Victor-Hugo (Bd) .... Z

Aqueduc (R. de l') .... Y 2
Berrurier (Pl. Colonel) ...... Z 3
Blanqui (R.) .... Z 4
Briand (Crs Aristide) ..... Z 5
Château (Bd du) ...... Y 6
Château (R. du) ...... Y 7
Hôpital (R. de l') ...... Z 9
Jaurès (R. Jean) .... Y 12
Jeu-de-Paume (R. du) .... YZ 14
Millaud (R. Ed.) .... YZ 16
Mistral (R. Frédéric) ...... Z 18
Raffin (R.) .... Y 23
République (Av. de la) .... Z 24
Salengro (Av. R.) .... Y 25

Le Guide change, changez de guide tous les ans.

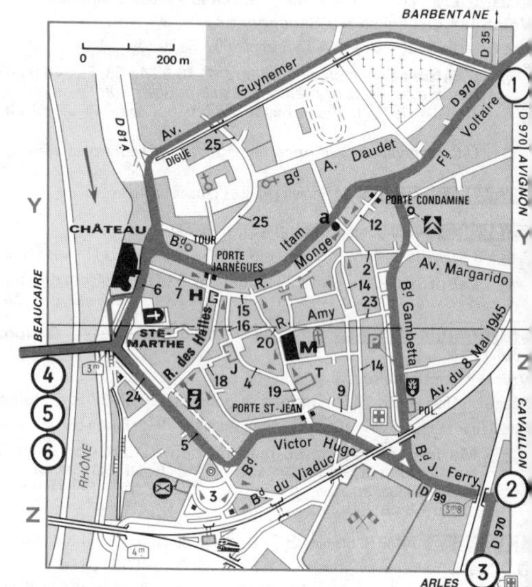

🏨 **Échevins et rest. Mistral,** 26 bd Itam ✆ **90 91 01 70, Fax 90 43 50 44** – ☎ GB
hôtel : 31 mars-1er nov. ; rest. : 15 mars-15 déc. et fermé lundi midi, sam. midi et dim. soir – **Repas** 87/135 – 35 – **40 ch** 250/290 – ½ P 235/245. Y a

rte de Fontvieille par ③, D 970 et D 33 : 5 km – ✉ **13150** Tarascon :

🏨 **Mazets des Roches** M, ✆ **90 91 34 89, Fax 90 43 53 29,** , parc, , – ch TV ☎ P – 40. AE ⓓ GB
1 avril-1er nov. – **Repas** *(fermé jeudi midi et sam. midi sauf juil.-août)* 95/195 , enf. 80 – 50 – **39 ch** 300/700 – ½ P 320/495.

CITROEN Gar. Chabas, 8 bd Gambetta ✆ 90 91 12 71

Ⓟ Tarascon Pneus, 1 pl. E.-Combe ✆ 90 43 54 36

TARASCON-SUR-ARIÈGE **09400** Ariège **86** ④ ⑤ **G. Pyrénées Roussillon** – 3 533 h alt. 474.

Voir Grotte de Niaux★★ (dessins préhistoriques) SO : 4 km.

🅸 Office de Tourisme av. des Pyrénées ✆ 61 05 94 94, Fax 61 05 57 79.

Paris 796 – Foix **16** – Ax-les-Thermes **26** – Lavelanet **28**.

🏨 **Confort** sans rest, quai A. Sylvestre ✆ **61 05 61 90** – TV ☎ P. GB
fermé 3 au 15 janv. – 40 – **14 ch** 175/245.

CITROEN Gar. du Stade, ✆ 61 05 89 20

ARBES P 65000 H.-Pyr. 85 ⑧ **G. Pyrénées Aquitaine** – 47 566 h alt. 320.

ir Musée Massey : musée international des Hussards★ AY **M.**

de Laloubère ✆ 62 45 07 10, par ③ : 3 km ; 18 des Tumulus ✆ 62 45 14 50 à Laloubière, 2 km r ③.

de Tarbes-Ossun-Lourdes : ✆ 62 32 92 22, par ④ : 9 km.

✆ 36 35 35 35.

Office de Tourisme 3 cours Gambetta ✆ 62 51 30 31, Fax 62 44 17 63.

is 794 ① – Pau 42 ⑤ – ◆Bordeaux 214 ① – Lourdes 19 ④ – ◆Toulouse 152 ②.

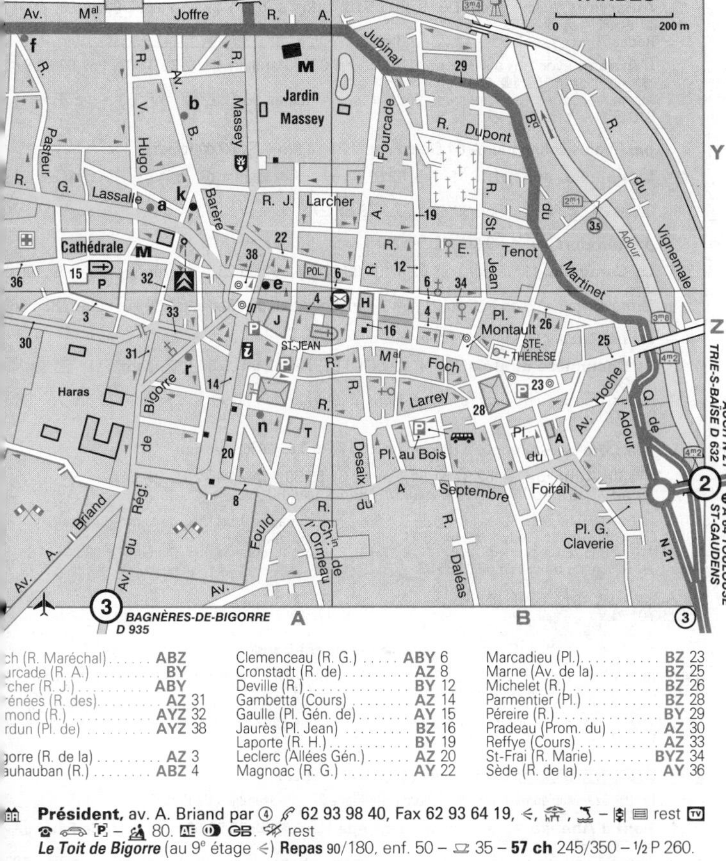

ch (R. Maréchal) ...... ABZ	Clemenceau (R. G.) ..... ABY 6	Marcadieu (Pl.) .... BZ 23
urcade (R. A.) .... BY	Cronstadt (R. de) .... AZ 8	Marne (Av. de la) .... BZ 25
cher (R. J.) .... ABY	Deville (R.) .... BY 12	Michelet (R.) .... BZ 26
énées (R. des) .... AZ 31	Gambetta (Cours) .... AZ 14	Parmentier (Pl.) .... BZ 28
mond (R.) .... AYZ 32	Gaulle (Pl. Gén. de) .... AY 15	Péreire (R.) .... BY 29
rdun (Pl. de) .... AYZ 38	Jaurès (Pl. Jean) .... BZ 16	Pradeau (Prom. du) .... AZ 30
	Laporte (R. H.) .... BY 19	Reffye (Cours) .... AZ 33
jorre (R. de la) .... AZ 3	Leclerc (Allées Gén.) ...... AZ 20	St-Frai (R. Marie) .... BYZ 34
auhauban (R.) .... ABZ 4	Magnoac (R. G.) .... AY 22	Sède (R. de la) .... AY 36

Président, av. A. Briand par ④ ✆ 62 93 98 40, Fax 62 93 64 19, ←, ⛱, ⛱ – |‡| ▤ rest TV ☎ 🚗 P – 🏫 80. AE ⓓ GB. ✗ rest
Le Toit de Bigorre (au 9e étage ←) **Repas** 90/180, enf. 50 – ☕ 35 – **57 ch** 245/350 – ½ P 260.

Foch sans rest, 18 pl. Verdun ✆ 62 93 71 58, Fax 62 93 34 59 – |‡| ▤ TV ☎ ✆. AE GB AYZ **e**
fermé 24 déc. au 2 janv. – ☕ 45 – **30 ch** 255/395.

Henri IV sans rest, 7 av. B. Barère ✆ 62 34 01 68, Fax 62 93 71 32 – |‡| TV ☎ 🚗. AE ⓓ GB AY **k**
☕ 40 – **24 ch** 280/380.

XX ✿ **L'Ambroisie** (Labarrère), 38 r. Larrey ✆ 62 93 09 34, Fax 62 93 09 24 – ▤. GB. ✗
fermé dim., lundi et fériés – **Repas** 98 (déj.), 150/280 et carte 290 à 320 AZ **n**
Spéc. Pot-au-feu de foie gras de canard au poivre de Séchuan. Symphonie de homard. Millefeuille glacé à la réglisse légère. **Vins** Madiran.

XX **Le Grillon,** 37 av. Régt de Bigorre ✆ 62 93 88 31 – AE ⓓ GB. ✗ AZ **r**
fermé lundi sauf fériés – **Repas** 85/165.

X **Le Petit Gourmand,** 62 av. B. Barère ✆ 62 34 26 86, – AE ⓓ GB AY
fermé mi-juil. à mi-août, sam. midi et lundi – **Repas** 98/160.

X **Panier Fleuri,** 74 av. Mar. Joffre ✆ 62 93 10 80, Fax 62 93 10 80 – AE ⓓ GB AY
fermé dim. soir et lundi – **Repas** 65 (déj.), 108/145, enf. 45.

X **Le Fil à la Patte,** 30 r. G. Lassalle ✆ 62 93 39 23 – ▤. AE ⓓ GB AY
fermé 11 août au 2 sept., 1er au 6 janv., dim. et lundi – **Repas** 85 (déj.), 90/155.

rte d'Auch par ② : 3,5 km – ✉ **65800** Aureilhan :

XX **La Patte d'Oie,** ✆ 62 36 40 52 – P. GB
fermé dim. soir et lundi – **Repas** 95/198.

par ④ rte de Lourdes par Juillan :

Amarys M, à 3,5 km sur D921A ✉ 65310 Odos ✆ 62 51 11 97, Fax 62 93 67 58, –
☎ ♿ P – 30. GB
Repas 79/96 ♁, enf. 38 – ☕ 28 – **43 ch** 195 – ½ P 285.

XX **L'Aragon** avec ch, à 4 km sur D 921A ✉ 65290 Juillan ✆ 62 32 07 07, Fax 62 32 92
– TV ☎ P. AE ⓓ GB
fermé vacances de Toussaint et dim. soir – **Repas** 98 bc/260, enf. 50 – ☕ 35 – **11**
210/300 – ½ P 235/245.

par ④ près échangeur A 64 Ouest sur N 21 : 4 km – ✉ **65000** Tarbes :

Campanile, ✆ 62 51 19 15, Fax 62 51 34 67 – ▤ rest TV ☎ ♿ P – 25. AE
GB
Repas 84 bc/107 bc, enf. 39 – ☕ 32 – **49 ch** 270.

à l'Aéroport par ④ : 9 km – ✉ **65290** Juillan :

XXX **La Caravelle,** (1er étage) ✆ 62 32 99 96, Fax 62 32 05 25, ≤ Pyrénées – ▤. AE ⓓ
JCB
fermé 15 juil. au 6 août, 6 au 21 janv., dim. soir et lundi – **Repas** 160/300 et carte 210 à 36

rte de Pau par ⑤ : 6 km – ✉ **65420** Ibos :

La Chaumière du Bois , ✆ 62 90 03 51, Fax 62 90 05 33, , parc, – TV ☎
P. GB
Repas *(fermé dim. soir et lundi sauf juil.-août)* 70/120 ♁ – ☕ 35 – **22 ch** 260/380
½ P 320/340.

à la Côte de Ger par ⑤ : 10 km sur N 117 – ✉ **65420** Ibos :

XX **Vieille Auberge,** ✆ 62 31 51 54, Fax 62 31 55 59, – ▤ P. AE ⓓ GB
fermé 1er au 7 août, dim. soir et lundi – **Repas** 100/280.

CITROEN Gar. Garoby, 23 r. Lassalle ✆ 62 93 31 36
FORD Gar. Fabre, bd Kennedy ✆ 62 51 15 11
NISSAN Gar. Raoux, bd Kennedy ✆ 62 93 28 97
VAG Gar. Tolsan, rte de Pau ✆ 62 34 35 83

Euromaster, 1 bd Mar.-de-Lattre-de-Tassigny ✆ 62 34 74 96
Saliot Vulcopneu, 10 r. Clément ✆ 62 34 52 01

Dours-Point S, 13 bis crs de Reffye ✆ 62 93 01 84

Périphérie et environs

BMW Tarbes Auto, rte de Pau à Ibos ✆ 62 90 06 00
CITROEN T.D.A., 28 rte de Lourdes à Odos par ④ ✆ 62 93 94 95 N ✆ 62 36 51 38
MERCEDES SOPAVIA, 64 rte de Lourdes à Odos ✆ 62 51 37 37

RENAULT Pyrénées Auto, rte de Lourdes à Odos par ④ ✆ 62 34 38 83
VOLVO Davan-Chavanne, 88 rte de Lourdes à Odos ✆ 62 93 69 36

TARDETS-SORHOLUS **64470** Pyr.-Atl. 85 ⑤ – 704 h alt. 220.

Paris 821 – Pau 62 – Mauléon-Licharre 13 – Oloron-Ste-Marie 27 – St-Jean-Pied-de-Port 52.

XX **Pont d'Abense** avec ch, à Abense-de-Haut ✆ 59 28 54 60, , « Jardin fleuri » –
P. GB.
fermé 1er au 8 déc., janv. et jeudi hors sais. – **Repas** 75 bc/200 ♁, enf. 50 – ☕ 35 – **10**
170/240 – ½ P 240.

PEUGEOT Gar. Larragneguy, ✆ 59 28 53 21

Gar. Carrère, ✆ 59 28 53 59

TARGASONNE **66** Pyr.-Or. 86 ⑯ – rattaché à Font-Romeu.

TARNAC **19170** Corrèze 72 ⑳ G. Berry Limousin – 403 h alt. 700.

Paris 441 – ♦ Limoges 66 – Aubusson 48 – Bourganeuf 43 – Eymoutiers 24 – Tulle 62 – Ussel 46.

Voyageurs , ✆ 55 95 53 12, Fax 55 95 40 07 – ▤ rest TV ☎. GB. rest
15 mars-15 déc. et fermé dim. soir et lundi du 1er oct. au 1er juin sauf fêtes – **Repas** 85/1
enf. 58 – ☕ 37 – **15 ch** 220/250 – ½ P 255/266.

ASSIN-LA-DEMI-LUNE 69 Rhône 73 ⑳ – rattaché à Lyon.

AURINYA 66 Pyr.-Or. 86 ⑱ – rattaché à Prades.

AVEL 30126 Gard 81 ⑪ – 1 439 h alt. 100.

aris 678 – Avignon 15 – Alès 68 – Nîmes 42 – Orange 21 – Pont-St-Esprit 33 – Roquemaure 9.

XXX **Aub. de Tavel** avec ch, ✆ 66 50 03 41, Fax 66 50 24 44, ⛱, ⛱ – TV ☎. AE ⓓ GB
fermé 1er au 7 oct. et 15 au 28 fév. – **Repas** *(fermé dim. soir et lundi d'oct. à juin)* 125, enf. 65 – ☕ 65 – **10 ch** 410/470 – ½ P 385/415.

AVERNY 95 Val-d'Oise 55 ⑳, 101 ④ – voir à Paris, Environs.

AVERS 45 Loiret 64 ⑧ – rattaché à Beaugency.

Le TEIL 07400 Ardèche 80 ⑩ **G. Vallée du Rhône** – 7 779 h alt. 75.

Voir Baptistère★ de l'église de Mélas.

Office de Tourisme pl. P.-Sémard "Les Sablons" ✆ 75 49 10 46.

aris 611 – Valence 50 – Aubenas 36 – Montélimar 6 – Privas 31.

X **Le Gafferot,** 2 bd Stalingrad ✆ 75 49 49 24 – ▤. GB
fermé 24 juin au 7 juil., vacances de fév., dim. soir et lundi – **Repas** 95/180.

X **L'Ardéchois,** 34 av. H. Barbusse ✆ 75 49 21 39 – ▤. GB
fermé 21 juil. au 21 août, dim. soir et lundi soir – **Repas** 82/140.

Le TEILLEUL 50640 Manche 59 ⑨ – 1 433 h alt. 212.

aris 272 – Avranches 44 – Domfront 20 – Fougères 36 – Mayenne 38 – St-Lô 77.

Clé des Champs, E : 1 km sur N 176 ✆ 33 59 42 27 – TV ☎ 📞 🚗 P. AE ⓓ GB JCB
fermé 15 fév. au 7 mars et dim. soir du 1er oct. au 1er avril – **Repas** 78/187 🍷 – ☕ 34 – **20 ch** 132/302 – ½ P 220/284.

ENAULT Gar. Bonsens, ✆ 33 59 40 28 N ✆ 33 59 40 28

TELGRUC-SUR-MER 29560 Finistère 58 ⑭ – 1 811 h alt. 90.

aris 602 – Quimper 41 – Châteaulin 22 – Douarnenez 32.

X **Aub. du Gerdann,** E : 2 km sur D 887 ✆ 98 27 78 67, 🌳 – P. GB. ✻
fermé 1er au 22 oct., 15 au 28 fév., lundi soir sauf juil.-août et mardi – **Repas** 80/225, enf. 42.

TEMPLERIE 35 I.-et-V. 59 ⑲ – rattaché à Fougères.

TENCE 43190 H.-Loire 76 ⑧ **G. Vallée du Rhône** – 2 788 h alt. 840.

Office de Tourisme pl. Chatiagne ✆ 71 59 81 99, Fax 71 65 47 13.

aris 569 – Le Puy-en-Velay 45 – Lamastre 38 – ◆St-Étienne 51 – Yssingeaux 19.

Gd H. Placide, av. Gare ✆ 71 59 82 76, Fax 71 65 44 46, 🌳 – TV ☎ P. AE GB. ✻ rest
1er mars-30 nov. et fermé dim. soir et lundi hors sais. – **Repas** 95/365 – ☕ 50 – **17 ch** 310/435 – ½ P 360.

EUGEOT Gar. Bachelard, ✆ 71 59 80 20 N ✆ 71 59 83 30

TENDE 06430 Alpes-Mar. 84 ⑳ **G. Côte d'Azur** – 2 089 h alt. 815.

Voir Fresques★★★ de la chapelle Notre-Dame des fontaines★★ SE : 11 km.

de Vievola ✆ 93 04 61 02, N par N 204 : 4,5 km.

aris 878 – Cuneo 45 – Menton 52 – ◆Nice 81 – Sospel 37.

Centre sans rest, ✆ 93 04 62 19
1er mars-1er nov. – ☕ 28 – **17 ch** 170/190.

à St-Dalmas-de-Tende S : 4 km par N 204 – ✉ **06430** :

Le Prieuré M 🐦 (Centre d'Aide par le Travail), ✆ 93 04 75 70, Fax 93 04 71 58, ⛱, 🌳 – |♦| TV ☎ P – 🏛 60. AE GB
1er mai-31 oct. – **Repas** 80/150, enf. 52 – ☕ 35 – **24 ch** 240/335.

à la Brigue SE : 6,5 km par N 204 et D 43 – 618 h. alt. 810 – ✉ **06430** :

Voir Collégiale St-Martin★.

Mirval 🐦, ✆ 9304 63 71, Fax 93 04 79 81, ≤, ⛱, 🌳 – TV ☎ P. AE GB
1er avril-2 nov. – **Repas** 90/150, enf. 50 – ☕ 35 – **18 ch** 260/340 – ½ P 260/300.

X **La Cassolette,** ✆ 93 04 63 82, rest. non-fumeurs
fermé 4 au 12 nov., dim. soir et merc. – **Repas** 105/175 🍷, enf. 45.

Le pastiglie numerate delle piante di città ①, ②, ③ sono riportate anche sulle carte stradali Michelin in scala 1/200 000.

Questi riferimenti, comuni nella guida e nella carta stradale, facilitano il passaggio di una pubblicazione all'altra.

TENDU 36 Indre 68 ⑱ – rattaché à Argenton-sur-Creuse.

TERMES 48310 Lozère 76 ⑭ – 172 h alt. 1120.

Paris 553 – Aurillac 115 – Mende 57 – Chaudes-Aigues 18 – St-Chély-d'Apcher 10,5 – St-Flour 44.

Aub. du Verdy, ✆ 66 31 60 97, Fax 66 31 66 13, – ☎ P. AE GB
fermé 1er fév. au 10 mars – **Repas** 55 bc/115 – 25 – **10 ch** 200/230 – ½ P 225.

TERMES D'ARMAGNAC 32400 Gers 82 ② **G. Pyrénées Aquitaine** – 190 h alt. 146.

Voir ✻★ du donjon.

Paris 745 – Mont-de-Marsan 52 – Aire-sur-l'Adour 21 – Auch 62 – Condom 57 – Pau 71 – Tarbes 52.

Relais de la Tour, ✆ 62 69 22 77, – ☎ P. GB
fermé fév., dim. soir et lundi – **Repas** 70/240 – 27 – **11 ch** 230/260 – ½ P 210/240.

TERRASSON-LA-VILLEDIEU 24120 Dordogne 75 ⑦ **G. Périgord Quercy** – 6 004 h alt. 90.

Paris 504 – Brive-la-Gaillarde 22 – Lanouaille 44 – Périgueux 52 – Sarlat-la-Canéda 38.

XXX ✿ **L'Imaginaire** (Bertranet), pl. Foirail (direction église St-Sour) ✆ 53 51 37 27
Fax 53 51 60 37, « Salle voûtée du 17e siècle » – GB
fermé 4 au 18 mars, 2 au 10 sept., 16 au 26 déc., sam. midi, dim. soir et lundi sauf fériés
Repas 150/220
Spéc. Tartines de pied de cochon gratinées au foie gras. Picatta de filet de boeuf. Craquant au chocolat et aux noix.

RENAULT Gar. Sierra, N 89 ✆ 53 50 00 69

TERTENOZ 74 H.-Savoie 74 ⑰ – rattaché à Faverges.

TESSÉ-LA-MADELEINE 61 Orne 60 ① – rattaché à Bagnoles-de-l'Orne.

La TESSOUALLE 49 M.-et-L. 67 ⑤ ⑥ – rattaché à Cholet.

TÉTEGHEM 59 Nord 51 ④ – rattaché à Dunkerque.

Le TEULET 19 Corrèze 75 ⑳ – ✉ 19430 Mercoeur.

Paris 540 – Aurillac 31 – Argentat 24.

Relais du Teulet, N 120 ✆ 55 28 71 09, Fax 55 28 74 39, – ☎ P. AE GB JCB
Repas 65/150, enf. 40 – 26 – **18 ch** 170/240 – ½ P 240.

THANN 68800 H.-Rhin 66 ⑨ **G. Alsace Lorraine** (plan) – 7 751 h alt. 343.

Voir Collégiale St-Thiébaut★★.

Env. Grand Ballon ✻★★★ N : 19 km.

Office de Tourisme 6 pl. Joffre ✆ 89 37 96 20, Fax 89 37 04 58.

Paris 458 – ◆Mulhouse 20 – Belfort 41 – Colmar 41 – Épinal 85 – Guebwiller 20.

La Cigogne M, ✆ 89 37 47 33, Fax 89 37 40 18, – TV ☎ P. GB. rest
Repas *(fermé 1er au 22 juil., dim. soir et sam.)* 75/140, enf. 45 – 50 – **20 ch** 260/300
½ P 350.

Parc, 23 r. Kléber ✆ 89 37 37 47, Fax 89 37 56 23, – TV ☎ P. GB
Repas *(fermé janv., fév., vend. soir et sam. midi de mars à mai)* 90 (déj.), 148/230, enf. 65
– 40 – **20 ch** 250/440 – ½ P 300/370.

Kléber, 39 r. Kléber ✆ 89 37 13 66, Fax 89 37 39 67, – TV ☎ P. GB. rest
Repas *(fermé 1er au 22 juil., dim. soir et sam.)* 90/240, enf. 50 – 50 – **26 ch** 150/300
½ P 300.

FIAT, LANCIA Gar. Boeglin, 64 rte de Mulhouse à Vieux-Thann ✆ 89 37 04 03 N ✆ 89 37 04 03

PEUGEOT Gar. Jeker, 16 rte de Roderen par D103 et D35 ✆ 89 37 81 72

THANNENKIRCH 68590 H.-Rhin 62 ⑲ **G. Alsace Lorraine** – 336 h alt. 520.

Voir Route★ de Schaentzel (D 48[1]) N : 3 km.

Paris 474 – Colmar 24 – St-Dié 39 – Sélestat 15.

Touring, ✆ 89 73 10 01, Fax 89 73 11 79, ←, – ☎ P – 45. GB
1er avril-15 nov. – **Repas** 69/170, enf. 48 – 35 – **48ch** 195/330 – ½ P 240/310.

Aub. la Meunière, ✆ 89 73 10 47, Fax 89 73 12 31, ←, « Décor rustique », –
P – 25. AE GB
25 mars-15 nov. – **Repas** 95 (déj.), 100/195, enf. 45 – 35 – **15 ch** 270/360 – ½ P 235/29

THARON-PLAGE 44730 Loire-Atl. 67 ①.

Paris 440 – ◆Nantes 55 – Challans 57 – St-Nazaire 24.

Les Sables d'Or, 119 bd Océan ✆ 40 27 82 17, Fax 40 39 94 03, ← – TV ☎. GB. ch
fermé 2 janv. au 8 fév., dim. soir (sauf hôtel) et lundi du 10 sept. au 1er juin – **Repas** 83/27
enf. 45 – 40 – **13 ch** 320/340 – ½ P 340/360.

Le THEIL 15 Cantal 76 ② – rattaché à Salers.

HÉMES 89 Yonne 61 ⑭ – ✉ **89410** Cézy.
ris 139 – Auxerre 33 – La Celle-St-Cyr 4 – Joigny 6,5 – Montargis 52 – Sens 25.

XX **P'tit Claridge** avec ch, ✆ 86 63 10 92, Fax 86 63 01 34, – TV ☎ P. AE GB
fermé fév., dim. soir et lundi – **Repas** 87/266, enf. 60 – ☕ 30 – **13 ch** 90/200 – ½ P 150/200.

HÉOULE-SUR-MER 06590 Alpes-Mar. 84 ⑧ 114 ㉖ 115 ㉞ – 1 216 h.
Office de Tourisme 2 Corniche d'Or ✆ 93 49 28 28, Fax 93 49 00 04 et avenue Miramar (juin-septembre) 93 75 48 48.
ris 899 – Cannes 11 – Draguignan 58 – ◆Nice 42 – St-Raphaël 37.

à Miramar S : 5 km par N 98 **G. Côte d'Azur** – ✉ **06590** Théoule-sur-Mer :.
Voir Pointe de l'Esquilon ≤★★ NE : 1 km puis 15 mn.

Miramar Beach M, ✆ 93 75 41 36, Télex 470878, Fax 93 75 44 83, ≤, , , , , , – TV ☎ P – 30. AE GB JCB
L'Étoile des Mers : **Repas** 148/350, enf. 75 – ☕ 68 – **58 ch** 790/1480 – ½ P 710/985.

Tour de l'Esquillon, ✆ 93 75 41 51, Fax 93 75 49 99, accès plage par minibus privé, « Beau jardin et ≤ mer », – TV ☎ P. AE GB. rest
fermé 15 oct. au 15 déc. – **Repas** 130 – ☕ 60 – **25 ch** 400/800.

Mas Provençal, ✆ 93 75 40 20, Fax 93 75 44 83, , – TV ☎ P. AE GB
Repas 89 bc/135 – ☕ 35 – **27 ch** 370/540 – ½ P 345/395.

XX **Père Pascal,** N 98 ✆ 93 75 40 11, Fax 93 75 03 28, ≤, – P. AE GB
1er fév.-31 oct. et fermé jeudi sauf juil.-août – **Repas** 135/280, enf. 70.

HÉRONDELS 12600 Aveyron 76 ⑬ – 505 h alt. 965.
ris 568 – Aurillac 47 – Chaudes-Aigues 47 – Espalion 67 – Murat 45 – Rodez 87 – St-Flour 50.

Miquel , ✆ 65 66 02 72, Fax 65 66 19 84, , , – TV ☎ P. GB
fermé 25 déc. au 1er fév. – **Repas** *(fermé dim. soir de nov. à avril et lundi soir)* 55 bc/150 – ☕ 32 – **22 ch** 260 – ½ P 220/240.

HÉSÉE 41140 L.-et-Ch. 64 ⑰ **G. Châteaux de la Loire** – 1 074 h alt. 80.
ris 218 – ◆Tours 52 – Blois 40 – Châteauroux 76 – Montrichard 10,5 – Romorantin-Lanthenay 39 – Vierzon 64.

Host. Moulin de la Renne, ✆ 54 71 41 56, – ☎ P. GB
fermé 15 janv. au 15 mars, dim. soir et lundi du 15 sept. au 15 avril – **Repas** 85/220, enf. 48 – ☕ 35 – **15 ch** 135/295 – ½ P 190/250.

HIÉBLEMONT-FARÉMONT 51300 Marne 61 ⑨ – 587 h alt. 120.
ris 190 – Bar-le-Duc 43 – Châlons-en-Champagne 40 – Troyes 80 – Verdun 92 – Vitry-le-François 12.

XX **Le Champenois** avec ch, N 4 ✆ 26 73 81 03, Fax 26 73 80 95 – TV ☎ P. AE GB
fermé 1er au 15 oct., 1er au 15 fév., dim. soir et lundi – **Repas** 95/295, enf. 49 – ☕ 35 – **9 ch** 190/330 – ½ P 300/330.

HIERS SP 63300 P.-de-D. 73 ⑯ **G. Auvergne** – 14 832 h alt. 420.
oir Site★★ – Le Vieux Thiers★ : Maison du Pirou★ YZ **E** – Terrasse du Rempart ★ Y – Rocher Borbes ≤★ S : 3,5 km par D 102.
Office de Tourisme pl. Pirou ✆ 73 80 10 74.
ris 439 ③ – ◆Clermont-Ferrand 44 ② – Issoire 57 ② – ◆Lyon 131 ① – Le Puy-en-Velay 125 ② – Roanne 59 ① – t-Étienne 107 ① – Vichy 34 ③.

Plan page suivante

rte de Clermont-Ferrand par ② : 5 km sur N 89 – ✉ **63300** Thiers :

Fimotel, ✆ 73 80 64 40, Fax 73 80 27 83, – TV ☎ P – 40. AE GB
Repas 78/89 , enf. 36 – ☕ 35 – **41 ch** 260 – ½ P 200/230.

à Pont-de-Dore par ② : 6 km par N 89 – ✉ **63920** Peschadoires :

Éliotel, rte Maringues ✆ 73 80 10 14, Fax 73 80 51 02 – TV ☎ P. AE GB
fermé 18 au 31 août (sauf hôtel) et 20 déc. au 10 janv. – **Repas** *(fermé dim. soir et sam.)* 90/220 – ☕ 32 – **13 ch** 260 – ½ P 240.

XX **Ferme des Trois Canards,** NO : 2 km par rte Maringues ✆ 73 51 06 70, Fax 73 51 06 71, – P. GB
fermé 5 au 26 août, dim. soir et lundi – **Repas** 118/390.

XX **Chez La Mère Dépalle** avec ch, ✆ 73 80 10 05, Fax 73 80 52 22, – TV ☎ P. GB
fermé janv. – **Repas** *(fermé dim. soir d'oct. à juin)* 98/220 – ☕ 35 – **10 ch** 240/270 – ½ P 240/250.

XX **Aub. des 4 Chemins,** ✆ 73 80 25 68, Fax 73 51 02 45, – P. GB.
fermé 1er au 15 juil., vacances de fév. et lundi – **Repas** 68 (déj.), 78/210 .

TROEN Gar. des Molles, 57 av. L.-Lagrange ② ✆ 73 80 67 66
RD Gar. Dugat, 50 av. L.-Lagrange 73 80 50 22
UGEOT Thiers-Autom., 52 av. L.-Lagrange ② ✆ 73 80 57 54 N ✆ 73 51 08 32

RENAULT Gar. Ricoux, ZI du Felet par ② ✆ 73 80 55 10 N ✆ 73 40 19 94
VAG Gar. Perron, 79 av. L.-Lagrange ✆ 73 80 20 49

Euromaster, ZI des Molles, av. L.-Lagrange ✆ 73 80 15 97

THIERS

Bourg (R. du)	Y 2	Nationale (R.)	Y 15	Coutellerie (R. de la)	Z 8
Conchette (R.)	Y 5	Pirou (R. du)	Y 16	Dr.-Dumas (R. des)	Y 9
Grenette (R.)	Z 14	Terrasse (R.)	Y 17	Duchasseint (Pl.)	Y 10
		Clermont (R. de)	Z 3	Grammonts (R. des)	Y 12
		Chabot (R. M.)	Z 4	Voltaire (Av.)	Z 20
				4-Septembre (R. du)	Z 22

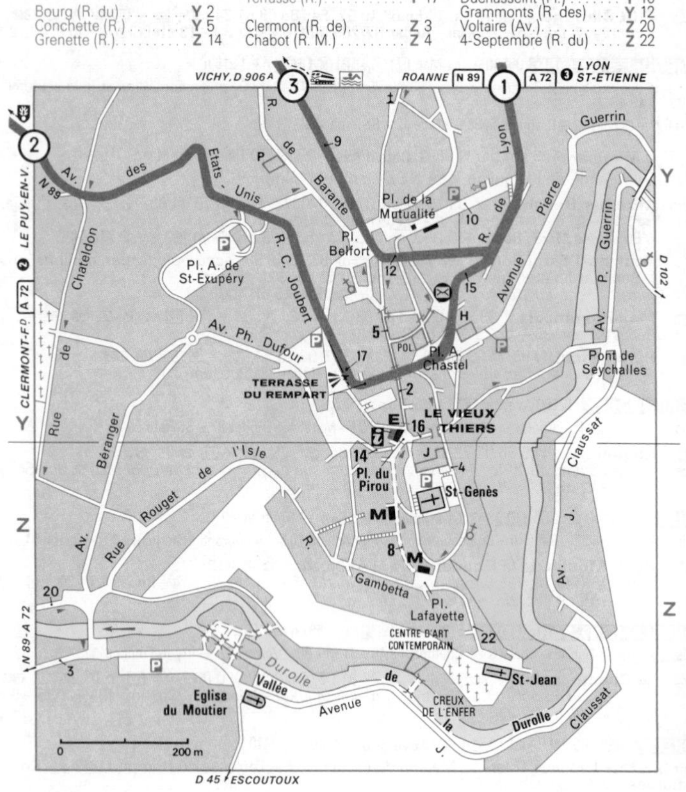

THIÉZAC 15800 Cantal 76 ⑫ ⑬ **G. Auvergne** – 693 h alt. 805.

Voir Pas de Compaing★ NE : 3 km.

Office de Tourisme Le Bourg ✆ 71 47 03 50 et à la Mairie (hors saison) ✆ 71 47 01 21.

Paris 549 – Aurillac 26 – Murat 23 – Vic-sur-Cère 6.

- **Casteltinet,** ✆ 71 47 00 60, Fax 71 47 04 08, ≤, – ☎ P. GB. rest
  fermé mi-mars au 5 avril et 12 oct. à Noël – **Repas** *(fermé dim. soir et lundi sauf vacanc scolaires)* 85/280 – ☐ 32 – **23 ch** 250/360 – ½ P 225/240.
- **Elancèze** (annexe Belle Vallée 10 ch), ✆ 71 47 00 22, Fax 71 47 02 08 – ☎ P. GB
  fermé 6 nov. au 20 déc. – **Repas** 90/185 – ☐ 30 – **41 ch** 217/265 – ½ P 210/250.

Le THILLOT 88160 Vosges 66 ⑧ **G. Alsace Lorraine** – 4 246 h alt. 495.

Paris 443 – Épinal 48 – Belfort 44 – Colmar 73 – ♦Mulhouse 57 – St-Dié 63 – Vesoul 64.

au Ménil NE : 3,5 km par D 486 – 1 119 h. alt. 524 – ✉ **88160** Le Thillot :

- **Les Sapins,** ✆ 29 25 02 46, Fax 29 25 80 23 – TV ☎ P. AE GB
  fermé 18 nov. au 10 déc. – **Repas** *(fermé lundi midi sauf vacances scolaires)* 70 (déj.), 95/2 , enf. 58 – ☐ 33 – **23 ch** 230/250 – ½ P 250/270.

au col des Croix SO : 4 km par D 486 – ✉ **88160** Le Thillot :

- **Perce-Neige,** ✆ 29 25 02 63, Fax 29 25 13 51 – TV ☎ P. GB
  fermé 18 nov. au 2 déc., 6 au 20 janv., dim. soir et lundi hors sais. (sauf vacances scolai et fériés) – **Repas** 95/220 , enf. 45 – ☐ 40 – **12 ch** 200/280 – ½ P 230/250.

RENAULT Gar. du Centre, 20 av. de Verdun ✆ 29 25 01 17 N ✆ 29 25 01 17

THIONVILLE <SP> **57100** Moselle 57 ③ ④ **G. Alsace Lorraine** – 39 712 h Agglo. 132 413 h alt. 155.

Voir Château de la Grange★ par ① : 2 km.

Office de Tourisme 16 r. Vieux-Collège ☎ 82 53 33 18, Fax 82 53 15 55.

Paris 335 ③ – ◆Metz 30 ③ – Luxembourg 30 ⑥ – ◆Nancy 81 ③ – Trier 78 ② – Verdun 87 ③.

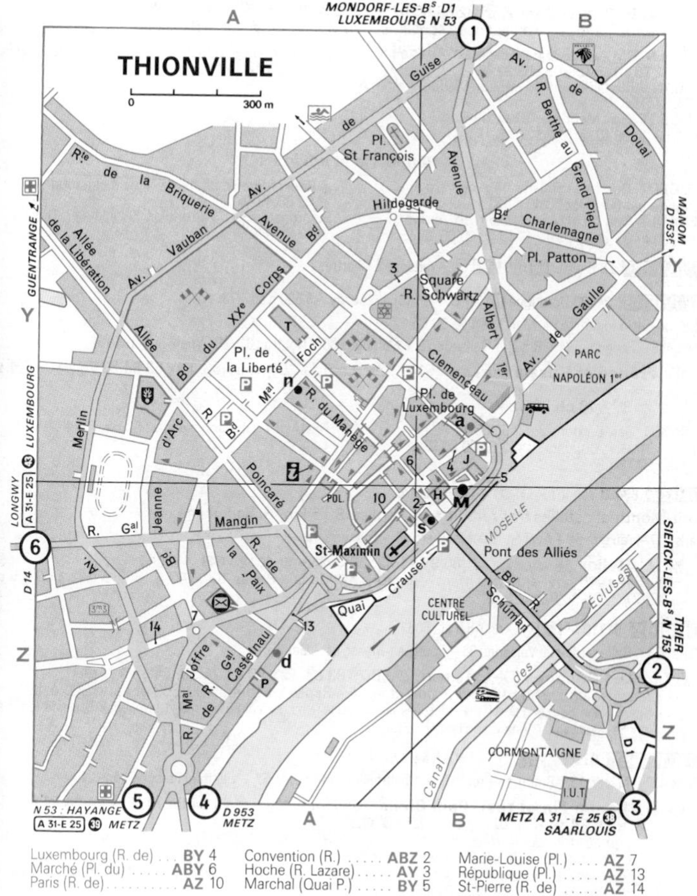

Luxembourg (R. de) .... **BY** 4	Convention (R.) ...... **ABZ** 2	Marie-Louise (Pl.) .... **AZ** 7
Marché (Pl. du) ..... **ABY** 6	Hoche (R. Lazare) ..... **AY** 3	République (Pl.) ..... **AZ** 13
Paris (R. de) .... **AZ** 10	Marchal (Quai P.) ..... **BY** 5	St-Pierre (R. de) ..... **AZ** 14

Saint-Hubert M sans rest, 2 r. Convention ☎ 82 51 84 22, Fax 82 53 99 61 – ♿. AE ① GB JCB — BZ **s**
38 – **44 ch** 275/350.

Liberté, 69 bd Foch ☎ 82 54 33 44, Fax 82 54 34 80 – rest TV ☎ ♿ – 30. AE ① GB. rest — AY **n**
Repas *(fermé dim. soir et soirs fériés)* 73/180 ♀, enf. 45 – 35 – **39 ch** 200/290 – 1/2 P 250.

Noël, 2 r. Gén. de Castelnau ☎ 82 82 88 22, Fax 82 34 04 15, – P. AE GB — AZ **d**
fermé dim. soir et lundi sauf fériés – **Repas** 150/245 et carte 280 à 380.

Concorde M avec ch, 6 pl. Luxembourg (14e étage) ☎ 82 53 83 18, Fax 82 53 40 41, ✳ Thionville – TV ☎. AE GB JCB — BY **a**
Repas *(fermé dim. soir)* 160/390 et carte 280 à 400 ♀ – 38 – **25 ch** 320/380.

rte de Metz par ③ : 2 km – ✉ **57110** Thionville :

Campanile, ☎ 82 56 10 10, Fax 82 56 71 96, – TV ☎ ♿ P – 35. AE ① GB
Repas 84 bc/107 bc, enf. 39 – 32 – **48 ch** 270.

au Crève-Coeur : NO par allée de la Libération et allée Bel Air - AY – ✉ **57100** Thionville :

L'Horizon ⛰, ✆ 82 88 53 65, Fax 82 34 55 84, ≤, 🏞, 🌳 – 📺 ☎ 🅿. AE ⓞ GB. ✗ res
fermé 1er au 15 janv. et 19 fév. au 5 mars – **Repas** *(fermé sam. midi)* 215/305 – ☕ 58 – **12 c**
390/790 – ½ P 560/660.

Aub. Crève-Coeur, ✆ 82 88 50 52, Fax 82 34 89 06, 🏞 – 🅿. AE ⓞ GB
fermé jeudi soir en vacances scolaires, dim. soir et lundi soir – **Repas** 142/248 🍷.

CITROEN DM Autos, 36 rte d'Esch-sur-Alzette par ⑥ ✆ 82 88 10 15 🅽 ✆ 82 53 32 46
NISSAN Auto Diffusion, 17 imp. du Viaduc ✆ 82 34 34 63
PEUGEOT Gar. Moderne, 10 av. de Douai ✆ 82 53 30 08 🅽 ✆ 82 53 30 08

Ⓜ Leclerc-Pneu, boucle du Ferronnier ZI du Linklin 2 ✆ 82 88 43 28

Périphérie et environs

PEUGEOT Gar. de la Fensch, 14 r. de Verdun à Florange par ⑤ ✆ 82 58 46 21 🅽 ✆ 82 58 46 21
RENAULT Gar. de la Moselle, 25 r. de Verdun à Terville par ⑤ ✆ 82 59 19 19 🅽 ✆ 05 05 15 15

Ⓜ Becker Pneus, 22 rte de Metz à Florange ✆ 82 88 45 45
Euromaster, 39 b Ferronnier, ZI Linkling à Terville ✆ 82 88 44 89

THIVARS **28** E.-et-L. **60** ⑰, **106** ㊲ – rattaché à Chartres.

THIVIERS **24800** Dordogne **75** ⑥ **G. Périgord Quercy** – 3 590 h alt. 273.

ℹ Syndicat d'Initiative pl. Mar. Foch ✆ 53 55 12 50.

Paris 459 – Périgueux 34 – Brive-la-Gaillarde 79 – ♦Limoges 60 – Nontron 31 – St-Yrieix-la-Perche 32.

France et Russie sans rest, 51 r. Gén. Lamy ✆ 53 55 17 80, Fax 53 54 33 73, 🌳 – 📺 🚗 🅿
☕ 35 – **10 ch** 265/360.

CITROEN Gar. Bardon, ✆ 53 55 00 74
PEUGEOT Gar. Boucher, ✆ 53 55 00 86 🅽 ✆ 53 55 00 86

RENAULT Gar. Joussely, ✆ 53 55 01 24

THIZY **89420** Yonne **65** ⑥ ⑦ – 145 h alt. 320.

Voir Montréal : stalles★ et retable★ de l'église S : 5 km, **G. Bourgogne.**

Paris 217 – Auxerre 54 – Avallon 16 – Montbard 26 – Tonnerre 42.

L'Atelier ⛰ avec ch, ✆ 86 32 11 92, 🏞, 🌳 – ☎ 📞 🅿. GB. ✗ ch
15 fév.-15 nov. et fermé merc. et jeudi sauf fériés – **Repas** 100/140 🍷, enf. 60 – ☕ 50 – **5 c**
250/370 – ½ P 280/330.

THOIRY **01710** Ain **74** ⑤ – 3 015 h alt. 500.

Paris 523 – Bellegarde-sur-Valserine 25 – Bourg-en-Bresse 94 – Gex 13.

✿ **Les Cépages** (Delesderrier), ✆ 50 20 83 85, Fax 50 41 24 58, 🏞, 🌳 – GB
fermé vacances de fév., dim. soir et lundi – **Repas** 120 (déj.), 190/360 et carte 300 à 430
Spéc. Nage de grenouilles et langoustines au vin jaune. Dos de féra au vin rouge (avril-oct.). Poularde farcie a
morilles et savagnin. **Vins** Vin du Bugey.

THOISSEY **01140** Ain **74** ① – 1 306 h alt. 175.

Paris 412 – Mâcon 16 – Bourg-en-Bresse 33 – Chauffailles 52 – ♦Lyon 57 – Villefranche-sur-Saône 24.

✿ **Chapon Fin et rest. Paul Blanc** (Maringue) ⛰, ✆ 74 04 04 74, Fax 74 04 94 51, 🏞
🌳 – 🛗 📺 ☎ 🚗 🅿 – 🏛 30. AE ⓞ GB
fermé 26 nov. au 10 déc., merc. midi et mardi – **Repas** 150 (déj.), 230/520 et carte 310 à 43
enf. 95 – ☕ 55 – **20 ch** 250/680 – ½ P 600
Spéc. Gâteau de foies blonds bressan. Grenouilles sautées fines herbes. Fricassée de volaille de Bresse aux morille
la crème, crêpes Parmentier. **Vins** Fleurie, Macon-Viré.

THOLLON **74500** H.-Savoie **70** ⑱ **G. Alpes du Nord** – 533 h alt. 920 – Sports d'hiver : 1 020/1 960 m
⛷16 ⛷.

Voir Pic de Mémise ✳★★ 30 mn.

ℹ Office de Tourisme ✆ 50 70 90 01, Fax 50 70 92 80.

Paris 588 – Thonon-les-Bains 18 – Annecy 93 – Évian-les-Bains 12.

Bon Séjour ⛰, ✆ 50 70 92 65, Fax 50 70 95 72, 🌳, 🎾 – 🛗 ☎ 🚗 🅿. GB
fermé 1er nov. au 18 déc. – **Repas** 100 (dîner), 105/200 🍷 – ☕ 35 – **22 ch** 220/320
½ P 300/310.

Les Gentianes, à la télécabine E : 2 km ✆ 50 70 92 39, Fax 50 70 95 51, ≤ lac
montagnes, 🏞 – 📺 ☎ 🅿. GB
fermé 1 nov. au 10 déc. – **Repas** 85/140 – ☕ 30 – **22 ch** 280 – ½ P 300/320.

Le THOLY **88530** Vosges **62** ⑰ – 1 541 h alt. 628.

Voir Grande Cascade de Tendon★ NO : 5 km, **G. Alsace Lorraine.**

ℹ Syndicat d'Initiative à la Mairie ✆ 29 61 81 18.

Paris 428 – Épinal 33 – Bruyères 21 – Gérardmer 10 – Remiremont 17 – St-Amé 11 – St-Dié 37.

Gérard, ✆ 29 61 81 07, Fax 29 61 82 92, ←, (mai-sept.), – rest . GB
fermé 1er oct. au 4 nov., sam. sauf vacances scolaires et dim. soir – **Repas** 70 (déj.), 98/160, enf. 50 – ☕ 35 – **22 ch** 270/290 – ½ P 290.

Grande Cascade, NO : 5 km sur D 11 ✆ 29 33 21 08, Fax 29 66 37 17, ← – – 50. AE GB JCB
fermé 11 au 25 déc. – **Repas** 68/200, enf. 42 – ☕ 36 – **24 ch** 250/330 – ½ P 200/285.

HOMERY **77** S.-et-M. 61 ⑫ – rattaché à Fontainebleau.

HONES **74230** H.-Savoie 74 ⑦ G. Alpes du Nord – 4 619 h alt. 650.

oir Vallée de Manigod★★ S : 3 km.

Office de Tourisme pl. Avet ✆ 50 02 00 26, Fax 50 02 11 87.

ris 556 – Annecy 20 – Albertville 36 – Bonneville 31 – Faverges 20 – Megève 40.

Nouvel H. Commerce, r. Clefs ✆ 50 02 13 66, Fax 50 32 16 24 – . GB
fermé 28 oct. au 28 nov. – **Repas** *(fermé dim. soir et lundi hors sais.)* 73/350, enf. 48 – ☕ 37 – **25 ch** 208/410 – ½ P 246/330.

Hermitage, av. Vieux Pont ✆ 50 02 00 31, Fax 50 02 04 86 – rest . GB.
fermé 1er au 10 mai et 20 oct. au 10 nov. – **Repas** *(fermé lundi en avril, mai et d'oct. à janv.)* 65/160, enf. 42 – ☕ 30 – **43 ch** 150/270 – ½ P 210/240.

HONON-LES-BAINS **74200** H.-Savoie 70 ⑰ G. Alpes du Nord – 29 677 h alt. 431 – Stat. therm.

oir Les Belvédères★★ ABY – Voûtes★ de l'église St-Hippolyte AY – Domaine de Ripaille★ N : km AY.

nv. Gorges du Pont du Diable★★ 15 km par ②.

Office de Tourisme pl. Marché ✆ 50 71 55 55, Fax 50 71 68 33.

ris 569 ③ – Annecy 74 ③ – Chamonix-Mont-Blanc 99 ③ – Genève 37 ④.

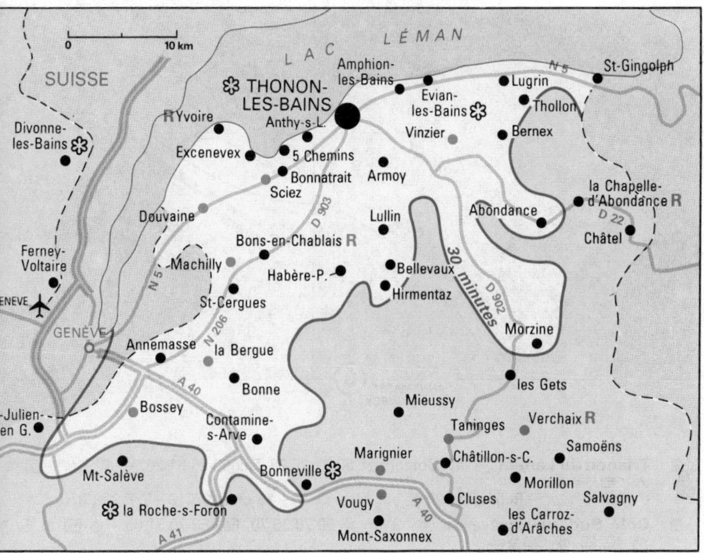

Arc en Ciel M sans rest, 18 pl. Crête ✆ 50 71 90 63, Fax 50 26 27 47, – cuisinette . – 60. AE GB. BZ **k**
fermé week-ends du 1er nov. au 31 déc. – ☕ 38 – **40 ch** 390/490.

Savoie et Léman (École hôtelière), 2 bd Corniche ✆ 50 71 13 80, Fax 50 71 16 14, ←, – – 60. AE GB. rest AY **n**
fermé vacances scolaires (sauf juil.-août), sam. soir et dim. de sept. à juin – **Repas** 75/300 – ☕ 30 – **31 ch** 322/570, 4 appart – ½ P 310/352.

Alpazur sans rest, 8 av. Gén. Leclerc ✆ 50 71 37 25, Fax 50 71 01 24, ←, – . GB. AY **q**
fermé déc. et janv. – ☕ 33 – **26 ch** 230/300.

THONON-LES-BAINS

Arts (R. des) . . . . BZ 4
Grande-Rue . . . . AYZ
Allobroges (Av. des) . . . . BZ 2
Bordeaux (Pl. Henry) . . . . . . AY 3
Granges (R. des) . . . . BY 5
Léman (Av. du) . . . . BY 6
Michaud (R.) . . . . AY 10
Moulin (Pl. Jean) . . . . AY
Ratte (Ch^{in} de la) . . . . BZ
Trolliettes (Bd des) . . . . AZ
Ursules (R. des) . . . . BY
Vallées (Av. des) . . . . BZ

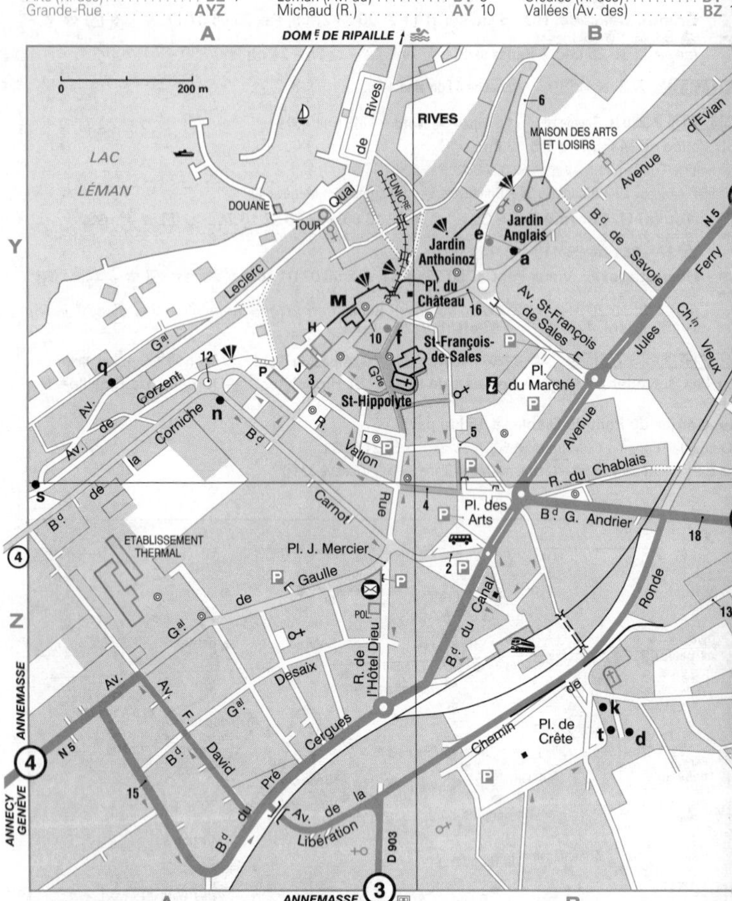

Trianon du Léman ⛬, av. Corzent ☏ 50 71 25 78, Fax 50 26 51 26, ≤, 🏞, ⛱ – TV ☎ P. GB. ✂ ch — AY
6 avril-18 sept. – **Repas** 95/220 ♀, enf. 55 – ☕ 36 – **15 ch** 310/410 – ½ P 320/370.

Côté Sud, rte Genève par ④ : 3 km ☏ 50 70 36 70, Fax 50 70 31 05 – |‡| TV ☎ ♿ P – 🎕 40. AE ⓓ GB JCB
Repas 90/120 ♀, enf. 50 – ☕ 35 – **48 ch** 310 – ½ P 260.

Ibis M, 2 ter av. Evian ☏ 50 71 24 24, Fax 50 71 87 76, 🏞 – |‡| ⨯ TV ☎ ♿ – 🎕 30. AE GB — BY
Repas 99 bc, enf. 39 – ☕ 35 – **67 ch** 280/300.

A l'Ombre des Marronniers, 17 pl. Crête ☏ 50 71 26 18, Fax 50 26 27 47, ⛱ – TV ☎ P. AE ⓓ GB. ✂ — BZ
fermé week-ends en nov. et déc. – **Repas** *(fermé nov., dim. soir et lundi d'oct. à mai)* 190 ♀, enf. 50 – ☕ 29 – **18 ch** 260/280 – ½ P 238/250.

Villa des Fleurs ⛬ sans rest, 4 av. Jardins ☏ 50 71 11 38, Fax 50 26 27 47, ⛱ – TV AE ⓓ GB. ✂ — BZ
1er mai-30 sept. – ☕ 31 – **11 ch** 270/320.

XXX ✿ **Le Prieuré** (Plumex), 68 Gde rue ✆ 50 71 31 89, Fax 50 71 31 09 – AE ⓓ GB AY **f**
fermé lundi sauf le soir en juil.-août et dim. soir – **Repas** 200 bc/350 et carte 310 à 460
Spéc. Filets de perche en bouquet, rôtis au savagnin (sauf juin). Omble chevalier cuit au beurre demi-sel. Féra farcie de lard grillé et cumin, jus de veau. **Vins** Ripaille, Marin.

X **Le Scampi,** 1 av. Léman ✆ 50 71 10 04, Fax 50 71 31 09, ←, 🏠 – AE GB BY **e**
Repas 110/160 ♂.

à Armoy SE : 7 km par ② et D 26 – 775 h. alt. 620 – ✉ **74200** :

🏨 **A l'Écho des Montagnes,** ✆ 50 73 94 55, Fax 50 70 54 07, 🌳 – |$| TV ☎ ♿ P. GB
fermé mi-déc. au 5 fév. – **Repas** *(fermé dim. et lundi de nov. à mars)* 90/180, enf. 70 – ☕ 35 – **47 ch** 168/280 – ½ P 255/270.

🏨 **Carlina,** ✆ 50 73 94 94, Fax 50 70 58 56, ←, 🏠, 🌳 – TV ☎ P – 🎪 50. AE GB
fermé vacances de fév., mardi soir et merc. hors sais. – **Repas** 99/120, enf. 50 – ☕ 35 – **17 ch** 250/260 – ½ P 260.

à Anthy-sur-Léman par ④ et D 33 : 6 km – 1 383 h. alt. 400 – ✉ **74200** Thonon-les-Bains :

XX **Le Lemanthy,** ✆ 50 70 61 50, Fax 50 70 62 50, ←, 🏠 – P. AE GB
fermé vacances de Toussaint, de fév., dim. soir sauf juil.-août et lundi sauf fériés – **Repas** 120 (déj.), 145/260, enf. 60.

X **Aub. d'Anthy** 🐎 avec ch, ✆ 50 70 35 00, Fax 50 70 40 90, 🏠 – TV ☎. AE ⓓ GB
fermé 1er au 19 mars, 28 oct. au 5 nov., lundi soir et mardi sauf juil.-août – **Repas** 73 (déj.), 95/195 ♂, enf. 67 – ☕ 31 – **7 ch** 251/309 – ½ P 235/254.

aux Cinq Chemins par ④ : 7 km – ✉ **74200** Thonon-les-Bains :

🏨 **Les Cinq Chemins,** ✆ 50 72 63 45, Fax 50 72 30 69, 🏠, 🏊, 🌳 – ⇔ TV ☎ ✆ P – 🎪 25. GB
fermé 10 au 24 juin, 23 déc. au 25 janv., lundi (sauf hôtel) et dim. soir de sept. à juin – **Repas** 80 (déj.), 115/160 ♂, enf. 50 – ☕ 34 – **28 ch** 280/380 – ½ P 280/350.

au port de Sciez par ④ : 8 km – 3 371 h. alt. 406 – ✉ **74140** Sciez.

ℹ Office de Tourisme, Capitainerie Port de Sciez ✆ 50 72 64 57.

XX **Les Néréïdes,** ✆ 50 72 67 28, 🏠 – GB
fermé 15 au 30 avril et merc. soir sauf juil.-août – **Repas** 127/185, enf. 52.

à Bonnatrait par ④ : 9 km **G. Alpes** – ✉ **74140** Douvaine :

🏨 **Hôtellerie Château de Coudrée** 🐎, ✆ 50 72 62 33, Fax 50 72 57 28, 🏠, « Château médiéval dans un parc au bord du lac », 🏊, 🏖, 🎾 – TV ☎ P – 🎪 100. AE ⓓ GB JCB
20 avril-31 oct. – **Repas** 150/390 – ☕ 85 – **19 ch** 780/1680 – ½ P 740/1040.

ITROEN S.A.D.A.L, N 5 à Anthy par ④
50 70 12 12
ORD Thuyset Autom., 16 av. Prés-Verts
50 71 31 50 **N** ✆ 50 26 27 99
ONDA, LANCIA, TOYOTA Gar. Grillet, av. de
enevullaz ✆ 50 71 37 43
PEL Gar. Ricaud, av. Abattoirs ✆ 50 71 02 11
EUGEOT Lemuet Autom., N 5 Croisée d'Anthy à
nthy-sur-Léman par ④ ✆ 50 70 34 58 **N**
50 70 34 58

RENAULT Gar. Florin, ZI Marclaz par ④
✆ 50 26 74 00 **N** ✆ 50 87 90 66
SEAT Espace Autom., ZA les 5 Chemins à Margencel ✆ 50 72 51 43
VAG Alp'gge, 21 av. de la Fontaine Couverte
✆ 50 71 17 64

◐ Quiblier Pneus, 3 av. de la Dranse ✆ 50 71 38 72

HORAME-HAUTE-GARE **04170** Alpes-de-H.-P. 81 ⑱ – alt. 1014.

ris 803 – Digne-les-Bains 54 – Beauvezer 12 – Castellane 32 – Colmars 17 – Manosque 92 – Puget-Théniers 51.

🏨 **Gare,** ✆ 92 89 02 54, Fax 92 89 11 74, ←, 🏠, 🌳 – ☎. GB
hôtel : 1er mai-11 nov. ; rest : fermé 18 déc. au 18 janv., sam. et dim. du 11 nov. au 1er mai – **Repas** 60/160 ♂, enf. 45 – ☕ 40 – **15 ch** 180/260 – ½ P 220/280.

HORENC **06** Alpes-Mar. 81 ⑲ 114 ⑫ 115 ㉓ – alt. 1250 – ✉ **06750** Andon.

oir Col de Bleine ←** N : 4 km, **G. Alpes du Sud.**

ris 838 – Castellane 36 – Draguignan 65 – Grasse 40 – ♦Nice 57 – Vence 41.

🏨 **Voyageurs** 🐎, ✆ 93 60 00 18, Fax 93 60 03 51, ←, 🏠, 🌳 – 🚗 P. GB
fermé 15 nov. au 1er fév. et jeudi sauf vacances scolaires – **Repas** 91/140 – ☕ 35 – **14 ch** 180/320 – ½ P 300/320.

HORIGNÉ-SUR-DUÉ **72160** Sarthe 60 ⑭ – 1 518 h alt. 82.

ris 179 – ♦Le Mans 28 – Châteaudun 81 – Mamers 47 – Nogent-le-Rotrou 44 – St-Calais 23.

XX **St-Jacques** avec ch, pl. Monument ✆ 43 89 95 50, Fax 43 76 58 42, 🌳 – TV ☎ ✆ P. AE ⓓ GB – *fermé 5 janv. au 1er fév., dim. soir du 1er oct. au 31 mai et lundi* – **Repas** 98/295 ♂ – ☕ 45 – **15 ch** 300/420 – ½ P 300/480.

e THORONET **83** Var 84 ⑥ 114 ㉒ – 1 163 h alt. 120 – ✉ **83340** Le Luc.

oir Abbaye du Thoronet** O : 4,5 km, **G. Côte d'Azur.**

ris 844 – Brignoles 25 – Draguignan 20 – St-Raphaël 49 – ♦Toulon 62.

🏨 **Host. de l'Abbaye** 🐎, ✆ 94 73 88 81, Fax 94 73 89 24, 🏠, 🏊 – TV ☎ ♿ 🚗 P – 🎪 40. AE GB – **Repas** 95/220 – ☕ 35 – **20 ch** 280/310 – ½ P 295.

THOUARCÉ 49380 M.-et-L. 64 ⑪ – 1 546 h alt. 35.

Env. Château** de Brissac-Quincé, NE : 12 km, G. Châteaux de la Loire.

Paris 318 – ◆Angers 28 – Cholet 43 – Saumur 37.

XX **Relais de Bonnezeaux,** rte Angers : 1 km ☎ 41 54 08 33, Fax 41 54 00 63, ← – ▤ P. ⓞ GB – *fermé 16 au 31 déc., vacances de fév., lundi soir et mardi soir du 1er nov. à Pâques et merc.* – **Repas** 75 (déj.), 110/275, enf. 72.

RENAULT Gar. Peltier Vaillant, ☎ 41 54 16 02 N ☎ 41 54 16 02

THOUARS 79100 Deux-Sèvres 67 ⑧ G. Poitou Vendée Charentes (plan) – 10 905 h alt. 102.

Voir Façade** de l'église St-Médard* – Site* – Maisons anciennes*.

Office de Tourisme 3 bis, bd Pierre Curie ☎ 49 66 17 65.

Paris 328 – ◆Angers 68 – Bressuire 29 – Châtellerault 69 – Cholet 57.

Château, rte Parthenay ☎ 49 96 12 60, Fax 49 96 34 02, ←, 余, ⛱ – TV ☎ P. GB *fermé dim. soir* – **Repas** 67/185 – ☕ 30 – **20 ch** 220/240 – ½ P 230.

Le Relais sans rest, N : 3 km par rte Saumur ☎ 49 66 29 45, Fax 49 66 29 33 – TV ☎ P. GB ☕ 23 – **15 ch** 190/205.

XXX **Clos St-Médard** avec ch, 14 pl. St-Médard ☎ 49 66 66 00, Fax 49 96 15 01, ←, 余 – TV ☎. AE GB *fermé vacances de fév., dim. soir et lundi* – **Repas** 160 bc/260 bc et carte 220 à 280 – ☕ 40 – **4 ch** 240/280 – ½ P 280.

RENAULT Salvra, 41 bd P.-Curie ☎ 49 66 21 78 N ☎ 49 94 70 42

Thouars Pneus, 24-26 pl. Lavault ☎ 49 66 06 52 N ☎ 49 66 06 52

THOURON 87140 H.-Vienne 72 ⑦ – 431 h alt. 374.

Paris 385 – ◆Limoges 21 – Bellac 22 – Guéret 81.

XX **Pomme de Pin** avec ch, étang de Tricherie NE : 2,5 km par rte secondaire ☎ 55 53 43 43, Fax 55 53 35 33, 余, ⛱ – TV ☎. GB. ✻ ch *fermé 1er au 15 juin, 1er au 15 sept. et janv.* – **Repas** *(fermé mardi midi et lundi)* 120/230, enf. 48 – ☕ 28 – **4 ch** 250/300.

THUEYTS 07330 Ardèche 76 ⑱ G. Vallée du Rhône (plan) – 945 h alt. 462.

Voir Coulée basaltique* – Office de Tourisme pl. Champ-de-Mars ☎ 75 36 46 79.

Paris 612 – Le Puy-en-Velay 71 – Privas 45.

Marronniers, ☎ 75 36 40 16, Fax 75 36 48 02, 余, ⛱ – TV ☎ P. GB. ✻ rest *fermé 20 déc. au 8 mars* – **Repas** 85/180, enf. 55 – ☕ 30 – **19 ch** 230/260 – ½ P 260/270.

Platanes, N 102 ☎ 75 93 78 66, Fax 75 36 41 67 – |⇕| ▤ rest TV ☎ ⇔ P. GB *mi-fév.-début nov.* – **Repas** 75/180 ♂, enf. 50 – ☕ 35 – **25 ch** 160/260 – ½ P 220/260.

THUIR 66300 Pyr.-Or. 86 ⑲ – 6 638 h alt. 99.

Paris 876 – ◆Perpignan 14 – Céret 23 – Prades 32.

XX **La Gibecière,** 4 pl. Gén. de Gaulle ☎ 68 53 12 54, 余 – AE GB *fermé 17 nov. au 24 nov., fév., dim. soir et lundi* – **Repas** 70 bc/180 ♂, enf. 45.

THURY-HARCOURT 14220 Calvados 55 ⑪ G. Normandie Cotentin – 1 803 h alt. 45.

Voir Parc et jardins du château* – Boucle du Hom* NO : 3 km.

Office de Tourisme pl. St-Sauveur ☎ 31 79 70 45.

Paris 261 – ◆Caen 27 – Condé-sur-Noireau 19 – Falaise 27 – Flers 31 – St-Lô 54 – Vire 45.

XX **Relais de la Poste** avec ch, ☎ 31 79 72 12, Fax 31 39 53 55, 余 – TV ☎ ⇔ P. AE GB *fermé 15 janv. au 15 fév., dim. soir et lundi du 15 nov. au 15 avril* – **Repas** 135/350 – ☕ 42 – **12 ch** 300/420 – ½ P 360/420.

à Goupillières N : 8,5 km par D 6 et D 212 – 115 h. alt. 162 – ✉ 14210 :

XX **Aub. du Pont de Brie** avec ch, Halte de Grimbosq E : 1,5 km par D 1 ☎ 31 79 37 84, Fax 31 79 87 22, ← – ☎ P. GB. ✻ *fermé janv. et merc. du 1er sept. au 30 juin* – **Repas** 90/150, enf. 50 – ☕ 30 – **7 ch** 300/400 – ½ P 340.

PEUGEOT Gar. Amand, ☎ 31 79 71 21

TIFFAUGES 85130 Vendée 67 ⑤ G. Poitou Vendée Charentes – 1 208 h alt. 77.

Paris 371 – ◆Angers 79 – La Roche-sur-Yon 55 – ◆Nantes 49 – Cholet 20 – Clisson 19 – Montaigu 16.

La Barbacane sans rest, pl. Église ☎ 51 65 75 59, Fax 51 65 71 91, ⛱, ⛱ – TV ☎ ⇔ P. GB – ☕ 28 – **16 ch** 280/355.

TIGNES 73320 Savoie 74 ⑲ G. Alpes du Nord – 2 005 h alt. 1648 – Sports d'hiver : 1 550/3 656 m 4

– Voir Site** – Barrage** NE : 5 km – Panorama de la Grande Motte** SO.

18 ☎ 79 06 37 42 (☎ 79 06 34 66 hors saison), S : 2 km.

Altiport ☎ **79 06 46 06, E : 3 km.**

Office de Tourisme au Lac ☎ 79 06 15 55, Télex 980030, Fax 79 06 45 44.

Paris 665 – Albertville 83 – Bourg-St-Maurice 30 – Chambéry 129 – Val-d'Isère 13.

Campanules ⛰, ✆ 79 06 34 36, Fax 79 06 35 78, ≤, 🍽 – |≑| 📺 ☎. GB. ✂ rest
nov.-mars – **Repas** 90 (déj.), 110/180 – ☕ 65 – **44 ch** 820/1040 – ½ P 600/740.

Le Refuge Ⓜ sans rest, ✆ 79 06 36 64, Fax 79 06 33 78, ≤ – 📺 ☎. GB
☕ 49 – **21 ch** 495/770, 3 appart.

Aiguille Percée ⛰, ✆ 79 06 52 22, Fax 79 06 35 69, ≤ – |≑| 📺 ☎. GB. ✂ rest
fermé 10 mai au 10 juil. – **Repas** 60 (déj.), 100/120 – ☕ 45 – **43 ch** 460/480 – ½ P 340/450.

Terril Blanc, rte Val Claret ✆ 79 06 32 87, Fax 79 06 58 17, ≤, 🍽 – 📺 ☎ ♿ 🅿. GB
6 juil.-25 août et 16 déc.-1er mai – **Repas** 70/135 – ☕ 50 – **26 ch** 350/450 – ½ P 440/480.

Paquis ⛰, ✆ 79 06 37 33, Fax 79 06 36 59, ≤ – |≑| 📺 ☎. GB. ✂ rest
hôtel : 1er juil.-31 août et 1er nov.-25 avril ; rest. : 1er nov.-25 avril – **Repas** 95 (déj.), 125/350, enf. 70 – ☕ 50 – **35 ch** 600 – ½ P 555.

Gentiana ⛰, ✆ 79 06 52 46, Fax 79 06 35 61, ≤ – |≑| 📺 ☎ ♿. GB. ✂ rest
29 juin-25 août et 26 oct.-2 mai – **Repas** 98/185, enf. 65 – ☕ 50 – **31 ch** 405/620 – ½ P 475/550.

Neige et Soleil, ✆ 79 06 32 94, Fax 79 06 33 18, ≤, 🍽 – 📺 ☎. GB. ✂
1er déc.-4 mai – **Repas** 100 (déj.), 140/180 – ☕ 45 – **26 ch** 390/550 – ½ P 350/470.

L'Orée du Maquis, Le Lavachet ✆ 79 06 42 21 – GB
6 déc.-2 mai – **Repas** (dîner seul.) 130/250.

au Val Claret SO : 2 km – ✉ **73320** Tignes.

Office de Tourisme (déc.-mai) ✆ 79 06 50 09.

Ski d'Or Ⓜ ⛰, ✆ 79 06 51 60, Fax 79 06 45 49, ≤, 🏋 – |≑| 📺 ☎ 🅿. AE GB
1er déc.-1er mai – **Repas** 125 (déj.), 225/295 – **22 ch** (½ pens. seul.) – ½ P 1030.

Curling ⛰ sans rest, ✆ 79 06 34 34, Fax 79 06 46 14, ≤ – |≑| 📺 ☎ 📞. AE ⓓ GB
6 juil.-31 août et 26 oct.-6 mai – **35 ch** ☕ 800/900.

Nevada Ⓜ ⛰, ✆ 79 06 50 33, Fax 79 06 45 04, ≤ – 📺 ☎. AE GB. ✂ rest
20 oct.-2 mai – **Repas** (résidents seul.) 140 (déj.)/160 – ☕ 60 – **28 ch** 375/680 – ½ P 440/490.

Vanoise ⛰, ✆ 79 06 31 90, Fax 79 06 37 06, ≤ – |≑| 📺 ☎. ⓓ GB JCB
Repas *(1er nov.-10 mai)* 125/175 – ☕ 55 – **22 ch** 400/560 – ½ P 420/520.

TIL-CHÂTEL 21120 Côte-d'Or 66 ⑫ **G. Bourgogne** – 768 h alt. 275.

aris 319 – ♦Dijon 26 – Châtillon-sur-Seine 76 – Dole 74 – Gray 42 – Langres 47.

Poste, ✆ 80 95 03 53, Fax 80 95 19 90 – ☎ 📞 🚗 🅿. GB. ✂
fermé vacances de Toussaint, de Noël, de fév., sam. midi d'avril à oct., dim. soir et sam. de nov. à mars – **Repas** 67/180, enf. 55 – ☕ 27 – **9 ch** 190/300 – ½ P 187/232.

Le TILLEUL 76 S.-Mar. 52 ⑪ – rattaché à Étretat.

TILQUES 62 P.-de-C. 51 ③ – rattaché à St-Omer.

TONNAY-BOUTONNE 17380 Char.-Mar. 71 ③ **G. Poitou Vendée Charentes** – 1 088 h alt. 24.

aris 454 – La Rochelle 52 – Royan 53 – Niort 57 – Rochefort 21 – Saintes 27 – St-Jean-d'Angély 18.

Le Prieuré ⛰, ✆ 46 33 20 18, Fax 46 33 25 55, 🚗 – 📺 ☎ 🅿. GB
hôtel : fermé 20/12 au 5/1 ; rest. : 15 mars-1er nov. et fermé dim. soir et lundi sauf du 1er avril au 15 oct. – **Repas** 140/250 – ☕ 45 – **15 ch** 350/450 – ½ P 330/370.

TONNEINS 47400 L.-et-G. 79 ④ – 9 334 h alt. 26.

de Barthe ✆ 53 88 83 31 à Tombeboeuf, NE : 19 km par D 120.

Office de Tourisme 3 bd Charles-de-Gaulle ✆ 53 79 22 79.

aris 684 – Agen 41 – Nérac 39 – Villeneuve-sur-Lot 34.

Fleurs Ⓜ sans rest, N 113 ✆ 53 79 10 47, Fax 53 79 46 37 – 📺 ☎ ♿ 🅿 – 🏛 25. GB
☕ 32 – **27 ch** 180/280.

CITROEN Sovat, rte de Bordeaux ✆ 53 79 02 16
PEUGEOT Guyenne et Gascogne Autom., rte de Bordeaux ✆ 53 79 14 75
RENAULT Gar. Dupouy, rte de Bordeaux ✆ 53 84 50 84 🅽 ✆ 05 05 15 15

Delapierre Pneus, 46 bd M.-Dormoy ✆ 53 79 02 85

TONNERRE 89700 Yonne 65 ⑥ **G. Bourgogne** – 6 008 h alt. 156.

Voir Ancien hôpital : charpente★ et Mise au tombeau★.

Env. Château de Tanlay★★ 9 km par ②.

de Tanlay ✆ 86 75 72 92, 9 km par ②.

Office de Tourisme r. du Collège ✆ 86 55 14 48.

aris 198 ③ – Auxerre 38 ③ – Châtillon-sur-Seine 48 ② – Joigny 55 ① – Montbard 46 ② – Troyes 60 ①.

TONNERRE

Hôpital (R. de l') 9
Hôtel-de-Ville (R. de l') 10
St-Pierre (R.) 23

Campenon (R. Gén.) 2
Colin (R. Armand) 3
Fontenilles (R. des) 4
Fosse-Dionne (R. de la) 6
Garnier (R. Jean) 7
Marguerite-de-Bourgogne (Pl.) 12
Pompidou (Av. G.) 14
Pont (R. du) 16
République (Pl. de la) 17
St-Michel (R.) 18
St-Nicolas (R.) 20

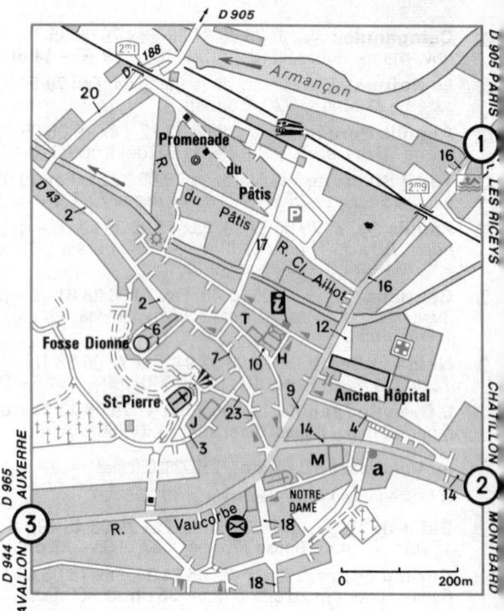

Dans la liste des rues des plans de ville, les noms en rouge indiquent les principales voies commerçantes.

Les plans de villes sont orientés le Nord en haut.

✿✿ **Abbaye St-Michel** ♘, r. St-Michel, sud du plan, ℘ 86 55 05 99, Fax 86 55 00 10, « Ancienne abbaye du 10e siècle dans un parc fleuri », ✂ – TV ☎ P. AE ⓓ GB
Repas 250 (déj.), 330/750 et carte 460 à 600 – ☕ 85 – **11 ch** 590/1600, 3 appart
Spéc. Ailerons de volaille aux ravioli d'époisses. Bar à la peau au cidre du pays d'Othe. Gaufrette à la poudre de mie
Vins Epineuil, Tonnerre.

Ibis M, par ② et rte Dijon : 2 km ℘ 86 54 41 41, Fax 86 54 48 28, ☂ – ✗ ▤ rest TV ☎ P – ⛺ 40. AE ⓓ GB
Repas 100 bc/140 ♗, enf. 39 – ☕ 35 – **40 ch** 240/270.

XX **Le Saint Père,** 2 av. G. Pompidou **(a)** ℘ 86 55 12 84, ☂ – GB
fermé 15 au 28 mars, 6 au 30 sept., mardi soir, merc. soir, jeudi soir de nov. à mars, dim. so et lundi – **Repas** 65 (déj.), 112/210 ♗, enf. 55.

OPEL Gar. Maupois, 83 r. G.-Pompidou ℘ 86 55 14 11
PEUGEOT Hérault Autom., 22 r. Chevalier-d'Eon par ① ℘ 86 55 08 98
RENAULT Gar. Perrot, rte de Paris par ① ℘ 86 55 38 18 N ℘ 05 05 15 15
VAG Gar. Lambert, 61 r. Vaucorbe ℘ 86 55 01 48
Tonnerre Accessoires, 20 av. A.-Grevin ℘ 86 55 00 66

SOVIC, 1 r. G.-Pompidou ℘ 86 55 16 29

TORCY 71 S.-et-L. 69 ⑧ – rattaché au Creusot.

TORCY 77 S.-et-M. 56 ⑫, 101 ⑲ – Voir à Paris, Environs (Marne-la-Vallée).

TORNAC 30 Gard 80 ⑰ – rattaché à Anduze.

TOUCY 89130 Yonne 65 ④ **G. Bourgogne** – 2 590 h alt. 200.

Office de Tourisme pl. Frères-Genêt (15 juin-15 sept.) ℘ 86 44 15 66.

Paris 158 – Auxerre 23 – Avallon 71 – Clamecy 45 – Cosne-sur-Loire 53 – Joigny 29 – Montargis 61.

X **Lion d'Or,** r. L. Cormier ℘ 86 44 00 76 – GB
fermé 1er au 20 déc., dim. soir et lundi – **Repas** 120/180.

CITROEN Gar. Degret, ℘ 86 44 11 99
RENAULT Gar. Massot, ℘ 86 44 14 63

TOUËT-SUR-VAR 06710 Alpes-Mar. 81 ⑲ ⑳ 115 ⑭ **G. Alpes du Sud** – 342 h alt. 327.

Voir Gorges inférieures du Cians★★ N : 2 km.

Env. Villars-sur-Var : Mise au tombeau★★ du retable du maître-autel★, retable de l'Annonciation★ dans l'église E : 8,5 km – Gorges supérieures du Cians★★★ N : 13 km.

Paris 848 – ♦Nice 53 – Puget-Théniers 10 – St-Étienne-de-Tinée 71 – St-Martin-Vésubie 60.

X **Chasseurs,** ℘ 93 05 71 11, ☂ – AE ⓓ GB
fermé fév. et mardi – **Repas** 100/180 ♗, enf. 40.

OUL ⟨SP⟩ **54200** M.-et-M. **62** ④ **G. Alsace Lorraine** – 17 281 h alt. 209.

oir Cathédrale St-Étienne★★ et cloître★ BZ – **Église St-Gengoult : cloître★★** BZ – **Façade★ de ancien palais épiscopal** BZ **H** – **Musée municipal★ : salle des malades★** BY **M.**

Office de Tourisme parvis Cathédrale ✆ 83 64 11 69, Fax 83 63 24 37.

aris 283 ⑤ – ♦Nancy 23 ② – Bar-le-Duc 59 ⑤ – ♦Metz 74 ① – St-Dizier 76 ⑤ – Verdun 83 ①.

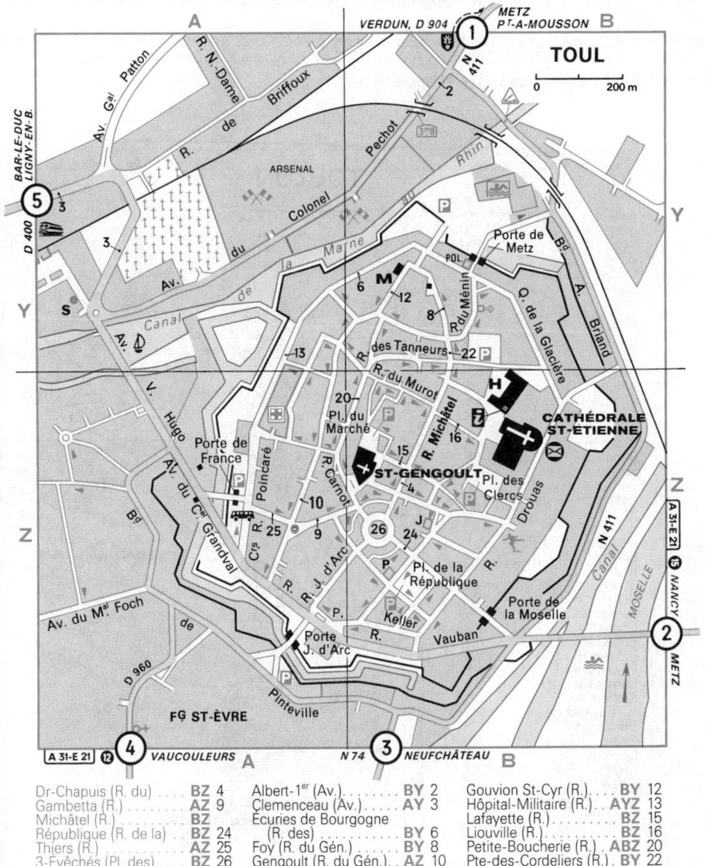

Dr-Chapuis (R. du)	BZ 4	Albert-1er (Av.)	BY 2	Gouvion St-Cyr (R.)	BY 12
Gambetta (R.)	AZ 9	Clemenceau (Av.)	AY 3	Hôpital-Militaire (R.)	AYZ 13
Michâtel (R.)	BZ	Écuries de Bourgogne (R. des)	BY 6	Lafayette (R.)	BZ 15
République (R. de la)	BZ 24	Foy (R. du Gén.)	BY 8	Liouville (R.)	BZ 16
Thiers (R.)	AZ 25	Gengoult (R. du Gén.)	AZ 10	Petite-Boucherie (R.)	ABZ 20
3-Évêchés (Pl. des)	BZ 26			Pte-des-Cordeliers (R.)	BY 22

XX **La Belle Époque,** 31 av. V. Hugo ✆ 83 43 23 71 – ▤. GB AY **s**
fermé 1er au 10 mai, 15 au 31 août, Noël au Jour de l'An, sam. midi et dim. – **Repas** 98 (déj.), 157/280 bc.

à la Z. I. Croix de Metz **par ① et rte Villey-St-Etienne : 6 km –** ✉ **54200** Toul :

XXX ✿ **Le Dauphin** (Vohmann), ✆ **83 43 13 46, Fax 83 64 37 01,** – **P.** AE ⓓ
fermé 29 juil. au 12 août, dim. soir et lundi – **Repas** 189 (déj.)/350 et carte 300 à 390
Spéc. Ris d'agneau aux cèpes (sept. à avril). Foie gras rôti entier. Soufflé aux mirabelles séchées. **Vins** Côtes de Toul.

ITROEN Gar. Michel, N 411 ZI Croix-d'Argent par ① ✆ 83 43 08 61
EUGEOT Gar. Mathiot Meny, av. 1ère-Armée-rançaise, rte de Troyes par ④ ✆ 83 43 00 74
ENAULT Toul Auto Diffusion, rte de Paris à crouves par ⑤ ✆ 83 43 30 30 **N** ✆ 83 43 43 20

VAG Gar. St-Martin, rte de Nancy à Dommartin-les-Toul ✆ 83 64 55 05

Ⓜ Toul Pneus, ZI Croix d'Argent ✆ 83 43 23 38

TOULON P 83000 Var 84 ⑮ 114 ㊺ G. Côte d'Azur – 167 619 h Agglo. 437 553 h alt. 10.

Voir Rade★★ – Corniche du Mont Faron★★ : ≤★ BCU – Vieille ville★ FY : Atlantes★ de l'ancien hôtel de ville FY F, Musée naval★ EY – Port★.

Env. Tour Beaumont (Mémorial du Débarquement★ et ✻★★★) au Nord – Baou de 4 Oures ✻★★ NO : 7 km par D 62 AU et D 262 – Mont Caume ✻★★ NO : 15 km par D 62 AU – Fort de la Croix-Faron ≤★ N : 7 km CU – 18 de Valgarde, E : 10 km par ②.

✈ de Toulon-Hyères : ✆ 94 22 81 60, par ① : 21 km – 🚗 ✆ 36 35 35 35.

⛴ pour la Corse (1er avril-30 septembre) : S.N.C.M/C.M.T., 49 avenue Infanterie de Marine ✆ 94 16 66 66 FZ.

ℹ Office de Tourisme et Accueil de France 8 av. Colbert ✆ 94 22 08 22, Télex 400479, Fax 94 22 30 54 et hall gare SNCF ✆ 94 62 73 87, Télex 430307 – A.C. du Var, 1 av. H.Dunant ✆ 94 31 61 13, Fax 94 36 58 55.

Paris 837 ④ – Aix-en-Provence 85 ④ – ◆Marseille 64 ④.

RÉPERTOIRE DES RUES DU PLAN DE TOULON

Alger (R. d') .... FY
Audéoud (R.) .... CV 4
Clemenceau (Av. G.) . GXY
Hoche (R.) .... FY
Jaurès (R. Jean) ...... EFX
Lafayette (Cours) ...... FY
Landrin (R. P.) ...... FXY
Pastoureau (R. H.) ..... FX 55
Seillon (R. H.) .... FY 74
Strasbourg (Bd de) .... FX
XVe-Corps (Av. du) .... AV 85

Abel (Bd J.-B.) CV
Albert-1er (Pl.) .... EX
Anatole-France (R.) ... EXY
Armaris (Bd des) CV
Armes (Pl. d') .... EX
Baron (R. M.) .... GZ
Baudin (R.) .... FY
Bazeilles (Bd de) ...... BV 6
Berthelot (R.) .... FX 7
Besagne (Av. de) .... FGY 8
Bianchi (Bd) .... AU
Bidouré (Pl. M.) ...... AV 9
Bir-Hakeim (Rd-Pt) .... GY
Blache (Pl. N.) .... GX
Blum (Pl. L.) .... DX
Bonaparte (Rd-Pt) ..... GZ
Boucheries (R. des) .... FY 10
Bourgeois (Carr. Léon) . CV
Bozzo (Av. L.) .... GX
Briand (Av. A.) .... AV
Brosset (Bd Gén.) ..... AV 11
Brunetière (R. F.) ...... FY 12
Carnot (Av. L.) .... DX
Cathédrale
(Traverse de la) ...... FY 13
Chalucet (R.) .... EX
Charcot (Q. J.) .... AV 14
Churchill (Av. W.) ..... DX 15
Clappier (R. V.) .... FX
Colbert (Av.) .... FX
Collet (Av. Amiral) .... DX
Corderie (R. de la) ... EXY
Cronstadt (Q.) .... FY
Cuzin (Av. F.) .... CV 19
Dardanelles (Av. des) .. DX
Daudet (R. Alphonse) .. GX 20
Delpech (R.) .... GX
Démocratie (Bd de la) . GX
Dr-Barrois (R.) .... CU
Dr-Fontan (R.) .... AU 21
Escartefigue (Bd M.) . BCU
Esclangeon (R. V.) ... BCU 22
Estienne-
d'Orves (Av. d'). AV, DX 23
Fabié (R. F.) .... FGX
Faron (Bd du) .... BU
Farrère (Av. Cl) .... CV 24
Foch (Av. Mar.) .... DX
Forbin (Av.) .... CV 25
Forgentier (Ch. de) .... AU
Fort-Rouge (Ch. du) ... AU 26
Gambetta (Pl.) .... FY 27
Garibaldi (R.) .... FY 28
Gasquet (Av. J.) CV
Gaulle
(Corniche Gén.-de) .. CV
Gouraud (Av. Gén.) .... AU 30
Grenier (Q. E.) .... AU 31

Grignan (Bd) .... BV
Guillemard (R. R.) ...... DX
Herriot (Av. E.) .... AV 32
Huile (Pl. à l') .... FY 35
Inf.-de-Marine
(Av. de l') .... FZ
Infernet (R. Cdt) .... GZ
Jacquemin (Bd E.) ..... AU 36
Jaujard (R. Amiral) ..... GZ
Joffre (Bd Mar.) CV
Juin (Av. Mar.) .... CV, GY 37
Lattre-de-T. (Av. Mar.) ... GZ
Le-Chatelier (Av. A.) .... AU
Lebon (R. Ph.) .... GX
Leclerc (Av. Gén.) .... EX
Le Bellegou (Av. E.) ..... GZ
Lesseps (Bd F. de) ...... GX
Liberté (Pl. de la) .... FX

Lices (Ch. des) .... GX
Lorgues (R. de) .... FXY
Loti (Av. P.) CV
Loubière (Ch. de la) ..... GX
Louis-Blanc (Pl.) .... FY 3
Louvois (Bd) .... EFX
Lyautey (Av. Mar.) .... DX
Macé (Pl.) .... AU 3
Magnan (Av. Gén.) .... EX 4
Marceau (Av.) CV
Marchant (Av. Cdt) ...... GX
Méridienne (R.) .... FY 4
Michelet (Bd J.) .... CV 4
Micholet (Av. V.) .... EY 4
Mistral (Littoral F.) ...... CV 4
Monsenergue
(Pl. Ingénieur-gén.) .... EY 4
Moulin (Av. J.) .... EX 4

New Hôtel Tour Blanche M, près gare départ téléphérique du Mont-Faron ✉ 83200 ☏ 94 24 41 57, Télex 400347, Fax 94 22 42 25, ≤ Toulon et la rade, – 80. AE GB JCB BU a
Repas 90 bc/150, enf. 50 – ☕ 50 – **92 ch** 395/495 – ½ P 270.

Holiday Inn Garden Court M, 1 av. Rageot de la Touche ☏ 94 92 00 21, Fax 94 62 08 15, – 100. AE GB DX b
Repas 85/145, enf. 50 – ☕ 40 – **81 ch** 375 – ½ P 395.

Grand Hôtel sans rest, 4 pl. Liberté ☏ 94 22 59 50, Fax 94 22 10 29 – AE GB – ☕ 40 – **45 ch** 300/480. FX k

New H. Amirauté M sans rest, 4 r. A. Guiol ☏ 94 22 19 67, Télex 404700, Fax 94 09 34 72 – AE GB JCB EX d
☕ 38 – **58 ch** 310.

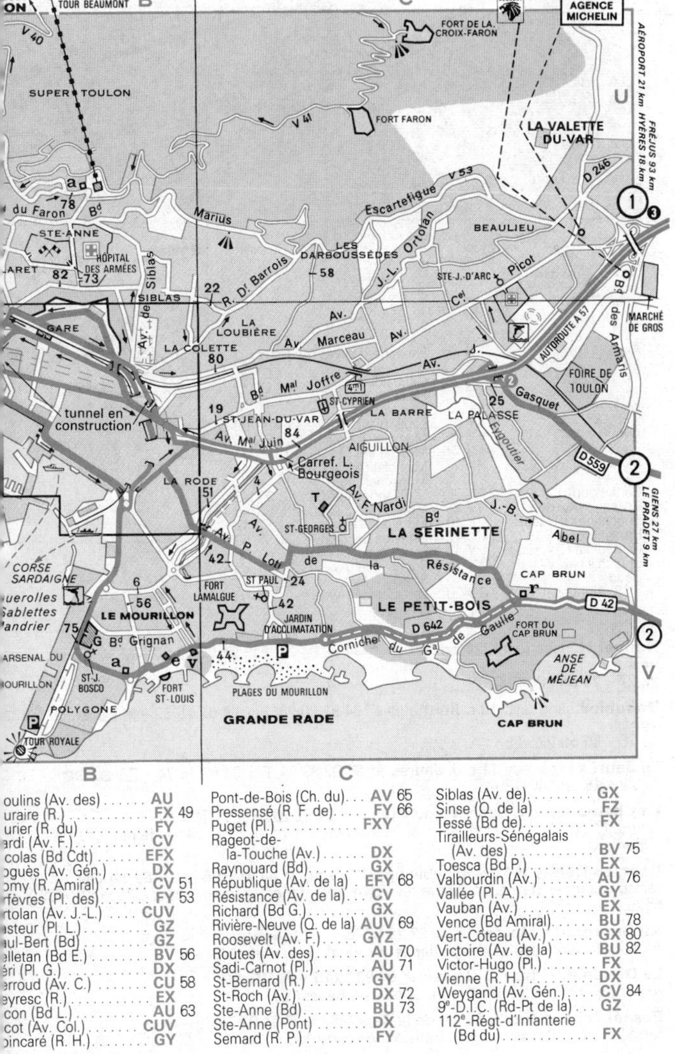

oulins (Av. des) . . . . . . AU
uraire (R.) . . . . FX 49
urier (R. du) . . . . FY
ardi (Av. F.) CV
colas (Bd Cdt) . . . . . . EFX
ogués (Av. Gén.) . . . . . DX
omy (R. Amiral) . . . . . . CV 51
rfèvres (Pl. des) . . . . . . FY 53
rtolan (Av. J.-L.) . . . . CUV
asteur (Pl. L.) . . . . GZ
aul-Bert (Bd) . . . . GZ
elletan (Bd E.) . . . . BV 56
éri (Pl. G.) . . . . DX
erroud (Av. C.) . . . . CU 58
eyresc (R.) . . . . EX
con (Bd L.) . . . . AU 63
cot (Av. Col.) . . . . CUV
oincaré (R. H.) . . . . GY
Pont-de-Bois (Ch. du) . . . AV 65
Pressensé (R. F. de) . . . . FY 66
Puget (Pl.) . . . . FXY
Rageot-de-la-Touche (Av.) . . . . . . DX
Raynouard (Bd) . . . . GX
République (Av. de la) . EFY 68
Résistance (Av. de la) . . . CV
Richard (Bd G.) . . . . GX
Rivière-Neuve (Q. de la) AUV 69
Roosevelt (Av. F.) . . . . . GYZ
Routes (Av. des) . . . . . . AU 70
Sadi-Carnot (Pl.) . . . . . . AU 71
St-Bernard (R.) . . . . GY
St-Roch (Av.) . . . . DX 72
Ste-Anne (Bd) . . . . BU 73
Ste-Anne (Pont) . . . . DX
Semard (R. P.) . . . . FY
Siblas (Av. de) . . . . GX
Sinse (Q. de la) . . . . FZ
Tessé (Bd de) . . . . FX
Tirailleurs-Sénégalais (Av. des) . . . . BV 75
Toesca (Bd P.) . . . . EX
Valbourdin (Av.) . . . . . . AU 76
Vallée (Pl. A.) . . . . GY
Vauban (Av.) . . . . EX
Vence (Bd Amiral) . . . . . BU 78
Vert-Côteau (Av.) . . . . . GX 80
Victoire (Av. de la) . . . . BU 82
Victor-Hugo (Pl.) . . . . . . FX
Vienne (R. H.) . . . . DX
Weygand (Av. Gén.) . . . . CV 84
9e-D.I.C. (Rd-Pt de la) . . . GZ
112e-Régt-d'Infanterie (Bd du) . . . . FX

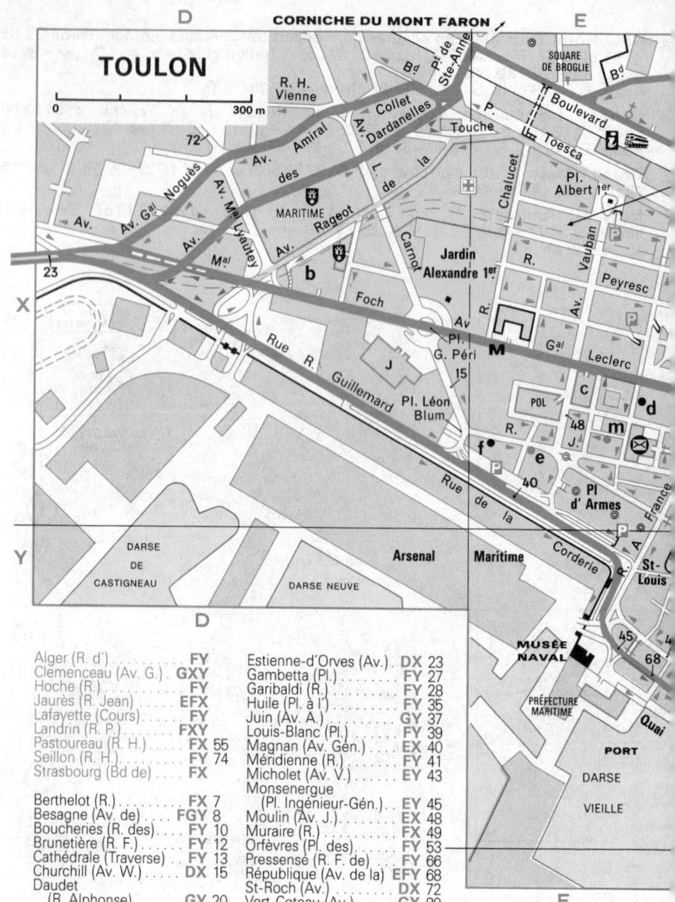

Alger (R. d') .... FY
Clemenceau (Av. G.) . GXY
Hoche (R.) .... FY
Jaurès (R. Jean) ..... EFX
Lafayette (Cours) ...... FY
Landrin (R. P.) .... FXY
Pastoureau (R. H.) ..... FX 55
Seillon (R. H.) .... FY 74
Strasbourg (Bd de) .... FX

Berthelot (R.) .... FX 7
Besagne (Av. de) .... FGY 8
Boucheries (R. des) .... FY 10
Brunetière (R. F.) ...... FY 12
Cathédrale (Traverse) .. FY 13
Churchill (Av. W.) ..... DX 15
Daudet (R. Alphonse) ...... GY 20
Estienne-d'Orves (Av.) . DX 23
Gambetta (Pl.) .... FY 27
Garibaldi (R.) .... FY 28
Huile (Pl. à l') .... FY 35
Juin (Av. A.) .... GY 37
Louis-Blanc (Pl.) ...... FY 39
Magnan (Av. Gén.) ..... EX 40
Méridienne (R.) .... FY 41
Micholet (Av. V.) ...... EY 43
Monsenergue (Pl. Ingénieur-Gén.) .. EY 45
Moulin (Av. J.) .... EX 48
Muraire (R.) .... FX 49
Orfèvres (Pl. des) ...... FY 53
Pressensé (R. F. de) .... FY 66
République (Av. de la) EFY 68
St-Roch (Av.) .... DX 72
Vert-Coteau (Av.) ..... GX 80

Nouvel H. sans rest, 224 bd Tessé ✆ 94 89 04 22, Fax 94 92 13 06 – |\$| ▤ TV ☎. AE GB JCB
☕ 27 – **29 ch** 168/300. FX

Dauphiné sans rest, 10 r. Berthelot ✆ 94 92 20 28, Fax 94 62 16 69 – |\$| TV ☎. AE ⓓ GB JCB
☕ 26 – **55 ch** 225/255. FX

Le Jaurès sans rest, 11 r. J. Jaurès ✆ 94 92 83 04, Fax 94 62 16 74 – TV ☎. GB EX
☕ 22 – **16 ch** 140/180.

XX **La Chamade,** 25 r. Denfert-Rochereau ✆ 94 92 28 58 – ▤. AE GB EX
fermé 1er au 20 août, dim. sauf le midi d'oct. à avril et sam. midi – **Repas** 130 (déj.), 17 285.

XX **Rest. La Réale,** 364 av. République (1er étage) ✆ 94 41 61 64, ← – AE ⓓ GB FYZ
fermé vacances de Toussaint, de fév., dim. soir et merc. sauf juil.-août – **Repas** 107/350, er 55.

XX **Au Sourd,** 10 r. Molière ✆ 94 92 28 52, 😊 – GB JCB FX
fermé juil., lundi soir et dim. – **Repas** - produits de la mer - 140.

X **Le Dauphin,** 21 bis r. J. Jaurès ✆ 94 93 12 07 – ▤. AE GB EX
fermé juil.-août, sam. midi, dim. et fériés – **Repas** 125.

X **Pascal "chez Mimi",** 83 av. de la République ✆ 94 92 79 60 – GB FY
fermé merc. – **Repas** - cuisine tunisienne - carte 130 à 200.

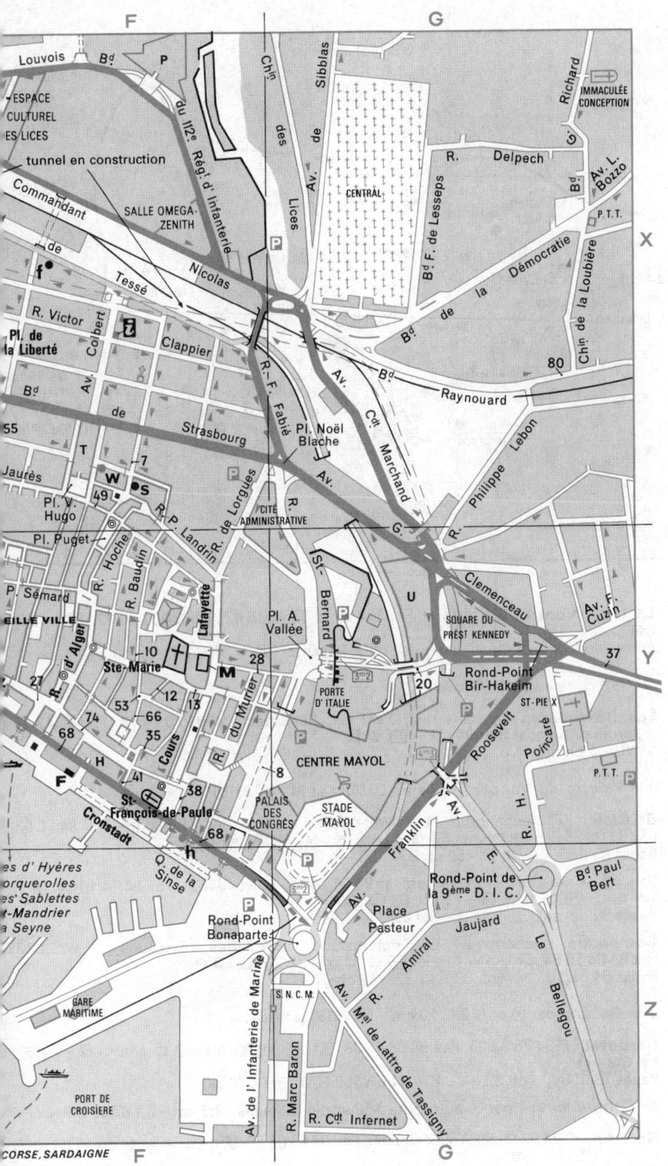

au Mourillon – ✉ **83000** Toulon.

Voir Tour royale ✳★.

Corniche, 17 littoral F. Mistral ☎ 94 41 35 12, Fax 94 41 24 58, ≤, – | TV ☎. AE ⓓ GB BV **a**

Repas 110/190 – 50 – **19 ch** 350/450, 3 appart – ½ P 300/350.

Le Lido, av. F. Mistral ☎ 94 03 38 18, Fax 94 42 07 65, , ≤ rade de Toulon, – . AE ⓓ GB BV **v**

fermé lundi sauf de juin à sept. – **Repas** 140/240, enf. 52.

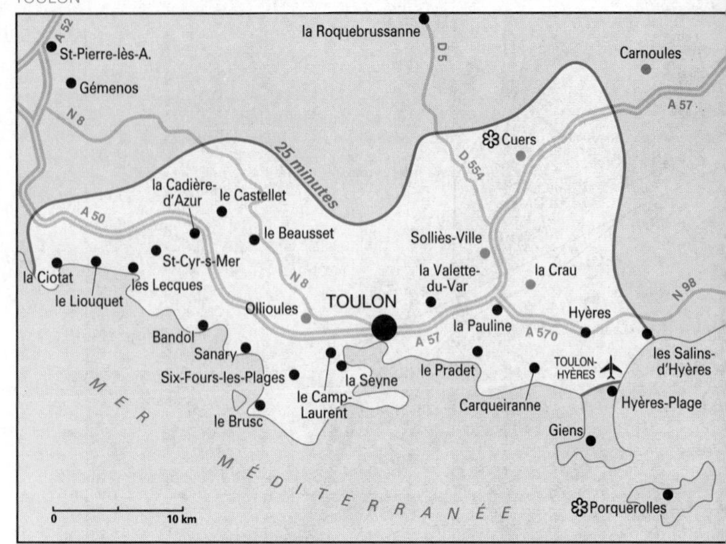

Le Gros Ventre, 279 littoral F. Mistral ☎ 94 42 15 42, Fax 94 31 40 32, – AE GB BV
fermé jeudi midi et merc. sauf juil.-août – **Repas** 90 (déj.), 148/224, enf. 60.

au Cap Brun – ✉ **83100** Toulon :

Les Bastidières sans rest, 2371 av. Résistance ☎ 94 36 14 73, Fax 94 42 49 7 « Jardin provençal fleuri », – TV ☎ P CV
70 – **5 ch** 650/700.

à la Valette-du-Var par ① : 7 km – 20 687 h. alt. 64 – ✉ **83160** :

St-Clair M, échangeur La Valette-Sud, Z.A. des Espaluns ☎ 94 08 03 3 Fax 94 08 35 08 – rest TV ☎ P – 50. AE GB
Repas 85/135 – 36 – **50 ch** 250/290 – ½ P 230/250.

Ibis M, sortie Université Valgora ☎ 94 14 14 14, Télex 404003, Fax 94 14 10 04, – ch TV ☎ P – 60. AE GB
Repas 99 bc, enf. 39 – 35 – **84 ch** 300/320.

Campanile, échangeur La Valette-Sud, Z.A. des Espaluns ☎ 94 21 13 0 Fax 94 08 56 54, – rest TV ☎ – 25. AE GB
Repas 84 bc/107 bc, enf. 39 – 32 – **49 ch** 270.

à La Pauline par ① et N 98 : 10 km – ✉ **83130** La Garde :

Gardotel, ☎ 94 75 82 25, Fax 94 08 42 98, , – rest TV ☎ P – 30. GB JCB
Repas 78/108, enf. 38 – 40 – **41 ch** 250/320 – ½ P 240.

au Camp-Laurent par ④ autoroute A50 sortie Ollioules : 7,5 km – ✉ **83500** La Seyne :

Novotel, ☎ 94 63 09 50, Télex 400759, Fax 94 63 03 76, , , – TV ☎ – 150. AE GB
Repas 130, enf. 52 – 48 – **86 ch** 420/450 – ½ P 456.

Campanile, ☎ 94 63 30 30, Fax 94 63 23 10, – rest TV ☎ P – 25. GB
Repas 84 bc/107 bc, enf. 39 – 32 – **49 ch** 270.

OPEL Champ-de-Mars Autom., Palais Réaltor, pl. Champ-de-Mars ☎ 94 41 74 21
PEUGEOT Gds Gar. du Var, bd Armaris Ste-Musse Aut. Toulon-Est CU ☎ 94 61 75 00 N ☎ 91 97 34 40
ROVER Autorex, 13 av. Gén.-Pruneau ☎ 94 41 18 14

Aude-Point S, ch. Belle-Visto ☎ 94 24 27 60
Escoffier Pneus Vulcopneu, 704 av. Col.-Picot ☎ 94 20 20 63
Marcel Pneus, 126 r. Dr-Gibert ☎ 94 42 41 42
Pasero, bd Cdt Nicolas ☎ 94 93 04 51

Périphérie et environs

.FA ROMEO, FIAT D.I.A.T., La Coupiane à La lette-du-Var ✆ 94 61 78 78
1W Bavaria Motors, ZAC des 4 Chemins N 98 à Garde ✆ 94 08 03 94
TROEN SOCA, av. A.-Citroën à La Valette-du-Var r ① ✆ 94 21 90 90
RD Gar. d'Azur, av. Université à la Valette-du-r ✆ 94 21 04 00 **N** ✆ 94 21 11 83
NCIA Gar. Cuzin, ZAC des 4 Chemins à la Garde 94 08 49 49
SSAN S.E.G.A., 903 av. Draguignan ZI Toulon t à la Garde ✆ 94 08 24 08

RENAULT Succursale, ZAC les Espaluns à La Valette-du-Var par ① ✆ 94 61 50 50 **N** ✆ 05 05 15 15
VAG Gar. Foch, 1 allée des 4 Chemins à la Garde ✆ 94 08 44 55 **N** ✆ 05 00 24 24

Ⓜ Aude-Point S, Les Espaluns, r. Bertholet à La Valette-du-Var ✆ 94 21 58 02
Euromaster, Domaine Ste-Claire, r. P.-et-M.-Curie à la Valette-du-Var ✆ 94 23 23 46
Mendez Pneus, 101 av. Ed.-Herriot, L'Escaillon ✆ 94 24 54 25

TOULOUSE P 31000 H.-Gar. 82 ⑧ **G. Pyrénées Roussillon** – 358 688 h Agglo. 650 336 h alt. 146.

Voir Basilique St-Sernin★★★ FX – Les Jacobins★★ : vaisseau de l'église★★★ FY – Hôt d'Assézat★ FY **B** – Cathédrale★ GY – Capitole★ FY – Tour d'escalier★ de l'hôtel de Bernuy FY S Musée des Augustins★★ (sculptures★★★) GY **M**[1] – Muséum d'Histoire naturelle★★ GY **M**[2] Musée St-Raymond★★ FX **M**[3] – Musée Paul-Dupuy★ GZ **M**[4].

18 (privé) ✆ 61 73 45 48, S : 10 km par D 4 BV ; 9 Saint-Gabriel ✆ 61 84 16 65, par ④ : 10 km 18 18 de Toulouse-Seilh ✆ 62 13 14 14, par ⑪ sur D 2 : 15,5 km ; 18 9 de la Ramée ✆ 61 07 09 0 SO : 10 km par D 50 AV ; 9 de Toulouse-Borde-Haute ✆ 61 83 60 28, par ⑤ : 15 km.

✈ de Toulouse-Blagnac : ✆ 61 42 44 00 AT.

✆ 36 35 35 35.

🅸 Office de Tourisme et Accueil de France Donjon du Capitole ✆ 61 11 02 22, Fax 61 62 03 63 – Automob Club du Midi, 17 allées J.-Jaurès ✆ 61 62 76 21, Fax 61 99 22 38.

Paris 700 ① – Barcelona 390 ⑦ – ◆Bordeaux 245 ① – ◆Lyon 537 ⑦ – ◆Marseille 401 ⑦.

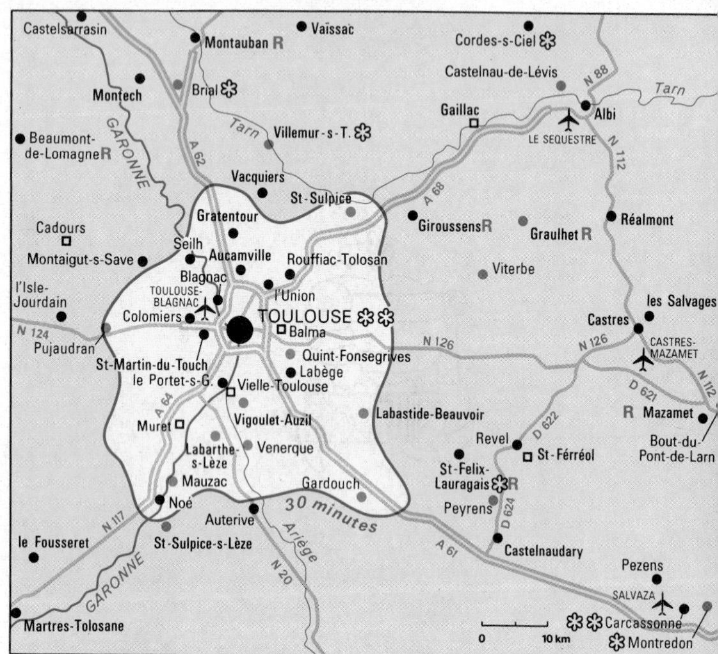

Sofitel Centre M, 84 allées J. Jaurès ✆ 61 10 23 10, Fax 61 10 23 20 – 🏢 ⋟ ▤ TV ☎ ♿ P – 🏛 30 à 150. AE ⓓ GB p. 5 HX
Repas 120/185 bc – ☕ 80 – **107 ch** 790/850, 12 appart.

Holiday Inn Crowne Plaza M, 7 pl. Capitole ✆ 61 61 19 19, Télex 520348, Fax 61 23 79 96, ☂, 🏋 – 🏢 ⋟ ▤ TV ☎ ♿ – 🏛 50 à 100. AE ⓓ GB JCB
Repas 130/170 🍷, enf. 60 – ☕ 80 – **160 ch** 770/970. p. 5 FY

Gd H. de l'Opéra M 🐎, 1 pl. Capitole ✆ 61 21 82 66, Télex 521998, Fax 61 23 41 04 ☂, 🏋 – 🏢 ▤ TV ☎ ♿ – 🏛 100. AE ⓓ GB JCB p. 5 FY
voir rest. *Les Jardins de l'Opéra* ci-après - *Gd Café de l'Opéra* ✆ 61 21 37 03 *(fermé 11 au 2 août et dim. en juil.-août)* **Repas** 129, enf. 65 – *L'Opéra de Bala* cuisine indienne **Repa** 79(déj.)110/229, enf. 40 – ☕ 75 – **40 ch** 480/950, 9 appart.

Gd H. Capoul M, 13 pl. Wilson ✆ 61 10 70 70, Télex 533077, Fax 61 21 96 70 – 🏢 ⋟ ▤ TV ☎ ♿ – 🏛 30 à 100. AE ⓓ GB p. 5 GY
Repas brasserie - 100 bc/250 bc – ☕ 55 – **140 ch** 590/750.

Novotel M 🐎, pl. A. Jourdain ✆ 61 21 74 74, Télex 532400, Fax 61 22 81 22, ☂, 🏊 – 🏢 ⋟ ▤ TV ☎ ♿ 🚗 – 🏛 60 à 120. AE ⓓ GB p. 4 EX
Repas carte environ 160, enf. 51 – ☕ 49 – **125 ch** 460/490, 6 appart.

Mercure Atria M, 8 espl. Compans Caffarelli ✆ 61 11 09 09, Télex 533422 Fax 61 23 14 12 – 🏢 ⋟ ▤ TV ☎ ♿ 🚗 P – 🏛 200. AE ⓓ GB JCB p. 4 EX
Repas 115 🍷, enf. 45 – ☕ 55 – **138 ch** 500.

Mermoz M sans rest, 50 r. Matabiau ✆ 61 63 04 04, Télex 532427, Fax 61 63 15 64 – cuisinette – 40. AE GB JCB p. 5 GX **f**
50 – **52 ch** 465.

Mercure St-Georges M, r. St-Jérôme (pl. Occitane) ✆ 61 23 11 77, Télex 520760, Fax 61 23 19 38, – 25 à 200. AE GB JCB p. 5 GY **s**
Repas *(fermé sam., dim. et fériés)* carte 130 à 170 – 55 – **120 ch** 495/525, 28 appart.

Brienne M sans rest, 20 bd Mar. Leclerc ✆ 61 23 60 60, Fax 61 23 18 94 – – 30. AE GB JCB p. 4 EX **n**
45 – **68 ch** 350/460, 3 appart.

Mercure Wilson M sans rest, 7 r. Labéda ✆ 61 21 21 75, Télex 530550, Fax 61 22 77 64 – – 30. AE GB p. 5 GY **y**
55 – **91 ch** 505/750, 4 appart.

Victoria sans rest, 76 r. Bayard ✆ 61 62 50 90, Télex 521748, Fax 61 99 21 02 – – 30. AE GB JCB p. 5 GX **s**
45 – **71 ch** 310/360.

Mercure Les Capitouls M sans rest, 29 allées J. Jaurès ✆ 61 62 63 33, Télex 533363, Fax 61 63 15 17 – – 35. AE GB p. 5 GY **g**
59 – **51 ch** 510/540.

Grande Bretagne M, 300 av. Grande Bretagne ✉ 31300 ✆ 61 31 84 85, Fax 61 31 87 12 – – 50. AE GB p. 2 AU **r**
Repas *(fermé sam. midi et dim. soir)* 85/250 – 45 – **43 ch** 370/400 – ½ P 400/450.

Beaux Arts M sans rest, 1 pl. Pont-Neuf ✆ 61 23 40 50, Fax 61 22 02 27 – . AE GB p. 5 FY **v**
75 – **19 ch** 450/800.

Mercure Matabiau M sans rest, gare Matabiau ✉ 31500 ✆ 61 62 84 93, Télex 533888, Fax 61 99 27 78 – – 30. AE GB p. 5 HX **k**
43 – **62 ch** 345.

Athénée M sans rest, 13 r. Matabiau ✆ 61 63 10 63, Fax 61 63 87 80 – – 30. AE GB p. 5 GX **a**
42 – **35 ch** 300/430.

Président M sans rest, 45 r. Raymond IV ✆ 61 63 46 46, Fax 61 62 83 60 – . AE GB p. 5 GX **k**
36 – **31 ch** 270/350.

Raymond IV sans rest, 16 r. Raymond IV ✆ 61 62 89 41, Fax 61 62 38 01 – – 30. AE GB p. 5 GX **d**
40 – **38 ch** 290/330.

Vidéotel M, 77 bd Embouchure ✉ 31200 ✆ 61 57 34 77, Fax 61 23 54 74, – – 45. AE GB JCB p. 4 DX **e**
Repas 73/99 , enf. 40 – 33 – **90 ch** 260.

Ours Blanc-Victor Hugo sans rest, 25 pl. V. Hugo ✆ 61 23 14 55, Fax 61 23 62 34 – . GB p. 5 GY **u**
35 – **38 ch** 250/350.

Le Capitole sans rest, 10 r. Rivals ✆ 61 23 21 28, Fax 61 23 67 48 – . AE GB JCB p. 5 FY **n**
35 – **33 ch** 210/380.

Orsay sans rest, 8 bd Bonrepos ✆ 61 62 71 61, Fax 61 62 64 46 – . AE GB p. 5 GX **n**
35 – **40 ch** 210/300.

Gascogne sans rest, 25 allées Ch. de Fitte ✉ 31300 ✆ 61 59 27 44, Fax 61 42 25 52 – . AE GB p. 4 EZ **k**
35 – **51 ch** 200/300.

Victor Hugo sans rest, 26 bd Strasbourg ✆ 61 63 40 41, Fax 61 62 45 41 – . AE GB p. 5 GY **b**
fermé 23 déc. au 2 janv. – 30 – **32 ch** 210/280.

Garden sans rest, 81 bd Koenigs ✉ 31300 ✆ 62 21 02 22, Fax 62 21 02 63 – . GB p. 4 DZ **b**
30 – **24 ch** 240/270.

Ours Blanc-Wilson sans rest, 2 r. V. Hugo ✆ 61 21 62 40, Fax 61 23 62 34 – . GB p. 5 GY **p**
35 – **37 ch** 250/350.

Bordeaux sans rest, 4 bd Bonrepos ✆ 61 62 41 09, Fax 61 63 06 65 – . AE GB p. 5 GHX **e**
fermé 26 déc. au 1er janv. – 32 – **31 ch** 220/245.

Castellane sans rest, 17 r. Castellane ✆ 61 62 18 82, Fax 61 62 58 04 – cuisinette – 50. AE GB p. 5 GY **v**
30 – **46 ch** 270, 6 studios.

Prado sans rest, 26 r. Prado par rte St-Simon ✉ 31100 ✆ 61 40 49 29, Fax 62 14 11 75 – . AE GB p. 2 AU **f**
30 – **23 ch** 195/275.

RÉPERTOIRE DES RUES

Alsace-Lorr. (R. d') . . p. 5 **FY** 2
Capitole (Pl. du) . . . . p. 5 **FY** 25
La-Fayette (R.) . . . . . p. 5 **GY** 83
Metz (R. de) . . . . p. 5 **GY**
Rémusat (R. de) . . . . p. 5 **FY**
St-Antoine-du-T. (R.) p. 5 **GY** 132
Saint-Rome (R.) . . . . p. 5 **FY**
Wilson (Pl.) . . . . p. 5 **GY** 160

Agde (Rte d') . . . . p. 3 **CT**
Albi (Rte d') . . . . p. 3 **CT**
Alsace-Lorr. (R. d') . . p. 5 **FY** 2
Arcole (Bd) . . . . p. 5 **FX**
Arcs St-Cypr. (R.) . . . p. 4 **EZ**
Arènes Rom. (Av.) . . p. 2 **AU** 3
Armes (Pl. d') . . . . . . p. 4 **EX**
Arnaud-Bern. (Pl.) . . p. 5 **FX**
Arnaud-Bern. (R.) . . . p. 5 **FX** 4
Barcelone (Allée) . . . p. 4 **EY**
Barrière de Paris . . . . p. 3 **BT** 10
Bayard (R. de) . . . . . . p. 5 **GX**
Bayonne (Rte de) . . . p. 2 **AU**
Béarnais (R. du) . . . . p. 4 **EX**
Billières (Av. E.) . . . . p. 4 **EZ**
Blagnac (Rte de) . . . . p. 2 **ATU**
Bonnefoy (R. Fg) . . . p. 3 **BCT** 15
Bonrepos (Bd) . . . . . p. 5 **GX** 16
Boulbonne (R.) . . . . . p. 5 **GY** 18
Brienne (Allée de) . . . p. 4 **EY**
Brunaud (Av.) . . . . . . p. 3 **CU**
Brunhes (Bd J.) . . . . p. 4 **DY**
Capitole (Pl. du) . . . . p. 5 **FY** 25
Castres (Av. de) . . . . p. 3 **CU**
Chaîne (R. de la) . . . . p. 5 **FX**
Changes (R. des) . . . p. 5 **FY** 32
Chaubet (Av. Jean) . . p. 3 **CU**
Coll (R. Adolphe) . . . p. 4 **DY**
Collignon (Av.) . . . . . p. 5 **FX**
Concorde (R. de la) . p. 5 **GX**
Crêtes (Bd des) . . . . p. 3 **CU**
Cugnaux (R. de) . . . . p. 4 **EZ**
Daurade (Pl. de la) . . p. 5 **FY** 37
Delacourtie (Bd) . . . . p. 3 **BV** 40
Demoiselles (Allée) . p. 5 **HZ**
Déodat-de-Sév. (Bd) p. 3 **BV** 43
Desbals (R. H.) . . . . . p. 3 **BV** 45
Dillon (Cours) . . . . . . p. 4 **EZ**
Dr-Baylac (Pl. du) . . . p. 2 **AU** 47
Duméril (R. Alfred) . . p. 5 **GZ**
Duportal (Bd A.) . . . . p. 4 **EX**
Dupuy (Pl.) . . . . p. 5 **HY** 49
Embouchure (Bd) . . . p. 4 **EX**
Embouchure (Port) . . p. 3 **BU** 53
Espagne (Rte d') . . . . p. 3 **BV**
Esquirol (Pl.) . . . . p. 5 **FY**
États-Unis (Av. des) . p. 3 **BT** 55
Fer-à-Cheval (Pl.) . . . p. 4 **EZ**
Feuga (Allée P.) . . . . p. 5 **FZ** 57
Fitte (Allée Ch.-de) . . p. 4 **EZ**
Fontaines (R. des) . . p. 4 **DY**
Frères-Lion (R. des) . p. 5 **GY** 62
Frizac (Av.) . . . . p. 5 **GZ**
Fronton (Av. de) . . . . p. 3 **BT**
Gambetta (R.) . . . . . . p. 5 **FY** 64
Gare (Bd de la) . . . . . p. 5 **HY**
Genève (Bd de) . . . . . p. 4 **DX**
Gloire (Av. de la) . . . . p. 3 **CU**
Gde-Bretagne (Av.) . . p. 2 **AU** 67
Grand Rond . . . . p. 5 **GZ**
Griffoul-Dor. (Bd) . . . p. 5 **HZ** 72
Guesde (Allée J.) . . . p. 5 **GZ** 73
Hauriou (Av. M.) . . . . p. 5 **FZ** 75
Jaurès (Allées J.) . . . p. 5 **GX** 78
Jeanne-d'Arc (Pl.) . . . p. 5 **GX**
Jourdain (Pl. A.) . . . . p. 4 **EX**
Julien (Av. Jules) . . . p. 3 **BV** 80
Koenigs (Bd G.) . . . . p. 4 **DZ**
La-Fayette (R.) . . . . . p. 5 **GY** 83
Lafourcade (Pl. A.) . . p. 5 **FZ**
Laganne (R.) . . . . p. 4 **EZ**
Langer (Av. M.) . . . . . p. 3 **BV** 84
Languedoc (R. du) . . p. 5 **GY**
Lardenne (Av. de) . . . p. 2 **AU**
Lascrosses (Bd) . . . . p. 4 **EX**
Laz.-Carnot (Bd) . . . . p. 5 **GY** 87
Lois (R. des) . . . . p. 5 **FY**
Lombez (Av. de) . . . . p. 3 **BU** 88
Lyon (Av. de) . . . . p. 5 **GX**
Male (Pl. E.) . . . . p. 4 **DZ**
Marquette (Bd) . . . . . p. 4 **EX**

Matabiau (Bd) . . . . . . p. 5 **GX**
Matabiau (R.) . . . . . . p. 5 **GX**
Metz (R. de) . . . . p. 5 **FY**
Minimes (Av. des) . . . p. 3 **BT** 104
Minimes (Bd des) . . . p. 5 **GX**
Mirail (Av. du) . . . . . . p. 2 **AV** 106
Mistral (Allées F.) . . . p. 5 **GZ**
Muret (Av. de) . . . . . . p. 3 **BV** 107
Narbonne (Rte de) . . . p. 3 **CV**
Occitane (Pl.) . . . . . . p. 5 **GY**
Ozenne (R.) . . . . p. 5 **GZ**
Pargaminières (R.) . . p. 5 **FY** 109
Patte-d'Oie (Pl.) . . . . p. 4 **DZ** 110
Péri (R. Gabriel) . . . . p. 5 **HY**
Pompidou (Allée) . . . p. 5 **HX** 118
Pt-Guilheméry (R.) . . p. 5 **HY** 119
Pujol (Av. C.) . . . . p. 3 **CU** 121
Ravelin (Pl. du) . . . . . p. 4 **EY**
Récollets (Bd) . . . . . . p. 3 **BV** 123
Rémusat (R. de) . . . . p. 5 **FY**
République (R.) . . . . . p. 4 **EY**
Revel (Rte de) . . . . . . p. 3 **CV** 125
Rieux (Av. J.) . . . . p. 3 **CV**
Riquet (Bd) . . . . p. 5 **HY**
Riquet (R.) . . . . p. 5 **HY**
Romiguières (R.) . . . p. 5 **FY** 129
Sabatier (Allées) . . . . p. 5 **HZ** 131
St-Antoine-du-T. (R.) p. 5 **GY** 132
St-Étienne (Port) . . . p. 5 **HY** 133
Saint-Exupéry (Av.) . . p. 3 **CV**
St-Michel (Grande-Rue) . . . p. 5 **FZ**
St-Pierre (Pl.) . . . . p. 4 **EY**
Saint-Rome (R.) . . . . . p. 5 **FY**
St-Sauveur (Port) . . . p. 5 **HZ** 135
St-Simon (Rte de) . . . p. 2 **AV** 136
Ste-Lucie (R.) . . . . . . p. 4 **EZ**
Salin (Pl. du) . . . . p. 5 **FZ**
Sarraut (Allée M.) . . . p. 4 **DZ**
Sébastopol (R.) . . . . . p. 4 **EX**
Ségoffin (Av. V.) . . . . p. 3 **BV** 140
Séjourné (Av. P.) . . . . p. 4 **EY**
Semard (Bd P.) . . . . . p. 5 **GX** 142
Serres (Av. H.) . . . . . . p. 4 **EX**
Seysses (Rte de) . . . . p. 2 **AV**
Strasbourg (Bd) . . . . p. 5 **FGX**
Suau (R. J.) . . . . p. 5 **FY** 145
Suisse (Bd de) . . . . . . p. 3 **DX**
Tounis (Quai de) . . . . p. 5 **FZ**
Trentin (Bd Silvio) . . p. 3 **BT** 148
URSS (Av. de l') . . . . . p. 3 **BV** 154
Verdier (Allées F.) . . . p. 5 **GZ**
Wilson (Pl.) . . . . p. 5 **GY** 160

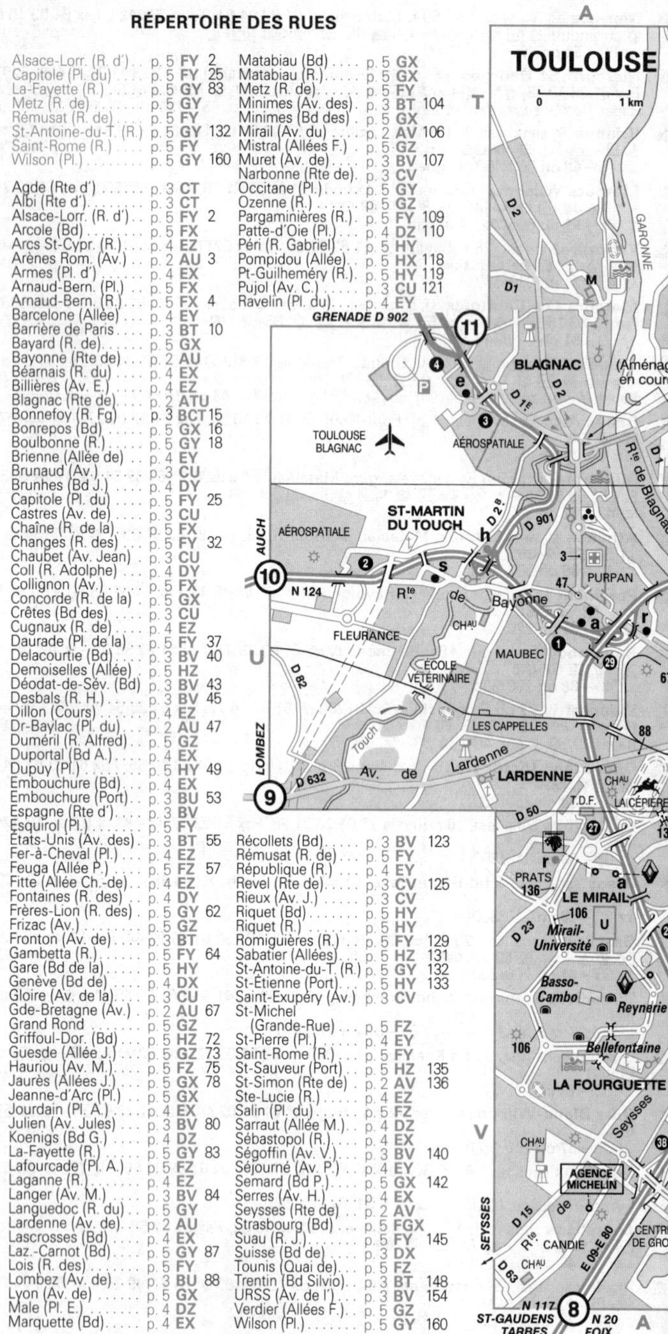

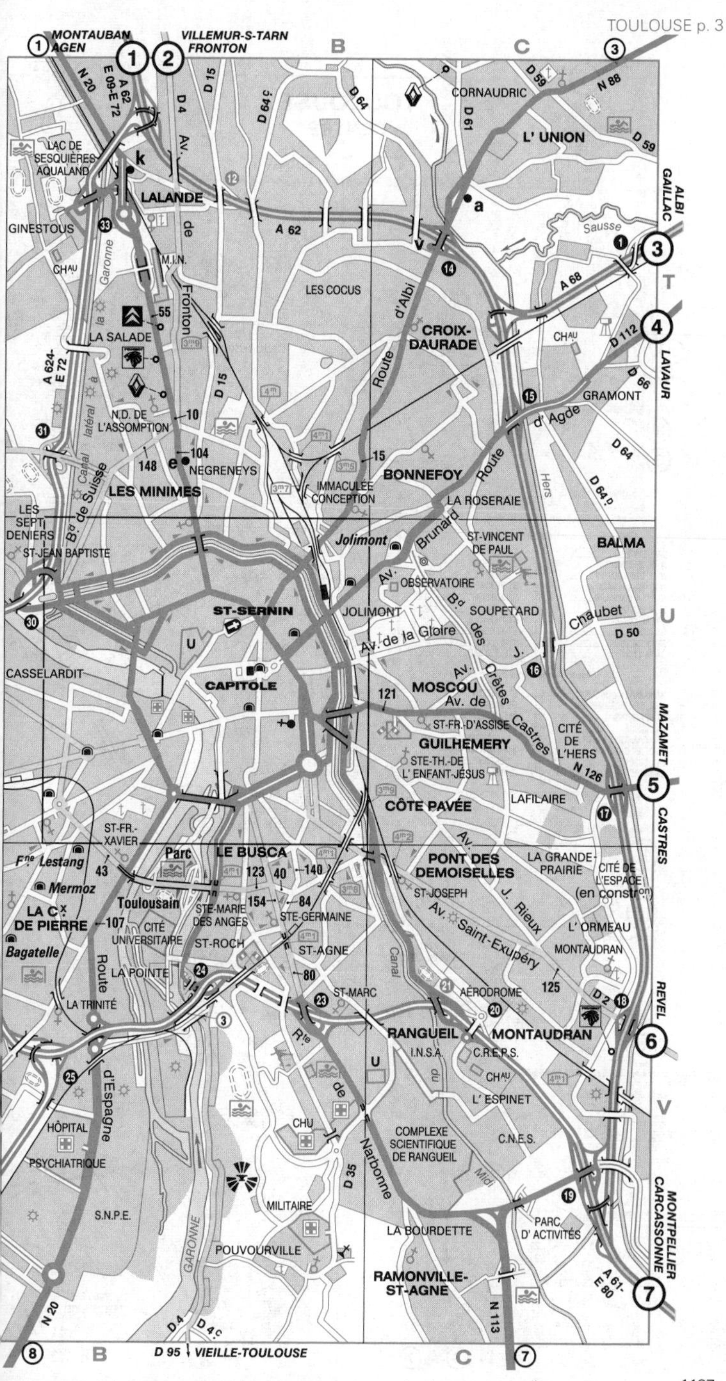
MONTAUBAN
AGEN
VILLEMUR-S-TARN
FRONTON
CORNAUDRIC
L' UNION
LAC DE SESQUIÈRES AQUALAND
LALANDE
GINESTOUS
A 62
ALBI
GAILLAC
LES COCUS
A 68
CROIX-DAURADE
LA SALADE
GRAMONT
LAVAUR
N.D. DE L'ASSOMPTION
NEGRENEYS
LES MINIMES
IMMACULÉE CONCEPTION
BONNEFOY
LA ROSERAIE
LES SEPT DENIERS
ST-JEAN BAPTISTE
Jolimont
ST-VINCENT DE PAUL
BALMA
OBSERVATOIRE
ST-SERNIN
JOLIMONT
SOUPETARD
CASSELARDIT
CAPITOLE
MOSCOU
ST-FR.-D'ASSISE
GUILHEMERY
CITÉ DE L'HERS
MAZAMET
STE-TH.-DE L' ENFANT-JÉSUS
CÔTE PAVÉE
LAFILAIRE
CASTRES
ST-FR.-XAVIER
LE BUSCA
PONT DES DEMOISELLES
LA GRANDE-PRAIRIE
CITÉ DE L'ESPACE (en constr^on)
Fne Lestang
Mermoz
Toulousain
STE-MARIE DES ANGES
STE-GERMAINE
ST-JOSEPH
LA Cx. DE PIERRE
CITÉ UNIVERSITAIRE
ST-ROCH
ST-AGNE
L' ORMEAU
MONTAUDRAN
Bagatelle
LA POINTE
ST-MARC
AÉRODROME
REVEL
LA TRINITÉ
RANGUEIL
MONTAUDRAN
I.N.S.A.
C.R.E.P.S.
L' ESPINET
HÔPITAL PSYCHIATRIQUE
CHU
COMPLEXE SCIENTIFIQUE DE RANGUEIL
C.N.E.S.
S.N.P.E.
MILITAIRE
PARC D' ACTIVITÉS
MONTPELLIER
CARCASSONNE
LA BOURDETTE
POUVOURVILLE
RAMONVILLE-ST-AGNE
A 61-E 80
D 95 VIEILLE-TOULOUSE

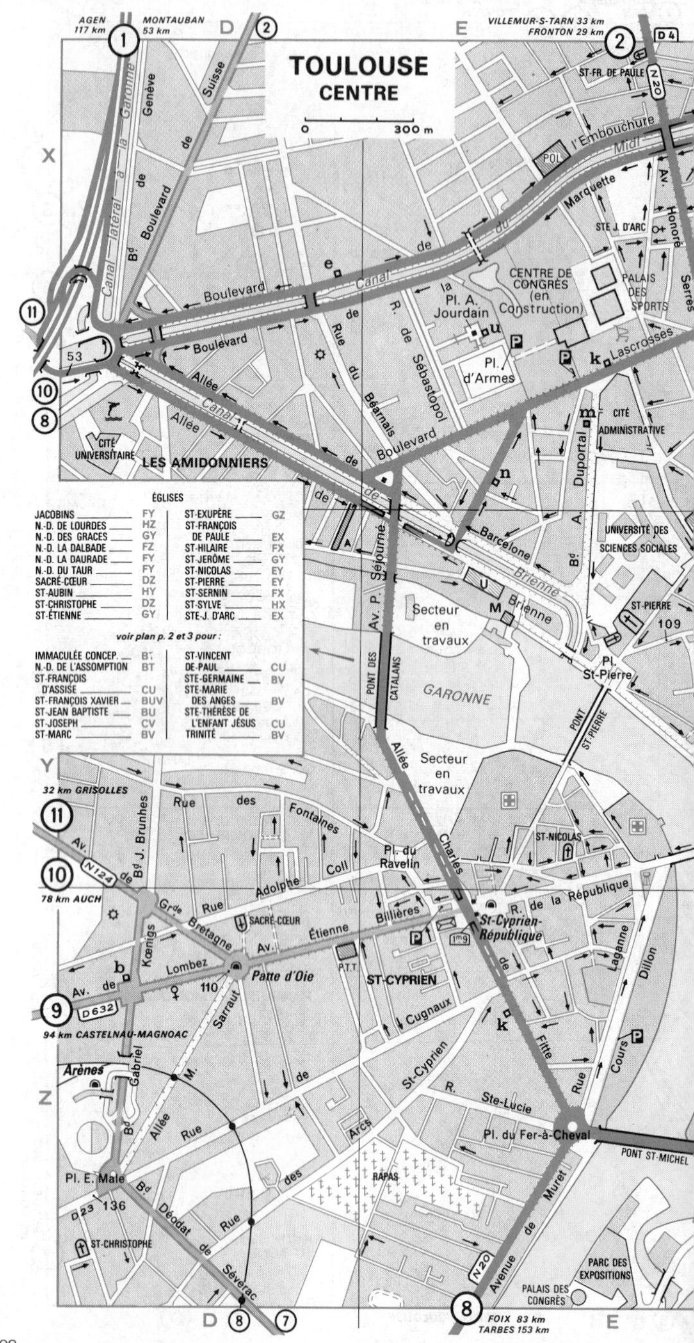
TOULOUSE
CENTRE
0
300 m
AGEN 117 km
MONTAUBAN 53 km
VILLEMUR-S-TARN 33 km
FRONTON 29 km
D
E
X
Y
Z
32 km GRISOLLES
78 km AUCH
94 km CASTELNAU-MAGNOAC
FOIX 83 km
TARBES 153 km
Canal latéral à la Garonne
Bd de Genève
Boulevard de Suisse
Boulevard de l'Embouchure
Canal du Midi
Marquette
Av. Honoré Serres
STE J. D'ARC
ST-FR. DE PAULE
CENTRE DE CONGRÈS (en Construction)
PALAIS DES SPORTS
Pl. A. Jourdain
Pl. d'Armes
Lascrosses
CITÉ ADMINISTRATIVE
Bd A. Duportal
UNIVERSITÉ DES SCIENCES SOCIALES
ST-PIERRE
Pl. St-Pierre
PONT ST-PIERRE
Rue du Béarnais
R. de Sébastopol
Boulevard
Allée de Barcelone
Allée de Brienne
Canal de Brienne
Av. P. Séjourné
CITÉ UNIVERSITAIRE
LES AMIDONNIERS
Secteur en travaux
PONT DES CATALANS
GARONNE
Allée Charles de Fitte
ST-NICOLAS
Rue des Fontaines
Pl. du Ravelin
Rue Adolphe Coll
R. de la République
St-Cyprien-République
Av. Étienne Billières
SACRÉ-CŒUR
P.T.T.
ST-CYPRIEN
Bd J. Brunhes
Av. de Gde Bretagne
Av. de Lombez
Koenigs
Patte d'Oie
Sarraut
Cugnaux
St-Cyprien
R. Ste-Lucie
Laganne
Cours Dillon
Pl. du Fer-à-Cheval
PONT ST-MICHEL
Arènes
Bd Gabriel Koenigs
Allée M.
Rue de Arcs
Rue des
RAPAS
Pl. E. Male
Bd Déodat de Séverac
ST-CHRISTOPHE
Avenue de Muret
PARC DES EXPOSITIONS
PALAIS DES CONGRÈS
N 124
D 632
D 23
N 20
D 4
53
109
110
136

ÉGLISES
JACOBINS FY
N.-D. DE LOURDES HZ
N.-D. DES GRACES GY
N.-D. LA DALBADE FZ
N.-D. LA DAURADE FY
N.-D. DU TAUR FY
SACRÉ-CŒUR DZ
ST-AUBIN HY
ST-CHRISTOPHE DZ
ST-ÉTIENNE GY
ST-EXUPÈRE GZ
ST-FRANÇOIS DE PAULE EX
ST-HILAIRE FX
ST-JERÔME GY
ST-NICOLAS EY
ST-PIERRE EY
ST-SERNIN FX
ST-SYLVE HX
STE-J. D'ARC EX
voir plan p. 2 et 3 pour :
IMMACULÉE CONCEP. BT
N.-D. DE L'ASSOMPTION BT
ST-FRANÇOIS D'ASSISE CU
ST-FRANÇOIS XAVIER BUV
ST-JEAN BAPTISTE BU
ST-JOSEPH CV
ST-MARC BV
ST-VINCENT DE-PAUL CU
STE-GERMAINE BV
STE-MARIE DES ANGES BV
STE-THÉRÈSE DE L'ENFANT JÉSUS CU
TRINITÉ BV

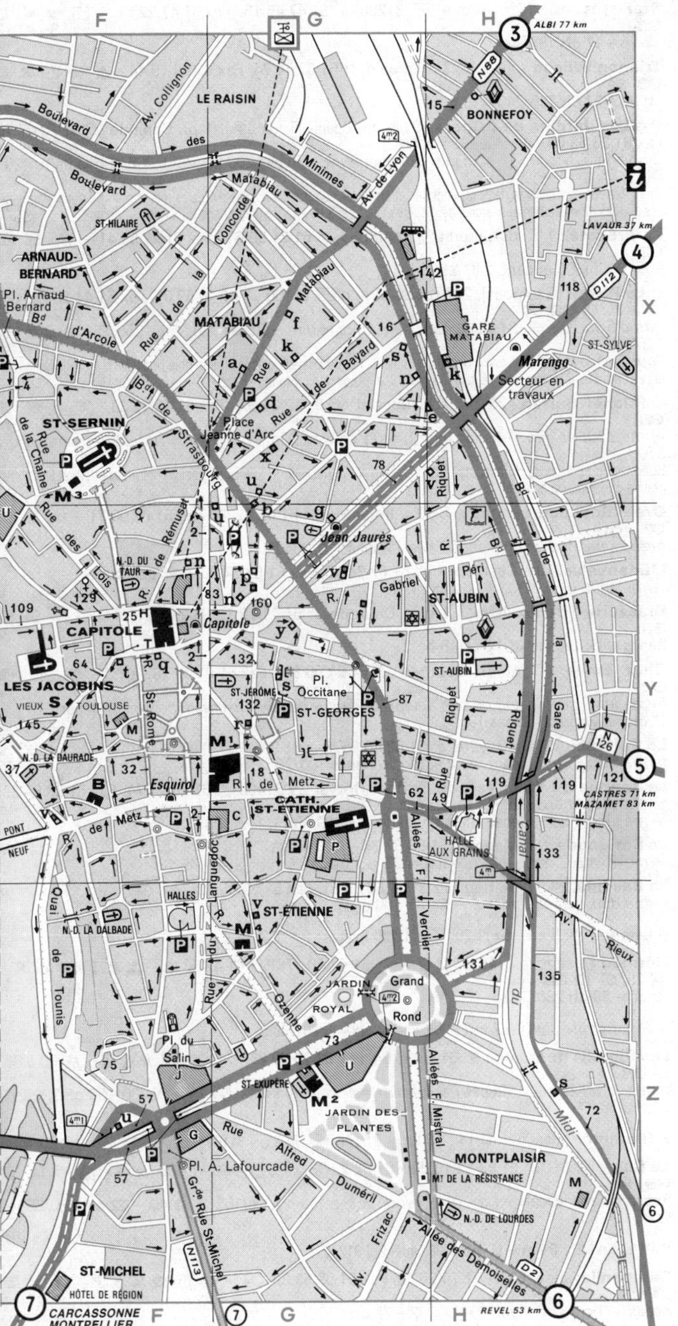
LE RAISIN
BONNEFOY
MATABIAU
GARE MATABIAU
ST-SERNIN
ARNAUD-BERNARD
CAPITOLE
LES JACOBINS
ST-AUBIN
ST-GEORGES
CATH. ST-ETIENNE
ST-ETIENNE
Grand Rond
JARDIN DES PLANTES
MONTPLAISIR
ST-MICHEL
HÔTEL DE RÉGION
CARCASSONNE MONTPELLIER
REVEL 53 km
CASTRES 71 km
MAZAMET 83 km
LAVAUR 37 km
ALBI 77 km
Jean Jaurès
Esquirol
Marengo
Secteur en travaux
Place Jeanne d'Arc
Pl. Occitane
Pl. du Salin
Pl. A. Lafourcade
HALLE AUX GRAINS
JARDIN ROYAL
N.-D. DE LOURDES
Mt DE LA RÉSISTANCE
N.-D. LA DALBADE
N.-D. LA DAURADE
N.-D. DU TAUR
ST-JÉRÔME
ST-EXUPÉRY
ST-HILAIRE
ST-SYLVE
VIEUX TOULOUSE
HALLES
PONT NEUF
Boulevard des Minimes
Boulevard de Strasbourg
Av. Collignon
Av. de Lyon
Rue de la Concorde
Rue Matabiau
Rue de Bayard
Bd d'Arcole
Rue de Rémusat
R. St-Rome
R. de Metz
Rue du Languedoc
Rue Ozenne
Quai de Tounis
Rue Alfred Duméril
Av. Frizac
Allée des Demoiselles
Allées F. Verdier
Allées F. Mistral
Gr. de Rue St-Michel
Av. J. Rieux
Canal du Midi
Bd de la Gare
R. Riquet
R. Gabriel Péri
Rue de la Chaîne
Rue des Lois
Pl. Arnaud Bernard

Star sans rest, 17 r. Baqué ✉ 31200 ☎ 61 47 45 15, Fax 61 47 22 61 – TV ☎. AE GB p. 3 BT
☐ 28 – **17 ch** 182/244.

Trianon Wilson sans rest, 7 r. Lafaille ☎ 61 62 74 74, Fax 61 99 15 44 – |‡| TV ☎. AE GB. p. 5 GX
☐ 30 – **27 ch** 205/240.

XXXX ✲✲ **Les Jardins de l'Opéra** -Gd H. de l'Opéra- (Toulousy), 1 pl. Capitole ☎ 61 23 07 76 Fax 61 23 63 00, – ▤. AE ⓓ GB p. 5 FY
fermé 4 au 27 août, 1er au 5 janv., dim. et fériés – **Repas** 200 bc (déj.), 295/495 et carte 420 640
Spéc. Galette croustillante de Saint-Jacques et pommes de terre à la crème d'oursins (oct. à mars). Souris d'agneau l'os. Figues rôties au banyuls farcies de glace vanille (mai à nov.). **Vins** Pacherenc du Vic Bihl, Cahors.

XXX **La Frégate,** 1 r. d'Austerlitz (2e étage) ☎ 61 21 59 61, Fax 61 22 58 41 – ▤. AE ⓓ GB p. 5 GY
Repas 135/150 et carte 240 à 330.

XXX ✲ **Le Pastel** (Garrigues), 237 rte St-Simon ✉ 31100 ☎ 61 40 59 01, Fax 61 44 29 22, – P. AE GB. p. 2 AV
fermé 5 au 20 août, 24 au 31 déc., sam. midi et dim. – **Repas** 130 (déj.), 250/350 et carte 250 à 370
Spéc. Saint-Jacques rôties à la moelle (oct. à avril). Tatin de navets glacés au foie gras poêlé (oct. à avril). Agneau de lait aux artichauts violets (janv. à juin). **Vins** Gaillac, Côtes du Frontonnais.

XXX ✲ **Michel Sarran,** 21 bd A. Duportal ☎ 61 12 32 32, Fax 61 12 32 33, – ▤. AE GB p. 4 EX
fermé août et dim. – **Repas** (nombre de couverts limité, prévenir) 200/320 et carte 240 à 370
Spéc. Soupe crémeuse de haricots tarbais au lard fumé. Pastilla de foie gras à l'olive noire et cébettes. Dacquois praliné-chocolat, sauce arabica.

XX **Orsi "Bouchon Lyonnais",** 13 r. Industrie ☎ 61 62 97 43, Fax 61 63 00 71 – ▤. AE ⓓ GB JCB p. 5 GY
fermé sam. midi et dim. sauf fériés – **Repas** 132/204 bc.

XX **L'Edelweiss,** 19 r. Castellane ☎ 61 62 34 70, Fax 61 62 34 70 – ▤. AE ⓓ GB
fermé août, dim. et lundi – **Repas** 158. p. 5 GY

XX **Brasserie "Beaux Arts",** 1 quai Daurade ☎ 61 21 12 12, Fax 61 21 14 80 – ▤. AE ⓓ GB p. 5 FY
Repas 97 bc (dîner), 101 bc/145 bc.

XX **Chez Emile,** 13 pl. St-Georges ☎ 61 21 05 56, Fax 61 21 42 26, – ▤. AE ⓓ GB p. 5 GY
fermé lundi sauf le soir de juin à sept. et dim. – ***Rez-de-Chaussée*** (poissons) **Repas** 225 ⚲ – ***1er étage*** (viandes) **Repas** 199 ⚲.

XX **Le Colombier,** 14 r. Bayard ☎ 61 62 40 05, Fax 61 99 10 11 – AE GB p. 5 GX
fermé 5 au 31 août, sam. midi et dim. – **Repas** 100/260.

XX **La Jonque du Yang Tsé,** bd Griffoul-Dorval ✉ 31400 ☎ 61 20 74 74, Fax 61 80 64 33 « Péniche aménagée » – ▤. AE GB p. 5 HZ
fermé lundi midi – **Repas** - cuisine chinoise - 109 (déj.), 139/196.

XX **La Barigoude,** 8 r. Mage ☎ 61 53 07 24 – AE ⓓ GB p. 5 GZ
fermé 15 au 31 août et dim. – **Repas** 75 bc (déj.), 95/148 ⚲, enf. 45.

X **La Bascule,** 14 av. M. Hauriou ☎ 61 52 09 51, Fax 61 55 06 32 – ▤. GB p. 5 FZ
fermé dim. soir et lundi soir – **Repas** 160 bc ⚲.

à Lalande N : 6 km sur N 20 – ✉ **31200** Toulouse :

Hermès M sans rest, 49 av. J. Zay ☎ 61 47 60 47, Fax 61 47 56 08 – |‡| ▤ TV ☎ ♿ P – 🏛 25. AE ⓓ GB JCB p. 3 BT
☐ 30 – **68 ch** 280/340.

à Aucamville par ① : 7 km – 3 807 h. alt. 128 – ✉ **31140** :

Les Pins, 94 rte Fronton ☎ 61 70 26 04, Fax 61 70 82 85, – |‡| TV ☎ ♿ P – 🏛 30 à 80. AE GB
fermé 10 au 20 août – **Repas** *(fermé dim. soir et lundi fériés)* 98/195 – ☐ 30 – **36 ch** 220/270 – ½ P 235.

à Gratentour par ② et D 14 : 15 km – 2 518 h. alt. 174 – ✉ **31150** :

Le Barry M, ☎ 61 82 22 10, Fax 61 82 22 38, – TV ☎ ♿ P – 🏛 45. AE ⓓ GB.
Repas *(fermé vacances de fév., vend. soir et sam.)* 100/155 – ☐ 40 – **22 ch** 280/350 – ½ P 310/330.

à l'Union NE : 6 km – 11 751 h. alt. 146 – ✉ **31240** :

Campanile, sur N 88 ☎ 61 74 00 40, Fax 61 09 53 38, – TV ☎ ♿ P – 🏛 40. AE ⓓ GB p. 3 CT a
Repas 84 bc/107 bc, enf. 39 – ☐ 32 – **72 ch** 270.

à Rouffiac-Tolosan par ③ : 12 km – 961 h. alt. 210 – ✉ **31180** :

Le Clos du Loup, N 88 ✆ 61 09 28 39, Fax 61 35 13 97, – P. GB
Repas *(fermé dim. soir et lundi)* 98/195 – 25 – **17 ch** 215 – ½ P 220/305.

à Balma par ⑤ et N 126 : 5 km – 9 506 h. alt. 155 – ✉ **31130** :

Comfort Inn M sans rest, 6 av. Ch. de Gaulle ✆ 61 24 33 99, Fax 61 24 46 40 – P. AE GB
28 – **55 ch** 270.

à Quint-Fonsegrives par ⑤ : 8 km – 3 261 h. alt. 153 – ✉ **31130** Balma :

La Grange, ✆ 61 24 00 55, Fax 61 24 08 73, – P. GB
Repas 99/190.

à Labège Innopole par ⑥ et D 16 : 12 km – 2 148 h. alt. 150 – ✉ **31670** :

Le Patio M, ✆ 61 39 29 00, Fax 61 39 84 38, – P – 30. AE GB
Repas *(fermé août, dim. midi et sam.)* 98 – 48 – **82 ch** 395/420 – ½ P 270.

Aub. de Pouchalou, ✆ 61 39 89 40, Fax 61 39 23 47, – P. AE GB
fermé 15 au 30 août et dim. – **Repas** 100/200.

à Vieille-Toulouse S : 9 km par D 4 – 867 h. alt. 269 – ✉ **31320** :

La Flânerie sans rest, rte Lacroix-Falgarde ✆ 61 73 39 12, Fax 61 73 18 56, ≤ vallée, parc, – P. AE GB
fermé 23 déc. au 10 janv. – 45 – **12 ch** 270/570.

à Vigoulet-Auzil par ⑦ sortie Ramonville et D 35 : 12 km – 927 h. alt. 290 – ✉ **31320** :

Aub. de Tournebride, ✆ 61 73 34 49, Fax 62 19 11 06, – P. AE GB
fermé 5 au 21 août, sam. midi, dim. soir et lundi soir – **Repas** 120 (déj.), 160/200 et carte 230 à 360.

à Portet-sur-Garonne S : 10 km par N 20 – 8 030 h. alt. 150 – ✉ **31120** :

L'Hotan M, 80 rte d'Espagne ✆ 62 20 06 06, Télex 533929, Fax 62 20 02 36, – P – 80. AE GB
Repas *(fermé dim. midi)* 110/145 – 49 – **52 ch** 370/420 – ½ P 345.

au Sud-Ouest : 8 km par D 23 - AV – ✉ **31100** Toulouse :

Diane, 3 rte St-Simon ✆ 61 07 59 52, Fax 61 86 38 94, – rest P – 30. AE GB
Le St-Simon *(fermé sam. midi, dim. et fériés)* **Repas** 145/190, enf. 60 – 48 – **35 ch** 420/520 – ½ P 370/400.

Les Ombrages, 48 bis rte St Simon ✆ 61 07 61 28, Fax 61 06 42 26, – P. AE GB JCB
fermé lundi – **Repas** 150/240 et carte 230 à 310.

à Purpan O : 6 km par N 124 – ✉ **31300** Toulouse :

Palladia M, 271 av. Grande-Bretagne ✆ 62 12 01 20, Fax 62 12 01 21, – P – 25 à 250. AE GB p. 2 AU **a**
Le Bernuy : **Repas** 110 – 70 – **82 ch** 690/750.

Novotel M, ✆ 61 15 00 00, Télex 520640, Fax 61 15 88 44, – P – 150. AE GB p. 2 AU **a**
Repas carte environ 160, enf. 55 – 50 – **123 ch** 420/460.

à St-Martin-du-Touch O : 8 km par N 124 – ✉ **31300** Toulouse :

Airport H. M sans rest, 176 rte Bayonne ✆ 61 49 68 78, Télex 521752, Fax 61 49 73 66 – P. AE GB p. 2 AU **s**
29 – **48 ch** 289/349.

Le Cantou, 98 r. Velasquez ✆ 61 49 20 21, Fax 61 31 01 17, – AE GB
Repas *(fermé sam. et dim.)* 98/198. p. 2 AU **h**

à Colomiers par ⑩ puis sortie n° 3 : 12 km – 26 979 h. alt. 182 – ✉ **31770** :

Le Columerin, près église ✆ 61 78 68 68, Fax 61 15 14 64 – P – 25. AE GB
fermé août – **Repas** *(fermé dim. soir et lundi)* 68 bc/145 – 28 – **33 ch** 220/270 – ½ P 190.

L'Amphitryon, rte de Cornebarrieu - chemin de Gramont ✆ 61 15 42 27, Fax 61 15 42 30, – P. AE GB
fermé sam. midi et dim. soir – **Repas** 160/250 et carte 280 à 360.

à Blagnac NO : 7 km - AT – 17 209 h. alt. 135 – ✉ **31700** :

Sofitel M, accès aéroport ✆ 61 71 11 25, Télex 520178, Fax 61 30 02 43, – P – 25 à 150. AE GB JCB p. 2 AT **e**
Le Caouec *(fermé dim. midi et sam.)* **Repas** 140/210, enf. 50 – 75 – **100 ch** 690/780.

Le Grand Noble Ⓜ, accès aéroport ✆ 61 30 48 49, Télex 533953, Fax 61 71 85 60, –
| ⛔ ▤ TV ☎ ♿ P – 🏃 30. AE GB
Repas 75/150, enf. 45 – ☕ 55 – **44 ch** 295.

XXX **Le Goulu,** r. Bordebasse ✆ 61 15 66 66, Fax 61 30 43 07, , – ▤ P. AE GB JCB
fermé 1er au 15 août, 23 déc. au 2 janv, sam. midi et dim. – **Repas** 115/200 et carte 200 à 300

à Seilh NO : 15 km – 816 h. alt. 133 – ✉ 31840 :

Latitudes Ⓜ, rte Grenade ✆ 62 13 14 15, Fax 61 59 77 97, ≤, , , – ⛔ ▤ TV ☎
♿ P – 🏃 180. AE ⓓ GB
Repas *(fermé le midi du 15 juil. au 15 août, sam. midi, dim. midi et les midis fériés)* 150/200
– ☕ 55 – **115 ch** 440/700 – ½ P 425.

MICHELIN, Agence régionale, ZI, 30 bd de Thibaud AV ✆ **61 41 11 54**

ALFA ROMEO, FIAT, SOMEDA, 123 rte de Revel ✆ 62 16 66 66
BMW Gar. Pelras, 145 r. N.-Vauquelin ✆ 61 41 53 53
BMW Gar. Soulié, 15 Gde Rue St-Michel ✆ 61 52 93 75
CITROEN France Autom, ZI Montaudran, av. D.-Daurat ✆ 62 16 65 85
CITROEN Succursale, 142, av. des Etats-Unis BT ✆ 62 72 95 55
FERRARI Gar. Pozzi-Ferrari France, 7 av. D.-Daurat ✆ 61 54 14 14
FORD Auto-Services, 134 rte de Revel ✆ 61 36 86 86
FORD S.L.A.D.A., 83 bd Silvio-Trentin ✆ 61 13 54 54
FORD Auto-Services, 226 rte de Narbonne ✆ 62 19 18 20
FORD S.L.A.D.A., 113 rte d'Espagne à Portet-sur-Garonne ✆ 61 72 00 25 N ✆ 61 48 90 11
JAGUAR Bayard Autom., 81 r. J. Babinet ✆ 61 76 18 18
LADA Espace Auto 31, ZA Babinet, 4 r. E.-Baudot ✆ 61 44 95 55 N ✆ 09 37 68 50
MERCEDES Antras Autos Toulouse, 231 rte d'Albi ✆ 61 61 33 33 N ✆ 61 61 33 33
NISSAN Gar. Fittante, 6 r. 8 Mai 45 à Ramonville-St-Agne ✆ 61 75 82 42
OPEL Générale Autom., 16 allée Ch. de Fitte ✆ 61 42 91 36
OPEL Auto Plus Mirail, 123 r. N.-Vauquelin ✆ 61 44 22 99
OPEL Gar. Vignard, r. E.-Branly à Ramonville-St-Agne ✆ 61 73 04 91
PEUGEOT S.I.A.L., 105 av. des Etats-Unis BT a ✆ 62 72 96 96
PEUGEOT S.I.A.L., 28 av. Daurat CV ✆ 61 54 52 52 N ✆ 05 44 24 24
PEUGEOT S.I.A.L., r. L.-N.-Vauquelin AV ✆ 62 11 13 13 N ✆ 05 44 24 24
PEUGEOT Ramonville Auto, 9 av. Crètes à Ramonville-St-Agne par N 113 CV ✆ 62 19 19 19
PORSCHE AAS, 161 rte de Labège ✆ 62 71 67 67
RENAULT Renault St-Aubin, 32 r. Riquet HY ✆ 61 62 62 21 N ✆ 05 05 15 15
RENAULT Succursale, r. L.-N.-Vauquelin AV a ✆ 61 19 21 21 N ✆ 61 28 79 79
RENAULT Gar. Puel, 2 r. J.-Babinet AV ✆ 61 40 41 40
RENAULT Toulouse Montaudran Autom., 125 rte de Revel par ⑥ ✆ 61 54 42 54
RENAULT Succursale, 75 av. des États-Unis BT ✆ 61 10 75 75 N ✆ 05 05 15 15
RENAULT S.T.E.C.A.V., ch. de la Violette à l'Union CT ✆ 61 74 45 00 N ✆ 61 09 86 28
RENAULT Gar. Itier, 1 av. Marqueille à St-Orens-Gameville ⑥ ✆ 62 24 80 42
ROVER Sterling Autom., à Labège ✆ 62 24 04 44
SAAB Central Gar., 161 rte de Labège ✆ 62 71 68 68
SEAT Mondial Autom, 109 av. des Etats-Unis ✆ 61 57 40 52
TOYOTA Gar. Laville, 2 r. M.-Caunes ✆ 61 61 05 00
VAG Capitole Autom., ZA Babinet ✆ 61 44 44 44
VAG Toulouse Autom., à Labège ✆ 61 36 09 89 N ✆ 61 54 03 95
VAG Toulouse-Autom., 34 Gde r. St-Michel ✆ 62 26 97 26
VAG S.C.A.U., 71 av. de Toulouse à l'Union ✆ 61 74 14 45 N ✆ 61 74 14 45
VAG Toulouse Autom., 187 av. des Etats-Unis ✆ 62 72 93 72
VOLVO Véhicules Sce Auto, 144 av. Etats-Unis ✆ 61 13 53 53

Bellet Pneus, 63 bd de Thibault ✆ 61 40 11 12
Escoffier Pneus Vulcopneu, 205 av. des Etats-Unis ✆ 61 47 80 80
Espace Pneu Vulcopneu, 59 rte de Paris à Aucamville ✆ 61 37 10 10
Euromaster, 71 bd Marquette ✆ 61 21 68 13
Euromaster, av. E.-Serres à Colomiers ✆ 61 15 50 50
Euromaster, 336 av. de Fronton ✆ 61 47 59 59
Euromaster, 19 av. Thibaud ✆ 61 40 28 72
Euromaster, 82 r. N.-Vauquelin ✆ 61 40 36 86
Euromaster, ZI Montaudran, 10 av. Daurat ✆ 61 80 19 98
Le Pneu Vulcopneu, 1 rte de Bessières à l'Union ✆ 61 74 23 33
Martignon-Pneus, ZA du Moulin à Aussonne ✆ 61 85 03 53
Pons Pneus, ZA Ribaute à Quint ✆ 61 24 40 94
Toulouse-Pneu, ZI de Prat-Gimont à Balma ✆ 61 48 62 04
Vialatte Pneus, 35 r. des Orfèvres à Blagnac ✆ 61 30 44 88

TOUQUES 14 Calvados 55 ③ – rattaché à Deauville.

Le TOUQUET-PARIS-PLAGE 62520 P.-de-C. 51 ⑪ G. Flandres Artois Picardie – 5 596 h alt. 5 – Casinos La Forêt BZ, Quatre saisons AY.

Voir Phare ≤★★ – Vallée de la Canche★ par ①.

9 18 18 ✆ **21 05 68 47, S : 2,5 km par ②.**

Office de Tourisme Palais de l'Europe ✆ 21 05 21 65, Fax 21 05 50 66.

Paris 224 ① – ♦Calais 66 ① – Abbeville 56 ① – Arras 98 ① – Boulogne-sur-Mer 31 ① – ♦Lille 128 ① – St-Omer 69 ①

Plan page ci-contre

Westminster, av. Verger ✆ 21 05 48 48, Fax 21 05 45 45, , , – | TV ☎ P BZ
🏃 25 à 200. AE ⓓ GB
fermé 15 janv. au 5 fév. – ***Le Pavillon*** *(fermé 5 janv. au 15 fév. et mardi sauf juil.-août)* **Repas** (dîner seul.) 210/360 enf. 100 – ***Coffee Shop :*** ▤ **Repas** 125/175, , enf. 75 – ☕ 75 – **115 ch** 580/1090 – ½ P 600/685.

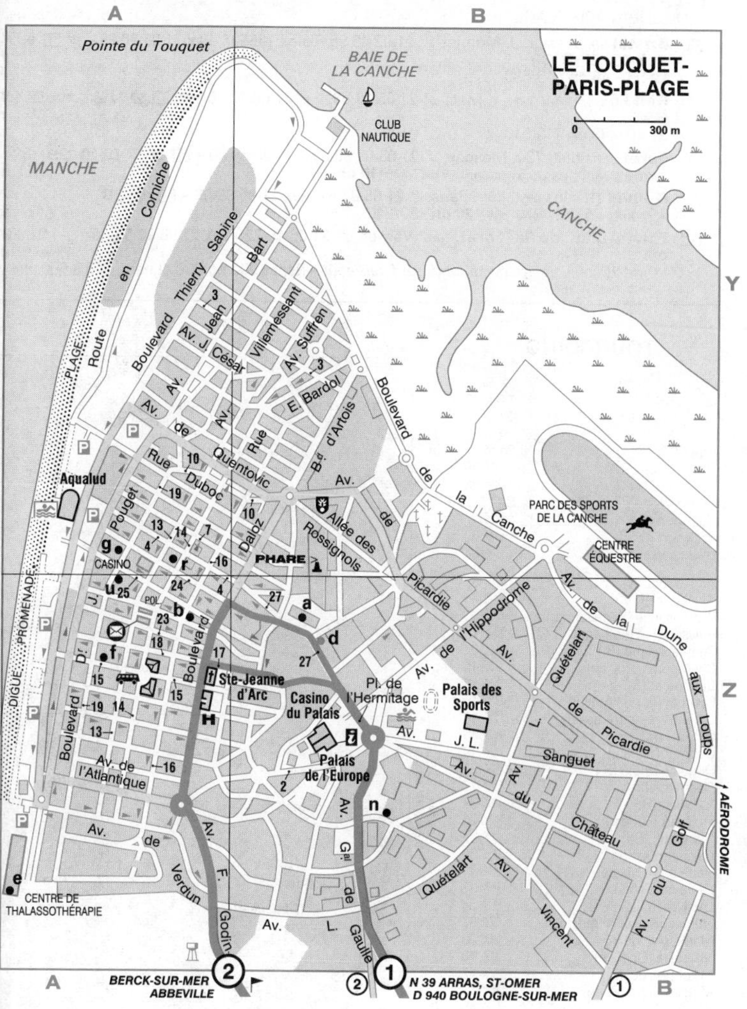

ondres (R. de) . . . . AYZ 13
Metz (R. de) . . . . AYZ 14
St-Jean (R.) . . . . AZ 24
St-Louis (R.) . . . . AZ 25

Boudaram (Av.) . . . . BZ 2

Bourdonnais
(Av. de la) . . . . ABY 3
Bruxelles (R. de) . . . . AYZ 4
Garet (R. Léon) . . . . AY 7
Hubert (Av. Louis) . . . . . . ABY 10
Monnet (R. Jean) . . . . AZ 15

Moscou (R. de) . . . . AYZ 16
Paix (Av. de la) . . . . AZ 17
Paix (R. de la) . . . . AZ 18
Paris (R. de) . . . . AYZ 19
St-Amand (R.) . . . . AZ 23
Verger (Av. du) . . . . BZ 27

Le Picardy M, av. Mar. Foch ☎ 21 06 85 85, Fax 21 06 85 00, , , , – ▤ TV ☎ ♿ P – 80. AE ⓓ GB — BZ **n**
Le Touquet's : **Repas** 135, ♁, enf. 60 – ☕ 65 – **56 ch** 590/730, 32 duplex – ½ P 455.

Manoir H. , au Golf par ② : 2,5 km ☎ 21 05 20 22, Fax 21 05 31 26, , , , – TV ☎ P. AE GB. rest
fermé janv. – **Repas** 150/195 – **41 ch** ☕ 585/1110 – ½ P 535/705.

Novotel M , sur la plage ☎ 21 09 85 00, Télex 160480, Fax 21 09 85 10, <, centre de thalassothérapie, , – ▤ rest TV ☎ ♿ P – 25 à 60. AE ⓓ GB — AZ **e**
fermé 4 au 21 janv. – **Repas** carte 160 à 260, enf. 60 – ☕ 60 – **149 ch** 590/1000, 3 appart.

Bristol sans rest, r. J. Monnet ✆ 21 05 49 95, Télex 135506, Fax 21 05 90 93 – |‡| TV ☎ – 🏛 40. AE ⓓ GB — AZ
☕ 55 – **46 ch** 440/630.

Red Fox M sans rest, r. Metz ✆ 21 05 27 58, Fax 21 05 27 56 – |‡| TV ☎ ✆ ♿ 🚗. AE GB — AY
☕ 40 – **48 ch** 410/510.

Forêt sans rest, 73 r. Moscou ✆ 21 05 09 88, Fax 21 05 59 40 – TV ☎ ✆. AE ⓓ GB. — AZ
fermé vacances de Toussaint – ☕ 30 – **10 ch** 210/290.

Nouvel H. sans rest, 89 r. Paris ✆ 21 05 87 61, Fax 21 05 85 09 – TV ☎. GB — AYZ
15 mars-15 déc. – ☕ 30 – **20 ch** 180/340.

XXX **Flavio-Club de la Forêt,** av. Verger ✆ 21 05 10 22, Fax 21 05 91 55, 🌳 – AE GB — BZ
fermé 10 janv. au 10 fév. et lundi sauf juil.-août – **Repas** 200 bc/680 et carte 340 à 600.

TOURCOING

Brun-Pain (R. du) . . . . **AY**
Cloche (R. de la) . . . . **BY** 12
Croix-Rouge (R. de la) . . . . **CXY**
Dron (Av. Gustave) . . . . **BZ**
Gand (R. de) . . . . **BXY**
Grand'Place . . . . **BY** 28
Leclerc (R. du Gén.) . . . . **BY** 36
Menin (R. de) . . . . **BXY**
Nationale (R.) . . . . **ABY**
St-Jacques (R.) . . . . **BY** 58
Tournai (R. de) . . . . **BY** 64

Anges (R. des) . . . . **BYZ** 3
Austerlitz (R. d') . . . . **ABZ** 4
Bienfaisance (R. de la) . . . . **BY** 6
Buisson (R. Ferdinand) . . . . **BZ** 7
Chateaubriand (R.) . . . . **CZ** 9
Cherbourg (Quai de) . . . . **BZ** 10
Condorcet (R.) . . . . **BY** 13
Courbet (R. de l'Amiral) . . . . **BY** 15
Croix-Blanche (R. de la) . . . . **CX** 16
Delobel (R.) . . . . **BY** 18
Doumer (R. Paul) . . . . **BY** 19
Duguay-Trouin (R.) . . . . **CY** 21
Faidherbe (R.) . . . . **BZ** 22
Famelart (R.) . . . . **BZ** 24
Froissart (R. Jean) . . . . **AY** 25
Gambetta (Bd) . . . . **BZ** 27
Hassebroucq (Pl. V.) . . . . **BY** 30
Hénaux (R. Marcel) . . . . **BXY** 31
La-Fayette (Av.) . . . . **BZ** 33
Lartillier (R. L.) . . . . **BY** 34
Lefrançois (Av. Alfred) . . . . **CZ** 37
Marne (Av. de la) . . . . **BZ** 39
Marseille (Quai de) . . . . **BZ** 40
Millet (Av. Jean) . . . . **AY** 42
Moulin-Fagot (R. du) . . . . **BY** 43
Péri (R. Gabriel) . . . . **BY** 45
Petit-Village (R. du) . . . . **AY** 46
Pompidou (Av. G.) . . . . **BZ** 48
Pont-de-Neuville (R. du) . . . . **CX** 49
République (Pl. de la) . . . . **BY** 51
Résistance (Pl. de la) . . . . **BY** 52
Ribot (R. Alexandre) . . . . **BY** 54
Roosevelt (R. F.) . . . . **BY** 55
Roussel (Pl. Ch.-et-A.) . . . . **BY** 57
Sasselange (R. Ed.) . . . . **BZ** 60
Testelin (R. A.) . . . . **CX** 61
Thiers (R.) . . . . **BZ** 63
Turenne (R.) . . . . **BZ** 66
Victoire (Pl. de la) . . . . **BZ** 69
Wailly (R. de) . . . . **BY** 70
Wattine (R. Ch.) . . . . **BZ** 72

WATTRELOS

Vaneslander (R. M.) . . . . **CZ** 67

XX **Café des Arts,** 80 r. Paris ℘ 21 05 21 55 – AE ⓓ GB AY **g**
fermé 15 au 25 déc., 10 au 31 janv., mardi soir sauf vacances scolaires, mardi midi et lundi – **Repas** 100/300.

à l'Est : 2,5 km par av. de Picardie BZ :

XX **L'Escale,** ℘ 21 05 23 22, Fax 21 05 84 56 – P. AE ⓓ GB
fermé jeudi sauf vacances scolaires – **Repas** 155 bc/220 bc - ***Brasserie*** : **Repas** 78 bc/115 ♨, enf. 39.

à Stella-Plage par ② : 7 km – ✉ **62780** Cucq :

des Pelouses, bd E. Labrasse ℘ 21 94 60 86, Fax 21 94 10 11 – |‡| ☎ P. GB
fermé janv. – **Repas** 75/160 ♨, enf. 45 – ☕ 30 – **30 ch** 150/300 – ½ P 190/250.

RENAULT G.C.R. "Renault le Touquet", av. G.-Besse par ① ℘ 21 94 91 00 **N** ℘ 21 84 13 13

TOURCOING 59200 Nord 51 ⑥ 111 ⑭ G. Flandres Artois Picardie – 93 765 h alt. 37.

Voir Musée des Beaux-Arts BY M.

des Flandres (privé) ☎ 20 72 20 74, par N 350 : 9,5 km ; du Sart (privé) ☎ 20 72 02 51, par N 350 : 12 km ; de Bondues ☎ 20 23 20 62, SO : 7 km ; de Brigode à Villeneuve d'Ascq ☎ 20 91 17 86.

Office de Tourisme Parvis St-Christophe, pl. République ☎ 20 26 89 03 – Automobile Club 13 r. Desurmont ☎ 20 26 56 37.

Paris 234 ⑩ – ♦Lille 13 ⑩ – Kortrijk 19 ④ – Gent 61 ② – Oostende 79 ① – Roubaix 4 ⑦.

Plan pages précédentes

Accès et sorties : voir plan de Lille.

Novotel M, au Nord près échangeur de Neuville-en-Ferrain (sortie 18) ✉ 59535 Neuville-en-Ferrain ☎ 20 94 07 70, Fax 20 94 08 80, – rest – 200. AE GB plan Lille HR e
Repas carte environ 150, enf. 50 – 50 – **108 ch** 420/440.

Ibis M, r.Carnot ☎ 20 24 84 58, Fax 20 26 29 58 – . AE GB BY a
Repas 99 bc, enf. 39 – 35 – **102 ch** 285.

Primevère M, Parc d'activités de Ravennes-les-Francs ✉ 59910 Bondues ☎ 20 36 01 96, Fax 20 24 53 52, – – 25. AE GB
Repas 81/125, enf. 41 – 32 – **53 ch** 280. plan Lille HR b

P'tit Bedon, 5 bd Égalité ☎ 20 25 00 51, Fax 20 76 64 62 – . AE GB BY k
fermé 15 au 31 juil. et lundi – **Repas** 120/400.

La Baratte, 395 r. Clinquet (par D 950b) ☎ 20 94 45 63, Fax 20 03 41 84, – . AE GB
fermé en août, vacances de fév. et sam. – **Repas** 100/180. plan de Lille HR d

Le Plessy, 31 av. Lefrançois ☎ 20 25 07 73, Fax 20 25 43 24 – . AE GB
fermé août, dim. soir et lundi – **Repas** 98/250 bc. BZ d

FORD Ponthieux Autom., 147 bis r. Dronckaert à Roncq par bd. d'Halluin AX ☎ 20 94 14 00
PEUGEOT Gar. de l'Autoroute, 13 r. Dronckaert à Roncq par D 91 ☎ 20 69 06 00 N ☎ 05 44 24 24
RENAULT DIANOR, 53 r. Dronckaert à Roncq par r. de Roncq AX ☎ 20 94 01 35 N ☎ 07 44 07 93
RENAULT S.N.A.T., 95 r. Tilleul CZ ☎ 20 69 10 50 N ☎ 07 43 92 14
VAG Valauto Roncq, Bd d Halluin à Roncq ☎ 20 25 63 00 N ☎ 20 36 64 32

Nord Pneu-Point S, 15 chaussée Berthelot ☎ 20 24 36 36

La TOUR D'AIGUES 84240 Vaucluse 81 ⑭ 114 ③ G. Provence – 3 328 h alt. 250.

Paris 752 – Digne-les-Bains 90 – Aix-en-Provence 28 – Apt 34 – Avignon 76.

Fenouillets, rte de Pertuis : 1 km ☎ 90 07 48 22, Fax 90 07 34 26, , – . AE GB
Repas (*1er mars-30 sept. et fermé dim. soir et merc.*) 105/190, enf. 60 – 36 – **12 ch** 250/350 – ½ P 263/313.

PEUGEOT Gar. Notre-Dame, ☎ 90 07 42 18 N ☎ 07 08 50 98
RENAULT SEF, ☎ 90 07 40 47 N ☎ 90 07 45 19

La TOUR-D'AUVERGNE 63680 P.-de-D. 73 ⑬ G. Auvergne – 778 h alt. 1000.

Paris 476 – ♦Clermont-Ferrand 57 – Besse-en-Chandesse 29 – Bort-les-Orgues 28 – La Bourboule 13 – Issoire 61 – Le Mont-Dore 16.

La Terrasse, ☎ 73 21 50 29, Fax 73 21 56 60 – . GB
1er mai-30 sept. et vacances scolaires – **Repas** 55/125, enf. 35 – 28 – **28 ch** 145/280 – ½ P 210/240.

TOUR-DE-FAURE 46 Lot 79 ⑨ – rattaché à St-Cirq-Lapopie.

La TOUR-DE-SALVAGNY 69 Rhône 74 ⑪ – rattaché à Lyon.

Le TOUR-DU-PARC 56370 Morbihan 63 ⑬ – 672 h alt. 16.

Paris 475 – Vannes 22 – Muzillac 22 – Redon 59 – La Roche-Bernard 37.

La Croix du Sud , ☎ 97 67 30 20, Fax 97 67 36 06, , , – cuisinette – 30. AE GB
Repas 160/390 - ***La Mouette :*** **Repas** 55/75 – 36 – **30 ch** 371/396, 3 appart – ½ P 369/381.

Besonders angenehme Hotels oder Restaurants
sind im Führer rot gekennzeichnet.
Sie können uns helfen,
wenn Sie uns die Häuser angeben,
in denen Sie sich besonders wohl gefühlt haben.
Jährlich erscheint eine komplett überarbeitete Ausgabe
aller Roten Michelin-Führer.

La TOUR-DU-PIN 38110 Isère 74 ⑭ G. Vallée du Rhône – 6 770 h alt. 350.

de Faverges-de-la-Tour ☎ 76 73 65 00, E : 9 km par RN 516.

Paris 523 – ♦Grenoble 66 – Aix-les-Bains 53 – Chambéry 48 – ♦Lyon 55 – Vienne 52.

France et rest. Bec Fin, 12 av. Alsace-Lorraine ☎ 74 97 00 08, Fax 74 97 36 47 – ☎. GB
Repas *(fermé 24 au 31 déc. et dim. soir)* 75/180, enf. 45 – ☕ 25 – **30 ch** 150/240 – ½ P 210/230.

à St-Didier-de-la-Tour E : 3 km par N 6 – 1 310 h. alt. 380 – ✉ 38110 :

du Lac - Christian Poulet, ☎ 74 97 25 53, Fax 74 97 01 93, – P. AE GB
fermé 10 au 20 sept., 1er au 10 fév., mardi soir sauf juil.-août et merc. – **Repas** 98 (déj.), 140/320, enf. 80.

à Cessieu O : 6 km par N 6 – 2 025 h. alt. 309 – ✉ 38110 :

La Gentilhommière avec ch, ☎ 74 88 30 09, Fax 74 88 32 61, « Jardin » – TV ☎ P. AE GB
fermé 15 au 30 nov., dim. soir et lundi – **Repas** 105/290, enf. 65 – ☕ 35 – **7 ch** 250/310.

à Faverges-de-la-Tour E : 10 km par N 516, N 75 et D 145 – 1 000 h. alt. 394 – ✉ 38110 :

Domaine de Faverges , ☎ 74 97 42 52, Fax 74 88 86 40, ←, « Beaux aménagements intérieurs, parc, golf, » – | TV ☎ P – 30 à 80. AE GB. rest
13 avril-11 nov. – **Repas** 190 (déj.), 320/490 – ☕ 90 – **38 ch** 700/1750 – ½ P 980/1350.

CITROEN Gar. Vial, ZI à ST-Jean-de-Soudain ☎ 74 97 30 34
CITROEN Gar. Monin, à St-Clair-de-la-Tour ☎ 74 97 10 82
RENAULT Tour-Autos, N 6 ☎ 74 97 25 63 N ☎ 74 43 09 58
Bargeon Pneus, 60 av. Alsace-Lorraine ☎ 74 97 32 05

TOURNAN-EN-BRIE 77220 S.-et-M. 61 ② – 5 528 h alt. 102.

Syndicat d'Initiative, 46 r. de Paris ☎ (1) 64 07 01 34.

Paris 44 – Brie-Comte-Robert 13 – Meaux 29 – Melun 26 – Provins 48.

Aub. La Tourelle, 1 r. Melun ☎ (1) 64 25 32 23, – GB
fermé août et merc. – **Repas** (déj. seul.) carte 190 à 320.

CITROEN Gar. de la Brie, 25 r. Industrie ZI ☎ (1) 64 07 19 24
FORD Gar. de l'Egalité, 21 r. Prés. Poincaré ☎ (1) 64 07 01 60

TOURNOISIS 45310 Loiret 60 ⑱ – 332 h alt. 130.

Paris 125 – ♦Orléans 27 – Châteaudun 23 – Beaugency 33 – Blois 63.

Relais St-Jacques avec ch, ☎ 38 80 87 03, Fax 38 80 81 46 – P. GB
fermé vacances de fév., dim. soir et lundi sauf juil.-août – **Repas** 71/185, enf. 47 – ☕ 29 – **5ch** 175/227 – ½ P 215/328.

TOURNON-D'AGENAIS 47370 L.-et-G. 79 ⑥ G. Pyrénées Aquitaine – 839 h alt. 156.

Voir Site★.

Syndicat d'Initiative pl. de l'Hôtel de Ville (saison) ☎ 53 40 70 38.

Paris 613 – Agen 42 – Cahors 45 – Castelsarrasin 50 – Montauban 63 – Villeneuve-sur-Lot 25.

Midi , ☎ 53 40 70 08, – . GB
fermé 1er au 15 sept., vacances de fév., vend. soir et sam. sauf de juin à sept. – **Repas** 65 (déj.), 90/110 – ☕ 28 – **7 ch** 150/250 – ½ P 175/225.

Petite Auberge, ☎ 53 40 72 51, ←
fermé 1er au 15 juin, le soir d'oct. à fin mars, dim. soir et lundi – **Repas** 80 (déj.), 110/180.

RENAULT Gar Mirabel, ☎ 53 40 72 07 N ☎ 53 40 72 07

TOURNON-SUR-RHÔNE 07 Ardèche 77 ① – rattaché à Tain-Tournon.

TOURNUS 71700 S.-et-L. 69 ⑳ G. Bourgogne – 6 568 h alt. 193.

Voir Ancienne abbaye★★.

Office de Tourisme 2 pl. Carnot ☎ 85 51 13 10, Fax 85 32 18 21.

Paris 362 ① – Chalon-sur-Saône 27 ① – Bourg-en-Bresse 51 ② – Charolles 60 ③ – Lons-le-Saunier 56 ② – Louhans 29 ② – ♦Lyon 103 ② – Mâcon 35 ② – Montceau-les-Mines 65 ①.

H. de Greuze M sans rest, 5, pl. de l'Abbaye **(e)** ✆ 85 51 77 77, Fax 85 51 77 23 – |‡| ▤ TV ☎ ♿ P. AE ① GB JCB
☕ 100 – **21 ch** 575/1270.

✿ **Le Rempart** M, 2 av. Gambetta **(x)** ✆ 85 51 10 56, Fax 85 51 77 22 – |‡| ▤ TV ☎ ♿ 🚗 P – 🏛 40. AE ① GB
Repas 162/410 et carte 310 à 440, enf. 100 - ***Le Bistrot*** : **Repas** 82 🍷, enf. 55 – ☕ 50 – **31 ch** 395/790, 6 appart – ½ P 430/595
Spéc. Escalope de foie gras poêlée. Volaille de Bresse. Tarte minute aux poires rôties. **Vins** Mâcon-Uchizy, Givry.

Le Sauvage, pl. Champ de Mars **(u)** ✆ 85 51 14 45, Fax 85 32 10 27 – |‡| TV ☎ 🚗. AE ① GB JCB
Repas 85/198, enf. 42 – ☕ 40 – **30 ch** 330/430 – ½ P 345.

Paix, 9 r. J. Jaurès **(k)** ✆ 85 51 01 85, Fax 85 51 02 30, 🏖 – TV ☎ 📞 🚗. GB
fermé 13 au 23 avril, 22 au 30 oct., 14 janv. au 5 fév., mardi soir du 15 sept. au 15 juin – **Repas** 88/255 🍷, enf. 48 – ☕ 38 – **24ch** 258/320 – ½ P 266/295.

XXX ✿✿ **Rest. Greuze** (Ducloux), 1 r. A. Thibaudet **(e)** ✆ 85 51 13 52, Fax 85 51 75 42 – ▤. AE GB
Repas 260/490 et carte 330 à 560
Spéc. Pâté en croûte "Alexandre Dumaine". Quenelle de brochet "Henri Racouchot". Poulet de Bresse sauté nature "Jean Ducloux". **Vins** Beaujolais, Mâcon.

XX **Terminus** M avec ch, 21 av. Gambetta **(s)** ✆ 85 51 05 54, Fax 85 32 55 15 – ▤ rest TV ☎ P. GB
fermé 22 nov. au 6 déc., 2 au 17 janv., mardi soir et merc. sauf juil.-août – **Repas** 91/280 🍷 enf. 50 – ☕ 35 – **13 ch** 200/280 – ½ P 350.

XX **Terrasses** M avec ch, 18 av. 23-Janvier **(d)** ✆ 85 51 01 74, Fax 85 51 09 99 – ▤ TV ☎ 🚗 P. GB
fermé 4 janv. au 4 fév., dim. soir et lundi – **Repas** 95/230, enf. 50 – ☕ 35 – **18 ch** 260/280.

à Lacrost E : 2 km par D 37 – 594 h. alt. 170 – ✉ **71700** :

X **Petite Auberge,** ✆ 85 51 18 59 – GB
fermé 24 juin au 17 juil., 22 déc. au 3 janv., dim. soir et lundi – **Repas** 72/184 🍷.

à Brancion par ③ et D 14 : 14 km – ✉ **71700** Tournus.
Voir Donjon du château ≤★.

Montagne de Brancion M 🌿, au col de Brancion ✆ 85 51 12 40, Fax 85 51 18 64, ≤ monts du Mâconnais, 🏊, 🌳 – TV ☎ P – 🏛 40. ① GB. ✂ rest
mi-mars-début nov. – **Repas** 205/400, enf. 90 – ☕ 70 – **20 ch** 460/750 – ½ P 510/655.

FORD Gar. Pagneux, 11 av. Gambetta ✆ 85 51 06 45 **N** ✆ 85 51 02 03
RENAULT Gar. Pageaud, 3 rte de Paris par ① ✆ 85 51 07 05

Ⓜ Bayle Pneumatiques, r. G.-Mazoyer ✆ 85 51 14 14

TOURRETTES **83440** Var 84 ⑧ 114 ⑪ ㉔ **G. Côte d'Azur** – 1 375 h alt. 350.

Paris 898 – Castellane 56 – Draguignan 34 – Fréjus 33 – Grasse 25.

Les Pins, Domaine Le Chevalier, S : 2 km sur D 19 ✆ 94 76 06 36, Fax 94 76 27 50, 🏖, 🏊, 🌳, 🎾 – cuisinette TV ☎ ♿ P. AE GB
Repas 98/158 – ☕ 35 – **8 ch** 350/380, 8 studios – ½ P 295/310.

TOURRETTES-SUR-LOUP **06140** Alpes-Mar. 84 ⑨ 115 ㉕ **G. Côte d'Azur** – 3 449 h alt. 400.

Voir Vieux village★ – ≤★ sur le village de la route des Quenières.

Paris 934 – ◆Nice 26 – Grasse 20 – Vence 5.

Résidence des Chevaliers 🌿 sans rest, rte Caire ✆ 93 59 31 97, Fax 93 59 27 97, ≤, 🏊 – ☎ P. GB. ✂
1er avril-1er oct. – ☕ 58 – **12 ch** 560/700.

Aub. Belles Terrasses, rte Vence : 1 km ☎ 93 59 30 03, Fax 93 59 31 27, ≤ – ☎ 🅿. GB
Repas *(fermé 12 nov. au 2 déc., 13 au 27 janv. et lundi)* 90/150 – ☕ 35 – **15 ch** 210/250 – 1/2 P 225/240.

Petit Manoir, 21 Grande Rue (accès piétonnier) ☎ 93 24 19 19 – AE GB
fermé 15 nov. au 10 déc., dim. soir sauf juil.-août et merc. – **Repas** 98/250.

TOURS 🅿 **37000** I.-et-L. **64** ⑮ **G. Châteaux de la Loire** – 129 509 h Agglo. 282 152 h alt. 60.

oir Quartier de la cathédrale★★ : Cathédrale★★ CDY, musée des Beaux-Arts★★ CDY, Historial e Touraine★ (château) CY **M**[3], La Psalette★ CY, Place Grégoire de Tours★ DY **46** – Vieux ours★★ : Place Plumereau★ ABY, hôtel Gouin★ **BY**, rue Briçonnet★ AY 12 – Quartier de t-Julien★ : musée du Compagnonnage★★ BY, Jardin de Beaune-Semblançay★ BY **B** – Prieuré e St-Cosme★ O : 3 km V – Musée des Equipages militaires et du Train★ V **M**[5] – Grange de Ieslay★ NE : 10 km par ②.

de Touraine ☎ 47 53 20 28 ; domaine de la Touche à Ballan-Miré par ⑪ : 14 km ; 18 d'Ardrée 47 56 77 38 par ⑭, N 138 puis D 76 et VC : 14 km.

de Tours-St-Symphorien : T.A.T. ☎ 47 54 19 46, NE : 7 km U.

Office de Tourisme et Accueil de France 78 r. Bernard Palissy ☎ 47 70 37 37, Fax 47 61 14 22 – Automobile ub 4 pl. J.-Jaurès ☎ 47 05 50 19.

aris 237 ③ – ♦Angers 109 ⑬ – ♦Bordeaux 346 ⑩ – Chartres 140 ② – ♦Clermont-Ferrand 335 ⑦ – ♦Limoges 8 ⑩ – ♦Le Mans 80 ⑭ – ♦Orléans 115 ③ – ♦Rennes 219 ⑭ – ♦St-Étienne 474 ⑦.

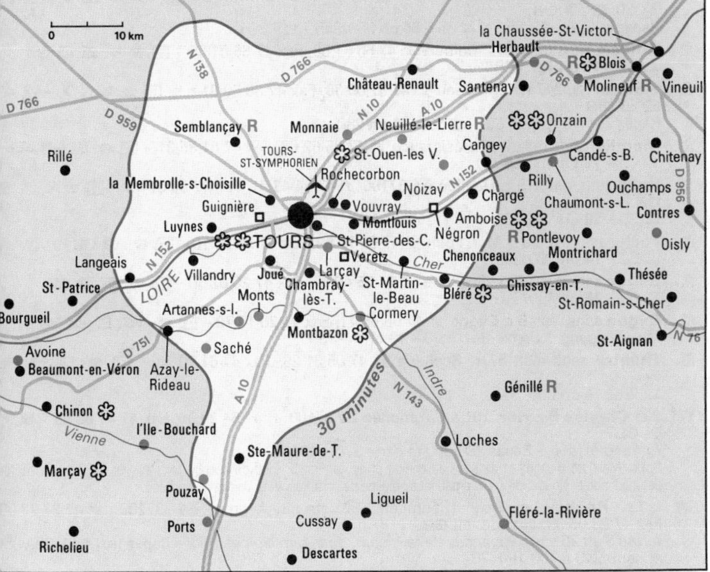

Jean Bardet M, 57 r. Groison ✉ 37100 ☎ 47 41 41 11, Télex 752463, Fax, Fax 47 51 68 72, ≤, « Grand parc fleuri, beau potager », – ▤ TV ☎ 🅿. AE ① GB JCB U **k**
Repas *(fermé lundi midi d'avril à oct., dim. soir et lundi de nov. à mars)* 270/750 et carte 510 à 630, enf. 150 – ☕ 120 – **16 ch** 650/1000, 5 appart
Spéc. Aumônière de légumes, fleurette d'herbes. Fricassée de petites anguilles au vinaigre de vin de Bourgueil. Pintadeau fermier truffé, parmentier de charlotte. **Vins** Vouvray, Saint-Nicolas de Bourgueil.

Univers et rest. La Touraine M, 5 bd Heurteloup ☎ 47 05 37 12, Télex 751460, Fax 47 61 51 80, « Fresques des visiteurs célèbres de l'hôtel de 1846 à nos jours » – ▤ TV ☎ ♿ – 🏛 120. AE ① GB CZ **u**
Repas 130/170, enf. 50 – ☕ 65 – **75 ch** 650/1200, 10 appart.

Harmonie M sans rest, 15 r. F. Joliot-Curie ☎ 47 66 01 48, Télex 752587, Fax 47 61 66 38 – cuisinette TV ☎ ♿ – 🏛 40. AE ① GB JCB DZ **b**
fermé 25 déc. au 5 janv. – ☕ 55 – **48 ch** 450/750, 6 appart.

Mercure M, 4 pl. Thiers ☎ 47 05 50 05, Télex 752740, Fax 47 20 22 07 – ▤ rest TV ☎ ♿ – 🏛 70. AE ① GB V **z**
Repas 145/240 bc, enf. 52 – ☕ 56 – **120 ch** 395/490.

Holiday Inn M, 15 r. Ed. Vaillant ✆ 47 31 12 12, Fax 47 38 53 35, – ▤ ch TV – 50. AE ① GB JCB DZ
Repas 120 – ☕ 60 – **105 ch** 440/665.

Royal sans rest, 65 av. Grammont ✆ 47 64 71 78, Fax 47 05 84 62 – TV ☎ – 35. AE ① GB V
☕ 39 – **50 ch** 335/398.

du Manoir sans rest, 2 r. Traversière ✆ 47 05 37 37, Fax 47 05 16 00 – TV ☎ P. AE ① GB CZ
☕ 30 – **20 ch** 240/320.

Central H. sans rest, 21 r. Berthelot ✆ 47 05 46 44, Fax 47 66 10 26 – TV ☎ P AE ① GB JCB CY
☕ 40 – **41 ch** 330/600.

Criden sans rest, 65 bd Heurteloup ✆ 47 20 81 14, Fax 47 05 61 65 – TV ☎. AE ① GB JCB DZ
☕ 33 – **33 ch** 265/315.

Mirabeau sans rest, 89 bis bd Heurteloup ✆ 47 05 24 60, Fax 47 05 31 09 – TV ☎ AE ① GB JCB DZ
☕ 38 – **25 ch** 200/290.

Châteaux de la Loire sans rest, 12 r. Gambetta ✆ 47 05 10 05, Fax 47 20 20 14 – TV ☎. AE ① GB BZ
mars-nov. – ☕ 37 – **31 ch** 198/273.

Relais St-Eloi, 8 r. Giraudeau ✆ 47 38 18 19, Fax 47 39 05 38 – ▤ rest TV ☎ – 30. AE ① GB AZ
Repas 65 (déj.), 90/250 – ☕ 35 – **56 ch** 280/355 – 1/2 P 395.

Colbert sans rest, 78 r. Colbert ✆ 47 66 61 56, Fax 47 66 01 55 – TV ☎. AE ① GB CY
☕ 35 – **18 ch** 150/315.

Fimotel M, 247 r. Giraudeau ✆ 47 37 00 36, Fax 47 38 50 91 – TV ☎ P – 40. AE ① GB V
Repas 75/115, enf. 36 – ☕ 36 – **48 ch** 280.

Mondial sans rest, 3 pl. Résistance ✆ 47 05 62 68, Fax 47 61 85 31 – TV ☎. AE GB JCB BY
☕ 35 – **19 ch** 150/280.

Italia sans rest, 19 r. Devildé ✉ 37100 ✆ 47 54 43 01, Fax 47 54 87 43 – TV ☎ P. AE GB U
☕ 30 – **20 ch** 176/236.

Foch sans rest, 20 r. Mar. Foch ✆ 47 05 70 59, Fax 47 20 95 10 – TV ☎. ① GB BY
☕ 32 – **14 ch** 180/290.

Balzac sans rest, 47 r. Scellerie ✆ 47 05 40 87, Fax 47 20 82 30 – TV ☎. AE ① GB CY
☕ 35 – **18 ch** 190/310.

Cygne sans rest, 6 r. Cygne ✆ 47 66 66 41, Fax 47 20 18 76 – TV ☎. AE ① GB CY
fermé vacances de Noël – ☕ 29 – **19 ch** 140/350.

Théâtre sans rest, 57 r. Scellerie ✆ 47 05 31 29, Fax 47 61 20 78 – TV ☎. AE ① GB JCB CY
☕ 29 – **14 ch** 200/260.

XXXX ✿✿ **Charles Barrier,** 101 av. Tranchée ✉ 37100 ✆ 47 54 20 39, Fax 47 41 80 95 – ▤ P AE GB U
fermé dim. soir – **Repas** 230/560 et carte 370 à 490
Spéc. Matelote d'anguilles de Loire au chinon et aux pruneaux. Pied de cochon farci aux ris d'agneau et truffes pommes purée. Nougat de Tours croquant au praliné de noisettes. **Vins** Vouvray, Bourgueil.

XXX ✿ **La Roche Le Roy** (Couturier), 55 rte St-Avertin ✉ 37200 ✆ 47 27 22 00 Fax 47 28 08 39, – P. AE GB X
fermé 3 au 26 août, vacances de fév., sam. midi, dim. soir et lundi – **Repas** 160 (déj.), 200/350 et carte 240 à 400, enf. 75
Spéc. Blanc de turbot et huîtres en marinière. Ris de veau braisé aux morilles. Soufflé chaud à l'orange. **Vins** Chinon blanc, Saint-Nicolas-de-Bourgueil.

XXX **La Rôtisserie Tourangelle,** 23 r. Commerce ✆ 47 05 71 21, Fax 47 61 60 76, – AE ① GB BY
fermé dim. soir et lundi – **Repas** 90 (déj.), 130/170 et carte 210 à 320.

XX **L'Atlantic,** 59 r. Commerce ✆ 47 64 78 41 – ▤. GB BY
fermé 31 juil. au 1er sept., dim. soir et lundi – **Repas** - poissons et fruits de mer - carte 170 à 290.

XX **Les Tuffeaux,** 21 r. Lavoisier ✆ 47 47 19 89 – ▤. GB CY
fermé lundi midi et dim. – **Repas** 100/200.

XX **Les Naïades,** 63 r. Blaise Pascal ✆ 47 05 27 92, Fax 47 05 87 62 – GB V
fermé août, dim. soir et lundi – **Repas** 85/198, enf. 65.

XX **Coq d'Or,** 272 av. Grammont ✆ 47 20 39 51 – GB V
fermé 8 au 22 août, dim. soir et lundi – **Repas** 100 (déj.)/140.

XX **L'Odéon,** 10 pl. Mar. Leclerc ✆ 47 20 12 65, Fax 47 20 47 58 – ▤. AE ① GB JCB CZ
fermé dim. – **Repas** 107/168.

XX **La Ruche,** 105 r. Colbert ✆ 47 66 69 83, Fax 47 20 41 76 – ▤. GB CY
fermé vacances de Noël, dim. soir et lundi – **Repas** 85/145.

TOURS

Alouette (Av. de l') ...... X 2
Bordiers (R. des) ...... U 9
Boyer (R. Léon) ...... V 10
Chevallier (R. A.) ...... V 19
Churchill (Bd. W.) ...... V 20
Delaroche (R.) ...... U 30
Eiffel (Av. Gustave) ...... U 37
Gaulle (Av. Gén. de) ...... V 44
Giraudeau (R.) ...... V 46
Grammont (Av. de) ...... V 47
Grand-Sud (Av.) ...... X 51
Groison (R.) ...... U 54
Marmoutier (Q. de) ...... U 63
Pas-Notre-Dame (R. du) . U 75
Paul-Bert (Q.) ...... U 76
Portillon (Q. de) ...... U 81
Proud'hon (Av.) ...... V 82
République (Av. de la) ... U 87
St-Avertin (Rte de) ...... X 89
St-Sauveur (Pont) ...... V 95
Sanitas (Pont du) ...... VX 96
Tranchée (Av. de la) ...... U 98
Vaillant (R. E.) ...... V 99
Wagner (Bd. R.) ...... V 105

CHAMBRAY-LÈS-T.

République (Av. de la) .. X 88

JOUÉ-LÈS-T.

Martyrs (R. des) ...... X 64

Verdun (R. de) ...... X 102

ST-AVERTIN

Brulon (R. Léon) ...... X 14
Lac (Av. du) ...... X 58
Larçay (R. de) ...... X 59

ST CYR-SUR-L.

St-Cyr (Q. de) ...... V 91

ST PIERRE-DES-C.

Jaurès
(Boulevard Jean) ...... V 57
Moulin (R. Jean) ...... V 70

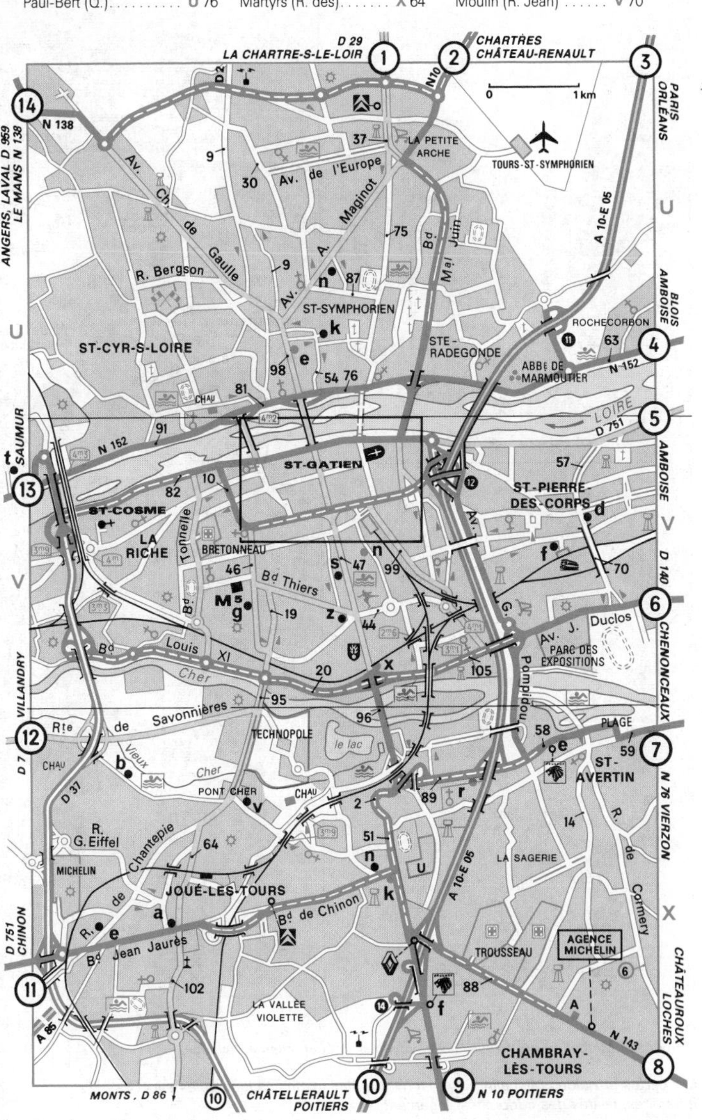

TOURS

Bordeaux (R. de) . . . . CZ
Commerce (R. du) . . . . BY 22
Grammont (Av. de) . . . . CZ
Grand Passage . . . . CZ 50
Halles (Pl. des) . . . . AZ
Halles (R. des) . . . . BY

Marceau (R.) . . . . BYZ
Nationale (R.) . . . . BYZ
Scellerie (R. de la) . . . . BCY

Amandiers (R. des) . . . . CY 4
Berthelot (R.) . . . . BCY 7
Bons Enfants (R. des) . . . . . BY 8
Boyer (R. Léon) . . . . AZ 10
Briçonnet (R.) . . . . AY 13

Carmes (Pl. des) . . . . BY
Châteauneuf (Pl. de) . . . . . . BY
Châteauneuf (R. de) . . . . AY
Cœur-Navré (Passage du) . . . . CY
Constantine (R. de) . . . . BY
Corneille (R.) . . . . CY
Courier (Rue Paul-Louis) . . . BY
Courteline (R. G.) . . . . AY

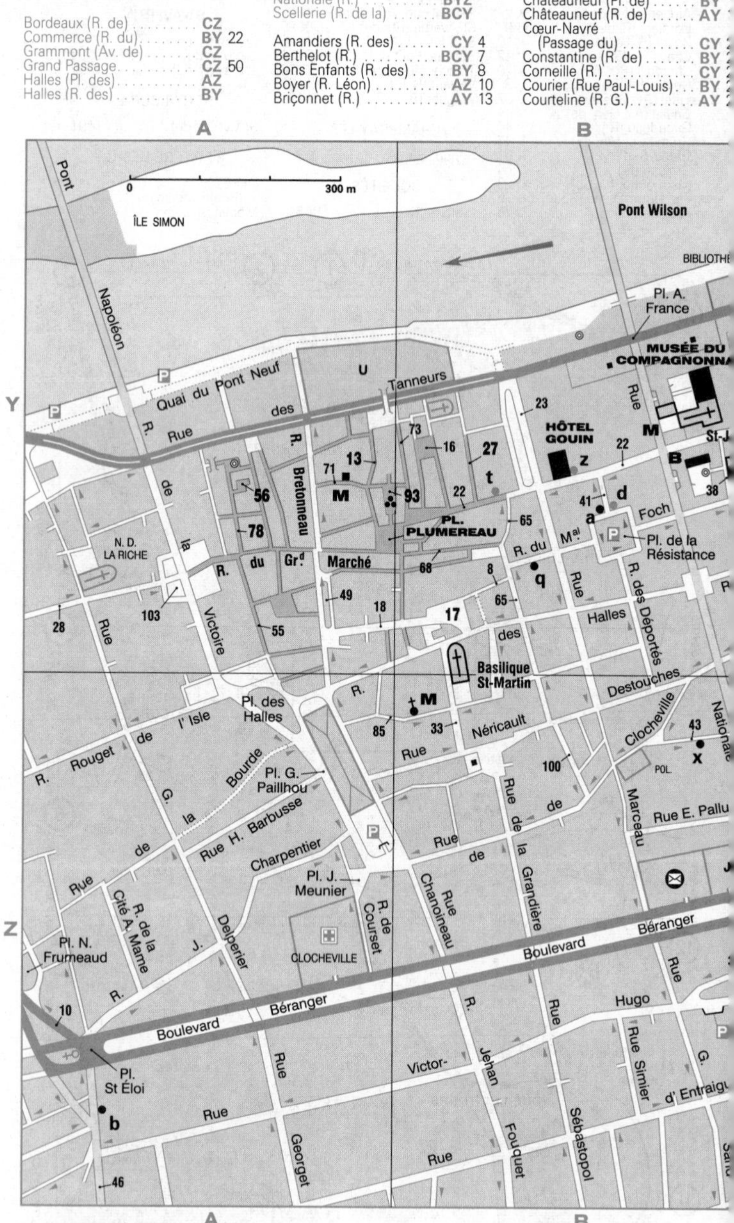

Un conseil ***Michelin*** *: pour réussir vos voyages, préparez-les à l'avance.*

Les ***cartes*** *et* ***guides Michelin*** *vous donnent toutes les indications utiles sur : itinéraires, visites des curioristés, logement, prix, etc.*

gne (R. du) . . . . CY 29	Grosse-Tour (R. de la) . . . . . AY 55	Petit-Cupidon (R. du) . . . . DY 77
scartes (R.) . . . . BZ 33	Herbes (Carroi aux) . . . . AY 56	Petit-St-Martin (R. du) . . . AY 78
lve (R. de la) . . . . BZ 35	Lavoisier (R.) . . . . CY 60	Petites-Boucheries
vre (R. Jules) . . . . BY 38	Marceau (R.) . . . . DY 61	(Pl. des) . . . . DY 80
sillés (R. des) . . . . BY 41	Merville (R. du Prés.) . . . . . . BY 65	Racine (R.) . . . . DY 84
mbetta (R.) . . . . BZ 43	Meusnier (R. Gén.) . . . . DY 66	Rapin (R.) . . . . AZ 85
audeau (R.) . . . . AZ 46	Monnaie (R. de la) . . . . BY 68	St-Pierre-le-Puellier (Pl.) . . ABY 93
and-Marché (Pl. du) . . . . AY 49	Mûrier (R. du) . . . . AY 71	Sully (R. de) . . . . BZ 100
égoire-de-Tours (Pl.) . . . . DY 52	Paix (R. de la) . . . . BY 73	Victoire (Pl. de la) . . . . AY 103

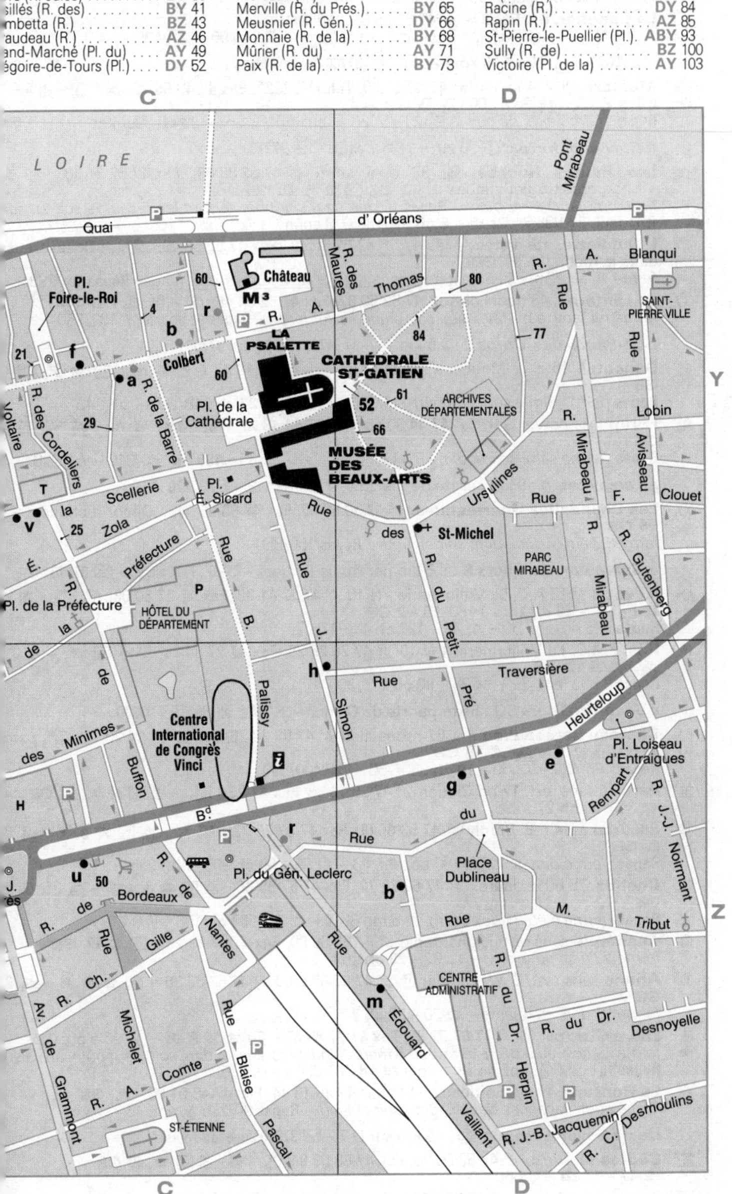

e suggest: for a successful tour, that you prepare it in advance.

***ichelin Maps** and **Guides**, will give you much useful information on route planning, aces of interest, accommodation, prices etc.*

X **Bigarade,** 122 r. Colbert ✆ 47 05 48 81 – ⓓ GB JCB CY
fermé merc. midi et mardi – **Repas** 97/175 ♁, enf. 75.

X **Le Canotier,** 6 r. Fusillés ✆ 47 61 85 81 – AE GB BY
fermé 19 déc. au 5 janv., lundi midi, dim. et fériés – **Repas** 90 (déj.)/138.

Z.I. Milletière Nord : 9 km par ② – ✉ **37100** Parçay-Meslay :

Mercure Ⓜ, r. Aviation ✆ 47 49 55 00, Télex 752222, Fax 47 49 55 25, 🏖, ⛱ – 🛗 ⇆ TV ☎ ♿ P – 🚶 25 à 300. AE ⓓ GB JCB
Repas *(fermé dim. de nov. à janv.)* 80/130 ♁, enf. 50 – ☕ 55 – **93 ch** 395/495.

à Rochecorbon par ④ : 6 km – 2 685 h. alt. 58 – ✉ **37210** :

Les Hautes Roches Ⓜ, 86 quai Loire ✆ 47 52 88 88, Fax 47 52 81 30, ←, « Chambres troglodytiques », – 🛗 TV ☎ P. AE GB
fermé mi-janv. à mi-mars – **Repas** *(fermé dim. soir hors sais. et lundi sauf le soir en sai*
150 (déj.), 270/355 – ☕ 85 – **8 ch** 995/1200, 3 appart – ½ P 735/1110.

XX **L'Oubliette,** rte Parcey-Meslay ✆ 47 52 50 49, Fax 47 52 50 49, 🏖, « Salle creus dans la roche » – P. GB
fermé 15 au 22 avril, 26 août au 9 sept., 2 au 9 janv., dim. soir et lundi – **Repas** 104/298.

XX **La Lanterne,** 48 quai Loire ✆ 47 52 50 02, Fax 47 52 54 46, 🏖 – P. AE GB JCB
fermé mi-janv. à mi-fév., dim. soir et lundi sauf fériés – **Repas** 98 bc (déj.), 132/250.

à St-Pierre-des-Corps E : 3,5 km - V – 17 947 h. alt. 48 – ✉ **37700** :

Dancotel, 10 r. J. Moulin ✆ 47 44 44 67, Fax 47 63 19 47 – 🛗 ▤ rest TV ☎ P. AE GB V
Repas *(fermé dim. sauf juil.-août)* 110/140 ♁ – ☕ 33 – **32 ch** 248/259 – ½ P 240.

Forum Ⓜ, parvis Gare ✆ 47 44 30 40, Fax 47 44 43 27 – 🛗 TV ☎ 📞 ♿ – 🚶 80. AE GB V
Repas *(fermé sam. soir et dim.)* 85/120 ♁, enf. 38 – ☕ 35 – **100 ch** 260/310 – ½ P 220.

à Larçay par ⑦ : 9 km sur rte de Vierzon – 1 751 h. alt. 82 – ✉ **37270** :

XX **Les Chandelles Gourmandes,** ✆ 47 50 50 02, Fax 47 50 55 94, « Décor rustique » – ⓓ GB
fermé 23 au 27 déc., dim. soir et lundi – **Repas** 150/350.

à Chambray-lès-Tours S : 6,5 km par rte de Poitiers - X – 8 190 h. alt. 90 – ✉ **37170** :

Novotel Ⓜ, Z.A.C. La Vrillonnerie - N 10 ✆ 47 27 41 38, Fax 47 27 60 03, 🏖, ⛱ – 🛗 ⇆ ▤ TV ☎ ♿ P – 🚶 25 à 180. AE ⓓ GB
Repas 126 bc, enf. 50 – ☕ 49 – **127 ch** 410/475.

Ibis, Z.A.C. La Vrillonnerie - N 10 ✆ 47 28 25 28, Fax 47 27 84 26 – ⇆ TV ☎ 📞 ♿ P 🚶 60. AE ⓓ GB
Repas 99 bc, enf. 39 – ☕ 35 – **80 ch** 275/300.

à Joué-lès-Tours SO : 5 km par rte de Chinon – 36 798 h. alt. 65 – ✉ **37300** :

Château de Beaulieu 🐚, 67 r. Beaulieu ✆ 47 53 20 26, Fax 47 53 84 20, ←, 🏖, parc ▤ ch TV ☎ P – 🚶 30. AE GB X
Repas 195/420 – ☕ 50 – **19 ch** 380/750 – ½ P 400/590.

Parc Ⓜ sans rest, 17 bd Chinon ✆ 47 25 15 38, Fax 47 25 11 43 – 🛗 TV ☎ P. AE GB
☕ 35 – **30 ch** 275/295. X

Escurial Ⓜ, 4 r. E. Branly ✆ 47 53 60 00, Fax 47 67 75 33, 🌳, 🎾 – 🛗 TV ☎ ♿ P – 🚶 6 AE GB X
Repas *(fermé dim. soir)* 70/180 bc, enf. 46 – ☕ 35 – **60 ch** 250 – ½ P 225.

Chéops, 75 bd J. Jaurès ✆ 47 67 72 72, Fax 47 67 85 38 – 🛗 TV ☎ ♿ 🚗 – 🚶 25. AE GB X
Repas *(fermé 8 au 31 déc., sam. et dim.)* 89 ♁ – ☕ 32 – **58 ch** 198 – ½ P 210.

Chantepie sans rest, r. Chantepie ✆ 47 53 06 09, Fax 47 67 89 25 – TV ☎ P. GB X
fermé 23 déc. au 4 janv. – ☕ 32 – **28 ch** 269/289.

Ariane sans rest, 8 av. Lac par ⑪ ✆ 47 67 67 60, Fax 47 67 33 36 – TV ☎ ♿ P – 🚶 2 GB
fermé 23 déc. au 4 janv. – ☕ 30 – **32 ch** 279.

Lac, av. Lac par ⑪ ✆ 47 67 37 87, Fax 47 67 85 43 – TV ☎ 📞 ♿ P – 🚶 25 à 50. GB
fermé 19 nov. au 9 déc., 18 fév. au 5 mars., lundi hors sais. et dim. soir (sauf hôtel en sais.)
Repas 78 bc/98 ♁, enf. 45 – ☕ 35 – **20 ch** 220/230 – ½ P 215.

XX **Le Ronsard,** 47 av. Bordeaux (N 10) ✆ 47 25 13 44, Fax 47 48 01 68 – P. GB X
fermé août, vacances de fév., dim. soir et lundi – **Repas** 90/275 ♁, enf. 48.

rte de Savonnières par ⑫ : 12 km sur D 7 – ✉ **37510** Joué-lès-Tours :

Cèdres sans rest, ✆ 47 53 00 28, Fax 47 80 03 84, ⛱, 🌳 – 🛗 TV ☎. AE GB
☕ 47 – **37 ch** 300/560.

XX **Rest. des Cèdres,** ✆ 47 53 37 58, Fax 47 67 26 20, 🏖 – P. GB
Repas 105/210 bc ♁.

à La Guignière O : 4 km par ⑬ – ✉ **37230** Fondettes :

Le Manoir sans rest, ✆ 47 42 04 02, ← – TV ☎ 📞 🚗 P. AE GB V
fermé vacances de fév. – ☕ 26 – **16 ch** 195/220.

à La Membrolle-sur-Choisille NO : 6 km par ⑭ – 2 644 h. alt. 60 – ✉ 37390 :

Host. du Château de l'Aubrière 🐦, rte Fondettes ✆ 47 51 50 35, Fax 47 51 34 69, ≤, parc, – TV ☎ P – 50. GB JCB
Repas *(fermé lundi)* 190/280 – ☕ 55 – **9 ch** 450/900, 3 appart – ½ P 570/650.

ICHELIN, Agence régionale, ZI Chambray-lès-Tours X ✆ **47 28 60 59**

TROEN Succursale, 20 av. G.-Eiffel U 47 49 50 51

Euromaster, 16 r. Ch.-Huygens ZI la Milletière 47 51 03 03

Super Pneus, 55 r. Voltaire ✆ 47 05 74 83
Tours Pneus Vulcopneu, 145 av. Maginot, N 10 ✆ 47 54 57 50

Périphérie et environs

FA ROMEO Gar. Stela, à Chambray-les-Tours 47 48 21 00 N ✆ 47 41 15 15
MW Gar. St-Simon, av. Fontaines à St-Avertin 47 27 89 89 N ✆ 05 00 16 24
TROEN Succursale, 151 bd de Chinon à Joué-les-Tours ✆ 47 80 21 21
RD Gar. Pont, r. Coulomb-la-Vrillonnerie à Chambray-les-Tours ✆ 47 48 69 00 N ✆ 47 41 15

RD Val de Loire Autom., 243 bd Ch-de-Gaulle à Cyr-sur-Loire ✆ 47 88 47 88
ERCEDES SCA Touraine, Gd Sud Avenue, N 10 à Chambray-les-Tours ✆ 47 28 06 37 N 05 24 24 30
SSAN SDA, La Vrillonnerie ZI N 2, 64 r. Ch.-Coulomb à Chambray-les-Tours ✆ 47 48 08 16
PEL Touraine Autom., 240 av. Mans à St-Cyr-sur-Loire ✆ 47 49 12 12

OPEL Touraine Autom., 82 r. Charles Coulomb à Chambray-les-Tours ✆ 47 28 08 08
PEUGEOT Gar. Cazin, 31 r. Grandmont à St-Avertin X e ✆ 47 27 02 44
PEUGEOT Gar. de Touraine, 51 Gd Sud Avenue à Chambray-les-Tours ✆ 47 27 66 66
PEUGEOT Gds Gar. de Touraine, 207 bd Ch.-de-Gaulle à St-Cyr-sur-Loire ✆ 47 51 52 53
RENAULT Succursale, 1 Gd Sud Avenue à Chambray-les-Tours X ✆ 47 80 77 77 N ✆ 47 48 10 44

Euromaster, 14 r. J.-Perrin à Chambray-les-Tours ✆ 47 28 18 55
La Maison du Pneu, 55 bd de Chinon à Joué-les-Tours ✆ 47 25 13 66
Tours Pneus Vulcopneu, 193 Gd Sud Avenue à Chambray-les-Tours ✆ 47 28 25 89

OURS-SUR-MARNE 51150 Marne 56 ⑯ ⑰ – 1 152 h alt. 79.

ris 156 – ♦Reims 28 – Châlons-en-Champagne 22 – Épernay 12.

Touraine Champenoise avec ch, r. Magasin ✆ 26 58 91 93, Fax 26 58 95 47 – ☎. AE ⓓ GB
fermé 24 au 29 déc. – **Repas** 92/255 🍷 – ☕ 36 – **9 ch** 255/290 – ½ P 255/273.

NAULT Gar. Croizy, av. de Champagne ✆ 26 58 90 99

OURTOUR 83690 Var 84 ⑥ 114 ⑧ ⑨ G. Côte d'Azur – 472 h alt. 652.

oir Église ※★.

ris 831 – Aups 10 – Draguignan 20 – Salernes 11.

La Bastide de Tourtour M 🐦, rte Draguignan ✆ 94 70 57 30, Fax 94 70 54 90, ≤ massif des Maures, parc, , – TV ☎ P – 30. AE ⓓ GB
9 mars-1er nov. – **Repas** *(fermé lundi hors sais. et mardi midi)* 200 bc (déj.), 290/360 – ☕ 75 – **25 ch** 670/1400 – ½ P 690/1050.

Aub. St-Pierre 🐦, E : 3 km par D 51 et rte secondaire ✆ 94 70 57 17, Fax 94 70 59 04, ≤, , « Sur un domaine agricole », , – ☎ P. GB
1er avril-1er oct. et fermé merc. – **Repas** 170/200 – ☕ 50 – **17 ch** 510 – ½ P 350/455.

Le Mas des Collines M 🐦, O : 2 km par rte Villecroze et chemin privé ✆ 94 70 59 30, Fax 94 70 57 62, ≤ massif des Maures, , , – TV ☎ P. AE GB
Repas *(fermé mardi midi hors sais. sauf vacances scolaires)* 96 (déj.), 149/166 🍷 – ☕ 35 – **7 ch** 310/420 – ½ P 370.

Petite Auberge 🐦, S : 1,5 km par D 77 ✆ 94 70 57 16, Fax 94 70 54 52, ≤ massif des Maures, , – TV ☎ P. GB
fermé 15 nov. au 15 déc. – **Repas** *(fermé jeudi)* 150/250 🍷 – ☕ 40 – **11 ch** 550/800 – ½ P 550/600.

✿ **Les Chênes Verts** (Bajade) M 🐦 avec ch, O : 2 km sur rte Villecroze ✆ 94 70 55 06, Fax 94 70 59 35, , – TV ☎ P. AE GB JCB
fermé 1er janv. au 8 fév., mardi soir et merc. – **Repas** (nombre de couverts limité, prévenir) 200/390 et carte 310 à 400 – ☕ 70 – **3 ch** 700/800
Spéc. Truffes noires. Ecrevisses au romarin (juin à déc.). Gibier (oct. à fév.). **Vins** Côtes de Provence.

OURVILLE-LA-RIVIÈRE 76410 S.-Mar. 55 ⑥ – 1 886 h alt. 11.

ris 125 – ♦Rouen 15 – Les Andelys 37 – Elbeuf 11 – Gournay-en-Bray 62 – Louviers 20.

Le Tourville, ✆ 35 77 58 79 – P. GB
fermé vacances de printemps, août et lundi – **Repas** (déj. seul. sauf vend. et sam.) carte 230 à 400.

CAP, ZAC Clos aux Antes ✆ 35 81 88 88

La TOUSSUIRE 73 Savoie 77 ⑥ ⑦ G. Alpes du Nord – alt. 1690 – Sports d'hiver : 1 800/2 200 m 19
✉ 73300 Fontcouverte-la-Toussuire.

Office de Tourisme ☎ 79 56 70 15, Fax 79 83 02 99.

Paris 634 – Albertville 80 – Chambéry 90 – St-Jean-de-Maurienne 16.

Les Soldanelles ⛰, ☎ 79 56 75 29, Fax 79 56 71 56, ≤, ⛱, – ▮ TV ☎ P. GB rest
juil.-août et 19 déc.-28 avril – **Repas** 103/250, enf. 52 – ☕ 40 – **39 ch** 225/285 – ½ P 340/36

Les Airelles, ☎ 79 56 75 88, Fax 79 83 03 48, ≤ – ▮ TV ☎ P. GB. rest
juil.-août et 15 déc.-25 avril – **Repas** 95/175, enf. 50 – ☕ 36 – **31 ch** 200/235 – ½ P 345/36

TOUZAC 46 Lot 79 ⑥ – rattaché à Puy-l'Évêque.

TRACY-SUR-MER 14 Calvados 54 ⑮ – rattaché à Arromanches-les-Bains.

TRAENHEIM 67310 B.-Rhin 87 ⑮ – 496 h alt. 200.

Paris 469 – ♦Strasbourg 25 – Haguenau 39 – Molsheim 8 – Saverne 21.

XX **Zum Loejelgucker,** 17 r. Principale ☎ 88 50 38 19, ⛱, « Vieille demeure alsacienne – GB
fermé vacances de fév., lundi et mardi – **Repas** 98/205 ♁.

RENAULT Gar. Ostermann, ☎ 88 50 38 46

La TRANCHE-SUR-MER 85360 Vendée 71 ⑪ G. Poitou Vendée Charentes – 2 065 h alt. 4.

Env. Parc de Californie★ (parc ornithologique) E : 9 km.

Office de Tourisme pl. Liberté ☎ 51 30 33 96, Fax 51 27 78 71.

Paris 455 – La Rochelle 58 – La Roche-sur-Yon 39 – Luçon 29 – Niort 90 – Les Sables-d'Olonne 38.

Océan, ☎ 51 30 30 09, Fax 51 27 70 10, ≤, ⛱ – ☎ P. GB
1er avril-31 oct. – **Repas** 85/210, enf. 60 – ☕ 48 – **47 ch** 195/485 – ½ P 380/420.

Dunes, ☎ 51 30 32 27, Fax 51 27 78 30 – ☎ P. GB.
1er avril-25 sept. – **Repas** 85/165, enf. 50 – ☕ 37 – **50 ch** 205/395 – ½ P 245/390.

X **Milouin,** av. M. Samson ☎ 51 27 49 49, ⛱ – AE GB
15 mars-25 nov. et fermé lundi et mardi sauf du 15 juin au 15 sept. – **Repas** 69/195, enf. 3

à la Grière E : 2 km par D 46 – ✉ 85360 La Tranche-sur-Mer :

Marinotel M ⛰ sans rest, ☎ 51 27 44 20, Fax 51 27 43 54, ⛱ – TV ☎ ♿ P. GB.
Pâques-15 sept. – ☕ 45 – **18 ch** 490.

Cols Verts, ☎ 51 27 49 30, Fax 51 30 11 42 – ▮ TV ☎. AE GB
30 mars-3 nov. et fermé mardi sauf juil.-août – **Repas** 75/185 ♁, enf. 48 – ☕ 38 – **40**
280/440 – ½ P 295/370.

CITROEN Gar. du Château d'Eau, 14 rte de La Roche-sur-Yon à Angles ☎ 51 97 53 34
PEUGEOT Gar. Vrignaud, rte de la Tranche à Angles ☎ 51 97 52 27
RENAULT Gar. Côte de Lumière, ☎ 51 30 33 77
VAG Gar. du Maupas, ☎ 51 30 38 43

TRÉBEURDEN 22560 C.-d'Armor 59 ① G. Bretagne – 3 094 h alt. 81.

Voir Le Castel ≤★ 30 mn – Pointe de Bihit ≤★ SO : 2 km – Pleumeur-Bodou : Radôme et muse des Télécommunications★, Planétarium du Trégor★, NE : 5,5 km.

18 de St-Samson ☎ 96 23 87 34, NE : 7 km.

Office de Tourisme pl. Crech'Héry ☎ 96 23 51 64, Fax 96 47 44 87.

Paris 525 – St-Brieuc 77 – Lannion 9 – Perros-Guirec 12.

Ti al-Lannec ⛰, ☎ 96 23 57 26, Fax 96 23 62 14, ≤, ⛱, parc, – ▮ TV ☎ ♿ P 30. AE GB. rest
16 mars-11 nov. – **Repas** 105 (déj.), 180/390, enf. 90 – ☕ 65 – **29 ch** 450/1050 – ½ P 575/77

Manoir de Lan-Kerellec M ⛰, ☎ 96 23 50 09, Fax 96 23 66 88, ≤, – TV ☎ P 25. AE GB JCB
15 mars-12 nov. – **Repas** *(fermé lundi midi hors sais.)* 140 (déj.), 190/370 – ☕ 75 – **18 c** 580/1600.

Du Toëno, rte Trégastel NO : 2 km sur D 788 ☎ 96 23 68 78, Fax 96 15 42 54, ≤ – TV ♿ P. AE GB
fermé 15 nov. au 15 déc. – **Repas** (dîner seul.) 90/120 ♁ – ☕ 35 – **17 ch** 270/300 ½ P 260/275.

TRÉBOUL 29 Finistère 58 ⑭ – rattaché à Douarnenez.

TREFFENDEL 35380 I.-et-V. 63 ⑤ – 623 h alt. 115.

Paris 379 – ♦Rennes 28 – Ploërmel 34 – Redon 52.

XX **Aub. du Presbytère,** ☎ 99 61 00 76, Fax 99 61 00 48, ⛱ – P. GB.
fermé dim. soir et lundi – **Repas** 100 (déj.), 168/270.

TREFFORT 38650 Isère 77 ⑭ – 78 h alt. 618.

Paris 599 – ♦Grenoble 34 – Monestier-de-Clermont 9 – La Mure 40.

au bord du lac S : 3 km par D 110E – ✉ 38650 Treffort :

Château d'Herbelon ⛰, ☎ 76 34 02 03, Fax 76 34 05 44, ≤, 🏞, 🌳 – 📺 ☎ P. GB. ⛔ ch
avril-déc. et fermé vacances de Toussaint, lundi soir et mardi sauf juil.-août – **Repas** 95/190 – ☕ 35 – **9 ch** 300/430 – ½ P 305/370.

TREFFORT 01370 Ain 70 ⑬ – 1 779 h alt. 280.

Paris 421 – Mâcon 53 – Bourg-en-Bresse 17 – Lons-le-Saunier 56 – Oyonnax 38 – Pont-d'Ain 34.

L'Embellie M, ☎ 74 42 35 05, Fax 74 42 35 65, 🏞 – 📺 ☎ P. GB
fermé 15 au 25 nov. et 6 au 28 fév. – **Repas** *(fermé dim. soir de sept. à juin et lundi)* 100/235 – ☕ 50 – **8 ch** 180/260.

TRÉGASTEL 22730 C.-d'Armor 59 ① G. Bretagne (plan) – 2 201 h alt. 58.

Voir Rochers★★ – Ile Renote★★ NE – Table d'Orientation ≤★.

⛳ de St-Samson ☎ 96 23 87 34, S : 3 km.

ℹ Office de Tourisme pl. Ste-Anne ☎ 96 23 88 67, Fax 96 23 85 97.

Paris 529 – St-Brieuc 80 – Lannion 13 – Perros-Guirec 7 – Trébeurden 11 – Tréguier 27.

Armoric, ☎ 96 23 88 16, Fax 96 23 83 75, ≤, 🎾 – 🛗 ☎ P – 🎪 30. AE GB
1er mai-10 oct. – **Repas** 100/220 – ☕ 40 – **48 ch** 380/480 – ½ P 340/460.

Aub. Vieille Eglise, à Trégastel-Bourg S : 2,5 km ☎ 96 23 88 31, Fax 96 47 33 75 – P. GB
fermé vacances de fév., dim. soir et lundi sauf juil.-août – **Repas** (prévenir) 75 (déj.), 93/250.

au golf de St-Samson S : 3 km par D 788 et rte secondaire – ✉ 22560 Pleumeur-Bodou :

Golf H. ⛰, ☎ 96 23 87 34, Fax 96 23 84 59, ≤, 🏞, 🏊, 🌳, 🎾 – 📺 ☎ ♿ P – 🎪 60. AE ⦿ GB. ⛔ rest
Repas *(fermé dim. soir et lundi d'oct. à Pâques)* 98/160, enf. 65 – ☕ 45 – **50 ch** 330/390 – ½ P 330.

Gar. de la Corniche, ☎ 96 23 88 70

TRÉGUIER 22220 C.-d'Armor 59 ② G. Bretagne (plan) – 2 799 h alt. 40.

Voir Cathédrale St-Tugdual★★ : cloître★.

Env. chapelle St-Gonéry★ N : 6 km – Le Gouffre★ N : 10 km puis 15 mn.

ℹ Office de Tourisme Hôtel de Ville ☎ 96 92 30 19.

Paris 506 – St-Brieuc 55 – Guingamp 28 – Lannion 19 – Paimpol 15.

sur le port :

Aigue Marine M, 5 r. M. Berthelot ☎ 96 92 97 00, Fax 96 92 44 48, ≤, 🏋, 🏊, 🌳 – 🛗 cuisinette ▤ rest 📺 ☎ ♿ P – 🎪 25 à 80. AE GB
fermé 2 janv. au 3 fév. – **Repas** *(fermé sam. midi, dim. soir et lundi midi hors sais.)* 100/180, enf. 60 – ☕ 50 – **31 ch** 441/448, 17 studios – ½ P 377/394.

Roches Douvres sans rest, 17 r. M. Berthelot ☎ 96 92 27 27, ≤, 🌳 – 📺 ☎ P. GB
fermé 7 au 20 oct. – ☕ 30 – **20 ch** 250/290.

Estuaire avec ch, pl. Gén.-de-Gaulle ☎ 96 92 30 25 – ☎. GB. ⛔ ch
fermé dim. soir et lundi du 1er sept. au 30 juin – **Repas** 86/215 🍷, enf. 58 – ☕ 32 – **15 ch** 135/280 – ½ P 180/230.

au SO : 2 km par rte Lannion et rte secondaire – ✉ 22220 Tréguier :

Kastell Dinec'h ⛰, ☎ 96 92 49 39, Fax 96 92 34 03, « Jardin », 🏊 – ☎ P. GB. ⛔ rest
fermé 11 au 27 oct., 1er janv. au 19 mars, mardi soir et merc. hors sais. – **Repas** (dîner seul.) 130/310 – ☕ 55 – **15 ch** 420/460 – ½ P 440/460.

PEUGEOT S.V.A.T., 1 r. Gambetta ☎ 96 92 32 52 N ☎ 96 92 32 52

TRÉGUNC 29910 Finistère 58 ⑪ ⑯ – 6 130 h alt. 45.

ℹ Office de Tourisme, 16 r. de Pont-Aven ☎ 98 50 22 05, Fax 98 97 77 60.

Paris 537 – Quimper 27 – Concarneau 6,5 – Pont-Aven 8,5 – Quimperlé 26.

Aub. Les Gdes Roches ⛰, NE : 0,6 km par V 3 ☎ 98 97 62 97, Fax 98 50 29 19, « Fermes aménagées dans un parc, dolmen et menhir » – ☎ P. GB. ⛔ ch
hôtel : fermé 15 déc. au 15 janv. et vacances de fév. – **Repas** *(ouvert fin mars-mi-nov. et fermé lundi et le midi en sem. sauf fériés)* 98/250 – ☕ 45 – **18 ch** 250/400, 3 appart – ½ P 285/440.

TRÉLISSAC 24 Dordogne 75 ⑥ – rattaché à Périgueux.

TRELLY **50660** Manche 54 ⑫ – 478 h alt. 20.

Paris 337 – St-Lô 35 – Avranches 43 – Bréhal 12 – Coutances 12 – Granville 22 – Villedieu-les-Poêles 24.

XX ✿ **Verte Campagne** (Bernou) avec ch, SE : 1,5 km par D 539 et rte secondaire ✆ 33 47 65 33, Fax 33 47 38 03, « Ferme normande ancienne », – ☎ P. GB. ✱ ch
fermé 2 au 9 déc., 9 janv. au 4 fév., dim. soir hors sais. et lundi – **Repas** 135/350 et carte 260 à 360 – ☐ 35 – **7 ch** 260/380 – ½ P 280/350
Spéc. Salade d'ormeaux au vinaigre de cidre (sept. à juin). Agneau de pré-salé à l'orge perlée (Pâques à sept.). "Déclinaison" au chocolat.

TRÉLON **59132** Nord 53 ⑯ **G. Flandres Artois Picardie** – 2 923 h alt. 188.

Paris 209 – St-Quentin 68 – Avesnes-sur-Helpe 17 – Charleroi 53 – Guise 41 – Hirson 17 – ♦Lille 112 – Vervins 35.

X **Le Framboisier,** ✆ 27 59 73 34, Fax 27 57 07 47 – P. GB
fermé 2 au 24 sept., 3 au 24 fév., dim. soir et lundi – **Repas** 108/280.

La TREMBLADE **17390** Char.-Mar. 71 ⑭ **G. Poitou Vendée Charentes** – 4 623 h alt. 4.

Paris 501 – Royan 22 – Marennes 11 – Rochefort 31 – La Rochelle 65.

Mounière sans rest, rte Ronce-les-Bains : 1,5 km ✆ 46 36 09 19 – TV ☎ P. GB. ✱
☐ 35 – **16 ch** 300/320.

Phoebus sans rest, 13ter r. Foran ✆ 46 36 29 85, Fax 46 36 51 03 – TV ☎. GB
fermé 1er au 12 janv. – ☐ 31 – **10 ch** 250/280.

CITROEN Gar. Molle, bd Joffre ✆ 46 36 09 54
PEUGEOT Gar. Horseau, 62 bd Joffre ✆ 46 36 13 23

TREMBLAY-EN-FRANCE **93** Seine-St-Denis 56 ⑪, 101 ⑱ – voir à Paris, Environs.

Le TREMBLAY-SUR-MAULDRE **78490** Yvelines 60 ⑨ 106 ㉘ – 668 h alt. 132.

9 9 du Château de Tremblay-sur-Mauldre ✆ (1) 34 87 81 09.

Paris 41 – Houdan 23 – Mantes-la-Jolie 31 – Rambouillet 19 – Versailles 21.

Château H. du Tremblay, ✆ (1) 34 87 92 92, Fax (1) 34 87 86 27, ←, « Demeure du 17e siècle dans un parc » – TV ☎ P – 150. AE GB
fermé août et 22 au 28 déc. – **Repas** *(fermé dim. soir, lundi et mardi)* 130/185 – ☐ 50 – **28 ch** 800.

XXX ✿ **La Gentilhommière** (Brun), ✆ (1) 34 87 80 96, Fax (1) 34 87 91 52, – AE GB
fermé août, vacances de fév., lundi soir et mardi – **Repas** 220/360 et carte 250 à 490
Spéc. Foie gras chaud au caramel. Saint-Pierre au jus de carottes. Ris de veau en croûte de sel.

TREMEUR **22250** C.-d'Armor 59 ⑮ – 613 h alt. 62.

Paris 411 – ♦Rennes 59 – St-Malo 52 – Dinan 24 – Loudéac 52 – St-Brieuc 46.

Les Dineux, voie express N 12, sortie Trémeur ✆ 96 84 65 80, Fax 96 84 76 35, , – rest TV ☎ P. GB
fermé 22 fév. au 12 mars – **Repas** *(fermé sam. soir et dim. de sept. à juin)* 85/157, enf. 56 – ☐ 40 – **15 ch** 260/320 – ½ P 290.

TRÉMINIS **38710** Isère 77 ⑮ **G. Alpes du Nord** – 173 h alt. 900.

Voir Site★.

Paris 635 – Gap 73 – ♦Grenoble 69 – Monestier-de-Clermont 36 – La Mure 32 – Serres 57.

Alpes, à Château-Bas ✆ 76 34 72 94, – P. ✱ rest
fermé nov. – **Repas** 68/113 – ☐ 25 – **13 ch** 135/260 – ½ P 185/215.

TRÉMOLAT **24510** Dordogne 75 ⑯ **G. Périgord Quercy** – 625 h alt. 53.

Voir Belvédère de Racamadou★★ N : 2 km.

Paris 544 – Périgueux 50 – Bergerac 33 – Brive-la-Gaillarde 86 – Sarlat-la-Canéda 44.

✿ **Vieux Logis**, ✆ 53 22 80 06, Fax 53 22 84 89, ←, , « Jardin fleuri ouvert sur la campagne », – TV ☎ P – 60. AE GB JCB
fermé 15 janv. au 28 fév., mardi midi et merc. midi sauf du 15 juil. au 15 sept. – **Repas** 170 bc/390 et carte 250 à 400, enf. 85 – ☐ 95 – **19 ch** 740/1290, 5 appart – ½ P 752/1155
Spéc. Tarte minute aux cèpes. Grosse pomme de terre farcie aux ris de veau et à la truffe. "Millas" sarladais. Vins Bergerac, Monbazillac.

CITROEN Gar. Imbert, rte du Cingle ✆ 53 22 80 10

TRÉMONT-SUR-SAULX **55** Meuse 61 ⑩ – rattaché à Bar-le-Duc.

TRÉPASSÉS (Baie des) **29** Finistère 58 ⑬ – rattaché à Raz (Pointe du).

Le TRÉPORT 76470 S.-Mar. 52 ⑤ G. Normandie Vallée de la Seine (plan) – 6 227 h alt. 12 – Casino.
Voir Calvaire des Terrasses ←★.
Office de Tourisme Quai Sadi Carnot ☎ 35 86 05 69.
Paris 169 – ◆ Amiens 76 – Abbeville 35 – Blangy-sur-Bresle 24 – Dieppe 29 – ◆Rouen 91.

XX **Le Homard Bleu,** 45 quai François 1er ☎ 35 86 15 89, Fax 35 86 49 21 – AE ⓓ GB
fermé 20 déc. au 5 fév. – **Repas** 92/280 ♁.

XX **Le St-Louis,** 43 quai François 1er ☎ 35 86 20 70, Fax 35 50 67 10 – ▤. AE ⓓ GB JCB
fermé 15 nov. au 17 déc. – **Repas** 95/280 ♁.

RENAULT Gar. Moderne, 9 q. S.-Carnot ☎ 35 86 13 90

TRÉVOU-TRÉGUIGNEC 22660 C.-d'Armor 59 ① – 1 210 h alt. 56.
Paris 513 – St-Brieuc 62 – Guingamp 35 – Lannion 14 – Paimpol 27 – Perros-Guirec 12 – Tréguier 13.

Ker Bugalic ⛰, ☎ 96 23 72 15, Fax 96 23 74 71, ←, « Jardin fleuri » – TV ☎ P. GB.
rest
5 avril-fin sept. et vacances de Toussaint – **Repas** *(fermé mardi midi et lundi en avril, mai et sept.)* (prévenir) 105/250, enf. 58 – ☕ 35 – **18 ch** 250/415 – ½ P 335/390.

TRIEL-SUR-SEINE 78510 Yvelines 55 ⑲ 101 ① ② G. Île de France – 9 615 h alt. 20.
Voir Église St-Martin★.
Syndicat d'Initiative 157bis r. Paul Doumer ☎ 39 75 05 38.
Paris 42 – Mantes-la-Jolie 26 – Pontoise 16 – Rambouillet 53 – St-Germain-en-Laye 12 – Versailles 28.

X **St-Martin,** 2 r. Galande (face Poste) ☎ (1) 39 70 32 00, Fax (1) 39 74 30 34 – GB
fermé 5 au 25 août, dim. soir et merc. – **Repas** (nombre de couverts limité, prévenir) 95/195, enf. 50.

Sagros Heid, 1 r. du Pont ☎ (1) 39 70 60 29

TRIE-SUR-BAÏSE 65220 H.-Pyr. 85 ⑨ – 1 011 h alt. 240.
Paris 800 – Auch 49 – Lannemezan 25 – Mirande 24 – Tarbes 30.

Tour, ☎ 62 35 52 12, Fax 62 35 59 92, 🏖 – TV ☎ ✆. GB
Repas *(fermé lundi midi)* 67/105 ♁ – ☕ 30 – **11 ch** 170/250 – ½ P 220/230.

TRIGANCE 83840 Var 84 ⑥ ⑦ 114 ⑨ – 120 h alt. 800.
Paris 822 – Digne-les-Bains 73 – Castellane 20 – Comps-sur-Artuby 12 – Draguignan 43 – Grasse 71 – Manosque 86.

Château de Trigance ⛰, accès par voie privée ☎ 94 76 91 18, Fax 94 85 68 99, « Cadre médiéval, terrasse avec ← vallée et montagnes » – TV ☎ ✆ P. AE ⓓ GB
23 mars-11 nov. – **Repas** *(fermé merc. midi en mars et oct.)* 150 (déj.), 200/260 – ☕ 68 – **10 ch** 600/900 – ½ P 550/720.

XX **Le Vieil Amandier** ⛰ avec ch, ☎ 94 76 92 92, Fax 94 85 68 65, ←, 🏖, ⛱ – TV ☎ ♿ P. GB
6 avril-11 nov. – **Repas** 125/155, enf. 60 – ☕ 40 – **12 ch** 280/320 – ½ P 270/310.

La TRINITÉ-SUR-MER 56470 Morbihan 63 ⑫ G. Bretagne – 1 433 h alt. 20.
Voir Pont de Kerisper ←★.
Office de Tourisme Môle L.-Caradec ☎ 97 55 72 21, Fax 97 55 78 07.
Paris 485 – Vannes 30 – Auray 12 – Carnac 4,5 – Lorient 48 – Quiberon 23 – Quimperlé 63.

Le Rouzic, ☎ 97 55 72 06, Fax 97 55 82 25, ← – |♦| TV ☎ ✆. AE ⓓ GB
fermé 15 nov. au 15 déc., 1er au 15 janv., dim. soir et lundi de sept. à début juin – **Repas** 95/138 – ☕ 37 – **32 ch** 340/375 – ½ P 310/320.

XXX ✿ **L'Azimut** (Le Calvez), ☎ 97 55 71 88, Fax 97 55 80 15, ←, 🏖 – GB
Repas 95/215 et carte 190 à 240, enf. 50
Spéc. Terrine de chair de tourteau et d'araignée à la coriandre. Nage de filets de rougets au céleri et petits violets. Tarte chibouste tiède à la rhubarbe.

XX **Ostréa** avec ch, ☎ 97 55 73 23, Fax 97 55 86 43, ←, 🏖 – TV ☎. AE GB
28 mars-22 sept. et fermé mardi sauf juil.-août – **Repas** 128/195, enf. 60 – ☕ 42 – **8 ch** 290/360.

Les TROIS-ÉPIS 68410 H.-Rhin 62 ⑱ **G. Alsace Lorraine** – alt. 658.

Paris 483 – Colmar 14 – Gérardmer 45 – Munster 16 – Orbey 12.

Marchal, 89 49 81 61, Fax 89 78 90 48, ≤ forêt vosgienne et plaine d'Alsace, – TV P – 30. GB. rest
fermé 6 janv. au 1er fév. – **Repas** 100/260, enf. 50 – 50 – **40 ch** 490 – ½ P 340/420.

La Chêneraie sans rest, 89 49 82 34, Fax 89 49 86 70, parc – P. GB.
fermé 1er janv. au 2 fév. et merc. – 48 – **19 ch** 200/310.

Croix d'Or, 89 49 83 55, Fax 89 49 87 14, ≤, – TV P. GB
fermé 20 nov. au 20 déc. et mardi – **Repas** 70/190, enf. 50 – 35 – **12 ch** 180/290 – ½ P 190/240.

Villa Rosa, 89 49 81 19, Fax 89 78 90 45, ≤, chambres non fumeurs exclusivement, – GB.
fermé 2 janv. au 12 fév. et jeudi soir – **Repas** (dîner seul.) 95/100 – 48 – **9 ch** 290/340 – ½ P 283/313.

TRONÇAIS 03 Allier 69 ⑫ – ✉ 03360 St-Bonnet-Tronçais.

Voir Forêt de Tronçais★★★ – Étang de St-Bonnet★ NO : 4 km – Étang de Saloup★ S : 5 km, **G. Auvergne.**

Paris 311 – Moulins 56 – Bourges 61 – Montluçon 40 – St-Amand-Montrond 23.

Le Tronçais, 70 06 11 95, Fax 70 06 16 15, « Dans un parc au bord d'un étang », – TV P. GB. rest
15 mars-15 déc. et fermé dim. soir et lundi hors sais. – **Repas** 98/140, enf. 60 – 35 – **12 ch** 204/344 – ½ P 244/286.

TRONGET 03 Allier 69 ⑬ – 1 058 h alt. 460 – ✉ **03240** Le Montet.

Paris 365 – Moulins 27 – Bourbon-l'Archambault 23 – Montluçon 50.

Commerce, 70 47 12 95, Fax 70 47 32 53 – TV P. GB
Repas 70/170, enf. 40 – 30 – **11 ch** 195/280 – ½ P 240.

TROO 41800 L.-et-Ch. 64 ⑤ **G. Châteaux de la Loire** – 320 h alt. 60.

Voir La "butte" ★ – St-Jacques des Guérets : peintures murales★ de l'église S : 1 km.

Syndicat d'initiative (mars-oct.) 54 72 58 74.

Paris 197 – ♦Le Mans 62 – Château-du-Loir 33 – ♦Tours 50 – Vendôme 27.

Cheval Blanc M avec ch, r. A.-Arnault 54 72 58 22, Fax 54 72 55 44 – TV AE GB
fermé 4 au 22 nov. – **Repas** *(fermé mardi midi et lundi)* 120/280 – 35 – **9 ch** 270/360 – ½ P 300.

TROUVILLE-SUR-MER 14360 Calvados 55 ③ **G. Normandie Vallée de la Seine** – 5 607 h alt. 2 – Casino AY.

Voir Corniche ≤★ BX **B**.

de St-Gatien-Deauville 31 65 19 99, E : 9 km par D 74 BZ.

de Deauville-St-Gatien : 31 88 31 28, par D 74 : 7 km BZ.

Office de Tourisme 32 bd F.-Moureaux 31 88 36 19, Fax 31 88 63 06.

Paris 206 ③ – ♦Caen 47 ④ – ♦Le Havre 41 ③ – Lisieux 29 ③ – Pont-l'Évêque 11 ③.

Plan page ci-contre

Beach H., 1 quai Albert 1er 31 98 12 00, Fax 31 87 30 29, ≤, – TV – 40. AE GB. rest AY
fermé janv. – **Repas** 100/145, enf. 57 – 57 – **102 ch** 660, 8 appart.

Mercure M, pl. Foch 31 87 38 38, Fax 31 87 35 41, – TV – 25 à 80 AE GB AY
Repas *(fermé 15 nov. au 15 déc., dim. et lundi du 1er nov. au 31 mars)* 102/155, enf. 47 – 57 – **80 ch** 595/640.

Relais de la Cahotte sans rest, 11 r. V. Hugo 31 98 30 20, Fax 31 98 04 00 – TV AE GB AY
45 – **32 ch** 470.

Central, 158 bd F.-Moureaux 31 88 80 84, Fax 31 88 42 22, – TV – 25 AE GB AY
Repas brasserie 85/125 – 35 – **20 ch** 265/370.

Les Sablettes sans rest, 15 r. P.-Besson 31 88 10 66 – TV GB. AY
fermé 1er déc. au 31 janv. – 30 – **18 ch** 200/350.

Maison Normande sans rest, 4 pl. Mar. de Lattre de Tassigny 31 88 12 25 – TV GB JCB. AY
15 mars-30 sept., vacances de Toussaint et week-ends en hiver – 37 – **20 ch** 360/480.

Carmen, 24 r. Carnot 31 88 35 43, Fax 31 88 08 03 – TV AE GB. AY
fermé mi-janv. à mi-fév. – **Repas** *(fermé lundi soir et mardi)* 95/180, enf. 55 – 32 – **17 ch** 200/360 – ½ P 240/330.

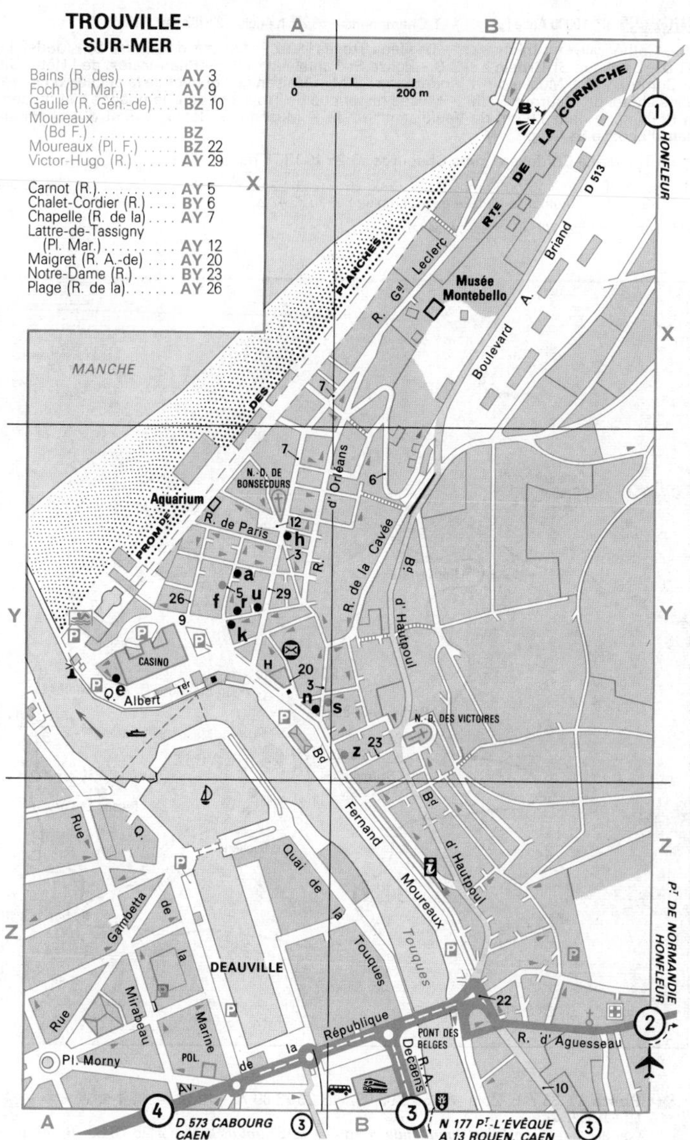

XX **La Régence,** 132 bd F. Moureaux ✆ 31 88 10 71 – AE ⓓ GB — BY **z**
fermé déc. et lundi sauf juil.-août – **Repas** 137/320.

X **Doult** avec ch, 4 r. Bains ✆ 31 88 10 27 – GB — ABY **s**
fermé 21 nov. au 10 déc. et lundi hors sais. sauf vacances scolaires – **Repas** 98/210 – ☕ 30 – **6 ch** 280/400 – ½ P 260/350.

X **La Petite Auberge,** 7 r. Carnot ✆ 31 88 11 07 – AE GB JCB — AY **f**
fermé 3 au 16 janv., mardi soir et merc. sauf vacances scolaires – **Repas** (prévenir) 110/240.

Don't use yesterday's maps for today's journey.

TROYES P 10000 Aube 61 ⑯ ⑰ G. Champagne – 59 255 h Agglo. 122 763 h alt. 113.

Voir Cathédrale★★ : trésor★ CY – Le vieux Troyes★★ BZ – Jubé★★ de l'église Ste-Madeleine BZ **D** – Basilique St-Urbain★ BYZ **B** – Église St-Pantaléon★ BZ **E** – Pharmacie★ de l'Hôtel-Dieu-le-Comte CY **M**[4] – Musée d'Art Moderne★★ CY **M**[5] – Maison de l'outil et de la pensée ouvrière★ dans l'hôtel de Mauroy★ BZ **M**[2] – Musée historique de Troyes et de Champagne★ et musée de la Bonneterie dans l'hôtel de Vauluisant★ BZ **M**[1] – Musée des Beaux-Arts et d'Archéologie dans l'abbaye St-Loup CY **M**[3].

18 de Troyes-La Cordelière, près Chaource ✆ 25 40 18 76 par ④ : 31 km.

Office de Tourisme 16 bd Carnot ✆ 25 73 00 36, Fax 25 73 06 81 et 24 quai Dampierre (juil.-15 sept.) ✆ 25 73 42 28 – Automobile Club 24 quai Dampierre ✆ 25 73 42 28.

Paris 179 ⑦ – ◆Dijon 179 ④ – ◆Nancy 184 ②.

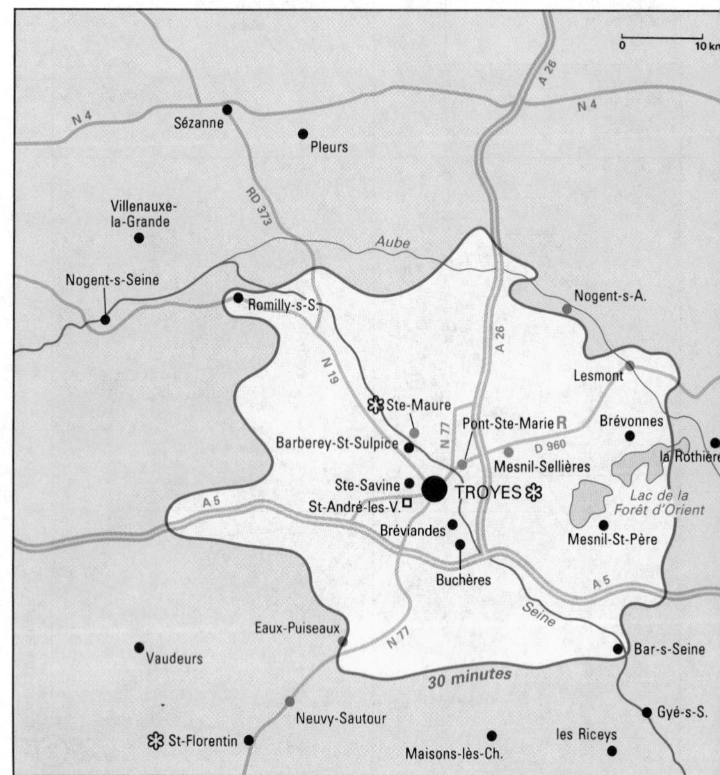

Poste M, 35 r. E. Zola ✆ 25 73 05 05, Fax 25 73 80 76 – rest – 30. AE GB JCB BZ
voir aussi rest. ***La Table Gourmande*** ci-après - ***Le Bistrot de la Mer*** ✆ 25 73 80 78, produits de la mer *(fermé août, sam. midi et lundi)* **Repas** 85 (déj.), 95/145, – ***Le Carpaccio*** ✆ 25 73 0 05 **Repas** 59/79, enf. 38 – 55 – **28 ch** 455/570.

Relais St-Jean M sans rest, 51 r. Paillot de Montabert ✆ 25 73 89 90, Fax 25 73 88 60 – P. AE GB JCB BZ
55 – **22 ch** 430/650.

Le Champ des Oiseaux M sans rest, 20 r. Linard Gonthier ✆ 25 80 58 50, Fax 25 80 98 34 – AE GB. CY
fermé 30 janv. au 10 fév. – 50 – **12 ch** 400/750.

Royal H., 22 bd Carnot ✆ 25 73 19 99, Fax 25 73 47 85 – AE GB BZ
fermé 20 déc. au 12 janv. – **Repas** *(fermé dim. soir et lundi midi)* 99/195, enf. 70 – 40 **37 ch** 275/500 – ½ P 295.

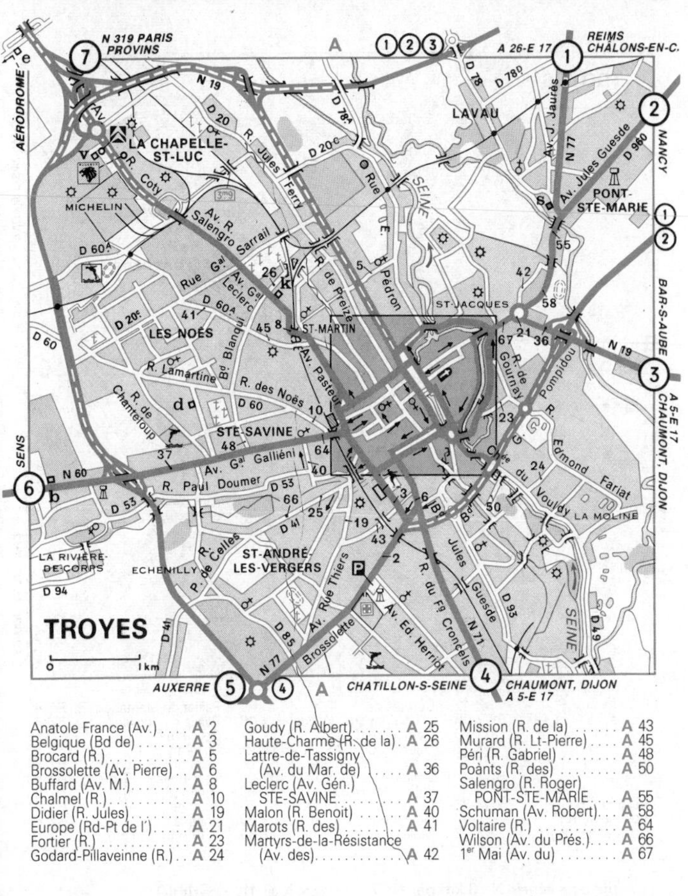

Anatole France (Av.) . . . . A 2
Belgique (Bd de) . . . . A 3
Brocard (R.) . . . . A 5
Brossolette (Av. Pierre) . . A 6
Buffard (Av. M.) . . . . A 8
Chalmel (R.) . . . . A 10
Didier (R. Jules) . . . . A 19
Europe (Rd-Pt de l') . . . . . A 21
Fortier (R.) . . . . A 23
Godard-Pillaveinne (R.) . . A 24
Goudy (R. Albert) . . . . A 25
Haute-Charme (R. de la) . A 26
Lattre-de-Tassigny (Av. du Mar. de) . . . . A 36
Leclerc (Av. Gén.) STE-SAVINE . . . . A 37
Malon (R. Benoit) . . . . A 40
Marots (R. des) . . . . A 41
Martyrs-de-la-Résistance (Av. des) . . . . A 42
Mission (R. de la) . . . . . . A 43
Murard (R. Lt-Pierre) . . . . A 45
Péri (R. Gabriel) . . . . A 48
Poànts (R. des) . . . . A 50
Salengro (R. Roger) PONT-STE-MARIE . . . . A 55
Schuman (Av. Robert) . . . A 58
Voltaire (R.) . . . . A 64
Wilson (Av. du Prés.) . . . . A 66
1er Mai (Av. du) . . . . A 67

de Troyes sans rest, 168 av. Gén. Leclerc ✆ 25 71 23 45, Fax 25 79 12 14 – TV ☎ ✆ ♿ P. AE GB JCB — A **k**
☕ 32 – **23 ch** 250/290.

XXX ✿ **Le Clos Juillet** (Colin), 22 bd 14 Juillet ✆ 25 73 31 32, Fax 25 73 98 59, 斧 – AE GB — CZ **h**
fermé 16 au 23 août, 12 au 26 fév., dim. soir et lundi – **Repas** 110 (déj.), 155/194 et carte 240 à 320
Spéc. Gelée de queue de boeuf au foie gras. Filet de turbot à la bière et oignons frits. Gâteau au chocolat coulant.

XXX **La Table Gourmande** - Hôtel Poste, 3 r. R. Poincaré ✆ 25 73 84 37, Fax 25 73 80 76 – ▤. AE GB — BZ **a**
fermé dim. soir et lundi sauf fériés – **Repas** 120/240 et carte 210 à 350.

XX **Le Bourgogne,** 40 r. Gén. de Gaulle ✆ 25 73 02 67 – ▤. GB — BY **f**
fermé 28 juil. au 26 août, lundi soir et dim. sauf fériés le midi – **Repas** 170.

XX **Le Valentino,** cour Rencontre (près H. de Ville) ✆ 25 73 14 14, Fax 25 73 74 04, 斧 – AE ⓓ GB — BZ **s**
fermé 15 août au 6 sept., dim. soir et lundi – **Repas** 160/360.

XX **Le Vivien,** 7 pl. St-Rémy ✆ 25 73 70 70, 斧 – AE GB — BY **p**
fermé 2 au 15 sept., 3 au 16 fév., dim. soir et lundi – **Repas** 105/160.

XX **Le Café de Paris,** 63 r. Gén. de Gaulle ✆ 25 73 08 30, Fax 25 73 58 18 – GB — BYZ **u**
fermé 4 au 26 août, 19 fév. au 5 mars, dim. soir et lundi – **Repas** 109/245.

X **Le Chanoine Gourmand,** 32 r. Cité ✆ 25 80 42 06, Fax 25 80 92 00, 斧 – AE GB — CY **r**
fermé dim. soir – **Repas** 110/250.

X **Les Matines,** 53 r. Simart ✆ 25 76 03 82, Fax 25 81 06 98 – AE GB — CY **m**
fermé dim. soir et lundi – **Repas** 140/240.

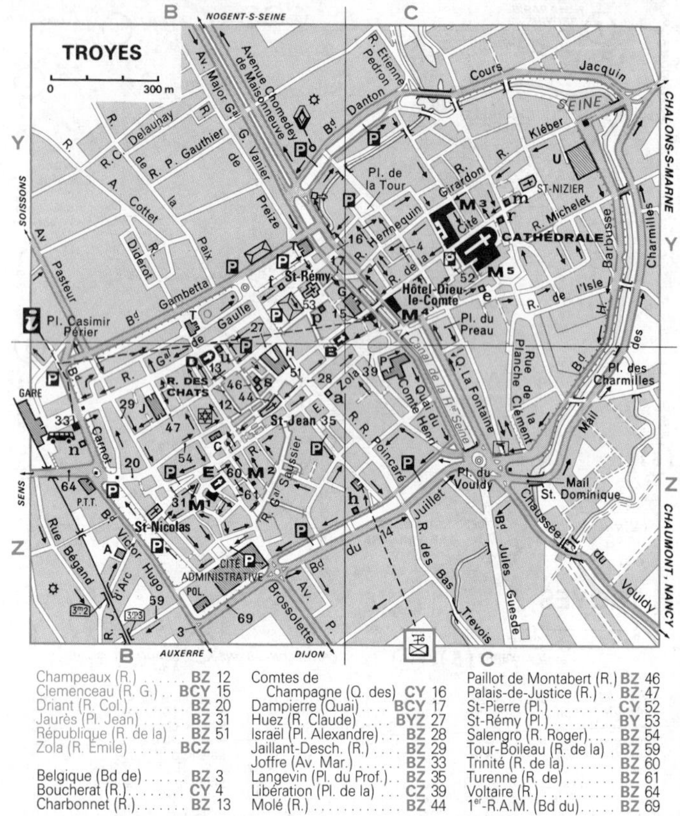

Champeaux (R.) ...... BZ 12
Clemenceau (R. G.) .. BCY 15
Driant (R. Col.) .... BZ 20
Jaurès (Pl. Jean) .... BZ 31
République (R. de la) .. BZ 51
Zola (R. Emile) .... BCZ

Belgique (Bd de) ...... BZ 3
Boucherat (R.) .... CY 4
Charbonnet (R.) .... BZ 13
Comtes de Champagne (Q. des) CY 16
Dampierre (Quai) .... BCY 17
Huez (R. Claude) .... BYZ 27
Israël (Pl. Alexandre) ... BZ 28
Jaillant-Desch. (R.) .... BZ 29
Joffre (Av. Mar.) ...... BZ 33
Langevin (Pl. du Prof.) .. BZ 35
Libération (Pl. de la) ... CZ 39
Molé (R.) .... BZ 44
Paillot de Montabert (R.) BZ 46
Palais-de-Justice (R.) .. BZ 47
St-Pierre (Pl.) .... CY 52
St-Rémy (Pl.) .... BY 53
Salengro (R. Roger) .... BZ 54
Tour-Boileau (R. de la) . BZ 59
Trinité (R. de la) .... BZ 60
Turenne (R. de) .... BZ 61
Voltaire (R.) .... BZ 64
1er-R.A.M. (Bd du) ..... BZ 69

à Pont-Ste-Marie N : 3 km par N 77 - A – 4 856 h. alt. 110 – ✉ **10150** :

✗ **Bistrot DuPont,** 5 pl. Ch. de Gaulle ✆ 25 80 90 99 – ▤. AE GB — A
fermé merc. soir – Repas 88/150, enf. 70.

à Ste-Maure N : 7 km par D 78 – 1 218 h. alt. 111 – ✉ **10150** :

✗✗✗ ✿ **Aub. de Ste-Maure,** ✆ 25 76 90 41, Fax 25 80 01 55, 🏖, « En bordure de rivière » P. AE GB
fermé dim. soir et lundi – **Repas** 105/160 et carte 220 à 360
Spéc. Terrine de confit de canard à la gelée de vin rouge. Andouillette de Troyes au beurre de Chaource. Pain perdu c pain d'épices aux poires.

à Mesnil-Sellières par ②, D 960 : 11 km – 370 h. alt. 171 – ✉ **10220** :

✗ **La Clef des Champs,** ✆ 25 80 65 62, 🏖 – P. AE GB
fermé 6 au 20 janv., vacances de fév., dim. soir et lundi sauf fériés – **Repas** (week-en prévenir) 78/200.

au Golf de la Forêt d'Orient par ②, Rouilly, puis rte de Géraudot : 19 km – ✉ **10220** Piney

Holiday Inn Forêt d'Orient M ⛰, ✆ 25 43 80 80, Fax 25 41 57 58, 🏖, « En forêt, a bord du golf » – 🛗 ⅹ TV ☎ ♿ P – 🏛 80. AE ① GB JCB
Repas 133, enf. 57 – ☕ 55 – **58 ch** 420/500, 25 duplex.

à Bréviandes par ④ : 5 km – 1 687 h. alt. 117 – ✉ **10450** :

Pan de Bois ⛰, ✆ 25 75 02 31, Fax 25 49 67 84, 🏖 – TV ☎ ♿ P – 🏛 40. GB ✻ ch
fermé lundi (sauf hôtel) et dim. soir – ***Grill :*** **Repas** 87/160 🍷, enf. 56 – ☕ 35 – **31 ch** 240/28

à Buchères par ④ : 7 km – 1 328 h. alt. 117 – ✉ **10800** :

Campanile, ✆ 25 49 67 67, Fax 25 75 15 97, – TV ☎ & P – 25. AE GB
Repas 84 bc/107 bc, enf. 39 – ☕ 32 – **54 ch** 270.

à St-André-les-Vergers par ⑤ : 5 km – 11 329 h. alt. 112 – ✉ **10120** :

Les Épingliers sans rest, 180 rte d'Auxerre ✆ 25 75 05 99, Fax 25 75 32 22 – TV ☎ P. AE GB.
fermé 5 au 18 août et 21 déc. au 1er janv. – ☕ 30 – **15 ch** 205/250.

à Ste-Savine O : 3 km vers ⑥ – 9 495 h. alt. 116 – ✉ **10300** :

Chantereigne sans rest, 128 av. Gén. Leclerc (N 60) ✆ 25 74 89 35, Fax 25 74 47 78 – TV ☎ & P. GB A **b**
fermé 26 déc. au 2 janv. – ☕ 35 – **30 ch** 250/280.

Motel Savinien, 87 r. Fontaine ✆ 25 79 24 90, Fax 25 78 04 61, – cuisinette P – 30. GB A **d**
Repas *(fermé 22 déc. au 8 janv., dim. sauf le soir du 1er juil. au 30 sept. et sam. midi)* 78/130 – ☕ 32 – **60 ch** 200/230 – ½ P 206.

à Barberey-St-Sulpice par ⑦ : 5 km – 654 h. alt. 100 – ✉ **10600** :

Novotel M, ✆ 25 74 59 95, Télex 840759, Fax 25 78 05 73, – TV ☎ & P – 30 à 60. AE GB JCB A **e**
Repas carte environ 150, enf. 50 – ☕ 49 – **83 ch** 410/460.

FORD Est Autom., 19 bd Danton ✆ 25 80 02 70
RENAULT Star, 15 bd Danton BY ✆ 25 80 02 87 N ✆ 25 75 99 71
VAG Gar. Scala, 20 bd Pompidou ✆ 25 81 36 30 N ✆ 25 80 50 64

Euromaster, 11 r. de la Paix ✆ 25 73 35 24
Gar. Devliegher, 8 bd V.-Hugo ✆ 25 73 19 94
Rémy Pneus, 94 Mail Charmilles ✆ 25 81 04 10

Périphérie et environs

BMW Gar. Sud-Autom., 132 bd de Dijon à St-Julien-les-Villas ✆ 25 82 03 76
CITROEN La Cité de l'Auto, N 19 à La Chapelle-St-Luc A ✆ 25 74 46 98
MERCEDES,NISSAN Gar. Craeye, 50 av. Martyrs du 24 Août à Buchères ✆ 25 71 37 00 N ✆ 05 24 24 30
OPEL Girost Autom., r. St-Aventin à Creney ✆ 25 81 26 26

PEUGEOT Gar. de l'Aube, N 19 à La Chapelle-St-Luc A ✆ 25 79 09 56 N ✆ 25 41 12 60
Gar. David, rte d'Auxerre à Rosières ✆ 25 75 69 50

Sovic Guiguet-Point S, N 77 rte d'Auxerre à St-Germain ✆ 25 75 68 54

TULLE P 19000 Corrèze 75 ⑨ G. Berry Limousin – 17 164 h alt. 210.

Voir Maison de Loyac★ B **B** – Clocher★ de la cathédrale B **D.**

Env. Ste-Fortunade : chef reliquaire★ dans l'église 9 km par ③.

18 du Coiroux ✆ 55 27 25 66, S : 14 km par ③.

Office de Tourisme 2 pl. Emile Zola ✆ 55 26 59 61.

Paris 484 ① – Brive-la-Gaillarde 28 ⑤ – Aurillac 83 ③ – ◆Clermont-Ferrand 140 ② – Guéret 135 ① – ◆Limoges 87 ① – Périgueux 102 ⑤.

Plan page suivante

Gare, 25 av. W. Churchill ✆ 55 20 04 04, Fax 55 20 15 87 – TV ☎. GB A **k**
fermé 1er au 15 sept. – **Repas** 88/140, enf. 50 – ☕ 33 – **13 ch** 160/230 – ½ P 260.

Royal sans rest, 70 av. V. Hugo ✆ 55 20 04 52, Fax 55 20 93 63 – TV ☎ P. AE GB. A **e**
☕ 30 – **14 ch** 150/260.

Bon Accueil, 10 r. Canton ✆ 55 26 70 57 – ☎. AE GB. rest B **y**
fermé 15 au 21 avril, 23 déc. au 2 janv., 12 au 19 fév., sam. soir et dim. – **Repas** 75/140, enf. 45 – ☕ 30 – **13 ch** 150/170 – ½ P 160/180.

XXX **Central,** 32 r. J. Jaurès (1er étage) ✆ 55 26 24 46 – . GB AB **a**
fermé dim. soir et sam. – **Repas** 130/280 et carte 210 à 310.

XX **Toque Blanche** avec ch, pl. M. Brigouleix ✆ 55 26 75 41, Fax 55 20 93 95 – rest TV ☎. AE GB B **z**
fermé 1er au 12 juil., 1er au 10 fév., dim. soir et lundi hors sais. sauf fêtes – **Repas** 120/200, enf. 50 – ☕ 28 – **8 ch** 160/200 – ½ P 290.

CITROEN Gar. Bru, r. A.-Audubert par ③ ✆ 55 26 18 82 N ✆ 55 26 61 41
FORD Gar. Carles, rte de Brive ✆ 55 29 91 11
OPEL MERCEDES Gar. de l'Oasis rte de Brive ✆ 55 20 10 61 N ✆ 55 20 10 61
PEUGEOT Gar. Bigeargeas, rte de Naves par av. Poincare B ✆ 55 29 99 99 N ✆ 55 21 93 14

RENAULT Tulle Autom., Cueille rte de Brive par ⑤ ✆ 55 29 96 96 N ✆ 55 21 91 33
VAG Gar. de St-Adrian, ZI Est ✆ 55 20 03 31

Cammas Vidalie, 3 av. Alsace-Lorraine ✆ 55 20 06 48

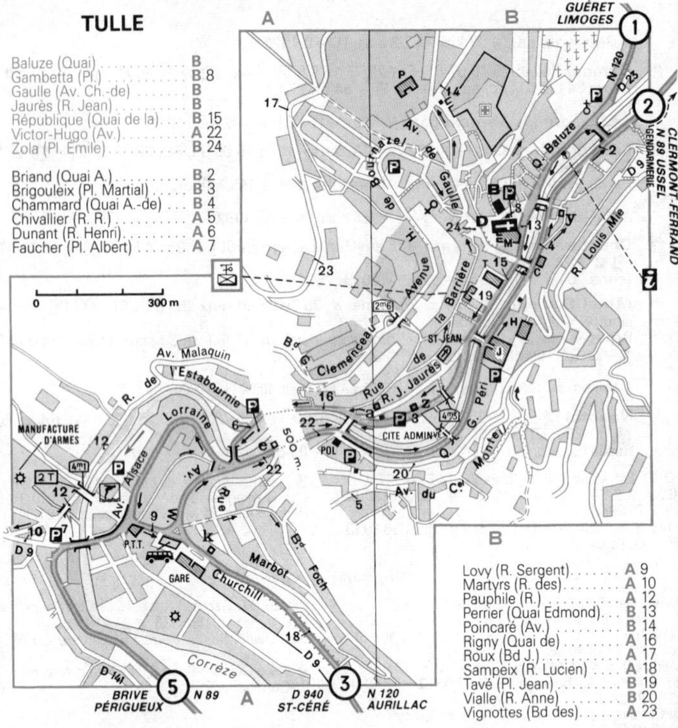

Le località sottolineate in rosso sulle carte stradali Michelin in scala 1/200 000 figurano in questa guida.

Approfittate di questa informazione, utilizzando una carta di edizione recente.

TULLINS **38210** Isère 77 ④ – 6 269 h alt. 223.

18 de St Quentin-s-Isère ☎ 76 93 67 28, E : 5 km par D 45.

Paris 552 – ◆Grenoble 30 – Bourgoin-Jallieu 43 – La Côte-St-André 27 – St-Marcellin 23 – Voiron 12.

Aub. de Malatras, S : 2 km sur N 92 ☎ 76 07 02 30, Fax 76 07 76 48, – ☎ P – 25. GB
fermé dim. soir – **Repas** 105/480, enf. 75 – ☕ 40 – **19 ch** 180/290 – ½ P 265/295.

OPEL Gar. de la Plaine, ☎ 76 07 03 67
PEUGEOT Gar. Penon, ☎ 76 07 01 25
RENAULT Gar. Baboulin, ☎ 76 07 02 74
VAG Gar. Sporting, ☎ 76 07 73 88

TUNNEL SOUS LA MANCHE voir à Calais.

La TURBALLE **44420** Loire-Atl. 63 ⑭ **G. Bretagne** – 3 587 h alt. 6.

Office de Tourisme pl. de Gaulle ☎ 40 23 32 01.

Paris 461 – ◆Nantes 84 – La Baule 14 – Guérande 7 – La Roche-Bernard 30 – St-Nazaire 26.

Les Chants d'Ailes, 11 bd Bellanger ☎ 40 23 47 28, ← – TV ☎ P. GB
fermé 20 nov. au 20 déc., dim. soir et lundi d'oct. à avril – **Repas** 80/230 – ☕ 32 – **17 ch** 240/340 – ½ P 222/272.

Terminus, quai St-Paul ☎ 40 23 30 29, Fax 40 11 84 44, ← – AE GB
fermé 15 janv. au 15 fév., dim. soir et lundi sauf juil.-août et fériés – **Repas** 95/196.

L'Horizon, quai St-Paul ☎ 40 23 32 59, Fax 40 23 47 18, ← – GB
fermé 15 nov. au 12 déc., lundi soir et mardi du 1er sept. au 30 juin – **Repas** 85/270, enf. 50.

Le Chaudron, rte Guérande 1,5 km ☎ 40 23 32 52, Fax 40 62 83 38, – GB
fermé 13 nov. au 13 déc., mardi soir et merc. sauf juil.-août – **Repas** 85/170.

RENAULT Gar. Pereon, ZA la Marjolaine ☎ 40 23 35 16 N ☎ 40 23 35 16
Gar. Palais, r. de la Frégate ☎ 40 23 32 23

TURCKHEIM 68230 H.-Rhin 62 ⑱ ⑲ G. Alsace Lorraine (plan) – 3 567 h alt. 225.
Office de Tourisme pl. Turenne ✆ 89 27 38 44, Fax 89 80 83 22.
aris 485 – Colmar 6 – Gérardmer 45 – Munster 12 – St-Dié 54 – le Thillot 66.

Aux Portes de la Vallée Ⓢ, 29 r. Romaine ✆ 89 27 27 15, Fax 89 27 40 71, 斋 – 🛗 TV ☎ 📞 ♿ P. GB. ⌘ rest
Repas *(fermé dim. soir)* (½ pens. seul.) 🍷 – ☕ 35 – **16 ch** 180/400 – ½ P 215/325.

Berceau du Vigneron sans rest, pl. Turenne ✆ 89 27 23 55, Fax 89 27 47 21 – ☎ P. GB. ⌘
1er mars-31 oct. – ☕ 30 – **16 ch** 210/380.

A l'Homme Sauvage, 19 Grand'rue ✆ 89 27 56 15 – GB
fermé 21 au 28 déc., vacances de fév. et dim. soir et jeudi – **Repas** 105 (déj.), 155/235, enf. 75.

EUGEOT Gar. Bertrand, ✆ 89 27 00 56 N ✆ 89 27 22 11

TURENNE 19500 Corrèze 75 ⑧ G. Périgord Quercy – 740 h alt. 350.
Voir Site★ du château et ✳★★ de la tour de César.
Env. Collonges-la-Rouge : village★★ E : 10 km.
Syndicat d'Initiative (juin-sept.) ✆ 55 85 91 24.
aris 504 – Brive-la-Gaillarde 16 – Cahors 89 – Figeac 75.

Maison des Chanoines Ⓢ avec ch, ✆ 55 85 93 43, 斋, « Maison du 16e siècle » – GB
1er mars-15 nov. et fermé mardi soir et merc. sauf juil.-août – **Repas** (nombre de couverts limité, prévenir) 100 (déj.), 140/195 – ☕ 35 – **3 ch** 300/370 – ½ P 340/390.

TURINI (Col de) 06440 Alpes-Mar. 84 ⑲ 115 ⑰ G. Côte d'Azur.
Voir Forêt de Turini★★ – Monument aux Morts ✳★ NE : 4 km.
Env. Pointe des 3-Communes ✳★★ NE : 6,5 km – Pierre Plate ✳★★ S : 7 km – Cime de Peira Cava ✳★★ S : 8,5 km puis 30 mn.
aris 898 – L'Escarène 26 – ◆Nice 47 – Roquebillière 14 – St-Martin-Vésubie 23 – Sospel 23.

Trois Vallées Ⓢ, ✆ 93 91 57 21, Fax 93 79 53 62, ≤, 斋 – TV ☎ P. AE ⓓ GB
Repas 125 (déj.), 158/320, enf. 75 – ☕ 48 – **20 ch** 370/600 – ½ P 370/485.

Les Chamois Ⓢ, ✆ 93 91 57 42, ≤, 斋 – TV ☎ P. AE ⓓ GB
fermé 15 au 31 mars et 15 au 30 nov. – **Repas** *(fermé jeudi soir et vend. sauf vacances scolaires et sept.)* 65/140 🍷, enf. 40 – ☕ 38 – **11 ch** 280/340 – ½ P 255/285.

TURRIERS 04250 Alpes-de-H.-P. 81 ⑥ – 276 h alt. 1040.
aris 709 – Gap 35 – Digne-les-Bains 65 – Sisteron 38.

Roche Cline Ⓢ, ✆ 92 55 11 38, Fax 92 55 11 75, ≤, 🏊, 🌳 – TV ☎ P. GB. ⌘
fermé 20 déc. au 8 janv., dim. soir et lundi du 15 sept. au 15 juin – **Repas** 80/120, enf. 55 – ☕ 30 – **20 ch** 190/250 – ½ P 250.

TY-SANQUER 29 Finistère 58 ⑮ – rattaché à Quimper.

UCHACQ-ET-PARENTIS 40 Landes 78 ⑥ – rattaché à Mont-de-Marsan.

Les ULIS 91 Essonne 60 ⑩, 101 ㉝ – voir à Paris, Environs.

UNAC 09 Ariège 86 ⑮ – rattaché à Ax-les-Thermes.

L'UNION 31 H.-Garonne 82 ⑧ – rattaché à Toulouse.

UNTERMUHLTHAL 57 Moselle 57 ⑱ – rattaché à Baerenthal.

URÇAY 03360 Allier 69 ⑪ ⑫ – 294 h alt. 169.
aris 304 – Moulins 66 – La Châtre 55 – Montluçon 33 – St-Amand-Montrond 15.

Étoile d'Or avec ch, ✆ 70 06 92 66, Fax 70 06 92 77 – P. GB. ⌘ ch
fermé fév., dim. soir et merc. – **Repas** 65/160 🍷 – ☕ 26 – **6 ch** 135/200 – ½ P 195.

URCEL 02000 Aisne 56 ⑤ – 502 h alt. 153.
aris 127 – ◆Reims 70 – Fère-en-Tardenois 42 – Laon 11 – Soissons 24 – Vailly-sur-Aisne 12.

Host. de France, rte Nationale ✆ 23 21 60 08 – P. GB
fermé 22 juil. au 9 août, vacances de fév., mardi soir et merc. – **Repas** 130/165.

URCUIT 64990 Pyr.-Atl. 85 ③ – 1 688 h alt. 32.
aris 767 – Biarritz 26 – ◆Bayonne 14 – Dax 43 – Orthez 58 – Pau 100.

Au Goût des Mets, NO : 4 km sur D 261 ✆ 59 42 95 64, 斋 – ▤ P. GB
fermé vacances de fév., dim. soir et merc. hors sais. – **Repas** 70 (déj.), 103/152, enf. 45.

URDOS 64490 Pyr.-Atl. 85 ⑯ – 162 h alt. 780.
Env. Col du Somport★★ SE : 14 km, **G. Pyrénées Aquitaine.**
aris 865 – Pau 77 – Jaca 46 – Oloron-Ste-Marie 41.

Voyageurs-Somport, ✆ 59 34 88 05, Fax 59 34 86 74, 🌳 – ☎. GB
fermé nov. – **Repas** 68/150, enf. 50 – ☕ 28 – **41 ch** 160/250 – ½ P 180/220.

URIAGE-LES-BAINS 38410 Isère 77 ⑤ **G. Alpes du Nord** – alt. 414 – Stat. therm. (avril-nov.).
Voir Forêt de Prémol★ SE : 5 km par D 111.
de Grenoble ✆ 76 89 03 47, S : 1 km par D 524.
Office de Tourisme pl. Déesse Hygié ✆ 76 89 10 27, Fax 76 89 26 68.
Paris 589 – ◆Grenoble 12 – Vizille 9.

Grand Hôtel Ⓜ, ✆ 76 89 10 80, Fax 76 89 04 62, ≤, 🏞, ₺, 🏊 – 🛗 📺 ☎ 🅿. AE ⓓ GB
fermé janv. – **Repas** *(fermé sam. midi, dim. soir et lundi d'oct. à juin)* 185 (déj.), 255/360 – ☕ 65 – **44 ch** 385/540 – ½ P 445/518.

Les Mésanges 🕊, rte St-Martin-d'Uriage et rte Bouloud : 1,5 km ✆ 76 89 70 69, Fax 76 89 56 97, ≤, 🏞, 🏊, 🌳 – 📺 ☎ 🅿. AE GB. ✻
1er mai-20 oct., vacances de fév. et week-ends du 1er fév. à Pâques – **Repas** *(fermé mardi soir)* 80/240 🍷, enf. 50 – ☕ 38 – **39 ch** 250/290 – P 250/320.

Le Manoir, ✆ 76 89 10 88, Fax 76 89 20 63, 🏞 – 📺 ☎ 🅿. GB
fermé 15 nov. au 15 fév., dim. soir et lundi en fév., mars et nov. – **Repas** 75/230 🍷, enf. 55 – ☕ 35 – **15 ch** 135/360 – P 240/370.

URMATT 67280 B.-Rhin 62 ⑧ ⑨ – 1 243 h alt. 240.
Voir Église★ de Niederhaslach NE : 3 km, **G. Alsace Lorraine.**
Paris 484 – ◆Strasbourg 39 – Molsheim 13 – Saverne 35 – Sélestat 40 – Wasselonne 21.

Clos du Hahnenberg et rest. Chez Jacques Ⓜ, ✆ 88 97 41 35, Fax 88 47 36 51, ₺, 🏊, 🎾 – 🛗 📺 ☎ ♿ 🅿 – 🏛 25. AE GB
Repas 57 (déj.), 78/198 🍷, enf. 42 – ☕ 38 – **43 ch** 190/317 – ½ P 213/293.

Poste, ✆ 88 97 40 55, Fax 88 47 38 32, 🌳 – ▤ rest 📺 ☎ 📞 🅿. AE ⓓ GB. ✻ ch
fermé 11 au 25 mars, 1er au 15 juil., 23 au 31 déc. et lundi – **Repas** 100/350 🍷 – ☕ 38 – **13 ch** 190/240 – ½ P 240/270.

A la Chasse avec ch, ✆ 88 97 42 64, Fax 88 97 56 23 – 📺 ☎ 📞 🚗 🅿. GB
fermé fév. et vend. – **Repas** 48 (déj.), 70/130 🍷 – ☕ 30 – **9 ch** 150/210 – ½ P 185/200.

URRUGNE 64122 Pyr.-Atl. 85 ② **G. Pyrénées Aquitaine** – 6 098 h alt. 34.
Paris 798 – Biarritz 21 – ◆Bayonne 26 – Hendaye 8,5 – San Sebastián 30.

Chez Maïté, ✆ 59 54 30 27 – AE GB
fermé janv., dim. soir hors sais. et lundi – **Repas** 95/130, enf. 65.

URT 64270 Pyr.-Atl. 78 ⑱ – 1 583 h alt. 41.
Paris 762 – Biarritz 29 – ◆Bayonne 16 – Cambo-les-Bains 28 – Pau 95 – Peyrehorade 27 – Sauveterre-de-Béarn 42.

✿✿ **Aub. de la Galupe** (Parra), au port de l'Adour ✆ 59 56 21 84, Fax 59 56 28 66 – ▤. AE GB
fermé 15 janv. à fin fév., dim. soir de sept. à juin et lundi – **Repas** (nombre de couverts limité prévenir) 245/360 et carte 290 à 390
Spéc. Ttoro glacé de langoustines et crème caillée aux pêches. Saumon sauvage de l'Adour (15 mars à fin juil.). Boudin noir et travers de cochon grillé au citron blanchi. **Vins** Irouleguy, Jurançon.

URY 77 S.-et-M. 61 ⑪ ⑫ – rattaché à Fontainebleau.

USCLADES-ET-RIEUTORD 07510 Ardèche 76 ⑱ – 123 h alt. 1270.
Paris 591 – Le Puy-en-Velay 47 – Aubenas 48 – Langogne 41 – Privas 59 – Thueyts 36.

à Rieutord :

Ferme de la Besse, ✆ 75 38 80 64, « Authentique ferme du XVe siècle » – 🅿
1er avril-30 nov. – **Repas** (prévenir) 145/170.

USSAC 19 Corrèze 75 ⑧ – rattaché à Brive-La-Gaillarde.

USSEL SP 19200 Corrèze 73 ⑪ **G. Berry Limousin** – 11 448 h alt. 631.
Office de Tourisme pl. Voltaire ✆ 55 72 11 50.
Paris 452 – Aurillac 99 – ◆Clermont-Ferrand 82 – Guéret 103 – Tulle 58.

Gd H. Gare, av. P. Sémard (près gare) ✆ 55 72 25 98, Fax 55 96 25 63 – 📺 ☎ 📞 🅿. GB
fermé vacances de fév., 15 au 30 sept. (sauf hôtel), dim. soir et lundi – **Repas** 95/170, enf. 50 – ☕ 30 – **17 ch** 210/250 – ½ P 240/250.

CITROEN N.G.A., 6 rte de Clermont ✆ 55 46 14 14
FIAT, LANCIA Gar. du Centre, 5 r. A.-Chavagnac ✆ 55 72 11 54
PEUGEOT Gar. du Collège, N 89 Eybrail ✆ 55 96 10 68
RENAULT Ussel Autom., N 89 Eybrail ✆ 55 72 40 11 N ✆ 55 72 40 11
VAG Gar. Saunière, 23 bd Dr-Goudounèche ✆ 55 72 12 66
Gar. Salagnac, 56 av. Gén.-Leclerc ✆ 55 96 23 23
Euromaster, 61 av. Gén.-Leclerc ✆ 55 72 15 83
Techni Pneus, 24 r. Gambetta ✆ 55 72 59 76

USSON-EN-FOREZ 42550 Loire 76 ⑦ **G. Vallée du Rhône** – 1 265 h alt. 925.
Paris 523 – ◆St-Étienne 49 – Ambert 34 – Montbrison 45 – Le Puy-en-Velay 51 – St-Bonnet-le-Château 14.

Rival, ✆ 77 50 63 65, 🏞 – ☎. AE ⓓ GB
fermé 17 au 30 juin et lundi sauf juil.-août – **Repas** 68/240 🍷 – ☕ 26 – **10 ch** 140/290 ½ P 165/224.

RENAULT Gar. Colombet, ✆ 77 50 60 53

STARITZ 64480 Pyr.-Atl. 85 ② – 4 263 h alt. 14.

ris 784 – Biarritz 15 – ♦Bayonne 12 – Cambo-les-Bains 8 – Pau 119 – St-Jean-de-Luz 25.

XX **La Patoula** avec ch, ✆ 59 93 00 56, Fax 59 93 16 54, « Terrasse en bordure de rivière », – TV ☎ ♿ P. GB
fermé 5 janv. au 9 fév. – **Repas** *(fermé lundi sauf le soir en été et dim. soir hors sais.)* 140/250, enf. 90 – ☕ 60 – **9 ch** 350/500 – ½ P 370/440.

NAULT Gar. Etchegaray, à Larressore ✆ 59 93 04 37 N ✆ 59 29 80 02

ZERCHE 19140 Corrèze 75 ⑧ **G. Berry Limousin** (plan) – 2 813 h alt. 380.

oir Ste-Eulalie ≤★ E : 1 km.

Office de Tourisme pl. Lunade (avril-oct.) ✆ 55 73 15 71.

is 453 – Brive-la-Gaillarde 34 – Aubusson 96 – Bourganeuf 80 – Limoges 56 – Périgueux 89 – Tulle 30.

Teyssier, r. Pont Turgot ✆ 55 73 10 05, Fax 55 98 43 31 – TV ☎ P. AE ⓓ GB JCB
fermé début déc. à fin janv. et merc. sauf le soir de mi-juil. à mi-sept. – **Repas** 110/280, enf. 63 – ☕ 39 – **17 ch** 150/360 – ½ P 260/360.

à Vigeois SO : 9 km par N 20 et D 3 – 1 210 h. alt. 390 – ✉ **19410** :

XX **Les Semailles** avec ch, rte Brive-la-Gaillarde ✆ 55 98 93 69 – ☎. GB. ✻ ch
fermé janv., fév., dim. soir et lundi sauf juil.-août – **Repas** 75/220 – ☕ 30 – **8 ch** 180/300 – ½ P 220/280.

Chez le Turc NO : 12 km par N 20 et D 902 – ✉ **19210** St-Martin-Sepert :

XXX **La Pommeraie,** ✆ 55 98 70 70, Fax 55 73 52 30, – P. GB
fermé fév., dim. soir et lundi – **Repas** 210/260 et carte 210 à 290.

UGEOT Gar. Meriguet, ✆ 55 73 26 35 RENAULT Gar. Bachellerie, ✆ 55 73 15 75

Le Guide change, changez de guide tous les ans.

ZÈS 30700 Gard 80 ⑲ **G. Provence** – 7 649 h alt. 138.

oir Ville ancienne★★ – Duché★ : ✻★★ de la Tour Bermonde A – Tour Fenestrelle★★ B – Place x Herbes★ A – Orgues★ de la Cathédrale B **V**.

✆ 66 22 40 03, S : 5 km par ②.

Office de Tourisme av. Libération ✆ 66 22 68 88, Fax 66 22 95 19.

ris 685 ② – Alès 34 ④ – ♦Montpellier 76 ② – Arles 52 ② – Avignon 39 ② – Montélimar 83 ① – Nîmes 25 ②.

UZÈS

Alliés (Bd des) A 2	Boucairie (R.) B 4	Marronniers (Prom.) B 16
Gambetta (Bd) A	Collège (R. du) B 6	Pascal (Av. M.) B 17
Gide (Bd Ch.) AB	Dampmartin (Pl.) A 7	Pelisserie (R.) A 18
République (R.) A 23	Dr-Blanchard (R.) B 8	Plan-de-l'Oume (R.) B 19
Uzès (R. J.-d') A 29	Duché (Pl. du) A 9	Rafin (R.) B 20
Vincent (Av. Gén.) A	Entre-les-Tours (R.) A 10	St-Étienne (R.) A 25
	Évêché (R. de l') B 12	St-Théodorit B 27
	Foch (Av.) A 13	Victor-Hugo (Bd) A 32
	Foussat (R. Paul) A 14	4-Septembre (R.) A 35

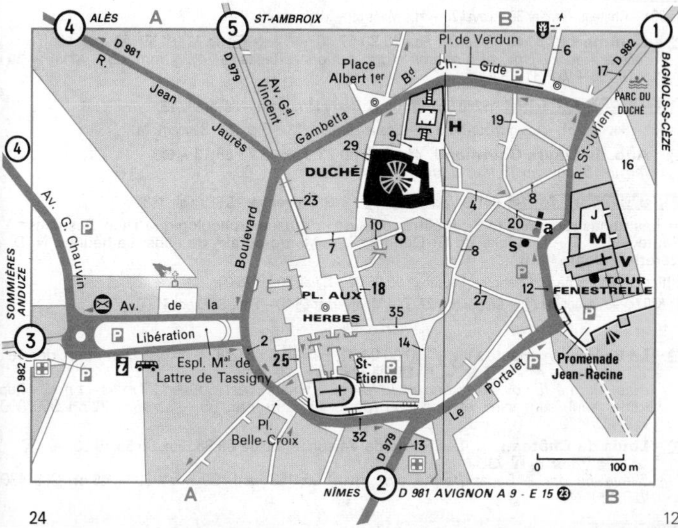

d'Entraigues ⟡, 8 r. de la Calade ✆ 66 22 32 68, Fax 66 22 57 01, « Ancien hôt particulier du 15e siècle », ⛱ – |⇅| 📺 ☎ 🚗 – 🏛 40. AE ⓓ GB B
voir rest. ***Jardins de Castille*** ci-après – ☕ 50 – **19 ch** 360/525 – ½ P 385/430.

St-Géniès ⟡ sans rest, rte St-Ambroix par ⑤ : 1,5 km ✆ 66 22 29 99, Fax 66 03 14 8
⛱, 🌳 – ☎ 🅿. GB
fermé 1er déc. au 15 fév. – ☕ 35 – **18 ch** 300.

Jardins de Castille - hôtel d'Entraigues, pl. Évêché ✆ 66 22 32 68, Fax 66 22 57 01, 🍽 ▤. AE ⓓ GB B
Repas 135/220.

à St-Maximin par ② et D 981 : 5,5 km – 628 h. alt. 110 – ✉ **30700** :

Aub. St-Maximim, ✆ 66 22 26 41, Fax 66 22 73 73, 🍽 – AE ⓓ GB
1er mars-1er nov. et fermé lundi et mardi sauf le soir du 1er juil. au 1er août – **Repas** 99 (déj 150/360.

à Arpaillargues-et-Aureillac par ③ : 4,5 km – 667 h. alt. 107 – ✉ **30700** :

H. d'Agoult, Château d'Arpaillargues ⟡, ✆ 66 22 14 48, Fax 66 22 56 10, 🍽, « De meure du 18e siècle, parc, 🎾, ⛱ » – 📺 ☎ 🅿 – 🏛 50. AE ⓓ GB. ✂ rest
31 mars-3 nov. – **Repas** 125 (déj.), 210/260 – ☕ 55 – **27 ch** 600/630 – ½ P 515/640.

CITROEN Gar. Mandon, Champs-de-Mars par ② ✆ 66 22 22 64
PEUGEOT Gar. Laborie, av. Gare par ③ ✆ 66 22 59 01
RENAULT Gar. SUVRA, rte d'Alès par ④ ✆ 66 22 60 99
Ⓜ Rome-Pneus-Point S, rte Remoulins pt des Charrettes ✆ 66 22 26 65

VAAS

72500 Sarthe 64 ③ **G. Châteaux de la Loire** – 1 564 h alt. 41.

Paris 238 – ♦Le Mans 40 – ♦Angers 87 – Château-du-Loir 8 – Château-la-Vallière 16.

Vedaquais Ⓜ avec ch, pl. Liberté ✆ 43 46 01 41, Fax 43 46 37 60 – 📺 ☎. GB
fermé 25 oct. au 10 nov. – **Repas** *(fermé dim. soir et lundi)* 85/220 🍷 – ☕ 28 – **8 ch** 250 ½ P 235.

RENAULT Gar. Ouvrard, ✆ 43 46 70 42

VACQUEYRAS

84190 Vaucluse 81 ⑫ – 943 h alt. 117.

Paris 667 – Avignon 34 – Nyons 35 – Orange 21 – Vaison-la-Romaine 19.

Le Pradet Ⓜ ⟡ sans rest, ✆ 90 65 81 00, Fax 90 65 80 27 – 📺 ☎ ♿ 🅿. AE GB
☕ 32 – **22 ch** 270/350.

VACQUIERS

31340 H.-Gar. 82 ⑧ – 916 h alt. 200.

Paris 679 – ♦Toulouse 31 – Albi 69 – Castres 77 – Montauban 33.

Villa des Pins ⟡, O : 2 km par D 30 ✆ 61 84 96 04, Fax 61 84 28 54, 🍽, parc – 📺 ☎ – 🏛 60. GB
Repas 85/225 🍷, enf. 40 – ☕ 40 – **15 ch** 140/300.

VAIGES

53480 Mayenne 60 ⑪ – 1 019 h alt. 90.

Paris 254 – Château-Gontier 38 – Laval 23 – ♦Le Mans 59 – Mayenne 32.

Commerce, ✆ 43 90 50 07, Fax 43 90 57 40, 🌳 – |⇅| 📺 ☎ 📞 🅿. AE ⓓ GB. ✂
fermé 7 au 21 janv. et dim. soir d'oct. à mars – **Repas** 98/240 🍷, enf. 65 – ☕ 45 – **30 c** 320/495 – ½ P 310/340.

VAILLY-SUR-SAULDRE

18260 Cher 65 ⑫ **G. Berry Limousin** – 865 h alt. 205.

Paris 182 – Bourges 51 – Aubigny-sur-Nère 17 – Cosne-sur-Loire 23 – Gien 35 – Sancerre 24.

Aub. du Lièvre Gourmand, ✆ 48 73 80 23, Fax 48 73 86 13 – GB
fermé 15 janv. au 15 fév. et lundi – **Repas** 90/185, enf. 60.

VAISON-LA-ROMAINE

84110 Vaucluse 81 ② ③ **G. Provence** – 5 663 h alt. 193.

Voir Les ruines romaines★★ Y : théâtre romain★ Y, musée archéologique Théo-Desplans★ Y – Haute Ville★ Z – Chapelle de St-Quenin★ Y – Maître-autel★ de l'anc. cathédrale N.-D. d Nazareth Y, cloître★ Y **B.**

ℹ Office de Tourisme pl. Chanoine Sautel ✆ 90 36 02 11, Fax 90 28 76 04.

Paris 670 ④ – Avignon 47 ③ – Carpentras 27 ② – Montélimar 65 ④ – Pont-St-Esprit 41 ④.

Plan page ci-contre

Le Beffroi ⟡, Haute Ville ✆ 90 36 04 71, Fax 90 36 24 78, ←, 🍽, « Demeures des 16e 17e siècles », 🌳 – 📺 ☎ 📞 🅿. AE ⓓ GB JCB. ✂ rest Z
hôtel : fermé 15 nov. au 15 déc. et 15 fév. au 15 mars ; rest. : ouvert 27 mars-11 nov. – **Rep** (dîner seul. sauf sam. et dim.) 98 (déj.), 145/195, enf. 55 – ☕ 45 – **22 ch** 300/600 ½ P 405/470.

Logis du Château ⟡, Les Hauts de Vaison ✆ 90 36 09 98, Fax 90 36 10 95, ←, 🍽, ⛱ 🎾 – |⇅| 📺 ☎ ♿ 🅿. GB Z
5 avril-fin oct. – **Repas** *(fermé dim. midi)* 95/158, enf. 50 – ☕ 38 – **45 ch** 265/430 ½ P 250/343.

VAISON-LA-ROMAINE

Fabre (Cours H.) ...... Y 13
Grande-Rue ...... Y 18
Montfort (Pl. de) ...... Y 25
République (R.) ...... Y 32

Aubanel (Pl.) .... Z 3
Burrus (R.) .... Y 4
Cathédrale (Square de la) ..... Y 5
Chanoine-Sautel (Pl.) . Y 6
Château (Montée du) .... Z 7
Coudray (Av.) .... Y 9
Église (R. de l') ...... Z 10
Évêché (R. de l') ...... Z 12
Foch (Quai Maréchal) ... Z 14
Gontard (Quai P.) .... Z 17
Horloge (R. de l') .... Z 21
Jaurès (R. Jean) ...... Y 22
Mazen (Av. J.) .... Y 23
Mistral (R. Frédéric) .... Y 24
Noël (R. B.) .... Y 27
Poids (Pl. du) .... Z 29
St-Quenin (Av.) ...... Y 34
Taulignan (Crs) ...... Y 35
Victor-Hugo (Av.) .... Y 36
Vieux-Marché (Pl. du) .... Z 38
11-Novembre (Pl. du) .... Y 40

Michelin n'accroche pas de panonceau aux hôtels et restaurants qu'il signale.

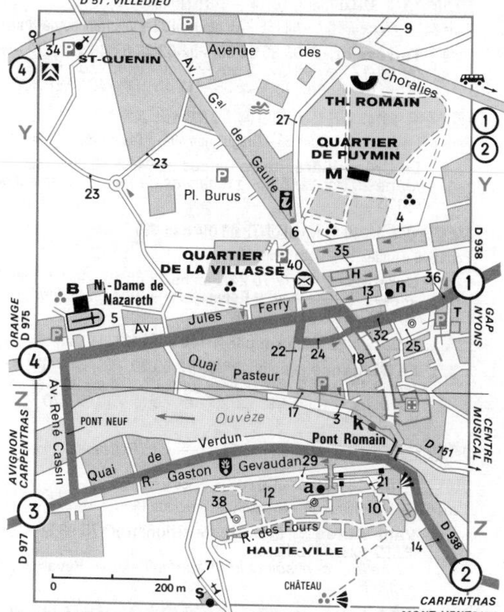

Burrhus et annexe Le Lis sans rest, 2 pl. Montfort ✆ 90 36 00 11, Fax 90 36 39 05 – ☎ ✆. AE GB — Y n
fermé 12 nov. au 22 déc. et dim. de nov. à fév. – ☕ 29 – **32 ch** 240/450.

Le Bateleur, pl. Th. Aubanel ✆ 90 36 28 04 – ▤. GB — Z k
fermé oct., dim. soir et lundi – **Repas** (prévenir) 93 (déj.), 128/160, enf. 65.

à St-Romain-en-Viennois par ①, D 938 et D 71 : 4 km – 687 h. alt. 260 – ✉ **84110** :

L'Amourié avec ch, ✆ 90 46 43 72 – TV ☎. GB
fermé 10 au 16 juin, 7 au 13 oct., 15 déc. au 15 janv., mardi soir et merc. du 15 sept. au 15 juin – **Repas** 96/220 – ☕ 30 – **5 ch** 210/250 – ½ P 251.

à Entrechaux par ②, D 938 et D 54 : 7 km **G. Alpes du Sud** – 809 h. alt. 280 – ✉ **84340** :

St-Hubert, ✆ 90 46 00 05, Fax 90 46 00 06, 余, 🐕 – P. GB. ✂
fermé 30 sept. au 12 oct., 28 janv. au 1er mars, mardi et merc. – **Repas** 70/270 ♁, enf. 55.

à Séguret par ③, D 977 et D 88 : 10 km – 798 h. alt. 250 – ✉ **84110** :

Domaine de Cabasse ⛶, rte Sablet ✆ 90 46 91 12, Fax 90 46 94 01, ≤, 余, « Dans un domaine viticole », 🏊, 🐕 – TV ☎ P. AE GB. ✂ ch
26 mars-18 nov. et 2 déc.-2 janv. – **Repas** *(fermé lundi sauf juil.-août)* 91/163 ♁, enf. 60 – ☕ 50 – **14 ch** 450/650 – ½ P 360/500.

✿ **La Table du Comtat** (Gomez) ⛶ avec ch, ✆ 90 46 91 49, Fax 90 46 94 27, ≤ plaine, 🏊 – ▤ rest TV ☎ P. AE ⓓ GB
fermé 26 nov. au 8 déc., fév., mardi soir du 1er oct. au 1er juin et merc. du 15 sept. au 30 juin – **Repas** 160 (déj.), 250/460 et carte 250 à 380 ♁, enf. 70 – ☕ 65 – **8 ch** 480/600 – ½ P 620/700
Spéc. Julienne de truffe en coque d'oeuf. Dos et cuisse de pigeon poêlés au blé tendre, sauce diable. Cannelloni d'aubergine et agneau en bohémienne. **Vins** Châteauneuf-du-Pape, Côtes du Rhône.

à Rasteau par ④, D 975 et D 69 : 9 km – 673 h. alt. 200 – ✉ **84110** :

Bellerive ⛶, rte Violès ✆ 90 46 10 20, Fax 90 46 14 96, ≤, 余, « Au milieu des vignes », 🏊, 🐕 – TV ☎ P. GB
30 mars-mi-nov. – **Repas** 120 (déj.), 145/185, enf. 70 – ☕ 50 – **20 ch** 485/495 – ½ P 435/445.

ROEN Gar. Favergeon, la Roccade
90 36 10 90
EL Gar. Adage, 7 Crs Taulignan ✆ 90 36 01 50
JGEOT Gar. de Luca, rte de Nyons par ①
90 36 24 33 N ✆ 90 36 24 33

RENAULT Gar. Lagneau, à Entrechaux par ②
✆ 90 46 00 95

Ⓜ Valérian Pneus-Point S, ZA de la Gravière
✆ 90 36 34 89 N ✆ 90 51 55 65

VAÏSSAC 82800 T.-et-G. 79 ⑱ – 636 h alt. 134.

Paris 640 – ♦Toulouse 77 – Albi 58 – Montauban 22 – Villefranche-de-Rouergue 65.

Terrassier, ✆ 63 30 94 60, Fax 63 30 87 40, ☂, ⛱ – ☎ P. GB. ✈ ch
fermé 17 au 24 nov., 2 au 17 janv., vend. soir hors sais. (sauf hôtel) et dim. soir – **Rep** 75 bc/190 ♕, enf. 45 – ☕ 38 – **12 ch** 180/240 – ½ P 190.

Le VAL 83143 Var 84 ⑤ 114 ⑳ – 2 893 h alt. 242.

Paris 817 – Aix-en-Provence 63 – Draguignan 40 – ♦Toulon 26.

La Crémaillère, rte de Carcès ✆ 94 86 40 00 – GB
fermé 20 oct. au 5 nov., vacances de fév., dim. soir d'oct. à mars et merc. – **Repas** 90/2 enf. 58.

VALADY 12330 Aveyron 80 ② – 1 014 h alt. 350.

Paris 648 – Rodez 18 – Decazeville 19.

Combes, ✆ 65 72 70 24, Fax 65 72 68 15, ☂ – TV ☎ P. GB
fermé 5 au 20 janv. – **Repas** *(fermé lundi sauf fériés)* 85/160 ♕ – ☕ 27 – **15 ch** 195/250 ½ P 220/245.

à Nuces SE : 2,5 km par N 140 – ✉ **12330** Valady :

La Diligence avec ch, ✆ 65 72 60 20, ☂, ☂ – TV ☎ 🚗 P – 🏔 30. GB
fermé 1er au 8/9, dim. soir et lundi du 1/4 au 30/6 et sept., mardi soir et merc. du 1er oct. 30 mars – **Repas** 85 bc/290 et carte 210 à 270 ♕, enf. 60 – ☕ 38 – **7 ch** 210/230 ½ P 230/260.

Le VAL-ANDRÉ 22 C.-d'Armor 59 ④ – voir à Pléneuf-Val-André.

VALAURIE 26230 Drôme 81 ① ② – 386 h alt. 162.

Paris 625 – Montélimar 20 – Nyons 31 – Pierrelatte 13.

Valle Aurea ⛰ avec ch, rte Grignan ✆ 75 98 56 40, Fax 75 98 59 59, ☂, ☂ – ▤ TV P. AE GB. ✈ ch
fermé fév., dim. soir et lundi sauf juil.-août – **Repas** 158/259 et carte 280 à 390 – ☕ 65 – **5** 315/595.

VALBERG 06 Alpes-Mar. 81 ⑨ ⑲ 115 ④ **G. Alpes du Sud** – alt. 1669 – Sports d'hiver : 1 430/2 026 m ⛷ – ✉ **06470** Péone.

Voir Intérieur★ de la chapelle N.-D.-des-Neiges.

ℹ Office de Tourisme ✆ 93 23 24 25, Fax 93 02 52 27.

Paris 815 – Barcelonnette 76 – Castellane 67 – Digne-les-Bains 109 – ♦Nice 84 – St-Martin-Vésubie 58.

Adrech de Lagas, ✆ 93 02 51 64, Fax 93 02 52 33, ≤, ☂ – |♦| TV ☎ P. AE ⓓ GB. ✈
10 juil.-15 sept. et 23 déc.-10 avril – **Repas** 110/145 – ☕ 40 – **20 ch** 480 – ½ P 380/420.

Chalet Suisse, ✆ 93 02 50 09, Fax 93 02 61 92, ☂ – TV ☎. AE GB
juil.-août et 20 déc.-31 mars – **Repas** 120 ♕ – ☕ 40 – **20 ch** 270/520 – ½ P 365/410.

La Clé des Champs, ✆ 93 02 51 45, Fax 93 02 62 52, ≤, ☂ – TV ☎ P. GB. ✈ ch
10 juil.-20 sept. et 20 déc.-15 avril – **Repas** 110/150 – ☕ 42 – **18 ch** 310/340 – ½ P 320/3

VALBONNE 06560 Alpes-Mar. 84 ⑨ 115 ㉔ ㉕ **G. Côte d'Azur** – 9 514 h alt. 250.

⛳18 Opio-Valbonne ✆ 93 42 00 08, NE : 2 km ; ⛳9 du Val Martin ✆ 93 42 07 98, S : 4 km par D puis D 103.

ℹ Office de Tourisme 11 av. St-Roch ✆ 93 12 34 50, Fax 93 12 34 57.

Paris 912 – Cannes 12 – Antibes 15 – Grasse 10 – Mougins 8,5 – ♦Nice 27 – Vence 24.

Armoiries M sans rest, pl. Arcades ✆ 93 12 90 90, Fax 93 12 90 91, « Belle décorat. intérieure » – |♦| ▤ TV ☎. AE ⓓ GB JCB
☕ 50 – **16 ch** 550/850.

La Cigale, rte Opio ✆ 93 12 24 43, ☂ – TV ☎ ♿ P. GB
hôtel : fermé 1er au 20 mars, 10 nov. au 20 déc. et 8 janv. au 1er fév. – **Repas** *(fermé 15 au nov., 15 au 31 janv. et mardi sauf juil.-août)* 100/150 ♕ – ☕ 42 – **11 ch** 285/335 – ½ P 27

Bistro de Valbonne, 11 r. Fontaine ✆ 93 12 05 59, ☂ – ▤. AE ⓓ GB
fermé 1er au 15 mars, 15 nov. au 5 déc., dim. et lundi – **Repas** 140/170.

Lou Cigalon, 4 bd Carnot ✆ 93 12 27 07, ☂ – ▤. GB
fermé lundi et mardi hors sais. sauf fériés – **Repas** (nombre de couverts limité, préve 98/180.

au val de Cuberte SO : 1,5 km sur D 3 – ✉ **06560** Valbonne :

Aub. Fleurie, ✆ 93 12 02 80, Fax 93 12 22 27, ☂ – P. GB
fermé mi-déc. à fin janv. et merc. – **Repas** 112/185 ♕.

Val de Cuberte, ✆ 93 12 01 82, Fax 93 12 10 88, ☂ – P. AE GB
fermé 25 nov. au 7 déc. et lundi sauf le soir en juil.-août – **Repas** 125/210.

au Sud : 3 km par D 3 – ✉ **06560** Valbonne :

Castel' Aras M sans rest, 30 chemin Pinchinade, rd-pt D 3-D 103 ✆ 93 12 90 Fax 93 12 90 01, ⛱, ☂, ✈ – ▤ TV ☎ ♿ P. AE GB JCB
☕ 45 – **34 ch** 480/570.

au Sud : 3 km par D 3 et D 103 – ✉ **06560** Valbonne :

XX **Bois Doré,** rte Antibes ✆ 93 12 26 25, Fax 93 12 28 73, ☂, ⛱ – P. AE GB
fermé 14 janv. au 18 fév. et lundi – **Repas** 120/175.

à Sophia-Antipolis SE : 7 km par D 3 et D 103 – ✉ **06560** Valbonne :

Gd H. Mercure M ⛰, rte Dolines ✆ 92 96 68 78, Télex 462130, Fax 92 96 68 96, ☂, Fö, ⛱, ✂ – |\$| ⅹ ▤ TV ☎ ✆ ♿ P – 🏃 400. AE ⓓ GB
L'Arlequin : **Repas** 150/300, enf. 65 – ☕ 70 – **107 ch** 950.

Mercure M ⛰, Les Lucioles 2, rue A. Caquot ✆ 92 96 04 04, Télex 462624, Fax 92 96 05 05, ☂, ⛱, ⛱ – |\$| ⅹ ▤ TV ☎ ✆ ♿ P – 🏃 25 à 200. AE ⓓ GB
Repas 158/175 bc, enf. 50 – ☕ 60 – **104 ch** 510/595.

Novotel ⛰, Les Lucioles 1, 290 r. Dostoievski ✆ 93 65 40 00, Télex 970914, Fax 93 95 80 12, ☂, ⛱, ⛱, ✂ – |\$| ⅹ ▤ TV ☎ ♿ P – 🏃 25 à 150. AE ⓓ GB JCB
Repas grill carte environ 160 ♨, enf. 50 – ☕ 50 – **97 ch** 590.

Ibis, Les Lucioles 2, r.A. Caquot ✆ 93 65 30 60, Fax 93 95 83 99, ☂, ⛱, ⛱ – |\$| ⅹ TV ☎ ♿ P – 🏃 25 à 40. AE ⓓ GB
Repas 99 bc, enf. 39 – ☕ 36 – **99 ch** 340/410.

RENAULT Gar. Cuberte, ✆ 93 12 02 24

VALCEBOLLÈRE **66340** Pyr.-Or. 86 ⑯ – 37 h alt. 1470.

Paris 888 – Font-Romeu-Odeillo-Via 27 – Bourg-Madame 9 – ♦Perpignan 106 – Prades 62.

Les Ecureuils ⛰, ✆ 68 04 52 03, Fax 68 04 52 34, Fö – ☎. AE GB
25 mai-30 sept. et 20 déc.-8 mai – **Repas** 85 (déj.), 128/248, enf. 65 – ☕ 40 – **14 ch** 350 – ½ P 225/300.

☛ *Michelin n'accroche pas de panonceau aux hôtels et restaurants qu'il signale.*

VAL CLARET **73** Savoie 74 ⑲ – rattaché à Tignes.

VALDAHON **25800** Doubs 66 ⑯ – 3 534 h alt. 645.

Paris 441 – ♦Besançon 32 – Morteau 31 – Pontarlier 30.

Relais de Franche Comté ⛰, ✆ 81 56 23 18, Fax 81 56 44 38, ☂, ⛱ – TV ☎ ✆ P – 🏃 30. AE ⓓ GB
fermé 20 déc. au 15 janv., vend. soir et sam. midi sauf juil.-août – **Repas** 68/225 ♨, enf. 35 – ☕ 35 – **20 ch** 205/260 – ½ P 240/280.

à Chevigney-lès-Vercel NE : 3 km par D 50 – 88 h. alt. 630 – ✉ **25530** :

Promenade, ✆ 81 56 24 76, Fax 81 56 29 64, ☂, ⛱ – ☎ – 🏃 30. GB
fermé vacances de Toussaint, dim. soir et lundi de sept. à mai – **Repas** 53/185 ♨, enf. 40 – ☕ 32 – **11 ch** 165/245 – ½ P 155/170.

CITROEN Gar. Pétot, ✆ 81 56 27 12 N ✆ 81 56 26 19
PEUGEOT Gar. de la Croisée, ✆ 81 56 22 84 N ✆ 81 67 08 12
RENAULT Gar. Duquet, ✆ 81 56 23 07 N ✆ 81 56 41 56

Le VAL-D'AJOL **88340** Vosges 62 ⑯ **G. Alsace Lorraine** – 4 877 h alt. 380.

ℹ Office de Tourisme 93 Grande-Rue (juin-sept.) ✆ et Fax 29 30 61 55.

Paris 393 – Épinal 43 – Luxeuil-les-Bains 17 – Plombières-les-Bains 9 – Remiremont 17 – Vittel 70.

Résidence ⛰, r. Mousses ✆ 29 30 68 52, Fax 29 66 53 00, « Parc », ⛱, ✂ – TV ☎ P – 🏃 25 à 80. AE ⓓ GB
Repas 95/255 ♨, enf. 47 – ☕ 40 – **55 ch** 230/380 – ½ P 290/350.

VALDEBLORE (Commune de) **06420** Alpes-Mar. 84 ⑱ ⑲ 115 ⑥ **G. Côte d'Azur** – 664 h alt. 1050 – Sports d'hiver à la Colmiane : 1 400/1 800 m ⛷7.

ℹ Office de Tourisme ✆ 93 02 88 59, Fax 93 02 85 26.

Paris 847 – Cannes 89 – ♦Nice 70 – St-Étienne-de-Tinée 46 – St-Martin-Vésubie 11.

à La Bolline – ✉ **06420** St-Sauveur-de-Tinée :

Valdeblore, ✆ 93 02 81 05, ←
fermé nov. – **Repas** 70 (déj.)/95 – ☕ 30 – **17 ch** 130/275 – ½ P 220/260.

à St-Dalmas-Valdeblore – ✉ **06420** St-Sauveur-de-Tinée.

Voir Pic de Colmiane ✳★★ E 4,5 km accès par télésiège.

Lou Mercantour ⛰, ✆ 93 02 80 21, Fax 93 02 87 63, ←, ☂ – ☎ P. ✽ rest
mi-juin-mi-sept. et vacances scolaires – **Repas** 100/150 – ☕ 30 – **22 ch** 240/380 – ½ P 270/350.

VAL-DE-MERCY **89** Yonne 65 ⑤ – rattaché à Coulanges-la-Vineuse.

VAL-D'ISÈRE 73150 Savoie 74 ⑲ **G. Alpes du Nord** – 1 701 h alt. 1850 – Sports d'hiver : 1 785/3 550 m 6 90 .

Voir Rocher de Bellevarde ✻★★★ par téléphérique.

Env. Belvédère de la Tarentaise ✻★★ SE : 13 km.

Office de Tourisme Maison de Val d'Isère ☏ 79 06 06 60, Fax 79 06 04 56.

Paris 666 ① – Albertville 83 ① – Briançon 133 ① – Chambéry 130 ①.

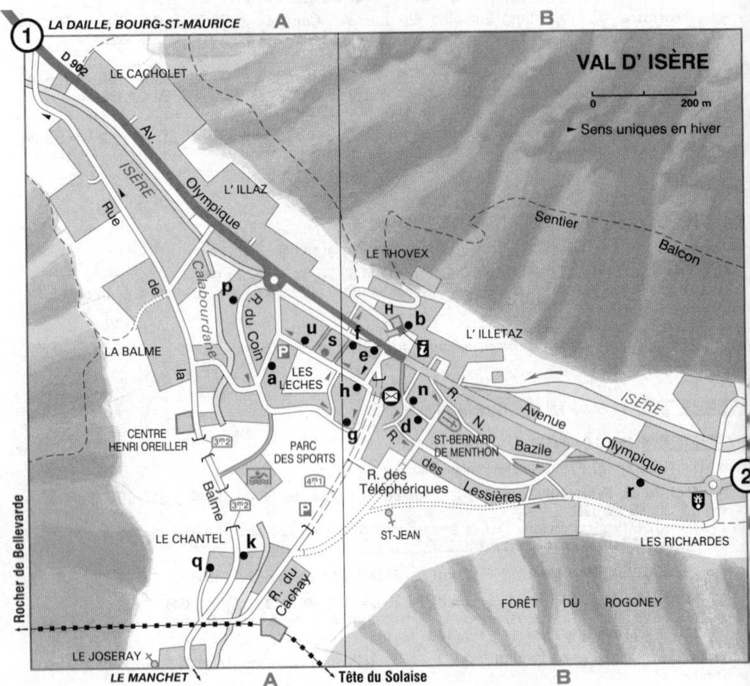

Christiania M, ☏ 79 06 08 25, Fax 79 41 11 10, ≤, – – 40. AE GB. rest A a
1er déc.-1er mai – **Repas** 260 et carte 270 à 470 – ☕ 65 – **59 ch** 1497/2007, 11 appart – ½ P 897/1177.

Latitudes M, ☏ 79 06 18 88, Fax 79 06 18 87, – – 70. AE GB JCB. rest B d
2 déc.-2 mai – **Repas** 165/195 – ☕ 60 – **89 ch** 1080/2050, 12 duplex – ½ P 900/1030.

Blizzard M, ☏ 79 06 02 07, Fax 79 06 04 94, ≤, – – 30. AE GB B f
début juil.-fin août et 1er déc.-2 mai – **Repas** 160 (déj.), 180/200 – ☕ 60 – **70 ch** 990/2450 3 appart – ½ P 660/870.

Le Val d'Isère M, ☏ 79 06 08 30, Télex 980558, Fax 79 06 04 41, ≤, – – 50. AE GB JCB B b
6 juil.-20 août et 1er déc.-6 mai – **Repas** (dîner seul.) 190/300 – ☕ 80 – **48 ch** 1140/1650 4 appart – ½ P 960/1015.

Tsanteleina M, ☏ 79 06 12 13, Fax 79 41 14 16, ≤, – – 35. AE GB rest B e
30 juin-25 août et 1er déc.-8 mai – **Repas** 150 (déj.), 250/300 – ☕ 80 – **32 ch** 630/900 37 appart 960/1050 – ½ P 635/950.

Gd Paradis, ☏ 79 06 11 73, Fax 79 41 11 13, ≤, – – 25. AE GB JCB. rest B g
12 juil.-23 août (sans rest.) et 1er déc.-10 mai – **Repas** 120 (déj.), 165/230 – ☕ 75 – **36 ch** 1000/1500, 4 appart – ½ P 710/980.

Mercure Village [M], ✆ 79 06 12 93, Télex 309150, Fax 79 41 11 12, ← – |♦| TV ☎ – 40. AE ⓓ GB. ✗ rest — B h
fermé 6 mai au 15 juin – **Repas** 120/200 – ☐ 65 – **41 ch** 645/1050 – ½ P 670/770.

La Savoyarde, ✆ 79 06 01 55, Télex 309274, Fax 79 41 11 29, ←, – |♦| TV ☎. AE ⓓ GB JCB — A u
1er déc.-6 mai – **Repas** 120 (déj.), 195/300 – ☐ 55 – **43 ch** (½ pens. seul.) – ½ P 704/795.

Altitude [M] , ✆ 79 06 12 55, Fax 79 41 11 09, ←, , , – |♦| TV ☎ ♿ P. AE GB. ✗ — A k
29 juin-1er sept. et 1er déc.-8 mai – **Repas** 145/165 – ☐ 50 – **28 ch** 590/920, 12 duplex – ½ P 620/650.

La Galise [M], ✆ 79 06 05 04, Fax 79 41 16 16 – TV ☎. GB. ✗ rest — B n
15 déc.-30 avril – **Repas** (dîner seul.) 125/175 – ☐ 65 – **30 ch** 530/800 – ½ P 525/575.

Bellier , ✆ 79 06 03 77, Fax 79 41 14 11, ←, – TV ☎ P. AE ⓓ GB JCB — A p
25 juin-4 sept. et 28 nov.-8 mai – **Repas** (dîner seul. en hiver) 90 (déj.), 120/150 – ☐ 60 – **20 ch** 530/900 – ½ P 470/660.

Chamois d'Or , ✆ 79 06 00 44, Fax 79 41 16 58, ← – ☎ P. GB. ✗ — A q
Repas 95 – ☐ 40 – **24 ch** 400/475 – ½ P 315/485.

L'Avancher, rte Fornet ✆ 79 06 02 00, Fax 79 41 16 07, – ☎. GB — B r
1er juil.-31 août et début déc.-1er mai – **Repas** (dîner seul. de déc. à avril) 100 (déj.), 150/250 – ☐ 50 – **15 ch** 395/650 – ½ P 472/520.

XXX **Le Solaise,** ✆ 79 06 08 10, Fax 79 06 06 05 – AE GB — A s
début déc.-mi-avril et fermé mardi – **Repas** (dîner seul.) 180/490 et carte 330 à 420.

à la Daille par ① : 2 km – ✉ **73150** Val-d'Isère.

Office de Tourisme (déc.-fin avril) ✆ 79 06 19 67, Fax 79 41 94 30.

Samovar, ✆ 79 06 13 51, Fax 79 41 11 08, ← – TV ☎ . GB. ✗ rest
hôtel : 1er déc.-30 avril ; rest. : 20 déc.-30 avril – **Repas** 90 (déj.), 135/210 – ☐ 50 – **12 ch** 730/790, 6 duplex – ½ P 640/790.

VALENÇAY 36600 Indre 64 ⑱ **G. Châteaux de la Loire** (plan) – 2 912 h alt. 140.

Voir Château★★ (spectacle son et lumière).

Office de Tourisme r. de Blois, près du Château ✆ 54 00 04 42.

Paris 237 – Blois 55 – Bourges 72 – Châteauroux 42 – Loches 48 – Vierzon 49.

✿ **Espagne** (Fourré) , 9 r. du Château ✆ 54 00 00 02, Fax 54 00 12 63, , « Terrasse fleurie » – TV ☎ P. AE ⓓ GB
fermé janv., fév., mardi midi et lundi d'oct. à Pâques – **Repas** 225/350 et carte 260 à 360 – ☐ 75 – **14 ch** 450/700
Spéc. Escalope de foie gras de canard aux raisins. Ris de veau en papillote. Bombe "Talleyrand". **Vins** Reuilly, Valencay.

à Veuil S : 6 km par D 15 et rte secondaire – 386 h. alt. 140 – ✉ **36600** :

XX **St-Fiacre,** ✆ 54 40 32 78, Fax 54 40 35 66, , intérieur rustique – GB
fermé vacances de fév., mardi soir et merc. sauf fériés – **Repas** 98 (déj.), 150/180.

CITROEN Gar. Huard, ✆ 54 00 05 35 N ✆ 54 00 05 35

PEUGEOT Gar. Desbrais, ✆ 54 00 17 99

VALENCE P 26000 Drôme 77 ⑫ **G. Vallée du Rhône** – 63 437 h Agglo. 107 965 h alt. 126.

Voir Maison des Têtes★ CY – Intérieur★ de la cathédrale BZ – Champ de Mars ←★ BZ – Sanguines de Hubert Robert★★ au musée BZ **M.**

des Chanalets ✆ 75 55 16 23, par ① : 6 km ; 18 de St-Didier ✆ 75 59 67 01, E : 14 km par D 119 ; 18 du Bourget ✆ 75 59 41 71 à Montmeyran, 16 km par ③.

de Valence-Chabeuil : ✆ 75 85 26 26, par ③ : 5 km B YZ.

Office de Tourisme Parvis de la gare ✆ 75 44 90 40, Fax 75 44 90 41 – Automobile Club de la Drôme 33 bis av. F.-Faure ✆ 75 43 61 07, Fax 75 55 62 04.

Paris 561 ① – Avignon 127 ⑤ – ♦Grenoble 92 ② – ♦Marseille 212 ⑤ – Nîmes 150 ⑤ – Le Puy-en-Velay 114 ⑦ – ♦St-Étienne 118 ①.

Plan page suivante

Novotel [M], 217 av. Provence ✆ 75 42 20 15, Télex 345823, Fax 75 43 56 29, , , , – |♦| TV ☎ ♿ P – 25 à 250. AE ⓓ GB — AX a
Repas 95/250 , enf. 55 – ☐ 51 – **107 ch** 465/495.

Yan's H. [M], près centre hospitalier ✆ 75 55 52 52, Fax 75 42 27 37, , , – ch TV ☎ ♿ P – 40. AE GB — AX b
Repas grill *(15 mai-15 sept.)* 135 bc/150 bc, enf. 50 – ☐ 40 – **39 ch** 345/425.

Valsud [M], sortie autoroute Valence-Sud ✆ 75 40 80 70, Télex 346506, Fax 75 44 39 20, , – |♦| TV ☎ ♿ P – 60. AE ⓓ GB — AX d
Repas 85/120 , enf. 40 – ☐ 35 – **75 ch** 300/350 – ½ P 244.

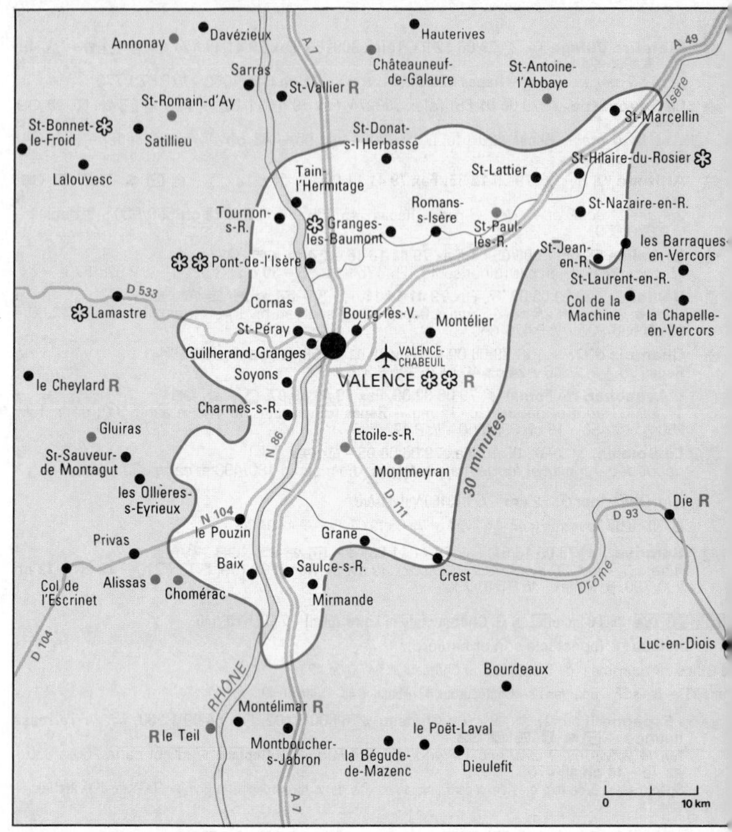

France sans rest, 16 bd Gén. de Gaulle ☎ 75 43 00 87, Fax 75 55 90 51 – |♦| ▤ TV ☎ 📞 ⛟. AE ⓓ GB — CZ
▭ 34 – **34 ch** 247/345.

Ibis, 355 av. Provence ☎ 75 44 42 54, Fax 75 44 48 80, ⛱, 🏊 – |♦| ⚡ ▤ ch TV ☎ P – 🏛 35. AE ⓓ GB — AX
Repas 97/145 🍷, enf. 39 – ▭ 36 – **86 ch** 295/345.

Europe sans rest, 15 av. F. Faure ☎ 75 43 02 16, Fax 75 43 61 75 – ▤ TV ☎ ⛟. AE GB — DY
▭ 30 – **26 ch** 175/285.

Paris sans rest, 30 av. P. Sémard ☎ 75 44 02 83, Fax 75 41 49 61 – |♦| ⚡ TV ☎. AE ⓓ GB JCB — CZ
fermé 24 au 30 déc. – ▭ 30 – **36 ch** 220/290.

Négociants, 27 av. P. Sémard ☎ 75 44 01 86, Fax 75 44 77 57 – |♦| TV ☎ ⛟. AE ⓓ GB JCB — CZ
fermé 21 déc. au 6 janv. – **Repas** *(fermé dim.)* 78/160 🍷, enf. 48 – ▭ 38 – **36 ch** 200/310 – ½ P 220/240.

Lyon sans rest, 23 av. P. Sémard ☎ 75 41 44 66, Fax 75 44 72 32 – |♦| TV ☎ 📞 – 🏛 30. GB — CZ
▭ 32 – **56 ch** 180/260.

XXXX ✿✿ **Pic** avec ch, 285 av. V. Hugo ☎ 75 44 15 32, Fax 75 40 96 03, ⛱, « Jardin ombragé » – |♦| ▤ TV ☎ 📞 ⛟ P. AE ⓓ GB JCB — AX
fermé 5 au 21 août, dim. soir sauf fêtes – **Repas** (dim. prévenir) 290 (déj.), 560/660 et carte 550 à 770 – ▭ 100 – **5 ch** 750/1000
Spéc. Langoustines poêlées à l'huile d'olive et truffes. Tresse de loup et saumon au poivron doux. Strate de boeuf et foie de canard au vin de Cornas. **Vins** Condrieu, Hermitage.

VALENCE

ndré (Bd G.) . . . . AV 3
eaumes (Av. des) . . . . AX 8
Belle-Meunière (R.). . . . . . . AV 10
Bonnet (R. G.) . . . . AV 13
Châteauvert (R.) . . . . AX 18
Grand-Charran (Av. du) . . . AX 34
Kennedy (Bd J.-F.) . . . . AV 40
Lattre-de-Tassigny (Av. Mar. de) . . . . AV 41
Libération (Av. de la). . . . . . AX 44
Montplaisir (R.). . . . . AVX 52
Roosevelt (Bd Franklin). . . . AX 68

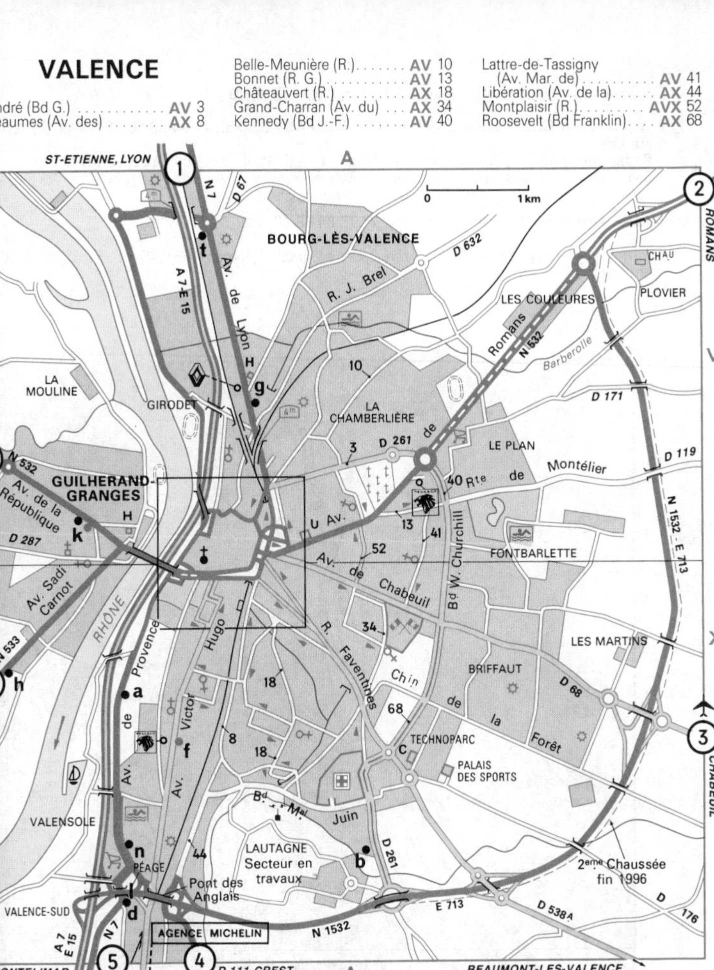

XX **La Licorne,** 13 r. Chalamet ✆ 75 43 76 83 – ▤. AE ⓓ GB — CZ **s**
fermé 1er au 15 août, sam. midi et dim. – **Repas** (prévenir) 100/176 ♨, enf. 50.

XX **Le Saint Ruf,** 9 r. Sabaterie ✆ 75 43 48 64, Fax 75 42 85 71 – AE GB — BY **b**
fermé dim. sauf le midi d'oct. à juin et lundi – **Repas** 150/270, enf. 55.

XX **La Petite Auberge,** 1 r. Athènes ✆ 75 43 20 30, Fax 75 42 67 79, 🏠 – GB — DY **t**
fermé 5 au 19 août, 26 déc. au 2 janv., merc. soir et dim. sauf fêtes – **Repas** 98/215, enf. 60.

X **L'Épicerie,** 18 pl. Belat ✆ 75 42 74 46, Fax 75 42 10 87, 🏠 – AE ⓓ GB — BCY **x**
fermé 4 au 20 août, sam. midi et dim. – **Repas** 97/298 ♨.

X **Bistrot des Clercs,** 48 Gde rue ✆ 75 55 55 15, Fax 75 43 64 85, 🏠 – ▤. AE GB — CY **m**
fermé dim. – **Repas** 68/99.

à Bourg-lès-Valence – 18 230 h. alt. 142 – ✉ **26500** :

🏨 **Agora In** Ⓜ, 159 av. Lyon ✆ 75 82 91 91, Fax 75 82 91 06 – ⇄ ▤ TV ☎ ✆ ♿ P – 🏛 45. GB — AV **t**
fermé 15 déc. au 14 janv., sam. et dim. d'oct. à mars – **Repas** (dîner seul.) 75/125 ♨, enf. 40 – ☕ 40 – **45 ch** 250 – ½ P 275.

🏨 **Seyvet,** 24 av. Marc-Urtin ✆ 75 43 26 51, Fax 75 55 61 49 – |‡| ▤ rest TV ☎ ✆ P – 🏛 30. AE ⓓ GB — AV **g**
fermé dim. soir de mi-oct. à Pâques – **Repas** 95/220 ♨, enf. 52 – ☕ 35 – **34 ch** 220/305 – ½ P 235.

à Pont de l'Isère par ① : 9 km – 2 770 h. alt. 120 – ✉ **26600** :

XXXX ✿✿ **Michel Chabran** M avec ch, N 7 ✆ 75 84 60 09, Fax 75 84 59 65, 余 – ▤ TV ☎. AE ⓓ GB
Repas 215 bc (déj.), 290/795 et carte 480 à 610, enf. 150 – ☕ 80 – **12 ch** 400/690
Spéc. Marbré de caille au foie gras de canard. Saint-Pierre rôti entier, pommes rissolées grand-mère. Dos d'agneau cuit à l'os aux gousses d'ail. **Vins** Crozes-Hermitage, Saint-Joseph.

XXX **Aub. Chalaye,** 17 r. 16-août-1944 ✆ 75 84 59 40, Fax 75 84 76 36, 余, ⛱, 🌳 – P. AE GB
fermé sept., vacances de fév., dim. soir et lundi – **Repas** 165/245 et carte 260 à 330, enf. 70.

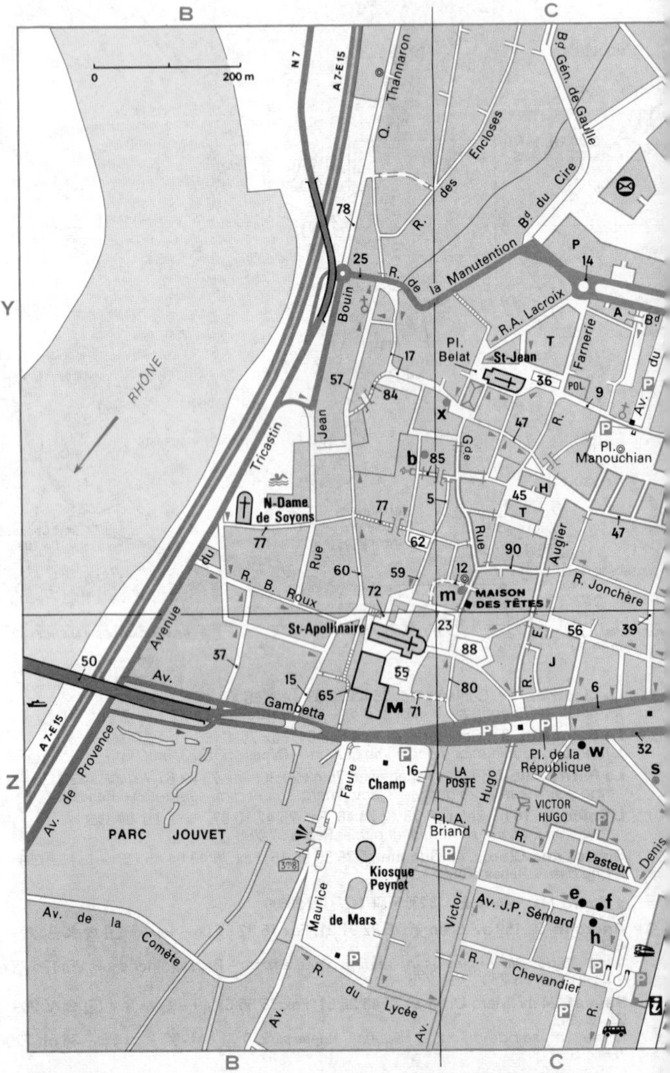

à Guilherand-Granges (Ardèche) – 10 492 h. alt. 130 – ✉ **07500** :

National, sur N 533 : 2 km ✆ 75 41 65 33, Fax 75 41 69 05, ⛱ – |♦| ▤ rest TV ☎ ✆ 🚗 🅿 – 🏔 30 à 100. GB. ✗ rest — AX **h**
fermé 4 au 23 août – **Repas** *(fermé dim. midi et sam.)* 70/180 ♁, enf. 45 – ☕ 30 – **52 ch** 190/260 – ½ P 225.

Alpes-Cévennes sans rest, 641 av. République ✆ 75 44 61 34, Fax 75 41 12 41 – |♦| ✗ TV ☎ 🚗. AE GB — AV **k**
☕ 30 – **28 ch** 150/255.

Les Trois Canards, 565 av. République ✆ 75 44 43 24, Fax 75 41 64 48, ⛱ – AE ◑ GB — AV **k**
fermé dim. soir et lundi – **Repas** 120/260, enf. 65.

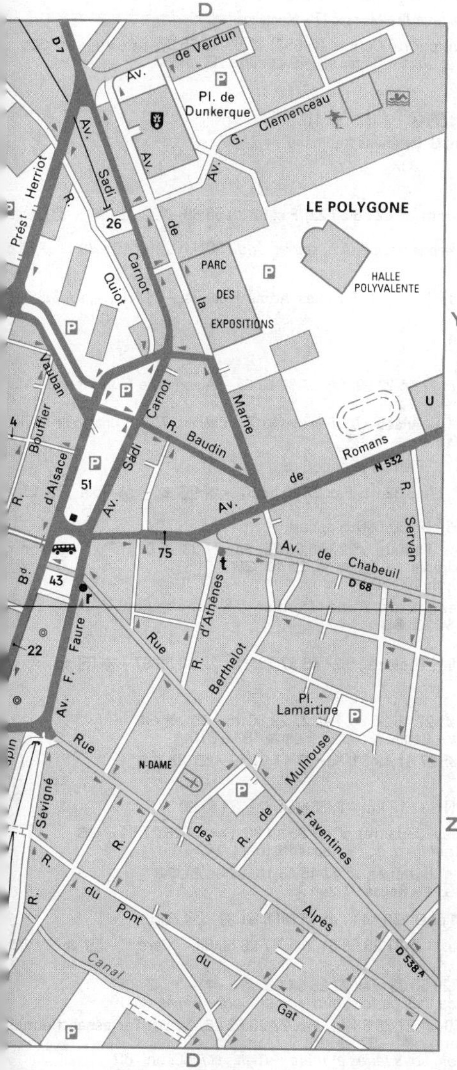

VALENCE

Alsace (Bd d') .... **DY**
Augier (R. Émile) .... **CYZ**
Bancel (Bd D.) .... **CY** 6
Félix-Faure (Av.) .... **DZ**
Gaulle (Bd Ch.-de) .... **CZ** 32
Madier-de-Montjau (R.) .... **CY** 47
République (Pl. de la) .... **CZ**
Semard (Av. J.-P.) .... **CZ**
Victor-Hugo (Av.) .... **CZ**

Arménie (R. d') .... **DY** 4
Balais (R. des) .... **BCY** 5
Belle-Image (R.) .... **CY** 9
Bonaparte (R. du Lieutenant) .... **BCY** 12
Cardonnel (Pl. L. le) .... **CY** 14
Chambaud (R. Mirabel) .... **BZ** 15
Championnet (Pl.) .... **BCZ** 16
Chapeliers (Côte des) .... **BY** 17
Clerc (Bd M.) .... **DZ** 22
Clercs (Pl. des) .... **BCZ** 23
Docteur-Schweitzer (R. du) .... **BY** 25
Dragonne (Pl. de la) .... **DY** 26
Huguenel (Pl. Ch.) .... **CY** 36
Jacquet (R. V.) .... **BZ** 37
Jeu-de-Paume (R. du) .... **CYZ** 39
Leclerc (Pl. Gén.) .... **DY** 43
Liberté (Pl. de la) .... **CY** 45
Mistral (Pont Frédéric) .... **BZ** 50
Montalivet (Pl.) .... **DY** 51
Ormeaux (Pl. des) .... **BZ** 55
Palais (Pl. du) .... **CZ** 56
Paré (R. Ambroise) .... **BY** 57
Pérollerie (R.) .... **BY** 59
Petit-Paradis (R.) .... **BY** 60
Pierre (Pl. de la) .... **BY** 62
Repenties (R. des) .... **BZ** 65
St-Didier (R.) .... **BCZ** 71
St-Estève (Côte) .... **BY** 72
St-Jacques (Faubourg) .... **DY** 75
St-Martin (Côte et R.) .... **BY** 77
St-Nicolas (Q.) .... **BY** 78
Saunière (R.) .... **CZ** 80
Sylvante (Côte) .... **BY** 84
Temple (R. du) .... **BCY** 85
Université (Pl. de l') .... **CZ** 88
Vernoux (R.) .... **CY** 90

Les pastilles numérotées des plans de villes ①, ②, ③ sont répétées sur les ***cartes Michelin*** *à 1/200 000. Elles facilitent ainsi le passage entre les cartes et les* ***guides Michelin.***

BMW Gar. Fourel, 37 av. de Marseille ✆ 75 44 20 97
CITROEN Gar. Minodier, 126 rte de Beauvallon par ④ ✆ 75 44 82 84 N ✆ 72 62 02 27
OPEL Brun Valence Motors, 69-79 av. de Verdun ✆ 75 55 60 60
PEUGEOT Gar. Riou, 42 allée F.-Coppée AV ✆ 75 42 00 20

PEUGEOT SOVACA, 125 av. M.-Faure et 268 av V.-Hugo AX ✆ 75 75 65 65 N ✆ 75 81 90 35

Barrial Pneus, 106 av. V.-Hugo ✆ 75 44 24 43
Dorcier Ayme Pneus, 15 à 19 av. des Beaumes ✆ 75 44 11 40
Euromaster, av. de Provence, Pont-des-Anglais ✆ 75 44 13 40

Périphérie et environs

CITROEN Gar. Pélissier, 82 av. J.-Jaurès à Portes-les-Valence par ⑤ ✆ 75 57 30 00 N ✆ 75 57 30 00

RENAULT Succursale, av. de Lyon à Bourg-les-Valence AV ✆ 75 79 01 01 N ✆ 75 84 22 08

VALENCE-d'AGEN **82400** T.-et-G. **79** ⑯ – **4 901 h alt. 69.**

Golf Club d'Espalais ✆ **63 29 04 56, S par D 11 : 3 km.**

Paris 653 – Agen 25 – Cahors 66 – Castelsarrasin 29 – Moissac 17 – Montauban 48.

XXX **La Campagnette,** NE : 2 km par rte Cahors (D 953) ✆ **63 39 65 97**, – P. GB
fermé 2 au 9 sept., dim. soir et lundi – **Repas** 97/240 et carte 200 à 290.

RENAULT Gar. Mosconi, ✆ 63 39 52 42

VALENCE-SUR-BAÏSE **32310** Gers **82** ④ – **1 157 h alt. 117.**

Voir Abbaye de Flaran★ NO : 2 km, **G. Pyrénées Aquitaine.**

Office de Tourisme à la Mairie ✆ 62 28 51 89.

Paris 738 – Auch 36 – Agen 47 – Condom 8.

Ferme de Flaran, rte Condom ✆ **62 28 58 22, Fax 62 28 56 89**, – TV ☎ GB
fermé 6 au 16 oct. et janv. – **Repas** *(fermé dim. soir et lundi)* 90/170, enf. 45 – ☐ 35 – **15** 260 – ½ P 250.

VALENCIENNES SP **59300** Nord **53** ④ ⑤ **G. Flandres Artois Picardie – 38 441 h Agglo. 338 39** alt. 22.

Voir Musée des Beaux-Arts★ BY **M.**

✆ **27 46 30 10, E : 1,5 km** CV.

Office de Tourisme 1 rue Askièvre ✆ 27 46 22 99, Fax 27 30 38 35 – Automobile Club 2 rue de Mc ✆ 27 46 34 32.

Paris 209 ⑤ – ◆Lille 53 ⑥ – ◆Amiens 114 ⑤ – Arras 64 ⑤ – Bruxelles 98 ② – Charleroi 77 ② – Charleville-Méziè 127 ③ – ◆Reims 173 ③ – St-Quentin 79 ⑤.

Plan page ci-contre

Grand Hôtel, 8 pl. Gare ✆ **27 46 32 01, Fax 27 29 65 57** – TV ☎ – 25 à 100. AE GB JCB — AX
Repas 100/250 bc – ☐ 51 – **93 ch** 350/590, 5 appart.

Aub. du Bon Fermier, 66 r. Famars ✆ **27 46 68 25, Fax 27 33 75 01**, « Maison 16e siècle, décor rustique original » – TV ☎. AE GB — AY
Repas 120/200 – ☐ 45 – **16 ch** 400/700.

Notre Dame sans rest, 1 pl. Abbé Thellier de Poncheville ✆ **27 42 30 0** Fax 27 45 12 68 – TV ☎. AE GB — BY
☐ 40 – **35 ch** 290/350.

H. La Coupole sans rest, 25 r. Tholozé ✆ **27 46 37 12, Fax 27 33 65 97** – TV ☎ GB JCB — AX
☐ 33 – **38 ch** 145/245.

XXX **L'Alberoi (Buffet-Gare),** ✆ **27 46 86 30, Fax 27 29 80 26** – AE GB — AX
fermé dim. soir et soirs fériés – **Repas** 130/350 et carte 180 à 310.

XX **Le Musigny,** 90 av. Liège ✆ **27 41 49 30, Fax 27 47 91 19** – AE GB — CV
Repas 150/320 bc.

à Quiévrechain au NE par N 30 : 12 km – 6 456 h. alt. 32 – ✉ **59920** :

XX **Manoir de Tombelle,** 135 av. J. Jaurès ✆ **27 35 12 30, Fax 27 26 27 61** – GB
fermé 10 au 30 juil., dim. soir et lundi soir – **Repas** 120 (déj.), 149/295.

XX **Au Petit Restaurant,** 182 r. J.-Jaurès ✆ **27 45 43 10**, – P. GB
fermé 30 juil. au 20 août et sam. – **Repas** 97/240.

à Sebourg à l'Est par D 934 et D 250 : 11 km – 1 661 h. alt. 80 – ✉ **59990** :

H. Jardin Fleuri sans rest, ✆ **27 26 53 31, Fax 27 26 50 08**, « Parc » – TV ☎ P. GB
☐ 30 – **13 ch** 180/270.

XX **Clos de la Perrière,** ✆ **27 26 53 33, Fax 27 26 54 63**, – P. AE GB
fermé 16 août au 6 sept., vacances de fév., dim. soir et lundi – **Repas** 110/195.

XX **Rest. Jardin Fleuri,** D 250 ✆ **27 26 53 44, Fax 27 26 52 26**, « Terrasses fleuries Collection de fers à repasser », – AE GB
fermé 1er au 15 sept., dim. soir, soirs fériés et merc. – **Repas** 95/250, enf. 60.

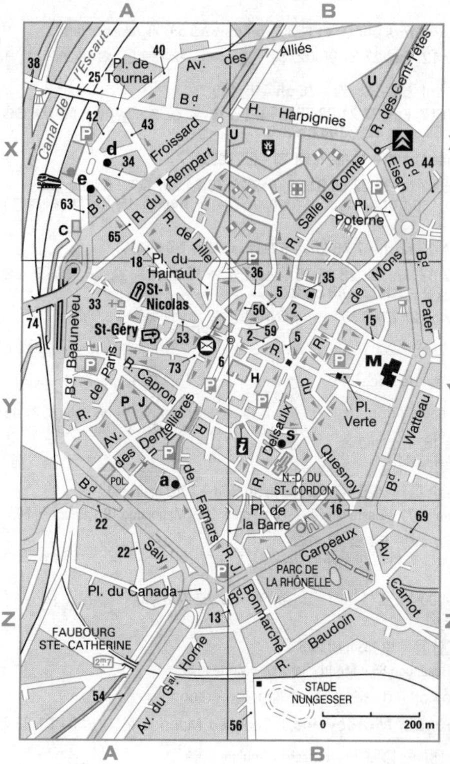

VALENCIENNES

Albert-1er (Av.) .... BY 2
Amsterdam (Av. d') . BY 5
Armes (Pl. d') ...... AY 6
Famars (R. de) .... AYZ
Lille (R. de) .... AX
Paix (R. de la) ..... BY 50
Paris (R. de) .... AY 53
St-Géry (R.) .... BY 59

Barbusse (R. H.)
ST-SAULVE .... CV 8
Bourgeois (Ch. des) BV 9
Cairns (Av. Sergt) ABZ 13
Capucins (R. des) .. BY 15
Cardon (Pl.) .... BZ 16
Charles-Quint (R.) . CV 17
Clemenceau (Av. G.) AX 18
Desandrouins (Av.) BV 20
Digue (R. de la) .... AZ 22
Duchesnois (Av.) ... CV 23
Dunkerque (Av. de) AX 25
Faidherbe (Av.) ..... BV 26
Fg de Cambrai (R.) . BV 29
Fg de Paris (R. du) . BV 30
Ferrand (R.) .... AY 33
Foch (Av. Mar.) ..... AX 34
Froissart (Pl. J.) .... BY 35
Gaulle (Pl. Gén. de) BY 36
Glacis (R. des) ..... CV 37
Jacob (Pont) .... AX 38
Jean-Jaurès (R.) .... BV 39
Juin (Av. du Mar.) . AX 40
Lattre-de-Tassigny
(Av. Mar. de) ... AX 42
Leclerc (Av. Mar.) .. AX 43
Liège (Av. de) .... BX 44
Marquis (R. du) .... CV 48
Perdrix (R. J.) .... CV 53
Pompidou (Av. G.) . AZ 54
Reims (Av. de) ...... BZ 56
St-Amand (Av. de) . BV 58
Sénateur-Girard
(Av.) .... AX 63
Tholozé (R.) .... AX 65
Vaillant-Couturier
(R. Paul) .... BV 67
Vauban (Av.) .... BV 68
Verdun (Av. de) ..... BZ 69
Vieille-Poissonnerie
(R.) .... AY 73
Villars (Av.) .... AY 74

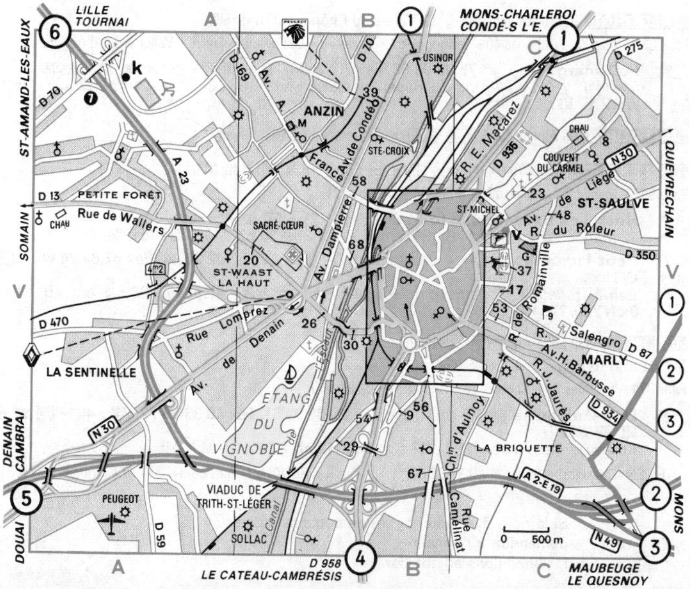

à la Z.I. de Prouvy-Rouvignies par ⑤ et N 30 : 5 km – ✉ **59300** Valenciennes :

Novotel M, ✆ 27 21 12 12, Fax 27 21 06 02, terrasse, piscine, jardin – ⇆ ▤ TV ☎ ♿ P – 🚶 180. AE ⓓ GB
Repas carte environ 160, enf. 50 – ☕ 50 – **76 ch** 415/445.

Campanile, ✆ 27 21 10 12, Fax 27 21 08 55 – ⇆ TV ☎ ✆ ♿ P – 🚶 60. AE ⓓ GB
Repas 84 bc/107 bc, enf. 39 – ☕ 32 – **105 ch** 270.

à Raismes NO : 5 km par D 169 – 14 099 h. alt. 23 – ✉ **59590** :

XXX **La Grignotière,** 6 r. J. Jaurès ✆ 27 36 91 99, Fax 27 36 74 29, terrasse – AE ⓓ GB
fermé 16 au 31 août, dim. soir et lundi sauf fériés le midi – **Repas** 115/255 bc et carte 210 à 320.

à Petite Forêt NO par A 23 sortie 7 : 5 km – 5 293 h. alt. 28 – ✉ **59494** :

Campanile, ✆ 27 47 87 87, Fax 27 28 95 25 – ⇆ TV ☎ ✆ ♿ P – 🚶 25. AE ⓓ GB
Repas 84 bc/107 bc, enf. 39 – ☕ 32 – **49 ch** 270. AV **k**

CITROEN Succursale, Bd Eisen BX ✆ 27 23 86 86 **N** ✆ 27 46 47 85
LANCIA, MAZDA Gar. du Centre, ZI n° 4, 200 r. Pdt Lecuyer à St-Saulve ✆ 27 28 04 34
MERCEDES Marty et Lecourt, 147 av. de Liège ✆ 27 28 00 00
NISSAN Le Relais, 17 r. W.-Rousseau à Anzin ✆ 27 29 03 49
PEUGEOT Caffeau et Ruffin, 136 à 162 r. J.-Jaurès à Anzin BV ✆ 27 22 87 00 **N** ✆ 05 44 24 24
RENAULT Succursale, 20 av. Denain BV ✆ 27 14 70 70 **N** ✆ 05 05 15 15
VAG S.A.D.I.A.V., N 114 à Aulnoy ✆ 27 29 03 03

Ⓜ Euromaster, ZI n°2 Rouvignies à Prouvy ✆ 27 21 02 54
Pneus Sces Valenciennes, 4 bd Saly ✆ 27 46 41 06
Pneus et Sces D.K., 317 av. Dampierre ✆ 27 46 47 03

VALENSOLE **04210** Alpes-de-H.-P. 81 ⑯ 114 ⑥ **G. Alpes du Sud** – 2 202 h alt. 566.
Paris 764 – Digne-les-Bains 46 – Brignoles 71 – Castellane 72 – Forcalquier 30 – Manosque 19 – Salernes 60.

Piès, ✆ 92 74 83 13, terrasse, jardin – TV ☎ P. GB
fermé fév. et merc. d'oct. à avril – **Repas** 75/200 , enf. 50 – ☕ 35 – **16 ch** 250/300 – ½ P 240/260.

CITROEN Tardieu Autom., ✆ 92 74 80 43
PEUGEOT Gar. Meyer, ✆ 92 74 92 21
Gar. Taix, ✆ 92 74 80 15

VALENTIGNEY **25700** Doubs 66 ⑱ – 13 133 h alt. 325.
Paris 484 – Basel 69 – Belfort 25 – ◆Besançon 85 – Montbéliard 12 – Morteau 67.

Voir plan de Montbéliard agglomération.

CONSTRUCTEUR : S.A. Peugeot Motocycles, à Beaulieu-Mandeure CZ ✆ **81 91 83 21**

La VALETTE-DU-VAR **83** Var 84 ⑮, 114 ㊺ – rattaché à Toulon.

VALGORGE **07110** Ardèche 80 ⑧ **G. Vallée du Rhône** – 430 h alt. 560.
Paris 621 – Alès 75 – Aubenas 40 – Langogne 51 – Privas 70 – Le Puy-en-Velay 80 – Vallon-Pont-d'Arc 45.

Le Tanargue , ✆ 75 88 98 98, Fax 75 88 96 09, ←, parc – ⇆ ☎ P. ⓓ GB
fermé 1er janv. au 15 mars – **Repas** (en saison prévenir) 95/195 – ☕ 39 – **25 ch** 275/365 – ½ P 275/360.

VALLAURIS **06** Alpes-Mar. 84 ⑨, 115 ㉟ ㊴ – rattaché à Golfe-Juan.

VALLERAUGUE **30570** Gard 80 ⑯ **G. Gorges du Tarn** – 1 091 h alt. 346.
Paris 696 – Mende 99 – Millau 73 – Nîmes 86 – Le Vigan 21.

Host. Les Bruyères, ✆ 67 82 20 06, terrasse, piscine – TV ☎ garage. GB
1er mai-30 sept – **Repas** 78/130, enf. 50 – ☕ 30 – **25 ch** 240/270 – ½ P 240/260.

XX **Petit Luxembourg** avec ch (annexe 10 ch), ✆ 67 82 20 44, Fax 67 82 24 66 – TV ☎. GB
fermé 15 déc. au 15 janv., dim. soir et lundi hors sais. – **Repas** 78/230 , enf. 45 – ☕ 30 – **8 ch** 220/270 – ½ P 260.

VALLET **44330** Loire-Atl. 67 ④ – 6 116 h alt. 54.
Office de Tourisme ✆ 40 36 35 87.
Paris 374 – ◆Nantes 26 – Ancenis 26 – Cholet 34 – Clisson 10.

Don Quichotte M, 35 rte Clisson ✆ 40 33 99 67, Fax 40 33 99 72, terrasse, jardin – TV ☎ ♿ P. AE ⓓ GB
Repas *(fermé dim. soir)* 82/122 – ☕ 40 – **12 ch** 275/295 – ½ P 245.

CITROEN Gar. Herbreteau, ✆ 40 33 92 39
RENAULT Gar. Leray, 37 r. d'Anjou ✆ 40 36 24 11

Europe

Si le nom d'un hôtel figure en petits caractères demandez, à l'arrivée, les conditions à l'hôtelier.

VALLOIRE 73450 Savoie 77 ⑦ G. Alpes du Nord – 1 012 h alt. 1430 – Sports d'hiver : 1 430/2 600 m 1 ;20.

Voir Col du Télégraphe ≤★ N : 5 km.

Altiport de Bonnenuit ☏ 79 59 02 00.

Office de Tourisme ☏ 79 59 03 96, Fax 79 59 09 66.

Paris 647 – Albertville 93 – Briançon 52 – Chambéry 103 – Lanslebourg-Mont-Cenis 57 – Col du Lautaret 24.

La Sétaz et rest. Le Gastilleur, ☏ 79 59 01 03, Fax 79 59 00 63, ≤, – TV ☎ P. AE GB. rest
1er juin-22 sept. et 20 déc.-20 avril – **Repas** 115/185, enf. 45 – 43 – **22 ch** 330/450 – ½ P 390/460.

Gd Hôtel Valloire et Galibier, ☏ 79 59 00 95, Fax 79 59 09 41, ≤, – TV ☎ P – 40. AE GB
15 juin-14 sept. et 21 déc.-15 avril – **Repas** 85/200, enf. 55 – 45 – **42 ch** 300/430 – ½ P 420/495.

Christiania, ☏ 79 59 00 57, Fax 79 59 00 06, – TV ☎. AE GB. rest
20 juin-10 sept. et 1er déc.-25 avril – **Repas** 90/170 – 35 – **26 ch** 220/330 – ½ P 350/390.

aux Verneys S : 2 km – ✉ 73450 Valloire :

Relais du Galibier, ☏ 79 59 00 45, Fax 79 83 31 89, ≤, – TV ☎ P. GB
20 juin-20 sept. et 1er déc.-10 avril – **Repas** 90/160, enf. 45 – 34 – **26 ch** 360 – ½ P 320/380.

Crêt Rond, ☏ 79 59 01 64, Fax 79 83 33 24 – ☎ P. GB
1er juil.-30 sept. et 20 déc.-30 avril – **Repas** 70/150, enf. 40 – 40 – **18 ch** 200/260 – ½ P 310.

Gar. Bouvet, ☏ 79 59 02 40

The Guide changes, so renew your Guide every year.

VALLON-PONT-D'ARC 07150 Ardèche 80 ⑨ G. Vallée du Rhône – 1 914 h alt. 117.

Voir Gorges de l'Ardèche★★★ au SE – Arche★★ de Pont d'Arc SE : 5 km.

Paris 657 – Alès 46 – Aubenas 34 – Avignon 79 – Carpentras 87 – Mende 114 – Montélimar 48.

au Sud-Est par rte des Gorges : 6,5 km – ✉ 07150 Vallon-Pont-d'Arc :

Chames , ☏ 75 88 11 33, Fax 75 88 10 20, ≤, – ☎ P. GB. rest
1er avril-30 sept. – **Repas** *(fermé mardi midi sauf juil.-août)* 95/185 , enf. 50 – 35 – **28 ch** 260/370 – ½ P 280.

VALLORCINE 74660 H.-Savoie 74 ⑨ G. Alpes du Nord – 329 h alt. 1260 – Sports d'hiver : 1 360/1 605 m 3.

Office de Tourisme pl. Gare ☏ 50 54 60 71, Fax 50 54 61 73.

Paris 628 – Chamonix-Mont-Blanc 16 – Annecy 110 – Thonon-les-Bains 97.

Ermitage , au Buet SO : 2 km par N 506 et rte secondaire ☏ 50 54 60 09, ≤, – ☎ P. GB. rest
15 avril-fin sept., vacances de Noël et 1er fév.-fin mars – **Repas** 95/180, enf. 70 – 45 – **15 ch** 360 – ½ P 340.

Mont-Blanc, ☏ 50 54 60 02, ≤, – ☎ P. GB
23 au 28 mai, 15 juin-15 sept., 22 déc.-2 janv. et 1er fév.-16 mars – **Repas** 77 (dîner), 80/131 – 30 – **24 ch** 240/350 – ½ P 192/285.

VALLOUX 89 Yonne 65 ⑯ – rattaché à Avallon.

VALMONT 76540 S.-Mar. 52 ⑫ G. Normandie Vallée de la Seine – 875 h alt. 60.

Voir Abbaye★.

Paris 199 – ♦Le Havre 47 – ♦Rouen 65 – Bolbec 21 – Dieppe 57 – Fécamp 10,5 – Yvetot 28.

Agriculture, pl. Dr Dupont ☏ 35 29 03 63, Fax 35 29 45 59, – TV ☎ P. GB. ch
fermé 15 janv. au 14 fév. – **Repas** *(fermé dim. soir et lundi)* 59 bc (déj.), 95/195 – 32 – **17 ch** 230/340 – ½ P 220/280.

Aub. du Bec au Cauchois, O : 1,5 km par rte Fécamp ☏ 35 29 77 56, Fax 35 29 77 52 – P. GB
fermé 25 nov. au 8 déc., dim. soir et lundi – **Repas** 65 (déj.), 90/205 , enf. 50.

RENAULT Valmont Autom., ☏ 35 29 81 96

VALMOREL 73 Savoie 74 ⑰ G. Alpes du Nord – alt. 1400 – Sports d'hiver : 1 250/2 550 m 2 30 – ✉ 73260 Aigueblanche.

Office de Tourisme, Maison de Valmorel ☏ 79 09 85 55, Fax 79 09 85 29.

Paris 622 – Albertville 40 – Chambéry 86 – Moutiers 19.

Planchamp , ☏ 79 09 83 91, Fax 79 09 83 93, ≤ – TV ☎. GB JCB. rest
5 juil.-2 sept. et 23 déc.-20 avril – **Repas** 150/180 – 65 – **30 ch** 490/560 – ½ P 590/650.

VALOGNES **50700** Manche **54** ② **G. Normandie Cotentin** – 7 412 h alt. 35.

⛳ de Fontenay-en-Cotentin ☎ 33 21 44 27, par ② : 11 km.

✈ de Cherbourg-Maupertus : ☎ 33 22 91 32, par ① : 18 km par D 24.

🛈 Office de Tourisme 21 r. du Grand Moulin ☎ 33 95 01 26, Fax 33 95 23 23, pl. Château (avril-septembre) ☎ 33 40 11 55.

Paris 341 ② – ♦Cherbourg 19 ⑤ – ♦Caen 103 ② – Coutances 56 ③ – St-Lô 57 ②.

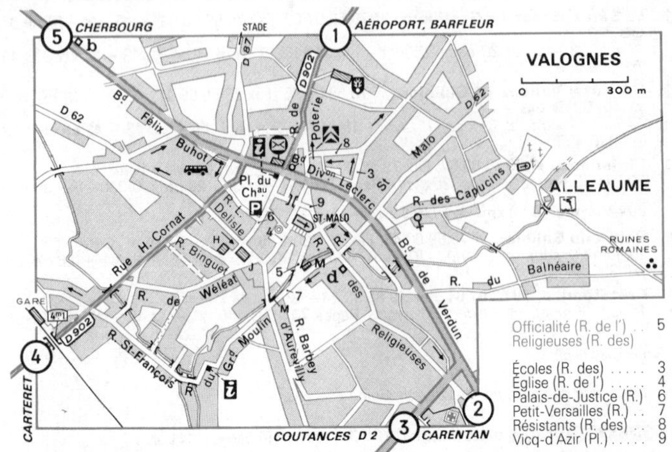

Haut Gallion Ⓜ, rte Cherbourg **(b)** ☎ 33 40 40 00, Fax 33 95 20 20 – TV ☎ & P – 50. AE ① GB
fermé 20 déc. au 7 janv. – **Repas** *(fermé vend. soir d'oct. à mai et sam. midi)* 72/240, enf. 49 – ☕ 37 – **40 ch** 280.

Gd H. du Louvre, 28 r. Religieuses **(d)** ☎ 33 40 00 07, Fax 33 40 13 73, – TV ☎ P. GB
fermé 20 déc. au 20 janv. – **Repas** *(fermé vend. sauf du 1er mai au 30 sept. et sam. midi)* 65 (déj.), 85/155, enf. 42 – ☕ 32 – **22 ch** 160/265 – ½ P 185/240.

XXX **Beaurepaire,** r. Beaurepaire par ② ☎ 33 40 20 30, Fax 33 95 11 26, – P. GB
fermé 15 janv. au 15 fév., dim. soir et lundi sauf fériés – **Repas** 140/340 et carte 260 à 370.

CITROEN Gar. Jacqueline, 1 bd Div. Leclerc ☎ 33 40 17 59
OPEL Gar. Luce, Tapotin à Yvetot Bocage ☎ 33 40 29 09
PEUGEOT Valognes Autom., N 13 par ② ☎ 33 40 09 38
RENAULT Gar. Mangon, 10 bd F.-Buhot ☎ 33 95 05 20 N ☎ 05 05 15 15

VALRAS-PLAGE **34350** Hérault **83** ⑮ **G. Gorges du Tarn** – 3 043 h alt. 1 – Casino.

🛈 Office de Tourisme pl. R.-Cassin ☎ 67 32 36 04.

Paris 783 – ♦Montpellier 71 – Agde 24 – Béziers 14.

Albizzia Ⓜ sans rest, bd Chemin Creux ☎ 67 37 48 48, Fax 67 37 58 10, – TV ☎ & P. AE ① GB
☕ 37 – **28 ch** 330/420.

Moderne, pl. Gén. de Gaulle ☎ 67 32 25 86, Fax 67 32 51 21, – ▤ ch TV ☎ – 40 AE GB
1er mai-30 sept. – **Repas** 68/250, enf. 43 – ☕ 42 – **30 ch** 228/360 – ½ P 268/315.

XX **Méditerranée** avec ch, 32 r. Ch. Thomas ☎ 67 32 38 60, Fax 67 32 30 91 – ▤ rest TV ☎ AE GB
hôtel : ouvert Pâques-fin oct. ; rest. : fermé 15 au 30 nov., 1er au 15 fév., le soir de déc. à fév et lundi – **Repas** 80/255 – ☕ 33 – **12 ch** 250/280 – ½ P 260.

VALRÉAS **84600** Vaucluse **81** ② **G. Provence** (plan) – 9 069 h alt. 250.

🛈 Office de Tourisme, pl. A.-Briand ☎ 90 35 04 71.

Paris 642 – Avignon 70 – Crest 52 – Montélimar 37 – Nyons 14 – Orange 35 – Pont-St-Esprit 38.

Grand Hôtel, 28 av. Gén. de Gaulle ☎ 90 35 00 26, Fax 90 35 60 93, , , – TV ☎ . GB
fermé 22 déc. au 28 janv., sam. soir hors sais. et dim. – **Repas** 99/300 – ☕ 38 – **15 ch** 270/370 – ½ P 300/370.

CITROEN Gar. Giai, rte d'Orange ☎ 90 35 14 60
PEUGEOT Gar. Ginoux, rte d'Orange ☎ 90 35 01 53
Ayme Pneus, 36 Crs Victor Hugo ☎ 90 35 19 08

VALROS 34290 Hérault 83 ⑮ – 1 021 h alt. 60.

Paris 761 – ♦Montpellier 57 – Agde 19 – Béziers 16 – Pézenas 7.

Aub. de la Tour, N 113 ✆ 67 98 52 01, Fax 67 98 65 31, 🍽, 🏊, – 📺 ☎ 🅿 – 🏕 25. GB *fermé 2 au 15 janv. et merc. midi* – **Repas** 95/234 🍷, enf. 65 – ☕ 32 – **18 ch** 260/280 – ½ P 257/267.

VALS-LES-BAINS 07600 Ardèche 76 ⑲ **G. Vallée du Rhône** – 3 661 h alt. 210 – Stat. therm. – Casino.

🅸 Office de Tourisme et du Thermalisme r. J.-Jaurès ✆ 75 37 49 27, Fax 75 94 67 00.

Paris 634 ② – Le Puy-en-Velay 86 ③ – Aubenas 5 ③ – Langogne 57 ③ – Privas 33 ②.

Gd H. des Bains 🌿, **(a)** ✆ 75 37 42 13, Fax 75 37 67 02, 🍽, parc – 🛗 📺 ☎ 🅿. AE ⓓ GB JCB *1er avril-30 nov.* – **Repas** 130/310 – ☕ 50 – **63 ch** 340/630 – P 410/600.

Vivarais, av. C. Expilly **(e)** ✆ 75 94 65 85, Fax 75 37 65 47, 🍽, 🏊 – 🛗 🚭 📺 ☎ 🅿. AE ⓓ GB JCB **Repas** 150/250 – ☕ 45 – **47 ch** 300/500 – P 450/550.

Lyon, av. P. Ribeyre **(s)** ✆ 75 37 43 70, Fax 75 37 59 11, 🏊 – 🛗 ☎ 🚗. AE ⓓ GB *4 avril-5 oct.* – **Repas** 95/190, enf. 50 – ☕ 40 – **35 ch** 330/450 – P 380/430.

St-Jean, r. J. Jaurès **(u)** ✆ 75 37 42 50, Fax 75 37 54 77 – 🛗 ☎ 🅿. GB. 🚫 rest *mi-avril-1er nov.* – **Repas** 79/149 🍷, enf. 49 – ☕ 36 – **32 ch** 230/270 – P 305/325.

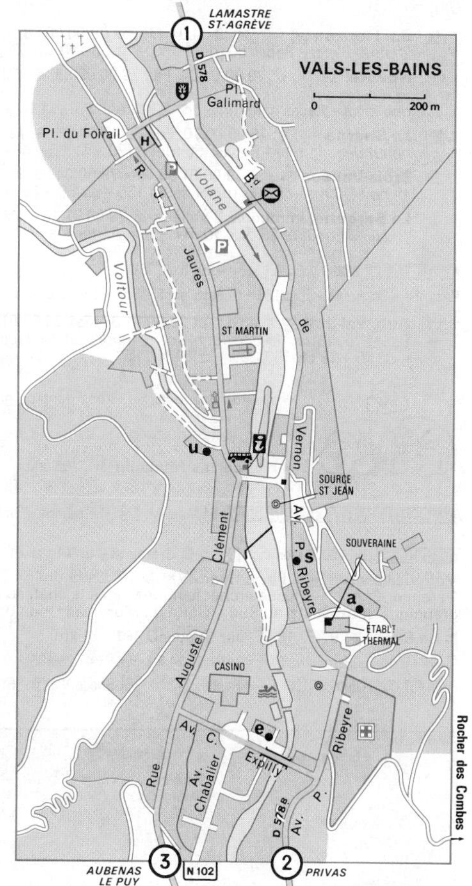

VAL-SUZON 21121 Côte-d'Or 66 ⑪ **G. Bourgogne** – 194 h alt. 361.

Paris 301 – ♦Dijon 18 – Auxerre 138 – Avallon 94 – Châtillon-sur-Seine 68 – Montbard 59 – Saulieu 71.

Host. Val-Suzon et Chalet de la Fontaine aux Geais 🌿, N 71 ✆ 80 35 60 15, Fax 80 35 61 36, 🍽, « Jardin fleuri avec volière » – 📺 ☎ 🅿. AE ⓓ GB. 🚫 rest *fermé jeudi midi et merc. d'oct. à avril* – **Repas** 130 (déj.), 200/420, enf. 85 – ☕ 58 – **16 ch** 420/520 – ½ P 453/550.

à Prenois S : 7 km par N 71 et D 104 – 299 h. alt. 485 – ✉ **21370** :

Aub. de la Charme, ✆ 80 35 32 84, Fax 80 35 34 48, 🍽 – GB *fermé 1er au 8 août, 2 au 17 janv. et mardi* – **Repas** 80/195.

VAL-THORENS 73 Savoie 77 ⑧ **G. Alpes du Nord** – alt. 2300 – Sports d'hiver : 1 830/3 300 m 🚡4 ⛷28 – ✉ **73440** St-Martin-de-Belleville.

🅸 Office de Tourisme (saison) ✆ 79 00 08 08, Télex 980573, Fax 79 00 00 04.

Paris 644 – Albertville 61 – Chambéry 108 – Moûtiers 34.

Fitz Roy H. Ⓜ 🌿, ✆ 79 00 04 78, Fax 79 00 06 11, ≤, 🍽, 🏋, 🏊 – 🛗 ≡ rest 📺 ☎ ♿. AE ⓓ GB JCB. 🚫 rest *1er déc.-10 mai* – **Repas** 280/380 – ☕ 80 – **33 ch** (½ pens. seul.) – ½ P 1500.

Le Val Thorens Ⓜ 🌿, ✆ 79 00 04 33, Fax 79 00 09 40, ≤, 🍽, 🏋 – 🛗 📺 ☎ ♿. AE ⓓ GB. 🚫 rest *1er déc.-1er mai* – **Repas** 95 (déj.)/180 – ☕ 60 – **81 ch** 840/1210 – ½ P 735/770.

Bel Horizon M ⅋, ℘ 79 00 04 77, Fax 79 00 06 08, ≤, 余, Fö – |≡| TV ☎. GB. ⅋ rest
20 nov.-2 mai – **Repas** 90 (déj.)/160 – ☕ 60 – **31 ch** 520/1040 – ½ P 680.

Novotel M ⅋, ℘ 79 00 04 04, Fax 79 00 05 93, ≤, 余 – |≡| ⅋ TV ☎ – 🏠 100. AE ⓓ GB JCB
déc.-avril – **Repas** carte environ 190 ⅋, enf. 75 – ☕ 50 – **104 ch** (½ pens. seul.) – ½ P 700.

Le Sherpa ⅋, ℘ 79 00 00 70, Fax 79 00 08 03, ≤, Fö – |≡| TV ☎. GB. ⅋ rest
début déc.-1er mai – **Repas** 150 (déj.)/170 – ☕ 66 – **42 ch** (½ pens. seul.) – ½ P 650.

Trois Vallées ⅋, ℘ 79 00 01 86, Fax 79 00 04 08, ≤ – TV ☎. GB. ⅋ rest
1er nov.-10 mai – **Repas** (dîner seul.) 135 – ☕ 50 – **28 ch** 540/700 – ½ P 550.

La Bergerie, immeuble 3 Vallées ℘ 79 00 77 18 – GB
1er juil.-31 août et 28 oct.-10 mai – **Repas** (déj. seul.) 85.

Le VALTIN 88230 Vosges 62 ⑱ – 101 h alt. 751.

Paris 450 – Colmar 49 – Épinal 58 – Guebwiller 53 – St-Dié 27 – Col de la Schlucht 8,5.

Aub. Val Joli ⅋ avec ch, ℘ 29 60 91 37, Fax 29 60 81 73, 余, 🐴 – TV ☎ P. GB. ⅋ rest
fermé 15 nov. au 15 déc., dim. soir et lundi sauf vacances scolaires – **Repas** 60/230 ⅋, enf. 35 – ☕ 35 – **16 ch** 150/350 – ½ P 174/285.

Les noms des localités citées dans ce guide

sont soulignés de rouge

sur les **cartes Michelin** à 1/200 000.

VANDOEUVRE-LÈS-NANCY 54 M.-et-M. 62 ⑤ – rattaché à Nancy.

VANNES P 56000 Morbihan 63 ③ G. Bretagne – 45 644 h alt. 20.

Voir Vieille ville★ AZ : Place Henri-IV★ AZ 10, Cathédrale★ AZ B, Remparts★, Promenade de la Garenne ≤★★ BZ – Musée archéologique★ dans le château Gaillard AZ **M** – Aquarium océanographique et tropical★ au Sud – Golfe du Morbihan★★ en bateau.

18 de Baden ℘ 97 57 18 96, par ④ puis D 101 : 14 km.

Office de Tourisme 1 r. Thiers ℘ 97 47 24 34, Fax 97 47 29 49.

Paris 457 ② – Quimper 120 ④ – ◆Rennes 112 ② – St-Brieuc 109 ① – St-Nazaire 75 ③.

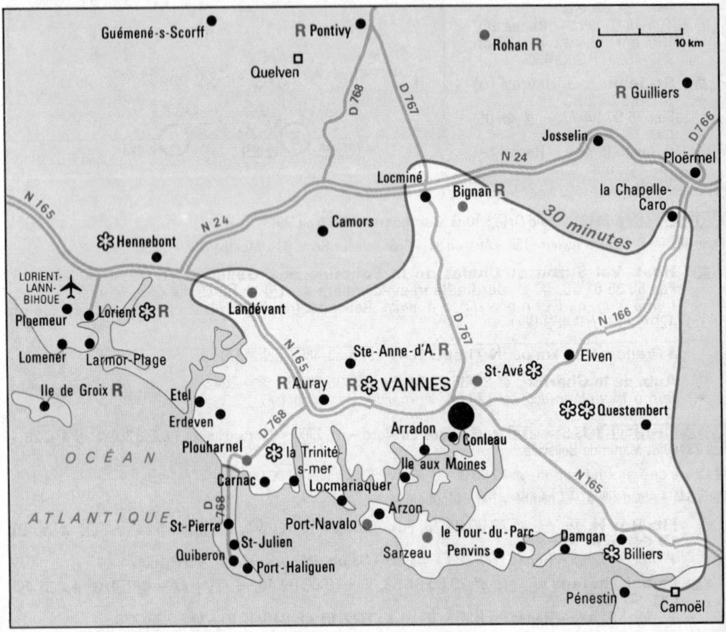

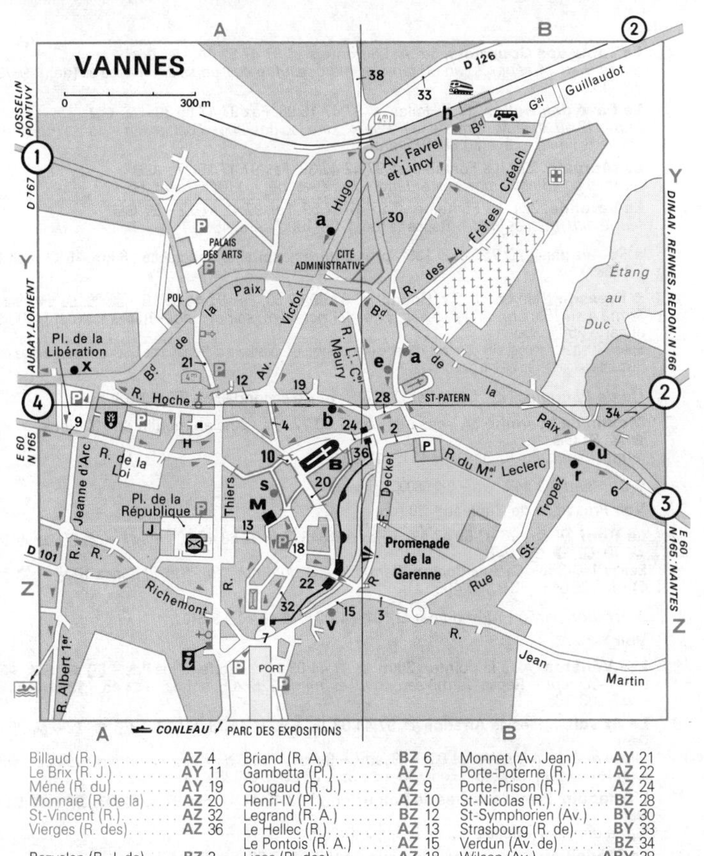

Billaud (R.)	**AZ** 4	Briand (R. A.)	**BZ** 6	Monnet (Av. Jean)	**AY** 21
Le Brix (R. J.)	**AY** 11	Gambetta (Pl.)	**AZ** 7	Porte-Poterne (R.)	**AZ** 22
Méné (R. du)	**AY** 19	Gougaud (R. J.)	**AZ** 9	Porte-Prison (R.)	**AZ** 24
Monnaie (R. de la)	**AZ** 20	Henri-IV (Pl.)	**AZ** 10	St-Nicolas (R.)	**BZ** 28
St-Vincent (R.)	**AZ** 32	Legrand (R. A.)	**BZ** 12	St-Symphorien (Av.)	**BY** 30
Vierges (R. des)	**AZ** 36	Le Hellec (R.)	**AZ** 13	Strasbourg (R. de)	**BY** 33
		Le Pontois (R. A.)	**AZ** 15	Verdun (Av. de)	**BZ** 34
Bazvalan (R. J. de)	**BZ** 3	Lices (Pl. des)	**AZ** 18	Wilson (Av.)	**ABY** 38

Aquarium H. et rest. Le Dauphin [M], Le parc du Golfe, S rte Conleau ☎ 97 40 44 52, Télex 950826, Fax 97 63 03 20, ≤, – |‡| TV ☎ ♿ P – 🅰 60. AE ◑ GB
Repas *(fermé dim. soir d'oct. à mars)* 85/230, enf. 60 – ☕ 45 – **48 ch** 400/480 – ½ P 400.

La Marébaudière sans rest, 4 r. A. Briand ☎ 97 47 34 29, Fax 97 54 14 11 – |‡| TV ☎ P. AE GB — BZ **r**
☕ 47 – **41 ch** 282/430.

Image Ste-Anne, 8 pl. Libération ☎ 97 63 27 36, Fax 97 40 97 02 – |‡| TV ☎ P. GB — AY **x**
Repas *(fermé dim. soir de nov. à Pâques)* 78/250, enf. 45 – ☕ 50 – **30 ch** 310/380 – ½ P 271/345.

Ibis [M], Z.U.P de Ménimur (r. E.-Jourdan) par ① ☎ 97 63 61 11, Fax 97 63 21 33 – TV ☎ P – 🅰 30. AE ◑ GB. rest
Repas 99 bc, enf. 39 – ☕ 35 – **59 ch** 305/360.

France sans rest, 57 av. V. Hugo ☎ 97 47 27 57, Fax 97 42 59 17 – TV ☎. GB — AY **a**
fermé Noël au Jour de l'An – ☕ 45 – **25 ch** 190/300.

Verdun sans rest, 10 av. Verdun ☎ 97 47 21 23, Fax 97 47 93 78 – TV ☎. GB — BZ **u**
☕ 28 – **24 ch** 110/200.

Bretagne sans rest, 34 r. Méné ☎ 97 47 20 21 – TV ☎. GB — AYZ **b**
☕ 30 – **12 ch** 160/230.

XXX ✿ **Régis Mahé,** pl. Gare ☎ 97 42 61 41 – AE GB — BY **h**
fermé 18 nov. au 2 déc., vacances de fév., dim. soir et lundi sauf fériés – **Repas** 160 bc (déj.), 250/360 et carte 270 à 360
Spéc. Filets de rouget à l'orientale. Dos de bar, pommes de terre écrasées, jus de veau et persil plat. Tarte chaude au chocolat, glace crème fraîche, sauce caramel.

XX **La Table des Gourmets,** 6 r. A. Le Pontois ✆ 97 47 52 44 – AE GB AZ **v**
fermé 9 au 14 sept., 20 au 30 janv. et merc. sauf le soir en sais. – **Repas** 80 (déj.), 98/285, enf. 45.

X **Le Pavé des Halles,** 17 r. Halles ✆ 97 47 15 96, Fax 97 47 86 39 – AE GB AZ **s**
fermé 15 au 30 janv., dim. de juil. à sept., dim. soir et lundi d'oct. à juin – **Repas** (nombre de couverts limité, prévenir) 88/195, enf. 42.

X **La Morgate,** 21 r. La Fontaine ✆ 97 42 42 39, Fax 97 47 25 27 – GB BY **e**
fermé 4 au 18 nov., dim. soir et lundi – **Repas** 85 (déj.), 110/167, enf. 65.

X **La Varende,** 22 r. La Fontaine ✆ 97 47 57 52, Fax 97 42 47 22 – AE GB BY **a**
fermé dim. midi et lundi – **Repas** 79 (déj.), 98/190 ♁, enf. 45.

à St-Avé par ①, D 767 et D 135 - près centre hospitalier spécialisé : 6 km – 6 929 h. alt. 50 – ✉ **56890** :

XXX ✿ **Pressoir** (Rambaud), 7 r. Hôpital ✆ 97 60 87 63, Fax 97 44 59 15 – ▤ P. AE ⓓ GB
fermé 4 au 18 mars, 1er au 10 juil., 1er au 21 oct., dim. soir et lundi – **Repas** 130 (déj.), 190/380 et carte 250 à 350
Spéc. Galette de rouget aux pommes de terre et au romarin. Croustillant d'andouille de Guémené et foie gras poêlé. Homard breton rôti au beurre de corail (avril à sept.).

rte de Plumelec NE : 6 km par D 126 BY et rte secondaire – ✉ **56890** St-Avé :

Moulin de Lesnuhé ⛰ sans rest, ✆ 97 60 77 77, « Ancien moulin du 15e siècle », ⛱ – ☎ P. AE GB
fermé 15 déc. au 15 janv. – ☕ 31 – **12 ch** 260.

à Conleau SO : 4,5 km – ✉ **56000** Vannes.
Voir Presqu'île de Conleau★ 30 mn.

Le Roof M ⛰, ✆ 97 63 47 47, Télex 951843, Fax 97 63 48 10, ←, ⛱ – |‡| TV ☎ ♿ P – 🏛 70. AE ⓓ GB JCB
Repas 148/330 - ***Café de Conleau*** *(fermé le soir du 4 nov. au 1er avril)* **Repas** 100♁ – ☕ 50 – **41 ch** 365/645 – ½ P 340/465.

à Arradon par ④ : 7 km ou par D 101 – 4 317 h. alt. 40 – ✉ **56610**.
Voir ←★.

Les Vénètes ⛰, à la pointe : 2 km ✆ 97 44 03 11, ← golfe et les îles – TV ☎. GB. ✗
6 avril-30 sept. – **Repas** *(fermé sam. midi et mardi)* 125/205, enf. 95 – ☕ 45 – **12 ch** 325/500 – ½ P 383/465.

Le Stivell, r. Plessis Arradon ✆ 97 44 03 15, Fax 97 44 78 90, ⛱ – TV ☎ P – 🏛 25. AE GB
fermé mi-nov. à mi-déc. et 6 au 12 janv. – **Repas** *(fermé dim. soir et lundi du 15 sept. au 15 juin)* 75 bc (déj.), 87/235 ♁, enf. 50 – ☕ 35 – **25 ch** 320/435 – ½ P 270/290.

XX **L'Arlequin,** Parc d'activités de Botquelen ✆ 97 40 41 41, Fax 97 40 52 93, ⛱ – P. AE ⓓ GB
fermé dim. soir – **Repas** 150 bc (déj.), 140/250.

XX **Le Médaillon,** 10 r. Bouruet Aubertot ✆ 97 44 77 28, Fax 97 44 77 28, ⛱ – AE GB
fermé dim. soir et merc. sauf juil.-août – **Repas** 79/179, enf. 52.

XX **Les Logoden,** près de la Poste ✆ 97 44 03 35 – AE GB
fermé merc. soir et jeudi de sept. à juin – **Repas** 77/230, enf. 50.

au Gréo par ④, D 101 et rte secondaire : 10 km – ✉ **56610** Arradon :

Le Logis de Parc er Gréo M ⛰ sans rest, 7 bis r. Mané Guen ✆ 97 44 73 03, Fax 97 44 80 48, ⛱ – ✗ TV ☎ ♿ P. AE ⓓ GB
☕ 45 – **12 ch** 360/450.

BMW Auto Diffusion, rte Ste-Anne d'Auray ZA de Parc Lann ✆ 97 40 74 75 N ✆ 97 63 23 45
CITROEN S.A.V.V.A., rte de Nantes à Séné par ③ ✆ 97 54 22 74 N ✆ 97 63 23 45
CITROEN Gar. Borgat, rte de Pontivy par ① ✆ 97 47 43 77
FORD Autorep, 41 r. du Vincin ✆ 97 63 10 35
MERCEDES Gar. Allannic, ZA Parc Lann Sud ✆ 97 46 03 20 N ✆ 97 63 23 45
OPEL Gar. Mahéo, zone Ciale Kerthomas ✆ 97 40 78 78 N ✆ 97 63 23 45
PEUGEOT Gar. Laine, 124 av. de la Marne par ④ ✆ 97 63 27 27 N ✆ 99 24 19 77
RENAULT S.V.D.A., 95 av. E.-Herriot par ③ ✆ 97 54 20 70 N ✆ 05 05 15 15
RENAULT Gar. Le Goff, rte d'Auray par ④ ✆ 97 63 14 73
TOYOTA Auto Loisirs, ZAC Poulfanc, r. des Vosges à Séné ✆ 97 42 77 49 N ✆ 97 63 23 45
VAG Gar. Floc, ZA de Kerlann ✆ 97 63 81 81 N ✆ 97 63 23 45

Ⓜ Foucaud Pneus, 35 rte de Nantes à Séné ✆ 97 47 12 91
Gar. Foucaud, 13 r. 5eme Cuirassier ✆ 97 47 42 57
Jahier Pneus, r. Nicéphore Niepce, ZI du Prat ✆ 97 47 64 65
Jahier Pneus, 2 r. 65e-R.I., rte de Pontivy ✆ 97 47 18 50

VANNES-SUR-COSSON **45510** Loiret 64 ⑩ – 455 h alt. 125.

Paris 167 – ♦Orléans 33 – Gien 35 – Lamotte-Beuvron 22 – Montargis 61.

XX **Vieux Relais,** ✆ 38 58 04 14 – GB
fermé 1er au 12 juil., 23 déc. au 12 janv., dim. soir et lundi – **Repas** 98/198.

es VANS **07140** Ardèche 80 ⑧ **G. Vallée du Rhône** – 2 668 h alt. 170.

Office de Tourisme pl. Ollier (fermé après-midi hors saison) ✆ 75 37 24 48.

ris 667 – Alès 43 – Aubenas 36 – Pont-St-Esprit 65 – Privas 66 – Villefort 24.

Le Carmel ✆ 75 94 99 60, Fax 75 37 20 02, – ☎ – 25. AE GB
fermé 15 nov. au 20 déc. et 5 janv. au 20 fév. – **Repas** *(fermé merc. sauf juil.-août)* (dîner seul.) 100/150, enf. 48 – 40 – **26 ch** 250/390 – ½ P 310/325.

Le Grangousier, face église ✆ 75 94 90 86, « Maison du 16e siècle » – GB
1er mars-15 nov. et fermé dim. soir et merc. sauf juil.-août – **Repas** (nombre de couverts limité, prévenir) 95/340.

au SE : 6 km par D 901 – ✉ **07140** Les Vans :

Mas de l'Espaïre ✆ 75 94 95 01, Fax 75 37 21 00, – ☎ – 25. AE GB JCB
1er mars-30 nov. – **Repas** 120/175 – 40 – **35 ch** 380/490 – ½ P 380.

TROEN Gar. du Midi, ✆ 75 37 22 39 N 75 37 35 76

PEUGEOT Gar. Boissin, ✆ 75 37 21 41
RENAULT Gar. Coste, ✆ 75 37 21 19

ANVES **92** Hauts-de-Seine 60 ⑩, 101 ㉕ – voir à Paris, Environs.

ARCES **38** Isère 77 ④ – rattaché à Grenoble.

ARENGEVILLE-SUR-MER **76119** S.-Mar. 52 ④ **G. Normandie Vallée de la Seine** – 1 048 h alt. 80.

oir Site★ de l'église – Parc des Moustiers★ – Ste-Marguerite : arcades★ de l'église O : 4,5 km Phare d'Ailly ←★ NO : 4 km.

ris 176 – Dieppe 11 – Fécamp 59 – Fontaine-le-Dun 18 – ◆Rouen 63 – St-Valery-en-Caux 26.

à Vasterival NO : 3 km par D 75 et rte secondaire – ✉ **76119** Varengeville-sur-Mer :

de la Terrasse ✆ 35 85 12 54, Fax 35 85 11 70, ←, « Jardin ombragé », – ☎ P. GB. rest
15 mars-3 oct. – **Repas** 85/200, enf. 45 – 37 – **22 ch** 250/310 – ½ P 250/270.

a VARENNE-ST-HILAIRE **94** Val-de-Marne 61 ①, 101 ㉘ – voir à Paris, Environs (St-Maur-des-Fossés).

ARENNES-JARCY **91480** Essonne 61 ① 106 ㉜ ㉝ 101 ㊳ – 1 687 h alt. 55.

ris 31 – Brunoy 6 – Évry 15 – Melun 23.

Host. de Varennes, ✆ (1) 69 00 97 03, Fax (1) 69 00 80 08, parc – P. AE GB
fermé août, 5 au 12 janv., lundi soir et mardi – **Repas** 125/195.

ARENNES-SUR-ALLIER **03150** Allier 69 ⑭ – 4 413 h alt. 245.

Office de Tourisme ✆ 70 45 84 37.

ris 323 – Moulins 29 – Digoin 58 – Lapalisse 19 – St-Pourçain-sur-Sioule 11 – Vichy 26.

Aub. de l'Orisse, SE : 2 km sur N 7 ✆ 70 45 05 60, Fax 70 45 18 55, ←, parc, – ☎ P – 40. AE GB
fermé vend. soir, sam. midi et dim. soir (sauf hôtel de Pâques à sept.) – **Repas** 98/195 – 30 – **23 ch** 250/300.

au SE : 8,5 km par N 209 et D 214 – ✉ **03150** Varennes-sur-Allier :

Château de Theillat ✆ 70 99 86 70, Fax 70 99 86 33, ←, « Château du 19e siècle dans un parc », – ☎ P – 25 à 100. AE GB. rest
Repas 170/380 – 70 – **18 ch** 650/1230 – ½ P 650.

TROEN Gar. Muet, 37 av. de Lyon 70 45 00 19 N ✆ 70 45 00 19
RD Gar. Mantin, 58 av. de Chazeuil 70 45 06 08

RENAULT Central Gar., 26 r. 4-Septembre ✆ 70 45 05 02 N ✆ 70 45 05 02
Gar. Sabot, 13 r. Hôtel de Ville ✆ 70 45 05 23

ARETZ **19** Corrèze 75 ⑧ – rattaché à Brive-la-Gaillarde.

ARREDDES **77** S.-et-M. 56 ⑬, 106 ㉓ – rattaché à Meaux.

ARS **05560** H.-Alpes 77 ⑱ **G. Alpes du Sud** – 941 h alt. 1650.

ris 732 – Briançon 45 – Gap 70 – Barcelonnette 42 – Digne-les-Bains 125.

à Ste-Marie-de-Vars – ✉ **05560** Vars :

Le Vallon ✆ 92 46 54 72, Fax 92 46 61 62, ←, – ☎ P – 30. GB. rest
25 juin-5 sept. et 21 déc.-26 avril – **Repas** 88/119, enf. 52 – 38 – **33 ch** 260/440 – ½ P 325/355.

La Mayt ✆ 92 46 50 07, Fax 92 46 63 92, ← – ☎ P. GB. rest
juil.-août et 20 déc.-15 avril – **Repas** 88/120 – 42 – **21 ch** 280/420 – ½ P 300/350.

L'Edelweiss, ✆ 92 46 50 51, Fax 92 46 54 16, ← – ☎ P. AE GB. rest
22 juin-15 sept. et 14 déc.-15 avril – **Repas** *(fermé le midi en été sauf du 5 juil. au 31 août)* 95, enf. 48 – 36 – **19 ch** 265/340 – ½ P 270/330.

aux Claux – Sports d'hiver : 1 650/2 750 m 1 29 – ✉ 05560 Vars.

Office de Tourisme cours Fontanarosa ✆ 92 46 51 31, Fax 92 46 56 54.

Le Caribou, ✆ 92 46 50 43, Fax 92 46 59 92, ←, – TV ☎ P. GB. rest
20 juin-1er sept. et 20 déc.-21 avril – **Repas** 90/170 – ☕ 45 – **37 ch** 500/950 – 1/2 P 700/800

L'Écureuil M sans rest, ✆ 92 46 50 72, Fax 92 46 62 51, ← – TV ☎ ♿ P. GB
1er juil.-31 août et 5 déc.-20 avril – ☕ 40 – **19 ch** 360/480.

Les Escondus, ✆ 92 46 67 00, Fax 92 46 50 47, ←, , , – ☎ P. AE GB. re
28 juin-10 sept. et début déc.-fin avril – **Repas** 68/140 – ☕ 38 – **22 ch** 440/480 – 1/2 P 45
510.

Chez Plumot, ✆ 92 46 52 12, – GB
juil.-août et déc.-avril – **Repas** 100 (déj.), 130/200.

VARZY 58210 Nièvre 65 ⑭ **G. Bourgogne** – 1 455 h alt. 249.

Paris 211 – La Charité-sur-Loire 36 – Clamecy 16 – Cosne-sur-Loire 41 – Nevers 51.

Restaurhôtel avec ch, ✆ 86 29 41 72, Fax 86 29 72 67, – TV ☎. GB
fermé fév., lundi du 15 nov. au 15 mars et dim. soir – **Repas** 100/250 – ☕ 35 – **10 c**
200/250.

RENAULT Gar. Moreau, ✆ 86 29 42 10

VASSIVIÈRE (Lac de) 87 H.-Vienne 72 ⑲ – rattaché à Peyrat-le-Château.

VASTERIVAL 76 S.-Mar. 52 ④ – rattaché à Varengeville-sur-Mer.

VATAN 36150 Indre 68 ⑧ ⑨ **G. Berry Limousin** – 2 022 h alt. 140.

Paris 237 – Bourges 49 – Blois 76 – Châteauroux 32 – Issoudun 21 – Vierzon 26.

France, ✆ 54 49 74 11, , – TV ☎ P. GB
fermé 26 août au 2 sept., 5 fév. au 7 mars, mardi soir et merc. sauf fériés – **Repas** 90/185
☕ 35 – **12 ch** 135/380.

CITROEN Gar. Thibault, ✆ 54 49 75 27

Leseche Pneus, ✆ 54 49 74 02

VAUCHOUX 70 H.-Saône 66 ⑤ – rattaché à Port-sur-Saône.

VAUCLAIX 58140 Nièvre 65 ⑯ – 145 h alt. 281.

Paris 250 – Autun 65 – Avallon 36 – Clamecy 40 – Nevers 68.

La Poste, ✆ 86 22 71 38, Fax 86 22 76 00, , , – TV ☎ P. GB
Repas 70/250 – ☕ 45 – **18 ch** 200/330 – 1/2 P 235/305.

VAUCOULEURS 55140 Meuse 62 ③ **G. Alsace Lorraine** – 2 401 h alt. 254.

Paris 272 – ♦Nancy 46 – Bar-le-Duc 48 – Commercy 19 – Neufchâteau 31.

Relais de la Poste avec ch, ✆ 29 89 40 01, Fax 29 89 40 93 – TV ☎ . GB.
fermé 24 déc. au 24 janv., dim. soir et lundi – **Repas** 80/165 – ☕ 30 – **9 ch** 210/250
1/2 P 230.

VAUCRESSON 92 Hauts-de-Seine 60 ⑩, 101 ㉓ – voir à Paris, Environs.

VAUDEURS 89320 Yonne 61 ⑮ – 478 h alt. 200.

Paris 143 – Troyes 56 – Auxerre 51 – Sens 23.

La Vaudeurinoise avec ch, ✆ 86 96 28 00, Fax 86 96 28 03, – P. GB
fermé mardi soir et merc. sauf juil-août – **Repas** (dim. prévenir) 85/220 – ☕ 30 – **6 c**
175/250 – 1/2 P 200/250.

VAULT DE LUGNY 89 Yonne 65 ⑯ – rattaché à Avallon.

VAUVERT 30600 Gard 83 ⑧ – 10 296 h alt. 20.

Office de Tourisme pl. E.-Renan ✆ 66 88 28 52, Fax 66 88 71 25.

Paris 731 – ♦Montpellier 39 – Aigues-Mortes 19 – Arles 34 – Beaucaire 40 – Nîmes 21.

rte de Lunel O : 4 km par N 572 – ✉ 30740 Le Cailar :

Mas Sauvage, ✆ 66 88 05 40, Fax 66 88 01 33, , , – TV ☎ P – 25. AE GE

fermé janv., dim. soir et lundi du 1er oct. au 1er mars – **Repas** 85/140 – ☕ 50 – **28 ch** 150/33
– 1/2 P 265.

FIAT Gar. Domergue, Parking du cimetière ✆ 66 88 24 18 N ✆ 66 88 24 18
PEUGEOT Gar. Charbois, 41 av. R.-Gourdon rte de Nîmes ✆ 66 88 21 34

Velasquez Pneus, 92 r. Carnot ✆ 66 88 42 78

VAUX-SOUS-AUBIGNY 52190 H.-Marne 66 ③ – 663 h alt. 275.

Paris 315 – ♦Dijon 46 – Gray 43 – Langres 24.

Aub. des Trois Provinces, ✆ 25 88 31 98 – GB
fermé 27 janv. au 15 fév., dim. soir et lundi – **Repas** 89/125.

VEAUCHE **42340** Loire 73 ⑱ **G. Vallée du Rhône** – 7 282 h alt. 387.

Voir Bras reliquaire★ dans l'église.

Paris 506 – ◆St-Étienne 18 – ◆Lyon 78 – Montbrison 25 – Roanne 70.

XX **Relais de l'Etrier,** N 82 ✆ 77 54 60 11, Fax 77 94 87 74, 🏠 – ▤ 🅿. GB
fermé dim. soir et lundi – **Repas** 145/300 🍷 - ***Grill :*** **Repas** 90/300, 🍷, enf. 55.

VEILLAC **15** Cantal 76 ② – rattaché à Bort-les-Orgues.

VELIZY-VILLACOUBLAY **78** Yvelines 60 ⑩, 101 ㉔ – voir à Paris, Environs.

VELLUIRE **85** Vendée 71 ⑪ – rattaché à Fontenay-le-Comte.

VENAREY-LES-LAUMES **21150** Côte-d'Or 65 ⑧ ⑱ **G. Bourgogne** – 3 544 h alt. 235.

Paris 259 – ◆Dijon 68 – Avallon 53 – Montbard 14 – Saulieu 41 – Semur-en-Auxois 12 – Vitteaux 20.

à Alise-Ste-Reine E : 2 km – 667 h. alt. 415 – ✉ **21150**.

Voir Mont Auxois★ : ✵★.

X **Cheval Blanc,** ✆ 80 96 01 55 – 🅿. GB
fermé 10 janv. au 1er fév., dim. soir et lundi sauf juil.-août – **Repas** 70 (déj.), 138/200.

CITROEN Gar. Jourdan, ✆ 80 96 05 63
PEUGEOT Gar. Chalumeau, ✆ 80 96 03 84
RENAULT Gar. Renardet, ✆ 80 96 05 12

VENASQUE **84210** Vaucluse 81 ⑬ **G. Provence** – 785 h alt. 310.

Voir Baptistère★ – Gorges★ E : 5 km par D 4.

ℹ Office de Tourisme, Grande-Rue (mars-oct.) ✆ 90 66 11 66.

Paris 691 – Avignon 36 – Apt 33 – Carpentras 12 – Cavaillon 31 – Orange 36.

🏨 **Aub. La Fontaine** M 🐎, ✆ 90 66 02 96, Fax 90 66 13 14, ambiance guest house – cuisinette ▤ ch 📺 ☎. GB
fermé mi-nov. à mi-déc. – **Repas** *(fermé merc.)* (nombre de couverts limité, prévenir) (dîner seul. sauf dim. et fêtes) 200 🍷 - ***Le Bistro*** *(fermé dim. soir et lundi)* **Repas** 80 🍷, enf. 40 – ☕ 50, 5 appart 700.

🏠 **La Garrigue** 🐎, ✆ 90 66 03 40, Fax 90 66 61 43, 🏠, 🏊, 🌳 – ⟲ ▤ ch ☎ 🅿. GB. ✂
début avril-15 oct. et fermé mardi en avril, sept. et oct. – **Repas** (dîner seul.)(résidents seul.) – ☕ 45 – **15 ch** 300/450 – ½ P 320/380.

VENCE **06140** Alpes-Mar. 84 ⑨ 115 ㉕ **G. Côte d'Azur** – 15 330 h alt. 325.

Voir Chapelle du Rosaire★ (chapelle Matisse) A – Place du Peyra★ B 13 – Stalles★ de la cathédrale B **E** – ≤★ de la terrasse du château N. D. des Fleurs NO : 2,5 km par D 2210.

Env. Col de Vence ✵★★ NO : 10 km par D 2 A – St-Jeannet : site★, ≤★ 8 km par ③.

ℹ Office de Tourisme pl. Grand-Jardin ✆ 93 58 06 38, Fax 93 58 91 81.

Paris 929 ① – ◆Nice 21 ① – Antibes 22 ① – Cannes 30 ① – Grasse 25 ②.

Alsace-Lorr. (R.) . **B** 3
Évêché (R. de l') . **B** 5
Hôtel-de-Ville (R.) **B** 6
Place-Vieille (R.) . **B** 14
Résistance (Av.) . . . . . . **A, B** 17
Juin (Pl. Mar.) . . . **A** 8
Marché (R. du) . . **B** 10
Meyère (Av. Col.) **B** 12
Peyra (Pl. du). . . . **B** 13
Poilus (Av. des). . **A** 15
Portail-Levis (R.) . **B** 16
Rhin-et-Dan. (Av.) **A** 18
St-Lambert (R.) . . **B** 19
Tuby (Av.) . . . . . . **A** 21

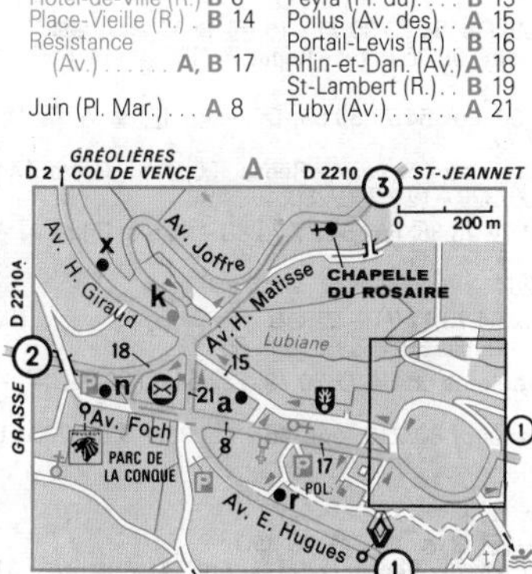

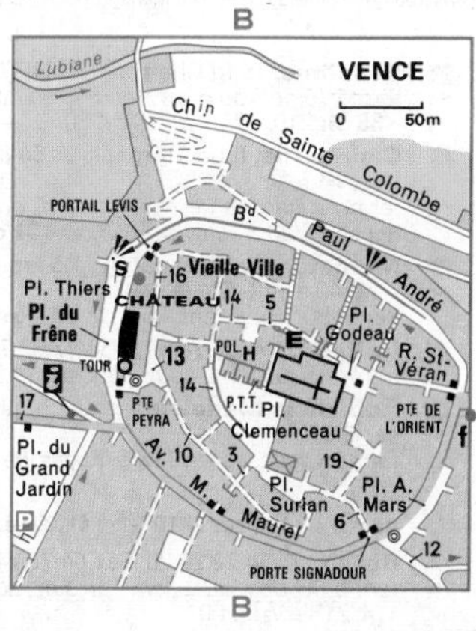

Château du Domaine St-Martin, N : 2,5 km rte Coursegoules par D 2 - A
93 58 02 02, Télex 470282, Fax 93 24 08 91, ≤ Vence et littoral, parc,
ch. GB. rest
mi-avril-mi-oct. – **Repas** 300 (déj.), 430/490 et carte 410 à 590 – 120 – **14 ch** 1560/2800
10 appart – ½ P 1845/1995
Spéc. Tian de légumes et blanc de volaille aux pignons. Foie chaud de canard à la mangue et au gingembre conf
Rosace de rougets aux agrumes et sa fine semoule. **Vins** Coteaux d'Aix-en-Provence, Bandol.

Relais Cantemerle M, 258 chemin Cantemerle par av. Col. Meyère
93 58 08 18, Fax 93 58 32 89, – ch. GB JCB. rest
hôtel : début avril-15 oct. ; rest. : 15 mai-fin sept. – **Repas** 210/250, enf. 100 – 70, 1
duplex 1030 – ½ P 735/775.

Floréal M sans rest, 440 av. Rhin et Danube par ② 93 58 64 40, Fax 93 58 79 69,
– 25. GB
1er mars-1er oct. – 50 – **43 ch** 350/490.

Diana sans rest, av. Poilus 93 58 28 56, Fax 93 24 64 06 – cuisinette
GB. A
40 – **25 ch** 390/410.

Mas de Vence M, 539 av. E. Hugues 93 58 06 16, Fax 93 24 04 21,
GB JCB. rest A
Repas 145/155, enf. 95 – 40 – **41 ch** 370/465 – ½ P 375/385.

La Roseraie sans rest, av. H. Giraud 93 58 02 20, Fax 93 58 99 31,
GB JCB A
50 – **10 ch** 430/550.

Parc H. sans rest, 50 av. Foch 93 58 27 27, – GB. A
Pâques-mi-oct. – 40 – **13 ch** 260/360.

XXX **Le Vieux Couvent**, 37 av. Alphonse Toreille 93 58 78 58 – GB B
fermé merc. – **Repas** (nombre de couverts limité, prévenir) 150/280 et carte 240 à 340.

XX **Aub. des Seigneurs** avec ch, pl. Frêne 93 58 04 24, Fax 93 24 08 01, auberge proven
çale – GB B
hôtel : fermé 1er au 15 juil. – **Repas** *(fermé 1er au 15 juil., 15 janv. au 31 mars, dim. soir e
lundi sauf fériés)* 160/350 – 50 – **8 ch** 290/350.

XX **Aub. des Templiers**, 39 av. Joffre 93 58 06 05, Fax 93 58 06 05, – GB A
fermé nov., dim. soir et lundi – **Repas** 135/280.

CITROEN Gar. Jouve, 129 av. Gén.-Leclerc 93 58 07 29
MERCEDES, PEUGEOT Gar. Simondi, 39 av. Foch 93 58 01 21 N 93 58 01 21
RENAULT Gar. de la Rocade, 840 av. E.-Hugues 93 58 00 29
RENAULT Gar. Mistral, 711 rte de Grasse par ② 93 24 03 60

VENDEUIL 02800 Aisne 53 ⑭ – 881 h alt. 76.

Paris 138 – Compiègne 57 – St-Quentin 16 – Laon 30 – Soissons 48.

Aub. de Vendeuil, 23 07 85 85, Fax 23 07 88 58, – 30. GB
Repas 90/190, enf. 60 – 50 – **22 ch** 285/335 – ½ P 267/365.

VENDÔME 41100 L.-et-Ch. 64 ⑥ G. Châteaux de la Loire – 17 525 h alt. 82.

Voir Anc. abbaye de la Trinité★ : église abbatiale★★ BZ – Musée★ dans les bâtiment
conventuels – Château : terrasses ≤★ ABZ.

de la Bosse 54 23 02 60, par ② D 917 : 20 km.

Office de Tourisme le Saillant 47-49 r. Poterie 54 77 05 07, Fax 54 73 20 81.

Paris 168 ① – Blois 33 ③ – ◆Le Mans 77 ⑥ – ◆Orléans 76 ① – ◆Tours 58 ④.

Plan page ci-contre

Vendôme, 15 fg Chartrain 54 77 02 88, Fax 54 73 90 71 – GB BY
fermé 15 déc. au 5 janv. et dim. soir du 1er nov. au 15 mars – **Repas** 75/190, enf. 55 – 45
– **35 ch** 210/395 – ½ P 275/330.

Capricorne, 8 bd Trémault 54 80 27 00, Fax 54 77 30 63, –
GB. rest BX
fermé vacances de Noël et sam. du 1er nov. au 15 mars – **Repas** 105/215 - ***Resto 7*** snack
Repas 75/90, enf. 50 – 36 – **31 ch** 200/320 – ½ P 240/280.

Mercator, rte Blois par ③ : 1,5 km 54 72 28 38, Fax 54 77 73 88 – rest
– 40 à 140. GB
Repas 80/139, enf. 35 – 30 – **51 ch** 264.

XX **Le Paris**, 1 r. Darreau 54 77 02 71, Fax 54 73 17 71 – GB BX
fermé 15 juil. au 2 août, dim. soir et lundi – **Repas** 89/265 bc, enf. 65.

XX **Aub. de la Madeleine** avec ch, pl. Madeleine 54 77 20 79, Fax 54 80 00 02, –
GB AY
fermé vacances de fév. – **Repas** *(fermé merc.)* 80/210, enf. 46 – 30 – **9 ch** 200/280 –
½ P 215.

par ① : 3 km sur N 10 – ✉ **41100** Vendôme :

Bel air, 54 72 20 20, Fax 54 73 24 41 – – 30. GB
fermé 18 déc. au 2 janv. et dim. soir en hiver – **Repas** 72/95, enf. 38 – 27 – **31 ch**
174/218 – ½ P 200.

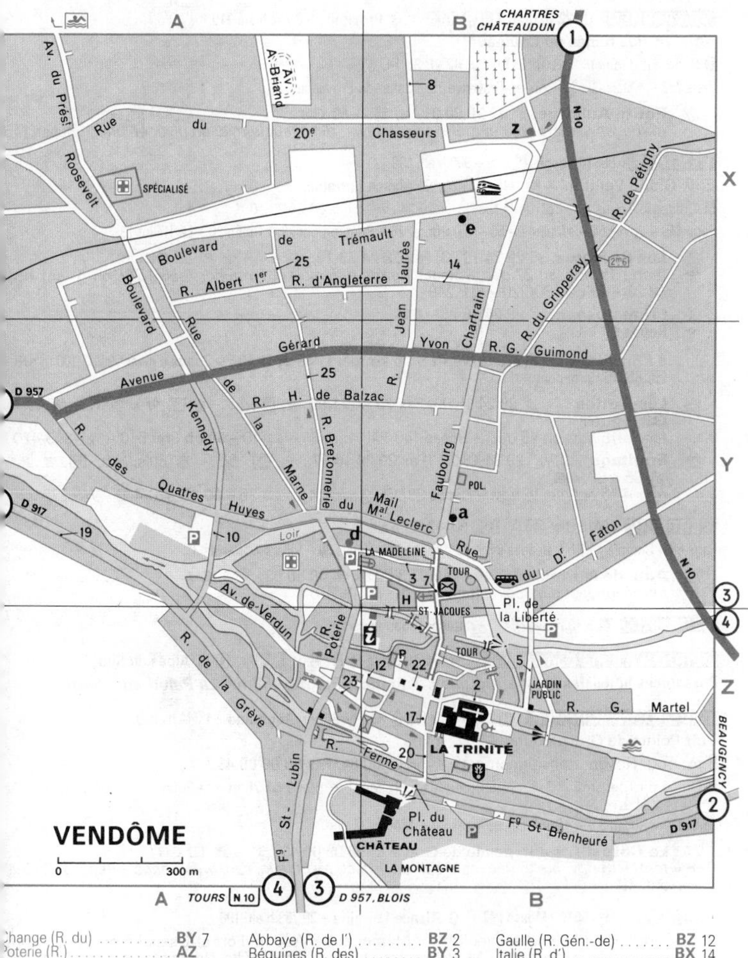

:hange (R. du)	BY 7	Abbaye (R. de l')	BZ 2	Gaulle (R. Gén.-de)	BZ 12
'oterie (R.)	AZ	Béguines (R. des)	BY 3	Italie (R. d')	BX 14
;épublique (Pl. de la)	BZ 17	Bourbon (R. A.)	BZ 5	Rochambeau (R. Mar.)	AY 19
;t-Martin (Pl.)	BZ 22	Clemenceau (Av. G.)	BX 8	St-Bié (R.)	BZ 20
;aulnerie (R.)	AZ 23	États-Unis (R. des)	AY 10	Verrier (R. Cdt)	AXY 25

aux Fontaines par ① et N 10 : 15 km – ✉ **41100** Vendôme :

XX **Aub. de la Sellerie,** ✆ 54 23 41 43, Fax 54 23 48 00, 🍽 – 🅿. GB
fermé 10 au 18 juin, 8 au 25 janv., lundi soir et mardi – **Repas** 95 bc/200.

:ITROEN Gar. Granger, N 10, St-Ouen par ① ✆ 54 77 13 06
'ORD Gar. Coutrey, 19 rte de Paris à St-Ouen ✆ 54 73 73 71
'EUGEOT N.S.A.V., 33 rte de Paris, St-Ouen par ① ✆ 54 77 13 50 🅽 ✆ 54 73 02 51

RENAULT Vendôme Autom., N 10 Les Grouets à St-Ouen par ① ✆ 54 77 16 38 🅽 ✆ 54 73 01 14

Ⓜ Euromaster, 10 r. d'Italie ✆ 54 77 77 35
Moreau Pneus, 192 fg Chartrain ✆ 54 77 58 04

VENERQUE **31810** H.-Gar. 82 ⑱ – 2 158 h alt. 176.

'aris 671 – ♦Toulouse 22 – Auterive 11,5 – Pamiers 44 – St-Gaudens 89 – Villefranche-de-Lauragais 30.

XX **Le Duc,** allée Duc de Ventadour ✆ 61 08 38 32, Fax 61 08 42 13, 🍽 – GB
fermé dim. soir hors sais., mardi midi en sais. et lundi – **Repas** 130/280.

VENEUX-LES-SABLONS **77** S.-et-M. 61 ⑫, 106 ㊻ – rattaché à Moret-sur-Loing.

VENTABREN 13122 B.-du-R. 84 ② 114 ⑭ G. Provence – 3 742 h alt. 210.

Voir ←★ des ruines du Château.

Syndicat d'Initiative, Grande-Rue ✆ 42 28 80 14.

Paris 753 – ♦Marseille 32 – Aix-en-Provence 15 – Salon-de-Provence 27.

XX **Petite Auberge,** ✆ 42 28 80 01, ←, – AE GB
fermé janv., mardi soir et merc. soir en hiver, dim. sauf le midi en hiver et lundi – **Repas** 145.

VENTRON 88310 Vosges 62 ⑰ – 900 h alt. 630.

Env. Grand Ventron ★★ NE : 7 km, G. Alsace Lorraine.

Office de Tourisme, 4 pl. de la Mairie ✆ 29 24 07 02, Fax 29 24 23 16.

Paris 449 – Épinal 54 – ♦Mulhouse 50 – Gérardmer 26 – Remiremont 29 – Thann 30 – Le Thillot 13.

Les Bruyères, ✆ 29 24 18 63, Fax 29 24 23 15, – ☎ P. AE GB
fermé 15 nov. au 27 déc. – **Repas** *(fermé dim. soir et lundi hors sais.)* 74/158 , enf. 45 – 28 – **19 ch** 180/220 – ½ P 248.

X **Frère Joseph,** ✆ 29 24 18 23 – GB
Repas 55/110 .

à l'Ermitage du Frère Joseph S : 5 km par D 43 et D 43E – Sports d'hiver : 900/1 100 m 8 – ✉ 88310 Cornimont :

Les Buttes , ✆ 29 24 18 09, Fax 29 24 21 96, ←, , – TV ☎ P – 40. AE GB. rest
fermé 15 nov. au 15 déc. – **Repas** 140/240, enf. 68 – 40 – **30 ch** 368/510 – ½ P 350/420.

Ermitage , ✆ 29 24 18 29, Fax 29 24 16 57, ←, , – cuisinette TV ☎ P – 25 à 80. GB
fermé 15 oct. au 15 nov. – **Repas** 98/190 , enf. 44 – 36 – **60 ch** 320/440 – ½ P 220/370.

VERBERIE 60410 Oise 56 ② 106 ⑩ – 2 627 h alt. 33.

Paris 68 – Compiègne 15 – Beauvais 55 – Clermont 30 – Senlis 20 – Villers-Cotterêts 31.

XX **Aub. de Normandie,** ✆ 44 40 92 33, Fax 44 40 50 62, – GB
fermé lundi et dim. soir – **Repas** 95 (déj.), 118/215.

VERCHAIX 74 H.-Savoie 74 ⑧ – rattaché à Samoëns.

VERDON (Grand Canyon du) ★★★ 04 Alpes-de-H.-P. 81 ⑰ 114 ⑧ ⑨ G. Alpes du Sud.

Ressources hôtelières : voir à *Aiguines, Trigance, Point Sublime, La Palud-sur-Verdon.*

Le VERDON-SUR-MER 33123 Gironde 71 ⑮ G. Pyrénées Aquitaine – 1 344 h alt. 3.

Voir Pointe de Grave : dune ←★ N : 4 km.

Bac: pour Royan : renseignements ✆ 56 09 60 84, Fax 56 09 68 43.

Office de Tourisme r. F.-Lebreton (Pâques, juin-sept.) ✆ 56 09 61 78 et à la Pointe de la Grave (juil.-août) ✆ 56 73 70 04.

Paris 510 – Royan 3,5 – ♦Bordeaux 99 – Lesparre-Médoc 33.

XX **Le Côte d'Argent,** pointe de Grave ✆ 56 09 60 45, – P. AE GB
fermé 15 nov. au 15 déc. et le soir du 1er oct. au 30 avril sauf week-ends – **Repas** 78/220 , enf. 49.

VERDUN 55100 Meuse 57 ⑪ G. Alsace Lorraine – 20 753 h alt. 198.

Voir Verdun Haut lieu du souvenir★★★ : Mémorial de Verdun, Fort et Ossuaire de Douaumont, Tranchée des Baïonnettes, le Mort-Homme, la Cote 304 – Ville Haute★ : Cathédrale Notre-Dame★, Palais épiscopal★ (Centre mondial de la paix).

Office de Tourisme pl. Nation ✆ 29 86 14 18, Fax 29 84 22 42.

Paris 262 ④ – Bar-le-Duc 53 ④ – ♦Metz 79 ③ – Châlons-en-Champagne 87 ④ – ♦Nancy 93 ③.

Plan page ci-contre

Host. Coq Hardi, 8 av. Victoire ✆ 29 86 36 36, Fax 29 86 09 21 – TV ☎ – 25. AE GB CY v
Repas 200/465 et carte 385 à 480, enf. 98 – 68 – **35 ch** 310/750, 3 appart – ½ P 500
Spéc. Salade "Coq Hardi". Canard de Challans au vinaigre de framboises. Mirabelles de Lorraine au caramel. Vins Côtes de Toul.

Prunellia, 48 av. Metz par ③ ✆ 29 83 94 94, Fax 29 83 94 95, – TV ☎ P – 25. AE GB
Repas 60 (déj.), 85/150, enf. 43 – 35 – **41 ch** 282/332 – ½ P 218/261.

Montaulbain sans rest, 4 r. Vieille-Prison ✆ 29 86 00 47, Fax 29 84 75 70 – TV ☎. GB
28 – **10 ch** 140/230. BCY e

aux Monthairons par ④ et D 34 : 13 km – 367 h. alt. 200 – ✉ 55320 :

Host. du Château des Monthairons , ✆ 29 87 78 55, Fax 29 87 73 49, ←, , « Château du 19e siècle dans un parc », – TV ☎ P – 35. AE GB
fermé 2 janv. au 12 fév., dim. soir et mardi midi du 2 nov. au 15 mars et lundi – **Repas** 12((déj.), 165/395, enf. 100 – 60 – **12 ch** 450/790 – ½ P 450/700.

VERDUN

Foch (Pl. Mar.) . . . . CY 8
Mazel (R.) . . . . CY 14

Alsace-Lorraine (Av.) . . . . . CZ 2
Beaurepaire (R.) . . . . CZ 3
Chevert (Pl.) . . . . CZ 4
Douaumont (Av. de) . . . . . . CY 6
Fort-de-Vaux (R. du) . . . . CZ 9
Lattre-de-Tassigny (Av. Mar. de) . . . . CY 10
Mautroté (R.) . . . . BY 13
Mgr-Ginesty (Pl.) . . . . BY 16
Prés.-Poincaré (R.) . . . . CZ 17
République (Quai de la) . . . CY 18
Rû (R. de) . . . . BZ 19
St-Paul (R.) . . . . CY 20
St-Pierre (R.) . . . . BY 21
Soupirs (Allée des) . . . . BY 24
Tour du Champ (R. de la) . . . . CZ 29

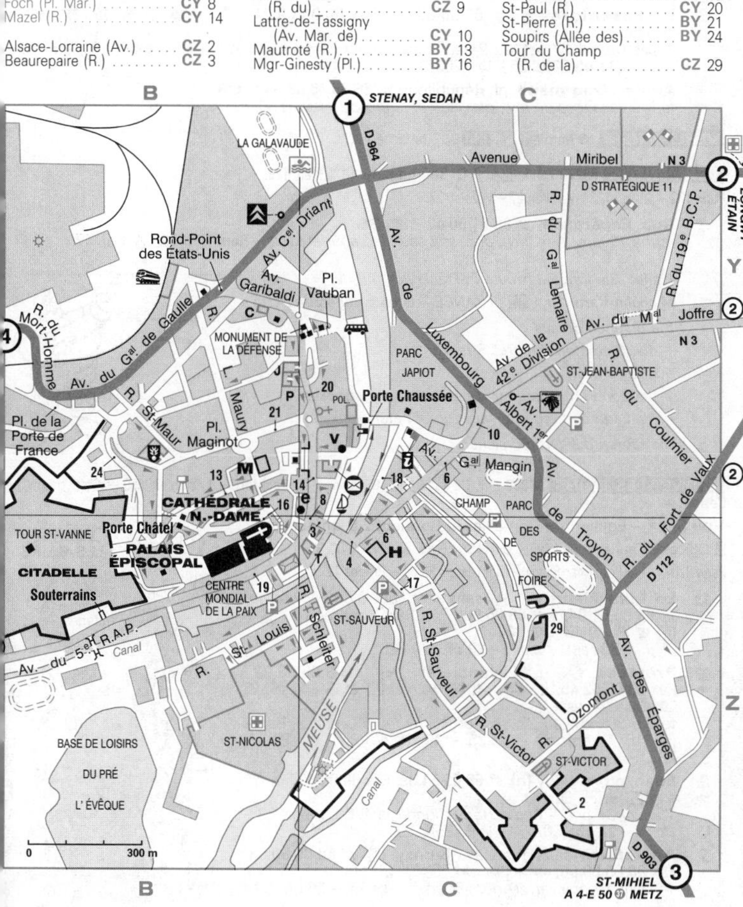

CITROEN Gd Gar. de la Meuse, av. Col.-Driant BY ✆ 29 86 44 05
PEUGEOT Verdun Autom., 2 av. 42e Division par ② CY ✆ 29 84 32 63
RENAULT Gar. Friob, av. d'Etain par ② ✆ 29 86 00 00 N ✆ 05 05 15 15
ROVER Gar. Trévisan, bd J.-Monnet à Haudainville ✆ 29 84 41 79

Frattini Vulcopneu, 21 av. Douaumont ✆ 29 86 04 36
Leclerc Pneu, 13 av. Col.-Driant ✆ 29 86 29 55
Legros, 21-23 r. du Fort-de-Vaux ✆ 29 84 61 70

VÉRETZ **37270** I.-et-L. 64 ⑮ **G. Châteaux de la Loire** – 2 709 h alt. 50.

Paris 240 – ◆Tours 12 – Bléré 15 – Blois 52 – Chinon 55 – Montrichard 31.

Grand Repos sans rest, 18 chemin Acacias ✆ 47 50 35 34, Fax 47 50 58 58 – ☎ P. AE GB JCB
1er avril-31 oct. – ☕ 25 – **23 ch** 170/200.

Come districarsi nei sobborghi di Parigi?

Utilizzando la carta stradale Michelin n. 101

e le piante n. 17-18, 19-20, 21-22, 23-24 *: chiare, precise ed aggiornate.*

VERGÈZE **30310** Gard 83 ⑧ – 3 135 h alt. 30.

Paris 728 – ◆ Montpellier 39 – Nîmes 18.

La Passiflore 🔇, ☎ 66 35 00 00, Fax 66 35 09 21, 🌳 – ▤ ch ☎ 🅿. AE GB. ✵ rest
Repas *(fermé 27 oct. au 9 déc., dim. de nov. à mars et lundi)* (dîner seul.) 130, enf. 40 – ☕ 38 – **11 ch** 260/325 – ½ P 250/300.

✕ **Au Veri Gourmand,** pl. République ☎ 66 35 36 68 – ▤. GB
fermé vacances de fév., dim. soir et lundi soir – **Repas** 80/205 🍷, enf. 45.

VERLINGHEM **59** Nord 51 ⑯, 111 ⑫ – rattaché à Lille.

VERMENTON **89270** Yonne 65 ⑤ **G. Bourgogne** – 1 105 h alt. 125.

Paris 192 – Auxerre 23 – Avallon 27 – Vézelay 27.

✕ **Aub. Espérance,** ☎ 86 81 50 42 – ▤. GB
fermé 1er janv. au 4 fév., dim. soir sauf juil.-août et lundi – **Repas** 86/224 🍷, enf. 47.

Planen Sie Ihre Fahrtroute in Frankreich mit der
Michelin-Karte Nr. **911** *„FRANCE – Grands Itinéraires"*
Sie ersehen daraus
– die Kilometerzahl Ihrer Strecke
– Ihre Fahrzeit
– die Zonen mit Staus und die Entlastungsstrecken
– die Lage der Tag und Nacht geöffneten Tankstellen
Sie fahren billiger und sicherer.

VERNET-LES-BAINS **66820** Pyr.-Or. 86 ⑰ **G. Pyrénées Roussillon** – 1 489 h alt. 650 – Stat. therm. – Casino.

Voir Site★ – Église★ de Corneilla-de-Conflent 2,5 km par ①.

ℹ Office de Tourisme pl. Mairie ☎ 68 05 55 35, Fax 68 05 60 33.

Paris 920 ① – ◆ Perpignan 55 ① – Mont-Louis 35 ① – Prades 12 ①.

Le Mas Fleuri M 🔇 sans rest, bd Clemenceau **(a)** ☎ 68 05 51 94, Fax 68 05 50 77, « Parc ombragé », 🏊 – TV ☎ 🅿. AE ⓓ GB. ✵
1er juin-30 sept. – ☕ 45 – **29 ch** 320/525.

Princess 🔇, r. Lavandières **(k)** ☎ 68 05 56 22, Fax 68 05 62 45, ≤, 🌳 – |♦| ⚡ ▤ rest TV ☎ ♿ 🚗 🅿. AE ⓓ GB. ✵ rest
fermé 30 nov. au 22 déc. et 2 janv. au 1er mars – **Repas** 75/115 🍷, enf. 60 – ☕ 35 – **40 ch** 276/346 – ½ P 278/293.

Eden, prom. Cady **(n)** ☎ 68 05 54 09, Fax 68 05 60 50, 🌳 – |♦| TV ☎ 🅿. AE GB
1er avril-31 oct. – **Repas** *(fermé lundi)* 79/170 bc, enf. 53 – ☕ 38 – **23 ch** 190/300 – ½ P 235/285.

Angleterre sans rest, av. Burnay **(f)** ☎ 68 05 50 58, Fax 68 05 59 60, 🌲 – GB. ✵
1er avril-10 nov. et 20 déc.-5 janv. – ☕ 25 – **20 ch** 100/220.

✕✕ **Comte Guifred de Conflent** avec ch (collège d'application hôt.), av. Thermes **(u)** ☎ 68 05 51 37, Fax 68 05 64 11, 🌳, 🌲 – |♦| TV ☎ – 🏃 40. AE ⓓ GB
fermé fin nov. à début janv. – **Repas** 85/180, enf. 50 – ☕ 40 – **10 ch** 290/490 – ½ P 375.

à Casteil S : 2 km par D 116 – 102 h. alt. 780 – ✉ **66820** :

Molière 🔇, ☎ 68 05 50 97, ≤, 🌳, 🌲 – ☎ 🅿. GB
fin mars-fin nov. – **Repas** *(fermé mardi et merc. soir hors sais.)* 85/160, enf. 45 – ☕ 35 – **10 ch** 185/250 – ½ P 235/250.

à Sahorre SO : 3,5 km par D 27 – 333 h. alt. 650 – ✉ **66360** :

Châtaigneraie 🔇, ☎ 68 05 51 04, ≤, 🌲 – ☎ 🅿. GB. ✵ ch
mai-sept. – **Repas** 77/125 – ☕ 30 – **10 ch** 170/255 – ½ P 220/238.

PEUGEOT Gar. Villacèque, ☎ 68 05 51 14   RENAULT Gar. Pous, ☎ 68 05 52 81

VERNEUIL-SUR-AVRE **27130** Eure 60 ⑥ **G. Normandie Vallée de la Seine** – 6 446 h alt. 155.

Voir Église de la Madeleine★ – Statues★ de l'église N.-Dame.

⛳ de Center Parcs ☎ 32 23 50 02, par ④ : 9 km.

ℹ Office de Tourisme 129 pl. Madeleine ☎ 32 32 17 17.

Paris 117 ② – Alençon 75 ④ – Argentan 78 ⑤ – Chartres 56 ③ – Dreux 36 ② – Évreux 39 ①.

VERNEUIL-S-AVRE

Breteuil (Rte de) 2
Briand (R. A.) 4
Canon (R. du) 5
Casati (Bd) 7
Clemenceau (R.) 8
Demolins (Av. E.) 10
Ferté-Vidame (Rte de la) 12
Lait (R. au) 13
Madeleine (Pl. de la) 15
Notre-Dame (Pl.) 16
Poissonnerie (R. de la) 18
Pont-aux-Chèvres (R. du) 19
Tanneries (R. des) 21
Thiers (R.) 22
Tour-Grise (R. de la) 24
Verdun (Pl. de) 25
Victor-Hugo (Av.) 27
Vlaminck (R. M.-de) 30

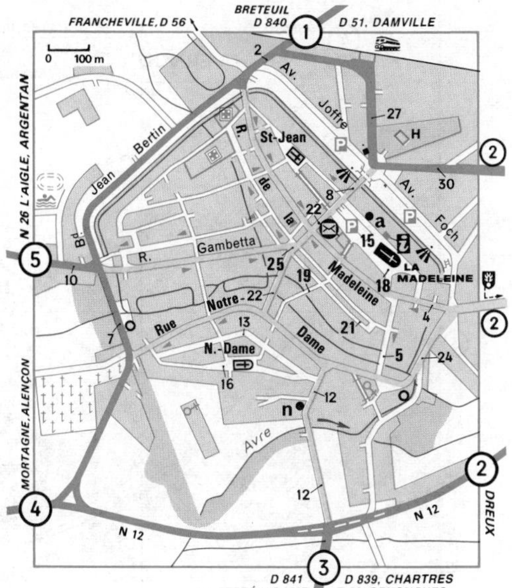

Les guides Rouges, les guides Verts, et les cartes Michelin sont complémentaires. Utilisez-les ensemble.

Host. du Clos ⛭, 98 r. Ferté-Vidame **(n)** ☏ 32 32 21 81, Fax 32 32 21 36, ⛭, ⛭, ⛭, ⛭ – TV ☎ ♿ P – 🏛 25. AE ⓓ GB
fermé 15 déc. au 15 janv. – **Repas** *(fermé lundi sauf fériés)* 180/330 – ☕ 80 – **8 ch** 700/800, 3 appart – ½ P 875/975.

Saumon ⛭, 89 pl. Madeleine **(a)** ☏ 32 32 02 36, Fax 32 37 55 80 – TV ☎ ♿ – 🏛 25. GB
fermé 23 déc. au 5 janv. – **Repas** 85/260 ⛭ – ☕ 40 – **29 ch** 210/290.

NAULT Gar. Poilvez, 228 av. R.-Zaigue par ① 32 32 17 54 N ☏ 32 32 17 54
LVO Gar. Moderne, RN 12 ☏ 32 32 00 45

Marsat Pneus, r. Porte de Mortagne ☏ 32 32 39 38

ERNIERFONTAINE 25580 Doubs 66 ⑯ – 321 h alt. 670.
is 441 – ♦Besançon 32 – Baume-les-Dames 36 – Morteau 37 – Pontarlier 28.

Le Fontaine ⛭ avec ch, ☏ 81 60 04 64, Fax 81 60 05 36 – ☎ P. GB
fermé 1er au 15 janv. et lundi – **Repas** 58 (déj.), 75/220 ⛭, enf. 35 – ☕ 30 – **8 ch** 180/240 – ½ P 140/160.

ERNON 27200 Eure 55 ⑰ ⑱ 106 ① ② **G. Normandie Vallée de la Seine** – 23 659 h alt. 32.
oir Église N.-Dame★ BY – Château de Bizy★ 2 km par ③ – N.-D.-de-la-Mer ≤★ 6 km par ② – gnal des Coutumes ≤★ 7 km par ②.
Office de Tourisme 36 r. Carnot ☏ 32 51 39 60.
is 80 ② – ♦Rouen 62 ③ – Beauvais 67 ⑤ – Évreux 31 ③ – Mantes-la-Jolie 23 ②.

Plan page suivante

Les Fleurs, 71 r. Carnot ☏ 32 51 16 80, Fax 32 21 30 51 – GB. ⛭ BX **a**
fermé 4 au 18 août, dim. soir et lundi – **Repas** 110/220.

à St-Marcel par ④ – 4 398 h. alt. 60 – ✉ **27950** :

Arianotel M, rte Rouen ☏ 32 21 55 56, Fax 32 51 11 18 – TV ☎ ♿ P – 🏛 30. GB. ⛭ rest
Repas *(fermé le midi du 15 juil. au 15 août et dim.)* 85/130 ⛭, enf. 45 – ☕ 30 – **37 ch** 250/260 – ½ P 240.

Haut Marais sans rest, 2 rte Rouen ☏ 32 51 41 30, Fax 32 21 11 32 – TV ☎ P. AE GB
fermé 15 au 28 fév. et dim. du 1er nov. au 1er avril – ☕ 28 – **29 ch** 160/280.

RD Auto-Normandie, ZI r. de l'Industrie 32 51 59 39 N ☏ 32 21 31 86
UGEOT Gar. Gervilliers, 10 av. de Paris par ② 32 51 50 14

Marsat Pneus, ZI 11 r. de la Garenne à St-Marcel ☏ 32 21 68 04
Marsat Pneus, 121 r. Carnot ☏ 32 21 26 52
Sube Pneurama - Point S, 11 bd Isambard ☏ 32 51 08 95

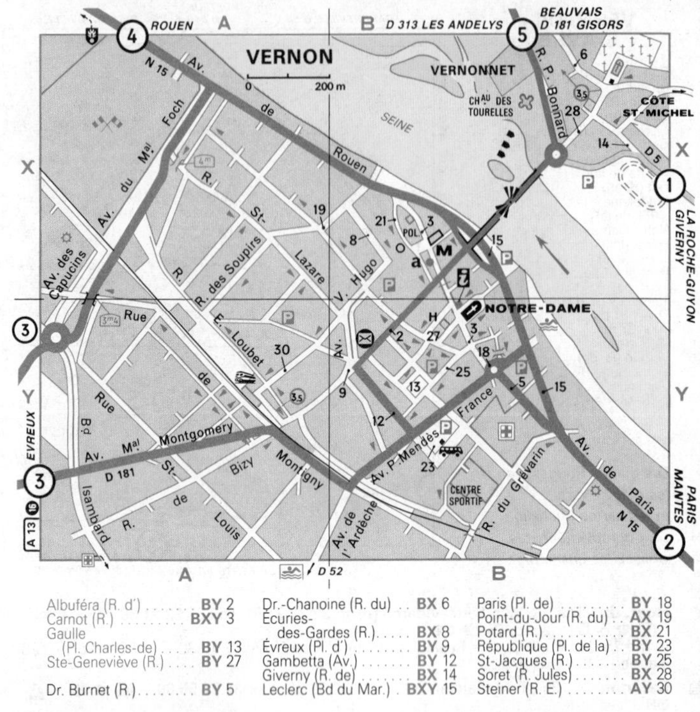

Albuféra (R. d')	BY 2	Dr.-Chanoine (R. du)	BX 6	Paris (Pl. de)	BY 18
Carnot (R.)	BXY 3	Écuries-des-Gardes (R.)	BX 8	Point-du-Jour (R. du)	AX 19
Gaulle (Pl. Charles-de)	BY 13	Évreux (Pl. d')	BY 9	Potard (R.)	BX 21
Ste-Geneviève (R.)	BY 27	Gambetta (Av.)	BY 12	République (Pl. de la)	BY 23
Dr. Burnet (R.)	BY 5	Giverny (R. de)	BX 14	St-Jacques (R.)	BY 25
		Leclerc (Bd du Mar.)	BXY 15	Soret (R. Jules)	BX 28
				Steiner (R. E.)	AY 30

VERNOUILLET 28 E.-et-L. 60 ⑦ – rattaché à Dreux.

VERQUIÈRES 13670 B.-du-R. 81 ① – 654 h alt. 48.

Paris 693 – Avignon 16 – Arles 37 – Cavaillon 12 – Salon-de-Provence 31.

XXX ✿ **Croque Chou** (Ravoux), pl. Eglise ✆ 90 95 18 55, –
fermé lundi et mardi sauf fêtes – **Repas** (prévenir) 190/305
Spéc. Galantine de gigot d'agneau aux senteurs de Provence. Dorade rôtie au vin rouge. Filet mignon de lapin l'infusion de sauge. Vins Coteaux d'Aix-en-Provence, Cairanne.

VERSAILLES 78 Yvelines 60 ⑨ ⑩, 101 ㉓ – voir à Paris, Environs.

VER-SUR-LAUNETTE 60 Oise 56 ⑫ – rattaché à Ermenonville.

VERTEILLAC 24320 Dordogne 75 ④ – 706 h alt. 185.

Paris 493 – Angoulême 47 – Périgueux 48 – Brantôme 30 – Chalais 32 – Ribérac 12.

au NO : 5 km par D 1, D 101, C 201 et rte secondaire – ✉ 24320 St-Martial-Viveyrols :

Les Aiguillons M, ✆ 53 91 07 55, Fax 53 90 40 97, ←, – TV ☎ ♿ P. GB
fermé janv. et fév., dim. soir et lundi du 15 sept. au 15 juin – **Repas** 95/205, enf. 50 – ☕ 35
8 ch 350/450 – ½ P 350.

CITROEN Gar. Dupuy, à Bertric Burée ✆ 53 91 93 33

RENAULT Gar. Duche, ✆ 53 91 60 05

VERTOU 44 Loire-Atl. 67 ③ – rattaché à Nantes.

VERTUS 51130 Marne 56 ⑯ **G. Champagne** – 2 495 h alt. 85.

Voir Mont Aimé★ S : 5 km.

Paris 138 – ◆Reims 47 – Châlons-en-Champagne 29 – Épernay 21 – Fère-Champenoise 17 – Montmirail 38.

Host. Reine Blanche, av. Louis Lenoir ✆ 26 52 20 76, Fax 26 52 16 59, – re
TV ☎ P – 45. AE GB
fermé fév. – **Repas** 135/295 – ☕ 55 – **30 ch** 495 – ½ P 380.

à Bergères-les-Vertus S : 3,5 km par D 9 – 536 h. alt. 108 – ✉ **51130** Vertus :

Mont-Aimé 🐎, ☎ 26 52 21 31, Fax 26 52 21 39, 🏊, 🏊, 🌳 – 📺 ☎ ♿ 🅿 – 🏕 50. AE ⓓ GB
fermé dim. soir – **Repas** 100/280 🍷, enf. 50 – ☕ 50 – **30 ch** 270/395 – ½ P 370.

Les VERTUS 76 S.-Mar. 52 ④ – rattaché à Dieppe.

VERVINS <SP> **02140** Aisne 53 ⑯ **G. Flandres Artois Picardie** – 2 663 h alt. 147.
Paris 175 – St-Quentin 49 – Charleville-Mézières 68 – Laon 35 – ◆Reims 85 – Valenciennes 75.

Tour du Roy, ☎ 23 98 00 11, Fax 23 98 00 72, 🏊, 🌳 – ⇆ 📺 ☎ 📞 🅿. AE ⓓ GB
Repas *(fermé 15 janv. au 1er fév., dim. soir et lundi midi hors saison)* (dim. et fêtes prévenir) 180/400 bc – ☕ 70 – **15 ch** 350/800 – ½ P 475/650.

CITROEN Gar. Renaud, La Chaussée de Fontaine ☎ 23 98 00 08 🅽 ☎ 23 98 00 08
OPEL Legoc Macogne, N 2 à Fontaine-les-Vervins ☎ 23 98 10 49

Ⓜ Dupont Pneus, 147 av. des Champs Elysées à Hirson ☎ 23 58 11 11
Euromaster, rte de Guise à Fontaine-les-Vervins ☎ 23 98 30 79

Un conseil Michelin :

pour réussir vos voyages, préparez-les à l'avance.

Les cartes et guides Michelin, vous donnent toutes indications utiles sur : itinéraires, visite des curiosités, logement, prix, etc.

Le VÉSINET 78 Yvelines 55 ⑳, 101 ⑬ – voir à Paris, Environs.

VESOUL 🅿 **70000** H.-Saône 66 ⑤ ⑥ **G. Jura** – 17 614 h alt. 221.
Voir Colline de la Motte ✳★ 30 mn.
Office de Tourisme r. Bains ☎ 84 75 43 66, Fax 84 76 54 31.
Paris 368 ① – ◆Besançon 47 ② – Belfort 64 ① – Épinal 89 ① – Langres 75 ① – Vittel 85 ①.

VESOUL

Alsace-Lorraine (R. d') 3
Gaulle (Bd Ch.-de) 14
Genoux (R. Georges) 15
Girardot (R. du Cdt) 20
Leblond (R.) 25
Morel (R. Paul) 26
Aigle-Noir (R. de l') 2
Annonciades (R. des) 4
Bains (R. des) 6
Faure (R. Edgar) 10
Fleurier (R. de) 12
Gevrey (R.) 16
Grand-Puits (Pl. du) 21
Grandes-Faulx (R. des) 22
Kennedy (Bd) 24
Moulin-des-Prés (Pl. du) 27
République (Pl. de la) 29
St-Georges (R.) 30
Salengro (R. Roger) 31
Tanneurs (R. des) 32
Vendémiaire (R.) 33
Verlaine (R.) 35

Colline de la Motte
BELFORT ÉPINAL
LANGRES, BAINS-LES-BAINS N19 LUXEUIL
R. de la Préfecture
R. St-Martin
HÔTEL DU DÉPARTEMENT
St-Georges
R. Lafayette
Secteur en travaux
R. du Breuil
R. Meillier
R. P. de Coubertin
Pl. Pierre Renet
Place du 11e Chasseurs
Av. du Durgeon
Allées
R. de la Banque
Rue Gérôme
Boulevard
R. Grosjean
Colombine
Durgeon
Av. A. Briand
N 57
0 300 m
GRAY BESANÇON

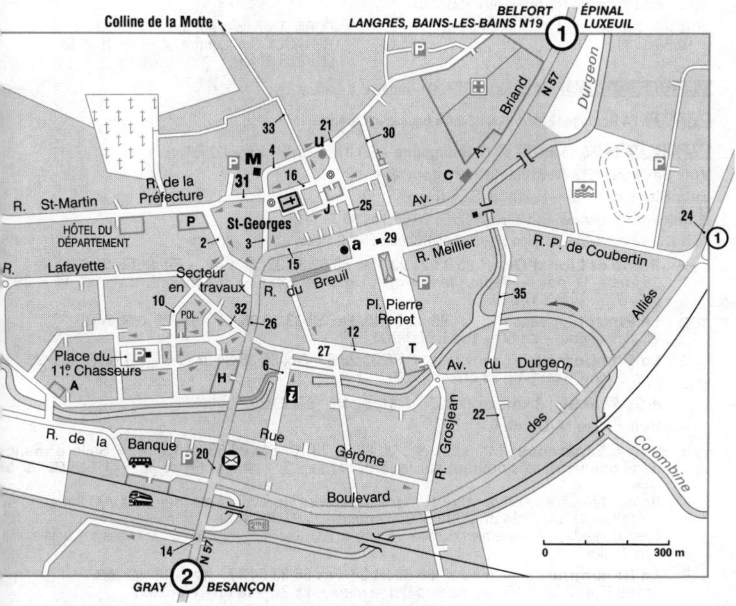

Ibis, O : 1,5 km par r. St-Martin ☎ 84 76 00 00, Fax 84 76 03 04 – TV ☎ & P. GB
Repas 99 bc, enf. 39 – ☐ 35 – **42 ch** 280.

Lion sans rest, 4 pl. République **(a)** ☎ 84 76 54 44, Fax 84 75 23 31 – TV ☎ P. AE GB
fermé 9 au 17 août, 27 déc. au 1ᵉʳ janv. et sam. en janv. – ☐ 28 – **19 ch** 230/285.

Caveau du Grand Puits, r. Mailly **(u)** ☎ 84 76 66 12, – AE GB
fermé 15 août au 1ᵉʳ sept., merc. soir, dim. et fériés – **Repas** 80/130 ₰, enf. 35.

à Frotey-lès-Vesoul par ① : 2 km – 1 455 h. alt. 225 – ✉ **70000** :

Eurotel, rte Luxeuil ☎ 84 75 49 49, Fax 84 76 55 78 – TV ☎ P. AE GB
Repas *(fermé dim. soir)* 90/260 ₰, enf. 50 – ☐ 35 – **20 ch** 280/320 – ½ P 225/275.

CITROEN Succursale, à Frottey-les-Vesoul ☎ 84 75 76 77
FORD Gar. Dormoy, rte de Paris ☎ 84 97 11 11
OPEL Gar. de la Rocade, RN 19 ☎ 84 76 50 30
PEUGEOT Succursale, rte de Gray à Noidans-les-Vesoul par ② ☎ 84 96 84 96 N ☎ 80 61 53 03
RENAULT Gar. Bouguerеt, ZI à Noidans-les-Vesoul par ② ☎ 84 76 27 11
TOYOTA Gar. Konecny, Espace de la Motte, r. du Talerot ☎ 84 75 67 96

Euromaster, 22 bd Charles-de-Gaulle ☎ 84 75 34 32
Hyper Pneus, av. de la Gare ☎ 84 76 46 47
Pneus et Sces D.K., N 19 ZAC Petit Montmarin ☎ 84 75 23 29

VEUIL 36 Indre 68 ⑧ – rattaché à Valençay.

VEULES-LES-ROSES 76980 S.-Mar. 52 ③ **G. Normandie Vallée de la Seine** – 753 h alt. 15 – Casino .

Office de Tourisme r. Dr-Girard ☎ 35 97 63 05, hors saison ☎ 35 97 64 11.

Paris 199 – Dieppe 26 – Fontaine-le-Dun 8 – ♦Rouen 58 – St-Valery-en-Caux 8.

Les Galets, à la plage ☎ 35 97 61 33, Fax 35 57 06 23 – AE GB
fermé 5 janv. au 3 fév., mardi soir et merc. sauf juil.-août – **Repas** 130/380 et carte 300 à 45
enf. 87.

Le VEURDRE 03320 Allier 69 ③ **G. Auvergne** – 595 h alt. 190.

Paris 270 – Bourges 68 – Moulins 34 – Montluçon 67 – Nevers 31 – St-Amand-Montrond 51.

Pont-Neuf, ☎ 70 66 40 12, Fax 70 66 44 15, , parc, , – TV ☎ P. AE GB
fermé 25 au 31 oct., 15 déc. au 15 janv. et dim. soir du 15 oct. au 31 mars – **Repas** 80/220
enf. 38 – ☐ 38 – **36 ch** 245/320 – ½ P 270/310.

VEYNES 05400 H.-Alpes 81 ⑤ – 3 148 h alt. 827.

Paris 667 – Gap 25 – Aspres-sur-Buëch 9 – Sisteron 50.

La Sérafine, Les Paroirs E : 2 km par rte Gap et rte secondaire ☎ 92 58 06 0
Fax 92 58 09 11, – AE GB
5 avril-24 nov. et fermé lundi, mardi et le midi sauf sam., dim. et fériés – **Repas** (nombre c
couverts limité, prévenir) 135/215.

CITROEN Gar. Ribeiro, ☎ 92 58 01 41 N ☎ 92 58 01 41
FORD Technic Auto, ☎ 92 58 02 23
RENAULT Gar. Central, ☎ 92 58 01 39 N ☎ 92 58 01 39

VEYRIER-DU-LAC 74 H.-Savoie 74 ⑥ – rattaché à Annecy.

VÉZAC 24 Dordogne 75 ⑰ – rattaché à Beynac et Cazenac.

VÉZELAY 89450 Yonne 65 ⑮ **G. Bourgogne** – 571 h alt. 285 Pèlerinage (22 juillet).

Voir Basilique Ste-Madeleine★★★ : tour ✻★.

Env. Site★ de Pierre-Perthuis SE : 6 km.

Office de Tourisme r. St-Pierre ☎ 86 33 23 69, Fax 86 33 34 00.

Paris 223 – Auxerre 51 – Avallon 15 – Château-Chinon 60 – Clamecy 22.

Poste et Lion d'Or, ☎ 86 33 21 23, Fax 86 32 30 92, , – TV ☎ P. AE GB
29 mars-11 nov. – **Repas** *(fermé mardi midi et lundi)* 115/290, enf. 60 – ☐ 44 – **39 c**
320/600 – ½ P 320/390.

Le Pontot sans rest, ☎ 86 33 24 40, Fax 86 33 30 05, ← – ☎. GB JCB
1ᵉʳ avril-2 nov. – ☐ 50 – **10 ch** 600/900.

Le Compostelle M sans rest, ☎ 86 33 28 63, Fax 86 33 34 34, – TV ☎ &. AE GB
fermé janv. – ☐ 34 – **18 ch** 260/300.

à St-Père SE : 3 km par D 957 – 348 h. alt. 148 – ✉ **89450**.

Voir Église N.-Dame★.

✿✿✿ **L'Espérance** (Meneau) , ☎ 86 33 39 10, Fax 86 33 26 15, ←, « Salle à mang
dans une verrière s'ouvrant sur le jardin », , – rest TV ☎ P – 50. AE G
JCB
Repas *(fermé fév., merc. midi et mardi sauf fériés)* (prévenir) 380 (déj.), 700/900 et carte 60
à 1 000 – ☐ 140 – **34 ch** 680/1500, 6 appart – ½ P 980/1400
Spéc. Galets de pommes de terre au caviar. Homard au lait d'amande, vinaigrette au curry. Veau au "caramel ame
Vins Vézelay, Chablis.

La Renommée sans rest, ☎ 86 33 21 34, Fax 86 33 34 17 – ☎ & P. AE GB
fermé 5 janv. au 5 fév. et merc. d'oct. à mars – ☐ 32 – **19 ch** 170/320.

ꭗ **Le Pré des Marguerites,** ✆ 86 33 33 33, Fax 86 33 34 73, ←, 🏡, 🌳 – ▤ 🅿. AE ① GB
Repas 120 bc/210, enf. 75.

à Fontette E : 5 km par D 957 – ✉ **89450** Vézelay :

🏠 **Crispol** Ⓜ 🐌, rte Avallon ✆ 86 33 26 25, Fax 86 33 33 10, ← colline de Vézelay, 🏡, « Décor contemporain original », 🌳 – 📺 ☎ ♿ 🚗 🅿. AE GB
fermé 8 janv. au 15 fév. et lundi (sauf hôtel en sais.) – **Repas** 110/260 – ☕ 50 – **12 ch** 350/450 – ½ P 350/450.

🏠 **Les Aquarelles** 🐌, ✆ 86 33 34 35, Fax 86 33 29 82, 🏡 – ☎ ♿ 🅿. GB
fermé 4 janv. au 15 mars, mardi soir et merc. du 15 nov. au 15 mars – **Repas** carte environ 120 – ☕ 32 – **10 ch** 230/295 – ½ P 305.

ZELS-ROUSSY **15130** Cantal 76 ⑫ – 120 h alt. 730.
s 587 – Aurillac 22 – Entraygues-sur-Truyère 27.

🏠 **La Bergerie** 🐌, ✆ 71 49 42 90, Fax 71 49 44 70, ←, 🏡, 🏋, 🏊 – 📺 ☎ 🅿. GB
fermé 9 janv. au 9 fév. – **Repas** 65/128 🍷, enf. 32 – ☕ 25 – **15 ch** 220 – ½ P 210.

ZÉNOBRES **30360** Gard 80 ⑱ **G. Gorges du Tarn** – 1 312 h alt. 213.
ir ☀★ du sommet du village.
)ffice de Tourisme (mai-oct.) ✆ 66 83 62 02.
s 710 – Alès 12 – Nîmes 33 – Uzès 30.

🏠 **Le Relais Sarrasin,** N 106 ✆ 66 83 55 55, Fax 66 83 66 83, 🏡, 🌳 – 🛗 📺 ☎ 📞 🅿. GB
fermé 15 déc. au 15 janv. – **Repas** *(fermé dim. du 15 sept. à Pâques)* 60/95 🍷, enf. 36 – ☕ 30 – **18 ch** 150/300 – ½ P 200/240.

A 66 Pyr.-Or. 86 ⑯ – rattaché à Font-Romeu.

ALAS **48220** Lozère 80 ⑦ – 384 h alt. 620.
s 652 – Alès 40 – Florac 41 – Mende 64.

ꭗꭗ ✿ **Chantoiseau** (Pagès) 🐌 avec ch, ✆ 66 41 00 02, Fax 66 41 04 34, ←, 🏊 – ⇆ 📺 ☎. AE ① GB JCB. ✂
1er avril-15 oct. et fermé mardi et merc. – **Repas** 99 (déj.), 130/750 bc et carte 330 à 510, enf. 60 – ☕ 50 – **15 ch** 400/450 – ½ P 450
Spéc. Glacé de tête de veau, cervelle rôtie et champignons au vinaigre. Truite "fario" au lard fondu et cèpes de châtaignier. "Coupetade" lozerienne en caramiel. **Vins** Costières de Nîmes.

BRAC **16** Charente 72 ⑬ – rattaché à Jarnac.

BRAYE **72320** Sarthe 60 ⑯ – 2 609 h alt. 167.
s 171 – ◆Le Mans 43 – Brou 41 – Châteaudun 52 – Mamers 48 – Nogent-le-Rotrou 38 – St-Calais 16.

ꭗ **Chapeau Rouge** avec ch, pl. H. de Ville ✆ 43 93 60 02, Fax 43 71 52 18 – 📺 ☎ ♿ 🅿 – 🪑 40. GB. ✂ ch
fermé 15 au 31 janv., dim. soir et lundi – **Repas** 80/185 🍷, enf. 60 – ☕ 45 – **16 ch** 230/270 – ½ P 270/310.

C-EN-BIGORRE **65500** H.-Pyr. 85 ⑧ – 4 893 h alt. 216.
s 776 – Auch 62 – Pau 43 – Aire-sur-l'Adour 52 – Mirande 37 – Tarbes 17.

🏠 **Le Tivoli,** pl. Gambetta ✆ 62 96 70 39, Fax 62 96 29 74, 🏡 – 📺 ☎. ① GB
fermé 1er au 15 sept., 24 au 31 janv. et lundi – **Repas** 55 (déj.), 70/200 🍷, enf. 35 – ☕ 23 – **27 ch** 180/200 – ½ P 143/183.

ꭗ **Le Réverbère** avec ch, r. Alsace ✆ 62 96 78 16, Fax 62 96 79 85, 🏡 – 📺 ☎. AE ① GB
Repas *(fermé 1er au 14 juil., 6 au 19 janv. et dim. soir)* 75/230 – ☕ 28 – **10 ch** 210/250 – ½ P 205/225.

CHY ⟨SP⟩ **03200** Allier 73 ⑤ **G. Auvergne** – 27 714 h alt. 340 – Stat. therm. (fév.-déc.) – Casino Grand ino BZ.
ir Parc des Sources★ BYZ – Les Parcs d'Allier★ BZ – Site des Hurlevents ←★ 4,5 km par ②.
✆ 70 32 39 11 A.
)ffice de Tourisme 19 r. du Parc ✆ 70 98 71 94, Fax 70 31 06 00.
s 409 ① – ◆Clermont-Ferrand 54 ③ – Montluçon 92 ⑥ – Moulins 58 ① – Roanne 75 ①.

Plan page suivante

🏨 **Les Célestins** Ⓜ, 111 bd États-Unis ✆ 70 30 82 00, Télex 392914, Fax 70 30 82 01, 🏡, « Belle décoration intérieure », 🏊, 🌳 – 🛗 ⇆ ▤ 📺 ☎ 📞 ♿ 🚗 – 🪑 60. AE ① GB JCB. ✂ rest BY **e**
L'Empereur : **Repas** 195/320, enf. 100 – ***L'Albert Londres :*** **Repas** 115/145, enf. 60 – ☕ 85 – **120 ch** 930/1560, 11 appart – ½ P 795/895.

🏨 **Aletti Palace H.,** 3 pl. Joseph Aletti ✆ 70 31 78 77, Télex 393033, Fax 70 98 13 82, 🏡, « Élégante atmosphère début de siècle », 🏋, 🏊 – 🛗 ⇆ ▤ 📺 ☎ ♿ – 🪑 40 à 100. AE ① GB BZ **u**
fermé nov. – ***La Véranda :*** **Repas** 130/270, enf. 90 – ☕ 70 – **126 ch** 550/760, 7 appart – ½ P 525/590.

VICHY

Clemenceau (Av.) . . . . BZ 6
Hôtel-des-Postes (R.) . . CY 13
Lucas (R.) . . . . . BY 18
Paris (R. de) . . . CY
Prés.-Wilson (R.) BZ 25

Belgique (R. de) BZ 3
Briand (Av. A.) . BZ 4
Casino (R. du). . BZ 5
Foch (Av. Mar.) CZ 7
Gramont (Av. de) A 9
Hôpital (Bd de l') A 12
Lattre-de-T. (Bd Mar. de). BY 15
Léger (Pl. P.-V.) CY 16
Lyautey (R. Mar.) A 19
Mutualité (Bd) . CY 20
Parc (R. du). . . . BZ 22
Poincaré (Av.) . . . A 24
Prunelle (R.) . . . BZ 26
République (Av.). A 28
Victor-Hugo (Pl.) BZ 34

BELLERIVE

Auberger (Av. F.) A 2
Gaulle (Av. du Gén.-de) . . . . . A 8
Grange-au-Grain (R.). . . . . A 10
Jaurès (Av. J.). . . A 14
République (Av.). A 29

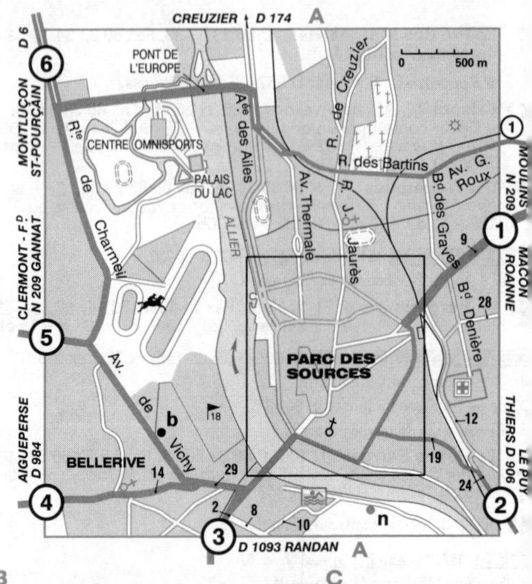

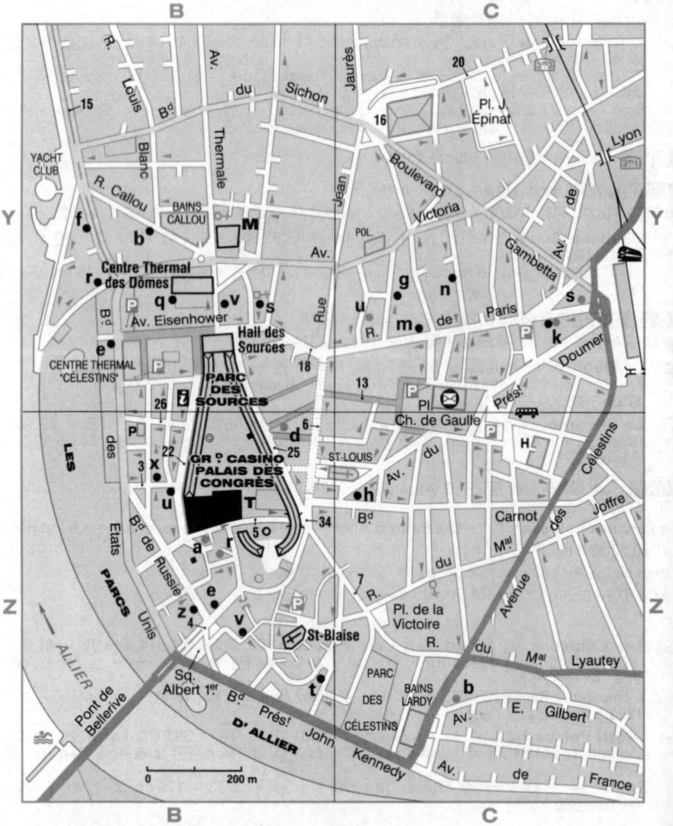

Novotel Thermalia [M], 1 av. Thermale ✆ 70 31 04 39, Fax 70 31 08 67, ⛱, 🏊, 🌳 – 🛗 ⛔ ▤ TV ☎ ♿ 🅿 – 🏛 200. AE ⓓ GB BY **q**
Repas 105 bc/135 🍷, enf. 50 – ☕ 49 – **128 ch** 507 – P 504.

Régina, 4 av. Thermale ✆ 70 98 20 95, Fax 70 98 60 05 – 🛗 TV ☎ – 🏛 30. AE ⓓ GB. ✕ rest BY **v**
1er mai-30 sept. – **Repas** 100 (dîner), 110/180 – ☕ 45 – **80 ch** 320/450 – P 500/600.

Magenta, 23 av. W. Stucki ✆ 70 31 80 99, Fax 70 31 83 40 – 🛗 TV ☎. AE GB. ✕ rest
mi-avril-mi-oct. – **Repas** 95 (dîner), 110/190 – ☕ 40 – **62 ch** 340/450 – P 630. BY **r**

Pavillon d'Enghien [M], 32 r. Callou ✆ 70 98 33 30, Fax 70 31 67 82, ⛱, 🏊 – 🛗 TV ☎ – 🏛 25. AE ⓓ GB BY **b**
fermé 20 déc. au 1er fév. – ***Jardins d'Enghien :*** *(fermé dim. soir et lundi)* **Repas** 69(déj.)100/120, enf. 50 – ☕ 39 – **22 ch** 345/465 – P 340/400.

Lutétia sans rest, 5 r. Belgique ✆ 70 97 45 45, Fax 70 97 69 34 – 🛗 TV ☎ 🅿 – 🏛 50. AE ⓓ GB BZ **x**
1er avril-31 oct. – ☕ 45 – **50 ch** 370/410.

de Grignan, 7 pl. Sévigné ✆ 70 32 08 11, Fax 70 32 47 07 – 🛗 ▤ rest TV ☎ – 🏛 35. AE ⓓ GB JCB. ✕ BZ **v**
fermé 28 oct. au 30 nov. – **Repas** 92 bc/135 🍷, enf. 35 – ☕ 35 – **120 ch** 195/330 – ½ P 345/385.

Chambord et rest. Escargot qui Tète, 82 r. Paris ✆ 70 31 22 88, Fax 70 31 54 92 – 🛗 ▤ rest TV ☎. AE ⓓ GB JCB CY **k**
fermé vacances de fév. – **Repas** *(fermé dim. soir sauf août et lundi de sept. à juin)* 85/250, enf. 55 – ☕ 32 – **29 ch** 180/280 – P 290/350.

Brest et St Georges, 27 r. Paris ✆ 70 98 22 18, Fax 70 98 28 70 – 🛗 TV ☎ 🅿. AE GB. ✕ rest CY **m**
fermé 20 fév. au 1er mars – **Repas** 75/230 – ☕ 30 – **38 ch** 250/295 – P 275/340.

Moderne, 8 r. M. Durand-Fardel ✆ 70 31 20 21, Fax 70 98 45 04 – 🛗 ▤ rest TV ☎. AE GB. ✕ BY **s**
29 avril-5 oct. – **Repas** 100 – ☕ 30 – **40 ch** 200/320 – P 290/330.

Arverna H. sans rest, 12 r. Desbrest ✆ 70 31 31 19, Fax 70 97 86 43 – 🛗 TV ☎ 📞 🚗 – 🏛 25. AE ⓓ GB JCB CY **g**
fermé 20 au 25 oct., 21 déc. au 5 janv. et dim. du 1er déc. au 1er mars – ☕ 32 – **26 ch** 200/280.

Le Venise sans rest, 25 av. A. Briand ✆ 70 31 83 23, Fax 70 31 02 97 – 🛗 cuisinette TV ☎ – 🏛 50. AE ⓓ GB BZ **e**
☕ 35 – **25 ch** 230/270.

Vichy Tonic sans rest, 6 av. Prés. Doumer ✆ 70 31 45 00, Fax 70 97 67 37 – 🛗 TV ☎. AE ⓓ GB CZ **h**
☕ 30 – **36 ch** 245/285.

Arcade [M] sans rest, 11 bd P. Coulon ✆ 70 98 18 48, Fax 70 97 72 63 – 🛗 TV ☎ 📞 ♿ 🅿 – 🏛 25. AE ⓓ GB BY **f**
☕ 35 – **48 ch** 300.

Atlanta sans rest, 23 r. Pasteur ✆ 70 98 42 95, Fax 70 98 24 81 – TV ☎ 📞 🚗. AE GB
fermé 21 déc. au 7 janv. – ☕ 30 – **11 ch** 215/245. CY **n**

Fréjus 🐚, 6 r. Presbytère ✆ 70 32 17 22, Fax 70 32 42 10, ⛱ – 🛗 TV ☎. AE ⓓ GB
2 mai-15 oct. – **Repas** 59/160 🍷, enf. 50 – ☕ 30 – **31 ch** 140/250 – P 310/395. BZ **t**

Londres sans rest, 7 bd Russie ✆ 70 98 28 27, Fax 70 98 29 37 – ☎. GB BZ **z**
25 mars-15 oct. – ☕ 28 – **20 ch** 120/260.

L'Envolée, 44 av. E. Gilbert ✆ 70 32 85 15, Fax 70 32 14 17 – GB CZ **b**
fermé le mardi – **Repas** 98/195 et carte 140 à 230.

L'Alambic, 8 r. N. Larbaud ✆ 70 59 12 71 – ▤. GB CY **u**
fermé 18 août au 5 sept., vacances de fév., mardi midi et lundi sauf fériés – **Repas** (nombre de couverts limité, prévenir) 160/280.

La Table d'Antoine, 8 r. Burnol ✆ 70 98 99 71 – ▤. GB BZ **d**
fermé 5 au 21 janv., dim. soir et lundi sauf fériés – **Repas** 95/270, enf. 65.

Brasserie du Casino, 4 r. Casino ✆ 70 98 23 06, Fax 70 98 53 17, « Décor authentique d'une brasserie des années 30 » – AE GB JCB BZ **a**
fermé nov. et merc. – **Repas** 99/145 🍷.

Piquenchagne, 69 r. Paris ✆ 70 98 63 45 – AE GB CY **s**
fermé 23 juil. au 7 août, 28 fév. au 13 mars, mardi soir et merc. sauf fériés – **Repas** 90/150 🍷, enf. 55.

de l'Opéra, 6 passage Noyer ✆ 70 98 36 17, ⛱ – GB. ✕ BZ **r**
1er mai-30 sept. et fermé lundi – **Repas** carte 230 à 340.

à Bellerive-sur-Allier : rive gauche - A – 8 543 h. alt. 340 – ✉ **03700** :

Campanile, 74 av. Vichy ✆ 70 59 32 33, Fax 70 59 81 90, ⛱, 🌳 – ⛔ TV ☎ 📞 ♿ 🅿 – 🏛 25. AE ⓓ GB A **b**
Repas 84 bc/107 bc, enf. 39 – ☕ 32 – **46 ch** 270.

✗ **Chez Mémère** avec ch, Chemin de Halage ✆ 70 59 89 00, ≤, – TV ☎ AE GB
1er mai-15 sept. et week-ends en avril et du 15 au 30 sept. – **Repas** 98/190, enf. 45 – ☐ 3 **8 ch** 230.

à Vichy-Rhue N : 5 km par D 174 – ✉ **03300** Cusset :

✗✗ **La Fontaine,** ✆ 70 31 37 45, Fax 70 98 96 66, – AE ◑ GB
fermé 15 au 30 oct., 23 déc. au 20 janv., mardi soir et merc. – **Repas** 125/160 ♁.

à Abrest par ② : 4 km – 2 544 h. alt. 290 – ✉ **03200** :

✗✗ **La Colombière** avec ch, SE : 1 km sur D 906 ✆ 70 98 69 15, Fax 70 31 50 89, ≤, « Jar ombragé en terrasses » – ▤ rest TV ☎ P. AE ◑ GB
fermé 14 au 22 oct., mi-janv. à mi-fév., dim. soir et lundi – **Repas** 95/270, enf. 40 – ☐ 2 **4 ch** 150/260.

à St-Yorre par ② : 8 km – 3 003 h. alt. 275 – ✉ **03270** :

Aub. Bourbonnaise, 2 av. Vichy ✆ 70 59 41 79, Fax 70 59 24 94, – TV ☎ ♿ GB
fermé 1er au 15 mars, 15 au 30 nov., 15 au 28 fév., dim. soir et lundi sauf juil.-août – **Re** 73/220 ♁, enf. 42 – ☐ 35 – **17 ch** 190/380, 6 duplex – P 350/420.

à l'aéroport de Vichy-Charmeil par ⑥ : 8 km – ✉ **03110** Charmeil :

✗ **Aéroport,** dans l'aérogare ✆ 70 32 48 09, Fax 70 32 64 69, – P. GB
fermé 20 oct. au 5 nov., 18 fév. au 2 mars, dim. soir et lundi – **Repas** 75/195, enf. 48.

BMW Auto-Contrôle, ZI Vichy Rhue à Creuzier-le-Vieux ✆ 70 98 65 80
CITROEN Vichy Thermal Autom., rte de Paris à Cusset par ① ✆ 70 59 16 55
LANCIA Perfect-Gar., rte de l'Aéroport à Charmeil ✆ 70 32 51 34
NISSAN Gar. Jean-Jaurès, 63/65 r. J.-Jaurès ✆ 70 31 42 00
PEUGEOT Olympic Garage, rte de St-Pourçain à Charmeil par ⑥ ✆ 70 32 42 84
RENAULT SO.D.A.VI., 18 av. de Vichy à Bellerive-sur-Allier ✆ 70 32 22 77 N ✆ 70 58 63 05
ROVER Vichy Autom., 6 r. de Paris ✆ 70 98 62 7
VAG Vichy Auto Sport, rte Aéroport Vichy à Charmeil ✆ 70 31 05 75

Euromaster, 40 bd Hôpital ✆ 70 98 10 69
Gaudry-Pneu - Point S, 26-28 r. Bartins à Cusset ✆ 70 97 63 63

VIC-LE-COMTE 63270 P.-de-D. 73 ⑮ G. Auvergne – 4 155 h alt. 472.

Voir Ste-Chapelle★.

Paris 444 – ◆Clermont-Ferrand 26 – Ambert 53 – Issoire 18 – Thiers 39.

à Longues NO : 4 km par D 225 – ✉ **63270** Vic-le-Comte :

✗✗ **Le Comté,** ✆ 73 39 90 31, Fax 73 39 24 58 – P. GB
fermé vacances de fév., dim. soir et lundi – **Repas** 98/315, enf. 62.

à Parent-Gare SO : 5 km – 696 h. alt. 420 – ✉ **63270** Vic-le-Comte :

Mon Auberge, ✆ 73 96 62 06, Fax 73 96 90 14 – TV ☎. GB
fermé déc. et lundi sauf juil.-août – **Repas** 75/250, enf. 50 – ☐ 30 – **7 ch** 150/26 ½ P 220/270.

VICO 2A Corse-du-Sud 90 ⑮ – voir à Corse.

VIC-SUR-AISNE 02290 Aisne 56 ③ – 1 775 h alt. 50.

Paris 103 – Compiègne 23 – Laon 54 – Noyon 26 – Soissons 17.

✗✗ **Lion d'Or,** ✆ 23 55 50 20, Fax 23 55 59 09 – AE ◑ GB
fermé 1er au 16 juil., dim. soir, mardi soir et lundi – **Repas** 90/175, enf. 70.

VIC-SUR-CÈRE 15800 Cantal 76 ⑫ G. Auvergne (plan) – 1 968 h alt. 678.

ℹ Office de Tourisme av. Mercier ✆ 71 47 50 68, Fax 71 49 60 63.

Paris 555 – Aurillac 20 – Murat 29.

Family H., ✆ 71 47 50 49, Fax 71 47 51 31, – cuisinette TV ☎ ♿ AE ◑ GB. rest
Repas 85/140 ♁, enf. 49 – ☐ 38 – **55 ch** 410 – ½ P 295/345.

Vic H., ✆ 71 47 50 22, Fax 71 45 43 99, – TV ☎ – 25. AE GB. rest
15 avril-1er nov. – **Repas** 85/150 – ☐ 37 – **47 ch** 260/270 – ½ P 270/300.

Bel Horizon, ✆ 71 47 50 06, Fax 71 49 63 81, ≤, – ☎. GB
fermé 15 nov. au 10 déc. – **Repas** 65/250, enf. 40 – ☐ 28 – **30 ch** 200/260 – ½ P 210/260

Beauséjour, ✆ 71 47 50 27, Fax 71 49 60 04, parc, – ☎ P. AE GB. rest
début mai-30 sept. – **Repas** 75/130 ♁ – ☐ 30 – **60 ch** 240/340 – ½ P 290/300.

Sources, ✆ 71 47 50 30, Fax 71 49 63 55, – ☎ P. GB. rest
15 mai-30 sept., 26 déc.-2 janv. et week-ends de mi-janv. à mi-mars – **Repas** 90/180, enf. – ☐ 36 – **37 ch** 240/280 – ½ P 260/270.

au Col de Curebourse SE : 6 km par D 54 – ✉ **15800** Vic-sur-Cère :

Host. St-Clément, ✆ 71 47 51 71, Fax 71 49 63 02, ≤ montagne et vallée, parc – ☎ P. GB. rest
fermé 15 nov. au 20 déc., dim. soir et lundi d'oct. à mai – **Repas** 85/250 bc, enf. 35 – ☐ 40 – **26 ch** 320 – ½ P 300.

ENAULT Gar. Dameron, ✆ 71 47 50 32 N ✆ 71 47 50 32

IDAUBAN 83550 Var 84 ⑦ 114 ㉒ ㉓ – 5 460 h alt. 60.

Syndicat d'Initiative pl. F. Maurel (juin-sept.) ✆ 94 73 00 07.

ris 844 – Fréjus 28 – Cannes 64 – Draguignan 17 – ♦Toulon 62.

Château les Lonnes M sans rest, O : 3,5 km par D84 ✆ 94 73 65 76, Fax 94 73 14 97, ≤, parc, – ☎ P. – 25 à 60. AE GB
☐ 100 – **12 ch** 1200/1650.

Concorde, pl. G. Clemenceau ✆ 94 73 01 19, – AE GB
fermé merc. – **Repas** 138/235.

IEILLE-TOULOUSE 31 H.-Gar. 82 ⑱ – rattaché à Toulouse.

IEILLEVIE 15120 Cantal 76 ⑫ G. Gorges du Tarn – 146 h alt. 220.

ris 617 – Aurillac 45 – Rodez 51 – Entraygues-sur-Truyère 18 – Figeac 42 – Montsalvy 13.

Terrasse, ✆ 71 49 94 00, Fax 71 49 92 23, – ☎ P. GB
1er avril-15 nov. – **Repas** 106/160 – ☐ 40 – **26 ch** 230/270 – ½ P 255.

IENNE 38200 Isère 74 ⑪ ⑫ G. Vallée du Rhône – 29 449 h alt. 160.

oir Site★ – Cathédrale St-Maurice★★ BY – Temple d'Auguste et de Livie★★ B **B** – Théâtre main★ CY – Église★ et cloître★ de St-André-le-Bas BY – Esplanade du Mont Pipet ≤★ CY – nc. église St-Pierre★ : musée lapidaire★ AZ – Groupe sculpté★ de l'église de Ste-Colombe Y.

Office de Tourisme 3 cours Brillier ✆ 74 85 12 62, Fax 74 31 75 98.

ris 491 ① – ♦Lyon 31 ① – Chambéry 99 ② – ♦Grenoble 87 ② – ♦St-Étienne 49 ① – Valence 70 ⑤.

Plans pages suivantes

✿✿ **La Pyramide** M, 14 bd F. Point par ④ ✆ 74 53 01 96, Télex 308058, Fax 74 85 69 73, – ☎ P. – 25. AE GB
Repas *(fermé jeudi midi et merc. du 15 sept. au 15 juin)* 275 bc (déj.), 430/630 et carte 480 à 690, enf. 105 – ☐ 90 – **20 ch** 770/950, 4 appart
Spéc. Gratin de queues d'écrevisses (15 juin au 15 oct.). "Piano" au praliné, amandes et noisettes. **Vins** Condrieu, Côtes-du-Rhône.

Central sans rest, 7 r. Archevêché ✆ 74 85 18 38, Fax 74 31 96 33 – TV ☎. AE GB JCB — BY **u**
fermé 23 déc. au 5 janv. – ☐ 32 – **25 ch** 290/350.

Poste, 47 cours Romestang ✆ 74 85 02 04, Fax 74 85 16 17 – TV ☎ P – 50 — BZ **a**
Repas *(fermé janv. et sam. midi)* 78/165 – ☐ 31 – **39 ch** 200/300 – ½ P 215/255.

Bec Fin, 7 pl. St-Maurice ✆ 74 85 76 72, Fax 74 85 15 30, – . GB — AY **r**
fermé vacances de Noël, dim. soir et lundi – **Repas** 125/325.

Magnard, 45 cours Brillier ✆ 74 85 10 43, – . GB — BZ **e**
fermé lundi soir et mardi – **Repas** 80/320, enf. 55.

à Pont-Évêque par ② : 4 km – 5 385 h. alt. 190 – ✉ **38780** :

Midi, pl. Église ✆ 74 85 90 11, Fax 74 57 24 99, – TV ☎ P. AE GB
fermé 23 déc. au 6 janv. – **Repas** snack *(fermé dim.)* (dîner seul.) 85, enf. 45 – ☐ 35 – **17 ch** 285/375 – ½ P 240/290.

à Estrablin par ② : 9 km – 2 931 h. alt. 223 – ✉ **38780** :

La Gabetière sans rest, sur D 502 ✆ 74 58 01 31, Fax 74 58 08 98, parc, – TV ☎ P. AE GB
☐ 34 – **12 ch** 220/460.

à Reventin-Vaugris (village) par ④, N 7 et D 131 : 9 km – 1 331 h. alt. 230 – ✉ **38121** :

La Maison de l'Aubressin, N : 1 km par rte secondaire ✆ 74 58 83 02, ≤, – P. AE GB
fermé 15 au 31 mars, 1er au 15 oct., dim. soir et lundi – **Repas** 195 bc/430 bc, enf. 90.

à Chonas l'Amballan au Sud par ④ et N 7 : 9 km – 1 005 h. alt. 250 – ✉ **38121** :

Host. Marais St-Jean, ✆ 74 58 83 28, Fax 74 58 81 96, – ch TV ☎ P – 30. AE GB
fermé 1er fév. au 31 mars – **Repas** *(fermé jeudi midi et merc.)* 150/350, enf. 80 – ☐ 65 – **10 ch** 540/590 – ½ P 450.

VIENNE

Éperon (R. de l') .... BY 12
Marchande (R.) .... BY
Miremont (Pl. de) ..... BY 18
Orfèvres (R. des) ...... BY 20
Ponsard (R.) .... BY 28
Romestang (Cours) .... BZ

Acqueducs (Chin. des). CY
Allmer (R.) .... BZ 2
Allobroges (Pl. des).... AZ
Asiaticus (Bd) .... AZ
Beaumur (Montée)... BCZ
Boson (R.) .... AZ
Bourgogne (R. de) .... BY
Brenier (R. J.) .... BY
Briand (Pl. A.) .... BY 3
Brillier (Cours) .... ABZ
Capucins (Pl. des) ... BCY
Célestes (R. des) ...... CY 4
Chantelouve (R.) ...... BY 5
Charité (R. de la) .... BCY 6
Cirque (R. du) .... CY 7
Clémentine (R.) .... BY 8
Clercs (R. des) .... BY 9
Collège (R. du) .... BY 10
Coupe-Jarret (Montée). BZ
France (Quai Anatole) BCY
Gère (R. de) .... CY
Hôtel-de-Ville (Pl. de l'). BY 13
Jacquier (R. H.) .... BY 14
Jaurès (Q. Jean) ...... AYZ
Jeu-de-Paume (Pl. du) . BY 15
Jouffray (Pl. C.) .... AZ
Juiverie (R. de la) ..... BZ 16
Lattre de T. (Pont de). ABY
Pajot (Quai) .... BY 22
Palais (Pl. du) .... BY 23
Peyron (R.) .... BZ 24
Pilori (Pl. du) .... BY 25
Pipet (R.) .... CY
République (Bd et Pl.) ABZ 29
Rhône Sud (Bd du) .... AZ
Riondet (Quai) .... AZ
Rivoire (Pl. A.) .... CY
Romanet (R. E.) .... ABZ
St-André-le-Haut (R.).. CY 34
St-Louis (Pl.) .... BY
St-Marcel (Montée) .. CYZ
St-Maurice (Pl.) .... AY
St-Paul (Pl.) .... BY
St-Pierre (Pl.) .... AZ
Schneider (R.) .... CY 37
Sémard (Pl. P.) .... BZ
Table-Ronde (R. de la) . BY 38
Thomas (R. A.) .... CY
Tupinières (Montée des) CZ
Ursulines (R. des) ..... CY 39
Verdun (Cours de) ..... AZ
Victor-Hugo (R.) .... BCYZ
11-Novembre (R. du) .... AZ 43

STE-COLOMBE (RHÔNE)

Briand (Pl. A.) .... AY
Cochard (R.) .... AY
Égalité (Pl. de l') .... AY
Garon (R.) .... AY
Herbouville (Q. d') ..... AY
Joubert (Av.) .... AY
Nationale (R.) .... AY
Petits Jardins (R. des) .. AY

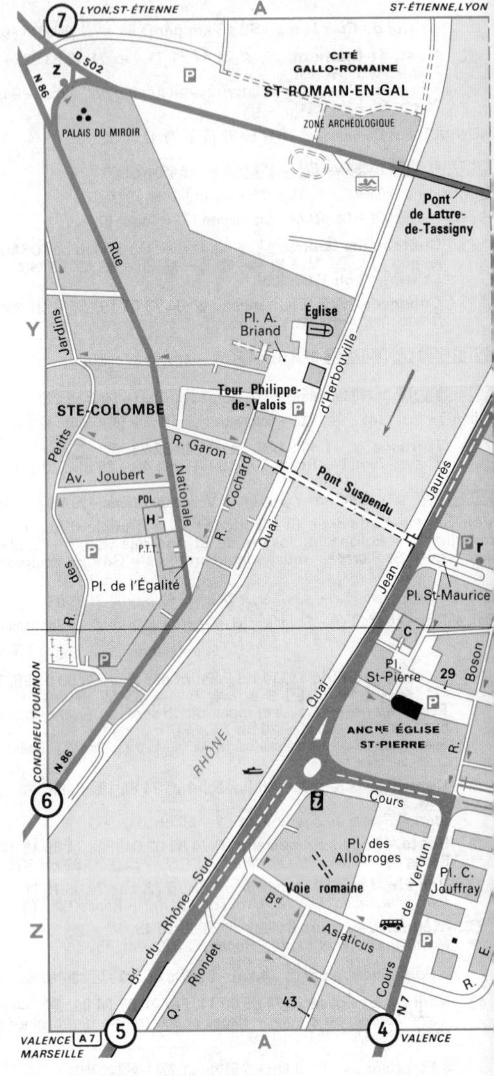

🏨 ✿ **Domaine de Clairefontaine** (Girardon) 🐚, ℰ 74 58 81 52, Télex 308132, Fax 74 5 80 93, ≤, 🌳, parc, 🎾 – ▤ rest ☎ 🚗 🅿. AE ⓓ GB. ✗ rest
fermé déc. et janv. – **Repas** *(fermé sam. midi en juil.-août, lundi sauf le soir en juil août et dim. soir)* 150/380 et carte 240 à 330, enf. 80 – ☕ 45 – **16 ch** 180/370 – ½ P 280 380
Spéc. Homard rôti, minestrone de légumes. Pigeonneau en cocotte au vin de griottes. Cône glacé à la liqueur de chartreux. **Vins** Viognier, Côte-Rôtie.

à Chasse-sur-Rhône par ① : 8 km (Échangeur A7 - sortie Chasse-sur-Rhône) 4 566 h. alt. 180 – ✉ **38670** :

🏨 **Mercure** Ⓜ, ℰ 72 24 29 29, Télex 300625, Fax 78 07 04 43, 🏞 – 🛗 cuisinette ✗ ▤ ☎ 📞 ♿ 🅿 – 🎤 25. AE ⓓ GB
Repas 100/160, enf. 56 – ☕ 54 – **103 ch** 420/450.

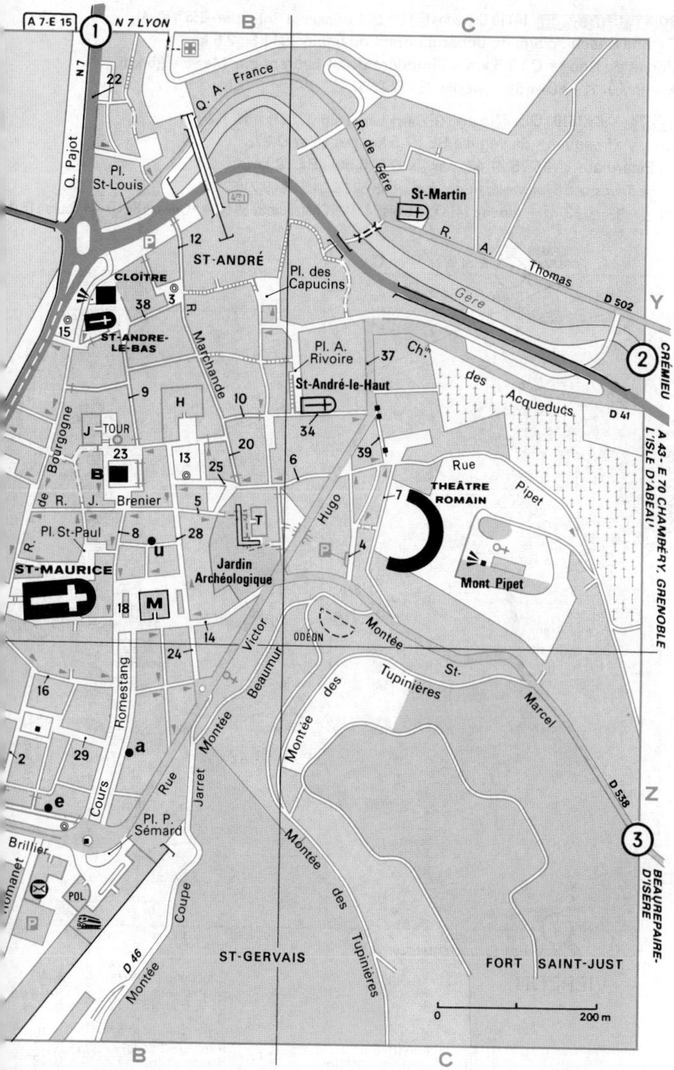

TROEN Autom. Vienne Sud, 163 av. Gén.-Leclerc r ④ ✆ 74 31 15 80 N ✆ 76 74 07 09
AT R.V.L., 27 q. Riondet ✆ 74 53 05 54
ORD Gar. Central, 76 av. Gén.-Leclerc 74 53 13 44
UGEOT Barbier Autom., 140 av. Gén.-Leclerc r ④ ✆ 74 53 22 75

RENAULT Gar. du Rhône, 151 av. Gén.-Leclerc par ④ ✆ 74 31 44 70 N ✆ 74 31 44 70

Delphis Vulcopneu, 4-6 av. Beauséjour ✆ 74 53 23 05
Euromaster, 93 av. Gén.-Leclerc ✆ 74 53 19 17

Reis in de omgeving van Parijs met de **Michelinkaarten**

nrs. 101 (schaal 1:50 000) Banlieue de Paris

106 (schaal 1:100 000) Environs de Paris

237 (schaal 1:200 000) Ile de France

VIERVILLE-SUR-MER 14710 Calvados [54] ④ **G. Normandie Cotentin** – 256 h alt. 41.
Voir Omaha Beach : plage du débarquement du 6 juin 1944 E : 2,5 km.
Env. Pointe du Hoc★★ O : 7,5 km – Cimetière de St-Laurent-sur-Mer E : 7,5 km.
Paris 289 – Bayeux 21 – ◆Caen 51 – Carentan 32 – St-Lô 42.

VIERZON <SP> 18100 Cher [64] ⑲ ⑳ **G. Berry Limousin** – 32 235 h alt. 122.
Env. Brinay : fresques★ de l'église SE : 7,5 km par ④ et D 27.
18 de la Picardière ✆ 48 75 21 43, par ②, D 926 puis RF : 8 km.
Office de Tourisme 26, pl. Vaillant-Couturier ✆ 48 52 65 24, Fax 48 71 62 21.
Paris 210 ① – Bourges 31 ③ – Auxerre 141 ② – Blois 74 ⑤ – Châteauroux 59 ④ – ◆Orléans 86 ① – ◆Tours 116 ⑤

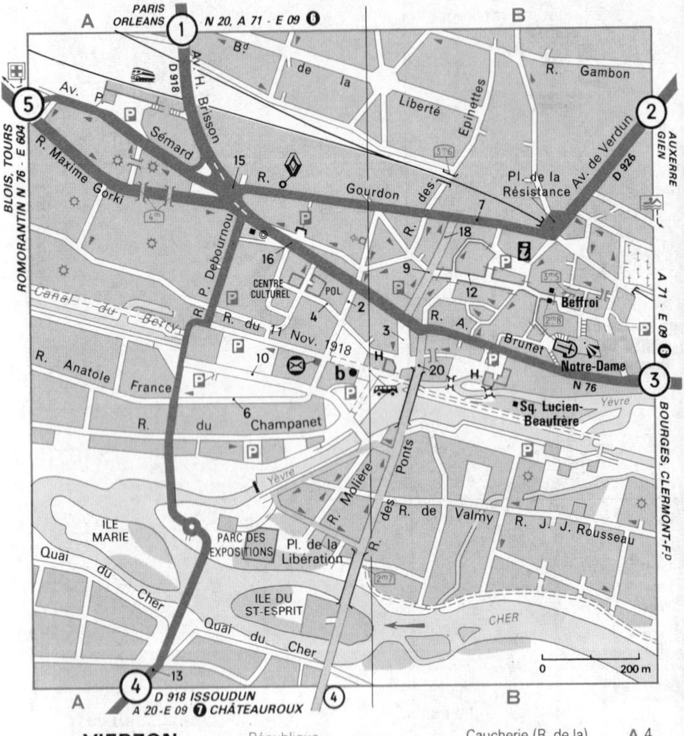

VIERZON

Brunet (R. A.) .... B
Foch (Pl. du Mar.) ...... B 9
Joffre (R. du Mar.) ..... B 12
Péri (Pl. Gabriel) .... A 15

République (R. de la) .... A 16
Romain-Rolland (R.) ..... B
Voltaire (R.) .... B 20

Baron (R. Bl.) .... A 2
Briand (Pl. Aristide) ..... B 3

Caucherie (R. de la) ..... A 4
Desmoulins (R. C.) ...... A 6
Dr-P.-Roux (R. du) ...... B 7
Gaulle (R. Gén.-de) .... A 10
Nation (Bd de la) .... A 13
Roosevelt (R. Th.) .... B 18

Continental, rte Paris par ① : 1,5 km ✆ 48 75 35 22, Fax 48 71 10 39 – TV ☎ P
30. AE ⓓ GB
Repas snack (dîner seul.) (résidents seul.) carte environ 110 – 28 – **37 ch** 170/255.

Arche H., Forum République ✆ 48 71 93 10, Fax 48 71 83 63 – TV ☎ ♿ P. AE
GB A
fermé dim. – **Repas** snack 75, enf. 35 – 28 – **40 ch** 210/350 – 1/2 P 214/223.

à l'échangeur A 71-Vierzon-Est par ③ : 4 km – ✉ **18100** Vierzon :

Primevère M, rte de Bourges ✆ 48 75 19 42, Fax 48 75 22 02 – TV ☎ ♿ P – 2
AE ⓓ GB
Repas 81/104, enf. 41 – 33 – **42 ch** 290.

Campanile, rte de Bourges ✆ 48 75 21 44, Fax 48 75 70 63, – TV ☎ ♿ P
30. AE ⓓ GB
Repas 84 bc/107 bc, enf. 39 – 32 – **49 ch** 270.

CITROEN S.G.A.V., ZAC échangeur A 71, rte de Bourges ☎ 48 71 43 22
FORD Gar. Delouche, 50 r. Breton ☎ 48 71 00 32
OPEL Courtoisie Autom., 47 av. du 14 Juillet ☎ 48 71 87 08
PEUGEOT Paris Garage, 6 av. E.-Vaillant par ① ☎ 48 71 23 56
RENAULT Gar. du Centre, 41 r. Gourdon ☎ 48 71 03 33 N ☎ 05 05 15 15

ROVER Gar. Panarioux, 18 r. Pasteur ☎ 48 75 33 71
VAG Vierzon Ctre Auto, 8 r. Bas de Grange ☎ 48 71 70 61

Gaudichon, 24 r. Pasteur ☎ 48 75 80 74
Pneus Europe Sce, 24 rte de Brinay ☎ 48 75 06 34

VIEUX-BOUCAU-LES-BAINS **40480** Landes 78 ⑯ **G. Pyrénées Aquitaine** – 1 210 h alt. 5.

de la Côte d'Argent ☎ 58 48 54 65 N par D 652 puis D 117 : 10 km.

Office de Tourisme Le Mail ☎ 58 48 13 47, Fax 58 48 15 37.

Paris 746 – Biarritz 43 – Mont-de-Marsan 85 – ◆Bayonne 37 – Castets 28 – Dax 34 – Mimizan 55.

Côte d'Argent, ☎ 58 48 13 17, Fax 58 48 01 15, – TV ☎ P. GB. ch
fermé 1er oct. au 15 nov. et lundi du 15 nov. au 31 mai – **Repas** 92/170, enf. 55 – 30 – **36 ch** 260/330 – ½ P 280/320.

CITROEN Gar. Duchon, ☎ 58 48 10 42
PEUGEOT Gar. Lafarie, ☎ 58 48 10 82
RENAULT Gar. Canicas, ☎ 58 48 15 31

VIEUX-MAREUIL **24340** Dordogne 75 ⑤ **G. Périgord Quercy** – 350 h alt. 129.

Paris 489 – Angoulême 44 – Périgueux 43 – Brantôme 15 – ◆Limoges 89 – Ribérac 32.

Château de Vieux Mareuil M, SE : 1 km par D 939 ☎ 53 60 77 15, Fax 53 56 49 33, ≤, « Demeure du 15e siècle dans un parc », – TV ☎ P. AE GB
1er avril-31 oct. – **Repas** 130/300 – 60 – **14 ch** 950 – ½ P 550/700.

VIEUX-MOULIN **60** Oise 56 ③ – rattaché à Compiègne.

VIEUX-VILLEZ **27** Eure 55 ⑰ – rattaché à Gaillon.

VIF **38450** Isère 77 ④ – 5 788 h alt. 320.

Paris 582 – ◆Grenoble 17 – Le Bourg-d'Oisans 45 – Monestier-de-Clermont 16 – Villard-de-Lans 45.

Paix, 10 r. Desaix ☎ 76 72 46 75, Fax 76 72 74 99, – TV ☎ P. GB
fermé 15 oct. au 15 nov. – **Repas** 70/165 – 30 – **7 ch** 170/250 – ½ P 210.

VAG Gar. St-Joseph, ☎ 76 72 66 83

Le VIGAN SP **30120** Gard 80 ⑯ **G. Gorges du Tarn** (plan) – 4 523 h alt. 221.

Voir Musée Cévenol★.

Office de Tourisme pl. Marché ☎ 67 81 01 72, Fax 67 81 86 79.

Paris 703 – ◆Montpellier 62 – Alès 66 – Lodève 51 – Mende 111 – Millau 72 – ◆Nîmes 77.

Commerce sans rest, 26 r. Barris ☎ 67 81 03 28 – ☎ P. GB.
fermé vacances de Toussaint et de fév. – 27 – **15 ch** 90/250.

Le Chandelier, 19 r. Pouzadou ☎ 67 81 17 04 – GB
fermé 15 fév. au 1er mars, dim. soir et lundi – **Repas** 79/125, enf. 45.

au Rey E : 5 km par D 999 – ✉ **30570** Valleraugue :

Château du Rey, ☎ 67 82 40 06, Fax 67 82 47 79, parc – TV ☎ P. GB
fermé 2 janv. au 2 mars – ***L'Abeuradou*** ☎ 67 82 49 32 *(fermé dim. soir et lundi sauf juil.-août)* **Repas** 90/195, enf. 50 – 46 – **12 ch** 320/480 – ½ P 355/435.

à Pont d'Hérault E : 6 km par D 999 – ✉ **30570** Valleraugue :

Maurice, ☎ 67 82 40 02, Fax 67 82 46 12, – rest TV ☎ P. GB
Repas *(fermé dim. soir du 25 sept. au 20 avril)* 160/380 – 42 – **18 ch** 250/320 – ½ P 320.

CITROEN Gar. Teissonnière, ☎ 67 81 03 11
PEUGEOT Gar. Arnal, ☎ 67 81 03 77

VIGEOIS **19** Corrèze 75 ⑧ – rattaché à Uzerche.

VIGNOUX-SUR-BARANGEON **18500** Cher 64 ⑳ – 1 844 h alt. 157.

Paris 217 – Bourges 24 – Cosne-sur-Loire 68 – Gien 70 – Issoudun 36 – Vierzon 8.

Le Prieuré avec ch, rte St-Laurent (D 30) ☎ 48 51 58 80, Fax 48 51 56 01, – TV ☎ P. AE GB
fermé 25 août au 4 sept., vacances de fév., mardi soir et merc. sauf juil.-août – **Repas** 100 (déj.), 158/250 et carte 220 à 300 – 37 – **7 ch** 320/370 – ½ P 275.

VIGOULET-AUZIL **31** H.-Gar. 82 ⑱ – rattaché à Toulouse.

VIHIERS **49310** M.-et-L. 67 ⑦ – 4 131 h alt. 100.

Paris 333 – ◆Angers 42 – Cholet 28 – Saumur 39.

Le Régent, 2 r. Marquis de Contades ☎ 41 56 12 16 – GB
fermé vacances de fév., dim soir et lundi – **Repas** 57/145.

VILLAGE-NEUF **68** H.-Rhin 66 ⑩ – rattaché à St-Louis.

VILLAINES-LA-JUHEL **53700** Mayenne 60 ⑫ – 3 171 h alt. 185.

Paris 252 – Alençon 31 – ◆Le Mans 57 – Bagnoles-de-l'Orne 30 – Mayenne 28.

Le Jardin Gourmand, rte Evron ☎ 43 03 22 20, Fax 43 03 38 97, – TV ☎ ♿ P 50. AE ◑ GB
Repas *(fermé dim. soir)* 48/191 – ☕ 37 – **23 ch** 165/270 – ½ P 205.

Oasis M sans rest, rte Javron : 1 km ☎ 43 03 28 67, Fax 43 03 35 30 – TV ☎ ♿ P. GB
☕ 35 – **12 ch** 200/335.

VILLANDRY **37510** I.-et-L. 64 ⑭ – 776 h alt. 50.

Voir Château★★ : jardins★★★, G. Châteaux de la Loire.

Paris 254 – ◆Tours 17 – Azay-le-Rideau 11 – Chinon 31 – Langeais 11 – Saumur 53.

Cheval Rouge, ☎ 47 50 02 07, Fax 47 50 08 77 – rest ☎ P. GB
fermé 17 fév. au 23 mars et lundi sauf fériés – **Repas** 90/200, enf. 55 – ☕ 37 – **18 ch** 300/32
– ½ P 380/390.

VILLAR-D'ARÈNE **05480** H.-Alpes 77 ⑦ – 178 h alt. 1650 – Sports d'hiver : 1 650/2 400 m 4.

Paris 650 – Briançon 36 – Le Bourg-d'Oisans 31 – Gap 124 – La Grave 3 – ◆Grenoble 81 – Col du Lautaret 8.

Le Faranchin, N 91 ☎ 76 79 90 01, Fax 76 79 92 88, ←, – ☎ P. AE GB
15 juin-15 oct. et 1er janv.-20 mai – **Repas** 70/175, enf. 44 – ☕ 37 – **40 ch** 158/305
½ P 184/278.

VILLARD-DE-LANS **38250** Isère 77 ④ G. Alpes du Nord – 3 346 h alt. 1040 – Sports d'hiver : 1 150/2 170
2 29.

Voir Gorges de la Bourne★★★ – Route de Valchevrière★ O par D 215c.

Env. Grottes de Choranceǃ★ : grotte de Coufin★★ O : 20 km puis 30 mn.

18 de Corrençon-en-Vercors ☎ 76 95 80 42, S : 6 km par D 215.

Office de Tourisme pl. Mure-Ravaud ☎ 76 95 10 38, Fax 76 95 98 39.

Paris 594 ① – ◆Grenoble 34 ① – Die 65 ② – ◆Lyon 126 ① – Valence 67 ② – Voiron 45 ①.

VILLARD-DE-LANS

Adret (R. de l') 2
Chabert (Pl. P.) 4
Chapelle-en-Vercors (Av.) 5
Dr-Lefrançois (Av.) 6
Francs-Tireurs (Av. des) 8
Galizon (R. de) 9
Gambetta (R.) 10
Gaulle (Av. Gén. de) 12
Libération (Pl. de la) 13
Lycée Polonais (R. du) 14
Martyrs (Pl. des) 15
Moulin (Av. Jean) 16
Mure-Ravaud (Pl. R.) 17
Pouteil-Noble (R. P.) 19
Prof. Nobecourt (Av.) 20
République (R. de la) 22
Roux-Fouillet (R. A.) 23
Victor-Hugo (R.) 26

Les plans de villes sont orientés le Nord en haut.

Christiania et rest. Le Tétras, av. Prof. Nobecourt **(k)** ☎ 76 95 12 51, Fax 76 95 00 75
←, – TV ☎. AE ◑ GB JCB. rest
20 mai-20 sept. et 20 déc.-Pâques – **Repas** *(fermé merc. sauf vacances scolaires)* 130/28
enf. 70 – ☕ 52 – **23 ch** 390/590 – ½ P 480/530.

Eterlou , **(e)** ☎ 76 95 17 65, Fax 76 95 91 41, ←, – TV ☎ P. AE ◑ GB JCB
rest
20 juin-3 sept. et 20 déc.-31 mars – **Repas** 160/295 – ☕ 45 – **24 ch** 300/580 – ½ P 450/500.

Pré Fleuri , rte Cochettes **(t)** ☎ 76 95 10 96, Fax 76 95 56 23, ←, – TV ☎ P. GB
1er juin-1er oct. et 20 déc.-20 avril – **Repas** 120/200 – ☕ 40 – **20 ch** 340/370 – ½ P 335/349.

Georges, av. Gén. de Gaulle **(u)** ☎ 76 95 11 75, Fax 76 95 92 66, – TV ☎ P
GB. rest
hôtel : 1er juin-30 sept. et 20 déc.-30 avril ; rest. : fermé nov. – **Repas** 105/120 – ☕ 40
20 ch 250/300 – ½ P 280/290.

Villa Primerose sans rest, quartier Bains **(d)** ☎ 76 95 13 17, ←, – ☎ P. GB
fermé 25 oct. au 20 déc. – ☕ 35 – **18 ch** 220/270.

au Balcon de Villard - rte Côte 2000 SE : 4 km par D 215 et D 215B – ✉ **38250** Villard-de-Lans :

Playes, ✆ 76 95 14 42, Fax 76 95 58 38, ≤, 🏔, 🌳, 🎾 – 📺 ☎ 🅿. GB. ✗ ch
10 juin-15 sept. et 15 déc.-20 avril – **Repas** 95/160, enf. 50 – ☕ 38 – **20 ch** 220/360 – ½ P 300/340.

à Corrençon-en-Vercors S : 6 km par D 215 – 264 h. alt. 1105 – ✉ **38250** :

du Golf M, Les Ritons ✆ 76 95 84 84, Fax 76 95 82 85, ≤, 🏔, 🏊, 🌳 – 📺 ☎ 🅿. AE ⓓ GB
fermé 1er avril au 10 mai et 1er nov. au 15 déc. – **Repas** *(fermé dim. soir et lundi midi hors sais.)* 110 (déj.), 120/210 – ☕ 50 – **12 ch** 750 – ½ P 590.

PEUGEOT Gar. Rolland, à la Conterie ✆ 76 95 12 69
RENAULT Gar. Chavernoz, av. Prof. Nobecourt ✆ 76 95 15 61
VAG Stat. des Olympiades, ✆ 76 95 11 42

VILLARD-ST-SAUVEUR 39 Jura 70 ⑮ – rattaché à St-Claude.

VILLARS-LES-DOMBES 01330 Ain 74 ② **G. Vallée du Rhône** – 3 415 h alt. 281.

Voir Vierge à l'Enfant★ dans l'église – Parc ornithologique★ S : 1 km.

du Clou ✆ 74 98 19 65, S : 3 km par N 83 ; du Gouverneur ✆ 72 26 40 34, SO : 8 km par N 904 et D 6.

Office de Tourisme, pl. de la Mairie ✆ 74 98 06 29.

Paris 433 – ♦Lyon 37 – Bourg-en-Bresse 28 – Villefranche-sur-Saône 27.

Ribotel, rte Lyon ✆ 74 98 08 03, Fax 74 98 29 55, 🏔 – 🛗 📺 ☎ 📞 ♿ 🅿 – 🏛 90. AE ⓓ GB
Jean-Claude Bouvier ✆ 74 98 11 91 *(fermé 26 au 31 déc., dim. soir et lundi)* **Repas** 130/330, enf. 70 – ☕ 38 – **47 ch** 245/290 – ½ P 270.

à Bouligneux NO : 4 km par D 2 – 274 h. alt. 282 – ✉ **01330** :

XX **Aub. des Chasseurs,** ✆ 74 98 10 02, Fax 74 98 28 87, 🏔 – GB
fermé 20 déc. au 20 janv., mardi soir et merc. – **Repas** 135/300.

X **Host. des Dombes,** ✆ 74 98 08 40, Fax 74 98 16 63, 🏔 – 🅿. GB
fermé 16 au 24 juil., 16 déc. au 8 janv., mardi soir et merc. – **Repas** 90 (déj.), 125/220 🍷.

Ne prenez pas la route sans connaître votre temps de parcours.

La carte Michelin nº 911 *c'est "la carte du temps gagné".*

VILLARS-SOUS-DAMPJOUX 25190 Doubs 66 ⑱ – 422 h alt. 362.

Paris 480 – ♦Besançon 81 – Baume-les-Dames 42 – Montbéliard 23 – Morteau 48.

XX **Sur les Rives du Doubs,** à Dampjoux S : 1 km ✆ 81 96 93 82, Fax 81 96 46 61, 🏔 – 🅿. GB. ✗
fermé 15 déc. au 15 janv., mardi soir et merc. – **Repas** 180/240.

VILLÉ 67220 B.-Rhin 62 ⑧ ⑨ **G. Alsace Lorraine** – 1 550 h alt. 260.

Office de Tourisme à la Mairie ✆ 88 57 11 57 et pl. Marché (saison) ✆ 88 57 11 69, Fax 88 57 04 54.

Paris 420 – ♦Strasbourg 53 – Lunéville 82 – St-Dié 38 – Ste-Marie-aux-Mines 25 – Sélestat 15.

La Bonne Franquette, 6 pl. Marché ✆ 88 57 14 25 – ⇔ ☎. GB
fermé 20 nov. au 1er déc., 15 janv. au 8 fév., merc. soir et jeudi – **Repas** 130/260 🍷, enf. 50 – ☕ 38 – **10 ch** 220/340 – ½ P 240/300.

rte de Sélestat SE : 6 km sur D 424 – ✉ **67730** Châtenois :

XX ✿ **Au Valet de Coeur,** ✆ 88 85 67 51, Fax 88 85 67 84 – 🅿. AE ⓓ GB JCB
fermé dim. soir et lundi – **Repas** (nombre de couverts limité, prévenir) 180 (déj.), 200/420 et carte 340 à 430
Spéc. Petite salade de langoustines aux zestes d'orange. Pigeonneau du Ried cuit en croûte de sel. Noisettes de chevreuil marinées au pinot noir (sept. à janv.). **Vins** Tokay-Pinot gris, Muscat.

CITROEN Gar. Jost, ✆ 88 57 15 44 N ✆ 88 57 12 67

La VILLE-AUX-CLERCS 41160 L.-et-Ch. 64 ⑥ – 1 114 h alt. 143.

Paris 157 – Brou 40 – Châteaudun 27 – ♦Le Mans 73 – ♦Orléans 71 – Vendôme 15.

Le Manoir de la Forêt, à Fort-Girard E : 1,5 km par rte secondaire ✆ 54 80 62 83, Fax 54 80 66 03, ≤, 🏔, parc – 📺 ☎ 🅿 – 🏛 30. AE GB
fermé dim. soir et lundi midi – **Repas** 150/265 – ☕ 45 – **19 ch** 290/450 – ½ P 580.

VILLECOMTAL-SUR-ARROS 32730 Gers 82 ⑬ – 773 h alt. 177.

Paris 789 – Auch 49 – Pau 56 – Aire-sur-l'Adour 65 – Tarbes 26.

XX **Rive Droite,** ✆ 62 64 83 08, Fax 62 64 84 02, 🏔, 🌳 – AE ⓓ GB
fermé 2 au 16 janv., sam. midi et vend. sauf juil.-août – **Repas** 70 (déj.), 105/200.

VILLECROZE 83690 Var 84 ⑥ 114 ㉑ G. Côte d'Azur – 1 029 h alt. 300.

Voir Belvédère★ N : 1 km.

Syndicat d'Initiative Grand' Rue ✆ 94 67 50 00.

Paris 842 – Aups 8 – Brignoles 37 – Draguignan 21.

XX **Le Colombier,** rte Draguignan ✆ 94 70 63 23, Fax 94 70 63 23, ☂ – P. GB
fermé 20 nov. au 15 déc. et lundi sauf juil.-août – **Repas** 100/300, enf. 70.

au SE : 3,5 km par D 557 et rte secondaire – ✉ **83690** Salernes :

X **Au Bien Être** avec ch, ✆ 94 70 67 57, ☂, ⛱, – TV ☎ P. GB. ch
fermé vacances de Toussaint et de fév. – **Repas** *(fermé dim. soir et lundi sauf juil.-aoû*
115/225, enf. 60 – ☕ 42 – **8 ch** 320 – ½ P 310.

VILLEDIEU-LES-POËLES 50800 Manche 59 ⑧ G. Normandie Cotentin (plan) – 4 356 h alt. 105.

Office de Tourisme pl. des Costils ✆ 33 61 05 69.

Paris 318 – St-Lô 35 – Alençon 121 – Avranches 22 – ◆Caen 77 – Flers 57.

Le Fruitier M, pl. Costils ✆ 33 90 51 00, Fax 33 90 51 01 – TV ☎ – 6
GB
fermé 23 déc. au 5 janv. – Repas 76/170, enf. 45 – ☕ 35 – **38 ch** 200/280, 10 duplex
½ P 250/280.

St-Pierre et St-Michel, pl. République ✆ 33 61 00 11, Fax 33 61 06 52 – TV ☎. GB
fermé 2 au 29 janv. et vend. du 5 nov. au 31 mars – **Repas** 88 (déj.), 95/225, enf. 45 – ☕ 35
24 ch 290 – ½ P 250/270.

XX **Manoir de l'Acherie** avec ch, à l'Acherie E : 3,5 km par déviation N 175 et D 55
✆ 33 51 13 87, Fax 33 61 89 07, ☂, « Dans la campagne », – TV ☎ P – 100.
GB.
fermé vacances de fév., dim. soir de nov. à mars et lundi sauf le soir en juil.-août – Repa
88/215, enf. 45 – ☕ 38 – **14 ch** 220/330 – ½ P 305/340.

PEUGEOT Gar. Jouenne, ZA les Monts Havards ✆ 33 61 00 35 N ✆ 33 61 09 60
RENAULT Villedieu Garage, rte d'Avranches ✆ 33 61 00 70
Gar. Pichon, av. Mar.-Leclerc ✆ 33 61 06 20

VILLE-EN-TARDENOIS 51170 Marne 56 ⑮ G. Champagne – 530 h alt. 161.

Paris 125 – ◆Reims 20 – Châlons-en-Champagne 57 – Château-Thierry 39 – Épernay 24 – Fère-en-Tardenois 25 Soissons 50.

X **Aub. du Postillon,** D 380 ✆ 26 61 83 67, Fax 26 61 84 64 – AE GB
fermé 20 août au 7 sept., mardi soir et merc. – **Repas** 85/250 bc, enf. 40.

VILLEFORT 48800 Lozère 80 ⑦ G. Gorges du Tarn – 700 h alt. 600.

Env. Belvédère du Chassezac★★ N : 9 km puis 15 mn.

de la Garde-Guérin ✆ 66 46 81 30, N : 9 km par D 906.

Office de Tourisme r. Église (juil.-août) ✆ 66 46 87 30.

Paris 627 – Alès 53 – Aubenas 60 – Florac 66 – Mende 58 – Pont-St-Esprit 89 – Le Puy-en-Velay 86.

Balme, ✆ 66 46 80 14, Fax 66 46 85 26, ☂ – ☎. AE GB
fermé 13 au 18 oct., 15 nov. au 1er fév., dim. soir et lundi hors sais. – **Repas** 120/250, enf. 5
– ☕ 36 – **19 ch** 165/320 – ½ P 235/325.

CITROEN Gar. Bedos, ✆ 66 46 80 07 N ✆ 66 46 80 07

VILLEFRANCHE-D'ALLIER 03430 Allier 69 ⑫ G. Auvergne – 1 360 h alt. 270.

Paris 343 – Moulins 50 – Bourbon-l'Archambault 31 – Montluçon 24 – Montmarault 12.

Le Relais Bourbonnais M, 1 r. Gare ✆ 70 07 40 01, Fax 70 07 48 36, ☂, – TV ☎
GB
fermé 23 au 30 déc. et dim. soir – **Repas** 65/220, enf. 45 – ☕ 31 – **14 ch** 215/305
½ P 230.

VILLEFRANCHE-DE-CONFLENT 66500 Pyr.-Or. 86 ⑰ G. Pyrénées Roussillon – 261 h alt. 435.

Voir Ville forte★ – Fort Liberia★.

Office de Tourisme pl. Église ✆ 68 96 22 96.

Paris 914 – ◆Perpignan 49 – Mont-Louis 30 – Olette 10 – Prades 6 – Vernet-les-Bains 5,5.

XX **Aub. Saint-Paul,** 7 pl. Eglise ✆ 68 96 30 95, ☂ – GB
fermé 6 au 21 nov., janv. et lundi – **Repas** 130/340.

X **Au Grill,** r. St-Jean ✆ 68 96 17 65 – GB
fermé 20 nov. au 11 déc., 8 au 21 janv. et merc. sauf du 15 juin au 31 août – **Repas** 90/120
enf. 45.

VILLEFRANCHE-DE-LAURAGAIS **31290** H.-Gar. 82 ⑲ – 3 316 h alt. 175.

Paris 740 – ◆Toulouse 33 – Auterive 26 – Castelnaudary 22 – Castres 56 – Gaillac 87 – Pamiers 40.

à ***Gardouch*** SO : 2 km – 889 h. alt. 200 – ✉ **31290** :

✗ **La Marotte,** ✆ 61 27 19 46, Fax 61 27 19 46 – AE GB. ✻
fermé 15 août au 6 sept., dim. soir de sept. à mai, mardi soir et merc. – **Repas** 90/190.

PEUGEOT Gar. Chastaing, ✆ 61 81 60 41 N ✆ 61 27 03 31 — RENAULT Gar. du Marès, ✆ 61 81 60 08

VILLEFRANCHE-DE-ROUERGUE SP **12200** Aveyron 79 ⑳ **G. Gorges du Tarn** – 12 291 h alt. 230.

Voir La Bastide★ : place Notre-Dame★, église Notre-Dame★ – Ancienne chartreuse St-Sauveur★ par ③.

ℹ Office de Tourisme Promenade Guiraudet ✆ 65 45 13 18, Fax 65 45 55 58.

Paris 613 ① – Rodez 57 ① – Albi 68 ③ – Cahors 61 ④ – Montauban 73 ④.

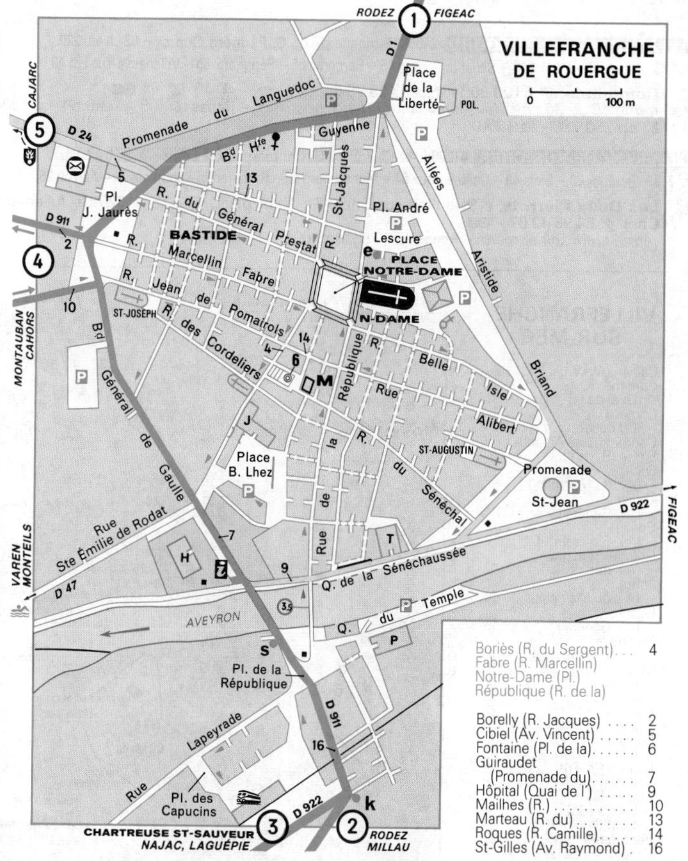

🏨 **L'Univers,** pl. République (1er étage) **(s)** ✆ 65 45 15 63, Fax 65 45 02 21 – TV ☎ ✆ 🚗 – 🏊 30. AE ⓓ GB
Repas *(fermé 8 au 15 juin, 16 au 23 nov., vend. soir et sam. d'oct. à juin)* 75/295 🍷, enf. 60 – ☕ 36 – **30 ch** 185/350 – ½ P 245/290.

🏨 **Francotel et rest. Le Ranch** M, Centre Escale par ① et D1[E] : 1 km ✆ 65 81 17 22, Fax 65 45 56 09, 🏊 – |‡| ✻ ▤ TV ☎ ♿ P – 🏊 80. AE GB
Repas *(fermé dim. soir du 1er oct. au 31 mai)* 70/105 🍷 – ☕ 40 – **36 ch** 255/280, 8 duplex – ½ P 230.

X **Le Bellevue,** 5 av. du Ségala **(k)** ☏ 65 45 23 17 – 🚗. GB
fermé 24 au 30 juin, vacances de fév., mardi soir et merc. de sept. à juin – **Repas** 85/200.

X **L'Assiette Gourmande,** pl. A. Lescure **(e)** ☏ 65 45 25 95, 🏖 – GB
fermé 14 au 28 avril, mardi soir, merc. soir hors sais. et dim. – **Repas** 72/225 🍷.

au Farrou par ① : 4 km – ✉ **12200** Villefranche-de-Rouergue :

Relais de Farrou Ⓜ, ☏ 65 45 18 11, Fax 65 45 32 59, 🏖, 🏋, 🏊, 🌳, 🎾 – 🛏 ▤ ch 📺 ☎ ♿ 🅿 – 🎪 25. GB
fermé 20 oct. au 4 nov. et 25 fév. au 11 mars – **Repas** *(fermé dim. soir et lundi hors sais.)* 78 (déj.), 116/350 🍷, enf. 70 – ☕ 42 – **25 ch** 310/460 – ½ P 330/360.

CITROEN Gar. Lizouret, rte de Toulonjac par ⑤ ☏ 65 45 01 74
FIAT-LANCIA, MERCEDES Gar. Gaubert, rte de Montauban ☏ 65 45 19 65 **N** ☏ 65 45 33 11
PEUGEOT Gar. Trébosc, rte de Montauban par ④ ☏ 65 45 59 54
RENAULT S.A.D.A.R., rte de Cahors par ④ ☏ 65 45 21 83

Ⓜ Escoffier Pneus Vulcopneu, rte de Toulouse ☏ 65 45 05 44
Escoffier Pneus Vulcopneu, av. du 8 Mai 1945 ☏ 65 45 14 67
Euromaster, Les Plantades, rte Hte du Farrou ☏ 65 81 10 03

VILLEFRANCHE-DU-PÉRIGORD

24550 Dordogne **75** ⑰ **G. Périgord Quercy** – 827 h alt. 220.
Paris 573 – Agen 78 – Cahors 40 – Sarlat-la-Canéda 45 – Bergerac 65 – Périgueux 85 – Villeneuve-sur-Lot 49.

Commerce, ☏ 53 29 90 11, Fax 53 29 79 95, 🏖 – ☎ – 🎪 40. AE ⓓ GB
fermé 15 au 30 nov., fév., lundi soir et mardi hors sais. – **Repas** 65/195 🍷, enf. 60 – ☕ 30 – **23 ch** 230/280 – ½ P 250.

VILLEFRANCHE-SUR-CHER

41200 L.-et-Ch. **64** ⑱ **G. Châteaux de la Loire** – 2 298 h alt. 98.
Paris 213 – Bourges 63 – Blois 48 – Châteauroux 64 – Montrichard 48 – Romorantin-Lanthenay 8 – Vierzon 26.

XX **Les Deux Pierrots,** à St-Julien-sur-Cher, S : 1 km par D 922 ✉ 41320 St-Julien-sur-Cher ☏ 54 96 40 07 – GB
fermé lundi soir et mardi – **Repas** 129/185, enf. 60.

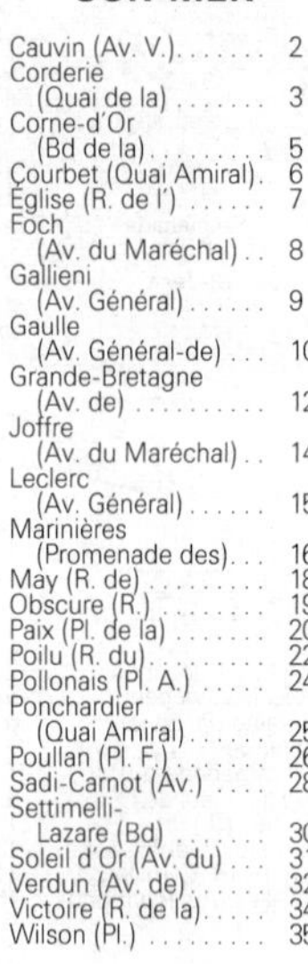

VILLEFRANCHE-SUR-MER

Cauvin (Av. V.)	2
Corderie (Quai de la)	3
Corne-d'Or (Bd de la)	5
Courbet (Quai Amiral)	6
Église (R. de l')	7
Foch (Av. du Maréchal)	8
Gallieni (Av. Général)	9
Gaulle (Av. Général-de)	10
Grande-Bretagne (Av. de)	12
Joffre (Av. du Maréchal)	14
Leclerc (Av. Général)	15
Marinières (Promenade des)	16
May (R. de)	18
Obscure (R.)	19
Paix (Pl. de la)	20
Poilu (R. du)	22
Pollonais (Pl. A.)	24
Ponchardier (Quai Amiral)	25
Poullan (Pl. F.)	26
Sadi-Carnot (Av.)	28
Settimelli-Lazare (Bd)	30
Soleil d'Or (Av. du)	31
Verdun (Av. de)	32
Victoire (R. de la)	34
Wilson (Pl.)	35

Les cartes Michelin sont constamment tenues à jour.

Michelin maps are kept up to date.

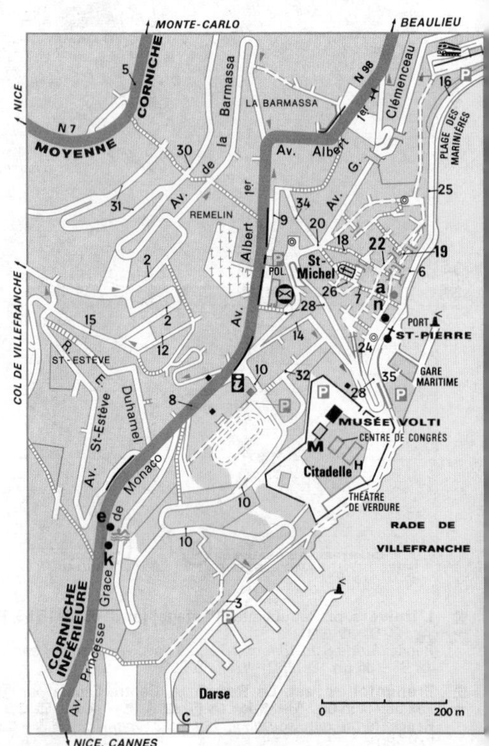

VILLEFRANCHE-SUR-MER 06230 Alpes-Mar. 84 ⑨ ⑩ 115 ㉗ G. Côte d'Azur – 8 080 h alt. 30.

Voir Rade★★ – Vieille ville★ – Chapelle St-Pierre★ – Musée Volti★.

Office de Tourisme square F.-Binon ☏ 93 01 73 68, Fax 93 76 63 65.

Paris 939 ⑤ – ◆Nice 7 ③ – Beaulieu-sur-Mer 4 ③.

Accès et sorties : Voir plan de Nice.

Welcome et rest. St-Pierre, quai Courbet **(n)** ☏ 93 76 76 93, Fax 93 01 88 81, ←, – ch. AE GB JCB
fermé 18 nov. au 22 déc. et lundi midi – **Repas** 155/195 – **32 ch** 690/890 – ½ P 495/745.

Bahia M, av. Albert 1er par N 98 (N du plan) ☏ 93 01 32 32, Fax 93 01 29 77, ←, « Piscine panoramique » – ch P – 50. AE GB JCB
Repas 140/280, enf. 60 – 65 – **54 ch** 710/1240 – ½ P 500/545.

Flore M, av. Princesse Grace de Monaco **(e)** ☏ 93 76 30 30, Fax 93 76 99 99, ←, – P – 35. AE GB JCB. rest
***Le Fleuron* : Repas** 130/195, enf. 60 – 50 – **27 ch** 600/950, 4 duplex – ½ P 400/500.

Versailles, av. Princesse Grace de Monaco **(k)** ☏ 93 01 89 56, Fax 93 01 97 48, ← rade, – ch P. AE GB
Repas *(fermé lundi sauf juil.-août)* 140 (dîner), 150 bc/250, enf. 90 – 50 – **49 ch** 570/840 – ½ P 500/605.

Mère Germaine, quai Courbet **(a)** ☏ 93 01 71 39, Fax 93 76 94 28, ←, – AE GB
fermé 18 nov. au 21 déc. – **Repas** 210/280.

VILLEFRANCHE-SUR-SAÔNE SP 69400 Rhône 74 ① G. Vallée du Rhône – 29 542 h alt. 190.

18 du Beaujolais ☏ 74 67 04 44 à Lucenay, 8 km par ④.

Office de Tourisme r. de Thizy ☏ 74 68 05 18, Fax 74 68 44 91 – A.C. ☏ 74 68 05 18.

Paris 434 ⑦ – ◆Lyon 33 ⑤ – Bourg-en-Bresse 51 ③ – Mâcon 41 ⑤ – Roanne 75 ⑥.

VILLEFRANCHE-SUR-SAÔNE

Barbusse (Bd Henri) CX 2
Beaujolais (Av. du) CX 3
Berthier (R. Pierre) DX 7
Chabert (Ch. du) CX 12
Charmilles (Av. des) CX 14
Desmoulins (R. Camille) DX 17
Joux (Av. de) DX 25
Leclerc (Bd du Gén.) CX 27
Libération (Av. de la) CX 28
Maladière (R. de la) CX 30
Nizerand (R. du) CX 35
Paradis (R. du) CX 37
Pasquier (Bd Pierre) DX 39
St-Roch (Montée) CX 43
Salengro (Bd Roger) CX 46
Tarare (R. de) CX 54

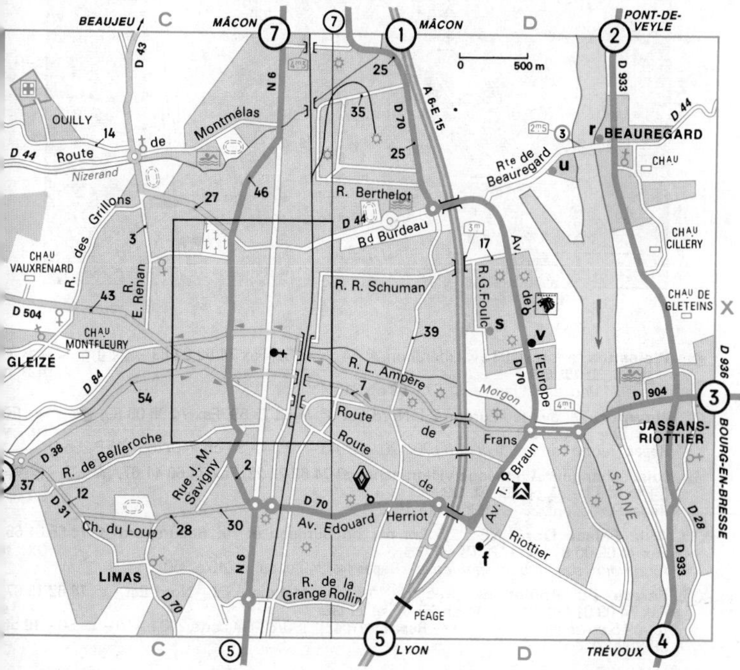

VILLEFRANCHE-SUR-SAÔNE

Nationale (R.) . . . . BYZ

Belleville (R. de) . . . . . . BY 5
Carnot (Pl.) . . . . BZ 9
Faucon (R. du) . . . . BY 19
Fayettes (R. des) . . . . . . BZ 20
Grange-Blazet (R.) . . . . . BZ 23
Marais (Pl. des) . . . . BZ 32
République (R. de la) . . AZ 41
Salengro (Bd Roger) . . . AY 46
Savigny (R. J. M.) . . . . . AZ 47
Sous-Préfecture (Pl.) . . . AZ 49
Sous-Préfecture (R.) . . . AZ 50
Stalingrad (R. de) . . . . . BZ 52

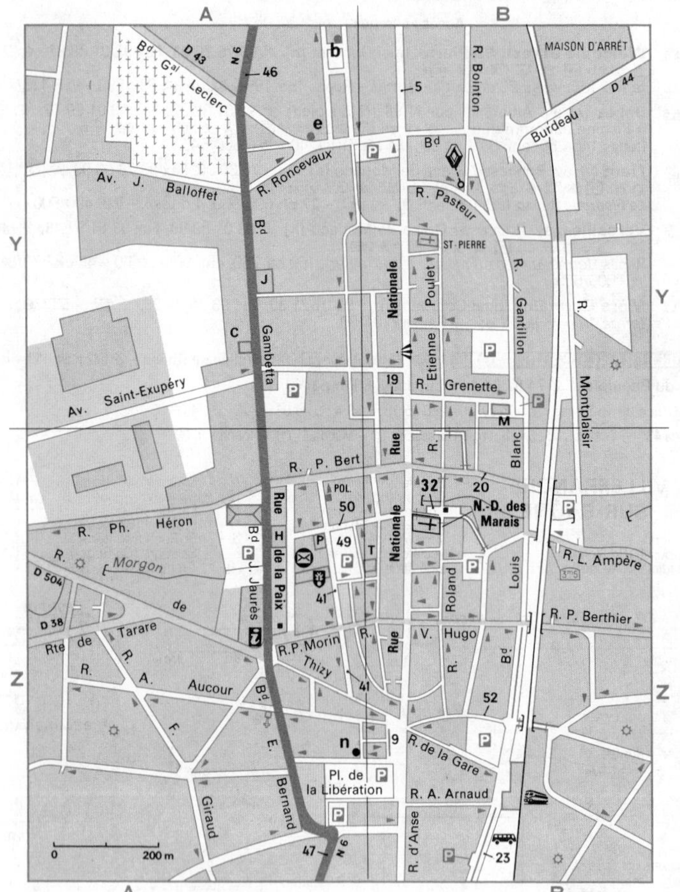

Plaisance sans rest, 96 av. Libération ☎ 74 65 33 52, Fax 74 62 02 89 – ... – 25. AE GB AZ
fermé 24 déc. au 1er janv. – 37 – **68 ch** 310/410.

Newport [M], av. de l'Europe Z.I. Nord-Est ☎ 74 68 75 59, Fax 74 09 08 89, ... – 60. GB DX
Repas *(fermé sam. midi et dim.)* 75/120, enf. 40 – 34 – **34 ch** 240/265 – ½ P 255.

Ibis, échangeur A 6 (péage Villefranche) ☎ 74 68 22 23, Fax 74 60 41 67, ... – 50. AE GB DX
Repas 99 bc, enf. 39 – 35 – **115 ch** 280.

XXX **Aub. Faisan Doré,** NE : 2,5 km par bd Burdeau et rte Beauregard ☎ 74 65 01 66 Fax 74 09 00 81, ... AE GB DX
fermé dim. soir et lundi sauf fériés – **Repas** 145/340 et carte 240 à 350.

XXX **Ferme du Poulet** [M] avec ch, 180 r. Mangin, Z.I. Nord-Est ☎ 74 62 19 07 Fax 74 09 01 89, ... ch ... AE GB DX
fermé 5 au 25 août et dim. soir – **Repas** 150 (déj.), 180/320 et carte 290 à 410 – 50 – **10 ch** 390/520.

XX **Le Cèdre,** 196 r. Roncevaux ☎ 74 68 03 69, Fax 74 65 04 69, 爺 – AE ⓓ GB. ✻ AY **e**
fermé 5 au 18 août, 26 déc. au 2 janv., dim. soir et mardi soir – **Repas** 92/224 ♁.

X **Au Vieux St-Pierre,** 16 pl. Oran ☎ 74 68 34 94 – AE ⓓ GB AY **b**
fermé lundi soir et mardi soir – **Repas** 65/135 ♁.

ALFA ROMEO Gar. Devaux, 361 r. d'Anse ☎ 74 65 12 00
CITROEN Gar. Thivolle, 695 av. T.-Braun ☎ 74 65 26 09 🅽 ☎ 74 65 27 10
PEUGEOT Gar. Nomblot, 1193 av. de l'Europe ☎ 74 68 90 90 🅽 ☎ 07 75 82 06
RENAULT Gar. Longin, 15 r. Bointon ☎ 74 65 25 66
RENAULT Villefranche Autom., 19 av. E.-Herriot à Limas ☎ 74 65 33 02 🅽 ☎ 74 65 27 10
VAG Gar. de l'Europe, 1050 r. Ampère ☎ 74 65 50 59

Euromaster, ZI av. E.-Herriot ☎ 74 65 29 75

VILLEJUIF 94 Val-de-Marne 61 ①, 101 ㉖ – voir à Paris, Environs.

VILLEMAGNE-L'ARGENTIÈRE 34600 Hérault 83 ④ G. Gorges du Tarn – 365 h alt. 193.

Paris 275 – ♦Montpellier 78 – Bédarieux 8 – Béziers 37 – Lunas 22 – Olargues 24.

X **Aub. de l'Abbaye,** ☎ 67 95 34 84, 爺 – GB
fermé 8 janv. au 20 fév., dim. soir et lundi – **Repas** 98/215.

RENAULT Gar. Pascal, à Hérépian ☎ 67 95 04 87

VILLEMOISSON-SUR-ORGE 91 Essonne 60 ⑩, 101 ㉟ – voir à Paris, Environs.

VILLEMUR-SUR-TARN 31340 H.-Gar. 82 ⑧ G. Pyrénées Roussillon – 4 840 h alt. 108.

Paris 667 – ♦Toulouse 39 – Albi 63 – Castres 72 – Montauban 24.

XXX ❀ **La Ferme de Bernadou** (Voisin), rte Toulouse ☎ 61 09 02 38, Fax 61 35 94 87, ≤, 爺, parc – P. AE GB
fermé 1er au 6 janv., vacances de fév., dim. soir et lundi – **Repas** 130/320 et carte 240 à 370, enf. 100
Spéc. Colvert au sang, à la presse (saison). Gratin de pieds et langue d'agneau aux cèpes (automne). Millefeuille aux abricots. **Vins** Côtes du Frontonnais.

au Sud : 5 km par D 14 et rte secondaire – ✉ 31340 Villemur sur Tarn :

X **Flambadou,** ☎ 61 09 40 72 – P. AE GB
fermé 23 août au 3 sept., mardi soir et merc. – **Repas** 85/200, enf. 45.

CITROEN Gar. Vacquié, ☎ 61 09 01 60
PEUGEOT Gar. Terral, à Pechnauquié ☎ 61 09 00 70

VILLENAUXE-LA-GRANDE 10370 Aube 61 ⑤ G. Champagne – 2 135 h alt. 80.

Voir Déambulatoire★ de l'église.

Paris 106 – Troyes 59 – La Ferté-Gaucher 35 – Nogent-sur-Seine 15 – Romilly-sur-Seine 18 – Sézanne 22.

XX **Le Flaubert** avec ch, pl. Église ☎ 25 39 58 58, 爺 – TV ☎ ♿. GB
hôtel : fermé 1er au 15 fév. et dim. soir ; rest. : fermé fév., dim. soir et lundi – **Repas** 80/155 ♁ – ☕ 28 – **12 ch** 150/210 – ½ P 180.

RENAULT Gar. Pautre, ZA le Bassin ☎ 25 21 30 52

VILLENEUVE 04 Alpes-de-H.-P. 81 ⑮ – rattaché à Manosque.

VILLENEUVE D'ASCQ 59 Nord 51 ⑯, 111 ㉓ – rattaché à Lille.

VILLENEUVE-DE-MARSAN 40190 Landes 82 ① ② – 2 107 h alt. 80.

Paris 702 – Mont-de-Marsan 18 – Aire-sur-l'Adour 21 – Auch 89 – Condom 63 – Roquefort 16.

❀ **Francis Darroze** M ♨, ☎ 58 45 20 07, Fax 58 45 82 67, 爺, ⛱, 🌳 – TV ☎ P – 🏛 25. AE ⓓ GB JCB
fermé 2 au 22 janv., dim. soir et lundi d'oct. à mai – **Repas** 290/380 et carte 300 à 440 - ***57 Grand Rue*** ☎ 58 45 29 92 *(fermé 2 au 17 janv., sam. midi, dim. soir et lundi midi sauf juil.-août)* **Repas** 160bc, enf. 70 – ☕ 80 – **15 ch** 580/780 – ½ P 700/1000
Spéc. "Escaoutoun" landais au brebis basque et cèpes poêlés. Foie gras frais de canard grillé aux sarments de vigne. Petits pots de crème. **Vins** Pacherenc du Vic Bilh, Madiran.

Europe ♨, ☎ 58 45 20 08, Fax 58 45 34 14, 爺, ⛱, 🌳 – TV ☎ ✆ P. AE ⓓ GB JCB
Repas 140/330 – ☕ 55 – **12 ch** 280/420 – ½ P 250/465.

CITROEN Gar. Roumégnoux, ☎ 58 45 22 05

VILLENEUVE-DES-ESCALDES 66760 Pyr.-Or. 86 ⑯ – alt. 1350.

Paris 878 – Font-Romeu-Odeillo-Via 14 – Ax-les-Thermes 43 – Bourg-Madame 6 – Perpignan 102 – Prades 59.

Relais du Belloch, ☎ 68 30 07 24, ≤, 🌳 – TV ☎ P. GB
fermé 1er nov. au 20 déc. – **Repas** 70/135, enf. 45 – ☕ 30 – **24 ch** 200/270 – ½ P 220/235.

VILLENEUVE-LA-GARENNE 92 Hauts-de-Seine 55 ⑳, 101 ⑮ – voir à Paris, Environs.

VILLENEUVE-LA-SALLE 05 H.-Alpes 77 ⑧ ⑱ – voir à Serre-Chevalier.

VILLENEUVE-LE-COMTE 77174 S.-et-M. 61 ② 106 ㉒ – 1 297 h alt. 126.

Paris 40 – Lagny-sur-Marne 12 – Meaux 18 – Melun 37.

XXX **Bonne Marmite,** 15 r. Gén. de Gaulle ✆ (1) 60 43 00 10, Fax (1) 60 43 11 01, P. AE ① GB
fermé 5 au 22 août, vacances de fév., mardi et merc. – **Repas** 150 (déj.), 180/330 et carte 250 à 360, enf. 85.

VILLENEUVE-LÈS-AVIGNON 30400 Gard 81 ⑪ ⑫ G. Provence (plan) – 10 730 h alt. 23.

Voir Fort St-André★ : ≤★★ AV – Tour Philippe-le-Bel ≤★★ AV – Vierge en ivoire★★ et couronnement de la Vierge★★ au musée municipal AV **M** – Chartreuse du Val-de-Bénédiction★ AV.

Office de Tourisme 1 pl. Ch.-David ✆ 90 25 61 33, Fax 90 25 91 55 et en saison : 58 r. de la République ✆ 90 25 61 55.

Paris 684 ② – Avignon 5 ⑤ – Nîmes 45 ⑥ – Orange 22 ⑦ – Pont-St-Esprit 41 ⑥.

Plan : voir à Avignon.

✿ **Le Prieuré** 🔇, 7 pl. Chapître ✆ 90 25 18 20, Fax 90 25 45 39, parc, « Jardins et terrasse ombragés », 🏊, 🎾 – |♦| ▤ TV ☎ P – 🏛 50. AE ① GB. ✂ rest AV
8 mars-2 nov. – **Repas** *(fermé merc. midi et jeudi midi en mars)* 200/460 et carte 340 à 550, enf. 130 – ☕ 80 – **26 ch** 550/1250, 10 appart
Spéc. Asperges vertes de pays au jus de daube (avril à mi-juin). Dégustation d'agneau de pays à la fleur de thym. Chariot de pâtisseries, sorbets et glaces. **Vins** Costières du Gard.

La Magnaneraie M 🔇, 37 r. Camp de Bataille ✆ 90 25 11 11, Fax 90 25 46 37, « Beaux aménagements dans une ancienne demeure du 15e siècle », 🏊, 🎾 – ▤ TV ☎ P – 🏛 40. AE ① GB JCB AV
Repas 170/450 – ☕ 70 – **27 ch** 600/1400 – ½ P 680/830.

Atelier sans rest, 5 r. Foire ✆ 90 25 01 84, Fax 90 25 80 06, « Maison du 16e siècle, patio » – TV ☎. AE ① GB JCB AV
fermé début nov. à début déc. – ☕ 38 – **19 ch** 240/450.

XXX **Aubertin,** 1 r. de l'Hôpital ✆ 90 25 94 84 – ▤. AE GB JCB AV
fermé dim. soir de sept. à juin et lundi – **Repas** 160/350 et carte 220 à 330.

X **Le St-André,** 4 bis Montée du Fort ✆ 90 25 63 23 – GB AV
fermé fév., le midi en juil., mardi midi et lundi – **Repas** 130/150.

VILLENEUVE-LOUBET 06270 Alpes-Mar. 84 ⑨ 115 ㉕ G. Côte d'Azur – 11 539 h alt. 10.

Voir Musée de l'Art culinaire★ (fondation Auguste Escoffier) Y **M2**.

Office de Tourisme, pl. de Verdun ✆ 93 20 20 09, Fax 93 20 16 49.

Paris 920 ⑤ – ♦Nice 14 ③ – Antibes 10 ④ – Cagnes-sur-Mer 3 ③ – Cannes 20 ⑤ – Grasse 21 ⑥ – Vence 12 ①.

Voir plan de Cagnes-sur-Mer-Villeneuve-Loubet.

Hamotel 🔇 sans rest, Hameau du Soleil, rte La Colle-sur-Loup ✆ 93 20 86 60, Fax 93 73 33 94 – |♦| TV ☎ P – 🏛 25. AE ① GB JCB
☕ 40 – **30 ch** 380/430.

Le Green M, S : 1 km sur D 2 ✆ 93 22 47 39, Fax 93 22 91 94, 🏊 – |♦| ▤ TV ☎ ♿ P – 🏛 60. AE GB Y n
Repas 75/120 – ☕ 38 – **57 ch** 380/470 – ½ P 338/358.

La Franc Comtoise 🔇, Grange Rimade, rte La Colle-sur-Loup ✆ 93 20 97 58, Fax 92 02 74 76, 🏊, 🎾 – |♦| TV ☎ P. GB. ✂ ch
fermé 20 oct. au 1er déc., dim. soir et lundi d'oct. à juin – **Repas** 120/150 – ☕ 20 – **30 ch** 325/395 – ½ P 315.

X **Mail-Post,** 12 av. Libération ✆ 93 20 89 53 – ▤. GB Y
fermé 18 mars au 6 avril, 30 sept. au 31 oct. et mardi – **Repas** 105/145, enf. 50.

à Villeneuve-Loubet-Plage :

Bahia sans rest, rte bord de mer ✆ 93 20 21 21, Fax 93 20 96 96, 🏊 – |♦| ▤ TV ☎ P. AE ① GB JCB Z
50 ch ☕ 530/820.

Le Galoubet M 🔇 sans rest, 174 av. Castel ✆ 92 13 59 00, Fax 92 13 59 29, 🏊 – ▤ ☎ ♿ P – 🏛 35. AE GB. ✂ Z
☕ 40 – **22 ch** 400/450.

Syracuse sans rest, av. Batterie ✆ 93 20 45 09, Fax 93 20 29 30, ≤ – |♦| cuisinette ▤ ☎ P. GB Z
☕ 35 – **39 ch** 330/650.

MERCEDES Succursale, av. Baumettes N 7 ✆ 93 73 06 11 N ✆ 05 24 24 30

VILLENEUVE-SUR-LOT SP 47300 L.-et-G. 79 ⑤ G. Pyrénées Aquitaine – 22 782 h alt. 51.

9 18 de Castelnaud ✆ 53 01 74 64, par ① N 21 : 12,5 km.

Office de Tourisme 1 bd République ✆ 53 36 17 30.

Paris 605 ① – Agen 31 ⑤ – Bergerac 60 ① – ♦Bordeaux 143 ⑥ – Brive-la-Gaillarde 144 ③ – Cahors 74 ③ – Libourne 116 ⑥ – Mont-de-Marsan 124 ⑥ – Pau 185 ⑥.

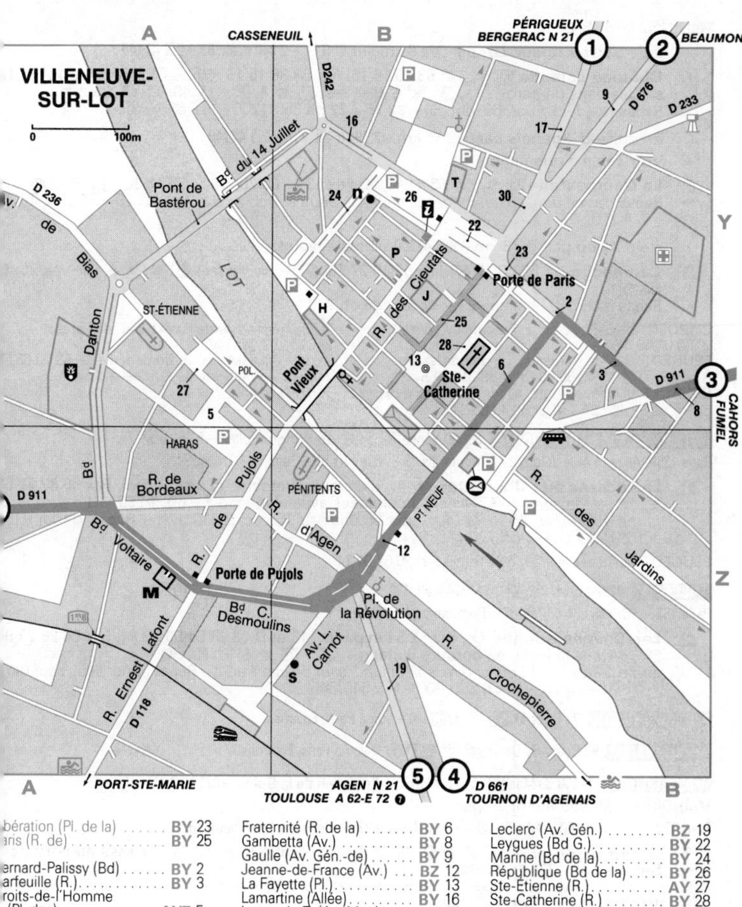

...bération (Pl. de la)	BY 23	Fraternité (R. de la)	BY 6	Leclerc (Av. Gén.)	BZ 19
...aris (R. de)	BY 25	Gambetta (Av.)	BY 8	Leygues (Bd G.)	BY 22
...ernard-Palissy (Bd)	BY 2	Gaulle (Av. Gén.-de)	BY 9	Marine (Bd de la)	BY 24
...arfeuille (R.)	BY 3	Jeanne-de-France (Av.)	BZ 12	République (Bd de la)	BY 26
...roits-de-l'Homme (Pl. des)	AYZ 5	La Fayette (Pl.)	BY 13	Ste-Étienne (R.)	AY 27
		Lamartine (Allée)	BY 16	Ste-Catherine (R.)	BY 28
		Lattre-de-T. (Av. Mar.)	BY 17	Victor-Hugo (Cours)	BY 30

La Résidence sans rest, 17 av. L. Carnot ✆ 53 40 17 03, Fax 53 01 57 34 – TV ☎ . GB BZ **s**
28 – **18 ch** 125/285.

Les Platanes sans rest, 40 bd Marine ✆ 53 40 11 40, Fax 53 70 71 95 – TV ☎. GB BY **n**
fermé 22 déc. au 8 janv. – 26 – **21 ch** 110/260.

Host. du Rooy, chemin de Labourdette par ④ ✆ 53 70 48 48, Fax 53 49 17 74, , parc – P. AE GB
fermé 1er au 7 janv., dim. soir et lundi – **Repas** 130/275 et carte 220 à 390, enf. 80.

à Pujols SO : 4 km par D 118 et C 207 - AZ – 3 608 h. alt. 180 – ✉ **47300**.
Voir ≤★.

Chênes sans rest, ✆ 53 49 04 55, Fax 53 49 22 74, ≤, – TV ☎ P – 25. AE GB
fermé 1er au 7 janv. et dim. soir en janv. – 45 – **20 ch** 230/390.

✿ **La Toque Blanche** (Lebrun), ✆ 53 49 00 30, Fax 53 70 49 79, ≤, – P. AE GB
fermé 24 juin au 8 juil., 25 nov. au 2 déc., lundi sauf le soir en août et dim. soir – **Repas** 145/420 et carte 330 à 470, enf. 80
Spéc. Escalope de foie gras de canard en millefeuille. Trilogie de filet, rognon et ris aux petits légumes. Pied de cochon rôti, farci à l'ancienne. **Vins** Buzet, Côtes de Duras.

Aub. Lou Calel, ✆ 53 70 46 14, Fax 53 70 49 79, ≤ Villeneuve, – GB
fermé 5 au 12/6, 16 au 30/10, 3 au 17/1, mardi midi et merc. midi en août, mardi soir et merc. de sept. à juil. – **Repas** 85/200, enf. 70.

à St-Sylvestre-sur-Lot par ③ : 9 km sur D 911 – 2 040 h. alt. 65 – ✉ **47140** :

Château Lalande M 🔇, ✆ 53 36 15 15, Fax 53 36 15 16, ☂, « Château des 13e et 1… siècles dans un parc », Fō, ⛱, ✂ – |♦| ▤ rest TV ☎ ♿ P – 🚶 40. AE ① GB. ✂
Repas 160 (déj.), 195/360, enf. 80 – ☕ 75 – **22 ch** 850/1200 – ½ P 690/865.

à Penne-d'Agenais par ④ : 11 km – 2 394 h. alt. 207 – ✉ **47140**.
Voir Table d'orientation ≤★.

Le Compostelle M 🔇, ✆ 53 41 12 41, Fax 53 41 00 20, ☂ – TV ☎ ♿ – 🚶 30. GB
Repas *(fermé dim. soir et lundi soir sauf juil.-août)* 65/155 🍷, enf. 40 – ☕ 28 – **26 ch** 245/3… – ½ P 210.

rte d'Agen par ⑤ : 3 km – ✉ **47300** Villeneuve-sur-Lot :

Campanile, ✆ 53 40 27 47, Fax 53 40 27 50, ☂ – ✕ ▤ rest TV ☎ ✆ ♿ P – 🚶 25. … ① GB
Repas 84 bc/107 bc, enf. 39 – ☕ 32 – **46 ch** 270.

CITROEN S.A.L.G., 28 av. J.-Bordeneuve par ⑥ ✆ 53 01 58 01
PEUGEOT Gar. de Bordeaux, rte de Bordeaux à Bias par ⑥ ✆ 53 40 56 05 N ✆ 53 01 90 55
RENAULT Villeneuve-Auto, av. de Bordeaux à Bias par ⑥ ✆ 53 40 55 54 N ✆ 53 40 55 54

Ⓜ Euromaster, rte de Fumel, ZAC de Parasol ✆ 53 70 12 57
Sabatié Pneus, 13 av. J.-Bordeneuve ✆ 53 70 65 7…
Villeneune Pneus, rte de Bordeaux à Bias ✆ 53 40 28 55

VILLENEUVE-SUR-YONNE **89500** Yonne 61 ⑭ **G. Bourgogne** (plan) – 5 054 h alt. 74.
Paris 135 – Auxerre 44 – Joigny 17 – Montargis 48 – Nemours 58 – Sens 13 – Troyes 74.

XX **La Lucarne aux Chouettes** 🔇 avec ch, quai Bretoche ✆ 86 87 18 26, Fax 86 87 22 6… ≤, ☂, « Maisons du 17e siècle aménagées avec élégance » – TV ☎. AE GB
fermé 15 fév. au 15 mars, dim. soir et lundi du 1er oct. au 30 avril – **Repas** 98 (déj.)/15… enf. 60 – ☕ 50 – **4 ch** 720.

PEUGEOT Gar. Lesellier, 23 fg St-Nicolas ✆ 86 87 04 24

VILLENY **41220** L.-et-Ch. 64 ⑧ – 324 h alt. 132.
Paris 163 – ◆Orléans 34 – Blois 37 – Romorantin-Lanthenay 33.

Les Chênes Rouges 🔇, SO : 2,5 km par D 113 et D 18 ✆ 54 98 23 94, Fax 54 98 23 9… ☂, « Dans la forêt, en bordure d'étang », ⛱ – TV ☎ ♿ P. AE GB
fermé 1er fév. au 10 mars, dim. soir et lundi sauf de juin à août – **Repas** (dîner seul. sauf dim… 170/190 – ☕ 75 – **10 ch** 650/800 – ½ P 545/645.

VILLEPARISIS **77** S.-et-M. 56 ⑫, 101 ⑲ – voir à Paris, Environs.

VILLEPINTE **93** Seine-St-Denis 56 ⑪, 101 ⑧ – voir à Paris, Environs.

VILLEQUIER **76490** S.-Mar. 55 ⑤ **G. Normandie Vallée de la Seine** – 822 h alt. 6.
Voir Site★ – Musée Victor-Hugo★.
Paris 172 – ◆Le Havre 50 – ◆Rouen 39 – Bourg-Achard 29 – Lillebonne 13 – Yvetot 16.

X **Grand Sapin** avec ch, ✆ 35 56 78 73, Fax 35 95 69 27, ≤, ☂, « Terrasse au bord de … Seine », ☂ – TV ☎ P. GB
fermé 15 nov. au 1er déc., vacances de fév., mardi soir et merc. sauf juil.-août – **Repas** 6… 190 🍷 – ☕ 25 – **5 ch** 250/290.

VILLERAY **61** Orne 60 ⑮ – rattaché à Nogent-le-Rotrou.

VILLEREST **42** Loire 73 ⑦ – rattaché à Roanne.

VILLEROY **89** Yonne 61 ⑬ – rattaché à Sens.

VILLERS-BOCAGE **14310** Calvados 54 ⑮ **G. Normandie Cotentin** – 2 845 h alt. 140.
ℹ Office de Tourisme pl. Gén.-de-Gaulle ✆ 31 77 16 14.
Paris 267 – ◆Caen 26 – Argentan 77 – Avranches 73 – Bayeux 26 – Flers 42 – St-Lô 36 – Vire 34.

XXX **Trois Rois** avec ch, ✆ 31 77 00 32, Fax 31 77 93 25, ☂ – TV ☎ P. AE ① GB
fermé 24 juin au 1er juil., janv., dim. soir et lundi sauf fériés – **Repas** 125/300 et carte 240 300 – ☕ 42 – **14 ch** 200/400.

CITROEN Gar. Breville, ✆ 31 77 17 98

VILLERS-COTTERÊTS **02600** Aisne 56 ③ **G. Flandres Artois Picardie** – 8 867 h alt. 126.
Voir Forêt de Retz★ E par D 973.
Env. La Ferté-Milon : château★ (bas-reliefs★), vitraux★ de l'église St-Nicolas, musée Jea… Racine, S : 9,5 km – Abbaye de Lieu-Restauré : rose★ de l'église, O : 9 km.
ℹ Office de Tourisme 2 pl. A.-Briand ✆ 23 96 55 10, Fax 23 96 24 85.
Paris 78 – Compiègne 31 – Laon 59 – Meaux 41 – Senlis 36 – Soissons 22.

Régent sans rest, 26 r. Gén. Mangin ✆ 23 96 01 46, Fax 23 96 37 57, « Ancien relais c… poste du 18e siècle » – TV ☎ P. AE ① GB
fermé dim. soir de nov. à mars sauf fêtes – ☕ 30 – **17 ch** 215/375.

X **L'Orthographe,** 63 r. Gén. Leclerc ☎ 23 96 30 84, Fax 23 96 82 71 – P. AE GB
fermé 15 au 31 juil., sam. midi et merc. – **Repas** 120/180.

X **Commerce,** 17 r. Gén. Mangin ☎ 23 96 19 97, Fax 23 96 43 72, ☂ – GB
fermé 12 au 27 août, 15 janv. au 5 fév., dim. soir et lundi – **Repas** (dim. prévenir) 80/135.

à Coeuvres-et-Valsery N : 12,5 km par D 81 et D 811 – 449 h. alt. 37 – ✉ **02600** Villers-Cotterets :

X **Aub. de la Couronne,** ☎ 23 55 83 83, « Cadre rustique » – AE GB
fermé juil., 1er au 15 janv., dim. soir et lundi – **Repas** 135.

CITROEN Gar. des Sablons, 52 av. de la Ferté Milon ☎ 23 96 04 96
PEUGEOT Gar. Féry, 75 r. Gén.-Leclerc ☎ 23 96 19 64 N ☎ 23 96 19 64
VAG Villers Auto, rte de la Ferté-Milon ☎ 23 96 56 60
Euromaster, 6 r. V.-Hugo ☎ 23 96 13 64
Hurand Pneu-Vulcopneu, av. de la Ferté-Milon ☎ 23 96 13 84

CONSTRUCTEUR : V.A.G-France, à Pisseleux, par av. de la Gare ☎ **23 96 08 03**

VILLERSEXEL **70110** H.-Saône 66 ⑥ ⑦ **G. Jura** – 1 460 h alt. 287.

Paris 394 – ♦Besançon 64 – Belfort 38 – Lure 18 – Montbéliard 31 – Vesoul 27.

Terrasse, rte Lure ☎ 84 20 52 11, Fax 84 20 56 90, ☂, ⛟ – TV ☎ P. GB
fermé 15 déc. au 3 janv., vend. soir et dim. soir hors sais. – **Repas** 65/260 ♁, enf. 43 – ☕ 30 – **15 ch** 200/280 – ½ P 210/250.

Commerce, ☎ 84 20 50 50, Fax 84 20 59 57, ☂ – TV ☎ P. GB
fermé 6 au 13 oct. et 1er au 15 janv. – **Repas** *(fermé dim. soir)* 60/260 ♁, enf. 42 – ☕ 30 – **17 ch** 170/250 – ½ P 185/220.

VILLERS-LE-LAC **25130** Doubs 70 ⑦ **G. Jura** – 4 203 h alt. 730.

Voir Saut du Doubs★★★ NE : 5 km – Lac de Chaillexon★ NE : 2 km.

Office de Tourisme r. Berçot (juin-sept. et vacances scolaires) ☎ 81 68 00 98.

Paris 478 – ♦Besançon 69 – Basel 123 – La Chaux-de-Fonds 16 – Morteau 6 – Pontarlier 37.

✿ **France** (Droz), 8 pl. Cupillard ☎ 81 68 00 06, Fax 81 68 09 22 – TV ☎ ⛟ – 🏢 30. AE ⓓ GB
fermé 20 déc. au 1er fév. – **Repas** *(fermé dim. soir et lundi)* 160/400 et carte 280 à 410 ♁ – ☕ 50 – **14 ch** 280/300 – ½ P 310/330
Spéc. Surprise de foie gras à l'ambroisie du Haut Doubs. Poêlée de rougets à la moutarde violette. "Festival" en noir et blanc aux griottines de Fougerolles. **Vins** Arbois blanc et rouge.

PEUGEOT Gar. Franco Suisse, Les Terres Rouges ☎ 81 68 03 47 N ☎ 81 68 03 47

VILLERS-LES-POTS **21** Côte-d'Or 66 ⑬ – rattaché à Auxonne.

VILLEURBANNE **69** Rhône 74 ⑪ ⑫ – rattaché à Lyon.

VILLIÉ-MORGON **69910** Rhône 74 ① – 1 522 h alt. 262.

Voir La Terrasse ✻★★ près du col du Fût d'Avenas NO : 7 km, **G Vallée du Rhône.**

Paris 414 – Mâcon 21 – ♦Lyon 55 – Villefranche-sur-Saône 22.

Le Villon M, ☎ 74 69 16 16, Fax 74 69 16 81, ☂, ⛱, ⛟, ✂ – TV ☎ P – 🏢 60. GB
fermé 22 déc. au 6 janv., dim. soir et lundi du 1er oct. au 1er mai – **Repas** 115/255 – ☕ 38 – **45 ch** 270/335 – ½ P 305.

Parc sans rest, ☎ 74 04 22 54 – ☎
fermé merc. – ☕ 27 – **8 ch** 140/180.

PEUGEOT Gar. Granger, ☎ 74 04 23 24 N ☎ 74 04 23 24

VILLIERS-LE-BÂCLE **91** Essonne 60 ⑩, 101 ㉓ – voir à Paris, Environs.

VIMOUTIERS **61120** Orne 55 ⑬ **G. Normandie Vallée de la Seine** – 4 723 h alt. 95.

Office de Tourisme 10 av. Gén.-de-Gaulle ☎ 33 39 30 29.

Paris 196 – ♦Caen 59 – L'Aigle 44 – Alençon 66 – Argentan 31 – Bernay 37 – Falaise 37 – Lisieux 27.

H. Escale du Vitou ⛰, centre de loisirs, rte Argentan : 2 km par D 916 ☎ 33 39 12 04, Fax 33 36 13 34, ≤, ☂, parc, ✂ – TV ☎ P – 🏢 25 à 80. GB
Le Vitou ☎ 33 39 12 37 *(fermé 8 janv. au 8 fév., dim. soir et lundi sauf juil.-août)* **Repas** 78/200, enf. 48 – ☕ 39 – **17 ch** 200/250 – ½ P 190/210.

CITROEN Gar. Goubin, 8 av. Foch ☎ 33 39 01 95
PEUGEOT Gar. Noël-Gérard, 15 av. Dr.-Dentu ☎ 33 39 00 27
Gar. Letourneur, 17 r. d'Argentan ☎ 33 39 03 65

VINAY **51** Marne 56 ⑯ – rattaché à Épernay.

VINCELOTTES **89** Yonne 65 ⑤ – rattaché à Auxerre.

VINCENNES **94** Val-de-Marne 56 ⑪, 101 ⑰ – voir à Paris, Environs.

VINCEY **88** Vosges 62 ⑮ – rattaché à Charmes.

VINEUIL **41** L.-et-Ch. 64 ⑦ – rattaché à Blois.

VINON-SUR-VERDON 83560 Var 84 ④ 114 ⑤ – 2 752 h alt. 280.

Paris 779 – Digne-les-Bains 67 – Aix-en-Provence 47 – Brignoles 64 – Castellane 86 – Cavaillon 77 – Draguignan 73.

Relais des Gorges, av. République ☎ 92 78 80 24, Fax 92 78 96 47, – TV ☎ P. AE GB
fermé 20 déc. au 20 janv. – **Repas** 100/250 – ☕ 45 – **10 ch** 220/280 – ½ P 200/260.

RENAULT Gar. Ramu, ☎ 92 78 80 35 N ☎ 92 78 83 87

VINZIER 74600 H.-Savoie 70 ⑰ – 620 h alt. 920.

Paris 581 – Thonon-les-Bains 13 – Abondance 15 – Évian-les-Bains 13 – Genève 48 – Montreux 46.

XX **Relais de Savoie "Pré aux Merles",** ☎ 50 73 61 05, , – P. GB
fermé 2 janv. au 3 fév., 15 sept. au 13 oct. et lundi sauf juil.-août – **Repas** 90 (déj.), 150/175

PEUGEOT Gar. Girard, ☎ 50 73 61 16

VIOLÈS 84150 Vaucluse 81 ② – 1 360 h alt. 94.

Paris 664 – Avignon 31 – Carpentras 17 – Nyons 32 – Orange 15 – Vaison-la-Romaine 16.

XX **Mas de Bouvau** avec ch, rte Cairanne : 2 km ☎ 90 70 94 08, Fax 90 70 95 99, , TV ☎ P. AE GB. ch
fermé 20 août au 6 sept., 20 au 30 déc., vacances de fév., dim. soir et lundi – **Repas** 130/27 – ☕ 40 – **4 ch** 320/380 – ½ P 310/360.

Jährlich eine neue Ausgabe.
Aktuellste Informationen, jährlich für Sie!

VIRE <SP> 14500 Calvados 59 ⑨ **G. Normandie Cotentin** – 12 895 h alt. 275.

9 au lac de la Dathée ☎ 31 67 71 01, 8 km SO par D 150.

Office de Tourisme square de la Résistance ☎ 31 68 00 05, Fax 31 67 69 40.

Paris 301 ③ – St-Lô 39 ① – ♦Caen 60 ① – Flers 29 ③ – Fougères 66 ④ – Laval 102 ④ – Rennes 114 ④.

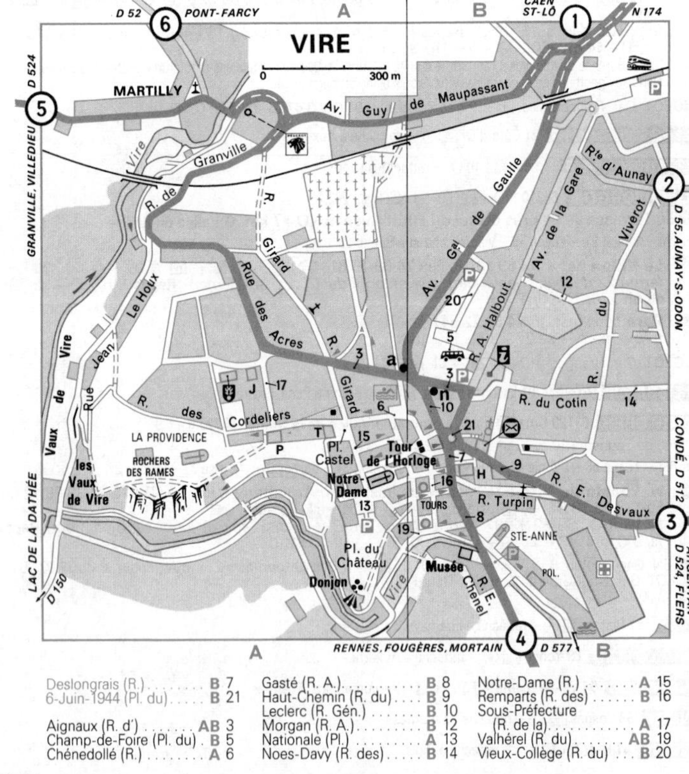

Deslongrais (R.) . . . . B 7
6-Juin-1944 (Pl. du) . . . . . B 21

Aignaux (R. d') . . . . AB 3
Champ-de-Foire (Pl. du) . B 5
Chênedollé (R.) . . . . A 6

Gasté (R. A.) . . . . B 8
Haut-Chemin (R. du) . . . . B 9
Leclerc (R. Gén.) . . . . B 10
Morgan (R. A.) . . . . B 12
Nationale (Pl.) . . . . A 13
Noes-Davy (R. des) . . . . . B 14

Notre-Dame (R.) . . . . A 15
Remparts (R. des) . . . . . . B 16
Sous-Préfecture (R. de la) . . . . A 17
Valhérel (R. du) . . . . AB 19
Vieux-Collège (R. du) . . . B 20

France, 4 r. Aignaux ✆ 31 68 00 35, Fax 31 68 22 65 – |‡| TV ☎ ✆ ⇔. AE GB A a
fermé 21 déc. au 10 janv. – **Repas** 58/220 ♁, enf. 48 – ☕ 30 – **20 ch** 170/350 – ½ P 220/250.

St-Pierre M sans rest, 20 r. Gén. Leclerc ✆ 31 68 05 82, Fax 31 68 22 65 – |‡| TV ☎ ✆ – 🏛 50. AE GB B n
fermé 23 déc. au 2 janv. – ☕ 30 – **29 ch** 175/300.

rte de Flers par ③ : 2,5 km sur D 524 – ✉ **14500** Vire :

XXX **Manoir de la Pommeraie,** ✆ 31 68 07 71, Fax 31 67 54 21, « Jardin » – P. AE ⓓ GB
fermé dim. soir et lundi – **Repas** 99/310 et carte 220 à 340.

à St-Germain-de-Tallevende par ④ : 5 km – 1 584 h. alt. 201 – ✉ **14500** :

X **Aub. St-Germain,** pl. Église ✆ 31 68 24 13 – ⓓ GB
fermé vacances de fév., dim. soir et lundi – **Repas** 70/210 ♁, enf. 42.

ALFA ROMEO, FIAT, LANCIA B.M.J. Onésime, 1 rte de Caen ✆ 31 68 09 98
CITROEN Gar. Prunier, 29 rte de Caen par ① ✆ 31 68 33 87
FORD Gar. Gosselin, rte de Caen ✆ 31 68 01 59
PEUGEOT Gar. Gournay, 19 rte de Granville ✆ 31 68 11 86 N ✆ 31 50 64 84
RENAULT S.N.A.V., rte de Caen par ① ✆ 31 68 02 33 N ✆ 31 25 93 44
VAG Gar. Lemauviel, rte de Caen ✆ 31 68 00 78

Clabeaut Pneus, rte d'Aunay ✆ 31 68 56 57
Colin Pneus, 77 rte d'Aunay ✆ 31 68 38 65

VIROFLAY 78 Yvelines 60 ⑩, 106 ⑯, 101 ㉔ – voir à Paris, Environs.

VIRONVAY 27 Eure 55 ⑰ – rattaché à Louviers.

VIRY-CHATILLON 91 Essonne 61 ①, 101 ㊱ – voir à Paris, Environs.

VITERBE 81 Tarn 82 ⑩ – rattaché à St-Paul-Cap-de-Joux.

VITRAC 24200 Dordogne 75 ⑰ – 743 h alt. 150.

Voir Site★ du château de Montfort NE : 2 km – Cingle de Montfort★ NE : 3,5 km, **G. Périgord Quercy.**

Paris 530 – Brive-la-Gaillarde 64 – Sarlat-la-Canéda 8 – Cahors 54 – Gourdon 21 – Lalinde 51 – Périgueux 75.

Domaine de Rochebois ⛰, E par D 703 : 2 km ✆ 53 31 52 52, Fax 53 29 36 88, ≤, 🏖, « Parc, piscine et golf », – |‡| ▤ TV ☎ ✆ ♿ P – 🏛 100. AE ⓓ GB. ✂ rest
début avril-fin oct. – **Repas** 195/495 – ☕ 80 – **34 ch** 675/1500, 4 duplex – ½ P 610/1025.

Plaisance, au port ✆ 53 28 33 04, Fax 53 28 19 24, 🏖, 🏊, 🌳, 🎾 – |‡| TV ☎ ✆ ♿ P. AE GB
fermé 15 nov. au 6 fév. – **Repas** *(fermé vend. sauf de Pâques au 15 oct.)* 75/230, enf. 50 – ☕ 38 – **42 ch** 210/350 – ½ P 270/310.

XX **La Treille** avec ch, ✆ 53 28 33 19, Fax 53 30 38 54 – TV ☎. AE GB
fermé janv., lundi soir et mardi sauf de juin à sept. – **Repas** 100/195 – ☕ 35 – **8 ch** 165/215 – ½ P 265.

à Caudon-de-Vitrac E : 3 km par D 703 et rte secondaire – ✉ **24200** Sarlat-la-Canéda :

X **La Ferme,** ✆ 53 28 33 35 – ▤ P. GB
fermé oct., 20 déc. au 20 janv., dim. soir en hiver et lundi – **Repas** 85/165, enf. 50.

au NO : 3 km par rte La Roque-Gageac et rte secondaire – ✉ **24200** Vitrac :

XX **La Sanglière** ⛰, ✆ 53 28 33 51, Fax 53 28 52 31, 🏊, 🌳 – ▤ P. GB
31 mars-30 sept. et fermé dim. soir et lundi sauf juil.-août – **Repas** 90/290, enf. 45.

VITRAC 15220 Cantal 76 ⑪ – 294 h alt. 490.

Paris 598 – Aurillac 25 – Figeac 43 – Rodez 79.

Aub. de la Tomette ⛰, ✆ 71 64 70 94, Fax 71 64 77 11, 🏖, 🏊, 🌳 – TV ☎. AE GB. ✂ rest
1er avril-15 déc. – **Repas** 68/195 ♁, enf. 50 – ☕ 40 – **19 ch** 230/300 – ½ P 258/305.

VITRÉ 35500 I.-et-V. 59 ⑱ **G. Bretagne** – 14 486 h alt. 106.

Voir ≤★★ des D178 B et D857 A – Château★★ : tour de Montalifant ≤★ A – La Ville★ : rue Beaudrairie★★ A 5, remparts★ B, église Notre-Dame★ B – Tertres noirs ≤★★ par ④ – Jardin public★ par ③.

Env. Champeaux : place★, stalles★ et vitraux★ de l'église 9 km par ④.

18 des Rochers-Sévigné ✆ 99 96 52 52, S : 6 km par ②.

Office de Tourisme promenade St-Yves ✆ 99 75 04 46, Fax 99 74 02 01.

Paris 310 ① – Châteaubriant 51 ③ – Fougères 30 ⑤ – Laval 37 ① – ◆Rennes 38 ④.

Plan page suivante

Minotel sans rest, 47 r. Poterie ✆ 99 75 11 11, Fax 99 75 81 26 – TV ☎. AE GB AB b
☕ 32 – **16 ch** 220/370.

Chêne Vert, pl. Gén. de Gaulle ✆ 99 75 00 58 – ☎ ⇔. GB B a
fermé 22 sept. au 22 oct., vend. soir hors sais. et sam. – **Repas** 80/170 – ☕ 36 – **22 ch** 140/300.

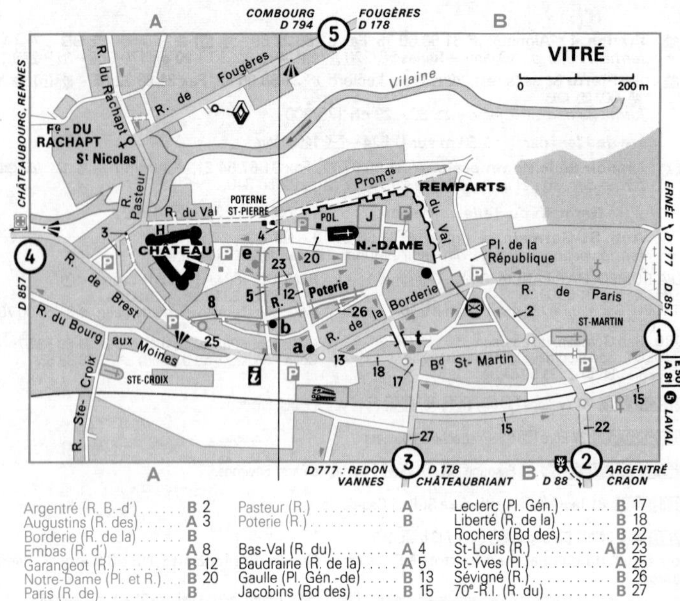

Argentré (R. B.-d') . . . . . B 2
Augustins (R. des) . . . . . A 3
Borderie (R. de la) . . . . . B
Embas (R. d') . . . . A 8
Garangeot (R.) . . . . B 12
Notre-Dame (Pl. et R.) . . . B 20
Paris (R. de) . . . . B

Pasteur (R.) . . . . A
Poterie (R.) . . . . B

Bas-Val (R. du) . . . . A 4
Baudrairie (R. de la) . . . . A 5
Gaulle (Pl. Gén.-de) . . . . . B 13
Jacobins (Bd des) . . . . . . B 15

Leclerc (Pl. Gén.) . . . . . . B 17
Liberté (R. de la) . . . . . . B 18
Rochers (Bd des) . . . . . . B 22
St-Louis (R.) . . . . AB 23
St-Yves (Pl.) . . . . A 25
Sévigné (R.) . . . . B 26
70e-R.I. (R. du) . . . . B 27

XX **Taverne de l'Écu,** 12 r. Beaudrairie ☎ 99 75 11 09, Fax 99 75 82 97, « Vieille maison du 16e siècle » – AE GB — A e
fermé 4 au 13 nov., vacances de fév., mardi soir et merc. – **Repas** 77/158.

XX **Le Pichet,** 17 bd Laval par ① ☎ 99 75 24 09, Fax 99 75 81 50, ☂, ☂ – AE GB
fermé dim. soir et lundi soir – **Repas** 110 bc/250 ♁, enf. 50.

XX **Petit Billot,** 5 r. Gén. Leclerc ☎ 99 74 68 88 – GB — B t
fermé sam. hors sais. et dim. soir – **Repas** 80/160 ♁.

CITROEN Gar. Pinel, rte de Laval par ① ☎ 99 75 06 52
PEUGEOT Gar. Gendry, av. d'Helmstedt par ② ☎ 99 75 00 57
RENAULT Gar. Martin, 18 r. de Fougères ☎ 99 75 01 74

RENAULT Gar. Guilmault, rte de Laval par ① ☎ 99 75 00 53 N ☎ 99 74 91 55

Ⓜ Euromaster, av. d'Helmstedt ☎ 99 75 17 75

VITRY-LE-FRANÇOIS

SP **51300** Marne **61** ⑧ **G. Champagne** – 17 033 h alt. 105.

🅸 Office de Tourisme pl. Giraud ☎ 26 74 45 30, Fax 26 72 12 76.

Paris 177 ⑤ – Bar-le-Duc 49 ② – Châlons-en-Champagne 30 ① – Troyes 79 ⑤ – Verdun 96 ②.

Plan page ci-contre

Poste, pl. Royer-Collard ☎ 26 74 02 65, Fax 26 74 54 71, ♿ – |♦| TV ☎ – 60. AE ⓓ GB JCB — BZ a
Repas *(fermé 23 déc. au 2 janv. et dim.)* 108/240, enf. 60 – ☕ 45 – **31 ch** 290/480.

La Cloche, 34 r. A. Briand ☎ 26 74 03 84, Fax 26 74 15 52, ☂ – TV ☎ ☏ 🚗. AE ⓓ GB — AZ s
fermé 1er au 15 janv. et dim. soir du 20 janv. au 31 mars – **Repas** 100/315 ♁, enf. 67 – ☕ 37 – **24 ch** 190/300.

X **Gourmet des Halles,** 11 r. Soeurs ☎ 26 74 48 88 – ▤. GB — AY e
fermé mardi soir – **Repas** 60/138 ♁, enf. 42.

CITROEN Blacy Autom., N 4 à Blacy par ⑤ ☎ 26 74 15 29
NISSAN Vitry Agro, 18 r. du Vieux Port ☎ 26 74 60 82
OPEL Gar. Labroche, 201 av. de Champagne à Frignicourt ☎ 26 74 13 58
PEUGEOT Vitry-Champagne-Autom., 2 av. de Paris par ⑤ ☎ 26 74 11 47 N ☎ 26 74 11 47
RENAULT Brocard Autom., av. du Bois Legras par ② ☎ 26 74 52 02

SEAT Gar. Baudin, 62 fg de Vitry-le-Brule ☎ 26 74 66 06
VAG Gar. Ruffo, 10 fg St-Dizier ☎ 26 74 39 33

Ⓜ Euromaster, 138 av. Gén.-Leclerc à Frignicourt ☎ 26 72 27 33
Pneus Legros Sud Point S, 14 av. de Paris ☎ 26 74 04 14

VITRY-LE-FRANÇOIS

Armes (Pl. d') .... ABY
Briand (R. Aristide) ..... AZ
Gde-Rue-de-Vaux...... BY
Leclerc (Pl. Mar.)....... BY 23
Pont (R. du)........... AY

Arquebuse (R. de l') .... BZ 2
Beaux-Anges (R. des)... BZ 4
Bourgeois (Fg. Léon).... BZ 7
Carnot (Av.).......... BZ 8
Chêne-Vert (R. du) ..... BY 9
Dominé (Bd du Col.).... AZ 10
Dominé-de-Verzet (R.) .. BZ 13
Guesde (R. Jules) ...... AZ 14
Hauts-Pas (R. des) ..... AZ 16
Hôtel-de-Ville (R. de l') .. BZ 19
Jaurès (Av. Jean)....... BZ 20
Joffre (Pl. Mar.)....... BZ 21
Minimes (R. des)....... AY 24
Moll (Av. du Col.) ...... AZ 25
Paris (Av. de)......... AY 26
Petit-Denier (R. du)..... AY 28
Petite-Rue-de-Vaux..... BY 29
Petite-Sainte (R. de la) .. BZ 30
République (Av. de la) .. BZ 33
Royer-Collard (Pl.)...... BZ 34
St-Éloi (Rue de)........ BY 35
St-Michel (Rue) ...... ABY 37
Sœurs (R. des) .... AY 38
Tour (R. de la)......... AY 39
Vieux-Port (Rue du)..... BZ 41
Vitry-le-Brûlé (Fg de) ... BY 42

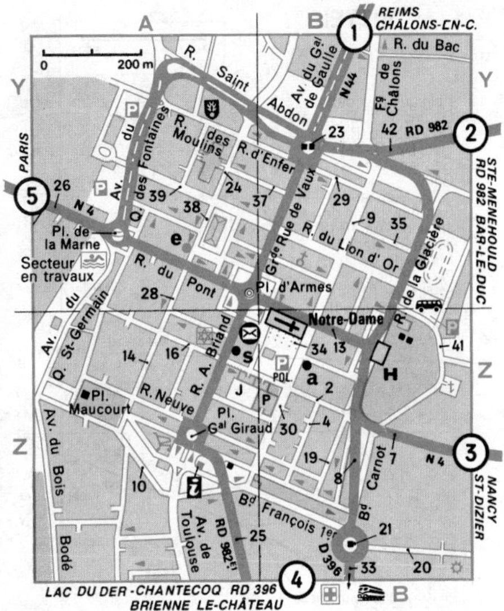

Können Sie wegen Verkehrsstauungen erst nach 18 Uhr in Ihrem Hotel sein, bestätigen Sie telefonisch Ihre Zimmerreservierung ; Sie gehen sicherer... und es ist Gepflogenheit.

ITTEAUX **21350** Côte-d'Or **65** ⑱ **G. Bourgogne** – 1 064 h alt. 320.

ris 260 – •Dijon 48 – Auxerre 97 – Avallon 53 – Beaune 66 – Montbard 34 – Saulieu 34.

✕ **Vieille Auberge,** ✆ 80 49 60 88 – AE GB
fermé 22 au 28 juin, 14 au 30 nov., vacances de fév., mardi soir et merc. – **Repas** 78/170 ♨, enf. 45.

ITTEL **88800** Vosges **62** ⑭ **G. Alsace Lorraine** – 6 296 h alt. 347 – Stat. therm. (19 fév.-21 déc.) – Casino AY.

oir Parc★ BY.

18 18 ✆ 29 08 18 80 BY.

Office de Tourisme av. Bouloumié ✆ 29 08 08 88, Fax 29 08 37 99.

ris 352 ② – Épinal 41 ① – Belfort 122 ① – Chaumont 83 ② – Langres 72 ② – •Nancy 70 ①.

Plan page suivante

Angleterre, r. Charmey ✆ 29 08 08 42, Fax 29 08 07 48, – TV – 100. AE GB. rest — AZ **u**
fermé 22 déc. au 5 janv. – **Repas** 130/170 – ☐ 42 – **60 ch** 340/500 – ½ P 320/400.

Bellevue, 503 av. Châtillon ✆ 29 08 07 98, Fax 29 08 41 89, – TV – 40. AE GB — AYZ **b**
15 avril-15 oct. – **Repas** 90/195, enf. 45 – ☐ 45 – **36 ch** 250/390 – ½ P 300/325.

Castel Fleuri , 218 r. Metz ✆ 29 08 05 20, , – . GB — BZ **k**
hôtel : 20 mai-24 sept. ; rest. : 1er juin-22 sept. – **Repas** 90 (dîner), 99/140 – ☐ 28 – **33 ch** 100/299 – ½ P 207/245.

Beauséjour , 160 av. Tilleuls ✆ 29 08 09 34, Fax 29 08 29 84, – . AE GB — AY **a**
15 avril-5 oct. – **Repas** 70/105 ♨, enf. 42 – ☐ 28 – **37 ch** 160/275 – ½ P 255/425.

✕ **Le Rétro,** 158 r. Jeanne d'Arc ✆ 29 08 05 28, – AE GB — BZ **e**
fermé 23 déc. au 15 janv., 5 au 12 juin, sam. midi et lundi – **Repas** 65 (déj.), 85/180 ♨, enf. 50.

à l'Ouest par r. des Serres AZ : 3 km – ✉ **88800** Vittel :

Orée du Bois , ✆ 29 08 88 88, Fax 29 08 01 61, , , , – TV – 30. AE GB. ch
Repas *(fermé dim. soir du 1er nov. au 28 fév.)* 64/176 ♨, enf. 39 – ☐ 35 – **36 ch** 242/273 – ½ P 251/255.

TROEN Gar. Villeminot, 106 r. J.-d'Arc
29 08 19 44 N ✆ 29 08 19 44

PEUGEOT Gar. Rambaud, 288 av. Poincaré
✆ 29 08 05 24 N ✆ 29 08 19 44

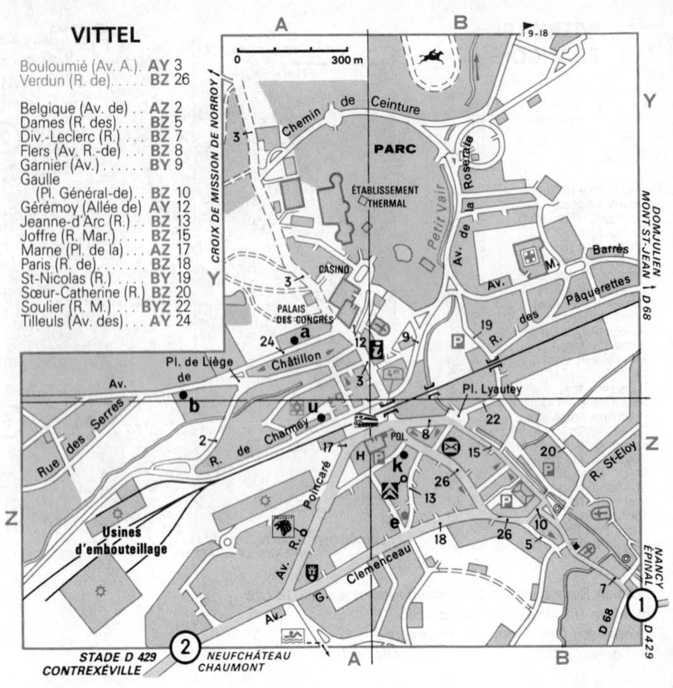

VIVÈS **66** Pyr.-Or. 86 ⑲ – rattaché au Boulou.

VIVIERS-DU-LAC **73** Savoie 74 ⑮ – rattaché à Aix-les-Bains.

Le VIVIER-SUR-MER **35960** I.-et-V. 59 ⑥ – 1 012 h alt. 6.

Paris 383 – St-Malo 21 – Dinan 36 – Dol-de-Bretagne 8 – Fougères 59 – Le Mont-St-Michel 31.

Bretagne (annexe 10 ch), ✆ 99 48 91 74, Fax 99 48 81 10, – TV ☎ P. AE ⊕ GB
fermé 1er déc. au 15 fév., lundi midi en sais., dim. soir et lundi hors sais. – **Repas** 95/250, enf. 55 – ☕ 36 – **26 ch** 290/320 – ½ P 320/360.

VIVONNE **86370** Vienne 68 ⑬ **G. Poitou Vendée Charentes** – 2 955 h alt. 103.

Paris 355 – Poitiers 20 – Angoulême 90 – Confolens 60 – Niort 63 – St-Jean-d'Angély 101.

Le St-Georges M, Gde rue (près église) ✆ 49 89 01 89, Fax 49 89 00 22 – TV ☎ ♿. GB. rest
Repas (dîner seul.) 65 bc – ☕ 35 – **28 ch** 220/270 – ½ P 220/260.

La Treille, av. Bordeaux ✆ 49 43 41 13, Fax 49 89 00 72 – AE GB
fermé vacances de fév. et merc. de nov. à avril – **Repas** 72/220, enf. 45.

PEUGEOT Gar. Babeau, ✆ 49 43 41 29 N ✆ 49 43 41 29

VIZILLE **38220** Isère 77 ⑤ **G. Alpes du Nord** – 7 094 h alt. 270.

Voir Château★.

Office de Tourisme ✆ 76 68 15 16 - Mairie ✆ 76 68 08 22.

Paris 586 – ◆Grenoble 18 – Le Bourg-d'Oisans 31 – La Mure 21 – Villard-de-Lans 47.

Château de Cornage, N : 1 km par Z.I. Cornage et rte secondaire ✆ 76 68 28 00 Fax 76 68 23 50, ←, « Parc », – TV ☎ P – 30 à 100. AE ⊕ GB
Repas 95/315, enf. 80 – ☕ 45 – **17 ch** 250/340 – ½ P 275.

CITROEN Chabuel Autom., ✆ 76 68 29 80
RENAULT Gar. Muzet, ✆ 76 78 70 00 N ✆ 76 68 28 28
RENAULT Vizille Autom., ✆ 76 68 05 36 N ✆ 76 68 05 36

VIZZAVONA (col de) **2B** H.-Corse 90 ⑥ – voir à Corse.

VOGELGRUN **68** H.-Rhin **62** ⑳ – rattaché à Neuf-Brisach.

VOIRON **38500** Isère **77** ④ **G. Alpes du Nord** – 18 686 h alt. 290.

Voir Caves de la Chartreuse★ BZ.

Office de Tourisme 58 cours Becquart Castelbon ✆ 76 05 00 38, Fax 76 65 63 21.

Paris 552 ① – ♦Grenoble 27 ④ – Bourg-en-Bresse 109 ① – Chambéry 44 ② – ♦Lyon 85 ① – Romans-sur-Isère 73 ④ – Valence 85 ④ – Vienne 68 ④.

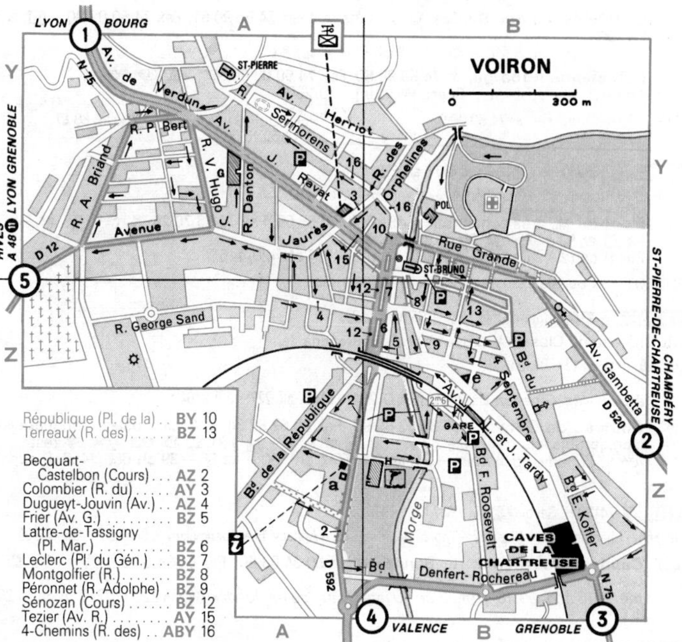

Relais Bleus Ⓜ, 72 cours Becquart Castelbon ✆ **76 65 90 00, Fax 76 65 71 22** – 30. AE ① GB AZ **a**
Taverne du Parc : **Repas** carte 130 à 190 ♀, enf. 38 – ☕ 35 – **43 ch** 295.

La Chaumière ⑤, r. Chaumière (par bd République - AZ -dir. Criel) ✆ **76 05 16 24, Fax 76 05 13 27**, – TV ☎ P. GB.
fermé 5 au 18 août, 23 déc. au 4 janv. et sam. (sauf hôtel en sais.) – **Repas** 78/140 ♀ – ☕ 35 – **24 ch** 130/280 – ½ P 160/230.

Serratrice, 3 av. Tardy ✆ **76 05 29 88, Fax 76 05 45 62** – AE ① GB BZ **e**
fermé 20 juin au 10 sept., dim. soir et lundi – **Repas** - produits de la mer - 105 (déj.), 145/480, enf. 70.

Eden, par ② : 1 km sur D 520 ✆ **76 05 17 40, Fax 76 05 70 32**, <, – P. AE ① GB
fermé 26 août au 9 sept., dim. soir et lundi sauf fériés – **Repas** 118/260.

ORD Gar. Gauduel, ZI Blanchisseries ✆ 76 05 06 99
PEL Eclair Autom., av. J.-Kennedy ✆ 76 05 04 04
EUGEOT Gar. Guilmeau, ZI des Blanchisseries N 5 par ① ✆ 76 67 07 87
ENAULT Performance Autom., ZI du Parvis, rte de ives ✆ 76 66 11 22

VAG Gar. du Parc, 1 av. de Paviot ✆ 76 05 04 83

Euromaster, bd Denfert-Rochereau ✆ 76 05 06 39

VOISINS-LE-BRETONNEUX **78** Yvelines **60** ⑨, **101** ㉒ – voir à St-Quentin-en-Yvelines.

VOLONNE **04290** Alpes-de-H.-P. **81** ⑯ **G. Alpes du Sud** – 1 387 h alt. 450.

aris 719 – Digne-les-Bains 27 – Château-Arnoux-St-Auban 3 – Forcalquier 33 – Manosque 45 – Sault 72 – Sisteron 13.

Aub. des Deux Tours, ✆ **92 62 60 11**, – GB
fermé 20 déc. au 20 janv., dim. soir et lundi – **Repas** 90/220, enf. 50.

VONNAS 01540 Ain 74 ② – 2 381 h alt. 200.

Paris 409 – Mâcon 19 – Bourg-en-Bresse 24 – ♦Lyon 62 – Villefranche-sur-Saône 40.

⚜⚜⚜ **Georges Blanc** M, ☎ 74 50 90 90, Fax 74 50 08 80, « Elégante hostellerie a bord de la Veyle, jardin fleuri », – AE GB
fermé 2 janv. au 8 fév. – **Repas** *(fermé mardi sauf le soir du 15 juin au 15 sept. et lun* (nombre de couverts limité, prévenir) 460/830 et carte 480 à 770, enf. 160 – 95 – **32 c** 900/1800, 6 appart
Spéc. Crêpe parmentière au saumon et caviar. Pot-au-feu bressan aux trois volailles, bouillon corsé à l'huile de truf "Panouille" bressane glacée à la confiture de lait. **Vins** Mâcon,Chiroubles.

La Résidence des Saules M sans rest, ☎ 74 50 90 51, Fax 74 50 08 80 – GB
fermé 2 janv. au 8 fév. – 95 – **6 ch** 550, 4 appart.

L'Ancienne Auberge, ☎ 74 50 90 50, Fax 74 50 08 80, – AE GB
fermé 2 janv. au 8 fév. – **Repas** 105 (déj.), 170/230.

PEUGEOT Gar. Mousset, ☎ 74 50 06 02

RENAULT Gar. Morel, ☎ 74 50 15 66 N ☎ 74 50 15 66

VOREPPE 38340 Isère 77 ④ – 8 446 h alt. 229.

Paris 559 – ♦Grenoble 18 – Chambéry 44 – ♦Lyon 95 – Valence 82.

Novotel M, près échangeur A 48 ☎ 76 50 55 55, Fax 76 56 76 26, ←, – 25 à 130. AE GB
Repas carte environ 160, enf. 50 – 49 – **114 ch** 420/445.

PEUGEOT Gar. Buissière, 30 rte de Palluel ☎ 76 56 61 39

VOUGEOT 21640 Côte-d'Or 66 ⑫ – 176 h alt. 239.

Voir Château du Clos de Vougeot★ O, **G. Bourgogne.**

Paris 326 – ♦Dijon 17 – Beaune 26.

à Gilly-lès-Cîteaux E : 2 km par D 251 – 517 h. alt. 227 – ✉ **21640** :

Château de Gilly, ☎ 80 62 89 98, Fax 80 62 82 34, « Ancien palais abbatial ciste cien, jardins à la française », – 100. AE GB JCB. rest
fermé 26 janv. au 7 mars – **Repas** 195/565, enf. 90 – 85 – **39 ch** 660/1400, 8 appart ½ P 420.

VOUGY 74130 H.-Savoie 74 ⑦ – 867 h alt. 471.

Paris 565 – Chamonix-Mont-Blanc 47 – Thonon-les-Bains 53 – Annecy 48 – Bonneville 7 – Cluses 7 – Genève 38.

XXX **Capucin Gourmand**, rte Bonneville ☎ 50 34 03 50, Fax 50 34 57 57, – AE GB
fermé 18 août au 10 sept., 2 au 10 janv., dim. soir et lundi – **Repas** 220 bc/280 et carte 250 400.

VOUILLÉ 86190 Vienne 68 ⑬ – 2 574 h alt. 118.

Paris 340 – Poitiers 19 – Châtellerault 44 – Parthenay 34 – Saumur 83 – Thouars 54.

X **Cheval Blanc** avec ch, ☎ 49 51 81 46, Fax 49 51 96 31 – AE GB.
Repas 68/220, enf. 48 – 32 – **11 ch** 120/260 – ½ P 210.

Annexe Le Clovis M sans rest, – 30. AE GB.
32 – **30 ch** 240/320.

VOULAINES-LES-TEMPLIERS 21290 Côte-d'Or 65 ⑨ – 383 h alt. 265.

Paris 253 – Chaumont 54 – Châtillon-sur-Seine 19 – ♦Dijon 76.

La Forestière sans rest, ☎ 80 81 80 65, – GB
26 – **10 ch** 205/285.

VOUVANT 85120 Vendée 67 ⑯ **G. Poitou Vendée Charentes** – 829 h alt. 70.

Voir Eglise★ – Château : tour Mélusine★ (✻★).

Office de Tourisme (juil.-août) ☎ 51 00 86 80, Fax 51 00 89 42.

Paris 399 – Bressuire 44 – Fontenay-le-Comte 15 – Parthenay 48 – La Roche-sur-Yon 61.

XX **Aub. Maître Pannetier** avec ch, ☎ 51 00 80 12, Fax 51 87 89 37 – GB
fermé vacances de fév. – **Repas** *(fermé dim. soir et lundi sauf juil.-août)* 70/350, enf. 40 30 – **7 ch** 180/280 – ½ P 250/280.

VOUVRAY 37210 I.-et-L. 64 ⑮ **G. Châteaux de la Loire** – 2 933 h alt. 55.

Paris 237 – ♦Tours 9,5 – Amboise 15 – Blois 49 – Château-Renault 26.

XX **Le Grand Vatel** avec ch, 8 av. Brûlé ☎ 47 52 70 32, Fax 47 52 74 52, – GB ch
fermé 1er au 15 mars, 1er au 15 déc., dim. soir sauf juil.-août et lundi sauf hôtel en juil.-août
Repas 98/220, enf. 70 – 40 – **7 ch** 230/270 – ½ P 270/290.

à Noizay E : 8,5 km par D 46 et D 1 – ✉ **37210** :

Château de Noizay 🌲, ✆ 47 52 11 01, Fax 47 52 04 64, ≤, 🍽, parc, « Château du 16ᵉ siècle », 🏊, 🎾 – 📺 ☎ 🅿 – 🔺 25. AE GB. 🚫 rest
fermé 2 janv. au 15 mars – **Repas** 150 (déj.), 240/360 – ☕ 80 – **14 ch** 950/1300 – ½ P 755/1080.

ENAULT Gar. des Sports, ✆ 47 52 73 36

OVES **28150** E.-et-L. 60 ⑱ – 2 785 h alt. 146.

aris 98 – Chartres 23 – Ablis 34 – Bonneval 22 – Châteaudun 36 – Étampes 48 – ♦Orléans 58.

Quai Fleuri 🌲, rte Auneau ✆ 37 99 15 15, Fax 37 99 11 20, 🍽, parc – ⇆ 📺 ☎ ♿ 🅿 – 🔺 40. AE GB
fermé 22 déc. au 6 janv., vend. soir de nov. à avril, dim. soir et soirs fériés – **Repas** 79/255 🍷, enf. 52 – ☕ 45 – **17 ch** 295/490 – ½ P 265/330.

TROEN Gar. Jeannot, ✆ 37 99 01 70 N
37 99 01 70
EUGEOT Gar. Poupaux, ✆ 37 99 10 55 N
37 99 10 55

RENAULT Gar. Nadler, ✆ 37 99 17 82

a VRINE **25** Doubs 70 ⑥ – alt. 836 – ✉ **25520** Goux-les-Usiers.

aris 458 – ♦Besançon 49 – Morteau 27 – Mouthier-Haute-Pierre 11 – Pontarlier 9,5 – Salins-les-Bains 43.

Ferme H., ✆ 81 39 47 74, Fax 81 39 21 87 – 📺 ☎ 🚗 🅿. GB
Repas *(fermé dim. soir et lundi)* 85/200 🍷, enf. 50 – ☕ 28 – **34 ch** 200/250 – ½ P 240.

WAHLBACH **68** H.-Rhin 66 ⑩ – rattaché à Altkirch.

WANGENBOURG **67710** B.-Rhin 62 ⑧ ⑨ **G. Alsace Lorraine** – alt. 452.

oir Site★.

nv. Château et cascade du Nideck★★ SO : 9 km puis 1 h 15.

Office de Tourisme rte Gén.-de-Gaulle ✆ 88 87 32 44.

aris 469 – ♦Strasbourg 41 – Molsheim 30 – Sarrebourg 37 – Saverne 20 – Sélestat 59.

Parc 🌲, ✆ 88 87 31 72, Fax 88 87 38 00, ≤, 🍽, « Parc ombragé », 🏊, 🎾 – 🛗 ☎ 🅿 – 🔺 50. GB. 🚫
fermé 3 nov. au 22 déc. et 3 janv. au 22 mars – **Repas** 110/265 🍷, enf. 60 – ☕ 55 – **34 ch** 278/412 – ½ P 370.

a WANTZENAU **67** B.-Rhin 62 ⑩ – rattaché à Strasbourg.

WASSELONNE **67310** B.-Rhin 62 ⑨ **G. Alsace Lorraine** – 4 916 h alt. 220.

Office de Tourisme pl. Gén.-Leclerc (15 juin-15 sept.) ✆ 88 87 17 22.

aris 463 – ♦Strasbourg 26 – Haguenau 39 – Molsheim 15 – Saverne 14 – Sélestat 51.

Au Saumon avec ch, r. Gén. de Gaulle ✆ 88 87 01 83, Fax 88 87 46 69, 🍽 – 📺 ☎ 📞. AE ⓓ GB
fermé 22 au 28 déc., dim. soir et lundi hors sais. – **Repas** 82/210 🍷, enf. 46 – ☕ 33 – **12 ch** 130/240 – ½ P 240.

à Romanswiller O : 3,5 km par D 224 – 1 155 h. alt. 220 – ✉ **67310** :

Aux Douceurs Marines, 2 rte Wangenbourg ✆ 88 87 13 97, Fax 88 87 28 21, 🍽 – 🅿. AE GB. 🚫
fermé vacances de Toussaint, de fév., mardi soir sauf juil.-août et merc. – **Repas** 60/240 🍷, enf. 30.

CITROEN Gar. Bohnert, ✆ 88 87 03 72

RENAULT Gar. Kern, ✆ 88 87 01 92 N
✆ 88 87 27 27

WESTHALTEN **68250** H.-Rhin 62 ⑱ **G. Alsace Lorraine** – 770 h alt. 240.

aris 487 – Colmar 20 – Guebwiller 9 – ♦Mulhouse 27 – Thann 26.

✿ **Aub. Cheval Blanc** (Koehler) M 🌲 avec ch, ✆ 89 47 01 16, Fax 89 47 64 40 – 🛗 ❄ rest 📺 ☎ ♿ 🅿 – 🔺 30. GB
fermé 25 juin au 4 juil. et 4 au 27 fév. – **Repas** *(fermé dim. soir et lundi)* 155/410 et carte 240 à 360 🍷, enf. 75 – ☕ 55 – **12 ch** 330/460 – ½ P 440/470
Spéc. Dégustation des foies gras. Mitonnée de homard. Noisettes de chevreuil (15 mai au 31 janv.). **Vins** Pinot noir, Tokay-Pinot gris.

WETTOLSHEIM **68** H.-Rhin 62 ⑲ – rattaché à Colmar.

WIMEREUX **62930** P.-de-C. **51** ① **G. Flandres Artois Picardie** – 7 109 h alt. 7.

18 ✆ 21 32 43 20, N : 2 km.

Paris 297 – ◆Calais 29 – Arras 117 – Boulogne-sur-Mer 6 – Marquise 9,5.

Centre, 78 r. Carnot ✆ 21 32 41 08, Fax 21 33 82 48, – TV ☎. P. GB
fermé 3 au 10 juin et 16 déc. au 15 janv. – **Repas** *(fermé lundi)* 98/160 – 31 – **25 ch** 225/360.

Paul et Virginie, 19 r. Gén. de Gaulle ✆ 21 32 42 12, Fax 21 87 65 85, – TV ☎ P. AE GB
fermé 5 déc. au 22 janv. et dim. de sept. à juin sauf le midi d'avril à oct. – **Repas** 102/178 – 40 – **15 ch** 198/420 – ½ P 245/296.

XXX **La Liégeoise et Atlantic H.** avec ch, digue de mer (1er étage) ✆ 21 32 41 01, Fax 21 87 46 17, ≤ – TV ☎ P – 70. AE GB JCB
Repas 100/220 – 48 – **10 ch** 380/480 – ½ P 400/500.

XX **Epicure,** 1 r. Gare ✆ 21 83 21 83 – AE GB
fermé vacances de Noël, dim. soir et merc. – **Repas** (nombre de couverts limité, prévenir) 140/220.

RENAULT Coquart, 5 pl. O.-Dewavrin ✆ 21 32 40 02

Clinique du Pneu, N 1 à Marquise ✆ 21 92 86 61

WIMILLE **62** P.-de-C. **51** ① – rattaché à Boulogne-sur-Mer.

WINGEN-SUR-MODER **67290** B.-Rhin **57** ⑱ – 1 551 h alt. 220.

Paris 433 – ◆Strasbourg 56 – Bitche 19 – Haguenau 40 – Sarreguemines 43 – Saverne 33.

X **Wenk** avec ch, ✆ 88 89 71 01, Fax 88 89 85 80, – ☎ P. GB
fermé 1er janv. au 7 fév., merc. soir et lundi – **Repas** 65/170 – 35 – **14 ch** 190/200 – ½ P 265.

PEUGEOT Gar. Schmitt, 10 r. Gare à Wimmenau ✆ 88 89 71 39 N ✆ 88 89 85 58

WISEMBACH **88520** Vosges **62** ⑱ – 370 h alt. 500.

Paris 450 – Colmar 44 – Épinal 65 – St-Dié 14 – Ste-Marie-aux-Mines 10,5 – Sélestat 32.

XX **Blanc Ru** avec ch, ✆ 29 51 78 51, Fax 29 51 70 67, , – TV ☎ P. GB
fermé 17 sept. au 1er oct., fév., dim. soir et lundi sauf juil.-août – **Repas** 105/210 – 35 – **7 ch** 260/330 – ½ P 265.

WISSEMBOURG SP **67160** B.-Rhin **57** ⑲ **G. Alsace Lorraine** – 7 443 h alt. 157.

Voir Vieille ville★ : église St-Pierre et St-Paul★ A – Col du Pigeonnier ≤★ 5 km par ③.

Env. Village★★ d'Hunspach 11 km par ②.

Office de Tourisme pl. République ✆ 88 94 10 11, Fax 88 94 18 82.

Paris 494 ③ – ◆Strasbourg 60 ② – Haguenau 31 ② – Karlsruhe 42 ② – Sarreguemines 82 ③.

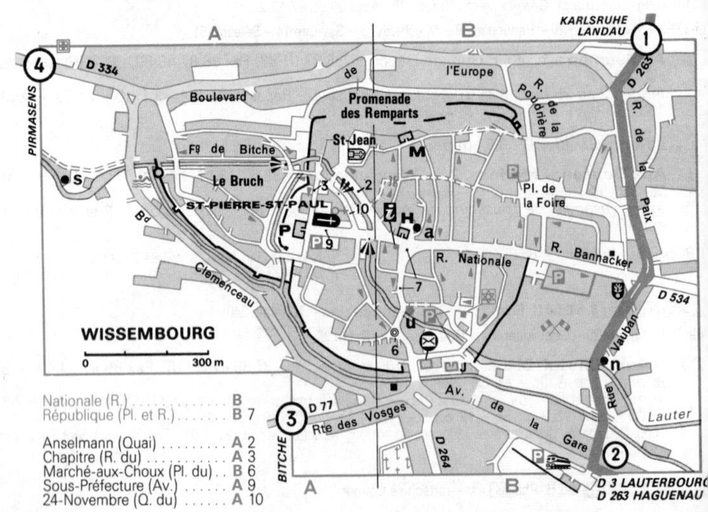

Nationale (R.) . . . . B
République (Pl. et R.) . . . . . . B 7

Anselmann (Quai) . . . . A 2
Chapitre (R. du) . . . . A 3
Marché-aux-Choux (Pl. du) . . B 6
Sous-Préfecture (Av.) . . . . . . A 9
24-Novembre (Q. du) . . . . . . A 10

Au Moulin de la Walk , 2 r. Walk ☎ 88 94 06 44, Fax 88 54 38 03, , – TV ☎ P. GB. ch A s
fermé 10 au 30 juin, 4 au 30 janv., dim. soir et lundi – **Repas** 180 (déj.), 220/250 – 35 – **25 ch** 340/360 – ½ P 340.

Host. du Cygne, 3 r. Sel ☎ 88 94 00 16, Fax 88 54 38 28, – rest TV ☎ P. GB. ch B a
fermé 3 au 18 juil., 7 fév. au 7 mars, jeudi midi et merc. – **Repas** 120/195, enf. 60 – 35 – **16 ch** 290/400 – ½ P 300/320.

Alsace sans rest, 16 r. Vauban ☎ 88 94 98 43, Fax 88 94 19 60 – TV ☎ . AE GB
fermé 23 déc. au 13 janv. – 32 – **41 ch** 230/286. B n

L'Ange, 2 r. République ☎ 88 94 12 11, Fax 88 94 12 11, – AE GB B u
fermé 1er au 15 août, vacances de fév., mardi soir et merc. – **Repas** 165 (déj.), 230/330.

à Altenstadt par ② : 2 km – ✉ **67160** Wissembourg :

Rôtisserie Belle Vue, ☎ 88 94 02 30, Fax 88 54 80 14, – P. GB
fermé 7 au 30 août, lundi et mardi – **Repas** 150/280 .

RENAULT Gar. Grasser, allée Peupliers par ② ☎ 88 94 96 00 N ☎ 05 05 15 15

YENNE **73170** Savoie 74 ⑮ **G. Alpes du Nord** – 2 449 h alt. 229.

Paris 519 – Aix-les-Bains 21 – Bellegarde-sur-Valserine 57 – Belley 12 – Chambéry 26 – La Tour-du-Pin 35.

La Diligence, ☎ 79 36 80 78 – GB
fermé 15 au 30 nov., 15 au 31 janv., dim. soir et lundi – **Repas** 70/200 .

CITROEN Gar. Gache, ☎ 79 36 90 08
PEUGEOT Gar. Berger, ☎ 79 36 70 20
RENAULT Gar. Clément, ☎ 79 36 72 32 N ☎ 05 05 15 15

YERVILLE **76760** S.-Mar. 52 ⑭ – 1 948 h alt. 156.

Paris 170 – ♦Rouen 33 – Dieppe 41 – Fécamp 48 – ♦Le Havre 67.

Voyageurs avec ch, ☎ 35 96 82 55, Fax 35 96 16 86, – TV P. GB
fermé dim. soir et lundi sauf fériés – **Repas** 80/265 – 32 – **10 ch** 160/250.

YEU (Ile d') ★★ **85** Vendée 67 ⑪ **G. Poitou Vendée Charentes** – 4 941 h.

Accès par transports maritimes, pour **Port-Joinville.**

depuis **Fromentine.** Traversée 1 h 10 mn ou 35 mn sur l'unité rapide – Renseignements à Régie Départementale des Passages d'Eau de la Vendée, B.P. 16, 85550 La Barre-de-Monts ☎ 51 49 59 69, Fax 51 49 59 70.

depuis **Barbâtre (la Fosse) et St-Gilles-Croix-de-Vie** : services saisonniers – Renseignements et Tarifs : Vedettes Inter-Iles Vendéennes 85630 Barbâtre ☎ 51 39 00 00, Fax 51 39 54 26.

Port-de-la-Meule – ✉ **85350** L'Ile d'Yeu.

Voir Côte Sauvage★★ : ≤★★ E et O – Pointe de la Tranche★ SE.

Port-Joinville – ✉ **85350** L'Ile d'Yeu.

Voir Vieux Château★ : ≤★★ SO : 3,5 km – Grand Phare ≤★ SO : 3 km.

Office de Tourisme pl. Marché ☎ 51 58 32 58.

Atlantic H. M sans rest, quai Carnot ☎ 51 58 38 80, Fax 51 58 35 92, ≤ – TV ☎ . AE GB.
fermé 5 au 28 janv. – 33 – **15 ch** 335/385.

Flux H. , 27 r. P.-Henry ☎ 51 58 36 25, Fax 51 59 44 57, ≤, , – TV ☎ P. GB
fermé 24 nov. au 6 janv. – **Repas** *(fermé dim. soir)* 90/180, enf. 55 – 38 – **15 ch** 330/400 – ½ P 330/360.

RENAULT Gar. Cantin, 55 r. de la Saulzaie ☎ 51 58 33 80 N ☎ 51 58 33 80

YFFINIAC **22** C.-d'Armor 59 ③ – rattaché à St-Brieuc.

YSSINGEAUX SP **43200** H.-Loire 76 ⑧ **G. Vallée du Rhône** – 6 118 h alt. 829.

Office de Tourisme pl. Carnot ☎ 71 59 10 76.

Paris 569 – Le Puy-en-Velay 26 – Ambert 72 – Privas 99 – ♦St-Étienne 51 – Valence 96.

Le Cygne, 7 et 8 r. Alsace-Lorraine ☎ 71 59 01 87, Fax 71 65 17 82, – TV ☎ P. AE GB
Repas 70/193 – 40 – **18 ch** 200/235 – ½ P 195/220.

Le Bourbon avec ch, 5 pl. Victoire ☎ 71 59 06 54, Fax 71 59 00 70 – TV ☎ – 25. AE GB
fermé 20 juin au 1er juil., lundi sauf juil.-août et dim. soir – **Repas** 90/300 – 43 – **10 ch** 260/370 – ½ P 239/293.

CITROEN Gar. Morison, rte de Retournac ☎ 71 59 00 68 N ☎ 71 59 00 68
CITROEN Gar. Surrel, r. de Verdun Sud par D 7 ☎ 71 59 07 46 N ☎ 71 59 09 44
PEUGEOT Gar. Berlier, la Guide ☎ 71 59 06 65 N ☎ 71 65 54 54
RENAULT Gar. Durand, la Guide ☎ 71 59 13 31
Chapuis, av. Mar.-de-Vaux ☎ 71 59 05 24 N ☎ 71 59 15 80
Gar. Sagnard, ZI La Guide, ☎ 71 59 03 39
R.I.P.A., à Ste-Sigolène ☎ 71 66 19 73 N ☎ 71 66 19 73
Relais du Pneu, 33 r. Alsace Lorraine ☎ 71 59 18 13

YVES 17340 Char.-Mar. 71 ⑬ – 893 h alt. 9.

Paris 476 – La Rochelle 22 – Châtelaillon-Plage 9 – Rochefort 11,5.

L'Air Marin M, N 137 ✆ 46 56 18 15, Fax 46 56 22 27, ←, – TV ☎ ♿ P. GB
Repas 80/300, enf. 40 – ☕ 40 – **43 ch** 310/330 – ½ P 250/260.

YVETOT 76190 S.-Mar. 52 ⑬ **G. Normandie Vallée de la Seine** – 10 807 h alt. 147.

Voir Verrières★★ de l'église E.

Office de Tourisme pl. Victor Hugo ✆ 35 95 08 40.

Paris 177 ② – ◆Le Havre 54 ⑤ – ◆Rouen 36 ② – Dieppe 54 ② – Fécamp 34 ⑤ – Lisieux 86 ⑤.

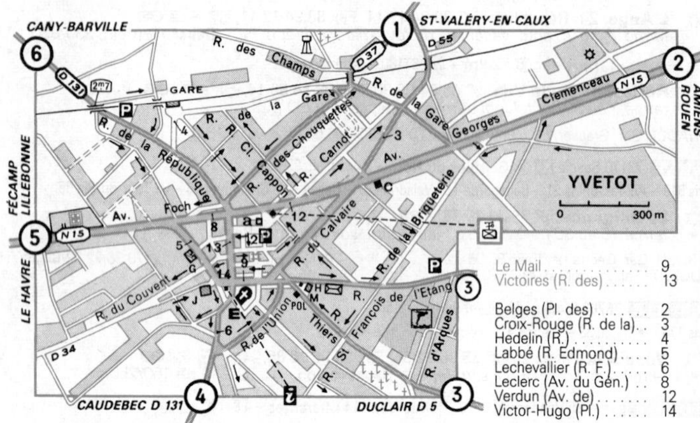

Havre, pl. Belges **(a)** ✆ 35 95 16 77, Fax 35 95 21 18 – TV ☎ . AE GB
La Closerie ✆ 35 95 65 65 *(fermé dim. soir sauf fêtes)* **Repas** 88/175 , enf. 50 – ☕ 50 – **28 ch** 220/350 – ½ P 490/520.

à ***Motteville*** E : 9 km par rte d'Amiens, N 29 et D 20 – 706 h. alt. 160 – ✉ **76970** :

Aub. du Bois St-Jacques, à la Gare ✆ 35 96 83 11, Fax 35 96 23 18 – P. GB
fermé août, lundi soir et mardi – **Repas** 70/170, enf. 50.

à ***Croix-Mare*** par ② et N 15 : 8 km – 591 h. alt. 156 – ✉ **76190** Yvetot :

Aub. de la Forge, ✆ 35 91 25 94, « Cadre rustique » – P. AE GB
fermé mardi soir et merc. sauf fêtes – **Repas** 99/245 bc, enf. 62.

CITROEN Gar. Aribit Benard, ZA d'Auzebosc par ④ ✆ 35 95 40 31 N ✆ 35 95 40 31
FIAT Guillot, ZA-N 15 à Ste-Marie-des-Champs ✆ 35 95 18 44
FORD Viking Auto, 14, av. Gén.-Leclerc ✆ 35 95 12 99
PEUGEOT Autom. Leroux, N 15 bis à Valliquerville par ⑤ ✆ 35 95 16 66

RENAULT S.E.L.C.O., N 15 par ⑤ ✆ 35 95 00 88

Aubé Pneus - Point S, ZI ✆ 35 56 89 89
Euromaster, 58 r. F.-Lechevalier ✆ 35 95 42 13
Rouen Pneus Caux, à Ourville-en-Caux ✆ 35 27 60 35

YVOIRE 74140 H.-Savoie 70 ⑯ ⑰ **G. Alpes du Nord** – 432 h alt. 380.

Voir Village médiéval★★.

Office de Tourisme pl. Mairie ✆ 50 72 80 21, Fax 50 72 91 61 et au Port de Plaisance (saison) ✆ 50 72 87 06

Paris 567 – Thonon-les-Bains 16 – Annecy 72 – Bonneville 43 – Genève 30.

Pré de la Cure M, ✆ 50 72 83 58, Fax 50 72 91 15, ←, – TV ☎ P. GB
15 mars-3 nov. – **Repas** *(fermé merc. sauf de mai à sept.)* 100/260, enf. 58 – ☕ 38 – **25 ch** 320/340 – ½ P 340.

Vieux Logis, ✆ 50 72 80 24, Fax 50 72 90 76, – ☎. AE GB
1er avril-31 oct. – **Repas** *(fermé lundi)* 98/190, enf. 59 – ☕ 39 – **11 ch** 330/380.

XX **Port** M ঌ avec ch, ✆ 50 72 80 17, Fax 50 72 90 71, ≤, 🏠, « Terrasse au bord du lac » – ▤ ch TV ☎. AE GB. ✂ ch
15 mars-15 oct. et fermé merc. sauf de mai à août – **Repas** 95 (déj.), 140/250 – ☕ 45 – **4 ch** 700/800.

XX **A la Vieille Porte,** ✆ 50 72 80 14, Fax 50 72 92 04, 🏠, « Maison du 14e siècle, terrasse avec ≤ lac et village », 🌳 – GB
fermé 24 nov. au 15 fév. et lundi sauf juil.-août – **Repas** 140/290, enf. 55.

XX **Flots Bleus** ঌ avec ch, ✆ 50 72 80 08, Fax 50 72 84 28, ≤, 🏠, « Terrasse ombragée face au lac » – TV ☎. GB
5 avril-fin sept. – **Repas** 98/340, enf. 58 – ☕ 40 – **11 ch** 290/350 – ½ P 420/460.

YZEURES-SUR-CREUSE **37290** I.-et-L. 68 ⑤ – 1 747 h alt. 74.
Paris 317 – Poitiers 66 – Châteauroux 74 – Châtellerault 29 – ♦Tours 84.

🏨 **La Promenade,** ✆ 47 94 55 21, Fax 47 94 46 12 – TV ☎. GB
fermé 15 janv. au 15 fév. – **Repas** *(fermé mardi midi)* 100/295, enf. 45 – ☕ 41 – **15 ch** 225/295 – ½ P 285.

ZELLENBERG **68** H.-Rhin 62 ⑲ – rattaché à Riquewihr.

ZICAVO **2A** Corse-du-Sud 90 ⑦ – voir à Corse.

ZOUFFTGEN **57330** Moselle 57 ③ – 597 h alt. 250.
Paris 342 – Luxembourg 21 – ♦Metz 48 – Thionville 17.

XX **La Lorraine,** ✆ 82 83 40 46, Fax 82 83 48 26, 🏠, 🌳 – P. GB
fermé mardi soir et merc. – **Repas** 120 (déj.), 160/360, enf. 80.

Distances

entre principales villes

Quelques précisions

Au texte de chaque localité vous trouverez la distance des villes environnantes et celle de Paris. Lorsque ces villes sont celles du tableau ci-contre, leur nom est précédé d'un losange noir ♦.

Les distances sont comptées à partir du centre-ville et par la route la plus pratique, c'est-à-dire celle qui offre les meilleures conditions de roulage, mais qui n'est pas nécessairement la plus courte.

Pour avoir un itinéraire plus détaillé, consultez le minitel : 36 15 MICHELIN.

Distances

between major towns

Commentary

The text on each town includes its distance from its immediate neighbours and from Paris. Those cited opposite are preceded by a lozenge ♦ in the text.

Distances are calculated from centres and along the best roads from a motoring point of view – not necessarily the shortest.

For more detailed route planning, consult Minitel : 36 15 MICHELIN.

Distances entre principales villes
Distances between major towns

	Amiens	Angers	Bayonne	Besançon	Bordeaux	Brest	Caen	Calais	Cherbourg	Clermont-Ferrand	Dijon	Grenoble	Le Havre	Lille	Limoges	Lyon	Le Mans	Marseille	Metz	Montpellier	Mulhouse	Nancy	Nantes	Nice	Orléans	Paris	Perpignan	Reims	Rennes	Rouen	Saint-Étienne	Strasbourg	Toulon	Toulouse
Angers	429																																	
Bayonne	911	519																																
Besançon	503	662	888																															
Bordeaux	723	332	184	700																														
Brest	613	382	814	964	626																													
Caen	240	240	744	645	556	375																												
Calais	149	586	1061	606	874	714	340																											
Cherbourg	361	301	835	766	647	399	123	461																										
Clermont-Ferrand	562	441	550	348	363	804	555	712	681																									
Dijon	464	565	822	94	634	866	549	572	670	282																								
Grenoble	722	666	825	297	664	1125	807	861	928	302	301																							
Le Havre	180	288	792	610	604	458	85	280	206	578	512	771																						
Lille	122	518	993	538	806	721	348	111	469	645	504	794	287																					
Limoges	540	251	413	499	226	608	456	690	552	176	433	479	555	621																				
Lyon	614	557	832	259	535	1017	699	753	820	173	193	108	664	685	349																			
Le Mans	342	95	620	575	433	400	148	413	274	403	478	736	196	430	305	628																		
Marseille	927	913	701	572	653	1276	1012	1066	1133	481	506	272	977	998	592	315	875																	
Metz	361	620	1095	269	907	921	588	463	709	552	269	571	553	361	724	462	532	778																
Montpellier	912	674	519	557	490	1112	890	1052	1016	343	492	294	962	984	422	301	738	172	761															
Mulhouse	536	724	1012	135	824	1025	708	639	829	471	218	411	672	592	622	382	636	697	235	681														
Nancy	364	588	1079	211	892	889	564	466	686	500	217	519	529	414	651	410	500	726	57	710	176													
Nantes	519	92	515	753	327	298	291	676	316	456	656	719	375	608	307	615	185	979	709	812	814	679												
Nice	1085	1071	859	587	812	1435	1170	1224	1291	639	664	334	1135	1156	750	474	1033	190	934	329	697	882	1135											
Orléans	272	217	648	399	460	544	265	422	391	297	302	561	288	354	274	413	143	706	455	632	523	431	307	862										
Paris	137	294	769	408	581	595	241	290	362	420	311	570	205	221	398	461	206	776	333	761	470	311	384	933	129									
Perpignan	999	780	481	706	452	1075	991	1149	1095	445	640	443	1014	1081	508	450	881	321	910	153	830	859	775	477	734	857								
Reims	171	431	906	333	718	732	399	274	520	557	300	601	363	206	535	493	343	808	190	792	366	195	521	964	266	144	940							
Rennes	416	129	629	716	441	245	177	516	202	557	619	878	261	571	408	769	153	1084	672	926	778	643	109	1241	296	347	890	484						
Rouen	118	289	807	543	619	497	123	218	245	511	446	704	88	226	489	596	197	911	424	895	604	429	380	1067	220	138	948	235	300					
Saint-Étienne	673	580	699	318	512	944	695	813	821	149	253	156	723	745	325	62	543	337	522	321	442	471	605	493	438	521	469	553	696	657				
Strasbourg	517	777	1252	249	1064	1078	745	620	866	585	332	550	709	518	736	496	689	811	162	795	116	147	867	802	612	490	943	348	830	581	555			
Toulon	993	979	767	638	720	1343	1078	1132	1199	547	572	328	1043	1064	658	382	941	66	842	237	761	791	1043	150	836	840	385	872	1148	976	400	876		
Toulouse	841	576	299	794	248	871	800	991	891	373	728	531	857	923	304	538	677	409	998	241	918	947	571	565	576	699	205	836	685	790	432	1032	471	
Tours	379	113	536	517	348	484	234	528	360	330	420	551	282	460	220	446	83	739	561	665	640	548	203	895	116	236	796	373	236	275	471	719	801	592

Marseille – Strasbourg **811 km**

Principales routes

Autoroute, double chaussée de type autoroutier
Numéro de route
Distances partielles
Distances entre principales villes : voir tableau page précédente
Carte de voisinage : voir à la ville choisie

Main roads

Motorway, dual carriageway
Road number
Intermediary distances
Distances between major towns : see table on preceding page
Town with a local map

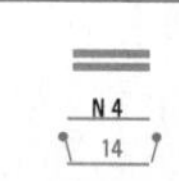

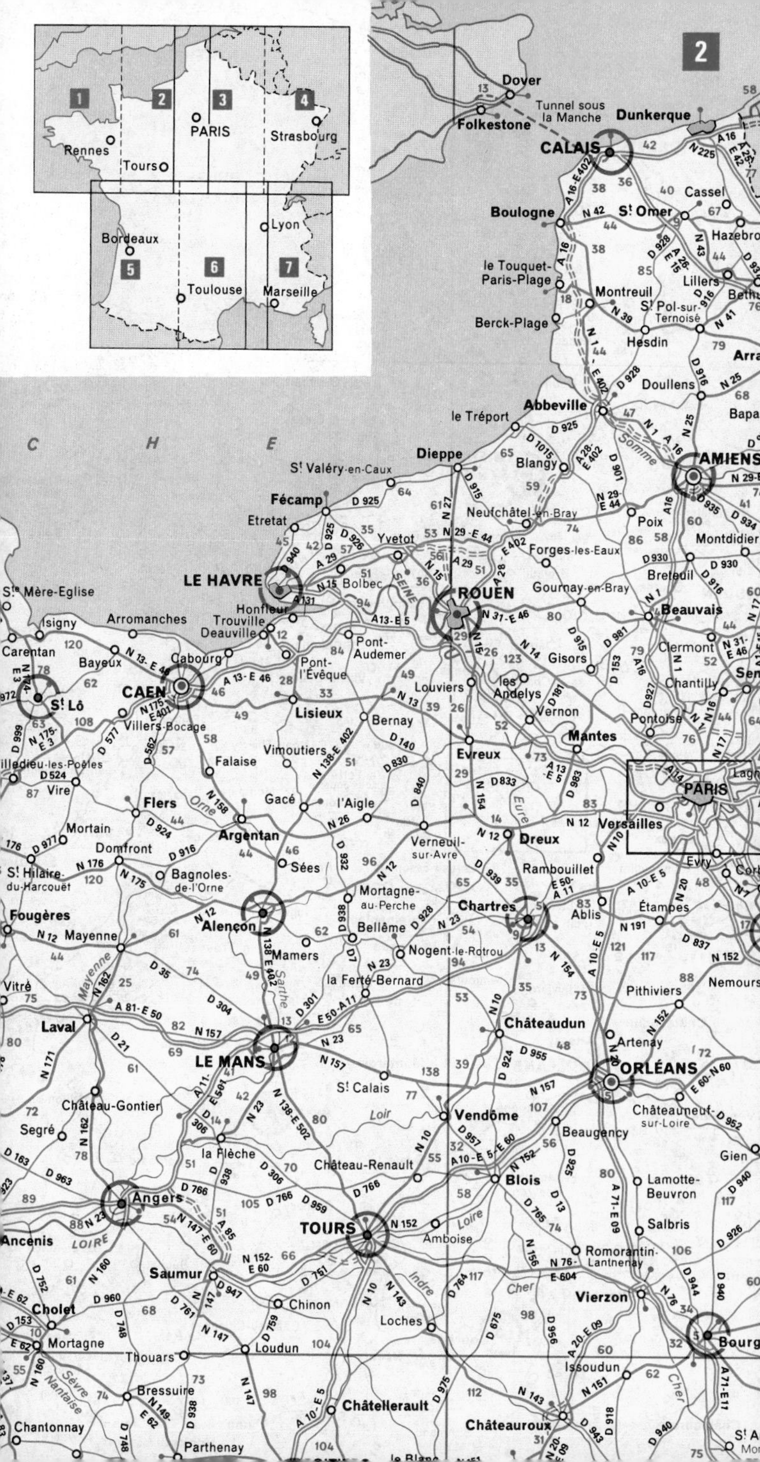

3
Dover
Folkestone
Tunnel sous la Manche
Dunkerque
CALAIS
Blankenberge
Oostende
Brugge
ANTWERPEN
BELGIË
GENT
Veurne
Mechelen
Kortrijk
BRUSSEL
BRUXELLES
BELGIQU
Boulogne
St Omer
Cassel
Hazebrouck
Armentières
Ieper
LILLE
Tournai
le Touquet-Paris-Plage
Lillers
Bethune
Montreuil
St Pol-sur-Ternoise
Lens
Valenciennes
Mons
Charleroi
Berck-Plage
Hesdin
Arras
Douai
Maubeuge
Dinant
Doullens
Cambrai
Philippeville
Abbeville
Bapaume
le Cateau
Avesnes
Givet
le Tréport
Blangy
AMIENS
Péronne
Guise
Hirson
Rocroi
St Quentin
Vervins
Charleville-Mézières
Neufchâtel-en-Bray
Poix
Roye
Sedan
Forges-les-Eaux
Montdidier
Noyon
Laon
Breteuil
Rethel
ROUEN
Gournay-en-Bray
Compiègne
Beauvais
Soissons
Vouziers
Clermont
REIMS
Gisors
Senlis
Villers-Cotterets
les Andelys
Chantilly
Ste Menehou
Vernon
Pontoise
Epernay
Mantes
Meaux
Château-Thierry
Evreux
Châlons-en-Champagne
PARIS
Lagny
la Ferté-sous-Jouarre
Montmirail
Versailles
Coulommiers
Dreux
Sézanne
Vitry-le-François
Rambouillet
Evry
Corbeil-Essonnes
Provins
St Dizie
Melun
Chartres
Étampes
Ablis
Nogent-sur-Seine
Fontainebleau
Montereau
Troyes
Pithiviers
Nemours
Sens
Bar-sur-Aube
Châteaudun
Artenay
Joigny
St Florentin
ORLÉANS
Montargis
Tonnerre
Châtillon-sur-Sein
Vendôme
Châteauneuf-sur-Loire
Auxerre
Beaugency
Gien
Briare
Montbard
Blois
Lamotte-Beuvron
Clamecy
Avallon
Salbris
Cosne-sur-Loire
Pouilly-en-Auxois
Romorantin-Lanthenay
Saulieu
Vierzon
la Charité-sur-Loire
Château-Chinon
Bourges
Beaune
Issoudun
Nevers
Autun
Meursault
Chagny
Châteauroux
St Pierre-le-Moutier
St Amand-Montrond
le Creusot
Montceau-les-Mines
Somme
Oise
Aisne
Marne
Seine
Aube
Yonne
Loire
Cher
Eure
Sambre
Meuse
Escaut

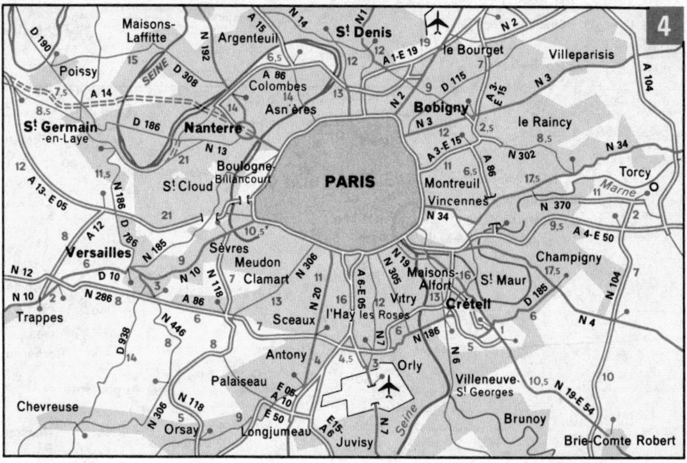

4

PARIS

Maisons-Laffitte
Argenteuil
St Denis
le Bourget
Villeparisis
Poissy
Colombes
Asnières
Bobigny
St Germain-en-Laye
Nanterre
le Raincy
Boulogne-Billancourt
St Cloud
Montreuil
Vincennes
Torcy
Marne
Seine
Versailles
Sèvres
Meudon
Clamart
Maisons-Alfort
St Maur
Champigny
Vitry
Créteil
Trappes
Sceaux
l'Haÿ les Roses
Antony
Orly
Palaiseau
Villeneuve-St Georges
Chevreuse
Orsay
Longjumeau
Juvisy
Brunoy
Brie-Comte Robert

BUNDESREPUBLIK DEUTSCHLAND

SUISSE

Arlon
LUXEMBOURG
Mannheim
Heidelberg
Montmédy
Longwy
Longuyon
Thionville
Etain
Briey
Boulay-Moselle
Forbach
Saarbrücken
Verdun
METZ
St Avold
Sarreguemines
Bitche
Wissembourg
Karlsruhe
Meuse
Pont-à-Mousson
Sarre-Union
Haguenau
Château-Salins
Sarrebourg
Bar-le-Duc
Commercy
NANCY
Saverne
Toul
Lunéville
Molsheim
STRASBOURG
Rhin
Vaucouleurs
Erstein
Joinville
Neufchâteau
Mirecourt
Moselle
St Dié
Sélestat
Ribeauvillé
Vittel
Épinal
Contrexéville
Gérardmer
Colmar
Neuf-Brisach
Chaumont
Remiremont
Freiburg
Plombières-les-Bains
Guebwiller
Bourbonne-les-Bains
le Thillot
MULHOUSE
Langres
Luxeuil-les-Bains
Thann
Schaffhausen
Lure
Altkirch
St Michel
Belfort
Vesoul
BÂLE
Montbéliard
ZURICH
Gray
Baume-les-Dames
Solothurn
DIJON
BESANÇON
Luzern
Saône
Morteau
Dole
Seurre
Neuchâtel
BERN
Doubs
Salins
Poligny
Pontarlier
Fribourg
Chalon-sur-S
Champagnole
Interlaken
Lons-le-Saunier

5
Ile d'Yeu
Challans
la Roche-sur-Yon
les Sables-d'Olonne
Luçon
Chantonnay
la Châtaigneraie
Fontenay-le-Comte
Bressuire
Parthenay
Sèvre Nantaise
Châtellerault
POITIERS
le Blanc
Montmorillon
Niort
St Maixent l'Ecole
l'Aiguillon-sur-Mer
Ile de Ré
St Martin de Ré
la Rochelle
Ile d'Oléron
St Pierre
le Château
Rochefort
Marennes
la Tremblade
Royan
le Verdon
Soulac-sur-Mer
Melle
St Jean-d'Angély
Saintes
Cognac
Ruffec
Charente
Confolens
Bellac
Vienne
Rochechouart
Angoulême
Barbezieux
Jonzac
Chalais
Nontron
Périgueux
Lesparre-Médoc
Blaye
Lacanau-Océan
Libourne
BORDEAUX
Dordogne
GARONNE
Bergerac
les Eyzies-de-Tayac
Cap-Ferret
Arcachon
Langon
Marmande
Castillonnès
Fumel
Lot
Villeneuve-sur-Lot
Casteljaloux
Houeillès
Agen
Nérac
Moissac
Roquefort
Condom
Castelsarrasin
Castets
Mont-de-Marsan
Tartas
St Sever
Aire-sur-l'Adour
Adour
Auch
Mirande
St Vincent-de-Tyrosse
Dax
Peyrehorade
Orthez
Biarritz
BAYONNE
St Jean-de-Luz
Hendaye
Cambo
Sauveterre de-Béarn
Donostia/ S-Sebastián
Mauléon-Licharre
Oloron-Ste Marie
Pau
Tarbes
Lannemezan
St Gaudens
St Girons
Lourdes
Bagnères-de-Bigorre
St Jean-Pied-de-Port
Laruns
Argelès-Gazost
Arreau
Cauterets
Luz
Bagnères-de-Luchon
Gavarnie
Bielsa
IRUÑEA/PAMPLONA
Jaca
A T L A N T I Q U E
E S P A Ñ A

6
Issoudun
Châteauroux
St Amand-Montrond
St Pierre-le-Moutier
Luzy
le Creusot
Montceau-les-Mines
Argenton-sur-Creuse
la Châtre
Moulins
Digoin
Tournus
Charolles
Mâcon
Montluçon
la Souterraine
St Pourçain-sur-Sioule
Lapalisse
Guéret
Gannat
Vichy
Roanne
Bourganeuf
Aubusson
Villefranche-sur-S.
Châtelguyon
Riom
Thiers
l'Arbresle
LIMOGES
Royat
CLERMONT-FD
Feurs
LYON
Montbrison
Montrond-les-Bs
Ussel
la Bourboule
le Mont-Dore
Issoire
Ambert
Vienne
Uzerche
ST ETIENNE
la Chaise-Dieu
Tulle
Brioude
Annonay
Mauriac
Yssingeaux
Brive-Gaillarde
Murat
Tournon
St Flour
le Puy
Lamastre
Valence
Aurillac
St Céré
St Chély d'Apcher
Privas
Rocamadour
Langogne
Vals les-Bains
Entraygues-sur-T
Aubenas
Figeac
Decazeville
Espalion
Largentière
Mende
Cahors
Villefranche-de-Rouergue
Villefort
Rodez
Séverac-le-Château
Florac
Pont-St Esprit
Millau
Alès
le Vigan
Montauban
Albi
Avignon
Gaillac
St Affrique
Nîmes
Lacaune
Lodève
Castres
Bédarieux
MONTPELLIER
Aigues-Mortes
Arles
TOULOUSE
St Pons-de-Thomières
le Grau-du-Roi
Stes Maries-de-la-Mer
Muret
Mazamet
Béziers
Sète
Auterive
Castelnaudary
Agde
Carcassonne
Lézignan-Corbières
Narbonne
Pamiers
Limoux
Foix
Lavelanet
Quillan
Salses
Ax-les-Thermes
PERPIGNAN
Prades
Font-Romeu
Port-Vendres
Mont-Louis
Céret
Cerbère
Bourg-Madame
Prats-de-Mollo-la-Preste
le Perthus
Figueres
Loire
Allier
Dordogne
Lot
Aveyron
Tarn
Hérault
Gard
Ardèche
RHÔNE
Saône
Creuse
Cher
Ariège
Aude

7
Chalon-sur-S
Poligny
Pontarlier
Fribourg
Creusot
Lons-le-Saunier
Champagnole
Interlaken
Louhans
Tournus
Lausanne
SUISSE
Morez
Montreux
Charolles
St Claude
LAC LÉMAN
Evian-les-Bains
Rhône
Gex
Thonon
Sion
Mâcon
Bourg-en-Bresse
GENÈVE
Annemasse
Nantua
Martigny
Bonneville
St Julien
Pont-d'Ain
Bellegarde sur-Valserine
Cluses
Chamonix
Villefranche-sur-S.
les Houches
Megève
Annecy
Tunnel du Grand St Bernard
Tunnel du Mont Blanc
l'Arbresle
Belley
Aosta
Feurs
Aix-les-Bains
Albertville
LYON
Bourgoin-Jallieu
Montrond-les-B.
Chambéry
Bourg-St Maurice
la Tour-du-Pin
les Abrets
Vienne
Moutiers
Val d'Isère
Voiron
St ETIENNE
St Jean-de-Maurienne
Lanslebourg-Mont-Cenis
Annonay
TORINO
St Marcellin
GRENOBLE
Tunnel du Fréjus
Susa
le Bourg-d'Oisans
Tournon
Vizille
Romans-sur-Isère
Lamastre
la Mure
Briançon
Valence
Clelles
Aiguilles
Privas
Crest
Die
Vals les-Bains
Drôme
Guillestre
Embrun
ITALIA
Aubenas
Montélimar
Gap
Largentière
Aspres-sur-Buech
Serres
Barcelonnette
Cuneo
Nyons
Colmars
St Etienne-de-Tinée
Pont-St Esprit
Sisteron
Orange
Digne
Tende
Carpentras
Puget-Théniers
Forcalquier
Barrême
Sospel
Avignon
Castellane
Apt
Nimes
Cavaillon
Manosque
NICE
Menton
St Rémy de-P.
Salon-de-Provence
Monte-Carlo
Monaco
Grasse
Arles
Antibes
Aigues-Mortes
Aix-en-P.
Draguignan
Cannes
Fos-sur-Mer
Fréjus
St Raphaël
Stes Maries-de-la-Mer
Martigues
Brignoles
le Luc
St Maxime
MARSEILLE
Aubagne
St Tropez
la Ciotat
Bandol
TOULON
Hyères
le Lavandou
Bastia
Calvi
Corte
MÉDITERRANÉE
Ajaccio
Propriano
Sartène
Porto-Vecchio
Bonifacio

Calendrier des vacances scolaires

Voir pages suivantes

School holidays calendar

See next pages

ACADÉMIES ET DÉPARTEMENTS

Zone A

Caen (14-50-61), Clermont-Ferrand (03-15-43-63), Grenoble (07-26-38-73-74), Lyon (01-42-69), Montpellier (11-30-34-48-66), Nancy-Metz (54-55-57-88), Nantes (44-49-53-72-85), Rennes (22-29-35-56), Toulouse (09-12-31-32-46-65-81-82).

Zone B

Aix-Marseille (04-05-13-84), Amiens (02-60-80), Besançon (25-39-70-90), Dijon (21-58-71-89), Lille (59-62), Limoges (19-23-87), Nice (06-83), Orléans-Tours (18-28-36-37-41-45), Poitiers (16-17-79-86), Reims (08-10-51-52), Rouen (27-76), Strasbourg (67-68).

Zone C

Bordeaux (24-33-40-47-64), Créteil (77-93-94), Paris-Versailles (75-78-91-92-95).

Nota : La Corse bénéficie d'un statut particulier.

	1996 MARS	AVRIL	MAI	JUIN	JUILLET	AOÛT	1996 SEPTEMBRE
1	V s Aubin	L s Hugues	**M** **FÊTE DU TR.**	S s Justin	L s Thierry	J s Alphonse	**D** s Gilles
2	S s Charles le B.	M se Sandrine	J s Boris	**D** **F. des Mères**	M s Martinien	V s Julien-Eym.	L se Ingrid
3	**D** s Guénolé	M s Richard	V ss Phil., Jacq.	L s Kévin	M s Thomas	S se Lydie	M s Grégoire
4	L s Casimir	J s Isidore	S s Sylvain	M se Clotilde	J s Florent	**D** s J.-M. Vianney	M se Rosalie
5	M s Olive	V se Irène	**D** se Judith	M s Igor	V s Antoine	L s Abel	J se Raissa
6	M se Colette	S s Marcellin	L se Prudence	J s Norbert	S se Mariette	M Transfiguration	V s Bertrand
7	J se Félicité	**D** **PAQUES**	M se Gisèle	V s Gilbert	**D** s Raoul	M s Gaëtan	S se Reine
8	V s Jean de D.	**L** se Julie	**M** **VICTOIRE 45**	S s Médard	L s Thibaut	J s Dominique	**D** Nativité N.-D.
9	S se Françoise	M s Gautier	J s Pacôme	**D** ***F.-Dieu***	M se Amandine	V s Amour	L s Alain
10	**D** s Vivien	M s Fulbert	V se Solange	L s Landry	M s Ulrich	S s Laurent	M se Inès
11	L se Rosine	J s Stanislas	S se Estelle	M s Barnabé	J s Benoît	**D** se Claire	M s Adelphe
12	M se Justine	V s Jules	**D** F. Jeanne d'Arc	M s Guy	V s Olivier	L se Clarisse	J s Apollinaire
13	M s Rodrigue	S se Ida	L se Rolande	J s Antoire de P.	S ss Henri, Joël	M s Hippolyte	V s Aimé
14	J se Mathilde	**D** s Maxime	M s Matthias	V s Élisée	**D** **FÊTE NAT.**	M s Evrard	S La Se Croix
15	V se Louise	L s Paterne	M se Denise	S se Germaine	L s Donald	J **ASSOMPTION**	**D** s Roland
16	S se Bénédicte	M s Benoît-J.	**J** **ASCENSION**	**D** s J.-F. Régis	M N.-D. Mt-Carmel	V s Armel	L se Édith
17	**D** s Patrice	M s Anicet	V s Pascal	L s Hervé	M se Charlotte	S s Hyacinthe	M s Renaud
18	L s Cyrille	J s Parfait	S s Eric	M s Léonce	J s Frédéric	**D** se Hélène	M se Nadège
19	M s Joseph	V se Emma	**D** s Yves	M s Romuald	V s Arsène	L s Jean-Eudes	J se Émilie
20	M PRINTEMPS	S se Odette	L s Bernardin	J s Silvère	S se Marina	M s Bernard	V s Davy
21	J se Clemence	**D** s Anselme	M s Constantin	V ETE	**D** s Victor	M s Christophe	S s Matthieu
22	V se Léa	L s Alexandre	M s Émile	S s Alban	L se Marie-Mad.	J s Fabrice	**D** AUTOMNE
23	S s Victorien	M s Georges	J s Didier	**D** se Audrey	M se Brigitte	V se Rose de L.	L s Constant
24	**D** se Cath. de Su.	M s Fidèle	V s Donatien	L s Jean-Bapt.	M se Christine	S s Barthélemy	M se Thècle
25	L **Annonciation**	J s Marc	S se Sophie	M s Prosper	J s Jacques	**D** s Louis	M s Hermann
26	M se Larissa	V se Alida	**D** **PENTECÔTE**	M s Anthelme	V ss Anne, Joa.	L se Natacha	J ss Côme, Dam.
27	M s Habib	S se Zita	**L** s Augustin	J s Fernand	S se Nathalie	M se Monique	V s Vinc. de Paul
28	J s Gontran	**D** **Jour du Souv.**	M s Germain	V s Irénée	**D** s Samson	M s Augustin	S s Venceslas
29	V se Gwladys	L se Cath. de Si.	M s Aymard	S ss Pierre, Paul	L se Marthe	J se Sabine	**D** s Michel
30	S s Amédée	M s Robert	J s Ferdinand	**D** s Martial	M se Juliette	V s Fiacre	L s Jérôme
31	**D** **Rameaux**		V Visitation		M s Ignace de L	S s Aristide	

1	M	se Th. de l'E.-J.
2	M	s Léger
3	J	s Gérard
4	V	s Fr. d'Assise
5	S	se Fleur
6	**D**	s Bruno
7	L	s Serge
8	M	se Pélagie
9	M	s Denis
10	J	s Ghislain
11	V	s Firmin
12	S	s Wilfried
13	**D**	s Géraud
14	L	s Juste
15	M	se Th. d'Avila
16	M	se Edwige
17	J	s Baudouin
18	V	s Luc
19	S	s René
20	**D**	se Adeline
21	L	se Cécile
22	M	se Élodie
23	M	s Jean de C.
24	J	s Florentin
25	V	s Crépin
26	S	s Dimitri
27	**D**	se Emeline
28	L	ss Sim., Jude
29	M	s Narcisse
30	M	se Bienvenue
31	J	s Quentin

1	**V**	**TOUSSAINT**
2	S	**Défunts**
3	**D**	s Hubert
4	L	s Charles
5	M	se Sylvie
6	M	se Bertille
7	J	se Carine
8	V	s Geoffroy
9	**S**	s Théodore
10	**D**	s Léon
11	**L**	**ARMIST. 1918**
12	M	s Christian
13	M	s Brice
14	J	s Sidoine
15	V	s Albert
16	S	se Marguerite
17	**D**	se Élisabeth
18	L	se Aude
19	M	s Tanguy
20	M	s Edmond
21	J	Prés. de Marie
22	V	se Cécile
23	S	s Clément
24	**D**	se Flora
25	L	se Catherine L.
26	M	se Delphine
27	M	s Séverin
28	J	s Jacq. de la M.
29	V	s Saturnin
30	S	s André

1	**D**	**Avent**
2	L	se Viviane
3	M	s Xavier
4	M	se Barbara
5	J	s Gérald
6	V	s Nicolas
7	S	s Ambroise
8	**D**	se Elfried
9	L	Im. Conception
10	M	s Romaric
11	M	s Daniel
12	J	se Jeanne F.-C.
13	V	se Lucie
14	S	se Odile
15	**D**	se Ninon
16	L	se Alice
17	M	s Gaël
18	M	s Gatien
19	J	s Urbain
20	V	s Abraham
21	S	HIVER
22	**D**	s Franç.-Xavier
23	L	s Armand
24	M	se Adèle
25	**M**	**NOËL**
26	J	s Étienne
27	V	s Jean
28	S	ss Innocents
29	D	s David
30	L	s Roger
31	M	s Sylvestre

1	**M**	**J. DE L'AN**
2	J	s Basile
3	V	se Geneviève
4	S	s Odilon
5	**D**	**Épiphanie**
6	L	s Mélaine
7	M	s Raymond
8	M	s Lucien
9	J	se Alix
10	V	s Guillaume
11	S	s Paulin
12	**D**	se Tatiana
13	L	se Yvette
14	M	se Nina
15	M	s Rémi
16	J	s Marcel
17	V	se Roseline
18	S	se Prisca
19	**D**	s Marius
20	L	s Sébastien
21	M	se Agnès
22	M	s Vincent
23	J	s Barnard
24	V	s Fr. de Sales
25	S	Conv. s Paul
26	**D**	se Paule
27	L	se Angèle
28	M	s Th. d'Aquin
29	M	s Gildas
30	J	se Martine
31	V	se Marcelle

1	S	se Ella
2	**D**	Présentation
3	L	s Blaise
4	M	se Véronique
5	M	se Agathe
6	J	s Gaston
7	V	se Eugénie
8	S	se Jacqueline
9	**D**	se Apolline
10	L	s Arnaud
11	M	**Mardi-Gras**
12	M	**Cendres**
13	J	se Béatrice
14	V	s Valentin
15	S	s Claude
16	**D**	**Carême**
17	L	s Alexis
18	M	se Bernadette
19	M	s Gabin
20	J	se Aimée
21	V	s P. Damien
22	S	se Isabelle
23	**D**	s Lazare
24	L	s Modeste
25	M	s Roméo
26	M	s Nestor
27	J	se Honorine
28	V	s Romain

1	S	s Aubin
2	**D**	s Charles le B.
3	L	s Guénolé
4	M	s Casimir
5	M	se Olive
6	J	se Colette
7	V	se Félicité
8	S	s Jean de D.
9	**D**	se Françoise
10	L	s Vivien
11	M	se Rosine
12	M	se Justine
13	J	s Rodrigue
14	V	se Mathilde
15	S	se Louise
16	**D**	se Bénédicte

Parution de votre nouveau Guide 1997.

Issue of your new Guide 1997.

D'où vient cette auto ?
Where does that car come from ?

Voitures françaises :

Le régime normal d'immatriculation en vigueur comporte :
– un numéro d'ordre dans la série (1 à 3 ou 4 chiffres)
– une, deux ou trois lettres de série (1re série : A, 2e série : B,... puis AA, AB,... BA,...
– un numéro représentant l'indicatif du département d'immatriculation.

Exemples : 854 BFK **75** *: Paris – 127 HL* **63** *: Puy-de-Dôme.*

Voici les numéros correspondant à chaque département :

01 *Ain*
02 *Aisne*
03 *Allier*
04 *Alpes-de-H.-Pr.*
05 *Alpes (Hautes)*
06 *Alpes-Mar.*
07 *Ardèche*
08 *Ardennes*
09 *Ariège*
10 *Aube*
11 *Aude*
12 *Aveyron*
13 *B.-du-Rhône*
14 *Calvados*
15 *Cantal*
16 *Charente*
17 *Charente-Mar.*
18 *Cher*
19 *Corrèze*
2A *Corse-du-Sud*
2B *Hte-Corse*
21 *Côte-d'Or*
22 *Côtes d'Armor*
23 *Creuse*
24 *Dordogne*
25 *Doubs*
26 *Drôme*
27 *Eure*
28 *Eure-et-Loir*
29 *Finistère*
30 *Gard*
31 *Garonne (Hte)*
32 *Gers*
33 *Gironde*
34 *Hérault*
35 *Ille-et-Vilaine*
36 *Indre*
37 *Indre-et-Loire*
38 *Isère*
39 *Jura*
40 *Landes*
41 *Loir-et-Cher*
42 *Loire*
43 *Loire (Hte)*
44 *Loire-Atl.*
45 *Loiret*
46 *Lot*
47 *Lot-et-Gar.*
48 *Lozère*
49 *Maine-et-Loire*
50 *Manche*
51 *Marne*
52 *Marne (Hte)*
53 *Mayenne*
54 *Meurthe-et-M.*
55 *Meuse*
56 *Morbihan*
57 *Moselle*
58 *Nièvre*
59 *Nord*
60 *Oise*
61 *Orne*
62 *Pas-de-Calais*
63 *Puy-de-Dôme*
64 *Pyrénées-Atl.*
65 *Pyrénées (Htes)*
66 *Pyrénées-Or.*
67 *Rhin (Bas)*
68 *Rhin (Haut)*
69 *Rhône*
70 *Saône (Hte)*
71 *Saône-et-Loire*
72 *Sarthe*
73 *Savoie*
74 *Savoie (Hte)*
75 *Paris*
76 *Seine-Mar.*
77 *Seine-et-M.*
78 *Yvelines*
79 *Sèvres (Deux)*
80 *Somme*
81 *Tarn*
82 *Tarn-et-Gar.*
83 *Var*
84 *Vaucluse*
85 *Vendée*
86 *Vienne*
87 *Vienne (Hte)*
88 *Vosges*
89 *Yonne*
90 *Belfort (Ter.-de)*
91 *Essonne*
92 *Hauts-de-Seine*
93 *Seine-St-Denis*
94 *Val-de-Marne*
95 *Val d'Oise*

Voitures étrangères :

Des lettres distinctives variant avec le pays d'origine, sur plaque ovale placée à l'arriè du véhicule, sont obligatoires (F pour les voitures françaises circulant à l'étranger).

A *Autriche*
AL *Albanie*
AND *Andorre*
B *Belgique*
BG *Bulgarie*
BIH *Bosnie-Herzégovine*
CDN *Canada*
CH *Suisse*
CZ *République Tchèque*
D *Allemagne*
DK *Danemark*
DZ *Algérie*
E *Espagne*
EW *Estonie*
F *France*
FIN *Finlande*
FL *Liechtenstein*
GB *Gde-Bretagne*
GR *Grèce*
H *Hongrie*
HR *Croatie*
I *Italie*
IL *Israël*
IRL *Irlande*
L *Luxembourg*
LT *Lituanie*
LV *Lettonie*
MA *Maroc*
MC *Monaxo*
N *Norvège*
NL *Pays-Bas*
P *Portugal*
PL *Pologne*
RL *Liban*
RL *Liban*
RO *Roumanie*
RUS *Russie*
S *Suède*
SK *Slovaquie*
SLO *Slovénie*
TN *Tunisie*
TR *Turquie*
UA *Ukraine*
USA *États-Unis*
V *Vatican*
YU *Yougoslavie*

Immatriculations spéciales :

CMD *Chef de mission diplomatique (orange sur fond vert)*
CD *Corps diplomatique ou assimilé (orange sur fond vert)*
D *Véhicules des Domaines*
C *Corps consulaire (blanc sur fond vert)*
K *Personnel d'ambassade ou de consul ou d'organismes internationaux (blanc sur fond vert)*
TT *Transit temporaire (blanc sur fond rouge)*
W *Véhicules en vente ou en réparation*
WW *Immatriculation de livraison*

Notes